DICTIONNAIRE

des parlementaires du Québec

1792-1992

Le *Dictionnaire des parlementaires du Québec, 1792–1992* a été réalisé à la Bibliothèque de l'Assemblée nationale, sous la direction de Gaston Deschênes, par Christiane Demers (historienne), Martin Rochefort (historien), France Galarneau (historienne), Jacques Pouliot (technicien en information), Danielle Chaput (technicienne en information), Michel Simard (généalogiste) et Manon Perron (agente de secrétariat).

Le *Dictionnaire des parlementaires du Québec* est une version revue et augmentée du *Répertoire des parlementaires québécois, 1867–1978,* publié en 1980 sous la direction d'André Lavoie, responsable du Service de documentation politique, et rédigé par Yves Beaulieu, Frances Caissie, Andrée Caron, Pierre Claveau, Mireille Dubé, Marie Potvin et Martin Rochefort. Cet ouvrage a été mis à jour par la Division de la recherche en 1987, sous la signature de Jocelyn Saint-Pierre, Marc-André Bédard et Frances Caissie.

Le présent ouvrage a été publié à l'occasion du Bicentenaire des Institutions parlementaires du Québec, célébré sous la présidence de M. Jean-Pierre Saintonge, président de l'Assemblée nationale.

Bibliothèque de l'Assemblée nationale

DICTIONNAIRE
des parlementaires
du Québec

1792–1992

Bicentenaire des Institutions
parlementaires du Québec

✦✦✦

LES PRESSES DE L'UNIVERSITÉ LAVAL
Sainte-Foy, 1993

Données de catalogage avant publication (Canada)

Vedette principale au titre :
 Dictionnaire des parlementaires du Québec, 1792-1992

 Comprend des réf. bibliogr.
 ISBN 2-7637-7304-4

1. Parlementaires – Québec (Province) – Biographies. 2. Québec (Province). Assemblée nationale – Biographies. 3. Canada – Politique et gouvernement – 1841-1867 – Biographies. 4. Québec (Province) – Politique et gouvernement – 1867- – Biographies. 5. Gouverneurs – Québec (Province) – Biographies. I. Québec (Province). Bibliothèque de l'Assemblée nationale.

JL253.D52 1993   328.714'092'2   C92-097192-X

Coordination de l'édition
 Suzanne Allaire et Dominique Johnson

Révision
 Ghislain Madore

Conception graphique
 Norman Dupuis

Illustration de la couverture
 Andrew Morris, Sir Charles Metcalfe présidant l'ouverture de la session du Parlement à Montréal, huile, 1844 ou 1845. Archives nationales du Canada, Ottawa (C-315).

© L'Assemblée nationale 1993
Tous droits réservés. Imprimé au Canada.
Dépôt légal (Québec et Ottawa), 1er trimestre 1993
ISBN 2-7637-7304-4

Les Presses de l'Université Laval
Cité universitaire
Sainte-Foy (Québec)
Canada G1K 7P4

Table des matières

Préface

L'année du Bicentenaire des Institutions parlementaires du Québec s'est transformée en vaste classe d'histoire. Des conférences thématiques données à l'intention des parlementaires en 1991 jusqu'à la commémoration des premières séances du Parlement et au rappel de ses débats mémorables, toutes les occasions et tous les médias ont été mis à profit pour illustrer les grandes étapes de l'évolution du parlementarisme québécois.

Ce parlementarisme ne s'est pas imposé sans heurts. Une exposition tenue au Musée de la civilisation, un spectacle son et laser et diverses publications nous ont rappelé comment les institutions parlementaires mises en place en 1792 ont évolué vers le régime de gouvernement démocratique que nous connaissons aujourd'hui, en soulignant particulièrement la contribution de quelques acteurs de la scène politique.

Avec le Dictionnaire des parlementaires du Québec, l'Assemblée nationale veut perpétuer la mémoire des personnes qui ont fait partie du Parlement, à un moment ou à un autre de son histoire, en ajoutant au Répertoire publié en 1980 les notices biographiques des parlementaires élus ou nommés entre 1792 et 1867.

Ce dictionnaire expose des faits et veut concilier le respect de la vie privée avec celui de la vérité historique. Il aura joué un rôle utile dans notre communauté s'il amène les chercheurs à s'intéresser à ces nombreux parlementaires d'autrefois dont la notice biographique se résume parfois à quelques lignes.

Jean-Pierre Saintonge
Président de l'Assemblée nationale
Président du Bicentenaire des
    Institutions parlementaires du Québec

Présentation

En 1980, l'Assemblée nationale publiait le *Répertoire des parlementaires québécois, 1867–1978* qui contenait les notices biographiques des parlementaires – députés, conseillers législatifs et lieutenants-gouverneurs – élus ou nommés depuis la Confédération, ainsi qu'une série d'appendices dont le principal donnait les résultats électoraux à partir de 1867. Cet ouvrage a été suivi d'une mise à jour en 1987. Nous en présentons ici une version revue et augmentée.

Corpus

Le *Dictionnaire des parlementaires du Québec* comprend les notices biographiques des membres de la Chambre d'assemblée du Bas-Canada (1792–1838), de l'Assemblée législative de la province du Canada (1841–1867), de l'Assemblée législative (1867–1968) et de l'Assemblée nationale du Québec (depuis 1969), ainsi que celles des conseillers législatifs (1792–1968) et des représentants de la couronne – gouverneurs et lieutenants-gouverneurs – au Bas-Canada, au Canada-Uni et au Québec depuis 1792. Contrairement au *Répertoire des parlementaires québécois,* le présent ouvrage ne contient pas les notices biographiques des conseillers exécutifs qui n'ont pas fait partie du Parlement, c'est-à-dire qui n'ont pas été élus à l'Assemblée, ni élus ou nommés au Conseil législatif. On y trouve cependant les biographies des membres du Conseil spécial (1838–1841) qui exerça des fonctions législatives après la suspension de la constitution de 1791.

Contenu

Le *Dictionnaire des parlementaires du Québec* a été préparé dans le même esprit que le *Répertoire* de 1980. Il fournit des renseignements factuels et est exempt de tout jugement, que ce soit sous la forme d'analyses politiques ou psychologiques, de bilans législatifs ou administratifs. Il met l'accent sur les données de l'état civil et de la carrière politique, et les notices y sont présentées de la façon la plus uniforme possible. Par exemple, nous avons omis volontairement de mentionner l'appartenance des députés contemporains aux commissions parlementaires, afin de conserver la cohérence avec les notices plus anciennes où ces données ne figurent pas.

En dépit de nos efforts pour respecter cet esprit initial, on décèlera peut-être quelques différences entre les notices des parlementaires en fonction après 1867 et celles de la période préconfédérative qui ont été rédigées une décennie plus tard par une nouvelle équipe. Certaines variantes s'expliquent par un contexte différent : en l'absence de partis politiques structurés et disciplinés, par exemple, il a parfois été nécessaire de donner l'opinion d'un parlementaire sur une question particulière pour le situer politiquement.

Par ailleurs, il aurait été facile de multiplier les détails sur la carrière politique des parlementaires contemporains. L'équipe de rédaction a plutôt opté pour la concision et a laissé de côté certains éléments qu'on pourra trouver facilement dans les documents d'information publiés par l'Assemblée nationale.

Méthodologie

Le *Dictionnaire* reprend les biographies parues dans le *Répertoire* de 1980 et dans la mise à jour de 1987 en y apportant des modifications mineures, dont il sera question plus loin, ainsi que des corrections et des additions. Depuis la parution du *Répertoire,* la Bibliothèque de l'Assemblée nationale a tenu à jour des dossiers sur chacun des parlementaires et l'Assemblée a publié périodiquement les notices biographiques de ses membres.

Pour la période antérieure à la Confédération, il a fallu établir une nouvelle base de documentation, soit dresser une liste des parlementaires à partir des procès-verbaux des deux chambres du Parlement et des ouvrages existants (principalement le *Guide parlementaire historique,* de Joseph Desjardins), inventorier les biographies déjà publiées, dépouiller les recueils de biographies, les dictionnaires, les guides et autres sources dont on trouvera la liste en bibliographie, constituer des dossiers à l'intention de l'équipe de rédaction.

Le nombre de dossiers à traiter était deux fois moindre qu'en 1980, mais l'entreprise posait des problèmes plus complexes. La liste même des parlementaires a été modifiée jusqu'à la remise du manuscrit à l'éditeur et, à cette étape, elle soulevait encore des interrogations. En outre, des ouvrages comme ceux qui avaient été si utiles pour la période postconfédérative n'existaient pas pour la période antérieure. C'est le cas, entre autres, du *Canadian parliamentary guide,* publié depuis 1862 seulement, et de *Political appointments* [...], qui ne commence qu'en 1841. On ne disposait pas non plus de l'équivalent des rapports des élections postérieurs à 1867, des compilations réalisées par François Drouin et du *Canadian directory of Parliament.* Enfin, les rédacteurs devaient respecter un calendrier serré.

Pour relever ce défi, les historiens chargés de la période 1792–1867 ont trouvé un allié sûr, le *Dictionnaire biographique du Canada (DBC).* En effet, l'équipe du *DBC* avait déjà publié la biographie de plus de la moitié des personnages à étudier et possédait au moins quelques éléments d'information sur la plupart des autres. Les biographies du *DBC* appartiennent évidemment à un autre genre : plus complètes que nos simples notices, elles sont toutefois moins précises en ce qui concerne les détails de la carrière politique. Il ne s'agissait donc pas simplement d'en faire le résumé.

Par ailleurs, la documentation du *DBC* a conduit les rédacteurs à un inestimable document, le manuscrit de Francis-Joseph Audet, intitulé « les Législateurs du Bas-Canada de 1760 à 1867 », lequel est conservé à la bibliothèque Morisset de l'université d'Ottawa. Audet, qui s'était d'abord intéressé aux représentants royaux, s'était donné pour mission de tracer le portrait des législateurs québécois depuis la création, en 1764, du Conseil de James Murray. En 1925, *le Bulletin des recherches historiques* publiait ses notices concernant les législateurs de 1764 à 1791 et, deux ans plus tard, *la Presse* donnait au public les biographies des premiers députés qu'il avait rédigées en collaboration avec Édouard Fabre Surveyer. Seul ou avec son collègue, Audet fit paraître par la suite des recueils biographiques consacrés aux députés de plusieurs régions (Montréal, Mauricie, Outaouais, etc.), mais son grand dictionnaire, tâche considérable pour un seul homme, est resté inachevé.

Ces notices biographiques sont venues enrichir nos dossiers où elles ont rejoint des extraits de nombreuses publications : les classiques de Desjardins *(Guide parlementaire historique)*, de Turcotte *(le Conseil législatif)* et de Johnson *(The Canadian directory of Parliament)*, le *Canadian parliamentary guide* et *le Bulletin des recherches historiques,* quelques répertoires biographiques régionaux plus récents (Douville, Fournier, Fréchette, Lefebvre, Potvin, Proulx et Tremblay), des études spécialisées consacrées aux juges (Roy et Deslauriers), aux avocats (Roy) et aux patriotes (Fauteux).

Les sociétés d'histoire régionale ont répondu à nos demandes, souvent de façon empressée, et ont ajouté des renseignements inédits à notre documentation. D'un autre côté, le généalogiste qui s'est joint à l'équipe de rédaction a consacré plusieurs mois à la vérification de données dans les registres d'état civil et a réussi, dans certains cas, parfois à partir des recherches effectuées dans les journaux par le technicien en information, à étoffer la notice biographique de certains élus qui se limitait jusque-là à un nom et à une date d'élection. Cette recherche aurait évidemment pu se poursuivre encore longtemps. Elle aura permis de comprendre pourquoi d'autres chercheurs avaient précédemment déclaré forfait…

Plan des notices

Le plan des notices biographiques correspond à peu de choses près à celui des notices du *Répertoire* de 1980. La seule différence importante est la place accordée au statut matrimonial des parlementaires. Alors que le *Répertoire* faisait mention des mariages, il a été convenu, cette fois, d'omettre ces données dans le cas des parlementaires en fonction et des ex-parlementaires vivants, compte tenu du nombre croissant d'unions libres qui échappent, par définition, à toute inscription dans les registres d'état civil. Dans le cas des parlementaires décédés, les renseignements concernant le mariage se trouvent maintenant en fin de notice, entre la mention du décès et celle des liens de parenté.

Dans la mesure du possible, nous avons vérifié dans les registres mêmes les actes d'état civil (baptême, mariage et sépulture), comme cela avait été fait pour tous les parlementaires décédés répertoriés en 1980. Malgré nos efforts, plusieurs actes n'ont pu être retracés ; les éléments non vérifiés dans les archives, ou qui ne s'appuient pas sur des ouvrages de référence reconnus, ont été mis entre crochets ou sont accompagnés d'une mention restrictive.

Les données relatives aux études représentent une autre catégorie de renseignements difficiles à obtenir à mesure qu'on remonte dans le temps, à des époques où, de toute façon, peu de gens étudiaient longtemps et où la formation s'acquérait souvent par apprentissage.

La vie professionnelle des parlementaires est parfois présentée en deux sections, l'une qui suit immédiatement les études, l'autre qui vient après la carrière politique. Nous avons opté pour le respect de la chronologie plutôt que pour une approche thématique stricte. Les étapes de la carrière professionnelle apparaissent normalement dans l'ordre chronologique, mais il a souvent été difficile de dater chacune des activités.

La carrière politique constitue évidemment la partie essentielle des notices. Toutefois, il a été impossible de donner aux biographies de la période préconfédérative la précision des notices d'aujourd'hui en raison des mœurs politiques de l'époque. Ainsi, jusqu'en 1875, les élections ne se tenaient pas partout le même jour et, comme l'explique Joseph Desjardins dans son guide, il faut faire commencer le mandat des députés élus avant 1851 à la date du «retour des brefs». En outre, l'appartenance d'un parlementaire à un parti n'est pas évidente à cette époque, et même plusieurs années après la Confédération. Les rapports officiels des scrutins ne donnent pas l'orientation politique des candidats avant la seconde moitié du XXe siècle. C'est donc avec l'aide d'études consacrées à l'analyse des votes en Chambre (Hare, Grenier, Cornell) qu'on peut réussir à situer politiquement un certain nombre de personnages. Exceptionnellement, il sera fait mention de l'opinion d'un parlementaire sur une question précise (les Quatre-vingt-douze Résolutions, la Confédération) ou de ses liens avec un mouvement d'opinion (bleu, rouge, tory, réformiste), à défaut d'information sur son appartenance politique. Enfin, avant la Confédération, les rapports des scrutins ne contiennent pas le nom des candidats défaits ; il y a donc forcément des lacunes sur ce point.

Les notices biographiques font ensuite état des activités socioculturelles des parlementaires : participation à des associations volontaires, décorations, réalisations diverses, etc. Les notices sont loin d'être exhaustives à ce chapitre. Il en va de même pour les publications des parlementaires, dont les plus importantes sont seules citées.

Viennent enfin la mention du décès et du mariage, s'il y a lieu, ainsi que les liens de parenté avec d'autres parlementaires, québécois, canadiens ou étrangers. Dans ce dernier cas, il aurait fallu consacrer beaucoup plus de temps pour épuiser la question, si cela est possible.

«J'ose espérer qu'on n'y trouvera pas grand'chose à redire», écrivait Joseph Desjardins, ancien membre du personnel de la Bibliothèque, dans la préface de son Guide parlementaire historique. *Le vœu qu'il exprimait en 1902, en présentant un ouvrage réalisé «avec le plus grand soin» et «la plus scrupuleuse attention», est encore approprié en 1992.*

Remerciements

La publication de cet ouvrage n'aurait pas été possible sans la collaboration de nombreuses personnes et de nombreux organismes. Nos remerciements s'adressent d'abord à tous les anciens parlementaires qui nous ont accordé leur aide au cours des derniers mois. Nous sommes aussi grandement redevables à la direction du *Dictionnaire biographique du Canada* qui nous a fourni des données essentielles sur quelque 350 personnages et qui nous a ouvert ses fichiers pour une foule d'autres parlementaires.

Plusieurs sociétés d'histoire et de généalogie ont répondu à un « appel à tous » et nous ont donné des renseignements sur les anciens représentants de leur région : la Société d'histoire des Six Cantons, la Brome County Historical Society (Marion L. Phelps), le Centre de recherche des Cantons-de-l'Est (Monique Nadeau-Saunier), la Société de généalogie des Cantons-de-l'Est (Gisèle Langlois-Martel), la Société d'histoire de la seigneurie de Chambly, la Compton County Historical & Museum Society (M. et Mᵐᵉ Gordon French), la Société historique de la Côte-du-Sud (Michel Dumais), la Société généalogique de l'est du Québec (Pierre Rioux), la Société d'histoire de l'île Jésus (Françoise Gendron), la Société d'histoire de Longueuil (Édouard Doucet), la Société de généalogie de la Mauricie et des Bois-Francs (Gaston Blanchet), la Société d'histoire de Missisquoi (Judy A. Antle), la Société d'histoire régionale de Nicolet (Denis Fréchette), la Société historique de l'ouest du Québec (Georges Lessard), la Société d'histoire de Rivière-du-Loup (Marcelle Savard), la Société historique du Saguenay (Éric Tremblay), la Société d'histoire de Shefford (Richard Pépin), la Société historique Pierre de Saurel (Christian Gariépy), la Société d'histoire de la région de Terrebonne (Aimé Despatis), le Musée régional de Vaudreuil-Soulanges (André Poirier). Il faut signaler particulièrement la collaboration de quelques spécialistes de l'histoire régionale, dont Mᵐᵉˢ Marie-Paule R. LaBrèque (Acton Vale) et Denise Latrémouille (Hull), ainsi que MM. René Viel (Rivière-du-Loup), Jean-Noël Dion (Saint-Hyacinthe) et Gentil Turcotte (Trois-Rivières).

Enfin, nous aimerions souligner l'accueil bienveillant que nous avons reçu aux Archives nationales du Québec (à Québec et à Montréal), aux Archives de la ville de Québec, à la Société de généalogie de Québec et aux services de la référence et des périodiques de la Bibliothèque de l'Assemblée nationale.

L'équipe de rédaction

Notice d'emploi

Patronymes

Les parlementaires sont classés d'après le nom de famille sous lequel ils étaient généralement connus. Les femmes mariées apparaissent sous le nom qu'elles ont utilisé sur leur bulletin de candidature et qu'elles ont conservé au Parlement. Pour la période préconfédérative, époque où les noms composés, les variantes et les surnoms font souvent problème, le *Dictionnaire biographique du Canada* a servi de référence principale.

Nous avons distingué les homonymes par leurs liens de parenté, par leurs circonscriptions ou divisions électorales, ou, dans le cas extrême où des homonymes ont représenté la même circonscription, par leur parti politique.

Dates

Divers symboles sont utilisés pour indiquer, sous le nom des parlementaires, une date de naissance ou de décès incertaine : avant ($<$), en ou avant ($\leq$), vers ($\approx$), en ou après ($\geq$), après ($>$).

Dans le corps du texte, une information qui n'a pu être vérifiée à la source en matière d'état civil ou d'élection est inscrite entre crochets ou accompagnée d'une mention restrictive.

Caractères gras

Les noms en caractères gras, dans le corps d'une notice, renvoient aux parlementaires qui ont leur biographie dans le dictionnaire.

Terminologie

On trouvera, dans les notices, plusieurs expressions ou mots anciens (orateur de l'Assemblée, registrateur, service civil, etc.) qui ne sont plus acceptés ni d'ailleurs en usage dans la langue d'aujourd'hui. Nous les avons conservés par souci d'exactitude historique.

Bibliographie

Les références bibliographiques placées à la suite des notices sont réduites au minimum. Elles signalent les études essentielles facilement accessibles sur le personnage en question. Le lecteur comprendra que les notices des parlementaires d'avant la Confédération s'appuient sur le manuscrit de Francis-Joseph Audet, celles des parlementaires en fonction depuis 1867 proviennent essentiellement du *Répertoire* de 1980, de sa mise à jour et des notes biographiques publiées par l'Assemblée depuis 1977, celles des conseillers législatifs s'inspirent de l'ouvrage de Gustave Turcotte, bref, que nous avons évité de citer chaque fois les ouvrages qui se trouvent en bibliographie générale. Plusieurs notices de la période préconfédérative renvoient principalement au *Dictionnaire biographique du Canada* qui donne une bibliographie pour chacun des personnages.

Mise à jour

Les données concernant les ex-parlementaires vivants étaient à jour le 31 juillet 1992. Les parlementaires en fonction ont mis leur biographie à jour en novembre 1992.

Liste des sigles

BBAN	*Bulletin de la Bibliothèque de l'Assemblée nationale*
BBL	*Bulletin de la Bibliothèque de la Législature*
BHCM	*Bulletin d'histoire de la culture matérielle*
BRH	*Bulletin des recherches historiques*
BTBL	*Bulletin trimestriel de la Bibliothèque de la Législature*
CD	*Cahiers de droit*
CDIX	*Cahiers des Dix*
CHR	*Canadian Historical Review*
CPR	*Canadian Parliamentary Review*
DBC	*Dictionnaire biographique du Canada*
MSGCF	*Mémoires de la Société généalogique canadienne-française*
MSRC	*Mémoires de la Société royale du Canada*
RB	*Revue du barreau*
RHAF	*Revue d'histoire de l'Amérique française*
RN	*Revue du notariat*
RPC	*Revue parlementaire canadienne*
VF	*Vie française*

ABBOTT, John Joseph Caldwell (1821–1893)

Né à St. Andrews (Saint-André-Est) et baptisé dans la paroisse anglicane St. Andrew, le 12 mars 1821, fils de Joseph Abbott, missionnaire anglican d'origine anglaise, et de Harriet Bradford.

Après ses études secondaires, travailla dans le commerce à Montréal, puis dans le Haut-Canada. En 1843, commença à étudier au McGill College de Montréal tout en faisant un stage de droit ; reçu au barreau en 1847. Nommé, en 1845, secrétaire-archiviste et secrétaire du trésorier de cet établissement ; engagé comme maître de conférence en 1853. Obtint une licence en droit civil du McGill College en 1854 et fut reçu docteur en 1867. Professeur et doyen de la faculté de droit, de 1855 à 1880.

Exerça sa profession à Montréal de 1847 à 1893, avec notamment William **Badgley**. Fait conseiller de la reine en 1862. Ouvrit également un cabinet en Ontario en 1870. À deux reprises, refusa la charge de juge en chef du Bas-Canada. Investit surtout dans les chemins de fer (le chemin de fer canadien du Pacifique, la Compagnie du chemin de fer de Montréal et Bytown, la Compagnie du chemin de fer du Canada central), dans les banques (la Banque Molson, la Banque des marchands du Canada et la Banque de Montréal) et dans les assurances (la Compagnie d'assurance des citoyens du Canada et la Standard Life Assurance Company). En outre, fut actionnaire de la Dominion Cartridge Company, la Dominion Transport Company, la Compagnie minérale Dominion, la Lake of the Woods Milling Company, la Montreal Safe Deposit Company et l'Intercolonial Coal Mining Company. Propriétaire foncier et immobilier.

Signa le Manifeste annexionniste en 1849. D'abord défait dans Argenteuil en 1858, fut toutefois proclamé élu, le 12 mars 1860, après l'enquête d'un comité spécial de l'Assemblée législative ; entra en fonction comme député le même jour. Publia à Montréal, cette année-là, *The Argenteuil case ; being a report of the controverted election for the county of Argenteuil* [...]. Réélu sans opposition en 1861 ; de tendance libérale. Membre des ministères Macdonald–Sicotte et Mac-donald–Dorion : conseiller exécutif et solliciteur général du Bas-Canada, du 24 mai 1862 au 15 mai 1863 et du 16 au 27 mai 1863. À son entrée au cabinet, son siège de député était devenu vacant. Élu dans Argenteuil à une élection partielle le 12 juin 1862 ; de tendance libérale. Réélu sans concurrent en 1863 ; refusa de faire partie du ministère Macdonald–Dorion et donna son appui aux bleus. Son mandat prit fin avec l'avènement de la Confédération, le 1er juillet 1867. Élu député conservateur d'Argenteuil à la Chambre des communes en 1867. Réélu en 1872 et 1874, mais cette dernière élection fut annulée en octobre 1874. Défait en 1878. Accompagna Hector-Louis **Langevin** à Londres, en 1879, dans le but d'obtenir la destitution du lieutenant-gouverneur de la province de Québec, Luc **Letellier de Saint-Just**. Élu dans Argenteuil à l'élection fédérale partielle du 12 février 1880, mais l'élection fut déclarée nulle. Élu à l'élection fédérale partielle du 17 août 1881. Réélu en 1882, démissionna le 15 janvier 1887. Sénateur de la division d'Inkerman à compter du 12 mai 1887. Nommé leader du gouvernement au Sénat et ministre sans portefeuille dans le cabinet Macdonald le 13 mai 1887 ; entra au Conseil privé le même jour. Maire de Montréal, de 1887 à 1889. Premier ministre du Canada et président du Conseil privé du 15 juin 1891 au 24 novembre 1892 ; son successeur, John Sparrow David Thompson, prêta serment le 7 décembre 1892.

Membre du Club St. James de Montréal et du Rideau Club d'Ottawa. Cofondateur de l'Association des beaux-arts de Montréal en 1860 et de l'Institution protestante pour les sourds-muets et les aveugles en 1869. Président à vie de l'Institut Fraser, qui regroupait une bibliothèque, une galerie d'art et un musée. Administrateur de l'Institution royale pour l'avancement des sciences. Premier président du conseil d'administration de l'hôpital Royal Victoria. Officier de milice. Fait chevalier commandeur de l'ordre de Saint-Michel et Saint-George (sir) le 25 mai 1892. Est aussi l'auteur de : *The Insolvent Act of 1864, with notes together with the rules of practice and the tariff of fees for Lower Canada* (Québec, 1864), et de *Functions of the Senate* (Montréal, 1890).

Décédé en fonction à Montréal, le 30 octobre 1893, à l'âge de 72 ans et 7 mois. Les obsèques eurent lieu dans la cathédrale anglicane Christ Church, le 2 novembre 1893.

Avait épousé dans l'église anglicane Christ Church, à Montréal, le 26 juillet 1849, Mary Martha Bethune, fille du révérend John Bethune et d'Elizabeth Hallowell.

Bibliographie: *DBC.*

ACHESON, Archibald
(1776–1849)

Né en Irlande, le 1er août 1776, fils d'Arthur Acheson, 1er comte de Gosford, descendant d'une famille protestante d'origine écossaise, et de Millicent Pole.

Étudia à la University of Oxford, en Angleterre, où il obtint une maîtrise ès arts en 1797.

Servit comme officier dans la milice pendant la répression de la rébellion irlandaise de 1798. Élu député d'Armagh à la Chambre des communes d'Irlande en 1798; s'opposa, en 1800, à l'union de l'Irlande à la Grande-Bretagne. Élu député d'Armagh à la Chambre des communes britannique en 1801; laissa son siège en 1807 pour devenir le 2e comte de Gosford. Élu représentant des pairs d'Irlande à la Chambre des lords britannique en 1811. Fut un whig modéré tout au long de sa carrière politique. Lord-lieutenant du comté d'Armagh, où se trouvait le domaine familial, à compter de 1831. Fait pair du Royaume-Uni, sous le titre de baron Worlingham, en juin 1835.

Nommé gouverneur en chef de l'Amérique du Nord britannique le 1er juillet 1835, avec autorité exceptionnelle sur les lieutenants-gouverneurs des colonies voisines en matière militaire; entra en fonction le 24 août. Présidait depuis avril 1835 une commission qui, jusqu'en novembre 1836, enquêta sur les problèmes politiques du Bas-Canada. Donna sa démission comme gouverneur en novembre 1837 et quitta la colonie le 27 février 1838, date à laquelle John **Colborne** le remplaça en qualité d'administrateur. Son successeur, John George **Lambton**, fut nommé le 30 mars 1838.

Retourna en Angleterre où il reçut la grand-croix de l'ordre du Bain (division civile) en 1838. Continua de s'intéresser aux affaires canadiennes et irlandaises, et s'occupa de ses propriétés foncières.

Décédé dans son domaine de Markethill (en Irlande du Nord), le 27 mars 1849, à l'âge de 72 ans et 7 mois.

Avait épousé à Londres, le 20 juillet 1805, Mary Sparrow, fille de Robert Sparrow, de Worlingham Hall, dans le Suffolk.

Bibliographie: *DBC.*

ACHIM, Honoré
(1881–1950)

Né dans la paroisse Notre-Dame de Montréal, le 2 août 1881, fils de Zotique Achim, marchand, et de Bridget O'Meara.

A étudié au séminaire de Sainte-Thérèse et à l'université Laval à Montréal. Admis au barreau de la province de Québec le 12 janvier 1906. Créé conseil en loi du roi le 13 juin 1918.

Exerça sa profession d'avocat à Drummondville, Nominingue et Montréal. Principal conseiller juridique de la Compagnie de chemins de fer de la Rivière-Rouge.

Membre du Club de réforme et du Club Saint-Denis de Montréal. Élu député conservateur à la Chambre des communes dans Labelle en 1911. Il rompit avec son parti lors du dépôt du projet de loi sur la conscription en 1917 et passa à l'Opposition. Ne se porta pas candidat aux élections générales de 1917. Élu sans opposition député libéral à l'Assemblée législative dans Labelle à l'élection partielle du 15 décembre 1917. Réélu en 1919. Son siège devint vacant lorsqu'il fut nommé magistrat du district de Hull et Pontiac le 13 octobre 1921. Il occupa cette fonction jusqu'en 1948.

Capitaine du 54e régiment de Sherbrooke. Vice-président de l'Association des anciens du séminaire de Sainte-Thérèse.

Décédé à Florence, en Italie, le 14 mai 1950, à l'âge de 68 ans et 9 mois. Inhumé à Montréal, dans le cimetière Notre-Dame-des-Neiges, le 1er juin 1950.

Avait épousé à Montréal, dans la paroisse Saint-Jacques, le 20 avril 1909, Marie-Béatrice-Alice Rousseau, fille de François Rousseau et de Marie-Adèle Dewitt.

ADAM, Philippe
(1886–1963)

Né à Saint-Hyacinthe, le 7 décembre 1886, fils de Lucien-Samuel Adam, shérif, notaire, et de Zoé Boivin.

Fit ses études à Saint-Césaire, à Saint-Hyacinthe, puis à l'université Laval à Montréal. Reçu médecin en 1912, il pratiqua successivement à Québec, à Acton Vale et à Granby.

Maire d'Acton Vale de 1934 à 1940. Candidat de l'Union nationale défait dans Bagot en 1936. Élu député de ce parti dans cette même circonscription à l'élection partielle du 16 février 1938. Défait aux élections de 1939 et de 1944.

Membre de la Commission des accidents du travail de 1954 à 1960.

Décédé à Outremont, le 5 octobre 1963, à l'âge de 76 ans et 9 mois. Inhumé à Montréal, dans le cimetière Notre-Dame-des-Neiges, le 8 octobre 1963.

Avait épousé à Montréal, dans la paroisse du Sacré-Cœur, le 18 juin 1913, Alma Beaudoin, fille d'Edmond Beaudoin et de Marguerite Clément; puis, à Roxton Falls, le 26 septembre 1933, Lucille Arcouette, fille de Thomas Arcouette, marchand, et d'Alvana Turgeon.

ALEXANDER, Charles
(1816–1905)

[Né à Dundee, en Écosse, le 13 juin 1816, fils de John Alexander et de Marina Mudie.]

Fit ses études à la Parochial Grammar School, à Dundee.

Fit son apprentissage à la firme Keiller and Sons, manufacturiers de marmelade, à Dundee. Émigra au Canada en 1840. Travailla chez M.M.H. Matthewson à London, en Ontario, en 1841. S'établit à Montréal en 1842. D'abord journalier, il devint en 1843 propriétaire d'une confiserie à Montréal. Directeur de la Sun Mutual Insurance Co. Membre de la Montreal Loan and Mortgage Co.

Échevin au conseil municipal de Montréal de 1865 à 1875 et président du comité des finances de 1873 à 1875. Élu sans opposition député libéral dans Montréal-Centre à l'élection partielle du 6 février 1874. Défait en 1875.

Fut à l'origine de plusieurs œuvres philanthropiques. Administrateur du Montreal Protestant House of Industry and Refuge en 1863 et président de 1877 à 1900. Président-fondateur de l'Institut Mackay pour les sourds-muets et aveugles en 1869. Président de la Society for Prevention of Cruelty to Animals de 1882 à 1905. A constitué le Protestant Insane Asylum à Verdun en 1881, fut membre du bureau des gouverneurs et vice-président. Membre fondateur, en 1869, et vice-président de la Society for the Protection of the Women and Children de 1882 à 1900. Administrateur et gouverneur à vie du Montreal General Hospital, fut aussi trésorier et vice-président de cet hôpital. Président et trésorier honoraire du Fresh Air Fund. Président du Boys' Home de 1870 à 1905. Fondateur et administrateur du Montreal Sailor's Institute de 1862 à 1880, il en fut également vice-président, de 1880 à 1901, puis président de 1901 à 1905. Président de la Montreal Homeopathic Association. Membre de la St. Andrew's Society, de la Montreal Art Association et de la Citizens League.

Décédé à Montréal, le 4 novembre 1905, à l'âge de 89 ans et 4 mois. Inhumé à Montréal, dans le Mount Royal Cemetery, le 7 novembre 1905.

[Avait épousé à Dundee, en 1838, Margaret Kyle]; puis, à Montréal, le 22 mai 1884, Mary Ann Paton, fille de William Paton et de Margarthie Paton.

Bibliographie: *DBC* (à paraître).

ALFRED, Jean

Né à Ouanaminthe, en Haïti, le 10 mars 1940, fils d'Horace Alfred, boucher, et de Prunélie Océan, commerçante.

A étudié dans son pays d'origine, chez les Frères de l'instruction chrétienne à Ouanaminthe, au collège Saint-Louis-de-Gonzague à Port-au-Prince et à l'université d'État d'Haïti. Poursuivit ses études à l'université d'Ottawa. Fit un stage à l'Institut BRIC (Bureau de recherche et d'intervention clinique) à Montréal, ainsi qu'au Bureau des langues à Ottawa. Licencié en philosophie. Titulaire d'une maîtrise en psychopédagogie (1971) et d'un doctorat en éducation (1974).

Il enseigna le français, le latin et la littérature française en Haïti pendant cinq ans. Professeur à la commission scolaire de l'Outaouais de 1969 à 1976. Membre du conseil d'administration de l'Association des enseignants du Sud-Ouest québécois de 1972 à 1974. Membre de l'Association récréative de Gatineau. Ancien membre du Club optimiste de Hull.

Échevin du quartier n° 10 au conseil municipal de Gatineau en 1975 et 1976. Élu député du Parti québécois dans Papineau en 1976. Démissionna comme député du Parti québécois le 29 août 1980 et siégea comme député indépendant. Redevint député du Parti québécois le 10 mars 1981. Défait dans Chapleau en 1981. Ne s'est pas représenté en 1985. Défait également en 1989.

Professeur à l'école secondaire de l'Île de Hull de 1981 à 1990. Fit un stage en coopération au Maroc de 1983 à 1986. Élu commissaire à la commission scolaire Des Draveurs en novembre 1990.

ALLARD, Félix
(1897–1974)

Né à Saint-François-du-Lac, le 25 octobre 1897, fils de Jules **Allard**, avocat, registrateur, et de Berthe Toupin.

A étudié au collège de Nicolet, à l'université Laval à Montréal et à l'école d'administration de Poughkeepsie dans l'État de New York. Admis au barreau de la province de Québec le 7 juillet 1922.

Membre du cabinet des avocats Bérard et Piché, à Montréal, de 1922 à 1924. Fut associé à Me Hector **Authier** à Amos de 1924 à 1928. Par la suite, il exerça seul sa profession. Substitut du procureur de la couronne pour le district d'Abitibi de 1929 à 1936. Membre de plusieurs conseils d'administration d'entreprises minières.

Élu député libéral dans Abitibi en 1939. Son siège devint vacant à la suite de sa nomination comme juge à la Cour de magistrat pour les districts d'Abitibi, de Rouyn-Noranda et de Témiscamingue le 27 juin 1944. Il occupa cette fonction de 1944 à 1967.

Décédé à Sainte-Foy, le 17 septembre 1974, à l'âge de 76 ans et 10 mois. Inhumé à Sainte-Foy, dans le cimetière Notre-Dame-de-Belmont, le 21 septembre 1974.

Avait épousé dans la paroisse Notre-Dame de Québec, le 10 janvier 1945, Marie-Jeanne-Rita Hébert, fille d'Émile Hébert et de Virginie Childs.

ALLARD, Jules
(1859–1945)

Né à Saint-François-du-Lac, le 21 janvier 1859, fils de Louis Allard, cultivateur, et de Marie-Anne Chapdelaine.

Fit ses études au collège de Nicolet et à l'université Laval à Montréal. Admis au barreau de la province de Québec le 18 août 1883. Exerça sa profession à Montréal jusqu'en 1890 et fut associé, de 1884 à 1886, à Pierre Julien Leclair, député à la Chambre des communes de 1883 à 1896. Registrateur du comté de Yamaska de 1890 à 1897, il pratiqua ensuite le droit à Saint-François-du-Lac et à Sorel. Créé conseil en loi du roi le 19 septembre 1906. Protonotaire à la Cour supérieure du district de Montréal de 1919 à 1945. Président de la compagnie de téléphone du comté de Yamaska et de l'Abenakis Springs Hotel. Vice-président de la Dominion Forestry Association en 1909. Directeur des compagnies Sorel Electric et Saint-François-du-Lac Aqueduct.

Président de la commission scolaire de Saint-François-du-Lac de 1892 à 1898. Maire de Saint-François-du-Lac de 1895 à 1898. Élu député libéral dans Yamaska à l'élection partielle du 22 décembre 1897. Réélu sans opposition aux élections de 1900 et de 1904. Son siège devint vacant le 23 mars 1905 à la suite de sa nomination comme conseiller législatif de la division de Lanaudière. Nommé, le même jour, leader du gouvernement au Conseil législatif. Ministre de la Colonisation et des Travaux publics dans le cabinet Gouin du 23 mars au 3 juillet 1905. Ministre des Travaux publics et du Travail du 3 juillet 1905 au 31 août 1906. Ministre de l'Agriculture du 1er septembre 1906 au 21 janvier 1909. Démissionna de son poste au Conseil législatif le 26 février 1910 pour se porter candidat libéral dans Drummond où il fut élu à l'élection partielle du 5 mars 1910. Réélu en 1912. Son siège devint vacant lors de sa nomination comme conseiller législatif de la division de Lanaudière le 13 avril 1916. Ministre des Terres et Forêts du 21 janvier 1909 au 25 août 1919. Pendant les absences de Lomer Gouin, il fut premier ministre intérimaire et président du Conseil exécutif. Il démissionna de son poste de conseiller législatif le 26 août 1919.

Membre à vie de la Société Saint-Jean-Baptiste de Montréal. Membre du Club de la garnison de Québec, de la Royal Conservation Community et de la Société d'histoire du Canada.

Décédé à Montréal, le 3 janvier 1945, à l'âge de 85 ans et 11 mois. Inhumé à Nicolet, le 8 janvier 1945.

Avait épousé à Montréal, dans la paroisse Saint-Vincent-de-Paul, le 3 juin 1885, Marguerite-Clara-Berthe Toupin, fille de Félix-Adolphe Toupin et de Marguerite-Adélaïde Legendre.

Père de Félix **Allard**. Beau-père d'Aimé Boucher, député à la Chambre des communes de 1921 à 1935.

ALLARD, Paul-Émile

Né à Chandler, le 15 juillet 1920, fils de J. Valmont Allard, médecin, et d'Estelle Léonard.

Fit ses études au séminaire de Bathurst au Nouveau-Brunswick et à l'université Laval à Québec. Licencié en droit.

Protonotaire puis secrétaire à la Direction des greffes au ministère de la Justice de 1972 à 1984. Retraité à compter de 1984.

Maire de Saint-Joseph-de-Beauce de 1959 à 1965 et préfet du comté de Beauce du 14 septembre 1960 jusqu'en décembre 1961. Élu député de l'Union nationale dans Beauce en 1962. Réélu en 1966. Défait en 1970. Assermenté ministre d'État à la Voirie dans le cabinet Johnson le 16 juin 1966. Ministre des Richesses naturelles du 31 octobre 1967 au 12 mai 1970 dans les cabinets Johnson et Bertrand.

Membre du Club Renaissance, du Club Rotary et du Cercle universitaire.

ALLARD, Victor
(1860–1931)

Né à Saint-Cuthbert, le 1er février 1860, fils de Pros-père Allard, cultivateur et juge de paix, et de Geneviève Aurez Laférière.

Étudia à l'école de sa paroisse natale, au collège de L'Assomption et à l'université Laval à Québec et à Montréal. Fit sa cléricature auprès de Joseph-Aldéric Ouimet, député à la Chambre des communes de 1873 à 1892. Admis au barreau de la province de Québec le 7 février 1884.

Exerça sa profession à Berthierville de 1884 à 1916. Fut associé, entre autres, à son fils Gaston Allard de 1910 à 1916. Conseiller juridique du Legal and Commercial Exchange of Canada dans le comté de Berthier.

Maire de Berthier de 1899 à 1903 et de 1912 à 1915. Candidat conservateur défait dans Berthier en 1890. Élu député conservateur dans la même circonscription en 1892. Défait en 1897. Ne s'est pas représenté en 1900. Défait de nouveau à l'élection partielle du 10 mars 1904. Candidat conservateur défait dans Berthier aux élections fédérales de 1891 et 1908.

Fut nommé juge à la Cour supérieure du district de Montréal le 29 février 1916 et à la Cour du banc du roi à Montréal le 26 juillet 1920 (Cour d'appel).

Décédé à Montréal, le 3 juin 1931, à l'âge de 71 ans et 4 mois. Inhumé dans le cimetière de la paroisse Sainte-Geneviève-de-Berthier, le 6 juin 1931.

Avait épousé à L'Assomption, le 21 janvier 1885, Blanche Dorval, fille de Damase Dorval, avocat, et d'Amilie Legendre.

ALLCOCK, Henry
(≤1759–1808)

Né à Birmingham, en Angleterre, où il fut baptisé le 26 janvier 1759, fils de Henry Allcock et de Mary Askin.

Fit des études de droit à la Lincoln's Inn, de Londres, à compter de janvier 1785. Admis au barreau en janvier 1791. Exerça d'abord sa profession d'avocat à Londres.

En novembre 1798, fut nommé juge puîné de la Cour du banc du roi dans le Haut-Canada; prêta le serment d'office en janvier 1799. Élu député de Durham, Simcoe and the East Riding of York à la Chambre d'assemblée du Haut-Canada en 1800; son élection fut invalidée le 11 juin 1800. Obtint le poste de juge en chef du Haut-Canada le 7 octobre 1802. Nommé, en janvier 1803, membre du Conseil législatif du

Haut-Canada, dont il fut président, et, le 10 avril 1805, membre du Conseil exécutif du Haut-Canada.

Le 1er juillet 1805, fut nommé juge en chef du Bas-Canada; arriva en août 1806 à Québec, où il prêta serment. Nommé au Conseil exécutif du Bas-Canada le 1er juillet 1805, prêta serment en août 1806 et en fit partie jusqu'à sa mort. Président du Conseil législatif du Bas-Canada à partir du 16 janvier 1807, fut assermenté à titre de membre le 21 janvier 1807.

Décédé en fonction à Québec, le 22 février 1808, à l'âge d'environ 49 ans. Après des obsèques célébrées dans la cathédrale anglicane Holy Trinity, le 25 février 1808, fut inhumé dans le cimetière St. Matthew.

Avait épousé une prénommée Hannah.

Bibliographie: *DBC.*

ALLEYN, Charles Joseph
(1817–1890)

Né dans le comté de Cork (en république d'Irlande), probablement à Myrus Wood, le 19 septembre 1817, fils de Richard Israël Alleyn, commandant dans la marine royale (fut aussi sous-maître de la Maison de la Trinité de Québec), et de Margaret O'Donovan.

Fit ses études à l'école de Fermoy, dans le comté de Cork, et au Clongowes Wood College, dans le comté de Kildare.

Vers 1837, accompagna sa famille à Québec où, ayant été admis au barreau en 1840, il exerça la profession d'avocat.

Candidat défait aux élections municipales de Québec en 1848. Représenta le quartier Champlain au conseil municipal de Québec de 1851 à 1857 et fut maire en 1854–1855. Élu député de la cité de Québec en 1854; se rangea du côté des réformistes. Fit partie du ministère Macdonald–Cartier: conseiller exécutif du 26 novembre 1857 au 29 juillet 1858 et commissaire des Travaux publics du 26 novembre 1857 au 1er août 1858. Réélu en 1858, mais l'élection fut annulée le 16 avril 1860. Élu sans opposition dans Québec-Ouest à une élection partielle le 7 mai 1860; de tendance conservatrice. Membre du ministère Cartier–Macdonald: conseiller exécutif du 6 août 1858 au 23 mai 1862 et secrétaire provincial du Canada du 7 août 1858 au 23 mai 1862. Réélu en 1861, sans opposition, et en 1863; de tendance conservatrice. Son mandat de député prit fin avec sa nomination comme shérif du district de Québec, le 17 août 1866. Occupa ce poste jusqu'à sa mort, mais, à partir de 1783, exerça cette fonction conjointement avec Étienne-Théodore **Pâquet**. Fut le premier directeur, en 1867, de la nouvelle prison, située sur les plaines d'Abraham.

Fait conseiller de la reine en 1857. Major dans la milice. Administrateur de la Compagnie du chemin de fer de la rive nord. Président de la St. Patrick's Society et du St. Patrick's Catholic and Literary Institute of Quebec.

Décédé à Québec, le 4 avril 1890, à l'âge de 72 ans et 6 mois. Inhumé dans le cimetière Woodfield, dans la paroisse catholique St. Patrick, le 7 avril 1890.

Avait épousé dans la paroisse Notre-Dame de Québec, le 15 mai 1849, Zoé Aubert de Gaspé, fille de Philippe-Joseph Aubert de Gaspé, avocat, seigneur et futur auteur des *Anciens Canadiens*, et de Susanne Allison.

Frère de Richard **Alleyn**. Oncle et beau-père de John **Sharples** (fils). Petit-fils par alliance de Pierre-Ignace **Aubert de Gaspé**. Beau-frère par alliance de William **Power** et de Georges-René **Saveuse de Beaujeu**. Oncle de Georges-Raoul-Léotalde-Guichard-Humbert **Saveuse de Beaujeu**.

Bibliographie: *DBC.*

ALLEYN, Richard
(1835–1883)

[Né à Trobolgan, en Irlande, en juin 1835], fils de Richard Israël Alleyn, commandant dans la marine royale, et de Margaret O'Donovan. Arriva au Canada en 1838.

Fit ses études au séminaire de Québec et à l'université Laval à Québec. Admis au barreau du Bas-Canada le 6 avril 1857. Créé conseil en loi de la reine en 1873. Docteur en droit de l'université Laval en 1879.

Exerça sa profession à Québec avec Alexandre **Chauveau**. Avocat de la couronne aux assises criminelles de Québec pendant plusieurs années. Professeur de droit criminel à l'université Laval de 1878 jusqu'à son décès.

Représentant du quartier Champlain au conseil municipal de Québec de 1863 à 1865. Élu député conservateur dans Québec-Ouest à l'élection partielle du 17 décembre 1877. Défait en 1878.

Nommé juge à la Cour supérieure du district de Rimouski le 29 avril 1881. Dans le domaine militaire, il occupa d'abord le rang d'enseigne du 8e bataillon du Royal Rifles de Québec en 1861, puis fut promu lieutenant et capitaine en 1862, major en 1867 et lieutenant-colonel en 1872. Président de la St. Patrick Society et de l'Irish Catholic Benevolent Society.

Décédé à Rimouski, le 16 août 1883, à l'âge de 48 ans. Inhumé à Sillery, dans le cimetière de l'église St. Patrick, le 20 août 1883.

Avait épousé à Sillery, dans la paroisse Saint-Colomb, le 12 septembre 1865, Louisa Joséphine Lindsay, fille d'Esroll Boyd Lindsay et de Joséphine Guenonte ; puis, dans la paroisse Notre-Dame de Québec, le 20 septembre 1877, Catherine-Louise-Josephte Chaussegros de Léry, fille d'Alexandre-René **Chaussegros de Léry**, sénateur, et de Catherine-Charlotte-Éliza Couillard.

Frère de Charles Joseph **Alleyn**. Beau-frère de John **Sharples** (père).

ALLSOPP, George Waters
(≤1769–1837)

Né vraisemblablement à Québec, puis baptisé dans l'église anglicane de Québec, le 12 octobre 1769, fils de George Allsopp, marchand (fut aussi conseiller législatif), et d'Anna Marie Bondfield.

Fit des études à l'école secondaire Eaton, près de Londres, en 1784–1785.

À son retour à Québec en octobre 1785, fit l'apprentissage du commerce avec son père et exploita des moulins dans la seigneurie Jacques-Cartier. Eut aussi des intérêts dans la seigneurie d'Auteuil. Entre 1800 et 1830, mit en location des maisons et des moulins, établit une papeterie et fit ériger un pont à péage sur la Jacques-Cartier. Fut caissier suppléant au Bureau des billets de l'armée à Québec en 1814 et 1815. Fut associé avec ses frères dans une fabrique de planches, de 1832 à 1835.

Élu député de Buckingham en 1796. Ne se serait pas représenté en 1800. Élu député de Hampshire en 1814. Réélu en 1816. Ne se serait pas représenté en avril 1820. Appuya tantôt le parti canadien, tantôt le parti des bureaucrates durant ses trois mandats. Défait dans Hampshire en 1824.

Servit dans la milice pendant la guerre de 1812. Obtint plusieurs postes de commissaire et fut juge de paix.

Décédé à Cap-Santé, le 28 septembre 1837, à l'âge d'environ 68 ans. Les obsèques eurent lieu dans la cathédrale anglicane Holy Trinity de Québec, le 30 septembre 1837.

Fut le père d'un fils et d'une fille.

Bibliographie: *DBC.*

AMIOT, Pierre
(1781–1839)

Né à Verchères, le 9 mars 1781, puis baptisé le 11, dans la paroisse Saint-François-Xavier, sous le prénom de Pierre-Prime, fils de Joseph Amiot et de sa seconde femme, Archange Brousseau.

Cultivateur à Verchères; fit aussi du commerce et l'acquisition de biens fonciers. Nommé commissaire chargé d'effectuer le recensement dans Surrey en 1825, puis dans Verchères en 1831. Capitaine dans la milice depuis 1813, fut destitué en 1827 à cause de son opposition au gouverneur George **Ramsay**, réinstallé avec le grade de major en 1830, puis de nouveau démis en 1837. Sa commission de juge de paix fut également révoquée en 1837. Ayant pris part à la bataille de Saint-Charles le 25 novembre 1837, fut arrêté le 8 décembre. Emprisonné à Montréal, recouvra sa liberté au moment de l'amnistie de juillet 1838.

Élu député de Surrey à une élection partielle le 27 janvier 1813. Réélu en 1814, 1816, avril 1820, juillet 1820, 1824 et 1827. Élu dans Verchères en 1830 et 1834. Appuya généralement le parti canadien, puis le parti patriote, et vota pour les Quatre-vingt-douze Résolutions. Son mandat prit fin avec la suspension de la constitution, le 27 mars 1838.

Décédé à Verchères, le 31 janvier 1839, à l'âge de 57 ans et 10 mois. Inhumé dans le cimetière paroissial, le 4 février 1839.

Avait épousé dans sa paroisse natale, le 9 janvier 1804, Charlotte Brin, fille de l'agriculteur François Brin et de Marie Charron; puis, au même endroit, le 12 janvier 1807, Marie-Archange Chagnon, dit Larose, fille de l'agriculteur Michel Chagnon, dit Larose, et de Marie-Amable Guyon.

AMYOT, Georges-Élie
(1856–1930)

Né à Saint-Augustin, le 28 janvier 1856, fils de Dominique Amyot, cultivateur, et de Louise Nolin.

Étudia à l'académie commerciale de Québec. Occupa d'abord le poste de commis chez le sellier Louis Girard à Québec, puis dans l'établissement de son futur beau-père, Louis Tanguay, jusqu'en 1874. Travailla dans le commerce de la quincaillerie et de la chaussure à Montréal de 1877 à 1879, puis au service de Jos. Amyot et Frères à Québec de 1879 à 1885. Fonda, en 1885, une maison de nouveautés à Québec et s'associa, l'année suivante, à M. Dyonnet dans une manufacture de corsets qui fut connue plus tard sous le nom de Dominion Corset Co. Ouvrit, en 1894, une fabrique de boîtes et, fonda, en 1895, la brasserie Fox Head; il eut pour associé P.J. Côté et Michel Gauvin. Directeur de l'École technique.

Fut président de la Quebec Paper Box Co., de la Dominion Corset Co., de la Canada Corset Steel Co. et de la Banque Nationale; vice-président de la Banque canadienne nationale et de la Banque d'économie de Québec, dont il avait été l'un des administrateurs; et directeur de la National Breweries, de la Title and Guarantee Trust et de la Quebec, Saguenay and Chibougamau Railroad.

Candidat libéral défait à la Chambre des communes dans Québec à l'élection partielle du 23 octobre 1906. Conseiller législatif de la division de La Durantaye du 8 janvier 1912 au 28 mars 1930.

Président de l'Association des manufacturiers de la province de Québec en 1902 et de la Chambre de commerce de la ville de Québec en 1906 et 1907. Lieutenant-colonel honoraire du 61e régiment. Président de la Ligue antituberculeuse de Québec et de la section québécoise de l'Association des ambulances Saint-Jean. Membre du National Club de Toronto, du Montreal Club et du Club de la garnison de Québec. Créé chevalier de l'ordre de Saint-Jean-de-Jérusalem en 1914 et commandeur de l'ordre de Saint-Grégoire-le-Grand en 1916.

Décédé en fonction à Palm Beach, en Floride, le 28 mars 1930, à l'âge de 74 ans et 2 mois. Inhumé à Sainte-Foy, dans le cimetière Notre-Dame-de-Belmont, le 3 avril 1930.

Avait épousé à Québec, à l'Hôtel-Dieu-du-Sacré-Cœur, le 14 novembre 1881, Marie-Joséphine-Angèle Tanguay, fille de Louis Tanguay, sellier, et d'Angèle Pâquet.

ANDERSON, Anthony
(1767–1847)

Né à Jedburgh, en Écosse, probablement en octobre ou novembre 1767.

Arriva au Bas-Canada vers 1784. S'établit à Québec comme marchand-boucher. Fit de l'élevage, devint fournisseur de la marine, puis de l'armée, et investit dans la propriété foncière. Pendant la guerre de 1812, occupa le poste de quartier-maître. Élu syndic de faillite en 1818. Administrateur de la Banque d'épargne de Québec, fondée en 1821. Fut nommé juge de paix et obtint quelques postes de commissaire. Officier de milice: lieutenant dans la division de Beauport en 1812, était capitaine en 1822.

Élu député de Mégantic à une élection partielle le 3 avril 1832; appuya généralement le parti des bureaucrates et vota contre les Quatre-vingt-douze Résolutions. Ne s'est pas représenté en 1834.

Décédé à Québec, le 3 avril 1847, à l'âge de 79 ans. Les obsèques eurent lieu dans la cathédrale anglicane Holy Trinity, le 6 avril 1847.

Avait épousé dans l'église anglicane de Québec, le 11 août 1794, Margaret Jefferys, fille de James Jefferys.

ANDERSON, Thomas Brown (1796–1873)

Né à Édimbourg, en Écosse, en juin 1796.

Arriva à Montréal avant 1827. Entra, à titre de commis, au service de la Forsyth, Richardson and Company, entreprise fondée par son futur beau-père, John **Richardson**, et par John **Forsyth**, qui faisait principalement le commerce des fourrures et de l'import-export. En était le président en 1847 ; réaménagea la compagnie à quelques reprises, avec différents associés, jusqu'en 1861. Membre de l'exécutif du Committee of Trade de Montréal, à compter de 1829, et du Bureau de commerce de Montréal, de 1842 à 1850 ; fut vice-président de ce dernier en 1849. Engagé dans l'administration de la Banque de Montréal de 1830 à 1869, succéda à Joseph **Masson** en qualité de vice-président en 1847, puis à Peter **McGill** comme président en 1860. Président du conseil d'administration canadien de la Liverpool, London Fire and Life Insurance Company, de 1855 à 1872, continua à en être membre jusqu'à la fin de sa vie.

Nommé au Conseil spécial le 2 avril 1838, en fit partie jusqu'à la dissolution de ce conseil, le 1er juin. Occupa un des postes de vice-président de l'Association d'annexion de Montréal et signa le Manifeste annexionniste, en 1849.

Trésorier du Montreal General Hospital. Vice-président du McGill College. Participa à diverses œuvres paroissiales et diocésaines de l'Église d'Angleterre.

Décédé à Montréal, le 28 mai 1873, à l'âge de 76 ou de 77 ans. Inhumé dans la paroisse anglicane St. James the Apostle, le 31 mai 1873.

Avait épousé dans l'église anglicane Christ Church, à Montréal, le 12 décembre 1827, Ann Richardson, fille de John **Richardson** et de Sarah Ann Grant, veuve de David Ogden et petite-nièce de William **Grant**.

Bibliographie: *DBC*.

ANGERS, Auguste-Réal (1838–1919)

[Né à Québec, le 4 octobre 1838, fils de François-Réal Angers, avocat, et de Louise-Adèle Taschereau.]

Fit ses études au séminaire de Québec, au collège de Nicolet ainsi qu'à l'université Laval. Admis au barreau du Bas-Canada le 2 juillet 1860.

Exerça sa profession à Québec au cabinet des avocats Casault, Langlois et Angers jusqu'en 1896. Créé conseil en loi de la reine par la province de Québec en 1874 et par le Canada le 11 octobre 1880.

Élu député conservateur dans Montmorency à l'élection partielle des 10 et 11 février 1874. Son siège devint vacant le 22 septembre 1874 lors de sa nomination comme ministre. Réélu sans opposition à l'élection partielle du 5 octobre 1874 et aux élections de 1875. Solliciteur général du 22 septembre 1874 au 25 janvier 1876 et procureur général du 25 janvier 1876 au 8 mars 1878 dans le cabinet de Boucherville. Défait en 1878. Élu député conservateur à la Chambre des communes dans Montmorency à l'élection partielle du 14 février 1880. Son siège devint vacant lors de son accession à la magistrature, le 13 novembre 1880.

Juge à la Cour supérieure de la province de Québec du 13 novembre 1880 au 20 octobre 1887. Lieutenant-gouverneur de la province de Québec du 29 octobre 1887 au 5 décembre 1892 ; il renvoya d'office le gouvernement d'Honoré Mercier le 16 décembre 1891. Ministre de l'Agriculture du Canada dans les cabinets Thompson et Bowell du 5 décembre 1892 au 17 juin 1895. Sénateur de la division de La Vallière du 16 décembre 1892 au 10 juin 1896. Président du Conseil privé du 1er mai au 10 juillet 1896. Candidat conservateur défait dans Québec-Centre aux élections fédérales de 1896. S'établit à Montréal en 1896 et pratiqua le droit avec Mes De Lorimier et Godin.

Docteur en droit honoris causa de l'université Laval en 1888. Grand-croix de l'ordre de Saint-Grégoire-le-Grand en 1898 et chevalier de l'ordre de Saint-Michel et Saint-George en 1913.

Décédé à Westmount, le 14 avril 1919, à l'âge de 80 ans et 6 mois. Inhumé à Montréal, dans le cimetière Notre-Dame-des-Neiges, le 16 avril 1919.

Avait épousé dans la paroisse Notre-Dame de Québec, le 8 juin 1869, Marguerite-Julie Chinic, fille d'Eugène Chinic, marchand et sénateur de 1873 à 1882, et de Marie-Anne Leblond ; puis, dans la paroisse Saint-Colomb-de-Sillery, le 16 avril 1890, Marie-Émilie LeMoine, fille d'Alexandre LeMoine, notaire, et de Julie-Henriette-Émilie Massüe, et veuve de Joseph-Arthur Hamel.

Beau-frère de Thomas Chase **Casgrain**.

———

Bibliographie: Chapais, Thomas, *L'honorable A.R. Angers*, Montréal, La compagnie de moulins à papier de Montréal, 1892, 13 p.

AQUIN, François

Né à Montréal, le 6 mars 1929, fils de Pierre Aquin, menuisier, et d'Ovélie Delisle.

Fit ses études à Montréal à l'école Lévis, au collège Sainte-Marie, à l'université de Montréal et à la McGill University. Licencié en droit. Admis au barreau de la province de Québec en juin 1956, il exerça par la suite sa profession à Montréal.

Président de la Fédération des jeunes libéraux du Québec de 1961 à 1963 et président de la Fédération libérale du Québec en 1963 et 1964. Élu député libéral dans Dorion en 1966. Démissionna du Parti libéral le 28 juillet 1967 à cause de son désaccord avec la déclaration du chef du Parti libéral, Jean Lesage, sur la visite du général de Gaulle. Siégea comme député indépendant jusqu'au 20 novembre 1968.

Est retourné à la pratique du droit et à l'enseignement. Fut notamment chargé de cours à la faculté de droit de l'université de Montréal de 1969 à 1989. Auteur de nombreux articles.

ARCAND, Charles-Joseph
(1871–1951)

Né à Grondines, le 27 décembre 1871, fils de Liboire Arcand, menuisier, et de Marie Guilbault.

Étudia à Grondines, puis suivit des cours privés à Kenneth, en Californie, de 1890 à 1895.

Travailla pendant trois ans à bord de caboteurs faisant le service entre Montréal et le golfe du Saint-Laurent, puis dans les mines d'or en Californie de 1890 à 1895. Au service du Canadien Pacifique de 1896 à 1931, il occupa les fonctions de serre-freins, de chef de train et de directeur général de nuit au terminus d'Outremont. Membre de l'Union des employés de chemins de fer en 1898. Président de la section Saint-Laurent de la Fraternité des employés de chemins de fer pendant quinze ans.

Membre de la Jeunesse libérale de Maisonneuve. Membre du Club de réforme de Montréal et président honoraire du Club Maisonneuve. Échevin du quartier Maisonneuve au conseil municipal de Montréal de 1928 à 1930. Maire suppléant. Élu député libéral dans Maisonneuve en 1931. Défait en 1935. Ministre du Travail dans le cabinet Taschereau du 28 octobre 1931 au 20 décembre 1935.

Chevalier de Colomb, membre de la Société Saint-Jean-Baptiste, membre à vie de la Société Saint-Vincent-de-Paul et président de la section Saint-Clément de ces deux organismes.

Décédé à Montréal, le 1er janvier 1951, à l'âge de 79 ans. Inhumé à Montréal, dans le cimetière de l'Est, le 4 janvier 1951.

Avait épousé dans sa paroisse natale, le 11 janvier 1897, Alexina Grondines, fille de Zéphyrin Grondines, cultivateur, et de Philomène Grégoire.

ARCAND, Jean-Olivier
(1793–1875)

Né à Deschambault et baptisé dans la paroisse Saint-Joseph, le 22 juillet 1793, fils de Joseph Arcand, dit Boulard, et de Marie-Louise Delisle.

Étudia au séminaire de Nicolet de 1808 à 1811. Reçut une commission d'arpenteur le 17 mars 1821.

S'établit à Yamaska où il exerça sa profession; pratiqua notamment dans les seigneuries et fiefs environnants, et arpenta le village de Saint-Aimé (Massueville). En 1835, fut constitué procureur du seigneur Aignan-Aimé **Massue**. En 1837–1838, participa activement au mouvement de protestation patriote dans sa région; emprisonné à Montréal le 29 mars 1838, fut libéré au moment de l'amnistie, en juillet. Registrateur du comté de Yamaska, du 1er mars 1844 jusqu'en juin 1862. Nommé, en août 1848, agent du gouvernement en matière d'établissement des cantons. Officier dans la milice, servit pendant la guerre de 1812. Obtint plusieurs postes de commissaire, dont un au tribunal des petites causes dont il fut destitué en septembre 1838.

Élu député de Hampshire à une élection partielle le 13 mars 1822; appuya généralement le parti canadien. Ne se serait pas représenté en 1824.

Décédé à Yamaska, le 14 novembre 1875, à l'âge de 82 ans et 3 mois. Inhumé dans le cimetière paroissial, le 17 novembre 1875.

Avait épousé dans la paroisse Saint-Michel, à Yamaska, le 18 août 1824, Marguerite Pélissier, fille de Pierre-Basile Pélissier, capitaine dans la milice, et de Marguerite Dugas.

Beau-père d'Alexandre **Bareil, dit Lajoie**.

ARCHAMBAULT. V. aussi ARCHAMBEAULT

ARCHAMBAULT, Alexandre
(1829–1879)

Né à L'Assomption et baptisé dans la paroisse Saint-Pierre-du-Portage, le 7 juin 1829, sous le nom d'Alexandre-Amable Archambeault, fils d'Amable Archambeault, marchand, et de Madeleine Bruguière. Désigné aussi sous le prénom d'Alexandre A.

Étudia au collège de L'Assomption de 1839 à 1847. Fit l'apprentissage du droit à Montréal, auprès de son beau-frère Joseph **Papin**; admis au barreau le 1er décembre 1851.

Exerça sa profession à L'Assomption. Fut capitaine dans la milice.

Maire de L'Assomption, de 1858 à 1870. Élu à deux reprises préfet de comté. Élu député de L'Assomption en 1861; rouge. Défait en 1863.

Décédé à L'Assomption, le 12 juillet 1879, à l'âge de 50 ans et un mois. Inhumé dans l'église paroissiale, le 15 juillet 1879.

Avait épousé dans la paroisse Notre-Dame de Montréal, le 9 novembre 1852, Léocadie Homier, fille de Jean-Baptiste Homier, membre du conseil municipal, et de Sophie Sareault.

Frère de Pierre-Urgel **Archambault**. Beau-père d'Henri-Benjamin **Rainville**.

Bibliographie: Lefebvre, Jean-Jacques, «Les Archambault au Conseil législatif», *BRH*, 59, 1 (janvier-mars 1953), p. 23-28.

ARCHAMBAULT, Charles
(<1812– ≥1838)

Servit pendant la guerre de 1812, à titre de capitaine dans le 2e bataillon de milice de Beauharnois; prit part à la bataille de La Fourche en 1813. Obtint une commission d'arpenteur, le 26 juin 1816.

Exerça sa profession à Beauharnois; arpenta notamment la seigneurie désignée sous le nom d'Ellice et, en 1833, était l'un des experts pour l'évaluation des terres. Nommé visiteur des écoles du comté de Beauharnois en juin 1831.

Élu député de Beauharnois en 1830. Réélu en 1834; participa à un seul vote durant la session de 1836 et ne siégea pas en 1837. Appuya généralement le parti patriote et vota

pour les Quatre-vingt-douze Résolutions. Son mandat prit fin avec la suspension de la constitution, le 27 mars 1838.

Décédé en ou après 1838.

On ne sait pas s'il était célibataire ou marié.

ARCHAMBAULT, François-Xavier
(1841–1893)

Né à Saint-Vincent-de-Paul (île Jésus), le 18 septembre 1841, fils de Jean-Baptiste Archambault, cultivateur, et de Marie-Louise Auclair.

Fit ses études au collège de Sainte-Thérèse et à Montréal. Admis au barreau du Bas-Canada le 12 octobre 1863. Créé conseil en loi de la reine le 23 mars 1878.

Exerça sa profession avec son frère, Me Cyrille Archambault. Avocat de la couronne et substitut du solliciteur général à Montréal de 1878 à 1880.

Candidat conservateur défait dans Montréal-Est aux élections fédérales de 1878 et dans Vaudreuil aux élections fédérales de 1882. Élu député conservateur à l'Assemblée législative dans Vaudreuil à l'élection partielle du 30 octobre 1882. L'élection fut annulée par la Cour supérieure le 30 mai 1884. Ne s'est pas représenté en 1886. Maire de Dorion en 1891 et 1892.

Décédé à Montréal, le 3 juin 1893, à l'âge de 51 ans et 8 mois. Inhumé à Montréal, dans le cimetière Notre-Dame-des-Neiges, le 6 juin 1893.

Avait épousé dans la paroisse Notre-Dame de Montréal, le 4 avril 1864, Marie-Louise-Octavie Saint-Louis, fille de Louis Saint-Louis, navigateur, et de Marie-Hermine-Anaplette Dansereau.

Beau-père de Rodolphe **Tourville**. Neveu de Louis-Adélard **Senécal**.

ARCHAMBAULT, Jacques
(1765–1851)

Né le 15 septembre 1765, puis baptisé le 16, dans la paroisse Saint-Pierre-du-Portage, à L'Assomption, fils de Pierre Archambault, cultivateur, et de Marie-Josephte Gauthier.

En 1800, s'établit comme agriculteur à Saint-Roch-de-l'Achigan. Nommé juge de paix pour le district de Montréal, en juillet 1805, commissaire chargé de faire prêter le serment d'allégeance, en juin 1812, et commissaire au tribunal des petites causes, en avril 1822. Lieutenant dans la milice à compter de décembre 1807, fut par la suite promu capitaine;

servit en cette qualité pendant la guerre de 1812. Fut marguillier de la paroisse Saint-Roch-de-l'Achigan en 1816 et 1825.

Élu député de Leinster en 1810; appuya le parti canadien. Ne s'est pas représenté en 1814.

Décédé le 31 décembre 1851, à l'âge de 86 ans et 3 mois. Inhumé dans le cimetière paroissial de Saint-Roch-de-l'Achigan, le 3 janvier 1852.

Aurait épousé dans la paroisse de la Purification-de-la-Bienheureuse-Vierge-Marie, à Repentigny, le 6 octobre 1783, Véronique Debussat, dit Saint-Germain, fille de Joseph Debussat, dit Saint-Germain, et de Catherine Brouillet.

ARCHAMBAULT, Jean
(1780– ≈1831)

Né à L'Assomption, le 14 décembre 1780, puis baptisé le 15, dans la paroisse Saint-Pierre-du-Portage, fils de Jean Archambault et de Françoise Beaudry. Parfois désigné sous le prénom de Jean-Baptiste.

Fut cultivateur dans la partie de L'Assomption qui devint Saint-Roch-de-l'Achigan.

Élu député de Leinster en 1800; ne prit part qu'aux votes de deux sessions. Réélu en 1804; participa à une session seulement. Appuya le parti canadien. Ne se serait pas représenté en 1808.

Décédé à Saint-Roch-de-l'Achigan, vers 1831, à l'âge d'environ 51 ans.

Avait épousé dans la paroisse Saint-Roch-de-l'Achigan, le 27 janvier 1806, Marie-Josephte Payet, dit Saint-Amour, fille de Charles Payet, dit Saint-Amour.

ARCHAMBAULT, Pierre-Urgel
(1812–1871)

Né à L'Assomption et baptisé dans l'église paroissiale, le 11 janvier 1812, fils d'Amable Archambault, marchand, et de Madeleine Bruguière.

Étudia au petit séminaire de Montréal de 1823 à 1830.

Reprit le commerce de son père à L'Assomption. Président de la Société d'agriculture du comté de L'Assomption; participa à l'établissement d'une école d'agriculture placée sous la direction du collège de l'endroit. Officier de milice, atteignit le grade de lieutenant-colonel en 1859.

Maire de L'Assomption, de 1847 à 1854. Élu sans opposition conseiller législatif de la division de Repentigny en 1858; son mandat prit fin avec l'avènement de la Confédération, le 1er juillet 1867. Candidat libéral défait dans L'Assomption aux élections de la Chambre des communes en 1867.

Décédé à L'Assomption, le 19 août 1871, à l'âge de 59 ans et 7 mois. Inhumé dans la crypte de la chapelle Notre-Dame-de-Bonsecours, dans la paroisse de l'Assomption-de-la-Sainte-Vierge, le 23 août 1871.

Avait épousé dans la paroisse de l'Assomption-de-la-Sainte-Vierge, à L'Assomption, le 16 février 1835, Joséphine Beaupré, fille du marchand Benjamin **Beaupré** et de sa première femme, Julie Mercier; puis, dans la paroisse Saint-Jean-l'Évangéliste, à Saint-Jean-sur-Richelieu, le 28 mai 1867, Maria-Louise Poulin, veuve du notaire Jacques Reeves.

Frère d'Alexandre **Archambault**. Beau-frère d'Édouard-Étienne **Rodier**. Beau-père de Ludger **Forest** (L'Assomption) et de Louis-Olivier **Taillon**.

Bibliographie: *DBC*. Lefebvre, Jean-Jacques, «Les Archambault au Conseil législatif», *BRH*, 59, 1 (janvier-mars 1953), p. 23-28.

ARCHAMBEAULT, Horace
(1857–1918)

Né à L'Assomption le 6 mars 1857, fils de Louis **Archambault**, notaire, et d'Élizabeth Dugal.

A étudié au collège de L'Assomption, au séminaire de Québec ainsi qu'à l'université Laval à Québec. Admis au barreau de la province de Québec le 1er octobre 1878.

Exerça sa profession d'avocat à Montréal. Fut associé, entre autres, à Henri-Benjamin **Rainville** et Honoré Gervais, puis à J.-A. Bonnin et à son frère Henri Archambault. Professeur agrégé à l'université Laval à Montréal de 1882 à 1888. Docteur en droit en 1886. Secrétaire de la faculté de droit de 1886 à 1891. Professeur titulaire de droit commercial et maritime de 1888 à 1918. Créé conseil en loi de la reine par le gouvernement du Canada le 28 décembre 1889. Membre du Conseil de l'instruction publique de la province en 1890. Membre du Conseil du barreau de Montréal de 1890 à 1898. Syndic du barreau en 1898 et 1899. Créé conseil en loi de la reine par le gouvernement de la province de Québec le 21 juillet 1899. Bâtonnier général de la province en 1900 et 1901. Nommé doyen de la faculté de droit de l'université Laval à Montréal en 1915. Directeur de l'École polytechnique de Montréal.

Nommé conseiller législatif de la division de Repentigny le 6 juin 1888. Appuya le Parti libéral. Procureur général dans les cabinets Marchand et Parent du 26 mai 1897 au 23 mars 1905. Orateur du Conseil législatif du 19 juin 1897 jusqu'à sa démission, le 17 septembre 1908.

Nommé juge à la Cour du banc du roi le 17 septembre 1908. Nommé juge en chef de cette cour le 11 août 1911. Administrateur de la province du 24 décembre 1914 au 8 février 1915 et du 6 février au 7 avril 1918.

Créé chevalier de l'ordre de Saint-Michel et Saint-George en 1905.

Décédé à Trois-Pistoles, le 25 août 1918, à l'âge de 61 ans et 5 mois. Inhumé à Montréal, dans le cimetière Notre-Dame-des-Neiges, le 28 août 1918.

Avait épousé dans la paroisse Notre-Dame de Québec, le 27 septembre 1882, Élizabeth Lelièvre, fille de Roger Lelièvre, avocat et registrateur du comté de Portneuf, et de Catherine Mailhot.

ARCHAMBEAULT, Louis
(1814–1890)

Né à Longue-Pointe (Montréal) et baptisé dans la paroisse Saint-François-d'Assise, le 7 novembre 1814, fils de Jacques Archambault, cultivateur, et de sa première femme, Catherine Raimondvert. Baptisé sous le nom de Louis Archambault; signait Ls Archambeault.

Admis à la pratique du notariat en 1836, exerça sa profession à Saint-Roch-de-l'Achigan, puis à L'Assomption, à compter de 1855. Nommé en 1843 registrateur du district de Leinster, qui prit le nom de L'Assomption en 1853. Fut membre (1845) et président (1846–1848) de la commission scolaire de Saint-Roch-de-l'Achigan; maître de poste en 1851. Chargé en 1855 de participer à la confection du cadastre à titre de commissaire seigneurial, fut destitué de cette fonction et de celle de registrateur en janvier 1856, à cause d'irrégularités qu'il avait commises en qualité de directeur du scrutin en 1851 et 1854.

Préfet du comté de Leinster de 1848 à 1853, puis de celui de L'Assomption en 1854–1855 et en 1877. Maire de L'Assomption de 1877 à 1882. Élu député de L'Assomption en 1858. Défait en 1861. Élu dans la même circonscription en 1863. Bleu. Son mandat prit fin avec l'avènement de la Confédération, le 1er juillet 1867. Fut commissaire de l'Agriculture et des Travaux publics dans le cabinet Chauveau du 15 juillet 1867 au 27 février 1873 et dans le cabinet Ouimet à partir du 27 février 1873; remit sa démission le 8 septembre 1874 mais resta en fonction jusqu'au 22. Élu député conservateur de L'Assomption à la Chambre des communes en 1867. Réélu en 1872. Ne s'est pas représenté en 1874. Nommé représentant de la division de Repentigny au Conseil législatif le 2 novembre 1867, prêta serment le 27 décembre; démissionna le 6 juin 1888. Appuya généralement le Parti conservateur. Nommé

représentant du gouvernement provincial au conseil d'administration de la Compagnie du chemin à lisses de colonisation du nord de Montréal en 1872. Refusa un poste dans le cabinet Joly de Lotbinière en 1878.

Administrateur de la Chambre des notaires du district de Montréal à compter de 1859, en fut président de 1865 à 1870; président de la Chambre des notaires de la province de Québec de 1870 à 1876. Officier de milice. A signé l'introduction de *la Province de Québec et l'émigration européenne* (Québec, 1870), qui parut aussi en anglais.

Décédé à L'Assomption, le 2 mars 1890, à l'âge de 75 ans et 3 mois. Inhumé dans le caveau de l'église de l'Assomption-de-la-Sainte-Vierge, le 5 mars 1890.

Avait épousé dans l'église de Saint-Roch-de-l'Achigan, le 9 août 1839, Éloïse (Élise) Roy, pupille du notaire Henri Valotte; puis, dans la paroisse Saint-Louis-de-France, à Terrebonne, le 17 juillet 1848, Marguerite-Élisabeth Dugal, fille de François Dugal et de Félicité-Zoé Séguin.

Père d'Horace **Archambeault**.

Bibliographie : *DBC.*

ARCY, D'. V. McGEE

ARMAND, Joseph-Flavien
(1820–1903)

Né à Rivière-des-Prairies (Montréal) et baptisé dans la paroisse Saint-Joseph, le 12 décembre 1820, fils de François Armand, dit Flamme, qui fut marguillier, lieutenant-colonel dans la milice et actionnaire de la Banque du peuple, et de Marie-Louise Vincent. Souvent désigné sous le prénom de Joseph-François.

Étudia au séminaire de Saint-Hyacinthe à partir de 1836.

Cultivateur à Rivière-des-Prairies. Administrateur de l'Isolated Risk Fire Insurance Company, qui devint l'Isolated Risk and Farmer's Fire Insurance Company en 1873 et la Sovereign Fire Insurance Company en 1879. Lieutenant-colonel commandant du 16e bataillon de milice de Montréal, de 1862 à 1869.

Élu conseiller législatif de la division d'Alma en 1858, occupa son siège jusqu'à l'avènement de la Confédération, le 1er juillet 1867. Représenta la division de Repentigny au Sénat à compter du 23 octobre 1867. Appuya le Parti conservateur.

Décédé en fonction à Montréal, le 1er janvier 1903, à l'âge de 82 ans. Inhumé dans le cimetière de la paroisse Saint-Joseph, à Rivière-des-Prairies (Montréal), le 5 janvier 1903.

Avait épousé dans sa paroisse natale, le 12 mai 1851, Alphonsine Simard, fille du docteur Amable Simard et d'Henriette Partenais.

Beau-frère de Joseph-Hyacinthe **Bellerose**.

ARMSTRONG, David Morrison (1805–1873)

Né à Maskinongé, en 1805, fils d'Edward Armstrong, capitaine dans la marine britannique (fut aussi maître du port de Montréal), et d'Elizabeth Dunn.

Reçut une partie de son instruction à l'école anglaise de Maskinongé.

Vers 1824, suivit ses parents à Berthier (Berthierville) où il s'établit comme marchand; servit aussi d'agent pour le compte de compagnies d'assurances. Fut commissaire au tribunal des petites causes et juge de paix. Lieutenant-colonel commandant du 4e bataillon de milice de Berthier.

Élu député de Berthier en 1841. Réélu en 1844 et 1848. Membre du groupe canadien-français, puis réformiste. Défait en 1851. Nommé conseiller législatif de la division de Sorel le 8 février 1855; conserva son siège jusqu'à l'avènement de la Confédération, le 1er juillet 1867. Appelé de nouveau à représenter la division de Sorel au Conseil législatif le 2 novembre 1867, prêta serment le 27 décembre; appuya le Parti conservateur.

Décédé en fonction à Sorel, le 14 avril 1873, à l'âge de 67 ou 68 ans. Inhumé dans le caveau de l'église Saint-Pierre, le 18 avril 1873.

Avait épousé dans la paroisse Sainte-Geneviève-de-Berthier, à Berthier (Berthierville), le 8 janvier 1831, Léocadie Deligny, fille du marchand Jacques **Deligny** et de Françoise Langevin (Bergevin, dit Langevin).

Beau-père de Michel **Mathieu**.

ARSENAULT, Bona

Né à Thivierge (Bonaventure), le 4 octobre 1903, fils de Joseph-Georges Arsenault, cultivateur, et de Marcelline Gauthier.

A étudié à l'académie de Bonaventure, sous la direction de professeurs privés et à l'École des sciences sociales, politiques et économiques de l'université Laval à Québec. A suivi des cours en administration et en psychologie à la Storrs University, au Connecticut.

Président et directeur général de l'hebdomadaire *le Journal* à Québec de 1932 à 1936, puis du quotidien du même nom de 1936 à 1939. Président et directeur de *l'Événement-Journal* à Québec de 1939 à 1941. Gérant du district de Québec et de l'est de la province à la compagnie d'assurances Nationale du Canada de 1941 à 1953. Directeur des relations publiques à la compagnie d'assurances Pratte & Côté à Québec et membre du bureau de direction de Pratte & Cie à Montréal, de 1953 à 1960.

Candidat conservateur défait dans Bonaventure aux élections provinciales de 1931 et dans Gaspé-Sud en 1935. Candidat conservateur défait dans Bonaventure aux élections fédérales de 1940. Président du Parti conservateur pour la province de Québec de 1942 à 1944. Élu député indépendant à la Chambre des communes dans Bonaventure en 1945. Élu sous la bannière libérale en 1949 et 1953. Défait en 1957. Élu député libéral à l'Assemblée législative dans Matapédia en 1960. Réélu en 1962 et 1966. Ministre des Terres et Forêts dans le cabinet Lesage du 5 juillet 1960 au 5 décembre 1962. Ministre de la Chasse et des Pêcheries dans le même cabinet du 5 décembre 1962 au 3 avril 1963. Secrétaire de la province dans le même cabinet du 3 avril 1963 au 16 juin 1966. Réélu en 1970 et 1973. Défait en 1976.

Président de l'Association des journaux hebdomadaires de la province de Québec en 1935 et 1936. Membre honoraire de la Maison acadienne-française de la Louisiane en 1955. Titulaire d'un doctorat honorifique des universités de Bathurst en 1956 et de Moncton au Nouveau-Brunswick. Citoyen honoraire de la ville de Lafayette en Louisiane en 1960. Colonel honoraire de l'état-major du gouverneur de la Louisiane en 1961. Récipiendaire de la médaille de l'ordre du Canada en 1981 et de l'ordre du Mérite forestier en 1985. Créé officier de l'ordre de la Pléiade en mai 1982. Membre de l'Association Touraine-Canada en 1963. A publié: *Malgré les obstacles* (1953), *l'Acadie des ancêtres* (1955), la partie historique et généalogique de *Bonaventure 1760–1960* (1960), *Changement de vie aux Terres et Forêts* (1960), *Histoire et généalogie des Acadiens* (1965 et 1978), *Histoire des Acadiens* (1966), *Louisbourg 1713–1758* (1971) et *Souvenirs et confidences* (1983).

ARTIGNY, D'. V. BERTHELOT DARTIGNY

ASHBY, Joseph-Séraphin-Aimé
(1876–1962)

Né dans la paroisse Sainte-Marie-de-Monnoir, le 29 avril 1876, fils de George Ashby, cultivateur, et d'Euphrosine Messier.

A étudié au collège Sainte-Marie-de-Monnoir ainsi qu'à l'université Laval à Montréal. Admis à la pratique du notariat en juillet 1904.

Exerça sa profession à Lachine. Fut également courtier d'assurances et courtier immobilier. Directeur de l'Administration immobilière ltée et de Lord, Bourbonnais et Perron ltée de Lachine.

Élu député libéral dans Jacques-Cartier en 1916. Réélu en 1919. Défait en 1923.

Maire de Lachine de décembre 1923 à décembre 1925. Secrétaire-trésorier du conseil de comté et de la Société d'agriculture de Jacques-Cartier.

Membre de l'Alliance nationale, de l'ordre des Forestiers catholiques, de l'Union Saint-Joseph de Lachine, du Cercle universitaire, du Club de la presse, du Club de réforme de Montréal et des Chevaliers de Colomb.

Décédé à Montréal, le 5 mars 1962, à l'âge de 85 ans et 10 mois. Inhumé dans le cimetière de la paroisse des Saints-Anges-de-Lachine, le 9 mars 1962.

Avait épousé à Longueuil, dans la paroisse Saint-Antoine, le 16 janvier 1906, Hectorine Sainte-Marie, fille de Zotique Sainte-Marie, épicier, et d'Azilda Loiseau.

ASSAD, Mark

Né à Buckingham, le 14 juin 1940, fils d'Adélard Assad, marchand, et d'Edna Chartrand.

Fit ses études à la Buckingham High School et au St. Patrick's College à Ottawa où il obtint un baccalauréat avec majeure en histoire en 1964. Obtint une maîtrise en histoire à l'université d'Ottawa en 1967 et une autre en administration publique de l'École nationale d'administration publique en 1979.

Professeur d'histoire à la régionale Papineau en 1964 et 1965 et de 1967 à 1970, puis administrateur de 1976 à 1981. Producteur d'un disque contenant les plus célèbres discours de Wilfrid **Laurier**. Promoteur d'un projet de construction pour la compagnie Auto Precast.

Membre de l'Association d'histoire du Québec de 1967 à 1969. Président de la Croix-Rouge canadienne du comté de Papineau pendant deux ans. Président du Club de hockey junior de Buckingham en 1969.

Vice-président de l'Association libérale du comté de Papineau en 1967 et 1968. Président des Jeunes Libéraux du comté de Papineau en 1968. Élu député libéral dans Papineau en 1970. Réélu en 1973. Ne s'est pas représenté en 1976. Réélu en 1981 et 1985. Démissionna le 17 octobre 1988 pour se présenter candidat libéral aux élections fédérales. Élu député libéral à la Chambre des communes dans Gatineau-La Lièvre en 1988.

ASSELIN, Édouard
(1892–1975)

Né à Joliette, dans la paroisse Sainte-Élisabeth, le 15 mars 1892, fils d'Adolphe Asselin, cultivateur, et de Marie-Virginie Poulette.

A étudié au séminaire de Joliette ainsi qu'à l'université Laval à Montréal où il fut diplômé en droit. Fit sa cléricature auprès de Me Adélard Lachapelle. Admis au barreau de la province de Québec le 9 juillet 1917.

Fit partie du cabinet des avocats Désilets et Asselin à Grand-Mère de 1917 à 1927. Ouvrit un bureau pour cette société à Shawinigan en 1927 puis pratiqua à son compte de 1930 à 1936. Créé conseil en loi du roi le 9 mai 1934. Procureur général adjoint de la province de Québec d'août 1936 à 1939. Fut délégué à Paris, en 1937, comme représentant du gouvernement de la province au Congrès international des juristes de langue française ; il assista la même année au Congrès international de droit à La Haye, aux Pays-Bas. Fonda le cabinet des avocats Asselin, Crankshaw, Gingras, Trudel et Saylor à Montréal en 1939. Vinrent s'y joindre Mes Brais, Turgeon, Valade et Langevin. Membre du Conseil du barreau de Montréal de 1944 à 1950. Bâtonnier du barreau de Montréal et du barreau de la province de Québec en 1950 et 1951. Pratiqua jusqu'en 1972 avec Me Arthur Boivin à Montréal.

Candidat de l'Union nationale défait dans Montréal-Mercier en 1944. Conseiller législatif de la division de Wellington du 25 janvier 1946 jusqu'à l'abolition du Conseil législatif, le 31 décembre 1968. Leader du gouvernement de l'Union nationale au Conseil législatif de 1947 à 1960, leader de l'Opposition de 1960 à 1966 et de nouveau leader du gouvernement jusqu'en 1968.

A collaboré à différents journaux et périodiques. Publia en 1925 un index des *Statuts refondus du Québec*. Membre de nombreux conseils d'administration de compagnies industrielles et financières telles que la Trans-Canada Pipelines Ltd., la Corporation de gaz naturel du Québec, les Prévoyants du Canada, la Société d'administration et de fiducie, la Banque de Nouvelle-Écosse, l'Abitibi Power and Paper Co. Ltd., la St. Lawrence Corporation Ltd., la Dow Brewery Ltd., la North American Utilities Corp., la Mont Tremblant Lodge Ltd., la Hollinger Consolidated, la Labrador Mining and Exploration Co., la Sun Trust Ltd. et le Trust général du Canada. Membre également du comité consultatif canadien de la Northern Assurance Co., directeur de la Chambre de commerce de Shawinigan en 1932, puis président en 1935 et 1936. Membre de la Chambre de commerce de Montréal et du Cercle universitaire. Président du Club canadien de Shawinigan. Président du Fonds de construction de Saint-Benoît-du-Lac. Il assuma en outre des fonctions importantes au sein d'établissements liés au monde médical : président de l'Institut de microbiologie et d'hygiène de l'université de Montréal, devenu plus tard l'Institut Armand-Frappier, et président du conseil de cet institut en 1975 ; gouverneur à vie des hôpitaux Notre-Dame, Sainte-Jeanne-d'Arc et Marie-Enfant ; membre à vie et président du conseil d'administration de l'hôpital Saint-Luc à Montréal. Docteur en droit honoris causa de l'université de Montréal.

Décédé à Montréal, le 1er novembre 1975, à l'âge de 83 ans et 7 mois. Inhumé dans le cimetière de la paroisse Notre-Dame-de-Lourdes, près de Joliette, le 5 novembre 1975.

Avait épousé à Shawinigan, dans la paroisse Saint-Pierre, le 26 novembre 1938, Jeanne Langevin, fille d'Alphonse Langevin, négociant, et de Bernadette Dufresne.

Oncle d'Edmund Tobin Asselin, député à la Chambre des communes de 1962 à 1965, et de Patrick Tobin Asselin, député à la Chambre des communes de 1963 à 1968.

ASSELIN, Louis-Napoléon (1850–1921)

Né à Saint-François (île d'Orléans), le 22 juillet 1850, fils de Louis Asselin, pilote, et de Marie Laperrière.

Fit ses études au séminaire de Québec et à l'université Laval à Québec. Admis au barreau de la province de Québec le 12 juillet 1874.

Membre du cabinet des avocats Asselin et Chamberland à Rimouski. Procureur de la couronne en matière criminelle pour le district de Rimouski en 1880 et 1881.

Candidat conservateur défait dans Rimouski à l'élection partielle du 3 mars 1880. Élu député conservateur dans cette circonscription en 1881. Défait en 1886 et à l'élection partielle du 4 décembre 1889. De nouveau défait dans Matane en 1890 et dans Rimouski en 1908.

Maire de Rimouski de 1885 à 1887. Commissaire d'école à Rimouski de 1895 à 1898 et de 1903 à 1914. Shérif de Rimouski de 1895 à 1908. Ouvrit un cabinet d'avocats avec son fils en 1908. Fondateur et directeur du *Progrès du Golfe* jusqu'en 1910. Nommé agent de rapatriement pour le gouvernement canadien à Biddeford (Maine) en juillet 1914. Président de la Société Saint-Jean-Baptiste de Rimouski.

Décédé à Biddeford, au Maine, le 22 juillet 1921, à l'âge de 71 ans. Inhumé dans le cimetière de la paroisse Saint-Germain-de-Rimouski, le 27 juillet 1921.

Avait épousé à Rimouski, le 23 mai 1876, Théotiste-Malvina-Louise Derome, fille de François-Magloire Derome, protonotaire, et d'Henriette- Louise-Théotiste Labadie.

ASSELIN, Martial

Né à La Malbaie, le 3 janvier 1924, fils de Ferdinand Asselin et d'Eugénie Tremblay.

A étudié à l'académie Saint-Étienne, à La Malbaie, au séminaire de Chicoutimi et à l'université Laval. Diplômé en droit. Admis au barreau en 1951. Nommé conseil en loi de la reine en 1967.

Avocat. Fut conseiller juridique de la Chambre de commerce de Charlevoix en 1951. Administrateur de La Laurentienne générale, de la Banque Laurentienne, Sphynx et Mémisca. Directeur de La Laurentienne-Vie de 1976 à 1986. Membre du cabinet Jolin, Fournier, Morisset et Associés de 1980 à 1990.

Président de l'Association des étudiants de l'université Laval en 1949 et 1950. Directeur du barreau du Saguenay en 1955. Élu président de l'Assemblée internationale des parlementaires de langue française en 1988. Président de la Chambre africaine de commerce et d'industrie du Canada de 1985 à 1987.

Maire de La Malbaie de 1957 à 1963. Élu député progressiste-conservateur à la Chambre des communes dans Charlevoix en 1958. Défait en 1962 et 1963. Ministre des Forêts dans le cabinet Diefenbaker du 18 mars au 22 avril 1963. Réélu en 1965 et 1968. Nommé sénateur dans la division Stadacona le 1er septembre 1972. Ministre d'État chargé de l'Agence canadienne de développement international et de la Francophonie du 5 juin 1979 au 3 mars 1980. Vice-président du Sénat de novembre 1984 à décembre 1988. Assermenté lieutenant-gouverneur de la province de Québec le 9 août 1990.

ATKINSON, Gordon

Né à Winnipeg, au Manitoba, le 24 août 1922, fils de William James Atkinson, officier des Forces armées canadiennes, et de Martha Kathleen Johnson.

Participa à la Seconde Guerre mondiale à titre de lieutenant d'infanterie et à la guerre de Corée. Annonceur à la radio à Calgary en 1937. Travailla dans le domaine de la radio, de la télévision, du cinéma et du théâtre entre 1946 et 1950. Enseigna les techniques de réalisation à CBC, Toronto, en 1952. Responsable de l'élaboration et de l'implantation d'une politique de programmation pour l'extension du réseau CBC dans l'Ouest canadien à Winnipeg, puis réalisateur et commentateur à la télévision à Montréal en 1953 et 1954. Conseiller du premier ministre canadien Louis Saint-Laurent en 1956 et 1957. Présentateur à CBC-Radio et CBC-Télévision à Montréal de 1958 à 1981. Commentateur mondain et politique à CJAD de 1981 à 1989.

Président de la Conférence sur le vieillissement à Montréal de 1984 à 1989. Membre de l'Alliance of Canadian Cinema, Television and Radio Artists (ACTRA). Membre du conseil d'administration de l'ordre de Saint-Jean-de-Jérusalem. Membre du conseil de l'Église St. James the Apostle. Lieutenant-colonel honoraire du 78th Fraser Highlanders. Président honoraire de la section 95 de la Légion royale canadienne. Récipiendaire d'un prix décerné par l'ACTRA de Montréal en 1974, 1976 et 1977 et du prix national de la radio dans la catégorie du meilleur commentateur en 1988. Fait chevalier de l'ordre militaire et hospitalier de Saint-Lazare-de-Jérusalem en 1984.

Élu député du Parti Égalité dans Notre-Dame-de-Grâce en 1989.

ATWATER, Albert William
(1856–1929)

Né à Montréal, le 19 mai 1856, fils d'Albert William Atwater, marchand, et de Julia Eliza Brush.

A étudié à la High School de Montréal ainsi qu'à la McGill University. Diplômé en droit civil et récipiendaire de la médaille d'or Elizabeth-Torrance en 1880. Admis au barreau de la province de Québec le 11 janvier 1881. Créé conseil en loi de la reine le 9 juin 1899.

Exerça sa profession d'avocat à Montréal et fut associé notamment à Levi Ruggles **Church** et Joseph-Adolphe **Chapleau**. Procureur de la couronne pour le district de Montréal en 1892. Nommé commissaire pour la révision et la préparation d'une nouvelle charte de la ville de Montréal en 1897.

Avocat-conseil de la ville de Montréal, associé à M. Rouer Roy de 1898 à 1919.

Échevin du quartier Saint-Antoine au conseil municipal de Montréal de février à mai 1896. Élu sans opposition député conservateur dans Montréal nº 4 à l'élection partielle du 4 juin 1896. Réélu en 1897. Trésorier de la province dans le cabinet Flynn du 12 mai 1896 au 26 mai 1897. Défait en 1900.

Bâtonnier du barreau du district de Montréal en 1915. Bâtonnier du barreau de la province de Québec en 1916. Président de la St. George Society de Montréal. Membre du St. James Club, du Mount Royal Club, du Canada Club, du Club Lafontaine, du Club de la garnison de Québec et du Club Rideau d'Ottawa. Membre de la Law and Order League.

Décédé à Intra, en Italie, le 2 novembre 1929, à l'âge de 73 ans et 5 mois. Inhumé à Montréal, dans le Mount Royal Cemetery, le 23 novembre 1929.

Il était célibataire.

AUBERT DE GASPÉ, Pierre-Ignace
(1758–1823)

Né à Québec et baptisé dans la paroisse Notre-Dame, le 14 août 1758, fils d'Ignace-Philippe Aubert de Gaspé, officier dans les troupes de la Marine et seigneur, et de Marie-Anne Coulon de Villiers.

Étudia au petit séminaire de Québec de 1769 à 1775.

Issu d'une famille ruinée par la Conquête, passa une partie de son enfance dans un moulin à eau, situé dans la seigneurie de Port-Joly, jusqu'à ce que son père eût remis l'exploitation seigneuriale sur pied. Pendant l'invasion américaine de 1775–1776, prit part à la défense de la ville de Québec. S'intéressa à la colonisation et à la propriété seigneuriale : en 1789, devint seigneur de Port-Joly et, en 1790, fit l'acquisition de la seigneurie de l'Îlet-à-la-Peau. Fut juge de paix. Pendant la guerre de 1812, servit dans la milice ; accéda au grade de colonel en 1814.

Nommé au Conseil législatif en 1812.

Décédé en fonction au manoir de Saint-Jean-Port-Joli, le 13 février 1823, à l'âge de 64 ans et 6 mois. Inhumé dans l'église paroissiale de Saint-Jean-Port-Joli, le 15 février 1823.

Avait épousé dans la paroisse Notre-Dame de Québec, le 28 janvier 1786, Catherine Tarieu de Lanaudière, fille de Charles-François Tarieu de La Naudière, seigneur et conseiller législatif, et de sa seconde femme, Marie-Catherine Le Moyne de Longueuil, et sœur de Charles-Gaspard **Tarieu de Lanaudière**.

Beau-frère de François **Baby** et de Nicolas-Gaspard **Boisseau**. Grand-père par alliance de Charles Joseph **Alleyn**, de William **Power** et de Georges-René **Saveuse de Beaujeu**. Oncle par alliance de Jean-Charles **Létourneau**. Arrière-grand-père par alliance de Thomas-Jean-Jacques **Loranger**.

———

Bibliographie: *DBC*.

AUDET, Aurèle

Né à La Sarre, le 12 octobre 1920, fils de Théophile Audet, cultivateur, et de Clara Bégin.

Fit ses études au couvent des Sœurs de l'Assomption à La Sarre, puis au collège de La Sarre. Après avoir été cultivateur, bûcheron et mineur en Colombie-Britannique pendant trois ans, il poursuivit ses études à l'École de laiterie de Saint-Hyacinthe où il fut diplômé en technique laitière.

Industriel laitier, il implanta avec ses deux frères la première usine de pasteurisation à La Sarre. Gérant de l'entreprise familiale de 1948 à 1962. Gérant de là succursale de la laiterie Dallaire, à La Sarre, de 1962 à 1970. Mineur pour les entreprises Noranda et Selbaie de 1974 à 1985.

Président du Ralliement créditiste de la région de l'Abitibi de 1968 à 1972. Élu député du Ralliement créditiste dans Abitibi-Ouest en 1970. Quitta le parti lorsque Camil **Samson** en fut expulsé le 17 mars 1972. Réintégra ce parti le 11 août 1972. Whip du Ralliement des créditistes de novembre 1972 à avril 1973. Candidat du Parti créditiste défait en 1973.

Membre de comités de direction de la caisse populaire locale. Membre de la Chambre de commerce, du Cercle Lacordaire, de l'Association des parents catholiques, des Chevaliers de Colomb et de plusieurs autres mouvements sociaux.

AUDET, Jean

Né à Frampton, le 7 mai 1956, fils de Raymond Audet, agent immobilier, et de Denise Baillargeon, commis bancaire.

A étudié au collège de Lévis de 1969 à 1976 et à l'université Laval où il obtint un certificat en administration en 1977.

Conseiller publicitaire au journal *le Guide* de Sainte-Marie en 1979 et 1980. Fondateur et directeur des ventes au journal *Beauce-média* en 1980 puis devint président-directeur général en 1983 et propriétaire du journal *le Guide*. Directeur des ventes régionales pour les publications *le Peuple* à Lévis en 1984. Consultant pour le Groupe Quebecor en matière de presse régionale en 1985. A participé également à la production d'autres hebdomadaires.

Élu député libéral dans Beauce-Nord en 1985. Réélu en 1989.

AUDET, Nicodème
(1822–1905)

Né à Saint-Gervais, sur la rive sud de Québec, le 14 septembre 1822, fils d'Augustin Audet dit Lapointe, cultivateur, et de Marie Dallaire. Désigné aussi sous le nom d'Audet, dit Lapointe.

A étudié à l'école élémentaire de Saint-Anselme. Marchand à Saint-Anselme et commissaire recenseur du comté de Dorchester en 1871.

Élu député conservateur dans Dorchester en 1878. Réélu en 1881. Ne s'est pas représenté en 1886. Nommé conseiller législatif de la division de Lauzon le 25 avril 1892.

Décédé en fonction à Saint-Anselme, le 19 avril 1905, à l'âge de 82 ans et 7 mois. Inhumé dans le cimetière de cette paroisse, le 24 avril 1905.

Avait épousé à Saint-Anselme, le 28 octobre 1856, Marie-Célina Turgeon, fille de François-Xavier Turgeon et d'Archange Turgeon.

AUGÉ, Olivier-Maurice
(1840–1897)

Né à Saint-Ambroise-de-Kildare, près de Joliette, le 20 juillet 1840, fils de Léon Augé, cultivateur, et d'Aurélie Pichette.

Fit ses études au séminaire de Joliette et son droit auprès du juge Baby et des avocats Cartier, Pominville et Betournay. Admis au barreau du Bas-Canada le 30 janvier 1867. Créé conseil en loi de la reine.

Exerça sa profession à Montréal avec Me C.A. Corneillier, puis avec Mes Globensky et Lamarre.

Candidat conservateur défait dans Montréal n° 2 en 1890. Élu député conservateur dans la même circonscription en 1892. Défait en 1897.

Décédé à Pointe-aux-Trembles, le 22 juin 1897, à l'âge de 56 ans et 11 mois. Inhumé à Montréal, dans le cimetière Notre-Dame-des-Neiges, le 25 juin 1897.

[Avait épousé, en 1871, Mélina Roy, fille d'Hercule Roy, médecin.]

AUGER, Antonio
(1900–1979)

Né à Sainte-Croix, dans Lotbinière, le 28 mars 1900, fils de Napoléon Auger, cultivateur, et de Julie Legendre.

Fit ses études à Sainte-Croix, au collège de Sainte-Anne-de-la-Pocatière, au séminaire de Québec et à l'université Laval à Québec. Fit son internat à l'hôpital Saint-François-d'Assise à Québec. Reçu médecin en 1926.

Exerça sa profession à Alma. Fondateur de l'hôpital Christ-Roi à Alma et d'un foyer pour les malades chroniques.

Commissaire d'école de 1943 à 1946, et président, de 1946 à 1960, de la commission scolaire d'Alma. Élu député de l'Union nationale dans Lac-Saint-Jean en 1948. Réélu en 1952 et 1956. Démissionna le 15 juillet 1959. Nommé conseiller législatif de la division des Laurentides le 30 septembre 1959. Conserva son siège jusqu'à l'abolition du Conseil législatif, le 31 décembre 1968.

Directeur honoraire à vie de l'Association des ambulances Saint-Jean. Président de la Société médicale des comtés de Chicoutimi et de Lac-Saint-Jean. Médecin attitré des Chevaliers de Colomb. Créé chevalier de l'ordre académique de la Société du bon parler français.

Décédé à Alma, le 18 janvier 1979, à l'âge de 78 ans et 10 mois. Inhumé dans le cimetière de la paroisse Saint-Joseph-d'Alma, le 22 janvier 1979.

Avait épousé dans sa paroisse natale, le 27 octobre 1927, Henriette Pouliot, fille d'Adalbert Pouliot, notaire, et de Louise-Nathalie Delage.

AUGER, Georges-Adélard
(1893–1981)

Né à Maniwaki, le 11 août 1893, fils d'Édouard Auger, cultivateur, et de Délima Rondeau.

Fit ses études dans sa ville natale et y exerça le métier de barbier. Commissaire d'école et président de la commission scolaire de Maniwaki du 6 août 1936 au 16 février 1937. Vice-président honoraire de la Chambre de commerce de Maniwaki.

Candidat de l'Action libérale nationale défait dans Gatineau en 1935. Élu député de l'Union nationale dans Gatineau en 1936. Défait en 1939 et en 1944.

Décédé à Ottawa, le 2 mai 1981, à l'âge de 87 ans et 8 mois. Inhumé à Hull, le 4 mai 1981.

Avait épousé à Gracefield, le 8 février 1922, Laurenza Lafrenière, fille d'Adolphe Lafrenière, cultivateur, et de Marie Lafrenière.

AUGER, Henry Lemaître
(1873–1948)

[Né à West Boylston, au Massachusetts, le 2 mai 1873], fils d'Honoré Lemaître Auger, fabricant de chaussures et cultivateur, et de Marie-Élisabeth Héroux. Arriva au Canada en 1878.

Fit ses études à Saint-Léon-de-Maskinongé, chez les Frères des écoles chrétiennes à Yamachiche, à l'Académie de l'archevêché de Montréal, à l'université Laval et au Monument national à Montréal, ainsi qu'au Collège militaire de Saint-Jean.

Professeur à l'école Saint-Gabriel à Montréal. Agent d'immeubles et d'assurances. Comptable au cabinet des avocats Bisaillon, Brosseau et Lajoie. Gérant de la caisse populaire Saint-Jacques. Secrétaire du whip du Parti conservateur, puis du chef de l'Opposition à Québec. Propriétaire d'un bureau d'immeubles à Montréal de 1911 à 1914. Directeur de la Dominion L.H. & Power Co. Secrétaire-trésorier de la Compagnie d'immeubles.

Échevin du quartier Saint-Jacques à Montréal de 1930 à 1936 et leader au conseil municipal. Nommé président de la Commission du charbon de bois de Montréal le 29 octobre 1930. Fondateur et président du Club Lafontaine de Pointe-Saint-Charles en 1897. Élu député conservateur dans Montréal–Saint-Jacques en 1935. Réélu en 1936 sous la bannière de l'Union nationale. Ministre de la Colonisation dans le cabinet Duplessis du 26 août 1936 au 8 novembre 1939. Défait en 1939.

Curateur public de la province de Québec d'août 1945 à mai 1947. Vice-président de la Commission des tramways de Montréal en 1947 et 1948.

Président de l'Union de la colonisation de Montréal, de la Société Saint-Vincent-de-Paul, de la Société de l'aide aux enfants catholiques de Montréal et de la Société de tempérance. Directeur de la Société des numismates et des antiquaires de Montréal et de l'Association du bien-être de la jeunesse. Élu directeur en 1921 et premier vice-président en 1925 du conseil général de la Société Saint-Jean-Baptiste. Démissionna en 1928 pour prendre la charge d'organisateur-propagandiste. Préfet de la congrégation de la Sainte-Vierge. Marguillier. Auteur d'un album de chansons intitulé les Chansons populaires.

Décédé à Montréal, le 10 juin 1948, à l'âge de 75 ans et un mois. Inhumé à Montréal, dans le cimetière Notre-Dame-des-Neiges, le 14 juin 1948.

Avait épousé à Trois-Rivières, dans la paroisse de l'Immaculée-Conception, le 7 février 1906, Marie-Éva Héroux, fille de Dollard Héroux et de Marie-Adélaïde Neault.

AULDJO, Alexander
(1758–1821)

Né à Aberdeen, en Écosse, le 21 octobre 1758, fils de John Auldjo, boulanger et manufacturier, et de Margaret McKenzie.

Arriva à Montréal vers 1778. Investit dans le commerce des fourrures. En 1785, avait pris un associé pour faire de l'import-export ; se retira trente ans plus tard de l'entreprise devenue l'Auldjo, Maitland and Company. Investit dans la propriété immobilière et foncière, dans le Haut et le Bas-Canada. Fut le représentant au Canada de la Phoenix Assurance Company de Londres et de la Pelican Life Assurance Company. Devint actionnaire de la Banque de Montréal en 1817.

Défait dans Montréal-Ouest en 1792. Élu député de cette circonscription en 1796 ; appuya généralement le parti des bureaucrates. Ne se serait pas représenté en 1800. S'occupa d'administration municipale, à Montréal, après 1796.

Membre fondateur de la section montréalaise de la Société d'agriculture en 1790. Fut syndic de la Maison de la Trinité de Québec. Membre de la congrégation Scotch Presbyterian, fut président du comité des affaires séculières en 1810. Capitaine dans la milice depuis 1787 ; servit à titre de lieutenant-colonel pendant la guerre de 1812, puis démissionna l'année suivante. Retourna vivre en Angleterre en 1813.

Décédé à Londres, le 21 mai 1821, à l'âge de 62 ans et 7 mois. Les obsèques eurent lieu dans l'église St. George de Bloomsbury.

Avait épousé à Portsoy, en Écosse, le 21 janvier 1804, Eweretta Jane Richardson, vraisemblablement la fille de John **Richardson** et d'une dénommée Phyn.

Bibliographie : *DBC*.

AUSTIN, Thomas
(<1818–1880)

En novembre 1835, se trouvait dans le canton d'Ascot ; était l'un des promoteurs de la Compagnie du chemin de fer de Saint-François. Nommé commissaire au tribunal des petites causes le 10 novembre 1836, démissionna le 10 septembre 1838.

Fit partie du Conseil spécial du 27 avril 1838 jusqu'à la dissolution de ce conseil, en juin, et à nouveau du 2 novembre 1838 jusqu'à l'entrée en vigueur de l'Acte d'Union, le 10 février 1841.

Décédé le 26 mai 1880, probablement dans le canton d'Ascot.

On ne sait pas s'il était célibataire ou marié.

AUTHIER, Hector
(1881–1971)

Né à Ange-Gardien, près de Granby, le 4 novembre 1881, fils de Ludger Authier, cultivateur, et d'Adéline Valin.

Fit ses études à Ange-Gardien, au séminaire de Saint-Hyacinthe et à l'université Laval à Montréal. En 1905, il fit sa cléricature au cabinet de Louis-Philippe **Brodeur** et fut admis, le 15 juillet 1906, au barreau de la province de Québec.

Entreprit sa carrière journalistique dès 1905 en devenant reporter politique et financier au journal *le Canada*. Courriériste parlementaire à Québec pour ce journal en 1907 et 1908. Nommé chef adjoint de l'information à *la Patrie* en 1908. Fut courriériste parlementaire à *l'Action catholique* et à *la Presse*. Fondateur et directeur en 1920 du premier journal du Nord-Ouest, *l'Abitibi*, devenu plus tard *la Gazette du Nord*. En 1940, il fut nommé président de la Revue moderne inc. Il fut aussi gérant de Publicité régionale ltée.

Le 1er juin 1912, il s'établit près de la rivière Harricana, aujourd'hui Amos. De 1912 à 1922, il fut agent des terres et des mines pour l'Abitibi. Il fut à la fois maire d'Amos et préfet du comté d'Abitibi de 1914 à 1918. Membre du Conseil de l'instruction publique de la province de Québec de 1940 à 1946. Conseiller au ministère de la Reconstruction du Canada.

Fut promoteur de la compagnie qui ouvrit la première salle de cinéma à Québec en 1906. Établit la première succursale de la banque d'Hochelaga en Abitibi dont il fut gérant pendant trois ans. En 1918, il fut promoteur de la compagnie des Bois du Nord. Retourna à la pratique du droit en 1924 et fut, par la suite, directeur de plusieurs compagnies minières dont la Canadian Exploration Ltd. en 1925, l'Abana Mines en 1926, Siscoe, Read-Authier Mines Ltd., Lamaque, Bourlamaque, East Malartic, Canadian Malartic, et Grene Stabell. Vice-président de l'Anglo-American Molybdenite Mining Corp. et administrateur de Sigma Mines Ltd. et de quelques autres compagnies. En 1937, il établit à Valleyfield la Quebec Distillers Corp., devenue par la suite la Canadian Schenley inc. Président du conseil de téléphone de Harricana et Gatineau ltée à Val-d'Or et président de Radio Rouyn-Abitibi.

Élu député libéral dans Abitibi à l'élection partielle du 22 octobre 1923. Réélu en 1927, 1931 et 1935. Choisi orateur suppléant le 17 janvier 1935. Ministre de la Colonisation dans le cabinet Taschereau du 13 mars au 11 juin 1936. Ne s'est pas représenté aux élections de 1936. Élu député libéral à la

Chambre des communes dans Chapleau en 1940. Ne s'est pas représenté en 1945.

Commandeur de l'ordre de Saint-Grégoire, décoré de l'ordre du Mérite des pionniers de la province de Québec par Maurice Duplessis et de l'ordre provincial du Défricheur. Membre du Mount Stephen Club. Docteur en droit honoris causa de l'université Laval à Québec. Directeur de la corporation de l'hôpital d'Amos. Fondateur de la Chambre de commerce de l'Abitibi, premier président de la Société des artisans canadiens-français d'Amos et membre de l'Alliance nationale.

Décédé à la Villa Médica de Montréal, le 14 avril 1971, à l'âge de 89 ans et 5 mois. Inhumé à Amos, dans la crypte de la cathédrale Sainte-Thérèse, le 19 avril 1971.

[Avait épousé à Sainte-Adèle, le 16 mars 1909, Mariette Fortier, fille de Victor Fortier, cultivateur, et de Céline Morin.]

AYLMER. V. WHITWORTH-AYLMER

AYLWIN, Thomas Cushing (1806–1871)

Né à Québec, le 5 janvier 1806, puis baptisé le 9, dans l'église presbytérienne, fils de Thomas Aylwin, marchand d'ascendance loyaliste, et de Louise-Catherine Connolly.

Étudia à l'école du ministre presbytérien Daniel Wilkie, à Québec, puis brièvement à la Harvard University de Cambridge, au Massachusetts. Fit l'apprentissage du droit à Québec; admis au barreau en 1827.

Exerça sa profession à Québec; défendit des patriotes emprisonnés en 1837–1838. Nommé conseiller de la reine en 1842.

Élu député de Portneuf en 1841. Fit partie du ministère Baldwin–La Fontaine à compter du 24 septembre 1842: conseiller exécutif jusqu'au 27 novembre 1843 et solliciteur général du Bas-Canada jusqu'au 11 décembre 1843. À son entrée au cabinet, son siège de député était devenu vacant. Réélu dans Portneuf à une élection partielle le 20 octobre 1842; antiunioniste, fit partie du groupe canadien-français. Élu dans la cité de Québec en 1844. Réélu en 1848. De tendance libérale. Membre du ministère La Fontaine–Baldwin: conseiller exécutif et solliciteur général du Bas-Canada, du 11 mars au 25 avril 1848. Par suite de son entrée au cabinet, son siège de député s'était trouvé vacant. Réélu dans la cité de Québec à une élection partielle le 28 mars 1848; son siège fut déclaré vacant, en raison de sa nomination, le 26 avril 1848,

comme juge puîné de la Cour du banc de la reine dans le district de Québec. À la suite de la réforme judiciaire de 1849, nommé de nouveau à son poste de magistrat, mais avec résidence à Montréal, où il exerça ses fonctions jusqu'en 1868. Siégea aussi à la Cour seigneuriale créée en 1854.

Décédé à Montréal, le 14 octobre 1871, à l'âge de 65 ans et 9 mois. Inhumé dans le cimetière Mount Hermon, à Sillery, le 17 octobre 1871; l'acte de sépulture fut consigné dans les registres de l'église méthodiste de la rue Lagauchetière, à Montréal.

Avait épousé dans la cathédrale anglicane Holy Trinity, à Québec, le 2 juin 1832, Margaret Nelson Hanna, fille de James Godfrey Hanna; puis, au même endroit, le 14 mai 1836, Eliza Margaret Felton, fille de William Bowman **Felton** et d'Anna Maria Valls; enfin, au même lieu, le 7 septembre 1850, Ann Blake.

Bibliographie: *DBC.*

BABY, Charles-François-Xavier
(1794–1864)

Né à Québec, le 19 juin 1794, fils de François **Baby**, commissaire des Transports militaires, et de Marie-Anne Tarieu de Lanaudière.

Étudia au petit séminaire de Québec.

Se lança dans le commerce au détail et dans celui du bois à Saint-Pierre-les-Becquets en 1817. Propriétaire d'une partie de la seigneurie de Nicolet en 1819–1820. En raison de graves difficultés financières, se réfugia à Albany, dans l'État de New York, en 1837. Libéré de toutes dettes en 1844, fit à nouveau le commerce du bois, jusqu'en 1851. Exécuta, de 1852 à 1860, divers contrats de construction et d'entretien, notamment dans le domaine ferroviaire, pour le gouvernement du Canada-Uni et la Maison de la Trinité de Québec. Fut responsable du remorquage sur le Saint-Laurent, de 1854 à 1860, et chargé du transport du courrier entre Québec et le Nouveau-Brunswick en 1859–1860. Propriétaire de navires à vapeur.

Élu conseiller législatif de la division de Stadacona à une élection complémentaire le 17 juin 1861; de tendance conservatrice.

Décédé en fonction à Québec, le 5 août 1864, à l'âge de 70 ans et un mois. Inhumé dans la chapelle Sainte-Anne de la cathédrale Notre-Dame, le 10 août 1864.

Avait épousé dans la paroisse Saint-Philippe, à Laprairie (La Prairie), le 15 août 1831, Clothilde Pinsonaut, fille du notaire et homme d'affaires Paul-Théophile Pinsonaut et de Clotilde Raymond.

Père de Michel-Guillaume **Baby**. Beau-frère de Thomas Ainslie **Young**. Neveu par alliance de Joseph **Masson**. Beau-père de Adolphe-Philippe Caron, député à la Chambre des communes du Canada.

Bibliographie: *DBC.*

BABY, François
(1733–1820)

Né à Montréal et baptisé dans la paroisse Notre-Dame, le 4 octobre 1733, fils de Raymond Baby, trafiquant de fourrures, et de Thérèse Le Compte Dupré.

Étudia au collège des Jésuites à Québec.

Se lança dans le commerce des fourrures à Montréal, puis à Québec, où il s'établit définitivement vers 1765. Engagé aussi dans le commerce de gros, le transport par voie d'eau, le prêt et l'immobilier. Fut associé notamment avec Gabriel-Elzéar **Taschereau**.

Prit part à la guerre de la Conquête et fut fait prisonnier en 1760. Pendant l'invasion américaine de 1775–1776, participa à la défense de la colonie. Nommé capitaine dans la milice en 1775; atteignit le grade de colonel avant 1796. Remplit les fonctions d'adjudant-général des milices, de 1776 jusqu'à sa nomination comme grand voyer de la province de Québec en 1811; occupa ce dernier poste jusqu'à sa mort. Exerça la charge de commissaire des Transports militaires, de 1776 jusqu'à sa démission en 1812. Coauteur avec **Taschereau** et Jenkin **Williams** d'un journal écrit au cours de l'enquête officielle qu'ils effectuèrent en 1776 sur la déloyauté des Canadiens pendant l'invasion et publié en tiré à part à Québec, en 1929, sous le titre de *Journal de MM. Baby, Taschereau et Williams, 1776.*

Assermenté comme conseiller législatif le 30 juin 1778. Fit partie du conseil privé du gouverneur Frederick Haldimand. Fut proposé sans succès en 1782 au poste de lieutenant-gouverneur. Était membre du Conseil exécutif en 1784. Conseiller exécutif du 16 septembre 1791 jusqu'à sa mort. Nommé en 1792 au Conseil législatif; en fut président suppléant du 22 janvier au 17 décembre 1794, du 8 mars 1802 au 5 février 1803 et du 18 février 1806 au 16 janvier 1807.

Fut juge de paix, ainsi que membre et administrateur de l'Association, fondée en 1794, pour appuyer l'autorité britannique. Obtint quelques postes de commissaire.

Décédé en fonction à Québec, le 6 octobre 1820, à l'âge de 87 ans. Inhumé dans la chapelle du séminaire de Québec, le 9 octobre 1820.

Avait épousé dans la paroisse Notre-Dame de Québec, le 27 février 1786, Marie-Anne Tarieu de Lanaudière, fille de Charles-François Tarieu de La Naudière, seigneur et conseiller législatif, et de sa seconde femme, Marie-Catherine Le Moyne de Longueuil, et sœur de Charles-Gaspard **Tarieu de Lanaudière**.

Père de Charles-François-Xavier **Baby**. Oncle de Joseph-François **Perrault**. Beau-père de Thomas Ainslie **Young**. Beau-frère par alliance de Pierre-Ignace **Aubert de Gaspé**. Grand-oncle par alliance de Charles-Eusèbe **Casgrain**.

———

Bibliographie: *DBC.*

BABY, Michel-Guillaume (1834–1911)

Né le 15 septembre 1834, puis baptisé le 21, dans la paroisse Saint-Philippe, à Saint-Philippe-de-La Prairie, fils de Charles-François-Xavier **Baby,** commerçant, et de Clothilde Pinsonaut. Parfois désigné sous les prénoms de Francis et de Michel William. Signa son acte de mariage M.W. Baby.

Actionnaire du Grand Tronc, fut aussi administrateur et président de la Compagnie du chemin de fer de Québec et du lac Saint-Jean, qui succéda en 1875 à la Compagnie du chemin de fer de Québec et Gosford. Officier de la Quebec Volunteer Artillery. Membre du Club Stadacona.

Élu député de Rimouski à une élection partielle le 17 février 1857. Réélu en 1858. Élu dans Témiscouata en 1861. Bleu. Ne s'est pas représenté en 1863. Élu sans opposition député conservateur des circonscriptions unies de Chicoutimi et Saguenay à l'Assemblée législative, à une élection partielle le 2 mai 1874. Ne s'est pas représenté en 1875. Par la suite, s'établit à Paris.

Décédé à Paris, le 16 mars 1911, à l'âge de 76 ans et 6 mois. Inhumé à Québec, dans la chapelle de l'Hôtel-Dieu, le 8 mai 1911.

Avait épousé dans la paroisse Notre-Dame de Québec, le 29 septembre 1868, Marie-Hélène-Wilhelmine Renaud, fille de l'homme d'affaires et échevin Jean-Baptiste Renaud et de Marie-Sophie Lefebvre.

Neveu par alliance de Louis **Renaud**. Beau-frère d'Adolphe-Philippe Caron, député à la Chambre des communes du Canada.

BACHAND, Pierre (1835–1878)

Né à Verchères, dans la paroisse Saint-François-Xavier, le 22 mars 1835, fils de Joseph Bachand, cultivateur, et de Josephte Fontaine.

Poursuivit ses études classiques au séminaire de Saint-Hyacinthe et ses études de droit sous la direction de Louis-Victor **Sicotte**. Admis au barreau du Bas-Canada le 3 décembre 1860.

Avocat, il exerça les fonctions de sous-protonotaire à la Cour supérieure et d'assistant-greffier à la Cour de circuit de Saint-Hyacinthe de 1859 à 1862. Forma à Saint-Hyacinthe en 1862 un cabinet d'avocats avec Jean-Baptiste Bourgeois. Fut vérificateur des comptes à la commission scolaire de Saint-Damase en 1868. Fut l'un des fondateurs de la Banque de Saint-Hyacinthe avec, entre autres, Georges-Casimir **Dessaulles**, Maurice **Laframboise**, William Henry **Chaffers** et Louis Delorme, député à la Chambre des communes de 1870 à 1878. Fut également codirecteur et président de cette banque de 1874 à 1878.

Conseiller municipal de Saint-Hyacinthe de 1863 à 1867. Participa à l'organisation du Parti national en 1871 et fut membre du conseil de l'Association de réforme du Parti national de Montréal. Élu député libéral dans Saint-Hyacinthe en 1867. Réélu sans opposition en 1871 et 1875. Élu de nouveau en 1878. Trésorier de la province dans le cabinet Joly du 8 mars au 3 novembre 1878.

Promoteur de la Chambre de commerce du district de Saint-Hyacinthe qui fut créée en août 1871. Membre du comité exécutif de la Société Saint-Jean-Baptiste de Saint-Hyacinthe pendant bon nombre d'années.

Décédé en fonction à Saint-Hyacinthe, le 3 novembre 1878, à l'âge de 43 ans et 7 mois. Inhumé dans le cimetière de la paroisse Saint-Hyacinthe-le-Confesseur, le 6 novembre 1878.

Avait épousé dans la paroisse Notre-Dame de Montréal, le 22 septembre 1859, Delphine Bougret dit Dufort, fille d'Eucher Bougret dit Dufort, marchand, et d'Éloïse Dugas; puis, dans la même paroisse, le 29 avril 1868, Marie-Louise Marchand, fille de Louis Marchand, fondateur et vice-président de la Compagnie de navigation de Richelieu et Ontario, et de Charlotte Césé.

———

Bibliographie: *DBC.*

BACHAND, Robert-Raoul (1889–1949)

Né à Sainte-Pudentienne, le 10 juillet 1889, fils de François Bachand, meunier et marchand, et d'Alix Robert.

A étudié au séminaire de Sherbrooke et à l'université Laval à Montréal. Diplômé en droit. Admis à la pratique du notariat en 1915.

A exercé sa profession à Waterloo jusqu'en 1949. Directeur de la compagnie d'assurances La Sauvegarde.

Secrétaire du canton de Shefford du 11 décembre 1918 au 1er avril 1935, du comté de Shefford du 9 juin 1920 au 4 septembre 1949, de la commission scolaire de Saint-Bernardin du 11 juillet 1921 au 6 septembre 1946 et de la commission scolaire de Waterloo du 1er mai 1923 au 10 août 1949. Fut également secrétaire de la société d'agriculture locale. Élu député libéral dans Shefford en 1931. Défait en 1935.

Membre des Chevaliers de Colomb, du Club de réforme de Montréal et de la Société des artisans canadiens-français.

Décédé à Waterloo, le 4 septembre 1949, à l'âge de 60 ans et un mois. Inhumé dans le cimetière de la paroisse Saint-Bernardin, le 7 septembre 1949.

Avait épousé à Waterloo dans la paroisse Saint-Bernardin, le 2 septembre 1913, Bernadette-Clémentine Clément, fille de Joseph-François Clément, marchand, et de Marie-Cora Hudon.

BACON, Guy

Né à Trois-Rivières, le 13 février 1936, fils de Joseph D. Bacon, comptable, et d'Yvonne Jetté.

A étudié au Jardin de l'enfance, à l'école Sainte-Marie et à l'académie La Salle à Trois-Rivières, puis à l'université Laval à Québec. Bachelier en commerce et en administration.

Agent d'expansion industrielle à la Shawinigan Water & Power Co. Gérant de la Société d'administration et de fiducie à Trois-Rivières, puis gérant des relations publiques de cette compagnie à Montréal. Directeur du service financier de la succursale de Trois-Rivières du Trust général du Canada de 1977 à 1979. Directeur du service d'adhésion de la Bourse de Montréal de 1979 à 1982. Employé à la Fiducie du Québec de 1982 à 1986. S'occupa du financement du Parti libéral du Québec de 1986 à 1988. Nommé membre de la Commission municipale du Québec en 1988.

Ex-président des Jeunes Libéraux universitaires de la province de Québec. Élu député libéral dans Trois-Rivières en 1970. Réélu en 1973. Nommé adjoint parlementaire du ministre des Finances le 28 février 1973. Défait en 1976.

Fut président de l'Association des étudiants universitaires de la Mauricie et membre du conseil de l'Association générale des étudiants de l'université Laval (AGEL). Vice-président des Festivals de musique du Québec inc. Membre de la Chambre de commerce et du Club Rotary de Trois-Rivières.

Frère de Lise **Bacon**.

BACON, Lise

Née à Valleyfield, le 25 août 1934, fille de Joseph D. Bacon, comptable, et d'Yvonne Jetté.

Fit ses études à l'école Sainte-Angèle et au collège Marie-de-l'Incarnation à Trois-Rivières, au pensionnat Notre-Dame-du-Cap à Cap-de-la-Madeleine, à l'académie Saint-Louis-de-Gonzague à Trois-Rivières et à l'Institut Albert-Thomas à Chicoutimi.

Gérante de service à La Prudentielle d'Amérique de 1951 à 1971. Présidente du Parti libéral du Québec de 1970 à 1973.

Trésorière de l'Association des femmes libérales Louis-Saint-Laurent de Trois-Rivières de 1952 à 1956, puis présidente de cette association de 1961 à 1963. Directrice provinciale de la Fédération des jeunes libéraux du Québec de 1954 à 1956. Élue secrétaire de l'Association des femmes libérales de Chicoutimi en 1960 et 1961. Présidente du Groupement régional des femmes libérales de la Mauricie de 1963 à 1965. Vice-présidente pour le secteur de la Mauricie de la Fédération des femmes libérales du Québec de 1965 à 1967. Secrétaire de la commission de la constitution de la Fédération libérale du Québec en 1966 et 1967. Présidente de la Fédération des femmes libérales du Québec de 1967 à 1970. Membre de l'exécutif de la Fédération libérale féminine du Canada en 1967. Membre du comité de stratégie du Parti libéral du Québec en 1968 et 1969. Secrétaire du Parti libéral en 1968.

Élue députée libérale dans Bourassa en 1973. Ministre d'État aux Affaires sociales dans le cabinet Bourassa du 13 novembre 1973 au 30 juillet 1975. Ministre des Consommateurs, Coopératives et Institutions financières du 30 juillet 1975 au 26 novembre 1976 et ministre de l'Immigration du 20 janvier au 26 novembre 1976. Après sa défaite aux élections de 1976, elle fut juge à la Cour de la citoyenneté canadienne de février 1977 à août 1979 puis vice-présidente pour le Québec de l'Association canadienne des compagnies d'assurances de personnes inc. de septembre 1979 à avril 1981. Élue députée libérale dans Chomedey en 1981. Réélue en 1985 et 1989. Assermentée vice-première ministre le 12 décembre 1985.

Ministre des Affaires culturelles du 12 décembre 1985 au 11 octobre 1989 et ministre responsable de l'application de la *Charte de la langue française* du 12 décembre 1985 au 31 mars 1988. Ministre de l'Environnement du 21 décembre 1988 au 11 octobre 1989. Assermentée ministre de l'Énergie et des Ressources le 11 octobre 1989.

Sœur de Guy **Bacon**.

BADEAUX, Joseph
(1777–1835)

Né à Trois-Rivières, le 25 septembre 1777, puis baptisé le 26, dans la paroisse de l'Immaculée-Conception, fils de Jean-Baptiste Badeaux, notaire et capitaine dans la milice, et de Marguerite Bolvin.

En 1792, s'engagea comme clerc auprès de son frère Antoine-Isidore, notaire. Obtint l'autorisation d'exercer sa profession en 1798.

Pratiqua le notariat à Trois-Rivières jusqu'à sa mort. En 1800, devint agent pour le district de Trois-Rivières de la commission chargée d'administrer les biens des jésuites; fut relevé de son poste en 1823. Pendant la guerre de 1812, servit à titre de capitaine dans la milice; promu major en 1822. Shérif du district de Trois-Rivières à compter du 19 avril 1813. Fit l'acquisition de biens fonciers, notamment, en 1815, de la moitié de la seigneurie de Courval, qu'il vendit en 1829.

Élu député de Trois-Rivières en 1808. Réélu en 1809. Appuya généralement le parti des bureaucrates. Défait en 1810. Élu dans Buckingham en 1816. Ne se serait pas représenté en avril 1820. Élu dans Trois-Rivières en juillet 1820. Ne se serait pas représenté en 1824. Élu dans Yamaska en 1830; mis sous la garde du sergent d'armes le 15 janvier 1833 pour absence injustifiée, fut libéré quelques jours plus tard. Ne se serait pas représenté en 1834.

Obtint plusieurs postes de commissaire. Fut juge de paix et marguillier de la paroisse de l'Immaculée-Conception. Reçut, en 1823, le titre de notaire royal, qu'on lui accorda de nouveau en 1830.

Décédé à Trois-Rivières, le 12 septembre 1835, à l'âge de 57 ans et 11 mois. Inhumé dans l'église de l'Immaculée-Conception, le 15 septembre 1835.

Avait épousé dans la paroisse de l'Immaculée-Conception, à Trois-Rivières, le 9 juin 1800, Marie-Marguerite Dumon, fille de Jean-Baptiste Dumon et de Marie-Magdeleine Leblanc; puis, dans la paroisse Notre-Dame de Québec, le 16 mai 1802, Geneviève Berthelot, fille de l'avocat Michel-Amable **Berthelot Dartigny** et de Marie-Angélique Bazin.

Beau-frère d'Amable **Berthelot**.

Bibliographie: *DBC.*

BADGLEY, Francis
(1767–1841)

Né à Londres, le 26 mars 1767.

Arriva à Montréal vers 1785. Fit le commerce des fourrures avec un associé de 1788 à 1792. Avec Louis **Dunière**, fit partie de la Dunière, Badgley and Company de 1796 à 1799. Lança à Montréal en 1799 sa propre entreprise commerciale, la Francis Badgley and Company.

Élu député de Montréal-Est en 1800; appuya le parti des bureaucrates. Ne s'est pas représenté en 1804.

Capitaine dans la milice pendant la guerre de 1812, fut affecté au service du commissariat à Laprairie (La Prairie). En 1819, était marchand et comptable. Agit à titre de rédacteur en chef de la *Montreal Gazette* vers 1820. Nommé juge de paix et promu major dans la milice en 1821. Devint comptable de la brasserie Molson en 1822.

Décédé à Montréal, le 7 octobre 1841, à l'âge de 74 ans et 6 mois. Les obsèques eurent lieu dans l'église anglicane Christ Church, le 11 octobre 1841.

Avait épousé, le 27 novembre 1795, Elizabeth Lilly, fille de John Lilly, marchand de Montréal.

Père de William **Badgley**.

Bibliographie: *DBC.*

BADGLEY, William
(1801–1888)

Né à Montréal, le 27 mars 1801, puis baptisé le 2 mai dans l'église anglicane Christ Church, fils de Francis **Badgley**, marchand, et d'Elizabeth Lilly.

Étudia à la Classical and Mathematical School de Montréal. Fit l'apprentissage des affaires durant quatre ans, puis s'orienta vers le droit. Admis au barreau en 1823.

Fonda le cabinet Badgley and Abbott. Tenta vainement, en 1826, d'obtenir la charge de protonotaire à Montréal. De 1830 à 1834, séjourna en Europe, pour raison de santé. Cofondateur en 1834 de l'Association constitutionnelle de Montréal, dont il fut secrétaire en 1837. Défendit le point de vue du parti des bureaucrates en Angleterre, avec George **Moffatt**, en 1837–1838. Exerça les fonctions de commissaire aux Faillites de juin 1840 jusqu'à sa démission en 1844. Nommé juge de la Cour de circuit du district de Montréal en

1844, quitta ce poste en avril 1847. Retourna à la pratique de la profession d'avocat.

Fit partie des ministères Draper–Papineau, Sherwood–Papineau et Sherwood : conseiller exécutif du 23 avril 1847 au 10 mars 1848 et procureur général du Bas-Canada du 23 avril 1847 au 9 mars 1848. Élu député de Missisquoi à une élection partielle le 10 juin 1847. Réélu en 1848. Élu dans la cité de Montréal en 1851 ; mis sous la garde du sergent d'armes le 5 octobre 1852, pour absence injustifiée, fut libéré le lendemain, après avoir fourni des explications. Tory. Défait dans Montréal en 1854.

Conseiller de la reine en 1847 ; bâtonnier du barreau de Montréal de 1853 à 1855 ; professeur de droit au McGill College de 1855 à 1857, et premier doyen de la faculté de droit. Juge puîné de la Cour supérieure du Bas-Canada à compter de janvier 1855, accéda à la Cour du banc de la reine en septembre 1863 : fut juge adjoint *pro tempore* jusqu'au 31 décembre 1864, puis juge puîné d'août 1866 jusqu'à sa démission en mars 1874. Ouvrit un bureau de conseiller juridique.

Officier de milice. Franc-maçon. Président de la Société d'histoire naturelle de Montréal et de la St. George Society. Reçut un doctorat honorifique du McGill College en 1843 et un autre du Bishop's College en 1855. Est l'auteur de *Remarks on the registrar's office* (Montréal, 1837) et de *Representation against the title of the seminary to the seigniory of Montreal* [...] (Montréal, 1839).

Décédé à Montréal, le 24 décembre 1888, à l'âge de 87 ans et 8 mois. Les obsèques eurent lieu dans la cathédrale anglicane Christ Church, le 27 décembre 1888.

Avait épousé à Londres, [le 22 avril] 1834, Elizabeth Wallace Taylor, [fille du colonel J.W. Taylor, de l'East India Company].

Bibliographie : *DBC.*

BAGOT, Charles
(1781–1843)

Né à Blithfield Hall, en Angleterre, le 23 septembre 1781, fils de William Bagot, 1er baron Bagot, et d'Elizabeth Louisa St. John.

Étudia à la Rugby School, puis au Christ Church College d'Oxford, en Angleterre, avant d'entreprendre, en 1801, son droit à la Lincoln's Inn, qu'il fréquenta toutefois moins d'un an ; retourna à Oxford, qui lui conféra une maîtrise ès arts en 1804.

Élu député de Castle Rising à la Chambre des communes britannique en 1807 ; quitta son siège pour une charge de fonctionnaire au cours de la même année. D'août 1807 jusqu'en 1809, occupa le poste de sous-secrétaire du ministère des Affaires étrangères. Nommé ministre plénipotentiaire par intérim en France en 1814, puis plénipotentiaire et envoyé extraordinaire aux États-Unis en 1815 ; négocia l'accord militaire Rush-Bagot, ratifié en 1817. Rentra en Angleterre en 1819. Fut ambassadeur en Russie de 1820 à 1824, puis à La Haye (aux Pays-Bas) jusqu'en 1831. Avait refusé, en 1828, le poste de gouverneur général de l'Inde.

Nommé gouverneur en chef de la province du Canada le 27 septembre ou le 7 octobre 1841, selon les sources, arriva à Kingston, dans le Haut-Canada, le 10 janvier 1842 et fut assermenté le 12, succédant à Charles Edward Poulett **Thomson**. Fut à l'origine de la formation du ministère Baldwin–La Fontaine en septembre 1842. Malade, remit sa démission, qui fut acceptée en janvier 1843. Son successeur, Charles Theophilus **Metcalfe**, entra en fonction le 30 mars 1843.

Reçut la grand-croix de l'ordre du Bain (sir) en 1820. Chancelier d'office du King's College de Toronto.

Décédé à Kingston, le 19 mai 1843, à l'âge de 61 ans et 7 mois.

Avait épousé vraisemblablement en Angleterre, le 22 juillet 1806, Mary Charlotte Anne Wellesley-Pole, fille de William Wellesley-Pole, futur comte de Mornington, et de Katharine Elizabeth Forbes, et nièce d'Arthur Wellesley, futur duc de Wellington.

Bibliographie : *DBC.*

BAILLARGEON, Cyrille
(1879–1963)

Né à Lambton, dans la paroisse de Saint-Vital, le 20 janvier 1879, fils de Ferdinand Baillargeon, cultivateur, et de Marie Dion.

Fit ses études à l'école de sa paroisse natale, à l'école anglaise d'Inverness et au collège de Beauceville.

Cultivateur, boucher, meunier et homme d'affaires. Secrétaire général de la coopérative locale. Directeur et président du Syndicat de Saint-Vital. Directeur de la Compagnie électrique de Saint-Vital-de-Lambton.

Maire de Saint-Vital-de-Lambton de 1913 à 1925. Préfet du comté de Frontenac de mars 1921 à septembre 1925. Élu député libéral dans Frontenac en 1923. Réélu en 1927. Ne s'est pas représenté en 1931.

Registrateur du comté de Frontenac du 2 septembre 1931 au 26 septembre 1960.

Décédé à Lac-Mégantic, le 16 avril 1963, à l'âge de 84 ans et 2 mois. Inhumé à Lac-Mégantic, dans le cimetière de la paroisse Sainte-Agnès, le 20 avril 1963.

Avait épousé à Lotbinière, dans la paroisse Saint-Louis, le 8 juillet 1901, Marie-Joséphine Bernier, fille de David Bernier, cultivateur, et de Sara Houde.

BAILLARGEON, Laurier

Né à Saint-Constant, le 1er octobre 1912, fils d'Antoine Baillargeon, industriel, et de Lucrèce Lanctôt.

Fit ses études à Saint-Constant, au collège de Saint-Rémi, au collège de Rigaud, au collège de Joliette et à l'École des hautes études commerciales à Montréal où il obtint son diplôme.

Comptable et gérant général, puis président et directeur général de la firme F. Baillargeon ltée. Président de la Carol Candles Co. Ltd., fabricant de bougies à Saint-Constant.

Maire de Saint-Constant de 1955 à 1967. Membre du Club de réforme de Montréal. Président de l'Association libérale du comté de Napierville-Laprairie. Candidat libéral défait dans Napierville-Laprairie en 1960. Élu député libéral dans la même circonscription en 1962. Réélu en 1966. Ne s'est pas représenté en 1970.

BAKER, Angus
(1849–1924)

Né à Saint-Nicolas, le 7 mai 1849, fils d'Édouard Baker, navigateur, et de Mary Gaherty.

Fit ses études à l'école paroissiale de Saint-Romuald et à l'académie de Québec.

Navigateur, il débuta sa carrière en 1865 sur le *Royal*, propriété de son oncle Dennis Gaherty. Premier officier sur le *James MacKenzie*, un remorqueur assurant le service entre Montréal et Québec en 1868. Entra plus tard au service de la compagnie Richelieu. Fut capitaine du *Conqueror* de 1871 à 1879 et commanda plusieurs autres bateaux jusqu'en 1892. Fut propriétaire et commandant du vapeur *Pilgrim* qui assurait le service du cabotage entre Sainte-Croix et Québec, ainsi que commandant du *Québec*, du *Saint-Irénée* et, en 1918, du *S.S. Leonard*. Fut maître adjoint du havre de Québec jusqu'en 1924.

Candidat conservateur défait aux élections fédérales de 1887 dans Lotbinière. Défait également aux élections pro-vinciales de 1890 dans Lévis. Élu député conservateur à l'Assemblée législative dans Lévis en 1892. Défait en 1897. De nouveau défait dans Lotbinière en 1912.

Décédé à Saint-David-de-l'Auberivière, le 10 août 1924, à l'âge de 75 ans et 3 mois. Inhumé dans le cimetière de cette paroisse, le 13 août 1924.

Avait épousé à Lévis, dans la paroisse Notre-Dame-de-la-Victoire, le 28 janvier 1873, Lydia Vallerand, fille de Louis Vallerand et de Scholastique Paquet dit Lavallée; puis, à Plessisville, dans la paroisse Saint-Calixte-de-Somerset, le 26 novembre 1888, Maria (Maria-Eugénie) Beaudette, fille de Jean-Charles Beaudette, voyageur de commerce, et d'Eugénie-Céladie Robitaille.

BAKER, George Barnard
(1834–1910)

Né à Dunham, le 26 janvier 1834, fils de William Baker, avocat, et d'une prénommée Harriet.

A étudié à l'académie de Dunham et au Bishop's College à Lennoxville. Fit sa cléricature auprès de Me James O'Halloran. Admis au barreau du Bas-Canada le 3 septembre 1860. Créé conseil en loi de la reine en janvier 1876. Docteur en droit honoris causa du Bishop's College en 1903.

D'abord précepteur à la Missisquoi High School à Cowansville, il exerça ensuite sa profession d'avocat à Sweetsburgh avec Me James O'Halloran de 1860 à 1866, puis se joignit à G.V.C. Buchanan. Sans associé pendant un certain temps, il forma en 1887 un cabinet d'avocats avec John E. Martin. S'associa par la suite à François-Xavier-Arthur **Giroux**, puis à son fils George Harold Baker qui fut député conservateur à la Chambre des communes de 1911 à 1916. Procureur de la couronne pour le district de Missisquoi. Bâtonnier du barreau du district de Bedford. Grand propriétaire de biens immobiliers, il s'intéressa également à l'agriculture.

Élu sans opposition député conservateur à la Chambre des communes dans Missisquoi à l'élection partielle de 1870. Réélu en 1872. Ne s'est pas représenté en 1874. Élu sans opposition député conservateur à l'Assemblée législative dans Missisquoi en 1875. Son siège devint vacant lors de sa nomination comme ministre sans portefeuille le 24 janvier 1876. Réélu sans opposition à l'élection partielle du 10 février 1876. Solliciteur général dans le cabinet Boucher de Boucherville du 25 janvier 1876 au 8 mars 1878. Défait en 1878. Réélu à la Chambre des communes dans Missisquoi en 1878 et en 1882. Défait en 1887 et à l'élection partielle du 27 mars 1888. Réélu en 1891. Son siège devint vacant lors de sa nomination comme sénateur de la division de Bedford le 7 janvier 1896.

Membre du conseil d'administration du Bishop's College pendant plusieurs années. Membre de la Missisquoi County Historical Society.

Décédé en fonction à Montréal, le 9 février 1910, à l'âge de 76 ans. Inhumé dans le cimetière de la paroisse de Nelsonville (Cowansville), le 13 février 1910.

Avait épousé dans l'église anglicane de Cowansville, le 1er novembre 1860, Jane Percival Cowan, fille de Peter Cowan, shérif du district de Bedford.

BAKER, Stevens
(1791–1868)

Né à Petersham, au Massachusetts, le 16 août 1791, fils de Joseph Baker, qui fut capitaine dans la milice et juge de paix, et de Maria (Molly) Stevens, issue d'une famille loyaliste.

Accompagna ses parents qui s'établirent sur le lot Farrand, à Dunham, en 1799. Exploita la ferme paternelle et se lança dans l'élevage et l'importation de bestiaux. Fit l'acquisition de biens fonciers. Nommé en 1830 commissaire au tribunal des petites causes dans le canton de Dunham et juge de paix. Lieutenant-colonel dans la milice, servit du côté des Britanniques pendant les troubles de 1837–1838.

Élu député de Missisquoi en 1830; appuya tantôt le parti patriote, tantôt le parti des bureaucrates, durant les deux premières sessions, puis donna son appui au parti des bureaucrates. Ne s'est pas représenté en 1834.

Décédé à Dunham, le 29 février 1868, à l'âge de 76 ans et 6 mois. Inhumé dans le cimetière de l'église anglicane All Saints.

Avait épousé à Dunham, le 24 mai 1818, sa cousine Levina (Lavina) Barnes, fille de Willard Barnes et de Dolly Stevens.

Frère de William **Baker**.

Bibliographie: *Fifth Report of the Transactions of the Missisquoi County Historical Society*, p. 74-75.

BAKER, William
(1789–1866)

Né à Petersham, au Massachusetts, en 1789, fils de Joseph Baker, qui fut capitaine dans la milice et juge de paix, et de Maria (Molly) Stevens, issue d'une famille loyaliste.

Vint au Bas-Canada en 1799 avec ses parents, qui s'installèrent à Dunham. Étudia la médecine, mais ne l'exerça pas. Nommé maître d'école dans son village, le 14 avril 1812,

enseigna peu de temps avant de se mettre définitivement en affaires. Nommé juge de paix en décembre 1831 et commissaire chargé de faire prêter le serment d'allégeance en décembre 1837.

Élu député de Missisquoi en 1834; appuya le parti des bureaucrates. Son mandat prit fin avec la suspension de la constitution, le 27 mars 1838.

Décédé à Dunham, en mai 1866, à l'âge de 76 ou de 77 ans. Inhumé dans le cimetière de l'église anglicane All Saints.

Avait épousé probablement au Massachusetts, vers 1821, une prénommée Harriet.

Frère de Stevens **Baker**.

Bibliographie: *Fifth Report of the Transactions of the Missisquoi County Historical Society*, p. 77-78.

BALDWIN, Ozro
(1836–1911)

[Né à Barnston, près de Coaticook, en 1836, fils d'Ira Baldwin et de Susan Glover.]

Marchand de bois à Dixville. Propriétaire d'une scierie et d'une meunerie. Prêteur. Maître de poste à Dixville.

Maire de Dixville de 1873 à 1878 et de Barford de 1885 à 1893. Élu député conservateur dans Stanstead en 1886. Ne s'est pas représenté en 1890.

Décédé à Coaticook, le 19 juillet 1911, à l'âge d'environ 75 ans. Inhumé à Dixville, dans le cimetière de l'église baptiste, le 21 juillet 1911.

[Avait épousé, en 1858, Nancy Piper, fille de Sherburn Piper, ministre méthodiste.]

BALDWIN, Robert
(1804–1858)

Né à York (Toronto), le 12 mai 1804, fils de William Warren Baldwin, médecin et avocat d'origine irlandaise (fut aussi député à la Chambre d'assemblée du Haut-Canada), et de Margaret Phoebe Willcocks.

Étudia à l'école d'un ministre anglican d'York. En 1820, commença l'apprentissage du droit dans le cabinet de son père; admis au barreau en 1825.

Exerça sa profession à York; en 1848, confia à son associé la bonne marche de son cabinet. Hérita, en 1844, de nombreux biens fonciers et commerciaux, dans le Haut-Canada, notamment à Toronto.

Défait dans la circonscription d'York en 1828. Élu député d'York à la Chambre d'assemblée du Haut-Canada à une élection partielle en décembre 1829, mais l'élection fut annulée. Élu à nouveau dans la même circonscription, entra à l'Assemblée le 30 janvier 1830. Défait aux élections générales de 1830. Assermenté comme conseiller exécutif du Haut-Canada le 20 février 1836, démissionna le 12 mars. Se rendit en Angleterre et en Irlande; revint en février 1837. Accepta le poste de solliciteur général en février 1840, mais ne voulut pas faire partie du Conseil exécutif.

À l'entrée en vigueur de l'Acte d'Union, le 10 février 1841, fut nommé solliciteur général du Haut-Canada, puis accéda au Conseil exécutif le 13. Aux élections générales en 1841, retira sa candidature dans Toronto, mais fut élu dans 4th York et dans Hastings; opta pour cette dernière circonscription; antiunioniste et ultra-réformiste. De nouveau membre du Conseil exécutif et solliciteur général, mais, le 13 juin 1841, le gouverneur Charles Edward Poulett **Thomson** considéra qu'il avait démissionné de ses fonctions. Forma un ministère avec Louis-Hippolyte **La Fontaine**: conseiller exécutif du 16 septembre 1842 au 27 novembre 1843 et procureur général du Haut-Canada du 17 septembre 1842 au 11 décembre 1843; annonça sa démission comme chef du gouvernement le 27 novembre 1843. À son entrée au cabinet, son siège de député était devenu vacant. Défait dans Hastings et dans 2nd York à une élection partielle tenue probablement le 17 octobre 1842, mais élu sans opposition dans Rimouski, au Bas-Canada, à une élection partielle le 30 janvier 1843. Élu dans 4th York en 1844 et dans York North en 1848; réformiste. Forma un ministère avec **La Fontaine** du 11 mars 1848 au 27 octobre 1851: conseiller exécutif et procureur général du Haut-Canada; avait annoncé sa démission de cette dernière fonction le 30 juin 1851, mais en resta le titulaire jusqu'à la nomination de son successeur. Défait dans York North en 1854. Candidat au siège de conseiller législatif de la division d'York, dans le Haut-Canada, en 1858, mais se retira de la course le 12 août, pour raison de santé.

Contribua à la création de la University of Toronto, dont il fut élu chancelier en 1852; déclina toutefois cette fonction. Refusa aussi d'être nommé juge et commissaire. Trésorier de la Law Society of Upper Canada de 1850 à 1858. Cofondateur du Canadian Institute of Toronto. Président de l'Upper Canada Bible Society. Fait compagnon de l'ordre du Bain en 1854.

Décédé dans son domaine de Spadina, près de Toronto, le 9 décembre 1858, à l'âge de 54 ans et 6 mois. Inhumé dans le cimetière familial, le 13 décembre 1858.

Avait épousé à York, le 31 mai 1827, sa cousine germaine Augusta Elizabeth Sullivan, fille de Daniel Sullivan, marchand d'origine irlandaise, et de Barbara Baldwin.

Neveu d'Augustus Warren Baldwin, conseiller législatif du Haut-Canada, puis de la province du Canada. Beau-frère de Robert Baldwin Sullivan, maire de Toronto, conseiller législatif et exécutif du Haut-Canada, puis de la province du Canada. Beau-père de John Ross, conseiller législatif et exécutif de la province du Canada, puis sénateur. Parent de John Adams Dix, sénateur américain.

———

Bibliographie: *DBC.*

BALL, George
(1838–1928)

Né à Champlain, le 11 septembre 1838, fils de Reuben Ball, commerçant de bois, et de Flavie Fontaine.

A étudié au séminaire de Nicolet. Commerçant et manufacturier de bois à Nicolet, de 1875 à 1902, et dans la région de la Beauce pendant quelques années. Promoteur de compagnies financières et immobilières à Montréal en 1906. Président de la Crystal Spring Land Co. et du Quebec & Western Land Syndicate. Directeur du South Shore Railway et de plusieurs compagnies financières.

Maire de la ville de Nicolet de 1885 à 1893 et de 1895 à 1907. Membre du Club Lafontaine de Montréal. Élu député conservateur dans Nicolet en 1897. Élu député conservateur à la Chambre des communes dans Nicolet en 1900. Défait en 1904 ainsi qu'à l'élection partielle du 29 décembre 1906. Fut whip du Parti conservateur à la Chambre des communes.

Décédé à Québec, le 30 mai 1928, à l'âge de 89 ans et 8 mois. Inhumé à Sainte-Foy, dans le cimetière Notre-Dame-de-Belmont, le 1er juin 1928.

Avait épousé à Nicolet, le 20 août 1864, Eliza Thurber, fille de James Thurber, colonel, et d'Éloïse Legendre.

BARBIER, Louis-Marie-Raphaël
(1792–1852)

Né à Berthier-en-Haut (Berthierville) et baptisé dans la paroisse Sainte-Geneviève-de-Berthier, le 11 mars 1792, fils de Raphaël Barbier, cultivateur, et de Josephte Tellier.

Étudia au séminaire de Nicolet, de 1805 à 1807. Commença son apprentissage chez un médecin de William Henry (Sorel), en 1808. Admis à la pratique de la médecine en 1812.

Exerça sa profession à William Henry d'abord. Pendant la guerre de 1812, servit dans la milice, en qualité de chirurgien. En 1815, s'installa à Berthier-en-Haut où il pratiqua la médecine jusqu'à la fin de sa vie.

Élu député de Warwick en 1824; appuya généralement le parti des bureaucrates. Ne se serait pas représenté en 1827.

Fonda, en 1827, la Société d'éducation de Berthier et ouvrit une académie non confessionnelle, qui devint plus tard le collège Saint-Joseph. Propriétaire foncier. Juge de paix; commissaire au tribunal des petites causes, de 1821 jusqu'à sa démission en 1837.

Décédé à Berthier-en-Haut (Berthierville), le 29 avril 1852, à l'âge de 60 ans et un mois. Inhumé dans le cimetière de la paroisse Sainte-Geneviève-de-Berthier, le 1er mai 1852.

Avait épousé dans l'église anglicane Christ Church, à William Henry, le 31 janvier 1815, Elizabeth Walker, fille du docteur Walker; puis, dans la paroisse catholique Saint-Joseph, à Lanoraie, le 23 août 1826, Elizabeth Cairns, fille d'Alexander Cairns, agent de la seigneurie Berthier, et de Marie Bergen (Bergins), de Québec.

Beau-frère par alliance de James **Cuthbert**.

———

Bibliographie: *DBC.*

BARDY, Pierre-Martial
(1797–1869)

Né à Québec et baptisé dans la paroisse Notre-Dame, le 30 novembre 1797, fils de Pierre Bardy, perruquier, et de Louise Cochy, dit Lacouture.

Fit des études au petit séminaire de Québec à compter de 1811. Prit la soutane et fut tonsuré; étudia la théologie au grand séminaire de Québec, tout en étant professeur au petit séminaire. Renonça, en 1821, à la vie ecclésiastique. En 1822, enseignait à Boucherville. À partir de 1824, étudia la médecine à Montréal; admis à la pratique de sa profession en 1829.

Exerça à Saint-Jacques et à Saint-Athanase-d'Iberville, puis, à partir de 1839, à Québec. L'un des fondateurs et professeurs de l'École de médecine de Québec, en fut secrétaire de 1848 à 1854.

Élu député de Rouville en 1834; appuya le parti patriote. Son mandat prit fin avec la suspension de la constitution, le 27 mars 1838.

Fut inspecteur d'écoles de 1842 à 1868. Élu président de la Société Saint-Jean-Baptiste de Québec à sa fondation en 1842; exerça de nouveau ces fonctions de 1859 à 1861. Pré-

sida à Québec en 1849 une réunion en faveur de l'annexion aux États-Unis.

Décédé à Québec, le 7 novembre 1869, à l'âge de 71 ans et 11 mois. Inhumé dans la cathédrale Notre-Dame, le 10 novembre 1869.

Avait épousé dans la paroisse de La Présentation-de-la-Sainte-Vierge, à La Présentation, près de Saint-Hyacinthe, le 5 février 1822, Marie-Marguerite-Louise Archambault, fille du marchand Louis-Henri Archambault et de Marie-Marguerite Bourg; puis, dans la paroisse Saint-Roch, à Québec, le 9 octobre 1840, Marie-Soulange Lefebvre, fille de François-Xavier Lefebvre et de Marie-Angélique Mc Kinnal.

Beau-père de Pierre-Vincent **Valin**.

———

Bibliographie: *DBC.*

BAREIL, dit LAJOIE, Alexandre
(1822–1862)

Né à Maskinongé, le 8 août 1822, puis baptisé le 9, dans la paroisse Saint-Joseph, fils d'Alexis **Bareil, dit Lajoie**, cultivateur, et d'Esther Roy. Parfois désigné sous le prénom d'Alexis et sous le patronyme de Bareil-Lajoie. À son mariage, signa Alexandre Bareil.

Étudia au séminaire de Nicolet de 1834 à 1843, puis prit la soutane et enseigna les éléments au séminaire en 1844–1845; quitta ensuite la vie religieuse.

Fut cultivateur, secrétaire-trésorier scolaire et juge de paix.

Maire de Maskinongé et préfet du comté, de 1855 à 1857. Élu conseiller législatif de la division de Lanaudière en 1862.

Décédé en fonction le 18 ou le 19 novembre 1862, à l'âge de 40 ans et 3 mois. Inhumé dans l'église Saint-Joseph, à Maskinongé, le 24 novembre 1862.

Avait épousé dans la paroisse Saint-Michel, à Yamaska, le 12 août 1857, Marie-Christine Arcand, fille de l'arpenteur Jean-Olivier **Arcand** et de Marguerite Pélissier.

BAREIL, dit LAJOIE, Alexis
(1795–1863)

Né à Maskinongé, le 26 septembre 1795, puis baptisé le 27, dans la paroisse Saint-Joseph, fils d'Alexis Lajoye, dit Bareille (aussi appelé Alexandre Bareil, dit Lajoie), cultivateur, et d'Élisabeth Ducheny. Signait Alexis Bareil et Alexis Bareille.

Fut cultivateur. En 1861, possédait une terre dans la nouvelle concession de la seigneurie de Maskinongé. Enseigna dans la milice à compter de septembre 1827, fut promu lieutenant en février 1831 ; se rangea du côté des patriotes pendant la rébellion de 1837, puis démissionna en septembre 1839. Marguillier de la paroisse Saint-Joseph.

Élu député de Saint-Maurice à une élection partielle le 12 août 1836 ; appuya le parti patriote. Son mandat prit fin avec la suspension de la constitution, le 27 mars 1838.

Décédé à Maskinongé, le 15 août 1863, à l'âge de 67 ans et 10 mois. Inhumé dans l'église paroissiale, le 17 août 1863.

Avait épousé dans sa paroisse natale, le 16 octobre 1821, Esther Roy, fille du cultivateur Jacques Roy et d'Angélique Vanasse.

Père d'Alexandre **Bareil, dit Lajoie**.

BARIBEAU, Jean-Louis (1893–1975)

Né à Sainte-Geneviève-de-Batiscan, le 19 mars 1893, fils de Donat Baribeau, marchand, et de Joséphine Lacroix.

Fit ses études dans sa paroisse natale, au collège Sacré-Cœur à Victoriaville et au Griffin's Business College à Springfield, dans l'État du Massachusetts.

Marchand, propriétaire et président de la compagnie Donat Baribeau & Fils ltée. Il était aussi président de la Renardière de Sainte-Geneviève et directeur de l'Association des marchands détaillants de la province de Québec.

Syndic de la paroisse et maire de Sainte-Geneviève-de-Batiscan du 10 janvier 1929 au 23 janvier 1931, du 10 janvier 1937 au 7 janvier 1947 et du 21 janvier 1955 au 10 janvier 1957. Il fut, par ailleurs, préfet du comté de Champlain du 10 mars 1936 au 12 juin 1940.

Membre du Club Renaissance, du Comité du timbre de Noël et des Chevaliers de Colomb.

Élu député conservateur à la Chambre des communes dans Champlain en 1930. Défait en 1935. Nommé conseiller législatif de la division de Shawinigan le 14 janvier 1938, il conserva ce siège jusqu'à l'abolition du Conseil législatif, le 31 décembre 1968. Président du Conseil législatif du 1er février 1950 au 6 juillet 1960 et du 23 juin 1966 au 31 décembre 1968. Appuya l'Union nationale.

Décédé à Trois-Rivières, le 26 décembre 1975, à l'âge de 82 ans et 9 mois. Inhumé dans le cimetière Sainte-Geneviève, le 29 décembre 1975.

Avait épousé dans sa paroisse natale, le 5 septembre 1923, Aimée Trudel, fille de Paul Trudel, médecin, et de Louise Saint-Arnaud.

BARIL, Gilles (L)

Né à Duparquet, le 8 décembre 1940, fils d'Adrien Baril, homme d'affaires, et d'Alice Lemieux.

A étudié au collège Mont-Saint-Louis à Montréal où il obtint un diplôme d'études commerciales en 1960.

Actionnaire de la compagnie Marcel Baril ltée à partir de 1960. Représentant des ventes puis directeur des opérations pour cette entreprise. Membre du comité de réorientation de la vocation du séminaire Saint-Michel et de l'Institut Notre-Dame-du-Sourire en 1981. Directeur des As de Noranda en 1980 et 1981. Membre du Club Richelieu et des Chevaliers de Colomb.

Élu député libéral dans Rouyn-Noranda–Témiscamingue en 1985. Défait en 1989.

Vice-président de la compagnie Les Équipements MacMillan ltée à compter du 4 février 1990. Nommé membre du conseil d'administration de la Société de l'assurance automobile du Québec en 1991.

BARIL, Gilles (PQ)

Né à Saint-Eugène-de-Guigues, le 24 mars 1957, fils de Dominique Baril, cultivateur, et d'Oriette Bédard.

A obtenu un baccalauréat en journalisme et science politique à l'université de Moncton en 1979.

Chroniqueur sportif pigiste pour Radio-Canada à Moncton de 1975 à 1979. Agent d'emploi au Centre de main-d'œuvre de Ville-Marie à l'été 1977. Secrétaire particulier adjoint du député Jean-Paul Bordeleau (circonscription d'Abitibi-Est) en 1979. Adjoint politique au cabinet de François Gendron, ministre de la Fonction publique, et responsable politique pour l'Abitibi-Témiscamingue en 1980 et 1981. Président des Championnats sportifs québécois de l'été 1983. A enregistré un disque 45 tours *Rock'n Rêve* (1984).

Élu député du Parti québécois dans Rouyn-Noranda–Témiscamingue en 1981. Adjoint parlementaire du ministre de l'Habitation et de la Protection du consommateur, du 5 décembre 1984 au 6 février 1985, puis du ministre du Commerce extérieur, du 6 février au 2 décembre 1985. Défait dans la même circonscription en 1985 et dans Bourget en 1989.

Journaliste et animateur à la radio après sa défaite en 1985. Président de Produits nord-américains inc., entreprise spécialisée dans la représentation des manufacturiers québécois à l'étranger, en 1986 et 1987. Vice-président d'Aquin International inc., en 1986 et 1987. Chargé de projet à la compagnie PROMEXPO, marketing et communication, en 1989 et 1990. Directeur général du Pavillon du Nouveau Point de vue, centre de traitement et de réhabilitation pour alcooliques et toxicomanes, à partir du 20 novembre 1990. Animateur à la station radiophonique CKAC à compter de juin 1991. A publié *Tu ne seras plus jamais seul* (1991).

BARIL, Jacques

Né à Princeville, le 6 février 1942, fils de Paul-Émile Baril, agriculteur, et de Cécile Thiboutot.

A étudié à l'école rurale et à l'école Sacré-Cœur de Princeville. Débosseleur à Montréal pendant quatre ans. Exploite une ferme laitière à Princeville depuis 1966.

Président-fondateur de la Coopérative de consommation locale de bœuf d'Arthabaska. Directeur de l'Union des producteurs agricoles (UPA) de décembre 1974 à novembre 1976.

Conseiller municipal de Princeville de novembre 1973 à novembre 1976. Membre de l'exécutif du Parti québécois dans le district d'Arthabaska de 1973 à 1976. Élu député du Parti québécois dans Arthabaska en 1976. Réélu en 1981. Whip adjoint du gouvernement du 4 mars 1982 au 21 février 1985. Adjoint parlementaire au ministre de l'Agriculture, des Pêcheries et de l'Alimentation du 21 février au 23 octobre 1985. Ne s'est pas représenté en 1985. Maire de la paroisse de Princeville de 1987 à 1989. Membre de l'exécutif de la MRC de l'Érable en 1987 et 1988. Responsable de la création des régies municipales d'incendie et de loisir de Princeville en 1988 et 1989. Élu dans Arthabaska en 1989.

Membre de la Chambre de commerce de Princeville, des Chevaliers de Colomb et du Club Lions.

BARNARD, Edward
(≤1806–1885)

Né probablement à Québec, fut baptisé dans l'église presbytérienne de Québec, le 13 octobre 1806, fils de James Barnard, d'origine américaine et d'ascendance anglaise, et d'Elizabeth Barber, originaire de Londres.

Étudia dans une école anglaise de Québec, puis enseigna dans les Cantons-de-l'Est, avant d'entreprendre l'apprentissage du droit auprès du protonotaire de Trois-Rivières; termina sa formation à Montréal. Reçu au barreau le 3 juillet 1828, commença à exercer sa profession à Trois-Rivières.

Élu député de Trois-Rivières en 1834; appuya le parti patriote. Son mandat prit fin avec la suspension de la constitution, le 27 mars 1838.

Arrêté en novembre 1838 pour avoir participé à la rébellion, fut emprisonné à Montréal, puis relâché en décembre. Nommé greffier de la couronne et protonotaire du district de Trois-Rivières, le 5 juillet 1844, puis greffier de la Cour de circuit, le 24 décembre 1849, et plus tard greffier de la Cour supérieure; prit sa retraite en 1878. Obtint quelques postes de commissaire. Propriétaire de fermes dans la région de Trois-Rivières.

Décédé soit à Baltimore, au Maryland, soit à Brattleboro, au Vermont, le 5 ou le 14 juin 1885, à l'âge d'environ 78 ans.

Avait épousé dans la paroisse de l'Immaculée-Conception, à Trois-Rivières, le 5 août 1828, Mathilde Blondin, fille de Jean-Baptiste Blondin et de Josephte Doucet.

L'une de ses petites-filles épousa Jules **Tessier**.

BARNES, John
(≈1746–1810)

Né probablement en Grande-Bretagne, vers 1746.

Entra en 1760 à la Royal Military Academy de Woolwich (Londres) comme cadet.

En 1761, entreprit une carrière militaire dans le Royal Regiment of Artillery à titre de lieutenant artificier. Envoyé au Canada en 1776 pour combattre l'invasion américaine; nommé adjoint au quartier-maître général de l'état-major au Canada la même année, fut d'abord responsable du secteur de Montréal, puis de celui de Sorel à partir de 1778. Sous-quartier-maître général en 1785, fut chargé de la direction du bureau du quartier-maître général situé à Québec.

Élu député de William Henry en 1792; appuya le parti des bureaucrates. Ne se serait pas représenté en 1796.

En 1799, résigna ses fonctions de sous-quartier-maître général et obtint la charge de sous-maître général des casernes en Amérique du Nord. Retourna en Angleterre en 1801. Atteignit le grade de major général en 1809.

Décédé à Bath, en Angleterre, le 30 avril 1810, à l'âge d'environ 64 ans.

Avait épousé dans l'église anglicane de Québec, le 21 décembre 1795, Isabella Johnson, de Belmont, près de Québec.

Bibliographie: *DBC*.

BARRÉ, Laurent
(1886–1964)

Né à Ange-Gardien, près de Granby, le 30 mai 1886, fils de Louis Barré, cultivateur, et d'Arzélias Préfontaine.

Étudia à l'école paroissiale.

D'abord apprenti forgeron à Granby, il cultiva ensuite la terre paternelle à Ange-Gardien jusqu'en 1943. Directeur de nombreuses organisations agricoles dont la Coopérative des planteurs de tabac de la vallée de la Yamaska. Secrétaire de la caisse populaire et de la beurrerie et membre de la Coopérative de pierre à chaux broyée de Canrobert. Cofondateur et premier président de l'Union catholique des cultivateurs (UCC) de 1924 à 1926.

Candidat conservateur défait dans Rouville en 1927. Élu député conservateur dans la même circonscription en 1931 et 1935. Élu député de l'Union nationale en 1936. Défait en 1939, à la suite du vote de l'officier rapporteur. Réélu en 1944, 1948, 1952 et 1956. Ministre de l'Agriculture du 30 août 1944 au 5 juillet 1960 dans les cabinets Duplessis, Sauvé et Barrette. Réélu en 1960. Démissionna le 19 septembre 1960.

Collaborateur au *Bulletin des agriculteurs*. Publia à Saint-Hyacinthe deux romans du terroir: *Bertha et Rosette* (1929) et *Conscience de croyants* (1930). Docteur en sciences agricoles honoris causa de l'université de Montréal en 1949.

Décédé à Granby, le 26 août 1964, à l'âge de 78 ans et un mois. Inhumé dans le cimetière d'Ange-Gardien, le 29 août 1964.

Avait épousé dans sa paroisse natale, le 7 août 1911, Marie-Anne Fleury, fille d'Alfred Fleury, cultivateur, et de Roseline Beaudry.

BARRETTE, Antonio
(1899–1968)

Né à Joliette, le 26 mai 1899, fils d'Ernest Barrette, employé civil, et de Robéa Côté.

Étudia à l'académie Saint-Viateur, puis suivit des cours privés.

Travailla au Canadien National comme messager de 1914 à 1921, puis comme machiniste de 1921 à 1931. Ingénieur mécanicien en chef à l'Acme Glove Work Ltd. de Joliette de 1931 à 1935. Secrétaire de l'International Association of Machinists du district de Joliette en 1932 et 1933. Cofondateur en 1936 de la Société Barrette et Lépine, courtiers d'assurances. Secrétaire du comité d'étude du Syndicat national de rachat des rentes seigneuriales du 26 juillet 1938 au 22 août 1939. Président du conseil régional du travail en temps de guerre. Président d'Antonio Barrette et fils inc., courtiers d'assurances à Joliette, de 1966 à 1968.

Fondateur en 1930 et président jusqu'en 1936 de l'Association des jeunes conservateurs du comté de Joliette. Candidat conservateur défait dans Joliette en 1935. Élu député de l'Union nationale dans la même circonscription en 1936. Réélu en 1939, 1944, 1948, 1952, 1956 et 1960. Ministre du Travail du 30 août 1944 au 8 janvier 1960 dans les cabinets Duplessis et Sauvé. Choisi chef de l'Union nationale le 8 janvier 1960. Premier ministre, président du Conseil exécutif et ministre du Travail du 8 janvier au 5 juillet 1960. Démissionna comme député et chef de l'Union nationale le 15 septembre 1960. Ambassadeur du Canada en Grèce du 4 avril 1963 au 12 juillet 1966.

Membre fondateur de la Société des Oliviers, organisme constitué en 1922. Lieutenant-colonel honoraire du régiment de Joliette et capitaine de l'escadron «D» des gardes-frontières. Membre du Club canadien, du Seigniory Club, du Club Renaissance de Québec et des Chevaliers de Colomb. Secrétaire de l'Association des jeunes hommes d'affaires de Joliette. Membre de l'Association des courtiers d'assurances de la province de Québec.

Docteur en sciences sociales honoris causa de l'université Laval en 1945, il reçut également le titre de docteur *rerum civilium scientia* de l'université de Montréal en 1948, de docteur *jure civili* du Bishop's College en 1954, puis de docteur *juris atriusque* de la McGill University. Honoré du titre de grand officier de l'ordre de Saint-Grégoire-le-Grand et de grand cordon de l'ordre royal de Georges de Grèce.

A publié: *Considérations sur les relations industrielles en démocratie* (1953); *le Communisme est-il une menace?* (1954); *Mémoires* (1966).

Décédé à Montréal, le 15 décembre 1968, à l'âge de 69 ans et 6 mois. Inhumé à Joliette, dans le cimetière de la paroisse Saint-Pierre, le 19 décembre 1968.

Avait épousé à Joliette, le 2 juillet 1924, Marie-Estelle Guilbault, fille d'Osias Guilbault, notaire et registrateur, et de Victoria Froment.

BARRETTE, Hermann
(1897–1952)

Né à Saint-Raymond, près de Québec, le 23 août 1897, fils de Georges Barrette, charpentier, et de Joséphine Barrette.

Étudia au séminaire de Québec. Servit dans le premier bataillon des tanks au Canada et en Angleterre pendant la Première Guerre mondiale. Poursuivit ses études à l'université Laval à Montréal. Admis au barreau de la province de Québec le 16 janvier 1923. Créé conseil en loi du roi le 30 décembre 1938.

Avocat, il exerça sa profession à Saint-Jérôme pendant plus de vingt-cinq ans.

Candidat conservateur défait, à la suite du vote de l'officier rapporteur, dans Terrebonne en 1935. Élu député de l'Union nationale dans la circonscription de Terrebonne en 1936. Ne s'est pas représenté en 1939.

Présidait un tribunal à la Cour des sessions de la paix de la province de Québec depuis cinq ans lorsqu'il fut nommé juge à cette même cour le 30 avril 1947.

Décédé à Saint-Jérôme, le 2 octobre 1952, à l'âge de 55 ans et un mois. Inhumé à Montréal, dans le cimetière Notre-Dame-des-Neiges, le 6 octobre 1952.

Avait épousé à Saint-Jérôme, le 15 octobre 1923, Gabrielle Léonard, fille de Victor Léonard, notaire, et d'Ada Beaudry.

BARRETTE, Jean
(1904–1989)

Né à Saint-Barthélémi, le 5 octobre 1904, fils de Joseph Arthur Barrette, notaire, et de Corinne Dugas.

Fit ses études à l'académie de Saint-Barthélémi, au collège de Montréal, au collège de L'Assomption et au St. Anselme College à Rawdon.

Rédacteur sportif de 1924 à 1978. Exerça sa profession à *la Patrie* de 1924 à 1926 et au *Petit Journal* de 1926 à 1928. De 1928 à 1932, il fut rédacteur en chef du journal *le Miroir*, dirigé par Adrien Arcand. Travailla à *l'Illustration* de Camilien **Houde**, de 1932 à 1935, et au journal *le Canada* de Victor Marchand en 1935 et 1936. Fut cofondateur, en 1936, du journal sportif anglophone *The Puck* qu'il quitta en 1940. Éditorialiste sportif à *la Patrie du dimanche* de 1940 à 1960. Rédacteur à *Dernière Heure* et à *Dimanche Dernière Heure* jusqu'en mars 1978.

Nommé conseiller législatif de la division de Sorel le 19 octobre 1955; il conserva son siège jusqu'à l'abolition du Conseil législatif, le 31 décembre 1968. Appuya l'Union nationale.

Secrétaire de la Ligue civile de baseball de 1925 à 1930, de la Ligue de hockey Mont-Royal de 1927 à 1933 et de la Commission athlétique de Montréal de 1934 à 1946. Président de la Ligue de baseball provinciale de 1936 à 1941, de la

Palestre nationale en 1949 et de l'Association des rédacteurs sportifs de la Ligue de baseball internationale en 1953. Directeur de la Dufresne Engineering Co. Ltd. Gouverneur de l'hôpital Notre-Dame de Montréal. Membre du conseil d'administration et gouverneur de l'hôpital Sainte-Jeanne-d'Arc.

Décédé à Montréal, le 8 juin 1989, à l'âge de 84 ans et 8 mois. Inhumé à Montréal, dans le cimetière Notre-Dame-des-Neiges, le 9 juin 1989.

Avait épousé dans la cathédrale de Montréal, le 19 janvier 1931, Cécile Guindon, fille de Roch Guindon, capitaine et hôtelier, et de Jane Gilson.

BARRIÈRE, Omer
(1891–1970)

Né à Richelieu, dans la paroisse Notre-Dame-de-Bon-Secours, le 1er avril 1891, fils de Félix Barrière, marchand, et d'Alexina Gamache.

Étudia à l'école du village de Richelieu, à l'école Saint-Jean-Berchmans à Montréal ainsi qu'au collège des Frères de l'instruction chrétienne à Chambly. Obtint un diplôme d'études commerciales du collège de Chambly en 1908.

D'abord commis, il fut ensuite, de 1920 à 1961, propriétaire d'une chaîne de magasins de chaussures à Montréal et à Saint-Jérôme sous la raison sociale d'Omer Barrière.

Échevin du quartier Ahuntsic à Montréal de décembre 1936 à décembre 1940. Commissaire à la Commission des écoles catholiques de Montréal du 1er juillet 1941 au 30 juin 1947. Candidat de l'Union nationale défait dans Laval en 1939. Élu député dans la même circonscription en 1948. Réélu en 1952. Ne s'est pas représenté aux élections de 1956.

Décédé à Saint-Laurent (île de Montréal), le 7 novembre 1970, à l'âge de 79 ans et 7 mois. Inhumé à Montréal, dans le cimetière Notre-Dame-des-Neiges, le 11 novembre 1970.

Avait épousé à Montréal, dans la paroisse Saint-Joseph, le 8 mai 1912, Marie-Alberta-Fabiola Piché, fille d'Hormisdas Piché et de Virginie Gauthier; puis, à Montréal, dans la paroisse Saint-Stanislas-de-Kostka, le 16 septembre 1919, Marie Bélanger, fille de Joseph Bélanger, fonctionnaire à la ville de Montréal, et d'Emma Deschamps.

BARTHE, Joseph-Guillaume
(1816–1893)

Né à Carleton et baptisé dans la paroisse Saint-Joseph, le 16 mars 1816, fils de Joseph Barthe, navigateur, et de Marie-Louise-Esther Tapin.

Fit ses études primaires à Trois-Rivières. De 1827 à 1834, fréquenta le séminaire de Nicolet, mais ne termina pas sa seconde année de philosophie. De retour à Trois-Rivières, entreprit, avec le docteur René-Joseph **Kimber**, des études de médecine qu'il interrompit pour se lancer dans l'apprentissage du droit auprès d'Edward **Barnard**. Admis au barreau en 1840, n'exerça toutefois pas sa profession.

Participa au mouvement de protestation patriote dans le comté de Saint-Maurice en 1837. Fut emprisonné de janvier à avril 1839 pour avoir fait paraître dans *le Fantasque* de Québec, en décembre 1838, un poème intitulé «Aux exilés politiques canadiens». En 1840, entra à la rédaction de *l'Aurore des Canadas,* à Montréal.

Élu député de Yamaska en 1841 ; antiunioniste, fit partie du groupe canadien-français. Défait en 1844. Candidat rouge défait dans Yamaska en 1851.

Nommé greffier de la Cour d'appel du Bas-Canada en 1846 ; démissionna en 1850. Séjourna à Paris de 1853 à 1855 ; tenta vainement de recruter des immigrants français pour le Bas-Canada, collabora à *la Gazette de France* et publia, en 1855, *le Canada reconquis par la France*. De retour dans la colonie, fut rédacteur à *l'Ère nouvelle* et, d'avril à novembre 1856, au *Bas-Canada*, à Trois-Rivières, puis au *Canadien*, à Québec, jusqu'en 1862. Quatre ans plus tard, travailla au *Drapeau de Lévis*, et, par la suite, au *Journal de Lévis*. Vers 1870, retourna à Montréal ; écrivit *Souvenirs d'un demi-siècle* [...], qui parut en 1885. Est aussi l'auteur de 3 contes et d'environ 80 poèmes, publiés à Montréal dans *le Populaire* et *l'Aurore des Canadas*.

Décédé à Montréal, le 4 août 1893, à l'âge de 77 ans et 4 mois. Inhumé dans la paroisse Notre-Dame, le 7 août 1893.

Avait épousé dans la paroisse de l'Immaculée-Conception, à Trois-Rivières, le 23 janvier 1844, Louise-Adélaïde Pacaud, fille de Joseph Pacaud, qui fut charpentier, navigateur et négociant, et d'Angélique Brown.

Frère de Georges-Isidore Barthe, député à la Chambre des communes du Canada. Beau-frère d'Édouard-Louis **Pacaud**. Grand-père d'Armand **La Vergne**.

Bibliographie: *DBC.*

BASINET, Louis
(1846–1918)

Né à Joliette, dans la paroisse Saint-Charles-Borromée, le 30 novembre 1846, fils de Joseph Basinet, cultivateur, et de Louise Trudeau.

Fit ses études à l'école primaire de sa paroisse, puis au collège de Joliette. Agriculteur à Saint-Charles-Borromée.

Maire de cette municipalité de 1878 à 1917. Candidat libéral défait dans Joliette à l'élection partielle du 24 septembre 1885. Élu député libéral dans Joliette en 1886. Cette élection fut annulée le 23 septembre 1889. Réélu à l'élection partielle du 24 octobre 1889. Réélu sans opposition aux élections de 1890. Défait en 1892.

Décédé à Joliette, le 8 mai 1918, à l'âge de 71 ans et 6 mois. Inhumé dans le cimetière de la paroisse Saint-Charles-Borromée, le 11 mai 1918.

Avait épousé dans sa paroisse natale, le 29 septembre 1868, Malvina Deblois, fille de François Deblois, cultivateur, et de Louise Chappedelaine.

Frère de Charles Basinet, député à la Chambre des communes de 1896 à 1904.

BASTIEN, Cléophas
(1892–1943)

Né à Saint-Gabriel-de-Brandon, le 1er septembre 1892, fils de Joseph Bastien, cultivateur, et de Marie-Louise Déziel dit Labrèche.

Fit ses études à l'école de sa paroisse natale, au collège Saint-Joseph à Berthier et à l'école normale Jacques-Cartier à Montréal où il obtint son brevet d'instituteur.

Devint professeur à la Commission des écoles catholiques de Montréal en 1913. Renonça à cette profession pour devenir vérificateur à la Merchants and Employers Insurance Co., et plus tard courtier d'assurances à Saint-Gabriel-de-Brandon et à Montréal, alors qu'il fonda la compagnie Cléophas Bastien ltée.

Élu député libéral dans Berthier en 1927. Réélu en 1931, 1935, 1936, 1939. Assermenté ministre sans portefeuille dans le cabinet Taschereau le 13 mars 1936, puis dans le cabinet Godbout le 27 juin 1936. Ministre de la Colonisation dans le cabinet Godbout du 5 novembre 1942 au 10 février 1943.

Membre de la Chambre de commerce de Montréal, du Club de réforme de Montréal et du Club canadien.

Décédé en fonction à Québec, le 10 février 1943, à l'âge de 50 ans et 5 mois. Inhumé dans le cimetière de sa paroisse natale, le 15 février 1943.

Il était célibataire.

BASTIEN, Ludger
(1879–1948)

Né le 18 octobre 1879 et baptisé le même jour, à Loretteville, fils de Maurice Sébastien, manufacturier, et d'Adélaïde Théberge. Au baptême, son patronyme était Sébastien.

A étudié chez les Frères des écoles chrétiennes à Québec. Manufacturier et tanneur, il débuta dans les affaires en 1900. Fut président des compagnies Bastien et Bastien ltée et Bastien, Gagnon et Cloutier ltée, ainsi que vice-président d'Alexandre Bastien ltée et de Bastien Silver Fox Breeders Ltd.

Chef du Conseil des Hurons de la tribu de Loretteville de 1904 à 1917. Conseiller municipal de Loretteville de février 1912 à février 1917. Élu député conservateur dans le comté de Québec à l'élection partielle du 5 novembre 1924. Défait en 1927 et 1931. Défait sous la bannière de l'Union nationale en 1944.

Membre de l'Association des manufacturiers canadiens, de la Chambre de commerce de Québec ainsi que des Chevaliers de Colomb.

Décédé à Montréal, le 18 septembre 1948, à l'âge de 68 ans et 11 mois. Inhumé dans le cimetière de la réserve indienne Wendake, près de Québec, le 22 septembre 1948.

Avait épousé dans la paroisse Saint-Ambroise-de-la-Jeune-Lorette (Loretteville), le 19 mai 1903, Marie-Joséphine Martel, fille de François-Xavier-Martel, meunier, et de Marie Élaine (?) Renaud.

BAXTER, James
(1788–1837)

Né à Norwich, au Vermont, le 21 décembre 1788, descendant du révérend Richard Baxter, de religion non conformiste.

En 1817, se lança dans le commerce à Stanstead Plains, dans les Cantons-de-l'Est. Nommé juge de paix en 1830. Fut commissaire au tribunal des petites causes en 1830 et 1831.

Élu député de Stanstead en 1830; sur un ordre de la Chambre d'assemblée du 15 janvier 1833, fut mis pendant quelques jours sous la garde du sergent d'armes pour absence injustifiée. Démissionna le 7 février 1833. Nommé au Conseil législatif en août 1832, prêta serment le 22 mars 1833.

Décédé en fonction le 18 novembre 1837, à l'âge de 48 ans et 10 mois. Inhumé dans le canton de Stanstead, le 22 novembre 1837.

Avait épousé, le 14 septembre 1819, Caroline Baxter, fille de William Baxter, de Rutland, au Vermont.

BEAUBIEN, Joseph-Octave
(1824–1877)

Né à Nicolet, le 22 mars 1824, puis baptisé le 23, dans la paroisse Saint-Jean-Baptiste, fils de Louis Beaubien, cultivateur, et d'Élizabeth Manseau.

Fit ses études au séminaire de Nicolet de 1833 à 1841, puis étudia l'anglais pendant un an à Rochester, dans l'État de New York. De retour au Bas-Canada, fit l'apprentissage de la médecine; admis à la pratique de sa profession en 1847.

Fut médecin à Sainte-Élisabeth et, par la suite, à Saint-Thomas (à Montmagny). Copropriétaire de la seigneurie de Vincelotte qu'il mit en valeur. Membre du Conseil d'agriculture de la province de Québec. Exploita une fabrique de charrues à Montmagny. Officier de milice. Administrateur du chemin de fer canadien du Pacifique, à partir de 1873.

Élu député de Montmagny en 1858. Réélu en 1861 et 1863. Bleu. Son mandat prit fin avec l'avènement de la Confédération, le 1er juillet 1867. Fut commissaire des Terres de la couronne dans le cabinet Chauveau du 15 juillet 1867 au 27 février 1873. Élu sans opposition député conservateur de Montmagny à la Chambre des communes en 1867. Défait en 1872. Nommé conseiller législatif de la division de La Durantaye le 2 novembre 1867, prêta serment le 27 décembre.

Décédé en fonction dans la paroisse Saint-Thomas (à Montmagny), le 7 novembre 1877, à l'âge de 53 ans et 7 mois. Inhumé dans l'église Saint-Ignace-de-Loyola, à Cap-Saint-Ignace, le 13 novembre 1877.

Avait épousé dans l'église de Cap-Saint-Ignace, le 24 juillet 1849, Catherine-Aglaé Chenet, fille d'Antoine-Gabriel Chenet, notaire et seigneur de Vincelotte, et de Marie-Hermine Boisseau.

Neveu de Pierre **Beaubien**. Beau-père de Jules-Joseph-Taschereau Frémont, député à la Chambre des communes du Canada.

Bibliographie: *DBC*.

BEAUBIEN, Louis
(1837–1915)

Né dans la paroisse Notre-Dame de Montréal, le 27 juillet 1837, fils de Pierre **Beaubien**, médecin, et de Justine Casgrain.

Fit ses études au collège Saint-Sulpice à Montréal.

Propriétaire terrien et homme d'affaires, il dirigea une ferme vouée à l'élevage du bétail et des chevaux de race sur les domaines du coteau Saint-Louis et de la côte Sainte-Catherine. Rédacteur au journal *l'Ordre* de 1858 à 1861. Vice-président de la compagnie de publication Le Journal. Fondateur de la ville d'Outremont en 1875. Fondateur de la compagnie du Haras national en 1889. Promoteur et vice-président de la Compagnie du chemin de fer de colonisation du nord de Montréal, qui devint le Québec, Montréal, Ottawa et Occidental. Promoteur de la Compagnie des chemins de fer des Laurentides. Promoteur du Yukon Trust Co. en 1901. Cofondateur de la Banque provinciale du Canada. Président de la Montreal Park and Island Railway Co. et de la Compagnie d'impression électrique.

Élu député conservateur dans Hochelaga en 1867. Réélu en 1871. Élu également député conservateur à la Chambre des communes dans Hochelaga aux élections de 1872, mais démissionna en 1874 à la suite de l'abolition du double mandat. Réélu à l'Assemblée législative en 1875, il en fut l'orateur du 10 novembre 1876 au 1er mai 1878. Réélu en 1878 et sans opposition en 1881. Ne s'est pas représenté en 1886. Nommé commissaire de l'Agriculture et de la Colonisation dans le cabinet Boucher de Boucherville le 21 décembre 1891. Élu sans opposition dans Nicolet en 1892. Commissaire de l'Agriculture et de la Colonisation dans les cabinets Taillon et Flynn du 16 décembre 1892 au 12 janvier 1897. Commissaire de l'Agriculture dans le cabinet Flynn du 12 janvier au 26 mai 1897. Défait dans Beauharnois en 1897.

Président de la Société Saint-Jean-Baptiste de Montréal en 1882. Membre de la Chambre d'agriculture de la province de Québec, de la Ayrshire Breeders' Association, de la Société d'horticulture de Montréal et président de la Société d'agriculture du comté de Hochelaga. Membre de la Montreal League for the Prevention of Tuberculosis, du comité de la Société des arts et manufactures et de la Ligue des hommes d'affaires de Montréal. Membre du Club de la garnison, du Club Lafontaine et du Montreal Club. Capitaine dans les chasseurs canadiens.

Décédé à Outremont, le 19 juillet 1915, à l'âge de 77 ans et 11 mois. Inhumé à Montréal, dans le cimetière Notre-Dame-des-Neiges, le 21 juillet 1915.

Avait épousé dans la paroisse Notre-Dame de Québec, le 31 mai 1864, Suzanne Lauretta Stuart, fille d'Andrew Stuart, juge en chef à la Cour supérieure et administrateur de la province de Québec, et de Charlotte-Elmire Aubert de Gaspé.

Père de Charles-Philippe Beaubien, sénateur de 1919 à 1945. Grand-père de Louis-Philippe Beaubien, sénateur de 1960 à 1985. Cousin de Charles-Eugène (Charles-Eusèbe) Casgrain, sénateur de 1887 à 1907, et de Philippe Baby Casgrain, député à la Chambre des communes de 1872 à 1891. Neveu de Charles-Eusèbe **Casgrain**.

BEAUBIEN, Pierre
(1796–1881)

Né à Baie-du-Febvre et baptisé dans la paroisse Saint-Antoine-de-Padoue, le 13 août 1796, fils de Jean-Louis Beaubien, cultivateur, et de Marie-Jeanne Manseau.

Étudia au séminaire de Nicolet de 1809 à 1815, puis fit une année de philosophie au petit séminaire de Montréal. Poursuivit ses études en France : reçut de l'académie de Paris le diplôme de bachelier ès lettres, en 1819, et le titre de docteur en médecine, en 1822.

Exerça sa profession en France jusqu'en 1827. Après son retour au Bas-Canada, obtint en 1828, du Bureau d'examinateurs en médecine du district de Montréal, le droit de pratiquer son art, et s'établit à Montréal. Fut médecin des Sulpiciens et de la Congrégation de Notre-Dame, officier de santé pour la ville de Montréal de 1832 à 1836, et exerça à l'Hôpital Général ainsi que, de 1829 à 1880, à l'Hôtel-Dieu.

Élu député de la cité de Montréal à une élection partielle le 22 novembre 1843 ; appartenait au groupe canadien-français. Défait en 1844. Représenta le quartier Saint-Laurent au conseil municipal de Montréal, de 1842 à 1844, et le quartier Saint-Louis, en 1846–1847. Élu député de Chambly en 1848 ; fit partie du groupe canadien-français. Son siège devint vacant le 31 juillet 1849, en raison de sa nomination au poste de médecin et chirurgien de la prison de Montréal, qu'il occupa jusqu'à sa mort.

Enseigna la clinique médicale à l'Hôtel-Dieu et, à compter de 1849, la théorie et la pratique médicale à l'École de médecine et de chirurgie de Montréal, dont il fut président au début des années 1860. Propriétaire foncier. Cofondateur et administrateur de la Banque du peuple et de la Banque d'épargne de la cité et du district de Montréal.

Président de l'Association Saint-Jean-Baptiste de Montréal. Bienfaiteur de l'Institution catholique des sourds-muets pour la province de Québec.

Décédé à Outremont, le 9 janvier 1881, à l'âge de 84 ans et 4 mois. Inhumé dans l'église du Saint-Enfant-Jésus, au coteau Saint-Louis, à Montréal, le 12 janvier 1881.

Avait épousé en la chapelle de l'Hôpital Général de Québec, dans la paroisse Notre-Dame-des-Anges, le 11 mai 1829, Marie-Justine Casgrain, fille du seigneur Pierre Casgrain et de Marie-Marguerite Bonnenfant, et veuve de Charles Butler Maguire, chirurgien de la Marine.

Père de Louis **Beaubien**. Oncle de Joseph-Octave **Beaubien**. Beau-frère de Charles-Eusèbe **Casgrain**.

———

Bibliographie: *DBC*.

BEAUCHAMP, Benjamin
(1842–1913)

Né à Saint-Hermas, le 21 décembre 1842, fils de Benjamin Beauchamp et de Marie Meloche.

Fit ses études à l'école normale Jacques-Cartier à Montréal, puis à l'École militaire. A obtenu son certificat d'enseignant ainsi que deux certificats de l'École militaire.

Cultivateur à Saint-Hermas, il fut secrétaire de la Société d'agriculture du comté de Deux-Montagnes.

Maire de Saint-Hermas et préfet du comté de Deux-Montagnes. Candidat conservateur défait dans Deux-Montagnes en 1881. Élu député conservateur dans Deux-Montagnes à l'élection partielle du 21 octobre 1882. L'élection fut annulée le 7 décembre 1883, mais il fut réélu à l'élection partielle du 26 mars 1884. Élu sans opposition député conservateur indépendant en 1886. Réélu sous la même allégeance en 1890 et sans opposition en 1892 et défait en 1897 et 1900. Candidat conservateur défait dans Deux-Montagnes à l'élection partielle fédérale de 1903.

Décédé à Saint-Hermas, le 3 mars 1913, à l'âge de 70 ans et 2 mois. Inhumé dans le cimetière de cette paroisse, le 6 mars 1913.

Il était célibataire.

BEAUCHAMP, Joseph
(1739–1825)

Né à Lachenaie, le 20 juin 1739, puis baptisé le 21, dans la paroisse Saint-Charles, fils de Joseph Beauchamp et de Marie Martel.

Fut cultivateur, dans le rang dit de la Petite Prairie, à Varennes. Lieutenant dans la milice à compter du 4 janvier 1804, promu capitaine en 1809.

Élu député de Surrey en 1809; appuya le parti canadien. Ne s'est pas représenté en 1810.

Décédé à Varennes, le 27 juin 1825, à l'âge de 86 ans. Inhumé dans le cimetière paroissial, le 30 juin 1825.

Avait épousé dans la paroisse Sainte-Anne, à Varennes, le 19 octobre 1761, Marie Girard, fille de Pierre Girard et de Marie-Thérèse Tetro; puis, dans la paroisse Saint-François-Xavier, à Verchères, le 29 juillet 1822, Marie-Anne-Julie Rocbert de La Morandière, fille de François-Abel-Étienne Rocbert de La Morandière, officier dans les troupes de la Marine et ingénieur militaire, veuve de Joseph Crevier Duvernay et mère de Ludger **Duvernay**.

BEAUCHESNE, Pierre-Clovis
(1841–1918)

Né à Bécancour, le 8 juin 1841, fils de Pierre Bourbeau dit Beauchesne, cultivateur et marchand de bois, et de Marie-Archange Pérenne de Moras (Archange Maurâce).

Étudia au collège de Nicolet et fut admis à la pratique du notariat en 1865.

Pratiqua le notariat en Gaspésie à partir de 1866. Inspecteur des pêcheries en 1870, puis percepteur des douanes et surveillant du port de Carleton de 1871 à 1874. Secrétaire-trésorier du canton de Carleton de 1879 à 1888. Commissaire à la Cour supérieure du district de Gaspé. Organisateur et membre du conseil de direction du chemin de fer de la Baie-des-Chaleurs.

Élu député conservateur dans Bonaventure à l'élection partielle des 4 et 5 août 1874. Réélu en 1875, son élection fut annulée le 19 décembre 1876. Élu sans opposition député conservateur à la Chambre des communes dans Bonaventure à l'élection partielle du 6 août 1879. Il ne se représenta pas en 1882.

Nommé registrateur de la deuxième division de Bonaventure le 18 octobre 1882. Fut également percepteur des douanes à Paspébiac de 1884 à 1910. Il s'établit par la suite à Montréal.

Représentant de son district à la Chambre des notaires de la province. Secrétaire-trésorier de la Société de colonisation n° 1 à Bonaventure. Fut major dans la milice de réserve de Bonaventure. Assuma la présidence d'une section locale de la Société Saint-Jean-Baptiste de 1871 à 1874.

Décédé à Montréal, le 10 octobre 1918, à l'âge de 77 ans et 4 mois. Inhumé à Montréal, dans le cimetière Notre-Dame-des-Neiges, le 14 octobre 1918.

Avait épousé à Carleton, le 7 janvier 1871, Caroline-Olive Lefebvre, fille de Jean Lefebvre, menuisier, et de Caroline Landry.

BEAUDET, Élisée
(1834–1910)

[Né à Lotbinière, en 1834, fils d'Amable Beaudet et de Félicité Chabot.]

Homme d'affaires. Cofondateur de la maison de commerce Chinic et Beaudet, à laquelle succéda la Chinic Hardware Co. de Québec. Associé de la maison Girouard et Beaudet, propriétaire de moulins à scie à Betsiamites. Vice-président et directeur de la construction du chemin de fer Québec et Lac-Saint-Jean. Fonctionnaire à la douane de Québec.

Élu sans opposition député conservateur dans Chicoutimi et Saguenay à l'élection partielle du 27 mars 1880. Ne s'est pas représenté en 1881. Défait dans Lotbinière à l'élection partielle du 30 janvier 1886.

Décédé à Québec, le 15 février 1910, à l'âge d'environ 76 ans. Inhumé à Sainte-Foy, dans le cimetière Notre-Dame-de-Belmont, le 18 février 1910.

Avait épousé dans la paroisse Notre-Dame de Québec, le 9 février 1859, Éléonore-Georgianne Hardy, fille de Pierre-Joseph Hardy et de Suzanne Legris dit Lépine; [puis épousa, en 1906, Emma Bourgeois].

BEAUDET, Godefroy
(1794–1855)

Né à Deschaillons et baptisé dans la paroisse Saint-Jean-de-Deschaillons, le 24 octobre 1794, fils de Jacques Beaudet et de Marianne Trottier.

Fut marchand et meunier aux Cèdres, puis sur les bords de la rivière Delisle, dans la paroisse Saint-Polycarpe, et à Coteau-du-Lac. Propriétaire foncier. Promu capitaine dans la milice en juillet 1828, atteignit le grade de major par la suite. Nommé commissaire chargé de l'amélioration de la navigation sur le Saint-Laurent, des Cascades jusqu'au lac Saint-François, le 8 juin 1830, et juge de paix, le 31 décembre 1831.

Élu député de Vaudreuil en 1830; appuya généralement le parti patriote. Démissionna le 15 octobre 1831.

Décédé à Coteau-du-Lac, le 27 mars 1855, à l'âge de 60 ans et 5 mois. Inhumé dans l'église Saint-Ignace, le 29 mars 1855.

Avait épousé dans la paroisse de Saint-Joseph-de-Soulanges (Les Cèdres), le 21 avril 1823, Zoé Lemaire Saint-Germain, fille de l'arpenteur Hyacinthe Lemaire Saint-Germain et d'Anna Cruckshanks.

BEAUDIN, André

Né à Grande-Rivière, le 22 février 1942, fils de Joseph Beaudin, entrepreneur, et d'Yvonne Cayer.

A étudié au séminaire de Gaspé et à l'université Laval où il obtint un baccalauréat ès arts en 1964. Obtint également un baccalauréat en pédagogie de l'université du Québec à Rimouski en 1981 et un certificat en administration de l'École nationale d'administration publique en 1982.

Attaché d'administration chez Simco Entreprises Co. Ltd. de Montréal en 1963 et 1964. Professeur de mathématiques et de physique à la commission scolaire de La Péninsule de 1964 à 1969 et conseiller pédagogique pour la même commission scolaire de 1969 à 1972. Directeur d'école et directeur général adjoint à la commission scolaire de Rocher-Percé de 1972 à 1985.

Président local et administrateur régional (1967–1972) de la Chambre de commerce de la Gaspésie. Administrateur régional de la Société nationale d'habitation de 1976 à 1985, du Conseil régional de développement et du Bureau d'aménagement de l'Est du Québec de 1967 à 1972. Administrateur du Sanatorium Ross de 1972 à 1978, de la Commission de développement industriel de 1978 à 1981 et de l'Association des directeurs d'écoles de la Gaspésie de 1979 à 1983. Commandant d'une unité de milice de 1967 à 1971. Président du comité jeunesse de la Société de la Croix-Rouge de 1976 à 1985. Membre des Chevaliers de Colomb.

Conseiller municipal de 1967 à 1974, puis maire de Grande-Rivière de 1976 à 1980. Président de la commission d'aménagement de la ville de Grande-Rivière de 1980 à 1983. Élu député libéral dans Gaspé en 1985. Adjoint parlementaire du ministre délégué aux Pêcheries du 5 février 1986 au 25 septembre 1989. Réélu en 1989. Nommé adjoint parlementaire du ministre de l'Agriculture, des Pêcheries et de l'Alimentation le 29 novembre 1989.

BEAUDOIN, Jean-Baptiste
(1787–1870)

Né à Saint-Henri-de-Lauzon (Saint-Henri) et baptisé dans la paroisse Saint-Henri, le 12 juin 1787, fils de François Beaudoin et de Suzanne Hallé.

Fut cultivateur. Officier de milice, servit notamment pendant la guerre de 1812.

Élu député de Dorchester en 1834; appuya généralement le parti patriote. Son mandat prit fin avec la suspension de la constitution, le 27 mars 1838.

Décédé à Saint-Henri-de-Lauzon (Saint-Henri), le 6 décembre 1870, à l'âge de 83 ans et 5 mois. Inhumé dans l'église paroissiale, le 9 décembre 1870.

Avait épousé dans la paroisse Saint-Thomas (à Montmagny), le 4 février 1807, Madeleine Fontaine, fille de Louis Fontaine et de Madeleine Pelletier; puis, dans la paroisse Saint-Henri (à Saint-Henri), le 4 février 1839, Geneviève Girard, veuve de Pierre Nolin; enfin, au même endroit, le 7 novembre 1853, Marguerite Bilodeau, veuve de Pierre Gagné.

Bibliographie: *BRH*, 49 (1934), p. 63.

BEAUDOIN, Joseph-Ambroise-Eusèbe
(1866–1939)

Né à Saint-Ambroise-de-Kildare, le 23 mai 1866, fils d'Eusèbe Beaudoin, forgeron, et de Mélina Bertrand.

A étudié au séminaire de Joliette ainsi qu'à l'université Laval à Montréal. Diplômé en médecine en 1892.

Exerça sa profession à Montréal. Gouverneur du Collège des médecins de la province de Québec et gouverneur de l'hôpital Notre-Dame à Montréal.

Commissaire d'école à Repentigny. Membre du Club politique Cartier-MacDonald. Élu député conservateur dans Montréal–Saint-Jacques aux élections de 1923. Défait en 1927.

Décédé à Montréal, le 7 janvier 1939, à l'âge de 72 ans et 7 mois. Inhumé à Montréal, dans le cimetière Notre-Dame-des-Neiges, le 11 janvier 1939.

Avait épousé à Montréal, dans la paroisse du Sacré-Cœur-de-Jésus, le 22 mai 1893, Marie-Joséphine-Azilda-Luména Riopelle, fille de François-Xavier Riopelle et de Joséphine Fouet.

BEAUDREAU, Joseph
(1826–1869)

Né à Sorel, le 17 mars 1826, puis baptisé le 18, dans la paroisse Saint-Jude, à Saint-Ours, fils de Pierre Beaudreau, dit Graveline, cultivateur, et de Marie-Anne Dupré.

Fut cultivateur à Saint-Aimé (Massueville).

Maire de la municipalité de la paroisse Saint-Aimé, de 1858 à 1862. Élu député de Richelieu en 1861; bleu. Défait en 1863. Élu député conservateur de Richelieu à l'Assemblée législative en 1867.

Décédé en fonction à Saint-Aimé (Massueville), le 5 octobre 1869, à l'âge de 43 ans et 6 mois. Inhumé dans le cimetière paroissial, le 7 octobre 1869.

Avait épousé dans la paroisse Saint-Aimé, à Massueville, le 12 août 1845, Élisabeth Perron, fille d'Eustache Perron et de Marie-Anne Belette; puis, à Saint-Robert, le 9 novembre 1867, l'institutrice Marie Moreault, fille du cultivateur Célestin Moreault et de Catherine Petit.

BEAUDRY, Adrien
(1879–1942)

Né dans la paroisse Saint-Marc-sur-Richelieu, le 13 novembre 1879, fils d'Hector Beaudry, cultivateur, et de Malvina Ducharme.

Fit ses études au séminaire de Saint-Hyacinthe ainsi qu'à l'université Laval à Montréal. Admis au barreau de la province de Québec le 17 septembre 1902. Créé conseil en loi du roi le 30 juin 1914.

Avocat, il exerça sa profession à Montréal avec son frère, Me Richard Beaudry, de 1902 à 1921.

Élu député libéral dans Verchères en 1916. Réélu sans opposition en 1919. Orateur suppléant de l'Assemblée législative du 11 décembre 1919 au 26 mars 1921.

Son siège devint vacant le 26 mars 1921 à la suite de sa nomination comme président de la Commission des services publics de la province de Québec. Retourna à l'exercice de sa profession de 1936 jusqu'à sa retraite en 1941.

Secrétaire de l'Association du jeune barreau de Montréal en 1905. Président du conseil d'administration de l'hôpital Saint-Luc de 1909 à 1912. Membre du Montreal Club, du Canadian Club et du Club de réforme.

Décédé à Montréal, le 5 octobre 1942, à l'âge de 62 ans et 11 mois. Inhumé à Montréal, dans le cimetière Notre-Dame-des-Neiges, le 9 octobre 1942.

Avait épousé à Montréal, dans la paroisse Saint-Louis-de-France, le 20 novembre 1906, Clara Beausoleil, fille de Maxime Beausoleil, médecin, et de Palmire Lavallée.

BEAUDRY, Jean-Louis
(1809–1886)

Né le 27 mars 1809 et baptisé le même jour dans la paroisse Saint-Henri-de-Mascouche, fils de Jean-Prudent Beaudry, cultivateur, et de Marie-Anne Boimier (Bohémier).

Débuta comme vendeur à Montréal vers l'âge de 14 ans. Travailla également comme magasinier à Isthmus dans le Haut-Canada et revint par la suite à Montréal. S'associa à son frère, Jean-Baptiste, dans une entreprise en 1834. Vice-président des Fils de la liberté en 1837. S'expatria pendant les événements de 1837 pour revenir après la proclamation de l'amnistie en juin 1838. Spéculateur foncier, membre du conseil d'administration de la Compagnie du chemin de fer de Montréal et Bytown et cofondateur de la Banque Jacques-Cartier en 1861.

Candidat libéral-conservateur défait dans la cité de Montréal en 1856 et 1858. Échevin du quartier Saint-Jacques au conseil municipal de Montréal de juin 1860 à février 1861. Maire de Montréal de février 1862 à février 1866, de mars 1877 à mars 1879 et de mars 1881 à mars 1885. Commissaire du port de Montréal de 1862 à 1866 et de 1877 à 1885. Conseiller législatif de la division d'Alma du 2 novembre 1867 au 25 juin 1886. Appuya le Parti conservateur.

Syndic de la Maison de la Trinité vers 1845, il conserva ce poste jusqu'en 1873, puis commissaire à la Commission du havre de Montréal. Chevalier de l'ordre de Saint-Olarf. Major de réserve de Montréal-Centre.

Décédé en fonction à Montréal, le 25 juin 1886, à l'âge de 77 ans et 3 mois. Inhumé à Montréal, dans le cimetière Notre-Dame-des-Neiges, le 28 juin 1886.

Avait épousé à Montréal, le 18 mai 1835, Henriette-Thérèse Vallée, fille de Joseph Vallée, marchand, et de Thérèse Rodney.

———

Bibliographie: *DBC.*

BEAUDRY, Jean-Paul (1924–1980)

Né à Montréal-Est, le 19 août 1924, fils d'Arthur Beaudry, marchand, et de Berthe Charbonneau.

Fit ses études à l'école Richard à Montréal-Est, au collège Roussin à Pointe-aux-Trembles et à la Catholic High School à Montréal.

Administrateur, il débuta dans le commerce de l'alimentation au détail en 1942. Devint propriétaire d'une épicerie à Montréal en 1948. Fonda la maison Beaudry limitée en 1953. La même année, il construisit un supermarché et fonda une entreprise de distribution en gros de produits alimentaires sous la raison sociale Jean-Paul Beaudry inc. Fut propriétaire de plusieurs hôtels dans la région de Montréal.

Élu député de l'Union nationale dans Lafontaine en 1966. Nommé adjoint parlementaire du ministre des Affaires municipales et du ministre de l'Industrie et du Commerce le 12 septembre 1967. Ministre de l'Industrie et du Commerce du 31 octobre 1967 au 12 mai 1970 dans les cabinets Johnson et Bertrand. Défait en 1970.

Président et vice-président du conseil d'administration de l'hôpital Saint-Joseph-de-Rosemont. Ancien président de la campagne du Prêt d'honneur. Membre de l'Association des hommes d'affaires de Pointe-aux-Trembles et de Montréal-Est, du Syndicat d'épargne des épiciers du Québec inc., du Club optimiste et des Chevaliers de Colomb.

Décédé à Montréal, le 3 novembre 1980, à l'âge de 56 ans et 2 mois. Inhumé dans le cimetière de Pointe-aux-Trembles, le 8 novembre 1980.

Avait épousé à Pointe-aux-Trembles, le 4 octobre 1948, Irène Orrell, fille de Sam Orrell, officier de douanes, et de Lilly Baker.

———

BEAUDRY, Rouville

Né à Magog, le 26 août 1904, fils de Délima Beaudry, couturier, et d'Éva Courtemanche.

Fit ses études à l'académie Saint-Patrice à Magog. Propriétaire d'un magasin de vêtements à Magog de 1924 à 1954.

Élu député de l'Action libérale nationale dans Stanstead en 1935. Élu député de l'Union nationale en 1936. Démissionna le 2 août 1938. Échevin de la municipalité de Magog du 7 janvier 1944 au 24 janvier 1948.

Agent de la Canadian Brewery. Propriétaire et fondateur de la manufacture de cercueils Magog de 1953 à 1965. Fondateur et propriétaire du *Progrès* de Magog de 1949 à 1961. Lieutenant de réserve des Fusiliers de Sherbrooke. Fut président de la Chambre de commerce de Magog, de la Ligue des propriétaires, du comité des finances de guerre du comté de Stanstead et du Club des francs. Membre de l'Association des marchands détaillants du Canada et des Chevaliers de Colomb.

BEAUJEU. V. SAVEUSE DE BEAUJEU

BEAULAC, Polydore
(1893–1981)

Né à Chicago, le 8 juillet 1893, fils d'Uldoric Beaulac, marchand, et d'Adéline Casaubon.

A étudié au séminaire Saint-Joseph à Trois-Rivières. Agent d'assurances et gérant de la caisse populaire de Shawinigan.

Échevin de Shawinigan de juillet 1930 à juillet 1932. Candidat libéral-indépendant défait dans Saint-Maurice–Laflèche aux élections fédérales de 1935. Défait également comme candidat libéral aux élections provinciales dans Saint-Maurice en 1936. Élu député libéral dans cette circonscription en 1939. Ne s'est pas représenté en 1944.

Fut président de la Fédération des retraitants. Membre de la Chambre de commerce de Shawinigan et des Chevaliers de Colomb.

Décédé à Saint-Laurent (Montréal), le 10 mars 1981, à l'âge de 87 ans et 8 mois. Inhumé dans le cimetière Saint-Joseph de Shawinigan, le 13 mars 1980.

Avait épousé à Saint-Jean-des-Piles, le 11 juin 1912, Alphonsine Lafrenière, fille d'Euchariste Lafrenière, cultivateur, et de Lucie Mailloux.

BEAULIEU, J.-Paul
(1902–1976)

Né à Saint-Paul-de-l'Île-aux-Noix, le 22 janvier 1902, fils d'Alexandre-Josaphat Beaulieu, instituteur, et de Rose de Lima Dubois.

Fit ses études à l'école primaire et à l'académie commerciale de Saint-Jean, à l'université de Montréal et à la McGill University. Stagiaire auprès de Gonthier et Mulligan à Montréal. Licencié en sciences commerciales de la McGill University en 1928. Admis à l'Institut des comptables agréés de la province de Québec en 1928. Docteur en sciences commerciales honoris causa de l'université de Montréal en 1945 et de l'université Laval en 1951.

D'abord associé de Larue et Trudel à Montréal, puis chef du bureau Beaulieu, Choquette et Dugré en 1929. Représentant du Bureau des examinateurs de l'ordre des Comptables agréés à l'université de Montréal.

Membre de la Commission des écoles catholiques de Saint-Jean de juillet 1937 à juillet 1949. Candidat de l'Union nationale défait dans Saint-Jean en 1936 et dans Saint-Jean–

Napierville en 1939. Élu député de l'Union nationale dans Saint-Jean–Napierville à l'élection partielle du 6 octobre 1941. Réélu dans Saint-Jean en 1944, 1948, 1952 et 1956. Ministre de l'Industrie et du Commerce dans les cabinets Duplessis, Sauvé et Barrette du 30 août 1944 au 5 juillet 1960. Défait en 1960 et 1962. Élu député du Parti progressiste-conservateur à la Chambre des communes dans Saint-Jean–Iberville–Napierville en 1965. Réélu en 1968. Ne s'est pas représenté en 1972.

Gouverneur des Chambres de commerce de la province de Québec. Membre de la Chambre de commerce de Saint-Jean, de l'Association des jeunes hommes d'affaires de Saint-Jean et membre honoraire de la Société académique des sciences, arts et belles-lettres de l'Aube. Vice-président honoraire de l'Exposition provinciale de Québec. Décoré de la médaille de vermeil par la ville de Paris en 1955. Membre du Club canadien, du Club Saint-Denis, du Cercle universitaire de Montréal, du Club Renaissance de Québec et des Chevaliers de Colomb.

Décédé à Montréal, le 14 novembre 1976, à l'âge de 74 ans et 10 mois. Inhumé à Saint-Jean, dans le cimetière de la paroisse Notre-Dame-Auxiliatrice, le 18 novembre 1976.

Avait épousé à Saint-Jean, dans la paroisse Saint-Jean-l'Évangéliste, le 12 novembre 1932, Jacqueline Dumont, fille d'Émile Dumont, médecin, et d'Attala Beauchesne.

BEAULIEU, Joseph-Alphonse
(1891–1955)

Né à Rivière-Ouelle, le 29 décembre 1891, fils de Ludger Hudon, cultivateur, et de Marie Gagnon. Baptisé sous le nom de Hudon.

Fit ses études à l'école modèle de Rivière-Ouelle. Exerça le métier de commis, puis fut commerçant et industriel à Rivière-Ouelle, Saint-Pacôme, Rivière-Manie et Rivière-Bleue. Membre des Chevaliers de Colomb.

Maire de Rivière-Bleue de février 1925 à mai 1930. Commissaire d'école. Marguillier. Élu député libéral dans Témiscouata en 1935. Défait en 1936. Réélu en 1939. De nouveau défait en 1944 et 1948.

Décédé à Québec, le 7 novembre 1955, à l'âge de 63 ans et 10 mois. Inhumé à Rivière-Bleue, dans le cimetière de la paroisse Saint-Joseph, le 11 novembre 1955.

Avait épousé à Saint-Pacôme, le 21 avril 1914, Marie-Louise Boucher, fille d'Arsène Boucher, menuisier, et de Julia Bélanger.

BEAULIEU, Mario

Né à Plantagenet, en Ontario, le 1er février 1930, fils d'Henri de Montpellier Beaulieu, marchand, et de Berthe Lalonde.

Étudia à Montréal à l'école Saint-Jean-de-Brébeuf, au collège Saint-Ignace, au collège Sainte-Marie et à l'université de Montréal.

Licencié en droit en 1955 et admis à la Chambre des notaires en 1956. Membre des études montréalaises Esposito-Beaulieu de 1956 à 1966 et Beauregard-Beaulieu de 1971 à 1975. Fut vice-président des Marchés d'alimentation Beaulieu. Président de Collet frères ltée. Président du conseil d'administration de Simard-Beaudry.

Candidat de l'Union nationale défait dans Montréal-Laurier en 1962. Coordonnateur aux assises générales de l'Union nationale en 1965. Présida la campagne électorale de ce parti en 1966. Chef de cabinet du premier ministre Daniel Johnson de 1966 à 1968. Directeur général de l'Union nationale en 1968. Élu député de l'Union nationale dans Dorion à l'élection partielle du 3 mars 1969. Ministre de l'Immigration dans le cabinet Bertrand du 28 mars 1969 au 12 mai 1970. Ministre des Institutions financières, Compagnies et Coopératives du 29 avril au 23 juillet 1969 et ministre des Finances du 23 juillet 1969 au 12 mai 1970 dans le même cabinet. Défait en 1970. Candidat défait au congrès à la direction du parti de l'Union nationale en 1971. Coprésident de la campagne du Parti conservateur au Québec pendant les élections fédérales de 1984 puis président pour la campagne de 1988. Nommé sénateur dans la division de La Durantaye le 30 août 1990.

Auteur de l'ouvrage *la Victoire du Québec* (1971). Membre du Club Saint-Denis, du Club Laval, du St. James Club et de la Chambre de commerce.

BEAULNE, François

Né à Ottawa, le 28 novembre 1946, fils d'Yvon Beaulne, ambassadeur, et de Thérèse Pratte, ambassadrice.

Titulaire d'une maîtrise en science politique de l'université d'Ottawa en 1969, d'une maîtrise en administration des affaires, finances et commerce (1972), et d'un doctorat en relations internationales (1973) de la Columbia University à New York.

Diplomate et économiste. Professeur d'économie à l'université d'Ottawa en 1973–1974. Fut consul du Canada à San Francisco de 1974 à 1978. Responsable des relations fédérales-provinciales au ministère des Affaires extérieures du Canada de 1978 à 1980. Vice-président aux Affaires internationales à la Banque nationale du Canada de 1980 à 1986. Professeur de finances à l'université du Québec à Montréal de 1987 à 1989. Conseiller économique senior au cabinet du chef de l'Opposition en 1989.

Président de l'Association canadienne pour les Nations Unies, section de Montréal, de 1981 à 1985. Vice-président de la Fondation canadienne des droits humains de 1984 à 1986. Trésorier à l'Institut canadien des affaires internationales de Montréal de 1981 à 1989. Membre de l'Association des professionnels en commerce international à compter de 1986 et du Cercle des banquiers internationaux de Montréal à partir de 1984.

Candidat néo-démocrate défait dans Laurier–Sainte-Marie aux élections fédérales de 1988. Élu député du Parti québécois dans Bertrand en 1989. Vice-président du comité directeur de la section québécoise de l'Association parlementaire Ontario-Québec.

BEAUMIER, Yves

Né à Trois-Rivières, le 3 décembre 1942, fils de Moïse-Pierre Beaumier, cultivateur, et de Marie-Claire Bodreau.

Obtint un baccalauréat ès arts de l'université Laval en 1963, un baccalauréat en philosophie de l'université de Montréal en 1966 et une scolarité de maîtrise en philosophie de l'université de Montréal en 1967.

Professeur à l'Institut de technologie de Vaudreuil en 1967 et 1968. Enseignant au collège de Hauterive en 1968 et 1969 et au collège de Thetford Mines en 1970 et 1971. Administrateur à l'université du Québec à Trois-Rivières (famille des sciences sociales et de l'administration) de 1971 à 1981.

Élu député du Parti québécois dans Nicolet en 1981. Adjoint parlementaire du ministre de l'Énergie et des Ressources du 1er septembre 1983 au 4 avril 1984, puis du ministre des Affaires sociales du 4 avril 1984 au 16 avril 1985. Président de la Commission de l'économie et du travail du 16 avril au 17 juin 1985. Ministre délégué à la Politique familiale, du 17 juin au 12 décembre 1985. Défait dans la même circonscription en 1985 et dans Champlain en 1989.

Agent de recherche à l'université du Québec à Trois-Rivières à partir de janvier 1986.

BEAUMONT, Louis-Marie-Joseph
(1753–1828)

Né à Montréal et baptisé dans la paroisse Notre-Dame, le 8 décembre 1753, fils de François Beaumont, dit Pistolet, et de Françoise Boucher.

S'installa comme cultivateur à Lachenaie, quelque temps après son mariage. Nommé juge de paix pour le district de Montréal, le 6 septembre 1821.

Élu député de Leinster en 1800; participa aux votes d'une session seulement et appuya le parti canadien. Ne s'est pas représenté en 1804.

Décédé à Lachenaie, le 14 novembre 1828, à l'âge de 74 ans et 11 mois. Inhumé dans l'église Saint-Charles, le 19 novembre 1828.

Avait épousé dans la paroisse Saint-Michel, à Vaudreuil, le 4 juillet 1780, Marie-Rose Gauthier, fille de Joseph-Amable Gauthier, marguillier, et de [Pélagie Leduc].

BEAUPRÉ, Benjamin
(1780–1842)

Né probablement à L'Assomption en 1780, fils de Louis Beaupré et de Marguerite Duhamel.

Marchand et propriétaire foncier à L'Assomption. Nommé capitaine dans le bataillon de milice de Leinster.

Élu député de Leinster en 1816; participa à peu de votes et appuya généralement le parti canadien. Défait en avril 1820.

Décédé à L'Assomption, le 27 novembre 1842, à l'âge de 61 ou de 62 ans. Inhumé dans l'église de Saint-Sulpice, le 29 novembre 1842.

Avait épousé à L'Assomption, le 10 septembre 1804, Julie Mercier, fille du marchand Pierre Mercier et de Marie-Anne Leblanc; puis, à Saint-Sulpice, le 22 mars 1838, Charlotte Robillard, veuve de Basile Rivest.

Beau-père d'Édouard-Étienne **Rodier** et de Pierre-Urgel **Archambault**.

BEAUPRÉ, Henri

Né à Estcourt, le 16 septembre 1917, fils d'Arthur Beaupré, industriel, et de Jeanne Durette.

Fit ses études à l'école d'Estcourt, au collège de Sainte-Anne-de-la-Pocatière, à l'université Laval à Québec et à la Chicago University. Licencié en sciences sociales en 1942, licencié en droit en 1945 et bachelier en philosophie en 1945.

Boursier de la Société royale du Canada de 1945 à 1947. A obtenu une maîtrise en relations internationales de la Chicago University. Docteur en sciences sociales de l'université Laval en 1952. Admis au barreau de la province de Québec en juillet 1945. Créé conseil en loi de la reine le 1er septembre 1961.

Assistant-commissaire industriel et conseiller juridique au commissariat de l'industrie de la ville de Québec de 1946 à 1949. Fondateur du cabinet Beaupré et Brisson en 1949, devenu par la suite Beaupré, Brisson, Choquette et Gagné, puis Beaupré, Choquette et Roy. Conseiller juridique et secrétaire de Northern Wings Ltd., des Liqueurs douces de Hauterive ltée, de Portneuf Agencies Ltd., de Silver Granite Industries Ltd., et de Forestville spécialités inc. Conseiller juridique et directeur de J.A. Boivin ltée, de Sept-Îles Development Ltd., de Brisson inc., de Quebec Glassheat Ltd. et de Hallé Auto ltée.

Échevin du quartier Montcalm au conseil municipal de Québec de 1950 à 1962 et leader de 1955 à 1962. Candidat libéral défait dans Québec-Centre en 1960. Élu député libéral dans Québec-Centre en 1962. Réélu dans Jean-Talon en 1966. Ne s'est pas représenté en 1970.

Directeur du journal le *Carabin Laval* de l'université Laval de 1940 à 1943. A publié: *les Beaux Jours viendront*; *Contes d'aujourd'hui*; *Milieu universitaire de Québec*; *Canada and Latin America*; *la Délinquance juvénile à Québec*; *Jours de folie*; *Doctrine de l'Intellect Agent*. Directeur de la Chambre de commerce de Québec de 1953 à 1962. Vice-président de la Sauvegarde de l'enfance. Président honoraire de l'Institut canadien de Québec. Directeur du Quebec Winter Club. Sénateur de la Fédération du jeune commerce. Membre de la Société des écrivains canadiens.

BEAUREGARD, Jean-Marie

Né à Montréal, le 7 juin 1932, fils de Raymond Beauregard et de Cécile Brisson.

A étudié à l'école Sainte-Angèle, au collège de L'Assomption, au collège Saint-Laurent à Montréal, à l'université de Montréal et à la McGill University. Licencié en éducation de l'université de Montréal en 1958 et licencié en droit de la McGill University en 1974.

Administrateur à l'université de Montréal de 1959 à 1966. Fut président de la Société de consultants Carel inc. à partir de 1966. Pratique le droit à Montréal dans le cabinet Beauregard et Ferland.

Élu député libéral dans Gouin en 1973. Défait en 1976.

Fut directeur général de l'Association canadienne-française pour l'avancement des sciences (ACFAS) et vice-président national des Expos-sciences du Canada. Fondateur et président de la revue *le Jeune Scientifique*. Membre de la Chambre de commerce de Montréal et du Club Kiwanis métropolitain.

BEAUSÉJOUR, Jacques

Né à Lac-Marois, le 6 janvier 1939, fils de Delphis Beauséjour, cultivateur, et de Jeanne Foisy.

Fit ses études à l'école Sainte-Anne-des-Lacs à Lac-Marois, au collège de Saint-Césaire, à l'école normale Sainte-Croix à Montréal ainsi qu'à l'université de Montréal. Titulaire d'un brevet A, d'un baccalauréat en pédagogie et d'un certificat d'études en catéchèse.

Membre de la communauté des Frères de Sainte-Croix. Professeur de catéchèse au collège de Saint-Césaire. Membre de la commission scolaire régionale Meilleur. Secrétaire du comité paroissial de la pastorale et directeur du conseil d'administration du collège de Saint-Césaire de 1969 à 1971. Secrétaire du comité d'étude pour l'implantation d'un centre local de services communautaires (CLSC) à Saint-Césaire en 1975, puis secrétaire de ce CLSC en 1976. Directeur du journal mensuel *Information Saint-Césaire* en 1975 et 1976.

Directeur du conseil d'administration de la Société Saint-Jean-Baptiste (niveau national) pendant trois ans. Membre du conseil d'administration de la Société nationale des Québécois de 1972 à 1975 (Richelieu-Yamaska et Iberville). Vice-président (1972 à 1975) et président (1975 et 1976) de l'exécutif du Parti québécois dans le comté d'Iberville. Élu député du Parti québécois dans Iberville en 1976. Réélu en 1981. Adjoint parlementaire du ministre du Revenu du 21 février au 23 octobre 1985. Défait en 1985.

A terminé un baccalauréat ès arts en théologie. Professeur à la commission scolaire Provencher. Titulaire d'une maîtrise en théologie en 1991.

BEAUSOLEIL. V. MALBŒUF

BÉDARD, Elzéar
(1799–1849)

Né à Québec et baptisé dans la paroisse Notre-Dame, le 24 juillet 1799, fils de Pierre-Stanislas **Bédard**, avocat, et de Luce Lajus.

Étudia au petit séminaire de Montréal de 1810 à 1812, et au séminaire de Nicolet en 1813–1814, puis au petit séminaire de Québec jusqu'en 1818. S'engagea dans la vie ecclé-

siastique, mais, dès 1819, commença l'apprentissage du droit auprès d'Andrew **Stewart**. Admis au barreau en 1824. Exerça sa profession à Québec.

Défait dans Kamouraska en 1830. Collabora à la relance, en 1831, du journal *le Canadien*. Élu sans opposition député de Montmorency à une élection partielle le 31 juillet 1832; appuya généralement le parti patriote. Représenta le quartier Saint-Louis au conseil municipal de Québec, d'avril 1833 à avril 1835; fut maire en 1833–1834. Réélu député de Montmorency en 1834; considéré comme le chef du groupe des modérés de Québec. Son siège devint vacant en raison de sa nomination comme juge de la Cour du banc du roi pour le district de Québec, le 22 février 1836; l'avis en fut donné à l'Assemblée le 2 mars.

Suspendu de ses fonctions de juge, avec Philippe **Panet**, en décembre 1838; se rendit en Angleterre pour défendre sa cause. Reçut une nouvelle nomination en août 1840; exerça sa charge à Québec jusqu'en 1848, puis à Montréal.

Décédé à Montréal, le 11 août 1849, à l'âge de 50 ans. Inhumé dans l'église Notre-Dame, le 13 août 1849.

Avait épousé dans la paroisse Notre-Dame de Québec, le 15 mai 1827, Julie-Henriette Marett, fille du négociant James Lamprière Marett et d'Henriette Boone. Leur fille adoptive fut la bru d'Amable **Berthelot**.

Frère de Joseph-Isidore **Bédard**. Neveu de Joseph **Bédard**. Beau-frère de Louis **Massue**.

Bibliographie: *DBC*.

BÉDARD, Jean-Baptiste
(1763–1816)

Né à Charlesbourg, le 25 février 1763, puis baptisé le 26, dans la paroisse Saint-Charles-Borromée, fils de Charles Bédard et de Marie Jobin.

Fut laboureur.

Élu député de Québec en 1810. Ne se serait pas représenté en 1814.

Décédé à Charlesbourg, le 3 novembre 1816, à l'âge de 53 ans et 8 mois. Inhumé dans l'église paroissiale, le 5 novembre 1816.

Avait épousé dans sa paroisse natale, le 11 février 1794, Josephte Delâge, fille de François Delâge et d'Élisabeth Lessard.

Bibliographie: Bédard, Omer, *Généalogie des familles Bédard du district de Québec*, Québec, 1946, p. 52-53.

BÉDARD, Jean-Jacques (1916–1987)

Né à Québec, le 10 septembre 1916, fils de Joseph-Éphraïm **Bédard**, avocat, et de Marie-Ange Béland.

A étudié au séminaire de Québec, aux universités St. Dunstan à Charlottetown (Île-du-Prince-Édouard), Laval à Québec et McGill à Montréal. Admis au barreau de la province de Québec en janvier 1943. Créé conseil en loi de la reine le 1er août 1961.

Capitaine et attaché au bureau de l'avocat général du ministère de la Défense nationale de 1942 à 1945. Pratiqua le droit avec François Veilleux, Auguste Choquette (député libéral à la Chambre des communes de 1963 à 1968) et Raymond Caron.

Marguillier et fondateur de la paroisse Saint-Jérôme-de-l'Auvergne à Charlesbourg en 1956. Élu député libéral dans le comté de Québec en 1952. Défait en 1956. Réélu en 1960 et 1962. Whip adjoint du Parti libéral de juin à novembre 1960. Nommé adjoint parlementaire du procureur général le 8 novembre 1960. Orateur suppléant de l'Assemblée législative du 30 janvier 1962 au 18 avril 1966. Défait dans Chauveau en 1966.

Nommé juge à la Cour supérieure du district de Québec le 1er novembre 1966. Juge d'office à la Cour du banc de la reine de la province de Québec.

Président du jeune barreau en 1950. Président de la Chambre de commerce de Charlesbourg en 1951 et 1952. Membre du Club de réforme, de la Société Saint-Jean-Baptiste, du Club optimiste Saint-Laurent et des Chevaliers de Colomb.

Décédé à Charlesbourg, le 25 mai 1987, à l'âge de 70 ans et 7 mois. Inhumé à Charlesbourg, dans le cimetière de la paroisse Saint-Charles-Borromée, le 28 mai 1987.

Avait épousé à Amqui, le 26 juin 1943, Bérengère Bélanger, fille de Louis-Philippe Bélanger, chef de gare, et de Rose-Blanche Bellavance.

BÉDARD, Joseph (York) (1774–1832)

Né à Québec, le 26 février 1774, puis baptisé le 27, dans la paroisse Notre-Dame, fils de Pierre-Stanislas Bédard, [boulanger], et de Marie-Josephte Thibault.

Étudia au petit séminaire de Québec de 1785 à 1794, puis fit l'apprentissage du droit; admis au barreau le 13 juin 1796.

S'établit peu après à Montréal, où il exerça sa profession; fut l'avocat-conseil de la fabrique de la paroisse Notre-Dame. Élu en 1828 vice-président et l'année suivante président de l'Association de la bibliothèque des avocats de Montréal. Fait conseiller du roi le 15 juillet 1829 et, de nouveau, le 24 février 1831.

Élu député d'York en 1800; prit part aux votes de deux sessions et appuya le parti canadien. Ne se serait pas représenté en 1804. Élu député de Surrey en 1810. Ne se serait pas représenté en 1814.

Lieutenant dans le 2e bataillon de milice de la ville et banlieue de Montréal, fut promu capitaine le 16 avril 1812. Nommé commissaire chargé de la construction et de la réparation des églises du district de Montréal, en 1819 et 1820. Participa au mouvement de protestation contre le projet d'union du Haut et du Bas-Canada en 1822.

Décédé à Montréal, le 28 septembre 1832, à l'âge de 58 ans et 7 mois. Inhumé à cet endroit, le 1er octobre 1832.

Avait épousé dans la paroisse Notre-Dame de Montréal, le 20 septembre 1803, Marie-Geneviève-Scholastique Hubert-Lacroix, fille du marchand Dominique Hubert-Lacroix et de Marie-Geneviève Berthelet.

Frère de Pierre-Stanislas **Bédard**. Oncle d'Elzéar et de Joseph-Isidore **Bédard**. Beau-père de Joseph **Bourret**.

Bibliographie: Fabre Surveyer, Édouard, «Joseph Bédard (1774–1832)», *RB*, 14 (1954), p. 371-377.

BÉDARD, Joseph (Richmond) (1835–1912)

Né à Québec, dans la paroisse Saint-Roch, le 23 octobre 1835, fils de Joseph Bédard, boulanger, et de Louise L'Heureux.

Travailla à Richmond chez M. Livernois en 1850, et par la suite chez George K. Foster, marchand de l'endroit. Commerçant de bois en 1857. Propriétaire de Bedard's Mills. Fut aussi marchand général. Directeur de la Compagnie d'assurances des comtés de Stanstead et de Sherbrooke. Membre du conseil d'administration de la Richmond County Electric Co. Cofondateur et premier président de la Société Saint-Jean-Baptiste locale.

Membre du conseil municipal de Richmond pendant près de quarante ans. Maire de Richmond de 1888 à 1890. Commissaire d'école pendant de nombreuses années. Élu député conservateur dans Richmond en 1890. Son élection de 1890 fut annulée le 31 mars 1892. Réélu en 1892 et 1897. Défait en 1900.

Décédé à Richmond, le 4 mai 1912, à l'âge de 76 ans et 6 mois. Inhumé dans le cimetière de la paroisse Sainte-Bibiane, le 7 mai 1912.

Avait épousé à Richmond, dans la paroisse Sainte-Bibiane, le 24 juillet 1860, Mary McGovern, fille de Peter McGovern, marchand.

BÉDARD, Joseph-Éphraïm (1887–1940)

Né à Charlesbourg, le 11 avril 1887, fils de Jacques Bédard, cultivateur, et d'Éléonore Roy.

A étudié au séminaire de Québec ainsi qu'à l'université Laval à Québec. Admis au barreau de la province de Québec le 18 juillet 1912. Créé conseil en loi du roi le 13 septembre 1923.

Exerça sa profession d'avocat à Beauceville en 1912. Fonda à Québec, en 1913, un cabinet d'avocats avec Marius Plamondon et Antonio Grenier. Fut associé à Elias Flynn de 1919 à 1934.

Candidat libéral défait dans le comté de Québec à l'élection partielle du 5 novembre 1924. Élu député libéral dans la même circonscription aux élections de 1927. Réélu en 1931. Son siège devint vacant lorsqu'il fut nommé vice-président de la Commission des liqueurs du Québec le 8 mai 1934. Retourna à la pratique du droit et s'associa de nouveau à Me Flynn en 1936.

Bâtonnier du barreau de Québec en 1938, il fut également syndic délégué, membre du conseil et examinateur du barreau. Membre de la commission scolaire de Québec en 1940.

Décédé à Québec, le 28 août 1940, à l'âge de 53 ans et 4 mois. Inhumé à Québec, dans le cimetière Saint-Charles, le 31 août 1940.

Avait épousé à Québec, dans la paroisse Saint-Roch, le 25 novembre 1913, Marie-Ange-Philomène Béland, fille de Joseph-Héliodore Béland et de Victoria Groleau ; puis, à L'Islet, le 21 septembre 1920, Edith Hunt, fille de Bernard Hunt et de Joséphine Couillard.

Père de Jean-Jacques **Bédard**.

BÉDARD, Joseph-Hercule (1873–1949)

Né à Saint-Rémi, le 23 octobre 1873, fils de Pierre Bédard, cultivateur, et d'Agnès Faille.

A étudié au collège de Saint-Rémi. Commis chez L.-P. Lazure et plus tard chez Decepte et Poirier, marchands de Saint-Rémi. Occupa à Montréal plusieurs emplois dans diverses maisons de commerce, dont un pendant cinq ans chez Adam Lamy. Courtier d'assurances à son compte en 1912. Membre des Chevaliers de Colomb. Secrétaire des commissions scolaires du quartier Saint-Henri à Montréal.

Conseiller municipal du quartier Saint-Henri de mai 1917 à avril 1928. Membre du comité exécutif de la ville de Montréal d'octobre 1921 à avril 1928. Membre du Club libéral de Saint-Henri. Élu député libéral dans Montréal-Hochelaga en 1919. Défait dans Montréal–Saint-Henri en 1923.

Nommé président de la Commission du secrétariat municipal le 2 juillet 1926.

Décédé à Montréal, le 28 octobre 1949, à l'âge de 75 ans. Inhumé dans le cimetière de la paroisse Sainte-Rose-de-Lima (île Jésus), le 31 octobre 1949.

Avait épousé dans la paroisse Notre-Dame de Montréal, le 9 octobre 1900, Joséphine Lalonde, fille de Jean-Baptiste Lalonde et d'Aurélie Masse.

BÉDARD, Joseph-Isidore (1806–1833)

Né à Québec, le 9 janvier 1806, puis baptisé le 10, dans la paroisse Notre-Dame, fils de Pierre-Stanislas **Bédard**, député et chef du parti canadien, et de Luce Lajus.

Étudia au séminaire de Nicolet de 1816 à 1824. Fit un stage de clerc en droit, pendant lequel il publia dans *la Gazette de Québec*, en août 1827 et janvier 1829, le chant patriotique *Sol canadien ! Terre chérie !* – paru en tiré à part à Montréal en 1859. Admis au barreau en octobre 1829.

Élu député de Saguenay en 1830 ; appuya tantôt le parti patriote, tantôt le parti des bureaucrates durant la première session, puis ne prit part à aucun vote, s'étant embarqué pour l'Angleterre en mai 1831. Visita le Royaume-Uni, puis la France, d'où, victime d'une hémorragie pulmonaire en septembre 1832, il ne put revenir.

Décédé en fonction à Paris, le 14 avril 1833, à l'âge de 27 ans et 3 mois. Inhumé dans le cimetière de Montmartre.

Était célibataire.

Frère d'Elzéar **Bédard**. Neveu de Joseph **Bédard**.

Bibliographie: *DBC*.

BÉDARD, Marc-André

Né à Sainte-Croix, au Lac-Saint-Jean, le 15 août 1935, fils de Lorenzo Bédard, cultivateur, et de Laurette Bilodeau.

A étudié à Saint-Honoré, au séminaire de Chicoutimi et à l'université d'Ottawa. Diplômé en droit. Admis au barreau de la province de Québec en décembre 1960.

Exerça d'abord seul sa profession d'avocat à Chicoutimi. S'associa par la suite à Me Gérald Aubin. Devint plus tard membre du cabinet des avocats Aubin, Bédard, Fillion, Brisson, Fournier et Côté.

Membre du Comité d'unification des forces indépendantistes en 1968. Conseiller de l'exécutif national du Parti québécois de 1968 à 1974. Président régional du Parti québécois du district de Saguenay–Lac-Saint-Jean de 1969 à 1973. Candidat du Parti québécois défait dans Chicoutimi en 1970. Élu député du Parti québécois dans la même circonscription en 1973, 1976 et 1981. Ne s'est pas représenté en 1985. Ministre de la Justice dans le cabinet Lévesque du 26 novembre 1976 au 5 mars 1984. Ministre d'État à la Réforme électorale dans le cabinet Lévesque du 21 septembre 1979 au 3 octobre 1985 et dans le cabinet Johnson (Pierre Marc) du 3 octobre au 12 décembre 1985. Leader parlementaire du gouvernement du 5 mars 1984 au 12 décembre 1985. Vice-premier ministre dans le cabinet Lévesque du 27 novembre 1984 au 3 octobre 1985 et dans le cabinet Johnson (Pierre Marc) du 3 octobre au 12 décembre 1985. Solliciteur général dans le cabinet Johnson (Pierre Marc) du 3 octobre au 12 décembre 1985.

Retourna à la pratique du droit comme avocat-conseil au sein de la société Gauthier, Simard, Ouellet, Mazurette, Tremblay. Conseiller spécial au bureau du recteur de l'université du Québec à Chicoutimi à compter de 1985. Fut président du comité d'examen sur le projet d'aménagement d'un champ de tir au Saguenay–Lac-Saint-Jean en 1988. Membre du conseil d'administration de la Société nationale de fiducie, de l'Institut Roland-Saucier, de la Fondation de l'UQAC et du Musée du Saguenay.

Fit partie du Corps d'entraînement des officiers canadiens (CEOC). Membre et président en 1965 de la Jeune Chambre de commerce de Chicoutimi. Fut président de l'Association de la jeunesse canadienne-française (AJC) et de la Jeunesse étudiante catholique (JEC). Fut délégué aux états généraux du Canada français.

BÉDARD, Marcel

Né à Québec, le 15 avril 1940, fils de Charles Bédard, comptable, et de Carmen Fortin.

A étudié au collège Saint-Édouard à Beauport et à l'université Laval. Boursier du ministère des Richesses naturelles en hydrologie. Diplômé en génie civil en 1964.

Fut au service de Louis-Philippe Couture, ingénieur-conseil, et de J.L. Simard, entrepreneur général. Chef d'un bureau d'ingénieurs-conseils à partir de 1968. Ingénieur et administrateur de quatre entreprises spécialisées dans la construction de routes et dans les travaux municipaux. Ingénieur-conseil au sein de différentes entreprises à compter de 1980.

Maire de la ville de Beauport de 1970 à 1980. Élu député libéral dans Montmorency en 1973. Adjoint parlementaire du ministre des Transports du 13 novembre 1973 au 15 novembre 1976. Défait en 1976.

Fut vice-président de la Chambre de commerce de Beauport. Membre de la Corporation des ingénieurs, de l'Association des constructeurs de routes et de grands travaux du Québec, de l'Association des anciens de Laval et de la Société Saint-Jean-Baptiste.

BÉDARD, Pierre-Stanislas
(1762–1829)

Né à Charlesbourg, le 13 septembre 1762, puis baptisé le 14, sous le prénom de Stanislas, dans la paroisse Saint-Charles-Borromée, fils de Pierre-Stanislas Bédard et de Marie-Josephte Thibault.

Étudia au petit séminaire de Québec de 1777 à 1784. Après un stage de clerc, fut reçu au barreau le 6 novembre 1790. Exerça sa profession jusqu'en 1803 et fit l'acquisition de biens fonciers.

Élu député de Northumberland en 1792. Réélu en 1796, 1800 et 1804. Chef du parti canadien. En 1806, fonda le journal *le Canadien*, organe de ce parti. Élu sans opposition dans la Basse-Ville de Québec en 1808. Réélu en 1809; élu aussi en 1809 dans Surrey, mais opta pour la Basse-Ville de Québec le 16 février 1810. Arrêté sur l'ordre du gouverneur James Henry **Craig** et emprisonné en mars 1810 pour «pratiques traîtresses». Élu dans Surrey en 1810 même s'il était en prison; élargi en avril 1811 sans avoir subi de procès; prêta serment comme député le 21 février 1812. Rétabli le 19 octobre 1812 par le gouverneur George **Prevost** dans son grade d'officier de milice, qu'on lui avait retiré en juin 1808, servit en qualité de capitaine pendant la guerre de 1812. Fut nommé juge de la Cour du banc du roi à Trois-Rivières le 11 décembre 1812; son siège de député devint vacant.

En 1819, un comité spécial de la Chambre déclara sans fondement les accusations portées contre lui par le député Charles Richard **Ogden**. Fut président, dans la région de Trois-Rivières, du comité de protestation contre le projet d'union du Haut et du Bas-Canada en 1822; chargé d'aller en mission en Angleterre avec John **Neilson** et Louis-Joseph **Papineau**, mais n'obtint pas son congé. En 1828, le parti patriote songea à l'envoyer en Angleterre comme délégué.

Auteur d'un manuscrit intitulé «Notes de philosophie, mathématiques, chimie, physique, grammaire, politique et journal, 1798–1810». Est peut-être l'auteur de deux autres ouvrages non publiés: «Observations critiques sur les ouvrages de Lamennais et de M. de Bonald» et «Traité du droit naturel démontré par des formules algébriques».

Décédé à Trois-Rivières, le 26 avril 1829, à l'âge de 66 ans et 7 mois. Inhumé dans l'église de l'Immaculée-Conception, le 30 avril 1829.

Avait épousé dans la cathédrale Notre-Dame de Québec, le 26 juillet 1796, Jeanne-Françoise-Frémiot-de-Chantal-Luce-Louise, dite Luce, Lajus, fille de François Lajus, chirurgien, et d'Angélique-Jeanne Hubert.

Père d'Elzéar et de Joseph-Isidore **Bédard**. Frère de Joseph **Bédard**.

Bibliographie: *DBC*.

BÉGIN, Charles
(1736–1802)

Né à Pointe-Lévy (Lauzon devenu Lévis), le 5 mai 1736, puis baptisé le 6, dans la paroisse Saint-Joseph, sous le prénom de Charles-Louis, fils de Jacques Bégin et de Geneviève Rocheron (Rochon).

Fut cultivateur et hôtelier à Pointe-Lévy. Exerça la charge de bailli de 1772 à 1774. Obtint le grade de capitaine dans la milice en 1781. S'établit à Québec.

Élu député de Dorchester en 1796; appuya le parti canadien. Ne se serait pas représenté en 1800.

Décédé à Québec, le 4 novembre 1802, à l'âge de 66 ans et 5 mois. Inhumé dans l'église de la paroisse Saint-Joseph, à Pointe-Lévy (Lauzon devenu Lévis), le 6 novembre 1802.

Avait épousé dans sa paroisse natale, le 24 août 1761, Louise Samson, fille d'Étienne Samson et d'Angélique Guay.

Grand-père de Louis **Lagueux**. Oncle de Joseph **Samson** (Dorchester).

BÉGIN, Joseph-Damase
(1900–1977)

Né à Lac-Etchemin, le 6 août 1900, fils de Damase Bégin, cultivateur et marchand, et de Marie Turmelle.

Fit ses études dans sa paroisse natale, puis au collège de Lévis.

Employé, puis directeur du magasin paternel. Agent d'assurances. Cofondateur et propriétaire de la Compagnie électrique et de pouvoir d'eau de Lac-Etchemin. Propriétaire de Bégin Automobiles enr. et de Bégin et Cⁱᵉ. Directeur de la compagnie Éclair enr. Copropriétaire de Leduc Automobiles de Montréal.

Élu député de l'Action libérale nationale dans Dorchester en 1935. Réélu sous la bannière de l'Union nationale en 1936, 1939, 1944, 1948, 1952, 1956 et 1960. Organisateur en chef de l'Union nationale à compter de 1940. Ministre de la Colonisation du 30 août 1944 au 5 juillet 1960 dans les cabinets Duplessis, Sauvé et Barrette. Démissionna comme organisateur de l'Union nationale le 1ᵉʳ décembre 1960. Ne s'est pas représenté en 1962.

Président du Club automobile et du Cercle dramatique. Membre du Club Renaissance de Québec. Récipiendaire de la médaille d'or de l'ordre du Mérite agricole.

Décédé à Sainte-Foy, le 4 juillet 1977, à l'âge de 76 ans et 10 mois. Inhumé à Lac-Etchemin, dans le cimetière de la paroisse Sainte-Germaine, le 7 juillet 1977.

Avait épousé à Saint-Maxime, le 9 janvier 1937, Madeleine Perron, fille d'Émile Perron, télégraphiste, et de Clara Tanguay.

BÉGIN, Louise

Née à Lac-Etchemin, le 4 janvier 1955, fille d'Yvan Bégin, représentant, et de Jeanine Leclerc.

A étudié au cégep Lévis-Lauzon et à l'université Laval où elle obtint en 1978 un baccalauréat en droit. Admise au barreau en 1979.

Avocate de pratique privée et conseillère juridique. Au service de Sogetel inc. à compter de 1981 puis directrice de l'Association des compagnies de téléphone du Québec de 1983 à 1985.

Élue députée libérale dans Bellechasse en 1985. Vice-présidente de l'Assemblée nationale du 16 décembre 1985 au 28 novembre 1989. Réélue en 1989.

BÉÏQUE, Hortensius
(1889–1951)

Né à Marieville, le 29 septembre 1889, fils d'Arthur Béïque, cultivateur et chef de gare, et d'Elmire Boulais.

Fit ses études au collège Sainte-Marie-de-Monnoir à Marieville ainsi qu'à Montréal. Exerça la profession de courtier en valeurs mobilières à Montréal.

Maire de Chambly-Bassin de 1930 à 1945. Préfet du comté de Chambly. Candidat conservateur défait dans Chambly-Verchères aux élections fédérales de 1926. Élu député conservateur à l'Assemblée législative dans Chambly en 1931. Défait en 1935. Réélu en 1936 sous la bannière de l'Union nationale. Défait en 1939 et en 1944. Organisateur général de l'Union nationale.

Marguillier de la paroisse de Saint-Joseph-de-Chambly du 28 décembre 1947 au 2 août 1948.

Décédé à Chambly-Bassin, le 15 août 1951, à l'âge de 61 ans et 10 mois. Inhumé à Richelieu, dans le cimetière de la paroisse Notre-Dame, le 18 août 1951.

Avait épousé à Chambly, dans la paroisse du Saint-Cœur-de-Marie, le 29 septembre 1913, Katie Champagne, fille de Pierre Champagne et de Kate Carroll.

BÉLAND, Henri-Sévérin
(1869–1935)

Né à Rivière-du-Loup-en-Haut (maintenant Louiseville), le 11 octobre 1869, fils d'Henri Béland, cultivateur, et de Sophie Lesage.

Fit ses études au séminaire de Trois-Rivières et à l'université Laval à Montréal et à Québec. Admis à la pratique de la médecine en 1895.

Il exerça sa profession de médecin pendant un an et demi au New Hampshire avant de s'établir à Saint-Joseph-de-Beauce. Il pratiqua ensuite en Belgique pendant la guerre 1914–1918 et fut prisonnier en Allemagne pendant trois ans. Fut membre du bureau de direction de la compagnie d'assurances La Métropolitaine à titre de directeur du service d'hygiène.

Maire de Saint-Joseph-de-Beauce de janvier 1897 à janvier 1899. Élu député libéral dans la circonscription de Beauce en 1897. Réélu sans opposition en 1900, il démis-sionna le 7 janvier 1902. Élu sans opposition député libéral à la Chambre des communes dans la circonscription de Beauce à l'élection partielle du 8 janvier 1902. Réélu en 1904 et 1908, son siège devint vacant le 19 août 1911 lors de sa nomination comme ministre des Postes dans le cabinet Laurier, fonction qu'il occupa jusqu'au 9 octobre 1911. Défait dans Montmagny et réélu dans Beauce en 1911. De nouveau réélu, sans opposition, en 1917, et avec opposition en 1921. Son siège devint vacant le 29 décembre 1921 à la suite de son accession au cabinet. Réélu sans opposition à l'élection partielle du 19 janvier 1922. Ministre du Rétablissement des soldats à la vie civile dans le cabinet King du 29 décembre 1921 au 14 avril 1926 et ministre de la Santé dans le même cabinet du 29 décembre 1921 au 5 septembre 1925. Nommé sénateur de la division de Lauzon le 5 septembre 1925.

Publia *Mille et un jours en prison*. Président de l'Association médicale canadienne. Nommé grand officier de l'ordre de la Couronne de Belgique en 1920 et commandeur de l'ordre de Saint-Grégoire-le-Grand en 1927. Colonel honoraire du régiment de Beauce.

Décédé en fonction à Pittsburg, en Ontario, le 22 avril 1935, à l'âge de 65 ans et 6 mois. Inhumé dans le cimetière de Saint-Joseph-de-Beauce, le 26 avril 1935.

[Avait épousé à New Bedford, dans le Massachusetts, le 4 juin 1895, Flore Gérin Lajoie ; puis, à Anvers, en Belgique, le 15 juillet 1914, Adolphine Cogers ; et puis, à Bruxelles, en Belgique, en 1922, Henriette Van Leothem.]

BÉLAND, Jean-Louis

Né à Saint-Gilles, le 27 novembre 1932, fils de Joseph Béland, cultivateur, et de Marie-Blanche Bergeron.

Fit ses études à l'École d'agriculture de Sainte-Anne-de-la-Pocatière en industrie animale, à l'École forestière de Duchesnay en sylviculture, à Guelph (Ontario) en aviculture et à l'université Laval en organisation et financement de l'entreprise.

Aviculteur et sylviculteur à son compte de 1957 à 1970. Fondateur et président de la caisse d'établissement Bellerive de Saint-Romuald en 1969 et 1970.

Commissaire d'école à Saint-Gilles de 1965 à 1968. Maire de Saint-Gilles en 1975, 1976 et 1977. Président de l'Association du Ralliement créditiste du comté de Lotbinière en 1963, 1964, 1965 et 1969. Élu député du Ralliement créditiste dans Lotbinière en 1970. Candidat du Parti créditiste défait dans la même circonscription en 1973. Candidat du Crédit social défait dans Frontenac aux élections fédérales de 1979.

Conseiller en épargne de 1973 à 1976. Directeur de l'Assurance mutuelle feu de Sainte-Croix; fut nommé premier vice-président en 1988. Aviculteur et sylviculteur à partir de 1976. Représentant pour le Club automobile de Québec à compter de 1981.

Fut secrétaire de la Jeunesse agricole catholique. Fut secrétaire et président du syndicat local et directeur régional de l'Union catholique des cultivateurs (UCC). Président de l'Office des producteurs de bois de Lotbinière. Fut président du conseil paroissial pastoral et directeur du conseil régional pastoral. Fut directeur du conseil du laïcat. Membre des Chevaliers de Colomb.

BÉLAND, Joseph
(1843–1929)

Né dans la paroisse Notre-Dame de Montréal, le 24 novembre 1843, fils d'Antoine Béland et d'Adélaïde Beauchamp.

Fit ses études à l'école des Frères des écoles chrétiennes et à l'académie commerciale de Montréal.

Entrepreneur de maçonnerie. Président du Trade and Labour Council et de l'Union des briqueteurs. Directeur de la Société des artisans canadiens-français de Montréal.

Élu député ouvrier dans Montréal n° 1 en 1890. Défait en 1892.

Décédé à Montréal, le 14 février 1929, à l'âge de 85 ans et 4 mois. Inhumé à Montréal, dans le cimetière Notre-Dame-des-Neiges, le 16 février 1929.

Avait épousé dans la paroisse Notre-Dame de Montréal, le 18 août 1863, Alice Valade, fille de Basile Valade et d'Alice Tourville.

BÉLANGER, Arthur
(1884–1975)

Né à Saint-Anselme, le 13 mars 1884, fils de Gédéon Bélanger, cultivateur, et de Maria Roy.

A étudié au séminaire de Québec ainsi qu'à l'université Laval à Québec. Admis au barreau de la province de Québec le 5 juillet 1909. Créé conseil en loi du roi le 30 décembre 1931. Avocat, il exerça sa profession à Québec.

Élu député libéral dans Lévis en 1931. Défait en 1935.

Décédé à Sainte-Foy, le 9 mars 1975, à l'âge de 90 ans et 11 mois. Inhumé à Lévis, dans le cimetière Mont-Marie, le 12 mars 1975.

Avait épousé à Sainte-Anne-de-Beaupré, le 1er mai 1912, Laura Turgeon, fille d'Édouard Turgeon et de Marie Chabot.

Père de Raynold **Bélanger**.

BÉLANGER, Fabien
(1936–1983)

Né à Saint-Fabien-de-Panet, le 6 février 1936, fils de Cyrille Bélanger, agriculteur, et d'Yvonne Lejeune.

Fit ses études primaires et secondaires dans sa paroisse natale. Représentant des ventes industrielles pour diverses entreprises de 1957 à 1960 et de 1966 à 1969. Constable dans la municipalité de Dorval de 1960 à 1966. Président et administrateur de la compagnie Robec Construction de 1969 à 1980.

Élu député libéral dans Mégantic-Compton à l'élection partielle du 17 novembre 1980. Réélu en 1981.

Membre de l'Association provinciale des constructeurs d'habitation et membre de l'Association des constructeurs du Montréal métropolitain.

Décédé en fonction à Sherbrooke, le 2 octobre 1983, à l'âge de 47 ans et 6 mois. Inhumé à Lambton, le 5 octobre 1983.

Avait épousé à Dorval, le 1er septembre 1973, Madeleine Audet (Madeleine **Bélanger**), fille de Léopold Audet, cultivateur, et de Zelia St-Pierre.

Oncle de Gérard **Gosselin**.

BÉLANGER, Guy

Né à Chicoutimi, le 18 février 1942, fils de Georges Bélanger, mécanicien, et de Marie-Alice Langlois.

Fit ses études classiques au séminaire de Chicoutimi. Titulaire d'une maîtrise en psycho-éducation de l'université de Montréal en 1971. A suivi, dans la même université, des cours en administration.

Psycho-éducateur à Boscoville de 1964 à 1971. Directeur du service de consultation au Centre de psycho-éducation du Québec de 1972 à 1977. Professeur adjoint à l'université de Montréal de 1974 à 1979. Directeur général de la Maison Notre-Dame-de-Laval inc. de 1976 à 1982, et du Centre des services sociaux Richelieu de 1982 à 1985.

Président de l'Association des directeurs généraux des services de santé et des services sociaux du Québec en 1982. Administrateur du centre hospitalier Pierre-Boucher en 1983 et 1984. Membre du Club optimiste de Saint-Bruno, de la

Société pour le progrès de la Rive-Sud en 1982 et de la Chambre de commerce de Saint-Bruno.

Conseiller municipal de Saint-Bruno-de-Montarville de 1979 à 1985. Élu député libéral dans Laval-des-Rapides en 1985. Président de la Commission des affaires sociales du 11 février 1986 au 9 août 1989. Réélu en 1989. Élu président de la Commission de l'économie et du travail le 29 novembre 1989. Nommé président de la Commission d'étude des questions afférentes à l'accession du Québec à la souveraineté le 5 juillet 1991.

BÉLANGER, Jean
(1782–1827)

Né à Québec, le 22 décembre 1782, fils de François Bélanger et de Charlotte Delâge.

Obtint une commission de notaire le 20 février 1805 et exerça sa profession à Québec jusqu'en 1827. Propriétaire foncier. Capitaine dans la milice, servit pendant la guerre de 1812. Nommé juge de paix pour le district de Québec, le 17 juin 1814, et commissaire chargé de l'entretien des aliénés, en avril 1823. Fut marguillier de la paroisse Notre-Dame et syndic de l'église Saint-Roch, à Québec.

Élu député de la Basse-Ville de Québec en juillet 1820. Réélu en 1824 et 1827. Appuya généralement le parti canadien, puis le parti patriote.

Décédé en fonction à Québec, le 21 août 1827, à l'âge de 44 ans et 7 mois. Après des obsèques célébrées en la cathédrale Notre-Dame, le 23 août 1827, fut inhumé dans l'église Saint-Roch.

Avait épousé dans la paroisse Notre-Dame de Québec, le 14 avril 1806, Reine Gauvreau, fille de Joseph Gauvreau et d'Élisabeth Corbin; puis, dans la paroisse Notre-Dame de Montréal, le 27 avril 1826, Geneviève-Luce Robitaille, veuve de Jacques-Clément Herse.

BÉLANGER, Joseph-Grégoire
(1889–1957)

Né à Saint-Roch-des-Aulnaies, le 8 avril 1889, fils d'El-zéar Bélanger, cultivateur et marin, et d'Édith Pelletier.

Fit ses études à l'école paroissiale de Saint-Roch-des-Aulnaies, au séminaire Saint-Charles-Borromée à Sherbrooke, à l'école normale Laval à Québec et à l'École d'optométrie de l'université de Montréal. Diplômé de l'école normale Laval en 1908 et licencié de l'École d'optométrie en 1920.

Professeur à la Commission des écoles catholiques de Montréal de 1908 à 1920. Exerça ensuite la profession d'optométriste. Président du Collège des optométristes et opticiens du Québec en 1930 et 1931. Cofondateur et président de l'Association des hommes d'affaires et propriétaires du nord de Montréal. Collaborateur au journal la Nation.

Élu député de l'Action libérale nationale dans Montréal-Dorion en 1935. Élu sous la bannière de l'Union nationale en 1936. Ne s'est pas représenté en 1939.

Décédé à Verdun, le 17 mars 1957, à l'âge de 67 ans et 11 mois. Inhumé à Montréal, dans le cimetière Notre-Dame-des-Neiges, le 20 mars 1957.

Avait épousé à Montréal, dans la paroisse du Sacré-Cœur-de-Jésus, le 23 avril 1918, Béatrice-Émérentienne Douville, fille de Philéas Douville, cultivateur, et de Marcelline Ouellette.

BÉLANGER, Lucien
(1908–1963)

Né à Trois-Pistoles, le 7 novembre 1908, fils de Cyprien Bélanger, journalier et commerçant, et d'Odilie Bellavance.

A étudié au collège de Lévis et au séminaire de Rimouski. Travailla à l'entreprise de son père à Amqui. Propriétaire d'une mercerie à Baie-Comeau de 1941 jusqu'à son décès.

Membre du Club de réforme de Québec. Élu député libéral dans Saguenay en 1960. Ne s'est pas représenté en 1962.

Décédé à Boston, au Massachusetts, le 4 février 1963, à l'âge de 54 ans et 3 mois. Inhumé à Baie-Comeau, dans le cimetière Saint-Joseph-de-Manicouagan, le 8 février 1963.

Avait épousé à Amqui, le 26 juin 1933, Rachel Dionne, fille de Georges-Léonidas Dionne, avocat (député à la Chambre des communes de 1925 à 1930), et d'Alexina Martineau.

BÉLANGER, Madeleine

Née à Saint-Sébastien, le 7 avril 1932, fille de Léopold Audet, cultivateur, et de Zélia Saint-Pierre.

A étudié au pensionnat de Lambton, à l'école normale de Sainte-Ursule de 1947 à 1949, puis quelques années plus tard au cégep de Sherbrooke en sciences humaines.

Enseignante au primaire à Saint-Samuel-Station pendant trois ans. Propriétaire de deux salons de coiffure pendant dix ans. Administratrice et gérante d'une entreprise spécialisée en installation électrique domiciliaire pendant trois ans, puis administratrice de deux entreprises spécialisées en développement domiciliaire.

Élue députée libérale dans Mégantic-Compton à l'élection partielle du 5 décembre 1983. Réélue en 1985 et 1989. Vice-présidente de la Commission de l'aménagement et des équipements à compter du 8 juin 1989.

BÉLANGER, Paul-Eugène

Né à Saint-Michel, le 5 mars 1917, fils d'Émile Bélanger, cultivateur, et de Joséphine Pouliot.

Fit ses études au collège de Lévis, au collège des Dominicains à Ottawa et à l'université de Montréal où il fut diplômé en droit. Admis au barreau de la province de Québec en juillet 1947.

Membre du cabinet des avocats Flynn, Bélanger et Flynn à Québec.

Élu député de l'Union nationale dans Bellechasse en 1948. Ne s'est pas représenté en 1952.

Exerça le droit au contentieux de la ville de Montréal de 1952 à 1961. Retourna à la pratique privée en 1961. Fut président de la compagnie Le Meuble idéal ltée en 1954. Membre de la Chambre de commerce des jeunes de Québec et du Club Renaissance.

BÉLANGER, Pierre

Né à Montréal, le 23 avril 1960, fils de Georges Bélanger, inspecteur dans un service d'urbanisme, et de Lucile Descary, directrice d'un studio de personnalité pour enfants.

Diplômé en droit de l'université de Montréal en 1982. Admis au barreau en 1983.

Avocat en droit commercial et civil dans l'étude Bélanger et Bélanger, fondée avec sa sœur Josée en 1983.

Secrétaire-trésorier, de 1983 à 1985, puis président du Club optimiste d'Anjou en 1985 et 1986. Président de l'activité de course à pied Anjou-Courons en 1989 et 1990. Trésorier de la Société Saint-Jean-Baptiste, section Anjou–Saint-Léonard, en 1984 et 1985. Adjoint au directeur du scrutin dans la circonscription de Rosemont en 1985 et 1986.

Élu député du Parti québécois dans Anjou à l'élection partielle du 20 janvier 1992.

BÉLANGER, Raynold

Né à Lévis, le 20 avril 1923, fils d'Arthur **Bélanger**, avocat, et de Laura Turgeon.

Fit ses études au collège de Lévis, à l'université Laval à Québec et à l'Osgoode Hall à Toronto. Admis au barreau de la province de Québec en juillet 1944. Créé conseil en loi de la reine le 22 décembre 1961.

Exerça sa profession d'avocat à Québec jusqu'à sa retraite en 1985. Membre de la Jeune Chambre de commerce de Lévis et du Club Richelieu.

Élu député libéral dans Lévis en 1952. Défait dans la même circonscription en 1956 et dans Îles-de-la-Madeleine en 1960.

BELESTRE. V. PICOTÉ DE BELESTRE

BÉLISLE, Jean-Pierre

Né à Montréal, le 14 janvier 1948, fils de Jean Bélisle, fonctionnaire, et de Madeleine O'Reilley.

A étudié au collège Sainte-Marie où il obtint un baccalauréat ès arts (option économie) en 1968 et à la McGill University où il fut diplômé en droit civil en 1971. Fit également des études de maîtrise en économique, en finances publiques et développement économique à la McGill University de 1969 à 1972. Admis au barreau en 1973.

Adjoint exécutif au sous-ministre des Finances du Québec de juin 1972 à avril 1973. Exerça le droit à Laval à partir de mai 1973.

Fut directeur du *McGill Law Journal* en 1969 et 1970 et président de la faculté de droit de McGill en 1970 et 1971. Membre de la Chambre de commerce de la ville de Laval de 1974 à 1976 et de l'Association des hommes d'affaires de Laval. Auteur de l'ouvrage *Savoir pour choisir* (1992).

Candidat libéral défait dans Mille-Îles en 1981. Élu député libéral dans cette circonscription en 1985 et 1989. Adjoint parlementaire du ministre des Finances du 29 novembre 1989 au 16 octobre 1990. Leader parlementaire adjoint à compter du 16 octobre 1990.

BELL, Mathew
(≤1769–1849)

Baptisé dans l'église anglicane Holy Trinity de Berwick-upon-Tweed, en Angleterre, le 29 juin 1769, fils de James Bell, commerçant (fut aussi maire), et d'une prénommée Margaret. Son prénom s'orthographiait également Matthew.

Arriva à Québec vers 1784. Fut commis du marchand John **Lees**, puis s'associa vers 1790 à David **Monro** pour faire du commerce d'import-export. La Monro and Bell s'occupa aussi, à titre d'agent, de l'approvisionnement des troupes britanniques, de l'administration du Domaine du roi sur la côte nord et, de 1793 à 1799, de l'exploitation des forges du Saint-Maurice ; à compter de 1799, l'entreprise fut seule responsable de la mise en valeur des forges. En 1816, Bell devint l'unique locataire des forges qu'il dirigea jusqu'en 1846 ; s'associa à John **Stewart** pour poursuivre son entreprise commerciale. Vers 1820, se lança dans la spéculation foncière, touchant notamment des seigneuries et des cantons, et dans l'exploitation de leurs ressources. Se retira à Trois-Rivières en 1846.

Pendant la guerre de 1812, servit en qualité de capitaine dans la milice et leva la Quebec Volunteer Cavalry. À l'occasion du soulèvement de 1837–1838, combattit les patriotes.

Élu député de Saint-Maurice en 1800. Ne s'est pas représenté en 1804. Défait dans Trois-Rivières à une élection partielle le 11 avril 1807. Élu dans Trois-Rivières en 1809. Réélu en 1810. Appuya généralement le parti des bureaucrates. Ne s'est pas représenté en 1814. Nommé au Conseil législatif le 30 avril 1823, prit son siège le 28 novembre 1823 et l'occupa jusqu'à la suspension de la constitution, le 27 mars 1838. Déclina l'offre de faire partie du Conseil spécial le 4 avril 1838.

Fut juge de paix de 1799 à 1839, maître de la Maison de la Trinité de 1814 à 1816, administrateur de la Société d'agriculture et de la Banque de Montréal à Québec, président en 1826 de la Compagnie d'assurance de Québec contre les accidents du feu. Promu lieutenant-colonel dans la milice en 1830. Membre du Club des barons de Québec. Obtint quelques postes de commissaire.

Décédé à Trois-Rivières, le 24 juin 1849, à l'âge d'environ 80 ans. Les obsèques eurent lieu dans l'église anglicane de Trois-Rivières, le 27 juin 1849.

Avait épousé dans l'église anglicane St. James, à Trois-Rivières, le 17 septembre 1799, Ann MacKenzie, fille du commerçant James Mackenzie.

Grand-père de George **Irvine**. Grand-père par alliance de William **Rhodes**. Beau-frère par alliance de David **Monro**. Beau-père d'Edward **Greive** et de William **Walker** (conseiller).

_____

Bibliographie: _DBC._

BELLEAU, Narcisse-Fortunat (1808–1894)

Né à Sainte-Foy et baptisé sous le prénom de Narcisse, dans la paroisse Notre-Dame de Québec, le 20 octobre 1808, fils de Gabriel Belleau, cultivateur, et de Marie-Renée Hamel.

Étudia au petit séminaire de Québec, de 1818 à 1827, et fit l'apprentissage du droit, notamment auprès de Joseph-François **Perrault**. Admis au barreau en 1832.

Exerça le droit comme avocat et conseiller juridique à Québec. Fut administrateur de la Banque de Québec, de 1848 à 1893, président de la Compagnie du chemin de fer de la rive nord, à compter de 1850, et président adjoint de la Lower Canada Investment and Agency Company.

Candidat réformiste défait dans la circonscription de Portneuf en 1848. Représenta le quartier Saint-Jean au conseil municipal de Québec de 1846 à 1850 et fut maire de 1850 à 1853. Membre du Conseil législatif du 23 octobre 1852 jusqu'à l'avènement de la Confédération, le 1er juillet 1867, en fut président du 26 novembre 1857 au 1er août 1858 et du 7 août 1858 au 19 mars 1862 ; à ce titre, notamment, fit partie des ministères Macdonald–Cartier et Cartier–Macdonald : conseiller exécutif du 26 novembre 1857 au 29 juillet 1858, puis du 6 août 1858 au 23 mai 1862, et ministre du département d'Agriculture et de Statistiques du 20 mars au 23 mai 1862. Forma un ministère avec John Alexander Macdonald : conseiller exécutif et receveur général du 7 août 1865 jusqu'à la Confédération. Prêta serment comme lieutenant-gouverneur de la province de Québec le 1er juillet 1867. Sénateur de la division de Stadacona du 23 octobre 1867 jusqu'à ce qu'il démissionnât avant la première session de la première législature fédérale ; le poste fut comblé par Joseph-Édouard **Cauchon**, le 2 novembre 1867. Prêta de nouveau serment comme lieutenant-gouverneur le 31 janvier 1868 et occupa cette charge jusqu'au 11 ou 16 février 1873, selon les sources ; son successeur, René Édouard **Caron**, fut assermenté le 17 février 1873. Refusa un siège au Sénat. Fut administrateur de la province en 1885 et 1890.

Officier de milice. Nommé conseiller de la reine en 1854. Bâtonnier du barreau de Québec en 1857 et 1858. Fait chevalier (sir) en 1860, commandeur grand officier de l'ordre royal d'Isabelle-la-Catholique en 1871 et commandeur de l'ordre de Saint-Michel et Saint-George en 1879.

Décédé à Québec, le 14 septembre 1894, à l'âge de 85 ans et 10 mois. Inhumé dans la chapelle des ursulines, le 18 septembre 1894.

Avait épousé dans la paroisse Notre-Dame-de-l'Assomption, à Berthier (Berthier-sur-Mer), le 15 septembre 1835,

Marie-Reine-Josephte Gauvreau, fille du marchand Louis **Gauvreau** et de sa seconde femme, Josette Vanfelson.

Beau-frère par alliance de Claude **Dénéchau**.

———

Bibliographie: *DBC.*

BELLEMARE, Dionel
(1880–1950)

Né à Yamachiche, le 25 mars 1880, fils d'Adrien Bellemare, cultivateur, et de Sévérine Milot.

Fit ses études au séminaire de Trois-Rivières, aux universités St. Dunstan à l'Île-du-Prince-Édouard et Laval à Québec.

Reçu médecin en 1905, il exerça sa profession à Saint-Lazare, puis à Vaudreuil. Capitaine dans le Canadian Army Medical Corps (CAMC) en 1916.

Conseiller de Saint-Lazare en 1915 et 1916 et maire en 1917. Maire de Vaudreuil de 1931 à 1934. Préfet du comté de Vaudreuil en 1934. Candidat conservateur défait dans Vaudreuil en 1935. Élu député de l'Union nationale dans la même circonscription en 1936. Ne s'est pas représenté en 1939.

Décédé à Montréal, le 1er novembre 1950, à l'âge de 70 ans et 7 mois. Inhumé à Vaudreuil, dans le cimetière de la paroisse Saint-Michel, le 4 novembre 1950.

Avait épousé à Salaberry-de-Valleyfield, dans la paroisse Sainte-Cécile, le 27 avril 1912, Marie-Ombéline-Alice Lafrance, fille de Zénon Lafrance, capitaine de bateau, et de Luce Leroux, et veuve d'Osias Paiement.

BELLEMARE, Gilles
(1932–1980)

Né à Shawinigan, le 22 novembre 1932, fils d'Origène Bellemare, menuisier, et de Florence Lemire.

A étudié à l'école supérieure de l'Immaculée-Conception et à l'École technique de Shawinigan où il fut diplômé en soudure. A également suivi des cours de vente.

Mineur chez Atlas Construction en 1950. Camionneur à la Baie d'Hudson en 1955; gérant des ventes. Président d'honneur des Loisirs de Saint-Jean-Vianney de Montréal. Membre des Chevaliers de Colomb et du Club optimiste de Rosemont.

Président de l'Association libérale du comté de Jeanne-Mance de 1966 à 1973. Élu député libéral dans Rosemont en 1973. Défait en 1976.

Décédé à Montréal, le 15 août 1980, à l'âge de 57 ans et 9 mois. Inhumé à Montréal, dans le cimetière de l'Est, le 19 août 1980.

Avait épousé à Shawinigan, le 24 décembre 1955, Dolorès Paquin, fille d'Omer Paquin, menuisier, et de Léonie Plante.

BELLEMARE, Maurice
(1912–1989)

Né à Grand-Mère, le 8 juin 1912, fils d'Arthur Bellemare, contremaître dans une papeterie, et de Louise Martin.

Étudia au collège Sacré-Cœur à Grand-Mère, à l'école Saint-François-Xavier à Trois-Rivières, puis suivit des cours de l'International Correspondence School.

Mesureur de bois à la Consolidated Paper de 1935 à 1938; obtint son permis de mesureur de bois en 1936. Fut commis voyageur pour la maison Mozart à Trois-Rivières de 1939 à 1941, puis serre-freins au Canadien Pacifique. Ancien membre de la Brotherhood of Railroad Trainmen. Fonda l'hebdomadaire *Nos Droits* en 1948.

Maire de Saint-Jean-des-Piles, de 1954 à 1957 et de 1968 à 1970 et conseiller municipal de 1981 à 1983. Élu député de l'Union nationale dans Champlain en 1944. Réélu en 1948, 1952 et 1956. Whip adjoint de l'Union nationale de 1948 à 1953 et whip de 1953 à 1959. Assermenté ministre sans portefeuille dans le cabinet Sauvé le 11 septembre 1959, et dans le cabinet Barrette le 8 janvier 1960. Réélu en 1960 et en 1962. Leader parlementaire de l'Opposition officielle de 1962 à 1966. Réélu en 1966. Leader parlementaire du gouvernement de 1966 à 1970. Ministre de l'Industrie et du Commerce dans le cabinet Johnson du 16 juin 1966 au 31 octobre 1967. Ministre du Travail dans les cabinets Johnson et Bertrand du 16 juin 1966 au 18 décembre 1968. Ministre du Travail et de la Main-d'œuvre dans le cabinet Bertrand du 18 décembre 1968 au 12 mai 1970. Premier ministre intérimaire à plusieurs reprises. Ne s'est pas représenté en 1970. Nommé président de la Commission des accidents du travail le 11 mars 1970, il occupa ce poste jusqu'en 1972.

Réélu dans Johnson à l'élection partielle du 28 août 1974 et en 1976. Chef intérimaire de l'Union nationale du 30 mars 1974 au 23 mai 1976 et leader parlementaire de l'Union nationale du 25 mai 1976 au 30 octobre 1979. Démissionna comme député le 19 décembre 1979.

Gratifié du grand diplôme de la Renaissance par Mgr Pelletier le 16 septembre 1962. Nommé officier de l'ordre du Canada, le 11 avril 1984. Membre honoraire à vie de la communauté des oblats de Marie-Immaculée. Membre des

Chevaliers de Colomb, de la Chambre de commerce de Cap-de-la-Madeleine et du Club Richelieu de Trois-Rivières.

Décédé à Grand-Mère, le 15 juin 1989, à l'âge de 77 ans. Inhumé dans le cimetière de Saint-Jean-des-Piles, le 17 juin 1989.

Avait épousé à Trois-Rivières, le 27 mars 1939, Marie-Blanche Martel, fille d'Anthime Martel, charpentier et menuisier, et de Marie-Blanche Mathieu.

BELLEROSE, Joseph-Hyacinthe (1820–1899)

Né à Trois-Rivières et baptisé sous le prénom de Joseph, dans la paroisse de l'Immaculée-Conception, le 12 juillet 1820, fils de Michel-Hyacinthe Bellerose, horloger et marchand, et de Geneviève-Sophie Lemaître, dit Lottinville.

Fit ses études primaires à Trois-Rivières, puis fréquenta le séminaire de Nicolet de 1833 à 1836 ou 1837, et le séminaire de Saint-Hyacinthe jusqu'en 1842. Commença l'apprentissage du droit à Montréal, mais interrompit son stage en 1847.

À la suite de son mariage, s'installa à Saint-Vincent-de-Paul (Laval), où il se lança dans le commerce et l'agriculture. Engagé dans la milice à compter de décembre 1855, atteignit le grade de lieutenant-colonel commandant du 12e bataillon de milice volontaire du Bas-Canada en octobre 1862; participa à la mise sur pied de nombreux régiments de volontaires. En 1858, déclina l'offre de devenir capitaine dans le 100th Regiment de l'armée régulière.

Défait dans Laval à une élection partielle le 27 septembre 1861. Élu député de Laval en 1863; bleu; son mandat prit fin avec l'avènement de la Confédération, le 1er juillet 1867. Fut maire de la municipalité de la paroisse de Saint-Vincent-de-Paul, de 1867 à 1887. Élu sans opposition député conservateur de Laval à l'Assemblée législative et à la Chambre des communes en 1867. Réélu sans opposition au provincial en 1871 et au fédéral en 1872. Son siège de député fédéral devint vacant en raison de son accession au Sénat, le 16 octobre 1873, comme représentant de la division de Lanaudière. Ne s'est pas représenté aux élections provinciales en 1875.

Juge de paix. Vice-président de la Sovereign Fire Insurance Company; président de la compagnie de navigation Union. Souscripteur du journal ultramontain montréalais l'*Étendard*. Bienfaiteur notamment des Sœurs de la Providence et du collège Laval, de Saint-Vincent-de-Paul.

Décédé en fonction à Saint-Vincent-de-Paul (Laval), le 13 août 1899, à l'âge de 79 ans et un mois. Inhumé dans le caveau de l'église paroissiale, le 16 août 1899.

Avait épousé dans la paroisse Notre-Dame de Montréal, le 4 octobre 1847, Henriette Armand, fille de François Armand, dit Flamme, lieutenant-colonel dans la milice et actionnaire de la Banque du peuple, et de Marie-Louise Vincent, et veuve du commerçant Michel Brunet, de Saint-Vincent-de-Paul.

Beau-frère de Joseph-Flavien **Armand**.

Bibliographie: *DBC*.

BELLET, François (1750–1827)

Né à Québec et baptisé sous le prénom d'Antoine-François, dans la paroisse Notre-Dame, le 2 novembre 1750, fils de François Bellet, navigateur, et de Marie-Anne Réaume, veuve de Jean-Baptiste Gadiou.

Fit du cabotage durant près de trente ans avec son père sur le Saint-Laurent. Pendant l'invasion américaine de 1775–1776, prit part à la défense de Québec. Acquit des propriétés dans la basse ville dès 1775, puis dans les environs de Québec, la région de Montréal et le canton de Somerset. Fut examinateur adjoint des pilotes du port de Québec de 1805 à 1817. Tint commerce à Québec après 1800 et établit des liens commerciaux avec l'Angleterre et l'Écosse. Copropriétaire de l'Imprimerie canadienne qui publiait *le Canadien*, cofondateur de la François Bellet et Compagnie (1811–1818), actionnaire de la Banque de Québec et de la Compagnie d'assurance de Québec contre les accidents du feu.

Défait dans la Basse-Ville de Québec en 1804 et dans York en 1809. Élu député d'York en 1810. Élu dans Buckingham en 1814. Réélu en 1816 et avril 1820. Appuya le parti canadien durant tous ses mandats. Ne s'est pas représenté en juillet 1820.

Fut syndic de la Maison de la Trinité de Québec, marguillier de la paroisse Notre-Dame, inspecteur de la Société du feu de Québec et l'un des responsables du dispensaire de Québec. Obtint quelques postes de commissaire.

Décédé à Québec, le 19 février 1827, à l'âge de 76 ans et 3 mois. Inhumé en la chapelle de l'Hôpital Général de Québec, dans la paroisse Notre-Dame-des-Anges, le 21 février 1827.

Avait épousé dans la paroisse Notre-Dame de Montréal, le 12 juillet 1773, Cécile Flamme, fille de Nicolas Flamme et de Marie Seto; puis, dans la paroisse Saint-Étienne, à Beaumont, le 15 septembre 1817, Marie-Honoré Fournier, fille du navigateur Alexandre Fournier et de Marguerite Turgeon; enfin, dans la chapelle Notre-Dame-des-Anges de l'Hôpital Général de Québec, le 4 mars 1822, Mary Robinson, veuve du marchand Gavin Major Hamilton.

Bibliographie: *DBC.*

BELLINGHAM, Sydney Robert (1808–1900)

Né à Castlebellingham, dans le comté de Louth (en république d'Irlande), le 2 août 1808, fils de sir Allan Bellingham et d'Elizabeth Walls.

Au printemps de 1824, s'embarqua seul à destination du Canada. Travailla dans le Haut-Canada, puis ouvrit un bureau à Montréal, en 1827, pour le compte d'un marchand de bois de Québec. En 1831, fonda avec un associé une maison d'import-export. Pendant la rébellion de 1837, servit notamment comme aide de camp d'un officier supérieur et commanda un détachement de la Royal Montreal Cavalry. À compter de 1838, fit l'apprentissage du droit à Montréal; admis au barreau en 1840. Exerça sa profession en société avec William **Walker** (Rouville). Fut rédacteur en chef du *Canada Times* et, en 1843–1844, du *Times and Daily Commercial Advertiser,* deux journaux réformistes de Montréal. Secrétaire par intérim de l'Association d'annexion de Montréal en 1849. Lié à la création en 1853 de la Compagnie du chemin de fer de Montréal et Bytown. Engagé dans l'exploitation et la vente de terres dans le nord du comté d'Argenteuil, de 1859 à 1869. Devint rédacteur en chef du *Daily News* de Montréal en 1871 et président de la Lovell Publishing Company en 1877.

Défait dans Montréal-Est en 1834; appuyait le parti des bureaucrates. S'occupa d'administration municipale, à Montréal, entre 1836 et 1840. Candidat réformiste en 1841, mais retira sa candidature. Élu député d'Argenteuil en 1854, se rangea du côté des réformistes; l'élection fut annulée le 29 novembre 1854. Réélu le 5 janvier 1855 à une élection partielle, qui fut déclarée nulle le 3 avril 1856. Réélu sans opposition à une élection partielle le 12 mai 1856, fut autorisé, le 15, à prêter serment et à prendre son siège; de tendance conservatrice. Réélu en 1858; son élection fut annulée le 12 mars 1860. Élu sans opposition député conservateur d'Argenteuil à l'Assemblée législative en 1867. Réélu en 1871. Réélu sans opposition député libéral en 1875. Ne s'est pas représenté en

1878. Retourna en Irlande où il s'installa au château Bellingham, dont il avait hérité en 1874.

Juge de paix. Officier de milice. Président de la Société Saint-Patrice de Montréal et de la Montreal Repeal Association. Auteur de *Reasons why British Conservatives voted against the Boucherville ministry* (Rouses Point, New York, 1875) et de *Some personal recollections of the rebellion of 1837 in Canada* (Dublin, 1902). Écrivit ses mémoires vers 1895.

Décédé dans sa résidence South Gate House, à Castlebellingham (en République d'Irlande), le 9 mars 1900, à l'âge de 91 ans et 7 mois.

Avait épousé dans la cathédrale anglicane Holy Trinity, à Québec, le 28 octobre 1831, Arabella Holmes, veuve du docteur William Larue et fille du docteur William Holmes et de sa seconde femme, Margaret Macnider.

Apparenté par alliance à Mathew **Macnider**. Petit-fils de sir William Bellingham, député à la Chambre des communes britannique.

Bibliographie: *DBC.*

BELLIVEAU, François-Édouard

Né à Montréal, le 21 mai 1928, fils de Francis-Édouard Belliveau, conducteur, et de Béatrice Goyer.

A étudié à l'école Saint-Gérard à Montréal, au collège Saint-Laurent, à l'externat classique Sainte-Croix à Montréal ainsi qu'à l'université de Montréal. Licencié en droit.

Reçu notaire le 8 juillet 1952, il exerça sa profession à Vaudreuil. Membre du conseil d'administration et président de la caisse d'établissement de Vaudreuil-Soulanges. Président de la commission de crédit de la Fédération des caisses d'établissement du Québec. Secrétaire du conseil de comté de Vaudreuil de 1954 à 1982 et de la MRC de Vaudreuil-Soulanges de 1982 à 1987.

Élu député de l'Union nationale dans Vaudreuil-Soulanges à l'élection partielle du 8 octobre 1969. Défait en 1970. Retourna à la pratique privée.

Président du Club Richelieu-Dorion en 1961 et 1967. Président de la Chambre de commerce de Dorion en 1962. Membre de la Chambre de commerce de Vaudreuil. Gouverneur et directeur du Club Renaissance. Bienfaiteur du Lakeshore General Hospital.

BENOIT. V. aussi LIVERNOIS

BENOÎT, Ernest
(1897–1982)

Né à Saint-Nazaire-d'Acton, le 9 octobre 1897, fils de Pierre Benoît, cultivateur, et d'Adélia Paul-Hus.

Cultivateur durant huit ans. Président de la Coopérative de Saint-Nazaire pendant quinze ans. Directeur de l'Association des producteurs de betteraves à sucre.

Maire de Saint-Nazaire du 3 décembre 1934 au 14 novembre 1960 et préfet du comté de Bagot de 1951 à 1961. Secrétaire, directeur et président diocésain de l'Union catholique des cultivateurs (UCC) du diocèse de Saint-Hyacinthe pendant trente ans. Candidat de l'Action libérale nationale défait dans Bagot en 1935. Nommé conseiller législatif de la division de Kennebec le 8 avril 1959, il appuya l'Union nationale et siégea jusqu'à l'abolition du Conseil législatif, le 31 décembre 1968.

A reçu la médaille commémorative du couronnement de la Reine pour son dévouement à la cause de l'agriculture. Membre de la Société du cancer, du Club Renaissance et des Chevaliers de Colomb.

Décédé à Saint-Hyacinthe, le 9 mai 1982, à l'âge de 84 ans et 6 mois. Inhumé dans le cimetière de Saint-Nazaire-d'Acton, le 12 mai 1982.

Avait épousé à Saint-Nazaire-d'Acton, le 15 octobre 1919, Marie-Anne Bérard, fille de Norbert Bérard, cultivateur, et d'Adélia Mondou.

BENOÎT, Joseph-Aldéric
(1854–1936)

Né à Saint-Grégoire-le-Grand, le 21 février 1854, fils de Julien Benoît, cultivateur, et de Lucie Harber.

A étudié à l'école primaire et à l'école modèle de Saint-Grégoire-le-Grand. Cultivateur et marchand de foin, il fut président de la St. John's Exposition et lauréat du Mérite agricole.

Conseiller municipal de Saint-Grégoire-le-Grand du 8 avril 1895 au 4 février 1901 et maire du 4 février 1901 au 2 janvier 1907. Préfet du comté d'Iberville. Élu député libéral dans Iberville à l'élection partielle du 5 novembre 1906. Réélu en 1908, 1912 et sans opposition en 1916. Défait en 1919.

Décédé à Saint-Grégoire-le-Grand, le 4 septembre 1936, à l'âge de 82 ans et 7 mois. Inhumé dans le cimetière de cette paroisse, le 7 septembre 1936.

[Avait épousé, le 10 octobre 1874, Virginie Séguin] ; puis, dans sa paroisse natale, le 24 janvier 1885, Catherine McQuillen, fille de John McQuillen, hôtelier, et de Catherine McGuire ; puis, en troisièmes noces, Rose Larocque.

Père d'Aldéric-Joseph Benoît, député à la Chambre des communes de 1922 à 1930.

BENOIT, Pierre
(1824–1870)

Né à Longueuil, le 30 avril 1824, puis baptisé le 1er mai, dans la paroisse Saint-Antoine, fils de Pierre Benoit, forgeron, et de Desanges Dubois.

Étudia au séminaire de Saint-Hyacinthe à compter de 1836. Fit ensuite l'apprentissage du droit, à Montréal, auprès de Denis-Émery **Papineau**. Obtint sa commission de notaire le 11 novembre 1846.

Exerça sa profession d'abord à Saint-Rémi, de 1846 à 1861, puis à Napierville. Membre de la Chambre des notaires de Montréal, de 1856 à 1862 ; syndic de la Chambre des notaires du district d'Iberville, de 1862 à 1867, puis officier. Greffier au tribunal des petites causes. Actif dans le secteur des assurances.

S'occupa d'administration municipale à Napierville. Élu député de Napierville à une élection partielle le 17 novembre 1862 ; rouge. Défait en 1863. Élu député libéral de Napierville à l'Assemblée législative en 1867.

Décédé en fonction à Napierville, le 26 août 1870, à l'âge de 46 ans et 3 mois. Inhumé dans le cimetière de la paroisse Saint-Cyprien, le 29 août 1870.

Avait épousé dans la paroisse Saint-Athanase (à Iberville), le 20 janvier 1847, Agathe Vincelette, fille du commerçant David Vincelette et de Marie-Angélique Larocque.

BENOÎT, Robert

Né à Saint-Hyacinthe, le 11 avril 1944, fils de Benoît Benoît et de Gilberte Saint-Germain.

Fit ses études au collège Paul-Valéry, à Montréal, en commerce et en administration, puis au A.E. Ames & Co. à Toronto en finances (courtiers en valeurs mobilières). Diplômé de la Investment Dealers Association en 1968 et licencié des bourses de Montréal et de Toronto.

Courtier en valeurs mobilières à l'emploi de la Dominion Securities Quebec Ltd. à compter de 1968, il fut trésorier et assistant-gérant des ventes pour l'Est du Canada, à Montréal, de 1973 à 1977. À l'emploi de la Dominion Securities

Pitfield à Sherbrooke de 1977 à 1989. Fut également président et administrateur d'un certain nombre de corporations. Administrateur du Conseil de l'unité canadienne et du Théâtre de la Marjolaine de 1981 à 1990.

Président du Parti libéral du Québec de 1985 à 1989. Élu député libéral dans Orford en 1989. Nommé adjoint parlementaire au Premier ministre le 29 novembre 1989.

BÉRARD, Louis-Philippe
(1858–1925)

Né à Saint-Barthélémi, le 29 octobre 1858, fils de Séverin Bérard dit Lépine, cultivateur, et de Philomène Duteau Grandpré.

Fit ses études à l'école primaire de Saint-Barthélémi, à l'école normale Jacques-Cartier à Montréal, où il obtint la médaille du Prince de Galles, et à l'université Laval à Montréal. Admis au barreau de la province de Québec le 7 juillet 1887. Créé conseil en loi du roi le 4 avril 1905.

Pratiqua le droit à Montréal et fut associé notamment à Lomer **Gouin** et à Rodolphe Lemieux, député à la Chambre des communes de 1896 à 1930 et sénateur de 1930 à 1937.

Nommé conseiller législatif de la division de Lanaudière le 30 octobre 1912. Appuya le Parti libéral. Démissionna le 28 janvier 1914 à la suite des accusations de corruption portées contre lui par le *Montreal Daily Mail*, accusations se rapportant à l'adoption d'une loi constituant en corporation la Montreal Fair Association of Canada et qu'un comité du Conseil législatif trouva justifiées. Retourna dès lors à l'exercice de sa profession et fut associé avec son fils jusqu'en 1924.

Décédé à Westmount, le 29 octobre 1925, à l'âge de 67 ans. Inhumé à Montréal, dans le cimetière Notre-Dame-des-Neiges, le 31 octobre 1925.

Avait épousé à Montréal, dans la paroisse Saint-Louis-de-France, le 8 juillet 1889, Maria-Rosalba Brodeur, fille d'Azarie Brodeur, marchand et tailleur, et de Domithilde Vézina.

BÉRARD, Marcel

Né à Shawinigan-Sud, le 14 février 1933, fils d'Alfred Bérard, commerçant, et d'Ida Doucet.

Étudia au Jardin de l'enfance à Shawinigan, à l'académie La Salle à Trois-Rivières, à l'école supérieure Immaculée-Conception à Shawinigan et au Prince of Wales College à Charlottetown (Île-du-Prince-Édouard). Obtint un baccalauréat en sciences de l'université Laval en 1955, un brevet spécialisé en mathématiques de l'école normale Jacques-Cartier en 1969 et se spécialisa en chimie à l'université de Sherbrooke en 1970. Suivit également des cours en sciences de l'éducation à l'université du Québec à Trois-Rivières.

Technicien de laboratoire à la Consolidated Bathurst de 1955 à 1964. Professeur à l'école St. Patrick à Shawinigan, à l'école Barthélémy à Joliette et à l'école Val-Mauricie à Shawinigan-Sud de 1964 à 1973. Président du conseil des maîtres de Val-Mauricie de 1966 à 1969 et chef de groupe régional en chimie, biologie et écologie de 1971 à 1973. Analyste de produits pour la firme Belgo. Directeur du personnel pour la compagnie Saniteck inc. de Shawinigan de 1971 à 1973.

Président des Jeunes Libéraux de la Mauricie en 1956. Directeur régional du Parti libéral du Canada de 1971 à 1973. Élu député libéral dans Saint-Maurice en 1973. Défait en 1976.

Enseignant à la polyvalente Saint-Paul-le-Jeune à Saint-Tite, à partir de 1976. Directeur de la Chambre de commerce et de l'Union commerciale mauricienne. Membre des Chevaliers de Colomb.

BERCOVITCH, Peter
(1879–1942)

Né à Montréal, le 17 septembre 1879, fils d'Hyman Bercovitch, marchand et tailleur, et de Birdie Goldberg.

A étudié aux écoles publiques de Montréal, puis à l'université Laval et à la McGill University à Montréal. Admis au barreau de la province de Québec le 26 novembre 1901. Créé conseil en loi du roi le 26 septembre 1911.

Exerça sa profession à Montréal. Pratiqua seul jusqu'en 1905 et s'associa par la suite avec plusieurs avocats. Délégué au Conseil général du barreau en 1930 et 1931. Conseiller spécial du Canadien Pacifique et de la Bell Telephone Co. Assistant du solliciteur général du gouvernement des États-Unis et de celui de l'État du Vermont dans les cas d'extradition.

Membre du Club libéral Laurier, dont il fut président en 1911, et du Club de réforme de Montréal. Élu député libéral dans Montréal–Saint-Louis en 1916. Réélu en 1919 (sans opposition), 1923, 1927, 1931, 1935 (sans opposition) et 1936. Démissionna le 4 octobre 1938. Élu sans opposition député libéral à la Chambre des communes dans Cartier à l'élection partielle du 7 novembre 1938. Réélu en 1940.

Membre de l'American Society of International Law et du Montefiore Club.

Décédé en fonction à Montréal, le 27 décembre 1942, à l'âge de 63 ans et 3 mois. Incinéré à Montréal, au Mount Royal Crematorium, le 30 décembre 1942.

[Avait épousé à San Francisco, en Californie, Florence Levine, fille de A.S. Levine.]

BERGERON, Jean-Guy

Né à Montréal, le 23 octobre 1927, fils d'Antonio Bergeron, barbier, et d'Yvette Brousseau.

Fit ses études au collège Saint-Laurent et à l'université de Montréal. Diplômé en médecine dentaire en 1955.

Exerça sa profession de dentiste à Deux-Montagnes de 1955 à 1988.

Conseiller municipal de Deux-Montagnes de 1964 à 1967 et de 1978 à 1982, puis maire de cette municipalité de 1982 à 1989. Représentant de la ville de Deux-Montagnes à la commission industrielle de Mirabel-Sud de 1984 à 1987. Président de la Régie inter-municipale de l'eau de Deux-Montagnes en 1987 et préfet adjoint de la MRC de Deux-Montagnes en 1989.

Candidat de l'Union nationale dans Deux-Montagnes en 1966 et 1970. Élu député libéral dans Deux-Montagnes en 1989.

BERGERON, Joseph-Arthur
(1880–1937)

Né à Québec, dans la paroisse Saint-Roch, le 19 mars 1880, fils d'Emmanuel Bergeron, forgeron, et de Mathilde Bilodeau.

Fit ses études au séminaire de Québec et à l'université Laval à Québec où il reçut la médaille du lieutenant-gouverneur. Fut admis à la pratique de la médecine en 1904.

Médecin-chirurgien à Matane. Directeur de la Compagnie de pouvoir du Bas-Saint-Laurent. Coroner de district de 1920 à 1923. Fondateur de l'hôpital Saint-Rédempteur à Matane.

Maire de Saint-Jérôme-de-Matane de 1917 à 1921 et de 1925 à 1936. Élu député libéral dans Matane en 1923. Réélu en 1927, 1931 et 1935. Défait en 1936.

Décédé à Matane, le 25 juillet 1937, à l'âge de 57 ans et 4 mois. Inhumé dans le cimetière de la paroisse Saint-Jérôme-de-Matane, le 28 juillet 1937.

Avait épousé à Sainte-Pétronille (île d'Orléans), le 25 octobre 1904, Marie-Régine-Clémentia Gourdeau, fille d'Isaac Gourdeau, navigateur, et de Justine Gourdeau.

BERGERON, Marc

Né à East Angus, le 5 janvier 1933, fils d'Oscar Bergeron, marchand, et de Claudina Lafrenière.

A étudié à l'école Saint-Louis-de-France à East Angus, au séminaire Saint-Charles-Borromée à Sherbrooke, à l'université de Montréal, à l'École des hautes études commerciales à Montréal et à l'université de Sherbrooke où il fut licencié en droit. Admis au barreau de la province de Québec en juin 1961. Créé conseil en loi de la reine en 1986.

Exerça sa profession d'avocat à Thetford Mines. Membre de la Chambre de commerce et de la Société Saint-Jean-Baptiste.

Élu député de l'Union nationale dans Mégantic en 1966. Nommé adjoint parlementaire au ministre du Tourisme, de la Chasse et de la Pêche le 23 décembre 1969. Défait dans la même circonscription en 1970 et dans Frontenac en 1973, 1976 et 1981. Maire de Thetford Mines de 1983 à 1987. Nommé membre de la Commission de l'immigration et du statut de réfugié au Canada en 1988.

BERGERON, Ovila
(1903–1985)

Né à Warwick, le 17 février 1903, fils de Cyrille Bergeron, cultivateur et manœuvre, et de Rosa Pothier.

A étudié à l'école de rang de Warwick, à l'école du village de Kingsey Falls et aux juvénats maristes d'Iberville et de Saint-Hyacinthe.

Commis de bureau à la Dominion Textile de Magog de 1922 à 1944. Président-fondateur (1941 à 1951) et directeur de la caisse populaire de Magog-Est. Directeur, secrétaire, vice-président et président du Syndicat textile de Magog affilié à la Confédération des travailleurs catholiques du Canada (CTCC).

Élu député du Bloc populaire dans Stanstead en 1944. Whip du Bloc populaire de 1945 à 1948. Ne s'est pas représenté en 1948. Secrétaire-trésorier de la commission scolaire de Magog de juillet 1948 à juillet 1970. Maire de Magog de 1952 à 1956 et du 22 juin 1966 au 6 novembre 1967 à titre intérimaire.

Président de l'Association des retraités de Magog. Fut président de la Chambre de commerce de Magog. Membre du Club des Francs, du Club Lions et des Chevaliers de Colomb.

Décédé à Magog, le 3 décembre 1985, à l'âge de 82 ans et 9 mois. Inhumé à Magog, le 6 décembre 1985.

Avait épousé à Montréal, dans la paroisse Notre-Dame-du-Perpétuel-Secours, le 11 septembre 1926, Alice Morin, fille de Joseph Morin, cultivateur, et de Laura Picard.

BERGEVIN, Achille
(1870–1933)

Né à Salaberry-de-Valleyfield, dans la paroisse Sainte-Cécile, le 3 mars 1870, fils de Gilbert Bergevin, huissier, et de Marie Daoust.

A étudié à l'école modèle et à l'académie commerciale de Varennes. Employé des banques Jacques-Cartier et Ville-Marie à Montréal pendant neuf ans. Gérant du journal le Soir en 1896. Propriétaire de l'hebdomadaire les Nouvelles du 13 décembre 1896 au 6 février 1898. Exerça également le métier de courtier en obligations.

Membre et secrétaire du Club de réforme de Montréal. Membre du Club national et du East End Liberal Club. Élu député libéral dans Beauharnois en 1900 et 1904. Défait en 1908. Nommé conseiller législatif de la division de Repentigny le 10 mars 1910. Démissionna lors de sa nomination au poste de conseiller législatif de la division De Salaberry, le 12 novembre 1913. Démissionna le 28 janvier 1914 à la suite des accusations de corruption formulées contre lui par le Montreal Daily Mail, accusations se rapportant à l'adoption d'une loi constituant en corporation la Montreal Fair Association of Canada et qu'un comité du Conseil législatif trouva justifiées. Réélu dans Beauharnois en 1919. Défait en 1923. Candidat libéral indépendant défait dans Beauharnois aux élections fédérales de 1926.

Vice-président du Cercle Ville-Marie, membre du Club Saint-Denis et du Club canadien. Directeur de la Ligue de l'enseignement.

Décédé à Montréal, le 16 avril 1933, à l'âge de 63 ans et un mois. Inhumé à Montréal, dans le cimetière Notre-Dame-des-Neiges, le 19 avril 1933.

Avait épousé dans la cathédrale de Montréal, le 17 septembre 1895, Flora Frappier, fille de Joseph Frappier, marchand, et de Rose de Lima Chartrand.

Neveu de Moïse **Plante**. Cousin de Célestin **Bergevin** et d'Arthur **Plante**. Petit-cousin de Charles **Daoust**.

BERGEVIN, Célestin
(1832–1910)

Né à Saint-Timothée, le 7 septembre 1832, fils de Pierre Bergevin, cultivateur, et d'Angélique Mercier.

Il fut cultivateur, gardien du havre de Valleyfield et juge de paix.

Maire de la paroisse Saint-Clément-de-Beauharnois de 1878 à 1882. Élu député conservateur dans Beauharnois en 1867. Défait en 1871, à l'élection partielle du 12 juillet 1873 et en 1875. Réélu en 1878 et en 1881. De nouveau défait en 1886.

Décédé à Salaberry-de-Valleyfield, le 17 juillet 1910, à l'âge de 77 ans et 10 mois. Inhumé à Salaberry-de-Valleyfield, dans le cimetière de la paroisse Sainte-Cécile, le 19 juillet 1910.

Cousin d'Achille **Bergevin** et d'Arthur **Plante**. Neveu de Moïse **Plante**.

Avait épousé dans sa paroisse natale, le 9 février 1857, Marie Salomae May, fille d'Étienne May, meunier, et de Catherine Vincent.

BERGEVIN, Charles-François. V. LANGEVIN, Charles

BERNARD, Abraham
(1831–1899)

Né à Saint-Mathieu-de-Belœil, le 4 avril 1831, fils d'Abraham Bernard, cultivateur, et de Julie Préfontaine.

Exerça le métier de cultivateur et pratiqua le commerce du foin et des produits agricoles.

Élu député libéral dans Verchères en 1881. Cette élection fut annulée par la Cour supérieure le 31 mars 1886. Réélu à l'élection partielle du 5 mai 1886. Défait en 1886.

Décédé à Saint-Mathieu-de-Belœil, le 16 mai 1899, à l'âge de 68 ans et un mois. Inhumé dans le cimetière de cette paroisse, le 18 mai 1899.

Avait épousé à Saint-Bruno-de-Montarville, le 5 octobre 1852, Apolline Vinet Souligny, fille d'Albert Vinet Souligny, cultivateur, et d'Apolline Fournier.

BERNARD, Cyrille-Améric
(1866–1945)

Né à Saint-Mathieu-de-Belœil, le 9 juillet 1866, fils d'Élie Bernard, cultivateur, et d'Esther Choquette.

Fit ses études au séminaire de Saint-Hyacinthe et à l'École de médecine et de chirurgie de Montréal. Reçu médecin en 1889.

Pratiqua la médecine à Saint-Césaire pendant cinquante-six ans. Fut coroner du district de Saint-Hyacinthe d'août 1901 à mai 1923.

Actionnaire de la Southern Canada Power Co. Promoteur et sociétaire de la Société coopérative agricole de la vallée de la Yamaska. Président-fondateur de la compagnie de conserves Rouville ltée.

Maire de Saint-Césaire de 1902 à 1907. Élu député libéral dans Rouville en 1923. Réélu en 1927. Défait en 1931.

Fut inspecteur des prisons de la province de 1931 à 1945.

Membre de la Société d'agriculture du comté de Rouville, du Club de réforme, du Club maskoutain, de l'union Saint-Joseph de Saint-Hyacinthe, de l'ordre des Forestiers catholiques et des Chevaliers de Colomb.

Décédé à Saint-Césaire, le 20 juin 1945, à l'âge de 78 ans et 11 mois. Inhumé dans le cimetière de cette paroisse, le 23 juin 1945.

Avait épousé dans sa paroisse natale, le 22 septembre 1890, Édesse-Eugénie Brillon, fille de Joseph-Régnier Brillon, notaire, et d'Édesse Trudeau.

Beau-frère de Louis-Philippe **Brodeur**.

BERNARD, Ludger-Pierre
(1870–1954)

Né à Ange-Gardien, près de Granby, le 5 mars 1870, fils de Jean-Baptiste Bernard, cultivateur, et de Julie Beaudry.

Étudia à la Seraphine School House.

Agriculteur. Actionnaire de la compagnie The Roxton Chair Factory. Commissaire et président de la commission scolaire.

Élu député conservateur dans Shefford en 1904. Réélu en 1908. Défait en 1912.

Décédé à Farnham, le 12 juillet 1954, à l'âge de 84 ans et 4 mois. Inhumé à Granby, dans le cimetière de la paroisse Saint-Eugène, le 15 juillet 1954.

Avait épousé à Ange-Gardien, le 10 juin 1890, Marie Racicot, fille de François Racicot, cultivateur, et de Mathilde Darcy.

BERNARD, Robert
(1900–1962)

Né à Saint-Édouard-de-Lotbinière, le 14 avril 1900, fils d'Adélard Bernard, mécanicien et industriel, et de Flora Leclerc.

A étudié à l'école primaire de Fortierville et au collège Mont-Saint-Louis à Montréal. Technicien machiniste et dessinateur industriel. Employé de son père qui était alors propriétaire d'une fonderie et d'une fabrique d'instruments aratoires à Fortierville. Directeur-gérant de la compagnie J.A. Gosselin ltée de 1933 à 1941, et président de 1941 à 1962. Directeur de la Carrière de Drummond ltée. Fondateur de Drummond Air Service.

Échevin au Conseil municipal de Drummondville de 1942 à 1948 et de 1954 à 1956. Commissaire d'école à Drummondville de 1942 à 1948. Président de l'Association conservatrice du comté de Drummond. Organisateur électoral en 1940. Élu député de l'Union nationale dans Drummond en 1944. Réélu en 1948. Défait en 1952. De nouveau élu en 1956. Adjoint parlementaire du ministre des Finances du 12 mars 1959 au 11 septembre 1959. Assermenté ministre sans portefeuille dans le cabinet Sauvé le 11 septembre 1959. Défait en 1960.

Président local de la Canadian Manufacturers Association en 1937. Président de la Chambre de commerce du comté de Drummond en 1937 et 1938. Membre de l'Association professionnelle des industries. Membre honoraire de la 140e batterie du 46e régiment de la compagnie d'artillerie royale canadienne et de la Royal Canadian Air Force Association. Membre de la Aircraft Owners and Pilots Association. Membre à vie des anciens du collège Mont-Saint-Louis. Membre des clubs Saint-Denis de Montréal, Renaissance de Québec et Richelieu. Récipiendaire d'un certificat de l'École des hautes études commerciales de Montréal décerné aux hommes d'affaires qui ont eu des succès notables dans leur entreprise.

Décédé à Lac-à-la-Tortue, le 7 juillet 1962, à l'âge de 62 ans et 2 mois. Inhumé à Drummondville, dans le cimetière de la paroisse Saint-Frédéric, le 11 juillet 1962.

Avait épousé à Fortierville, le 24 octobre 1922, Cécile Desrosiers, fille de Joseph-Abias Desrosiers, chef de gare, et d'Armarylda Belleau.

BERNATCHEZ, Nazaire
(1838–1906)

Né à Montmagny, dans la paroisse Saint-Thomas-de-la-Pointe-à-la-Caille, le 13 février 1838, fils de Jean-Baptiste Bernatchez, cultivateur, et de Marie Talbot dit Gervais.

Fit ses études à Montmagny.

Cultivateur, marchand et capitaine, il fut aussi à la direction d'une entreprise de navigation faisant le service entre Montmagny et Québec de 1876 à 1890. Maître de poste à Montmagny en 1878.

Président du Club de réforme. Conseiller municipal et secrétaire-trésorier de sa paroisse en 1874. Maire de Saint-Thomas-de-la-Pointe-à-la-Caille de 1877 à 1883. Préfet du comté de Montmagny de 1877 à 1883. Candidat libéral défait dans Montmagny en 1881, puis déclaré élu à la suite du jugement rendu par la Cour supérieure le 5 janvier 1883. Réélu en 1886, 1890 et 1892. Défait en 1897. Gouverneur de la prison de Québec de 1897 à 1906.

Décédé à Québec, le 29 août 1906, à l'âge de 68 ans et 6 mois. Inhumé dans le cimetière de Montmagny, le 1er septembre 1906.

Avait épousé dans sa paroisse natale, le 25 octobre 1859, Henriette Couillard Després, fille de Jacques Couillard Després et d'Hélène Méthot.

BERNATCHEZ, René
(1913–1980)

Né à Montmagny, le 29 octobre 1913, fils d'Edmond Bernatchez, cultivateur, et de Laure Gagnon.

Fit ses études à l'école des Frères du Sacré-Cœur à Montmagny et à l'Institut agricole d'Oka. Diplômé en études commerciales et bachelier en sciences agricoles en 1936.

Fut instructeur avicole à Sainte-Anne-de-la-Pocatière, puis à Saint-Romuald. Instructeur adjoint en grande culture à Saint-Romuald, agronome de division à Saint-Patrice-de-Beaurivage et agronome du comté de Lotbinière à Saint-Flavien. Conseiller agricole pour la ferme Ross de Saint-Patrice-de-Beaurivage. Secrétaire-gérant de la Coopérative d'électrification rurale de Lotbinière.

Maire du village de Saint-Flavien de 1965 à 1973. Préfet du comté de Lotbinière du 14 juin 1967 au 13 décembre 1972. Élu député de l'Union nationale dans Lotbinière en 1948. Réélu en 1952 et 1956. Adjoint parlementaire du ministre de la Colonisation du 26 septembre 1956 au 5 juillet 1960. Réélu en 1960, 1962 et 1966. Nommé adjoint parlementaire du ministre de l'Agriculture et de la Colonisation le 6 juillet 1966. Nommé régisseur de l'Office du crédit agricole du Québec en 1970 puis devint conseiller cadre du bureau de direction de cet organisme.

Directeur du conseil d'administration du Foyer de Saint-Flavien. Membre de la Corporation des agronomes de la province de Québec, de la Société d'agriculture du comté de Lotbinière et de l'Association des éleveurs de bovins Ayrshire. Membre des Chevaliers de Colomb.

Décédé à Saint-Flavien, le 13 mars 1980, à l'âge de 76 ans et 5 mois. Un service religieux fut chanté dans l'église de Saint-Flavien, le 17 mars 1980.

Avait épousé à Saint-Patrice-de-Beaurivage, le 25 juin 1942, Hélène Therrien, fille d'Arthur Therrien, marchand général, et de Lumina Brochu.

BERNIER, Alphonse
(1861–1944)

Né à Lévis, dans la paroisse Notre-Dame-de-la-Victoire, le 7 avril 1861, fils de Louis-Joseph-Augure Bernier, avocat et magistrat de district, et de Marie-Melvina Turgeon.

Fit ses études au séminaire de Québec, au collège de Lévis, où il obtint le prix du Prince de Galles en rhétorique, et à l'université Laval à Québec. Admis au barreau de la province de Québec le 24 juillet 1883. Docteur en droit de l'université Laval en 1887. Créé conseil en loi du roi le 30 juin 1903.

Exerça sa profession d'avocat à Québec. Eut comme associés son fils Henri Bernier ainsi que Valmore de Billy et Albert Sévigny, député à la Chambre des communes de 1911 à 1917. Fut professeur de droit commercial et maritime à la faculté de droit de l'université Laval de 1889 à 1934, et professeur émérite en 1934 et 1935. Fondateur et copropriétaire de la Compagnie de la traverse créée en 1910. Bâtonnier du barreau de Québec en 1915 et 1916 et bâtonnier de la province de Québec en 1916 et 1917. Membre du Conseil du barreau de Québec.

Maire de Lévis de 1907 à 1917. Candidat conservateur défait dans Dorchester aux élections provinciales de 1890 et dans Montmagny aux élections fédérales de 1900. De nouveau défait dans Lévis aux élections provinciales de 1908 et à l'élection partielle du 21 septembre 1911. Élu député conservateur dans Lévis en 1912. Whip de la région de Québec. Défait en 1916. Candidat unioniste (conservateur) défait dans Lévis aux élections fédérales de 1917.

Juge à la Cour du banc du roi de mars 1921 à octobre 1942. Siégea à la Cour suprême comme juge *ad hoc*. Collabora à la *Revue du droit* et publia *De la responsabilité dans les délits et les quasi-délits*. Membre des Chevaliers de Colomb.

Décédé à Lévis, le 7 octobre 1944, à l'âge de 83 ans et 6 mois. Inhumé à Lévis, dans le cimetière Mont-Marie, le 10 octobre 1944.

Avait épousé à Matane, le 30 juin 1886, Marie-Delvina-Amanda de Saint-Aubin, fille de Didime Ferdinand de Saint-Aubin, notaire, et de Zoé Lacroix.

BERNIER, François
(1753–1823)

Né à Cap-Saint-Ignace, le 20 octobre 1753, puis baptisé le 28, dans la paroisse Saint-Ignace-de-Loyola, fils d'Augustin Bernier et de Marie-Angélique Buteau.

Fut cultivateur, puis rentier, dans son village natal.

Élu député de Devon en 1796. Réélu en 1800, 1804, 1808, 1809 et 1810 ; appuya généralement le parti canadien. Ne se serait pas représenté en 1814.

Décédé à Cap-Saint-Ignace, le 7 juin 1823, à l'âge de 69 ans et 7 mois. Inhumé dans l'église paroissiale, le 9 juin 1823.

Avait épousé dans la paroisse Saint-Ignace-de-Loyola, à Cap-Saint-Ignace, le 28 janvier 1772, sa parente Ursule Bernier, fille de Philippe-Jérôme Bernier et de Marie-Marthe Godreau.

BERNIER, Jacques
(1928–1992)

Né à Matane, le 1er juillet 1928, fils d'Omer Bernier, mesureur licencié, et d'Isabelle Forrest.

Fit ses études au couvent Bon-Pasteur et à l'académie Saint-Antoine à Matane, au collège Sacré-Cœur à Victoriaville, à l'académie de Québec, au séminaire de Rimouski. A suivi également des cours en publicité et relations publiques.

Collabora à l'hebdomadaire la Voix gaspésienne en 1949. Fut directeur du service des nouvelles à CKBL (Radio-Matane) de 1949 à 1951. Fut assureur-vie de 1953 à 1957, puis courtier d'assurances jusqu'en 1964.

Élu député libéral dans Matane à l'élection partielle du 5 octobre 1964. Ne s'est pas représenté en 1966.

Président de la Jeune Chambre de Matane en 1953 et 1954, vice-président des Jeunes Chambres du Bas-Saint-Laurent en 1954 et 1955, puis vice-président de la Chambre de commerce de Matane en 1961 et 1962. Membre fondateur de l'Association des relationnistes du Québec. Membre du Club Richelieu de Matane de 1958 à 1966 et de la commission de promotion industrielle de la ville de Matane de 1960 à 1963. Directeur adjoint de succursales d'assurance-vie à Québec de 1966 à 1970. Directeur de la promotion aux relations publiques de la Commission des accidents du travail de 1970 à 1976. Adjoint administratif à la direction des communications du ministère de l'Environnement de 1976 à 1986. Chargé de projets à la direction de la récupération et du recyclage au même ministère de 1986 à 1990, année de sa retraite.

Décédé à Québec, le 13 janvier 1992, à l'âge de 63 ans et 6 mois. Le service religieux fut célébré à Sainte-Foy, dans l'église Saint-Benoît-Abbé, le 19 janvier 1992.

Avait épousé dans la cathédrale de Montréal, le 4 juillet 1953, Jeannine Beaulieu, fille d'Albert Beaulieu et de Clémentine Labelle.

BERRY. V. FRASER DE BERRY

BERTHELET, Antoine-Olivier
(1798–1872)

Né à Montréal et baptisé dans la paroisse Notre-Dame, le 25 mai 1798, fils de Pierre Berthelet, négociant, et de sa seconde femme, Marguerite Viger. Signait Olivier Berthelet.

Étudia au petit séminaire de Montréal de 1806 à 1811.

S'occupa des affaires de son père et en prit la direction en 1827. Fit de la spéculation foncière dans l'est de Montréal.

Élu député de Montréal-Est à une élection partielle le 6 avril 1832 ; appuya plutôt le parti des bureaucrates et s'opposa aux Quatre-vingt-douze Résolutions. Défait en 1834. S'occupa d'administration municipale, à Montréal, entre 1836 et 1840, puis siégea au conseil municipal de 1840 à 1842. Appelé au Conseil législatif le 9 juin 1841, refusa sa nomination et démissionna le 26 du même mois.

Lié à l'administration du canal de Lachine, à titre de commissaire, en 1836 et 1840. Un des propriétaires du chemin à lisses du Saint-Laurent et de l'Atlantique en 1846. À partir de 1847 environ, se consacra aux œuvres de charité et d'éducation.

Membre des Fils de la liberté en 1837, de l'Institut canadien de Montréal jusqu'en 1858 ; président de la Société Saint-Jean-Baptiste. Fut officier de milice. Reçut le titre de bienfaiteur insigne de la Compagnie de Jésus en 1864. Fait commandeur de l'ordre de Pie IX en 1869.

Décédé à Montréal, le 25 septembre 1872, à l'âge de 74 ans et 4 mois. Après des obsèques célébrées le 28 septembre 1872, en l'église Notre-Dame – dont il était marguillier depuis 1824 –, fut inhumé dans l'église Saint-Joseph ; en 1930, ses restes furent déposés dans le cimetière de la maison mère des Sœurs grises.

Avait épousé dans la paroisse Notre-Dame de Montréal, le 30 octobre 1822, Marie-Angélique-Amélie Chaboillez, fille du notaire Louis Chaboillez et de Marguerite Conefroy ; puis, au même endroit, le 21 octobre 1851, Charlotte Guy, fille du notaire Louis **Guy** et de Josette Curot.

Beau-frère de Michael **O'Sullivan**. Sa fille épousa le petit-fils de François-Antoine **Larocque**. Sa petite-fille épousa Joseph-Aldéric Ouimet, député à la Chambre des communes du Canada.

Bibliographie: *DBC*.

BERTHELOT, Amable (1777–1847)

Né à Québec et baptisé dans la paroisse Notre-Dame, le 10 février 1777, fils de Michel-Amable **Berthelot Dartigny**, avocat et notaire, et de Marie-Angélique Bazin.

Étudia au petit séminaire de Québec de 1785 à 1793, puis fit son stage de clerc en droit auprès de l'avocat Jean-Antoine **Panet**. Fut admis au barreau en 1799.

Exerça sa profession à Trois-Rivières jusqu'en 1820. Pendant la guerre de 1812, servit en qualité d'officier de milice. Séjourna en France à deux reprises: de 1820 à 1824 – y constitua l'essentiel de sa riche bibliothèque historique –, puis de 1831 à 1834. À son retour, s'installa définitivement à Québec.

Élu député de Trois-Rivières en 1814. Ne se serait pas représenté en 1816. Élu dans Trois-Rivières en 1824; appuya généralement le parti canadien, puis le parti patriote. Défait dans la Haute-Ville de Québec en 1827. Élu député de la Haute-Ville de Québec en 1834; nationaliste modéré, se distancia du parti patriote; conserva son siège jusqu'à la suspension de la constitution, le 27 mars 1838. Élu dans Kamouraska en 1841; antiunioniste. Réélu en 1844. Fit partie du groupe canadien-français.

Nommé, en 1834, commissaire chargé de faire prêter le serment d'allégeance. Fut membre de la Société littéraire et historique de Québec. Publia, à Québec, *Essai de grammaire française suivant les principes de l'abbé Girard*, en 1840, et *Essai d'analyses grammaticales* […], en 1843. Est également l'auteur de plusieurs dissertations sur des sujets d'archéologie historique, dont: *Discours* […] *sur le vaisseau* […] *que l'on prétend être la «Petite-Hermine»* […] (Québec, 1844), ainsi que d'allocutions et de discours prononcés dans l'exercice de ses fonctions parlementaires.

Décédé en fonction à Québec, le 24 novembre 1847, à l'âge de 70 ans et 9 mois. Inhumé dans la cathédrale Notre-Dame, le 27 novembre 1847.

Était célibataire; avait adopté une fille et un fils.

Beau-père de Louis-Hippolyte **La Fontaine**. Beau-frère de Joseph **Badeaux**. Cousin par alliance de Joseph-Bernard **Planté**. Sa fille adoptive épousa le fils de Joseph-Ovide **Turgeon**.

Bibliographie: *DBC*.

BERTHELOT DARTIGNY, Michel-Amable (1738–1815)

Né à Québec et baptisé dans la paroisse Notre-Dame, le 10 août 1738, fils de Charles Berthelot, marchand, et de Thérèse Roussel. Son patronyme s'orthographia à tort d'Artigny.

Fit ses études au petit séminaire de Québec. Obtint, en 1771, une commission d'avocat et, en 1773, une commission de notaire.

Pratiqua le droit à Québec en qualité d'avocat. Exerça également le notariat de 1773 à 1786. Au cours de l'invasion américaine de 1775–1776, participa à la défense de Québec. En 1779, fut l'un des fondateurs de la Communauté des avocats; en était trésorier en 1784. Obtint en 1791 une commission provisoire de juge de la Cour des plaids communs pour le district de Québec, qui fut renouvelée à titre conditionnel en 1793. Propriétaire immobilier. Obtint de nombreux postes de commissaire.

Défait dans Québec en 1792; contesta l'élection et publia une brochure intitulée *Conversation au sujet de l'élection de Charlesbourg*. Par suite de la vacance d'un des deux sièges de cette circonscription, fut élu sans opposition à une élection partielle le 18 février 1793. Défait dans Québec en 1796, puis à une élection partielle dans Cornwallis en mars 1798. Élu dans Kent à une élection partielle en mars 1798. Élu dans Québec en 1800. Réélu en 1804. Appuya généralement le parti canadien. Candidat en 1808, mais retira sa candidature avant la fin du scrutin.

Décédé à Québec, le 10 mai 1815, à l'âge de 76 ans et 9 mois. Inhumé dans la chapelle Sainte-Famille de la cathédrale Notre-Dame, le 12 mai 1815.

Avait épousé dans la paroisse Notre-Dame de Québec, le 20 juillet 1773, Marie-Angélique Bazin, fille de Pierre Bazin, négociant, et de Thérèse Fortier.

Père d'Amable **Berthelot**. Beau-père de Joseph **Badeaux**. Beau-frère par alliance de Gabriel-Elzéar **Taschereau**. Oncle par alliance de Joseph-Bernard **Planté**.

Bibliographie: *DBC*.

BERTHIAUME, Paul

Né à Montréal, le 28 août 1939, fils d'Antoine Berthiaume et de Marguerite Leblanc.

Fit ses études à l'école Saint-Antonin et au collège Notre-Dame à Montréal ainsi qu'au collège de Saint-Laurent. Poursuivit ses études en mathématiques à la McGill University.

Conseiller technique à la compagnie IBM de Montréal de 1962 à 1966. Cofondateur en 1966 du bureau de conseillers en informatique Berthiaume, Saint-Pierre, Thériault et Associés qui se joignit, en 1969, à l'Aquila Computer Services de Montréal (Aquila BST). Vice-président de cette dernière compagnie en 1969. Membre du conseil d'administration de la Raffinerie de sucre de Saint-Hilaire en 1970 et 1971. Donna des cours à l'École des hautes études commerciales à Montréal. Président du cégep Bois-de-Boulogne à Montréal de 1968 à 1970 et membre du conseil d'administration de ce cégep en 1970 et 1971. Directeur du conseil national de l'Association canadienne de l'informatique de 1966 à 1968.

Membre du conseil de direction du Parti libéral. Élu député libéral dans Napierville-Laprairie en 1970. Nommé officiellement adjoint parlementaire du ministre des Transports le 28 octobre 1970, alors qu'il exerçait déjà cette fonction depuis le 30 septembre 1970. Réélu dans Laprairie en 1973. Nommé ministre d'État aux Transports le 13 novembre 1973, poste qu'il continue d'occuper après sa nomination comme ministre d'État aux Finances le 30 juillet 1975. Défait en 1976.

Après sa défaite, il fut à l'emploi d'Aquila BST, en devint le directeur général en 1977 puis le propriétaire de 1978 à 1986. Nommé président du conseil d'administration de la Société des établissements de plein air du Québec en 1986. Président du Groupe SGF de 1988 à 1990. Choisi président et chef de la direction du groupe Coopérants et de la mutuelle Les Coopérants en octobre 1990.

BERTHIAUME, Trefflé
(1848–1915)

Né à Saint-Hugues, le 4 août 1848, fils de Gédéon Berthiaume, menuisier, et d'Éléonore Normandin.

Fit ses études à l'école primaire de Saint-Hugues et au séminaire de Saint-Hyacinthe.

Débuta comme typographe à *la Gazette de Joliette*, puis travailla au *Courrier de Saint-Hyacinthe* pour devenir ensuite chef d'atelier à l'*Industrie*, publication de Joliette. Quelques années plus tard, on lui confia l'affermage du journal *la Minerve* de Montréal. Après la vente de *la Minerve*, il acheta avec deux associés la Compagnie canadienne d'imprimerie qui publiait *le Nouveau Monde*, devenu plus tard *le Monde*. Fonda la Gebhardt and Berthiaume Lithographing and Printing Co., puis s'associa à M. Sabourin et publia *le Monde illustré* de 1884 au 28 avril 1900. Fut propriétaire (1889 à 1904 et 1906 à 1915), directeur et rédacteur en chef du journal *la Presse*. Fonda l'*Album industriel* qui parut du 8 décembre 1894 au 1er juin 1895 et qui fut incorporé ensuite à *la Presse*. Propriétaire de la Railway and Commercial Printing Co., codirecteur de la Quebec Land Co., de la Dominion De Forest Wireless Co., de la Monarch Life Assurance Co. et de la Montreal Southern Counties Railway Co.

Nommé conseiller législatif de la division d'Alma le 16 novembre 1896, il appuya le Parti conservateur.

Fut cofondateur du refuge de nuit Ouimet ainsi que fondateur du conservatoire La Salle et du corps de musique La Garde canadienne.

Décédé en fonction à Outremont, le 2 janvier 1915, à l'âge de 66 ans et 4 mois. Inhumé à Montréal, dans le cimetière Notre-Dame-des-Neiges, le 5 janvier 1915.

Avait épousé dans la paroisse Notre-Dame de Montréal, le 21 août 1871, Helmina Gadbois, fille de Jean-Baptiste Gadbois et d'Odile Thibodeau.

Beau-père de Pamphile-Réal **Du Tremblay**.

BERTRAND, Charles-Auguste
(1890–1977)

Né à Saint-Vincent-de-Paul, le 29 mars 1890, fils de Louis-Georges Bertrand, hôtelier et marchand de vin, et d'Azélie Désormier dit Cusson.

Fit ses études aux écoles Jacques-Cartier et Olier, au collège de Montréal, au séminaire de philosophie et à l'université Laval à Montréal où il obtint une licence en droit. Fit sa cléricature auprès de Me François-Joseph Bisaillon et de Me Arthur Brossard. Admis au barreau de la province de Québec le 14 janvier 1915. Créé conseil en loi du roi le 23 décembre 1926.

Pratiqua à Montréal. D'abord associé à Mes L.-Arsène Lavallée, Jules Desmarais et Rodolphe DeSerres, puis à Mes Richard Beaudry, Aimé Goyette et Fernand Dufresne. Pratiqua seul par la suite.

Membre de la Jeunesse libérale. Cofondateur et avocat-conseil du Club libéral Lafontaine. Procureur général, secrétaire et registraire de la province dans le cabinet Godbout du 27 juin au 26 août 1936. Élu député libéral dans Montréal-Laurier aux élections générales du 17 août 1936. Ne s'est pas représenté en 1939.

Nommé juge à la Cour supérieure de Montréal le 13 décembre 1940, retraité le 29 mars 1965. Collaborateur à la *Revue du droit* et à la *Revue du barreau*. Membre des Chevaliers de Colomb, de l'Alliance nationale et de la Société des artisans canadiens-français.

Décédé à Montréal, le 21 septembre 1977, à l'âge de 87 ans et 7 mois. Inhumé à Montréal, dans le cimetière Notre-Dame-des-Neiges, le 23 septembre 1977.

Avait épousé à Montréal, le 22 novembre 1916, Berthe Giroux, fille de Fabien Giroux, marchand d'animaux, et de Georgianna Charpentier.

BERTRAND, Jean-François

Né à Cowansville, le 22 juin 1946, fils de Jean-Jacques **Bertrand**, avocat, et de Gabrielle Giroux.

Fit ses études à l'école Saint-Jean à Sweetsburg, à l'école Saint-Léon à Cowansville, au séminaire de Saint-Jean et à l'université Laval où il obtint une licence en science politique en 1969.

Parallèlement à ses études, il occupa divers postes administratifs au Centre d'art d'Orford (Jeunesses musicales du Canada) de 1962 à 1966 et de 1968 à 1970. Fut également adjoint au directeur du service d'accueil des chefs d'État lors de l'Exposition universelle de Montréal en 1967. Directeur de la revue *Vie et Carrière – Actualités Jeunesse* en 1969. Fut aussi recherchiste, interviewer et animateur pour la série *Dossiers*, diffusée à Radio-Canada la même année. En 1970, il devint secrétaire particulier du ministre du Travail et de la Fonction publique du Québec.

Boursier du gouvernement français de 1970 à 1972 et du Conseil des arts du Canada de 1971 à 1973. Titulaire d'une maîtrise en sciences de l'information de l'institut français de presse de l'université de Paris en 1971. Termina sa scolarité de doctorat en communication de masse à la faculté de droit, sciences économiques et sciences sociales de la même université en 1972. Fit un stage d'études et de recherches à l'ORTF à Paris de 1970 à 1972 et fut correspondant dans cette ville pour la station radiophonique CHRC de Québec en 1971 et pour le réseau Télémédia en 1973. Directeur général de l'Institut québécois d'opinion publique (IQOP) en 1972 et 1973. Professeur en communication à l'université Laval de 1973 à 1977. Directeur du programme de relations publiques de cette même université en 1975 et 1976.

Membre de l'exécutif national du Parti québécois depuis 1974. Élu député de ce parti dans Vanier en 1976. Président du caucus des députés du Parti québécois de la région de Québec à partir de décembre 1976. Nommé adjoint parlementaire du ministre des Travaux publics et de l'Approvisionnement le 1er mars 1978. Leader parlementaire adjoint du gouvernement du 3 octobre 1978 au 12 mars 1981. Réélu en 1981. Ministre des Communications dans le cabinet Lévesque du 30 avril 1981 au 3 octobre 1985 et dans le cabinet Johnson (Pierre Marc) du 3 octobre au 12 décembre 1985. Leader parlementaire du gouvernement du 23 février 1982 au 5 mars 1984 et leader parlementaire adjoint du 12 mars 1984 au 23 octobre 1985. Défait en 1985.

Chargé de cours à l'université Laval et à l'ENAP à Trois-Rivières en septembre 1986. Animateur de l'émission radiophonique *l'Heure juste* à CHRC à Québec de 1986 à 1989. Élu chef du Progrès civique le 29 mai 1989. Candidat défait à la mairie de Québec le 5 novembre 1989. Animateur à la radio et à la télévision à partir de janvier 1990. Président de Les Communications Jean-François Bertrand inc. à compter de 1986.

Président de l'Association générale des étudiants du séminaire de Saint-Jean et vice-président aux affaires extérieures pour la Fédération des associations générales des étudiants des collèges classiques du Québec en 1965. Président pour la région Richelieu–Rive-Sud de l'Union générale des étudiants du Québec en 1966. Membre de la commission des affaires étudiantes de l'université Laval en 1968 et 1969. Membre du comité de gestion de la Maison des étudiants canadiens à Paris en 1970 et 1971. Membre du conseil syndical des professeurs de l'université Laval en 1974 et 1975. Récipiendaire du trophée Meunier en 1964 et 1966, lors de sa participation aux débats oratoires de l'Association de la jeunesse canadienne.

Petit-fils de Louis-Arthur **Giroux**. Sa mère, Gabrielle Bertrand, a été élue députée à la Chambre des communes en 1984 et 1988.

BERTRAND, Jean-Jacques
(1916–1973)

Né à Sainte-Agathe-des-Monts, le 20 juin 1916, fils de Lorenzo Bertrand, chef de gare et télégraphiste, et de Bernadette Bertrand.

Étudia au collège Sacré-Cœur à Sainte-Agathe, au juvénat des Oblats à Ottawa, au séminaire de Saint-Hyacinthe, puis aux universités d'Ottawa et de Montréal. Fut décoré du Mérite universitaire par l'université de Montréal. Admis au barreau de la province de Québec en 1941.

Débuta dans la pratique du droit au cabinet de Louis-Arthur **Giroux** à Sweetsburg. S'associa plus tard à Me Gérard Turmel, puis à Mes Jacques Meunier et Gilles Mercure. Directeur de la compagnie d'Expansion industrielle de Cowansville. Secrétaire-trésorier des corporations municipales et scolaires de Sweetsburg de 1942 à 1948.

Élu député de l'Union nationale dans Missisquoi en 1948. Réélu en 1952, 1956, 1960, 1962, 1966 et 1970. Nommé adjoint parlementaire du ministre des Terres et Forêts et du ministre des Ressources hydrauliques le 17 décembre 1954. Ministre des Terres et Forêts dans les cabinets Duplessis et Sauvé du 30 avril 1958 au 8 janvier 1960. Ministre de la Jeunesse et ministre du Bien-être social dans le cabinet Barrette du 8 janvier au 5 juillet 1960. Candidat défait à la direction de l'Union nationale en 1961. Ministre de l'Éducation dans le cabinet Johnson du 16 juin 1966 au 31 octobre 1967. Ministre de la Justice dans le même cabinet du 16 juin 1966 au 2 octobre 1968. Nommé chef intérimaire de l'Union nationale le 2 octobre 1968, à la suite du décès du premier ministre Daniel Johnson. Premier ministre de la province de Québec et président du Conseil exécutif du 2 octobre 1968 au 12 mai 1970. Ministre de la Justice et ministre des Affaires intergouvernementales du 2 octobre 1968 au 23 juillet 1969. Ministre des Finances du 18 au 23 juillet 1969. À l'issue du congrès de son parti tenu le 21 juin 1969, il avait été confirmé chef permanent de l'Union nationale. Chef de l'Opposition officielle du 12 mai 1970 au 19 juin 1971.

Membre du conseil d'administration de l'hôpital Brome-Missisquoi-Perkins de Cowansville. Président de la Chambre de commerce des jeunes de Cowansville en 1946 et 1947. Créé conseil en loi du roi le 14 juin 1950. A reçu des doctorats honoris causa des universités Bishop, Ottawa en 1959, Sherbrooke en 1967 ainsi que Montréal et Laval en 1969. Membre des Chevaliers de Colomb, du Club Renaissance, du Club de la garnison et du Club Saint-Denis.

Décédé en fonction à Montréal, le 22 février 1973, à l'âge de 56 ans et 8 mois. Inhumé à Cowansville, au cimetière de la paroisse Sainte-Rose-de-Lima, le 25 février 1973.

Avait épousé à Sweetsburg, le 14 octobre 1944, Gabrielle Giroux, fille de Louis-Arthur **Giroux**, avocat, et de Juliette Bolduc.

Père de Jean-François **Bertrand**. Son épouse, Gabrielle Bertrand, fut élue députée à la Chambre des communes en 1984 et 1988.

BERTRAND, Lionel
(1906–1979)

Né à Saint-Jovite, le 10 mars 1906, fils de Théodore-Alphonse Bertrand, forgeron, et d'Eugénie Délisle.

Étudia chez les Filles de la sagesse, à l'école modèle de Saint-Jovite et au séminaire de Sainte-Thérèse.

Commis de division au ministère de la Voirie de 1926 à 1936. Rédacteur au journal l'Avenir du Nord à Saint-Jérôme de 1927 à 1936 (ce journal était dirigé par Jules-Édouard Prévost, député à la Chambre des communes de 1917 à 1930 et sénateur de 1930 à 1943). Fonda à Sainte-Thérèse, le 3 décembre 1937, l'hebdomadaire la Voix des Mille-Isles, dont il assuma la direction jusqu'au 31 août 1978. Collabora également à l'Étoile du Nord de Joliette.

Entre 1925 et 1940, il fonda successivement les Jeunesses libérales de Saint-Jérôme, de Sainte-Thérèse et du comté de Terrebonne. Secrétaire de comté d'Athanase **David**. Élu député libéral à la Chambre des communes dans Terrebonne en 1940, il démissionna le 26 juillet 1944 pour se porter candidat aux élections provinciales. Candidat libéral défait dans Terrebonne aux élections provinciales de 1944. De nouveau élu député à la Chambre des communes dans Terrebonne en 1945. Réélu en 1949 et 1953. Ne s'est pas représenté en 1957. Élu député libéral à l'Assemblée législative dans Terrebonne en 1960. Réélu en 1962. Secrétaire de la province dans le cabinet Lesage du 5 juillet 1960 au 3 avril 1963. Ministre du Tourisme, de la Chasse et de la Pêche dans le même cabinet du 3 avril 1963 au 25 novembre 1964. Démissionna lors de sa nomination comme conseiller législatif de la division des Mille-Isles, le 25 novembre 1964. Occupa ce poste jusqu'à l'abolition du Conseil législatif, le 31 décembre 1968.

Collabora à la rédaction de l'Histoire de Sainte-Thérèse-de-Blainville en 1939. Auteur de Mémoires (1972) et Quarante ans de souvenirs politiques (1976). Fondateur et secrétaire de la Chambre de commerce de Sainte-Thérèse de 1932 à 1942. Membre du conseil d'administration de la caisse populaire du même endroit en 1938. Fondateur, secrétaire (1939 à 1944) et président de la Société historique de Sainte-Thérèse. Président (1942 à 1944) et secrétaire (1949 à 1961) de l'Association des hebdomadaires de langue française du Canada. Vice-président de l'Union internationale des journalistes catholiques en 1950. Membre du conseil d'administration de l'Institut canadien de l'éducation aux adultes (section française) en 1956. Membre de la Commission générale des semaines sociales du Canada en 1957. Commissaire d'école (1958 à 1968) et président (1959 et 1960) de la commission scolaire de Sainte-Thérèse. Président de la Société canadienne d'histoire de l'Église catholique (section française) en 1959. Administrateur et président de la Société amicale des aveugles en 1970. Membre du conseil d'administration de la Fondation du Québec des maladies du cœur en 1975. Vice-président et président du conseil d'administration de la Fédération canadienne des directeurs de journaux et périodiques catholiques.

Vice-président de l'Association des hebdomadaires canadiens-français du Québec. Membre des Chevaliers de Colomb et du Club de réforme de Montréal. Créé chevalier de l'ordre de Saint-Grégoire-le-Grand en 1939.

Décédé à Saint-Jérôme, le 25 mars 1979, à l'âge de 73 ans. Inhumé dans le cimetière de la paroisse Sainte-Thérèse-de-Blainville, le 29 mars 1979.

Avait épousé dans la paroisse Sainte-Thérèse-de-Blainville, le 19 mai 1931, Adéla (Yvonne) Pigeon, fille de Willie Pigeon, boulanger, et d'Adéla Ménard.

BERTRAND, Louis
(1779–1871)

Né à Cap-Santé, le 12 octobre 1779, fils de Jean-Baptiste Bertrand et d'Agathe Germain.

Vers 1790, habitait à Pointe-Lévy (Lauzon devenu Lévis) avec ses parents et, en 1797, était boulanger au petit séminaire de Québec. S'établit en 1811 à L'Isle-Verte, où il tint un magasin. En 1818–1819, afferma les droits sur le moulin banal et la seigneurie de l'Île-Verte, dont il acquit les titres de propriété en 1849. Exploita également des scieries, notamment en société avec Henry John **Caldwell**. Propriétaire d'un quai et de bateaux. Capitaine dans la milice en 1827, fut promu major en 1847 et atteignit le grade de lieutenant-colonel en janvier 1862. Nommé commissaire au tribunal des petites causes en novembre 1832. Président-fondateur de la Société d'agriculture du comté de Rimouski en 1848 et de l'Institut littéraire de L'Isle-Verte en 1859.

Élu député de Rimouski à une élection partielle le 6 février 1832; vota pour les Quatre-vingt-douze Résolutions. Réélu en 1834. Appuya le parti patriote. Son mandat prit fin avec la suspension de la constitution, le 27 mars 1838. Élu dans Rimouski en 1844; fit partie du groupe canadien-français. Ne s'est pas représenté en 1848. Choisi comme premier maire de L'Isle-Verte en 1845.

Décédé à L'Isle-Verte, le 11 septembre 1871, à l'âge de 91 ans et 10 mois. Inhumé dans le cimetière de la paroisse Saint-Jean-Baptiste, le 15 septembre 1871.

Avait épousé dans la paroisse Saint-Georges, à Cacouna, le 20 février 1816, Apolline Saindon, fille de Charles Saindon et de Josephte Dion.

Père de Charles Bertrand, député à la Chambre des communes du Canada.

Bibliographie: Michaud, Robert, *L'Isle-Verte vue du large*, Montréal, Leméac, 1978, p. 198-218.

BERTRAND, Pierre
(1875–1948)

Né à Québec, dans la paroisse Saint-Roch, le 24 décembre 1875, fils de Pierre Bertrand, charpentier et cordonnier, et d'Élisabeth Therrien.

A étudié à l'école du Patronage Saint-Vincent-de-Paul. Travailla dans l'industrie de la chaussure à Québec et fut président de l'Union des cordonniers-machinistes. Cofondateur et copropriétaire d'une manufacture de chaussures de 1914 à 1927.

Échevin au siège n° 2 du quartier Saint-Sauveur au conseil municipal de Québec de 1914 à 1927, de 1930 à 1932 et de 1936 à 1948. Candidat conservateur défait dans Québec-Ouest aux élections fédérales de 1921. Élu député ouvrier à l'Assemblée législative dans Saint-Sauveur en 1923. Défait en 1927, il devint par la suite inspecteur des édifices municipaux. Commissaire du havre de Québec du 20 août 1930 au 31 octobre 1935. Élu député conservateur en 1931 et 1935, puis député de l'Union nationale en 1936. Nommé conseiller législatif de la division de La Salle le 23 septembre 1939.

Décédé en fonction à Québec, le 22 décembre 1948, à l'âge de 72 ans et 11 mois. Inhumé à Québec, dans le cimetière Saint-Charles, le 27 décembre 1948.

Avait épousé à Québec, dans la paroisse Saint-Sauveur, le 13 mai 1901, Délima Landry, fille de Louis Landry, menuisier, et de Marie-Gavelème Ferland; puis, dans la même paroisse, le 4 mai 1931, Marie-Florida-Bernadette Darveau, fille de Victor Darveau et de Florida Dufresne, et veuve de Pierre Gingras.

BERTRAND, Solime
(1827–1891)

Né à Saint-Mathias, le 12 décembre 1827, fils de Paul Bertrand, notaire, et d'Agathe Vigeant.

Étudia au collège de Chambly. Admis à la pratique du notariat en 1849. Président de la Société d'agriculture du comté de Rouville. Secrétaire de la municipalité de Saint-Mathias du 9 août 1855 au 2 février 1891.

Élu commissaire d'école à Saint-Mathias le 18 juillet 1859 et le 14 juillet 1862. Nommé secrétaire-trésorier de cette commission scolaire le 6 décembre 1869. Élu député conservateur dans Rouville en 1878. Son élection fut annulée le 21 mai 1879.

Décédé à Saint-Mathias, le 10 février 1891, à l'âge de 63 ans et un mois. Inhumé dans le cimetière de cette paroisse, le 13 février 1891.

Avait épousé à Chambly, dans la paroisse Saint-Joseph, le 25 septembre 1854, Marie-Louise-Hermine Demers, fille d'Honoré Demers, cultivateur, et de Sophie-Henriette Chéré (?).

BÉRUBÉ, Léo
(1884–1967)

Né à Saint-André, dans Kamouraska, le 27 octobre 1884, fils de Jean-Baptiste Bérubé, cultivateur, et de Zoé Garneau. Baptisé sous le prénom de Léon.

A étudié dans sa paroisse natale, au collège de Sainte-Anne-de-la-Pocatière et à l'université Laval à Québec. Admis au barreau de la province de Québec en 1908. Créé conseil en loi du roi le 30 décembre 1938. Exerça sa profession à Rivière-du-Loup pendant quarante ans.

Élu député conservateur dans Témiscouata en 1912. Défait dans la même circonscription en 1916 et dans Kamouraska en 1923.

Fut substitut du procureur général de 1936 à 1939 et de 1944 à 1948. S'associa à son fils, Jean-Paul Bérubé, sous la raison sociale de Bérubé et Bérubé de 1945 à 1948. Nommé juge à la Cour des sessions de la paix le 3 juin 1948. Directeur de la Winnipeg and Transcona Realty Co.

Membre du comité local des finances de guerre. A collaboré pendant plusieurs années à des journaux locaux, notamment à l'hebdomadaire le Saint-Laurent de Rivière-du-Loup. Président de la Chambre de commerce de Rivière-du-Loup de 1930 à 1935. Président de la Société Saint-Jean-Baptiste. Membre des Chevaliers de Colomb, du Club Rotary et du Club Renaissance de Québec.

Décédé à Rivière-du-Loup, le 18 mai 1967, à l'âge de 82 ans et 6 mois. Inhumé dans le cimetière de la paroisse Saint-Patrice, le 22 mai 1967.

Avait épousé à Fraserville (maintenant Rivière-du-Loup), dans la paroisse Saint-François-Xavier, le 8 septembre 1913, Alice Martin, fille d'Ernest Martin, navigateur puis ingénieur mécanicien, et d'Annie Greig.

BÉRUBÉ, Yves

Né à Montréal, le 28 mars 1940, fils d'Armand Bérubé, journaliste, et de Fleur-Ange Ménard.

A étudié au collège de Saint-Laurent et au Massachusetts Institute of Technology aux États-Unis. Obtint un baccalauréat en génie minier en 1963 et un doctorat en génie minier en 1966.

Ingénieur-chercheur à l'Iron Ore Company of Canada, à Schefferville, en 1963. Ingénieur consultant pour la société d'exploration minière SOQUEM de 1967 à 1974. Membre du sous-comité national de métallurgie extractive au ministère de l'Énergie, des Mines et des Ressources du Canada de 1969 à 1974. Ingénieur consultant pour la Société Quebec Cartier Mining en 1969, 1970, 1975 et 1976. Coordonnateur d'un programme de recherche sur l'utilisation des terres de l'Arctique par l'industrie minérale (programme ALUR) de 1970 à 1974. Ingénieur consultant pour le ministère fédéral de l'Énergie, des Mines et des Ressources en 1975 et 1976.

Professeur adjoint chargé du traitement des minerais au département de mines et métallurgie de l'université Laval et chercheur en métallurgie extractive de 1966 à 1969. Fondateur et secrétaire du Centre de l'eau de l'université Laval en 1968. Professeur agrégé au département de mines et métallurgie de l'université Laval en 1969. Professeur invité à l'École nationale supérieure de géologie à Nancy, en France, ainsi qu'au Centre national de la recherche scientifique (CNRS), en France, en 1974 et 1975.

Élu député du Parti québécois dans Matane en 1976. Ministre des Terres et Forêts et ministre des Richesses naturelles dans le cabinet Lévesque du 26 novembre 1976 au 21 septembre 1979. Ministre de l'Énergie et des Ressources du 21 septembre 1979 au 30 avril 1981. Réélu dans la même circonscription en 1981. Ministre délégué à l'Administration du 30 avril 1981 au 9 septembre 1982. Président du Conseil du trésor du 30 avril 1981 au 5 mars 1984. Ministre délégué à la Réforme administrative du 9 septembre 1982 au 5 mars 1984. Ministre de l'Éducation du 5 mars au 20 décembre 1984. Ministre par intérim de la Science et de la Technologie du 27 novembre au 20 décembre 1984. Ministre de l'Enseignement supérieur, de la Science et de la Technologie dans le cabinet Lévesque du 20 décembre 1984 au 3 octobre 1985 et dans le cabinet Johnson (Pierre Marc) du 3 au 16 octobre 1985. Ne s'est pas représenté en 1985.

Directeur général de Experts-Conseils Shawinigan inc., filiale de Lavalin, de 1985 à 1987, puis directeur des sociétés européennes du Groupe de 1987 à 1991. Nommé président et chef de l'exploitation de Lavalin inc. en janvier 1991 puis vice-président exécutif de SNC-Lavalin la même année. Nommé président du conseil d'administration de la Société d'habitation et de développement de Montréal en 1992.

Auteur de nombreux travaux de recherche et de plusieurs publications et rapports dans le domaine minier. Membre de la Corporation des ingénieurs du Québec, du Canadian Institute of Mining & Metallurgy et de l'American Institute of Mining, Metallurgy & Petroleum Engineers.

BESSERER, Louis-Théodore
(1785–1861)

Né à Château-Richer, le 4 janvier 1785, et baptisé le même jour, dans la cathédrale Notre-Dame de Québec, fils de Johann Theodor Besferer, dit Jean-Théodore Besserer, chirurgien militaire d'origine allemande et de religion calviniste, et de Marie-Anne Giroux.

Étudia au petit séminaire de Québec, puis fit l'apprentissage du notariat auprès de Félix **Têtu**. Admis à la pratique de cette profession en 1810.

Fut notaire à Québec. Pendant la guerre de 1812, servit comme officier de milice; fut envoyé en mission spéciale à Halifax en octobre 1813, et chargé de l'établissement de colons entre Rivière-du-Loup et la frontière du Nouveau-Brunswick en mai 1814. Retourna à son étude et aux affaires.

Élu député de Québec à une élection partielle le 7 octobre 1833. Réélu en 1834. Appuya généralement le parti patriote, mais s'en dissocia en décembre 1837. Son mandat prit fin avec la suspension de la constitution, le 27 mars 1838.

En 1845, quitta Québec pour se retirer sur une propriété, acquise en 1828, près de Bytown (Ottawa). Prit part à l'érection civile de cette localité en 1847, et s'engagea dans la spéculation foncière et le développement urbain.

Décédé à Ottawa, le 3 février 1861, à l'âge de 76 ans.

Avait épousé dans la paroisse Notre-Dame de Québec, le 22 février 1830, Angèle Réaume, fille du marchand Pierre Réaume et de Thérèse Tardif; puis, après 1844, Margaret Cameron, de Bytown.

Bibliographie: *DBC.*

BESSETTE, Michel-Adrien
(1827–1904)

Né à Saint-Luc, près d'Iberville, le 27 septembre 1827, fils de Daniel Bessette, charron, et de Justine C. Audet.

Commerçant à North Stukely. Maire de North Stukely. Candidat défait dans Shefford en 1861 et 1863. Élu député conservateur dans Shefford en 1867. Défait en 1871.

Registrateur du comté d'Iberville de 1876 à 1897. Major dans la milice de réserve de Shefford.

Décédé le 28 novembre 1904, à l'âge de 77 ans et 2 mois. Inhumé à Iberville, dans le cimetière de la paroisse Saint-Athanase, le 30 novembre 1904.

[Avait épousé à Highgate, dans l'État du Vermont, en 1852, Susan Wood Stevens, fille du juge Stevens.]

BICKERDIKE, Robert
(1843–1928)

[Né à Kingston, en Ontario, le 17 août 1843, fils de Thomas Bickerdike et d'Agnes Cowan.]

A étudié à l'école primaire de Beauharnois. Boucher à Montréal, il devint l'un des plus importants exportateurs de bestiaux. Directeur de la Canada Life Assurance Co., de la Western Assurance Co., de la British America Assurance Co. et de l'Imperial Guarantee and Accident Insurance Co. Directeur et vice-président de la Banque d'Hochelaga. Vice-président de la Banque internationale du Canada. Fondateur de la Live Stock Insurance Co., de la Standard Light and Power Co., de l'Union Marine Co., de la Montreal, London Gold and Silver Development Co., de la British American Bank Note Co. et de la Smith Marble and Construction Co. Président de la Marconi Wireless Co., de la St. Louis Land, de la Park Realty Co., de la Canadian Securities Corp., de la Compagnie publique du Canada, de la Montreal and Great Lakes Steamship Co. et de Robert Bickerdike and Company Ltd. Organisateur de la Dominion Abattoir and Stock Yards Co. Vice-président de la Canadian Transit Co. et de la Canadian Lloyds. Membre de la Commission du port de Montréal de 1896 à 1906.

Conseiller municipal de Saint-Henri du 20 mars au 9 juillet 1875 et du 10 au 15 janvier 1877. Maire suppléant de Summerlea (Lachine) en 1895 et 1896. Élu député libéral dans Montréal n° 5 en 1897. Élu député libéral à la Chambre des communes dans Montréal–Saint-Laurent en 1900. Réélu en 1904, 1908 et 1911. Ne s'est pas représenté en 1917.

Vice-président de l'Underwriters Association et de la Montreal Industrial Exhibition Association. Membre du conseil du Montreal Board of Trade en 1891 et 1892, puis président en 1896. Fondateur et président de la National Prison Reform en 1916. Président honoraire de la Canadian Prisoners' Welfare Association de 1919 à 1928. Gouverneur du Royal Victoria Hospital, de l'Hôpital Général de Montréal, de l'Hôpital Général de Lachine et du Western Hospital. Président du Protestant Board of School Commissioners. Membre du comité protestant du Conseil de l'instruction publique de la province de Québec. Fondateur de la Canadian Numismatic and Antiquarian Society. Membre du Club Rideau d'Ottawa, du Canada Club, du Montreal Club, du Club de réforme, de la St. George Society, de l'Anti-Alcoholic League et de la Business Men's League.

Décédé à Lachine, le 28 décembre 1928, à l'âge de 85 ans et 4 mois. Inhumé à Montréal, dans le Mount Royal Cemetery, le 31 décembre 1928.

Avait épousé à Lachine, le 4 décembre 1866, Helen Thomson Reid, fille de James Reid.

BIENVENUE, Jean

Né à Québec, le 24 juin 1928, fils de Valmore **Bienvenue**, avocat, et de Charlotte Langlois.

Étudia à Québec au pensionnat Saint-Louis-de-Gonzague, au collège Saint-Charles-Garnier et à l'université Laval. Admis au barreau de la province de Québec en juin 1952. Créé conseil en loi de la reine le 17 septembre 1970.

Membre des cabinets d'avocats : Lesage, Turgeon, Lesage et Bienvenue ; Bouffard, Turgeon, Larochelle, Amyot, Bienvenue, Choquette et Lesage ; Létourneau, Stein, Marseille, Bienvenue, Delisle et LaRue. Fut associé entre autres à Jean **Lesage**. De 1960 à 1966, fut successivement procureur de la couronne à Québec, procureur en chef, assistant-procureur général adjoint et enfin procureur spécial du ministre de la Justice du Québec.

Élu député libéral dans Matane en 1966. Réélu dans la même circonscription en 1970 et dans Crémazie en 1973. Leader parlementaire adjoint du gouvernement de janvier 1971 à janvier 1976. Assermenté ministre sans portefeuille dans le cabinet Bourassa le 4 mai 1971. Ministre de l'Immigration du 15 février 1972 au 20 janvier 1976 et ministre de l'Éducation du 20 janvier au 26 novembre 1976. Défait en 1976. Nommé juge à la Cour supérieure du district de Québec le 4 mai 1977.

De 1948 à 1960, il fit partie de la force de réserve de la Marine royale canadienne et se retira avec le grade de lieutenant. Fut tour à tour président du jeune barreau de Québec, vice-président de la section de Québec de l'Association du jeune barreau du Canada, membre de l'exécutif de l'Association du barreau de Québec et membre du Conseil général du barreau de la province de Québec.

BIENVENUE, Valmore
(1894–1952)

[Né à Nashua, au New Hampshire, le 12 juillet 1894, fils d'Hormisdas Bienvenue, négociant et hôtelier, et d'Angéline Beaupré.]

Fit ses études au collège Sacré-Cœur à Saint-Hyacinthe, au séminaire Saint-Charles Borromée à Sherbrooke et à l'université Laval à Québec. Admis au barreau de la province de Québec le 5 octobre 1917. Créé conseil en loi du roi le 25 février 1927.

Pratiqua le droit à Québec et s'associa notamment avec Élisée **Thériault**, Oscar **Drouin**, Henri-Paul **Drouin** et Jean **Lesage**. Nommé substitut junior du procureur général de la province pour le district de Québec en 1921 et substitut senior en 1926. Procureur adjoint du gouvernement provincial en 1934.

Membre des clubs de réforme de Montréal et de Québec. Président de la Jeunesse libérale de Québec en 1921. Élu député libéral dans Bellechasse en 1939. Orateur suppléant de l'Assemblée législative du 6 mars 1940 au 12 mai 1942 et orateur du 12 mai 1942 au 15 novembre 1942. Ministre de la Chasse et ministre des Pêcheries dans le cabinet Godbout du 5 novembre 1942 au 30 août 1944. Réélu en 1944. Défait en 1948.

Juge à la Cour supérieure du district de Québec du 17 octobre 1950 jusqu'à son décès. Président du jeune barreau de Québec en 1924, membre du Conseil du barreau de Québec en 1931 et bâtonnier en 1942. Membre du Club de la garnison de Québec.

Décédé à Hull, le 19 février 1952, à l'âge de 57 ans et 7 mois. Inhumé à Sainte-Foy, dans le cimetière Notre-Dame-de-Belmont, le 23 février 1952.

[Avait épousé Eugénie Masse] ; puis, dans la paroisse Notre-Dame de Québec, le 12 mai 1925, Charlotte Langlois, fille d'Arthur Langlois, dentiste, et d'Éva Hamel.

Père de Jean **Bienvenue**.

BILODEAU, Joseph
(1900–1976)

Né à Saint-Pamphile, dans le comté de L'Islet, le 9 août 1900, fils d'Achille Bilodeau, forgeron, et de Marie Leclerc.

A étudié au collège de Sainte-Anne-de-la-Pocatière ainsi qu'à l'université Laval à Québec. Admis au barreau de la province de Québec le 12 janvier 1926. Créé conseil en loi du roi le 22 septembre 1937.

Exerça sa profession d'avocat à Québec. Fut successivement associé à Frédéric Dorion, Rénald Blanchet et C.-E. Roy.

Membre du Club Renaissance de Québec. Élu député de l'Union nationale dans L'Islet en 1936. Ministre des Affaires municipales, de l'Industrie et du Commerce dans le cabinet Duplessis du 26 août 1936 au 8 novembre 1939. Défait en 1939 et 1944.

Nommé assistant-gérant général de la Commission des liqueurs du Québec, pour le district de Québec, le 1er septembre 1944 et président en 1947. Nommé juge en chef à la Cour des sessions de la paix à Québec le 30 mai 1947 puis juge en chef à la Cour de magistrat du Québec le 26 août 1948. Retraité en 1970.

Fut secrétaire du comité régional de l'Association catholique de la jeunesse canadienne-française (ACJC) à Québec en 1922 et 1923, membre adjoint en 1924 et 1925 et président de 1926 à 1928. Membre du conseil d'administration de l'Institut canadien de 1950 à 1957, puis en 1964 et 1965. Vice-président de l'Institut en 1958. Président du comité consultatif de l'Institut canadien pour les aveugles de 1955 à 1967. Directeur de la Sauvegarde de l'enfance et de l'Orchestre symphonique de Québec. Membre du Cercle universitaire.

Décédé à Sainte-Foy, le 25 octobre 1976, à l'âge de 76 ans et 2 mois. Inhumé à Sainte-Foy, dans le cimetière Notre-Dame-de-Belmont, le 28 octobre 1976.

Avait épousé à Québec, dans la paroisse Saint-Jean-Baptiste, le 4 septembre 1928, Marie-Blanche-Édith L'Heureux, fille d'Hubert L'Heureux et d'Émérilda Laberge.

BINETTE, Gaston

Né à Saint-Augustin (Mirabel), le 15 octobre 1925, fils de Charlemagne Binette, cultivateur et restaurateur, et de Berthe Giroux.

Fit ses études dans sa paroisse natale, au séminaire de Sainte-Thérèse et à l'université de Montréal. Reçu notaire en 1950. Admis à la Chambre des notaires la même année.

Exerça sa profession avec J.-M. L'Allier à Mont-Laurier de juillet à octobre 1950, puis avec Amédée Lemieux à Longueuil d'octobre à avril 1951. En 1951, il fonda l'étude Binette et Lachance, qui devint en 1965 Binette, Lachance et Delisle. Sociétaire de la Compagnie des placements Chenier ltée et des entreprises Chenco inc. Secrétaire-trésorier de la municipalité, de la commission scolaire et de la mutuelle incendie de Saint-Eustache de 1951 à 1957.

Élu député libéral dans Deux-Montagnes en 1960. Réélu en 1962. Assermenté ministre sans portefeuille dans le cabinet Lesage le 20 janvier 1965. Ministre des Richesses naturelles dans le cabinet Lesage du 19 janvier au 16 juin 1966. Réélu en 1966. Ne s'est pas représenté en 1970. Retourna à la pratique de sa profession de 1970 à 1980. Fut syndic à la Chambre des notaires de 1970 à 1990. Retraité depuis 1991.

Administrateur du centre hospitalier de Saint-Eustache et du cégep Lionel-Groulx de Sainte-Thérèse en 1972 et 1973. Membre de l'armée de réserve du séminaire de Sainte-Thérèse en 1944 et 1945. Fondateur et directeur du Club Richelieu de Saint-Eustache en 1952 et président en 1955. Membre des chambres de commerce de Montréal et de Saint-Eustache et des Chevaliers de Colomb.

BIRON, Henri-Napoléon
(1882–1966)

Né à Pierreville, le 19 février 1882, fils d'Arsène Biron, cultivateur, et d'Annie Gill.

Fit ses études à l'école de sa paroisse, puis au séminaire et au Business College de Trois-Rivières.

Fut au service de M. Shooner, marchand de Pierreville, de 1900 à 1902. Ouvrit un magasin de nouveautés à Nicolet en 1902. Fonda dix ans plus tard, avec Herménégilde Bourque, la Compagnie de construction de Nicolet dont il fut président. Mit sur pied en 1924 la Compagnie de tricot de Nicolet qui fut incorporée en 1941 sous la raison sociale H.-N. Biron & Fils, et dont il fut président et gérant général. Administrateur de la caisse populaire de Nicolet de 1922 à 1944. Actionnaire, gérant et directeur de la Compagnie de téléphone de Nicolet ltée de 1922 à 1966.

Échevin de Nicolet de 1913 à 1925. Élu député libéral dans Nicolet en 1939. Défait en 1944.

Directeur et président de la Chambre de commerce locale. Membre de l'Association des manufacturiers canadiens. Président honoraire du comité local des finances de guerre et du comité local de la Croix-Rouge. Membre du Club de réforme de Québec et des Chevaliers de Colomb. Créé commandeur de l'ordre du Saint-Sépulcre-de-Jérusalem en 1936.

Décédé à Nicolet, le 12 mai 1966, à l'âge de 84 ans et 2 mois. Inhumé dans le cimetière de la paroisse Saint-Jean-Baptiste, le 16 mai 1966.

Avait épousé dans la cathédrale de Nicolet, le 15 janvier 1908, Yvonne Duval, fille d'Évariste Duval, commerçant, et de Marie Proulx; puis, au même endroit, le 8 octobre 1917, Annette Rousseau, fille d'Arthur Rousseau, colonel, et d'Hortense Rousseau.

BIRON, Rodrigue

Né à Sainte-Croix, le 8 septembre 1934, fils de Paul Biron, industriel, et de Germaine Boudreault.

Fit ses études à l'Institut La Mennais à Sainte-Croix, à l'Institut de technologie de Québec et à l'université Laval à Québec où il s'est spécialisé en administration et en marketing.

Fut vice-président et directeur général de la Fonderie Sainte-Croix ltée, président des fonderies Monsarrat ltée de

Rivière-du-Loup, président de Titan Supply (STC) Ltd. de Calgary (Alberta) et vice-président de Wotherspoon Sale Ltd. d'Oakville (Ontario).

Maire de Sainte-Croix de 1971 à 1973. Président de l'Association libérale fédérale de Lotbinière en 1962. Élu chef de l'Union nationale le 23 mai 1976. Élu député de l'Union nationale dans Lotbinière en 1976. Démissionna comme chef et député de l'Union nationale le 3 mars 1980 et siégea comme député indépendant jusqu'au 11 novembre 1980, date à laquelle il joignit les rangs du Parti québécois. Élu député du Parti québécois dans Lotbinière en 1981. Ministre de l'Industrie, du Commerce et du Tourisme du 30 avril 1981 au 25 septembre 1984. Ministre de l'Industrie et Commerce dans le cabinet Lévesque du 25 septembre 1984 au 3 octobre 1985 et dans le cabinet Johnson du 3 octobre au 12 décembre 1985. Défait en 1985. Conseiller en transactions d'entreprises. Actionnaire de la Société Biron, Lapierre et Associés à partir de novembre 1986.

Directeur du Centre d'accueil de Sainte-Croix de 1968 à 1973. Fut membre du conseil d'administration de l'Institut canadien de plomberie et chauffage (CIPH). Président de l'Association canadienne de la tuyauterie en fonte de 1972 à 1975. Membre des Chevaliers de Colomb, député d'État et président des Chevaliers de Colomb du Canada de 1974 à 1976.

BISAILLON, Guy

Né à Montréal, le 21 juillet 1939, fils d'Ernest Bisaillon, enseignant, et de Thérèse Riendeau.

A étudié au collège Saint-Paul, à l'école normale Jacques-Cartier et à l'université de Montréal, où il a poursuivi des études en relations industrielles. Diplômé en pédagogie.

Fut d'abord professeur pendant sept ans. Devint conseiller technique de l'Association des enseignants de Chambly en 1966 et président de cette association en 1970. Président-fondateur du Syndicat des enseignants de Champlain et membre du conseil d'administration de la Centrale d'enseignement du Québec (CEQ) de 1971 à 1973. Conseiller spécial lors de la grève à la United Aircraft de décembre 1973 à mai 1975. Organisateur de la campagne de boycottage du code postal pour le Syndicat des postiers en 1975 et 1976. Directeur de la campagne de financement des Gens de l'air.

Membre de l'exécutif du Rassemblement pour l'indépendance nationale (RIN) dans le district de Maisonneuve. Membre de l'exécutif du Parti québécois pour la section Saint-Bruno et président du Parti québécois dans le district de Verchères. Conseiller au conseil exécutif de ce parti à partir de

1974. Candidat du Parti québécois défait dans Taillon en 1973. Élu député du Parti québécois dans Sainte-Marie en 1976. Réélu en 1981. Siégea comme député indépendant à partir du 21 juin 1982. Ne s'est pas représenté en 1985.

Chargé de projet à l'École nationale d'administration publique de 1985 à 1987. Fut chargé des informations générales à l'émission *le Radioréveil de Québec* à CJRP. Consultant en relations de travail et en communications de 1987 à 1990. Conciliateur à la Commission d'appel en matière de lésions professionnelles à compter de 1990.

BISSON, Élie-Hercule
(1833–1907)

Né à Saint-Rémi, le 7 juillet 1833, fils d'Alexis Bisson, cultivateur, et d'Esther Lonctin.

Fit ses études au collège de Montréal et sa cléricature auprès de son frère N.-E. Bisson, puis auprès de J.-G. Longpré. Admis à la pratique du notariat en 1860.

Député-registrateur de Châteauguay de 1856 à 1858. Député-protonotaire du district de Beauharnois en 1860. Notaire à Saint-Louis-de-Gonzague de novembre 1860 à mai 1876. Greffier de la ville de Beauharnois. Directeur de la Compagnie du chemin de fer Beauharnois Junction. Secrétaire du comté de Beauharnois pendant vingt-cinq ans.

Maire de la ville de Beauharnois en 1894 et 1895. Élu député libéral dans Beauharnois à l'élection partielle du 12 juillet 1873. Réélu en 1875. Défait en 1878. Ne s'est pas représenté en 1881. De nouveau élu en 1886, puis en 1890 grâce au vote de l'officier rapporteur. Défait en 1892. Réélu à l'élection partielle du 7 juin 1892 et en 1897. Son siège devint vacant le 30 juin 1898 lors de sa nomination comme protonotaire du district de Beauharnois, poste qu'il occupa jusqu'en 1905.

Membre de la Chambre des notaires de Beauharnois en 1883. Secrétaire-trésorier et président de la Société d'agriculture de Beauharnois pendant plusieurs années.

Décédé à Beauharnois, le 28 mai 1907, à l'âge de 73 ans et 10 mois. Inhumé dans le cimetière de la paroisse Saint-Clément, le 31 mai 1907.

Avait épousé à Beauharnois, dans la paroisse Saint-Clément, le 25 juin 1861, Virginie Rapin, fille de Charles Rapin, aubergiste, et de Rose Léger.

BISSONNET, Alfred-Joseph
(1880–1935)

Né à Stanstead, le 14 décembre 1880, fils de Prosper-Alfred **Bissonnet**, marchand, et d'Elizabeth Mullins.

Étudia à l'école de Stanstead, puis au séminaire Saint-Charles-Borromée à Sherbrooke.

Manufacturier, il fut associé à Charles R. Jenckes jusqu'en 1922 dans l'entreprise Peerless Overall Co. Propriétaire d'un commerce à Rock Island. Membre des Chevaliers de Colomb, du Columbian Club et du Club de réforme de Montréal.

Élu sans opposition député libéral dans Stanstead à l'élection partielle du 16 janvier 1913. Réélu en 1916 et sans opposition en 1919. De nouveau élu en 1923, 1927 et 1931. Défait en 1935.

Décédé à Stanstead le 29 décembre 1935, à l'âge de 55 ans. Inhumé à Stanstead, dans le cimetière de la paroisse du Sacré-Cœur-de-Jésus, le 31 décembre 1935.

[Avait épousé à Derby Line, dans l'État du Vermont, le 9 juin 1909, Josephine Pike, fille de William M. Pike et de Mary Flint.]

BISSONNET, Michel

Né à Montréal, le 28 mars 1942, fils d'Aurélien Bissonnet, fonctionnaire, et de Thérèse Arcand.

A étudié au collège Bois-de-Boulogne où il obtint un diplôme d'études collégiales en 1973. Licencié en droit de l'université de Montréal en 1976. Admis au barreau du Québec en 1977.

Employé de la ville de Montréal, il occupa successivement les postes d'archiviste, de commis de bureau, d'assistant-chef de bureau, de chef de bureau au greffier de la ville, de coordonnateur des élections municipales de la ville de Montréal et d'avocat stagiaire au contentieux de la ville de Montréal en 1977. Exerce sa profession d'avocat au bureau de Bissonnet, Mercadente et Danielle à Saint-Léonard.

Organisateur en chef adjoint du Nouveau Parti démocratique (NPD) pour la province de Québec de 1966 à 1968. Candidat du NPD défait dans Papineau à l'élection partielle fédérale du 29 mai 1967. Candidat du Parti de l'Action Laval défait aux élections municipales de Laval en 1969. Maire de la ville de Saint-Léonard de 1978 à 1981.

Élu député libéral dans Jeanne-Mance en 1981. Réélu en 1985. Élu président du caucus des députés du Parti libéral en 1985. Réélu en 1989. Élu vice-président de l'Assemblée nationale le 28 novembre 1989.

Membre fondateur de la Chambre de commerce de Saint-Léonard. Membre du Club Lions.

BISSONNET, Prosper-Alfred
(1851–1935)

Né à Saint-Charles, le 2 juillet 1851, fils de Jérôme Bissonnet, chapelier, et de Josephte Courtemanche.

A étudié au séminaire de Saint-Hyacinthe avant de devenir marchand.

Membre du conseil municipal de Stanstead Plain de janvier 1903 à août 1909. Marguillier de cette paroisse de 1916 à 1920. Membre de la commission scolaire de Stanstead Plain du 1er juillet 1902 au 30 juin 1920. Élu député libéral dans Stanstead en 1904. Réélu en 1908 et 1912. Son siège devint vacant le 3 janvier 1913 lors de sa nomination comme percepteur du revenu. Occupa cette fonction jusqu'en 1923. Registrateur de Stanstead du 24 août 1923 jusqu'à son décès. Membre des Chevaliers de Colomb et de l'Alliance Club.

Décédé à Stanstead Plain, le 20 juin 1935, à l'âge de 83 ans et 11 mois. Inhumé à Beebe Plain, dans le cimetière Mont-Sainte-Marie, le 22 juin 1935.

Avait épousé à Stanstead Plain, dans l'église du Sacré-Cœur, le 5 novembre 1876, Elizabeth Mullins, fille de John Mullins.

Père d'Alfred-Joseph **Bissonnet**.

BISSONNETTE, Arcade-Momer
(1858–1945)

Né à Saint-Joseph-de-Soulanges (Les Cèdres), le 23 février 1858, fils de François Bissonnette, cultivateur, et de Sophie Leroux.

A étudié à l'école de sa paroisse natale ainsi qu'au Collège commercial de Varennes. Marchand et fermier à Saint-Joseph-de-Soulanges. Secrétaire de la commission scolaire de 1875 à 1907. Secrétaire de la municipalité du village de Soulanges de 1884 à 1907. Secrétaire de la municipalité de la paroisse Saint-Joseph-de-Soulanges du 6 septembre 1884 au 19 janvier 1907.

Marguillier de Saint-Joseph-de-Soulanges de 1914 à 1917. Candidat conservateur défait dans Soulanges aux élections fédérales de 1900. Élu député conservateur à l'Assemblée législative dans Soulanges à l'élection partielle du 3 octobre 1902. Défait en 1904, 1908 et 1919.

Créé commandeur de l'ordre de Saint-Grégoire-le-Grand en 1932.

Décédé à Beauharnois, le 19 février 1945, à l'âge de 86 ans et 11 mois. Inhumé dans le cimetière de la paroisse Saint-Joseph-de-Soulanges, le 23 février 1945.

Avait épousé à Saint-Joseph-de-Soulanges, le 2 octobre 1882, Élisabeth Roux, fille d'Isidore Roux, cultivateur, et d'Adélaïde Cuillierrier.

BISSONNETTE, Bernard
(1898–1964)

Né dans la paroisse du Saint-Esprit, le 15 janvier 1898, fils de Pierre-Julien-Léonidas **Bissonnette**, médecin, et de Juliette Lamarche.

Fit ses études à l'école de la paroisse du Saint-Esprit, au collège de L'Assomption et à l'université de Montréal. Fit sa cléricature auprès de Mᵉ Amédée **Monet**. Admis au barreau de la province de Québec le 16 juillet 1920. Créé conseil en loi du roi le 10 janvier 1931. Docteur en droit de l'université de Montréal en 1947.

Exerça sa profession à Montréal au cabinet des avocats François-Joseph Bisaillon et Louis-Joseph Béïque de 1920 à 1929. S'associa plus tard à Honoré **Mercier** (fils) dans le cabinet des avocats Mercier, Blain, Bissonnette et Fauteux. En 1935, il fonda son propre bureau ayant comme associés Châteauguay Perreault, Albert Lagnade et Rock Pinard, député à la Chambre des communes de 1945 à 1957. Cofondateur de la compagnie L'Assomption Shoe en 1935.

Élu député libéral dans L'Assomption en 1939. Élu orateur de l'Assemblée législative le 20 février 1940. Son siège devint vacant le 8 mai 1942, à la suite de sa nomination comme juge à la Cour du banc du roi de la province de Québec.

Professeur agrégé de droit constitutionnel à la faculté de droit de l'université de Montréal de 1942 à 1961. Titulaire de la chaire de droit constitutionnel et de procédure parlementaire à la faculté de sciences politiques de la même université de 1945 à 1952. Titulaire de la chaire de procédure civile à l'université de Montréal en 1950. Professeur de droit civil et président du tribunal-école de 1955 à 1960. Doyen de la faculté de droit de l'université de Montréal de 1955 à 1961. Nommé professeur émérite de cette même faculté en septembre 1961.

Cofondateur et premier directeur du journal des étudiants *le Quartier latin*. Auteur d'un *Essai sur la constitution du Canada* (1963) et de plusieurs articles parus, entre autres, dans la *Revue du droit*, la *Revue du barreau* et *Culture*.

Secrétaire du barreau de Montréal en 1927, il occupa par la suite de nombreux postes au sein du Conseil du barreau. Membre du conseil d'administration de la section canadienne de l'Association Henri-Capitant pour la culture juridique française en 1951. Récipiendaire de la médaille de cette association en 1952. Docteur en droit honoris causa de l'université de Sherbrooke en 1955. Membre de la Chambre de commerce de Montréal, du Club canadien, du Cercle universitaire, du Club de réforme de Montréal et du Club de la garnison de Québec.

Décédé à Montréal, le 11 novembre 1964, à l'âge de 66 ans et 9 mois. Inhumé à Montréal, dans le cimetière Notre-Dame-des-Neiges, le 14 novembre 1964.

Avait épousé à Montréal, dans la paroisse Notre-Dame-de-Grâce, le 29 juin 1935, Jacqueline Masson, fille de Méderic Masson, médecin, et d'Yvonne Barbeau.

Bibliographie : *Études juridiques en hommage à monsieur le juge Bernard Bissonnette*, par un groupe de professeurs et d'amis, Montréal, Les Presses de l'université de Montréal, 1963, 547 p.

BISSONNETTE, Pierre-Julien-Léonidas
(1861–1914)

Né à La Prairie, dans la paroisse de La Nativité, le 25 février 1861, fils de Pierre Bissonnette, forgeron et cultivateur, et d'Esther Gélineau.

Fit ses études primaires à La Prairie, ses études classiques sous la direction de professeurs privés, puis termina ses études à l'école de médecine Victoria à Montréal. Admis au Collège des médecins de la province de Québec en 1887.

Exerça sa profession à Saint-Esprit. Assesseur aux examens de l'université Laval à Montréal en 1893. Gouverneur du Collège des médecins et chirurgiens de la province de Québec en 1897. Membre du Bureau provincial d'hygiène pendant 12 ans.

Trésorier du Club national de Montréal. Élu député libéral dans Montcalm en 1897. Réélu en 1900 et sans opposition en 1904. Défait en 1908. Registrateur du comté de Montcalm de 1908 à 1914.

Membre de l'American Public Health Association. Président du Cercle agricole de Saint-Esprit.

Décédé à Saint-Esprit, le 11 mai 1914, à l'âge de 53 ans et 2 mois. Inhumé dans le cimetière de la paroisse Saint-Roch-de-l'Achigan, le 13 mai 1914.

Avait épousé dans la cathédrale de Montréal, le 12 novembre 1889, Juliette Lamarche, fille de Denis Lamarche, notaire, et de Philomène Rocher.

Était le père de Bernard **Bissonnette**.

BLACK, Henry
(1798–1873)

Né à Québec, le 18 décembre 1798, puis baptisé le 10 janvier 1799, dans l'église presbytérienne, fils de James Black et de Margaret [Moreton].

Étudia à l'école du ministre presbytérien Daniel Wilkie, à Québec, puis fit l'apprentissage du droit. Admis au barreau en 1820.

Exerça la profession d'avocat à Québec avec Andrew **Stuart**. En 1831, fit l'acquisition de la seigneurie Deschambault. Le 21 septembre 1836, fut nommé juge de la Cour de vice-amirauté, poste qu'il occupa jusqu'à sa mort.

Nommé au Conseil spécial le 18 avril 1840, en fit partie jusqu'à l'entrée en vigueur de l'Acte d'Union, le 10 février 1841. Élu député de la cité de Québec en 1841; unioniste et tory. Ne s'est pas représenté en 1844.

Fait conseiller du roi en 1836, conseiller de la reine en 1838 et compagnon de l'ordre du Bain en 1862. Reçut un doctorat honorifique en droit de la Harvard University de Cambridge, au Massachusetts.

Décédé à Cacouna, le 16 août 1873, à l'âge de 74 ans et 7 mois. Les obsèques eurent lieu dans la cathédrale anglicane Holy Trinity, à Québec, le 19 août 1873.

Était apparemment célibataire.

Oncle par alliance de George Okill **Stuart**.

Bibliographie: *DBC*.

BLACK, John
(≈1764– >1819)

Né en Écosse vers 1764, fils de William Black et de Jane McMun.

Arriva dans la province de Québec vers 1786. S'engagea dans la construction navale, d'abord comme charpentier de navires à la baie des Chaleurs en 1787, puis en qualité de propriétaire d'un chantier naval à Québec à partir de 1789. Occupa le poste de maître constructeur de navires sur le lac Ontario en 1792–1793. Servit comme agent provocateur pour le compte des autorités britanniques à Québec en 1794–1795 et fut responsable de l'arrestation de l'espion David McLane en

1797. Fait prisonnier par un navire corsaire français en 1798; s'évada et gagna Londres où il informa le gouvernement des projets militaires de la France. Revint à Québec en juin 1799.

Élu député de Québec en 1796; appuya le parti des bureaucrates. Candidat en 1800 mais retira sa candidature en faveur de Jonathan **Sewell**.

De 1800 à 1806, s'occupa, mais sans succès, de l'acquisition et de la mise en valeur de biens fonciers et de la construction de navires. À partir de 1806, séjourna fréquemment en Grande-Bretagne où il exerça divers emplois; semble y être retourné définitivement en 1817.

Décédé vraisemblablement en Écosse, après 1819.

Avait épousé dans l'église presbytérienne de Québec, le 14 mai 1801, Jane Rawson, fille du marchand Sentlow Rawson.

Bibliographie: *DBC*.

BLACKBURN, Gaston

Né à Chicoutimi, le 26 janvier 1942, fils d'Alfred Blackburn, commerçant, et de Rita Harvey.

Commerçant et homme d'affaires. Débuta comme gérant d'un commerce d'alimentation qui appartenait à sa famille. Superviseur pour la compagnie Provigo dans la région Saguenay, Lac-Saint-Jean, Côte-Nord, Chibougamau et Chapais de 1970 à 1973. Fit l'acquisition de plusieurs supermarchés au Lac-Saint-Jean entre 1973 et 1981. Propriétaire d'un centre commercial à Saint-Félicien.

Président de la traversée internationale du lac Saint-Jean en 1977 et 1978. Administrateur de la Fédération des sociétés d'entraide économique en 1981 et 1982. Membre du conseil d'administration de la Société zoologique de Saint-Félicien de 1986 à 1988. Lieutenant-gouverneur des clubs Kiwanis, division des Laurentides, en 1982 et 1983.

Élu député libéral dans Roberval à l'élection partielle du 20 juin 1988. Réélu en 1989. Adjoint parlementaire au premier ministre du 13 juillet 1988 au 3 mars 1989. Ministre délégué à l'Environnement dans le cabinet Bourassa du 3 mars au 11 octobre 1989. Assermenté ministre du Loisir, de la Chasse et de la Pêche le 11 octobre 1989.

BLACKBURN, James
(1799–1851)

Né à Glasgow, en Écosse, le 22 juillet 1799, fils d'Andrew Blackburn et d'Isabella Lenox.

Venu rejoindre des membres de sa famille établis dans la région de la Gatineau en 1829–1830, s'installa à Hull, probablement en 1832. Fut capitaine de bateau à vapeur; fit aussi du commerce à cet endroit, puis à Aylmer à compter de 1842. Obtint en avril 1835 une concession de terre dans le rang 12 du canton de Hull. Acquit de la couronne, en 1836, un lot dans le canton de Templeton. Nommé commissaire chargé de faire prêter le serment d'allégeance, à Hull, en décembre 1837.

Élu député de la circonscription d'Ottawa en 1834; appuya le parti des bureaucrates. Son mandat prit fin avec la suspension de la constitution, le 27 mars 1838.

Décédé peut-être à Bairdstown, en Illinois, en 1851, à l'âge de 51 ou de 52 ans. Aurait été inhumé à cet endroit.

Avait épousé, probablement en Écosse, une dénommée Campbell.

Oncle de Robert Blackburn, député à la Chambre des communes du Canada.

Bibliographie: Gourlay, J.L., *History of the Ottawa Valley*, Ottawa, 1896, p. 178 et 188.

BLACKBURN, Jeanne L.

Née à Saint-Elzéar, en Gaspésie, le 24 juin 1934, fille d'Ernest Lavallée et de Régine Dubé.

Fit des études en administration et en andragogie.

Enseignante à la commission scolaire Sainte-Anne de Chicoutimi de 1953 à 1957 et aux commissions scolaires de Chicoutimi et Jonquière, à l'éducation aux adultes, de 1972 à 1980. Directrice du projet Récupération et recyclage Saguenay de 1972 à 1974. Secrétaire régionale et agente de développement à Radio-Québec Saguenay–Lac-St-Jean de janvier 1977 à décembre 1979. Présidente du Conseil des collèges du Québec de décembre 1979 à septembre 1985.

Présidente de comités (1965–1974) et présidente (1978 à 1980) de la conférence des présidents des cégeps du Québec. Vice-présidente (1976–1977) et présidente (1977–1980) du collège de Chicoutimi. Présidente de l'AFEAS pour le Saguenay–Lac-St-Jean. Présidente du Conseil régional de la santé et des services sociaux du Saguenay–Lac-St-Jean de 1972 à 1975. Vice-présidente aux affaires sociales et présidente du comité de recrutement du Conseil régional de déve-loppement pour la région 02 de 1973 à 1980. Membre du conseil d'administration de la Fondation de l'université du Québec à Chicoutimi en 1979 et 1980.

Élue députée du Parti québécois dans Chicoutimi en 1985. Réélue en 1989.

BLACKWOOD, John
(<1775–1819)

Né probablement en Angleterre.

Pendant l'invasion américaine de 1775–1776, prit part à la défense de la ville de Québec. Engagé dans le commerce d'import-export dans les régions de Québec, Trois-Rivières et Montréal; fit partie de diverses entreprises de négoce: Grant and Blackwood (1783–1784), John Blackwood and Company (1792–1816), Blackwood J.Sr and Jr, Blackwood and Patterson (vers 1803–1805). Lié à des firmes commerciales britanniques dont il fut l'agent à Québec. Investit dans l'immobilier et le prêt; acquit, entre autres, des propriétés seigneuriales. Cofondateur, en 1805, puis administrateur de la Compagnie de l'Union de Québec. Membre fondateur en 1809 du Committee of Trade. Obtint plusieurs postes de commissaire. Fut juge de paix et officier de milice.

Élu député de la Haute-Ville de Québec à une élection partielle le 14 décembre 1805; prit son siège le 4 avril 1806. Réélu en 1808 et 1809. Appuya généralement le parti des bureaucrates au cours de ses trois mandats. Candidat en 1810, mais retira sa candidature avant la fin du scrutin. Nommé conseiller législatif le 9 avril 1813.

Retourna en Angleterre en 1815. Est l'auteur de *Election circular* (Québec, 1792). Fut trésorier et secrétaire de la Société du feu de Québec, administrateur de la Quebec Assembly, président et trésorier de l'Association, fondée en 1794 pour appuyer l'autorité britannique.

Décédé en fonction à Bath, en Angleterre, le 24 juin 1819.

Avait épousé en secondes noces, dans l'église presbytérienne de Québec, le 23 avril 1793, Jane Holmes, veuve de son associé Charles Grant.

Bibliographie: *DBC*.

BLAIN, Aldéric
(1886–1943)

Né à Saint-Rémi, le 10 novembre 1886, fils de Théophile-Ernest Blain, cultivateur, et d'Odile-Malvina Primeau.

A étudié à l'école de sa paroisse natale, chez les Frères des écoles chrétiennes, à l'école Plessis à Montréal, au collège Sainte-Marie ainsi qu'à l'université Laval à Montréal. Admis au barreau de la province de Québec le 11 juillet 1913. Créé conseil en loi du roi le 9 mai 1934.

De 1913 à 1918, il exerça sa profession à Montréal avec Charles-Philippe Beaubien, sénateur de 1915 à 1949, et J.-A. Lamarche. Pratiqua seul de 1918 à 1925. S'associa à Jean Fauteux de 1925 à 1929, à Roger Pinard en 1929, puis à Roland Pinard en 1932. Fut inspecteur des matériaux au service de la cité de Montréal pendant trois ans.

Candidat conservateur défait dans Montréal–Saint-Denis aux élections fédérales de 1925. Élu député conservateur à l'Assemblée législative dans Montréal-Dorion aux élections de 1927. Défait en 1931.

Membre de la Société des artisans canadiens-français, de l'Alliance nationale et du Club canadien. Membre de la section Saint-Édouard de la Société Saint-Jean-Baptiste et membre fondateur ainsi que président de la section Lafontaine de cette même société.

Décédé à Montréal, le 22 février 1943, à l'âge de 56 ans et 3 mois. Inhumé à Montréal, dans le cimetière Notre-Dame-des-Neiges, le 26 février 1943.

Avait épousé à Montréal, dans la paroisse Saint-Jean-Baptiste, le 12 octobre 1915, Corinne Daniel, fille de Joseph Daniel, entrepreneur, et d'Alphonsine De Longchamp.

BLAIS, Louis
(1755–1838)

Né à Saint-Pierre-de-la-Rivière-du-Sud (Montmagny), fut baptisé le 7 janvier 1755, dans la paroisse Saint-Pierre-du-Sud, fils de Michel Blais, agriculteur (fut aussi coseigneur, bailli et officier de milice), et de Marie-Françoise Lizotte.

Cultivateur. Capitaine dans la division de la milice de Saint-Thomas, fut promu major dans le 2e bataillon de L'Islet, le 5 avril 1830.

Élu député de Hertford en 1800; appuya le parti canadien. Ne se serait pas représenté en 1804.

Décédé à Saint-Pierre-de-la-Rivière-du-Sud, le 15 mai 1838, à l'âge de 83 ans et 4 mois. Inhumé dans l'église paroissiale, le 18 mai 1838.

Avait épousé dans la paroisse Saint-Étienne, à Beaumont, le 9 janvier 1781, Marie-Gabriel Roy, fille de Joseph Roy et de Gabrielle Sarault; puis, dans la paroisse Saint-Ignace-de-Loyola, à Cap-Saint-Ignace, le 10 octobre 1786, Marie-Anne Bossé, fille de Pierre-Benjamin Bossé et de Marie-Hélène Pelletier.

Beau-frère d'Étienne-Ferréol **Roy**.

BLAIS, Louis-Henri
(1827–1899)

Né à Montmagny, dans la paroisse Saint-Thomas, le 9 juin 1827, fils de Louis Blais, cultivateur, et de Marie-Madeleine Noël.

A étudié au collège de Sainte-Anne-de-la-Pocatière. Admis au barreau du Bas-Canada le 6 octobre 1851.

Avocat à Montmagny. Président de la Société d'agriculture du comté de Montmagny, il démissionna de ce poste le 18 décembre 1878.

Candidat défait dans Montmagny en 1863. Élu sans opposition député libéral dans Montmagny en 1867. Ne s'est pas représenté en 1871.

Décédé à Montmagny, le 21 août 1899, à l'âge de 72 ans et 2 mois. Inhumé à Montmagny, dans le cimetière de la paroisse Saint-Thomas, le 24 août 1899.

Avait épousé dans sa paroisse natale, le 4 septembre 1849, Marie-Anne-Hermélène Fournier, fille de Jean-Baptiste Fournier et de Josephte Destroimaisons, dit Picard; puis, au même endroit, le 20 mai 1872, Eugénie Blais, fille de Godefroi Blais et de Marie-Félicité Têtu.

BLAIS, Narcisse
(1812–1888)

Né à Pointe-aux-Trembles (Montréal), le 2 novembre 1812, fils de Gabriel Blais, cultivateur, et de Marie Beaudry.

Exerça le métier de cultivateur à Saint-Pie. Élu député libéral dans Bagot en 1878. Défait en 1881.

Décédé à Saint-Pie, le 18 mai 1888, à l'âge de 75 ans et 6 mois. Inhumé dans le cimetière de cette paroisse, le 21 mai 1888.

Avait épousé à Saint-Pie, le 11 juillet 1837, Adélaïde Châtillon, fille de Jean-Baptiste Châtillon et de Marguerite Chalifoux.

BLAIS, Yves

Né à Saint-Placide (Béarn, Témiscamingue), le 5 juin 1931, fils de Louis-Magella Blais, ouvrier, et de Berthe Lepage.

Fit des études classiques à Mont-Laurier et étudia en journalisme au Studio 5316 à Montréal de 1962 à 1965. Suivit des cours en communication, en administration et en relations sociales à l'école Cinq-Mars.

Employé à Hydro-Québec d'avril 1951 à octobre 1966; il y fut arpenteur, préposé aux prix de revient, responsable de la comptabilité de chantier et responsable de chantier au lac Cassé-Bersimis. Transféré au siège social en 1959, au département des aménagements, il fut aussi responsable des estimations et analyses de coûts. Fondateur puis administrateur des boîtes à chansons Le Patriote de Montréal à partir de 1964, Le Patriote de Saint-Pierre de 1966 à 1973 et Le Patriote de Sainte-Agathe à partir de 1968. Fondateur puis administrateur du Théâtre de Saint-Sauveur en 1978 et de la Comédie nationale de 1978 à 1981.

Élu député du Parti québécois dans Terrebonne en 1981. Réélu dans la même circonscription en 1985 et dans Masson en 1989. Adjoint parlementaire du ministre des Communautés culturelles et de l'Immigration, du 12 février au 23 octobre 1985. Vice-président de la Commission de l'agriculture, des pêcheries et de l'alimentation du 11 février 1986 au 16 février 1988. Vice-président de la Commission des affaires sociales du 16 février 1988 au 9 août 1989.

BLANCHARD. V. aussi RAYNAUD

BLANCHARD, Étienne
(1843–1918)

Né à Saint-Jean-Baptiste, le 1er avril 1843, fils d'Isidore Blanchard dit Rainaud, cultivateur, et d'Émilie Gaboury. Désigné aussi sous le nom de Blanchard, dit Rainaud.

Cultivateur à Saint-Marc. Membre de la Chambre de commerce du district de Montréal.

Maire de Saint-Marc en 1890 et 1891. Élu député libéral dans Verchères en 1897. L'élection fut annulée le 11 novembre 1898. Réélu à l'élection partielle du 19 décembre 1898. Réélu sans opposition en 1900. De nouveau élu en 1904. Défait en 1908.

Décédé à Saint-Marc, le 25 septembre 1918, à l'âge de 75 ans et 5 mois. Inhumé dans le cimetière paroissial, le 28 septembre 1918.

Avait épousé dans la cathédrale de Saint-Hyacinthe, le 2 septembre 1876, Virginie Blanchard, fille d'un dénommé Blanchard, cultivateur, et d'Aurélie Gaboury.

BLANCHARD, Joseph-Léonard
(1890–1964)

Né à Saint-Jean-Baptiste, le 15 février 1890, fils d'Arthur Blanchard, cultivateur, et d'Eugénie Lambert.

A étudié à l'école des Frères Saint-Gabriel, au séminaire de Sainte-Thérèse-de-Blainville ainsi qu'à l'université Laval à Montréal. Fit sa cléricature auprès d'Oscar Desautels. Fut admis à la pratique du notariat en septembre 1915.

Exerça d'abord sa profession à Saint-Benoît, près de Lachute, et à Valleyfield, puis ouvrit un bureau à Sainte-Thérèse et à Montréal en mai 1916. Concentra ses affaires à Sainte-Thérèse, en 1920, où il pratiqua pendant quarante ans. Eut comme associés ses deux fils Guy et Jean. Agent percepteur de la Société d'assurances mutuelle l'Alliance nationale de 1921 à 1926. Nommé président de l'Association du notariat du district judiciaire de Terrebonne en 1935. Secrétaire-trésorier de la ville de Sainte-Thérèse de novembre 1918 à décembre 1939 ainsi que de la municipalité de la paroisse Sainte-Thérèse de 1923 à 1927.

Candidat conservateur défait dans Terrebonne en 1931. Défait également comme candidat de l'Union nationale dans la même circonscription en 1939 et à l'élection partielle du 19 novembre 1940. Élu député de l'Union nationale dans Terrebonne en 1944. Réélu en 1948, 1952, 1956. Ne s'est pas représenté en 1960. Adjoint parlementaire du ministre des Travaux publics du 26 septembre 1956 au 1er mai 1960.

Membre puis président honoraire, de 1944 à 1964, de la Chambre de commerce de Sainte-Thérèse et de la Laurentian Resorts Association. Membre du Club Richelieu et de l'Association de la Croix-Rouge de Sainte-Thérèse. Fondateur du conseil des Chevaliers de Colomb de Sainte-Thérèse dont il fut secrétaire-trésorier pendant quinze ans. Cofondateur de la société historique locale.

Décédé à Montréal, le 9 mars 1964, à l'âge de 74 ans. Inhumé dans le cimetière de la paroisse Sainte-Thérèse, le 14 mars 1964.

Avait épousé à Beauharnois, dans la paroisse Saint-Clément, le 24 mai 1920, Marie-Anne-Alberte Desgroseillers, fille d'Albert Desgroseillers, médecin, et d'Henriette Fortin.

BLANCHET, François
(1776–1830)

Né à Saint-Pierre-de-la-Rivière-du-Sud (Montmagny), le 3 avril 1776, puis baptisé le 4, dans l'église paroissiale, fils de Jean-Baptiste Blanchet, fermier, et de Marie-Geneviève Destroismaisons.

Étudia au petit séminaire de Québec de 1790 à 1794, puis fit son stage en médecine auprès de James **Fisher** jusqu'en 1799. Reçu bachelier en médecine du Columbia College de New York, publia dans cette ville une thèse intitulée *Recherches sur la médecine ou l'Application de la chimie à la médecine*.

En 1801, obtint l'autorisation de pratiquer la médecine et la chirurgie au Bas-Canada. Ouvrit un cabinet à Québec et, à compter de 1804, donna des leçons particulières. En 1805, fut nommé chirurgien du 1er bataillon de milice de la ville de Québec. Fut destitué de son grade, en 1808, par James Henry **Craig** à cause de ses liens avec le journal *le Canadien*, dont il était un des propriétaires fondateurs. Vendit ses droits de propriété en 1810, après avoir été emprisonné pour sédition en mars de cette année-là, puis relâché à l'été. Nommé par George **Prevost** surintendant des hôpitaux de la milice du Bas-Canada pendant la guerre de 1812, occupa cette fonction jusqu'en 1816 et de nouveau à partir de 1823. Membre du corps médical et du comité de direction de l'hôpital des Émigrants depuis 1823, se vit offrir, en 1830, les postes de surintendant de l'hôpital et d'officier de santé du port de Québec. Fut examinateur en médecine pour le district de Québec. Juge de paix. Propriétaire foncier et immobilier.

Élu député de Hertford en 1809. Réélu en 1810, même s'il était en prison, et en 1814. Défait en 1816. Élu dans Hertford à une élection partielle le 6 avril 1818. Réélu en avril 1820, juillet 1820, 1824 et 1827. Appuya le parti canadien, dont il fut l'un des principaux porte-parole. En 1824, adressa à Londres un mémoire intitulé *Appel au Parlement impérial et aux habitans des colonies angloises, dans l'Amérique du Nord, sur les prétentions exorbitantes du gouvernement exécutif et du Conseil législatif de la province du Bas-Canada*.

Outre sa thèse, est l'auteur de quelques articles parus dans le *New York Medical Repository*, de deux mémoires présentés à l'American Philosophical Society. L'un des organisateurs de la profession médicale au Bas-Canada, collabora au premier journal de médecine publié dans la province, le *Journal de médecine de Québec/Quebec Medical Journal*.

Décédé en fonction à Québec, le 24 juin 1830, à l'âge de 54 ans et 2 mois. Inhumé dans l'église de Saint-Pierre-de-la-Rivière-du-Sud (Montmagny), le 27 juin 1830.

Avait épousé dans la paroisse Saint-Charles-Borromée, à Charlesbourg, le 9 septembre 1802, Catherine-Henriette Juchereau Duchesnay, fille d'Antoine **Juchereau Duchesnay**, seigneur de Beauport, et de sa deuxième femme, Catherine Le Comte Dupré.

Oncle de Jean **Blanchet**. Grand-oncle de Joseph-Godric **Blanchet**. Grand-père de William Henry **Chaffers**. Beau-frère de Gabriel-Elzéar **Taschereau**.

Bibliographie: *DBC*.

BLANCHET, Jean (Québec)
(1795–1857)

Né à Saint-Pierre-de-la-Rivière-du-Sud (Montmagny) et baptisé dans l'église paroissiale, le 17 mai 1795, fils de Joseph Blanchet, cultivateur, et de Marie-Euphrosine Cloutier.

Étudia au petit séminaire de Québec, de 1810 à 1813. Fit sa médecine, d'abord à Québec avec son oncle François **Blanchet**, puis en Europe à compter de 1818. Obtint, en 1820, une licence en chirurgie du Royal College of Surgeons de Londres et un permis pour exercer sa profession au Bas-Canada.

Fut associé avec son oncle jusqu'en 1823; lui succéda à sa mort, en 1830. Enseigna l'anatomie et la clinique chirurgicale à l'hôpital des Émigrants, puis à l'hôpital de la Marine et des Émigrés. Vice-président de la Société médicale de Québec; membre du Bureau d'examinateurs en médecine du district de Québec; chirurgien dans la milice. Cofondateur et l'un des professeurs de l'École de médecine de Québec. De 1847 à 1854, fut médecin visiteur permanent à l'hôpital de la Marine et des Émigrés. Nommé doyen de la faculté de médecine de l'université Laval à sa création en 1854; y reçut un doctorat honorifique en médecine.

Élu député de Québec en 1834; appuya le parti patriote. Conserva son siège jusqu'à la suspension de la constitution, le 27 mars 1838. Élu dans la cité de Québec en 1854; réformiste, puis bleu. Démissionna pour raison de santé le 16 mars 1857.

Décédé à Québec, le 22 avril 1857, à l'âge de 61 ans et 11 mois. Les obsèques eurent lieu dans l'église Saint-Roch, le 25 avril 1857.

Était célibataire.

Oncle de Joseph-Godric **Blanchet**.

Bibliographie: *DBC*.

BLANCHET, Jean (Beauce)
(1843–1908)

[Né à Saint-François-de-Beauce, le 10 février 1843, fils de Cyprien Blanchet, notaire, et de Marie Gosselin.]

Fit ses études au séminaire de Nicolet et à l'université Laval à Québec. Admis au barreau du Bas-Canada le 5 octobre 1863. Créé conseil en loi de la reine par le gouvernement du Québec, le 17 mars 1876, et par le gouvernement du Canada en octobre 1880. Docteur en droit honoris causa de l'université Laval en 1891.

Exerça sa profession à Québec avec Henri-Elzéar **Taschereau**.

Candidat conservateur défait dans Beauce aux élections fédérales de 1872. Élu sans opposition député conservateur à l'Assemblée législative dans Beauce en 1881. Son siège devint vacant le 31 juillet 1882 lors de sa nomination au Conseil exécutif. Se fit réélire sans opposition à l'élection partielle du 14 août 1882. Réélu en 1886 et 1890. Secrétaire et registraire de la province de Québec dans les cabinets Mousseau, Ross et Taillon du 31 juillet 1882 au 29 janvier 1887. Chef de l'Opposition officielle du 4 novembre 1890 au 19 novembre 1891. Son siège devint vacant à la suite de sa nomination comme juge à la Cour du banc de la reine, le 19 septembre 1891. Bâtonnier du barreau de Québec de 1889 à 1891 et bâtonnier de la province de Québec en 1890 et 1891.

Président de la Société permanente de construction des artisans et de l'Asbestos Mining and Manufacturing Co. of Canada. Membre honoraire de l'Athénée louisianais, de la Société historique de Montréal et de la Société géographique de Bordeaux. Membre du Club de la garnison, de l'Union Club et du St. James Club.

Décédé à Québec, le 11 décembre 1908, à l'âge de 65 ans et 10 mois. Inhumé dans le cimetière de Saint-François-de-Beauce, le 14 décembre 1908.

Avait épousé dans la paroisse Notre-Dame de Québec, le 5 août 1878, Jeanie Seymour, fille de Siles Seymour, ingénieur civil de l'État de New York, et de Delia French.

BLANCHET, Joseph-Godric
(1829–1890)

Né à Saint-Pierre-de-la-Rivière-du-Sud (Montmagny) et baptisé dans la paroisse Saint-Pierre-du-Sud, le 7 juin 1829, fils de Louis Blanchet, cultivateur, et de Marie-Marguerite Fontaine. Son prénom s'orthographiait aussi Joseph-Goderic.

Étudia au petit séminaire de Québec de 1840 à 1844, et au collège de Sainte-Anne-de-la-Pocatière en 1844–1845.

Fit l'apprentissage de la médecine auprès de son oncle Jean **Blanchet**; admis à la pratique de sa profession en 1850.

Exerça à Québec pendant un an et à Saint-Nicolas une autre année, avant de s'établir à Lévis en 1852. Mit sur pied, en 1863, le 17e bataillon d'infanterie de Lévis, dont il fut lieutenant-colonel jusqu'en 1884. Obtint ses brevets de deuxième et de première classe à l'École militaire de Québec, en 1865. Commanda le 3e bataillon d'infanterie de Laprairie à la suite du raid contre St. Albans, au Vermont, par des confédérés, en octobre 1864, ainsi que les forces de la milice du sud du Saint-Laurent lors des menaces féniennes en 1866 et 1870. Vice-président de la Compagnie du chemin à lisses de Lévis à Kennebec en 1870 et président de 1872 à 1876. Cofondateur du journal *l'Écho de Lévis* en 1871. Président d'une société littéraire, le Cercle de Québec, en 1870 et 1871. Fit partie du comité catholique du Conseil de l'Instruction publique de la province de Québec à compter de 1873.

Maire de la municipalité de la paroisse Notre-Dame-de-la-Victoire (Lévis), de 1855 à 1861. Candidat bleu défait dans Lévis en 1858. Élu député de cette circonscription en 1861. Réélu en 1863. Bleu. Son mandat prit fin avec l'avènement de la Confédération, le 1er juillet 1867. Élu député conservateur de Lévis à l'Assemblée législative et, sans opposition, à la Chambre des communes en 1867. Réélu au provincial en 1871 et au fédéral en 1872. Ne s'est pas représenté aux Communes en 1874, par suite de l'abolition du double mandat. Fut orateur de l'Assemblée du 27 décembre 1867 jusqu'au 4 novembre 1875. Défait aux élections provinciales en 1875. Élu député conservateur de Bellechasse à la Chambre des communes à une élection partielle le 30 octobre 1875. Élu dans Lévis aux élections fédérales en 1878 et 1882. Fut orateur des Communes du 13 février 1879 au 18 mai 1882. Son siège de député devint vacant par suite de sa nomination, le 4 octobre 1883, au poste de percepteur des douanes du port de Québec; remplit cette charge du 1er novembre 1883 jusqu'à sa mort.

Décédé à Lévis, le 1er janvier 1890, à l'âge de 60 ans et 6 mois. Inhumé dans l'un des caveaux de l'église Notre-Dame-de-la-Victoire, le 4 janvier 1890.

Avait épousé dans la paroisse Notre-Dame de Québec, le 27 août 1850, Émilie Balzaretti, fille du marchand Giovanni Domenico Balzaretti et de Magdeleine Romain.

Petit-neveu de François **Blanchet**.

Bibliographie: *DBC*.

BLANK, Harry

Né à Montréal, le 24 mai 1925, fils d'Udel Blank, vendeur, et de Molly Zinman.

Fit ses études à Montréal aux écoles Strathearn, Devonshire et Aberdeen, à la Baron Byng High School et à la McGill University. Admis au barreau de la province de Québec en juillet 1950.

Avocat et procureur à Montréal depuis 1950. Membre du 2ⁿᵈ Canadian Army University Corps en 1943 et du corps de l'infanterie canadienne en 1944. En service outre-mer avec le North Shore Regiment (Nouveau-Brunswick) en 1944 et 1945. Membre du Royal Montreal Regiment en 1945 et du Corps d'entraînement des officiers canadiens (CEOC) de McGill de 1946 à 1950. Obtint un brevet de pilote privé.

Élu député libéral dans Montréal–Saint-Louis en 1960 et 1962. Réélu dans Saint-Louis en 1966, 1970 et 1973. Vice-président adjoint de l'Assemblée nationale du 7 juillet 1971 au 2 mars 1973, puis vice-président du 2 mars 1973 au 14 décembre 1976. Réélu en 1976 et 1981. Défait comme candidat indépendant en 1985. Est retourné à la pratique du droit.

Créé conseil en loi de la reine le 22 décembre 1971. Membre du Montefiore Club, du Club de réforme, du Club de Sola, de la Légion canadienne, des Chevaliers de Pythias, du B'Nai Brith, du Cercle des juifs de langue française, de l'Alliance française-Israël et de l'Association sioniste du Canada. Directeur de l'Institut Baron de Hirsh. Membre du Club de la garnison.

BLEAU, Madeleine

Née à Montréal, le 22 octobre 1928, fille de Charles-Eugène Lavallée, commerçant, et de Marie-Anne Lemieux.

A étudié au collège Jésus-Marie à Saint-Barthélémy en 1943 et 1944 et au collège Viauville de Montréal de 1940 à 1943 où elle a suivi un cours de lettres et de sciences.

Employée de bureau au journal *la Presse* de 1947 à 1950. Hôtesse et démonstratrice dans divers salons d'exposition de Montréal. Fondatrice et présidente de l'Association parents/maîtres de la commission scolaire Bois-des-Filion de 1967 à 1970. Vice-présidente de l'Association parents/maîtres de la commission scolaire régionale des Mille-Îles en 1970.

Conseillère municipale de Bois-des-Filion de 1974 à 1977. Secrétaire du Comité du NON au référendum de 1980. Présidente de l'exécutif du Parti libéral dans Groulx de 1981 à 1985. Élue députée libérale dans Groulx en 1985. Réélue en 1989. Nommée whip adjointe le 29 novembre 1989.

BLEURY. V. SABREVOIS DE BLEURY

BLOUIN, Charles
(1753–1844)

Né à Saint-Jean, île d'Orléans, et baptisé le 3 novembre 1753, dans l'église paroissiale, fils de Joseph Blouin, capitaine dans la milice, et de Marie-Joseph Blais.

Agriculteur dans la paroisse Saint-Jean, à l'île d'Orléans. Nommé capitaine dans la milice le 3 avril 1809.

Élu député d'Orléans en 1810. Réélu en 1814 et 1816. Appuya le parti canadien. Ne se serait pas représenté en avril 1820.

Décédé à Saint-Jean, île d'Orléans, le 21 août 1844, à l'âge de 90 ans et 9 mois. Inhumé dans le cimetière paroissial, le 22 août 1844.

Avait épousé dans sa paroisse natale, le 19 octobre 1778, sa parente Marie-Joseph Tremblay, fille de Jacques Tremblay et de Marie-Joseph Blouin; puis, au même endroit, le 9 septembre 1816, sa parente Marie-Ursule Blouin, fille de l'agriculteur Émery Blouin et d'une prénommée Marie-Joseph.

Bibliographie: Turcotte, L.-P., «Le capitaine Charles Blouin», *BRH*, 2, 8 (août 1896), p. 140.

BLOUIN, Jean-Cléophas
(1864–1934)

Né à Lévis, dans la paroisse Notre-Dame-de-la-Victoire, le 19 février 1864, fils de Jean-Baptiste Blouin, tanneur, et d'Adélaïde Fouquet.

Fit ses études au collège de Lévis.

Associé à son père sous la raison sociale J.-B. Blouin et Fils en 1893, il prit peu après la direction de la tannerie et y joignit une manufacture de chaussures en 1897. Au décès de son père, il continua de gérer l'entreprise jusqu'en 1911. Vice-président de la Levis Tramway Co. jusqu'en 1927. Directeur de la Levis City Railway.

Cofondateur du Club politique Laurier-Marchand en 1896, il en fut également l'animateur et le secrétaire pendant plusieurs années. Élu sans opposition député libéral dans Lévis à l'élection partielle du 24 octobre 1901. Réélu en 1904 (sans opposition) et 1908. Son siège devint vacant à la suite de sa nomination comme shérif du district de Québec le 29 août 1911. Maire de Lévis du 14 mars 1927 au 14 mars 1929.

Membre honoraire et vice-président de la Chambre de commerce de Lévis pendant plus de dix ans. Vice-président du Conseil des arts et des métiers de la province de Québec en 1900. Membre des Chevaliers de Colomb et du Royal Arcanum.

Décédé à Lévis, le 24 janvier 1934, à l'âge de 69 ans et 11 mois. Inhumé à Lévis, dans le cimetière Mont-Marie, le 27 janvier 1934.

Avait épousé dans sa paroisse natale, le 7 février 1887, Marie-Louise-Ida Thomas, fille d'Alexandre Thomas, mécanicien, et de Marie Desrochers.

BLOUIN, René

Né à Québec, le 30 juin 1948, fils d'Omer Blouin, chef de train, et de Corinne Boucher.

Étudia en lettres à l'université Laval en 1969 et 1970. Étudia l'interprétation au conservatoire d'art dramatique de Québec. Poursuivit des études en enfance inadaptée à l'université du Québec à Montréal ainsi que des cours en criminologie à l'université de Montréal.

Acteur dans plusieurs productions cinématographiques de 1970 à 1972. Éducateur auprès de jeunes prédélinquants à Saint-Donat en 1972. Chef d'unité de réadaptation au centre d'accueil Les Quatre Vents à Saint-Donat de 1973 à 1978. Secrétaire de circonscription de M. Guy Chevrette, député de Joliette-Montcalm, en 1979. Attaché politique au cabinet du whip du gouvernement en 1980 et 1981.

Élu député du Parti québécois dans Rousseau en 1981. Leader parlementaire adjoint du gouvernement du 12 mars 1984 au 23 octobre 1985. Défait en 1985.

Directeur de cabinet du leader parlementaire de l'Opposition de 1986 à 1989. Responsable des communications de l'aile parlementaire du Parti québécois de 1989 à 1991 et, à compter de 1991, directeur adjoint du cabinet du chef de l'Opposition et responsable des communications.

BOHÉMIER, Pierre
(1907–1959)

Né à Ferme-Neuve, le 7 janvier 1907, fils de Jean-Baptiste Bohémier, cultivateur, et d'Exilia Lacasse.

Étudia dans sa paroisse natale. Cultivateur à Ferme-Neuve. Estimateur de l'Office du crédit agricole dans le comté de Labelle. Président de la Coopérative locale de 1946 à 1955 et de la caisse populaire du même endroit de 1947 à 1957.

Président du Cercle de l'Union catholique des cultivateurs (UCC) de Ferme-Neuve.

Maire de la paroisse de Ferme-Neuve du 6 mars 1944 au 19 janvier 1959. Préfet du comté de Labelle du 9 mars 1949 au 10 décembre 1958. Élu sans opposition député de l'Union nationale dans Labelle à l'élection partielle du 15 octobre 1958.

Décédé en fonction à Montréal, le 7 mars 1959, à l'âge de 52 ans et 2 mois. Inhumé dans le cimetière de Ferme-Neuve, le 11 mars 1959.

Avait épousé à Val-Morin, le 22 avril 1930, Marie Lucienne Bélair, fille de Cléophas Bélair, fermier, et de Marie-Louise Durocher.

BOILEAU, René
(1754–1831)

Né à Chambly, le 26 octobre 1754, puis baptisé le 27, dans la paroisse Saint-Joseph, fils de Pierre Boileau, commissaire royal adjoint du fort de Chambly (fut aussi marchand), et d'Agathe Hus, dit Millet.

Fut négociant à Chambly. Officier de milice, servit durant la guerre de l'Indépendance américaine et atteignit le grade de major; prit sa retraite en 1783. Nommé commissaire chargé de présider la Cour des requêtes de Saint-Jean, en juillet 1788, commissaire chargé de faire prêter le serment d'allégeance aux nouveaux colons, en octobre 1794, et juge de paix pour le district de Montréal, en mai 1799 et novembre 1812. Auteur de divers manuscrits : index de journaux, relevé du temps à Chambly, chroniques et une histoire de Chambly, détruites toutefois par un incendie à l'exception d'un cahier de notes, ou journal, publié par son arrière-petit-fils Gustave-A. Drolet, dans *Zouaviana* [...] (2e édit., Montréal, 1898).

Élu député de Kent en 1792; ne prit part qu'aux votes des deux premières sessions et appuya généralement le parti canadien. Ne se serait pas représenté en 1796. Fut président du comité constitutionnel de Kent, opposé au projet d'union de 1822.

Décédé à Chambly, le 11 juillet 1831, à l'âge de 76 ans et 8 mois. Inhumé dans l'église Saint-Joseph, le 16 juillet 1831.

Avait épousé dans la paroisse Saint-Antoine-de-Padoue, à Rivière-du-Loup (Louiseville), le 2 mars 1778, Josephte de Gannes de Falaise, fille de Charles-Thomas de Gannes de Falaise, capitaine dans les troupes de la Marine, et de Magdeleine-Angélique Coulon de Villiers.

Beau-père de Joseph-Toussaint **Drolet**.

BOIS, Armand

Né à Saint-Jean-Port-Joli, le 21 avril 1920, fils de Louis Bois, agriculteur, et de Léontine Pelletier.

Fit ses études dans sa paroisse natale, au collège de Sainte-Anne-de-la-Pocatière et au collège de Saint-Victor-de-Beauce.

Fut soldat dans le corps de l'intendance en 1940, lieutenant d'infanterie en 1942 et capitaine quartier-maître au camp Valcartier en 1943. Démobilisé le 27 juin 1946, il demeura par la suite dans l'armée de réserve.

Commis aux chemins de fer nationaux à Fort-Érié (Ontario) en 1946 et 1947. Représentant des ventes et gérant à la Croix-Bleue, compagnie d'assurance-hospitalisation, de 1947 à 1962. Gérant des assurances collectives à la compagnie Great West de 1962 à 1964. S'établit à son compte comme courtier d'assurances à Québec en 1965.

Maire de Les Saules de 1959 à 1963. Élu député du Ralliement créditiste dans Saint-Sauveur en 1970. Whip du Ralliement créditiste d'octobre 1970 à février 1972, puis chef intérimaire de ce parti du 21 février 1972 au 4 février 1973. Candidat défait au congrès à la direction du Ralliement créditiste tenu les 3 et 4 février 1973. Expulsé du Ralliement créditiste le 21 février 1973. Candidat du Parti créditiste défait dans Vanier en 1973. Annonça la formation d'un autre parti créditiste, le Parti réformateur, le 1er décembre 1976.

Vice-président national et président régional de l'Association canadienne des officiers payeurs de l'armée de 1958 à 1960. Élu président de la Fédération des courtiers d'assurances de la province de Québec le 14 novembre 1978. Directeur du Bureau de l'industrie et du commerce métropolitain.

Fondateur et président de la Société Saint-Jean-Baptiste de la paroisse Sainte-Monique (Les Saules) en 1964. Cofondateur de l'Œuvre des terrains de jeux de cette paroisse. Membre de la Chambre de commerce de Québec et des Chevaliers de Colomb.

BOISCLAIR, André

Né à Montréal, le 14 avril 1966, fils de Marc-André Boisclair, financier, et d'Élaine Viau.

A étudié au collège Jean-de-Brébeuf de 1983 à 1986 et à l'université de Montréal, en sciences économiques, de 1986 à 1988.

Fondateur et président, de 1985 à 1988, du Groupe Engage inc., groupe-conseil spécialisé dans le démarrage de micro-entreprises. Président de la Fédération des associations étudiantes collégiales du Québec en 1984–1985. Cofondateur du Forum international des jeunes en 1985.

Président du comité national des jeunes du Parti québécois en 1988 et 1989. Élu député du Parti québécois dans Gouin en 1989.

BOISSEAU, Armand
(1887–1962)

Né à Saint-Hyacinthe, le 12 mai 1887, fils de François-Xavier Alphonse Boisseau, notaire, et de Zéphirine Marchesseault.

Fit ses études au séminaire de Saint-Hyacinthe, au collège Sainte-Marie et à l'université Laval à Montréal. Reçu notaire en 1911.

Exerça sa profession pendant de nombreuses années à Saint-Hyacinthe avec son père, François-Xavier-Alphonse Boisseau, puis avec René Morin. Directeur de la compagnie d'assurances La Sauvegarde en 1919 et 1920. Directeur de la Compagnie nationale de biscuits de Saint-Hyacinthe. Membre du Crédit rural et du Crédit international de Saint-Hyacinthe.

Élu député libéral dans Saint-Hyacinthe en 1919. Démissionna le 8 février 1922. Son élection fut annulée le 28 mars 1922. Destitué de sa charge de notaire le 21 octobre 1922. Condamné à deux ans et six mois de prison en 1923.

Fut collaborateur au *Courrier de Saint-Hyacinthe*. Membre du Club de réforme de Montréal, du Club Papineau et des Chevaliers de Colomb.

Décédé à Montréal, le 18 septembre 1962, à l'âge de 75 ans et 4 mois. Inhumé à Montréal, dans le cimetière Notre-Dame-des-Neiges, le 22 septembre 1962.

Avait épousé à Sherbrooke, dans la paroisse Saint-Michel, le 23 avril 1912, Anne-Marie-Cécilia Allaire, fille de Moïse Allaire, marchand, et de Marie-Rose-Alba Giard; puis, dans la paroisse Notre-Dame de Montréal, le 1er mai 1952, Délima-Marie-Marguerite Lafontaine, fille de Joseph Lafontaine et de Georgie Rochette, et veuve de Wilfrid Olivier.

BOISSEAU, Nicolas-Gaspard
(1765–1842)

Né et baptisé dans la paroisse Saint-Pierre, île d'Orléans, le 10 octobre 1765, fils de Nicolas-Gaspard Boisseau, greffier, et de sa seconde femme, Claire Jolliette.

Étudia au petit séminaire de Québec.

Fut commis de son père, alors greffier de la Cour des plaids communs du district de Québec et greffier de la paix.

Entre 1787 et 1789, rédigea ses mémoires qui furent publiés en 1907, à Lévis, sous le titre de *Mémoires de Nicolas-Gaspard Boisseau*. Obtint une commission de notaire en 1791.

Élu député d'Orléans en 1792 ; appuya le parti canadien. Ne s'est pas représenté en 1796.

Exerça le notariat d'abord à Saint-Vallier, puis dans la paroisse Saint-Thomas (à Montmagny) à compter de 1799. Obtint quelques postes de commissaire.

Décédé dans la paroisse Saint-Thomas (à Montmagny), le 9 mars 1842, à l'âge de 76 ans et 5 mois. Inhumé dans l'église paroissiale, le 12 mars 1842.

Avait épousé dans la paroisse Saint-Jean-Port-Joli, le 11 janvier 1790, Catherine Aubert de Gaspé, fille d'Ignace-Philippe Aubert de Gaspé, seigneur, et de Marie-Anne Coulon de Villiers.

Beau-frère de Pierre-Ignace **Aubert de Gaspé**. Beau-père de Jean-Charles **Létourneau**.

Bibliographie : *DBC*.

BOISSONNAULT, Nicolas
(≈1793–1862)

Né vers 1793, fils de Nicolas Boissonnault et de Marie McClin.

Marchand à Saint-Michel-de-Bellechasse (Saint-Michel) à l'époque de son mariage, s'établit plus tard à Québec. Nommé commissaire chargé de l'ouverture d'un chemin dans la seigneurie Saint-Vallier, le 3 juin 1830. Propriétaire de scieries à Saint-Vallier et à Saint-Thomas ; les vendit à William Price en 1833 et fut, par la suite, gérant de ces établissements.

Élu député de Hertford en 1824. Réélu en 1827. Élu dans Bellechasse en 1830 ; vota pour les Quatre-vingt-douze Résolutions. Réélu en 1834. Appuya généralement le parti canadien, puis le parti patriote. Son mandat prit fin avec la suspension de la constitution, le 27 mars 1838.

Décédé à New Richmond, le 6 février 1862, à l'âge d'environ 69 ans.

Avait épousé dans la paroisse Notre-Dame, à Québec, le 9 septembre 1817, Madeleine Mathurin, fille du boulanger Jean-Baptiste Mathurin et d'Éliza Dupont.

Bibliographie : Dechêne, Louise, « Les entreprises de William Price (1810–1850) », *Saguenayensia*, 12, 4 (juill.-août 1970), p. 82.

BOITEAU, Émile
(1898–1974)

Né à Québec, dans la paroisse Saint-Jean-Baptiste, le 28 avril 1898, fils de Joseph Boiteau, épicier, et de Malvina Marois.

Étudia chez les Frères des écoles chrétiennes, au pensionnat Saint-Louis-de-Gonzague, à l'académie Saint-Joseph, au séminaire de Québec et à l'université Laval à Québec. Fit sa cléricature auprès d'Oscar Hamel et fut admis à la pratique du notariat en juillet 1924.

Exerça sa profession à Québec, d'abord seul, puis s'associa à Me Georges P. (Faucher) Châteauvert en 1936. Il se joignit à Me Henri Turgeon, puis à Me Pierre-Paul Turgeon en 1945. Membre de la Chambre des notaires en 1948, vice-président en 1952, syndic en 1954 et inspecteur de 1958 à 1971.

Échevin du quartier Saint-Jean-Baptiste au conseil municipal de Québec du 1er mars 1936 au 1er mars 1938. Maire de Sainte-Foy de novembre 1941 à novembre 1957. Participa à la fondation de l'Action libérale nationale. Élu député de l'Union nationale dans Bellechasse en 1936. Whip de l'Union nationale de 1936 à 1939. Défait en 1939 et 1944. Candidat indépendant défait dans Dorchester aux élections fédérales de 1945 et dans Charlevoix aux élections fédérales de 1949.

Responsable du comité de presse de l'Association catholique de la jeunesse canadienne-française (ACJC) en 1921. Directeur en 1925 de *la Voix de la jeunesse*, organe du comité régional de l'ACJC de Québec, publié par l'*Action catholique*. Président du comité régional de l'ACJC en 1926. Marguillier et procureur de la fabrique de la paroisse Saint-Jean-Baptiste de 1930 à 1965. Secrétaire de l'Association des propriétaires en 1935. Membre du Syndicat national de rachat des rentes seigneuriales du 3 août 1938 au 22 août 1939. Cofondateur en 1943, puis administrateur de la caisse populaire de Sainte-Foy. Président du conseil d'administration de l'Union du commerce, compagnie mutuelle d'assurance-vie de Montréal. Membre du Club Richelieu, du Club Renaissance, de l'Institut canadien, de la Société des arts, sciences et lettres de Québec et des Chevaliers de Colomb.

Décédé à Montréal, le 1er avril 1974, à l'âge de 75 ans et 11 mois. Inhumé à Sainte-Foy, dans le cimetière Notre-Dame-de-Belmont, le 3 avril 1974.

Avait épousé dans la cathédrale de Montréal, le 28 août 1928, Marie-Paule-Aimée Saint-Denis, fille d'Aimé-Paul Saint-Denis et de Marie-Alice-Élisabeth Saint-Denis.

BOIVIN, Roch
(1912–1979)

Né à Chicoutimi, dans la paroisse Sainte-Anne, le 14 octobre 1912, fils de Charles-François-Xavier Boivin, marchand, et d'Anna Simard.

Fit ses études à l'école Sainte-Anne à Chicoutimi, au collège Saint-Raymond, près de Québec, et au séminaire de Chicoutimi. Travailla deux ans au magasin général de son père, puis poursuivit ses études à la faculté de médecine de l'université Laval en 1936. Reçu médecin en 1941. Diplômé en anesthésie en 1955.

Exerça sa profession à Chicoutimi à l'hôpital Hôtel-Dieu-Saint-Vallier de 1941 à 1951. Anesthésiste à l'Hôtel-Dieu-Saint-Vallier et à l'Institut Roland-Saucier. Fut secrétaire du bureau médical de l'Hôtel-Dieu-Saint-Vallier de 1948 à 1958 et vice-président pendant trois ans. Délégué au conseil d'administration de cet hôpital pendant trois ans.

Maire de Chicoutimi-Nord de 1949 à 1972. Élu député de l'Union nationale dans Dubuc en 1966. Assermenté ministre sans portefeuille à la Santé dans le cabinet Johnson le 16 juin 1966, et dans le cabinet Bertrand le 2 octobre 1968. Réélu en 1970. Défait en 1973.

Médecin à l'Institut Roland-Saucier de Chicoutimi-Nord de 1974 à son décès. Fondateur de la Chambre de commerce de Chicoutimi. Fondateur et président pendant deux ans de la Ligue des propriétaires. Fondateur du Cercle Lacordaire de Chicoutimi-Nord.

Décédé à Chicoutimi-Nord, le 17 janvier 1979, à l'âge de 66 ans et 3 mois. Les funérailles eurent lieu dans la paroisse Sainte-Anne, le 20 janvier 1979, et les cendres furent déposées au cimetière de Chicoutimi-Nord.

Avait épousé dans sa paroisse natale, le 8 juin 1942, Marie-Paule Bordeleau, institutrice, fille de Joseph-Eugène Bordeleau, voyageur, et de Flore Harvey.

BONA. V. DUFOUR

BONDY, dit DOUAIRE, Joseph
(1770–1832)

Né à Verchères, le 6 février 1770, puis baptisé le 7, dans la paroisse Saint-François-Xavier, fils de Jean-Baptiste Bondy, marchand, et d'Élisabeth Coursolle. D'abord désigné sous le nom de Joseph Bondy, puis sous ceux de Joseph Bondy Douaire et Joseph Douaire Bondy.

Fut marchand à Berthier. Nommé juge de paix, commissaire chargé de faire prêter le serment d'allégeance et commissaire chargé des communications intérieures dans le comté de Berthier.

Élu député de Warwick en 1816; prit part à très peu de votes. Défait en avril 1820.

Décédé à Berthier (Berthierville), le 17 octobre 1832, à l'âge de 62 ans et 8 mois. Inhumé dans le cimetière de la paroisse Sainte-Geneviève-de-Berthier, le 20 octobre 1832.

Avait épousé en la chapelle de l'Hôpital Général de Québec, dans la paroisse Notre-Dame-des-Anges, le 3 août 1795, Marie-Anne Falardeau, fille de Charles Falardeau et de Marie-Anne Gauvreau; puis, dans l'église de Saint-Cuthbert, le 1er mars 1813, Marie-Claire (Marie-Clairette) Fauteux, veuve de Jean-Baptiste Leduc.

Beau-père de Louis-Joseph **Moll**.

BONNIER, Irénée

Né à Montréal, le 12 août 1923, fils de Raoul Bonnier et de Julia Laberge.

Fit ses études au collège de Montréal et à l'université de Montréal où il obtint une maîtrise en sciences sociales. Diplômé en gestion de bureau, cours donné par la Fonction publique du Canada, et en relations humaines du National Training Laboratories Bethel aux États-Unis.

Travailla en service social et en organisation communautaire au Manitoba de 1947 à 1949. Participa en 1949 à une enquête sur l'éducation des adultes pour la Société canadienne d'enseignement postscolaire. Au service de l'Office national du film de 1949 à 1962, il occupa les postes de représentant pour Montréal, de directeur régional adjoint pour le Québec, de directeur régional et de directeur de la distribution française au Canada et à l'étranger. Fut par la suite directeur du service de l'éducation et membre du comité de régie à la Fédération des caisses populaires Desjardins de 1962 à 1973. Directeur du développement et de l'orientation du Mouvement Desjardins en 1973. De nouveau employé du Mouvement Desjardins en 1976. Directeur général de la Société d'habitation Alphonse-Desjardins de septembre 1983 à janvier 1989. Retraité depuis cette date. Auteur de plusieurs articles parus dans *la Revue Desjardins* et la revue *Ma Caisse populaire*.

Membre du Conseil supérieur de la famille, du Conseil canadien de la consommation et du comité exécutif de l'Institut Vanier de la famille.

Élu député libéral dans Taschereau en 1973. Défait en 1976.

BONVOULOIR, Émile
(1875–1969)

Né à Sainte-Brigide-d'Iberville, le 21 avril 1875, fils de Pierre Bonvouloir, cultivateur, et de Zoé Nadeau.

Étudia à l'école de sa paroisse natale. Agriculteur, il fut président du cercle agricole local et fondateur de la Coopérative de Sainte-Brigide-d'Iberville. Directeur (1927 à 1933) et président (1933 à 1937) de la Coopérative agricole de la vallée de la Yamaska. Président-fondateur de la conserverie Sainte-Brigide de 1937 à 1942. Directeur de l'Union catholique des cultivateurs (UCC) de Sainte-Brigide-d'Iberville de 1938 à 1944. Fondateur et administrateur du couvoir coopératif d'Iberville.

Échevin de Sainte-Brigide-d'Iberville de 1911 à 1915. Maire de cette municipalité de 1915 à 1917 et de 1923 à 1935. Préfet du comté d'Iberville en 1931 et 1932. Surintendant chargé d'amender les procès-verbaux relatifs à la canalisation des cours d'eau dans les comtés d'Iberville, de Rouville et de Missisquoi en 1929 et 1930 ainsi qu'en 1937 et 1938. Marguillier de Sainte-Brigide-d'Iberville de 1930 à 1933. Élu député libéral dans Iberville en 1939. Défait en 1944.

Décédé à Sainte-Brigide-d'Iberville, le 11 août 1969, à l'âge de 94 ans et 3 mois. Inhumé dans le cimetière de la paroisse Saint-Georges-de-Henryville, le 14 août 1969.

Avait épousé à Sainte-Brigide-d'Iberville, le 18 février 1901, Albina Bonneau, institutrice, fille de Trefflé Bonneau, cultivateur, et de Célanire Savory.

BORDELEAU, Bruno
(1868–1929)

Né à Saint-Stanislas, le 4 septembre 1868, fils de François-Xavier Bordeleau, cultivateur, et de Philie Grandmont.

A étudié au séminaire de Trois-Rivières ainsi qu'à l'université Laval à Montréal. Reçu médecin en 1897.

Exerça à Saint-Didace en 1897 et 1898, puis à Sainte-Thècle. Directeur de la General Waterworks Co. de Sainte-Thècle. Président de la Société d'agriculture du comté de Champlain. Membre de la Société médicale du comté de Champlain.

Maire de Sainte-Thècle de 1912 à 1916. Secrétaire municipal et commissaire d'école. Élu député libéral dans Champlain en 1916. Réélu sans opposition en 1919. De nouveau élu en 1923. Son siège fut déclaré vacant le 11 novembre 1925 lors de sa nomination comme registrateur du comté de Champlain, fonction qu'il occupa jusqu'à son décès.

Décédé à Québec, le 23 mars 1929, à l'âge de 60 ans et 6 mois. Inhumé dans le cimetière de Sainte-Thècle, le 27 mars 1929.

Avait épousé à Saint-Stanislas, le 8 septembre 1896, Marie-Antoinette Lafontaine, fille de Tiburce Lafontaine, industriel, et d'Odile Thifeau; puis, à Trois-Rivières, dans la paroisse de l'Immaculée-Conception, le 10 août 1920, Angéline Veillet, fille de Trefflé Veillet et d'Évélina Thiffault.

BORDELEAU, Jean-Paul

Né à Saint-Janvier, en Abitibi, le 31 janvier 1943, fils de Paul-Émile Bordeleau, menuisier, et de Lucie Saint-Georges.

Fit ses études à l'école de sa paroisse natale, au collège Saint-Alexandre-de-Limbour (près de Hull), à l'École des métiers d'Amos et à l'Institut de technologie de Montréal. Diplômé en menuiserie, construction et dessin d'architecture en 1964.

Employé au bureau des architectes Monette, Leclerc et Saint-Denis à Val-d'Or de 1966 à 1976. A œuvré au sein du mouvement Jeune Chambre de 1965 à 1970. Fut président de la Jeune Chambre de Val-d'Or en 1968 et vice-président régional du mouvement Jeune Chambre en 1969. Membre du Club Rotary et de la Corporation professionnelle des technologues des sciences appliquées du Québec.

Président du conseil exécutif du Parti québécois en 1975. Élu député du Parti québécois dans Abitibi-Est en 1976. Réélu en 1981. Adjoint parlementaire du ministre de la Main-d'œuvre et de la Sécurité du revenu du 23 février 1983 au 4 avril 1984 et du ministre de l'Énergie et des Ressources du 4 avril 1984 au 15 juin 1985. Président de la Commission de l'économie et du travail du 19 juin au 23 octobre 1985. Défait en 1985. Employé au service d'évaluation de la ville de Val d'Or en 1986 et 1987. Vice-président de Vitrerie Abitibi à compter de mai 1991.

BORDELEAU, Yvan

Né à La Sarre, en Abitibi, le 19 février 1942, fils de Paulin Bordeleau, homme d'affaires, et de Lillian Petit, responsable des ventes.

A étudié au collège Mont-Saint-Louis de 1954 à 1963 et à l'université de Montréal. Titulaire d'un doctorat en psychologie industrielle et organisationnelle en 1973.

Professeur à l'École des hautes études commerciales de 1968 à 1971 et professeur au département de psychologie de l'université de Montréal à compter de 1971. Responsable du programme de psychologie industrielle et organisationnelle de 1975 à 1979 et de 1983 à 1988. Directeur de la section psychologie appliquée en 1977. Membre du conseil de la faculté des arts et des sciences de 1980 à 1986 et en 1988 et 1989. Directeur du département de psychologie en 1988 et 1989. Fut également conseiller-expert auprès de nombreuses entreprises.

Auteur et coauteur de plusieurs publications liées à son domaine d'activité. Membre de la Corporation professionnelle des psychologues du Québec, de l'Association internationale de psychologie appliquée, de la Société canadienne de psychologie, de l'Association internationale de psychologie du travail de langue française et de l'Association interaméricaine de psychologie.

Élu député libéral dans la circonscription de l'Acadie en 1989.

BORGIA. V. LE VASSEUR BORGIA

BORNE, Michel
(1784– ⩾1843)

Né à Québec, le 19 septembre 1784, puis baptisé le 20, dans la paroisse Notre-Dame, fils de George Borne, originaire de Grenoble, en France, et de [sa seconde femme], Marie-Françoise Letellier.

Fut marchand à Québec.

Fit partie du conseil municipal de Québec de 1840 à 1842. Élu député de Rimouski en 1841; se rangeait du côté du groupe canadien-français, mais fut souvent absent. Démissionna le 15 décembre 1842, afin de permettre à Robert **Baldwin** de se porter candidat.

Décédé en ou après 1843.

Avait épousé dans la paroisse Notre-Dame de Québec, le 8 août 1808, Angélique Paquette, fille du cultivateur Jean-Baptiste Paquette et de Thérèse Denys.

Bibliographie: Roy, Pierre-Georges, *Toutes petites choses du régime anglais*, Québec, Garneau, 1946, vol. 2, p. 54-55.

BOSSÉ, Alfred

Né à Rivière-Bleue, le 5 décembre 1925, fils de Charles Bossé, bûcheron, et d'Elzire Girard.

Fit ses études à l'université de Montréal et à la faculté de droit de la McGill University.

A travaillé dans plusieurs domaines dont l'industrie du bois, l'hôtellerie et les mines. Militant syndical à la Confédération des syndicats nationaux (CSN) à titre d'organisateur, de conseiller technique et de négociateur. Membre du Cercle universitaire, de l'Association des hommes d'affaires du Nord de Montréal, de l'Association témiscouataine de Montréal et de la Légion royale canadienne. Membre à vie de l'Association libano-syrienne.

Membre du conseil supérieur du Parti libéral. Élu député libéral dans Dorion en 1970. Réélu en 1973. Nommé adjoint parlementaire du premier ministre le 8 septembre 1971, et adjoint parlementaire du ministre des Affaires intergouvernementales le 13 novembre 1973. Défait en 1976. Œuvre dans le domaine immobilier à compter de 1976.

BOSSÉ, Joseph-Noël
(1806–1881)

Né à Cap-Saint-Ignace et baptisé dans la paroisse Saint-Ignace-de-Loyola, le 25 décembre 1806, fils de Joseph Bossé, capitaine dans la milice, et de Marie-Louise Blais.

Étudia au petit séminaire de Québec. Fit l'apprentissage du droit à Québec, auprès de l'avocat général du Bas-Canada, André-Rémi Hamel; admis au barreau en juin 1833.

Exerça sa profession à Québec. Nommé au tribunal des petites causes aux Îles-de-la-Madeleine le 25 mai 1843, en fut président à deux reprises, en 1843 et 1844. Rédigea un mémoire sur les pêcheries du golfe Saint-Laurent, à la demande de Denis-Benjamin **Viger**. Fait conseiller de la reine le 28 juin 1867. Fut lieutenant-colonel commandant du 4e bataillon de milice de Québec, de 1863 à 1869.

Élu conseiller législatif de la division de La Durantaye à une élection complémentaire le 25 juin 1864, occupa son siège jusqu'à l'avènement de la Confédération, le 1er juillet 1867. Représenta la même division au Sénat, du 23 octobre 1867 jusqu'à ce qu'il démissionnât en raison de sa nomination, le 22 janvier 1868, comme juge puîné de la Cour supérieure de la province de Québec. Appuya le Parti conservateur. Exerça ses fonctions de juge jusqu'au 8 novembre 1880, d'abord dans le district de Québec, puis, à partir de mai 1870, dans celui de Montmagny.

Décédé à Québec, le 24 septembre 1881, à l'âge de 74 ans et 8 mois. Après des obsèques célébrées en la basilique Notre-Dame de Québec, fut inhumé dans le cimetière Notre-Dame-de-Belmont, à Sainte-Foy, le 27 septembre 1881.

Avait épousé, le 23 juin 1835, Lucy Ann Hullett, fille de William Hullett, [originaire de Bath, en Angleterre], et de Lucie Cuvillier.

BOUC, Charles-Jean-Baptiste (1766–1832)

Né à Terrebonne, fut baptisé sous le prénom de Charles-Baptiste, dans la paroisse Saint-Louis, le 26 novembre 1766, fils de Louis Bouc, marchand, et de Marie-Angélique Comparé.

S'initia probablement au négoce dans le commerce de détail que son père avait installé à Terrebonne. S'occupa pour son propre compte du commerce du blé et des fourrures, entre autres, et de prêt d'argent. Hérita de son père plusieurs terres.

Élu député d'Effingham en 1796 ; appuya le parti canadien. Reconnu coupable de fraude de blé et condamné à l'emprisonnement par la Cour du banc du roi le 9 mars 1799, fut expulsé par la Chambre d'assemblée le 2 avril 1800. Réélu en 1800 ; expulsé le 24 janvier 1801. Réélu à une élection partielle le 9 mars 1801 ; expulsé le 20 mars 1801. Réélu à une élection partielle le 30 avril 1801 ; autorisé à prendre son siège le 17 février 1802 ; expulsé le 22 mars 1802 ; devenu «inhabile et incapable d'être élu, de siéger ou de voter comme Membre de la Chambre d'Assemblée» en vertu d'une loi sanctionnée le 5 avril 1802.

Fut élu syndic de paroisse en 1805. Emprisonné pour intrigues criminelles en 1807 et condamné à la prison pour fraude et escroquerie en 1811. En novembre 1821, demanda la rétractation du jugement de 1799 et le rappel de la loi de 1802 : les lettres de pardon furent délivrées par le gouverneur George **Ramsay** le 17 janvier 1822.

Décédé à Terrebonne, le 30 novembre 1832, à l'âge de 66 ans. Inhumé dans le cimetière de la paroisse Saint-Louis, le 3 décembre 1832.

Avait épousé dans l'église Saint-Louis, à Terrebonne, le 20 septembre 1785, Archange Lepage, fille de Germain Lepage et d'Angélique Limoges.

Père de Séraphin **Bouc**.

Bibliographie: *DBC.*

BOUC, Séraphin (1788–1837)

Né à Lachenaie, le 27 octobre 1788, puis baptisé le 29, dans la paroisse Saint-Charles, fils de Charles-Jean-Baptiste **Bouc**, marchand, et d'Archange Lepage.

Fut cultivateur à Sainte-Anne-des-Plaines. Fait lieutenant dans le 3e bataillon de milice de la division de Blainville, le 8 septembre 1812, servit durant la guerre de 1812.

Élu député de Terrebonne en 1834 ; appuya le parti patriote.

Décédé en fonction à Sainte-Anne-des-Plaines, le 29 juillet 1837, à l'âge de 48 ans et 9 mois. Inhumé dans l'église paroissiale, le 31 juillet 1837.

Avait épousé dans la paroisse Saint-Louis-de-France, à Terrebonne, le 5 octobre 1813, Françoise Dalcourt, fille de Joseph Dalcourt et d'Angélique Gravel.

BOUCHARD, Alfred-Albert (1901–1981)

Né à Saint-Henri, près de Lévis, le 13 mai 1901, fils de Narcisse Bouchard, cultivateur, et de Victoria Vien.

Fit ses études à l'école de rang et au couvent des Sœurs du Perpétuel-Secours à Sainte-Claire, puis au collège de Lévis.

Caissier et comptable pendant trois ans pour la Banque d'Hochelaga à Sainte-Claire, à Saint-Georges et à Saint-Hyacinthe. Commerçant général à Sainte-Claire pendant quatorze ans. S'occupa de la Fédération des caisses populaires Desjardins durant dix ans. Directeur et président de la caisse populaire de Sainte-Claire pendant quarante-huit ans. Membre du conseil d'administration de l'Union régionale de Québec des caisses populaires Desjardins du 28 mai 1939 au 12 juillet 1966. Directeur de l'Office du crédit agricole du Québec et de l'Office d'électrification rurale lors de leur fondation. Réviseur en chef de l'Office du crédit agricole de 1936 à 1939. Fondateur et président de la Corporation du sanatorium Bégin pendant vingt-sept ans.

Maire de Sainte-Claire du 18 janvier 1939 au 8 janvier 1947. Préfet du comté de Dorchester en 1946. Nommé conseiller législatif de la division de La Salle le 24 novembre 1954. Appuya l'Union nationale. Conserva son siège jusqu'à l'abolition du Conseil législatif, le 31 décembre 1968. Créé commandeur du Mérite agricole en 1964.

Décédé à Lac-Etchemin, le 18 octobre 1981, à l'âge de 80 ans et 7 mois. Inhumé dans le cimetière paroissial de Sainte-Claire, le 22 octobre 1981.

Avait épousé à Sainte-Claire, le 25 mai 1925, Gilberte Chabot, institutrice, fille de Fortunat Chabot, cultivateur, et d'Adèle Duquette.

BOUCHARD, François-Xavier
(1889–1959)

Né à Saint-Urbain, dans Charlevoix, le 31 octobre 1889, fils d'Ulric Bouchard, cultivateur, et d'Emma Fortin.

Étudia à Saint-Urbain et à Baie-Saint-Paul. Forgeron à Saint-Urbain vers 1912. Devint plus tard entrepreneur de pompes funèbres à Montmorency.

Marguillier de la paroisse Saint-Grégoire-le-Grand de 1931 à 1934. Élu député libéral du comté de Québec en 1939. Ne s'est pas représenté en 1944. Maire de Montmorency de 1943 à 1954.

Fut président de la Société Saint-Vincent-de-Paul et de la Société Saint-Jean-Baptiste. Membre des Chevaliers de Colomb.

Décédé à Montmorency, le 7 septembre 1959, à l'âge de 69 ans et 10 mois. Inhumé à Montmorency, dans le cimetière de la paroisse Saint-Grégoire-le-Grand, le 10 septembre 1959.

Avait épousé à Baie-Saint-Paul, le 22 juillet 1912, Hortense Bouchard, fille adoptive de Joseph Gagnon, charretier, et d'Henriette Côté.

BOUCHARD, Télesphore-Damien
(1881–1962)

Né à Saint-Hyacinthe, le 20 décembre 1881, fils de Damien Bouchard, cordonnier, et de Julie Rivard.

Fit ses études à l'académie Girouard et au collège de Saint-Hyacinthe. Bachelier ès lettres.

Collabora aux journaux *la Patrie* et *la Presse* pendant ses études. De 1900 à 1902, il fut journaliste à *l'Union*, organe libéral de Saint-Hyacinthe, dont il devint directeur en 1902 et propriétaire en 1903. Il en changea le nom en 1912 pour *le Clairon de Saint-Hyacinthe* et en demeura le propriétaire jusqu'en 1954. Fondateur et propriétaire du journal *En avant* de 1937 à 1939. Fondateur et directeur de 1946 à 1953 du *Clairon de Montréal*, devenu *le Haut-Parleur* en 1950. Trésorier de la Yamaska Printing Co.

Échevin de Saint-Hyacinthe de 1905 à 1908. Greffier de 1908 à 1912. Maire de 1917 à 1930 et de 1932 à 1944. Président de l'Union canadienne des municipalités en 1918. Fondateur et secrétaire de l'Union des municipalités de la province de Québec de 1919 à 1937. Représentant des municipalités d'Amérique au Congrès mondial des municipalités en Espagne en 1930.

Président du Club des jeunes libéraux et organisateur en chef pour le Québec. Élu député libéral dans Saint-Hya-

cinthe en 1912. Réélu en 1916. Défait en 1919. De nouveau élu en 1923, 1927, 1931, 1935, 1936 et 1939. Orateur suppléant de l'Assemblée législative du 24 janvier 1928 au 7 janvier 1930. Orateur du 7 janvier 1930 au 6 juin 1935. Ministre des Affaires municipales, de l'Industrie et du Commerce dans le cabinet Taschereau du 6 juin 1935 au 27 juin 1936. Ministre des Affaires municipales et ministre des Terres et Forêts dans le cabinet Godbout du 27 juin au 26 août 1936. Chef de l'Opposition officielle de 1936 à 1939. Ministre des Travaux publics dans le cabinet Godbout du 8 novembre 1939 au 5 novembre 1942. Ministre de la Voirie dans le même cabinet du 8 novembre 1939 au 3 mars 1944. Nommé sénateur de la division des Laurentides le 3 mars 1944, il entra en fonction le 7 mars suivant après avoir démissionné de son poste de député le 6 mars. Siégea au Sénat jusqu'à son décès.

Président du Syndicat national de rachat des rentes seigneuriales de 1935 à 1944. Président du Bureau de reconstruction économique de 1939 à 1944. Président de l'Hydro-Québec en 1944.

Président de la Chambre de commerce de Saint-Hyacinthe. Membre fondateur et président de l'Institut démocratique canadien et de la Canadian Unity Alliance. Membre de la Canadian Authors Association. Membre de la Public Ownership League of America. Lieutenant-colonel honoraire du régiment de Saint-Hyacinthe. Membre du Club de réforme, du Club canadien, du Mount Stephen Club de Montréal, du Club maskoutain de Saint-Hyacinthe, du Club de la garnison de Québec, du Cercle universitaire et du Club littéraire de Saint-Hyacinthe. Patron honoraire de la Société philharmonique de Saint-Hyacinthe. Président de la Compagnie de théâtre de Saint-Hyacinthe. Président de la corporation de l'École technique de Saint-Hyacinthe. Président d'honneur du premier bureau de direction de l'Union des agriculteurs de la province de Québec. Docteur en sciences économiques et politiques honoris causa de l'université de Montréal en 1943. A publié ses *Mémoires* (1960) ainsi que plusieurs de ses discours.

Décédé à Westmount, le 13 novembre 1962, à l'âge de 80 ans et 10 mois. Inhumé à Saint-Hyacinthe, dans le cimetière de la paroisse Notre-Dame-du-Rosaire, le 19 novembre 1962.

Avait épousé à Montréal, dans la paroisse Sainte-Cunégonde, le 12 mai 1904, Marie-Blanche-Corona Cusson, fille de Napoléon Cusson et d'Élisa Gagné.

Bibliographie : Morin, Maurice, *Bio-bibliographie analytique des discours et conférences de l'honorable Télesphore-Damien Bouchard. Précédée d'une courte biographie, suivie d'un aperçu de ses mémoires*, préf. de Gustave Morin, Loretteville, 1964, 127 p.

BOUCHER, Émile
(1903–1968)

Né à Montréal, dans la paroisse Saint-Charles, le 14 mars 1903, fils de Laurent-Arthur Boucher, serre-freins, et de Rose-Anna Bouchard.

Étudia au collège de Montréal, au collège Sainte-Marie et à l'université de Montréal. Fit sa cléricature auprès de Napoléon Kemmer Laflamme, député à la Chambre des communes de 1921 à 1925 et sénateur de 1927 à 1929. Admis au barreau de la province de Québec le 8 juillet 1929. Créé conseil en loi du roi le 17 décembre 1942.

Exerça d'abord seul sa profession d'avocat à Montréal, puis s'associa à Antoine Sénécal, J.-C.-H. Langlois, Lucien Béliveau et Laurent Fauteux.

Élu député libéral dans Montréal–Saint-Henri en 1939. Défait en 1944.

Retourna à la pratique du droit en 1945. Fut nommé substitut du procureur général à Montréal en 1960 et juge à la Cour de bien-être social à Montréal le 9 août 1961. Membre de l'Association de la jeunesse libérale, du Club de réforme, des Chevaliers de Colomb et du Club Kiwanis.

Décédé à Montréal, le 4 janvier 1968, à l'âge de 64 ans et 9 mois. Inhumé à Montréal, dans le cimetière Notre-Dame-des-Neiges, le 8 janvier 1968.

Avait épousé à Montréal, dans la paroisse Saint-Irénée, le 16 décembre 1940, Marie-Simone Champoux, fille d'Octave Champoux, fonctionnaire, et de Joséphine Béliveau.

BOUCHER, Joseph
(1747–1813)

Né à Rivière-Ouelle, le 30 décembre 1747, puis baptisé le 31, dans la paroisse Notre-Dame-de-Liesse, fils de Joseph Boucher et de Magdeleine-Salomée Fortin.

Fut cultivateur et capitaine dans la milice, à Rivière-Ouelle.

Élu député de Cornwallis en 1800; appuya généralement le parti canadien. Ne se serait pas représenté en 1804.

Décédé à Rivière-Ouelle, le 26 novembre 1813, à l'âge de 65 ans et 10 mois. Inhumé dans le cimetière paroissial, le 27 novembre 1813.

Avait épousé dans la paroisse Sainte-Anne (à La Pocatière), le 11 novembre 1771, Rose Michaud, fille de Benjamin Michaud et de Marie-Anne Chassé.

Grand-oncle de Jean-Charles **Chapais**.

BOUCHER, Jules

Né à Sayabec, le 8 juin 1933, fils de Joseph-Arthur Boucher, chef de gare, et d'Alice Joubert.

Fit ses études à Saint-Eugène, au collège de Saint-Hyacinthe, au cégep de Rivière-du-Loup et à l'université Laval à Québec. Fit un stage à l'École nationale d'administration publique (ENAP) à Québec.

Aide-comptable dans une firme de Québec en 1954 et 1955. Fonctionnaire du ministère des Affaires sociales de 1958 à 1961. Directeur du Centre des services sociaux de Rivière-du-Loup de 1961 à 1976. Membre de 1963 à 1976 et président de 1966 à 1968 de la commission d'urbanisme de Rivière-du-Loup. Membre de la commission industrielle de cette ville de 1964 à 1968, de l'Office municipal d'habitation de 1970 à 1976 et du Comité de coordination d'action sociale en 1975 et 1976. Membre de la Corporation de promotion industrielle.

Élu député du Parti québécois dans Rivière-du-Loup en 1976. Réélu en 1981. Leader adjoint du gouvernement du 20 avril 1983 au 12 mars 1984. Adjoint parlementaire du ministre de la Main-d'œuvre et de la Sécurité du revenu, du 4 avril 1984 au 28 janvier 1985. Démissionna comme député péquiste le 28 janvier 1985, et siégea comme indépendant (officiel à compter de la reprise de la session le 12 mars 1985). Ne s'est pas représenté en 1985. Retraité depuis cette date.

BOUCHER-BACON, Huguette

Née à Montréal, le 17 septembre 1947, fille de Samuel Boucher et de Dolorès Tremblay.

A étudié à l'école Marguerite-d'Youville, au collège Sainte-Marie de 1965 à 1967, au cégep du Vieux-Montréal de 1968 à 1971, à l'École supérieure des arts et métiers de 1971 à 1976 et à l'université du Québec à Montréal où elle obtint un baccalauréat en éducation préscolaire élémentaire en 1985. Possède également une formation en droit de l'université de Montréal et en sociologie de l'université du Québec.

Intervenante sociale à la Maison Notre-Dame-de-Laval entre 1965 et 1967. Professeure à l'éducation des adultes à la Commission des écoles catholiques de Montréal en décoration intérieure et aménagement, et en histoire de l'art de 1970 à 1973. Gestionnaire au service du personnel et des achats à la ville de Mont-Royal en 1971 et 1972. Présidente-directrice générale de la garderie La maison des fons fons inc. de 1972 à 1988. Présidente de l'Association des propriétaires de garderies du Québec de 1977 à 1981.

Éducatrice et animatrice au YMCA centre-ville de Montréal en 1969. Membre du Club optimiste et de la Chambre de commerce de l'Est de Montréal.

Vice-présidente de la commission jeunesse du Parti libéral du Canada et membre du comité organisateur de la députée fédérale Jeanne Sauvé en 1972. Élue députée libérale dans Bourget en 1989.

Petite-cousine de Martial **Asselin**.

BOUCHER DE BOUCHERVILLE, Charles-Eugène (1822–1915)

Né à Montréal, le 4 mai 1822, puis baptisé le 6, dans la paroisse Notre-Dame, sous le prénom de Charles-Eugène-Napoléon, fils de Pierre-Amable **Boucher de Boucherville**, seigneur, et de Marguerite-Émilie (Amélie) Sabrevois de Bleury.

Étudia au petit séminaire de Montréal de 1832 à 1840, et au McGill College où il obtint un diplôme en médecine. Fit un stage d'études dans des cliniques à Paris.

Pratiqua la médecine dans la région de Montréal jusqu'en 1860, année où il abandonna l'exercice de sa profession. Fut capitaine dans le 1er bataillon de milice de Chambly.

Élu sans opposition député de Chambly en 1861; indépendant, puis bleu. Réélu en 1863; bleu. Son mandat prit fin avec l'avènement de la Confédération, le 1er juillet 1867. Fit partie du cabinet Chauveau à titre de président du Conseil législatif, du 15 juillet 1867 au 27 février 1873. Appelé à représenter la division de Montarville au Conseil législatif le 2 novembre 1867, prêta serment comme conseiller le 27 décembre; nommé à la présidence de ce conseil le 15 juillet, prit son fauteuil le 27 décembre. Fut premier ministre et président du Conseil exécutif du 22 septembre 1874 jusqu'au renvoi d'office de son cabinet par le lieutenant-gouverneur Luc **Letellier de Saint-Just**, le 8 mars 1878; également secrétaire et registraire, jusqu'au 25 janvier 1876, et ministre de l'Instruction publique, jusqu'au 1er février 1876, ainsi que commissaire de l'Agriculture et des Travaux publics, du 25 janvier 1876 au 8 mars 1878. De nouveau premier ministre et président du Conseil exécutif du 21 décembre 1891 jusqu'à sa démission, le 13 décembre 1892; détint aussi le portefeuille de trésorier intérimaire, à partir du 12 novembre 1892. Sénateur de la division de Montarville, à compter du 12 février 1879. Appuya le Parti conservateur.

Fait compagnon de l'ordre de Saint-Michel et Saint-George, en mai 1894, puis chevalier (sir) en juin 1914.

Décédé en fonction à Montréal, le 10 septembre 1915, à l'âge de 93 ans et 4 mois. Inhumé dans la crypte de l'église Sainte-Famille, à Boucherville, le 14 septembre 1915.

Avait épousé dans la paroisse Notre-Dame, à Montréal, le 4 septembre 1861, Susan Elizabeth Morrogh, fille du protonotaire Robert Lester Morrogh et de Catherine Margaret Mackenzie, et petite-fille de Roderick **Mackenzie**; puis, dans la paroisse Sainte-Anne, à Varennes, le 26 septembre 1866, Marie-Céleste-Esther Lussier, fille du seigneur Félix Lussier et d'Angélique Deschamps.

Petit-fils de René-Amable **Boucher de Boucherville**. Neveu de Louis-René **Chaussegros de Léry** et de Charles-Clément **Sabrevois de Bleury**. Oncle de Tancrède **Boucher de Grosbois**.

Bibliographie: *DBC.*

BOUCHER DE BOUCHERVILLE, Pierre-Amable (1780–1857)

Né à Boucherville et baptisé dans la paroisse de la Sainte-Famille, le 24 octobre 1780, fils de René-Amable **Boucher de Boucherville**, seigneur, et de Madeleine Raimbault de Saint-Blaint. Signait Pierre de Boucherville.

Hérita de son père, en 1812, la seigneurie de Boucherville. Officier de milice, servit notamment pendant la guerre de 1812 en qualité de lieutenant-colonel et d'aide de camp provincial du gouverneur George **Prevost**. Occupa le poste d'inspecteur des cheminées à Montréal. Arrêté en novembre 1838 comme sympathisant patriote, fut libéré le 13 décembre.

S'occupa d'administration municipale, à Montréal, avant 1833, à titre de juge de la Cour des sessions spéciales de la paix. Nommé conseiller législatif le 27 septembre 1843.

Décédé en fonction le 30 novembre 1857, à l'âge de 77 ans et un mois. Inhumé dans son domaine, le 3 décembre 1857.

Avait épousé dans la paroisse de la Sainte-Famille, à Boucherville, le 3 octobre 1812, Marguerite-Émilie (Amélie) Sabrevois de Bleury, fille de Clément Sabrevois de Bleury, commandant de la garnison de Sorel, et d'Amelia Bowers.

Père de Charles-Eugène **Boucher de Boucherville**. Grand-père de Tancrède **Boucher de Grosbois**. Beau-frère de Louis-René **Chaussegros de Léry** et de Clément-Charles **Sabrevois de Bleury**.

BOUCHER DE BOUCHERVILLE, René-Amable (1735–1812)

Né au fort Frontenac (Kingston, Ontario), le 12 février 1735, fils de Pierre Boucher de Boucherville, officier dans les troupes de la Marine, et de Marguerite Raimbault.

Entra comme cadet dans les troupes de la Marine. Participa à la guerre de Sept Ans. Fut blessé et fait prisonnier. Hérita d'une partie de la seigneurie de Boucherville à la mort de son père en 1767. Prit part à la défense de la colonie pendant l'invasion américaine de 1775–1776. Par la suite, s'occupa de l'exploitation de sa seigneurie. En 1785, fut nommé grand voyer du district de Montréal; remplit cette fonction jusqu'à sa démission en 1806. Atteignit le grade de colonel dans la milice en 1790.

Nommé conseiller législatif en 1786 et en 1792.

Décédé en fonction à Boucherville, le 31 août 1812, à l'âge de 77 ans et 6 mois. Inhumé dans l'église Sainte-Famille, le 2 septembre 1812.

Avait épousé dans la paroisse Notre-Dame de Montréal, le 6 juin 1770, sa cousine Madeleine Raimbault de Saint-Blaint, fille de Pierre-Marie Raimbault de Saint-Blaint, lieutenant dans les troupes de la Marine, et de Charlotte-Gabrielle Jarret de Verchères.

Père de Pierre-Amable **Boucher de Boucherville**. Beau-père de Louis-René **Chaussegros de Léry**.

_____

Bibliographie: _DBC._

BOUCHER DE GROSBOIS, Tancrède (1846–1926)

Né à Chambly, dans la paroisse Saint-Joseph, le 6 novembre 1846, fils de Charles-Henri Boucher de Grosbois, médecin, et d'Émilie-Magdeleine Boucher de Boucherville.

Suivit des cours privés, puis étudia au collège de Saint-Hyacinthe ainsi qu'à la McGill University. Reçu médecin en 1868. Exerça sa profession à Longueuil, Saint-Bruno, Roxton Falls et Chambly.

Candidat libéral défait dans Chambly aux élections fédérales de 1872 et dans Shefford aux élections provinciales de 1881. Élu député libéral à l'Assemblée législative dans Shefford à l'élection partielle du 18 mai 1888. Réélu en 1890. Défait en 1892. De nouveau élu en 1897 et sans opposition en 1900. Son siège fut déclaré vacant le 1er octobre 1903, date où il retourna à l'exercice de sa profession. Il fut assistant du

directeur médical à l'hôpital Saint-Jean-de-Dieu à Montréal du 19 avril 1918 au 30 août 1920.

Décédé à Montréal, le 30 septembre 1926, à l'âge de 79 ans et 10 mois. Inhumé à Montréal, dans le cimetière Notre-Dame-des-Neiges, le 4 octobre 1926.

Avait épousé à Saint-Bruno-de-Montarville, le 26 février 1870, Dorothée Bruneau.

Neveu de Charles-Eugène **Boucher de Boucherville**. Petit-fils de Pierre-Amable **Boucher de Boucherville**.

BOUCHER DE LA BRUÈRE, Pierre (1837–1917)

Né dans la paroisse Notre-Dame-du-Saint-Rosaire (maintenant Notre-Dame-de-Saint-Hyacinthe), le 5 juillet 1837, fils de Pierre Boucher de la Bruère, médecin, lieutenant-colonel dans la milice et agent général de la Colonisation, et de Marie-Hypolite Boucher de la Brocquerie.

Fit ses études au collège de Saint-Hyacinthe et à l'université Laval à Québec. Admis au barreau du Bas-Canada le 5 mars 1860.

Rédacteur au _Courrier de Saint-Hyacinthe_ en 1862 et propriétaire-éditeur de 1875 à 1895. Nommé protonotaire du district de Saint-Hyacinthe le 23 juin 1875.

Nommé conseiller législatif de la division de Rougemont le 30 octobre 1877. Appuya le Parti conservateur. Orateur du Conseil législatif du 4 mars 1882 au 23 avril 1889 et du 17 mars 1892 au 5 avril 1895; à ce titre, il fit partie du cabinet Chapleau du 4 au 27 mars 1882. Quitta le Conseil législatif à la suite de sa nomination au Conseil de l'instruction publique le 5 avril 1895, poste qu'il occupa jusqu'au 10 mai 1916.

Publia entre autres: _le Canada sous la domination anglaise_ (1863), _le Saguenay_ (1880), _Existence de l'homme_ (1884) et _Éducation et constitution_ (1904). Fondateur et président de la Société d'industrie laitière de la province de Québec de 1882 à 1890. Fondateur de l'École de laiterie de Saint-Hyacinthe.

Fut l'un des promoteurs de la culture de la betterave à sucre au Canada. Membre de l'Institut canadien de Québec dont il fut vice-président en 1906, membre du bureau de direction en 1909 et 1910, puis membre du conseil d'administration en 1912 et 1913. Nommé officier de l'Instruction publique de France en 1901. Créé chevalier commandeur de l'ordre de Saint-Grégoire-le-Grand en 1914. Docteur ès lettres honoris causa de l'université Laval et du Bishop's College. Membre et officier de la Société du parler français. Lieutenant dans la milice à Saint-Hyacinthe.

Décédé à Québec, le 6 mars 1917, à l'âge de 79 ans et 8 mois. Inhumé dans le cimetière de la paroisse Notre-Dame-de-Saint-Hyacinthe, le 10 mars 1917.

Avait épousé dans sa paroisse natale, le 8 janvier 1861, Marie-Victorine-Alice Leclerc, fille de Pierre-Édouard Leclerc (dit Lafrenais), notaire et lieutenant-colonel dans la milice, et de Marie-Josephte Castonguay.

BOUCHER DE NIVERVILLE, Louis-Charles (1825–1869)

Né à Trois-Rivières et baptisé dans la paroisse de l'Immaculée-Conception, le 12 août 1825, fils de Joseph-Michel Boucher de Niverville, seigneur, et de Josephte Laviolette. Désigné généralement sous l'unique prénom de Charles ; signait seulement Boucher de Niverville.

Étudia au séminaire de Nicolet de 1837 à 1844. Fit l'apprentissage du droit à Trois-Rivières, auprès notamment d'Antoine **Polette** ; admis au barreau en 1849.

Exerça sa profession à Trois-Rivières et dans la région ; élu à deux reprises bâtonnier du barreau trifluvien et nommé conseiller de la reine le 28 juin 1867.

Maire de Trois-Rivières de 1863 à 1865. Élu sans opposition député de Trois-Rivières à une élection partielle le 16 janvier 1865 ; bleu. Son mandat prit fin avec l'avènement de la Confédération, le 1er juillet 1867. Élu député conservateur de Trois-Rivières à l'Assemblée législative et à la Chambre des communes en 1867. Résigna ses deux sièges le 30 septembre 1868, par suite de son acceptation de la charge de shérif du district de Trois-Rivières.

Décédé à Trois-Rivières, le 1er août 1869, à l'âge de 43 ans et 11 mois. Inhumé dans la crypte de la cathédrale de l'Immaculée-Conception, le 4 août 1869.

Avait épousé dans la paroisse de l'Immaculée-Conception, à Trois-Rivières, le 8 juillet 1852, Élisa (Élisabeth) Lafond, fille d'Antoine Lafond, cultivateur de Nicolet, et d'Élisabeth Daneau.

Bibliographie : *DBC*.

BOUCHERVILLE. V. BOUCHER DE BOUCHERVILLE

BOUDREAU, Francis (1901–1980)

Né à Québec, le 7 février 1901, fils d'Amédée Boudreau, tanneur, et de Geneviève Gaudet.

Fit son cours supérieur à l'académie Saint-Sauveur. Comptable et administrateur, il travailla pour la firme François Nolin de Québec pendant trente-cinq ans.

Candidat de l'Union nationale défait dans Saint-Sauveur en 1944. Élu député de l'Union nationale dans cette circonscription en 1948. Réélu en 1952, 1956, 1960, 1962 et 1966. Adjoint parlementaire du ministre de la Voirie du 17 décembre 1954 au 6 juillet 1960. Assermenté ministre sans portefeuille dans le cabinet Johnson le 16 juin 1966 et dans le cabinet Bertrand le 2 octobre 1968. Ne s'est pas représenté en 1970.

Président régional de la Société Saint-Jean-Baptiste de Québec. Fondateur de la section Saint-Joseph et membre du conseil diocésain de cette société. Fut vice-président et président de l'Œuvre des terrains de jeux de Québec. Président de la section Saint-Sauveur du Conseil central des œuvres et de l'Amicale lasallienne de Québec. Fondateur et trésorier du Club Richelieu de Québec. Membre du bureau d'administration du centre de formation Laval.

Décédé à Québec, le 20 avril 1980, à l'âge de 79 ans et 2 mois. Inhumé à Québec, dans le cimetière Saint-Charles, le 22 avril 1980.

Avait épousé à Québec, dans la paroisse Saint-Sauveur, le 27 février 1922, Marguerite Giguère, fille d'Édouard Giguère, boucher, et de Marie-Adéla Jobin.

BOUDREAU, Jean (1748–1827)

Né en Acadie, probablement à Port-Royal, en 1748, fils de Charles Boudrot, descendant d'un des premiers colons de Port-Royal, et de Marie-Joséphine Sincennes. Son patronyme s'orthographiait aussi Boudrot.

Afin d'échapper à la déportation des Acadiens en 1755, s'enfuit avec ses parents. La famille arriva à Québec, via le Nouveau-Brunswick, à l'automne de 1757, puis s'établit à Deschambault peu avant 1764. Exerça le métier de navigateur. Servit pendant la guerre de 1812 comme lieutenant dans la milice.

Élu député de Hampshire en 1792; appuya le parti canadien. Ne se serait pas représenté en 1796.

Décédé à Deschambault, le 31 août 1827, à l'âge de 78 ou de 79 ans. Inhumé dans l'église Saint-Joseph, le 2 septembre 1827.

Avait épousé dans la paroisse Sainte-Famille, à Cap-Santé, le 7 janvier 1777, Marie-Josephte Germain, fille de Pierre Germain (Germain, dit Bélisle) et de Marie Marcot.

Son fils aîné épousa la sœur de Louis-Michel **Viger** et cousine de Louis-Joseph **Papineau**.

BOUDREAULT, Jean
(1930–1982)

Né à Mistassini, le 30 décembre 1930, fils de Louis Didyme Boudreault, livreur, et de Cécile Tremblay.

Fit ses études à l'école de Mistassini, à l'orphelinat de Chicoutimi et à l'Institut Saint-Jean-Bosco à Québec. Cadet dans l'armée de 1942 à 1946.

Vendeur à La Malbaie. Travailla dans l'industrie forestière et fut boulanger de 1945 à 1948. S'établit à Montréal. Compagnon latteur de 1948 à 1954. Membre de la Fédération des travailleurs du Québec (FTQ) et président de section de 1953 à 1956. Entrepreneur de construction à partir de 1954. Président de Jean Boudreault et Fils inc. et des Courtiers généraux S.G.B. du Québec inc. Vice-président de Norjean Construction inc. Administrateur des entreprises Jeanco ltée.

Membre du Mouvement Québec-Canada. Élu député libéral dans Bourget en 1973. Défait en 1976.

Membre de la Chambre de construction de Montréal. Membre du Club Kiwanis métropolitain et de l'organisme des loisirs de la paroisse Saint-Fabien.

Décédé à Montréal, le 15 décembre 1982, à l'âge de 51 ans et 11 mois. Inhumé au cimetière de l'Est, le 18 décembre 1982.

Avait épousé à Montréal, dans la paroisse Saint-Stanislas, le 29 septembre 1951, Colette Sabourin, fille d'Eugène Sabourin, contremaître, et de Juliette Léonard.

BOUDROT. V. BOUDREAU

BOUFFARD, Édouard
(1858–1903)

Né à Saint-Laurent (île d'Orléans), le 30 août 1858, fils de David Bouffard, pilote, et de Françoise Chabot.

A étudié au séminaire de Québec. Admis au barreau de la province de Québec le 1er août 1884. Exerça sa profession à Québec.

Élu député conservateur dans Montmorency à l'élection partielle du 23 juin 1896. Réélu en 1897. Défait en 1900.

Décédé à Québec, le 12 décembre 1903, à l'âge de 45 ans et 4 mois. Inhumé à Québec, dans le cimetière Saint-Charles, le 14 décembre 1903.

Avait épousé dans la paroisse Notre-Dame de Québec, le 16 octobre 1901, Mary Ann Bennet, veuve de Napoléon Rinfret.

BOUFFARD, Jean
(1800–1843)

Né à Saint-Laurent, île d'Orléans, et baptisé à Saint-Pierre, le 9 décembre 1800, fils de Jean Bouffard, cultivateur, et de Marie Noël.

Fit l'apprentissage du notariat à Saint-Henri-de-Lauzon, où il s'établit après avoir été admis à l'exercice de sa profession, le 24 mai 1830. Nommé visiteur des écoles du comté de Dorchester, le 26 septembre 1832, et commissaire au tribunal des petites causes, le 13 mai 1837.

Élu député de Dorchester à une élection partielle le 21 août 1832; vota pour les Quatre-vingt-douze Résolutions. Réélu en 1834; appuya généralement le parti patriote. Son mandat prit fin avec la suspension de la constitution, le 27 mars 1838.

Décédé à Saint-Henri-de-Lauzon, le 1er décembre 1843, à l'âge de 42 ans et 11 mois. Inhumé dans le cimetière paroissial, le 4 décembre 1843.

Avait épousé dans la paroisse de La Nativité-de-Notre-Dame, à Beauport, le 8 février 1831, Catherine Pepin, dit Lachance, fille de Jean Pepin, dit Lachance, et de Marie-Élisabeth Gagné.

BOULAIS, François
(1912–1971)

Né à Trois-Rivières, le 23 juillet 1912, fils de Joseph-Félix-Frédéric Boulais, notaire et banquier, et d'Élisabeth-Albertine Chapdelaine.

A étudié au collège Sainte-Marie et au collège Brébeuf à Montréal, puis à l'Institut agricole d'Oka. Reçu agronome en 1935.

Employé du ministère de l'Agriculture du Québec. Professeur aux écoles d'agriculture de Sainte-Croix et de Sainte-

Martine. Attaché à l'Institut de technologie agricole de Saint-Hyacinthe de 1956 à 1971. Directeur des émissions de la Société d'éducation des adultes diffusées à Radio-Canada. Il demeurait à Saint-Hilaire.

Membre du comité agricole du Parti libéral. Président de la Fédération libérale régionale montérégienne. Candidat libéral défait dans Rouville en 1956 et 1960. Élu député libéral dans Rouville à l'élection partielle du 23 novembre 1960. Réélu en 1962. Nommé adjoint parlementaire du ministre des Affaires municipales le 20 janvier 1965. Défait en 1966.

Décédé à Montréal, le 14 septembre 1971, à l'âge de 59 ans et 2 mois. Inhumé dans le cimetière de Saint-Hilaire, le 17 septembre 1971.

Avait épousé à Ahunstic, dans la paroisse Saint-Nicolas, le 5 octobre 1939, Marie-Aline-Gilberte Gariépy, fille d'Ernest Gariépy, médecin, et de Marie-Agnès Guénette; puis, à Outremont, dans la paroisse Saint-Viateur, le 3 août 1957, Marie-Marthe-Rolande Pigeon, fille de Roland Pigeon, cultivateur, et de Reine Pigeon; puis, au palais de justice de Saint-Hyacinthe, le 10 décembre 1970, Simone Létourneau, fille d'Hormidas Létourneau et de Clémentine Valcourt.

BOULANGER, Joseph
(1890–1963)

Né à Montmagny, le 7 mars 1890, fils de Louis Boulanger, cultivateur, et de Wilhelmine Poirier.

Cultivateur, il fut directeur de la Société d'agriculture du comté de Montmagny de 1933 à 1936 et de l'Union catholique des cultivateurs (UCC). Directeur et cofondateur du Syndicat de beurrerie de Montmagny. Président-fondateur de la caisse populaire de Montmagny. Décoré du Mérite agricole, médaillé de bronze en 1922 et d'argent en 1927. Membre des Chevaliers de Colomb et du Club Montmagny.

Conseiller municipal de Montmagny du 12 janvier 1927 au 12 janvier 1929. Membre de la commission scolaire. Organisateur en chef de l'Union nationale dans le comté de Montmagny. Candidat de l'Union nationale défait dans Montmagny en 1944. Nommé conseiller législatif de la division de La Durantaye le 8 octobre 1952.

Décédé en fonction à Montmagny, le 5 novembre 1963, à l'âge de 73 ans et 7 mois. Inhumé dans le cimetière de Montmagny, le 9 novembre 1963.

Avait épousé à Montmagny, dans la paroisse Saint-Thomas, le 23 septembre 1913, Rose-Délima Dubé, fille d'Alfred Dubé, cultivateur, et de Mathilde Pelletier; puis, dans la paroisse Notre-Dame de Québec, le 29 août 1949, Bernadette

Dubé, veuve de Jean-Charles-Blanchet et sœur de sa première épouse.

BOULERICE, André

Né à Joliette, le 8 mai 1946, fils de Paul Boulerice, fonctionnaire, et de Laurette Bastien, enseignante.

A étudié au cégep du Vieux-Montréal où il obtint un diplôme en éducation spécialisée en 1972. A suivi également des cours en administration à l'université du Québec à Montréal de 1973 à 1975.

Attaché d'administration à la commission scolaire régionale de Chambly de 1974 à 1985, il fut responsable du service de l'organisation scolaire, puis du centre de gestion des documents. Membre du conseil d'administration de l'hôpital Saint-Luc de 1983 à 1985 et du Musée d'art contemporain en 1984 et 1985.

Organisateur du Parti québécois dans Saint-Jacques en 1970 et 1973. Président de l'Association du Parti québécois du comté de Westmount de 1977 à 1981. Président du conseil exécutif dans la région Montréal-Centre de 1981 à 1985. Candidat du Parti québécois défait dans Saint-Jacques à l'élection partielle du 26 novembre 1984. Élu dans cette circonscription en 1985 et dans Sainte-Marie–Saint-Jacques en 1989. Fut président national de la campagne de financement du Parti québécois en 1986.

BOURASSA, François
(1813–1898)

Né à Sainte-Marguerite-de-Blairfindie (L'Acadie), le 5 ou le 6 juin 1813, fut baptisé le 6, dans l'église paroissiale, fils de François Bourassa, aubergiste (fut aussi maire), et de Geneviève Patenaude.

Après des études primaires, cultiva la terre paternelle, puis s'établit comme fermier dans son village natal. Capitaine d'une compagnie de l'Association des frères-chasseurs pendant la rébellion de 1838, fut emprisonné à Montréal, puis libéré sans procès. Détint le grade de capitaine dans le 3e bataillon de milice du comté de Chambly, de 1847 à 1859. S'installa sur une ferme à Saint-Jean (Saint-Jean-sur-Richelieu), en 1849.

Représenta la paroisse Saint-Jean-l'Évangéliste au conseil de la municipalité de comté de Chambly, de 1850 à 1854. Élu député de Saint-Jean en 1854. Maire de L'Acadie du 1er février au 6 septembre 1858. Réélu député en 1858 et 1861. Rouge. Candidat défait au siège de conseiller législatif de la division de Lorimier en 1862. Réélu dans Saint-Jean en 1863 ; rouge, s'opposa au projet de confédération. Son mandat de député prit fin avec l'avènement de la Confédération, le 1er juillet 1867. Élu député libéral de Saint-Jean à la Chambre des communes en 1867. Réélu en 1872, 1874, 1878, 1882, 1887 et 1891. Ne s'est pas représenté en 1896.

Décédé à Saint-Valentin, le 13 mai 1898, à l'âge de 84 ans et 11 mois. Inhumé dans le cimetière de la paroisse Sainte-Marguerite-de-Blairfindie, à L'Acadie, le 16 mai 1898.

Avait épousé dans la paroisse Saint-Jean-l'Évangéliste, à Dorchester (Saint-Jean-sur-Richelieu), le 28 février 1832, Sophie Trahan, fille du cultivateur Jean-Baptiste Trahan et de Marie-Josephte Terrien.

Oncle d'Henri **Bourassa**.

———

Bibliographie : *DBC*.

BOURASSA, Henri
(1868–1952)

Né dans la paroisse Notre-Dame de Montréal, le 1er septembre 1868, fils de Napoléon Bourassa, auteur et peintre, et de Marie-Julie-Azélie Papineau.

Fit ses études à l'école Archambault, à l'école du Plateau en 1881, à l'École polytechnique de Montréal en 1885, et au collège Holy Cross en 1886, à Worcester, dans l'État du Massachusetts.

De 1892 à 1895, il fut propriétaire et éditeur du journal *l'Interprète*, publié à Clarence Creek en Ontario. Participa à la fondation du *Nationaliste* en 1904, pour lequel il fut journaliste jusqu'en 1910. Fondateur et directeur du quotidien nationaliste *le Devoir* de 1910 à 1932. Propriétaire d'une ferme puis d'une scierie.

Maire de Montebello de 1889 à 1894. Élu député libéral à la Chambre des communes dans Labelle en 1896. Marguillier et syndic de la paroisse Notre-Dame-de-Bon-Secours. Maire de Papineauville en 1897. Démissionna comme député le 26 octobre 1899 pour protester contre l'envoi d'un contingent militaire canadien en Afrique du Sud sans consultation des représentants du peuple. Réélu au fédéral, sans opposition, député libéral dans Labelle à l'élection partielle du 18 janvier 1900. Réélu en 1900. Participa avec Olivar Asselin à la fondation de la Ligue nationaliste en 1903. Réélu en 1904. Démissionna le 29 octobre 1907 comme député fédéral pour se présenter candidat indépendant dans Bellechasse à l'élection partielle provinciale du 4 novembre 1907 ; il fut défait. Élu député de la Ligue nationaliste à l'Assemblée législative dans Saint-Hyacinthe et dans Montréal no 2 aux élections de 1908. Démissionna du siège de Montréal no 2 le 11 mars 1909. Ne s'est pas représenté en 1912. Élu député indépendant à la Chambre des communes dans Labelle en 1925. Réélu en 1926 et sans opposition en 1930. Défait en 1935. Appuya le Bloc populaire lors de la crise de la circonscription.

Auteur de plusieurs publications et brochures dont : *Grande-Bretagne et Canada, questions actuelles* (1902), *le Problème des races au Canada* (1910), *Que devons-nous à l'Angleterre ?* (1915), *Hier, aujourd'hui et demain* (1916) et *le Canada apostolique* (1916).

Décédé à Outremont, le 31 août 1952, à l'âge de 83 ans et 11 mois. Inhumé à Montréal, dans le cimetière Notre-Dame-des-Neiges, le 4 septembre 1952.

Avait épousé à Sainte-Adèle, le 4 septembre 1905, Joséphine Papineau, fille de Godfroy Papineau, notaire, et de Marie-Alexina Beaudry.

Petit-fils de Louis-Joseph **Papineau**. Neveu de François **Bourassa**.

———

Bibliographie : Allen, Patrick et autres, *La pensée de Henri Bourassa*, Montréal, L'Action nationale, 1954, 244 p. Beaudet, Jeanne, *Essai de bio-bibliographie sur la personne et l'œuvre littéraire, oratoire et politique de M. Joseph-Napoléon-Henri Bourassa : écrivain, journaliste et homme politique*, thèse à l'université de Montréal, 1938, 42 p. Bergevin, André, Cameron Nish et Anne Bourassa, *Henri Bourassa : index des écrits, index de la correspondance publique 1895–1924*, Montréal, L'Action nationale, 1966, 150 p. Levitt, Joseph, *Henri Bourassa and the golden calf : the social program of the nationalists of Quebec, 1900–1914*, Ottawa, Éditions de l'université d'Ottawa, 1969, 178 p. (« Cahiers d'histoire », 3). Levitt, Joseph, *Henri Bourassa, critique catholique*, trad. par Andrée Désilets, Ottawa, Société historique du Canada, 1977, 24 p. (« Brochure historique », 29). Peltrie, Auldham Roy, *Henri Bourassa*, Montréal, Lidec, 1981, 63 p. Rumilly, Robert, *Henri Bourassa : la vie publique d'un grand Canadien*, Montréal, Chanteclerc, 1953, 791 p.

BOURASSA, Robert

Né à Montréal, le 14 juillet 1933, fils d'Aubert Bourassa et d'Adrienne Courville.

Fit ses études au collège Brébeuf à Montréal, à l'université de Montréal où il reçut la médaille du gouverneur général en 1956. Admis au barreau de la province de Québec en juin 1957. Obtint une maîtrise en sciences économiques et politiques d'Oxford, en Angleterre, en 1959, et une maîtrise en fiscalité et droit financier à la Harvard University en 1960.

Conseiller fiscal au ministère du Revenu national, à Ottawa, de 1960 à 1963. Professeur de sciences économiques et de fiscalité à l'université d'Ottawa de 1961 à 1963. Secrétaire et directeur des recherches de la commission Bélanger sur la fiscalité de 1963 à 1965. Conseiller spécial sur les questions économiques et fiscales auprès du ministère fédéral des Finances. Professeur de finances publiques aux universités de Montréal et Laval de 1966 à 1969.

Élu député libéral dans Mercier en 1966. Chef du Parti libéral du Québec du 17 janvier 1970 au 19 novembre 1976. Réélu en 1970 et 1973. Premier ministre et président du Conseil exécutif du 12 mai 1970 au 25 novembre 1976. Ministre des Finances du 12 mai au 1er octobre 1970. Ministre des Affaires intergouvernementales du 11 février 1971 au 2 février 1972 et du 12 octobre au 25 novembre 1976. Défait en 1976.

Professeur invité à l'Institut européen d'administration des affaires à Fontainebleau et conférencier à l'Institut des affaires européennes à Bruxelles en 1977. Professeur au Center of Advanced International Studies à la Johns Hopkins University, à Washington, en 1978. Professeur au département de science politique de l'université Laval et de l'université de Montréal à partir de 1979. Professeur invité aux universités de la Caroline du Sud en 1981 et de New Haven (Yale University) en 1982. Fut également conseiller économique et financier. Publia notamment *Bourassa/Québec* (1970), *la Baie James* (1973), *Deux fois la Baie James* (1981), *l'Énergie du Nord: la force du Québec* (1985) et *le Défi technologique* (1985). Titulaire d'un doctorat honoris causa en philosophie de l'université de Tel-Aviv en 1987. Récipiendaire de l'ordre du Mérite des diplômés de l'université de Montréal en 1987.

Réélu chef du Parti libéral du Québec le 15 octobre 1983. Élu député libéral dans Bertrand à l'élection partielle du 3 juin 1985. Défait aux élections générales du 2 décembre 1985. Assermenté premier ministre et président du Conseil exécutif le 12 décembre 1985. Élu dans Saint-Laurent à l'élection partielle du 20 janvier 1986 et réélu aux élections générales de 1989.

Bibliographie: Bourassa, Robert, *Les années Bourassa: l'intégrale des entretiens Bourassa–Saint-Pierre*, Montréal, Héritage, 1977, 295 p. Racine, Gilles, *Les étapes inédites de l'ascension de Robert Bourassa*, Montréal, La Presse, 1970, 23 p. Silverson, R.W., *Robert Bourassa's ideas on Canadian federalism: his concept and rationale*, thèse de maîtrise, Queen's University, 1979. Vastel, Michel, *Bourassa*, Montréal, Éditions de l'Homme, 1991.

BOURBEAU, André

Né à Verdun, le 1er juin 1936, fils de Louis-Auguste Bourbeau, chirurgien, et d'Antoinette Miquelon.

Fit ses études à Danville, au séminaire Saint-Charles-Borromée à Sherbrooke et aux universités de Montréal et de McGill. Diplômé en droit de la McGill University en 1959. Admis à la Chambre des notaires en 1960.

Notaire à Montréal de 1960 à 1981. Participa à de nombreuses activités immobilières dont la construction de Place Desjardins, à titre de membre du conseil d'administration de 1973 à 1977. Président fondateur de l'Office municipal d'habitation de Saint-Lambert de 1974 à 1981.

Entre 1970 et 1981, il fut successivement conseiller municipal et maire de Saint-Lambert, président du conseil des maires et commissaire à la Commission de transport de la rive sud de Montréal (CTRSM).

Élu député libéral dans Laporte en 1981. Réélu en 1985. Ministre des Affaires municipales, responsable de l'Habitation, dans le cabinet Bourassa du 12 décembre 1985 au 23 juin 1988. Ministre de la Main-d'œuvre et de la Sécurité du revenu du 23 juin 1988 au 11 octobre 1989. Réélu en 1989. Assermenté ministre de la Main d'œuvre, de la Sécurité du revenu et de la Formation professionnelle le 11 octobre 1989.

Neveu de Jacques **Miquelon**. Frère de Monique B. Landry, députée et ministre fédérale élue en 1984 et 1988.

BOURBONNAIS, Avila-Gonzague (1859–1902)

Né à Saint-Clet, le 17 octobre 1859, fils de Michel Bourbonnais, cultivateur, et d'Angèle Houle.

Étudia au séminaire de Sainte-Thérèse ainsi qu'à l'université Laval à Montréal. Fut registraire du ministère des Travaux publics et de l'Agriculture. Sténographe officiel à Montréal de 1884 à 1887.

Élu député du Parti national dans Soulanges en 1886 et 1890. Élu sous la bannière libérale en 1892, 1897 et 1900.

Décédé en fonction à Québec, le 4 avril 1902, à l'âge de 42 ans et 5 mois. Inhumé à Montréal, dans le cimetière Notre-Dame-des-Neiges, le 6 avril 1902.

Avait épousé dans la paroisse Notre-Dame de Montréal, le 29 octobre 1884, Marie-Rose-Délia Lefebvre, fille d'Antoine Lefebvre et de Marguerite-Elmire Charlebois.

Frère d'Augustin Bourbonnais, député à la Chambre des communes de 1896 à 1908.

BOURDAGES, Louis
(1764–1835)

Né le 5 juillet 1764, fut baptisé le 6, dans la paroisse Notre-Dame-de-l'Annonciation, à L'Ancienne-Lorette, sous le prénom de Louis-Marie, fils de Raymond Bourdages (Bordage), chirurgien et commerçant, et d'Esther Leblanc.

Étudia au petit séminaire de Québec de 1777 à 1784.

Exerça d'abord le métier de marin au long cours. En 1787, tenta sa chance comme marchand à Québec. S'établit en 1790 à Saint-Denis, sur le Richelieu, où il cultiva la terre. En 1800, entreprit un stage de clerc en notariat; reçut sa commission en 1805 et pratiqua sa profession de 1805 à 1835. Fut agent seigneurial, officier de milice. Participa à la fondation du journal le Canadien en 1806. Pendant la guerre de 1812, prit part à la défense de la colonie; en retour, fut nommé en 1814 surintendant des postes de relais.

Élu député de Richelieu en 1804. Réélu en 1808, 1809 et 1810. Appuya le parti canadien durant ces quatre mandats. Défait dans Richelieu en 1814, mais l'élection fut annulée. Défait de nouveau dans Richelieu à une élection partielle le 8 mars 1815, mais élu dans Buckingham à une élection partielle le 13 mars 1815. Défait dans Buckingham en 1816. Élu dans Buckingham en avril 1820. Réélu en juillet 1820, 1824 et 1827. Élu dans Nicolet en 1830; appuya le parti patriote et fit partie du comité qui prépara les Quatre-vingt-douze Résolutions. Réélu en 1834.

Décédé en fonction à Saint-Denis, le 20 janvier 1835, à l'âge de 70 ans et 6 mois. Inhumé dans l'église paroissiale, le 23 janvier 1835.

Avait épousé dans la paroisse Notre-Dame de Québec, le 9 octobre 1787, Louise-Catherine Soupiran, fille de Charles-Simon Soupiran, chirurgien, et de Marie-Louise Roussel.

Père de Rémi-Séraphin **Bourdages**. Sa fille épousa un fils de Charles Benoit **Livernois**.

Bibliographie: *DBC*. Gaudette, Christian, *Louis Bourdages, notaire de Saint-Denis et député de la Chambre d'assemblée du Bas-Canada*, thèse de M.A. (histoire) à l'UQAM, 1987, 114 p.

BOURDAGES, Rémi-Séraphin
(1799–1832)

Né à Saint-Denis et baptisé dans l'église paroissiale, le 25 décembre 1799, sous le prénom de Jean-David, fils de Louis **Bourdages**, cultivateur, et de Louise-Catherine Soupiran.

Fréquenta le séminaire de Nicolet de 1808 à 1813. Étudia la médecine à Québec, puis à l'université de New York où il obtint son diplôme en avril 1818. Reçut l'autorisation de pratiquer sa profession au Bas-Canada le 13 octobre 1818.

S'établit comme médecin à Sainte-Marie-de-Monnoir (Marieville). Nommé juge de paix en août 1830. Élu membre du bureau d'examinateurs en médecine du district de Montréal en juillet 1831. Refusa le poste de commissaire du canal de Chambly.

Élu député de Rouville en 1830; appuya généralement le parti patriote.

Décédé en fonction à Saint-Denis, le 24 décembre 1832, à l'âge de 32 ans. Inhumé dans le cimetière de Sainte-Marie-de-Monnoir (Marieville), le 27 décembre 1832.

Avait épousé dans la paroisse du Saint-Nom-de-Marie (à Marieville), le 22 mai 1821, Marguerite Franchère, fille d'Antoine Franchère et de Marie-Josette Nicolas.

Beau-père de Joseph-Napoléon **Poulin**. Beau-frère de Joseph **Franchère**.

BOURDON, Michel

Né à Montréal, le 19 septembre 1943, fils de Laurent Bourdon, denturologue, et de Juliette Charbonneau, secrétaire comptable.

A étudié aux écoles secondaires Le Plateau et Monseigneur-Gauthier à Montréal.

Journaliste au *Nouveau Journal* en 1959, au *Nordet* puis à *l'Aquilon* de 1960 à 1963. Journaliste à Radio-Canada de 1966 à 1970. Syndicaliste pendant 23 ans, il fut notamment président de la CSN-Construction de 1973 à 1979 et employé à la Fédération nationale des communications de 1979 à 1989.

Élu député du Parti québécois dans Pointe-aux-Trembles en 1989.

BOURQUE, John Samuel
(1894–1974)

Né à Sherbrooke, dans la paroisse Saint-Michel, le 8 septembre 1894, fils de Théophile A. Bourque, négociant en gros, et de Mary Jane McGowan.

A étudié chez les Frères du Sacré-Cœur et au séminaire Saint-Charles-Borromée à Sherbrooke.

Enrôlé chez les Carabiniers (plus tard les Fusiliers) de Sherbrooke à l'âge de 16 ans, il fut promu caporal en 1913 et sergent l'année suivante. S'inscrivit comme simple soldat dans le Royal 22e Régiment le 31 octobre 1914, et fut nommé sergent la même année. S'embarqua pour la Grande-Bretagne le 20 mai 1915. Fut promu ensuite sergent-major de compagnie, puis lieutenant en 1916, et enfin capitaine. Réintégra les cadres des Fusiliers de Sherbrooke après la Première Guerre mondiale. Fut nommé major en 1924, lieutenant-colonel et commandant de l'unité en 1928 et colonel honoraire en 1939. A repris le service à titre de commandant du camp d'entraînement militaire de Sherbrooke durant la Seconde Guerre mondiale. S'est retiré du service militaire actif en 1943. Après la Première Guerre mondiale, il occupa diverses fonctions à la Macamic Pulp and Lumber en Abitibi. Fut ensuite gérant des ventes à la Brompton Lumber Mfg. Co. à Bromptonville pendant trois ans. Ouvrit un commerce de bois à Sherbrooke en 1925. Se retira des affaires quelques années avant son décès, laissant à son fils la gestion du commerce de bois et de matériaux de construction J.-S. Bourque ltée.

Membre de la Commisson des écoles catholiques de Sherbrooke du 21 juin 1933 au 24 août 1937. Échevin de la ville de Sherbrooke de 1934 à 1938. Élu député de l'Action libérale nationale dans Sherbrooke en 1935. Nommé whip de ce parti en 1935. Réélu sous la bannière de l'Union nationale en 1936, 1939, 1944, 1948, 1952 et 1956. Ministre des Travaux publics dans le cabinet Duplessis du 26 août 1936 au 8 novembre 1939. Ministre des Terres et Forêts dans le même cabinet du 27 juillet 1938 au 8 novembre 1939 et du 30 août 1944 au 30 avril 1958. Ministre des Ressources hydrauliques dans le cabinet Duplessis du 21 juillet 1945 au 30 avril 1958. Ministre des Finances dans les cabinets Duplessis, Sauvé et Barrette du 27 janvier 1958 au 5 juillet 1960. Défait aux élections générales de 1960.

Docteur honoris causa en droit civil du Bishop's College en 1947 et en sciences forestières de l'université Laval en 1951. Il fut également récipiendaire d'un doctorat honorifique de l'université de Sherbrooke en 1955 et de l'université de Montréal en 1957. A reçu de nombreuses décorations de différents pays pour ses activités militaires. Médaillé de l'ordre des Latins d'Amérique en 1948. Commandeur de l'ordre de Saint-Grégoire-le-Grand. Vice-président de la Légion canadienne, B.E.S.L. nº 10. Fellow de la Canadian Geographical Society. Président de la Chambre de commerce de Sherbrooke. Membre de la Retail Lumber Association. Membre de la Société Saint-Jean-Baptiste, des Chevaliers de Colomb, du Club optimiste et du Club social de Sherbrooke. Membre du Club canadien, du Club Renaissance, du Club de la garnison et de l'Institut canadien de Québec.

Décédé à Sherbrooke, le 5 mars 1974, à l'âge de 79 ans et 5 mois. Inhumé dans le cimetière de la paroisse Saint-Michel, le 8 mars 1974.

Avait épousé à Sherbrooke, dans la paroisse Saint-Jean-Baptiste, le 27 juin 1922, Dorimène-Liliane Brien, fille d'Uldéric Brien et de Jeanne Boisvert ; puis, dans la cathédrale de Sherbrooke, le 1er août 1959, Fernande Vaillancourt, fille de Georges-Henri Vaillancourt et d'Adéline Camirand, et veuve de Frédéric-Paul Vaillancourt.

BOURRET, Joseph
(1802–1859)

Né à Rivière-du-Loup (Louiseville), le 18 juin 1802, puis baptisé le 19, dans la paroisse Saint-Antoine, fils de Joseph Bourret, cultivateur, et d'Angélique Lemaître-Bellenoix.

Aurait étudié au séminaire de Nicolet, avant de commencer l'apprentissage du droit à Montréal en 1820. Admis au barreau le 27 septembre 1823.

Pratiqua sa profession à Montréal. En juin 1844, acquit des sulpiciens, en propriété indivise avec Louis-Hippolyte **La Fontaine** et Pierre **Beaubien**, l'arrière-fief de La Gauchetière. Exerça la fonction de recorder de la ville de Montréal, du 6 mars 1852 jusqu'à sa mort. Président de la Banque d'épargne de Montréal. L'un des fondateurs de la Société Saint-Jean-Baptiste, dont il fut président en 1848 et 1849, et des conférences Saint-Vincent-de-Paul. L'un des administrateurs de l'Institut national, créé en 1852.

Entra au conseil municipal de Montréal le 30 mars 1842, puis y représenta le quartier Centre de 1842–1843 à 1844–1846 et le quartier Saint-Antoine de 1846–1847 jusqu'à sa démission en mai 1850 ; fut maire en 1842–1843 et 1843–1844, maire remplaçant en 1847–1848 et de nouveau maire en 1848–1849. Nommé au Conseil législatif le 21 novembre 1848. Fit partie du ministère La Fontaine–Baldwin : président du Conseil exécutif du 17 avril 1850 au 27 octobre 1851, assistant-commissaire des Travaux publics du 17 avril 1850 au 11 février 1851, puis commissaire en chef des Travaux publics du 12 février au 27 octobre 1851.

Décédé en fonction à Montréal, le 5 mars 1859, à l'âge de 56 ans et 8 mois. Les obsèques eurent lieu dans l'église Notre-Dame, le 8 mars 1859.

Avait épousé dans la paroisse Notre-Dame de Montréal, le 8 janvier 1834, Émélie Pelletier, fille du marchand Toussaint Pelletier et d'Élisabeth Lacoste ; puis, au même endroit, le 16 octobre 1839, Marie-Stéphanie Bédard, fille de l'avocat Joseph **Bédard** et de Marie-Geneviève-Scholastique Hubert-Lacroix.

Bibliographie: Desrochers, Luc, «Bourret est devenu maire grâce à l'influence de La Fontaine», *La Presse*, 19 janvier 1992, p. A6.

BOUSQUET, Denis

Né à Saint-Hyacinthe, le 9 mars 1928, fils de William Bousquet, cultivateur, et d'Éliza Leclerc.

Fit ses études au séminaire de Saint-Hyacinthe et à l'université de Montréal. Obtint une maîtrise en histoire en 1951 et un doctorat en histoire politique en 1954 de l'université de Montréal. Effectua des recherches en histoire diplomatique à la Columbia University à New York. Boursier de la Nuffield Foundation de Cambridge et de la British Council Foundation. Poursuivit des études postdoctorales sur les relations anglo-canadiennes à la Cambridge University en Angleterre de 1954 à 1957.

Professeur d'histoire à l'université d'Ottawa, au collège Sainte-Marie à Montréal et au Centre d'études universitaires de Trois-Rivières de 1957 à 1966.

Élu député de l'Union nationale dans Saint-Hyacinthe en 1966. Défait en 1970.

Agent de recherche et de planification socio-économique à l'Assemblée nationale pendant quelques années, puis au ministère des Affaires culturelles, section des archives nationales, à Montréal.

Auteur des thèses suivantes: *la Valeur du Canada au temps de la Conquête* (maîtrise) et *la Naissance et le développement du Commonwealth* (doctorat). Ancien directeur du journal des étudiants de l'université de Montréal, *le Quartier latin*. Président des étudiants de la faculté des lettres de l'université de Montréal. Secrétaire du mouvement Pax Romana de l'université de Montréal en 1953. Ancien membre de l'Association pour la promotion des Nations Unies (Cambridge, Angleterre, 1955). Membre de la Société historique du Canada, de l'American Historical Society et de l'Institut canadien des relations internationales. Membre de l'Association canadienne des sciences politiques et du Royal Institute of International Affairs.

BOUSQUET, Jacques

Né à Nominingue, le 10 octobre 1911, fils de Jean-Baptiste Bousquet, avocat, et de Maria Larivière.

Fit ses études à l'école Saint-Rosaire à Nominingue, à l'académie Girouard, au séminaire de Saint-Hyacinthe et à l'université de Montréal. Admis au barreau de la province de Québec le 16 janvier 1936. Créé conseil en loi de la reine le 13 mars 1957.

Exerça sa profession d'avocat à Saint-Hyacinthe de 1936 à 1939. En service actif dans le régiment de Saint-Hyacinthe à titre de capitaine-adjudant en 1939 et 1940, d'adjudant dans différents camps d'entraînement de 1940 à 1942, puis de major et de président de la Cour martiale de Montréal de 1942 jusqu'à sa démobilisation en septembre 1946. Pratiqua de nouveau le droit à Saint-Hyacinthe de 1946 à 1957.

Échevin au conseil municipal de Saint-Hyacinthe de juin 1953 à octobre 1956. Président de la commission scolaire de l'endroit de juin 1955 à octobre 1956. Élu député de l'Union nationale dans Saint-Hyacinthe à l'élection partielle du 6 juillet 1955. Défait en 1956. Juge à la Cour provinciale de Montréal du 15 avril 1957 au 10 octobre 1981.

Journaliste au *Courrier de Saint-Hyacinthe* en 1929. Président de l'Alliance française pendant six ans.

BOUTHILLIER, Alexis
(1870–1940)

Né à Saint-Constant, le 29 juillet 1870, fils de Moïse Bouthillier, cultivateur, et d'Odile Normandin.

Fit ses études à l'école de sa paroisse natale, à l'école normale Jacques-Cartier et à l'université Laval à Montréal. Reçu médecin en 1896.

Exerça sa profession à Montréal, à Sherrington, à Saint-Isidore, à Saint-Jean et à Saint-Blaise.

Échevin de Saint-Jean en 1916 et maire de 1919 à 1923. Élu député libéral dans Saint-Jean en 1919. Réélu sans opposition en 1923. De nouveau élu en 1927, 1931, 1935 et 1936. Réélu dans Saint-Jean-Napierville en 1939.

Décédé en fonction à Saint-Jean, le 4 décembre 1940, à l'âge de 70 ans et 4 mois. Inhumé dans le cimetière de Saint-Jean, le 7 décembre 1940.

Avait épousé à Saint-Blaise, le 27 octobre 1896, Rose-Églantine Lamarche, fille d'Ovide Lamarche, inspecteur d'écoles, et de Philomène Laplante dit Saint-Jean; [puis, en secondes noces, Alice Roy].

BOUTHILLIER, Flavien-Guillaume
(1844–1907)

Né à Saint-Césaire, le 2 mars 1844, fils de Flavien Bouthillier, marchand, et de Marguerite-Henriette Blumhart.

A étudié au collège de Sainte-Marie-de-Monnoir, au collège de Saint-Hyacinthe, à l'université Laval à Québec ainsi qu'à la Victoria University à Cobourg, en Ontario. Fit sa cléricature auprès d'Antoine-Aimé **Dorion**. Admis au barreau de la province de Québec le 15 juillet 1871.

Exerça d'abord seul sa profession d'avocat à Montréal, puis s'associa avec Philippe-Honoré **Roy**. Fut promoteur et directeur du St. Lawrence, Lower Laurentian & Saguenay Railroad.

Président du Club national de Montréal. Candidat libéral défait dans Rouville en 1875. Ne s'est pas représenté en 1878. Élu député libéral dans Rouville à l'élection partielle du 18 juin 1879. Défait en 1881. Fut percepteur des douanes à Marieville de 1902 à 1907.

Décédé à Marieville, le 20 juillet 1907, à l'âge de 63 ans et 4 mois. Inhumé à Marieville, dans le cimetière de la paroisse du Saint-Nom-de-Marie, le 23 juillet 1907.

Il était célibataire.

BOUTILLIER. V. aussi LE BOUTILLIER

BOUTILLIER, Thomas (1797–1861)

Né à Québec, le 9 octobre 1797, fils de William (Guillaume) Boutillier, gentilhomme huissier de la verge noire du Conseil législatif, et d'Anne-Françoise Normand. Son patronyme s'orthographiait aussi Bouthillier.

Étudia au séminaire de Saint-Hyacinthe à compter de 1814, puis à l'université de Philadelphie. En 1817, reçut son permis d'exercer la médecine au Bas-Canada.

Pratiqua sa profession à Saint-Hyacinthe.

Défait dans Saint-Hyacinthe à une élection partielle [le 25] juillet 1832. Élu député de Saint-Hyacinthe en 1834; fit partie de l'aile radicale du parti patriote. Le 25 novembre 1837, commanda une centaine d'hommes à la bataille de Saint-Charles (Saint-Charles-sur-Richelieu); se réfugia ensuite aux États-Unis. Son mandat de député prit fin avec la suspension de la constitution, le 27 mars 1838. De retour à Saint-Hyacinthe à l'été de 1838, fut placé sous surveillance durant les troubles survenus à l'automne. Élu sans opposition dans Saint-Hyacinthe en 1841; antiunioniste. Réélu en 1844 et 1848. Membre du groupe canadien-français, puis réformiste. Ne s'est pas représenté en 1851. Candidat défait aux élections municipales d'octobre 1850 à Saint-Hyacinthe.

L'un des fondateurs du *Courrier de Saint-Hyacinthe* en 1853. À titre d'inspecteur des agences de terre de la province, fit paraître le *Rapport des travaux de colonisation de l'année 1855* (Toronto, 1856). Obtint quelques postes de commissaire.

Décédé à Saint-Hyacinthe, le 8 décembre 1861, à l'âge de 64 ans et un mois. Les obsèques eurent lieu dans l'église Notre-Dame-du-Rosaire, le 11 décembre 1861.

Avait épousé dans la paroisse Notre-Dame-du-Rosaire, à Saint-Hyacinthe, le 25 janvier 1826, Eugénie Papineau, fille d'André **Papineau** et de Marie-Anne Roussel, et cousine de Louis-Joseph **Papineau**.

Beau-frère d'André-B. **Papineau** et d'Eusèbe **Cartier**.

_____

Bibliographie: *DBC*.

BOUTIN, Jean-Claude

Né à Asbestos, le 6 octobre 1941, fils de Léo-Paul Boutin, mineur, et d'Yvette Godbout.

Fit ses études à l'école Saint-Aimé à Asbestos, au collège Saint-Alexandre à Hull, au séminaire de Sherbrooke et à l'université de Sherbrooke. Admis au barreau de la province de Québec en juin 1968.

Associé du cabinet d'avocats Zaor et Boutin de Sherbrooke. Membre du conseil d'administration de l'hôpital Saint-Louis de Windsor. Membre de la Société canadienne de la Croix-Rouge de Windsor, du Club de réforme de Sherbrooke, du Club Lions de Windsor et des Chevaliers de Colomb.

Fut président des Jeunes Libéraux du Québec, de l'Association libérale du comté de Richmond et de l'Association libérale du comté de Johnson. Élu député libéral dans Johnson en 1973. Démissionna le 25 juillet 1974. Candidat libéral défait dans la même circonscription à l'élection partielle du 28 août 1974. Est retourné à la pratique du droit à Sherbrooke en 1974.

BOUTIN, Jean-Hugues

Né à Amos, le 9 janvier 1936, fils de Jean-Baptiste Boutin et de Blanche Giguère.

Fit ses études aux écoles Sainte-Thérèse et Saint-Viateur à Amos, à la High School de l'université d'Ottawa, à l'université de Montréal et à l'université Laval. Bachelier ès arts de l'université de Montréal et bachelier ès sciences commerciales de l'université Laval. Obtint une maîtrise en sciences commerciales de l'université Laval.

Devint secrétaire-trésorier et administrateur de la compagnie Jean B. Boutin inc. en 1961 et président en 1970. Président de la compagnie Équipement commercial Boutin inc. Président de l'Association des marchands détaillants d'Amos inc. en 1965 et 1966. Trésorier du Château d'Amos inc. Président de la Commission interurbaine pour l'aménagement d'Amos, d'Amos-Est et d'Amos-Ouest de 1969 à 1971.

Conseiller municipal de la ville d'Amos du 11 septembre 1967 au 31 octobre 1971. Maire de cette municipalité du 31 octobre 1971 au 27 octobre 1974. Élu député libéral dans Abitibi-Ouest en 1973. Défait en 1976.

Chargé de projets en gestion municipale pour la municipalité de la Baie James de 1977 à 1979. Directeur de l'exploitation à la Société de développement autochtone de la Baie James de 1979 à 1981. Consultant en administration et en planification financière de 1981 à 1986. Employé à la compagnie Placements La Laurentienne à compter de 1986, il fut nommé vice-président de la gestion et du contrôle en 1989.

Nommé lieutenant du Corps d'entraînement des officiers canadiens (CEOC) dans le corps royal d'intendance de l'armée canadienne en 1959. Président de la Jeune Chambre de commerce d'Amos en 1963. Vice-président régional des Jeunes Chambres pour la région du Nord-Ouest en 1964. Directeur de la Chambre de commerce d'Amos en 1965 et 1966. Gouverneur régional des Jeunes Chambres d'Abitibi-Est en 1970. Commissaire général des scouts catholiques du diocèse d'Amos en 1965. Membre de la Corporation des administrateurs agréés de la province de Québec. Trésorier du Club Richelieu d'Amos en 1970 et vice-président en 1971. Membre du Club de la garnison, de la Légion canadienne et des Chevaliers de Colomb.

BOUTIN, Pierre
(1821–1901)

Né à Saint-Henri, près de Lévis, le 26 décembre 1821, fils de Pierre Boutin, cultivateur, et de Rose Morisset.

Fit ses études à Saint-Henri. Cultivateur et juge de paix à Saint-Raphaël.

Candidat défait à la Chambre des communes dans Bellechasse en 1875. Élu député libéral à l'Assemblée législative dans Bellechasse en 1878. Défait en 1881.

Décédé à Beauport, le 3 décembre 1901, à l'âge de 79 ans et 11 mois. Inhumé dans le cimetière de Saint-Raphaël, le 7 décembre 1901.

Avait épousé à Saint-Vallier, le 22 mai 1848, Esther Bernard, fille de Louis Bernard et de Marie Mercier.

BOVEY, Wilfrid
(1883–1956)

Né à Montréal, le 13 décembre 1883, fils d'Henry Taylor Bovey, ingénieur et doyen de la faculté des sciences appliquées à la McGill University à Montréal, et d'Emily Jane Bonat Redpath.

A étudié au McGill College à Montréal ainsi qu'au Trinity Hall à Cambridge, en Angleterre. Admis au barreau britannique en 1906, puis au barreau de la province de Québec le 4 juillet 1907. Créé conseil en loi du roi le 28 novembre 1947.

Exerça sa profession à Montréal au cabinet des avocats Fleet, Falconer, Phelan et Bovey de 1907 à 1915. Officier d'état-major en Angleterre. Nommé lieutenant-colonel après la Première Guerre mondiale. Secrétaire de sir Arthur Currie, ancien commandant des Forces expéditionnaires canadiennes en Europe. Principal de la McGill University de 1924 à 1927. Nommé directeur du service des relations extérieures de la McGill University en 1927.

Conseiller législatif de la division de Rougemont du 12 février 1942 au 11 octobre 1956. Appuya le Parti libéral.

Gouverneur de la Société Radio-Canada. Membre de l'Institute of Chartered Secretaries. Président de la Canadian Handicrafts Guild. Vice-président des Concerts symphoniques de Montréal. Directeur de l'Institut canadien d'éducation des adultes et de la Légion canadienne. Président des services éducatifs de la Légion canadienne en 1940 et du conseil d'administration du Reddy Memorial Hospital de Montréal. Syndic du collège de Stanstead. Membre du conseil canadien de la Boy Scouts Association. Membre de la Société royale du Canada. Auteur notamment de : *Canadien : étude sur les Canadiens français* (1935) et *The French Canadians To-Day* (1938). Titulaire de la médaille de la Reconnaissance française. Officier de la Légion d'honneur et officier de l'ordre de l'Empire britannique. Docteur en lettres honoris causa de l'université de Montréal en 1933 et de l'université Laval à Québec en 1935. Docteur en droit honoris causa de l'université d'Ottawa en 1940.

Décédé en fonction à Montréal, le 11 octobre 1956, à l'âge de 72 ans et 10 mois. Inhumé à Montréal, dans le Mount Royal Cemetery, le 13 octobre 1956.

[Avait épousé à Peterborough, en Ontario, le 26 novembre 1910, Eleanor Lily Macklin.]

BOWEN, Edward
(1780–1866)

Né à Kinsale (en république d'Irlande), le 1er décembre 1780, [fils d'un chirurgien dans l'armée britannique].

Fit ses études secondaires à la Drogheda Academy (en république d'Irlande). Arriva au Bas-Canada en 1797. Vint à Québec à la demande de sa grand-tante, Ann Hamilton, l'épouse de Henry **Caldwell**. Fut admis à la pratique du droit en 1803, après en avoir fait l'apprentissage auprès de Jonathan **Sewell** et de John **Caldwell**, son futur beau-frère par alliance.

De 1801 à 1805, occupa le poste de greffier dans diverses cours. Nommé procureur général du Bas-Canada en 1808, dut démissionner au profit de Norman Fitzgerald **Uniacke**. Exerça de nouveau ces fonctions, en l'absence du titulaire du poste, de 1810 à 1812. Était devenu premier conseiller du roi en 1809.

Élu député de William Henry en 1809. Réélu en 1810. Appuya le parti des bureaucrates. Son siège devint vacant par suite de sa nomination comme juge de la Cour du banc du roi de Québec le 23 mai 1812. Prêta serment comme conseiller législatif le 27 février 1824; le demeura jusqu'à la suspension de la constitution, le 27 mars 1838; fut président suppléant du 20 février au 18 mars 1835.

Fut traducteur français du Conseil exécutif en 1816–1817 et secrétaire français de la province de 1816 à 1824 environ. Occupa la charge de président de la Cour d'appel dans certaines causes entre 1839 et 1843, celle de juge puîné de la Cour supérieure du district de Québec du 10 février 1841 au 31 décembre 1849 et celle de juge en chef de la Cour supérieure du 1er janvier 1850 jusqu'à sa mort. Fit l'acquisition de plusieurs terres, notamment dans les cantons de Melbourne, de Tewkesbury et de Jersey, ainsi qu'à Sorel et à Laprairie (La Prairie).

Servit dans la milice en qualité de lieutenant, puis de capitaine. Fut vice-président de l'Incorporated Church Society, dans le diocèse de Québec.

Décédé à Québec, le 11 avril 1866, à l'âge de 85 ans et 4 mois. Les obsèques eurent lieu dans la cathédrale anglicane Holy Trinity, le 14 avril 1866.

Avait épousé dans la cathédrale anglicane Holy Trinity, à Québec, le 27 octobre 1807, Eliza Davidson, fille du chirurgien James Davidson.

Beau-père d'Edward **Hale** (Sherbrooke).

Bibliographie: *DBC.*

BOWMAN, Baxter
(<1814–1853)

Marchand de bois à Buckingham, possédait des chantiers sur la rivière du Lièvre et sur le haut de la rivière des Outaouais. En plus de ses scieries, dont la première fut bâtie en 1824, exploita un moulin à farine. Fit don du terrain sur lequel fut construite l'église anglicane. Juge de paix de la basse Lièvre, favorisa le regroupement des protestants en une seule commission scolaire. Capitaine dans la milice. Nommé, le 21 décembre 1837, commissaire chargé de faire prêter le serment d'allégeance dans le comté d'Ottawa.

Élu député de la circonscription d'Ottawa en 1834; appuya le parti des bureaucrates. Son mandat prit fin avec la suspension de la constitution, le 27 mars 1838.

Décédé à Buckingham, le 13 décembre 1853. Inhumé à Meredith, au New Hampshire, le 1er janvier 1854.

Avait épousé Eliza Wheeler.

Bibliographie: Lapointe, Pierre-Louis, *Buckingham, 1824–1990*, Buckingham, 1990.

BOYER, Arthur
(1851–1922)

Né dans la paroisse Notre-Dame-de-Montréal, le 9 février 1851, fils de Louis Boyer, marchand, et de Marie-Aurélie Mignault.

A étudié au collège des Jésuites à Montréal ainsi qu'à l'université de Londres en Angleterre.

Homme d'affaires de Montréal, il administra les biens de son père pendant plusieurs années

Élu député libéral dans Jacques-Cartier à l'élection partielle du 26 mars 1884. Réélu en 1886 et 1890. Assermenté ministre sans portefeuille dans le cabinet Mercier le 19 mai 1890. Défait en 1892. Candidat libéral défait dans Jacques-Cartier aux élections fédérales de 1896. Nommé sénateur de la division de Rigaud le 28 juin 1909.

Fut commissaire du Canada à l'Exposition de Glasgow (Écosse) en 1901 ainsi qu'à l'Exposition franco-britannique de Londres (Angleterre) en 1903. Administrateur du journal *le Canada* en 1907.

Membre du conseil de la Galerie nationale du Canada d'avril 1907 à novembre 1921. Membre du conseil représentatif de la Royal Academy of Art. Membre du Club Rideau d'Ottawa.

Décédé en fonction à Montréal, le 24 janvier 1922, à l'âge de 70 ans et 11 mois. Inhumé à Montréal, dans le cimetière Notre-Dame-des-Neiges, le 27 janvier 1922.

Avait épousé dans la cathédrale de Montréal, le 30 mars 1875, Marie-Jeanne-Ernestine Galarneau, fille de Paul-Médard Galarneau, homme d'affaires, et de Marie-Caroline Lamontagne.

Frère de Louis-Alphonse Boyer, député à la Chambre des communes de 1872 à 1878.

BOYER, Auguste
(1893–1962)

Né à Saint-Isidore, le 27 novembre 1893, fils de Joseph Boyer, cultivateur, et d'Alexandrine Toupin.

A étudié à l'école modèle du village de Saint-Isidore, au collège de Montréal, au collège Sainte-Marie ainsi qu'à l'université Laval à Montréal. Fit sa cléricature auprès d'Ésioff-Léon **Patenaude**. Admis au barreau de la province de Québec le 17 septembre 1920. Créé conseil en loi du roi le 30 décembre 1938.

Pratiqua le droit à Montréal et fut associé notamment à Ésioff-Léon **Patenaude**, Édouard **Masson** et Gustave Monette, sénateur de 1957 à 1969.

Candidat conservateur défait dans Saint-Henri aux élections fédérales de 1930 et dans Montréal–Saint-Henri aux élections provinciales de 1931. Candidat de l'Action libérale nationale défait dans Châteauguay en 1935. Élu député de l'Union nationale dans cette circonscription en 1936. Défait dans Châteauguay-Laprairie en 1939 et dans Châteauguay en 1944.

Nommé président de la Commission des eaux courantes de la province en 1944 et juge en chef adjoint à la Cour de magistrat à Montréal le 21 juin 1945.

Membre du comité d'organisation des Fêtes du centenaire de Saint-Isidore et coauteur de la brochure intitulée *Centenaire de la paroisse Saint-Isidore, comté de Laprairie* (1934). Membre des Chevaliers de Colomb, de l'ordre des Forestiers canadiens, du Cercle Collin et du Club des Oliviers.

Décédé à Montréal, le 29 août 1962, à l'âge de 68 ans et 9 mois. Inhumé dans le cimetière de la paroisse Saint-Isidore, le 1er septembre 1962.

Avait épousé à Montréal, dans la paroisse Notre-Dame-de-Grâce, le 2 février 1931, Gertrude Doyon, fille de Léopold Doyon et de Florina Trudeau.

BRADET, Daniel

Né à Saint-Urbain, le 31 mai 1946, fils d'Ovila Bradet, entrepreneur, et de Clara Saulnier.

A étudié à l'externat classique de Baie-Saint-Paul de 1959 à 1964, au séminaire de Québec jusqu'en 1968 et à l'école normale Laval de Québec en 1969. Titulaire d'un baccalauréat ès arts en 1968, et d'un baccalauréat en pédagogie en 1969.

Enseignant à la commission scolaire de Saint-Urbain, de 1969 à 1973, et à la commission scolaire régionale de Charlevoix de 1974 à 1985. Fut chroniqueur de chasse et pêche au journal *Plein-jour sur Charlevoix* de 1980 à 1983. Directeur de la section régionale de la Fédération québécoise de la faune en 1981 et 1982. Président-fondateur de l'Association de conservation de la Vallée du Gouffre de 1979 à 1985. Instructeur du programme d'enseignement et de sécurité dans le maniement d'armes à feu de 1970 à 1985. Président de la section locale 778 des artisans Coop-Vie de 1970 à 1972. Président des loisirs municipaux de Saint-Urbain de 1971 à 1975. Membre des Chevaliers de Colomb et de la Jeune Chambre de Saint-Urbain. Récipiendaire du prix François-de-B.-Gourdeau en 1984.

Maire de Saint-Urbain de 1981 à 1985. Élu député libéral dans Charlevoix en 1985. Réélu en 1989. Conseiller de l'Assemblée internationale des parlementaires de langue française du 16 avril 1986 au 25 septembre 1989.

BRAIS, François-Philippe
(1894–1972)

Né dans la paroisse Notre-Dame de Montréal, le 18 octobre 1894, fils d'Émilien Brais, industriel, et de Blanche Brunet.

Fit ses études au collège Sainte-Marie-de-Monnoir, à Marieville, au collège Saint-Jean-d'Iberville, à la High School de Montréal et à la McGill University. Fit sa cléricature à Montréal auprès des avocats **Perron**, Taschereau, Rinfret, Vallée et Genest. Admis au barreau de la province de Québec le 17 janvier 1917.

Débuta comme avocat en 1917 au cabinet de Mes Foster, Martin, Mann, MacKinnon, Hackett et Malvena. Fut associé à Paul J. Lorrain en 1922 et 1923, puis à Léon Garneau en 1925. Procureur de la couronne du district de Montréal de 1922 à 1930. En 1932, il ouvrit son propre bureau et s'associa Jean Létourneau, Léo Lespérance et plus tard A.J. Campbell. En 1971, il était conseiller de ce cabinet, alors désigné sous la raison sociale Campbell, Pepper, Laffoley.

Président des Cinémas Odéon ltée et de Rediffusion inc. Membre du conseil d'administration de la Sun Life du Canada, de la Canadian Pacific Railway Co., de la Canron Ltd., de la Golden Eagle Refining Co. of Canada Ltd., de la Viewmont Land Co. Ltd., de la Fraser Co. Ltd., de la Woods Manufacturing Co. Ltd., de la Canadian Investment Fund Ltd., de la Canadian Fund Co. inc., de la Wabasso Co. Ltd., et de la Banque canadienne nationale dont il fut vice-président en 1961, membre du comité exécutif en 1962 et président du conseil exécutif de 1964 à 1969. Membre du Canadian Advisory Board, de la Sun Insurance Office Co. Ltd. et de la Canadian Iron Founderies Co. Ltd.

Conseiller législatif de la division de Grandville du 16 février 1940 au 31 décembre 1968, date de l'abolition du Conseil législatif. Appuya le Parti libéral. Leader du gouvernement au Conseil législatif. Assermenté ministre sans portefeuille dans le cabinet Godbout le 19 février 1940.

Secrétaire de l'Association du barreau de Montréal en 1920 et 1921. Créé conseil en loi du roi le 5 octobre 1927. Conseiller de l'Association du barreau canadien de 1936 à 1940, puis président en 1944 et 1945. Bâtonnier du barreau de Montréal en 1949 et bâtonnier de la province de Québec en 1949 et 1950. Membre honoraire à vie de l'Association du barreau américain. Membre du conseil d'administration du Montreal Children's Hospital. Membre de la Chambre de commerce de Montréal. Membre du conseil exécutif national et vice-président de la division québécoise de la Commission nationale des finances de guerre. Président de l'exécutif provincial de la campagne d'épargne pour la guerre en 1941. Membre du conseil exécutif du National Advisory Committee for Children from Overseas. Membre du comité exécutif du Canadian Welfare Council en 1941 et 1942. Vice-président de la Commission d'information en temps de guerre en 1942. Membre de l'exécutif national de la Ligue des cadets de l'air du Canada. Président du Club de réforme de Montréal. Membre du Club de la garnison de Québec, du Montreal Club, du Club Saint-Denis, du Mount Royal Club, du Seigniory Club de Montebello et des Chevaliers de Colomb. Créé commandeur de l'ordre de l'Empire britannique en 1943 et compagnon de l'ordre du Canada en 1970. Docteur en droit honoris causa de l'université de Montréal en 1945 et de l'université Laval en 1953.

Décédé à Cowansville, le 2 janvier 1972, à l'âge de 77 ans et 2 mois. Inhumé à Montréal, dans le cimetière Notre-Dame-des-Neiges, le 5 janvier 1972.

Avait épousé à Montréal, dans la paroisse Saint-Louis-de-France, le 24 février 1925, Louise Doré, fille de Joseph-Émery Doré, ingénieur civil et sanitaire, et de Marie-Louise Lament.

BRASSARD, Jacques

Né à l'Isle-Maligne, aujourd'hui Alma, le 12 juin 1940, fils d'Almas Brassard, mécanicien, et d'Anita Maltais.

Fit ses études à l'école La Mennais à Alma, à l'université de Sherbrooke et à l'université de Montréal. Diplômé en pédagogie, avec spécialisation en histoire.

Enseignant à la commission scolaire régionale du Lac-Saint-Jean de 1962 à 1967. Professeur d'histoire au collège d'Alma de 1967 à 1976. Membre de la commission pédagogique de cette institution de 1973 à 1976. Vice-président du Syndicat des enseignants en 1971 et 1972. Administrateur de la Coopérative de consommation de Naudville en 1972 et 1973.

Vice-président de la Société nationale des Québécois de 1974 à 1976. Président de l'exécutif du Parti québécois dans le comté de Lac-Saint-Jean en 1968 et 1969, puis de 1971 à 1973. Vice-président régional de son parti de 1973 à 1976. Élu député du Parti québécois dans Lac-Saint-Jean en 1976. Réélu en 1981. Whip adjoint du gouvernement du 29 octobre 1981 au 4 mars 1982. Leader parlementaire adjoint du gouvernement du 4 mars au 9 septembre 1982. Whip en chef du gouvernement du 10 septembre 1982 au 29 novembre 1984. Ministre du Loisir, de la Chasse et de la Pêche dans les cabinets Lévesque et Johnson (Pierre Marc) du 29 novembre 1984 au 12 décembre 1985. Réélu en 1985 et 1989. Whip de l'Opposition officielle à compter du 15 décembre 1985.

BRASSARD, Thomas
(1827–1887)

Né à La Malbaie, le 19 janvier 1827, fils de Joseph Brassard, cultivateur, et de Josephte Bouchard.

Fit ses études au séminaire de Québec. Fut admis à la pratique du notariat en 1855.

S'établit dès lors à Henryville, puis à Waterloo en 1863. Registrateur du comté de Brome de 1879 à 1885. Commissaire des petites créances à Henryville.

Secrétaire-trésorier et commissaire d'école à Henryville. Commissaire, secrétaire-trésorier et président de la commission scolaire de Waterloo. Secrétaire-trésorier du conseil de comté de Shefford de janvier 1866 à juin 1879. Élu député libéral dans Shefford en 1886.

Décédé en fonction le 19 septembre 1887, à l'âge de 60 ans et 6 mois. Inhumé à Waterloo, dans le cimetière de la paroisse Saint-Bernardin, le 22 septembre 1887.

Avait épousé à L'Acadie, dans la paroisse Sainte-Marguerite-de-Blairfindie, le 14 octobre 1857, Aurélie-Élodie Sénécal, fille d'Hubert Sénécal, marchand, et de Geneviève Bourassa.

BRAY, Joseph Allan
(1884–1938)

[Né à Red Lake Falls, dans l'État du Minnesota, le 3 juillet 1884, fils d'André Bray, entrepreneur, et de Léa Serré.]

A étudié au collège Saint-Henri et au collège de Saint-Laurent. Travailla d'abord à titre de commis chez J.I.L. Lafleur, puis chez H.-A. Depocas et Louis Trudel. Entrepreneur en construction. Directeur de la maison Bray et Bastien. Sociétaire de l'entreprise Bray et Fils.

Marguillier de la paroisse Saint-Nicolas-d'Ahuntsic de 1918 à 1921. Échevin du quartier Ahuntsic au conseil municipal de Montréal d'octobre 1921 à avril 1924, puis du quartier Saint-Henri du 2 avril 1928 au 14 septembre 1931. Président du comité exécutif du 7 avril 1930 au 14 septembre 1931. Nommé président de la Commission de l'Exposition industrielle le 10 avril 1922. Organisateur du Parti conservateur dans la région de Montréal en 1930. Élu député conservateur dans Montréal–Saint-Henri en 1923. Défait dans cette circonscription en 1927, puis dans Vaudreuil en 1935 et 1936.

Membre de la Société Saint-Vincent-de-Paul, du Cercle Lafontaine, du Metropolitan Committee National, du Club canadien et des Chevaliers de Colomb. Fondateur de l'hospice Saint-Henri. Bienfaiteur de l'hôpital des Incurables.

Décédé à Montréal, le 6 novembre 1938, à l'âge de 54 ans et 4 mois. Inhumé à Montréal, dans le cimetière Notre-Dame-des-Neiges, le 10 novembre 1938.

Avait épousé à Vaudreuil, le 19 septembre 1905, Marie-Anna Gauthier, fille d'Évangéliste Gauthier, capitaine de vaisseau, et de Marie-Normandie Gauthier; puis, à Montréal, dans la paroisse du Sacré-Cœur, le 26 novembre 1910, Maria Lanthier, fille d'Adélard Lanthier et de Marie Saint-Jean.

BREHAUT, Pierre
(1764–1817)

Né à l'île anglo-normande de Guernesey, le 7 juin 1764, fils de Pierre Brehaut et de Marie Todevin. Connu aussi sous le prénom de Peter.

Peu après son arrivée à Québec vers 1788, fut embauché comme tonnelier par le commerçant Louis **Dunière**. À partir de 1792, exerça ce métier à son compte et entreprit de vendre des spiritueux. Vers la fin de 1800, se lança dans le commerce en gros, plus particulièrement celui du blé et celui des vins et spiritueux, notamment avec les Antilles. Mit sur pied la Peter Brehaut and Company en 1802 et, en 1811, la Brehaut and Sheppard qui fut dissoute en 1816. Acquit de Thomas **Dunn,** en 1816, la Cape Diamond Brewery. Investit également dans l'immobilier.

Élu député de Québec en 1814. Réélu en 1816. Appuya tantôt le parti canadien, tantôt le parti des bureaucrates.

Décédé en fonction à Québec, le 2 mai 1817, à l'âge de 52 ans et 10 mois. Son corps, repêché du Saint-Laurent, fut inhumé à Québec, le 6 mai 1817, après des obsèques célébrées dans la cathédrale anglicane Holy Trinity.

Avait épousé dans l'église anglicane de Québec, le 30 janvier 1792, Thérèse Bellenoy.

Bibliographie: *DBC.*

BRESSE, Guillaume
(1833–1892)

Né à Saint-Mathias, le 2 février 1833, fils de Charles Bresse, cultivateur, et de Marie Rocheleau.

A étudié à l'école paroissiale de Saint-Athanase. Débuta comme ouvrier à Montréal et dans les centres industriels de la Nouvelle-Angleterre. En 1863, s'associa avec Louis et Georges Côté et fonda à Québec la manufacture de bottes et chaussures Côté & Bresse, dont il devint le seul propriétaire quelques années plus tard. Propriétaire d'une tannerie à Arthabaska, de plusieurs fermes dans les environs de Québec et de propriétés à Winnipeg et à Montréal. Copropriétaire de l'aqueduc de Saint-Hyacinthe. Copropriétaire et directeur du syndicat Sénécal. Administrateur du North Shore Railway.

Échevin au conseil municipal de Québec de 1876 à 1878. Conseiller législatif de la division des Laurentides du 16 décembre 1887 au 30 janvier 1892. Appuya le Parti libéral.

Décédé en fonction à New York, le 30 janvier 1892, à l'âge de 58 ans et 11 mois. Inhumé à Québec, dans le cimetière Saint-Charles, le 8 février 1892.

Il était célibataire.

Bibliographie: *DBC.*

BRESSE, Joseph
(1769–1836)

Né à Montréal, le 27 octobre 1769, puis baptisé le 28, dans la paroisse Notre-Dame, sous le prénom de Pierre, fils de Pierre Bresse, dit Lajeunesse, et de Marie-Louise Nicault, dit Contois.

S'établit à Chambly où il fut marchand. Officier de milice, servit comme lieutenant pendant la guerre de 1812 ; par la suite, atteignit le grade de lieutenant-colonel. Nommé commissaire chargé de la construction du chemin de Longueuil à Chambly et commissaire chargé de l'assèchement du marais entre Boucherville et Varennes. Fut syndic à l'occasion de la reconstruction de l'église de la paroisse Saint-Joseph de Chambly, en 1806, et marguillier en 1826.

Élu député de Kent en 1814 ; prit part à peu de votes et appuya tantôt le parti des bureaucrates, tantôt le parti canadien. Ne s'est pas représenté en 1816.

Décédé à Chambly, le 1er avril 1836, à l'âge de 66 ans et 5 mois. Inhumé dans l'église paroissiale, le 5 avril 1836.

Avait épousé dans la paroisse Saint-Joseph, à Chambly, le 19 septembre 1796, Marguerite Sabatté, fille de Jean-Baptiste Sabatté et de Marguerite Delorme.

BREUX, Noël
(1773–1861)

Né à Chambly, le 4 mars 1773, puis baptisé le 5, dans la paroisse Saint-Joseph, fils de Noël Breux (Breux, dit Lagiroflée), ancien soldat d'origine française, et d'Angélique Poirier.

Fut cultivateur à Chambly. En 1809, était propriétaire de trois terres et d'une île. Marguillier de la paroisse Saint-Joseph. Fait capitaine dans la milice en 1814. Nommé commissaire au tribunal des petites causes en 1835.

Élu député de Kent en 1814 ; prit part à très peu de votes et appuya le parti canadien. Ne s'est pas représenté en 1816.

Décédé à Chambly, le 9 juin 1861, à l'âge de 88 ans et 3 mois. Inhumé dans le cimetière paroissial, le 11 juin 1861.

Avait épousé dans sa paroisse natale, le 12 mai 1794, Marie-Thérèse Lagus, fille de Nicolas Lagus, dit Sanscartier, et d'Élisabeth Chacet ; puis, au même endroit, le 28 mai 1831, Josephte Pallardie, veuve de Jean-Baptiste Prunaut.

BRIGHAM, Josiah Sandford
(1818–1892)

[Né à St. Albans, dans l'État du Vermont, au mois d'août 1818, fils d'Elbridge Brigham.]

A étudié à la St. Albans Academy et au Vermont Medical College à Woodstock. Diplômé de la McGill University à Montréal. Admis à la pratique de la médecine en 1848. Récipiendaire d'un doctorat honorifique du Vermont Medical College en 1855.

Vint s'établir à Philipsburg en février 1845. Pratiqua avec le docteur Oratio May. Gouverneur du Collège des médecins et chirurgiens du Bas-Canada. Propriétaire de plusieurs moulins à scie.

Maire de Philipsburg. Préfet du comté de Missisquoi en 1862 et 1863. Élu député conservateur dans Missisquoi en 1867. Réélu en 1871. Ne s'est pas représenté en 1875 et en 1878. Défait en 1881.

Décédé à Philipsburg, le 10 juin 1892, à l'âge d'environ 73 ans. Inhumé au même endroit, le 12 juin 1892.

Il était célibataire.

BRILLANT, Jules-André
(1888–1973)

Né dans la mission d'Assemetquagan en bordure de la rivière Matapédia, le 30 juin 1888, fils de Joseph Brillant et de Rose Raîche.

Fit ses études au collège Saint-Joseph au Nouveau-Brunswick.

Président de la Compagnie électrique d'Amqui, de la Compagnie du pouvoir du Bas-Saint-Laurent, de Québec Téléphone, de la Compagnie de téléphone du Golfe Saint-Laurent, de la Compagnie de téléphone de Bonaventure et de Gaspé ltée, de la Central Public Service Corporation, des stations radiophoniques CJBR à Rimouski et CJEM au Nouveau-Brunswick, de CJBR-TV à Rimouski, de la Compagnie de transport du Bas-Saint-Laurent, du Chemin de fer Matane et du Golfe, de la Compagnie du Progrès du Golfe ltée et de la Société d'administration et de fiducie. De 1947 à 1962, il fut vice-président et président du conseil de la Banque provinciale du Canada, puis président du comité exécutif de cette même institution. Directeur de la Central Mortgage Bank of Canada. Administrateur de L'Alliance, compagnie mutuelle d'assurance-vie, de la compagnie Les Prévoyants du Canada, de la Dominion Steel and Coal Corporation Ltd., de Texaco Canada Ltd., de la Canada Wire and Cable Co., de Hawker Siddeley Canada Ltd. et du Trust général du Canada. Président du conseil d'administration de la Société d'entreprises de Rimouski inc. Directeur du Bureau des communications pour la défense du pays. Coordonnateur du Comité de reconstruction à Ottawa. Directeur de la Banque centrale d'hypothèque de 1939 à 1942. Président du Conseil d'orientation économique du Québec de 1939 à 1945.

Conseiller législatif de la division du Golfe du 14 janvier 1942 jusqu'à l'abolition du Conseil législatif, le 31 décembre 1968. Appuya le Parti libéral.

Fondateur et vice-président de l'École technique et de marine de Rimouski. Participa à la fondation de l'École de commerce de Rimouski. Président de la Chambre de commerce de Rimouski et président honoraire de la succursale Jean-Brillant. Membre honoraire de la Société canadienne de la Croix-Rouge. Colonel honoraire des Fusiliers du Saint-Laurent en 1951. Membre du Club de la garnison, du Mount Stephen Club, de la Newcomen Society of England et du Montreal Club. Commandeur de l'ordre de l'Empire britannique en 1944 et de l'ordre de Saint-Grégoire-le-Grand en 1949. Chevalier de l'ordre de Malte au Canada en 1954. Décoré par les Forces armées canadiennes en 1955. Titulaire d'un baccalauréat en sciences commerciales honoris causa du collège Saint-Joseph (Nouveau-Brunswick) en 1939 et de plusieurs doctorats honorifiques, notamment en droit du collège Saint-Joseph en 1942, en sciences commerciales de l'université de Montréal en 1943, en sciences sociales du collège Saint-Louis (Nouveau-Brunswick) en 1955, puis en sciences commerciales de l'université de Moncton (Nouveau-Brunswick) en 1967.

Décédé à Mont-Joli, le 11 mai 1973, à l'âge de 84 ans et 10 mois. Inhumé à Rimouski, le 15 mai 1973.

[Avait épousé à Chicago, le 27 décembre 1923, Rose-de-Lima Coulombe; puis, à Miami, en Floride, le 1er février 1940, Agnès Villeneuve, fille d'Henri Villeneuve et d'Agnès Matthieson.]

Bibliographie: Voisine, Nive, *Jules-A. Brillant et le bas St-Laurent*, thèse (D.E.S.) à l'université Laval, Québec, 1968, 116 p.

BRISSON, Aimé

Né à Montréal, le 13 septembre 1928, fils d'Almanzar Brisson, denturologue, et d'Alma Collerette.

A étudié à l'école Saint-Ambroise, à l'école Dollier-de-Casson, à l'école supérieure Le Plateau à Montréal et à l'École des hautes études commerciales où il obtint un diplôme en 1951. Reçu membre de l'Association des comptables agréés du Canada en 1952.

Directeur du Crédit immobilier inc. et du Crédit Notre-Dame inc. en 1955. Comptable agréé à Montréal.

Président des Jeunes Libéraux du comté de Montréal–Jeanne-Mance en 1953. Leader du conseil des Jeunes Libéraux de Montréal la même année. Trésorier des Jeunes Libéraux de la province de Québec en 1954 et vice-président en 1956. Secrétaire de l'Association libérale senior de Montréal–Jeanne-Mance en 1960. Élu député libéral dans Montréal–Jeanne-Mance en 1962. Réélu dans Jeanne-Mance en 1966, 1970 et 1973. Défait en 1976.

Membre de l'Association des hommes d'affaires de Saint-Léonard. Directeur du Club Kinsmen Ville-Marie en 1958 et membre du Club Kinsmen Alouette. Nommé président du comité des orateurs de la Chambre de commerce des jeunes de Montréal en 1957, puis conseiller en 1958. Nommé directeur du conseil d'administration du Centre Paul-Sauvé et de la Palestre nationale en 1962. Membre des Chevaliers de Colomb.

BROCHU, Yvon

Né à Asbestos, le 25 avril 1944, fils de Joseph Brochu, charpentier-menuisier, et d'Yvonne Tremblay.

Fit ses études au collège du Sacré-Cœur et à l'externat classique Monseigneur-Racine à Asbestos, ainsi qu'au séminaire Saint-Charles-Borromée et à l'université de Sherbrooke où il compléta des études en psychologie.

Psychologue à la commission scolaire régionale Carignan de Sorel en 1969 et 1970. Œuvra aussi dans le domaine de l'enfance exceptionnelle.

Élu député du Ralliement créditiste dans Richmond en 1970. Candidat du Parti créditiste défait en 1973. Fut secrétaire d'un membre du Parlement fédéral. Président du conseil supérieur du Parti créditiste en 1973. Président du Parti créditiste présidentiel en 1974. Après la fusion de ce dernier parti avec l'Union nationale, il fut nommé conseiller spécial auprès du chef de l'Union nationale. Élu député de l'Union nationale dans Richmond en 1976. Leader parlementaire adjoint de l'Union nationale du 13 novembre 1979 au 1er juillet 1980. Ne s'est pas représenté en 1981.

Traducteur pour deux périodiques de 1981 à 1990. Ordonné ministre de l'Église universelle de Dieu en 1984, il dessert la région des Cantons-de-l'Est jusqu'en 1991 et les régions de Québec et du Saguenay–Lac-Saint-Jean à compter de 1991.

BRODEUR, Louis
(≈1775–1860)

Né peut-être à Saint-Charles-sur-Richelieu, vers 1775, fils d'Alexandre Le Brodeur, cultivateur, et d'Angélique Lussier. Désigné aussi sous le patronyme de Le Brodeur.

Était lieutenant dans la milice pendant la guerre de 1812. Arrêté en novembre 1837 pour avoir distribué des cartouches aux rebelles, fut relâché le 28 juin 1838.

Élu député de Richelieu en 1804; prit part aux votes de deux sessions et appuya le parti canadien. Ne se serait pas représenté en 1808.

Décédé à Saint-Charles-sur-Richelieu, le 4 juillet 1860, à l'âge d'environ 85 ans. Inhumé dans le cimetière paroissial, le 6 juillet 1860.

Avait épousé dans la paroisse Saint-Charles, à Saint-Charles-sur-Richelieu, le 29 février 1808, Marie-Josephte Plamondon, fille du marchand Joseph Plamondon et de Marie-Madeleine Déranlau.

BRODEUR, Louis-Philippe
(1862–1924)

Né à Saint-Mathieu-de-Belœil, le 21 août 1862, fils de Toussaint Brodeur, cultivateur, et de Justine Lambert.

Fit ses études au séminaire de Saint-Hyacinthe et à l'université Laval à Montréal. Admis au barreau de la province de Québec le 23 septembre 1884. Créé conseil en loi de la reine le 9 juin 1889.

Exerça sa profession à Montréal avec Honoré **Mercier** (père). Collaborateur aux journaux *la Patrie* et *l'Électeur*. Éditeur du journal *le Soir* en 1896. Directeur de la Montreal City and District Savings Bank.

Élu député libéral à la Chambre des communes dans Rouville en 1891. Réélu en 1896, 1900 et 1904. Orateur de la Chambre des communes du 6 février 1901 au 18 janvier 1904. Démissionna le 19 janvier 1904 à la suite de sa nomination comme ministre. Réélu sans opposition à l'élection partielle du 30 janvier 1904. Réélu en 1908. Ministre du Revenu de l'intérieur du 19 janvier 1904 au 5 février 1906 dans le cabinet Laurier. Ministre de la Marine et des Pêcheries du 6 février 1906 au 10 août 1911 dans le même cabinet. Ministre du Service naval du 4 mai 1910 au 10 août 1911. Juge à la Cour suprême du Canada du 11 août 1911 au 9 octobre 1923. Lieutenant-gouverneur de la province de Québec du 31 octobre 1923 au 2 janvier 1924.

Gouverneur de l'hôpital Notre-Dame. Président d'honneur de l'Institut canadien-français. Membre du conseil de l'Alliance française d'Ottawa. Membre du Club Hunt, du Club Rideau d'Ottawa, du Club Winchester, du Club Saint-Denis de Montréal et du Club de la garnison de Québec. Docteur en droit honoris causa de l'université Laval à Montréal en 1904. Récipiendaire de la Coronation Medal et de la médaille de la Reconnaissance française. Créé officier de la Légion d'honneur.

Décédé en fonction à Spencer Wood, à Sillery, le 2 janvier 1924, à l'âge de 61 ans et 4 mois. Inhumé dans le cimetière de Saint-Mathieu-de-Belœil, le 5 janvier 1924.

Avait épousé dans sa paroisse natale, le 27 juin 1887, Emma Brillon, fille de Joseph-Régine Brillon, notaire, et d'Édesse Trudeau.

Beau-frère de Cyrille-Améric **Bernard**.

BRODEUR, Timothée
(1804–1861)

Né à Varennes et baptisé dans la paroisse Sainte-Anne, le 2 octobre 1804, fils de Toussaint Brodeur et d'Archange Fournier-Préfontaine.

Obtint une commission de notaire le 11 janvier 1826, puis exerça sa profession à Saint-Hugues jusqu'en novembre 1861. Fut maître de poste, juge de paix, commissaire chargé de l'érection civile des paroisses et commissaire au tribunal des petites causes. Capitaine dans la milice en 1827, promu major en 1830 et lieutenant-colonel en 1850. Propriétaire foncier. Actionnaire de la Compagnie de navigation d'Yamaska fondée en 1858.

Élu député de Bagot en 1854, mais l'élection fut annulée le 13 septembre. Élu sans opposition dans Bagot à une élection partielle le 20 octobre 1854; réformiste, puis bleu. Ne s'est pas représenté en 1858, n'ayant pas été désigné pour être candidat.

Décédé à Saint-Hugues, le 12 novembre 1861, à l'âge de 57 ans et un mois. Inhumé à cet endroit, le 16 novembre 1861.

Avait épousé dans la paroisse Sainte-Anne, à Varennes, le 23 février 1835, Louise Sénécal, fille de Louis Sénécal et de Louise Savaria.

BROËT, Théodore-Louis-Antoine
(1870–1908)

[Né au château de Faverolles, à Pierrelatte (Drôme, France), le 28 février 1870, fils de Victor Broët, manufacturier de chapeaux et financier, et de dame Lagrenée.]

A étudié chez les Jésuites à Paris. Éleveur de chevaux et fermier. Finança les expériences aérostatiques d'Henry de La Vaulx. Fonda la ferme de Péribonka, et participa à l'établissement des Frères de Saint-Régis au Lac-Saint-Jean.

Conseiller municipal de Pierrelatte en 1900. Candidat aux élections législatives de l'Ardèche et candidat au conseil général de la Drôme (France) en 1898. Élu député libéral dans Lac-Saint-Jean en 1908. N'a pas siégé.

[Décédé à Saint-Gédéon, au Lac-Saint-Jean, le 14 septembre 1908, à l'âge de 38 ans et 6 mois. Inhumé dans le caveau familial à Bourg-Saint-Andéol (Ardèche, France).]

Il était célibataire.

BROOKS, Samuel
(1793–1849)

Né à Haverhill, au New Hampshire, en 1793, fils de Samuel Brooks, marchand, et d'Anna Bedel, fille du républicain Timothy Bedel et veuve du docteur Thadeus Butler.

Fit du commerce à Newbury, au Vermont, et dans sa ville natale d'où il partit, au cours de l'hiver 1820–1821, pour venir au Bas-Canada. S'installa d'abord à Stanstead, où il fut hôtelier, bibliothécaire et douanier adjoint, avant de s'établir, probablement au début de 1825, comme marchand à Lennoxville. Investit dans la propriété foncière et le prêt. En 1832, s'associa aux marchands Hollis **Smith** et A.W. Kendrick. Fit aussi l'élevage et la vente de bestiaux. Agent et secrétaire dans les Cantons-de-l'Est de la British American Land Company, de mars 1834 jusqu'en avril 1836. Gérant de la succursale de la Banque de la cité de Montréal, à Sherbrooke. Président, à compter d'octobre 1842, de la Stanstead and Sherbrooke Mutual Fire Insurance Company, dont il avait été l'un des promoteurs en 1835. Administrateur de l'Eastern Townships Railroad Company et l'un des instigateurs, avec Alexander Tilloch **Galt** et Edward **Hale**, de la Compagnie du chemin à lisses du Saint-Laurent et de l'Atlantique, reconnue légalement en 1845. Actionnaire de la Fabrique de coton de Sherbrooke. Administrateur du *Farmers' and Mechanic's Journal*, fondé en décembre 1838. Obtint quelques postes de commissaire. Fut juge de paix et officier dans la milice.

Élu député de Sherbrooke à une élection partielle le 21 novembre 1829. Réélu en 1830. Appuya généralement le parti patriote. Démissionna le 18 juillet 1831, car il n'était pas sujet britannique. Président de l'Association conservatrice du sud du comté de Sherbrooke en 1836. Fit paraître des lettres dans des journaux, en 1840, sous le pseudonyme de Sherbrooke Elector. Élu dans Sherbrooke en 1844. Réélu en 1848. Tory.

Décédé en fonction à Montréal, le 22 mars 1849, à l'âge de 55 ou de 56 ans.

Avait épousé à Haverhill, au New Hampshire, vers 1813, Elizabeth Towle.

Père d'Edward Towle Brooks, député à la Chambre des communes du Canada. Beau-père de John Sewell **Sanborn**.

Bibliographie: Thibault, Charlotte, *Samuel Brooks, entrepreneur et homme politique du XIXe siècle*, thèse de M.A. (histoire) à l'université de Sherbrooke, 1978.

BROUILLET, Raymond

Né à Montréal, le 17 septembre 1933, fils de Gustave Brouillet, agent de bureau, et de Dorina Moisan.

A étudié au collège de L'Assomption. Obtint en 1955 un baccalauréat ès arts de l'université de Montréal et son brevet d'officier de l'armée canadienne dans le corps des blindés. Licencié en théologie de l'université de Montréal en 1959. Licencié en philosophie de l'université de Louvain en 1962. Obtint son doctorat en philosophie à l'université de Louvain en 1970.

Enseignant au collège de L'Assomption de 1962 à 1966, et au cégep de Maisonneuve de 1970 à 1973. Professeur à la faculté de philosophie de l'université Laval de 1973 à 1981. Vice-président de la Société de philosophie de Québec de 1974 à 1976, et président de 1976 à 1978.

Fondateur et directeur du *Bulletin de la Société philosophique*. Membre du conseil d'administration de l'université Laval de 1973 à 1981. Président de la section syndicale de la faculté de philosophie de 1978 à 1981. Membre des Chevaliers de Colomb.

Élu député du Parti québécois dans Chauveau en 1981. Vice-président de la Commission de la culture du 4 avril au 20 décembre 1984. Vice-président de l'Assemblée nationale du 21 décembre 1984 au 16 décembre 1985. Défait en 1985 et en 1989. Président de l'exécutif du Parti québécois dans la circonscription de Chauveau à partir de 1985. Fut président régional du Parti québécois de 1986 à 1990. Fut membre du comité permanent mixte du Conseil de la communauté française de Belgique et de l'Assemblée nationale du Québec de 1982 à 1985 et secrétaire de la section Québec de l'Assemblée internationale des parlementaires de langue française en 1984 et 1985.

Est retourné à l'enseignement de la philosophie à l'université Laval en 1985. Il devint vice-doyen de la faculté de philosophie en 1988.

BROUILLETTE, Pierre-A.

Né à Saint-Séverin, dans la Mauricie, le 24 mai 1951, fils d'Armand Brouillette, ouvrier, et de Mariette Veillette.

A étudié à l'école secondaire L'Assomption. Suivit des cours d'administration et de gestion d'entreprises au cégep de Trois-Rivières en 1979 et des cours en fiscalité municipale à l'École nationale d'administration publique en 1983.

Employé de la Consolidated Bathurst de Trois-Rivières de 1969 à 1973. Homme d'affaires. Propriétaire de Lavage Sani inc. à partir de 1975 et de Lavage de la Mauricie à partir de 1984. Également propriétaire d'immeubles.

Conseiller municipal de Cap-de-la-Madeleine de 1981 à 1985. Président de l'Association libérale de Champlain de 1982 à 1985 et président de l'Association libérale de la région Mauricie–Bois-Francs–Drummond en 1984. Élu député libéral dans Champlain en 1985. Réélu en 1989.

BROUSSEAU, Jean-Baptiste (1841–1925)

Né à Saint-Mathieu-de-Belœil, le 2 janvier 1841, fils de Jean-Baptiste Brousseau, médecin, et de Marie-Anne-Charlotte Hertel de Rouville.

Étudia au collège de Saint-Hyacinthe et au collège de L'Assomption. Fit sa cléricature auprès des avocats Louis Bélanger et Lewis Thomas **Drummond**. Admis au barreau de la province de Québec le 6 juillet 1863. Créé conseil en loi de la reine le 19 mai 1899.

Procureur de la couronne pour le district de Richelieu de 1871 à 1874. Rédacteur en chef du *Messager de Sorel* de 1870 à 1875 et de *la Gazette de Sorel* de 1875 à 1877. Occupa ce dernier poste conjointement avec Georges-Isidore Barthe, député à la Chambre des communes de 1870 à 1872 et de 1874 à 1878. Membre du barreau de Richelieu.

Élu député libéral dans Verchères en 1878. Son élection fut annulée par la Cour supérieure le 8 juin 1879. Ne s'est pas représenté à l'élection partielle du 17 juillet 1879.

Décédé à Sorel, le 21 juin 1925, à l'âge de 84 ans et 5 mois. Inhumé à Sorel, dans le cimetière de la paroisse Saint-Pierre, le 24 juin 1925.

Avait épousé dans sa paroisse natale, le 11 mai 1864, Marie-Eulalie Malot, fille de Prudent Malot, marchand, et de Marie-Sophranie Rottot.

Neveu de Joseph **Daigle**.

BROUSSEAU, Jean-Docile (1825–1908)

Né à Québec, le 24 février 1825, puis baptisé le 25, dans la paroisse Notre-Dame, fils de Jean-Baptiste Brousseau, charretier, et de Nathalie Doré.

Étudia au petit séminaire de Québec.

Fit carrière comme libraire, imprimeur et éditeur à Québec. De 1858 à 1872, fut propriétaire du *Courrier du Canada,* journal à caractère religieux et de tendance ultramontaine, dont il fut l'imprimeur dès sa fondation en 1857. Acquit, en 1868, la seigneurie de Saint-Augustin. Administrateur de la Caisse d'économie de Notre-Dame de Québec à compter de 1853, en fut vice-président de 1893 à 1907. Fit aussi partie du conseil d'administration de la Compagnie des mines d'or de Léry et occupa les postes de président de la City Building Society et de secrétaire-trésorier de la Compagnie du chemin de fer de la rive nord.

Élu député de Portneuf en 1861. Réélu en 1863. Bleu. Son mandat prit fin avec l'avènement de la Confédération, le 1er juillet 1867. Candidat conservateur défait dans Portneuf aux élections de l'Assemblée législative, mais élu député conservateur de la même circonscription à la Chambre des communes en 1867. Défait en 1872. Fit partie du conseil municipal de Québec, à titre de conseiller du quartier Saint-Louis, de 1875 à 1880, puis de 1882 à 1884, et comme maire, de 1880 à 1882. Élu député conservateur de Portneuf à l'Assemblée législative en 1881. Défait en 1886.

Décédé à Québec, le 28 juillet 1908, à l'âge de 83 ans et 5 mois. Après des obsèques célébrées dans la basilique Notre-Dame de Québec, fut inhumé dans le cimetière Notre-Dame-de-Belmont, à Sainte-Foy, le 30 juillet 1908.

Avait épousé dans l'église St. Patrick, à Québec, le 14 juin 1859, Mary Martha Downes, fille de l'officier de police William Downes et de Martha Cannon.

Bibliographie: *DBC* (à paraître).

BROUSSEAU, Louis-Philippe (1906–1986)

Né à Sherbrooke, le 1er mai 1906, fils de Louis Brousseau, chauffeur de chaudières, et de Valentine Roy.

Fit ses études à l'académie du Sacré-Cœur et au séminaire Saint-Charles-Borromée à Sherbrooke. Agent d'assurances pour la compagnie La Métropolitaine. Gérant de la compagnie Les Prévoyants du Canada. Employé du ministère des Postes en 1938 et 1939, puis inspecteur à la Commission du salaire minimum de 1939 à 1948. Fut le premier président de l'Association des fonctionnaires de la section des Cantons-de-l'Est. Propriétaire d'un bureau d'assurances générales à partir de 1953. Membre de l'Association des courtiers d'assurances de la province de Québec, section Sherbrooke.

Membre de l'Association libérale du comté de Sherbrooke et secrétaire de l'organisation libérale des Cantons-de-l'Est en 1948. Élu député libéral dans Sherbrooke en 1960. Whip adjoint du Parti libéral de 1960 à 1962. Ne s'est pas représenté en 1962.

Secrétaire-financier et président de l'Association canado-américaine de Sherbrooke. Fondateur et premier président de l'Amicale du Sacré-Cœur. Fondateur et directeur du premier comité de l'aide aux étudiants des écoles supérieures du diocèse de Sherbrooke. Membre des Chevaliers de Colomb. Président du Cercle Lacordaire. Membre de la Chambre de commerce.

Décédé à Sherbrooke, le 17 février 1986, à l'âge de 79 ans et 9 mois. Inhumé à Sherbrooke, dans le cimetière Saint-Michel, le 19 février 1986.

Avait épousé à Sherbrooke, dans la paroisse Saint-Jean-Baptiste, le 8 octobre 1928, Rose-Blanche Doyon, fille de Philias Doyon, maçon, et de Georgianna Labonté.

BROWN, Glendon Pettes
(1914–1981)

Né à Knowlton, le 6 décembre 1914, fils de Clifton Harold Brown, cultivateur, et de Louise Roberts.

Fit ses études à la Rural School Bolton Glen à Bolton-Ouest, à l'académie de Knowlton, aux écoles secondaires Everett et Revere à Boston, dans l'État du Massachusetts, et à l'université de la Caroline du Nord. A également étudié à l'Apprentice Revere Engineering au Massachusetts. Diplômé en enseignement des travaux manuels.

Travailla d'abord à la compagnie McColl Frontenac en 1935 et 1936. Occupa un poste de mécanicien chez J.O. Porter et Fils en 1937, puis à la Canadian Car & Foundry en 1939. Mécanicien en chef à l'Engine Works and Trading en 1940. Il était professeur de travaux manuels à la High School de Montréal et agriculteur à Knowlton, au moment de sa carrière parlementaire.

Joueur de football et entraîneur de plusieurs équipes pendant de nombreuses années. Rédacteur sportif du *Yamaska and Granby Leader Mail* jusqu'en 1970, et collaborateur au *Montreal Standard Sports & Sports* de 1945 à 1949.

Membre de l'Association libérale du comté de Brome. Élu député libéral dans Brome en 1956. Réélu en 1960, 1962, 1966, 1970 et dans Brome-Missisquoi en 1973. Nommé adjoint parlementaire du ministre de l'Agriculture et de la Colonisation le 19 décembre 1962 et du ministre des Affaires intergouvernementales le 28 février 1973. Whip adjoint du Parti libéral de 1970 à 1976. Défait en 1976.

Président honoraire de la Quebec Rugby and Football Union. Président de la Société historique de Brome et du Cecil Butters Memorial Hospital. Président de la Jeune Chambre de commerce de Knowlton. Membre du Club Lions.

Décédé à Cowansville, le 13 juin 1981, à l'âge de 66 ans et 6 mois. Inhumé à Saint-Paul-de-Knowlton, le 16 juin 1981.

Avait épousé à Sherbrooke, en Nouvelle-Écosse, le 21 novembre 1938, Doris Geraldine Smith, fille de Norma et de Walter Smith, bûcheron et mineur; puis, dans l'État du Vermont, le 23 octobre 1970, Hilda Delf Fransham, fille de Robert H. Fransham et d'Hilda M. Delf.

BROWNE, George
(<1794–1822)

Fut marchand et importateur à Québec.

Élu député de Gaspé en 1814; appuya tantôt le parti des bureaucrates, tantôt le parti canadien. Ne se serait pas représenté en 1816.

Décédé à Québec, le 10 juin 1822. Les obsèques eurent lieu dans la cathédrale anglicane Holy Trinity, le 11 juin 1822.

On ne sait pas s'il était célibataire ou marié.

BRUCE, James
(1811–1863)

Né à Londres, le 20 juillet 1811, fils de Thomas Bruce, 7e comte d'Elgin et 11e comte de Kincardine, et d'Elizabeth Oswald.

Étudia à Eton et au Christ Church College d'Oxford, en Angleterre.

En 1832, s'engagea dans l'administration des biens familiaux en Écosse, puis entreprit une carrière politique. Écrivit, en 1834, *Letter to the electors of Great-Britain*. Candidat tory défait dans Fife en 1837. Élu député de Southampton à la Chambre des communes britannique en 1840, mais, l'année suivante, hérita de son père la qualité de pair d'Écosse, à titre de 8e comte d'Elgin et 12e comte de Kincardine. Fut gouverneur de la Jamaïque de 1842 à 1846.

Nommé gouverneur général de l'Amérique du Nord britannique le 1er octobre 1846, prêta serment le 30 janvier 1847. Participa à l'instauration de la responsabilité ministérielle en 1848; sanctionna, en 1849, la loi sur l'indemnisation des personnes qui avaient subi des pertes pendant la rébellion de 1837–1838 au Bas-Canada; fut élevé à la pairie britannique avec un siège à la Chambre des lords; en 1854, amena les États-Unis à signer le Traité de réciprocité. Remplacé comme gouverneur par Edmund Walker **Head** le 19 décembre 1854, quitta la colonie le 22.

Envoyé spécial en Chine en 1857–1858 afin de négocier un traité avec le gouvernement impérial; y retourna en 1860. Conclut en 1858 un traité commercial avec le Japon. En 1859, accepta le portefeuille des Postes dans le cabinet britannique. Nommé vice-roi et gouverneur général de l'Inde en 1861.

Décédé en fonction à Dharmsala, en Inde, le 20 novembre 1863, à l'âge de 52 ans et 4 mois.

Avait épousé, le 22 avril 1841, Elizabeth Mary Cumming-Bruce, fille de Charles Lennox Cumming-Bruce; puis, le 7 novembre 1846, lady Mary Louisa Lambton, fille de John George **Lambton**, comte de Durham, et de sa seconde femme, lady Louisa Elizabeth Grey, et nièce du secrétaire d'État aux colonies, Henry George Grey, 3e vicomte Grey.

———

Bibliographie: *DBC*.

———

BRUNEAU, François-Pierre
(1799–1851)

Né à Montréal, le 24 juillet 1799, puis baptisé le 25, dans la paroisse Notre-Dame, fils de François-Xavier Bruneau, pelletier, et de Thérèse Leblanc.

Étudia au petit séminaire de Montréal de 1806 à 1816. Fit l'apprentissage du droit chez Louis-Michel **Viger**; admis au barreau en 1822.

Exerça sa profession à Montréal pendant quelques années. En 1829, s'associa à Henri **Desrivières** en vue d'acquérir et d'exploiter la seigneurie de Montarville, où il mit en valeur le village de Saint-Bruno-de-Montarville. Investit aussi dans l'immobilier à Montréal et s'engagea dans la fabrication de voitures appelées *Sleighs Bruneau*. En 1839, acheta la seigneurie de Pierreville.

S'occupa probablement d'administration municipale, à Montréal, entre 1836 et 1840, et fit peut-être partie du conseil municipal de 1840 à 1842. Nommé au Conseil législatif le 9 juin 1841. Accepta d'entrer dans le ministère Sherwood: fut conseiller exécutif et receveur général du 8 décembre 1847 au 10 mars 1848.

Décédé en fonction à Saint-Bruno-de-Montarville, le 4 mars 1851, à l'âge de 51 ans et 7 mois. Inhumé dans le caveau de la chapelle Saint-Bruno, le 8 mars 1851.

Était célibataire.

Neveu de Pierre **Bruneau**. Cousin par alliance de Louis-Joseph **Papineau**.

———

Bibliographie: *DBC*.

———

BRUNEAU, Pierre
(1761–1820)

Né à Québec et baptisé dans la paroisse Notre-Dame, le 22 juillet 1761, fils de Pierre-Guillaume Bruneau, marchand pelletier, et de Marie-Élizabeth Morin, dit Chêneverd.

Fit ses études au petit séminaire de Québec de 1771 à 1780.

Travailla au magasin d'articles de fourrures de son père avant de se voir confier, en 1786, la gestion de l'entreprise. Tout en poursuivant l'œuvre paternelle, se lança dans le commerce de céréales, d'étoffes et de liqueurs, et investit dans l'immobilier. Ouvrit un second magasin à Chambly vers 1804.

Élu député de la Basse-Ville de Québec en 1810. Réélu en 1814. Défait dans la Basse-Ville de Québec mais élu sans opposition dans Kent en 1816. Appuya généralement le parti canadien. Réélu en avril 1820.

Fut marguillier de la paroisse Notre-Dame de Québec de 1807 à 1814. Prit part à la défense de la colonie, pendant la guerre de 1812, comme major dans la milice de la ville de Québec.

Décédé en fonction à Québec, le 13 avril 1820, à l'âge de 58 ans et 8 mois. Inhumé au cimetière des Picotés, dans la paroisse Notre-Dame, le 15 avril 1820.

Avait épousé dans la cathédrale Notre-Dame de Québec, le 30 août 1785, Marie-Anne Robitaille, fille de Pierre Robitaille et de Marie-Geneviève Parent.

Beau-père de Louis-Joseph **Papineau**. Oncle de François-Pierre **Bruneau**.

———

Bibliographie: *DBC*.

BRUNET, Joseph
(1834–1904)

Né dans la paroisse Saint-Vincent-de-Paul, île Jésus, le 26 octobre 1834, fils de Joseph Brunet, maçon, et de Pélagie Monet.

A étudié à l'école de sa paroisse. Débuta comme apprenti dans une entreprise de construction à Montréal, et s'engagea par la suite dans plusieurs transactions commerciales. Mit sur pied une briqueterie en 1870. Réalisa plusieurs projets de construction, notamment la gare du Grand Tronc à Montréal et le chemin de fer Montfort dont il a été président. Fut l'un des fondateurs et des directeurs du chemin de fer de Saint-Gabriel-de-Brandon. Codirecteur de la Metropolitan Building Society et de la Montreal Exposition Co. Membre dirigeant des unions Saint-Pierre et Saint-Joseph. Membre de la Chambre de commerce de Montréal en 1891.

Échevin du quartier Saint-Louis au conseil municipal de Montréal de février 1872 à avril 1877, du quartier Saint-Jacques de février 1886 à février 1900 et de Saint-Jacques-Nord de février 1900 à février 1902. Maire suppléant. Président du Comité de la voirie du 14 février 1898 au 12 février 1900. Choisi en 1894 pour représenter le conseil municipal au conseil de la Commission des écoles catholiques de Montréal. Élu député libéral dans Montréal n° 2 en 1890. Défait en 1892. Élu député libéral à la Chambre des communes dans Montréal–Saint-Jacques à l'élection partielle du 15 janvier 1902. Cette élection fut annulée le 22 décembre 1902.

Décédé à Montréal, le 17 avril 1904, à l'âge de 69 ans et 6 mois. Inhumé à Montréal, dans le cimetière Notre-Dame-des-Neiges, le 20 avril 1904.

Avait épousé dans la paroisse Notre-Dame-de-Montréal, le 25 novembre 1856, Esther Laurent, fille de Georges Laurent, peintre, et de Marie Chef dit Vadeboncœur.

BRYSON, George (père)
(1813–1900)

Né à Paisley, en Écosse, le 16 décembre 1813, fils de James Bryson, tisserand, et de Jane Cochrane.

Immigra au Canada avec ses parents en 1821. Vécut dans le canton de Ramsay, dans le Haut-Canada, jusqu'en 1835. Se lança alors dans la production et le commerce du bois équarri et du bois de sciage dans la vallée de l'Outaouais, au Bas-Canada. Fut aussi maître de poste de Fort-Coulonge, où il était établi, en 1857–1858.

Maire des cantons unis de Mansfield et Pontefract, de 1855 à 1857 et de 1862 à 1867, ainsi qu'en 1877–1878. Pré-

fet du comté de Pontiac en 1862 et 1863. Élu député de Pontiac sous la bannière conservatrice à une élection partielle le 17 octobre 1857, mais l'Assemblée législative fut dissoute avant qu'il ne prît son siège. Défait en 1858. Nommé représentant de la division d'Inkerman au Conseil législatif le 2 novembre 1867, prêta serment le 27 décembre; démissionna le 17 août 1887. Appuya généralement le Parti conservateur.

Cofondateur, en 1870, de l'Upper Ottawa Improvement Company. Propriétaire foncier; s'occupa d'agriculture. L'un des promoteurs et des administrateurs de la Banque d'Ottawa. Fut le porte-parole de la Quebec Limitholders' Association auprès du gouvernement. Juge de paix du district d'Ottawa. Membre de la Dalhousie Masonic Lodge d'Ottawa.

Décédé à Fort-Coulonge, le 13 janvier 1900, à l'âge de 86 ans. Inhumé dans le cimetière presbytérien de l'endroit, le 16 janvier 1900.

Avait épousé dans l'église anglicane St. Andrew, à Bytown (Ottawa), le 4 mars 1845, Robina Cobb, [fille de William Cobb].

Frère de Thomas **Bryson**. Père de George **Bryson** et de John Bryson, député à la Chambre des communes du Canada.

Bibliographie: *DBC.*

BRYSON, George (fils)
(1852–1937)

Né à Fort-Coulonge, le 20 juillet 1852, fils de George **Bryson** et de Robina Cobb.

A étudié au British American Commercial College à Toronto ainsi qu'au Collège militaire de Montréal où il obtint son certificat en 1869.

Marchand de bois. Fondateur de la firme G. Bryson. Directeur de la Banque d'Ottawa en 1914, devenue plus tard la Banque de Nouvelle-Écosse et dont il fut président à partir de 1919. Directeur de la Fraser Bryson Lumber Co.

Maire de Mansfield en 1891 et 1892, puis en 1894 et 1895. Conseiller législatif de la division d'Inkerman du 24 août 1887 au 8 mai 1937. Appuya le Parti libéral. Assermenté ministre sans portefeuille dans le cabinet Taschereau le 28 octobre 1931. Nommé leader du gouvernement au Conseil législatif le 18 novembre 1932.

Décédé en fonction à Ottawa, le 8 mai 1937, à l'âge de 84 ans et 9 mois. Inhumé dans le cimetière presbytérien de Fort-Coulonge, le 11 mai 1937.

[Avait épousé à Cornwall, en Ontario, le 11 août 1875, Helen Craig, fille de James Craig, député à l'Assemblée législative de l'Ontario de 1867 à 1875, et de Flora McLeod.]

Neveu de Thomas **Bryson**. Frère de John Bryson, député à la Chambre des communes de 1882 à 1896.

BRYSON, Thomas
(1826–1882)

[Né à Perth, en Ontario, en 1826, fils de James Bryson et de Jane Cochrane.]

Marchand. Maire de Mansfield de 1878 à 1881. Élu député conservateur dans Pontiac en 1881. N'a pas siégé.

Décédé en fonction le 4 janvier 1882, à l'âge d'environ 55 ans. Inhumé dans le cimetière presbytérien de Fort-Coulonge, le 7 janvier 1882.

[A épousé à Almote, en Ontario, vers 1850, Jane Fumerton.]

Frère de George **Bryson** (père) et oncle de George **Bryson** (fils). Oncle et beau-père de John Bryson, député à la Chambre des communes de 1882 à 1896.

BUGEAUD, Joseph-Fabien
(1876–1953)

Né à Bonaventure, le 15 juillet 1876, fils de François Bujold, cultivateur, et de Marie-Anne Anglehart.

Fit ses études au séminaire de Joliette et à l'université Laval à Québec. Admis au barreau de la province de Québec le 4 juillet 1913. Créé conseil en loi du roi le 13 septembre 1923.

Instituteur et journalier pendant quelques années. Pratiqua ensuite le droit à New-Carlisle avec Pierre-Émile **Côté** de 1913 à 1918. Membre du conseil d'administration de la Chandler Machinery Co.

Élu sans opposition député libéral dans Bonaventure à l'élection partielle du 7 mai 1914. Réélu sans opposition en 1916 et 1919. De nouveau élu en 1923. Son siège devint vacant quand il fut nommé juge du district de Gaspé et Rimouski le 2 avril 1924. Il occupa ce poste jusqu'à son décès.

Décédé à New-Carlisle, le 15 septembre 1953, à l'âge de 77 ans et 2 mois. Inhumé dans le cimetière de Bonaventure, le 18 septembre 1953.

Avait épousé à Bonaventure, le 22 novembre 1904, Marie-Christine Arsenault, fille de Charles Arsenault, cultivateur, et de Marguerite Henry.

BULLER, Arthur William
(1808–1869)

Né à Calcutta, en Inde, le 5 septembre 1808, fils de Charles Buller, employé de l'East India Company, et de Barbara Isabella Kirkpatrick.

Étudia à Édimbourg, en Écosse, puis suivit des leçons particulières de Thomas Carlyle, de 1822 à 1825. Fréquenta ensuite le Trinity College de Cambridge, en Angleterre, où il obtint une maîtrise ès arts en 1834. Admis au barreau par la suite.

Avec son frère Charles **Buller**, accompagna le nouveau gouverneur en chef de l'Amérique du Nord britannique John George **Lambton** à Québec, où il débarqua en mai 1838. Fit partie du Conseil exécutif, du 28 juin au 21 novembre 1838, et du Conseil spécial du 22 août jusqu'à la dissolution de ce conseil, le 2 novembre 1838. À titre de commissaire, enquêta sur l'éducation au Bas-Canada, du 1er août jusqu'à son départ de la colonie, le 21 novembre 1838; présenta son rapport au Parlement britannique en juin 1839.

Exerça les fonctions de procureur de la couronne au Ceylan (Sri Lanka) de 1840 à 1848, et celles de juge de la Cour suprême à Calcutta, en Inde, de 1848 à 1858. Fut député à la Chambre des communes de Grande-Bretagne de 1859 à 1869.

Décédé en fonction à Londres, le 30 avril 1869, à l'âge de 60 ans et 7 mois.

Avait épousé, en 1842, Annie Templar.

Bibliographie : *DBC*.

BULLER, Charles
(1806–1848)

Né à Calcutta, en Inde, le 6 août 1806, fils de Charles Buller, employé de l'East India Company, et de Barbara Isabella Kirkpatrick.

Étudia à Harrow, en Angleterre, de 1819 à 1821, puis fréquenta la University of Edinburgh, en Écosse, jusqu'en 1823. Suivit des leçons particulières de Thomas Carlyle, de 1822 à 1825. Entra au Trinity College de Cambridge, en Angleterre, où il obtint un baccalauréat ès arts en 1828. Après avoir étudié le droit, fut admis au barreau en 1831.

Élu député à la Chambre des communes britannique, représenta la circonscription de West Looe en 1830–1831, puis celle de Liskeard de 1832 à 1848; radical populaire. Collabora à divers journaux et revues, dirigea en collaboration un hebdomadaire londonien et publia plusieurs brochures, parmi lesquelles *Responsible government for colonies* (Londres, 1840).

Débarqua à Québec en mai 1838, à titre de premier secrétaire du nouveau gouverneur en chef de l'Amérique du Nord britannique John George **Lambton**. S'occupa principalement de l'administration interne de la colonie et des mesures à prendre au sujet des patriotes emprisonnés. Prit part à l'élaboration du rapport Durham et laissa un manuscrit intitulé «Sketch of Lord Durham's mission to Canada». Fit partie du Conseil exécutif, du 2 juin au 21 novembre 1838, et du Conseil spécial, du 28 juin jusqu'à la dissolution de ce conseil, le 2 novembre 1838. Quitta la colonie le 21 novembre 1838.

Rentré en Angleterre le 21 décembre 1838, retourna à ses fonctions parlementaires et entreprit l'exercice du droit. En 1841, fut secrétaire du Board of Control. Nommé juge-avocat général en 1846 et commissaire en chef de l'assistance publique en 1847.

Décédé en fonction à Londres, le 29 novembre 1848, à l'âge de 42 ans et 3 mois.

Était célibataire. Frère d'Arthur William **Buller**.

———

Bibliographie: *DBC*.

———————————————

BULLOCH, William Ross
(1884–1954)

[Né à Dunoon, dans le comté d'Argyl, en Écosse, le 7 juin 1884, fils de John Bulloch et de Jessie Ross.]

A étudié à la High School de Dunoon en Écosse. Servit comme instructeur dans le Royal Flying Corps pendant la guerre de 1914–1918. Courtier d'assurances en 1919, devint trois ans plus tard directeur pour la province de Québec de la London Guarantee & Accident Co. Ltd. S'associa à l'entreprise de construction John Rae de Toronto en 1931 et forma la firme Bulloch and Baxter Ltd. à Westmount, dont il fut président jusqu'à son décès. Président de la Quebec Insurance Brokers' Association.

Membre représentant du comité des citoyens au conseil municipal de Montréal de décembre 1944 à juin 1954. Élu député de l'Union nationale dans Westmount en 1936. Défait comme candidat conservateur dans Montréal–Notre-Dame-de-Grâce en 1939.

Président de la Ligue de sécurité de la province de Québec. Directeur de la Royal Empire Society, de la Remembrance Branch of the Canadian Legion. Directeur honoraire de la Parks and Playground Association. Gouverneur des hôpitaux: Queen Elizabeth, Herbert Reddy Memorial, Royal Edward Laurentian et Dieppe House. Président du Club Lions. Vice-président de la St. Lawrence-St. George Progressive Association. Membre de la Montreal Industrial Commission, du Board of Health et des General Council Service Clubs. Membre des clubs Casualty et Scottish Schools.

Décédé à Montréal, le 19 juin 1954, à l'âge de 70 ans. Inhumé à Pointe-Claire, dans le Lakeview Cemetery, le 22 juin 1954.

Avait épousé à Toronto, le 17 octobre 1911, Belle Cumming, fille de Charles Cumming et de Christina Murray.

———————————————

BULLOCK, Charles Munson
(1902–1974)

Né à Sainte-Pudentienne, près de Shefford, le 11 décembre 1902, fils de William Stephen **Bullock**, manufacturier, pasteur de l'église baptiste de Sainte-Pudentienne, et d'Ellen Évangéline Therrien.

Fit ses études dans sa paroisse natale et à la Granby High School.

Manufacturier à Granby. Gérant et secrétaire de la Stanley Tool Co. of Canada Ltd. Membre de la Canadian Manufacturer's Association, du Board of Trade et du Club Kiwanis de Granby.

Élu député libéral dans Shefford en 1939. Ne s'est pas représenté en 1944.

Décédé à Montréal, le 26 février 1974, à l'âge de 71 ans et 2 mois. Incinéré à Outremont, le 11 mars 1974. Ses cendres furent déposées dans le cimetière protestant de Sainte-Pudentienne, le 1er juin 1974.

Avait épousé à Sainte-Pudentienne, le 17 septembre 1925, Muriel-Adélaïde Dozois, fille de Joseph-Léopold Dozois, notaire.

———————————————

BULLOCK, William Stephen
(1865–1936)

[Né à Sainte-Pudentienne, près de Shefford, le 3 août 1865, fils de William Henry Bullock, cultivateur, et d'Hanna Chartier.]

Fit ses études à la mission de Grande-Ligne, à la Montreal Normal School, à la McGill University à Montréal et au Newton Center Theological College dans le Massachusetts.

Ordonné pasteur baptiste à Ottawa en 1898. Exerça son ministère à Boston, à Maskinongé et à Sainte-Pudentienne.

Résigna son ministère en 1907. Manufacturier à Sainte-Pudentienne. Gérant et secrétaire de la Stanley Tool Co. of Canada Ltd. Fondateur de la Roxton Pond Mill Co. Président du Comité des industries. Membre du Board of Trade de Granby, de la Canadian Manufacturer's Association et du Club de réforme de Montréal. Membre à vie du comité protestant du Conseil de l'instruction publique de la province de Québec.

Membre du conseil municipal du village de Sainte-Pudentienne de janvier 1908 à janvier 1914. Élu député libéral dans Shefford en 1912. Réélu sans opposition en 1916. De nouveau élu en 1919 et en 1923, puis sans opposition en 1927. Ne s'est pas représenté en 1931. Whip du Parti libéral en 1919. Nommé conseiller législatif de la division de Wellington le 15 août 1931.

Décédé en fonction à Sainte-Pudentienne, le 13 novembre 1936, à l'âge de 71 ans et 3 mois. Inhumé dans le cimetière protestant de cette paroisse, le 15 novembre 1936.

Avait épousé dans l'oratoire baptiste de Montréal, le 27 mai 1890, Ellen Évangéline Therrien, fille d'Alphonse de Liguori Therrien, ministre baptiste, et de Mary St. James.

Père de Charles Munson **Bullock**.

BUREAU, Jacques-Olivier
(1820–1883)

Né à Trois-Rivières et baptisé dans la paroisse de l'Immaculée-Conception, le 6 février 1820, fils de Jacques Bureau, marchand, et de Marie-Françoise Deveau.

Étudia à Trois-Rivières, puis, de 1832 à 1837, au séminaire de Nicolet. Admis à la pratique du notariat le 19 février 1843. Exerça sa profession jusqu'à sa mort, à Saint-Rémi et à Montréal.

Élu député de Napierville en 1854. Réélu en 1858 et, sans opposition, en 1861. Rouge. Démissionna le 15 septembre 1862. Élu conseiller législatif de la division de Lorimier en 1862. Fit partie du ministère Macdonald–Sicotte: conseiller exécutif et trésorier provincial du 28 janvier au 15 mai 1863. À son entrée au cabinet, son siège de conseiller législatif était devenu vacant. Réélu à une élection complémentaire le 26 février 1863. Son mandat prit fin avec l'avènement de la Confédération, le 1er juillet 1867. Sénateur de la division de Lorimier à compter du 23 octobre 1867. Appuya le Parti libéral.

Décédé en fonction à Saint-Rémi, le 7 février 1883, à l'âge de 63 ans. Inhumé dans le charnier de la paroisse Saint-Rémi, le 10 février 1883.

Avait épousé dans la paroisse de l'Immaculée-Conception, à Trois-Rivières, le 7 septembre 1843, Émilie Saint-Pierre, fille du journalier Pierre Saint-Pierre et d'Angèle Raymond; puis, dans la paroisse Notre-Dame, à Montréal, le 15 avril 1868, Léocadie Saint-Jean, veuve de Janvier-Hilaire Terroux.

BUREAU, Pierre
(1771–1836)

Né à L'Ancienne-Lorette, le 9 octobre 1771, puis baptisé le 10, dans la paroisse Notre-Dame-de-l'Annonciation, fils de Jean-Baptiste Bureau et d'Angélique Allain.

Après avoir fait du commerce à Québec, s'installa à Sainte-Anne-de-la-Pérade (La Pérade) où il tint un relais de poste, de 1800 environ à 1808, et fut passeur sur la rivière Sainte-Anne. Vers 1811, s'établit comme marchand à Trois-Rivières. Continua de traiter des affaires à Québec. Investit dans l'immobilier, notamment à Trois-Rivières, Sainte-Anne-de-la-Pérade, l'île Saint-Ignace et l'île Sainte-Marguerite.

Élu député de Saint-Maurice à une élection partielle le 19 mars 1819. Réélu en avril 1820, juillet 1820, 1824, 1827, 1830 et 1834. Appuya le parti canadien, puis le parti patriote.

Décédé en fonction à Trois-Rivières, le 6 juin 1836, à l'âge de 64 ans et 7 mois. Inhumé dans le cimetière de la paroisse de l'Immaculée-Conception, le 8 juin 1836.

Avait épousé dans la paroisse Notre-Dame de Québec, le 12 juillet 1791, Geneviève Gilbert, fille de Jean-Baptiste Gilbert et de Marie-Magdeleine Delisle.

Beau-père de Pierre-Antoine **Dorion**. Grand-père d'Antoine-Aimé et de Jean-Baptiste-Éric **Dorion**.

Bibliographie: *DBC*.

BURNET, David
(≈1803–1853)

Né vers 1803.

Fit carrière dans le commerce à Québec. Exploita un chantier naval sur les bords de la rivière Saint-Charles et fit le commerce du bois et l'importation de diverses marchandises, d'abord avec son frère Peter **Burnet**, dont il fut l'employé à compter de 1823, puis l'associé, et à son propre compte, à partir de 1830 environ. Investit dans la propriété et la spéculation foncière à Québec, dans la construction et l'exploitation d'une distillerie à Mont-Saint-Hilaire, en 1838, et d'une manufacture de drap près de Québec, en 1842. Engagé dans le transport maritime, dans le Haut et le Bas-Canada ainsi que dans l'État de New York; cofondateur, en 1841, de la Quebec and Upper Canada Forwarding Company. Fut membre des conseils d'administration de la Banque de Montréal à Québec, du Committee of Trade et de la Bourse de Québec, et de la Compagnie d'assurance maritime du Canada; nommé syndic de la Maison de la Trinité de Québec.

Élu député de la cité de Québec en 1841. Bien qu'il eût fait partie du comité de l'Association constitutionnelle de Québec opposé au projet d'union du Haut et du Bas-Canada, vota pour l'Acte d'Union le 23 juin 1841; indépendant et modéré. Démissionna le 26 août 1843.

Participa à la direction de la Société de Québec des émigrés, de la Société de l'école britannique et canadienne du district de Québec, de la St. Andrew's Society, de la Quebec Auxiliary Bible Society et du Quebec Male Orphan Asylum.

Décédé à Québec, le 2 juin 1853, à l'âge d'environ 50 ans. Les obsèques eurent lieu dans la cathédrale anglicane Holy Trinity, le 3 juin 1853.

Avait épousé, vers 1831, Mary Ann Forsyth, fille du marchand et fonctionnaire d'origine écossaise Joseph Forsyth et de sa seconde femme, Alice Robins, et nièce de John **Forsyth**.

Bibliographie: *DBC.*

BURNET, Peter
(<1800– ≥1859)

Marchand de Québec. Engagé d'abord seul et, après 1823, en société avec son frère David **Burnet**, dans l'importation de marchandises et dans le commerce du bois; ils exploitèrent des grèves et un chantier naval sur les bords de la rivière Saint-Charles. Nommé examinateur des mesureurs de bois en mai 1823. Propriétaire foncier. Membre du Committee of Trade de Québec. Administrateur de la Banque de Montréal, à Québec.

Élu député de la Basse-Ville de Québec en avril 1820. Ne se serait pas représenté en juillet 1820. Était opposé au projet d'union du Haut et du Bas-Canada en 1822.

Vers 1830, s'établit à Londres. En avril 1852, écrivit de Nice, en France, pour protester contre l'abolition de la tenure seigneuriale au Bas-Canada; en 1859, possédait encore la seigneurie des Grondines.

Décédé en ou après 1859.

On ne sait pas s'il était célibataire ou marié.

BURNS, Robert

Né à Montréal, le 5 septembre 1936, fils d'Edward Burns et de Marie-Anne Bédard.

Fit ses études au collège Sainte-Marie, et aux universités de Montréal (1957 à 1960) et de McGill (1960–1961). Admis au barreau de la province de Québec en juin 1961.

Conseiller technique à la Confédération des syndicats nationaux (CSN) de 1962 à 1965 et directeur du service juridique de cette centrale syndicale de 1966 à 1970. Membre du cabinet des avocats Cutler, Lamere, Bellemarre, Burns, Robert et Associés en 1965 et 1966, puis du cabinet Burns, Pothier et Associés de 1970 à 1973. Professeur de droit du travail à la faculté de droit de l'université d'Ottawa en 1972.

Membre de l'exécutif national du Parti québécois de 1974 à 1977. Élu député du Parti québécois dans Maisonneuve en 1970. Réélu en 1973 et 1976. Leader parlementaire du Parti québécois du 9 juin 1970 au 25 septembre 1973, leader de l'Opposition officielle du 22 novembre 1973 au 18 octobre 1976 et leader parlementaire du gouvernement du 14 décembre 1976 au 3 octobre 1978. Assermenté membre du Conseil exécutif le 26 novembre 1976. Ministre d'État à la Réforme électorale et parlementaire dans le cabinet Lévesque du 2 février 1977 au 8 août 1979. Démissionna comme député le 8 août 1979.

Nommé juge à la Cour provinciale et affecté au tribunal du travail le 13 février 1980.

BURNS, William
(≈1755–1829)

Né en Grande-Bretagne vers 1755, peut-être le fils de George Burns, officier britannique.

Arriva à Québec vers 1770. Orphelin, fut recueilli par un commerçant qui en fit son commis. Pendant l'invasion américaine de 1775–1776, servit dans la milice; en 1812, atteignit le grade de lieutenant-colonel. En 1784, était devenu l'un des associés de la Melvin, Wills, and Burns; de 1787 à 1791, fit partie de la Melvin and Burns et, de 1792 à 1806, de la Burns and Woolsey. Engagé, tantôt à titre personnel, tantôt en société, dans l'import-export, la vente en gros et au détail, le transport fluvial, le courtage immobilier et maritime, le commerce du bois et des produits de la chasse et de la pêche, ainsi que dans la spéculation foncière et immobilière, le prêt sur les marchés local et anglais, la mise en valeur des îles Mingan et de la seigneurie de Saint-Paul. Fut actionnaire de l'hôtel de l'Union et du pont Dorchester.

Nommé au Conseil législatif le 2 janvier 1818.

Décédé en fonction à Québec, le 25 septembre 1829, à l'âge d'environ 74 ans. Après des obsèques célébrées dans la cathédrale anglicane Holy Trinity, fut inhumé dans le cimetière St. Matthew, le 28 septembre 1829.

Était célibataire.

———

Bibliographie: *DBC.*

BURTON, Francis Nathaniel
(1766–1832)

Né à Londres, le 26 décembre 1766, fils de Francis Pierpont Burton et d'Elizabeth Clements.

Élu au Parlement d'Irlande en 1790 comme député de Clare. Représenta cette circonscription à Westminster de 1801 à 1808, après l'union de l'Irlande avec la Grande-Bretagne.

Fut nommé lieutenant-gouverneur du Bas-Canada le 29 novembre 1808. Arrivé dans la colonie en juin 1822, agit à titre d'administrateur du Bas-Canada du 7 juin 1824 jusqu'en septembre 1825, en l'absence du gouverneur George **Ramsay**; quitta le Bas-Canada le 6 octobre 1825.

Fut fait chevalier (sir) en 1822.

Décédé en fonction à Bath, en Angleterre, le 20 janvier 1832, à l'âge de 65 ans.

Avait épousé, le 4 juin 1801, Valentina Alicia Lawless, fille de Nicholas Lawless, 1er baron Cloncurry, et de Margaret Browne.

———

Bibliographie: *DBC.*

BUSBY, Thomas
(1768–1836)

Né à Montréal, le 16 décembre 1768, puis baptisé le 30, en l'église anglicane, fils de Thomas Busby, soldat, apparemment d'origine irlandaise, devenu maître de caserne adjoint, et d'une prénommée Christina.

Fut agent d'affaires des barons de Longueuil et marchand. L'un des instigateurs de la construction, en 1821, d'un canal du courant Sainte-Marie jusqu'à Lachine. Prit part à la reconnaissance légale de la Banque de Montréal en 1821. Administrateur du General Hospital en 1828. Obtint divers postes de commissaire ainsi qu'une concession de terre dans le canton d'Acton. Officier de milice, servit pendant la guerre de 1812 et atteignit le grade de capitaine en mai 1824. Marguillier de la Christ Church en 1822.

Élu député de Montréal-Est en avril 1820. Ne s'est pas représenté en juillet 1820.

Décédé à Montréal, le 8 septembre 1836, à l'âge de 67 ans et 8 mois.

Avait épousé dans l'église anglicane Christ Church, à Montréal, le 23 février 1793, Marguerite Lacasse.

BYRNE, Francis
(1877–1938)

Né à Charlesbourg, le 7 décembre 1877, fils de Michel Byrne, cultivateur, et de Mary Conway. Baptisé sous les prénoms de François et Joseph.

A étudié à l'école paroissiale de Charlesbourg. Cultivateur et marchand de bois à Charlesbourg. Président de la Frank Byrne Co. Ltd. et de la Victoria Hotel Co. Ltd. Président-fondateur de la Société des éleveurs. Membre de la Commission de l'Exposition provinciale. Cofondateur et directeur de l'hôpital de l'Enfant-Jésus. Membre du Club des journalistes.

Conseiller municipal de Charlesbourg en 1920 et 1921, et maire de cette municipalité de 1921 à 1932. Conseiller municipal de Québec-Ouest de 1924 à 1932, puis maire de 1932 à 1936. Élu député libéral du comté de Québec en 1935. Défait en 1936.

Décédé à Charlesbourg, le 24 mars 1938, à l'âge de 60 ans et 3 mois. Inhumé dans le cimetière de l'endroit, le 28 mars 1938.

Avait épousé à Québec, dans la paroisse Saint-Charles-de-Limoilou, le 16 avril 1907, Agnès Dundon, fille de John Dundon, laitier, et de Mary Byrne.

CADIEUX, Gérard

Né à Salaberry-de-Valleyfield, le 4 avril 1928, fils de Charles Cadieux, commerçant, et de Marie-Louise Lalonde.

Fit ses études au Jardin de l'enfance, puis au séminaire de Valleyfield où il fut rédacteur du journal *le Cécilien*. Fréquenta l'École des hautes études commerciales de Montréal pendant un an.

Marchand de meubles et de quincaillerie à Valleyfield. Secrétaire-trésorier de la maison Charles Cadieux et Fils inc. Président d'Ameublement Cadieux inc. Fondateur, en 1977, et propriétaire du journal *le Saint-François* jusqu'en 1981. Courtier en assurances sur la vie à compter de 1981.

Trésorier provincial de la Fédération libérale en 1958. Membre fondateur de l'Association libérale provinciale de Beauharnois et président en 1961 et 1962. Candidat libéral défait dans Beauharnois en 1956 et 1960. Élu député libéral dans Beauharnois en 1962. Réélu en 1966 et 1970. Nommé adjoint parlementaire du ministre du Travail et de la Main-d'œuvre et du ministre de l'Immigration le 3 juin 1970 et du ministre des Affaires sociales le 24 mars 1971. Adjoint parlementaire du ministre de l'Industrie et du Commerce du 8 septembre 1971 au 18 octobre 1976. Responsable du Service de placement étudiant du Québec de 1970 à 1972. Réélu en 1973. Ne s'est pas représenté en 1976.

Président de la Jeune Chambre de commerce de Valleyfield en 1954 et président régional en 1955. Membre de la Chambre de commerce de Valleyfield. Directeur du Club Richelieu. Membre des Chevaliers de Colomb, de la Société Saint-Jean-Baptiste et des Jeunesses musicales du Canada. Membre honoraire de la Garde Champlain, de la Garde Dollard et des Zouaves de Valleyfield. Membre du Royal 22ᵉ régiment.

CALDWELL, Henry
(≈1735–1810)

Né en Irlande vers 1735, fils de sir John Caldwell et d'Anne French.

Entreprit une carrière militaire dans l'infanterie britannique. Fit partie de l'état-major du général James Wolfe au cours du siège de Québec en 1759. Se retira de l'armée en mars 1774 avec le grade de major en Amérique. Pendant l'invasion américaine de 1775–1776, prit part à la défense de Québec à titre de lieutenant-colonel commandant la milice. En 1776, promu au grade honorifique de lieutenant-colonel en Amérique. Auteur d'un récit publié à Québec en 1866 par la Literary and Historical Society of Quebec sous le titre de *The invasion of Canada in 1775; letter attributed to Major Henry Caldwell*. Fit l'acquisition et mit en valeur de nombreuses propriétés foncières, notamment toutes celles de l'ancien gouverneur James Murray, parmi lesquelles les seigneuries de Lauzon et de Foucault (Caldwell's Manor). Membre fondateur de la Société d'agriculture, en fut président en 1791. Membre et trésorier de la commission chargée d'administrer les biens des jésuites.

Nommé conseiller législatif le 21 mai 1776. Demanda sans succès le poste de lieutenant-gouverneur en 1781. Était membre du Conseil exécutif en 1784. Receveur général adjoint par intérim de 1784 à 1787. Nommé conseiller législatif le 5 février 1793, prêta serment le 7. Assermenté comme receveur général le 25 juillet 1795.

Décédé en fonction dans sa résidence de Belmont, à Sainte-Foy, le 28 mai 1810, à l'âge d'environ 75 ans. Les obsèques eurent lieu dans la cathédrale anglicane Holy Trinity de Québec, le 31 mai 1810.

Avait épousé, le 16 mai 1774, Ann Hamilton, fille d'Alexander Hamilton, de Hampton Hall, en Irlande.

Père de John **Caldwell**. Grand-père de Henry John **Caldwell**.

Bibliographie: *DBC.*

CALDWELL, Henry John
(1801–1858)

Né à Québec, le 22 octobre 1801, puis baptisé en l'église anglicane le 28 novembre, fils de John **Caldwell**, avocat et administrateur, et de Jane Davidson.

Reçut en 1810, à la mort de son grand-père Henry **Caldwell**, la seigneurie de Lauzon; s'objecta vainement en justice, de 1826 à 1834, à la vente de la seigneurie en paiement des sommes dues par son père dans l'exercice de ses fonctions de receveur général. En société avec William Price et Charles **Bertrand**, exploita un moulin à scie dans la seigneurie de l'Île-Verte, après 1842. Avait été nommé juge de paix en 1816. Hérita de son père, en 1842, le titre de baronnet (sir).

Élu député de Dorchester en 1830; appuya généralement le parti des bureaucrates et vota contre les Quatre-vingt-douze Résolutions. Ne se serait pas représenté en 1834.

Décédé le 13 octobre 1858, à l'âge de 56 ans et 11 mois.

Avait épousé Sophia Louisa Paynter, fille de David R. Paynter et nièce de Matthew **Whitworth-Aylmer**.

CALDWELL, John
(≤1775–1842)

Baptisé dans l'église anglicane de Québec, le 25 février 1775, fils de Henry **Caldwell**, propriétaire foncier, et d'Ann Hamilton.

Étudia avec un précepteur, devint avocat en 1798.

Chargé en janvier 1799 d'administrer tous les biens et toutes les affaires de son père, n'exerça jamais la profession d'avocat. Propriétaire, entre autres, du domaine de Belmont, près de Québec, et des seigneuries de Gaspé, de Foucault et de Saint-Étienne; administrateur de la seigneurie de Lauzon. Engagé dans le commerce du bois et de la farine, dans la construction navale et dans le transport. S'associa à son beau-frère John Davidson sous le nom de Caldwell and Davidson.

Élu député de Dorchester en 1800. Réélu en 1804 et 1808. Appuya généralement le parti des bureaucrates. Nommé receveur général par intérim le 19 novembre 1808, succéda officiellement à son père à titre de receveur général le 6 juin 1810; fut démis de ses fonctions quelques jours avant le 25 novembre 1823, pour n'avoir pu payer les dépenses prévues dans la liste civile du 1er mai 1822; fut condamné à rembourser les sommes dues, par la Cour du banc du roi à Québec en 1825, par la Cour d'appel en 1828 et par le Conseil privé en 1834. Défait dans Dorchester en 1809. Élu dans cette circonscription en 1810; son siège fut déclaré vacant par suite de sa nomination au Conseil législatif le 15 décembre 1811; en fut président suppléant du 15 novembre 1831 au 20 février 1835 et en fit partie jusqu'à la suspension de la constitution, le 27 mars 1838, sa démission ayant été refusée en 1836. Prit sa retraite à Boston en 1835 ou 1836.

Hérita d'un cousin le titre de baronnet (sir) en 1830.

Décédé à Boston, le 26 octobre 1842, à l'âge d'environ 67 ans. Inhumé peut-être dans le cimetière anglican St. Matthew, à Québec.

Avait épousé dans l'église anglicane de Québec, le 21 août 1800, Jane Davidson, fille de James Davidson, chirurgien dans un bataillon du Royal Canadian Volunteer Regiment.

Père de Henry John **Caldwell**. Beau-frère par alliance d'Edward **Bowen**.

Bibliographie: *DBC*.

CAMDEN, Lewis

Né à Saint-Patrice-de-Beaurivage, le 17 mars 1953, fils de Patrick Camden, mécanicien, et de Louise Morin.

A étudié à la polyvalente Benoît-Vachon de Sainte-Marie-de-Beauce, au collège de Lévis et à l'université Laval où il obtint un baccalauréat en science politique en 1978.

Secrétaire du député provincial de Lotbinière en 1976. Adjoint au directeur du scrutin de Lotbinière en 1979. Adjoint du député fédéral de Lotbinière de 1980 à 1984. Membre du conseil d'administration de la Conférence socio-économique de la région Chaudière-Appalaches de 1988 à 1990 et du Conseil régional de concertation et de développement de la région Chaudière-Appalaches depuis 1991. Il siège, depuis novembre 1992, au Conseil régional de développement de la région Mauricie–Bois-Francs–Drummond, à titre de membre.

Président de la campagne de financement populaire du Parti libéral en 1978. Élu député libéral dans Lotbinière en 1985. Réélu en 1989.

CAMERON, Alexander
(1834–1917)

[Né à Pictou, en Nouvelle-Écosse, le 4 janvier 1834.]

Fit ses études à l'académie de Pictou, puis à l'université de Glasgow en Écosse. Admis à la pratique de la médecine en 1875.

Exerça sa profession à Huntingdon. Fut assistant-chirurgien du 50e bataillon V.M. Membre du Conseil de l'instruction publique de la province de Québec.

Maire de Huntingdon de 1870 à 1887 et préfet du comté en 1882. Élu député conservateur dans Huntingdon à l'élection partielle du 30 mai 1874. Réélu sous la bannière libérale en 1875. L'élection fut annulée le 31 mars 1876. Réélu sans opposition à l'élection partielle du 24 avril 1876 et aux élections de 1878 et de 1881. De nouveau élu en 1886 et 1890. Défait en 1892 et 1897.

[Décédé à Montréal, le 14 janvier 1917, à l'âge de 83 ans. Inhumé dans le cimetière Ogdenburg à Chatham, près de Lachute.]

Avait épousé à Dundee, le 25 décembre 1866, Elizabeth McKenzie Wallace, fille d'Alex Wallace, pasteur à Huntingdon.

CAMERON, Neil

Né à Weyburn (Saskatchewan), le 19 novembre 1938, fils d'Henry George Cameron, médecin et chercheur, et d'Enid Constance, secrétaire médicale.

A étudié à la Crescent Heights High School de Calgary et à la Banff School of Fine Arts. Obtint un baccalauréat ès arts de la Queen's University en 1962 et une maîtrise de la McGill University en 1969.

Professeur d'histoire au cégep John-Abbott à partir de 1973. A enseigné également aux universités Concordia et McGill entre 1974 et 1985. Directeur du St. Lawrence Institute à compter de 1980. Chroniqueur au *NDG Monitor* de 1983 à 1987, au *Montreal Daily News* en 1988, au *Suburban* en 1989. Collabore à la revue *Idler* de Toronto à partir de 1986.

Élu député du Parti Égalité dans Jacques-Cartier en 1989.

Petit-fils de Murdo Cameron, député à l'Assemblée législative de Saskatchewan de 1917 à 1921.

CAMPBELL, George Benjamin (1852–1923)

[Né dans le canton d'Eardley, en 1852.]

Administrateur de la Fraser Lumber Co. à Aylmer. Élu député conservateur dans Pontiac en 1912. Défait en 1916. Défait également dans Pontiac aux élections fédérales de 1921.

Décédé à Bruce, en Ontario, le 8 janvier 1923, à l'âge d'environ 70 ans. Inhumé à Quyon, dans Pontiac, dans le cimetière de l'église St. John the Evangelist, le 12 janvier 1923.

[Avait épousé à Portage-du-Fort Helen Carrey.]

CAMPBELL, Thomas Edmund (1811–1872)

Né à Londres, probablement en 1811.

Officier dans l'armée britannique, servit notamment au Proche-Orient, avant son arrivée au Canada en 1837. Combattit les patriotes à Châteauguay en 1838. Nommé aide de camp et secrétaire militaire du gouverneur Charles Edward Poulett **Thomson** en 1839; avec la participation de soldats, aida les unionistes à remporter la moitié des circonscriptions électorales du Bas-Canada en 1841. Se lança en 1846 dans l'exploitation de la seigneurie de Rouville, acquise deux ans plus tôt; établi sur sa ferme modèle à Saint-Hilaire, fit aussi de l'arboriculture. Fut président de la Société d'agriculture du Bas-Canada. Exerça les fonctions de secrétaire civil du nouveau gouverneur du Canada, James **Bruce**, et par le fait même celles de surintendant des Affaires indiennes, du 31 mars 1847 jusqu'à sa démission le 30 novembre 1849.

Élu député de Rouville en 1858; de tendance conservatrice. Défait en 1861.

Obtint quelques postes de commissaire dans le domaine de la défense militaire. Administrateur de la Banque de Montréal et du Grand Tronc.

Décédé vraisemblablement à Saint-Hilaire, le 5 août 1872, à l'âge probable de 61 ans. [Inhumé à Chambly.]

Avait épousé [à Saint-Ours, le 25 novembre 1841], Henriette-Julie Juchereau Duchesnay, fille du seigneur Michel-Louis Juchereau Duchesnay et de Charlotte-Hermine-Louise-Catherine d'Irumberry de Salaberry, et petite-fille d'Ignace-Michel-Louis-Antoine d'**Irumberry de Salaberry**.

Bibliographie: *DBC*.

CANAC, dit MARQUIS, Pierre (1780–1850)

Né à Sainte-Famille, île d'Orléans, le 8 octobre 1780, puis baptisé le 9, dans l'église paroissiale, sous le nom de Pierre Canac, fils de Jean Canac (Canac, dit Marquis) et d'Angélique (Judith) Pepin (Pepin, dit Lachance). Signa Pierre Canac dit Marquis à son mariage, puis P. C. Marquis; connu dans ses dernières années sous le nom de Canac Marquis.

S'établit comme marchand, d'abord à Québec, puis, en 1810, à Saint-André, près de Kamouraska. Propriétaire foncier et immobilier dans son village et à Québec; fit la culture des céréales et l'élevage du bétail.

Défait dans Kamouraska en 1830. Élu député de cette circonscription en 1834; appuya le parti patriote jusqu'en 1836, puis le parti des bureaucrates. Conserva son siège jusqu'à la suspension de la constitution, le 27 mars 1838. Fut maire de Saint-André à compter de 1845. Élu député de Kamouraska en 1848; membre du groupe canadien-français, puis réformiste.

Obtint plusieurs postes de commissaire et fut juge de paix. Devint officier de milice en 1833; par la suite, accéda au grade de colonel.

Décédé en fonction à Saint-André, le 25 novembre 1850, à l'âge de 70 ans et un mois. Les obsèques eurent lieu dans l'église paroissiale, le 26 novembre 1850.

Avait épousé dans la paroisse Saint-André, le 15 janvier 1810, Marie-Salomé Michaud, fille du cultivateur Alexandre Michaud et d'Élisabeth Ouellet.

Bibliographie: *DBC.*

CANNON, John
(≈1783–1833)

Né à St. John's, Terre-Neuve, vers 1783, fils d'Edward Cannon, maître maçon d'origine irlandaise, et d'Helena (Eleanor) Murphy.

Participa en qualité de volontaire à la guerre contre la France révolutionnaire. En 1795, accompagna sa famille à Québec, où il fut apprenti de son père à compter de 1800. Cofondateur, en 1808, de l'entreprise Edward Cannon and Sons, qu'il dirigea de 1809 à 1814. Par la suite, fit carrière seul comme maître maçon, puis comme entrepreneur de maçonnerie. Se lança dans la spéculation immobilière.

Élu député de Hampshire en 1824; appuya le parti canadien; l'élection fut annulée par la Chambre d'assemblée à la fin de la séance du 16 mars 1826. Élu dans Hampshire en 1827; appuya plutôt le parti patriote. Ne se serait pas représenté en 1830.

Prit part à titre d'expert agricole à des concours de la Société d'agriculture de Québec. Fut officier de milice, président de la Société du feu de Québec, administrateur délégué de la Banque d'épargne de Québec. Président de la Society of the Friends of Ireland in Quebec (1829).

Décédé à Québec, le 19 février 1833, à l'âge d'environ 50 ans. Inhumé dans la chapelle Sainte-Anne de la cathédrale Notre-Dame, le 22 février 1833.

Avait épousé dans la paroisse Notre-Dame de Québec, le 9 février 1808, Angèle Grihaut, dit Larivière, fille de François Grihaut, dit Larivière, ferblantier, et de Cécile Maranda; puis, au même endroit, le 13 février 1827, Archange Baby, veuve du major Ralph Ross Lewen.

Beau-frère d'Étienne-Claude **Lagueux**.

Bibliographie: *DBC.*

CANNON, Lawrence

Né à Québec, le 6 décembre 1947, fils de Louis Cannon, avocat, et de Rosemary Power.

Obtint un baccalauréat ès arts spécialisé en science politique de l'université de Montréal en 1971 et une maîtrise en administration des affaires de l'université Laval en 1979.

Secrétaire particulier du premier ministre Robert Bourassa de 1971 à 1976. Analyste financier à la Société de développement industriel de 1979 à 1981. Président et directeur général de la compagnie Les Radiateurs Roy ltée de septembre 1981 à décembre 1985.

Conseiller municipal de Cap-Rouge de 1979 à 1985. Élu député libéral dans La Peltrie en 1985. Réélu en 1989. Adjoint parlementaire du ministre du Commerce extérieur et du Développement technologique du 20 décembre 1985 au 21 septembre 1988 et du ministre du Tourisme du 21 septembre 1988 au 9 août 1989. Vice-président de l'Assemblée nationale du 28 novembre 1989 au 5 octobre 1990. Assermenté ministre des Communications dans le cabinet Bourassa le 5 octobre 1990.

CANNON, Lawrence Arthur
(1877–1939)

Né à Arthabaska, le 28 avril 1877, fils de Lawrence John Cannon, avocat et juge à la Cour supérieure, et d'Aurélie Dumoulin.

Fit ses études au collège d'Arthabaska, au séminaire de Québec et à l'université Laval à Québec. Récipiendaire du prix Prince-de-Galles et de la médaille d'or du gouverneur général en 1899. Admis au barreau de la province de Québec le 25 août de la même année.

Pratiqua le droit avec: Charles **Fitzpatrick**, Simon-Napoléon **Parent**; Louis-Alexandre **Taschereau**; Ferdinand Roy, Georges Parent, député à la Chambre des communes de 1904 à 1911 et de 1917 à 1930, puis sénateur de 1930 à 1942; Paul Taschereau; Robert **Taschereau**; son fils Charles Arthur Dumoulin Cannon; et Léon **Casgrain**.

Échevin du quartier du Palais au conseil municipal de Québec de 1908 à 1916. Président du comité des finances et leader du conseil municipal de 1910 à 1916. Membre de la Commission de l'Exposition provinciale en 1910 et président en 1917. Élu député libéral dans Québec-Centre en 1916. Réélu sans opposition en 1919. Défait en 1923.

Élu membre du Conseil du barreau en 1920. Créé conseil en loi du roi le 14 novembre 1924. Bâtonnier du barreau de Québec en 1924 et 1925. Docteur en droit de l'université Laval en 1927. Nommé juge à la Cour du banc du roi de la province de Québec le 19 octobre 1927 et promu juge à la Cour suprême du Canada le 14 janvier 1930. Directeur de l'Industrial Life Insurance Co. et de la Compagnie maritime et industrielle de Lévis.

Membre des Chevaliers de Colomb, du Club de réforme, de l'Institut canadien de Québec et de l'Alliance nationale. Membre de la Commission pour la refonte des statuts de la province de Québec en 1923.

Décédé à Ottawa, le 25 décembre 1939, à l'âge de 62 ans et 7 mois. Inhumé à Sainte-Foy, dans le cimetière Notre-Dame-de-Belmont, le 28 décembre 1939.

Avait épousé à Ottawa, le 20 avril 1904, Mary Corrine Fitzpatrick, fille de Charles **Fitzpatrick** et de Corrine Caron.

Frère de Lucien **Cannon**. Père de Charles-Arthur Dumoulin Cannon, député à la Chambre des communes de 1949 à 1958.

CANNON, Lucien
(1887–1950)

Né à Arthabaska, le 16 janvier 1887, fils de Lawrence John Cannon, avocat et juge à la Cour supérieure, et d'Aurélie Dumoulin.

Fit ses études au séminaire de Québec et à l'université Laval à Québec.

Admis au barreau de la province de Québec le 5 juillet 1910. Il exerça sa profession à Québec avec Laetare **Roy** et Charles Gavan Power, député à la Chambre des communes de 1917 à 1955 et sénateur de 1955 à 1968. Créé conseil en loi du roi le 1er décembre 1920. Représentant senior du procureur général pour le district de Québec de 1920 à 1925.

Candidat libéral défait dans Charlevoix aux élections fédérales de 1911. Élu député libéral à l'Assemblée législative dans Dorchester à l'élection partielle du 2 juin 1913. Réélu en 1916. Démissionna le 17 janvier 1917 pour se porter candidat dans la circonscription fédérale de Dorchester à l'élection partielle du 27 janvier 1917. Défait à cette occasion. Élu député libéral à la Chambre des communes dans cette circonscription

en 1917, 1921 et 1926. Son siège devint vacant à la suite de sa nomination au cabinet; fut réélu sans opposition à l'élection partielle du 2 novembre 1926. Solliciteur général du Canada dans le cabinet King du 5 septembre 1925 au 28 juin 1926 et du 25 septembre 1926 au 6 août 1930. Défait en 1930. Réélu dans Portneuf en 1935. Son siège devint vacant lorsqu'il fut nommé juge à la Cour supérieure le 15 janvier 1936. Promu juge à la Cour de l'amirauté de Québec le 18 octobre 1938.

Docteur en droit de l'université Laval en 1928. Membre du Club de la garnison de Québec, de la Société historique et littéraire de Québec ainsi que du Club de réforme de Québec et de celui de Montréal.

Décédé à Québec, le 14 février 1950, à l'âge de 63 ans. Inhumé à Sainte-Foy, dans le cimetière Notre-Dame-de-Belmont, le 18 février 1950.

Avait épousé à Saint-Victor, Beauce, le 7 août 1912, Marie-Emma Pacaud, fille d'Horace Pacaud et d'Agnès Tremblay.

Frère de Lawrence Arthur **Cannon**. Beau-frère de Laetare **Roy**. Oncle de Charles-Arthur Dumoulin Cannon, député à la Chambre des communes de 1949 à 1958.

CANTIN, Charles-Édouard

Né à Québec, le 26 avril 1901, fils de Wilfrid Cantin, tanneur et manufacturier, et de Christina Beaudet.

A étudié à l'école des Sœurs de la Providence, à l'académie commerciale, au séminaire de Québec et à l'université Laval. Admis au barreau de la province de Québec le 9 juillet 1924. Créé conseil en loi du roi le 20 février 1936.

Exerça sa profession à Québec avec Me Esnouf.

Président honoraire de l'Union libérale Saint-Sauveur. Élu député libéral dans Saint-Sauveur en 1927. Défait en 1931.

Fut conseiller juridique au ministère de la Justice et assistant-procureur général. Sous-ministre de la Justice à Québec de 1942 à 1966. Fut directeur de l'Association du jeune barreau de Québec.

CANTWELL, William
(1804–1886)

[Né à Troy, dans l'État de New York, le 24 avril 1804.] Marchand et propriétaire terrien.

Maire de Franklin. Préfet du comté de Huntingdon du 10 mars 1858 au 8 février 1860. Élu député conservateur dans Huntingdon à l'élection partielle du 6 novembre 1869. Ne s'est pas représenté en 1871.

Décédé à Franklin, le 20 novembre 1886, à l'âge de 82 ans et 6 mois. Inhumé à Franklin, dans le cimetière de l'église méthodiste, le 24 novembre 1886.

[Avait épousé, au mois d'août 1829, Jane Ann Wilson.]

CARBONNEAU, Jean-Baptiste (1864–1936)

Né à Berthier-en-Bas (Berthier-sur-Mer), le 10 août 1864, fils d'Édouard Carbonneau, menuisier, et de Marguerite Mercier.

Fit ses études à la High School de Windsor, en Ontario, et à Détroit dans l'État du Michigan.

Menuisier. Agent d'immigration pour le gouvernement provincial à Normandin (Lac-Saint-Jean) de 1894 à 1900 et à Biddeford (Maine) de 1906 à 1908.

Maire de Normandin en 1895 et 1896 et de 1899 à 1902. Préfet du comté de Lac-Saint-Jean de 1894 à 1900. Candidat libéral défait dans Lac-Saint-Jean en 1904. Élu sans opposition député libéral dans la même circonscription à l'élection partielle du 14 octobre 1908. Réélu en 1912. Son siège devint vacant en juin 1915 à la suite de sa nomination au poste de gouverneur de la prison de Québec; il occupa ce poste jusqu'à son décès.

Membre des Chevaliers de Colomb.

Décédé à Québec, le 4 décembre 1936, à l'âge de 72 ans et 3 mois. Inhumé à Québec, dans le cimetière Saint-Charles, le 7 décembre 1936.

Avait épousé à Québec, dans la paroisse Saint-Roch, le 11 octobre 1886, Rose-Anna Caron, fille de Joseph Caron, ouvrier, et de Marie Labrecque.

CARBRAY, Félix (1835–1907)

Né dans la paroisse Notre-Dame de Québec, le 22 décembre 1835, fils de Neal Carbray, agriculteur et journalier, et de Catherine Connolly.

Étudia à l'académie commerciale des Frères des écoles chrétiennes à Québec.

Travailla pour la maison de commerce Têtu et Garneau pendant quinze ans. S'occupa d'expédition de marchandises à son compte en 1869. Fonda avec Francis Alexander Routh, en 1870, la maison Carbray et Routh qui fut désignée plus tard sous la raison sociale de Carbray, Routh et Cie, marchands à commission de Québec et de Montréal. Après 1900, il continua d'exploiter cette entreprise à Québec avec son fils William,

sous le nom de Carbray, Son and Co. Fut consul du Portugal à Québec de 1888 à 1906. Membre de la Commission du havre de Québec du 17 mars 1891 au 5 octobre 1895.

Marguillier de la fabrique de l'église St. Patrick et syndic de l'asile Sainte-Brigitte à Québec. Élu député conservateur dans Québec-Ouest en 1881. Défait en 1886. Réélu sans opposition en 1892. De nouveau élu en 1897. Ne s'est pas représenté en 1900.

Président de la United Irish League et de l'Irish National Association. Vice-président de l'American Irish Historical Society. Membre à vie de la Royal Irish Academy. Fellow de la Royal Society of Antiquaries de Dublin. Président du St. Patrick's Literary Institute. Délégué à la convention nationale irlandaise de Dublin en 1896. Membre de la Chambre de commerce de Québec.

Décédé à Québec, le 20 décembre 1907, à l'âge de 71 ans et 11 mois. Inhumé à Sillery, dans le cimetière de l'église St. Patrick, le 23 décembre 1907.

Avait épousé dans sa paroisse natale, le 2 mai 1854, Margaret Carbery, fille de William Carbery et de Bridget Dooley; [puis, dans la St. Gabriel Church de New York, en octobre 1902, Bridget Carbery, veuve de Nicholas K. Connolly et sœur de sa première épouse].

CARDIN, Louis-Pierre-Paul (1840–1917)

Né dans la paroisse Saint-Pierre-de-Sorel, le 21 mai 1840, fils d'Athanase Cardin, cultivateur, et de Judith Lavallée.

Fit ses études au collège de L'Assomption. Fut admis à la pratique du notariat en 1868. Obtint un certificat de 1re et 2e classe de l'École militaire.

Exerça sa profession à Sorel avec J.B.L. Précourt de 1868 à 1872, et pratiqua seul par la suite. Secrétaire-trésorier de Sainte-Anne-de-Sorel en 1878 et 1879, puis de Sainte-Victoire de 1880 à 1886. Secrétaire des écoles dissidentes de Sorel. Président et secrétaire-trésorier de la Société d'agriculture du comté de Richelieu.

Devint membre du Parti national en 1885. Président honoraire de l'Association des jeunes nationaux du district de Richelieu en 1887 et 1888. Élu député libéral dans Richelieu en 1886. Réélu en 1890. Ne s'est pas représenté en 1892. De nouveau élu en 1897, 1900, 1904 et 1908. Ne s'est pas représenté en 1912.

Protonotaire adjoint du district de Montréal de 1912 à 1917. Président de la Société Saint-Jean-Baptiste de Sorel. Fonda la première compagnie de milice de Sorel et en fut capitaine et lieutenant-colonel.

Décédé à Montréal, le 9 avril 1917, à l'âge de 75 ans et 10 mois. Inhumé dans le cimetière de la paroisse Saint-Pierre-de-Sorel, le 13 avril 1917.

Avait épousé dans sa paroisse natale, le 21 mai 1867, Marie-Eugénie-Célina Lamère, fille de Jean-Baptiste Lamère et d'Elizabeth Smith.

CARDINAL, Jean-Guy
(1925–1979)

Né à Montréal, le 10 mars 1925, fils d'Armand Cardinal, pharmacien, et d'Éva Harbec.

Fit ses études à l'école Saint-Vincent-Ferrier, au collège André-Grasset, à l'École des beaux-arts, à l'université de Montréal, à l'Institute Alexander Hamilton à New York, à l'École des hautes études commerciales à Montréal et à la Famous Artists Schools à Westport, dans l'État du Connecticut. Mérita le prix de la Chambre des notaires, le prix de l'Association générale des diplômés de l'université de Montréal et celui de la Banque de Montréal. Obtint un certificat d'études en Business Administration de l'Institute Alexander Hamilton en 1948, une licence en droit en 1950 et un doctorat en droit en 1957 de l'université de Montréal, un diplôme en arithmétique commerciale du gouvernement du Québec en 1958. Fut titulaire du Mérite d'or de la faculté de droit de l'université de Montréal en 1959. Obtint un certificat de perfectionnement en administration de l'École des hautes études commerciales en 1960 et un certificat de la Famous Artists Schools en 1967.

Notaire à l'étude de Me Jean-Marie Trépanier, à Lachine, de juillet 1950 à juillet 1953. À la faculté de droit de l'université de Montréal, il fut chargé de cours de février à juillet 1953, professeur assistant de juillet 1953 à décembre 1965, professeur titulaire en 1966 ainsi que doyen de la faculté de 1965 à 1967. Fut également professeur invité à l'École d'architecture de Montréal en 1964 et 1965. Secrétaire général de 1958 à 1965 et directeur général adjoint en 1965 du Trust général du Canada. Membre de la Cour des commissaires civils des paroisses de Montréal de 1959 à 1967. Président du comité de droit des biens et de la fiducie de l'Office de révision du code civil de 1963 à 1967. Membre de la Commission de l'enseignement supérieur du Conseil supérieur de l'éducation du Québec de 1965 à 1967. Membre du conseil d'administration de l'Institut scientifique franco-canadien en 1966 et 1967. Administrateur de La Laurentienne en 1966 et 1967.

Nommé conseiller législatif de la division de Rougemont le 31 octobre 1967. Appuya l'Union nationale. Démissionna le 23 octobre 1968. Élu député de l'Union nationale dans Bagot à l'élection partielle du 4 décembre 1968. Ministre de l'Éducation dans les cabinets Johnson et Bertrand du 31 octobre 1967 au 12 mai 1970. Vice-président du Conseil exécutif du Québec du 11 décembre 1968 au 12 mai 1970. Premier ministre intérimaire du Québec du 11 décembre 1968 au 20 janvier 1969. Défait au congrès de direction de l'Union nationale en 1969. Réélu député de l'Union nationale en 1970. Ne s'est pas représenté en 1973.

Professeur invité à la faculté de droit de l'université Laval en 1970 et 1971. Membre de l'étude des notaires et conseillers juridiques Milette, Gauthier, Cardinal, Rivet, Hogue, Bergeron, Dauth et Morin de novembre 1972 à 1974. Professeur titulaire à la faculté de droit de l'université de Montréal de 1974 à 1976.

Élu député du Parti québécois dans Prévost en 1976. Vice-président de l'Assemblée nationale du 14 décembre 1976 jusqu'à son décès.

Fut membre du Corps d'entraînement des officiers canadiens (CEOC) de 1943 à 1945, puis instructeur d'infanterie en 1945 et 1946. Obtint un brevet de sergent et une commission de lieutenant d'infanterie. Membre honoraire du conseil d'administration du Centre d'études et de documentation européennes et du conseil d'administration du Musée des beaux-arts de Montréal de 1968 à 1970. Gouverneur de la Chambre de commerce des jeunes du district de Montréal de 1969 à 1975. Membre de l'Institut de cardiologie de Montréal en 1970 et 1971. Membre et gouverneur du conseil d'administration de l'hôpital Saint-Michel. Secrétaire du Chartered Institute of Secretary. Secrétaire honoraire de la Chambre de commerce de Montréal. Secrétaire de la Chambre de commerce française. Membre de l'Association du barreau canadien. Président de l'Association des jeunes notaires du district de Montréal et de l'Association du notariat de Montréal dont il fut également secrétaire. Conseiller technique des professeurs de l'université de Montréal. Membre de la Société royale du Canada, de la fondation Saint-Thomas-d'Aquin du Canada, du Conseil de la vie française en Amérique et de la Société Saint-Jean-Baptiste de Montréal. Président du conseil d'administration des scouts catholiques de Montréal. Membre du Cercle universitaire de Montréal et du Club Saint-Denis. Gouverneur honoraire du Club Renaissance de Montréal et de Québec. Président du Club Richelieu de Montréal et du Cercle de la Place d'Armes. Syndic de la paroisse Sainte-Catherine-de-Sienne. Créé commandeur de l'ordre de l'Étoile équatoriale en 1968.

Directeur du *Quartier latin*. De 1957 à 1968, il fut secrétaire de rédaction de la *Revue du notariat* dont il fut nommé directeur adjoint en avril 1976. Auteur de : *le Droit de superficie – Modalité du droit de propriété* (1957), *Canadian*

Jurisprudence – The Civil and Common Law (1958), *l'Union vraiment nationale* (1969), *le Droit civil au Québec: ses sources, son évolution, son originalité* (1967). A écrit plusieurs chroniques parues en 1970 dans *le Temps nouveau* ainsi que bon nombre d'articles publiés notamment dans la *Revue du notariat*, la *Revue du barreau* et l'*Administration paroissiale*.

Décédé en fonction à Québec, le 16 mars 1979, à l'âge de 54 ans. Inhumé à Sainte-Foy, dans le cimetière Notre-Dame-de-Belmont, le 19 mars 1979.

Avait épousé à Montréal dans la paroisse Saint-Étienne, le 14 juillet 1951, Jacqueline Boisvert, fille de Paul-Émile Boisvert et de Violette Busseau ; puis, au palais de justice de Québec, le 30 novembre 1972, Julienne (Julie) Meilleur, fille de Lionel Meilleur, tailleur, et de Pauline Cormier.

CARDINAL, Joseph-Narcisse (1808–1838)

Né à Saint-Constant, le 8 février 1808, puis baptisé le 9, dans l'église paroissiale, fils de Joseph Cardinal, cultivateur, et de Marguerite Cardinal.

Étudia au petit séminaire de Montréal de 1817 à 1822. Fit l'apprentissage du droit à Châteauguay à compter de 1823 et fut reçu notaire en 1829.

Exerça sa profession à Châteauguay jusqu'en novembre 1838. Syndic de l'école de la paroisse Saint-Joachim, à Châteauguay, de 1829 à 1832. Secrétaire de la Société d'agriculture du comté de Laprairie. Officier de milice, retourna sa commission en 1837, en signe de protestation contre la destitution de nombreux patriotes.

Élu sans opposition député de Laprairie en 1834. L'un des chefs patriotes, mais n'a pas pris part à l'insurrection de 1837 ; gagna tout de même les États-Unis. De retour au Bas-Canada en février ou mars 1838 ; son mandat de député prit fin avec la suspension de la constitution, le 27 mars 1838. Membre de l'Association des frères-chasseurs, avec Robert **Nelson**, qui lui confia la charge d'organiser le soulèvement dans le comté de Laprairie ; le 4 novembre 1838, à titre de brigadier général, dirigea des patriotes à Châteauguay, puis à Caughnawaga (Kanawake) ; capturé par des Amérindiens, fut emprisonné à Montréal. Comparut, le 28 novembre 1838, devant le conseil de guerre formé par le gouverneur John **Colborne** ; le 8 décembre, fut reconnu coupable de haute trahison et, le 18, condamné à mort.

Pendu à Montréal, le 21 décembre 1838, à l'âge de 30 ans et 10 mois. Inhumé dans l'ancien cimetière catholique de Montréal (square Dominion) ; en 1858, ses restes furent transportés et enterrés sous le monument dédié aux patriotes de 1837–1838, au cimetière Notre-Dame-des-Neiges.

Avait épousé dans l'église Notre-Dame de Montréal, le 31 mai 1831, Eugénie Saint-Germain, fille de Bernard Saint-Germain, interprète au département des Affaires indiennes.

Bibliographie : *DBC.*

CARDINAL, Pierrette

Née à Montréal, le 31 août 1931, fille d'Arthur Girard, entrepreneur, et de Louise Boissonnault, enseignante.

A étudié à l'école des Sœurs du Bon Pasteur. Fit également des études postsecondaires en lettres-sciences et en espagnol.

Secrétaire de direction à la compagnie d'assurances La Prévoyance de 1950 à 1953 et au bureau de L. Dansereau, ingénieur-conseil de la firme Dansereau-Proulx et commissaire à la St. Lawrence Seaway de 1954 à 1959. Organisatrice et superviseure de la division Châteauguay de la compagnie H&R Block de 1974 à 1985.

Vice-présidente et membre du conseil d'administration du Service social de Châteauguay de 1967 à 1969. Présidente-fondatrice du Comptoir économique de Châteauguay à partir de 1969, de l'Atelier expressif de Châteauguay de 1970 à 1977 et du comité des citoyens pour la promotion du centre hospitalier Anna-Laberge à compter de 1980. Coordonnatrice à la radio communautaire CHAI-FM en 1975 et 1976. Fondatrice et membre du conseil d'administration du Mouvement action-découverte à partir de 1979. Récipiendaire de la médaille du gouverneur général en reconnaissance de son travail auprès des handicapés.

Élue députée libérale dans Châteauguay en 1985. Réélue en 1989. Membre de l'exécutif de l'Association parlementaire du Commonwealth, section du Québec, à compter du 17 avril 1986.

CAREAU, Pierre (1786–1856)

Né à Saint-Mathias et baptisé dans la paroisse Saint-Olivier (Saint-Mathias), le 16 octobre 1786, fils de Joseph Careau, qui fut capitaine dans la milice, et de Dorothée Loisel. Son patronyme s'orthographiait aussi Carreau.

Fut cultivateur à Saint-Mathias.

Élu député de Rouville à une élection partielle le 19 novembre 1833 ; vota pour les Quatre-vingt-douze Résolutions. Réélu en 1834; appuya le parti patriote. Son mandat prit fin avec la suspension de la constitution, le 27 mars 1838.

Décédé à Sainte-Marie-de-Monnoir (Marieville), le 15 juillet 1856, à l'âge de 69 ans et 8 mois. Inhumé dans le cimetière de la paroisse du Saint-Nom-de-Marie, le 17 juillet 1856.

Avait épousé dans sa paroisse natale, le 17 juillet 1804, Victoire Tétrau, fille du cultivateur Jean-Baptiste Tétrau et de Geneviève Chonière.

CARIGNAN, Anatole
(1885–1952)

Né dans la paroisse des Saints-Anges-de-Lachine, le 7 juillet 1885, fils d'Alexandre Carignan, journalier, et d'Albina Saint-Amour.

Fit ses études au Collège commercial de Lachine. Commis à la Banque d'épargne et à la Banque d'Hochelaga de 1902 à 1910. Gérant de la Compagnie industrielle générale ltée de Lachine de 1910 à 1952.

Conseiller municipal de La Salle de 1915 à 1921. Maire de cette ville de 1921 à 1925. Conseiller municipal de Lachine en 1930 et 1931, puis maire de 1933 à 1939 et de 1944 à 1952. Fut président de l'Union des municipalités. Candidat conservateur défait dans Jacques-Cartier à l'élection partielle du 30 novembre 1925 et aux élections générales de 1927. Élu député de l'Union nationale dans Jacques-Cartier en 1936. Ministre de la Voirie dans le cabinet Duplessis du 30 novembre 1938 au 8 novembre 1939. Défait en 1939 et 1944.

Curateur public de la province de Québec de 1947 à 1952. Fut l'instigateur du musée Le Manoir de Lachine et fondateur de la Société d'histoire régionale de Lachine.

Décédé à Montréal, le 30 juillet 1952, à l'âge de 67 ans. Inhumé dans la crypte de l'église des Saints-Anges-de-Lachine, le 4 août 1952.

Avait épousé dans sa paroisse natale, le 12 août 1912, Marie-Rose Parker, fille de John Parker et d'Edwidge Dumberry; puis, à Outremont, dans la paroisse Sainte-Madeleine, le 11 septembre 1948, Claire-Olivette-Caroline Belleau, fille de Georges Belleau et d'Hélène Rinfret.

CARLETON, Guy
(1724–1808)

Né à Strabane, en Irlande, le 3 septembre 1724, fils de Christopher Carleton, propriétaire foncier, et de Catherine Ball.

Fit carrière dans l'armée britannique à compter du 21 mai 1742. Recommandé en 1752 par James Wolfe comme précepteur militaire du jeune Charles Lennox, 3e duc de Richmond et Lennox. Prit part au siège de Québec avec Wolfe; blessé au cours de la bataille des plaines d'Abraham, quitta la colonie en octobre 1759.

Nommé lieutenant-gouverneur et administrateur de Québec le 7 avril 1766: en fonction du 24 septembre 1766 au 26 octobre 1768. Nommé capitaine général et gouverneur en chef le 12 avril 1768: en fonction du 26 octobre 1768 au 27 juin 1778; fut absent du 1er août 1770 au 18 septembre 1774; donna sa démission le 27 juin 1777 et quitta la colonie le 30 juillet 1778. Nommé gouverneur et commandant en chef le 22 avril 1786: en fonction du 23 octobre 1786 au 15 décembre 1796; fut absent du mois d'août 1791 au 24 septembre 1793; donna sa démission le 4 septembre 1794 et quitta la colonie le 9 juillet 1796.

Reçut le titre de chevalier (sir) le 6 juillet 1776, puis celui de baron Dorchester, créé pour lui le 21 août 1786.

Décédé à Stubbings House, près de Maidenhead, en Angleterre, le 10 novembre 1808, à l'âge de 84 ans et 2 mois. Inhumé dans l'église St. Swithun, à Nately Scures, le 16 novembre 1808.

Avait épousé à Fulham (Londres), le 21 ou 22 mai 1772, lady Maria Howard, fille de Thomas Howard, 2e comte d'Effingham, et d'Elizabeth Beckford.

Bibliographie: *DBC*.

CARON, Alexis (Surrey)
(1764–1827)

Né à Québec et baptisé dans la paroisse Notre-Dame, le 2 novembre 1764, fils d'Alexis Caron et de Catherine Tessier.

Entra au collège Saint-Raphaël, à Montréal, en 1777. Admis au barreau le 28 novembre 1791.

Fut notamment l'avocat de Charles-Jean-Baptiste **Bouc**. Nommé conseiller du roi le 30 mai 1812. Servit pendant la guerre de 1812, en qualité de major dans la milice de Beauport. Président conjoint de la Cour des sessions de quartier à Québec, en 1815. Juge de la Cour provinciale à Gaspé, à compter du 22 novembre 1821; déclina l'offre de devenir juge provincial à Sherbrooke, dans le district de Saint-François, en 1823.

Élu député de Surrey à une élection partielle tenue en 1802, après le 3 avril; prit son siège le 8 février 1803. Appuya tantôt le parti canadien, tantôt le parti des bureaucrates. Ne se serait pas représenté en 1804.

Décédé à Paspébiac, le 25 février 1827, à l'âge de 62 ans et 3 mois. Inhumé dans le cimetière de la paroisse Notre-Dame, le 28 février 1827.

Avait épousé dans la paroisse Notre-Dame de Québec, le 4 juin 1807, Charlotte-Gillette Pommereaux, veuve de Joseph Duval, major dans la milice.

CARON, Alexis (Hull)
(1899–1966)

[Né à Hull, le 8 mars 1899, fils de Damien Caron, marchand, et d'Élise Trudel.]

A étudié au collège Notre-Dame à Hull, à l'université d'Ottawa, au Willis College ainsi qu'à l'Institut Albert-le-Grand à Ottawa.

Courtier d'assurances générales sous la raison sociale Alexis Caron et Cie. Membre de l'Association des courtiers d'assurances du Québec et de l'Ontario.

Élu député libéral dans Hull en 1935. Défait en 1936. Réélu en 1939. Défait de nouveau en 1944 et 1948. Maire de Hull d'avril 1953 à avril 1955. Élu député libéral à la Chambre des communes dans Hull en 1953. Réélu en 1957, 1958, 1962, 1963 et 1965. Whip du Parti libéral fédéral en 1963. Secrétaire parlementaire du premier ministre Pearson du 14 mai 1963 au 19 février 1964 et du ministre des Postes du 20 février 1964 au 9 janvier 1966.

Membre de la Chambre de commerce et cofondateur de la Chambre de commerce des jeunes de Hull. Membre de la Société Saint-Jean-Baptiste et cofondateur de la section Hull de la Croix-Rouge canadienne. Membre et vice-président honoraire du Club de réforme d'Ottawa. Membre des Chevaliers de Colomb. Récipiendaire de la médaille d'argent de la ville de Paris en 1954.

Décédé en fonction à Ottawa, le 31 août 1966, à l'âge de 67 ans et 5 mois. Inhumé à Hull, dans le cimetière de la paroisse Notre-Dame-de-Lorette, le 3 septembre 1966.

Avait épousé à Hull, dans la paroisse Notre-Dame-de-Lorette, le 10 septembre 1924, Germaine Thibault, fille d'Aristide Thibault et de Léonida Gaugron.

Neveu de Joseph **Caron**.

CARON, Amédée
(1898–1954)

Né à Sainte-Louise, près de La Pocatière, le 28 octobre 1898, fils de Joseph-Édouard **Caron**, cultivateur, et de Mathilda Destroismaisons, dit Picard.

Fit ses études au collège de Sainte-Anne-de-la-Pocatière, à l'université St. Dunstan à Charlottetown (Île-du-Prince-Édouard) et à l'université Laval à Québec.

Admis au barreau de la province de Québec le 13 septembre 1921, il exerça d'abord sa profession dans la ville de Québec avec Aimé Déchêne et Fernand **Choquette**. En 1922, il s'établit à Rimouski où il s'associa à Perreault **Casgrain** et Maurice **Tessier**. Secrétaire du barreau du Bas-Saint-Laurent de 1930 à 1933. Secrétaire et gérant de la caisse populaire de Rimouski de 1930 à 1939. Créé conseil en loi du roi le 30 décembre 1931. Membre du conseil d'administration et secrétaire de la Société d'assurance Stanstead et Sherbrooke de 1931 à 1936. Vice-président de la compagnie de publication du *Progrès du Golfe* de 1933 à 1943. Substitut du procureur général de la province pour le district de Rimouski de 1939 à 1943 et juge du même district du 21 octobre 1943 jusqu'à son décès. Fut pendant de nombreuses années professeur de droit coopératif au séminaire de Rimouski.

Élu sans opposition député libéral dans Îles-de-la-Madeleine à l'élection partielle du 14 juillet 1928. Réélu en 1931 et 1935. Commissaire d'école à Rimouski de 1931 à 1934. Organisateur des associations libérales du Bas-Saint-Laurent de 1936 à 1939. Candidat libéral défait dans Îles-de-la-Madeleine en 1936 et 1939.

Fondateur et président du Club Rotary de Rimouski en 1942. Président de la Croix-Rouge de Rimouski de 1946 à 1954.

Décédé à Rimouski, le 23 février 1954, à l'âge de 55 ans et 3 mois. Inhumé à Rimouski, dans le cimetière de la paroisse Saint-Germain, le 26 février 1954.

Avait épousé à Québec, dans la paroisse du Sacré-Cœur-de-Marie, le 9 juillet 1924, Marie-Émilienne-Yvonne Morin, fille d'Oscar-Jules Morin, sous-ministre des Affaires municipales, et d'Albertine Lapierre.

CARON, Augustin
(1778–1862)

Né à Sainte-Anne-de-Beaupré, le 15 septembre 1778, puis baptisé le 16, dans la paroisse du même nom, fils d'Ignace Caron, cultivateur, et de Marie-Élisabeth Émond.

Fut cultivateur. Faisait partie de la milice de Beauport en 1792. Nommé commissaire au tribunal des petites causes en juin 1821. Juge de paix dans le district de Québec.

Élu député de Northumberland en 1808; appuya généralement le parti canadien. Ne se serait pas représenté en 1809. Élu dans Northumberland à une élection partielle le 16 janvier 1811. Ne se serait pas représenté en 1814.

Décédé à Sainte-Anne-de-Beaupré, le 4 septembre 1862, à l'âge de 83 ans et 11 mois. Inhumé dans l'église paroissiale, le 6 septembre 1862.

Avait épousé dans sa paroisse natale, le 6 novembre 1797, sa parente Marie-Élisabeth Lessard, fille de René Lessard et de Marie-Élisabeth Gagnon.

Père de René-Édouard **Caron**. Grand-père d'Adolphe-Philippe Caron, député à la Chambre des communes du Canada.

CARON, Charles
(1768–1853)

Né à Saint-Roch-des-Aulnaies, le 3 janvier 1768, puis baptisé le 4, sous le prénom de Charles-François, dans l'église paroissiale, fils de Michel Caron et de Marie-Josephte Parent. Signait Charle Caront.

Étudia au collège Saint-Raphaël, à Montréal, de 1775 à 1782.

Travailla au défrichement et à l'exploitation des terres achetées par son père, en 1783, dans la paroisse Sainte-Anne, dans la seigneurie de Yamachiche. Fit l'acquisition de terres qu'il cultiva et mit en valeur jusqu'en 1840 environ.

Élu député de Saint-Maurice en 1824. Réélu en 1827. Appuya le parti canadien, puis le parti patriote. Défait en 1830.

Fit partie des «Chantres de Machiche».

Décédé à Yamachiche, le 30 janvier 1853, à l'âge de 85 ans. Inhumé dans l'église Sainte-Anne, le 3 février 1853.

Avait épousé dans la paroisse Sainte-Anne, à Yamachiche, le 24 février 1794, Françoise Rivard, fille d'Augustin **Rivard** (**Rivard Dufresne**) et de Françoise Gauthier.

Frère de François et de Michel **Caron**. Grand-père de Charles **Gérin-Lajoie**.

Bibliographie: *DBC*.

CARON, Donat
(1852–1918)

[Né à Saint-Pascal, le 21 juillet 1852, fils de Guillaume Caron, cultivateur, et de Modeste Landry.]

Fit ses études à Saint-Pascal. Cultivateur, il s'établit à Saint-Octave-de-Métis en 1871. Agent général de la Massey Harris & Co., manufacture d'instruments aratoires, pour le comté de Matane à partir de 1883.

Président de la commission scolaire de Saint-Octave-de-Métis de 1886 à 1888. Maire de cette municipalité de 1894 à 1898. Marguillier de cette paroisse de 1895 à 1899. Élu député libéral dans Matane à l'élection partielle du 11 janvier 1899. Réélu sans opposition aux élections de 1900 et de 1904. Élu de nouveau en 1908, 1912 et 1916.

Décédé en fonction à Saint-Octave-de-Métis, le 9 septembre 1918, à l'âge de 66 ans et un mois. Inhumé dans le cimetière de cette paroisse, le 12 septembre 1918.

Avait épousé dans sa paroisse natale, le 14 janvier 1873, Emma Raymond, fille d'André Raymond et de Marie-Anne Ouellet; puis, à Saint-Octave-de-Métis, le 28 février 1887, Dominine Blanchet, institutrice, fille de Théodore Blanchet et de Dominine Chamberland.

CARON, Édouard
(1830–1900)

Né à Saint-Antoine-de-la-Rivière-du-Loup (maintenant Louiseville), le 22 avril 1830, fils de François Caron, agriculteur, et de Marie-Henriette Coulombe.

Fit ses études au séminaire de Nicolet de 1845 à 1847. Cultivateur sur la terre paternelle. Associé, à compter de 1863, dans la Société de navigation des Trois-Rivières à Montréal. Copropriétaire jusqu'en 1889 de la société Caron et Leclerc, spécialisée notamment dans le commerce du grain et du foin. Administrateur de la Compagnie du pont de la Rivière-du-Loup en 1859. Membre de la Société de construction Victoria.

Commissaire d'école et capitaine de milice. Maire de la paroisse de Rivière-du-Loup en 1874 et préfet de comté. Candidat conservateur défait dans Maskinongé en 1867. Élu député conservateur dans Maskinongé en 1878. Réélu en 1881 et 1886. Cette dernière élection fut annulée le 29 septembre 1887. Défait à l'élection partielle du 28 avril 1888.

Décédé à Louiseville, le 25 février 1900, à l'âge de 69 ans et 10 mois. Inhumé dans le cimetière de cette paroisse, le 27 février 1900.

Avait épousé dans sa paroisse natale, le 11 janvier 1860, Marie-Louise Lemaître Augé, fille de Désiré Lemaître Augé, marchand, et de Sophie Fauteux.

Petit-fils de François **Caron**.

Bibliographie: *DBC*.

CARON, François
(1766–1848)

Né à Saint-Roch-des-Aulnaies, probablement en septembre 1766, fils de Michel Caron et de Marie-Josephte Parent. Signait François Caront.

Accompagna ses parents qui s'établirent à Yamachiche en 1783. Fut cultivateur. Servit en qualité de lieutenant dans la milice de Rivière-du-Loup (Louiseville) pendant la guerre de 1812 ; promu capitaine en février 1822, prit sa retraite, avec le grade de major, le 6 septembre 1845. Fit partie des «Chantres de Machiche».

Élu député de Saint-Maurice en 1810. Ne se serait pas représenté en 1814. Nommé président de l'assemblée des patriotes tenue à Yamachiche le 26 juillet 1837.

Décédé à Rivière-du-Loup (Louiseville), le 12 novembre 1848, à l'âge de 82 ans et un ou 2 mois. Inhumé dans le cimetière de la paroisse Saint-Antoine-de-Padoue, le 14 novembre 1848.

Avait épousé dans la paroisse Sainte-Anne, à Yamachiche, le 21 novembre 1791, Catherine Lamy, fille de François Lamy et de Catherine Dusseault.

Frère de Michel et de Charles **Caron**. Grand-père d'Édouard **Caron**.

Bibliographie: R., P.-G., «Les trois frères Caron, députés», *BRH*, 49, 4 (avril 1943), p. 118-120.

CARON, George
(1823–1902)

Né à Rivière-du-Loup (Louiseville), le 3 mars 1823, puis baptisé le 4, dans la paroisse Saint-Antoine-de-Padoue, fils de Gabriel Caron, cultivateur, et de Thérèse Béland.

Étudia au séminaire de Nicolet de 1838 à 1845.

S'établit à Saint-Léon (Saint-Léon-le-Grand), où il fut peut-être instituteur avant de se lancer dans le commerce. Lieutenant-colonel commandant de la milice de réserve du comté de Maskinongé. Juge de paix et commissaire au tribunal des petites causes.

Élu député de Maskinongé à une élection partielle le 14 décembre 1858. Réélu en 1861. Bleu. Défait en 1863. Élu député conservateur de Maskinongé à la Chambre des communes en 1867. Défait en 1872, 1874, puis en 1882.

Décédé à Saint-Léon (Saint-Léon-le-Grand), le 14 mai 1902, à l'âge de 79 ans et 2 mois.

Avait épousé dans la paroisse Saint-Antoine-de-Padoue, à Rivière-du-Loup (Louiseville), le 31 août 1847, Marie-Aurélie Mayrand, fille du commerçant Étienne **Mayrand** et de Thérèse Heney ; puis, dans la paroisse Saint-Léon (à Saint-Léon-le-Grand), le 21 mai 1860, sa nièce Philomène Fleury, fille du cultivateur Joseph Fleury et de Julie Caron.

Père d'Hector **Caron**. Oncle par alliance d'Hormidas Mayrand, député à la Chambre des communes du Canada.

CARON, Germain
(1910–1966)

Né à Saint-Antoine-de-la-Rivière-du-Loup (maintenant Louiseville), le 12 mars 1910, fils d'Hector Caron, cultivateur et industriel, et de Célina Gravel.

Fit ses études au collège de Louiseville, au séminaire de Trois-Rivières, et aux universités Laval à Québec et St. Dunstan à Charlottetown (Île-du-Prince-Édouard). Admis au barreau de la province de Québec le 14 janvier 1937. Créé conseil en loi du roi le 20 mars 1947.

Exerça sa profession seul de 1937 à 1940, puis au cabinet des avocats Poisson, Heaton et Caron de 1940 à 1942. Conseiller juridique aux Services nationaux de guerre à Montréal de 1942 à 1944. S'occupa d'immeubles et de promotion industrielle. Membre des Chevaliers de Colomb, du Club Rotary et du Club Renaissance. Membre fondateur et secrétaire-trésorier de la Chambre de commerce de Louiseville. Membre du Club des hommes d'affaires de Louiseville.

Maire de Louiseville de 1953 à 1961. Élu député de l'Union nationale dans Maskinongé en 1944. Réélu en 1948, 1952, 1956, 1960 et 1962. Orateur suppléant de l'Assemblée législative du 4 décembre 1958 au 21 septembre 1960. Whip de l'Union nationale.

Décédé en fonction à Montréal, le 14 février 1966, à l'âge de 55 ans et 11 mois. Inhumé dans le cimetière de Louiseville, le 18 février 1966.

Avait épousé à Montréal, dans la paroisse Notre-Dame-de-Grâce, le 14 octobre 1944, Marcelle Dionne, fille de Joseph-Alexandre Dionne, marchand, et de Berthe Décarie.

Beau-frère de Robert Lafrenière, député à la Chambre des communes de 1958 à 1962.

CARON, Hector
(1862–1937)

Né à Saint-Léon (maintenant Saint-Léon-le-Grand), le 31 août 1862, fils de George **Caron**, marchand, et de Marie-Philomène Fleury.

Fit ses études à Saint-Léon, au séminaire Saint-Joseph à Trois-Rivières, au collège d'Ottawa et à l'université de Poughkeepsie dans l'État de New York.

Marchand général et commerçant de bois à Saint-Léon. Président de l'Association agricole du district de Trois-Rivières. Secrétaire-trésorier de la municipalité et des écoles de Saint-Léon.

Élu député libéral dans Maskinongé en 1892. Réélu en 1897, puis sans opposition en 1900. Son siège fut déclaré vacant le 1er octobre 1903 lors de sa nomination au poste de surintendant de la chasse et de la pêche au département des Terres, Mines et Pêcheries.

Décédé à Québec, le 9 avril 1937, à l'âge de 75 ans et 8 mois. Inhumé dans le cimetière de la paroisse Saint-Léon-le-Grand, le 13 avril 1937.

Avait épousé à Louiseville, le 9 février 1885, Stéphanie-Florella Desaulniers, fille d'Alexis Lesieur **Desaulniers**, avocat, et de Sophie-Octavie-Ernestine Fréchette.

Beau-frère d'Arthur Lesieur Desaulniers, député à la Chambre des communes de 1917 à 1930.

CARON, Jocelyne

Née à Verdun, le 23 avril 1951, fille de René Caron, mécanicien, et de Thérèse Forget, infirmière.

Fit ses études primaires et secondaires à Terrebonne et ses études collégiales au collège Marguerite-Bourgeoys. Titulaire d'un brevet d'enseignement en musique du conservatoire de musique de Montréal en 1972 et d'un baccalauréat en enseignement secondaire, option histoire, de l'université du Québec à Montréal en 1973.

Enseignante à la commission scolaire des Manoirs de 1973 à 1982.

Secrétaire, puis attachée politique du député de Terrebonne, Yves Blais, entre 1981 et 1989. Élue députée du Parti québécois dans Terrebonne en 1989.

CARON, Joseph
(1868–1954)

Né à Saint-Barthélémi, le 9 mars 1868, fils de Norbert Caron, forgeron, et d'Herméline Mercure.

Fit ses études au collège de Hull.

Marchand général. Directeur de Caron et frères ltée, de la Dry Goods Co., de la Modern Heating Co. Ltd. de Montréal et de la Raven Lake Mining and Engineering Co. Ltd. Membre de la Chambre de commerce de Hull et des Chevaliers de Colomb.

Commissaire d'école à Hull de 1906 à 1917. Élu président de la commission scolaire en 1911, 1912 et 1917. Échevin de la ville de Hull de janvier 1907 à janvier 1911. Élu sans opposition député libéral dans Ottawa à l'élection partielle du 15 décembre 1917. Réélu sans opposition dans Hull en 1919. Ne s'est pas représenté en 1923.

Décédé à Ottawa, le 28 juillet 1954, à l'âge de 86 ans et 4 mois. Inhumé à Hull, dans le cimetière Notre-Dame, le 31 juillet 1954.

[Avait épousé à Hull, le 28 septembre 1896, Margaret Theresa Burns, fille de James Burns, avocat.]

Oncle d'Alexis **Caron**.

CARON, Joseph-Édouard
(1866–1930)

Né à Saint-Roch-des-Aulnaies (dont une partie est devenue Sainte-Louise en 1874), le 10 janvier 1866, fils d'Édouard Caron, cultivateur, et de Marie-des-Anges Cloutier.

Fit ses études au collège de Sainte-Anne-de-la-Pocatière.

Cultivateur. Secrétaire-trésorier de la Compagnie de pulpe de Métabetchouan. Secrétaire-trésorier du conseil municipal de Sainte-Louise de janvier 1893 à février 1910, de la commission scolaire de Sainte-Louise du 25 mars 1899 au 13 février 1910, du conseil du comté de L'Islet de 1895 à 1913 et de la Société d'agriculture du comté de L'Islet.

Candidat indépendant défait dans L'Islet aux élections fédérales de 1900 et à l'élection partielle fédérale du 15 janvier 1902. Élu sans opposition député libéral à l'Assemblée législative dans L'Islet à l'élection partielle du 26 septembre 1902. Réélu sans opposition en 1904 et avec opposition en 1908. Démissionna à la suite de sa nomination comme ministre le 18 novembre 1909, puis se fit réélire sans opposition à l'élection partielle du 29 novembre 1909. Défait dans la même circonscription en 1912. Élu dans Îles-de-la-Madeleine en 1912. Réélu sans opposition en 1916, 1919, 1923 et 1927. Son siège devint vacant lors de sa nomination comme conseiller législatif de la division de Kennebec, le 23 décembre 1927. Il demeurera au Conseil législatif jusqu'au 24 avril 1929, date de sa nomination au poste de vice-président de la Commission des liqueurs.

Assermenté ministre sans portefeuille dans le cabinet Gouin le 21 janvier 1909. Ministre de la Voirie dans le même cabinet du 3 avril 1912 au 2 mars 1914. Ministre de l'Agriculture dans les cabinets Gouin et Taschereau du 18 novembre 1909 au 24 avril 1929.

Reçu docteur en sciences agricoles honoris causa de l'université Laval en 1918.

Décédé à Québec, le 16 juillet 1930, à l'âge de 64 ans et 6 mois. Inhumé dans le cimetière de la paroisse Sainte-Louise, le 19 juillet 1930.

Avait épousé à Saint-Roch-des-Aulnaies, le 3 juillet 1888, Marie-Léopoldine Castonguay, fille de Jean-Baptiste Castonguay, cultivateur, et de Léopoldine Leclerc; puis, à Sainte-Louise, le 2 août 1897, Mathilda Destroismaisons dit Picard, fille de Magloire Destroismaisons, cultivateur, et de Thècle Plourde.

Père d'Amédée **Caron**.

CARON, Joseph-Georges
(1896–1956)

Né à Maisonneuve (Montréal), le 4 décembre 1896, fils de Joseph-Adélard Caron, imprimeur, et de Rose de Lima Laurin.

Industriel et courtier en immeubles. Membre du Club de réforme et des Chevaliers de Colomb.

Échevin du quartier Maisonneuve au conseil municipal de Montréal de 1932 à 1940. Nommé président de la Commission métropolitaine le 24 décembre 1938. Président de la Commission de l'aqueduc de 1934 à 1936.

Élu député libéral dans Maisonneuve en 1939. Ne s'est pas représenté en 1944.

Décédé à Montréal, le 15 janvier 1956, à l'âge de 59 ans et un mois. Inhumé à Montréal, dans le cimetière Notre-Dame-des-Neiges, le 19 janvier 1956.

Avait épousé à Montréal, dans la paroisse Saint-Denis, le 6 juin 1922, Jeanne Deslauriers, fille de Jacques Deslauriers et d'Eugénie Roy.

CARON, Joseph-Napoléon
(1896–1970)

Né à Louiseville, le 7 novembre 1896, fils de Ferdinand Caron, cultivateur, et de Joséphine Laflèche. Baptisé sous le prénom de Paul.

Fit ses études au collège Saint-Louis à Louiseville, puis au St. Michael's Business College à Toronto. Suivit également des cours de perfectionnement dans les domaines de la pomoculture et de la viticulture à Oka de 1934 à 1936.

Marchand et propriétaire d'une quincaillerie à Louiseville. Président de la Société d'agriculture du comté de Maskinongé.

Échevin au conseil municipal de Louiseville en 1925. Élu député de l'Union nationale dans Maskinongé aux élections de 1936. Ne s'est pas représenté en 1939.

Décédé à Trois-Rivières, le 17 octobre 1970, à l'âge de 73 ans et 11 mois. Inhumé dans le cimetière de Louiseville, le 21 octobre 1970.

Avait épousé dans sa paroisse natale, le 29 octobre 1924, Ada Bussières, fille d'Adélard Bussières, marchand, et d'Annie Francœur.

CARON, Louis-Bonaventure
(1828–1915)

Né à L'Islet (L'Islet-sur-Mer), le 16 novembre 1828, puis baptisé le 18, dans la paroisse Notre-Dame-du-Bonsecours, fils de Bonaventure Caron, cultivateur, et de Rosalie Martineau.

Étudia au collège de Sainte-Anne-de-la-Pocatière de novembre 1842 à février 1846, au séminaire de Nicolet en 1846–1847, puis au séminaire de Saint-Hyacinthe. Admis au barreau le 9 février 1855.

Avocat, fut nommé juge de la Cour supérieure pour le district de Gaspé, le 4 novembre 1874, puis affecté au district de Québec le 26 janvier 1877; prit sa retraite le 12 novembre 1903.

Élu député de L'Islet en 1858, mais fut déclaré défait le 7 juin. Défait dans la même circonscription en 1861. Élu dans L'Islet en 1863; rouge, vota contre le projet de confédération. Son mandat prit fin avec l'avènement de la Confédération, le 1er juillet 1867. Candidat libéral indépendant défait dans L'Islet aux élections de la Chambre des communes en 1867. Défait dans la même circonscription à une élection fédérale partielle en 1869.

Décédé à L'Islet (L'Islet-sur-Mer), le 28 mai 1915, à l'âge de 86 ans et 6 mois. Inhumé dans le cimetière paroissial, le 31 mai 1915.

Avait épousé dans la paroisse Saint-Christophe, à Arthabaska, le 6 juin 1866, Angélique-Élisabeth-Hermine Pacaud, fille de l'avocat Édouard-Louis **Pacaud** et de sa première femme, Anne-Hermine Dumoulin.

CARON, Lucien

Né à Verdun, le 10 février 1929, fils d'Alcide Caron, employé civil, et de Bernadette Bryon.

Fit ses études à l'école Notre-Dame-du-Cénacle et à l'école supérieure Richard à Verdun.

Débuta en 1945 comme employé au service de fabrication des peintures Sherwin Williams. Travailla ensuite au chemin de fer Canadien National en 1947. Propriétaire de Drake Service Station de 1954 à 1964 et de Drake Auto-Lave et de Couture Auto-Lave à partir de 1961, de Pie IX Auto-Lave de 1964 à 1974 et de Monselet Auto-Lave à partir de 1968. Président de la Société de placements de Verdun. Membre de l'Association internationale d'Auto-lave.

Conseiller municipal de Verdun de 1966 à 1977. Maire de Verdun de 1977 à 1985. Élu député libéral dans Verdun en 1970. Réélu en 1973. Whip adjoint du Parti libéral de mars 1973 à octobre 1976. Réélu en 1976 et 1981. Ne s'est pas représenté en 1985. Membre de la Commission municipale du Québec à compter de mars 1986.

Directeur de la Jeune Chambre de commerce de Verdun. Membre de la Chambre de commerce du district de Montréal, des Chevaliers de Colomb et du Club social des amis des scouts. Président de Verdun Cadet Ambulance et vice-président de la brigade des ambulanciers Saint-Jean de la ville de Verdun. Membre du Club Richelieu de Verdun et de la Société Saint-Jean-Baptiste, section Notre-Dame-des-Sept-Douleurs. Membre honoraire de la Légion canadienne.

CARON, Michel
(1763–1831)

Né à Saint-Roch-des-Aulnaies, le 14 janvier 1763, puis baptisé le 15, dans la paroisse du même nom, fils de Michel Caron et de Marie-Josephte Parent. Signait Michel Caront.

S'établit, en 1783, sur les terres que son père acquit cette année-là dans la seigneurie de Yamachiche et qui furent connues sous le nom de rang ou de village des Caron. Nommé commissaire chargé de faire prêter le serment d'allégeance dans la paroisse de Yamachiche, le 30 juin 1812. Recommandé pour obtenir le poste de commissaire chargé des chemins du comté de Saint-Maurice, en avril 1817. Fut juge de paix. Fit partie des «Chantres de Machiche».

Élu député de Saint-Maurice en 1804. Réélu en 1808, 1809 et 1810. Appuya généralement le parti canadien. Ne se serait pas représenté en 1814.

Décédé à Yamachiche, le 26 décembre 1831, à l'âge de 67 ans et 11 mois. Inhumé dans l'église paroissiale, le 28 décembre 1831.

Avait épousé dans la paroisse Sainte-Anne, à Yamachiche, le 16 juillet 1787, Marie-Anne Trahan, fille de Charles Trahan et d'Anne Landry, tous deux d'origine acadienne.

Frère de Charles et de François **Caron**.

Bibliographie: R., P.-G., «Les trois frères Caron, députés», *BRH*, 49, 4 (avril 1943), p. 118-120.

CARON, René-Édouard
(1800–1876)

Né à Sainte-Anne-de-Beaupré et baptisé dans l'église paroissiale, le 11 octobre 1800, fils d'Augustin **Caron**, cultivateur, et de Marie-Élisabeth Lessard.

Étudia au collège latin de Saint-Pierre-de-la-Rivière-du-Sud (Montmagny), puis, de 1813 à 1820, au petit séminaire de Québec. Fit l'apprentissage du droit à Québec et fut admis au barreau en 1826.

Exerça sa profession à Québec; compta la ville de Québec parmi ses clients. Nommé conseiller de la reine en 1848.

Représenta le quartier du Palais au conseil municipal de Québec en 1833–1834, puis fut maire de 1834 à 1837 et de 1840 à 1846. Élu sans opposition député de la Haute-Ville de Québec en 1834; fit partie du groupe des modérés de Québec, mais appuya généralement le parti des bureaucrates. Démissionna le 7 mars 1836. Appelé au Conseil législatif le 22 août 1837, en fut membre jusqu'à la suspension de la constitution, le 27 mars 1838. Choisi comme conseiller exécutif le 22 août 1837, refusa le poste. Le 10 mars 1844, déclina aussi la fonction de procureur général du Bas-Canada que lui offrait Denis-Benjamin **Viger**. Nommé au Conseil législatif le 9 juin 1841, en fut président du 8 novembre 1843 au 18 mai 1847, puis du 11 mars 1848 au 15 août 1853; destitué pour cause d'absentéisme le 16 mars 1857, fit des démarches en vue de faire annuler cette décision en 1860 et 1861, entre autres auprès de la reine, mais en vain. Membre des ministères La Fontaine–Baldwin et Hincks–Morin, notamment à titre de président du Conseil législatif; conseiller exécutif du 11 mars 1848 au 26 novembre 1849, puis du 28 octobre 1851 au 15 août 1853. Accéda à la charge de lieutenant-gouverneur de la province de Québec le 17 février 1873.

Nommé juge de la Cour supérieure du Bas-Canada le 15 août 1853, puis juge de la Cour du banc de la reine le 27 janvier 1855. Membre de la Cour seigneuriale créée en 1854 et présidée par Louis-Hippolyte **La Fontaine**; ses commentaires furent recueillis dans *Décisions des tribunaux du Bas-Canada; questions seigneuriales,* publié en 1856 par François-Réal Angers et Simon Lelièvre, à Québec et à Montréal. L'un des trois commissaires chargés de la codification des lois civiles du Bas-Canada en 1859.

Officier de milice. Président du Comité constitutionnel de la réforme et du progrès, ainsi que de l'Institut canadien de Québec et, de 1842 à 1852, de la Société Saint-Jean-Baptiste de Québec; vice-président de la Société littéraire et historique de Québec. Reçut en 1865 un doctorat honorifique en droit de l'université Laval. Fait grand-croix de l'ordre de Saint-Grégoire-le-Grand en 1875.

Décédé en fonction à sa résidence de Spencer Wood, à Sillery, le 13 décembre 1876, à l'âge de 76 ans et 2 mois. Après des obsèques célébrées dans la basilique Notre-Dame, fut inhumé dans le cimetière Notre-Dame-de-Belmont, à Sainte-Foy, le 18 décembre 1876.

Avait épousé dans la cathédrale Notre-Dame de Québec, le 16 septembre 1828, Marie-Vénérande-Joséphine Deblois, fille de Joseph Deblois et de Marie-Vénérande Ranvoyzé.

Père d'Adolphe-Philippe Caron, député à la Chambre des communes du Canada. Beau-père de Charles **Fitzpatrick** et de Jean-Thomas **Taschereau**.

Bibliographie: *DBC.*

CARPENTIER, Prudent

Né à Saint-Tite, en Mauricie, le 13 mars 1922, fils d'Onésime Carpentier, cultivateur, et d'Yvonne Mongrain.

Fit ses études dans sa paroisse natale et au séminaire Saint-Joseph à Trois-Rivières. Mesureur licencié en 1945. Suivit plusieurs cours de perfectionnement, notamment des cours d'anglais à la Queen's University à Kingston (Ontario) en 1958, d'art oratoire à l'Institut Dale Carnegie en 1953, d'efficacité industrielle et de rationalisation du travail en 1961. Diplômé en sciences administratives de l'université du Québec à Trois-Rivières en 1972.

Travailla à la Consolidated Bathurst où il occupa les postes suivants: vérificateur adjoint de 1941 à 1943, vérifica-

teur sous permis de 1943 à 1945, vérificateur licencié en 1945 et 1946, inspecteur forestier de 1946 à 1954, directeur adjoint des opérations forestières de 1954 à 1965 et directeur de la réception du bois de pulpe de 1965 à 1970.

Élu député libéral dans Laviolette en 1970. Réélu en 1973. Défait en 1976.

De nouveau superviseur à la Consolidated Paper.

Président du Cercle des loisirs de Casey de 1953 à 1963. Président-fondateur de la Chambre de commerce de Parent et de Sainte-Thècle. Gouverneur des Chambres de commerce de la Mauricie en 1963 et 1964. Président et lieutenant-gouverneur de la division de l'est du Toastmaster International Club en 1968 et 1969. Membre de l'Association forestière mauricienne et des Chevaliers de Colomb. Chevalier de l'ordre équestre de la Sainte-Croix-de-Jérusalem.

CARREAU. V. CAREAU

CARREL, Frank
(1870–1940)

[Né à Québec, le 7 septembre 1870, fils de James Carrel, propriétaire et éditeur de journaux, et de Josepha Butchard.]

Fit ses études à la Québec High School, au Stanstead Wesleyan College et à l'académie commerciale de Québec.

Éditeur, propriétaire et imprimeur du *Saturday Budget,* du *Quebec Daily Telegraph* de 1891 à 1909, et de *l'Automobile au Canada.* Élu président de l'Association des quotidiens en 1926. Président de: Quebec Newspaper Ltd., Chronicle Telegraph Publishing Co., Canadian Daily Newspaper Association, Frank Carrel Ltd. et Quebec Bridge Realty Co. Vice-président de: Mortgage Discount & Finance Ltd. de Toronto, Prudential Trust Co. de Montréal et Municipal Bankers Corp. de Toronto. Directeur de: Twin City Rapid Transit Co. de Minneapolis, International Portland Cement Co. de Spokane (Washington), Canadian Insurance Shares Ltd. de Toronto et National Industrial Bankers inc. de New York. Actionnaire du Stanstead Wesleyan College.

A publié: *Canada's West and Further West* (1911), *Tip on an Ocean Voyage, Around the World Cruise, Impressions of War* et *Correct Guide to Quebec.* Fondateur du Club Rotary de Québec, du Club canadien et du Club automobile de Québec. Président de la Literary and Historical Society de Québec et du Carrel Fish and Game Club of Montreal. Président honoraire de la Quebec Provincial Motor League et du Council of Federated Workmen. Membre honoraire du Royal 22e régiment et de l'Army and Navy Veterans, unité 33. Membre de l'Advisory Editorial Committee et de la Canadian Annuel Review of Public Affairs. Gouverneur à vie de l'Association provinciale pour la protection des poissons et du gibier. Membre de l'Irish National League, du Club de la garnison, du St. James Club, du Club de réforme de Montréal, du Montreal Club, de l'Authors' Club, de l'Overseas Automobile Club de Londres, du Cercle interallié de Paris, de l'Empire Press Union de Londres et du Circum Navigators de New York.

Nommé conseiller législatif de la division du Golfe le 18 février 1918. Appuya le Parti libéral. Conserva ce siège jusqu'à son décès survenu à Québec le 30 juillet 1940, à l'âge de 69 ans et 10 mois. Inhumé à Québec, dans le cimetière de l'église St. Andrew, le 1er août 1940.

Avait épousé à Québec, dans l'église St. Andrew, le 31 mars 1916, Annie Maude Spiller, fille de Robert et Elizabeth Spiller.

CARRIER, Achille-Ferdinand (1859–1930)

Né à Québec, dans la paroisse Saint-Roch, le 15 février 1859, fils de Ferdinand Carrier, marchand, et de Mary Ann Donahue.

Fit ses études au séminaire de Québec et à l'université Laval à Québec. Admis au barreau de la province de Québec le 29 juillet 1882. Membre du barreau du Minnesota.

Avocat, il eut comme associés Mes Delisle et Brunet. En 1885 et 1886, il exerça sa profession à Minneapolis où il fut également éditeur du journal canadien-français l'Écho de l'Ouest. Directeur de la Compagnie de chemins de fer de Matane.

Candidat libéral défait dans Gaspé aux élections fédérales de 1887. Élu député libéral à l'Assemblée législative dans la même circonscription en 1890. Défait dans Gaspé en 1892 et dans Terrebonne en 1897.

Juge à la Cour de magistrat pour les districts de Terrebonne, Joliette et Ottawa de 1898 à 1924.

Décédé à Québec, le 21 mars 1930, à l'âge de 71 ans et 7 mois. Inhumé à Québec, dans le cimetière Saint-Charles, le 24 mars 1930.

Il était célibataire.

Oncle d'Oscar Lefebvre Boulanger, député à la Chambre des communes de 1926 à 1940.

CARRIER-PERREAULT, Denise

Née à Saint-Joseph-de-la-Pointe-Lévy (Lévis), le 21 juin 1946, fille de Maurice Carrier et de Gabrielle Ruel.

Fit ses études primaires à Saint-Henri-de-Lévis et classiques au couvent de Lévis. Possède une formation en graphisme du collège Sainte-Foy et un baccalauréat en relations industrielles de l'université Laval en 1984.

Employée de Bell Canada, elle fut téléphoniste de 1963 à 1968, dessinatrice et déléguée syndicale de 1968 à 1971 et présidente régionale du syndicat de 1971 à 1973. Conseillère en gestion des ressources humaines à Charny de 1985 à 1989 et également formatrice en santé et sécurité au travail de 1987 à 1989.

Commissaire à la commission scolaire des Chutes-de-la-Chaudière en 1984 et 1985. Présidente de l'Association du Parti québécois de Lévis de 1986 à 1988 et des Chutes-de-la-Chaudière en 1988 et 1989. Élue députée du Parti québécois dans Chutes-de-la-Chaudière en 1989.

CARROLL, Henry George (1865–1939)

Né à Kamouraska, le 31 janvier 1865, fils de Michael Burke Carroll et de Marguerite Campbell.

Fit ses études au collège de Sainte-Anne-de-la-Pocatière et à l'université Laval à Québec. Admis au barreau de la province de Québec le 5 juillet 1889.

Exerça sa profession à Fraserville (maintenant Rivière-du-Loup), où il fut représentant du procureur général. Créé conseil en loi de la reine le 9 juin 1899.

Élu député libéral à la Chambre des communes dans Kamouraska en 1891. Réélu en 1896 et 1900, puis sans opposition à l'élection partielle du 28 février 1902, à la suite de sa nomination comme ministre. Solliciteur général dans le cabinet Laurier du 10 février 1902 au 28 janvier 1904.

Son siège devint vacant lorsqu'il fut nommé juge à la Cour supérieure de Québec le 24 janvier 1904. Nommé juge suppléant à la Cour du banc du roi le 27 novembre 1908. En l'absence du juge Jean Blanchet, il fut commissaire ex officio pour la révision et la consolidation des statuts publics du Canada. Président de la Commission royale chargée des enquêtes sur le commerce des alcools dans la province en 1912 et vice-président de la Commission des liqueurs de la province de Québec de 1921 à 1929. Membre du Conseil de l'instruction publique.

Lieutenant-gouverneur de la province de Québec du 4 avril 1929 au 3 mai 1934.

Décédé à Québec, le 20 août 1939, à l'âge de 74 ans et 6 mois. Inhumé dans le cimetière de Kamouraska, le 23 août 1939.

Avait épousé à Sainte-Agathe, dans Lotbinière, le 1er juin 1891, Amazélie Boulanger, fille de Lazare Boulanger, marchand, et d'Anastasie Côté.

CARTER, Christopher Benfield (1844–1906)

Né à Montréal, le 30 novembre 1844, fils de Christopher Carter, médecin, et d'Amelia Jane Coward.

Fit ses études à la Montreal High School, à l'académie commerciale de Sorel et à la McGill University. Admis au barreau du Bas-Canada le 5 septembre 1866. Créé conseil en loi de la reine par le gouvernement du Canada en 1889 et par le gouvernement de la province de Québec le 28 juin 1899.

Fit sa cléricature auprès de Me William H. Herr et fut son associé de 1886 à 1888. Pratiqua également avec Mes Goldstein et Beullac. Membre du Conseil du barreau de Montréal et trésorier de 1895 à 1897. Bâtonnier du barreau de Montréal en 1897 et 1898 et bâtonnier de la province en 1898 et 1899. Trésorier de l'Association canadienne du barreau. Président du People's Montreal Building et du Montreal and Sorel Railway.

Échevin du quartier Ouest au conseil municipal de Montréal de 1902 à 1906. Élu député libéral dans Montréal no 5 en 1904.

Décédé en fonction alors qu'il revenait d'Angleterre à bord du *Victorian*, le 9 août 1906, à l'âge de 61 ans et 8 mois. Inhumé à Montréal, dans le St. James Cemetery, le 13 août 1906.

Avait épousé à Montréal, dans la St. James Anglican Church, le 20 avril 1905, Emma Blunden.

CARTER, Edward Brock (1822–1883)

Né à Trois-Rivières, le 1er mars 1822, fils de George Carter, médecin, et de Mary Ann Short.

Suivit des cours privés à Trois-Rivières. Fit ses études classiques au collège de Nicolet. De 1840 à 1845, il étudia le droit auprès de Mes Short, Thomas Cushing **Aylwin**, F.W. Primrose et John **Rose**. Admis au barreau du Bas-Canada le 21 février 1845. Créé conseil en loi de la reine en 1862. Docteur en droit de la McGill University à Montréal. Docteur en droit honoris causa du Bishop's College en 1871.

Fut d'abord administrateur d'un service dans un établissement commercial de Montréal de 1838 à 1840. Exerça ensuite sa profession d'avocat à Montréal à partir de 1845. Fut greffier de la couronne et greffier adjoint de la paix pour le district de Montréal de 1862 à 1866. Professeur adjoint de droit criminel à la McGill University de 1863 à 1880, puis professeur émérite de 1880 à 1884. Membre du cabinet des avocats Carter, **Church** et **Chapleau** en 1873. Gouverneur du Bishop's College. Avocat de l'Église anglicane du diocèse de Montréal. Membre du synode anglican. Auteur de *A Treatise on the Law and Practice on Summary Convictions and Orders by Justices of the Peace in Upper and Lower Canada* (1856).

Élu sans opposition député conservateur dans Montréal-Centre aux élections de 1867. Défait en 1871 dans la même circonscription et dans Châteauguay. Élu sans opposition député conservateur à la Chambre des communes dans Brome à l'élection partielle de novembre 1871. Réélu dans la même circonscription en 1872. Ne s'est pas représenté en 1874.

Décédé à Montréal, le 27 septembre 1883, à l'âge de 61 ans et 6 mois. Inhumé à Montréal, dans le cimetière de la St. Jude's Anglican Church, le 29 septembre 1883.

Avait épousé à Montréal, dans la St. George's Anglican Church, le 24 octobre 1850, Mary Jane Kerr, fille de James Hastings Kerr.

CARTIER, Antoine-Paul (1849–1934)

Né dans la paroisse Saint-Antoine-sur-Richelieu, le 17 juin 1849, fils de Narcisse Cartier, marchand, et de Marguerite Chagnon.

Fit ses études au séminaire de Saint-Hyacinthe ainsi qu'à l'université Cobourg-Victoria à Montréal. Reçu médecin en 1872. Docteur honoris causa en chirurgie du Bishop's College à Lennoxville en 1895.

Exerça d'abord sa profession dans sa paroisse natale et à Coaticook, puis pendant quarante-quatre ans à Sainte-Madeleine. Gouverneur du Collège des médecins et chirurgiens de la province de Québec.

Maire de Sainte-Madeleine de 1903 à 1912. Préfet du comté de Saint-Hyacinthe. Élu député conservateur dans Saint-Hyacinthe en 1892. Défait en 1897. Candidat conservateur défait dans Saint-Hyacinthe aux élections fédérales de 1900 et 1908.

Décédé à Saint-Hyacinthe, le 9 juillet 1934, à l'âge de 85 ans. Inhumé dans le cimetière de Sainte-Madeleine, le 12 juillet 1934.

Avait épousé dans sa paroisse natale, le 7 mai 1872, Marie-Louise-Ernestine Lenoblet Duplessis, fille de Norbert Lenoblet Duplessis, notaire, et de Julie Chabot.

Petit-cousin de George-Étienne **Cartier** et beau-frère d'André Boniface **Craig**.

CARTIER, Eusèbe
(1795–1862)

Né à Saint-Hyacinthe, le 23 octobre 1795, puis baptisé le 24, dans la paroisse Notre-Dame-du-Rosaire, fils de Joseph Cartier et de Marie-Anne Cuvillier.

Étudia au petit séminaire de Montréal de 1807 à 1810.

Pendant la guerre de 1812, servit comme enseigne dans la milice de la division de Saint-Denis, puis d'aide-major dans celle de Saint-Hyacinthe. Par la suite, fut marchand à Saint-Hyacinthe. Ayant pris part à la rébellion de 1837, se réfugia aux États-Unis à la fin de novembre de cette année-là. Démis de ses fonctions de greffier du tribunal des petites causes le 7 mars 1838. Était de retour à Saint-Hyacinthe à l'été de 1838 ; fut mis sous garde au moment des troubles de l'automne. Lié à la reconnaissance légale de la Compagnie du chemin à lisses du Saint-Laurent et de l'Atlantique. Juge de paix. Lieutenant-colonel dans la milice.

Préfet de comté. Maire du conseil du comté en 1851. Fit partie du Conseil législatif à compter du 8 février 1855.

Décédé en fonction à Saint-Hyacinthe le 20 février 1862, à l'âge de 66 ans et 3 mois. Inhumé le 24 dans l'église de sa paroisse natale.

Avait épousé dans la paroisse Notre-Dame-du-Rosaire, à Saint-Hyacinthe, le 4 février 1823, Angélique Boutillier, fille de William (Guillaume) Boutillier, gentilhomme huissier de la verge noire, et d'Anne-Françoise Normand.

Beau-frère de Thomas **Boutillier**.

CARTIER, George-Étienne
(1814–1873)

Né à Saint-Antoine-sur-Richelieu et baptisé dans la paroisse Saint-Antoine-de-Padoue, le 6 septembre 1814, fils de Jacques Cartier, négociant, et de Marguerite Paradis.

Étudia au petit séminaire de Montréal, de 1824 à 1832, puis fit l'apprentissage du droit chez Édouard-Étienne **Rodier**, avocat à Montréal. Admis au barreau en 1835.

Exerça sa profession à Montréal avec divers associés ; eut au nombre de ses clients les sulpiciens et la compagnie ferroviaire du Grand Tronc, qui le nomma conseiller juridique en 1853. Fut, en outre, substitut du procureur général pendant plusieurs années.

En mai 1834, devint secrétaire du Comité central et permanent du district de Montréal ; en juin, était présent à l'occasion de la fondation de la Société Saint-Jean-Baptiste de Montréal et, à l'automne, participa à l'élection de Louis-Joseph **Papineau** et de Robert **Nelson**. Membre de l'association des Fils de la liberté, fondée en septembre 1837, fut mêlé à la rébellion de 1837. Ayant pris part à la bataille de Saint-Denis en novembre, dut se cacher, puis s'enfuir aux États-Unis, où il vécut à Plattsburgh et à Burlington de mai 1838 jusqu'à la proclamation d'amnistie, le 9 octobre. De retour à Montréal, renoua avec la pratique du droit et les affaires publiques. En 1843, devint secrétaire de la Société Saint-Jean-Baptiste. Refusa à quelques reprises de briguer les suffrages des électeurs.

Élu député de Verchères à une élection partielle le 7 avril 1848. Réélu en 1851 sans opposition et en 1854. Réformiste. Mis sous la garde du sergent d'armes le 15 février 1853, pour absence injustifiée, fut libéré après avoir fourni des explications. Refusa, en 1851, la fonction de solliciteur général dans le ministère Hincks–Morin et, en 1853, celle de commissaire des Travaux publics dans le même ministère. Candidat défait au poste d'orateur de l'Assemblée en 1854. Fit partie du ministère MacNab–Taché : conseiller exécutif et secrétaire provincial du Canada du 27 janvier 1855 au 23 mai 1856. À son entrée au cabinet, son siège de député était devenu vacant. Réélu député de Verchères à une élection partielle le 26 février 1855. Membre du ministère Taché–Macdonald : conseiller exécutif et procureur général du Bas-Canada du 24 mai 1856 au 25 novembre 1857. Forma un premier ministère avec John Alexander Macdonald le 26 novembre 1857, dans lequel il fut conseiller exécutif jusqu'au 29 juillet 1858 et procureur général du Bas-Canada jusqu'au 1er août 1858, et un second du 6 août 1858 au 23 mai 1862 : conseiller exécutif, nommé inspecteur général le 6 août, mais démissionna le même jour et, le 7, prêta serment comme procureur général du Bas-Canada ; en raison de cette démission, n'eut pas besoin de se représenter devant l'électorat. Réélu député de Verchères aux élections générales de 1858. Élu dans Montréal-Est en 1861 et 1863. Bleu. En mars 1864, refusa de former le gouvernement. Fit partie des ministères Taché–Macdonald et Belleau–Macdonald : conseiller exécutif et procureur général du Bas-Canada du 30 mars 1864 au 6 août 1865 et du 7 août 1865 jusqu'à l'avènement de la Confédération, le 1er juillet 1867. Son entrée au cabinet avait rendu son siège de député vacant. Réélu dans Montréal-Est à une élection partielle le 11 avril 1864. Participa à la conférence de Charlottetown en septembre 1864 et à celle de Québec en octobre, puis à la conférence de Londres en décembre 1866. Son mandat prit fin avec l'avènement de la Confédération, le 1er juillet 1867 ; fut l'un des Pères de la Confédération.

Élu, en vertu du double mandat, député conservateur de Montréal-Est à l'Assemblée législative et à la Chambre des communes en 1867. Élu au provincial dans Beauharnois en 1871. Aux élections fédérales de 1872, défait dans Montréal-Est, mais élu sans opposition dans Provencher, au Manitoba. Prêta serment comme membre du Conseil privé le 1er juillet 1867. Fut ministre de la Milice et de la Défense dans le cabinet Macdonald du 1er juillet 1867 jusqu'à sa mort ; principal lieutenant du premier ministre, s'occupa particulièrement de la création des provinces du Manitoba (1870) et de la Colombie-Britannique (1871), ainsi que de la mise en chantier du chemin de fer canadien du Pacifique en 1872. À l'automne de 1872, se rendit à Londres pour raison de santé.

Auteur des chants patriotiques *Ô Canada ! mon pays ! mes amours !* (1834) et *Avant tout je suis Canadien* (1835). Nommé conseiller de la reine en 1854 et membre honoraire du barreau du Haut-Canada en 1866. Reçut le titre héréditaire de baronnet (sir) du Royaume-Uni en avril 1868, après avoir refusé celui de compagnon de l'ordre du Bain. Fait grand-croix de l'ordre royal d'Isabelle-la-Catholique en 1872.

Décédé en fonction à Londres, le 20 mai 1873, à l'âge de 58 ans et 8 mois. Après des obsèques célébrées dans l'église Notre-Dame de Montréal, fut inhumé dans le cimetière Notre-Dame-des-Neiges, le 13 juin 1873.

Avait épousé dans la paroisse Notre-Dame de Montréal, le 16 juin 1846, Hortense Fabre, fille du marchand-libraire Édouard-Raymond Fabre, futur maire de Montréal, et de Luce Perrault.

Petit-fils de Jacques **Cartier**. Grand-oncle d'Antoine-Paul **Cartier**. Neveu par alliance de Louis-Édouard **Hubert** et d'Ovide **Perrault**.

Bibliographie : *DBC.*

CARTIER, Jacques
(1750–1814)

Né à Québec, le 10 avril 1750, puis baptisé le 11, dans la paroisse Notre-Dame, fils de Jacques Cartier, dit L'Angevin, marchand, et de Marguerite Mongeon.

Fit des études à l'école d'enseignement secondaire de Jean-Baptiste Curatteau, à Longue-Pointe (Montréal), en 1767.

S'installa à Québec comme marchand vers 1769 ; fut notamment acheteur de fourrures pour François **Baby** en

1771. Marchand indépendant à Saint-Antoine-sur-Richelieu à compter de 1772, fit l'achat de blé surtout. En 1775–1776, au moment de l'invasion américaine, fut officier de milice ; devint lieutenant-colonel en 1808. Ayant remis son entreprise sur pied après l'invasion, fut en affaires avec Jacob **Jordan** (père). Dans les années 1780, se lança dans le prêt d'argent. En 1800, organisa un service postal qui reliait Saint-Antoine-sur-Richelieu, Saint-Denis, Saint-Ours et William Henry (Sorel).

Élu député de Surrey en 1804. Réélu en 1808. Appuya le parti canadien durant ses deux mandats. Ne se serait pas représenté en 1809.

Décédé à Saint-Antoine-sur-Richelieu, le 22 mars 1814, à l'âge de 63 ans et 11 mois. Les obsèques eurent lieu dans l'église Saint-Antoine-de-Padoue, le 24 mars 1814.

Avait épousé à Saint-Antoine-sur-Richelieu, le 27 septembre 1772, Cécile Gervaise, fille de Charles Gervaise et de Céleste Plessis-Bélair.

Grand-père de George-Étienne **Cartier**. Beau-père de Louis-Édouard **Hubert**.

Bibliographie : *DBC.*

CASAULT, Louis-Napoléon
(1822–1908)

Né le 10 juillet 1822, puis baptisé le 11, dans la paroisse Saint-François-de-la-Rivière-du-Sud, fils de Louis Casault, capitaine dans la milice de la paroisse Saint-Thomas (à Montmagny), et de Françoise Blais.

Étudia au petit séminaire de Québec, puis fit l'apprentissage du droit. Admis au barreau le 18 février 1847.

Exerça sa profession à Québec ; associé dans le cabinet Casault, Langlois, Angers et Colston. De 1858 à 1891, enseigna le droit commercial et maritime à l'université Laval, où il obtint une licence en droit en 1865. Devint conseiller de la reine le 28 juin 1867.

Élu député de Montmagny en 1854 ; de tendance modérée, puis bleu. Ne s'est pas représenté en 1858. Élu député conservateur de Bellechasse à la Chambre des communes en 1867. Son siège devint vacant le 15 juillet 1870, par suite de sa nomination, le 27 mai, comme juge de la Cour supérieure de la province de Québec pour le district de Kamouraska ; à compter du 1er septembre 1873, prit en charge le district de Québec. Fut nommé l'un des trois arbitres chargés du règlement des comptes entre le gouvernement fédéral et les provinces de Québec et d'Ontario, et entre ces deux dernières. Juge en chef de la province de Québec à partir du 3 octobre 1894 ; prit sa retraite le 29 septembre 1904.

Fait chevalier (sir) le 25 juin 1894. Reçut un doctorat honorifique du Bishop's College, à Lennoxville, en 1895.

Décédé à Québec, le 18 mai 1908, à l'âge de 85 ans et 10 mois. Après des obsèques célébrées en l'église Saint-Jean-Baptiste, à Québec, fut inhumé dans le cimetière Notre-Dame-de-Belmont, à Sainte-Foy, le 20 mai 1908.

Avait épousé dans la paroisse Saint-Henri, à Mascouche, le 7 juillet 1870, Elmire Jane Pangman, fille du seigneur John **Pangman** et de Marie-Henriette Lacroix.

Petit-fils par alliance de Janvier-Domptail **Lacroix**.

CASAVANT, Antoine
(1826–1892)

Né à Saint-Hyacinthe, le 20 octobre 1826, fils d'Antoine Casavant dit Ladébauche, cultivateur, et de Marie Benoît. Désigné aussi sous le nom de Casavant, dit Ladébauche.

Fit ses études au séminaire de Saint-Hyacinthe. Cultivateur. Capitaine dans la milice de réserve. Président et directeur de la Société d'agriculture du comté de Bagot. Membre du Conseil d'agriculture de la province de Québec. Cofondateur de la fabrique de sucre de betterave de Farnham. Juge de paix et commissaire au tribunal des petites causes.

Conseiller municipal de Saint-Dominique pendant huit ans. Candidat conservateur défait dans Saint-Hyacinthe en 1878 et à l'élection partielle du 3 juin 1879. Élu député conservateur dans Bagot en 1881. Ne s'est pas représenté en 1886.

Décédé à Saint-Dominique, le 18 juillet 1892, à l'âge de 65 ans et 9 mois. Inhumé dans le cimetière de cette paroisse, le 20 juillet 1892.

Avait épousé à Saint-Mathias, le 21 janvier 1850, Rosalie Piedalue, fille de Joseph Piedalue et de Lucie Patenaude ; puis, à Saint-Pie, le 17 août 1868, Marie-Hermine Vachon, fille d'Abraham Vachon, cultivateur, et de Marie-Geneviève Bastien.

Bibliographie : Gérin, Léon, *Le type économique et social des Canadiens*, Montréal, Éditions de l'ACF, 1938, chapitre 3, « Le cultivateur progressiste, au croisement des routes de la vallée ».

CASGRAIN, Charles-Eusèbe
(1800–1848)

Né à Rivière-Ouelle, le 28 décembre 1800, puis baptisé le 29, dans la paroisse Notre-Dame-de-Liesse, fils de Pierre Casgrain, commerçant, et de Marie-Marguerite Bonnenfant.

Étudia au petit séminaire de Montréal en 1809–1810, puis au petit séminaire de Québec de 1812 à 1816, et au séminaire de Nicolet jusqu'en 1818. Fit l'apprentissage du droit à Québec à compter de juin 1819. Admis au barreau en 1824.

Exerça sa profession à Québec jusqu'en 1827. S'installa à Rivière-Ouelle, dont son père puis son frère aîné furent le seigneur. En novembre 1828, hérita de biens fonciers, parmi lesquels une propriété à Québec.

Élu député de Kamouraska en 1830 ; appuya tantôt le parti patriote, tantôt le parti des bureaucrates, mais vota contre les Quatre-vingt-douze Résolutions. Défait en 1834. Fit partie du Conseil spécial du 2 avril 1838 jusqu'à la dissolution de ce conseil, en juin, et à nouveau du 2 novembre 1838 jusqu'à l'entrée en vigueur de l'Acte d'Union, le 10 février 1841.

Nommé commissaire adjoint des Travaux publics en 1846 ; remplit cette fonction à Montréal jusqu'à sa mort.

Décédé à Montréal, le 29 février 1848, à l'âge de 47 ans et 2 mois. Inhumé dans l'église Notre-Dame-de-Liesse, à Rivière-Ouelle, le 9 mars 1848.

Avait épousé dans la cathédrale Notre-Dame de Québec, le 26 octobre 1824, Eliza Anne Baby, fille de James Baby, conseiller législatif et exécutif du Haut-Canada, et de sa seconde femme, Elizabeth Abbott, et petite-nièce de François **Baby**.

Père de Charles-Eugène (Charles-Eusèbe) Casgrain, sénateur, et de Philippe-Baby Casgrain, député à la Chambre des communes. Grand-père de Thomas Chase **Casgrain**. Arrière-grand-père de Léon et de Perreault **Casgrain**. Beau-frère de Pierre **Beaubien** et de Philippe **Panet**. Oncle de Louis **Beaubien**.

Bibliographie : *DBC*.

CASGRAIN, Léon
(1892–1967)

Né à Rivière-Ouelle, le 13 août 1892, fils de Joseph-Raymond Casgrain, cultivateur et juge de paix, et d'Anaïs Élisa Casgrain.

Fit ses études au collège de Sainte-Anne-de-la-Pocatière et à l'université Laval.

Admis au barreau de la province de Québec le 12 juillet 1916. Exerça sa profession à Québec au cabinet des avocats Alexandre **Taschereau**, Ferdinand Roy, Lawrence Arthur **Cannon** et Georges Parent, député à la Chambre des communes de 1904 à 1911 et de 1917 à 1930, puis sénateur de 1930 à 1942. S'établit à Rivière-du-Loup en 1920. S'associa par la suite à Adolphe **Stein** et Ernest Lapointe, député à la Chambre des communes de 1904 à 1941, ainsi qu'à Louis-Philippe **Lizotte** et Marc Stein. Créé conseil en loi du roi le 6 octobre 1926. Avocat de la couronne et substitut du procureur général pour le district de Kamouraska. Bâtonnier du barreau du Bas-Saint-Laurent du 1er mai 1935 au 1er mai 1936.

Fut président de l'Association de la jeunesse libérale. Élu député libéral dans Témiscouata aux élections de 1927. Réélu dans Rivière-du-Loup en 1931, 1935 et 1936, puis dans Kamouraska–Rivière-du-Loup en 1939. Assermenté ministre sans portefeuille dans le cabinet Godbout le 8 novembre 1939. Procureur général dans le même cabinet du 10 juin 1942 au 30 août 1944. Élu de nouveau dans Rivière-du-Loup en 1944 et défait en 1948. Nommé juge à la Cour supérieure pour les districts de Québec et Rivière-du-Loup le 9 septembre 1948.

Décoré de la médaille d'or du gouverneur général et récipiendaire des prix Roy et Tessier en 1916. Directeur de la St. Lawrence Furniture Co. Membre du Club de réforme de Québec et de Montréal, du Club de la garnison et des Chevaliers de Colomb.

Décédé à Rivière-du-Loup, le 5 novembre 1967, à l'âge de 75 ans et 3 mois. Inhumé dans le cimetière de la paroisse Saint-Patrice, le 9 novembre 1967.

Avait épousé dans la paroisse Notre-Dame de Québec, le 22 juin 1920, Marie-Thérèse-Gabrielle Pettigrew, fille de David Pettigrew et de Marie-Louise Gauvreau.

Arrière-petit-fils de Charles-Eusèbe **Casgrain**. Petit-neveu de Charles-Alphonse-Pantaléon **Pelletier**. Petit-cousin de Thomas Chase **Casgrain**. Neveu de Charles-A. Gauvreau, député à la Chambre des communes de 1897 à 1924.

CASGRAIN, Perreault
(1898–1981)

Né à Québec, le 18 janvier 1898, fils de Charles Perreault Casgrain, fonctionnaire, et de Germaine Mousseau.

Fit ses études au pensionnat Saint-Jean-Berchmans à Québec, au séminaire de Québec, au St. Procopius College à Chicago (Illinois), au collège de Sainte-Anne-de-la-Pocatière et à l'université Laval à Québec. Admis au barreau de la province de Québec le 16 juillet 1920.

Avocat de la couronne pour le district de Rimouski de 1920 à 1936. Exerça sa profession d'avocat à Rimouski de 1920 à 1974, puis à Montréal à partir de 1974. Fut associé à Mes Maurice **Tessier** et Amédée **Caron**. Président de l'Association du barreau canadien en 1942 et 1951. Président de l'Association du barreau rural de la province de Québec en 1943 et 1944, et directeur de 1944 à 1952. Président de l'Associa-

tion du barreau de la province de Québec en 1956, 1966 et 1967. Vice-président de l'Union internationale des avocats en 1968 et 1969. Fut bâtonnier du barreau du Bas-Saint-Laurent et examinateur du barreau de la province. Créé conseil en loi du roi le 18 juin 1930. Journaliste à *l'Action catholique* (Québec).

Élu député libéral dans Gaspé-Nord en 1939. Assermenté ministre sans portefeuille dans le cabinet Godbout le 5 novembre 1942. Défait en 1944.

Engagé volontaire pendant la guerre de 1914–1918 dans le premier régiment canadien de chars d'assaut. Devint lieutenant. Fut adjudant des Fusiliers du Saint-Laurent. Membre de l'Association catholique de la jeunesse canadienne-française (ACJC). Président du Club Rotary, de l'Alliance française de Rimouski et de la Chambre de commerce en 1949 et 1950. Membre du Club de réforme, du Club de la garnison et du Cercle universitaire de Montréal.

Décédé à Montréal, le 26 avril 1981, à l'âge de 82 ans et 3 mois. Inhumé à Montréal, dans le cimetière Notre-Dame-des-Neiges, le 29 avril 1981.

Avait épousé à Québec, dans la paroisse Notre-Dame-de-Jacques-Cartier, le 25 mai 1921, Lydie Prince, fille de Joseph-Évariste Prince, avocat, et de Lydie Rivard.

Arrière-petit-fils de Charles-Eusèbe **Casgrain**. Petit-fils de Joseph-Alfred **Mousseau** et de Philippe Baby Casgrain, député à la Chambre des communes de 1872 à 1891. Petit-neveu de Charles-Eugène (Charles-Eusèbe) Casgrain, sénateur de 1887 à 1907, et de Charles-Alphonse-Pantaléon **Pelletier**. Neveu de Joseph-Philippe Casgrain, sénateur de 1900 à 1939. Petit-cousin de Thomas Chase **Casgrain**.

CASGRAIN, Thomas Chase
(1852–1916)

[Né à Détroit, dans l'État du Michigan, le 28 juillet 1852, fils de Charles-Eugène (Charles-Eusèbe) Casgrain, médecin et sénateur de 1887 à 1907, et de Charlotte Chase.]

Fit ses études au séminaire de Québec et à l'université Laval à Québec.

Admis au barreau de la province de Québec le 17 juillet 1877, il mena dès lors une double carrière dans l'enseignement et dans la pratique du droit. Exerça surtout sa profession à Québec et s'associa, de 1877 à 1881, à Guillaume Amyot, député à la Chambre des communes de 1881 à 1896. Se joignit en 1881 à la société Langlois, Larue et Angers, puis fit ensuite partie du cabinet des avocats Casgrain, Angers et Hamel. Substitut du procureur à la Cour d'assises pendant plusieurs années et avocat de la Couronne pour le district de Québec en 1882. Reçu docteur en droit de l'université Laval en 1883. Créé conseil en loi de la reine par le gouvernement du Canada le 9 avril 1887. Membre de la commission chargée de la révision et de la modification du Code de procédure civile de la province de Québec de 1893 à 1896. Bâtonnier du barreau de Québec en 1892, 1893 et 1894. Bâtonnier de la province de 1893 à 1895. Créé conseil en loi de la reine par le gouvernement de la province de Québec le 19 mai 1899. Dans le domaine de l'enseignement, il fut professeur agrégé de droit criminel à l'université Laval à Québec de 1879 à 1885, puis professeur titulaire de 1884 à 1917. Secrétaire de la faculté de droit de 1880 à 1887 et membre du conseil de cette université de 1915 à 1917.

Élu député conservateur dans le comté de Québec en 1886. Ne s'est pas représenté en 1890. Procureur général dans le cabinet de Boucherville du 21 décembre 1891 au 12 novembre 1892. Élu dans Montmorency aux élections de mars 1892. Fut de nouveau procureur général dans le cabinet Taillon du 31 décembre 1892 au 11 mai 1896. Démissionna le 23 mai 1896. Élu député conservateur à la Chambre des communes dans Montmorency en 1896. Réélu en 1900 et défait en 1904. Réélu sans opposition à l'élection partielle du 7 novembre 1914. Ministre des Postes du Canada dans le cabinet Borden du 20 octobre 1914 au 29 décembre 1916, date de son décès.

Récipiendaire de la médaille du gouverneur général en 1877. Président du Club Cartier en 1879 et 1880. Vice-président de l'Association du barreau du Canada en 1896. Directeur de la compagnie de publication du *Journal* en 1901. Membre de la Société du parler français au Canada en 1902 et de la Ligue antialcoolique en 1907. Président du Club Lafontaine en 1908 et 1909. Président de la Joint High Commission de 1911 à 1914. Membre de l'Union Club, du St. James Club, du Club de la garnison, des clubs Rideau et Saint-Denis, du Canadian Club, du Mount Royal Club et du Montreal Club.

Décédé en fonction à Ottawa, le 29 décembre 1916, à l'âge de 64 ans et 5 mois. Inhumé à Montréal, dans le cimetière Notre-Dame-des-Neiges, le 2 janvier 1917.

Avait épousé dans la paroisse Notre-Dame de Québec, le 15 mai 1878, Marie-Anne-Louise LeMoine, fille d'Alexandre LeMoine, notaire, et de Julie Henriette-Émilie Massüe ; [puis, à Paris, le 16 février 1915, Marie-Louise Berthiaume, veuve de René Masson].

Petit-fils de Charles-Eusèbe **Casgrain**. Beau-frère d'Auguste-Réal **Angers**. Neveu de Philippe Baby Casgrain, député à la Chambre des communes de 1872 à 1891, et de Charles-Alphonse-Pantaléon **Pelletier**. Petit-neveu de Pierre **Beaubien**. Cousin de Joseph-Philippe Baby Casgrain, sénateur de 1900 à 1939. Petit-cousin de Léon **Casgrain** et de Perreault **Casgrain**.

CASSIDY, Francis
(1827–1873)

Né à Saint-Jacques-de-l'Achigan, le 21 mai 1827, fils de François Cassidy, cordonnier, et de Mary MacPharlane. Baptisé sous les prénoms de Jean et Louis.

Fit ses études à l'école paroissiale de Saint-Jacques-de-l'Achigan et au collège de L'Assomption. Étudia le droit auprès de Mes Moreau et Leblanc à Montréal. Admis au barreau du Bas-Canada le 18 août 1848. Créé conseil en loi de la reine le 15 avril 1863.

S'associa à Mes Leblanc et Alexandre **Lacoste**. Examinateur du barreau de Montréal de 1856 à 1861 et de 1864 à 1871. Membre du Conseil du barreau de Montréal en 1859, 1860, 1861, 1864, 1866, 1869 et 1870. Bâtonnier du barreau de Montréal en 1871.

Refusa le poste de solliciteur général dans le ministère Macdonald (J.S.)–Dorion en 1863. Maire de Montréal de février à juin 1873. Élu sans opposition député conservateur dans Montréal-Ouest en 1871.

Directeur de l'Artisans Mutual Building Society. Président de la St. Patrick Society. Cofondateur de l'Institut canadien dont il fut aussi secrétaire et archiviste de mai à novembre 1849, puis président de novembre 1849 à novembre 1850 et de mai 1857 à mai 1858.

Décédé en fonction à Montréal, le 14 juin 1873, à l'âge de 46 ans. Inhumé à Montréal, dans le cimetière Notre-Dame-des-Neiges, le 18 juin 1873.

Il était célibataire.

Bibliographie: *DBC.*

CASTONGUAY, Antoine
(1881–1959)

Né à Sainte-Hélène, près de Kamouraska, le 14 juin 1881, fils de Charles Castonguay, cultivateur, et de Délima Lévesque.

A étudié au collège de Sainte-Anne-de-la-Pocatière et au collège d'Inverness.

D'abord au service de l'International Paper, il devint ensuite propriétaire d'un moulin à scie à Saint-Félicien et à La Doré.

Maire de Saint-Félicien de 1935 à 1940. Préfet du comté de Roberval de 1937 à 1940. Marguillier de la paroisse Saint-Félicien de 1944 à 1948. Élu député de l'Action libérale nationale dans Roberval en 1935. Élu sous la bannière de l'Union nationale en 1936. Défait en 1939.

Décédé à Chicoutimi, le 11 mai 1959, à l'âge de 78 ans et 10 mois. Inhumé à Saint-Félicien, le 15 mai 1959.

Avait épousé à Saint-Casimir, dans Portneuf, le 18 juin 1907, Marie-Émilie Langlois, fille de Joseph Langlois, cultivateur, et de Léa Grimard.

CASTONGUAY, Claude

Né à Québec, le 8 mai 1929, fils d'Émile Castonguay, administrateur, et de Jeanne Gauvin.

Fit ses études aux écoles Morrissette et Saint-Dominique à Québec, à l'académie de Québec, et aux universités Laval et du Manitoba.

Chargé d'enseignement à la faculté des sciences de l'université Laval de 1951 à 1955. Actuaire associé à L'Industrielle, compagnie d'assurances sur la vie, durant les mêmes années. Professeur agrégé à la faculté des sciences de l'université Laval de 1955 à 1957. Actuaire à la compagnie d'assurances La Laurentienne de 1955 à 1958. Fellow de l'Institut canadien des actuaires et de la Société des actuaires en 1958. Directeur général et actuaire à la division de l'assurance sur la vie de la compagnie La Prévoyance de 1958 à 1962. Cofondateur de Castonguay, Lemay et Associés inc. en 1962. Actuaire-conseil et associé de Castonguay, Pouliot, Guérard et Associés inc. de 1962 à 1970, puis de 1973 à 1977. Actuaire-conseil du comité d'étude sur le régime des rentes du Québec en 1963 et 1964, et président de ce comité en 1964 et 1965. Président du Comité de recherches sur l'assurance-maladie et du Comité interministériel sur le régime d'assistance médicale en 1965 et 1966. Membre de la Commission de l'assistance médicale en 1966 et 1967. Président de la Commission royale d'enquête sur la santé et le bien-être social de 1966 à 1970.

Élu député libéral dans Louis-Hébert en 1970. Ministre de la Santé et ministre de la Famille et du Bien-être social dans le cabinet Bourassa du 12 mai 1970 au 22 décembre 1970. Ministre des Affaires sociales dans le même cabinet du 22 décembre 1970 au 13 novembre 1973. Ne s'est pas représenté en 1973. Nommé sénateur dans la division de Stadacona le 23 septembre 1990. Appuie le Parti progressiste-conservateur. Coprésident du Comité mixte spécial des Communes et du Sénat sur le renouvellement du Canada de septembre à novembre 1991.

Membre du comité de direction pour la révision conjointe du système de sécurité sociale au ministère de la Santé nationale et du Bien-être social de 1973 à 1975. Président du groupe de travail sur la politique de salaire et des conditions minima de travail en 1974. Président du groupe de travail sur l'urbanisation du gouvernement du Québec de 1974 à 1976. Membre de la Commission de lutte contre l'inflation à Québec et à Ottawa en 1975 et 1976.

Quitta la société Pouliot, Guérard, Castonguay & Associés en 1977 et devint président du conseil de l'Impériale. Mit sur pied la Corporation du Groupe La Laurentienne en 1981 et en devint le président de 1982 à 1990 et chef de la direction de 1982 à 1989. Nommé président du conseil d'administration de La Banque d'épargne en 1987. Associé avec le Groupe Secor à partir de 1991. Membre de plusieurs conseils d'administration.

Fut vice-président du Centre hospitalier de l'université Laval. Élu chancelier de l'université de Montréal en 1987. Membre du conseil d'administration de cette université du 20 juin au 26 septembre 1990. Membre du conseil de direction du Conference Board en 1984, vice-président de 1985 à 1989 et élu président en 1989.

A reçu un doctorat en droit civil honoris causa à la Bishop University en 1972, ainsi qu'un doctorat en droit honoris causa des universités McGill en 1974, Toronto et Sherbrooke en 1975 et de Laval en 1988. Honoré du titre de compagnon de l'ordre du Canada en 1974. Membre du conseil d'administration de l'Association canadienne pour la santé mentale, division de Québec, de l'Institut canadien de la santé infantile, de l'Orchestre symphonique de Québec, de l'Office franco-québécois pour la jeunesse, de l'Association canadienne pour le Club de Rome, du Conseil national de l'Institut canadien des affaires internationales, de la Commission trilatérale, du Cercle universitaire, de la Chambre de commerce de Québec et de la Société royale du Canada. A publié, entre autres, l'*Avenir de l'autogestion des professions* (1976?).

CASTONGUAY, Philippe
(1913–1963)

Né à Sandy Bay (Baie-des-Sables), le 14 décembre 1913, fils d'Albert Castonguay, cultivateur, et de Marie-Élise Gagnon.

Fit ses études à l'école de sa paroisse natale, puis à l'École d'agriculture de Rimouski. Diplômé en capacité agricole.

Président de la Coopérative agricole de Baie-des-Sables de 1949 à 1960. Président diocésain de l'Union catholique des cultivateurs (UCC) de septembre 1953 à août 1958. Directeur de l'Association des jardiniers-maraîchers de la province de Québec. Président-fondateur de la caisse populaire de Les Boules de 1952 à 1961. Membre du Cercle Lacordaire et des Chevaliers de Colomb. Récipiendaire de la médaille d'or du Mérite agricole provincial en 1949.

Maire du village de Les Boules de 1952 à 1963. Candidat libéral défait dans Matane en 1956. Élu député libéral dans Matane en 1960. Réélu en 1962.

Décédé en fonction à Matane, le 29 juillet 1963, à l'âge de 49 ans et 7 mois. Inhumé dans le cimetière de Les Boules, le 2 août 1963.

Avait épousé à Padoue, près de Mont-Joli, le 11 juin 1941, Marie-Cécile Ouellet, fille de Norbert Ouellet, cultivateur, et d'Azilda Pouliot.

CATHCART, Charles Murray
(1783–1859)

Né à Walton-on-the-Naze, en Angleterre, le 21 décembre 1783, fils de William Schaw Cathcart, 10ᵉ baron Cathcart, et d'Elizabeth Elliot.

Fit ses études à Eton, en Angleterre.

Entreprit une carrière militaire dans le régiment de son père en 1799. Servit principalement dans l'état-major en Hollande (1799), dans le royaume de Naples et en Sicile (1805–1806), à Copenhague (1807), à Walcheren (1809), puis en Espagne et de nouveau en Hollande ; prit part à la bataille de Waterloo en 1815. Poursuivit sa carrière en Angleterre et à l'étranger comme quartier-maître général. Promu major général en 1830, s'installa à Édimbourg où il se lia aux milieux scientifiques : fit partie de la Highland Society of Edinburgh, de la Royal Society of Edinburgh, publia diverses communications et découvrit un nouveau minerai. Occupa le poste de gouverneur du château d'Édimbourg et, de 1837 à 1842, celui de commandant des Forces armées en Écosse. En 1843, succéda à son père en qualité de 2ᵉ comte Cathcart et baron Greenoch.

Assuma le commandement en chef des Forces armées de l'Amérique du Nord britannique de la mi-juin 1845 jusqu'en mai 1847. Fut assermenté comme administrateur de la province du Canada le 26 novembre 1845. Nommé gouverneur en chef le 16 mars 1846, prêta serment le 24 avril ; cessa d'exercer ces fonctions au moment de l'assermentation de son successeur, James **Bruce**, le 30 janvier 1847.

De retour en Angleterre, obtint le commandement du district de Northern and Midland. En 1854, accéda au grade de général et prit sa retraite.

Reçut plusieurs médailles militaires. Fait compagnon de l'ordre du Bain en 1815, chevalier en 1838 et grand-croix en 1859.

Décédé dans son manoir à St. Leonards, dans l'East Sussex, en Angleterre, le 16 juillet 1859, à l'âge de 75 ans et 6 mois.

Avait épousé en France, le 30 septembre 1818, puis en Angleterre, le 12 février 1819, Henrietta Mather, fille de Thomas Mather.

Bibliographie : *DBC*.

CAUCHON, Joseph-Édouard
(1816–1885)

Né à Québec et baptisé dans la paroisse Notre-Dame, le 31 décembre 1816, fils de Joseph-Ange Cauchon, menuisier, et de Marguerite Valée (Vallée).

Étudia au petit séminaire de Québec de 1830 à 1839. Fit ensuite l'apprentissage du droit à Québec. Admis au barreau en 1843, mais n'exerça pas sa profession.

Rédacteur en chef du *Canadien* en 1841–1842. Cofondateur en 1842 et propriétaire jusqu'en 1862 du *Journal de Québec*, dont il fut aussi rédacteur de 1842 à 1875 (sauf de 1855 à 1857 et en 1861).

Élu député de Montmorency en 1844. Réélu sans opposition en 1848. Fit partie du groupe canadien-français. Réélu en 1851 ; réformiste. Déclina, en 1851, l'invitation à devenir secrétaire adjoint de la province dans le ministère Hincks–Morin, sans siège dans le cabinet. Réélu en 1854. Membre du ministère MacNab–Taché : conseiller exécutif et commissaire des Terres de la couronne, du 27 janvier 1855 au 23 mai 1856. À son entrée au cabinet, son siège de député était devenu vacant. Réélu à une élection partielle le 12 février 1855 ; bleu. Prit part, en qualité de conseiller exécutif et de commissaire des Terres de la couronne, au ministère Taché–Macdonald, à compter du 24 mai 1856 ; démissionna le 30 avril 1857. Réélu en 1858 ; bleu. Entré dans le ministère Cartier–Macdonald le 13 juin 1861, en tant que conseiller exécutif et commissaire des Travaux publics, en fit partie jusqu'au 23 mai 1862. Réélu en 1861, sans opposition, et en 1863 ; bleu. Déclaré coupable de violation des privilèges de l'Assemblée, le 1ᵉʳ mars 1865, après avoir injurié Alexandre **Dufresne** et l'avoir frappé, dut s'excuser. Son mandat de député prit fin avec l'avènement de la Confédération, le 1ᵉʳ juillet 1867. Maire de Québec de 1866 à 1868.

Élu sans opposition député conservateur de Montmorency à l'Assemblée législative et à la Chambre des communes en 1867. Choisi, le 4 juillet 1867, pour former le premier gouvernement provincial sous le régime de la Confédération, dut y renoncer le 11, devant le refus de Christopher **Dunkin** d'accepter les fonctions de trésorier de la province. Abandonna son siège de député à la Chambre des communes le 14 novembre 1867, par suite de sa nomination comme sénateur de la division de Stadacona le 2 novembre 1867 ; appuya le Parti conservateur. Fut président du Sénat du 5 novembre 1867 au 6 mai 1869 et du 26 mai 1869 au 2 juin 1872. Résigna ses fonctions de sénateur le 30 juin 1872. Réélu sans opposition député provincial de Montmorency en 1871 ; démissionna le 10 décembre 1872. Réélu sans opposition à une élection partielle le 23 décembre 1872. Conservateur. Avait été élu député de Québec-Centre à la Chambre des communes en 1872 ; appuya le Parti libéral. À la suite de l'abolition du double mandat, quitta son siège à l'Assemblée législative, le 21 janvier 1874. Réélu sans opposition à la Chambre des communes en 1874 ; libéral. Prêta serment comme membre du Conseil privé le 7 décembre 1875. Fit partie du cabinet Mackenzie : président du Conseil privé, du 7 décembre 1875 au 7 juin 1877, puis ministre du Revenu de l'intérieur du 8 juin au 7 octobre 1877. À son entrée au ministère, son siège de député était devenu vacant. Réélu à une élection partielle le 27 décembre 1875 ; libéral. Accepta le poste de lieutenant-gouverneur de la province du Manitoba le 4 octobre 1877 ; exerça cette fonction du 2 décembre 1877 au 1er décembre 1882.

Président de la Compagnie du chemin de fer de la rive nord de 1870 à 1873 ; administrateur de la Compagnie du chemin de fer Interocéanique du Canada en 1872–1873. Propriétaire de l'asile de Beauport. Fit de la spéculation foncière à Québec et à Winnipeg.

Officier de milice. Président de la Société Saint-Jean-Baptiste de Québec de 1873 à 1875. Auteur de *Notions élémentaires de physique, avec planches à l'usage des maisons de l'éducation* (Québec, 1841) ; *Étude sur l'union projetée des provinces britanniques de l'Amérique du Nord* (Québec, 1858) ; *l'Union des provinces de l'Amérique britannique du Nord* (Québec, 1865).

Décédé à Whitewood, dans la vallée de la Qu'Appelle (en Saskatchewan), le 23 février 1885, à l'âge de 68 ans et un mois. [Inhumé à Québec, en février ou mars 1885.]

Avait épousé dans la paroisse Saint-Roch, à Québec, le 10 juillet 1844, Julie Lemieux, fille de Charles Lemieux et de Julie Gagnon ; puis, dans la paroisse Saint-Colomb, à Sillery, le 26 novembre 1866, Maria Louisa Nowlan (Nolan), fille de Martin Nowlan et de Bredgit Murphy ; enfin, à Chicago, le 1er février 1880, Emma Lemoine, fille de Robert Lemoine, greffier du Sénat canadien.

Beau-frère de John **O'Farrell** et de John **Roche**.

Bibliographie : *DBC*. Purves, Grant, *Les présidents du Sénat*, Ottawa, Bibliothèque du Parlement, 1988, p. 3-5.

CAZEAU, Jean-Baptiste (1774–1865)

Né à Québec et baptisé dans la paroisse Notre-Dame, le 27 septembre 1774, fils de Jean (Jean-Baptiste) Cazeau, charron, et de sa première femme, Françoise Ruel.

Exerçait le métier de charron à Québec à l'époque de son mariage. Nommé, en juin 1830, commissaire chargé de surveiller l'ouverture d'un chemin entre Saint-Jean et Sainte-Famille, à l'île d'Orléans, et, le 27 septembre 1837, commissaire au tribunal des petites causes à Saint-Jean.

Élu député d'Orléans en 1830 ; vota pour les Quatre-vingt-douze Résolutions. Réélu en 1834. Appuya généralement le parti patriote. Son mandat prit fin avec la suspension de la constitution, le 27 mars 1838.

Décédé à Saint-Jean, île d'Orléans, le 12 mai 1865, à l'âge de 90 ans et 7 mois. Inhumé dans le cimetière paroissial, le 15 mai 1865.

Avait épousé dans l'église presbytérienne de Québec, le 18 janvier 1806, Rachel Campbell, veuve de Robert Killingly.

CAZES, Charles de (≈1808–1867)

Né en Bretagne, vers 1808, peut-être le fils de Pierre-Paul de Cazes et de Marie-Renée Gaudin des Many.

Fut notaire à Saint-Herblain, en France, avant de venir s'établir dans les Cantons-de-l'Est, avec sa famille, en 1854. Exploita une propriété agricole, acquise en octobre 1854, dans le rang 6 du canton de Shipton, près de la localité actuelle de Danville. Auteur de quelques articles de journaux sur l'avenir du Canada français et d'une conférence sur l'organisation de l'agriculture, prononcée en mai 1863 devant l'Institut canadien de Québec et publiée dans *le Courrier du Canada*. Nommé, le 30 septembre 1865, inspecteur d'écoles pour les comtés de Saint-Hyacinthe, Bagot et Rouville.

Défait dans les circonscriptions unies de Richmond et Wolfe en 1858. Élu député de ces circonscriptions unies en 1861 ; d'abord indépendant, appuya bientôt les bleus. Défait dans Richmond et Wolfe ainsi que dans Drummond et Arthabaska en 1863.

Décédé à Montréal, le 4 octobre 1867, à l'âge d'environ 59 ans. Inhumé à [Wotton].

Avait épousé, en France, Constance Arnaud.

Bibliographie: *DBC.*

CAZOBON. V. DOSTALER

CÉDILOT, Wilfrid
(1862–1940)

Né à Saint-Philippe, près de Laprairie, le 8 décembre 1862, fils de Louis-Moïse Cédilot, cultivateur, et d'Olive Lefebvre.

Fit ses études à La Tortue (maintenant Saint-Mathieu), puis au collège de L'Assomption.

Cultivateur et marchand de grains. Propagandiste attaché au ministère de l'Agriculture de la province de Québec. Prit une part active à la fondation de la paroisse Saint-Mathieu. Membre de la Chambre de commerce du district de Montréal.

Commissaire d'école à Saint-Mathieu. Élu député libéral dans Laprairie en 1916. Réélu en 1919. Ne s'est pas représenté en 1923.

Décédé à Montréal, le 7 septembre 1940, à l'âge de 77 ans et 8 mois. Inhumé dans le cimetière de Saint-Mathieu, le 10 septembre 1940.

Avait épousé à Saint-Patrice-de-Sherrington, le 28 octobre 1889, Marie-Luména Fontaine, fille de Joseph Fontaine, cultivateur et manufacturier de voitures, et de Domithilde Patenaude.

CHABOILLEZ, Louis
(1766–1813)

Né à Montréal et baptisé sous le prénom de Joseph-Louis, dans la paroisse Notre-Dame, le 14 octobre 1766, fils de Louis-Joseph Chaboillez, négociant, et d'Angélique Baby-Chenneville.

Reçut une commission de notaire en 1787. Fut lié à des trafiquants de fourrures montréalais, comme James **McGill**, et à des sociétés commerciales britanniques. À partir de 1809, fit de la spéculation foncière à Montréal.

Élu député de Montréal-Est en 1804; appuya tantôt le parti canadien, tantôt le parti des bureaucrates. Ne se serait pas représenté en 1808. S'occupa d'administration municipale, à Montréal, après 1796.

En 1797, était capitaine dans la milice. Fut élu marguillier de la paroisse Notre-Dame, puis démissionna pour occuper le poste de greffier de la fabrique. Obtint quelques postes de commissaire. Fit partie du Club des Apôtres, dont les membres s'occupaient de gastronomie. En 1802, fut membre et secrétaire d'une commission chargée de faire exécuter des réparations aux fortifications de Montréal.

Décédé à Montréal, le 19 juillet 1813, à l'âge de 46 ans et 9 mois. Les obsèques eurent lieu dans l'église Notre-Dame, le 22 juillet 1813.

Avait épousé dans la paroisse Saint-Joachim, à Pointe-Claire, le 10 novembre 1789, Marguerite Conefroy, fille de Robert Conefroy, négociant, et de Marie-Josephte Métivier.

Cousin par alliance de Roderick **Mackenzie**.

Bibliographie: *DBC.*

CHABOT, Jean
(1806–1860)

Né à Saint-Charles, près de Lévis, et baptisé dans l'église paroissiale, le 15 octobre 1806, fils de Basile Chabot, agriculteur, et de Josephte Provost.

Étudia au petit séminaire de Québec de 1820 à 1828. Fit l'apprentissage du droit à Québec, auprès d'Elzéar **Bédard**, à compter de 1829. Reçu au barreau en 1834.

Élu sans opposition député de la cité de Québec à une élection partielle le 18 septembre 1843. Réélu sans opposition en 1844 et 1848. Fit partie du groupe canadien-français. Son siège devint vacant par suite de sa nomination comme commissaire des Travaux publics dans le ministère La Fontaine–Baldwin, le 13 décembre 1849. Réélu à une élection partielle le 29 janvier 1850; réformiste. Démissionna de ses fonctions de ministre et de député le 31 mars 1850. Élu dans Bellechasse en 1851; réformiste. Son mandat prit fin avec sa nomination comme commissaire des Travaux publics dans le ministère Hincks–Morin, le 23 septembre 1852. Réélu à une élection partielle le 4 octobre 1852. Fut aussi conseiller exécutif dans le même ministère, à compter du 23 septembre 1852, et le représentant du gouvernement au conseil d'administration du Grand Tronc, à partir du 20 novembre 1852. Fit partie du ministère MacNab–Morin: conseiller exécutif et commissaire des Travaux publics, du 11 septembre 1854 au 26 janvier 1855. Réélu dans Bellechasse et élu dans la cité de Québec en 1854, opta pour Québec le 22 septembre. Son mandat de député prit fin avec son accession à la charge de juge de la Cour supérieure à Montréal, le 20 septembre 1856; sa résidence fut transférée à Québec en 1857.

S'intéressa aux chemins de fer; fut notamment l'un des administrateurs de la compagnie du Quebec and Melbourne Railway en 1850. Nommé conseiller de la reine en

1854. Choisi à titre de commissaire chargé de faire le cadastre de toutes les seigneuries en 1855.

Cofondateur de la Société Saint-Vincent-de-Paul à Québec, présida la première conférence tenue au Canada-Uni, en 1846; fut président du conseil de Québec, de 1847 à 1850.

Décédé à Québec, le 31 mai 1860, à l'âge de 53 ans et 7 mois. Inhumé dans la chapelle Sainte-Anne de la cathédrale Notre-Dame, le 2 juin 1860.

Avait épousé dans la paroisse Notre-Dame de Québec, le 1er juillet 1834, Hortense Hamel, fille de Victor Hamel et de Josephte Moreau.

Bibliographie: *DBC.*

CHAFFERS, William Henry (1827–1894)

Né à Québec, le 2 août 1827, puis baptisé le 6, sous le prénom de Guillaume-Henri-Jacques, dans la paroisse Notre-Dame, fils de William Unsworth Chaffers, négociant de Saint-Césaire, et de Catherine-Henriette Blanchet.

Étudia au collège de Chambly et, en 1838–1839, au petit séminaire de Montréal.

Fit du commerce à Saint-Césaire. Fut commissaire au tribunal des petites causes et lieutenant-colonel dans la milice volontaire. Président de la Société d'agriculture du comté de Rouville. Un des administrateurs de la Banque de Saint-Hyacinthe en 1874.

Maire de Saint-Césaire et préfet du comté de Rouville. Élu député de Rouville à une élection partielle le 4 octobre 1856; était rouge. Ne s'est pas représenté en 1858. Élu sans opposition conseiller législatif de la division de Rougemont à une élection complémentaire le 8 janvier 1864. Réélu en 1864. Son mandat prit fin avec l'avènement de la Confédération, le 1er juillet 1867. Sénateur de la division de Rougemont à compter du 23 octobre 1867. Appuya le Parti libéral.

Décédé en fonction à Saint-Hyacinthe, le 15, le 16 ou le 19 juillet 1894, à l'âge de 66 ans et 11 mois.

Avait épousé dans la paroisse Notre-Dame-du-Rosaire, à Saint-Hyacinthe, le 8 octobre 1849, Louise O'Leary, fille du docteur James O'Leary et de Marie-Josephte Tourangeau.

Petit-fils de François **Blanchet**.

CHAGNON, Jacques

Né à Montréal, le 28 août 1952, fils de Paul-Henri Chagnon, réalisateur à Radio-Canada, et de Madeleine Dion, aide bibliothécaire.

A étudié au cégep Dawson et à la Concordia University où il obtint un baccalauréat en science politique en 1975. A poursuivi également des études supérieures en science politique et en droit à l'université de Montréal.

Élu commissaire à la commission scolaire Saint-Exupéry en 1975, il fut membre du Conseil des commissaires de la commission régionale de Chambly en 1975 et membre du comité exécutif de la commission scolaire Saint-Exupéry de 1976 à 1978. À la commission scolaire régionale de Chambly, il fut membre du comité exécutif en 1978, responsable du comité des affaires administratives de 1978 à 1981, vice-président de 1979 à 1981 et président de 1981 à 1985. Président général de la Fédération des commissions scolaires catholiques du Québec de 1982 à 1985.

Élu député libéral dans Saint-Louis en 1985. Réélu en 1989. Adjoint parlementaire du ministre délégué à l'Administration du 5 février 1986 au 9 août 1989. Nommé adjoint parlementaire du ministre délégué à l'Administration et à la Fonction publique le 29 novembre 1989.

CHAGNON, Paschal (1765–1825)

Né à Verchères et baptisé dans la paroisse Saint-François-Xavier, le 6 avril 1765, fils de Jean-Baptiste Chagnon et de Marie-Françoise Pinault.

Étudia peut-être au collège Saint-Raphaël, à Montréal, en 1781.

Fut marchand à Verchères. Lieutenant dans la milice de la division de Saint-Ours, en 1812; promu capitaine dans la division de Verchères, le 12 janvier 1813.

Élu député de Surrey en 1808; appuya le parti canadien. Ne se serait pas représenté en 1809.

Décédé à Verchères, le 1er février 1825, à l'âge de 59 ans et 9 mois. Inhumé dans l'église de la paroisse Saint-François-Xavier, le 3 février 1825.

Avait épousé dans la paroisse Sainte-Anne, à Varennes, le 4 juin 1787, Josette Sénécal, fille de Louis Sénécal et d'Amable Sénécal; puis, dans la paroisse Saint-Antoine-de-Padoue, à Saint-Antoine-sur-Richelieu, le 12 octobre 1813, Françoise Dussault, veuve du cultivateur Joseph Paquet.

CHAGNON, Vincent-F.

Né à Saint-Hyacinthe, le 13 décembre 1915, fils de Joseph Chagnon, commerçant, et d'Éva Saint-Germain.

Étudia au collège Villeray et au collège Grasset à Montréal où il obtint un baccalauréat ès arts.

Fonctionnaire provincial, il travailla pendant trente-deux ans au ministère de l'Agriculture et de la Colonisation comme chef de service des travaux et directeur général de la colonisation.

Commissaire d'école à la commission scolaire de Lévis en 1961 et président de 1962 à 1968. Fondateur de la commission scolaire régionale Louis-Fréchette en 1963 et président jusqu'en 1968. Maire de Lévis de 1966 à 1990. Préfet de la MRC Desjardins de 1982 à 1990. Élu député libéral dans Lévis en 1973. Défait en 1976.

Vice-président et administrateur de la caisse populaire Christ-Roi. Directeur du Bureau de développement économique du Québec métropolitain. Membre de la Chambre de commerce de Lévis. Président-fondateur de l'Œuvre des terrains de jeux de Lévis. Membre des Chevaliers de Colomb.

Bibliographie: Nolet, Luc, *25 ans à la mairie: Vincent F. Chagnon, 1966–1990*, [Lévis], Conseil municipal de Lévis-Lauzon, 1990, 56 p.

CHALIFOUR, Rosaire
(1902–1972)

Né à Saint-Casimir, le 5 avril 1902, fils d'Henri Chalifour, meunier et industriel, et d'Alexina Tessier.

Fit ses études à l'école de Saint-Casimir, au séminaire de Trois-Rivières, au séminaire de Québec et à l'université Laval à Québec.

Registrateur adjoint au Bureau d'enregistrement de Portneuf de 1929 à 1939. Hôtelier à Portneuf de 1940 à 1947. Débuta dans le commerce d'automobiles en 1946. Propriétaire de Garage Best Auto en 1947.

Membre de la commission scolaire de Cap-Santé. Candidat conservateur défait dans Portneuf aux élections fédérales de 1949. Élu député de l'Union nationale dans Portneuf à l'élection partielle du 9 juillet 1953. Réélu en 1956. Défait en 1960 et 1962.

Propriétaire, président et éditeur du journal *Portneuf-Presse* de 1961 à 1972.

Lieutenant dans les forces armées en 1922, il réintégra l'armée à titre d'attaché au service de sélection du personnel en 1943, puis fut démobilisé en 1946. Organisateur des campagnes de l'Emprunt de la victoire dans le comté de Portneuf. Membre de l'Association des vendeurs d'automobiles de la province de Québec. Président du Club Kiwanis-Portneuf.

Décédé à Donnacona, le 28 octobre 1972, à l'âge de 70 ans et 6 mois. Inhumé à Cap-Santé, dans le cimetière de la paroisse Sainte-Famille, le 1er novembre 1972.

Avait épousé à Saint-Thuribe, le 4 février 1929, Blanche Bélanger, fille d'Henri Bélanger, sous-agent de la Banque canadienne, et de Réa Dussablon; puis, dans la paroisse Notre-Dame de Québec, le 6 avril 1953, Marie-Élianne-Rita Rinfret, fille de Georges Rinfret, registrateur, et d'Ernestine Frenette.

CHALOULT, René
(1901–1978)

Né dans la paroisse Notre-Dame de Québec, le 26 janvier 1901, fils de B.-René Chaloult, marchand, et d'Eugénie Roy.

Fit ses études chez les Sœurs du Bon Pasteur à Québec, au séminaire de Québec, à l'université Laval et à l'École normale supérieure. Licencié en philosophie et en droit de l'université Laval et diplômé en littérature française de l'École normale supérieure. Admis au barreau de la province de Québec le 10 janvier 1927. Créé conseil en loi du roi le 19 décembre 1941.

Exerça sa profession à Québec avec Mes Marie-Louis Beaulieu et Guy Hudon, et plus tard au cabinet Chaloult et Hudon.

Élu député de l'Union nationale dans Kamouraska en 1936. Avec un groupe de dissidents de l'Union nationale il fonde, le 26 juin 1937, le Parti national. Élu député libéral dans Lotbinière en 1939 et député indépendant dans le comté de Québec en 1944 et 1948. Accusé de s'être opposé à la conscription obligatoire, il subit son procès le 6 juillet 1942 et est acquitté le 3 août 1942. Candidat nationaliste défait en 1952. De nouveau défait comme candidat indépendant dans Jonquière-Kénogami en 1956.

A publié ses *Mémoires politiques* (1969). Président de la Société des études juridiques de Québec. Citoyen honoraire de Madawaska en 1951. Décoré de la médaille d'argent par le Mouvement national des Québécois (MNQ) en 1973. Directeur de la Ligue d'action nationale. Membre de la Société Saint-Jean-Baptiste.

Décédé à Québec, le 20 décembre 1978, à l'âge de 77 ans et 11 mois. Inhumé dans le cimetière de Kamouraska le 11 juin 1979.

Avait épousé à Québec, dans la paroisse Saint-Dominique, le 4 août 1932, Jeannette Beaubien, fille de J.-Isaïe Beaubien, industriel, et d'Anna Marie Amyot.

———

Bibliographie: Rumilly, Robert et autres, *Portrait de René Chaloult, selon des opinions parfaitement désintéressées*, s.l., 1948, 24 p. Chouinard, Denis et Richard Jones, «La carrière politique de René Chaloult: l'art de promouvoir une politique nationaliste tout en sauvegardant son avenir politique», *RHAF*, 39,1 (été 1985), p. 25-50.

CHAMBERLIN, Wright (1779–1860)

Né à Thetford, au Vermont, en 1779.

Fut agent d'affaires de Levi Bigelow à Derby Line, au Vermont, durant quatre ans, avant de se lancer à son compte, en 1809, à Stanstead, dans les Cantons-de-l'Est. Plus tard, se retira du commerce et s'occupa d'agriculture sur sa vaste propriété. Atteignit le grade de lieutenant-colonel dans la milice. Appartenait à l'Église wesleyenne.

Élu député de Stanstead à une élection partielle le 21 mars 1833, mais son élection fut annulée, et il fut déclaré défait le 18 février 1834 par un comité de la Chambre, qui proclama Marcus **Child** élu à sa place; le lendemain, le certificat de l'élection fut officiellement corrigé. Avait appuyé tantôt le parti patriote, tantôt le parti des bureaucrates.

Décédé probablement à Stanstead, le 13 mars 1860, à l'âge de 80 ou de 81 ans.

Avait épousé, en 1814, Rachel Camp, fille de M. Camp.

Beau-père de Timothy Lee **Terrill**.

CHAMPAGNE, Charles (Deux-Montagnes) (1838–1907)

Né à Saint-Eustache, le 16 octobre 1838, fils de Charles Laplante dit Champagne, boulanger et agriculteur, et de Christine Andrave. Désigné aussi sous le nom de Laplante, dit Champagne.

Fit ses études au séminaire de Sainte-Thérèse-de-Blainville. Travailla quelques années sur la terre paternelle, puis étudia le droit auprès des avocats Moreau, **Ouimet** et **Chapleau**. Admis au barreau du Bas-Canada le 5 septembre 1865. Docteur en droit honoris causa de l'université Laval en 1881. Créé conseil en loi de la reine en 1887.

Élu député conservateur dans Deux-Montagnes à l'élection partielle du 3 mars 1876. Réélu en 1878 et 1881.

Son élection fut contestée sans succès. Démissionna le 23 septembre 1882. Candidat défait à l'élection partielle du 21 octobre 1882. Nommé conseiller législatif de la division des Mille-Isles le 10 décembre 1883, il résigna son siège lors de sa nomination comme magistrat du district de Montréal le 31 août 1888. Nommé juge à la Cour de circuit du district de Montréal en 1893.

Décédé à Montréal, le 22 décembre 1907, à l'âge de 69 ans et 2 mois. Inhumé dans le cimetière de Saint-Eustache, le 24 décembre 1907.

[Avait épousé en 1860 Aglaé Éthier.]

Cousin d'Hector **Champagne**. Père de Louis-Napoléon Champagne, député à la Chambre des communes de 1897 à 1904.

CHAMPAGNE, Charles (Hochelaga) (1849–1925)

Né à Saint-Augustin (Mirabel), le 25 juillet 1849, fils de Charles Laplante dit Champagne, aubergiste, et de Marie Brien dit Desrochers. Désigné aussi sous le nom de Laplante, dit Champagne.

A étudié aux collèges de Sainte-Thérèse et de Terrebonne. En 1870, il devint secrétaire particulier de Louis Riel. Admis au barreau de la province de Québec le 11 juillet 1873. Exerça sa profession à Sainte-Scholastique.

Candidat libéral défait dans Hochelaga en 1886. Élu député dans la même circonscription à l'élection partielle du 28 avril 1888. Défait en 1890. Registrateur de la division de Montréal-Est de 1890 à 1922, poste qu'il occupa conjointement avec Émery **Lalonde** (fils) à partir de 1901. Échevin de Rigaud du 15 juin 1899 au 9 janvier 1906 et du 10 janvier 1910 au 20 décembre 1913. Maire de cette municipalité du 21 janvier au 16 décembre 1913. Président-fondateur du Club Laurier.

Décédé à Montréal, le 21 septembre 1925, à l'âge de 76 ans et un mois. Inhumé à Rigaud, dans le cimetière de la paroisse Sainte-Madeleine, le 24 septembre 1925.

Avait épousé à Rigaud, dans la paroisse Sainte-Madeleine, le 29 décembre 1873, Mary Jessey Fletcher, fille de John Fletcher et d'Adéline Barcela; puis, à Montréal, dans la paroisse Saint-Jean-Baptiste, le 10 mars 1883, Mary Louisa Fletcher, sœur de sa première épouse.

CHAMPAGNE, Hector
(1862–1941)

Né à Saint-Eustache, le 18 février 1862, fils de Cyrille Andgrave dit Champagne, notaire, et de Marie-Joséphine Lefebvre. Désigné aussi sous le nom d'Andgrave, dit Champagne.

Fit ses études à l'académie commerciale de Saint-Eustache, au séminaire de Sainte-Thérèse-de-Blainville, au collège Bourget à Rigaud, à l'université Laval à Montréal et à l'université de Paris. Fit sa cléricature auprès des notaires Papineau, Durand et Marin en 1881, puis auprès des avocats Duhamel, Rainville et Marceau en 1884. Admis au barreau de la province de Québec le 17 juillet 1886. Créé conseil en loi de la reine le 9 juin 1899.

Avocat, il exerça sa profession à Saint-Eustache. Devint membre du Conseil de l'instruction publique de la province de Québec en 1901.

Membre du Club de réforme de Montréal. Élu député libéral dans Deux-Montagnes en 1897. Réélu en 1900, puis sans opposition en 1904. Défait en 1908. Nommé conseiller législatif de la division des Mille-Isles le 3 octobre 1908. Il conserva ce siège jusqu'à son décès survenu à Saint-Laurent (île de Montréal), le 29 juin 1941, à l'âge de 79 ans et 4 mois. Inhumé dans le cimetière de sa paroisse natale, le 2 juillet 1941.

Il était célibataire.

Cousin de Charles **Champagne** (Deux-Montagnes). Petit-cousin de Louis-Napoléon Champagne, député à la Chambre des communes de 1897 à 1904.

CHAMPAGNE, Jean-Paul

Né à Montréal, le 24 juin 1931, fils de Joseph-Émile Champagne, chauffeur d'autobus, et de Rolande Désalliers.

Lauréat en musique du Conservatoire national en 1959. Obtint, à l'université de Montréal, un baccalauréat ès arts en 1962 et une licence en pédagogie en 1963. Fit des études de maîtrise en lettres à l'université d'Ottawa de 1963 à 1966. Titulaire de deux certificats en animation de groupe de l'université de Montréal.

Fut successivement professeur de français au collège Roussin, à la commission scolaire régionale Henri-Bourassa et à la commission scolaire Sainte-Croix à Saint-Laurent de 1955 à 1980. Fut membre du bureau de direction des Jeunesses littéraires du Québec en 1968, vice-président du Prêt d'honneur, vice-président du Mouvement national des Québécois et président général de la Société Saint-Jean-Baptiste de Montréal

en 1977 et 1978. Occupa les postes d'administrateur de la Société nationale de fiducie, de président de l'Agence Duvernay et de président du comité organisateur de la Fête nationale Montréal-Laval en 1979 et 1980.

Élu député du Parti québécois dans Mille-Îles en 1981. Vice-président de la Commission de la culture du 5 février au 23 octobre 1985. Défait en 1985.

Vice-président aux relations publiques et communications de la Société d'informatique RDG de Laval en 1986 et 1987. Vice-président de la compagnie d'informatique Egide inc. de 1987 à 1989. Nommé directeur général de la Fondation Cité de la santé de Laval en mars 1989. Secrétaire général de l'Association des fondations des hôpitaux du Québec à compter de 1991.

CHAMPAGNE, Serge
(1943–1984)

Né à Warwick, le 19 août 1943, fils de Léo Champagne, journalier, et de Rita Laplante.

Obtint un baccalauréat ès arts du collège de Victoriaville en 1965 et une licence en droit de l'université de Montréal en 1968. Admis au barreau du Québec en 1970.

A exercé le droit à partir de 1970 à Montréal.

Au sein de l'Association libérale de Saint-Jacques, il fut conseiller juridique de 1973 à 1977 et président en 1978–1979. Élu député du Parti libéral dans Saint-Jacques à l'élection partielle du 20 juin 1983.

Décédé en fonction à Saint-Cyrille-de-Wendower, le 23 avril 1984, à l'âge de 40 ans et 8 mois. Inhumé dans le cimetière de Warwick, le 27 avril 1984.

Avait épousé à Montréal, dans la paroisse Saint-Louis-de-France, le 14 novembre 1970, Cécile Champagne, fille de Maurice Champagne, journalier, et de Blandine Tardif.

CHAPAIS, Jean-Charles
(1811–1885)

Né à Rivière-Ouelle et baptisé dans la paroisse Notre-Dame-de-Liesse, le 22 décembre 1811, fils de Charles Chapais, négociant, et de Julienne Ouellet.

Étudia à Rivière-Ouelle, puis, de 1824 à 1830, au séminaire de Nicolet. S'installa à Québec où, de 1830 à 1832, il prit des leçons d'anglais.

En 1833, s'établit comme marchand dans le fief de Saint-Denis, près de Kamouraska; associé dans les firmes Chapais et Fils et Chapais et Frères, entre 1840 et 1850. S'intéressa à l'agriculture, à l'élevage et à la pêche. L'un des administrateurs du Grand Tronc. Prit en main la construction de l'église paroissiale à Saint-Denis (1840–1856), après avoir travaillé à l'obtention de l'érection canonique et civile de la paroisse. S'occupa d'administration scolaire et municipale à Saint-Denis; fut le premier maire en 1845 et le premier maître de poste en 1849.

Défait dans Kamouraska à une élection partielle le 1er février 1851. Élu député de cette circonscription en 1851. Réélu en 1854, mais l'élection fut annulée le 29 novembre. Réformiste. Élu dans Kamouraska à une élection partielle le 30 janvier 1855. Réélu en 1858, 1861 et 1863. Bleu. Fit partie du ministère Taché–Macdonald: conseiller exécutif et commissaire des Travaux publics du 30 mars 1864 au 6 août 1865. À son entrée au cabinet, son siège de député était devenu vacant. Réélu à une élection partielle le 14 avril 1864; bleu. Membre du ministère Belleau–Macdonald: conseiller exécutif et commissaire des Travaux publics du 7 août 1865 au 1er juillet 1867. Son mandat de député prit fin avec l'avènement de la Confédération, le 1er juillet 1867; fut l'un des Pères de la Confédération.

Appelé au Conseil privé le 1er juillet 1867, en fut membre jusqu'à sa mort. Siégea au sein du cabinet Macdonald à titre de ministre de l'Agriculture, du 1er juillet 1867 au 15 novembre 1869, puis de receveur général, du 16 novembre 1869 jusqu'à sa démission le 29 janvier 1873. Candidat dans Kamouraska aux élections à l'Assemblée législative et à la Chambre des communes en 1867; par suite d'irrégularités, les élections n'eurent pas lieu. Élu sans opposition député de Champlain à une élection partielle provinciale le 16 décembre 1867. Sénateur de la division de La Durantaye à compter du 30 janvier 1868. Appuya le Parti conservateur. Ne s'est pas représenté aux élections provinciales en 1871.

Décédé en fonction à Ottawa, le 17 juillet 1885, à l'âge de 73 ans et 6 mois. Inhumé à Saint-Denis, dans l'église paroissiale, le 22 juillet 1885.

Avait épousé dans la paroisse Saint-Louis, à Kamouraska, le 30 juin 1846, Henriette-Georgina Dionne, fille du marchand Amable **Dionne** et de Catherine Perrault.

Père de Thomas **Chapais**. Beau-frère d'Élisée **Dionne**. Petit-neveu de Joseph **Boucher**.

Bibliographie: *DBC.*

CHAPAIS, Thomas
(1858–1946)

Né à Saint-Denis, le 23 mars 1858, fils de Jean-Charles **Chapais**, marchand, et d'Henriette-Georgina Dionne.

Fit ses études au collège de Sainte-Anne-de-la-Pocatière et à l'université Laval à Québec. Lauréat du prix Tessier. Admis au barreau de la province de Québec le 22 septembre 1879.

Fut secrétaire particulier du lieutenant-gouverneur Théodore **Robitaille** de 1879 à 1884. Dans le domaine du journalisme, il fut rédacteur en chef de l'hebdomadaire *le Courrier du Canada* de 1884 à 1901 et propriétaire de ce journal de 1890 à 1901. Il fut également propriétaire et rédacteur du *Journal des campagnes* d'août 1890 à décembre 1901. Membre du comité de rédaction des *Nouvelles Soirées canadiennes* en 1883. Collaborateur au journal *la Presse* où il signa de 1897 à 1911, sous le pseudonyme d'Ignotus, la rubrique intitulée «Notes et souvenirs». Auteur de la chronique mensuelle «À travers les faits et les œuvres», publiée dans la *Revue canadienne* de 1899 à 1922. Directeur de *l'Événement*. Collaborateur au *Bulletin des recherches historiques*, sous le pseudonyme d'Ignotus. Il utilisa aussi le pseudonyme d'Archiloque. Il signa également plusieurs articles pour les journaux *le Vingt-quatre juin* en 1880, *la Voix du patriotisme* en 1889, *le Drapeau* et *la Kermesse*. Fut collaborateur d'Arthur Doughty aux Archives nationales à Ottawa. Professeur et titulaire de la chaire d'histoire rattachée à la faculté des arts de l'université Laval de 1907 à 1934. Professeur émérite à la faculté d'histoire en 1934 et 1935.

Candidat conservateur défait dans Kamouraska aux élections fédérales de 1891. Nommé conseiller législatif de la division des Laurentides le 18 mars 1892. Leader du gouvernement au Conseil législatif en 1893 et 1894. Assermenté ministre sans portefeuille dans le cabinet Taillon le 1er février 1893. Président du Conseil législatif du 5 avril 1895 au 12 janvier 1897. Président du Conseil exécutif dans le cabinet Flynn du 11 mai 1896 au 24 mai 1897 et commissaire de la Colonisation et des Mines du 12 janvier au 26 mai 1897. Refusa le siège de sénateur que lui offrit le premier ministre Borden en 1917. Nommé sénateur de la division de Grandville le 31 décembre 1919. Leader du gouvernement au Conseil législatif de 1936 à 1939 et de 1944 à 1946. Assermenté ministre sans portefeuille dans le cabinet Duplessis le 26 août 1936 et le 14 juillet 1938. Réassermenté ministre sans portefeuille le 30 août 1944.

Docteur ès lettres de l'université Laval en 1898. Docteur en droit honoris causa des universités Laval à Québec et à

Montréal, du Bishop's College à Lennoxville et de la Queen's University à Kingston. Historien et homme de lettres. Auteur des œuvres suivantes : *les Congrégations enseignantes et le brevet de capacité* (1893), *Discours et conférences* (3 recueils : 1897, 1913, 1935), *le Serment du roi* (1901), *Jean Talon, intendant de la Nouvelle-France* (1904), *Mélanges de polémique et d'études religieuses, politiques et littéraires* (1905), *le Marquis de Montcalm, 1712–1759* (1911) qui obtint le prix Thiers de l'Académie française, *Mélanges* (1915), *Cours d'histoire du Canada, 1760–1867* (8 volumes : 1919–1923 ; réédités et augmentés : 1943–1945). Collabora à l'ouvrage intitulé *Canada and its Provinces*. Publia également trois ouvrages concernant d'autres intendants de la Nouvelle-France.

Membre de la Société historique du Canada. Membre de la Société royale du Canada en 1902, président de la section francophone de cette société en 1907, puis président général en 1923 et 1924. Membre du conseil de l'université Laval de 1920 à 1935. Président de la Société Saint-Jean-Baptiste de Québec. Récipiendaire des titres et honneurs suivants : chevalier de la Légion d'honneur de France (1902), commandeur de l'ordre de Saint-Grégoire-le-Grand (1914), médaille d'or de la Société historique de Montréal (1922), médaille d'or Tyrell de la Société royale du Canada pour son œuvre historique (1928), *Knight Bachelor* (sir), titre qui lui fut décerné par George V d'Angleterre (1935), médaille d'or du Mérite diocésain (1945).

Décédé en fonction à Saint-Denis, le 15 juillet 1946, à l'âge de 88 ans et 3 mois. Inhumé dans le cimetière de cette paroisse, le 18 juillet 1946.

Avait épousé dans la paroisse Notre-Dame de Québec, le 10 janvier 1884, Marie-Sophie-Justine-Hectorine Langevin, fille d'Hector **Langevin**, avocat, et de Justine Têtu.

Petit-fils d'Amable **Dionne**. Neveu d'Élisée **Dionne**.

Bibliographie : Barnard, Julienne, *Mémoires Chapais*, Montréal, Fides, 1961, 3 vol. Bruchési, Jean, *Brève histoire d'une longue amitié*, Montréal, Éditions des Dix, 1959, 28 p. Harvey, Fernand, *Bibliographie de six historiens québécois (Michel Bibaud, François-Xavier Garneau, Thomas Chapais, Lionel Groulx, Fernand Ouellet, Michel Brunet)*, Québec, université Laval, 1970, 48 p.

CHAPLEAU, Joseph-Adolphe (1840–1898)

Né à Sainte-Thérèse, le 9 novembre 1840, fils de Pierre Chapleau, maçon, et de Zoé Sigouin.

Fit ses études au collège Masson à Terrebonne et au séminaire de Saint-Hyacinthe. Étudia le droit à Montréal auprès de Mes **Ouimet**, Morin et Marchand. Admis au barreau du Bas-Canada le 2 décembre 1861. Créé conseil en loi de la reine le 28 février 1873. Docteur en droit de l'université Laval en 1878.

Exerça sa profession d'avocat à Montréal. Fut associé aux avocats Gédéon **Ouimet**, Joseph-Alfred **Mousseau**, Edward Brock **Carter**, Levi Ruggles **Church**, John Smythe **Hall**, Albert William **Atwater** et Charles Laplante dit **Champagne** ainsi qu'à Mes Moreau, Archambault, Nicolls et Brown. Fut le défenseur du métis Ambroise Lépine à Winnipeg en 1874. Professeur de droit criminel à l'université Laval à Montréal de 1878 à 1885 et professeur titulaire de droit international de 1885 à 1898.

Élu sans opposition député conservateur dans Terrebonne en 1867. Réélu en 1871. Candidat conservateur défait dans Verchères aux élections fédérales de 1872. Son siège devint vacant le 27 février 1873 lors de sa nomination comme solliciteur général, puis fut réélu sans opposition à l'élection partielle du 12 mars 1873. Solliciteur général dans le cabinet Ouimet du 27 février 1873 au 8 septembre 1874. De nouveau élu en 1875. Son siège devint vacant à la suite de sa nomination au cabinet ; fut réélu sans opposition à l'élection partielle du 10 février 1876. Assermenté ministre sans portefeuille dans le cabinet Boucher de Boucherville le 24 janvier 1876. Secrétaire et registraire de la province dans le même cabinet du 25 janvier 1876 au 8 mars 1878. Chef du Parti conservateur en 1878. De nouveau élu en 1878. Chef de l'Opposition du 1er mai 1878 au 31 octobre 1879. Il démissionna comme député, en octobre 1879, lorsqu'il fut appelé par le lieutenant-gouverneur à former le nouveau cabinet. Fut réélu sans opposition à l'élection partielle du 13 novembre 1879. Premier ministre et président du Conseil exécutif du 31 octobre 1879 au 29 juillet 1882. Commissaire de l'Agriculture et des Travaux publics du 31 octobre 1879 au 5 juillet 1881. Commissaire des Chemins de fer du 10 octobre 1880 au 5 juillet 1881. Élu sans opposition aux élections de 1881. Son siège devint vacant lorsqu'il fut nommé membre du Conseil privé le 29 juillet 1882. Élu sans opposition député conservateur à la Chambre des communes dans Terrebonne à l'élection partielle du 16 août 1882. Secrétaire d'État dans le cabinet Macdonald du 29 juillet 1882 au 6 juin 1891. Réélu en 1887 et 1891. Secrétaire d'État dans le cabinet Abbott du 16 juin 1891 au 24 janvier 1892 et ministre des Douanes du 25 janvier au 24 novembre 1892. Refusa d'entrer au cabinet Thompson en 1892. Résigna son mandat le 5 décembre 1892, à la suite de sa nomination comme lieutenant-gouverneur de la province de Québec, fonction qu'il occupa du 12 décembre 1892 au 20 janvier 1898. Refusa également d'entrer dans le cabinet Tupper en 1896.

Directeur de la Laurentides Railway Co. et de la Pontiac & Pacific Railway Co. En 1862 et 1863, il fut propriétaire du journal le *Colonisateur* avec Ludger Labelle, Joseph-Alfred **Mousseau**, Laurent-Olivier **David**, D. Ricard, L.-W. Tessier, L.-O. Fontaine et Louis-Victor **Sicotte**. Actionnaire et directeur politique du journal *la Minerve*. Bailleur de fonds pour le journal *la Presse*, et puis directeur politique. Promoteur et vice-président du Crédit foncier franco-canadien. Directeur du Crédit foncier du Bas-Canada et de la Banque d'épargne de la cité et du district de Montréal. Dernier président de l'Institut canadien-français de Montréal. Membre du St. James Club, du Club de la garnison de Québec et du Club Rideau d'Ottawa. Créé commandeur de l'ordre de Saint-Grégoire-le-Grand en 1881, commandeur de la Légion d'honneur le 10 novembre 1882 et chevalier commandeur de l'ordre de Saint-Michel et Saint-George le 20 mai 1896. Membre du conseil de l'université Laval à Montréal de 1893 à 1898.

Décédé à Montréal, le 13 juin 1898, à l'âge de 57 ans et 7 mois. Inhumé à Montréal, dans le cimetière Notre-Dame-des-Neiges, le 16 juin 1898.

Avait épousé à Sherbrooke, dans la paroisse Saint-Michel, le 25 novembre 1874, Marie-Louise King, fille de Charles King, lieutenant-colonel et major de brigade, et de Bessie Harrington.

Bibliographie: *DBC.*

CHAPUT-ROLLAND, Solange

Née à Montréal, le 14 mai 1919, fille d'Émile Chaput, industriel, et de Rosalie Loranger.

A fait ses études au couvent d'Outremont, à la Sorbonne et à l'Institut catholique de Paris.

Journaliste, écrivain et animatrice d'émissions d'affaires publiques à la radio et à la télévision. Nommée membre de la Commission de l'unité canadienne (commission Pépin-Robarts), le 24 août 1977.

Élue députée libérale dans Prévost à l'élection partielle du 14 novembre 1979. Défaite en 1981.

Critique littéraire pour plusieurs journaux et revues du Québec, elle a fondé et dirigé un journal mensuel, *Points de vue*, de septembre 1955 à octobre 1961 et a écrit de nombreux ouvrages dont: *Chers ennemis* (1963); *Mon pays, Québec ou le Canada?* (1966); *Québec Année Zéro*; *Une ou deux sociétés justes* (1989); *De l'unité à la réalité* (1981); *le Mystère Québec* (1984); *Et tournons la page...* (1989) et *le Tourment et l'apaisement* (1990).

Elle fut élue «femme de l'année» par la Presse canadienne en 1968 et remporta le Memorial Award du Media Club en 1972 pour ses éditoriaux à CKAC. En 1974, elle accepta la présidence du Cercle des femmes journalistes. Auteure du téléroman de Radio-Canada «Monsieur le ministre» de septembre 1982 à juin 1986. Officier de l'ordre national du Québec (26 juin 1985). Animatrice de radio à CKAC en compagnie de Claude **Charron** en 1985 et 1986.

Assermentée comme sénatrice dans la division des Mille-Isles le 28 septembre 1988. Appuie le Parti progressiste-conservateur.

CHARBONNEAU, Edgar
(1901–1982)

Né à Montréal, le 25 août 1901, fils de François-Xavier Charbonneau, entrepreneur en plâtrerie, et de Rose-Anna Laporte.

Fit ses études à l'école normale Jacques-Cartier et à l'école Plessis à Montréal. Fit son apprentissage de bijoutier chez Joseph Saint-Jean et celui d'horloger à la maison Earl Middlemiss.

Travailla chez Scott-Bousquet Frères et Murray O'Shea. Créa le département de bijouterie de la maison Dupuis & Frères ltée avant d'ouvrir son propre établissement en juillet 1924. Propriétaire et président des bijouteries Edgar Charbonneau ltée à Montréal et à Repentigny. Président de Geo. Pelletier ltée et vice-président des industries Chardo ltée. Président-fondateur de l'Est Central Commercial inc., devenu plus tard le Centre commercial de Montréal. Fondateur et président pendant dix-huit ans de l'Association des bijoutiers de la province de Québec inc.

Élu député de l'Union nationale dans Montréal–Sainte-Marie en 1956. Réélu en 1960 et 1962, et dans Sainte-Marie en 1966. Assermenté ministre sans portefeuille dans le cabinet Johnson le 16 juin 1966, puis dans le cabinet Bertrand le 2 octobre 1968. Demeura en fonction jusqu'à sa démission comme député le 19 août 1969.

Membre des Chevaliers de Colomb et de la Société Saint-Jean-Baptiste. Membre à vie du Club canadien de Montréal et de la Palestre nationale. Président de la Ligue de quilles Edgar Charbonneau. Propriétaire du Club de hockey junior Edgar Charbonneau.

Décédé à Montréal, le 11 mai 1982, à l'âge de 80 ans et 9 mois. Inhumé à Montréal, dans le cimetière de l'Est, le 13 mai 1982.

Avait épousé à Montréal, dans la paroisse Sainte-Brigide, le 21 janvier 1931, Mariette Ducharme, fille d'Eugène Ducharme, journalier, et de Marie-Louise Hénault.

CHARBONNEAU, Jean-Pierre

Né à Saint-Eustache, le 3 janvier 1950, fils de Denis Charbonneau, concierge, et de Reine Campeau.

Fit ses études à l'école Saint-François-Xavier à Laval-des-Rapides, aux écoles Édouard-Charles-Fabre et Sauvé à Montréal, au collège Ahuntsic à Montréal et à l'École de criminologie de l'université de Montréal. Diplômé en criminologie.

Journaliste, il fut chroniqueur des affaires criminelles et policières au *Devoir*, de 1971 à 1976, et à *la Presse* en 1976. Fut consultant et conseiller à la Commission d'enquête sur le crime organisé (CECO). Auteur de *la Filière canadienne* (1975) qui lui valut le prix Beccaria décerné par la Société de criminologie du Québec. Coauteur, avec Gilbert **Paquette**, de l'ouvrage intitulé *l'Option* (1978). Vice-président du Syndicat des journalistes du *Devoir*.

Élu député du Parti québécois dans Verchères en 1976. Réélu en 1981 et 1985. Président du caucus des députés de la Rive-Sud de Montréal en 1977 et 1978. Adjoint parlementaire du premier ministre du 9 mars 1983 au 15 mars 1984. Président de la Commission de l'éducation et de la main-d'œuvre du 15 mars 1984 au 23 octobre 1985. Président de la Commission de l'économie et du travail du 11 février 1986 au 30 juin 1989. Démissionna comme député de Verchères le 30 juin 1989.

Administrateur de projets d'entraide pour l'Organisation canadienne pour la solidarité et le développement au Rwanda de 1989 à 1990. Animateur de l'émission *Point de vue* à la radio de CKVL et chroniqueur à l'hebdomadaire *l'Œil régional* de Belœil à partir de 1990. Professeur de Tai-Ji Kuan à Belœil à compter de 1991. Président du conseil d'administration d'OXFAM-Québec à compter de 1992.

CHARBONNEAU, Joseph-Euclide
(1888–1961)

Né à Napierville, le 26 avril 1888, fils d'Euclide Charbonneau, cultivateur, et d'Emma Tremblay.

Fit ses études à Napierville et au collège d'Iberville.

Cultivateur et commerçant de grains. Président de la fabrique de conserves de Napierville. Directeur de la compagnie d'électricité Napierville ltée. Honoré du Mérite agricole.

Candidat libéral défait dans Napierville à l'élection partielle du 27 décembre 1918. Élu député libéral dans Napierville-Laprairie en 1923. Réélu en 1927, 1931 et 1935. Défait en 1936. Employé au ministère de la Voirie de 1950 à 1953.

Décédé à Napierville, le 5 octobre 1961, à l'âge de 73 ans et 6 mois. Inhumé dans le cimetière de cette paroisse, le 9 octobre 1961.

Avait épousé dans sa paroisse natale, le 6 juin 1911, Alice Girardin, fille de Théodule Girardin, cultivateur, et de Rose de Lima Boivin ; puis, à Saint-André-d'Argenteuil, le 1er décembre 1955, Antoinette Rasthoul, fille de Ferdinand Rasthoul et de Paméla Desjardins, et veuve d'Henri Lalonde.

CHARBONNEAU, Michel

Né à Napierville, le 23 septembre 1948, fils d'Orile Charbonneau, producteur agricole, et de Laurette Lucier, institutrice.

A étudié au séminaire de Saint-Jean de 1961 à 1969 et à l'université de Montréal en éducation physique de 1969 à 1971. A poursuivi des études spécialisées en transport routier international à la Pennsylvania University de 1973 à 1975. Titulaire d'un certificat en administration, option transport routier, de l'université du Québec à Montréal en 1981.

Professeur d'éducation physique à l'école primaire Daigneau de Napierville de 1969 à 1971. Directeur du personnel et contrôleur pour J.E. Fortin inc., entreprise de transport international routier à Saint-Bernard-de-Lacolle de 1971 à 1989. Propriétaire d'une ferme à Saint-Cyprien-de-Napierville.

Conseiller municipal de 1980 à 1987, et maire de Napierville de 1987 à 1989. Élu président de l'Association libérale de Saint-Jean en 1988. Élu député libéral dans Saint-Jean en 1989.

CHARLEBOIS, Léon-Benoît-Alfred
(1842–1887)

Né à La Prairie, le 18 février 1842, fils de Benoît Charlebois et de Madeleine David.

A étudié à l'école primaire de La Prairie. Commerçant de grains. Président du Turnpike Road Trust. Major junior du 85e bataillon. Auditeur de la municipalité de La Prairie en 1870.

Conseiller municipal de La Prairie du 13 janvier 1871 au 13 janvier 1873. Élu député conservateur dans Laprairie en 1875. Réélu en 1878, 1881 et 1886.

Décédé en fonction à La Prairie, le 27 juin 1887, à l'âge de 45 ans et 4 mois. Inhumé dans le cimetière de La Prairie, le 30 juin 1887.

Avait épousé dans la cathédrale de Montréal, le 24 août 1868, Marie Elmire Varin, fille de Jean-Baptiste **Varin**, notaire, et d'Hermine Raymond.

CHARRON, Claude

Né à l'Île-Bizard, le 22 octobre 1946, fils de Lucien Charron, chauffeur d'autobus, et de Béatrice Théorêt.

Fit ses études à l'école Saint-Raphaël à l'Île-Bizard, au collège Saint-Laurent et à l'université de Montréal où il a obtenu une maîtrise en science politique. Vice-président aux affaires internationales de l'Union générale des étudiants du Québec en 1968 et 1969.

Professeur aux cégeps Édouard-Montpetit et du Vieux-Montréal en 1969 et 1970.

Membre du Mouvement souveraineté-association. Élu conseiller de l'exécutif national du Parti québécois en 1969. Élu député du Parti québécois dans Saint-Jacques en 1970. Réélu en 1973, 1976 et 1981. Ministre délégué au haut-commissariat à la Jeunesse, aux Loisirs et aux Sports du 17 février 1977 au 21 septembre 1979. Ministre délégué aux Affaires parlementaires du 21 septembre 1979 au 23 février 1982. Leader parlementaire adjoint du gouvernement de 1976 à 1978. Leader parlementaire du gouvernement du 3 octobre 1978 au 23 février 1982. Démissionna du cabinet le 23 février 1982 et comme député le 9 novembre 1982.

Animateur à la radio et à la télévision, notamment à l'émission le Match de la vie à Télé-Métropole à partir de 1987.

Coauteur du livre intitulé les Étudiants québécois – la contestation permanente (1969). A publié également Désobéir (1983) et Probablement l'Espagne (1987).

Neveu de Roland **Théorêt**.

CHARTIER, Ernest-Joseph
(1892–1954)

Né à Saint-Damase, le 24 février 1892, fils d'Hector Chartier, cultivateur et commerçant, et de Marie-Louise Daigle.

Étudia à Saint-Damase et au collège Sacré-Cœur à Saint-Hyacinthe.

Commerçant de bois et de charbon à Québec et à Saint-Hyacinthe sous la raison sociale E.J. Chartier et Cie. Directeur de La Survivance, compagnie d'assurance-vie. Propriétaire et président de l'hebdomadaire le Courrier de Saint-Hyacinthe. Président de la Compagnie d'imprimerie et comptabilité ltée de Saint-Hyacinthe. Vice-président de Casavant Frères ltée, fabricants d'orgues. Membre du Club maskoutain, du Club Renaissance et des Chevaliers de Colomb.

Élu député de l'Union nationale dans Saint-Hyacinthe en 1944. Réélu en 1948 et 1952.

Décédé en fonction à Saint-Hyacinthe, le 22 septembre 1954, à l'âge de 62 ans et 5 mois. Inhumé dans le cimetière de la paroisse Saint-Hyacinthe-le-Confesseur, le 27 septembre 1954.

Avait épousé à Montréal, dans la paroisse Saint-Jacques, le 20 juillet 1914, Marie-Anne Duhamel, fille d'Élie Duhamel, contremaître, et de Laetitia Lavallée.

CHARTIER DE LOTBINIÈRE, Michel-Eustache-Gaspard-Alain
(1748–1822)

Né à Québec, le 31 août 1748, puis baptisé le 1er septembre, dans la paroisse Notre-Dame, sous le prénom d'Eustache-Gaspard-Michel, fils de Michel Chartier de Lotbinière, militaire, et de Louise-Madeleine Chaussegros de Léry.

Servit comme cadet au siège de Québec en 1759, mais sa carrière militaire tourna court par suite de la Conquête. Passa en France avec son père. Revint au Canada en 1763 et poursuivit ses études. Obtint une commission d'arpenteur en 1768. À compter de 1770, fit l'acquisition et l'exploitation de plusieurs seigneuries, dont celles de Lotbinière et de Vaudreuil. Participa à la défense du fort Saint-Jean, sur le Richelieu, en 1775, pendant l'invasion américaine. Fait prisonnier, fut envoyé aux États-Unis. De retour au printemps de 1777, fut nommé juge de paix pour le district de Montréal et promu capitaine dans la milice. Se retira de la milice en juillet 1818 avec le grade de colonel obtenu en 1803.

Élu député d'York en 1792 ; appuya tantôt le parti canadien, tantôt le parti des bureaucrates. Élu orateur le 28 janvier 1794 ; exerça cette fonction jusqu'au 31 mai 1796. Nommé conseiller législatif en 1796 ; prit son siège le 24 janvier 1797. S'occupa d'administration municipale, à Montréal, après 1796.

Décédé en fonction à Montréal, le 1er janvier 1822, à l'âge de 73 ans et 4 mois. Inhumé dans la chapelle Saint-Louis de la paroisse Saint-Michel, à Vaudreuil, le 5 janvier 1822.

Avait épousé dans la paroisse de l'Immaculée-Conception, à Trois-Rivières, le 13 décembre 1770, Marie-Josephte (Josette) Tonnancour, fille de Louis-Joseph Godefroy de Tonnancour, seigneur et marchand, et de sa première femme, Marie Scamen (Scammon) ; puis, dans la paroisse Saint-Michel, à Vaudreuil, le 15 novembre 1802, Maria Charlotte Munro, veuve du juge de paix Paul Dennis et fille de John Munro, conseiller législatif du Haut-Canada, et de Marie Talbot Gilbert Bruère.

Grand-père d'Antoine Chartier de Lotbinière **Harwood** et d'Henri-Gustave **Joly de Lotbinière**. Beau-père de

Robert Unwin **Harwood**. Beau-frère de Thomas **Coffin**, de Pierre-Amable **De Bonne** et de Joseph-Marie **Godefroy de Tonnancour**.

———

Bibliographie: *DBC.*

CHARTRAND, Victor-Stanislas (1887–1966)

Né à Montréal, le 12 mars 1887, fils de Cléophas Chartrand, industriel, et d'Anna Pariseau.

Fit ses études au collège Mont-Saint-Louis à Montréal.

Gérant puis président-directeur général de la Compagnie Forest ltée, manufacture de cigares. Président de la Chambre de commerce locale et de la Société Saint-Vincent-de-Paul. Vice-président de la Société Saint-Jean-Baptiste. Membre des Chevaliers de Colomb.

Maire de L'Épiphanie de 1951 à 1957. Préfet du comté de L'Assomption du 14 mars 1951 au 12 juin 1957. Candidat de l'Union nationale défait dans L'Assomption en 1939. Élu député de l'Union nationale dans cette circonscription en 1944. Réélu en 1948, 1952, 1956 et 1960. Démissionna le 16 mars 1961. Déclaré défait par la Cour supérieure le 12 juillet 1961.

Décédé à L'Épiphanie, le 11 février 1966, à l'âge de 78 ans et 11 mois. Inhumé dans le cimetière de cette paroisse, le 15 février 1966.

Avait épousé dans la paroisse Saint-Hyacinthe-le-Confesseur, le 3 mai 1910, Joséphine Langelier, fille de François Langelier, employé civil, et de Cordélia Roy.

CHÂTEAUVERT, Victor (1841–1920)

Né dans la paroisse Notre-Dame de Québec, le 12 mars 1841, fils de Pierre Châteauvert, maçon, et d'Angèle Rousseau.

A étudié chez les Frères des écoles chrétiennes et à la Thom's Academy.

Commis junior pour la compagnie J.B. Renaud de Québec. S'associa par la suite à Gaspard Lemoine, négociant en grains, farine et aliments, et devint copropriétaire de cette compagnie. Président de la Chambre de commerce de Québec de 1892 à 1894. Commissaire du havre de Québec d'octobre 1891 à octobre 1896.

Candidat conservateur défait dans Québec-Centre aux élections fédérales de 1891. Élu député conservateur à l'As-semblée législative dans Québec-Centre en 1892. Défait en 1897. Défait de nouveau dans Québec-Centre aux élections fédérales de 1900.

Décédé à Québec, le 6 novembre 1920, à l'âge de 79 ans et 7 mois. Inhumé à Sainte-Foy, dans le cimetière Notre-Dame-de-Belmont, le 9 novembre 1920.

Avait épousé à Québec, dans la paroisse Saint-Jean-Baptiste, le 14 août 1860, Sophie-Virginie Dussault, fille d'Augustin-David Dussault, maçon, et de Marie-Louise Mailloux.

CHAURET, Joseph-Adolphe (1854–1918)

Né le 5 août et baptisé dans la paroisse Notre-Dame de Montréal, le 6 août 1854, fils de Frédéric Chauret, agriculteur, et d'Adélaïde Legault.

A étudié au collège de Montréal, aux universités McGill et Laval à Montréal. Admis à la pratique du notariat en 1879. Docteur en droit honoris causa de l'université Laval à Montréal en 1909.

Exerça sa profession à Sainte-Geneviève (île de Montréal). Fut aussi agriculteur. Secrétaire-trésorier du conseil municipal de Sainte-Geneviève de 1880 à 1904, du conseil de comté de Jacques-Cartier, de la Société d'agriculture du comté de Jacques-Cartier et de l'Alliance nationale de Sainte-Geneviève. Directeur de la compagnie d'assurances L'Équitable. Président du Cercle agricole. A reçu la médaille d'argent et un diplôme de très grand mérite au concours du Mérite agricole en 1895.

Élu député libéral dans Jacques-Cartier en 1897. Réélu en 1900 et 1904. Ne s'est pas représenté en 1908. Nommé conseiller législatif de la division de Rigaud le 4 janvier 1915.

Décédé en fonction à Montréal, le 1er août 1918, à l'âge de 63 ans et 11 mois. Inhumé dans le cimetière de Sainte-Geneviève, le 5 août 1918.

Avait épousé à Saint-Benoît, aujourd'hui Mirabel, le 23 juin 1885, Marie Ada Ellen Gernon, fille de Gérald Diffin Gernon, médecin, et de Marie Amanda Drolet.

CHAUSSEGROS DE LÉRY, Alexandre-René (1818–1880)

Né dans la paroisse Notre-Dame de Québec, le 26 mars 1818, fils de Charles-Étienne **Chaussegros de Léry** et de Josephte Fraser.

A étudié au séminaire de Québec. Fit son droit auprès de Louis de Gonzague Baillargé. Admis au barreau du Bas-Canada le 28 juillet 1842.

Seigneur de Rigaud-Vaudreuil et de Sainte-Barbe-de-la-Famine. Propriétaire de biens immobiliers à Québec, Sainte-Marie et Saint-François-de-Beauce. Fondateur de la Compagnie des mines d'or de Léry en 1865. Président de la Compagnie de chemin à lisses de Lévis à Kennebec.

Nommé conseiller législatif de la division de Lauzon le 2 novembre 1867, il occupa ce poste jusqu'à son décès. Appuya le Parti conservateur. Nommé sénateur de la division de Lauzon le 13 décembre 1871, il démissionna de ce poste le 11 avril 1876.

Décédé en fonction à Québec, le 19 décembre 1880, à l'âge de 62 ans et 9 mois. Inhumé dans l'église de Saint-François-de-Beauce, le 23 décembre 1880.

Avait épousé dans sa paroisse natale, le 12 février 1844, Catherine Charlotte-Éliza Couillard, fille d'Antoine-Gaspard **Couillard**, médecin, et de Marie-Angélique-Flore Wilson.

Petit-fils de John **Fraser** (<1758–1795). Beau-père de Richard **Alleyn**.

Bibliographie: *DBC*.

CHAUSSEGROS DE LÉRY, Charles-Étienne (1774–1842)

Né à Québec, le 30 septembre 1774, puis baptisé le 1er octobre, dans la paroisse Notre-Dame, fils de Gaspard-Joseph **Chaussegros de Léry**, grand voyer du district de Québec, et de Louise Martel de Brouague.

Commença l'apprentissage du droit auprès de Michel-Amable **Berthelot Dartigny** en août 1774, mais interrompit son stage pour faire carrière dans l'administration publique. Occupa à partir de 1793 les postes de greffier adjoint et d'adjoint au traducteur du Conseil législatif. En 1797, devint greffier adjoint et traducteur de ce corps, et hérita de son père plusieurs seigneuries et autres vastes propriétés foncières. Obtint, en 1804, la charge de greffier de la couronne en chancellerie et, en 1805, celle de greffier de la Cour d'audition et de jugement des causes criminelles. Nommé clerc de la couronne, à Québec, en 1813. Accéda, en 1817, aux fonctions de maître en chancellerie qu'il avait déjà remplies en l'absence du titulaire en 1804 et 1812; sa nomination fut renouvelée en décembre 1830. Officier de milice, servit pendant la guerre de 1812 à titre de quartier-maître général adjoint et d'adjudant général adjoint; promu quartier-maître général de la milice du Bas-Canada en 1828 et colonel commandant la milice de la ville de Québec en 1830. Détint plusieurs postes de commissaire et fut juge de paix.

Nommé au Conseil exécutif le 4 janvier 1826; démissionna le 22 octobre 1835 ou en 1837, selon les sources. Fit partie du Conseil spécial du 2 avril 1838 jusqu'à la dissolution de ce conseil, en juin, et à nouveau du 2 novembre 1838 jusqu'à l'entrée en vigueur de l'Acte d'Union, le 10 février 1841.

Décédé à Québec, le 17 février 1842, à l'âge de 67 ans et 4 mois. Inhumé dans l'église Saint-François (à Beauceville), le 24 février 1842.

Avait épousé dans la paroisse Notre-Dame de Québec, le 25 novembre 1799, Josephte Fraser, fille de John **Fraser** (≈1727–1795), juge de la Cour du banc du roi à Montréal, et de Marie-Claire Fleury Deschambault.

Père d'Alexandre-René **Chaussegros de Léry**. Frère de Louis-René **Chaussegros de Léry**. Beau-frère de Jacques-Philippe **Saveuse de Beaujeu**.

Bibliographie: *DBC*.

CHAUSSEGROS DE LÉRY, Gaspard-Joseph (1721–1797)

Né à Québec, le 20 juillet 1721, puis baptisé le 21, dans la paroisse Notre-Dame, fils de Gaspard-Joseph Chaussegros de Léry, ingénieur militaire, et de Marie-Renée Legardeur de Beauvais. Son prénom s'orthographiait aussi Joseph-Gaspard.

Fit des études de génie militaire dans les troupes de la Marine.

Entra dans l'armée comme cadet en 1733, atteignit le grade de capitaine en 1757. Nommé au poste de sous-ingénieur en 1739, démissionna en 1749 mais continua d'exercer sa profession. Les rapports ou journaux de campagne qu'il écrivit de 1749 à 1759 furent publiés dans le *Rapport de l'archiviste de la province de Québec pour 1926–1927* et dans le *Rapport [...] pour 1927–1928*. Obtint la croix de Saint-Louis en janvier 1759. Participa à la bataille des plaines d'Abraham; fut blessé et fait prisonnier. Envoyé en France à la fin de 1761, revint à Québec via l'Angleterre en septembre 1764. Nommé grand voyer du district de Québec en 1768. Propriétaire de plusieurs seigneuries, dont la seigneurie de Léry héritée de son père.

Prêta serment comme conseiller législatif le 17 août 1775. Était membre du Conseil exécutif en 1784. Nommé conseiller législatif en 1792.

Décédé en fonction à Québec, le 11 décembre 1797, à l'âge de 76 ans et 4 mois. Inhumé dans la nef de la cathédrale Notre-Dame, le 14 décembre 1797.

Avait épousé dans la paroisse Notre-Dame, à Québec, le 24 septembre 1753, Louise Martel de Brouague, fille de François Martel de Brouague, commandant de la côte du Labrador, et de sa seconde femme, Louise Mariauchau d'Esgly.

Père de Charles-Étienne et de Louis-René **Chaussegros de Léry**. Grand-père de Georges-René **Saveuse de Beaujeu**. Beau-père de Jacques-Philippe **Saveuse de Beaujeu**. Oncle par alliance de James **Walker**.

Bibliographie: *DBC*.

CHAUSSEGROS DE LÉRY, Louis-René (1762–1832)

Né à Paris, le 13 octobre 1762, fils de Gaspard-Joseph **Chaussegros de Léry**, officier et ingénieur, et de Louise Martel de Brouague.

Venu rejoindre ses parents à Québec en 1770, tenta en vain, jusqu'en 1774, d'entreprendre une carrière militaire. Étudia au petit séminaire de Québec jusqu'en août 1782.

Retourna en Europe en 1783. Servit dans les gardes du corps du roi de France de 1784 à 1791, puis avec les troupes du roi de Prusse jusqu'à son licenciement en 1792. Réfugié en Grande-Bretagne, ne put y poursuivre sa carrière et revint en 1794 à Québec, où il adhéra à l'Association, fondée en juin pour appuyer l'autorité britannique. Fut capitaine dans le Royal Canadian Volunteer Regiment d'octobre 1798 jusqu'à sa dissolution en 1802. De retour à la vie civile, s'occupa de propriétés seigneuriales familiales. Nommé grand voyer du district de Montréal en 1806; sa commission fut renouvelée en 1830. Fut juge de paix et officier de milice; promu lieutenant-colonel pendant la guerre de 1812.

Nommé au Conseil législatif le 9 février 1818. S'occupa d'administration municipale, à Montréal, après 1796.

Décédé en fonction à Boucherville, le 28 novembre 1832, à l'âge de 70 ans et un mois. Inhumé dans l'église Sainte-Famille, le 1er décembre 1832.

Avait épousé dans la paroisse Sainte-Famille, à Boucherville, le 20 mai 1799, Madeleine-Charlotte Boucher de Boucherville, fille du seigneur René Amable **Boucher de Boucherville** et de Madeleine Raimbault de Saint-Blaint.

Frère de Charles-Étienne **Chaussegros de Léry**. Beau-frère de Pierre-Amable **Boucher de Boucherville** et de Jacques-Philippe **Saveuse de Beaujeu**.

Bibliographie: *DBC*.

CHAUVEAU, Alexandre (1847–1916)

Né dans la paroisse Notre-Dame de Québec, le 23 février 1847, fils de Pierre-Joseph-Olivier **Chauveau**, avocat, et de Marie-Louise-Flore Massé.

A étudié à Montréal au collège Sainte-Marie et aux universités Laval et McGill. Fit sa cléricature auprès de S. Lelièvre à Québec et de George-Étienne **Cartier** à Montréal. Admis au barreau de la province de Québec le 4 mars 1868.

Exerça sa profession à Québec avec Richard **Alleyn**.

Élu député conservateur dans Rimouski à l'élection partielle du 29 avril 1872. Élu sans opposition député conservateur indépendant en 1875. Élu député libéral en 1878. Solliciteur général dans le cabinet Joly du 8 mars 1878 au 30 avril 1879. Secrétaire et registraire dans le même cabinet du 19 mars au 12 septembre 1879. Joignit les rangs du Parti conservateur avec quatre de ses collègues, entraînant la démission du gouvernement Joly de Lotbinière, devenu minoritaire le 29 octobre 1879.

Démissionna à la suite de sa nomination au poste de juge à la Cour des sessions de la paix le 16 janvier 1880. Magistrat de police du district de Québec de 1882 à 1890. Docteur en droit de l'université Laval en 1894. Professeur de droit criminel à l'université Laval à Québec de 1894 à 1916. Membre de la Commission d'extradition. Fut directeur, vice-président et président de la Banque Nationale de Québec ainsi que directeur de plusieurs compagnies.

Président général de la Société Saint-Jean-Baptiste de Québec. Président du comité pour l'érection du monument Champlain, initiative qui lui valut la croix de la Légion d'honneur. Créé conseil en loi de la reine le 9 mars 1878.

Décédé à New York, le 7 mars 1916, à l'âge de 69 ans. Inhumé à Sainte-Foy, dans le cimetière Notre-Dame-de-Belmont, le 11 mars 1916.

A épousé à Rimouski, dans la paroisse Saint-Germain, le 1er août 1871, Marie-Anne-Adèle Tessier, fille d'Ulric-Joseph **Tessier**, sénateur, et de Marguerite-Adélaïde Kelly.

Beau-frère de Jules **Tessier** et d'Auguste **Tessier**. Oncle d'Auguste-Maurice **Tessier**. Grand-oncle de Maurice **Tessier**.

CHAUVEAU, Pierre-Joseph-Olivier (1820–1890)

Né à Québec, le 30 mai 1820, puis baptisé le 31, dans la paroisse Notre-Dame, fils de Pierre-Charles Chauveau, marchand, et de Marie-Louise Roy.

Étudia au petit séminaire de Québec de 1829 à 1837. Fit l'apprentissage du droit, notamment auprès de George Okill **Stuart**; admis au barreau en 1841.

Exerça sa profession à Québec. Prit part à la vie intellectuelle et patriotique: déjà, en 1838 et 1839, avait fait paraître des articles dans le *Canadien* de Québec, dont deux poèmes à la gloire des patriotes; à partir de mai 1841 et jusqu'en 1855, publia des billets dans le journal new-yorkais *le Courrier des États-Unis*; cofondateur de la Société Saint-Jean-Baptiste de Québec en 1842 et de la Société canadienne d'études littéraires et scientifiques en 1843; président de la Société littéraire et historique de Québec en 1843; appuya le Comité constitutionnel de la réforme et du progrès, fondé à Québec en 1846; conférencier et, en 1851–1852, président de l'Institut canadien de Québec; vice-président de l'Association de la bibliothèque de Québec; publia à Montréal, en 1853, *Charles Guérin: roman de mœurs canadiennes* et en collaboration, en 1854, *la Pléiade rouge: biographies humoristiques*.

Élu député de Québec en 1844. Réélu en 1848 et 1851 sans opposition, et en 1854. Se rangea du côté du groupe canadien-français, puis des réformistes. Fut solliciteur général du Bas-Canada, sans siège dans le cabinet, du 12 novembre 1851 au 30 août 1853. Fit partie des ministères Hincks–Morin et MacNab–Morin: conseiller exécutif et secrétaire provincial du Canada du 31 août 1853 au 10 septembre 1854 et du 11 septembre 1854 au 26 janvier 1855. Son siège de député devint vacant en raison de sa nomination, en juillet 1855, comme surintendant du bureau d'Éducation.

À titre de surintendant, poste qu'il occupa jusqu'en 1867, s'installa à Montréal et veilla, notamment, à la création des trois premières écoles normales importantes, à la fondation du *Journal de l'Instruction publique*, dont il fut administrateur et rédacteur, et du *Journal of Education for Lower Canada*, ainsi qu'à la mise sur pied du Conseil de l'instruction publique. Membre d'office du bureau d'Agriculture et vice-président de la Chambre des arts et manufactures du Bas-Canada. Effectua en 1866-1867 un voyage en Europe occidentale pour étudier les systèmes d'éducation.

Premier ministre de la province de Québec, président du Conseil exécutif ainsi que secrétaire et registraire de la province du 15 juillet 1867 au 27 février 1873, et ministre de l'Ins-

truction publique du 24 février 1868 au 27 février 1873. Élu sans opposition député conservateur de Québec à l'Assemblée législative et à la Chambre des communes en 1867. Réélu au provincial en 1871 et au fédéral en 1872; résigna ses deux sièges de député le 25 février 1873. Représenta la division de Stadacona au Sénat du 20 février 1873 jusqu'à sa démission, le 8 janvier 1874; fut président de ce corps à compter du 21 février 1873. Candidat conservateur défait dans Charlevoix aux élections fédérales de 1874.

Nommé au sein de la Commission du havre de Québec en mars 1876, en devint président en avril. Exerça ces fonctions jusqu'à sa nomination, en septembre 1877, comme shérif de Montréal, poste qu'il occupa jusqu'à sa mort. Professeur à la faculté de droit de l'université Laval à Montréal de 1878 à 1890; en fut doyen à compter de 1884 ou 1885.

Prononça bon nombres de conférences et de discours. Collabora à divers périodiques, dont *l'Opinion publique* et *la Revue de Montréal*. Publia à Québec, en 1876, *l'Instruction publique au Canada: précis historique et statistique* et à Montréal, en 1883, *François-Xavier Garneau: sa vie et ses œuvres*. Fut président de la Société historique de Montréal, de l'Institut canadien-français de Montréal (1865–1866), de la Société d'archéologie et de numismatique de Montréal (1878–1883) et de la Société royale du Canada (1883–1884), dont il avait aussi été vice-président en 1882–1883. Membre de plusieurs sociétés étrangères à caractère scientifique et culturel, notamment l'Académie royale de Belgique.

Nommé conseiller de la reine en 1853. Reçut des doctorats en droit et en lettres de l'université Laval à Montréal, un doctorat honorifique en droit de la McGill University de Montréal et un autre du Bishop's College de Lennoxville. Fait commandeur de l'ordre de Saint-Sylvestre et de l'ordre de Pie IX, chevalier de l'ordre de Saint-Grégoire-le-Grand et officier de l'Instruction publique en France.

Décédé à Québec, le 4 avril 1890, à l'âge de 69 ans et 10 mois. Inhumé dans la chapelle des ursulines, en la paroisse Notre-Dame, le 8 avril 1890.

Avait épousé dans la paroisse Notre-Dame de Québec, le 22 septembre 1840, Flore Masse, fille de Pierre Masse et de Marie-Anne Boucher.

Père d'Alexandre **Chauveau**.

Bibliographie: *DBC*.

CHENAIL, André

Né à Sainte-Clotilde, le 12 juillet 1946, fils de Fridolin Chenail et d'Évelina Catman, agriculteurs.

Fit ses études à Sainte-Clotilde, à Sainte-Marguerite-du-Lac-Masson, à Laprairie et à Saint-Rémi.

Fondateur des Fermes du Soleil inc., spécialisées en culture et distribution de légumes, en 1977. Président des Terres du Soleil inc., promotion immobilière, à partir de 1981. Fut président de l'Association des jardiniers-maraîchers de la région de Montréal en 1987 et 1988. Président du Centre d'accueil Pierre-Rémi-Narbonne à partir de 1986 et directeur de la fondation du même nom. Président des Fêtes du centenaire de Sainte-Clotilde de 1984 à 1986.

Conseiller municipal de Sainte-Clotilde de 1973 à 1975 et de 1976 à 1980, et maire de cette municipalité de 1982 à 1989. Préfet de la MRC des Jardins-de-Napierville en 1987 et 1988. Élu député libéral dans Beauharnois-Huntingdon en 1989.

CHÊNEVERT, Cuthbert-Alphonse (1859–1920)

Né à Saint-Cuthbert, le 22 mai 1859, fils de Théophile Chênevert, marchand, et de Mathilde Filteau.

Étudia à Saint-Cuthbert, au collège de L'Assomption, au collège Sainte-Marie et à l'université Laval à Montréal. Admis au barreau de la province de Québec le 24 janvier 1883. Créé conseil en loi du roi le 30 juin 1903.

Exerça sa profession à Saint-Cuthbert, à Berthier et à Montréal. Fut associé à Joseph-Émery **Robidoux**, puis à Georges-Albini **Lacombe**. Associé à son frère dans la compagnie d'imprimerie Chênevert et Cⁱᵉ. Fondateur, propriétaire, éditeur et rédacteur de *la Gazette de Berthier* de 1880 à 1906. Fondateur en 1901, puis rédacteur du journal *le Courrier de Sorel*.

Élu député libéral dans Berthier en 1890. Défait en 1892. Réélu en 1897. Réélu sans opposition en 1900. Son siège devint vacant lorsqu'il fut nommé greffier adjoint à la Cour d'appel du Québec à Montréal le 17 juillet 1903.

Décédé à Berthier, le 7 juillet 1920, à l'âge de 61 ans et un mois. Inhumé dans le cimetière paroissial, le 10 juillet 1920.

Avait épousé à L'Assomption, le 27 août 1884, Marie-Berthe-Valérie Rocher, fille de Barthélémi Rocher, notaire et registrateur du comté de L'Assomption, et de Clothilde Roy ; puis, à Berthier, le 12 mars 1907, Marie Melchers, fille de Théodore Melchers, négociant de la ville de Schiedam en Hollande

et copropriétaire de la distillerie Melchers à Saint-Cuthbert, et de Marie Nolet.

CHERRIER, Benjamin-Hyacinthe-Martin (1757–1836)

Né à Longueuil, le 11 novembre 1757, puis baptisé le 17, dans la paroisse Saint-Antoine, sous le prénom de Benjamin-Hyacinthe, fils de François-Pierre Cherrier, notaire, et de Marie Dubuc. Signa B. Cherrier à son mariage.

Étudia au collège Saint-Raphaël, à Montréal, en 1774 ou 1775.

Exerça la profession d'arpenteur à Saint-Denis, sur le Richelieu.

Élu député de Richelieu en 1792. Réélu en 1796. Appuya le parti canadien durant ses deux mandats. Ne se serait pas représenté en 1800.

Décédé à Saint-Denis, sur le Richelieu, le 15 décembre 1836, à l'âge de 79 ans et un mois. Inhumé dans l'église Saint-Denis, le 17 décembre 1836.

Avait épousé dans la paroisse de Saint-Denis, sur le Richelieu, le 3 juin 1794, Marie-Marguerite Richer, fille de Pierre Richer, dit Laflèche, et de Marie-Josephte Truttau.

Frère de Séraphin **Cherrier**. Oncle de Côme-Séraphin **Cherrier**. Beau-frère de Joseph **Papineau** et de Denis **Viger**. Beau-père de Léonard **Godefroy de Tonnancour**.

CHERRIER, Côme-Séraphin (Montréal) (1798–1885)

Né à Repentigny, le 22 juillet 1798, puis baptisé le 23, dans la paroisse de La Purification-de-la-Sainte-Vierge, fils de Joseph-Marie Cherrier, cultivateur et marchand, et de Marie-Josephte Gaté.

Fut pris en charge par son oncle Denis **Viger** en 1801, puis étudia au petit séminaire de Montréal de 1806 à 1816. Fit l'apprentissage du droit auprès de son cousin Denis-Benjamin **Viger**. Admis au barreau en 1822. Nommé conseiller de la reine en 1842.

Exerça sa profession à Montréal jusque vers 1860 ; eut parmi ses associés son cousin Louis-Michel **Viger** et Antoine-Aimé **Dorion**. Refusa à trois reprises une charge de juge, notamment, en 1864, celle de juge en chef de la Cour du banc de la reine du Bas-Canada. Actionnaire de la Compagnie du chemin à lisses du Saint-Laurent et de l'Atlantique, ainsi que de la Banque du peuple, dont il fut administrateur de 1865 à

1877 et président de 1877 à 1885. Héritier, à la mort de Denis-Benjamin **Viger,** de propriétés à Montréal et à l'Île-Bizard.

Élu député de Montréal en 1834; appuya le parti patriote. Conserva son siège jusqu'à la suspension de la constitution, le 27 mars 1838. Emprisonné du 1er décembre 1837 au mois de mars 1838, fut ensuite assigné à sa résidence. Refusa le poste de solliciteur général en 1842 et l'offre de faire partie du ministère Draper–Viger en 1844. Candidat défait à la mairie de Montréal en 1859.

Vice-président en 1852 et président en 1853 de l'Association Saint-Jean-Baptiste de Montréal; vice-président de la Société Saint-Vincent-de-Paul de Montréal. Reçut, en 1855, un doctorat honorifique en droit de la St. John's University, à Fordham, New York; fut bâtonnier du barreau de Montréal en 1855 et 1856. Membre du Conseil de l'instruction publique du Bas-Canada, puis de la province de Québec. Nommé professeur et doyen de la faculté de droit de la succursale de l'université Laval, à Montréal, en 1877. Fait chevalier de l'ordre de Saint-Grégoire-le-Grand en 1869. Auteur de discours, de brochures à caractère juridique et d'une biographie de son beau-frère Frédéric-Auguste **Quesnel**.

Décédé à Montréal, le 10 avril 1885, à l'âge de 86 ans et 8 mois. Après des obsèques célébrées dans l'église Notre-Dame de Montréal, fut inhumé dans le cimetière Notre-Dame-des-Neiges, le 14 avril 1885.

Avait épousé dans la paroisse Notre-Dame de Montréal, le 18 novembre 1833, Mélanie Quesnel, fille du marchand Joseph Quesnel et de Marie-Josephte Deslandes, et veuve du marchand Michel Coursol.

Neveu de Benjamin-Hyacinthe-Martin et de Séraphin **Cherrier**, et de Joseph **Papineau**.

Bibliographie: *DBC*.

CHERRIER, Côme-Séraphin (Laprairie) (1848–1912)

[Né à Sainte-Philomène-de-Châteauguay (aujourd'hui Mercier), le 4 avril 1848, fils de Georges-Édouard Cherrier, agent de la réserve de Sault-Sainte-Marie, et de Sophie Robineau.]

A étudié au séminaire de Sainte-Thérèse-de-Blainville.

Exerça le métier de cultivateur.

Élu député libéral dans Laprairie en 1897. Réélu en 1900 et sans opposition en 1904. Défait en 1908.

Président de la Chambre d'agriculture régionale d'Iberville.

Décédé à La Prairie, le 29 novembre 1912, à l'âge de 64 ans et 7 mois. Inhumé dans le cimetière du même endroit, le 2 décembre 1912.

Avait épousé à Sault-Saint-Louis, le 1er septembre 1873, Éléonore-Angèle Giasson, fille d'Agathe McOmbors.

CHERRIER, Séraphin (1762–1843)

Né à Longueuil, le 7 novembre 1762, puis baptisé le 8, dans la paroisse Saint-Antoine, sous le prénom de Séraphin-Marie, fils de François-Pierre Cherrier, notaire, et de Marie Dubuc.

Étudia au collège Saint-Raphaël de Montréal en 1775.

À compter de 1792, exerça la médecine à Saint-Denis, sur le Richelieu, où il fut aussi marchand à partir de 1802. Maître chantre de 1813 à 1819.

Élu député de Richelieu à une élection partielle le 8 mars 1815. Réélu en 1816. Appuya généralement le parti canadien. Ne se serait pas représenté en avril 1820.

Décédé à Saint-Denis, sur le Richelieu, le 13 juin 1843, à l'âge de 80 ans et 7 mois. Inhumé dans l'église Saint-Denis, le 16 juin 1843.

Avait épousé dans la paroisse Notre-Dame de Montréal, le 3 octobre 1785, Marie-Louise Loubet, fille de Philippe Loubet et de Marie-Louise Dalpé.

Frère de Benjamin-Hyacinthe-Martin **Cherrier**. Beau-frère de Joseph **Papineau** et de Denis **Viger**. Oncle de Côme-Séraphin **Cherrier**.

CHERRY, Normand

Né à Montréal, le 2 juin 1938, fils de Wilbrod Stuart Cherry, comptable.

Fit ses études primaires et secondaires à Saint-Jean-Brébeuf dans le quartier Rosemont.

Employé de Canadair de 1954 à 1989. Président-directeur général du Syndicat des employés de l'Association internationale des machinistes et travailleurs de l'aérospatiale (AIMTA), local 712, de 1969 à 1989. Premier vice-président du Centre d'adaptation de la main-d'œuvre aérospatiale du Québec (CAMAQ) de 1978 à 1989. Représentant des travailleurs canadiens au comité des lois de l'International Association of Machinists and Aerospace Workers (IAMAW, Washington) de 1983 à 1989. Chargé de cours au IAMAW Training and Conference Center (Maryland) de 1985 à 1989. Président du comité pour la survie de Canadair.

Élu député libéral dans Sainte-Anne en 1989. Assermenté ministre délégué aux Communautés culturelles dans le cabinet Bourassa le 11 octobre 1989 et ministre du Travail le 5 octobre 1990.

CHEVRETTE, Guy

Né à Saint-Côme, le 10 janvier 1940, fils d'Adélard Chevrette, journalier, et d'Annette Baillargeon.

Fit ses études au collège de Saint-Côme, au séminaire de Joliette, au collège Montfort à Papineauville, à l'université de Sherbrooke. Diplômé en pédagogie de l'université de Sherbrooke en 1960.

Professeur à la commission scolaire régionale de Lanaudière de 1960 à 1971. Fut chargé de cours à l'université du Québec à Montréal dans le cadre du baccalauréat en administration. Donna en outre des cours sur l'organisation syndicale. Occupa les postes de conseiller, secrétaire-archiviste et vice-président au conseil d'administration du Syndicat de la fédération locale des enseignants. Devint chef négociateur des enseignants du Québec en 1972 et fut élu premier vice-président de la Centrale des enseignants du Québec (CEQ) en 1974. Coauteur, avec Fernand Daoust de la FTQ et M. Thibault de la CSN, d'un rapport traitant des problèmes de l'industrie de la construction. Membre de la commission Cliche en 1974 et 1975.

Élu député du Parti québécois dans Joliette-Montcalm en 1976. Réélu dans Joliette en 1981. Adjoint parlementaire du ministre du Travail et de la Main-d'œuvre du 1er décembre 1976 au 1er mars 1978 puis adjoint parlementaire du ministre des Transports du 1er mars 1978 au 5 octobre 1979. Whip en chef du gouvernement du 5 octobre 1979 au 9 septembre 1982. Ministre du Loisir, de la Chasse et de la Pêche dans le cabinet Lévesque du 9 septembre 1982 au 29 novembre 1984. Ministre des Affaires sociales du 29 novembre 1984 au 21 juin 1985 et ministre de la Santé et des Services sociaux dans les cabinets Lévesque et Johnson (Pierre Marc) du 21 juin 1985 au 12 décembre 1985. Réélu en 1985 et 1989. Leader parlementaire de l'Opposition du 15 décembre 1985 au 11 novembre 1987. Chef de l'Opposition du 11 novembre 1987 au 9 août 1989. Leader parlementaire de l'Opposition à compter du 25 septembre 1989.

Fut président du Centre civique Saint-Paul-de-Joliette. Membre de la Jeunesse ouvrière catholique (JOC) de 1960 à 1966. Membre de la Société Saint-Jean-Baptiste et de la Société nationale des Québécois.

CHICOYNE, Jérôme-Adolphe (1844–1910)

Né à Saint-Pie, le 22 août 1844, fils de Jérôme Chicoyne, cultivateur, et de Dorothée Delande.

Fit ses études au séminaire de Saint-Hyacinthe. Admis au barreau de la province de Québec le 17 septembre 1868.

Avocat, il exerça sa profession à Saint-Hyacinthe de 1868 à 1872. Agent de colonisation de la province de Québec. Promoteur de la Société de colonisation de Saint-Hyacinthe. Quitta Saint-Hyacinthe en 1875 pour fonder un nouvel établissement à La Patrie en tant qu'agent de colonisation. En 1880, il fit l'essai d'un nouveau programme de colonisation dans les Cantons-de-l'Est. Fondateur et organisateur de la Compagnie nantaise de colonisation au Canada. Comme journaliste, il collabora au *Courrier de Saint-Hyacinthe* et à *l'Opinion publique*. Fondateur du journal *la Colonisation* à Sherbrooke en 1886. Propriétaire et directeur du *Pionnier de Sherbrooke* de 1888 à 1901. A publié, sous le pseudonyme Jean Bellevue, *Causeries agricoles. Une visite chez le capitaine B. par Jean Bellevue* (1874).

Conseiller municipal de Sherbrooke de 1889 à 1892. Maire de Sherbrooke de 1890 à 1892 et maire de Mégantic. Élu député conservateur dans Wolfe en 1892. Réélu en 1897 et 1900. Ne s'est pas représenté en 1904. Revint s'établir à Saint-Hyacinthe.

Décédé à Saint-Hyacinthe, le 30 septembre 1910, à l'âge de 66 ans et un mois. Inhumé dans le cimetière de la paroisse Notre-Dame-de-Saint-Hyacinthe, le 3 octobre 1910.

Avait épousé dans la paroisse Saint-Hyacinthe-le-Confesseur, le 7 janvier 1868, Rose-Caroline Perrault, fille de Joseph-Élie Perrault, marchand, et de Sophranie Marcotte.

Bibliographie: *DBC* (à paraître).

CHILD, Marcus (1792–1859)

Né à West Boylstone, au Massachusetts, en décembre 1792.

Fut commis d'un oncle marchand à Derby Line, au Vermont. En 1812, vint s'installer à Stanstead où il fit le commerce de produits pharmaceutiques. Devint maître de poste et juge de paix en 1830. S'occupa d'éducation à titre d'inspecteur d'écoles (1815–1840) et d'administrateur scolaire (dans les années 1820 et 1830). D'abord méthodiste, se convertit à l'anglicanisme. Fut secrétaire de la Stanstead County Bible Society.

Élu député de Stanstead à une élection partielle le 13 novembre 1829 ; appuya généralement le parti patriote. Ne s'est pas représenté en 1830. Défait dans Stanstead à une élection partielle le 21 mars 1833, fut toutefois proclamé élu à la place de Wright **Chamberlin** le 18 février 1834 ; le certificat de l'élection fut corrigé le lendemain. Réélu en 1834. Appuya fortement le parti patriote. Son mandat prit fin avec la suspension de la constitution, le 27 mars 1838.

Perdit sa charge de maître de poste, vers la fin de 1837, et sa commission de juge de paix, en novembre 1838. Se réfugia au Vermont pour ne pas être arrêté. Après son retour à Stanstead, fut marchand, fabricant de potasse et directeur d'un moulin à carder à Coaticook. S'intéressa à l'agriculture et à la colonisation.

Élu député de Stanstead en 1841 ; unioniste et tory ; se rangea du côté du groupe canadien-français en 1843. Défait en 1844. Exerça les fonctions de magistrat du comté de Stanstead et, à partir de 1845, celles d'inspecteur d'écoles du district de Saint-François. Défait dans Stanstead en 1851. Alla s'établir à Coaticook en 1855.

Décédé à Coaticook, le 6 mars 1859, à l'âge de 66 ans et 2 ou 3 mois. Inhumé dans la paroisse anglicane Hatley, le 9 mars 1859.

Avait épousé, probablement en 1819, Lydia F. Chadwick, de Worcester, au Massachusetts.

Bibliographie : *DBC.*

CHOLETTE, Hilaire
(1856–1905)

Né à Rigaud, le 1ᵉʳ janvier 1856, fils d'Hyacinthe Cholet, cultivateur, et de Julie Séguin.

Fit ses études au collège Bourget, à Rigaud, et au collège Victoria, à Montréal. Diplômé en médecine en 1876.

Exerça sa profession à Sainte-Justine-de-Newton. Médecin du Cercle de l'Alliance nationale. Président de la Cour des commissaires et juge de paix à Sainte-Justine-de-Newton.

Conseiller municipal de Sainte-Justine-de-Newton de 1890 à 1892. Candidat conservateur défait dans Vaudreuil à l'élection partielle du 22 novembre 1890. Élu député conservateur dans la même circonscription en 1892. Défait en 1897.

Décédé à Sainte-Justine-de-Newton, le 21 mai 1905, à l'âge de 49 ans et 4 mois. Inhumé dans le cimetière de cette paroisse, le 24 mai 1905.

Avait épousé à Montréal, dans la paroisse Sainte-Cunégonde, le 29 janvier 1883, Marie-Corinne Taylor, fille de John Taylor, marchand, et de Clémence-Marcelline Lalonde.

CHOQUETTE, Ernest
(1862–1941)

Né à Saint-Mathieu-de-Belœil, le 18 novembre 1862, fils de Joseph Choquette et de Thaïs Lapointe.

Fit ses études au collège de Saint-Hyacinthe et à l'université Laval à Montréal où il étudia la médecine.

Exerça sa profession de médecin à Saint-Hilaire. Auteur, notamment, de : *les Ribaud* (1898), *Claude Paysan* (1899) pour lequel il obtint le prix Robidoux lors du concours organisé par le gouvernement du Québec, *Carabinades* (1900), *la Terre* (1916), *Madeleine* et *la Bouée* (1927). Collaborateur aux journaux *la Presse*, *la Patrie* et *le Canada*. Élu membre de la Société royale du Canada en 1911. Gouverneur du Collège des médecins et chirurgiens de la province de Québec de 1901 à 1904. Membre du Club de réforme et du Cercle universitaire de Montréal.

Maire de Saint-Hilaire. Nommé conseiller législatif de la division de Rougemont le 14 mars 1910. Appuya le Parti libéral. Siégea jusqu'à son décès survenu à Westmount, le 29 mars 1941, à l'âge de 78 ans et 4 mois. Inhumé dans le cimetière de la paroisse Saint-Mathieu-de-Belœil, le 14 avril 1941.

Avait épousé dans sa paroisse natale, le 16 octobre 1889, Marie-Mélanie-Laura-Éva Perrault, fille de Joseph-Cléophas Perrault, médecin, et de Catherine-Laura Franchère.

Frère de Philippe-Auguste Choquette, député à la Chambre des communes de 1887 à 1898 et sénateur de 1904 à 1919. Oncle de Fernand **Choquette**. Grand-oncle d'Auguste Choquette, député à la Chambre des communes de 1963 à 1968. Grand-père de Jérôme **Choquette**.

CHOQUETTE, Fernand
(1895–1975)

Né à Montmagny, le 27 octobre 1895, fils de Philippe-Auguste Choquette, avocat, et de Marie Bender.

Fit ses études au séminaire de Québec, au séminaire de Saint-Hyacinthe et à l'université Laval à Québec. Admis au barreau de la province de Québec le 4 juillet 1918.

Exerça sa profession à Québec avec Mes Aimé Déchêne, Amédée **Caron**, Pierre de Guise et Georges-René Fournier. Créé conseil en loi du roi le 14 février 1929.

Avocat de la Commission des liqueurs en 1930. Professeur agrégé de droit civil à l'université Laval de 1933 à 1941, puis professeur titulaire de 1942 à 1957. Bâtonnier du barreau de Québec en 1945.

Candidat libéral défait dans Montmagny en 1935 et 1936. Élu député libéral dans la même circonscription en 1939. Réélu en 1944. Défait en 1948.

Membre de la Commission royale de révision du code criminel de 1949 à 1952. Nommé juge à la Cour supérieure du district de Québec le 23 février 1950. Nommé professeur émérite à l'université Laval en 1955. Promu juge à la Cour du banc de la reine le 14 novembre 1956, il occupa ce poste jusqu'à sa retraite en 1970.

Auteur, notamment, de : *Loi sur les liqueurs du Québec* (1928) et *Loi sur les convictions sommaires de Québec, annotées, textes français et anglais, amendements et jurisprudence*. Collaborateur à la *Revue du droit* et à la *Revue du barreau*. Fut président de l'Association du jeune barreau de Québec et de la Société des études juridiques de Québec en 1928. Siégea à la Commission des réclamations de guerre de 1956 à 1958. Créé compagnon de l'ordre du Canada en 1973. Membre du Club de la garnison, du Club de réforme, du Cercle universitaire et de la Société Saint-Jean-Baptiste de Québec.

Décédé à Québec, le 17 janvier 1975, à l'âge de 79 ans et 2 mois. Inhumé à Sainte-Foy, dans le cimetière Notre-Dame-de-Belmont, le 20 janvier 1975.

Avait épousé à Hull, dans la paroisse Notre-Dame-de-Grâce, le 22 novembre 1922, Marguerite Vallerand, fille d'Aristide Vallerand et d'Hélène Vézina, et veuve d'Yvon Riendeau.

Son père, Philippe-Auguste Choquette, était député à la Chambre des communes de 1887 à 1898 et sénateur de 1904 à 1919. Père d'Auguste Choquette, député à la Chambre des communes de 1963 à 1968. Neveu d'Ernest **Choquette**.

CHOQUETTE, Hector
(1884–1959)

Né à Saint-Alphonse, près de Granby, le 3 octobre 1884, fils de Napoléon Choquette, cultivateur, et de Rose-Anna Gingras.

Fit ses études à l'école de Saint-Alphonse et à l'école du Précieux-Sang à Holyoke, dans l'État du Massachusetts.

Journalier dans une fonderie aux États-Unis. Commissionnaire de la buanderie Lamothe à Granby en 1914. Cultivateur à Granby en 1916 et à Saint-Alphonse de 1918 à 1944. Membre du Board of Trade, de la Chambre de commerce des jeunes de Granby et des Chevaliers de Colomb. Fondateur d'un cercle de l'Union catholique des cultivateurs (UCC), dont il fut secrétaire-trésorier de 1929 à 1934. Secrétaire-trésorier du conseil municipal de Granby de 1933 à 1937.

Élu député de l'Action libérale nationale dans Shefford en 1935. Élu député de l'Union nationale en 1936. Défait en 1939. De nouveau élu en 1944 et 1948. Défait en 1952. Candidat conservateur défait dans Shefford aux élections fédérales de 1957.

Décédé à Montréal, le 8 mai 1959, à l'âge de 74 ans et 7 mois. Inhumé à Granby, dans le cimetière de la paroisse Saint-Eugène, le 11 mai 1959.

Avait épousé dans sa paroisse natale, le 2 mai 1916, Yvonne Bérard, fille de Joseph Bérard, cultivateur, et de Mérilda Dion.

CHOQUETTE, Jérôme

Né à Montréal, le 25 janvier 1928, fils de Claude Choquette, avocat, et de Pauline Geoffrion.

Fit ses études à l'académie Notre-Dame-de-Grâce, au collège Stanislas et à la McGill University où il fut licencié en droit en 1949. Fréquenta par la suite la faculté de droit de Paris où il obtint un doctorat en science économique en 1951 et le prix Jean-Bertrand-Nogaro décerné à la meilleure thèse en science économique. Étudia également à la School of Business Administration de la Columbia University à New York. Admis au barreau de la province de Québec en janvier 1949.

Exerça sa profession d'avocat à Montréal. Associé à Me Guy Favreau en 1951, puis à Me Jean Martineau. Associé et conseiller du cabinet des avocats Desjardins, Ducharme, Choquette, Desjardins et Cordeau en 1957. Président de l'Association du jeune barreau de Montréal en 1956. Membre du Conseil du barreau de Montréal en 1957. Créé conseil en loi de la reine le 4 décembre 1963.

Membre du Club de réforme de Montréal. Président de la commission politique de la Fédération libérale du Québec et vice-président de cette fédération. Élu député libéral dans Outremont en 1966. Réélu en 1970 et 1973. Ministre des Institutions financières, Compagnies et Coopératives dans le cabinet Bourassa du 12 mai au 1er octobre 1970. Ministre de la Justice du 12 mai 1970 au 30 juillet 1975 et ministre de l'Éducation du 31 juillet au 26 septembre 1975, date de sa démission du Parti libéral. Le 14 décembre 1975, il fonda avec Fabien **Roy** le Parti national populaire. Confirmé leader de ce parti lors d'un congrès du parti à Québec le 24 octobre 1976. Candidat de ce parti défait dans Outremont en 1976. Démissionna du Parti national populaire le 29 mars 1977 et réintégra les rangs du Parti libéral le 16 janvier 1978.

Exerça sa profession d'avocat à Montréal à compter de 1976. Maire d'Outremont de 1983 à 1991. Président de la Conférence des maires de la banlieue en 1991.

Petit-fils d'Amédée **Geoffrion** et d'Ernest **Choquette**.

CHOUINARD, Alexandre
(1891–1981)

Né à Cap-d'Espoir, en Gaspésie, le 14 février 1891, fils de Jean Chouinard, cultivateur, et d'Elzire Lelièvre.

Fit ses études à l'école de sa paroisse natale, au séminaire de Rimouski et à l'université Laval à Québec. Admis au barreau de la province de Québec le 6 juillet 1919. Créé conseil en loi du roi le 18 juin 1930.

Exerça sa profession à Montmagny. Conseiller juridique de cette ville pendant plusieurs années.

Élu député libéral dans Gaspé-Sud en 1931. Réélu en 1935. Ne s'est pas représenté en 1936.

Prit sa retraite en 1970. Fut membre du Club de réforme, du Club des journalistes, des Chevaliers de Colomb et de la Société Saint-Jean-Baptiste.

Décédé à Québec, le 2 février 1981, à l'âge de 89 ans et 11 mois. Inhumé à Montmagny, le 3 février 1981.

Avait épousé à Montmagny dans la paroisse Saint-Thomas, le 3 février 1920, Germaine Tremblay, fille de Gabriel-Narcisse Tremblay, médecin, et d'Imelda Dufresne.

CHRISTIE, Robert
(1787–1856)

Né à Windsor, en Nouvelle-Écosse, le 20 janvier 1787, fils de James Christie, cordonnier et propriétaire foncier d'origine écossaise, et de Janet McIntosh.

Étudia au King's College de Windsor, en Nouvelle-Écosse. Diplômé un peu avant 1803, se lança dans le commerce à Halifax, mais, en 1805, entreprit un stage en droit auprès d'Edward **Bowen**, à Québec. Reçut sa commission d'avocat en 1810.

Pendant la guerre de 1812, servit à titre de capitaine dans la milice de Québec. Fondateur et rédacteur du *Quebec Telegraph* (1816–1817). Nommé officiellement, en mars 1817, greffier en loi de la Chambre d'assemblée du Bas-Canada (poste auquel il avait été désigné le 26 janvier 1816 et qu'il occupa jusque vers 1827) et, en avril 1819, greffier d'une commission chargée de trancher les revendications foncières en Gaspésie. En 1827, accéda à la présidence de la Cour des sessions trimestrielles du district de Québec.

Élu député de Gaspé en 1827; appuya généralement le parti des bureaucrates; fut expulsé par la Chambre, pour avoir provoqué, en 1827, le non-renouvellement de la commission de magistrat de plusieurs députés opposés au gouverneur George **Ramsay**, et son siège fut déclaré vacant le 14 février 1829. Réélu à une élection partielle le 16 avril 1829; expulsé le 22 janvier 1830. Réélu en 1830; expulsé le 31 janvier 1831. Réélu à une élection partielle le 21 mars 1831; expulsé le 15 novembre 1831. Réélu à une élection partielle le 17 avril 1832; expulsé une cinquième fois, toujours pour le même motif, le 15 novembre 1832. Prit part, en 1833, à un mouvement qui visait à annexer le district de Gaspé au Nouveau-Brunswick. Élu dans Gaspé en 1841; antiunioniste. Réélu en 1844, 1848 et 1851. Indépendant. Défait en 1854.

De 1848 à 1850, fut rédacteur en chef du *Quebec Mercury*. Est l'auteur de plusieurs ouvrages d'histoire qui furent réunis et publiés en six volumes sous le titre de *A history of the late province of Lower Canada* (Québec, 1848–1855; 1866).

Décédé à Québec, le 13 octobre 1856, à l'âge de 69 ans et 8 mois. Après des obsèques célébrées dans la cathédrale anglicane Holy Trinity, fut inhumé dans le cimetière Mount Hermon, à Sillery, le 16 octobre 1856.

Avait épousé dans la cathédrale anglicane Holy Trinity, à Québec, le 24 février 1812, Monique-Olivier Doucet, [fille de Jean Doucet, boulanger de Trois-Rivières, et de Marie-Madeleine Mirault].

Bibliographie: *DBC*.

CHRISTIE, William Plenderleath
(1780–1845)

Né en Angleterre, le 13 décembre 1780, fils de Gabriel Christie, colonel dans l'armée britannique, et de sa maîtresse Rachel Plenderleath. Porta le nom de William Plenderleath jusqu'en 1835.

Entreprit une carrière militaire en 1793 comme enseigne dans le régiment de son père; promu capitaine en 1803. Servit aux Antilles, en Italie et à Madère avant de démissionner en 1810. Par la suite, peut-être dès 1816, s'établit à Montréal, où son père s'était installé dans les années 1780. Acquit des propriétés, parmi lesquelles sa maison, Clifton Lodge, à Montréal, une ferme à Cornwall et des terres dans le canton d'Ascot. En 1835, hérita du patrimoine foncier des Christie, notamment six seigneuries qu'il administra et fit valoir; pour ce faire, prit et porta le nom et le blason des Christie à compter du 24 ou du 27 juin 1835. Favorisa la construction d'écoles et d'églises protestantes dans ses domaines; membre fondateur, bienfaiteur et vice-président de la Church Society. Actionnaire de la Bank of England, de la Banque de Montréal, de la Banque de la cité ainsi que de la British American Land Company. Pendant la rébellion de 1837–1838, se porta volontaire comme secrétaire militaire.

Fit partie du Conseil spécial du 2 avril 1838 jusqu'à la dissolution de ce conseil, en juin, et à nouveau du 2 novembre 1838 jusqu'à l'entrée en vigueur de l'Acte d'Union, le 10 février 1841. Se rendit en Grande-Bretagne en 1843, pour des raisons de santé.

Décédé à Blackwood (en république d'Irlande), le 4 mai 1845, à l'âge de 64 ans et 4 mois.

Avait épousé, avant 1820, Elizabeth McGinnis, sœur d'un négociant qui faisait affaire entre Bristol et la Dominique; puis, dans l'église anglicane Christ Church, à Montréal, le 30 mars 1835, Amelia Martha Bowman.

Bibliographie: *DBC.*

CHURCH, Levi Ruggles (1836–1892)

[Né à Aylmer, le 24 mai 1836, fils de Peter Howard Church, médecin.]

Fit ses études au Victoria College de Cobourg, à l'Albany Medical College dans l'État de New York où il fut diplômé en médecine, puis étudia le droit à la McGill University à Montréal (diplômé en 1857). Fit sa cléricature auprès de Mes Henry Stewart et Edward Brock **Carter**. Admis au barreau du Bas-Canada le 7 février 1859.

Membre du cabinet des avocats Fleming et Church qui devint Fleming, Church et Kenny, à Aylmer. Puis, en 1863, avec les avocats Jean Delisle, Peter et John Aylen. Pratiqua ensuite à Montréal avec Mes Joseph-Adolphe **Chapleau**, John Smythe **Hall**, Edward Brock **Carter**, Albert William **Atwater**, puis avec Mes Nicolls et Choquette. Président de la Pontiac Pacific Junction Railway Co. et de l'Upper Canada Towing and Steamboat Co. Directeur de l'Ottawa Agricultural Insurance Co. Membre du premier conseil d'administration de la Banque d'Ottawa en 1894. Gouverneur du Collège des médecins et chirurgiens du Bas-Canada.

Élu député conservateur dans Ottawa en 1867. Nommé procureur de la couronne pour le district d'Ottawa en 1868. Ne s'est pas représenté en 1871. Créé conseil en loi de la reine le 22 octobre 1874. Élu sans opposition dans Pontiac à l'élection partielle du 26 octobre 1874, puis aux élections générales de 1875. Procureur général de la province dans le cabinet Boucher de Boucherville du 22 septembre 1874 au 25 janvier 1876 et trésorier provincial dans le même cabinet du 25 janvier 1876 au 8 mars 1878. De nouveau élu en 1878. Ne s'est pas représenté en 1881. Juge à la Cour du banc de la reine du 25 octobre 1887 au 7 janvier 1892.

Décédé à Lorne Park, près de Toronto, le 30 août 1892, à l'âge de 56 ans et 3 mois. Inhumé dans le cimetière d'Aylmer, le 2 septembre 1892.

[Avait épousé à Montréal, le 3 septembre 1859, Jane Erskine Bell, fille de William Bell, avocat.]

Neveu de Basil Rorison Church, député du Haut-Canada.

Bibliographie: *DBC.*

CIACCIA, John

Né à Ielsi, en Italie, le 4 mars 1933, fils de Pasquale Ciaccia, tailleur, et d'Angiolina Sabatino.

Fit ses études à Montréal aux écoles élémentaires Holy Family et Daniel O'Connel, à la Thomas D'Arcy McGee High School et à la McGill University. Admis au barreau de la province de Québec en 1957.

Exerça sa profession d'avocat avec Mes Malouf et Shorteno de 1957 à 1959. Conseiller juridique et directeur d'immeubles chez Steinberg ltée de 1959 à 1966. Retourna à la pratique privée en 1967. Consultant au ministère des Affaires indiennes et du Nord canadien et responsable du programme concernant les Indiens et les Esquimaux du Canada en 1969. Sous-ministre adjoint de ce ministère de 1971 à 1973. Rédacteur en chef du *McGill Law Journal.*

Élu député libéral dans Mont-Royal en 1973. Représentant du premier ministre lors de la négociation de la Convention de la Baie James et du Nord québécois en 1975. Réélu en 1976, 1981, 1985 et 1989. Ministre de l'Énergie et des Ressources dans le cabinet Bourassa du 12 décembre 1985 au 11 octobre 1989. Ministre délégué aux Affaires autochtones du 11 octobre 1989 au 5 octobre 1990. Assermenté ministre des Affaires internationales le 11 octobre 1989.

CICOT. V. SICOTTE

CIMON, André
(1776–1853)

Né à Rivière-Ouelle et baptisé dans la paroisse Notre-Dame-de-Liesse, le 1er février 1776, sous le prénom de Jean-Henry, fils de Jean-Baptiste Simon et d'Angélique Deschênes. Son patronyme s'orthographia aussi Simon.

Fut aubergiste, puis marchand à Baie-Saint-Paul. Était marguillier en 1826.

Élu député de Saguenay à une élection partielle le 30 octobre 1832; vota pour les Quatre-vingt-douze Résolutions. Réélu en 1834. Appuya plutôt le parti patriote. Son mandat prit fin avec la suspension de la constitution, le 27 mars 1838.

Décédé à Baie-Saint-Paul, le 12 mai 1853, à l'âge de 77 ans et 3 mois. Inhumé dans l'église paroissiale, le 14 mai 1853.

Avait épousé dans la paroisse Saint-Pierre-et-Saint-Paul, à Baie-Saint-Paul, le 13 juillet 1802, Thérèse Rodrigue, fille de Louis Rodrigue et de Marie Des Anges (Angéline) Gagné.

Oncle de Cléophe **Cimon**.

CIMON, Cléophe
(1822–1888)

Né à Saint-Étienne-de-la-Malbaie (La Malbaie) et baptisé dans la paroisse Saint-Étienne, le 31 janvier 1822, fils d'Hubert Cimon, navigateur et marchand, et d'Angèle Simard. Son patronyme s'orthographia parfois Simon.

Étudia au petit séminaire de Québec. Obtint une commission de notaire le 18 août 1843.

Exerça sa profession à La Malbaie et, de 1868 à 1872, à Québec où il fut l'homme de confiance de la fabrique de la paroisse Notre-Dame, puis de nouveau à La Malbaie. Propriétaire foncier. Inspecteur d'écoles dans le comté de Charlevoix, de 1852 à 1859; proposa en 1868 la création d'une ferme modèle par comté.

Élu député de Charlevoix en 1858; bleu. Défait en 1861.

Décédé à Saint-Étienne-de-la-Malbaie (La Malbaie), le 29 mars 1888, à l'âge de 66 ans et un mois. Inhumé dans le cimetière paroissial, le 3 avril 1888.

Avait épousé dans la paroisse Notre-Dame de Québec, le 5 octobre 1846, Marie-Caroline Langlois, fille de Jean Langlois et de Marie Labrèque.

Neveu d'André **Cimon**. Beau-père de Philippe **Dufour**.

Bibliographie: Talbot, Éloi-Gérard, *Inventaire des contrats de mariage au greffe de Charlevoix*, La Malbaie, 1943, p. 15. Frenette, F.-X., *Notes historiques sur la paroisse de Saint-Étienne-de-la-Malbaie*, Chicoutimi, 1952, p. 22-29.

CLAIR, Michel

Né à Saint-Germain-de-Grantham, le 16 juin 1950, fils de Lucien Clair, cultivateur, et de Thérèse Grandmont.

Fit ses études dans sa paroisse natale, au séminaire de Nicolet, au collège Brébeuf à Montréal, à l'université de Sherbrooke et à l'université de Montréal. Fit un stage au collège Saint-Jean à Edmonton (Alberta). Diplômé en droit de l'université de Sherbrooke. Admis au barreau de la province de Québec en septembre 1974. A complété sa scolarité de maîtrise en criminologie à l'université de Montréal.

Avocat de l'aide juridique à Drummondville de 1974 à 1976. Chargé de cours à l'École de criminologie de l'université de Montréal de 1974 à 1976 et professeur invité à la faculté de droit de l'université de Sherbrooke en 1975 et 1976. Chroniqueur juridique au journal *le Voltigeur* de Drummondville de 1974 à 1976 ainsi qu'à la station radiophonique CHRD en 1976. Membre de la Société canadienne de criminologie.

Élu député du Parti québécois dans Drummond en 1976. Réélu en 1981. Adjoint parlementaire du ministre des Consommateurs, Coopératives et Institutions financières du 17 mai au 21 septembre 1979. Ministre du Revenu dans le cabinet Lévesque du 21 septembre 1979 au 30 avril 1981. Ministre des Transports du 30 avril 1981 au 5 mars 1984. Ministre par intérim des Affaires sociales du 27 au 29 novembre 1984. Ministre délégué à l'Administration et président du Conseil du trésor dans les cabinets Lévesque et Johnson (Pierre Marc) du 5 mars 1984 au 12 décembre 1985. Ministre de l'Énergie et des Ressources dans le cabinet Johnson (Pierre Marc) du 16 octobre au 12 décembre 1985. Défait en 1985.

Directeur du cabinet du chef de l'Opposition officielle de décembre 1985 à février 1987. Directeur de l'Association des centres d'accueil du Québec (ACAQ) à partir du 1er mai 1987. Président de Fondel Drummond, entreprise prêteuse de capital de risque, à partir de 1990. Nommé président du conseil d'administration de la Société d'adoption Parents sans frontière en décembre 1990.

CLAPHAM, John Greaves
(<1796– ≥1854)

Fut marchand à Québec. Nommé président de l'élection des conseillers municipaux en 1833.

Élu député de Mégantic en 1834; appuya le parti des bureaucrates et, en novembre 1837, offrit aux autorités de lever un contingent dans le comté de Mégantic afin de combattre la rébellion. Son mandat de député prit fin avec la suspension de la constitution, le 27 mars 1838. Nommé lieutenant des «Volontaires de la reine», le 28 novembre 1838. Élu dans Mégantic en 1851; tory. Défait en 1854.

Décédé en ou après 1854.

Avait épousé, avant 1816, Helena Black.

CLAPPERTON, William Henry
(1839–1922)

Né à Carleton, le 27 janvier 1839, fils de John Clapperton, marchand et navigateur, et de Félicité Dugas.

Après le décès subit de son père, il fut envoyé à l'âge de neuf mois, avec son frère aîné, en Écosse. Fit ses études à Fochabers, en Écosse. Revint au Canada après ses études. Marchand de poissons, il commerça avec l'Angleterre et l'Écosse. Agent des Terres de la couronne dans le comté de Bonaventure de 1891 à 1921. Candidat libéral défait dans Bonaventure aux élections fédérales de 1878. Élu député libéral à l'Assemblée législative dans la même circonscription à l'élection partielle du 22 décembre 1897. Réélu en 1900. Défait en 1904.

Décédé à Maria, le 31 mai 1922, à l'âge de 83 ans et 4 mois. Inhumé dans le cimetière de cette paroisse, le 2 juin 1922.

Avait épousé à Paspébiac, le 23 janvier 1866, Mary Ann Lebel, fille de Joseph Guillaume Lebel, notaire et registraire, et de Mary Jane Meagher.

CLARKE, Alured
(≈1745–1832)

Né probablement en Angleterre vers 1745, peut-être le fils de Charles Clarke, baron à l'Échiquier en Angleterre, et de sa seconde femme, Jane Mullins.

Entreprit une carrière militaire: fut d'abord enseigne dans l'infanterie britannique en 1759, atteignit le grade de colonel en 1782.

Lieutenant-gouverneur de la Jamaïque de 1782 à 1790. Nommé lieutenant-gouverneur de la province de Québec le 19 mars 1790; en fonction du 8 octobre 1790 au 24 juin 1795. En l'absence du gouverneur Guy **Carleton**, assuma le commandement des troupes britanniques en Amérique du Nord et l'administration du territoire du Bas-Canada du mois d'août 1791 au 24 septembre 1793.

Promu lieutenant-général de l'Inde en 1796. Nommé gouverneur général de l'Inde en 1797, démissionna en 1798. Fut commandant en chef de l'armée britannique de l'Inde de 1798 jusqu'en 1801. Accéda au grade de général en 1802. Nommé maréchal en 1830.

Fait chevalier de l'ordre du Bain (sir) en 1797.

Décédé à Llangollen, au pays de Galles, le 16 septembre 1832, à l'âge d'environ 87 ans.

Était célibataire.

Bibliographie: *DBC.*

CLAVEAU, Christian

Né à Saint-Henri-de-Taillon, Lac-Saint-Jean, le 19 juin 1952, fils de Thomas-Louis Claveau, soudeur, et de Marguerite Langlais.

Fit ses études secondaires à Dolbeau, Saint-Romuald et Cap-Rouge, et collégiales au campus Notre-Dame-de-Foy de Cap-Rouge. Titulaire d'un diplôme de 3e cycle en aménagement du territoire de l'université Paul-Valéry en 1978 et d'un diplôme de spécialisation (D.S.P.U.) en économie du développement rural du Centre international des hautes études agronomiques méditérannéennes de Montpellier.

Directeur de projets en développement rural au Honduras de 1972 à 1975 et au Niger de 1978 à 1980. Travailleur minier à la mine Opémiska de Chapais de 1980 à 1983. Vice-président de la Communauté économique régionale Chapais-Chibougamau en 1983 et 1984 puis président en 1984 et 1985. Vice-président du Conseil régional de développement du Saguenay–Lac-Saint-Jean–Chibougamau, secteur Chapais-Chibougamau, en 1984 et 1985. Fut également responsable du bureau de Québec du Centre d'études et de coopération internationale (CECI).

Maire de Chapais de 1982 à 1985. Vice-président de l'exécutif régional du Parti québécois de la circonscription d'Ungava en 1981, 1982 et 1985. Élu député du Parti québécois dans Ungava en 1985. Réélu en 1989. Vice-président de la Commission du budget et de l'administration du 19 juin au 9 août 1989.

CLÉMENT, Léon-Charles
(1814–1882)

[Né dans la région de Québec en 1814], fils de Léon Clément et d'Élisabeth Trombes.

Admis à la pratique du notariat le 12 octobre 1839.

Exerça sa profession aux Éboulements de 1839 à 1882. Lieutenant-colonel dans l'armée de réserve. Propriétaire terrien.

Candidat défait dans Charlevoix en 1857 et 1863. Élu député conservateur dans Charlevoix en 1867. Défait en 1871.

Décédé aux Éboulements, le 27 août 1882, à l'âge d'environ 68 ans. Inhumé dans le cimetière de cette paroisse, le 31 août 1882.

Avait épousé dans la paroisse Notre-Dame de Québec, le 18 mai 1843, Joséphine-Éléonore d'Estimauville.

CLENDINNENG, William C.
(1833–1909)

[Né à Cavan, en Irlande, le 22 juin 1833.]

Fit ses études auprès du révérend Robert Flemming. Propriétaire de la fonderie William Clendinneng & Son, Iron Founders & Machinists, et de la Canada Pipe & Foundry Co. Membre du conseil du Montreal Board of Trade. Président de l'Irish Benevolent Society. Gouverneur de la House of Refuge and Industry. Nommé gouverneur à vie du Montreal General Hospital le 21 juin 1907.

Échevin du quartier Saint-Antoine au conseil municipal de Montréal de 1875 à 1879 et de 1888 à 1894. Maire suppléant de Montréal. Élu député conservateur dans Montréal n° 4 en 1890. Ne s'est pas représenté en 1892.

Décédé à Montréal, le 26 janvier 1909, à l'âge de 75 ans et 7 mois. Inhumé à Montréal, dans le Mount Royal Cemetery, le 28 janvier 1909.

[Avait épousé à Montréal, le 3 mai 1853, Rachel Newmarch.]

CLICHE, Lucien

Né à Vallée-Jonction, le 4 août 1916, fils de Vital **Cliche**, courtier d'assurances, et d'Anne-Marie Cloutier.

Fit ses études à l'école de sa paroisse natale, au séminaire de Québec et à l'université Laval.

Admis au barreau de la province de Québec le 9 août 1940, il exerça dès lors sa profession à Vallée-Jonction. S'éta-blit à Val-d'Or en 1941 et ouvrit son propre cabinet. Recorder de 1945 à 1947, puis procureur de la ville de Val-d'Or en 1951. S'associa à son frère, Me Vital Cliche, et fonda en 1951 le cabinet Cliche et Cliche. Créé conseil en loi de la reine le 16 décembre 1960. Bâtonnier du barreau d'Abitibi-Témiscamingue en 1962 et 1963. Directeur de SOQUEM de 1970 à 1976 et de la Corporation de développement de la Baie James de 1971 à 1978.

Échevin au conseil municipal de Val-d'Or de janvier 1948 à janvier 1951. Marguillier en chef de la paroisse Saint-Sauveur de 1958 à 1960. Président du Club libéral de Val-d'Or et de la Fédération libérale d'Abitibi-Est. Élu député libéral dans Abitibi-Est en 1960. Orateur de l'Assemblée législative du 20 septembre 1960 au 20 décembre 1961. Ministre des Affaires municipales dans le cabinet Lesage du 20 décembre 1961 au 5 décembre 1962. Réélu en 1962. Ministre des Terres et Forêts dans le cabinet Lesage du 5 décembre 1962 au 16 juin 1966. Réélu en 1966. Ne s'est pas représenté en 1970.

Fonda en 1954, avec Alcide **Courcy** et Jean-Pierre Bonneville, le journal le Progrès de Rouyn-Noranda. Président de la Chambre de commerce de Val-d'Or–Bourlamaque en 1959.

CLICHE, Vital
(1890–1976)

Né dans la paroisse Saint-Joseph-de-Beauce, le 10 septembre 1890, fils de Thomas Cliche, cultivateur, et d'Eugénie Poulin.

Fit ses études au séminaire de Québec et au collège de Lévis. Avant de devenir agent d'assurances, il travailla comme télégraphiste au Canadien National de 1908 à 1912. Fonda le bureau d'assurances Vital Cliche en 1914. Propriétaire de Beauce Maple Products. Directeur de la Valley Shoe Co. Ltd. Membre de la Chambre de commerce de Vallée-Jonction. Membre des Chevaliers de Colomb.

Commissaire d'école à Vallée-Jonction en 1919. Maire de Vallée-Jonction en 1931 et 1932. Élu député de l'Action libérale nationale dans Beauce en 1935. Défait comme libéral indépendant en 1936, puis comme candidat de l'Action libérale nationale à l'élection partielle du 17 mars 1937.

Décédé à Beauceville, le 23 février 1976, à l'âge de 85 ans et 5 mois. Inhumé dans le cimetière de Vallée-Jonction, le 26 février 1976.

Avait épousé à Vallée-Jonction, dans la paroisse de L'Enfant-Jésus, le 3 septembre 1912, Anne-Marie-Palmyre Cloutier, fille de Néré Cloutier, cultivateur, et de Sylvie Doyon.

Père de Lucien **Cliche**.

CLITHEROW, John
(1782–1852)

Né à Essenden, en Angleterre, le 13 décembre 1782, fils de Christopher Clitherow, descendant d'un lord-maire de Londres, et d'Anne Jodrell.

Fit carrière dans l'armée britannique. Entré comme enseigne en 1799, servit en Égypte (1801), en Allemagne (1805), aux Pays-Bas (1809) et en Espagne (1810–1815); fut blessé à deux reprises. Promu au grade de colonel en 1821 et à celui de major général en 1830.

Affecté en Amérique du Nord en qualité de commandant du district judiciaire de Montréal, arriva en mars 1838. Fit partie du Conseil spécial du 9 juillet 1838 jusqu'à la dissolution de ce conseil, le 2 novembre. Prit part aux opérations militaires qui suivirent la rébellion du 3 novembre 1838, à titre de commandant de l'aile gauche de l'armée. Présida les conseils de guerre généraux qui jugèrent les patriotes accusés de trahison. Quitta Montréal en juillet 1841 pour se rendre à Kingston, afin d'assumer le commandement des forces armées du Haut-Canada. Le 18 septembre 1841, à la place du gouverneur Charles Edward Poulett **Thomson**, clôtura la première session de la première législature du Canada-Uni en qualité d'administrateur nommé expressément pour la circonstance. Promu au grade de lieutenant-général en novembre 1841.

En juin 1842, retourna en Angleterre, où il avait hérité du domaine familial de Boston House. Fut colonel du 67th Foot à compter de 1844. Fait chevalier de l'ordre du Croissant en 1845.

Décédé à Boston House, en Angleterre, le 14 octobre 1852, à l'âge de 69 ans et 10 mois.

Avait épousé, en janvier 1809, Sarah Burton; puis, en 1825, Millicent Pole, du Gloucestershire, en Angleterre.

Bibliographie: *DBC.*

CLOUET, Michel
(1770–1836)

Né à Beauport et baptisé dans la paroisse de la Nativité-de-Notre-Dame, le 9 janvier 1770, fils de Joseph-Marie Clouet et de Marie-Joseph Bergevin.

Exploita un magasin général, rue de la Montagne (côte de la Montagne) à Québec. En octobre 1796, mit sur pied, avec François **Huot**, la société Huot et Clouet, spécialisée dans le commerce de détail, notamment dans la quincaillerie. Après le départ de son associé en 1797, mena seul cette entreprise.

Pendant la guerre de 1812, servit en qualité de capitaine dans la milice; par la suite, fut promu major.

Élu député de Québec à une élection partielle le 22 octobre 1822. Réélu en 1824, 1827 et 1830. Appuya généralement le parti canadien, puis le parti patriote. Démissionna pour raison de santé le 23 août 1833.

Obtint quelques postes de commissaire. Fut juge de paix. En 1832, pendant l'épidémie de choléra, fit partie du bureau de santé de Québec et fut président d'une société de bienfaisance.

Décédé à Québec, le 5 janvier 1836, à l'âge de 65 ans et 11 mois. Après des obsèques célébrées en la cathédrale Notre-Dame de Québec, fut inhumé dans l'église de la Nativité-de-Notre-Dame, à Beauport, le 9 janvier 1836.

Avait épousé dans la paroisse Notre-Dame de Québec, le 15 juin 1801, Marie-Josephte Lalime, fille du navigateur Michel Lépine, dit Lalime, et de Marie-Louise Amelot.

Oncle d'Étienne **Parent** et de Georges-Honoré **Simard**.

Bibliographie: *DBC.*

CLOUTIER, François

Né à Québec, le 4 avril 1922, fils de Jean-Baptiste Cloutier, agronome, et d'Anne-Marie Tousignant.

Fit ses études au collège des Jésuites à Québec, poursuivit des études préuniversitaires à Montréal et obtint un doctorat en médecine de l'université Laval en 1948. Étudia ensuite à la faculté de médecine de Paris où il fut diplômé en neurologie en 1949 et en psychiatrie en 1952. Obtint également un certificat d'études supérieures en ethnologie de l'université de la Sorbonne, en France, en 1952. Licencié du Conseil médical du Canada en 1948. Obtint un certificat en psychiatrie du Collège royal des médecins du Canada en 1954. Fellow du Collège royal des médecins du Canada en 1954, de l'American Psychiatric Association en 1956, de la Royal Society of Medicine de Londres et de l'American Ortho-Psychiatric Association en 1962.

Commença sa carrière en France à titre d'assistant étranger à l'hôpital de la Salpêtrière en 1948 et 1949 et à l'hôpital Sainte-Anne de 1949 à 1952. Fut par la suite psychiatre à l'hôpital Saint-Jean-de-Dieu et à l'Institut Albert-Prévost à Montréal de 1953 à 1955. Consultant à l'hôpital des Anciens Combattants à Montréal de 1953 à 1962 et à la Clinique d'aide à l'enfance. Chargé de la section de psychiatrie et de l'enseignement clinique de 1955 à 1960, puis médecin consultant à l'hôpital Notre-Dame à Montréal. Assistant-professeur à la faculté de médecine de l'université de Montréal de 1953 à 1961. Directeur général de la Fédération mondiale pour la santé mentale à Genève (Suisse) de 1962 à 1966.

Élu député libéral dans Ahuntsic en 1970. Réélu dans L'Acadie en 1973. Dans le cabinet Bourassa, il fut titulaire des ministères suivants : Affaires culturelles, du 12 mai 1970 au 2 février 1972 et du 21 février au 13 novembre 1973; Immigration, du 29 octobre 1970 au 15 février 1972; Éducation, du 2 février 1972 au 31 juillet 1975; Affaires intergouvernementales, du 31 juillet 1975 au 12 octobre 1976. Élu vice-président de l'Agence de coopération culturelle et technique en novembre 1975.

Son siège devint vacant lorsqu'il fut nommé délégué général du Québec à Paris le 4 octobre 1976. Demeura en poste jusqu'à sa démission en février 1977. Reprit l'exercice de sa profession de médecin psychiatre à Paris, puis devint chef du service de médecine psycho-somatique à l'Institut de psychiatrie La Rochefoucauld à Paris. Retraité en 1990.

Membre du Collège des médecins-chirurgiens de la province de Québec en 1948, de la Société médicale de Montréal en 1953, de la Canadian Psychiatric Association en 1953, de l'American Psychiatric Association en 1953, de l'Association des médecins de langue française en 1956, de l'Association de psychiatrie de la province de Québec en 1957, de la Fédération mondiale pour la santé mentale en 1957, de la Royal Society of Medicine de Londres en 1961, de la Société internationale de psychopathologie de l'expression de Paris, de l'American Ortho-Psychiatric Association, de la Société de la croix-marine de France en 1963 et de l'International Psychiatric Committee de New York en 1964. Organisa des conférences internationales sur l'industrialisation à Berne en 1964 et sur l'éducation à Bangkok en 1965. Participa aux réunions sur les tensions internationales à Washington en 1963 et sur les problèmes économiques en Asie du Sud-Est à Kuala-Lumpur en 1964. Auteur des ouvrages suivants : *le Coma post-hypoglycémique dans la cure de Sakel* (1952), *Un psychiatre vous parle* (1954), *l'Homme et son milieu* (1958), *la Santé mentale* (1965), *Dictionnaire des parents* (1966), *le Mariage réussi* (1968) et *l'Enjeu, mémoires politiques, 1970–1976* (1978). A publié plusieurs articles parus dans diverses revues médicales et a prononcé bon nombre de conférences. Participa au projet de la série éducative Radio-Collège en 1955 et fut animateur de l'émission *Un homme vous écoute* à Radio-Canada en 1966.

CLOUTIER, Jean-Paul

Né dans la paroisse Saint-Paul-de-Montminy, le 8 septembre 1924, fils de Maurice Cloutier, notaire, et d'Alexina Jean.

Fit ses études dans sa paroisse natale, à Saint-Damien, au collège de Sainte-Anne-de-la-Pocatière, ainsi qu'à l'École polytechnique et à l'École des hautes études commerciales à Montréal où il fut licencié en sciences commerciales en 1949.

Exerça sa profession à Saint-Paul où il possédait un bureau de comptabilité et de gestion. Vérificateur et comptable d'une cinquantaine de municipalités et commissions scolaires. Participa avec ses frères à la création de plusieurs entreprises. Président de la St. Paul Lumber inc. et des Pétroles des Monts ltée. Vice-président d'Amédée Leclerc inc. Secrétaire-trésorier de la municipalité de Montmagny de 1955 à 1966. Membre du conseil d'administration du Conseil économique de la Côte-du-Sud de 1975 à 1980. Président régional de l'Association des secrétaires-trésoriers municipaux et scolaires pendant de nombreuses années. Éditeur et propriétaire du *Peuple-Courrier* de Montmagny, du *Peuple-Tribune* de Lévis, puis du *Peuple de Lotbinière* qui parut pour la première fois le 19 juin 1978 sous la raison sociale des Publications Le Peuple inc. Membre du conseil d'administration et trésorier des Hebdos régionaux de 1975 à 1980 et des Hebdos A1 de 1977 à 1980. Demeura directeur général après l'achat de l'entreprise par Quebecor en 1980. Devint, en 1981, directeur général du *Journal de Québec*. Président du comité d'Adoption communautaire de Montmagny-L'Islet de février 1982 à février 1984. Président de la Conférence socio-économique de la ville de Sainte-Foy. Membre fondateur du conseil d'administration du Développement économique de Sainte-Foy de février 1984 à janvier 1986. Président du Bureau d'examen de l'endettement agricole du Québec à compter d'août 1986. Il fut également membre du conseil d'administration de la Société immobilière du Québec de 1984 à 1986 et de Place Desjardins inc. en 1985 et 1986. Membre du conseil d'administration des Hebdos du Canada à partir de 1974.

Élu député de l'Union nationale dans Montmagny en 1962. Réélu en 1966 et 1970. Ministre de la Santé et ministre de la Famille et du Bien-être social, dans les cabinets Johnson et Bertrand, du 16 juin 1966 au 12 mai 1970. Défait dans Montmagny-L'Islet en 1973. Candidat défait à la mairie de Sainte-Foy en 1985 pour le Parti du renouveau municipal.

Membre de la Chambre de commerce de Québec. Membre de l'Union des comptables agréés et de la Corporation des administrateurs agréés. Président de la Chambre de commerce de Sainte-Foy en 1983 et 1984. Président-fondateur de l'Opéra de Québec à compter de 1983. Membre de plusieurs conseils d'administration d'organismes communautaires. Membre des Chevaliers de Colomb. Président du Club Renaissance de Québec et directeur du Club Lions. Membre du Club des journalistes.

CLOUTIER, Maurice
(1913–1989)

Né à Québec, le 27 avril 1913, fils d'Arthur Cloutier, directeur de funérailles, et de Graziella Hébert.

Fit ses études aux pensionnats Saint-Louis-de-Gonzague et Saint-Jean-Berchmans à Québec, au séminaire de Québec, à l'académie de Québec et à la St. Patrick's High School à Québec et à Ottawa. Diplômé en administration et en gestion du personnel.

Directeur de funérailles à Québec. D'abord associé à son père, président de la maison Arthur-Cloutier, il lui succéda en 1942 à la direction de l'entreprise familiale avec la collaboration de ses frères. Président des maisons Cloutier ltée et Lépine-Cloutier ltée. Président de R. & M. Châtelaine ltée.

Élu député de l'Union nationale dans Québec-Centre en 1952. Réélu en 1956 et 1960. Défait en 1962.

Membre de la Chambre de commerce de Québec. Vice-président des associations provinciales et nationales des directeurs de funérailles en 1946. Membre des Chevaliers de Colomb. Membre, vice-président et président (1966 et 1967) du Club Lions, division Québec-Centre. Membre du Club des journalistes, du Club de la garnison et du Club Renaissance de Québec. Directeur de la Société canadienne du cancer. Directeur de l'Orchestre symphonique de Québec.

Décédé à Sainte-Foy, le 8 janvier 1989, à l'âge de 75 ans et 7 mois. Inhumé à Sainte-Foy, dans le cimetière Notre-Dame-de-Belmont, le 10 janvier 1989.

Avait épousé à Québec, dans la paroisse Saint-François-d'Assise, le 24 mai 1938, Marcelle Reid, fille de Joachim Reid, dentiste, et d'Emma-Bernadette Giroux.

COCHRANE, James
(1852–1905)

[Né à Kincardine, en Écosse, le 15 septembre 1852, fils de Robert Cochrane et d'Elizabeth McFarlane.]

Fit ses études à la British Canadian School et au Collegiate College à Montréal.

Fut d'abord télégraphiste à la Compagnie de télégraphe de Montréal. Entrepreneur en construction chargé de divers projets de chemins de fer dans l'ouest du pays. Fit partie des troupes de milice dans le Nord-Ouest lors de la rébellion des métis en 1885. Fondateur et directeur de la Sicily Asphalt Paving Co. et de la Laprairie Pressed Brick Co. Directeur de l'Hudson's Bay and Pacific Railway and Steamship Co. et de la Northern Insurance Co. Membre du Montreal Turnpike Trust. Directeur du journal *Canadian Workman*.

Maire de Montréal de février 1902 à février 1904. Vice-président de l'Union des municipalités du Canada. Candidat libéral défait dans Montréal-Ouest aux élections fédérales de 1891. Élu député libéral à l'Assemblée législative dans Montréal n° 4 en 1900. Réélu en 1904.

Directeur de la Société d'agriculture d'Hochelaga. Vice-président du Trade and Labour Council. Gouverneur à vie du Montreal General Hospital et de l'hôpital Notre-Dame de Montréal. Directeur du Royal Victoria Hospital, du Protestant Insane Asylum de Verdun et du Western General Hospital. Président du St. Lawrence Liberal Club. Vice-président du Club de réforme de Montréal. Membre de la Numismatic and Antiquarian Society. Membre de la Chambre de commerce et de la Commission du havre de Montréal.

Décédé en fonction à Montréal, le 28 mai 1905, à l'âge de 52 ans et 8 mois. Inhumé à Montréal, dans le cimetière de l'église presbytérienne St. Andrew, le 30 mai 1905.

Avait épousé à Montréal, dans l'église St. Patrick, le 24 novembre 1892, Catherine Mansfield, fille de Patrick Mansfield et de Mary Cusack.

COCKBURN, James
(≈1763–1819)

Né à Chichester, en Angleterre, vers 1763.

Pratiqua la médecine à Chichester, puis au Bas-Canada où il obtint l'autorisation d'exercer sa profession le 27 octobre 1806. Fut notamment chirurgien et pharmacien à Québec ; établit, dans la basse-ville, un hôpital pour les marins et les victimes d'accidents survenus à bord des bateaux et s'associa, en 1815, avec son ancien élève le docteur Joseph Morrin.

Élu député de Gaspé en 1816 ; appuya tantôt le parti canadien, tantôt le parti des bureaucrates.

Décédé en fonction le 19 août 1819, à l'âge d'environ 56 ans, au large de Terre-Neuve, à bord du *William Pitt* qui faisait route vers l'Angleterre. Inhumé probablement en mer.

Avait épousé en secondes noces dans la cathédrale anglicane Holy Trinity, à Québec, le 16 décembre 1815, Dorothy McKeige, fille d'un dénommé McKeige de Boston.

COFFIN, Nathaniel
(1766–1846)

Né à Boston, le 20 février 1766, fils de John Coffin, homme d'affaires, et d'Isabella Child.

À cause de la guerre de l'Indépendance américaine, se réfugia à Québec avec sa famille en 1775. Entreprit une carrière dans l'armée britannique en 1783, à titre d'enseigne; mis à la demi-solde en 1786. De retour à Québec, obtint en 1790 un poste d'arpenteur et travailla surtout dans les régions de Portneuf et de la baie Missisquoi.

Élu député de Bedford en 1796; ne semble pas avoir participé aux votes. Ne se serait pas représenté en 1800.

Nommé en juillet 1812 aide de camp provincial et, en octobre, lieutenant-colonel dans la milice. Servit dans le Haut-Canada; accéda au grade de colonel en 1820. Exerça les fonctions d'adjudant général de 1815 jusqu'à son remplacement en 1837. À ce titre, fut emprisonné, en 1828, pour refus de comparaître devant les députés.

Avec William **Vondenvelden**, entre autres, forma en 1793 une loge maçonnique. Participa, en 1794, à la création de l'Association, mise sur pied pour appuyer l'autorité britannique. Fut juge de paix de 1796 à 1810 environ.

Décédé à Toronto, le 12 août 1846, à l'âge de 80 ans et 5 mois.

Était apparemment célibataire.

Frère de Thomas **Coffin**. Beau-frère de John **Craigie**. Oncle par alliance de Benjamin Joseph **Frobisher**.

Bibliographie: *DBC*.

COFFIN, Thomas
(1762–1841)

Né à Boston, le 5 juillet 1762, fils de John Coffin, homme d'affaires, et d'Isabella Child.

Issu d'une famille de loyalistes venue des colonies américaines à Québec en 1775. Fut commerçant, notamment à Montréal dès 1782. Après son mariage, administra et exploita des seigneuries, dont celle de Pointe-du-Lac qu'il posséda de 1787 à 1795. Shérif du district de Trois-Rivières du 1er juillet 1790 jusqu'en décembre 1791. Fut juge de paix. Un des propriétaires de la Compagnie des forges de Batiscan de 1798 à

1811. Colonel dans la milice en 1803, commissaire des Transports dans le district de Trois-Rivières en 1812. Nommé inspecteur de police de Trois-Rivières le 16 février 1813. Occupa plusieurs postes de commissaire.

Élu député de Saint-Maurice en 1792. Réélu en 1796 et 1800. Appuya généralement le parti des bureaucrates. Ne s'est pas représenté en 1804. Candidat défait dans Trois-Rivières à une élection partielle en 1807. Élu député de Saint-Maurice en 1808. Retira sa candidature après sept jours de scrutin en 1809. Élu député de Trois-Rivières en 1810. Ne se serait pas représenté en 1814. Conseiller législatif du 8 mai 1817 jusqu'à la suspension de la constitution, le 27 mars 1838.

Décédé à Trois-Rivières, le 18 juillet 1841, à l'âge de 79 ans. Inhumé dans la chapelle des ursulines, le 22 juillet 1841.

Avait épousé dans l'église anglicane de Montréal, le 22 février 1786, Marguerite Godefroy de Tonnancour, fille de Louis-Joseph Godefroy de Tonnancour, seigneur et marchand, et de sa seconde femme, Louise Carrerot.

Frère de Nathaniel **Coffin**. Beau-frère de Michel-Eustache-Gaspard-Alain **Chartier de Lotbinière**, de John **Craigie** et de Joseph-Marie **Godefroy de Tonnancour**. Oncle par alliance de Benjamin Joseph **Frobisher**.

Bibliographie: *DBC*.

COHEN, Joseph
(1891–1973)

[Né à Russayn, en Russie, le 12 août 1891, fils de Myer Cohen, ministre du culte juif, et de Rebecca Benyash.] Émigra au Canada en 1892.

Fit ses études à l'école Dufferin, à la High School de Montréal, à la McGill University et à l'université Laval à Montréal. Fit sa cléricature auprès de Samuel William Jacobs, député à la Chambre des communes de 1917 à 1938. Admis au barreau de la province de Québec le 13 janvier 1913. Créé conseil en loi du roi le 6 octobre 1926.

Avocat criminaliste, il exerça à Montréal au cabinet des avocats Cohen & Goldenberg de 1914 à 1916, Cohen & Bernstein de 1918 à 1922 et Cohen, Gendron & Gauthier de 1922 à 1926. Pratiqua seul de 1926 à 1930. S'associa à Myer Gameroff et Myer Gross de 1930 à 1934, puis à Ezra Leitham et Fred Kaufman. Fut conseiller du cabinet Leitham & Garosky.

Candidat libéral défait dans Montréal–Saint-Laurent en 1923. Élu député libéral dans la même circonscription en

1927. Réélu en 1931 et 1935. Son élection a été annulée le 30 juin 1936. Ne s'est pas représenté aux élections du 17 août 1936.

Professeur de droit pénal à la McGill University de 1952 à 1961. Membre de la Société de criminologie du Québec dont il fut président de 1965 à 1969. Membre du Club canadien, du Club de réforme de Montréal et du Montefiore Club. Membre de la Young Men's Hebrew Association et de la Lodge of the Covenant.

Décédé à Montréal, le 24 septembre 1973, à l'âge de 82 ans et un mois. Inhumé à Montréal, dans le cimetière de la congrégation Shaar Hashomayim, le 26 septembre 1973.

Avait épousé à Montréal, à la Beth Israël Jewish Congregation, le 25 mai 1913, Bella Gross, fille de Bernard Gross et de Rachel Zecker.

COITEUX, Frédéric
(1902–1979)

Né à Repentigny, le 7 juin 1902, fils de Stanislas Coiteux, cultivateur, et de Stéphanie Lafortune.

Fit ses études aux écoles de sa paroisse natale et au collège de L'Assomption. Cultivateur à Repentigny. Fondateur de la Coopérative de L'Assomption et de celle de Saint-Jacques. Vice-président de l'Office des marchés de tabac du Québec pendant trois ans. Membre des Chevaliers de Colomb.

Commissaire d'école à Repentigny de juillet 1939 à juillet 1943, puis président de juillet 1943 à juillet 1947. Candidat libéral défait dans L'Assomption en 1952 et 1956. De nouveau défait en 1960, il fut par la suite déclaré élu par la Cour supérieure le 12 juillet 1961. Réélu en 1962. Défait en 1966.

Décédé à Repentigny, le 9 mars 1979, à l'âge de 77 ans et 9 mois. Inhumé à Repentigny, le 12 mars 1979.

Avait épousé à L'Épiphanie, le 29 septembre 1926, Robertine Amireault, fille d'Adélard Amireault, cultivateur, et de Maria Charpentier.

Frère d'Henri-Laurier **Coiteux**.

COITEUX, Henri-Laurier
(1909–1972)

Né à Repentigny, le 29 septembre 1909, fils de Stanislas Coiteux, cultivateur, et de Stéphanie Lafortune.

Fit ses études à l'école de Repentigny, au collège de L'Assomption et à l'université Laval à Québec. Diplômé en génie forestier et arpentage en 1936.

Ingénieur forestier au service de la Price Brothers Co. à Chicoutimi en 1936, de la Gulf Pulp Paper à Clarke City en 1946 et de la Co-Hollinger (maintenant Iron Ore of Canada) à Sept-Îles de 1950 à 1953. Propriétaire d'une entreprise de bois de sciage et de construction à Sept-Îles de 1953 à 1960.

Échevin de Sept-Îles de février 1959 à février 1960. Élu député libéral dans Duplessis en 1960. Réélu en 1962, 1966 et 1970. Nommé adjoint parlementaire du ministre des Terres et Forêts le 19 décembre 1962 et le 3 juin 1970.

Membre de la Chambre de commerce de Sept-Îles et du Club Richelieu. Membre de la Corporation des ingénieurs forestiers et directeur de l'Association forestière québécoise de 1961 à 1964 et de 1966 à 1968.

Décédé en fonction à Sainte-Foy, le 10 juillet 1972, à l'âge de 62 ans et 9 mois. Inhumé à Sept-Îles, dans le cimetière de la paroisse Saint-Joseph, le 13 juillet 1972.

Avait épousé à Québec, dans la paroisse du Saint-Sacrement, le 18 avril 1938, Isabelle Roy, fille de Raoul-Edmond Roy, ingénieur mécanicien, et d'Isabelle Bourassa.

Frère de Frédéric **Coiteux**.

COLBORNE, John
(1778–1863)

Né à Lyndhurst, en Angleterre, le 16 février 1778, fils de Samuel Colborne et de Cordelia Anne Garstin.

Étudia au Christ's Hospital, à Londres, et au Winchester College.

S'engagea dans la carrière militaire en 1794, à titre d'enseigne dans l'armée britannique. Jusqu'en 1815, servit en Europe, en Égypte et en Méditerranée, fut secrétaire militaire, notamment du prince d'Orange, et aide de camp du prince régent; blessé gravement en 1812; se distingua à l'occasion de la bataille de Waterloo. Occupa divers postes militaires et civils.

De 1821 à 1828, fut gouverneur de l'île de Guernesey. Nommé lieutenant-gouverneur du Haut-Canada le 14 août 1828, arriva à York (Toronto) le 3 novembre; relevé de ses fonctions en janvier 1836. Apprit en mai 1836 sa nomination au poste de commandant en chef des forces armées du Haut et du Bas-Canada; de New York se rendit à Montréal. Dirigea les opérations militaires contre la rébellion de 1837. Occupa la charge d'administrateur du Bas-Canada du 27 février au 29 mai 1838; à ce titre, proclama la suspension de la constitution le 27 mars et forma, le 2 avril, le premier Conseil spécial, qui fut dissout le 1er juin. À nouveau administrateur du Bas-Canada du 1er novembre 1838 au 17 janvier 1839, mit sur pied, le 2 novembre 1838, le troisième Conseil spécial, dont l'existence prit fin avec l'entrée en vigueur de l'Acte d'Union, le 10 février 1841. Nommé gouverneur général de l'Amérique du Nord britannique le 13 décembre 1838, exerça cette fonction du 17 janvier 1839 au 19 octobre. Quitta la colonie le 23 octobre 1839.

Fait chevalier commandeur de l'ordre du Bain en 1815 et grand-croix en 1839. Nommé au Conseil privé. Accéda à la pairie et à la Chambre des lords en qualité de 1er baron Seaton le 14 décembre 1839. Grand-croix de l'ordre de Saint-Michel et Saint-George en 1843. Fut haut-commissaire des îles ioniennes de 1843 à 1849, puis, de 1855 à 1860, commandant des forces armées et conseiller privé en Irlande, où il possédait des domaines dans le comté de Kildare. Accéda, en 1860, au plus haut grade militaire d'Angleterre, celui de feld-maréchal.

Décédé à Torquay, en Angleterre, le 17 avril 1863, à l'âge de 85 ans et 2 mois.

Avait épousé, en 1813, Elizabeth Yonge, fille de James Yonge, *rector* anglican de Newton Ferrers, en Angleterre.

———

Bibliographie: *DBC*.

COLBY, Moses French (1795–1863)

Né à Thornton, au New Hampshire, le 2 juillet 1795, fils de Samuel Colby et de Ruth French.

Entreprit l'étude de la médecine à Derby, au Vermont, en 1814; poursuivit ses cours au Yale College de New Haven, au Connecticut, puis au Dartmouth College de Hanover, au New Hampshire. Reçut un diplôme en 1821.

Pratiqua la médecine à Derby, puis, en 1828, se rendit à la School of Practical Anatomy du Harvard College, à Cambridge, au Massachusetts; obtint une maîtrise ès arts. En 1832, réussit l'examen du Bureau d'examinateurs en médecine du district de Québec et s'établit à Stanstead. Rédigea des articles et une brochure, *New views of the functions of the digestive tube* [...] (Rock Island, Québec, 1860). Engagé dans la fabrication et la vente de médicaments, et dans l'élevage de bestiaux.

Élu député de Stanstead à une élection partielle le 13 janvier 1837; appuya le parti des bureaucrates. Son mandat prit fin avec la suspension de la constitution, le 27 mars 1838. Défait en 1841.

L'un des administrateurs de la Stanstead Masonic Golden Rule Lodge. Nommé, en 1847, médecin du régiment de milice de Stanstead.

Décédé à Stanstead Plain, le 4 mai 1863, à l'âge de 67 ans et 10 mois.

Avait épousé, en 1826, Lemira Strong.

Père de Charles Carroll Colby, député à la Chambre des communes du Canada.

———

Bibliographie: *DBC*.

COLLARD, Lucien

Né à Alma, le 8 décembre 1918, fils de Lionel Collard, ouvrier, et de Clémence Larouche.

Fit ses études au collège d'Alma, à l'école privée Larouche et Buissières à Alma et au séminaire de Chicoutimi.

Marchand et agent d'affaires. Fit partie de l'armée canadienne de 1942 à 1946. Vice-président du Syndicat des commis-comptables. Membre du Club Richelieu et des Chevaliers de Colomb.

Échevin d'Alma de juillet 1950 à juin 1956. Candidat libéral défait dans Lac-Saint-Jean en 1956. Élu député libéral dans la même circonscription en 1960. Réélu en 1962. Défait en 1966.

Courtier en immeubles et évaluateur à la Banque de Montréal de 1966 à 1980. Retraité depuis 1980.

COLLINS, John (<1760–1795)

Né probablement en Angleterre.

Aurait été marchand à Québec dès 1760. Exerça les fonctions d'arpenteur adjoint dans les colonies britanniques au sud de la province de Québec. Le 8 septembre 1764, fut nommé arpenteur général adjoint de la province de Québec; travailla notamment dans la région frontalière de la colonie de New York, dans le Haut-Canada et en Gaspésie. Franc-maçon, fut grand maître provincial de 1767 à 1785. Obtint plusieurs postes de commissaire. Fut juge de paix. Acquit des terres en Gaspésie et dans le Haut-Canada.

Prêta serment en janvier 1773 comme membre du Conseil de Québec. Le 17 août 1775, entra au Conseil législatif. Fit partie du conseil privé du gouverneur Guy **Carleton** en 1776. Nommé conseiller législatif en 1792.

Décédé en fonction à Québec, le 15 avril 1795. Les obsèques furent célébrées dans l'église anglicane, le 18 avril 1795.

Avait épousé une prénommée Margaret, inhumée à Québec le 25 janvier 1770.

Bibliographie: *DBC*.

COLVILE, Eden
(1819–1893)

Né à Langley, près de Beckenham, dans le Kent, en Angleterre, le 12 février 1819, fils d'Andrew Colvile, marchand, et de Mary Louisa Eden.

Étudia à Eton et au Trinity College de Cambridge, en Angleterre, où il obtint un diplôme en 1841.

En 1842, accompagna au Bas-Canada Edward Gibbon **Wakefield**, régisseur de la seigneurie de Beauharnois pour le compte de la North American Colonial Association of Ireland, organisme dont le père de Colvile était gouverneur adjoint. Prit la relève de **Wakefield** en 1844, à titre de représentant de l'association et d'administrateur de la seigneurie.

Élu député de Beauharnois en 1844; tory. Ne s'est pas représenté en 1848.

Après avoir résigné ses fonctions administratives, entra, en 1848, au service de la Hudson's Bay Company (HBC), dont son père était aussi gouverneur adjoint; effectua une tournée d'inspection dans le Nord-Ouest, puis retourna en Angleterre. Nommé le 3 février 1849 gouverneur de Rupert's Land, se rendit d'abord sur la côte du Pacifique (1849–1850) avant de s'installer dans la colonie de la Rivière-Rouge (au Manitoba); fut membre du Conseil d'Assiniboia. Rentré définitivement en Angleterre en 1852, fit carrière dans les affaires et succéda à son père dans diverses charges: siégea au comité de Londres de la HBC à compter de 1854, occupa le poste de gouverneur adjoint de la compagnie, à partir de 1871, et celui de gouverneur, de 1880 jusqu'à sa retraite en 1889.

Décédé [à Lustleigh], dans le Devon, en Angleterre, le 2 avril 1893, à l'âge de 74 ans et un mois.

Avait épousé dans l'église anglicane Christ Church, à Montréal, le 4 décembre 1845, Anne Maxwell, [fille du lieutenant-colonel d'infanterie John Maxwell].

Bibliographie: *DBC*.

COMEAU, Joseph-Jean-Léopold
(1899–1974)

Né dans la paroisse Saint-Polycarpe-de-Petit-Rocher, au Nouveau-Brunswick, le 30 juin 1899, fils de Jean-Baptiste Comeau et de Jeanne Haché.

A étudié à l'école publique de Bathurst, à l'académie Saint-Joseph à Tracadie, au Collège commercial de Moncton et au collège Sacré-Cœur à Bathurst.

Employé dans un moulin à scie de 1914 à 1916 au Nouveau-Brunswick. En septembre 1916, il s'enrôla dans la compagnie D du 8th Royal Rifles à Québec. Fut attaché au 259e bataillon d'infanterie en Sibérie. Démobilisé en 1919. Vendeur pour W.J. Kent and Co. à Bathurst. Professeur au collège Sacré-Cœur à Bathurst de 1923 à 1926. Professeur à Montréal au St. Mary's College de 1928 à 1929 et au collège O'Sullivan à Verdun de 1929 à 1931, dont il devint principal en 1931 et propriétaire en 1938.

Élu député libéral dans Montréal-Verdun aux élections de 1939. Ne s'est pas représenté en 1944. Candidat défait dans Verdun aux élections fédérales de 1945.

Membre de la Chambre de commerce de Montréal, de la Société Saint-Jean-Baptiste, de l'American Association of Commercial Colleges, de la Légion canadienne, du Greater Verdun Community Council, des Chevaliers de Colomb, du Club de réforme et de la Ligue des voltigeurs de Verdun inc.

Décédé à Sainte-Anne-de-Bellevue, le 5 juin 1974, à l'âge de 74 ans et 11 mois. Inhumé à Pointe-Claire, dans le cimetière des Vétérans, le 7 juin 1974.

Avait épousé à Verdun, dans la paroisse Notre-Dame-des-Sept-Douleurs, le 23 décembre 1933, Georgette Godin, fille d'Arsène Godin, médecin, et de Marie-Émilie Molleur; puis, à Montréal, dans l'église Sainte-Trinité, le 28 novembre 1936, Véronica Yezik, fille d'Albert Yezik et de Ludovica Saydak.

COMTOIS, Paul
(1895–1966)

Né à Saint-Thomas-de-Pierreville, le 22 août 1895, fils d'Urbain Comtois, marchand, et d'Elizabeth McCaffrey.

Fit ses études au collège de Nicolet ainsi qu'à l'université de Montréal. Stagiaire à l'Institut agricole d'Oka en 1918. Reçu agronome en 1918.

Exerça sa profession à Pierreville sur la ferme familiale. Propriétaire de la ferme des Ormes. Chef évaluateur à la Commission du prêt agricole canadien de juin 1935 à novembre 1936. À l'Office du crédit agricole provincial, il fut gérant général du 16 novembre 1936 au 31 juillet 1957, registraire du 5 décembre 1941 au 15 avril 1957, puis membre du Comité de l'habitation en 1948.

Président de la commission scolaire de Saint-Thomas-de-Pierreville en 1928. Marguillier de sa paroisse de 1930 à 1934. Candidat conservateur défait dans Nicolet-Yamaska aux élections fédérales de 1930 et à l'élection partielle fédérale du 23 octobre 1933. Maire de Saint-Thomas-de-Pierreville de 1947 à 1961 et préfet du comté de Yamaska en 1956. Élu député conservateur à la Chambre des communes dans Nicolet-Yamaska en 1957 et 1958. Nommé membre du Conseil privé le 7 août 1957. Ministre des Mines et Relevés techniques dans le cabinet Diefenbaker du 7 août 1957 au 5 octobre 1961. Assermenté lieutenant-gouverneur de la province de Québec le 11 octobre 1961.

Président de la caisse populaire de Pierreville de 1945 à 1961. Cofondateur de la Coopérative agricole de Pierreville. Membre du Club de la garnison, du Quebec Winter Club, des Chevaliers de Colomb et de la Ligue du Sacré-Cœur. Créé chevalier de l'ordre de Saint-Jean-de-Jérusalem en 1962.

Décédé en fonction à Sillery, le 21 février 1966, lors de l'incendie de Bois-de-Coulonge, à l'âge de 70 ans et 5 mois. Inhumé dans le cimetière de Saint-Thomas-de-Pierreville le 24 février 1966.

Avait épousé à Saint-François-du-Lac, le 27 septembre 1921, Irène-Anne-Rachel Gill, fille de Thomas Gill, marchand, et de Laura Verville.

Petit-neveu de Charles-Ignace **Gill**.

CONNORS, Francis Lawrence
(1891–1964)

[Né à Ottawa, le 14 novembre 1891, fils d'Edward John Connors et d'Esther Moylan.]

Fit ses études aux universités d'Ottawa, de Toronto, du Manitoba et de la Saskatchewan.

Pharmacien chimiste, il exerça sa profession à Montréal. Membre du conseil de l'Association des pharmaciens de la province de Québec de 1933 à 1944 et du Collège des pharmaciens du Québec de 1944 à 1947 où il siégea occasionnellement à titre de deuxième vice-président, entre 1933 et 1947. Membre du Club de réforme de Montréal et des Chevaliers de Colomb.

Élu député libéral dans Montréal–Sainte-Anne en 1935. Assermenté ministre sans portefeuille dans le cabinet Godbout le 27 juin 1936. Réélu en 1936 et 1939. De nouveau assermenté ministre sans portefeuille dans le cabinet Godbout le 8 novembre 1939. Son siège devint vacant lors de sa nomination comme conseiller législatif de la division des Mille-Isles le 14 janvier 1942.

Décédé en fonction à Québec, le 31 mars 1964, à l'âge de 72 ans et 4 mois. Inhumé à Montréal, dans le cimetière Notre-Dame-des-Neiges, le 4 avril 1964.

Avait épousé à Montréal, dans l'église St. Patrick, le 8 juin 1921, Irène O'Connell, fille de Thomas O'Connell et de Mary Jane McEntee.

CONROY, Bernard-Augustin
(1882–1949)

Né à Montréal, dans la paroisse Saint-Gabriel, le 23 avril 1882, fils de James Conroy et de Mary Donald.

Fit ses études à la Sarsfield School, au collège Loyola ainsi qu'à la McGill University à Montréal. Reçu médecin en 1906. Médecin à l'emploi de la Canada Steamship Lines.

Élu sans opposition député libéral dans Montréal–Sainte-Anne en 1919. Ne s'est pas représenté en 1923.

Médecin en chef de la police de Montréal de 1922 à 1949. Président du bureau de direction de l'hôpital Herbert Reddy Memorial à Montréal. Gouverneur du Collège des médecins et chirurgiens de la province de Québec. Élu président du Conseil supérieur d'hygiène de la province de Québec en 1922. Membre des Chevaliers de Colomb et de la St. Patrick Society. Président de la Holy Name Society.

Décédé à Montréal, le 26 janvier 1949, à l'âge de 66 ans et 9 mois. Inhumé à Montréal, dans le cimetière Notre-Dame-des-Neiges, le 28 janvier 1949.

Avait épousé à Montréal, dans sa paroisse natale, le 18 septembre 1907, Mary-Éva Bastien dit Laprairie, fille d'Adolphe-Mary-Joseph Bastien dit Laprairie et de Maria Fenallstine Lucas.

COOKE, Alanson
(1811–1904)

Né à L'Orignal, en Ontario, le 23 septembre 1811, fils d'Asa Cook, marchand de bois d'ascendance américaine, et de Christina Barron.

Étudia probablement à L'Orignal et à Grenville.

Marchand de bois; succéda à son père, à partir de 1837, comme agent d'affaires dans la seigneurie de la Petite-Nation, au Bas-Canada, et comme gérant de la scierie, dont il devint locataire en 1847, puis propriétaire en 1852. Investit dans la propriété foncière et la production agricole, notamment à Saint-André-Avellin. Officier dans la milice: capitaine en février 1847, promu major en décembre 1854, accéda au grade de lieutenant-colonel le 8 mars 1860 et commanda au moins jusqu'en 1865.

Fit partie, en 1845, du conseil municipal de la Petite-Nation. Élu député de la circonscription d'Ottawa en 1854;

appuya les rouges et les libéraux. Ne s'est pas représenté en 1858. Candidat défait au siège de conseiller législatif de la division d'Inkerman en 1860. Maire et préfet de Saint-André-Avellin, de 1862 à 1864.

Décédé à Hintonburg, en Ontario, le 28 avril 1904, à l'âge de 92 ans et 7 mois. Inhumé dans le cimetière anglican de Papineauville, au Québec, le 1er mai 1904.

Avait épousé dans l'église baptiste du canton de Clarence, en Ontario, le 12 octobre 1832, Elizabeth Connors.

Bibliographie: Coderre, Anita, «The Cooke family of Argenteuil County, Que. and Prescott County, Ont.», dans *Actes du colloque sur l'identité régionale de l'Outaouais*, Hull, Institut d'histoire régionale et de recherche sur l'Outaouais, 1981, p. 127-128.

COOKE, Joseph Peter
(1858–1913)

Né à Drummondville, le 18 mai 1858, fils de John Valentine Cooke, marchand de bois, et de Mary Anne Faulker.

Fit ses études au collège Saint-François à Richmond, puis à la McGill University à Montréal. Admis au barreau de la province de Québec le 11 janvier 1881. Créé conseil en loi de la reine le 14 mai 1899.

Exerça sa profession d'avocat à Drummondville, puis à Montréal.

Élu député conservateur dans Drummond en 1892. Candidat libéral défait dans Montréal n° 4 en 1897.

Avocat de la couronne en 1897 et 1898. Registrateur de Montréal-Ouest de 1907 à 1913.

Lieutenant-colonel des Fusiliers du Prince-de-Galles de 1898 à 1903. Fit partie de l'armée de réserve, puis fut commandant du *Bisley Team* en 1898. Membre de l'Union Club de Québec.

Décédé à Montréal le 28 juillet 1913, à l'âge de 55 ans et 2 mois. Inhumé à Montréal, au Mount Royal Cemetery, le 31 juillet 1913.

Avait épousé à Montréal, dans l'église St. George, le 6 avril 1880, Helen Grace Burnett, fille de Peter Burnett, capitaine de vaisseau.

COOKE, Richard-Stanislas
(1850–1924)

Né à Trois-Rivières, le 23 janvier 1850, fils de Richard Cooke, sellier, et de Marie-Émilie Cloutier.

Fit ses études au séminaire de Trois-Rivières, au collège Saint-Joseph à Trois-Rivières et à l'université Laval à Québec. Fit sa cléricature auprès des avocats Charles-Borromée **Genest** et William McDougall. Admis au barreau de la province de Québec le 14 juillet 1874. Créé conseil en loi de la reine le 28 juin 1899.

Exerça sa profession à Trois-Rivières avec H.-G. Maillot en 1874 et plus tard avec A.-E. Gervais. Représentant du procureur général à Trois-Rivières.

Échevin de la ville de Trois-Rivières de 1880 à 1886, puis en 1888 et 1889. Maire du 20 janvier 1896 au 17 janvier 1898. Candidat libéral défait dans Trois-Rivières en 1892 et à l'élection partielle du 3 novembre 1892. Élu sans opposition député libéral dans Trois-Rivières en 1900. Ne s'est pas représenté en 1904.

Nommé juge à la Cour supérieure du district de Trois-Rivières le 16 novembre 1904. Prit sa retraite en 1914. Vice-président de l'Association agricole de Trois-Rivières.

Décédé à Trois-Rivières, le 10 juillet 1924, à l'âge de 74 ans et 5 mois. Inhumé à Trois-Rivières, dans le cimetière Saint-Louis, le 14 juillet 1924.

Avait épousé à Trois-Rivières, dans la paroisse de l'Immaculée-Conception, le 22 août 1877, Marie-Sara-Henriette-Louise Lajoie, fille de Jean-Baptiste Lajoie, marchand, et de Marie-Louise Byrne; puis, dans la même paroisse, le 6 août 1889, Florence Genest, fille de Laurent-Ubald-Archibald Genest, avocat, et de Marie-Charlotte-Esther-Emma McCallum.

Beau-frère de Nérée Le Noblet **Duplessis** et de William-Pierre **Grant**. Oncle de Maurice Le Noblet **Duplessis**.

COONAN, Thomas Joseph
(1889–1967)

Né à Montréal, le 7 mars 1889, fils de William Coonan, machiniste, et de Mary Anne Fullerton.

Fit ses études à la St. Ann's School de Montréal et à la McGill University. Fit sa cléricature auprès de Me J.-A. Mann. Admis au barreau de la province de Québec le 15 janvier 1917. Créé conseil en loi du roi le 10 octobre 1928.

Exerça sa profession au cabinet Coonan et Plimsol à Montréal en 1918. S'associa plus tard à E.-F. Surveyer et Charles-B. Odgen, puis pratiqua seul par la suite.

Candidat conservateur défait dans Montréal–Sainte-Anne aux élections fédérales de 1921. Défait également dans Montréal–Saint-Laurent aux élections provinciales de 1935. Élu député de l'Union nationale dans cette dernière circonscription en 1936. Assermenté ministre sans portefeuille dans le cabinet

Duplessis le 26 avril 1936 et le 12 juillet 1938. Défait dans Montréal–Sainte-Anne en 1939 et à l'élection partielle du 23 mars 1942. Nommé juge du district de Montréal le 24 mars 1945. Prit sa retraite en 1961.

Capitaine des sapeurs du Corps expéditionnaire canadien de 1916 à 1918. Membre des officiers de réserve. Membre du Montreal Club, des Chevaliers de Colomb et du College Club.

Décédé à Montréal, le 22 décembre 1967, à l'âge de 78 ans et 9 mois. Inhumé à Montréal, dans le cimetière Notre-Dame-des-Neiges, le 26 décembre 1967.

Avait épousé à Montréal, dans la paroisse Saint-Patrick, le 5 septembre 1917, Véronica Catherine Bussière, fille de Francis Antony Bussière et de Bridget Mary Barry.

CORDEAU, Fabien

Né à Saint-Pie, le 24 mars 1923, fils de Donat Cordeau, cultivateur et propriétaire de taxis, et de Rhéa Poirier.

Fit ses études à l'école du Sacré-Cœur à Saint-Pie et au séminaire de Saint-Hyacinthe. Suivit un cours de perfectionnement en mathématiques et en administration.

Membre des Forces armées canadiennes de 1943 à 1945. Directeur de service à la Survivance pendant vingt-neuf ans. Retourna au service de cette compagnie de 1981 à 1988, année de sa retraite.

Échevin au conseil municipal de Saint-Hyacinthe de 1973 à 1988. Élu député de l'Union nationale dans Saint-Hyacinthe en 1976. Défait en 1981.

Président de l'Association des expositions du Québec pendant deux ans. Directeur national de l'Association des expositions du Canada pendant quatre ans. Secrétaire-gérant de l'Exposition régionale de Saint-Hyacinthe pendant neuf ans. Secrétaire de la Société d'agriculture du comté de Saint-Hyacinthe pendant cinq ans. Membre de la Chambre de commerce de Saint-Hyacinthe. Membre de l'Association des cadres de l'informatique. Fit deux mandats comme président de l'Œuvre des terrains de jeux (OTJ) de la paroisse du Saint-Sacrement et fut secrétaire-fondateur de l'OTJ de la paroisse du Christ-Roi de Saint-Hyacinthe. Membre des Chevaliers de Colomb.

CORMIER, Charles
(1813–1887)

Né à Saint-Grégoire-le-Grand (Bécancour) et baptisé dans la paroisse Saint-Grégoire, le 22 juin 1813, fils de Pierre Cormier, marchand d'ascendance acadienne, et d'Élisabeth Landry.

Fit ses études élémentaires à Saint-Grégoire-le-Grand et à Trois-Rivières; plus tard, fréquenta l'école du soir à Montréal.

En 1826, s'embaucha à titre de commissionnaire dans un magasin de Montréal. Peu après, entra en qualité de commis dans un autre commerce montréalais, dont il devint propriétaire en 1839. S'établit, en novembre 1849, à Plessisville, dans le canton de Somerset, où il tint magasin, exploita des moulins et s'occupa d'agriculture; mit sur pied, en 1873, la Fonderie de Plessisville. Fut commissaire d'école, commissaire au tribunal des petites causes et capitaine dans le 2e bataillon de milice de Mégantic. Nommé un des administrateurs honoraires de la Caisse d'économie de Notre-Dame de Québec, en 1866.

Membre de l'association des Fils de la liberté, mais n'a pas pris part aux troubles de 1837–1838. Élu maire de Plessisville à plusieurs reprises, à partir de 1855. Élu conseiller législatif de la division de Kennebec en 1862; son mandat prit fin avec l'avènement de la Confédération, le 1er juillet 1867. Représenta la même division au Sénat, à compter du 23 octobre 1867. Appuya le Parti libéral.

Décédé en fonction à Plessisville, le 7 mai 1887, à l'âge de 73 ans et 10 mois. Inhumé dans le cimetière de la paroisse Saint-Calixte, le 11 mai 1887.

Avait épousé dans la paroisse Notre-Dame de Montréal, le 5 novembre 1838, Lucile Archambault, couturière et commerçante, fille du charpentier Pierre Archambault et de Josephte Faucher.

Père de Napoléon-Charles **Cormier**. Beau-père de Louis-Éphrem Olivier, député à la Chambre des communes du Canada.

Bibliographie: *DBC.*

CORMIER, Napoléon-Charles
(1844–1915)

Né dans la paroisse Notre-Dame de Montréal, le 26 avril 1844, fils de Charles **Cormier**, marchand, et de Lucile Archambault.

Fit ses études au collège Sainte-Marie à Montréal et au collège Régiopolis à Kingston, en Ontario, puis au Collège militaire de cette ville.

Exerça le métier de commerçant à Plessisville. Devint propriétaire du magasin de son père en 1870. En 1873, il fonda avec son père la Fonderie de Plessisville, il fut l'un des directeurs de cette entreprise de 1873 à 1878. De nouveau directeur en 1883, puis en devint le président en 1885. Il occupa cette fonction jusqu'en 1907. Fondateur de la Manufacture de laine de Plessisville en 1885 et de la Compagnie électrique de Plessisville en 1900.

Fut conseiller municipal de Plessisville de 1874 à 1880. Élu conseiller et maire de cette municipalité en 1889. Préfet du comté de Mégantic du 13 mars 1889 au 13 mars 1890. Nommé conseiller législatif de la division de Kennebec le 25 novembre 1889. Appuya le Parti libéral.

Décédé en fonction à Québec, le 7 mars 1915, à l'âge de 70 ans et 10 mois. Inhumé à Plessisville, dans le cimetière de la paroisse Saint-Calixte-de-Somerset, le 10 mars 1915.

Avait épousé à Saint-Patrice-de-la-Rivière-du-Loup, le 22 juin 1870, Marie-Henriette-Aglaé Larochelle, fille de Pierre-Eugène Larochelle et de Marie-Henriette Dion.

Beau-frère de Louis-Éphrem Olivier, député fédéral de 1878 à 1882.

CORMIER, Narcisse-Édouard
(1847–1906)

Né dans la paroisse Saint-Calixte-de-Somerset (Plessisville), le 27 mai 1847, fils d'Olivier Cormier, notaire, et d'Emmérence Beaubien.

Résida à Great Falls et Manchester, dans l'État du New Hampshire, de 1861 à 1867. S'établit à Aylmer en 1867. Marchand de bois et épicier. Propriétaire d'une manufacture et d'une scierie à Aylmer. Propriétaire d'un chantier de bois à Petawawa en Ontario. Garde-chasse et garde-pêche en chef pour l'ouest de la province. Fondateur du zoo d'Aylmer.

Président de la commission scolaire et de la Société Saint-Jean-Baptiste locale. Maire d'Aylmer de 1884 à 1887. Préfet du comté d'Ottawa en 1887. Élu député conservateur dans Ottawa en 1886. Démissionna le 22 juillet 1887 à la suite des procédures entreprises pour invalider son élection. Fut défait à l'élection partielle du 14 septembre 1887 ainsi qu'aux élections de 1890.

Décédé à Aylmer, le 18 février 1906, à l'âge de 58 ans et 8 mois. Inhumé à Aylmer, dans le cimetière de la paroisse Saint-Paul, le 20 février 1906.

Avait épousé à Aylmer, dans la paroisse Saint-Paul, le 20 juillet 1869, Sophie-Agnès Bourgeau, fille d'Alexandre Bourgeau et de Sophie Noël ; [puis, Mary Elizabeth Reilly, veuve de M. Chabot].

CORNEAU, François
(1786–1832)

Né à Pointe-Lévy (Lauzon devenu Lévis), le 14 avril 1786, puis baptisé le 15, sous le prénom de Jean-François, dans la paroisse Saint-Joseph, fils de Jean-Baptiste Corneau et de Françoise Guay.

Fut marchand à Québec. Enseigne dans le 2e bataillon de milice de la ville de Québec à compter du 8 février 1816, devint quartier-maître le 4 juin 1821. Fit du commerce à Saint-Patrice-de-la-Rivière-du-Loup (Saint-Patrice).

Élu député de Rimouski en 1830 ; donna son appui au parti patriote en au moins une occasion. Son élection, tout comme celle de Pascal **Dumais**, fut annulée le 17 décembre 1831.

Décédé à Saint-Patrice-de-la-Rivière-du-Loup (Saint-Patrice), le 12 février 1832, à l'âge de 45 ans et 9 mois. Inhumé dans l'église paroissiale, le 15 février 1832.

Avait épousé dans la paroisse Notre-Dame de Québec, le 1er août 1815, Marie-Louise Dubois, fille du sellier Jean-Baptiste Dubois et d'Euphrosine Verrette.

CORNEILLIER. V. CORNELLIER

CORNELLIER, Fernand

Né à Joliette, le 24 septembre 1920, fils d'Olivier Cornellier, serre-freins, et de Fébronie Ferland.

Fit ses études au séminaire de Joliette, à l'école normale Jacques-Cartier et à l'université de Montréal.

Travailla d'abord au service de traduction du gouvernement fédéral à Ottawa de 1943 à 1946. Occupa par la suite le poste d'adjoint au directeur du personnel à la Compagnie de téléphone Saguenay-Québec à Chicoutimi de 1946 à 1950, puis celui de directeur du personnel et des relations publiques jusqu'en 1956. Entra ensuite au service de Bell Canada où il fut successivement gérant du service commercial à Québec (1956) et à Sainte-Agathe-des-Monts (1957 à 1960), adjoint au directeur commercial à Sherbrooke (1960 à 1962), puis directeur du service commercial et des relations publiques à Roberval (1962 à 1964) et à Saint-Hyacinthe (1964-1970).

Élu député libéral dans Saint-Hyacinthe en 1970. Réélu en 1973. Défait en 1976.

Retourna au service de Bell Canada en 1976. Fut collaborateur aux journaux *le Jour*, *le Canada* et *la Patrie* entre 1941 et 1944. Membre de la Chambre de commerce et du

Club Richelieu de Saint-Hyacinthe. Membre des Chevaliers de Colomb.

CORNELLIER, Hippolite
(1820–1887)

Né à Sainte-Élisabeth et baptisé dans l'église paroissiale, le 2 mars 1820, fils de Joseph Cornellier, agriculteur, et d'Élisabeth Cadette. Désigné parfois sous le patronyme de Cornellier (Corneillier), dit Grandchamp.

Fit des études à Sainte-Élisabeth, puis dans le Haut-Canada.

Fut instituteur et cultivateur dans sa paroisse natale. Reçut une commission de juge de paix en 1857.

Élu député de Joliette en 1863 ; bleu. Son mandat prit fin avec l'avènement de la Confédération, le 1er juillet 1867. Maire de Sainte-Élisabeth en 1864 et de 1870 à 1872.

Nommé officier fédéral du département des accises après la Confédération, occupa cette fonction jusqu'à sa mort.

Décédé à Sainte-Élisabeth, le 21 mai 1887, à l'âge de 67 ans et 2 mois. Inhumé dans le cimetière de l'endroit, le 24 mai 1887.

Avait épousé dans la paroisse Sainte-Élisabeth, le 4 juin 1844, Henriette Lavallé, fille de Pierre Lavallé et de Marie Lafond.

COSSETTE, Philippe
(1898–1952)

Né à Saint-Pierre-les-Becquets, le 26 octobre 1898, fils de Geoffrey Cossette, menuisier, et d'Alvina Désilets.

Fit ses études à l'école paroissiale et au séminaire de Nicolet de 1912 à 1920. Titulaire d'un brevet de l'académie supérieure du Bureau des examinateurs de la province de Québec. Enseigna pendant trois ans. Fit par la suite des études de droit à l'université Laval de 1922 à 1925, où il reçut la médaille d'or du gouverneur général et le prix Sirois. Suivit également des cours de reconstruction sociale (coopération) à l'université d'Ottawa en 1944 et 1945.

Reçu notaire en 1925. Exerça sa profession de notaire à Saint-Pierre-les-Becquets pendant un an et à Causapscal de 1926 à 1952. Élu membre de la Chambre des notaires pour le district de Rimouski en 1945. Secrétaire-trésorier de l'Association des notaires de ce district. Collaborateur au *Progrès du Golfe* à Rimouski et à la *Revue du notariat*. Fondateur, puis gérant de la caisse populaire de Causapscal du 15 février 1937 au 28 octobre 1949. Membre de l'Union régionale des caisses

populaires, des Chevaliers de Colomb et de l'Association des secrétaires-trésoriers. Secrétaire-trésorier de la municipalité de Causapscal du 2 avril 1928 au 15 juin 1947.

Candidat de l'Union nationale défait dans Matapédia en 1939. Élu député de l'Union nationale dans cette circonscription en 1944. Réélu en 1948 et 1952.

Décédé en fonction à Québec, le 23 septembre 1952, à l'âge de 53 ans et 10 mois. Inhumé à Causapscal, dans le cimetière de la paroisse Saint-Jacques, le 27 septembre 1952.

Avait épousé à Deschaillons, dans la paroisse Saint-Jean, le 12 janvier 1927, Jeanne-Marcelle Douville, fille d'Alphonse Douville, marchand, et d'Angélina Lemay.

CÔTÉ, Albert

Né à Sherbrooke, le 19 janvier 1927, fils d'Adélard Côté, modeleur, et d'Adélia Couture.

A étudié au séminaire Saint-Charles de Sherbrooke et à l'université Laval où il fut diplômé en arpentage en 1950 et en génie forestier en 1951.

Ingénieur au ministère de l'Agriculture en 1952 puis au ministère des Terres et Forêts de 1952 à 1965. Directeur des opérations forestières de 1965 à 1967, puis président de l'Office de récupération forestière de 1967 à 1970. Président-directeur général de REXFOR de 1970 à 1979. Sous-ministre adjoint au ministère de l'Énergie et des Ressources en 1979 et 1980. Président et chef de la direction des Scieries des Outardes enr. de 1980 à 1983. Ingénieur forestier pour la Société Darveau, Grenier, Routhier et Associés inc. de 1983 à 1985.

Élu député libéral dans Rivière-du-Loup en 1985. Réélu en 1989. Ministre délégué aux Forêts dans le cabinet Bourassa du 12 décembre 1985 au 30 janvier 1991. Assermenté ministre des Forêts le 30 janvier 1991.

CÔTÉ, Camille
(1905–1967)

Né à Montréal, dans la paroisse du Sacré-Cœur, le 12 janvier 1905, fils de Joseph Côté, « valisier », et d'Yvonne Laurencelle.

Fit ses études à l'école Sainte-Brigitte et à l'École des hautes études commerciales à Montréal.

Travailla à la Banque d'Hochelaga de 1920 à 1923. Cheminot, il fut successivement « chauffeur » et mécanicien (conducteur) pour la Compagnie de chemins de fer du Canadien Pacifique à partir de 1923. Fut simultanément inspecteur pour la J.R. Watkins Co. et gérant général de la compagnie Pauls. Membre des Chevaliers de Colomb.

Conseiller municipal du district n° 10 à Montréal de 1940 à 1947. Élu député de l'Union nationale dans Montréal–Sainte-Marie aux élections de 1944. Whip de l'Union nationale de 1944 à 1948. Ne s'est pas représenté en 1948.

Décédé à Montréal, le 8 décembre 1967, à l'âge de 61 ans et 11 mois. Inhumé à Montréal, dans le cimetière Notre-Dame-des-Neiges, le 12 décembre 1967.

Avait épousé dans sa paroisse natale, le 21 juin 1927, Marie Belec, fille d'Alcide Belec et de Catherine Forest.

CÔTÉ, Charles-Eugène
(1867–1936)

Né à Québec, le 26 septembre 1867, fils de Narcisse Côté, ébéniste, et de Marie-Émilie Mailloux.

Fit ses études au séminaire de Québec ainsi qu'à l'université Laval à Québec. Reçu médecin en 1890.

Exerça sa profession à Québec, puis à Mistassini au Lac-Saint-Jean de 1899 à 1901, où il fut également agent de colonisation. Revint s'établir à Québec.

Membre du Club Laurier de 1895 à 1899. Président de la commission scolaire de Mistassini de 1899 à 1901. Membre de la Commission des écoles catholiques de Québec de 1907 à 1922. Élu député libéral dans Saint-Sauveur à l'élection partielle du 14 octobre 1905. Réélu sans opposition en 1908. Son siège devint vacant lorsqu'il fut nommé registrateur à Québec, le 1er octobre 1909, poste qu'il occupa jusqu'en 1923.

Président de la Société Saint-Jean-Baptiste de Québec, section Saint-Sauveur.

Décédé à Québec, le 26 juin 1936, à l'âge de 68 ans et 9 mois. Inhumé à Sainte-Foy, dans le cimetière Notre-Dame-de-Belmont, le 30 juin 1936.

Avait épousé à Québec, dans la paroisse Saint-Sauveur, le 5 septembre 1899, Marie-Elmire-Bernadette Auger, fille de François Auger, épicier, et de Joséphine Gingras.

CÔTÉ, Cyrille-Hector-Octave
(1809–1850)

Né à Québec et baptisé sous le prénom de Cyrille-Hector, dans la paroisse Notre-Dame, le 1er septembre 1809, fils de Charles Côté, navigateur d'ascendance acadienne, et de [sa seconde femme], Rose Duhamel.

Étudia au petit séminaire de Québec à compter de 1818, puis au petit séminaire de Montréal de 1823 à 1826.

Enseigna. En 1831, entreprit l'étude de la médecine au McGill College et la poursuivit à la University of Vermont, à Burlington, où il reçut un certificat. Refusé par le Bureau d'examinateurs en médecine du district de Montréal en janvier 1832, fut accepté par celui de Québec qui, en avril, lui donna sa licence de médecin.

Exerça sa profession à Sainte-Marguerite-de-Blairfindie (L'Acadie), puis, à partir de 1833, à Napierville.

Élu député de L'Acadie en 1834; appuya généralement l'aile radicale du parti patriote. Conserva son siège jusqu'à la suspension de la constitution, le 27 mars 1838. Coprésident, avec Louis-Joseph **Papineau**, d'une assemblée patriotique à Napierville, le 17 juillet 1837; l'un des Fils de la liberté; en novembre 1837, mit sur pied une organisation révolutionnaire dans son comté. S'enfuit aux États-Unis où, avec Robert **Nelson**, il prit la direction des actions tentées par les réfugiés patriotes les plus radicaux pour envahir le Bas-Canada. Après la défaite d'Odelltown, en novembre 1838, se rendit aux États-Unis.

Pratiqua la médecine à Swanton, au Vermont, où il fit paraître plusieurs articles dans le *North American*, et, à compter de 1840, à Chazy, dans l'État de New York; se convertit au protestantisme. De retour au Bas-Canada en 1844, fut ministre baptiste à Saint-Pie, puis, en 1849, à Sainte-Marie-de-Monnoir (Marieville); missionnaire de l'American Baptist Home Mission Society. Auteur de traductions et de brochures religieuses.

Décédé à Hinesburg, au Vermont, le 4 octobre 1850, à l'âge de 41 ans et un mois.

Avait épousé dans l'église paroissiale de Saint-Valentin, le 25 juin 1833, Margaret Yelloby Jobson, fille du cultivateur Thomas Jobson et d'Eleonor Willis.

Bibliographie: *DBC*.

CÔTÉ, David
(1915–1969)

Né à Montréal, dans la paroisse Saint-Henri, le 10 février 1915, fils d'Herman Côté, ingénieur, et d'Emely Staples.

Fit ses études à Montréal et à l'école de l'orphelinat de Nicolet.

Organisateur syndical auprès des unions ouvrières des mines de la région de Rouyn. Organisateur du syndicat international Congress for Industrial Organization.

Élu député de la Co-operative Commonwealth Federation dans Rouyn-Noranda en 1944. Siégea comme député indépendant à partir du 22 juillet 1945. Ne s'est pas représenté en 1948.

Décédé à Montréal, le 5 mars 1969, à l'âge de 53 ans et 11 mois. Inhumé à Montréal, dans le cimetière de l'Est, le 8 mars 1969.

Avait épousé dans la paroisse Notre-Dame de Montréal, le 26 juin 1943, Marie-Thérèse-Aline Collette, fille de Rosalpha Collette et de Cécile Lebel.

CÔTÉ, Jean-Pierre

Né à Montréal, le 9 janvier 1926, fils d'Émile Côté et de Cédia Roy.

Fit ses études au collège de Longueuil, à l'École technique de Longueuil et à l'École de technologie dentaire de Montréal où il reçut la médaille d'or du Mérite 1951.

Exerça la profession de technicien dentaire à Longueuil. Propriétaire d'une ferme à Bristol.

Commissaire d'école à Longueuil en 1960 et 1961, puis président de la commission scolaire de 1961 à 1963. Élu député libéral à la Chambre des communes dans Longueuil en 1963. Réélu en 1965 et 1968. Nommé membre du Conseil privé le 18 décembre 1965. Ministre des Postes dans le cabinet Pearson du 18 décembre 1965 au 5 juillet 1968. Ministre du Revenu national dans le cabinet Trudeau du 6 juillet 1968 au 23 septembre 1970. Ministre sans portefeuille dans le même cabinet du 24 septembre 1970 au 10 juin 1971 puis ministre des Postes du 11 juin 1971 au 26 novembre 1972. Ne s'est pas représenté en 1972. Sénateur de la division de Kennebec du 1er septembre 1972 au 27 avril 1978. Lieutenant-gouverneur de la province de Québec du 27 avril 1978 au 28 mars 1984. Fiduciaire de la Fondation René-Richard à compter de 1981.

S'occupa de scoutisme pendant plusieurs années et fut commissaire pour le diocèse de Saint-Jean. Fut également président de la campagne de souscription de la Fondation des maladies du cœur en 1987.

CÔTÉ, Marc-Yvan

Né à Sainte-Anne-des-Monts, le 27 mars 1947, fils d'Horace Côté, menuisier, et de Fabienne Chenel.

Fit ses études au collège Champagnat à Sainte-Anne-des-Monts, au cégep de Matane et à l'université du Québec à Trois-Rivières. Licencié en histoire et en science politique.

Professeur d'histoire et de géographie à la polyvalente des Monts à Sainte-Anne-des-Monts de 1971 à 1973.

Élu député libéral dans Matane en 1973. Défait en 1976. Employé au service de recherche du Parti libéral de 1976 à 1979. Responsable de la logistique lors du congrès de direction du PLQ en 1978 et du congrès d'orientation de 1982. Organisateur en chef pour plusieurs élections partielles tenues entre 1979 et 1982. Directeur de cabinet du whip de l'Opposition officielle de 1979 à 1983. Responsable, pour son parti, de la technique d'organisation du référendum de 1980 et des élections générales de 1981. Président de la commission d'animation et d'organisation du PLQ de 1981 à 1983. Organisateur en chef de la campagne de Robert Bourassa au congrès de direction du PLQ en 1983. Directeur adjoint de l'organisation de la campagne électorale de 1985. Élu député libéral dans Charlesbourg à l'élection partielle du 20 juin 1983. Leader adjoint de l'Opposition officielle du 15 mars 1984 au 23 octobre 1985. Réélu en 1985 et 1989. Ministre des Transports dans le cabinet Bourassa du 12 décembre 1985 au 11 octobre 1989. Assermenté ministre de la Santé et des Services sociaux et ministre délégué à la Réforme électorale le 11 octobre 1989.

CÔTÉ, Omer

Né à Montréal, le 13 janvier 1906, fils de Joseph-Arthur Côté, négociant, et de Marie-Anna Létourneau.

Fit ses études à l'école Querbes à Outremont, au collège Sainte-Marie à Montréal, au séminaire de Saint-Hyacinthe et à l'université de Montréal. Admis au barreau de la province de Québec le 8 juillet 1929.

Exerça sa profession à Montréal de 1932 à 1956. Pratiqua seul jusqu'en 1932 et fut associé à son frère, Damase Côté, de 1932 à 1948.

Échevin du quartier Ville-Marie au conseil municipal de Montréal du 15 décembre 1936 au 9 décembre 1940. Candidat de l'Union nationale défait dans Montréal–Saint-Jacques à l'élection partielle du 23 mars 1942. Élu député de l'Union nationale dans la même circonscription en 1944. Réélu en 1948 et 1952. Fut secrétaire et registraire de la province dans le cabinet Duplessis du 30 août 1944 au 14 mars 1956. Son siège devint vacant le 14 mars 1956 à la suite de son accession à la magistrature.

Juge à la Cour des sessions du district de Terrebonne du 25 mars 1956 au 13 janvier 1976. Fut président de la Conférence des juges du Québec pendant quatre ans.

Créé conseil en loi du roi le 31 août 1944. Titulaire d'un doctorat honorifique en droit de l'université Laval et en sciences sociales, économiques et politiques de l'université de Montréal. Membre honoraire du barreau de Port-au-Prince (Haïti). Membre du Club Renaissance, du Cercle universitaire, de la Société Saint-Jean-Baptiste, de la Société Saint-Vincent-de-Paul, de la Société Pro-Musica et de la Palestre nationale. Fondateur et membre de la société théâtrale L'Aiglon. Créé chevalier de l'ordre du Saint-Sépulcre en 1945. Chevalier du Bien public de France. Croix d'or de l'ordre papal de Saint-Jean-de-Latran, croix de Galilée et croix de Jérusalem. Membre de la Noble Association des chevaliers pontificaux (1947). Membre du College of Handicraft Teachers de Manchester en Angleterre. Décoré de la rosette d'officier de l'ordre Latin en 1951 et de la rosette d'officier d'académie du ministère de l'Éducation nationale du gouvernement français en 1955.

CÔTÉ, Onésime
(1840–1911)

Né à Baie-Saint-Paul, le 13 août 1840, fils de Désiré Côté, cultivateur, et d'Édith Perron.

Marchand général à Bagotville. Fondateur de la maison Côté-Boivin.

Maire du canton de Bagot, division nord-ouest, en 1871 et 1872. Élu député du Parti national dans Chicoutimi et Saguenay en 1890. Défait en 1892.

Décédé à Bagotville, le 23 octobre 1911, à l'âge de 71 ans et 2 mois. Inhumé à Bagotville, dans le cimetière de la paroisse Saint-Alphonse-de-Liguori, le 26 octobre 1911.

Avait épousé à Bagotville (La Baie), dans la paroisse Saint-Alphonse-de-Ligùori, le 12 février 1867, Marie-Philomène-Angèle Maltais, institutrice, fille de Joseph Maltais, cultivateur, et de Luce Gauthier dit Larouche.

CÔTÉ, Pierre-Émile
(1887–1950)

Né à Lévis, dans la paroisse Notre-Dame-de-la-Victoire, le 7 décembre 1887, fils de Pierre Côté, cultivateur et commerçant, et de Joséphine Émond.

Fit ses études au séminaire de Québec, à l'académie commerciale de Québec, au collège de Lévis et à l'université Laval à Québec. Admis au barreau de la province de Québec le 18 juillet 1913. Crée conseil en loi du roi.

Exerça sa profession d'avocat à New Carlisle avec Joseph-Fabien **Bugeaud** de 1913 à 1919. Pratiqua seul de 1919 à 1942.

Élu député libéral dans Bonaventure à l'élection partielle du 5 novembre 1924. Réélu sans opposition en 1927. De nouveau élu en 1931 et 1935. Ministre de la Voirie dans les cabinets Taschereau et Godbout du 13 mars au 26 août 1936.

Défait en 1936. Élu député libéral à la Chambre des communes dans Bonaventure à l'élection partielle du 22 mars 1937. Démissionna le 6 octobre 1939. Réélu à l'Assemblée législative dans Bonaventure en 1939. Ministre des Terres et Forêts, de la Chasse et des Pêcheries du 8 novembre 1939 au 13 mai 1941 dans le cabinet Godbout. Ministre des Terres et Forêts et ministre de la Chasse et de la Pêche du 13 mai 1941 au 1er octobre 1942 dans le même cabinet. Son siège devint vacant à la suite de sa nomination comme juge à la Cour supérieure du district de Québec le 1er octobre 1942. Occupa cette fonction jusqu'à son décès.

Élu bâtonnier du barreau du Bas-Saint-Laurent le 1er mai 1936. Membre du Club de réforme et du Club de la garnison de Québec.

Décédé à Québec, le 3 août 1950, à l'âge de 62 ans et 7 mois. Inhumé à Sainte-Foy dans le cimetière Notre-Dame-de-Belmont, le 7 août 1950.

Avait épousé à Québec, dans la paroisse Saint-Roch, le 13 janvier 1914, Marie-Philomène-Laura Dubé, fille de Louis Dubé et de Joséphine Trudel.

CÔTÉ, Thomas
(1898–1954)

Né à Sainte-Anne-des-Monts, le 15 avril 1898, fils de Georges Côté, cultivateur, et d'Alma Lepage.

Barbier puis agent d'assurances à Cap-Chat. S'établit à Québec après 1935. Courtier puis représentant de Côté automobiles.

Élu député libéral dans Gaspé-Nord en 1931. Réélu en 1935. Ne s'est pas représenté en 1936 et 1939. Candidat indépendant défait dans Gaspé-Nord en 1944.

Décédé à Québec, le 26 juin 1954, à l'âge de 56 ans et 2 mois. Inhumé à Sainte-Foy, dans le cimetière Notre-Dame-de-Belmont, le 29 juin 1954.

Avait épousé à Cap-Chat, le 1er juillet 1920, Anaïs Landry, institutrice, fille de Joseph Landry et de Séraphine Bérubé.

COTTINGHAM, William McOvat
(1905–1983)

Né à Lachute, le 8 janvier 1905, fils de James Cottingham, entrepreneur plâtrier, et de Janet McOvat.

Fit ses études à l'académie de Lachute.

Éleveur et commerçant à Lachute. Propriétaire de la Cottingham Supply Co., commerce de matériaux de construction et de camionnage, et d'une ferme d'élevage d'animaux de race.

Élu membre de la commission scolaire protestante de Lachute le 10 juillet 1944. Membre de la commission centrale des écoles des comtés d'Argenteuil et de Deux-Montagnes de janvier 1946 à juin 1952. De nouveau membre de la commission scolaire protestante de Lachute de juin 1968 à juin 1969. Fut président du Bureau des directeurs des écoles protestantes de Lachute. Maire de Saint-Jérusalem-d'Argenteuil (Lachute) de juillet 1951 à octobre 1953. Élu député de l'Union nationale dans Argenteuil en 1948. Réélu en 1952, 1956, 1960 et 1962. Ministre des Mines dans les cabinets Duplessis, Sauvé et Barrette du 2 juin 1954 au 5 juillet 1960. Ne s'est pas représenté en 1966. Défait en 1970.

Membre du comité protestant du Conseil de l'instruction publique. Fondateur et ancien président du Club Lions de Lachute. Membre du Mount Stephen Club, du Montreal Club, du Winter Club et du Club Renaissance de Québec. Directeur de la Société agricole d'Argenteuil.

Décédé à Montréal, le 20 mars 1983, à l'âge de 78 ans et 2 mois.

Avait épousé à Lachute, le 14 avril 1927, Hazel McGibbon, fille de Peter McGibbon, bûcheron et député à la Chambre des communes de 1917 à 1921, et de Margaret Elizabeth McArthur.

COTTON, Cédric Lemoine (1856–1904)

Né à Knowlton, le 11 août 1856, fils de Charles Edward Cotton, médecin, et de Jane Victoria Stuart.

Fit ses études à Cowansville, à l'université d'Oxford en Angleterre et à la McGill University à Montréal. Admis à la pratique de la médecine en 1877.

Exerça sa profession à Cowansville. Fut représentant du district de Bedford au Collège des médecins et chirurgiens de la province de Québec. Membre de l'Independent Order of Odd Fellows, de l'ordre des Forestiers et de la Loge maçonnique.

Élu député libéral dans Missisquoi à l'élection partielle du 19 décembre 1898. Ne s'est pas représenté en 1900.

Décédé à Montréal, le 15 juin 1904, à l'âge de 47 ans et 10 mois. Inhumé à Cowansville le 18 juin 1904.

[Avait épousé, à Dunham, Harriet Clapp Gibson, fille de John Bannatyne Gibson, médecin, et de Lucy Stone Baker.]

COUILLARD, Antoine-Gaspard (1789–1847)

Né et baptisé dans la paroisse Saint-Thomas (à Montmagny), le 16 février 1789, fils de Jean-Baptiste Couillard, seigneur, et de Marie-Angélique Chaussegros de Léry.

Étudia au petit séminaire de Québec, mais, en 1803, entreprit un stage de clerc en droit qu'il interrompit pour faire l'apprentissage de la médecine, notamment auprès de René-Joseph **Kimber**, puis à la University of Pennsylvania, à Philadelphie. En 1811, obtint l'autorisation de pratiquer la médecine, la chirurgie et la pharmacie au Bas-Canada.

Exerça sa profession à Québec ainsi qu'à Saint-Thomas. Pendant la guerre de 1812, servit à titre de chirurgien dans la milice. Fut élu membre du Bureau d'examinateurs en médecine du district de Québec en 1831.

Nommé au Conseil législatif le 11 janvier 1832, prêta serment le 15 novembre; en fit partie jusqu'à la suspension de la constitution, le 27 mars 1838.

Avait hérité de son père, en 1808, une partie de la seigneurie de la Rivière-du-Sud; en devint le seigneur principal en 1841. Cessa d'exercer la médecine vers 1842. Fut nommé au poste de registrateur du district de Saint-Thomas en janvier 1842, puis, en mars 1844, à celui de registrateur du comté de L'Islet, qu'il occupa jusqu'à sa mort.

Fut juge de paix. Membre de la Société littéraire et historique de Québec.

Décédé à Montmagny, le 12 juin 1847, à l'âge de 58 ans et 3 mois. Inhumé dans l'église Saint-Thomas, le 17 juin 1847.

Avait épousé dans la cathédrale Notre-Dame de Québec, le 6 février 1816, Marie-Angélique-Flore Wilson, fille du négociant Thomas Wilson et de Marie-Catherine Bouchaud.

Petit-fils de Gaspard-Joseph **Chaussegros de Léry**. Beau-père d'Alexandre-René **Chaussegros de Léry**.

Bibliographie: *DBC.*

COUILLARD-DESPRÉS, Joseph-François (1765–1828)

Né à L'Islet (L'Islet-sur-Mer) et baptisé dans la paroisse Notre-Dame-du-Bonsecours, le 1er août 1765, fils de Jean-Baptiste Couillard-Després, [seigneur de l'Islet-Saint-Jean] (fut aussi capitaine dans la milice), et de Josephte (Marie-Josette) Pin. Signa à son mariage J.B. Couillard Dépré.

Fut cultivateur à L'Islet. En 1789, signa une pétition contre l'établissement d'une chambre d'assemblée. Officier de milice : nommé lieutenant le 12 juillet 1791, accéda au grade de major le 16 juillet 1812 ; servit dans la division de Saint-Jean-Port-Joli pendant toute la guerre de 1812. Reçut en juillet 1825 une commission qui l'habilitait à faire le recensement du comté de Devon. Fut juge de paix.

Élu député de Devon en 1814. Réélu en 1816. Ne se serait pas représenté en avril 1820. Élu dans Devon en 1824. Défait en 1827.

Décédé à L'Islet (L'Islet-sur-Mer), le 17 juillet 1828, à l'âge de 62 ans et 11 mois. Inhumé dans l'église Notre-Dame-du-Bonsecours, le 19 juillet 1828.

Avait épousé dans sa paroisse natale, le 8 avril 1788, Marie Bélangé, fille de Pierre Bélangé et de Josephte Rinville.

COUILLARD DUPUIS, Jean-Baptiste
(1814–1889)

Né à Montmagny, dans la paroisse Saint-Thomas, le 24 août 1814, fils de Charlemagne Couillard Dupuis et de Charlotte Boilard.

Cultivateur et marchand à Saint-Roch-des-Aulnaies.

Élu député libéral dans L'Islet en 1878. Défait en 1881.

Décédé à Saint-Roch-des-Aulnaies, le 13 août 1889, à l'âge de 74 ans et 11 mois. Inhumé dans le cimetière de Saint-Roch-des-Aulnaies, le 16 août 1889.

Avait épousé à Rivière-Ouelle, dans la paroisse Notre-Dame-de-Liesse, le 4 avril 1837, Justine Letellier, fille de François Letellier, notaire, et de Sophie Casgrain.

Beau-frère de Luc **Letellier de Saint-Just**. Beau-père de Pamphile-Gaspard **Verreault**. Grand-père de Louis-Auguste **Dupuis**.

COUPAL, Sixte
(1825–1891)

Né à Saint-Cyprien-de-Léry (Napierville) et baptisé dans la paroisse Saint-Cyprien, le 1er mai 1825, fils de Joseph Coupal, cultivateur, et de Josephte Tremblay. Désigné aussi sous les patronymes de Coupal, dit la Reine, et de Coupal de Saint-Cyprien.

Fut cultivateur à Lacolle. Juge de paix et commissaire d'école. Élu un des administrateurs de la Société d'agriculture du comté de Saint-Jean en janvier 1861. S'établit plus tard à Saint-Jovite.

Maire. Candidat défait dans Napierville à une élection partielle le 17 novembre 1862. Élu député de cette circonscription en 1863 ; rouge, s'opposa au projet de confédération. Son mandat prit fin avec l'avènement de la Confédération, le 1er juillet 1867. Élu député libéral de Napierville à la Chambre des communes en 1867. Défait en 1872 et 1874. Élu dans Napierville à une élection fédérale partielle le 4 août 1874, mais l'élection fut annulée le 7 mai 1875. Élu dans la même circonscription à une élection fédérale partielle le 18 juin 1875. Réélu en 1878. Défait en 1882.

Décédé à Saint-Jovite, le 22 juin 1891, à l'âge de 66 ans et un mois. Inhumé dans le cimetière paroissial, le 25 juin 1891.

Avait épousé dans la paroisse Saint-Philippe, à Saint-Philippe-de-La Prairie, le 12 février 1849, Suzanne-Marcelline David, fille de Joseph David et de Catherine Pinsonneau.

COUPER, George
(≤1788–1861)

Né à Fochabers, en Écosse, en 1778 ou 1788, fils du docteur Robert Couper.

Servit dans l'armée britannique : enseigne dans le 69th Foot à compter du 2 novembre 1797, devint capitaine dans le 92th Foot le 14 avril 1808 ; actif en Espagne et au Portugal en 1812. Se rendit à Halifax avec George **Ramsay** en 1816, quand ce dernier entra en fonction comme lieutenant-gouverneur de la Nouvelle-Écosse. Promu major le 30 décembre 1819, puis lieutenant-colonel des Canadian Fencibles le 23 juillet 1821. Fut secrétaire militaire de l'administrateur du Bas-Canada, sir James Kempt, du 8 septembre 1828 au 30 octobre 1830. Fait colonel le 10 janvier 1837, accompagna John George **Lambton** au Bas-Canada en mai 1838, à titre de secrétaire militaire et d'aide de camp.

Fit partie du Conseil exécutif du 2 juin au 2 novembre 1838, et du Conseil spécial du 28 juin 1838 jusqu'à la dissolution de ce conseil, le 2 novembre de la même année. S'embarqua pour l'Angleterre le 1er novembre 1838.

Prit sa retraite de l'armée en 1860.

Fait compagnon de l'ordre du Bain, le 19 juillet 1838, et baronnet du Royaume-Uni (sir), en mai 1841. Fut aussi chevalier de l'ordre des Guelfes.

Décédé peut-être en Angleterre, le 28 février 1861.

Avait épousé, le 1er juin 1822, Elizabeth Wilson, fille du juge John Wilson.

COURCY, Alcide

Né à Saint-Onésime-d'Ixworth, le 3 novembre 1914, fils de Louis Courcy, cultivateur, et d'Élise Ouellette.

Fit ses études dans sa paroisse natale ainsi qu'au collège et à l'École d'agriculture de Sainte-Anne-de-la-Pocatière. Bachelier en sciences agricoles. Récipiendaire de la médaille Pilote.

Agronome-colon et agronome-conseil à Mont-Brun en Abitibi. Surveillant chargé de la station expérimentale et des stations de démonstration à Macamic, en Abitibi, en 1939. Secrétaire et gérant de la Coopérative agricole de Macamic en 1945. Représentant de la Coopérative fédérée du district de Témiscamingue. Directeur du Conseil de la coopération du Québec. Président de la Société coopérative du Nord-Ouest québécois. Président de l'Union catholique des cultivateurs (UCC) de Macamic et directeur diocésain de cet organisme à Amos. Président-fondateur du Syndicat de travail de Macamic. Confondateur avec Lucien **Cliche** et Jean-Pierre Bonneville du journal *le Progrès de Rouyn-Noranda* en 1954.

Candidat libéral défait dans Abitibi-Ouest en 1952. Élu député libéral dans cette circonscription en 1956. Organisateur en chef du Parti libéral provincial de 1958 à 1960. Réélu en 1960, 1962 et 1966. Ministre de l'Agriculture et ministre de la Colonisation dans le cabinet Lesage du 5 juillet 1960 au 14 mars 1962, date de la fusion des deux ministères, puis titulaire du ministère de l'Agriculture et de la Colonisation jusqu'au 16 juin 1966. Défait en 1970.

Membre de la Corporation des agronomes du Québec. Commandeur de l'ordre du Mérite agricole. Président de la commission de crédit de la caisse populaire de Macamic. Secrétaire régional de la Chambre de commerce des jeunes du Nord-Ouest québécois. Président diocésain des cercles Lacordaire. Membre du Club de réforme, du Club Rotary et du Club Richelieu. Fit partie du régiment de Hull.

COURNOYER, Gérard
(1912–1973)

Né dans la paroisse Saint-Pierre-de-Sorel, le 18 avril 1912, fils d'Elzéar Cournoyer, boulanger et industriel, et d'Éméranda Saint-Martin.

Fit ses études à Sorel, au séminaire de Saint-Hyacinthe, à l'université de Montréal et à l'université du Vermont. Fut décoré du Mérite universitaire de l'université de Montréal. Reçut le prix du concours provincial d'éloquence. Admis au barreau de la province de Québec le 26 août 1935. Créé conseil en loi de la reine le 30 septembre 1960.

Exerça d'abord seul sa profession d'avocat à Sorel en 1935 et 1936, puis fonda ensuite le cabinet Cournoyer et Gagné. S'associa en 1942 à Pierre-Joseph-Arthur Cardin, député à la Chambre des communes de 1911 à 1946, sous la raison sociale de Cardin, Cournoyer et Péloquin. Fit également partie des cabinets Cournoyer et Péloquin, et Cournoyer, Cardin et Gauthier. Membre du conseil d'administration de Renaissance Film. Directeur de Sorel Harbour Tugs Ltd. Secrétaire de Southern Working Ltd. de Sorel. Membre de l'Association du barreau canadien et de l'Association du barreau du district de Richelieu. Membre du Club de réforme, du Club Saint-Denis de Montréal, du Club Outremont et des Chevaliers de Colomb. Greffier de Saint-Joseph-de-Sorel et juge de paix de 1935 à 1945. Secrétaire de cette municipalité du 12 août 1935 au 21 mai 1945.

Élu député libéral à la Chambre des communes dans Richelieu-Verchères à l'élection partielle du 23 décembre 1946. Réélu en 1949. Démissionna le 5 juillet 1952. Élu député libéral à l'Assemblée législative dans Richelieu en 1952. Défait en 1956. Réélu en 1960 et 1962. Ministre des Transports et des Communications dans le cabinet Lesage du 5 juillet 1960 au 25 novembre 1964. Ministre du Tourisme, de la Chasse et de la Pêche du 25 novembre 1964 au 14 octobre 1965, puis ministre sans portefeuille du 14 octobre 1965 au 16 juin 1966. Défait en 1966.

Décédé à Montréal, le 11 novembre 1973, à l'âge de 61 ans et 7 mois. Inhumé dans le cimetière de Saint-Joseph-de-Sorel, le 14 novembre 1973.

Avait épousé à Sorel, dans la paroisse Notre-Dame, le 2 septembre 1940, Madeleine Turcotte, fille de Joseph-Célestin-Avila **Turcotte**, industriel, et de Marguerite Turcotte.

COURNOYER, Jean

Né à Sorel, le 16 mars 1934, fils de Louis-Philippe Cournoyer, commis de bureau, et de Marie-Louise Bibeau.

Fit ses études à l'école De Guise et à l'école supérieure du Sacré-Cœur à Sorel, au séminaire de Saint-Hyacinthe et à l'université de Montréal où il occupa les postes de président de l'Association générale des étudiants et de la Société des débats. Admis au barreau de la province de Québec en juillet 1960.

Avocat et conseiller en relations de travail à Montréal et à Québec. Secrétaire adjoint et conseiller juridique de l'Association de la construction de Montréal de 1960 à 1962, puis officier des relations ouvrières pour cette association de 1962 à 1964. Membre du Conseil supérieur du travail du Québec de 1963 à 1966. Directeur des relations de travail à la compagnie canadienne de l'Exposition universelle de Montréal de juin 1965 à janvier 1968. Porte-parole officiel du gouvernement provincial, de la Fédération des commissions scolaires catholiques du Québec et des associations des commissions scolaires protestantes lors des négociations avec les enseignants du Québec de 1967 à 1969. Négociateur pour le règlement du conflit des hôpitaux du Québec en 1969. Médiateur spécial de plusieurs conflits de travail, notamment ceux de Seven-Up (Montréal), Noranda Copper Mills et Canada Copper Mills (Montréal), Reynolds Aluminium (Cap-de-la-Madeleine) et George Christie Ltd. (Trois-Rivières). Secrétaire-trésorier du comité de sécurité sociale de l'Industrie de la construction de Montréal et de l'Industrie de la plomberie et tuyauterie de Montréal.

Élu député de l'Union nationale dans Saint-Jacques à l'élection partielle du 8 octobre 1969. Ministre de la Fonction publique dans le cabinet Bertrand du 23 décembre 1969 au 12 mai 1970. Ministre du Travail et de la Main-d'œuvre dans le même cabinet du 12 mars au 12 mai 1970. Défait comme candidat de l'Union nationale en 1970. Assermenté ministre du Travail et de la Main-d'œuvre dans le cabinet Bourassa le 29 octobre 1970. Élu député libéral dans Chambly à l'élection partielle du 8 février 1971, il continua d'occuper le poste de ministre du Travail et de la Main-d'œuvre jusqu'au 30 juillet 1975. Ministre de la Fonction publique du 12 mai 1972 au 21 février 1973 dans le même cabinet. Réélu dans Robert-Baldwin en 1973. Ministre des Richesses naturelles du 30 juillet 1975 au 26 novembre 1976 dans le cabinet Bourassa. Défait dans Richelieu en 1976.

Retourna à la pratique du droit dans le cabinet Robinson, Cutler, Sheppard, Borenstein, Shapiro, Langlois et Flam en 1977. Animateur de plusieurs émissions de radio et de télévision à partir de 1977. Maire de la municipalité de Dollard-des-Ormeaux de 1978 à 1982.

COURTEAU, Charles
(1787–1846)

Né à Deschaillons et baptisé dans la paroisse Saint-Jean-Baptiste, le 17 avril 1787, fils de Julien Courteau et de Marianne (Marie-Anne) Colle.

S'établit comme marchand cantinier à Saint-Roch-de-l'Achigan vers 1818. Fut élu commissaire d'école le 7 juillet 1845.

Élu député de Leinster en 1824; appuya le parti canadien. Défait en 1827. Élu dans Lachenaie en 1830. Réélu en 1834. Donna son appui au parti patriote. Conserva son siège jusqu'à la suspension de la constitution, le 27 mars 1838.

Décédé à Saint-Roch-de-l'Achigan, le 18 janvier 1846, à l'âge de 58 ans et 9 mois. Inhumé dans l'église paroissiale, le 21 janvier 1846.

Avait épousé à Saint-Roch-de-l'Achigan, le 30 octobre 1819, Constance Bouchard, fille d'Alexis Bouchard et d'Agathe Leblanc.

COUSINEAU, Philémon
(1874–1959)

Né à Saint-Laurent (île de Montréal), le 25 octobre 1874, fils de Gervais Cousineau, cultivateur, et d'Angélique Groulx.

Fit ses études au séminaire de Sainte-Thérèse-de-Blainville et à l'université Laval à Montréal. Admis au barreau de la province de Québec le 26 septembre 1896.

Mena une double carrière dans l'enseignement et dans la pratique du droit. Exerça d'abord seul sa profession à Montréal, puis s'associa avec Joseph-Gédéon-Horace Bergeron, député à la Chambre des communes de 1879 à 1900 et de 1904 à 1908. Fut aussi associé à François-de-Sales Bastien, Napoléon-Urgèle Lacasse et Aquila Jasmin. Créé conseil en loi du roi le 30 juin 1909. Docteur en droit de l'université Laval en 1901. Sa thèse fut publiée sous le titre *Des corporations : thèse pour le doctorat présentée et soutenue le 8 avril 1901* (1901). Professeur agrégé de droit municipal à l'université Laval à Montréal de 1902 à 1906, puis professeur titulaire de droit administratif en 1907 et 1908 et de droit constitutionnel et municipal de 1908 à 1920. Doyen de la faculté de droit de l'université de Montréal de 1940 à 1945. Devint professeur émérite en 1946.

Maire de la ville de Saint-Laurent du 19 janvier 1905 au 11 février 1909. Élu député conservateur dans Jacques-Cartier en 1908. Réélu en 1912. Choisi chef de l'Opposition officielle le 16 février 1915, il le demeurera jusqu'en 1916. Défait en 1916. Nommé juge à la Cour supérieure du district de Terrebonne le 3 novembre 1920.

Président de la Mount Royal Telephone Co. et de la St. Lawrence Tobacco Co. Directeur de la Saraguay Light & Power Co. Membre du Club canadien et du Club Lafontaine de Montréal.

Décédé à Saint-Laurent, le 3 mars 1959, à l'âge de 84 ans et 4 mois. Inhumé dans le cimetière de Saint-Laurent, le 7 mars 1959.

Avait épousé à Montréal, dans la paroisse du Sacré-Cœur-de-Jésus, le 26 avril 1897, Helmina Gendron, fille de Louis-Stanislas Gendron et de Marie Lebel.

Bibliographie: *Guilot Cousineau alias Philomène, aspirant-chef du gouvernement de Québec,* s.l., mai 1916, 32 p.

COUTLÉE, Dominique-Amable (1822–1882)

Né à Saint-Joseph-de-Soulanges (Les Cèdres) et baptisé dans la paroisse du même nom, le 24 décembre 1822, fils de Louis-Pierre Coutlée, maître menuisier, et de Marie-Rose Watier.

Se lança dans l'exploitation agricole et le commerce. Fut lieutenant-colonel commandant de la milice de réserve du comté de Soulanges. À la fin de sa vie, était commissaire des timbres judiciaires à Montréal.

Élu député de Soulanges en 1858; bleu. Mis sous la garde du sergent d'armes le 7 mai 1858 pour absence injustifiée, fut libéré après avoir fourni des explications. Défait en 1861. Élu député conservateur de Soulanges à l'Assemblée législative en 1867. Défait en 1871.

Décédé à Montréal, le 10 avril 1882, à l'âge de 59 ans et 3 mois. Inhumé dans le cimetière de la paroisse Saint-Joseph-de-Soulanges (Les Cèdres), le 13 avril 1882.

Avait épousé dans sa paroisse natale, le 22 janvier 1844, Marie-Henriette Chenier, fille du cultivateur Antoine Chenier et de Marie-Charles Levac.

COUTURE, George (1824–1887)

Né à Saint-Joseph-de-la-Pointe-de-Lévy (Lévis), le 4 juin 1824, fils d'Ignace Couture, cultivateur et charpentier, et d'Anasthasie Lefebvre.

Travailla chez le négociant Lachance à Québec en 1836. Devint propriétaire d'un commerce à Lévis en 1841. Fut nommé directeur de la construction du collège de Lévis en 1852. Devint entrepreneur dans l'industrie des bateaux-passeurs à Lévis en 1856. S'associa à son frère sous la raison sociale de George & Édouard Couture en 1861. Président de la Commission des chemins de frontière en 1864.

Marguillier de la paroisse Notre-Dame-de-la-Victoire en 1852. Conseiller municipal et maire de Lévis de janvier 1870 à janvier 1871 et de décembre 1874 à janvier 1884. Conseiller législatif de la division de Lauzon du 28 avril 1881 au 4 novembre 1887. Appuya le Parti conservateur. Fait chevalier de l'ordre sacré et militaire du Saint-Sépulcre en 1884.

Décédé en fonction à Lévis, le 4 novembre 1887, à l'âge de 63 ans et 10 mois. Inhumé à Lévis, dans le cimetière Mont-Marie, le 9 novembre 1887.

Avait épousé à Saint-Charles, le 3 février 1846, Marie Roy, fille de Pierre Roy et de Geneviève Carrier; puis, à Lévis, dans la paroisse Notre-Dame-de-la-Victoire, le 5 juin 1854, Geneviève Gelly, veuve de Pierre Saint-Hilaire.

Bibliographie: *DBC.*

COUTURE, Jacques

Né à Québec, le 23 novembre 1929, fils de Joseph-Ubald Couture, haut fonctionnaire attaché aux bureaux des premiers ministres Taschereau, Godbout et Lesage, et d'Irène Marcoux.

Fit ses études à l'école des Saints-Martyrs, au collège des Jésuites et à l'université Laval à Québec. Officier de réserve (CEOC) de 1951 à 1953. Fut admis dans la communauté des Jésuites en 1954 et étudia à la faculté des Jésuites (scolasticat Immaculée-Conception) à Montréal. Licencié en philosophie de l'université de Montréal en 1958. La même année, il se rendit à Formose où il étudia la langue chinoise. Vécut en Asie durant un an et demi. Animateur social et militant dans le quartier Saint-Henri à Montréal à partir de 1963. Obtint un baccalauréat en théologie de l'université de Montréal en 1964. Ordonné prêtre le 18 juin 1964.

Attaché d'administration à la direction générale de la main-d'œuvre (service des comités de reclassement) du ministère du Travail et de la Main-d'œuvre de 1970 à 1972. Animateur de vie communautaire au Centre des services sociaux de Saint-Henri et à celui de Montréal métropolitain de 1973 à 1975. Fonda, en 1969, le Groupement familial ouvrier (GFO) qui donna naissance au journal *l'Opinion ouvrière* et au Club de rencontres d'information (CRI). Fut l'instigateur des premiers camps familiaux au Québec. De 1970 à 1973, il travailla à la mise sur pied de plusieurs comités de citoyens, notamment les comités de Lacasse-Sainte-Marguerite et d'Albert. Animateur de l'Association des locataires de Saint-Henri en 1973. Cofondateur du Centre local des services communautaires de Saint-Henri et membre du conseil d'administration de ce CLSC en 1973 et 1974. Président du comité de reclassement des employés de Noranda-Métal en 1975. Auteur d'une chronique hebdomadaire dans *la Voix populaire*. Forma le Groupe de réflexion et d'information des citoyens de Saint-Henri (GRIP). Ancien membre du Conseil de presse du Québec.

Candidat du Rassemblement des citoyens de Montréal (RCM) défait à la mairie de Montréal aux élections municipales de 1974. Fit un stage en développement communautaire et suivit des cours en sciences sociales et en urbanisme à Grenoble, en France, en 1975 et 1976. Élu député du Parti québécois dans Saint-Henri en 1976. Ministre du Travail et de la Main-d'œuvre dans le cabinet Lévesque du 26 novembre 1976 au 6 juillet 1977. Ministre de l'Immigration dans le même cabinet du 26 novembre 1976 au 6 novembre 1980 date de sa démission du cabinet. Démissionne comme député le 30 janvier 1981.

Œuvre de nouveau au sein de la communauté des Jésuites. Missionnaire à Andohatapenaka, Madagascar, à partir de 1982.

COUTURIER, Alphonse (Gaspé-Nord) (1885–1973)

Né à Sainte-Hélène, près de Kamouraska, le 12 février 1885, fils de Pierre Couturier, cultivateur, et d'Alvina Carlos.

A étudié à Sainte-Hélène. Meunier à Saint-Germain-de-Kamouraska puis à Notre-Dame-du-Lac. S'établit à Sainte-Rose-du-Dégelis, puis au Nouveau-Brunswick et à Cabano pendant trois ans. Devint par la suite propriétaire d'une scierie à Saint-Louis-du-Ha! Ha! de 1909 à 1936. Se fixa à Marsoui en 1936 où il fut propriétaire d'un moulin à scie et d'une coupe de bois. Président de A. Couturier et Fils; cette compagnie exploitait également un magasin de matériaux de construction à Sept-Îles. Directeur de l'Association des manufacturiers de bois de sciage du Québec. Membre des Chevaliers de Colomb, du Club Richelieu de Sainte-Anne-des-Monts et du Club Renaissance de Québec.

Maire de Saint-Louis-du-Ha! Ha! de 1931 à 1936 et de Marsoui de 1950 à 1960. Préfet du comté de Gaspé-Nord du 26 juillet 1950 au 13 décembre 1961. Président de la commission scolaire de Saint-Louis-du-Ha! Ha! et de celle de Marsoui de juillet 1950 à septembre 1961. Élu député de l'Union nationale dans Gaspé-Nord en 1952. Réélu en 1956. Défait en 1960.

Décédé à Québec, le 11 juillet 1973, à l'âge de 88 ans et 5 mois. Inhumé dans le cimetière de Marsoui, le 14 juillet 1973.

Avait épousé à Notre-Dame-du-Lac, le 4 août 1903, Odélie Slight, fille de James Slight et d'Henriette Beaulieu.

COUTURIER, Alphonse (Rivière-du-Loup)

Né à Sainte-Hélène, près de Kamouraska, le 15 décembre 1902, fils de Georges Couturier, fermier, et de Lucie Lévesque.

Fit ses études à l'école Sainte-Hélène, au collège de Sainte-Anne-de-la-Pocatière, à l'Institut Thomas et à l'université Laval à Québec. Reçu médecin en 1930, il fit par la suite des études postuniversitaires à la Post Graduate Medical School à New York et des stages de perfectionnement dans différents hôpitaux de Montréal. Titulaire d'un certificat de spécialiste en chirurgie générale du Collège des médecins et chirurgiens de la province de Québec et du Collège royal en 1951.

Exerça sa profession de chirurgien à Rivière-du-Loup jusqu'en 1970 puis dans l'agglomération urbaine de Québec, à l'hôpital Robert-Giffard, de septembre 1970 à juillet 1982.

Commissaire d'école à Rivière-du-Loup du 6 juillet 1942 au 12 mars 1948. Candidat libéral défait dans Rivière-du-Loup en 1952. Élu député libéral dans la même circonscription en 1956. Réélu en 1960 et 1962. Ministre de la Santé dans le cabinet Lesage du 5 juillet 1960 au 14 octobre 1965. Ministre du Tourisme, de la Chasse et de la Pêche dans le même cabinet du 14 octobre 1965 au 16 juin 1966. Défait en 1966.

Cofondateur et président du Club Richelieu de Rivière-du-Loup. Président-fondateur de la Société Jacques-Cartier et président de la Société Saint-Jean-Baptiste de Rivière-du-Loup. Vice-président des Médecins de la Rive-Sud. Vice-président de la caisse populaire de Rivière-du-Loup. Marguillier de la paroisse Saint-Ludger-de-la-Rivière-du-Loup pendant six ans. Président honoraire du comité des finances de guerre et du comité local de la Croix-Rouge canadienne. Directeur et membre à vie de la Société des médecins de langue française du Canada. Membre de l'Association des médecins de langue française de l'Amérique du Nord. Membre du Collège des médecins et chirurgiens de la province de Québec, de l'Association médicale canadienne, de l'Association des chirurgiens généraux du Québec, de l'Association des médecins spécialistes du Québec, de l'Association des médecins du Québec, de la Société médicale Témiscouata-Madawaska et de la Société médicale de Montréal. Membre des Chevaliers de Colomb. Fellow du Collège international des chirurgiens en 1951.

CRAIG, André-Boniface
(1824–1884)

Né à Saint-Antoine-sur-Richelieu, le 20 septembre 1824, fils d'André Craig, sculpteur, et de Marie-Louise Lebœuf.

Médecin, il exerça sa profession à Sainte-Élisabeth, à Contrecœur, à Saint-Antoine et à Montréal. Propriétaire terrien dans les Cantons-de-l'Est. Titulaire de la chaire de pathologie interne et de clinique médicale à l'École de médecine et de chirurgie de Montréal. Président de la Société de colonisation de Verchères.

Élu député conservateur dans Verchères en 1867. Ne s'est pas représenté en 1871.

Décédé à Montréal, le 13 novembre 1884, à l'âge de 59 ans et 10 mois. Inhumé dans le cimetière de Contrecœur, le 15 novembre 1884.

Avait épousé à Lavaltrie, le 21 septembre 1857, Marie-Césarie Lenoblet Duplessis, fille de Norbert Lenoblet Duplessis, notaire, et de Julie Chabot.

Beau-frère d'Antoine-Paul **Cartier**.

CRAIG, James Henry
(1748–1812)

Né à Gibraltar en 1748, fils de Hew Craig, juge d'origine écossaise.

Entreprit une carrière militaire en 1763, à titre d'enseigne dans l'infanterie britannique.

Servit pendant la guerre de l'Indépendance américaine, notamment en 1775 à Bunker Hill, Massachusetts, en 1776 à Trois-Rivières, en 1777 à Ticonderoga et à Freeman's Farm, New York, de 1778 à 1781 en Nouvelle-Écosse, au Maine et en Caroline du Nord. Fut blessé à trois reprises. Par la suite, servit en Europe et en Afrique du Sud; fut gouverneur de la colonie du Cap, de 1795 à 1797. Combattit en Inde jusqu'en 1801. Revint en Angleterre. Promu au grade de général local dans la Méditerranée en 1805; malade, regagna l'Angleterre en 1806.

Nommé gouverneur en chef de l'Amérique du Nord britannique le 29 août 1807, arriva à Québec le 18 octobre et fut assermenté le 24. Fit emprisonner pour «pratiques traîtresses», en mars 1810, trois députés liés au journal le Canadien. Demanda en vain, en 1810, à être remplacé. Très malade, quitta la colonie le 19 juin 1811; son successeur fut nommé le 21 octobre 1811.

Reçut l'ordre du Bain (sir) en 1797.

Décédé à Londres, le 12 janvier 1812, à l'âge de 63 ou 64 ans.

Était célibataire.

Bibliographie: *DBC*.

CRAIGIE, John
(≈1757–1813)

Né peut-être à Kilgraston, en Écosse, probablement en 1757, fils de John Craigie.

Arriva à Québec en 1781 en qualité de sous-commissaire général de l'armée britannique au Canada. Nommé commissaire général en 1784; démis de ses fonctions en 1808 pour détournement de fonds. Devint secrétaire particulier du lieutenant-gouverneur Henry Hope en 1785. Exerça les charges de garde-magasin général et d'inspecteur général adjoint des comptes publics du Bas-Canada. Fut copropriétaire, avec Thomas **Coffin**, Thomas **Dunn** et Joseph **Frobisher**, de la Compagnie des forges de Batiscan. Obtint plusieurs postes de commissaire. Fut administrateur de la bibliothèque de Québec.

Élu député de Buckingham en 1796; appuya tantôt le parti des bureaucrates, tantôt le parti canadien. Réélu en 1800; appuya le parti des bureaucrates. Membre du Conseil exécutif du 7 janvier 1801 jusqu'à sa mort. Ne se serait pas représenté aux élections de 1804.

Décédé à Québec, le 26 novembre 1813, à l'âge d'environ 56 ans. Les obsèques eurent lieu dans la cathédrale anglicane Holy Trinity de Québec, le 30 novembre 1813.

Avait épousé dans l'église anglicane de Québec, le 13 novembre 1792, Susannah Coffin, fille de l'homme d'affaires John Coffin et d'Isabella Child, et veuve du marchand James Grant.

Beau-frère de Nathaniel et de Thomas **Coffin**. Beau-père de la femme de Benjamin Joseph **Frobisher**.

Bibliographie: *DBC*.

CRÉPEAU, Armand-Charles
(1884–1959)

Né à Saint-Camille, le 4 novembre 1884, fils de Joseph Crépeau, marchand, et d'Élodia Miquelon.

Fit ses études au séminaire Saint-Charles-Borromée à Sherbrooke, au Séminaire de philosophie à Montréal ainsi qu'à l'université Laval à Québec où il fit des études en génie et en arpentage. Licencié en 1908.

Ingénieur civil et arpenteur-géomètre à Sherbrooke en 1909. Ingénieur-conseil de la St. Francis Power Co. et de la Two Miles Falls Water and Power Co. en 1916. Au cours des années 1920, il fut membre associé des bureaux d'ingénieurs-conseils Crépeau et Côté, puis Crépeau, Côté, Lemieux et Carignan. Fonda en 1930 le bureau Crépeau & Hunter à Montréal. Ingénieur de la ville de Sherbrooke de 1941 à 1944. Doyen de la faculté des sciences de l'université de Sherbrooke de mai 1954 à janvier 1957 et de mai 1957 à octobre 1959. Ingénieur-conseil de la Commission hydro-électrique de l'Ontario. Directeur de la Sherbrooke City Transit Co. et de la Thetford Electric Co. Président de la Beauce Electric and Power Co. et de la St. Francis Power Co.

Échevin du quartier Sud au conseil municipal de Sherbrooke du 8 janvier 1923 au 9 décembre 1924. Élu député conservateur dans Sherbrooke à l'élection partielle du 5 novembre 1924. Réélu en 1927 et défait en 1931.

Membre du bureau de direction de la Corporation des arpenteurs-géomètres de la province de Québec de 1922 à 1952 et président de 1945 à 1948. Docteur en arpentage honoris causa de l'université Laval en 1954. Membre de l'Engineering Institute of Canada, du Canadian Institute of Surveying et de l'Artic Institute of North America. Directeur de l'Exposition de Sherbrooke. Membre des clubs Renaissance et Rotary, du Cercle universitaire de Québec et de la Chambre de commerce de Sherbrooke.

Décédé à Magog, le 17 août 1959, à l'âge de 74 ans et 9 mois. Inhumé à Sherbrooke, dans le cimetière de la paroisse Saint-Michel, le 20 août 1959.

Avait épousé à Saint-Joseph-de-Ham-Sud, le 7 février 1910, Marie-Irène Sylvestre, fille de Charles-Alfred Sylvestre et d'Azélie Lefebvre.

CRÉPEAU, Jean-Baptiste
(1923–1975)

Né à Gravelbourg, en Saskatchewan, le 19 mars 1923, fils de Jean-Baptiste Crépeau, avocat, et de Blanche Provencher.

A étudié au collège Mathieu et au collège Thavenet à Gravelbourg ainsi qu'à la McGill University à Montréal.

A servi dans la Marine canadienne de 1943 à 1945. Admis au barreau de la province de Québec en juillet 1950. Fit d'abord partie du cabinet de Me Lucien Labelle à Noranda. S'établit à Montréal en 1952 et s'associa à Charlemagne Rodier. Fut secrétaire du barreau de Montréal en 1958 et 1959.

Directeur permanent et trésorier du Bureau d'assistance judiciaire du barreau durant quelques années. Commissaire des incendies de la cité de Montréal en 1961 et 1962.

Candidat libéral défait dans Montréal–Saint-Jacques aux élections fédérales de 1957 et dans Montréal-Mercier aux élections provinciales de 1960. Élu député libéral à l'Assemblée législative dans Montréal-Mercier en 1962.

Son siège fut déclaré vacant lorsqu'il fut nommé juge à la Cour municipale de Laval le 15 décembre 1965. Devint juge en chef de cette cour. Créé conseil en loi de la reine le 1er décembre 1965.

Président de l'Association des hommes d'affaires du plateau Mont-Royal de 1958 à 1960. Président du Club Kinsmen-Alouette de Montréal en 1961 et 1962. Président du conseil consultatif de l'Association des hommes d'affaires et professionnels du quartier Mont-Royal à Montréal. Membre du Club de réforme et du Club canadien de Montréal.

Décédé à Laval, le 24 juillet 1975, à l'âge de 52 ans et 4 mois. Inhumé à Philipsburg, dans le cimetière Saint-Philippe, le 28 juillet 1975.

Avait épousé à Montréal, dans la paroisse Notre-Dame-de-Grâce, le 3 janvier 1959, Paulette Brisson, fille de Delma Brisson et de Rose Roy.

CRÊTE, Joseph-Alphida
(1890–1964)

Né à Saint-Stanislas, le 9 juillet 1890, fils de Georges Crête, cultivateur, et d'Emma Bordeleau.

Fit ses études à l'académie du Sacré-Cœur à Grand-Mère ainsi qu'au Collège des optométristes de la province de Québec. Diplômé en optométrie en 1911.

Optométriste de profession, il fut également trappeur, garde forestier, bijoutier, photographe et cinéaste. Exerça sa profession à La Tuque de 1911 à 1916, puis à Grand-Mère à partir de 1916. Président du Collège des optométristes de la province de Québec de 1934 à 1949. Président de Crête ltée et directeur d'Armand Rhéault enr. A publié le Canada et la guerre (1941). Auteur du film Chasses et pêches canadiennes. Capitaine de la Grand-Mère Rifles Association. Membre de la Chambre de commerce de Grand-Mère et des Chevaliers de Colomb.

Membre de la commission scolaire de Grand-Mère de 1926 à 1932 et président en 1931. Élu député libéral à l'Assemblée législative dans Laviolette en 1931. Démissionna le 1er octobre 1935. Élu député libéral à la Chambre des communes dans Saint-Maurice–Laflèche en 1935. Réélu en 1940. Défait en 1945.

Décédé à Grand-Mère, le 20 avril 1964, à l'âge de 73 ans et 9 mois. Inhumé à Grand-Mère, dans le cimetière Saint-Paul, le 23 avril 1964.

Avait épousé à La Tuque, dans la paroisse Saint-Zéphirin, le 14 octobre 1913, Marie-Jeanne Paquin, fille d'Arthur Paquin, entrepreneur, et de Léa Trottier.

CROISETIÈRE, Alfred

Né à Winooski, dans l'État du Vermont, le 21 juillet 1922, fils d'Alfred Croisetière et d'Aurore Lévesque.

Fit ses études à Winooski et à Iberville. A suivi des cours de perfectionnement en agriculture et en relations ouvrières.

Fut secrétaire dans une fabrique de poteries et dans une entreprise d'équipement agricole. Responsable des conventions collectives à titre de secrétaire-négociateur pour l'Union des potiers d'Amérique à Saint-Jean de 1945 à 1960. Employé de la compagnie Crane of Canada de 1945 à 1966.

Candidat de l'Union nationale défait dans Iberville en 1962. Élu député de l'Union nationale dans cette circonscription en 1966. Réélu en 1970. Whip adjoint de l'Union nationale de 1966 à 1973. Défait en 1973. Élu échevin d'Iberville de 1975 à 1983.

Fonctionnaire au service d'enquêtes spéciales du ministère du Travail de 1973 à 1984.

Membre de la Chambre de commerce de Saint-Jean et des Chevaliers de Colomb.

CROTEAU, Jean-Jacques

Né à Montréal, le 18 janvier 1930, fils de William Croteau, régisseur à la Régie des transports, et de Jeanne Girouard.

Fit ses études à l'école Saint-Louis-de-Gonzague et au collège Sainte-Marie à Montréal, et aux universités McGill et Sherbrooke. Diplômé en droit et en science économique et politique. Admis au barreau de la province de Québec en juillet 1960.

Exerça sa profession d'avocat à Montréal.

Élu député de l'Union nationale dans Sainte-Marie à l'élection partielle du 8 octobre 1969. Défait en 1970. Candidat progressiste-conservateur défait dans Richmond-Wolfe aux élections fédérales de 1984.

Nommé juge à la Cour supérieure en 1985. Actionnaire de compagnies de construction et de gestion d'immeubles. Membre du Club Kiwanis de Saint-Laurent.

CUERRIER, Louise

Née à Montréal, le 15 février 1926, fille de Louis-Ovide Sauvé, conducteur de tramway, et de Germaine Descostes.

Fit ses études à Montréal, à l'école normale Jacques-Cartier, à l'Institut pédagogique et à l'université de Montréal où elle obtint un certificat en animation et poursuivit une formation en orthopédagogie.

Spécialisée dans l'enseignement à l'élémentaire, elle fut professeur à la Commission des écoles catholiques de Montréal et à la commission scolaire de Vaudreuil. Fonda également une maternelle à Pierrefonds. Déléguée syndicale au Syndicat des enseignants de la région des Mille-Îles. Représenta les parents de l'école élémentaire de son quartier au sein de l'atelier regroupant les cinq commissions scolaires de l'Île-Perrot, puis fit partie de l'atelier pédagogique de l'école secondaire de la Cité des jeunes à Vaudreuil.

Marguillière de la paroisse Notre-Dame-de-la-Protection en 1965. Conseillère à l'exécutif du Parti québécois de Vaudreuil-Soulanges de 1969 à 1971, registraire du parti de 1971 à 1973, puis agente de liaison. Candidate du Parti québécois défaite dans Vaudreuil-Soulanges en 1973. Élue députée du Parti québécois dans la même circonscription en 1976. Vice-présidente de l'Assemblée nationale du 14 décembre 1976 au 19 mai 1981. Défaite en 1981.

Membre de la Commission municipale du Québec de 1982 à 1992.

CUSANO, William

Né à Sepino-Campobasso (Italie), le 19 octobre 1943, fils de Michel Cusano, menuisier, et de Maria Arienzale. Arriva au Canada en 1952.

Bachelier ès arts du Loyola College en 1969. Bachelier en éducation de l'université de Montréal en 1971. Titulaire d'un brevet « A » d'enseignement.

Instituteur dans différentes écoles à la Commission des écoles catholiques de Montréal (CECM) de 1962 à 1969. Professeur au secondaire de 1969 à 1971. Chef du département de français à la Pius IX High School en 1970 et 1971. Directeur adjoint à l'école St. Rita's de 1971 à 1973 et à l'école Gerald-McShane en 1973 et 1974. Directeur de l'école Amos de 1974 à 1979. Membre fondateur et secrétaire général du Consiglio Educativo Italo-Canadese de 1973 à 1979.

Élu député libéral dans Viau en 1981. Réélu en 1985 et 1989. Nommé whip adjoint du gouvernement le 16 décembre 1985 et whip en chef du gouvernement le 11 octobre 1989.

CUSTEAU, Maurice-Tréflé
(1916–1990)

Né à Montréal, le 10 mars 1916, fils d'Adélard Custeau, cigarier, et d'Orise Doyon.

Fit ses études à l'orphelinat Saint-Joseph à Sorel, puis à l'orphelinat Saint-Arsène, à l'école Brébeuf, à l'école supérieure Le Plateau, à l'école supérieure Saint-Stanislas et à l'école commerciale J.-O. Renaud à Montréal.

Vendeur et restaurateur. Chef du secrétariat de l'Œuvre des terrains de jeux de Montréal de 1944 à 1946. Directeur de l'Office national du film à Montréal de 1946 à 1950. Directeur et gérant général adjoint du Palais du commerce inc. de 1950 à 1964. De 1953 à 1963, il fut directeur de Blue Bonnets inc., de la corporation de fonds Trans-Canada inc., de Bouchard et cie ltée, de Bouchard & Leblond Cⁱᵉ et de Placement BGM inc.

Membre du conseil municipal de Montréal à titre de représentant de la Chambre de commerce des jeunes du 11 décembre 1950 au 25 octobre 1954.

Élu député de l'Union nationale dans Montréal–Jeanne-Mance en 1956. Adjoint parlementaire du ministre de l'Industrie et du Commerce du 15 mars 1959 au 8 janvier 1960. Assermenté ministre d'État dans le cabinet Barrette le 8 janvier 1960. Réélu en 1960. Défait en 1962. Défait également en 1966 dans Dorion.

Président et directeur général de Loto-Québec de 1970 à 1976. Vice-président de Quebecor inc., division des quotidiens et des hebdos régionaux, de 1977 à 1985. Fut également président et directeur général du *Journal de Montréal* et président du *Journal de Québec*. Administrateur et consultant au sein du conseil d'administration de Quebecor de 1985 à 1989. Pris sa retraite le 31 décembre 1989.

Cofondateur du Club Kinsmen-Alouette de Montréal. Président de la Chambre de commerce des jeunes de Montréal en 1949 et 1950. Organisateur du congrès national de la Chambre de commerce des jeunes en 1949. Président de la Palestre nationale de 1953 à 1955 et de la campagne de souscription et de construction du centre sportif Paul-Sauvé. Directeur du Montreal Tourist & Convention Bureau et de la Société des festivals de Montréal. Président honoraire de l'Harmonie de Montréal inc. et secrétaire honoraire de la Ligue de baseball Montreal Royal Junior. Membre de la Chambre de commerce, de la Ligue des propriétaires de l'Est central commercial, du Club canadien, de l'Association des hommes d'affaires du Nord, des Hommes d'affaires de l'Est et du Plateau Bon-Air.

Décédé à Montréal, le 19 août 1990, à l'âge de 74 ans et 5 mois. Les funérailles eurent lieu à Montréal, dans l'église Saint-Albert-le-Grand, le 22 août 1990.

Avait épousé à Montréal, dans la paroisse Saint-Ambroise, le 19 mai 1941, Marie-Jeanne Vézina, fille d'Amédée Vézina, officier de police, et d'Alma Hamel.

CUTHBERT, James
(1769–1849)

Né au manoir seigneurial de Berthier, le 4 juin 1769, puis baptisé le 29, dans l'église anglicane de Montréal, fils de James Cuthbert, seigneur d'origine écossaise (fut aussi conseiller législatif), et de sa deuxième femme, Catherine Cairns.

Fit des études au collège catholique anglais de Douai, en France.

Enseigna dans le 60th Regiment, fut promu lieutenant en 1797 ; quitta peu après les rangs de l'infanterie britannique. En 1798, hérita de son père la seigneurie de Berthier. Fut nommé juge de paix pour le district de Trois-Rivières et commissaire au tribunal des petites causes, en juin 1808. Officier de milice, servit en qualité de lieutenant-colonel du 3ᵉ bataillon de la milice d'élite incorporée en 1812 ; prit sa retraite en septembre 1813. Exerça les fonctions de visiteur des écoles pour l'Institution royale pour l'avancement des sciences.

Élu député de Warwick en 1796. Réélu en 1800, 1804, 1808, 1809 et 1810. Appuya le parti des bureaucrates. Son siège de député devint vacant le 18 décembre 1811, en raison de sa nomination au Conseil législatif ; en fit partie jusqu'à la suspension de la constitution, le 27 mars 1838. Appelé au Conseil spécial le 2 avril 1838, en fut nommé président le 18 ; y siégea jusqu'à la dissolution du conseil, en juin. À nouveau membre de ce corps du 2 novembre 1838 jusqu'à l'entrée en vigueur de l'Acte d'Union, le 10 février 1841.

Décédé en son manoir seigneurial, à Berthier (Berthierville), le 5 mars 1849, à l'âge de 79 ans et 9 mois. Inhumé dans l'église catholique Sainte-Geneviève-de-Berthier, le 8 mars 1849.

Avait épousé dans l'église anglicane Christ Church, à Montréal, le 5 janvier 1802, Marie-Claire Fleury Fraser, de Longue-Pointe (Montréal), fille du juge John **Fraser** (≈1727–1795) et de Marie-Claire Fleury Deschambault ; puis, dans la paroisse catholique Saint-Cuthbert, le 15 juin 1814, sa cousine Mary-Louise-Amable Cairns, fille d'Alexander Cairns, agent de la seigneurie Berthier, et de Marie Bergen (Bergins).

Père d'Edward Octavian Cuthbert, député à la Chambre des communes du Canada. Frère de Ross **Cuthbert**. Beau-frère par alliance de Louis-Marie-Raphaël **Barbier**. Probablement apparenté à William **Cuthbert**.

———

Bibliographie: Audet, Francis-J., «James Cuthbert de Berthier et sa famille», *MSRC*, 3, 29 (1935), sect. 1, p. 127-151. Fabre Surveyer, Édouard, «James Cuthbert, père, et ses biographes», *RHAF*, 4, 1 (juin 1950), p. 74-89.

CUTHBERT, Ross
(1776–1861)

Né [au manoir seigneurial de Berthier], le 17 février 1776, puis baptisé le 25, dans l'église anglicane de Montréal, fils de James Cuthbert, seigneur et conseiller législatif d'origine écossaise, et de sa deuxième femme, Catherine Cairns.

Étudia au collège catholique anglais de Douai, en France, puis, selon certaines sources, à Londres ou à Philadelphie, aux États-Unis. Hérita de son père, mort en 1798, les seigneuries de Lanoraie, de Maskinongé et d'Autray.

Élu député de Warwick en 1800. Réélu en 1804, 1808 et 1809. Appuya le parti des bureaucrates. Défait en 1810. Fut conseiller exécutif du 9 janvier 1812 jusqu'en 1824, ou 1838, ou jusqu'au 10 février 1841, selon les sources. Élu dans Warwick à une élection partielle en août 1812. Réélu en 1814. Défait en 1816. Élu dans Warwick en avril 1820. Défait en juillet 1820.

Admis au barreau en 1803, exerça le droit à Québec (1803–1804), Montréal (1805–1806), Trois-Rivières (1807–1810), puis de nouveau à Montréal. Fut juge de paix, président des cours de sessions trimestrielles de la paix, inspecteur de police. Obtint plusieurs postes de commissaire.

Membre de la Société du feu de Québec, de la Loyal and Patriotic Society of the Province of Lower Canada, de la Quebec Emigrant Society. Est l'auteur de: *l'Aréopage* (Québec, 1803); *An apology for Great Britain, in allusion to a pamphlet, intituled,* «Considérations, & c. par un Canadien, M.P.P.» (Québec, 1809); *New theory of the tides* (Québec, 1810).

Décédé au manoir seigneurial d'Autray, le 28 août 1861, à l'âge de 85 ans et 6 mois. Inhumé [dans le cimetière protestant de Sorel], par le pasteur anglican missionnaire à Berthier (Berthierville), le 2 septembre 1861.

Avait épousé à Philadelphie, vers 1800, Emily Rush, fille de Benjamin Rush, médecin et l'un des signataires de la Déclaration d'indépendance américaine.

Frère de James **Cuthbert**. Oncle et grand-père par alliance d'Edward Octavian Cuthbert, député à la Chambre des communes du Canada.

———

Bibliographie: *DBC.* Fabre Surveyer, Édouard, «James Cuthbert, père, et ses biographes», *RHAF*, 4, 1 (juin 1950), p. 74-89.

CUTHBERT, William
(1795–1854)

Né à Alloway, en Écosse, en 1795.

S'établit à New Richmond, dans la baie des Chaleurs, entre 1810 et 1825. S'occupa d'agriculture et d'élevage, et se lança dans le commerce. Vers 1831, avec son frère installé à Greenock, en Écosse, fonda la William Cuthbert and Company, entreprise gaspésienne engagée dans le commerce d'importation et la vente au détail, ainsi que dans l'exploitation forestière, le commerce du bois de charpente et la construction navale; après octobre 1849, continua seul à faire affaire avec les marchés de Québec, Halifax, St. John's et de la Grande-Bretagne. Fit aussi le commerce du poisson. Investit dans la propriété foncière et le prêt. Fut juge de paix, commissaire chargé de l'amélioration du chemin entre New Richmond et Bonaventure, et officier de milice.

Élu député de Bonaventure en 1848; tory. Ne participa qu'à la première session; en juin 1850, fit parvenir à l'orateur une lettre de démission pour raison de santé, mais continua officiellement à occuper son siège. Ne s'est pas représenté en 1851.

Par la suite, se rendit en Grande-Bretagne, notamment à Greenock, puis à Liverpool où il arriva en juillet 1854.

Décédé chez un neveu médecin, à Rock Ferry, en Angleterre, le 3 août 1854, à l'âge de 58 ou de 59 ans. Inhumé dans le cimetière de Greenock, en Écosse, le 9 août 1854.

Avait épousé à New Richmond, en Gaspésie, en mars 1832, Christiana Montgomery, fille de Donald Montgomery, magistrat d'origine écossaise qui fut député à l'Assemblée législative de l'Île-du-Prince-Édouard, et de Nancy Penman.

Probablement apparenté à James et à Ross **Cuthbert**. Beau-frère de John Montgomery, député à l'Assemblée et membre du Conseil exécutif du Nouveau-Brunswick, et de Donald Montgomery, député et conseiller législatif de l'Île-du-Prince-Édouard ainsi que sénateur.

———

Bibliographie: *DBC.*

CUVILLIER, Austin
(1779–1849)

Né à Québec, le 20 août 1779, puis baptisé le 21, dans la paroisse Notre-Dame, sous le prénom d'Augustin, fils d'Augustin Cuvillier, commerçant au détail, et d'Angélique Miot, dit Girard.

Fit des études au collège Saint-Raphaël, à Montréal, en 1794.

Entré au service d'un encanteur de Montréal, prit la direction de l'entreprise en 1802. Par la suite, se lança à son propre compte dans la vente à l'encan, particulièrement celle de marchandises importées en gros et revendues en lots. Fonda, entre autres, la Cuvillier, Aylwin, and Harkness, la M.C. Cuvillier and Company et la Cuvillier and Sons. Lié à la mise sur pied et à l'administration de la Banque de Montréal (1817) et de la Compagnie d'assurance de Montréal contre les accidents du feu (1818). Dans les années 1830, fut membre du conseil d'administration de la Banque de l'Amérique septentrionale britannique, de Londres, et président du Committee of Trade de Montréal. Fut syndic et agent de change. Fit aussi affaire dans le Haut-Canada. Propriétaire foncier.

Défait dans Huntingdon en 1809. Élu député de cette circonscription en 1814; lié au parti canadien. Réélu en 1816, avril 1820, juillet 1820, 1824 et 1827. Fut l'un des trois délégués du parti patriote envoyés en Angleterre, en 1828, pour présenter des demandes de réformes. S'éloigna du parti patriote à compter de 1829. Élu dans Laprairie en 1830; n'appuya pas les Quatre-vingt-douze Résolutions. Défait en 1834. S'occupa d'administration municipale, à Montréal, avant 1833, puis entre 1836 et 1840. Servit en qualité d'officier de milice durant la rébellion de 1837 et fut un des fondateurs de l'Association loyale canadienne du district de Montréal en janvier 1838. Élu dans Huntingdon en 1841; était antiunioniste; élu orateur de l'Assemblée le 14 juin 1841, le demeura jusqu'au 23 septembre 1844. Défait dans Huntingdon et dans Rimouski en 1844.

Pendant la guerre de 1812, servit dans la milice d'élite et les renseignements. Obtint divers postes de commissaire.

Décédé à Montréal, le 11 juillet 1849, à l'âge de 69 ans et 10 mois. Inhumé dans l'église Notre-Dame, le 12 juillet 1849.

Avait épousé dans la paroisse Notre-Dame de Montréal, le 7 novembre 1802, Claire Perrault, fille de Joseph Perrault et de Marie-Anne Tavernier.

Beau-père d'Alexandre-Maurice **Delisle**. Beau-frère de Joseph **Perrault**.

_____

Bibliographie: *DBC*.

DALHOUSIE, comte de. V. RAMSAY

DAIGLE, Joseph
(1831–1908)

[Né à Saint-Ours, le 7 juin 1831, fils de François Daigle et d'Angèle Gareau.]

Marchand, puis employé du Bureau d'immigration, à Montréal.

Élu sans opposition député libéral dans Verchères en 1871. Réélu en 1875. Ne s'est pas représenté en 1878.

Décédé à Montréal, le 12 mars 1908, à l'âge de 76 ans et 9 mois. Inhumé à Belœil, dans le cimetière de la paroisse Saint-Mathieu, le 14 mars 1908.

Avait épousé à Sorel, dans la paroisse Saint-Pierre, le 4 octobre 1858, Marie-Eugénie-Mélina Hertel de Rouville, fille de Jean-Baptiste-René **Hertel de Rouville**, seigneur de Rouville, et de Charlotte de Labroquerie, et veuve de Robert Sincennes.

Oncle de Jean-Baptiste **Brousseau**.

DAIGNEAULT, Frédéric-Hector
(1860–1933)

Né à Chambly, dans la paroisse Saint-Joseph, le 19 mai 1860, fils de Joseph Daigneault, cultivateur, et d'Henriette Jeannotte.

Fit ses études au collège Sainte-Marie-de-Monnoir, au séminaire de Saint-Hyacinthe et au collège Victoria à Montréal.

Reçu médecin en 1884, il exerça sa profession à Lawrenceville, puis à Acton Vale. Médecin des compagnies ferroviaires du Grand Tronc et du Canadien Pacifique.

Président des compagnies d'assurances Mutuelle du commerce, Mercantile, Nationale et Moderne, dont les sièges sociaux étaient alors situés à Saint-Hyacinthe. Coprésident de la compagnie Farmer Shoe d'Acton Vale.

Membre du conseil municipal d'Acton Vale pendant dix ans. Maire de cette municipalité de 1905 à 1914 et de 1916 à 1918. Président de la commission scolaire du 9 juillet 1925 au

20 janvier 1931. Élu sans opposition député libéral dans Bagot en 1900 et 1904. Réélu avec opposition en 1908 et 1912. Son siège devint vacant lorsqu'il fut nommé, le 3 janvier 1913, inspecteur des prisons et asiles de la province, poste qu'il occupa jusqu'à son décès.

Décédé à Acton Vale, le 26 février 1933, à l'âge de 72 ans et 9 mois. Inhumé dans le cimetière de la paroisse Saint-André-d'Acton, le 1er mars 1933.

Avait épousé à Roxton Falls, dans la paroisse Saint-Jean-Baptiste, le 11 novembre 1884, Catherine Jane McGrail, fille de Thomas McGrail, marchand, et de Marie-Anne Beaubias ; puis, dans la paroisse Notre-Dame de Québec, le 31 décembre 1921, Mary Martha Lamb, fille de John Lamb et de Joannah Moriarty, et veuve de Joseph-Arthur L'Espérance.

DALLAIRE, Gérard
(1914–1991)

Né à Québec, le 11 février 1914, fils de Louis Dallaire, gérant de la compagnie Paquet, et d'Alice Pearson.

Fit ses études à l'école Saint-Louis-de-Gonzague à Québec, au séminaire de Québec et à l'université Laval.

Reçu médecin en 1939, il exerça sa profession de médecin-chirurgien à La Pocatière. Fit partie de l'escadrille 761 des cadets de l'air à La Pocatière. Fondateur, directeur, puis président de la Chambre de commerce des jeunes de La Pocatière. Sénateur de la Fédération des chambres de commerce des jeunes. Membre de la Société Saint-Jean-Baptiste, du Club de réforme, du Club Lions et des Chevaliers de Colomb.

Fut commissaire d'école. Maire de La Pocatière de 1961 à 1975. Élu député libéral dans Kamouraska en 1962. Défait en 1966.

Décédé à Québec, le 8 août 1991, à l'âge de 77 ans et 5 mois. Inhumé dans le cimetière de Sainte-Anne-de-la-Pocatière, le 10 août 1991.

Avait épousé à Saint-Pacôme, le 10 octobre 1939, Henriette Gosselin, fille de Thomas Gosselin, médecin, et d'Anna-Marie Lizotte.

DALLAIRE, Guy
(1906–1969)

Né à Saint-François-du-Lac, le 1er avril 1906, fils de Joseph Dallaire, gérant de banque, et de Marie-Anne-Corinne Dufresne.

Fit ses études au séminaire de Nicolet, à l'académie commerciale de Nicolet et à l'école Saint-François-Xavier à Rivière-du-Loup. Fut d'abord employé de la Banque Nationale et travailla plus tard dans l'industrie de l'automobile aux États-Unis. De retour au Canada, il occupa différents postes à la Banque Nationale, notamment ceux d'inspecteur et d'assistant du gérant adjoint à Québec. Trésorier et contrôleur de la Power Lumber Co. Ltd. S'établit à Rouyn en 1943 lorsqu'il devint gérant de Laquerre Lumber. Fondateur, puis président et administrateur de la compagnie de bois Osisko ltée de Rouyn.

Élu député de l'Union nationale dans Rouyn-Noranda en 1948. Réélu en 1952. Défait en 1956.

Régisseur à la Régie du transport du Québec de 1958 jusqu'à son décès. Directeur de la Chambre de commerce de Rouyn. Membre des clubs Kiwanis et Richelieu. Membre des Chevaliers de Colomb.

Décédé à Montréal, le 30 avril 1969, à l'âge de 63 ans. Inhumé à Montréal, dans le cimetière Notre-Dame-des-Neiges, le 5 mai 1969.

Avait épousé à Québec, dans la paroisse des Saints-Martyrs-Canadiens, le 12 mai 1937, Thérèse Bussières, fille de Napoléon Bussières, comptable, et d'Emma Barrette; [puis, à Rimouski, le 20 décembre 1948, Rose-Aimée Coulombe].

DALY, Dominick
(1798–1868)

Né à Ardfry, dans le comté de Galway (en République d'Irlande), le 11 août 1798, fils de Dominick Daly, roturier, et de Joanna Harriet Blake, sœur du premier baron Wallscourt et veuve de Richard Burke.

Étudia au St. Mary's College, établissement catholique d'Oscott, près de Birmingham, en Angleterre.

Séjourna longtemps à Paris, chez un oncle banquier. De retour en Irlande, obtint le poste de secrétaire privé du lieutenant-gouverneur du Bas-Canada Francis Nathaniel **Burton**, qu'il accompagna à Québec en 1822, puis en Angleterre en 1825. Revint à Québec en 1827, afin d'y exercer les fonctions administratives de secrétaire provincial du Bas-Canada; nommé secrétaire et registraire du Bas-Canada le 25 avril 1828, fut reconduit dans sa charge en décembre 1830, puis en décembre 1838, et démissionna en 1841.

Siégea au Conseil exécutif du 2 juin 1838 jusqu'à l'entrée en vigueur de l'Acte d'Union, le 10 février 1841. Nommé au Conseil spécial le 16 avril 1840, en fut membre jusqu'à l'Union. Élu député de Mégantic en 1841. Réélu en 1844 et 1848. Unioniste et tory. Fit partie successivement des ministères Draper–Ogden du 13 février 1841 au 15 septembre 1842, Baldwin–La Fontaine du 16 septembre 1842 au 11 décembre 1843 (mais ne donna pas sa démission le 27 novembre 1843, contrairement au reste du cabinet), Draper–Viger du 12 décembre 1843 au 17 juin 1846, Draper–Papineau du 18 juin 1846 au 28 mai 1847, Sherwood–Papineau du 29 mai au 7 décembre 1847 et Sherwood du 8 décembre 1847 au 10 mars 1848 : fut conseiller exécutif, secrétaire provincial du Bas-Canada du 10 février 1841 au 31 décembre 1843, puis secrétaire provincial du Haut et du Bas-Canada à compter du 1er janvier 1844, et membre du bureau des Travaux publics à partir du 21 décembre 1841 jusqu'au 8 juin 1846. Son siège de député devint vacant le 23 octobre 1849, en raison de sa nomination au sein d'une commission chargée d'enquêter sur les concessions des forêts New et Waltham, en Angleterre, où il se trouvait déjà.

Nommé lieutenant-gouverneur de Tobago en 1852, puis de l'Île-du-Prince-Édouard en 1854 ; arriva à ce dernier endroit le 12 juin 1854 et en repartit pour l'Angleterre en mai 1859. Avait été fait chevalier (sir) en juillet 1856. Commença, en mars 1862, d'exercer les fonctions de gouverneur et de commandant en chef de l'Australie-Méridionale, qui lui avaient été confiées en octobre 1861.

Décédé en fonction à Adélaïde, en Australie-Méridionale, le 19 février 1868, à l'âge de 69 ans et 6 mois.

Avait épousé dans la cathédrale anglicane Holy Trinity, à Québec, le 20 mai 1826, Caroline Maria Gore, fille du colonel Ralph Gore, de Barrowmount, dans le comté de Kilkenny, en Irlande.

Bibliographie : *DBC.*

DAMBOURGÈS, François
(1742–1798)

Né à Salies (Salies-de-Béarn), en France, en 1742, fils de Jean-Baptiste Dambourgès et d'Anne de Lambeye.

Étudia à Bayonne, en France.

En 1763, embarqua à destination de la paroisse Saint-Thomas (à Montmagny), où il se lança dans le commerce. Fit l'acquisition de biens fonciers et immobiliers ; acheta notamment, en 1768, à Québec, la maison dite du Chien d'or. À l'occasion de l'invasion américaine de 1775–1776, s'engagea comme enseigne au sein du 84th Foot (Royal Highland Emigrants); s'étant distingué pendant le siège de Québec, obtint en février 1776 une commission de lieutenant dans le 1er bataillon de ce corps d'armée. Fait prisonnier en 1777. À la fin de la guerre, en 1784, fut mis à la demi-solde. En 1789, souscrivit à la fondation de la Société d'agriculture du district de Québec et fut nommé juge de paix. Lieutenant dans la milice vers 1772, atteignit le grade de colonel en 1790.

Élu député de Devon en 1792; appuya généralement le parti des bureaucrates. Ne s'est pas représenté en 1796.

Fait capitaine de la compagnie des grenadiers du 1er bataillon du Royal Canadian Volunteer Regiment en mai 1795, suivit par la suite son régiment à Montréal.

Décédé à Montréal, le 13 décembre 1798, à l'âge de 55 ou de 56 ans. Inhumé dans la crypte de l'église Notre-Dame, le 15 décembre 1798.

Avait épousé dans la paroisse Notre-Dame de Québec, le 28 novembre 1786, Josephte Boucher, fille du capitaine de navire François Boucher et de Marie-Josephte Tremblay.

L'une de ses filles épousa un fils issu du second mariage d'Augustin-Jérôme **Raby**.

Bibliographie: Trépanier, Léon, «Dambourgès le 'Balafré'», CDIX, 19 (1954), p. 233-262.

DANIEL, Jean-Gaétan (1903–1984)

Né à Saint-Esprit, le 30 août 1903, fils de Joseph-Ferdinand **Daniel**, notaire, et de Georgiana Fournier.

Fit ses études à l'école de Saint-Esprit, au St. Anselme College à Rawdon, au séminaire de Joliette et à l'École polytechnique de Montréal où il fut reçu ingénieur.

Titulaire d'une licence de pilote commercial de la Roosevelt Flying School à Long Island dans l'État de New York. Pilote d'avion à Montréal. S'établit à Saint-Esprit, puis retourna demeurer à Montréal après 1940. Ingénieur en construction et directeur général de deux entreprises de construction.

Élu député libéral dans Montcalm en 1935. Défait en 1936.

Décédé à Saint-Laurent, le 21 janvier 1984, à l'âge de 80 ans et 5 mois.

Il était célibataire.

DANIEL, Joseph-Ferdinand (1869–1940)

Né à Saint-Esprit, le 4 novembre 1869, fils de Jean-Marie Daniel, cultivateur, et d'Eulalie Julet Laverdure.

Fit ses études à l'école de sa paroisse natale, au séminaire de Joliette et à l'université Laval à Montréal. Admis à la pratique du notariat en 1896.

Exerça sa profession à Saint-Esprit. Directeur de la Quebec Southern Power Corp. de 1924 à 1927 et de la compagnie de tabac Montcalm ltée dont il fut l'un des actionnaires. Secrétaire-trésorier de la municipalité de Saint-Esprit et du conseil de comté de Montcalm. Secrétaire-trésorier de la commission scolaire de Saint-Esprit du 7 juin 1906 à juillet 1940 et de la Société d'agriculture du comté de Montcalm du 30 septembre 1914 jusqu'à son décès.

Élu sans opposition député libéral dans Montcalm à l'élection partielle du 12 novembre 1917. Réélu aux élections de 1919, 1923 et 1927. Son siège devint vacant le 30 octobre 1929 lors de sa nomination au poste de conseiller législatif de la division de Lanaudière.

Décédé en fonction à Montréal, le 1er août 1940, à l'âge de 70 ans et 8 mois. Inhumé dans le cimetière de sa paroisse natale, le 5 août 1940.

Avait épousé dans la cathédrale de Montréal, le 21 octobre 1902, Georgiana Fournier, fille de Joseph Fournier et de Georgiana Dufanet.

Père de Jean-Gaétan **Daniel**.

D'ANJOU, Adélard (1908–1986)

Né à Rivière-Ouelle, le 14 février 1908, fils de Joseph D'Anjou, forgeron, et de Bernadette Martin.

Fit ses études à l'école du rang et modèle de Rivière-Ouelle de 1914 à 1925. Propriétaire de la compagnie Transport D'Anjou inc. et de I.H. Transfert à Moncton au Nouveau-Brunswick. Vice-président de l'Association de camionnage inc. Président du Club Richelieu en 1965. Membre des Chevaliers de Colomb.

Maire de Saint-Pascal, de mai 1955 à mai 1963 et de novembre 1967 à novembre 1973. Directeur de l'Union du conseil de comté de Kamouraska de 1961 à 1963. Élu député de l'Union nationale dans Kamouraska en 1966. Défait en 1970.

Décédé à Rivière-du-Loup, le 13 octobre 1986, à l'âge de 78 ans et 7 mois. Inhumé dans le cimetière de Saint-Pascal, le 15 octobre 1986.

Avait épousé à Saint-Denis, le 15 octobre 1928, Virginie Dionne, fille de Michel Dionne, cultivateur, et d'Athaïs Bouchard.

D'ANJOU, Pierre-Émile
(1859–1937)

Né à Rimouski, le 15 janvier 1859, fils de Nazaire D'Anjou, cultivateur, et de Marie-Louise Lévesque.

Marchand à Bic, il possédait également des commerces à Saint-Simon, Saint-Fabien, Nazareth et Rimouski. S'établit à Rimouski en 1920 où il fonda, avec son fils Léopold R. D'Anjou, la maison P.E. D'Anjou et Fils ltée. Se retira des affaires en 1926.

Fut conseiller puis maire de la municipalité de Bic du 3 février 1896 au 13 janvier 1897 et du 5 février 1906 au 7 décembre 1914. Élu député libéral dans Rimouski à l'élection partielle du 4 novembre 1907. Réélu en 1908. Ne s'est pas représenté en 1912. Créé commandeur de l'ordre de Saint-Grégoire-le-Grand en 1921.

Décédé à Rimouski, le 27 septembre 1937, à l'âge de 78 ans et 8 mois. Inhumé à Bic, dans le cimetière de la paroisse Sainte-Cécile, le 1er octobre 1937.

Avait épousé à Kamouraska, dans la paroisse Saint-Louis, le 16 septembre 1884, Hélène Beaulieu, institutrice, fille de Didace Beaulieu, cultivateur, et de Léocadie Desjardins; puis, dans la paroisse Notre-Dame de Québec, le 11 septembre 1924, Léda Cloutier, fille de Pierre Cloutier et d'Athalis (Nathalie) Grenier, et veuve d'Alphonse-Philippe Beaulieu.

DANSEREAU, Georges
(1867–1934)

Né à Verchères, le 15 décembre 1867, fils d'Augustin Dansereau, cultivateur, et d'Euphrosine Lacoste.

Fit ses études au collège Saint-François-Xavier à Verchères.

Propriétaire des scieries de Grenville et Vendée, du magasin général Geo. Dansereau et Fils ltée et d'une flotte de bateaux naviguant sur le Saint-Laurent et l'Outaouais. Directeur de la compagnie Vapeur Terrebonne. Président de la Quebec St. Lawrence Co. Ltd. de 1929 à 1934.

Maire de Grenville de 1910 à 1912, en 1914 et 1915, puis de 1933 à 1935. Vice-président de l'Association libérale du comté d'Argenteuil. Élu sans opposition député libéral dans Argenteuil en 1927. Réélu en 1931.

Décédé en fonction à Grenville, le 26 décembre 1934, à l'âge de 67 ans. Inhumé dans le cimetière de Grenville, le 29 décembre 1934.

Avait épousé à Verchères, le 9 novembre 1897, Herminie Larose, fille de Félix Larose, cultivateur, et d'Aurélie Choquet.

Père de Georges-Étienne **Dansereau**.

DANSEREAU, Georges-Étienne
(1898–1959)

Né à Sainte-Agathe-des-Monts, le 12 août 1898, fils de Georges **Dansereau**, homme d'affaires, et d'Herminie Larose.

Fit ses études à l'école de Grenville, et au collège Sainte-Marie à Montréal.

Commença sa carrière en 1918 dans les entreprises de bois de son père à Grenville. Secrétaire-trésorier et directeur général de l'entreprise familiale Geo. Dansereau et Fils ltée en 1934. Succéda à son père comme président de la compagnie en 1935. Directeur de l'Association des manufacturiers et marchands de bois du Canada. Vice-président de la Quebec Lumbermen's Accident Prevention Association.

Maire de Grenville de 1935 à 1949. Élu député libéral dans Argenteuil en 1935. Réélu en 1936, 1939 et 1944. Assermenté ministre sans portefeuille dans le cabinet Godbout le 8 novembre 1939. Ministre des Travaux publics du 5 novembre 1942 au 30 août 1944 et ministre de la Voirie du 15 mars au 30 août 1944 dans le même cabinet. Défait en 1948.

Membre du Club de réforme de Montréal, du Club de la garnison de Québec et des Chevaliers de Colomb. Créé chevalier de l'ordre de Saint-Sylvestre en 1958.

Décédé à Grenville, le 20 février 1959, à l'âge de 60 ans et 6 mois. Inhumé dans le cimetière de Grenville, le 23 février 1959.

Avait épousé à Outremont, dans la paroisse Saint-Germain, le 3 juin 1937, Georgette Durocher, fille de J.-A. Durocher et d'Alexandrine Moreau.

DAOUST, Charles
(1825–1868)

Né à Beauharnois et baptisé dans la paroisse Saint-Clément, le 23 janvier 1825, fils du cultivateur Charles Dao (Daoust), qui fut patriote, et de Françoise Dandurand, dit Marcheterre.

Fit ses études classiques au collège Saint-Pierre, à Chambly, à compter de 1836. S'engagea dans la vie religieuse en 1844, mais, l'année suivante, commença l'apprentissage du droit à Montréal, auprès de Lewis Thomas **Drummond**. Admis au barreau en 1847.

Compta parmi le groupe des 13 premiers collaborateurs du journal *l'Avenir*, fondé à Montréal en 1847. Exerçait la profession d'avocat à Beauharnois en 1851. Fut rédacteur en chef du journal libéral montréalais *le Pays*, de mars 1853 jusqu'en 1859. Pratiqua aussi le droit à Montréal, en association avec ses deux beaux-frères. Membre de l'Institut canadien, en fut élu président en 1860.

Élu député de Beauharnois en 1854; rouge. Défait en 1858 et 1861.

Au début de 1864, succéda à Louis-Antoine **Dessaulles** comme chef de la rédaction du *Pays,* opposé au projet de confédération; occupa ce poste jusqu'à l'automne de 1865.

Décédé à Montréal, le 27 février 1868, à l'âge de 43 ans et un mois. Inhumé dans la paroisse Notre-Dame, le 29 février 1868.

Avait épousé dans la paroisse Notre-Dame de Montréal, le 16 décembre 1856, sa cousine Angèle Doutre, fille de François Doutre, ancien cordonnier de Beauharnois, et d'Élisabeth Dandurand, dit Marcheterre.

Petit-cousin d'Achille **Bergevin**.

Bibliographie : *DBC.*

DAOUST, Jean-Baptiste
(1817–1891)

Né à Saint-Eustache, le 18 janvier 1817, puis baptisé le 19, dans l'église paroissiale, fils de Jean-Baptiste Daoust et de Marie-Luce Germain (Saint-Germain).

Fut cultivateur à Saint-Eustache. S'intéressa à l'administration pénitentiaire dans la province, de 1872 à 1875.

S'occupa d'administration municipale à Saint-Laurent, dans l'île de Montréal, à compter de 1845. Préfet du comté de Deux-Montagnes, à partir de 1860. Élu député de Deux-Montagnes en 1854; réformiste. Réélu en 1858, 1861 et, sans opposition, en 1863. Bleu. Démissionna le 6 juillet 1866. Élu sans opposition député conservateur de Deux-Montagnes à la Chambre des communes en 1867. Ne s'est pas représenté en 1872 et 1874. Élu sans opposition député conservateur de Deux-Montagnes à une élection fédérale partielle le 11 mars

1876. Réélu en 1878, sans opposition en 1882, en 1887 et 1891.

Fut commissaire au tribunal des petites causes. Lieutenant dans le 1er bataillon de milice du comté de Deux-Montagnes. Président de la Société d'agriculture du même comté, à partir de 1857.

Décédé en fonction à Saint-Eustache, le 28 décembre 1891, à l'âge de 73 ans et 11 mois. Inhumé dans le cimetière paroissial, le 31 décembre 1891.

Avait épousé dans la paroisse Saint-Laurent, dans l'île de Montréal, le 10 janvier 1842, Marie-Zoé Desforges, dit Saint-Maurice, fille de Joseph Desforges et d'Angélique Decary.

DARCHE, Noël
(1809–1874)

Né à Chambly, le 24 mai 1809, puis baptisé le 25, dans la paroisse Saint-Joseph, fils de Noël Darche, cultivateur, et de Marie Papineau.

Fut cultivateur dans les environs de Chambly.

Élu député de Chambly en 1854; rouge. Défait en 1858. Candidat rouge défait dans la même circonscription en 1863.

Décédé à Chambly, le 8 février 1874, à l'âge de 64 ans et 8 mois. Inhumé dans le cimetière de sa paroisse natale, le 11 février 1874.

Était célibataire.

D'ARCY. V. McGEE

DARTIGNY. V. BERTHELOT DARTIGNY

DAUPHIN, Claude

Né à Lachine, le 17 décembre 1953, fils de Médéric Dauphin, homme d'affaires, et de Cécile Bouchard.

Bachelier en droit de l'université Laval en 1977. Étudia la littérature anglaise à la University of British Columbia en 1976. Admis au barreau du Québec en 1978.

Exerça sa profession d'avocat dans le cabinet Legault et Dauphin de 1978 à 1981, puis s'associa au cabinet Chabot, Laurier, Céré et Dauphin, de LaSalle.

Élu député libéral dans Marquette en 1981. Réélu en 1985 et 1989. Adjoint parlementaire du ministre de la Justice du 20 décembre 1985 au 9 août 1989 et du ministre de la

Sécurité publique du 10 mai 1989 au 9 août 1989. Président de la Commission des institutions à compter du 29 novembre 1989. Nommé président de la commission d'étude sur toute offre d'un nouveau partenariat de nature constitutionnelle le 5 juillet 1991.

D'AUTEUIL, Pierre
(1857–1933)

Né à Rivière-Ouelle, le 2 avril 1857, fils de Louis D'Auteuil, cultivateur, et de Justine Garon.

Fit ses études au séminaire de Québec et à l'université Laval à Québec. Admis au barreau de la province de Québec le 20 juillet 1881. Créé conseil en loi du roi le 30 juin 1906.

Exerça sa profession à Québec pendant quatre ans, puis à La Malbaie à partir de 1885 à l'exception des années 1897 à 1900 où il pratiqua à Baie-Saint-Paul. Magistrat du district de Chicoutimi d'août 1892 à août 1897. Collaborateur au journal l'*Écho des Laurentides* à La Malbaie.

Maire de Baie-Saint-Paul de 1897 à 1901. Préfet du comté de Charlevoix de mars 1898 à juin 1900. Candidat conservateur défait dans Charlevoix en 1892. Élu député conservateur dans la même circonscription en 1897. Ne s'est pas représenté en 1900. Réélu dans la même circonscription en 1904 et 1908, puis dans Charlevoix et Saguenay en 1912 et 1916. Défait dans Charlevoix-Saguenay en 1919.

Nommé juge à la Cour supérieure de la province de Québec le 3 mars 1921, il résidait à Québec.

Décédé à Québec, le 11 décembre 1933, à l'âge de 76 ans et 8 mois. Inhumé dans le cimetière de La Malbaie, le 14 décembre 1933.

Avait épousé à La Malbaie, le 4 octobre 1893, Marie-Alexine-Adèle Dumas, fille d'Alexis Dumas, marchand, et de Séraphine-Émérentienne Simard; [puis, le 23 octobre 1907, Adélina Forget, fille de David Forget, avocat, et d'Angèle Limoges, et veuve de Philippe Laferrière].

Beau-frère de Rodolphe Forget, député à la Chambre des communes de 1904 à 1917.

DAVID, Athanase
(1882–1953)

Né à Montréal, dans la paroisse Saint-Jacques, le 24 juin 1882, fils de Laurent-Olivier **David**, avocat, et d'Albina Chenet.

Fit ses études au Mont-Saint-Louis, au collège Sainte-Marie et à l'université Laval à Montréal. Admis au barreau de la province de Québec le 7 juillet 1905.

Exerça sa profession d'avocat à Montréal avec Mes Édouard Montpetit et Arthur Vallée, puis fit partie du cabinet Elliot et David. S'associa également à Hector **Perrier**, Roger Brassard, Maurice Dugas, L.-P. Crépeau et Claude Demers.

Élu député libéral dans Terrebonne en 1916. Réélu sans opposition en 1919. Démissionna le 25 août 1919 lors de sa nomination comme ministre. Réélu sans opposition à l'élection partielle du 6 septembre 1919. Secrétaire et registraire dans les cabinets Gouin et Taschereau du 25 août 1919 au 27 juin 1936. De nouveau élu en 1923, 1927, 1931, puis grâce au vote de l'officier rapporteur (président d'élection) en 1935. Ne s'est pas représenté en 1936. Réélu en 1939. Démissionna le 14 février 1940 à la suite de sa nomination comme sénateur de la division de Sorel, le 9 février 1940. Occupa ce poste jusqu'à son décès. Alors qu'il occupait le poste de secrétaire de la province, il créa, en 1922, un prix littéraire, le prix David.

A publié *En marge de la politique* (1934). Président de l'Association du jeune barreau de Montréal en 1913 et 1914. Membre du Conseil du barreau de Montréal en 1914 et 1915. Membre du Club de réforme, du Club canadien, du Cercle universitaire de Montréal et du Club de la garnison de Québec. Directeur du Club de hockey Canadien en 1923. Président du conseil d'administration de l'hôpital Saint-Luc à Montréal. Créé chevalier de la Légion d'honneur en 1923, officier en 1925 et commandeur en 1934.

Décédé à l'hôpital Saint-Luc de Montréal, le 26 janvier 1953, à l'âge de 70 ans et 7 mois. Inhumé dans le cimetière de Sainte-Agathe-des-Monts, le 30 janvier 1953.

Avait épousé dans sa paroisse natale, le 3 novembre 1908, Antonia Nantel, fille de Guillaume-Alphonse **Nantel**, journaliste, et d'Emma Tassé.

Beau-frère de Louis-Joseph **Lemieux**. Beau-père de Jean **Raymond**.

DAVID, Ferdinand-Conon
(1824–1883)

Né à Sault-au-Récollet, le 30 mai 1824, fils de David Fleury David, maître sculpteur, et de Cécile Poitras.

Fit ses études à l'école de sa paroisse et exerça le métier de peintre. Membre de l'entreprise David, Rivard, Laurent et Drolet spécialisée dans la spéculation immobilière et dans la construction domiciliaire. Propriétaire de biens immobiliers à Montréal. Administrateur du Northern Colonization Railway. Président de la Société de colonisation de Montréal.

Président de la Société de l'union Saint-Joseph en 1868. Vice-président de la Société Saint-Jean-Baptiste.

Échevin du quartier Saint-Louis au conseil municipal de Montréal de février 1861 à août 1877. Président du comité des chemins du 13 mars 1865 au 12 mars 1877. Élu député conservateur dans Montréal-Est en 1871. Ne s'est pas représenté en 1875.

Décédé à Montréal, le 16 juillet 1883, à l'âge de 59 ans et un mois. Inhumé à Montréal, dans le cimetière Notre-Dame-des-Neiges, le 19 juillet 1883.

Avait épousé dans la paroisse Notre-Dame de Montréal, le 8 octobre 1844, Olive Boyer dit Quintal, fille de François Boyer dit Quintal, menuisier, et d'Angélique Boisseau dit Sans Quartier; puis, dans la même paroisse, le 29 octobre 1868, Sophie Homier, veuve de Joseph **Papin**, avocat.

Beau-frère d'Alexandre **Archambault**.

Bibliographie: *DBC.*

DAVID, Laurent-Olivier
(1840–1926)

[Né à Sault-au-Récollet, le 24 mars 1840, fils de Stanislas David, major dans la milice et cultivateur, et d'Élisabeth Tremblay.]

Fit ses études au séminaire de Sainte-Thérèse et son droit sous la direction de Joseph-Alfred **Mousseau**. Admis au barreau du Bas-Canada le 8 avril 1864.

Exerça sa profession à Montréal avec Me Joseph-Alfred **Mousseau** et Me Labelle, puis avec Me Longpré. En 1862 et 1863, il fut propriétaire du journal *le Colonisateur* avec Ludger Labelle, Joseph-Alfred **Mousseau**, Joseph-Adolphe **Chapleau**, D. Ricard, L.-W. Tessier, L.-O. Fontaine et Louis-Victor **Sicotte**. Rédacteur du journal *l'Union nationale* de 1864 à 1867. Fonda en 1870, avec Joseph-Alfred **Mousseau** et George E. Debarats, *l'Opinion publique* dont il fut rédacteur en 1870 et 1871. En 1874, il fonda avec Cléophas Beausoleil (député à la Chambre des communes de 1887 à 1899) le journal *le Bien public* dont il fut copropriétaire et rédacteur en chef d'avril 1874 à mai 1876, et le quotidien *le Courrier de Montréal* dont il fut aussi propriétaire, éditeur et rédacteur. Traducteur et greffier à la Chambre des communes jusqu'en 1878. Propriétaire et rédacteur de la *Tribune* d'octobre 1880 à mai 1884. Collabora également au journal *le Temps*. Greffier du conseil municipal de Montréal de février 1892 à avril 1918.

Candidat libéral défait dans Hochelaga aux élections provinciales de 1867 et de 1875, puis aux élections fédérales de 1878. Élu député libéral à l'Assemblée législative dans Montréal-Est en 1886. Ne s'est pas représenté en 1890. Candidat libéral défait dans la circonscription de Montréal-Est aux élections fédérales de 1891 et dans la circonscription provinciale de Napierville en 1892. Nommé sénateur de la division des Mille-Isles le 19 juin 1903, il occupa ce poste jusqu'à son décès. Refusa le poste de lieutenant-gouverneur des Territoires du Nord-Ouest.

A publié notamment: *Biographies et portraits* (1876), *le Héros de Châteauguay* (1883), *les Patriotes de 1837–1838* (1884), *Mes contemporains* (1894), *les Deux Papineau* (1896), *le Clergé canadien, sa mission et son œuvre* (1896), *l'Union des deux Canadas* (1898), *le Drapeau de Carillon* (1902), *Laurier et son temps* (1905), *Histoire du Canada depuis la Confédération* (1909), *Souvenirs et biographies* (1911), *Mélanges historiques et littéraires* (1917), *Laurier, sa vie, ses œuvres* (1919), *les Gerbes canadiennes* (1921) et *Au soir de la vie* (1924).

Président de la Société Saint-Jean-Baptiste de Montréal de 1887 à 1893. Fondateur du Monument national de Montréal en 1888. Nommé membre de la Société royale du Canada en 1890, il fut par la suite président de la section française de cette société en 1904 et 1905. Membre du Club canadien, de la Ligue antialcoolique et de la Société de protection des femmes et des enfants. Fit ériger en France un monument dédié à Montcalm. Fait chevalier de la Légion d'honneur en 1911.

Décédé à Outremont, le 23 août 1926, à l'âge de 86 ans et 4 mois. Inhumé à Montréal, dans le cimetière Notre-Dame-des-Neiges, le 27 août 1926.

Avait épousé à Québec, dans la paroisse Saint-Jean-Baptiste, le 1er juillet 1869, Albina Chenet, fille de Pierre Chenet et d'Emmélie Brien dit Desrochers; [puis, en 1892, Ludivine Garceau].

Père d'Athanase **David**. Beau-père de Louis-Joseph **Lemieux**. Cousin d'Ernest **Racicot** et de Joseph-Gédéon-Horace Bergeron, député à la Chambre des communes de 1879 à 1900 et de 1904 à 1908.

Bibliographie: Dufresne, Thérèse, *Bibliographie de M. L.-O. David*, Montréal, École des bibliothécaires de l'université de Montréal, 1944, 30 p. Moreau, Douglas, *Le débat L.-O. David–P. Bernard (1897–1898) à propos du libéralisme*, thèse de maîtrise à l'université Laval, Québec, 1972, 152 p.

DAVIDSON, John
(<1794– ≥1838)

Fut officier de milice : major dans la 4ᵉ division de Québec à compter du 15 avril 1812, passa à la 1ʳᵉ division de Lotbinière le 15 janvier 1813. Établi comme marchand à Québec. Nommé commissaire chargé de faire prêter le serment d'allégeance, à Lévis, le 30 juin 1812 ; juge de paix, le 22 novembre 1815 ; membre du Bureau d'examinateurs des inspecteurs de farine, le 7 mai 1818 ; inspecteur général des forêts, le 20 janvier 1827. Devint greffier de la couronne en chancellerie, le 25 juillet 1834, et commissaire en titre du département des Terres de la couronne, le 27 janvier 1838. Obtint quelques autres postes de commissaire.

Élu député de Dorchester en 1814. Réélu en 1816, avril 1820, juillet 1820 et 1824. Appuya tantôt le parti des bureaucrates, tantôt le parti canadien, et s'opposa au projet d'union du Bas et du Haut-Canada en 1822. Ne se serait pas représenté en 1827.

Décédé en ou après 1838.

On ne sait pas s'il était célibataire ou marié.

DAVIGNON, Pierre
(1810–1878)

Né en 1810.

Fit l'apprentissage de la médecine, puis fut admis à l'exercice de sa profession le 17 octobre 1832.

Nommé commissaire au tribunal des petites causes de la seigneurie de Monnoir le 6 juin 1836. Cofondateur du Cabinet paroissial de Saint-Antoine de Longueuil en 1858.

Élu député de Rouville en 1848 ; membre du groupe canadien-français, puis réformiste. Ne se serait pas représenté en 1851. Maire de Longueuil de 1853 à 1861.

Décédé probablement à Longueuil, le 7 octobre 1878, à l'âge de 67 ou de 68 ans. Inhumé dans l'église Saint-Antoine, le 9 octobre 1878.

Avait épousé Euphémie Soupras.

Grand-père d'Alexandre **Thurber**.

DAVIS, Theodore
(≈1778–1841)

Né à Chesterfield, au New Hampshire, vers 1778.

Reçut une commission d'arpenteur le 11 juin 1799. Exerça sa profession à Saint-André-d'Argenteuil où il fit aussi des affaires. Procéda à l'arpentage du canton de Hull, en 1801, avec Philemon **Wright** ; aurait, en outre, construit des écluses à Vaudreuil. S'établit ensuite à Pointe-Fortune ; était copropriétaire d'un magasin en 1825. Acheta une terre à Carillon. Nommé juge de paix le 29 mars 1827, commissaire au tribunal des petites causes le 30 septembre 1834 et registrateur du district de Deux-Montagnes le 25 novembre 1834.

Élu député de la circonscription d'Ottawa à une élection partielle en mars 1832 ; appuya le parti des bureaucrates et vota contre les Quatre-vingt-douze Résolutions. Ne se serait pas représenté en 1834.

Décédé à Hull, le 16 mars 1841, à l'âge d'environ 63 ans.

Avait épousé probablement à Saint-André-d'Argenteuil, un peu avant février 1806, Elizabeth Robertson, fille du colonel Daniel Robertson et de Marie-Louise Réaume, et veuve de Louis-Hippolyte Hertel de Saint-François.

DAWSON, William McDonell
(1822–1890)

Né à Redhaven, en Écosse, en 1822.

Arriva au Canada vers 1836. Occupa le poste d'agent des Terres de la couronne, à Ottawa. Agit à titre de commissaire dans la question des frontières. Fut fonctionnaire au département des Terres de la couronne de 1852 à 1857, année où il démissionna pour se présenter aux élections législatives de la province du Canada. Fondateur et président de la North-West Transit Company.

Élu député de Trois-Rivières en 1858 ; de tendance conservatrice. Se rendit à Londres, de son propre chef, afin de négocier un emprunt qui aurait servi à la construction d'un chemin de fer transcontinental. Défait dans Trois-Rivières mais élu dans Ottawa en 1861 ; de tendance conservatrice, puis libérale. Défait en 1863.

Décédé à Montréal, le 9 août 1890, à l'âge de 67 ou de 68 ans.

On ne sait pas s'il était célibataire ou marié.

Frère de Simon James Dawson, député à l'Assemblée législative de l'Ontario et à la Chambre des communes du Canada.

DAY, Charles Dewey
(1806–1884)

Né à Bennington, au Vermont, le 6 mai 1806, fils du capitaine Ithmar Day, probablement au service de la North West Company, et de Laura Dewey.

Étudia à Montréal, où son père tint, de 1812 à 1828 environ, un commerce de détail. Commença l'apprentissage du droit en 1822; admis au barreau en 1827.

Exerça sa profession à Montréal et surtout dans la vallée de l'Outaouais, notamment à titre d'avocat-conseil auprès de Philemon **Wright**. Très actif, dès 1834, dans l'Association constitutionnelle de Montréal. En 1838, nommé conseiller de la reine et juge-avocat suppléant du tribunal militaire chargé de juger les patriotes emprisonnés.

Membre du Conseil spécial du 23 mai 1840 jusqu'à l'entrée en vigueur de l'Acte d'Union, le 10 février 1841; exerça les fonctions de solliciteur général depuis le 26 mai 1840. Fit partie du ministère Draper–Ogden: fut conseiller exécutif à compter du 13 février 1841 et solliciteur général à partir du 10 février 1841. Élu député d'Ottawa en 1841; unioniste et tory. Quitta le cabinet le 20 juin 1842, et son siège de député devint vacant le 21 juin, en raison de son acceptation du poste de juge de la Cour du banc du roi à Montréal, auquel il accéda le 29 juin 1842.

Devint juge puîné de la Cour supérieure le 1er janvier 1850; prit sa retraite en 1862. De 1859 à 1865, fut membre, avec René-Édouard **Caron** et Augustin-Norbert **Morin**, de la Commission de codification des lois civiles du Bas-Canada. En 1865, entreprit, en qualité d'avocat, de représenter la Hudson's Bay Company dans une cause qui opposa longtemps cette dernière au gouvernement des États-Unis. Nommé, en 1868, arbitre de la province de Québec dans la question du partage de l'actif et du passif de l'ancien Canada-Uni. Occupa d'autres postes de commissaire.

Engagé dans le domaine de l'éducation. Fut vice-président de la Church Society anglicane, de 1842 à 1852; président du comité protestant du Conseil de l'instruction publique de la province, de 1869 à 1875, dont il fut à nouveau membre en 1876; président du conseil d'administration de l'Institution royale pour l'avancement des sciences, de 1852 à 1884; directeur intérimaire du McGill College de 1853 à 1855 et chancelier de 1864 à 1884.

Décédé au cours d'un voyage en Angleterre, le 31 janvier 1884, à l'âge de 77 ans et 8 mois.

Avait épousé dans l'église presbytérienne St. Andrew, à Montréal, le 9 octobre 1830, Barbara Lyon; puis, dans l'église unitarienne (Church of the Messiah) de Montréal, le 10 novembre 1853, Maria Margaret Holmes, fille de l'homme d'affaires Benjamin **Holmes** et d'Élisabeth Arnoldi.

Bibliographie: *DBC.*

DEAN, Robert

Né à Montréal, le 26 octobre 1927, fils de Harry Wilson Dean, employé d'hôtel, et de Marie-Anne Grégoire.

Après ses études primaires et secondaires à Montréal, il obtint un baccalauréat ès arts à la Sir George Williams University en 1963.

Travailla pour la compagnie R.C.A. à Saint-Henri de 1952 à 1959. Conseiller technique de l'Union des ouvriers du textile d'Amérique à Drummondville de 1960 à 1963. Conseiller technique et directeur adjoint du Syndicat canadien de la Fonction publique (service des employés d'Hydro-Québec) de 1963 à 1968. Employé du Syndicat international des travailleurs unis de l'automobile de 1968 à 1981; directeur de 1972 à 1981. Vice-président de la Fédération des travailleurs et travailleuses du Québec (FTQ) de 1969 à 1981. Membre du Conseil des affaires sociales et de la famille de 1972 à 1976. Membre du Conseil des collèges (ministère de l'Éducation) en 1980 et 1981.

Élu député du Parti québécois dans Prévost en 1981. Adjoint parlementaire du ministre du Travail, de la Main-d'œuvre et de la Sécurité du revenu, du 1er mai 1981 au 29 septembre 1982. Adjoint parlementaire du ministre délégué au Travail du 29 septembre 1982 au 5 mars 1984. Ministre du Revenu dans le cabinet Lévesque du 5 mars au 20 décembre 1984. Ministre délégué de l'Emploi et de la Concertation dans les cabinets Lévesque et Johnson (Pierre Marc) du 20 décembre 1984 au 12 décembre 1985. Défait dans la même circonscription en 1985 et dans Groulx en 1989. De nouveau conseiller technique auprès du Syndicat international des travailleurs unis de l'automobile de 1985 à 1989. Consultant en ressources humaines à compter de 1989.

DEBARTZCH, Pierre-Dominique (1782–1846)

Né à Saint-Charles-sur-Richelieu, le 22 septembre 1782, puis baptisé le 23, dans la paroisse Saint-Charles, fils de Dominique Debartzch, négociant, et de Marie-Josephte Simon, dit Delorme.

Fit des études au Harvard College, à Boston. À compter de 1800, étudia le droit auprès de Denis-Benjamin **Viger**. Admis au barreau en 1806.

Élu député de Kent en 1809. Réélu en 1810. Appuya le parti canadien durant ses deux mandats. Son siège devint vacant par suite de sa nomination au Conseil législatif, le 17 janvier 1814; en fut membre jusqu'à la suspension de la constitution, le 27 mars 1838. Nommé au Conseil exécutif le

22 août 1837; en fit partie jusqu'à l'entrée en vigueur de l'Acte d'Union, le 10 février 1841.

Servit à titre d'officier de milice pendant la guerre de 1812; commanda une compagnie à Châteauguay, en 1813. Obtint quelques postes de commissaire. En 1832, présida, aux côtés de Louis **Bourdages**, une assemblée où furent adoptées de nombreuses propositions à la base des futures Quatre-vingt-douze Résolutions. Fonda en 1833, à Saint-Charles-sur-Richelieu, l'*Écho du pays*; cessa son appui quand des articles révolutionnaires y furent publiés. En 1836, lança *le Glaneur*, qui prit fin l'année suivante. Pendant la rébellion de 1837, se rendit à Montréal avec sa famille; sa maison de Saint-Charles-sur-Richelieu fut mise à sac. Posséda plusieurs seigneuries, dont celles de Saint-François (acquise en 1826) et de Cournoyer, où sera érigée la municipalité de Saint-Marc-sur-Richelieu et où il semble s'être retiré.

Décédé à Saint-Marc-sur-Richelieu, le 6 septembre 1846, à l'âge de 63 ans et 11 mois. Inhumé dans l'église Saint-Charles, à Saint-Charles-sur-Richelieu, le 9 septembre 1846.

Avait épousé dans la paroisse de l'Immaculée-Conception, à Saint-Ours, le 25 juillet 1815, Josette de Saint-Ours, fille de Charles de **Saint-Ours** et de Josette Murray, petite-nièce du gouverneur James Murray.

Neveu de Hyacinthe-Marie **Simon**, **dit Delorme**. Beau-père de Lewis Thomas **Drummond** et d'Alexandre-Édouard **Kierzkowski**. Grand-père de Frédéric Debartzch Monk, député à la Chambre des communes du Canada.

———

Bibliographie: *DBC.*

DE BEAUJEU. V. SAVEUSE DE BEAUJEU

DE BELESTRE. V. PICOTÉ DE BELESTRE

DE BELLEFEUILLE, Pierre

Né à Ottawa, le 12 mai 1923, fils de Lionel de Bellefeuille, traducteur, et d'Anne Sénécal.

Suivit des cours particuliers, puis étudia à l'université d'Ottawa. Diplômé en philosophie.

Journaliste et chroniqueur parlementaire au journal *le Droit* d'Ottawa de 1945 à 1951. Chef des services de rédaction, puis directeur de la distribution française à l'Office national du film de 1951 à 1960. Rédacteur au magazine *Maclean's* de 1960 à 1964. Directeur des exposants pour Expo 67 de

1964 à 1968. Journaliste indépendant, conseiller en information et interprète de 1968 à 1976. Collabora à plusieurs émissions de télévision et de radio diffusées à Radio-Canada, notamment la télésérie *la Part du lion* en 1969 et 1970 et l'émission radiophonique *la Révolution tranquille* en 1971 et 1972. Codirecteur de la maison Inter-Info Associés, interprètes et traducteurs-conseils. Directeur de la collection «Cité de l'homme» aux éditions Leméac. Membre du Conseil de presse du Québec et président de la Société historique de Deux-Montagnes de 1974 à 1976. Membre de la Ligue des droits de l'homme. Président de l'Institut canadien des affaires publiques. Vice-président de l'Union canadienne des journalistes de langue française. Ancien président du Syndicat des journalistes d'Ottawa (CTCC) et du Cercle des journalistes d'Ottawa. Coauteur de *la Bataille du livre au Québec* (1972) et auteur de *Sauf votre respect – Lettre à René Lévesque* (1984) et *l'Ennemi intime* (1992).

Candidat du Nouveau Parti démocratique défait dans Ahuntsic aux élections fédérales de 1972. Élu député du Parti québécois à l'Assemblée nationale dans Deux-Montagnes en 1976. Réélu en 1981. Adjoint parlementaire du ministre des Affaires culturelles du 1er décembre 1976 au 1er mars 1978. Adjoint parlementaire du ministre des Affaires intergouvernementales du 1er mars 1978 au 5 mars 1984 et du ministre des Relations internationales du 5 mars au 20 novembre 1984. Démissionna comme député du Parti québécois et siégea comme indépendant à partir du 20 novembre 1984. Candidat du Parti indépendantiste défait dans Deux-Montagnes en 1985. Élu président du Parti indépendantiste le 6 avril 1986. Quitta cette formation à l'été de 1988.

Chargé de cours au département des communications à l'université du Québec à Montréal en 1984 et 1985. Président des Semences Laval (1986) inc. de 1986 à 1989.

DE BELLEVAL, Denis

Né à Québec, le 4 juin 1939, fils de Louis-Marie de Belleval, fonctionnaire, et d'Yvette Desgagnés.

Fit ses études au séminaire de Québec et à l'université Laval où il obtint une maîtrise en sciences sociales avec spécialisation en administration publique. Boursier de la London School of Economics, en Angleterre, où il termina sa scolarité de doctorat en science politique en 1967. Suivit des stages de perfectionnement en développement économique et aménagement du territoire en Grande-Bretagne, en Allemagne, en Suède et en France.

Secrétaire exécutif du sous-ministre de l'Éducation de 1967 à 1969. Directeur de la recherche à la direction générale de l'enseignement supérieur du ministère de l'Éducation et représentant du gouvernement au Conseil supérieur des universités en 1969. Secrétaire de la Commission de développement de la région de Montréal et directeur général de la direction de la planification à l'Office de planification et de développement du Québec (OPDQ) de 1970 à 1974. Adjoint au sous-ministre des Transports du Québec et directeur adjoint du Bureau d'aménagement du réseau express de Montréal de 1974 à 1976. Vice-président de la Presse universitaire canadienne. Membre fondateur du conseil d'administration des Loisirs de Sainte-Maria-Goretti.

Élu député du Parti québécois dans Charlesbourg en 1976. Ministre de la Fonction publique dans le cabinet Lévesque du 26 novembre 1976 au 21 septembre 1979. Vice-président du Conseil du trésor de novembre 1976 à mars 1978. Ministre des Transports du 21 septembre 1979 au 30 avril 1981. Réélu en 1981. Démissionna comme député le 7 décembre 1982.

Contractuel pour la compagnie Lavalin en 1982, il devint vice-président de Lavalin international de 1983 à 1985. Président-directeur général de la Société canadienne des ports (Ports Canada) de 1985 à 1987. Président de Via Rail du 1er juillet 1987 au 3 mai 1989. Directeur général de la ville de Québec à compter du 11 juin 1990.

DE BLEURY. V. SABREVOIS DE BLEURY

DEBLOIS, Joseph-François
(1797–1860)

Né à Québec et baptisé dans la paroisse Notre-Dame, le 22 avril 1797, fils de François Deblois, marchand, et de Marie-Geneviève Létourneau.

Étudia au petit séminaire de Québec de 1810 à 1813. Fit l'apprentissage du droit auprès de Louis **Lagueux** de 1821 à 1826. Admis au barreau en 1826.

Servit dans la milice pendant la guerre de 1812. Travailla au magasin familial de 1814 à 1826. Fonda une entreprise de pêche au hareng à la baie de Cascapédia et un magasin à New Richmond, en Gaspésie, en 1826. Établi à New Carlisle, agit à titre de procureur et d'avocat à la Cour provinciale du district de Gaspé.

Élu député de Bonaventure en 1834; appuya généralement le parti patriote. Conserva son siège jusqu'à la suspension de la constitution, le 27 mars 1838. Exerça le droit à Québec. Défait aux élections municipales de Québec, dans le quartier du Palais, en février 1846.

Nommé, en 1849, un des deux juges en tournée du district de Gaspé, s'installa à Percé; remplit cette charge jusqu'en 1857, puis retourna vivre à Québec.

Fut président de la Société d'agriculture de Gaspé.

Décédé à Québec, le 10 août 1860, à l'âge de 63 ans et 3 mois. Après des obsèques célébrées en l'église Saint-Jean-Baptiste de Québec, fut inhumé dans le cimetière Notre-Dame-de-Belmont, à Sainte-Foy, le 14 août 1860.

Était célibataire.

Bibliographie: *DBC*.

DE BONNE, Pierre-Amable
(1758–1816)

Né à Montréal et baptisé dans la paroisse Notre-Dame, le 25 novembre 1758, fils de Louis de Bonne de Missègle, capitaine d'infanterie, et de Louise Prud'homme.

Fit ses études classiques, d'abord à l'école des sulpiciens à Longue-Pointe (Montréal), puis au collège Saint-Raphaël de Montréal, de 1769 à 1775, et au petit séminaire de Québec en 1775. Après 1777, étudia le droit à Montréal. Obtint une commission d'avocat en 1780 et peut-être une commission de notaire.

Prit part avec la milice à la défense de la colonie pendant l'invasion américaine de 1775–1776; fut fait prisonnier à la bataille de Saratoga (Schuylerville, New York) en octobre 1777. Propriétaire, notamment de biens seigneuriaux. Fut juge de paix. Greffier du papier terrier de 1790 à 1794, adjoint au secrétaire français du gouverneur et du Conseil en 1791. Nommé juge de la Cour des plaids communs au début de 1794, juge de la Cour du banc du roi pour le district de Québec le 16 décembre 1794; prit sa retraite en 1812. Propriétaire du *Courrier de Québec* (1807–1808); l'un des propriétaires et des rédacteurs du *Vrai Canadien* (1810–1811). Promu au grade de colonel dans la milice en 1809. Obtint de nombreux postes de commissaire.

Élu député d'York en 1792. Nommé conseiller exécutif le 29 décembre 1794; le fut jusqu'à sa mort. Défait dans Hampshire mais élu dans Trois-Rivières en 1796. Réélu dans Trois-Rivières en 1800 après avoir été défait dans Northumberland. Élu dans Québec en 1804, après avoir retiré sa candidature dans la Haute-Ville de Québec. Réélu en 1808, après avoir été défait dans Northumberland. Réélu sans opposition en 1809. Fut expulsé de la Chambre et son siège fut déclaré vacant le 24 février 1810. Tenta sans succès de poser sa candidature en 1810. Pendant ses deux premiers mandats, avait donné son appui tantôt au parti canadien, tantôt au parti des bureaucrates; par la suite, avait appuyé généralement le parti des bureaucrates.

Administrateur du Théâtre de société fondé en 1789 à Montréal. Auteur de *Précis ou Abrégé d'un acte qui pourvoit à la plus grande sûreté du Bas-Canada* [...] (Québec, 1794) et de feuillets publiés à l'occasion de diverses élections.

Décédé dans son domaine de La Canardière, à Beauport, le 6 septembre 1816, à l'âge de 57 ans et 9 mois. Inhumé dans l'église de la Nativité-de-Notre-Dame, à Beauport, le 10 septembre 1816.

Avait épousé dans la paroisse Saint-Michel, à Vaudreuil, le 9 janvier 1781, Louise Chartier de Lotbinière, fille du seigneur Michel Chartier de Lotbinière et de Louise-Madeleine Chaussegros de Léry; puis, dans la paroisse de la Nativité-de-Notre-Dame, à Beauport, le 16 janvier 1805, Louise-Élizabeth Marcoux, fille du cultivateur André Marcoux et de Louise Bélanger.

Beau-fils de Joseph-Dominique-Emmanuel **Le Moyne de Longueuil**. Beau-frère de Michel-Eustache-Gaspard-Alain **Chartier de Lotbinière**.

———

Bibliographie: *DBC.*

DE BOUCHERVILLE. V. BOUCHER DE BOUCHERVILLE

DÉCARIE, Daniel-Jérémie (1836–1904)

Né dans la paroisse Notre-Dame de Montréal, le 20 mars 1836, fils de Jérémie Descary, cultivateur, et d'Apolline Gougeon.

Fit ses études au collège de Sainte-Thérèse.

Cultivateur à Notre-Dame-de-Grâce. Nommé juge de paix en 1879. Lieutenant du 11e bataillon en 1857. Président de la Société d'agriculture de Hochelaga et membre du Conseil d'agriculture de la province de Québec en 1888. Décoré de la médaille du Mérite agricole.

Président de la commission scolaire de Notre-Dame-de-Grâce du 7 juin 1876 au 27 juillet 1878. Maire de Notre-Dame-de-Grâce-Ouest du 19 février 1877 jusqu'à son décès. Préfet du comté de Hochelaga. Élu député libéral dans Hochelaga en 1897. Réélu sans opposition en 1900.

Décédé en fonction à Notre-Dame-de-Grâce, le 30 octobre 1904, à l'âge de 68 ans et 7 mois. Inhumé à Montréal,

dans le cimetière Notre-Dame-des-Neiges, le 2 novembre 1904.

Avait épousé dans la paroisse Notre-Dame-de-Grâce (Montréal), le 1er septembre 1869, Philomène Leduc, fille de Louis Leduc et d'Amable Roy.

Père de Jérémie-Louis **Décarie**.

———

DÉCARIE, Jérémie-Louis (1870–1927)

Né dans la paroisse Notre-Dame-de-Grâce (Montréal), le 30 août 1870, fils de Daniel-Jérémie **Décarie**, cultivateur, et de Philomène Leduc.

Fit ses études au collège Sainte-Marie et à l'université Laval à Montréal. Admis au barreau de la province de Québec le 17 janvier 1896.

Fit son apprentissage juridique au cabinet Barnard et Barnard, puis auprès de Mes Lomer **Gouin** et Rodolphe Lemieux (député à la Chambre des communes de 1911 à 1930). Exerça sa profession à Montréal. Membre de la société Gouin, Lemieux et Décarie en 1897. En 1903, il fonda le cabinet Décarie et Dagenais, puis Décarie et Décarie dont il fut membre jusqu'en 1915. Créé conseil en loi du roi le 11 juillet 1906. Avocat de la ville de Notre-Dame-de-Grâce jusqu'à son annexion à la ville de Montréal.

Candidat libéral défait dans Jacques-Cartier aux élections fédérales de 1900. Élu député libéral à l'Assemblée législative dans Hochelaga en 1904. Whip de son parti. Réélu en 1908. Son siège devint vacant à la suite de sa nomination au conseil exécutif et fut réélu sans opposition à l'élection partielle du 2 février 1909. Ministre de l'Agriculture dans le cabinet Gouin du 21 janvier au 18 novembre 1909. Secrétaire et registraire de la province dans le même cabinet du 18 novembre 1909 au 25 août 1919. Fut réélu dans Maisonneuve en 1912 et 1916. Ne s'est pas représenté en 1919. Nommé juge en chef à la Cour des sessions de la paix à Montréal le 26 août 1919.

Cofondateur du Club national dont il fut président en 1900. Gouverneur de l'université Laval à Montréal de 1913 à 1920. Lieutenant-colonel honoraire du 85e régiment d'infanterie en 1913. Directeur de la compagnie d'assurances Mont-Royal. Membre du Club de réforme et du Club Saint-Denis de Montréal.

Décédé à Montréal, le 5 novembre 1927, à l'âge de 57 ans et 2 mois. Inhumé à Montréal, dans le cimetière Notre-Dame-des-Neiges, le 8 novembre 1927.

Avait épousé dans sa paroisse natale, le 17 mai 1898, Rose-Alba Décary, fille d'Alphonse-Clovis Décary, notaire et registrateur des comtés de Hochelaga et de Jacques-Cartier, et de Rose de Lima Serre dit Saint-Jean ; puis, dans la cathédrale de Montréal, le 22 octobre 1907, Juliette Rainville, fille d'Henri-Benjamin **Rainville**, avocat, et d'Eugénie Archambault.

DE CAZES. V. CAZES

DECHÊNE. V. MIVILLE DECHÊNE

DE GASPÉ. V. AUBERT DE GASPÉ

DELÂGE, Cyrille Fraser
(1869–1957)

Né dans la paroisse Notre-Dame de Québec, le 1er mai 1869, fils de Jean-Baptiste Delâge, notaire, et de Marie-Emma-Elmire Fraser.

Fit ses études chez les Frères des écoles chrétiennes, au séminaire de Québec ainsi qu'à l'université Laval à Québec. Reçu notaire en 1892.

Exerça sa profession à l'étude de son père, connue alors sous la raison sociale de Delâge, Delâge et Delâge. Commissaire-censeur de la Banque provinciale de 1926 à 1939. Président de la Chambre des notaires de 1936 à 1939. Codirecteur de la Compagnie de publication Le Soleil ltée.

Cofondateur et premier secrétaire de la section Saint-Roch du Club Mercier. Élu député libéral dans le comté de Québec à l'élection partielle du 31 octobre 1901. Réélu sans opposition en 1904. De nouveau élu en 1908 et 1912. Orateur suppléant de l'Assemblée législative du 10 mars 1909 au 8 janvier 1912, puis orateur du 9 janvier 1912 au 7 novembre 1916.

Son siège devint vacant lorsqu'il fut nommé surintendant de l'Instruction publique de la province de Québec le 13 avril 1916. Occupa ce poste jusqu'au 15 novembre 1939. Membre du comité catholique et du comité protestant de l'Instruction publique. Président du Bureau des écoles catholiques de Québec de 1947 à 1957.

A publié *Conférences, Discours et Lettres* (2 tomes : 1919, 1927). Président général de la Société Saint-Jean-Baptiste de Québec en 1909 et 1910. Président du Fonds patriotique canadien de Québec de 1914 à 1923. Président honoraire du Cercle agricole d'Ancienne-Lorette en 1914. Membre du Conseil des arts et manufactures, du Conseil d'agriculture de la province de Québec (1916). Vice-président et directeur de l'Institut canadien de Québec. Membre du conseil d'administration de l'Institut canadien de 1917 à 1925 et de 1937 à 1948, président de 1925 à 1931, membre du comité du centenaire du même organisme en 1948, président honoraire de 1949 à 1953, puis patron d'honneur de 1954 à 1957. Gouverneur du Syndicat financier de l'université Laval de 1918 à 1925. Président et directeur de la Société du parler français au Canada de 1922 à 1924. Président de la Société de géographie de Québec de 1924 à 1940. Président de la section française de l'Association des auteurs canadiens en 1925. Membre de la Société royale du Canada, de la corporation de l'École polytechnique (1928), du Conseil de la vie française, du Conseil de la chancellerie de l'ordre de la Fidélité française, du Club canadien, du Cercle universitaire, de l'Alliance nationale, des Artisans canadiens-français et du Club de la garnison. Conseiller juridique de l'ordre des Forestiers. Nommé membre honoraire à vie de l'Association canadienne d'éducation en 1953. Président honoraire de l'Association d'éducation du Dominion.

Récipiendaire des médailles d'argent des prix Angers et Tessier, de la médaille d'or du prix Stanley et du prix Casgrain. Docteur en droit de l'université Laval en 1908. Docteur en lettres en 1919. Docteur en pédagogie honoris causa de l'université de Montréal en 1930, puis en droit de l'université d'Ottawa en 1946. Récipiendaire des décorations et des titres suivants : officier de l'Instruction publique de France en 1918, officier de l'Académie de France en 1921, médaille d'argent de la Ligue maritime coloniale française en 1926, commandeur de l'ordre de Pie IX en 1928, médaille d'argent de l'Alliance française de Paris en 1928, médaille de bronze du gouvernement canadien en 1929, diplôme du Grand Mérite de l'ordre et du Mérite scolaire de la province de Québec en 1930, chevalier de la Légion d'honneur française en 1935, compagnon de l'ordre de Saint-Michel et Saint-George en 1935, médaille d'argent du jubilé du Roi en 1935, médaille du couronnement du Roi en 1937 et médaille commémorative du Comité de secours de la Belgique.

Décédé à Québec, le 27 novembre 1957, à l'âge de 88 ans et 6 mois. Inhumé à Québec, dans le cimetière Saint-Charles, le 30 novembre 1957.

Avait épousé à Québec dans la paroisse Saint-Roch, le 16 octobre 1894, Marie-Célina-Alice Brousseau, fille de Télesphore Brousseau et de Marie-Célina-Alice Genest.

Beau-frère d'Albert **Jobin**.

DELAGRAVE, Charles
(1881–1952)

Né dans la paroisse Notre-Dame de Québec, le 17 janvier 1881, fils de Charles-Guillaume Delagrave, médecin, et de Marie-Zélie Deguise.

Fit ses études au séminaire de Québec et à l'université Laval à Québec. Admis à la pratique du notariat en 1903, il exerça sa profession à Québec.

Membre de la Chambre des notaires de la province de Québec de 1918 à 1926. Conseiller juridique de la commission scolaire et de la municipalité de Québec. Directeur de la Sun Trust Co. Ltd. Membre des Chevaliers de Colomb, du Club de la garnison de Québec et du Cercle universitaire de Montréal.

Échevin au siège n° 2 du quartier Saint-Jean-Baptiste au conseil municipal de Québec de 1920 à 1923. Marguillier de la paroisse du Saint-Cœur-de-Marie de janvier 1941 à décembre 1944. Élu député libéral dans Québec-Ouest aux élections de 1935. Réélu en 1936 et 1939. Orateur suppléant de l'Assemblée législative du 4 mars 1943 au 22 juin 1944. Son siège devint vacant lorsqu'il fut nommé conseiller législatif de la division de La Durantaye le 22 juin 1944.

Décédé en fonction à Québec, le 25 août 1952, à l'âge de 71 ans et 7 mois. Inhumé à Sainte-Foy, dans le cimetière Notre-Dame-de-Belmont, le 28 août 1952.

Avait épousé dans sa paroisse natale, le 18 mai 1909, Blanche Turcot, fille d'Alfred Turcot, marchand, et d'Adélaïde Vallières; [puis, à New York, le 28 septembre 1933, May Vigneux].

DE LANAUDIÈRE. V. TARIEU DE LANAUDIÈRE

DELANEY, Patrick Peter
(1852–1941)

Né à Havre-aux-Maisons, aux Îles-de-la-Madeleine, et baptisé le 23 janvier 1852, fils de John Delaney et d'Eudoxie-Françoise Thériault.

Fit ses études au collège St. Dunstan à Charlottetown (Île-du-Prince-Édouard) et à l'université Laval à Québec. Admis à la pratique de la médecine en 1878.

D'abord professeur à Tignish (Île-du-Prince-Édouard) pendant trois ans. S'établit à Havre-aux-Maisons où il pratiqua la médecine et s'occupa de commerce avec son frère François-Henri Delaney.

Conseiller municipal de Havre-aux-Maisons de 1887 à 1898 et du 14 janvier 1909 au 2 novembre 1915. Maire de cette municipalité du 3 octobre 1891 au 8 février 1892, du 6 février 1893 au 1er février 1897 et du 7 février 1910 au 3 février 1913. Préfet du comté des Îles-de-la-Madeleine pendant de nombreuses années. Élu député libéral dans Îles-de-la-Madeleine en 1897. Réélu en 1900. Défait en 1904 et à l'élection partielle du 20 novembre 1906.

Registraire au Secrétariat de la province de 1913 à 1925 puis commis principal de 1925 à 1936.

Décédé à Québec, le 28 décembre 1941, à l'âge de 89 ans et 11 mois. Inhumé à Québec, dans le cimetière Saint-Charles, le 31 décembre 1941.

Avait épousé à Havre-aux-Maisons, le 19 septembre 1882, Maria-Marguerite-Joséphine O'Brien, fille de Timothy O'Brien et d'Elizabeth Louther.

DE LAVALTRIE. V. MARGANE DE LAVALTRIE

DE LÉRY. V. CHAUSSEGROS DE LÉRY

DELIGNY, Jacques
(1776–1837)

Né à Québec, probablement en 1776, fils de François Deligny, sellier, et de Marie-Anne Gély.

Exerça le métier de potier à Québec jusque vers 1802, puis s'établit à Berthier (Berthierville) où il fut cultivateur et marchand. Servit dans la milice pendant la guerre de 1812; fait capitaine dans la division de Berthier le 27 avril 1814, fut promu major le 1er mars 1827. Nommé commissaire chargé de l'ouverture des chemins dans le comté de Warwick, en avril 1817.

Élu député de Warwick en 1814. Réélu en 1816. Appuya tantôt le parti canadien, tantôt le parti des bureaucrates. Défait en avril 1820. Élu député de Warwick en juillet 1820. Réélu en 1824 et 1827. Se rangea plutôt du côté du parti canadien, puis du parti patriote. Élu dans Berthier en 1830; vota pour les Quatre-vingt-douze Résolutions. Réélu en 1834; donna généralement son appui au parti patriote.

Décédé en fonction à Berthier (Berthierville), le 2 janvier 1837, à l'âge de 60 ou 61 ans. Inhumé dans le cimetière de la paroisse Sainte-Geneviève-de-Berthier, le 5 janvier 1837.

Avait épousé dans la paroisse Notre-Dame, à Québec, le 29 janvier 1799, Françoise Langevin (Bergevin, dit Langevin), fille du cultivateur Jean Bergevin (Bergevin, dit Langevin) et de Françoise Villers.

Beau-père de David Morrison **Armstrong**. Beau-frère de Charles **Langevin**.

DELISLE, Alexandre-Maurice
(1810–1880)

Né à Montréal, le 20 avril 1810, puis baptisé le 21, dans la paroisse Notre-Dame, fils de Jean Delisle, greffier de la Maison de la Trinité de Montréal, et de Mary Robinson.

Étudia au petit séminaire de Montréal, de 1817 à 1822. Fit l'apprentissage du droit à Montréal et fut reçu au barreau en 1832.

Occupa des charges publiques à Montréal, notamment celles de greffier de la paix à compter du 8 janvier 1833, puis du 25 mai 1838, et de greffier de la couronne à partir du 23 février 1833. Fut choisi comme commissaire pour recevoir le serment des membres du Conseil spécial en avril 1838.

Élu député de Montréal en 1841; unioniste et tory; fut l'un des deux députés canadiens-français à appuyer le gouvernement. Son siège devint vacant par suite de sa nomination comme greffier de la paix du district de Montréal, le 4 juillet 1843.

L'un des administrateurs en 1850, puis président de la Banque d'épargne de la cité et du district de Montréal. Président en 1854 de la Compagnie du chemin de fer de Montréal et Bytown; administrateur, puis président de la Compagnie du chemin à lisses de Champlain et du Saint-Laurent; souscripteur en 1857 de la Compagnie du chemin de fer de Montréal et New York. Administrateur de la Compagnie de navigation des vapeurs du golfe. Nommé commissaire du havre de Montréal le 27 mai 1859 et shérif le 12 mars 1862; remplit ces fonctions jusqu'à ce qu'une enquête relative à des accusations de malversations commises pendant son mandat de greffier de la couronne amène sa révocation comme shérif le 19 décembre 1863 et comme membre de la Commission du havre en janvier 1864. Réintégra ce dernier poste le 22 août 1866, puis devint président de la Commission; en fit partie jusqu'en 1874. Fut percepteur des douanes à Montréal du 20 août 1866 jusqu'en 1874. Fit de la spéculation immobilière dans les environs de Rimouski et de Pointe-au-Père, et à Sainte-Cunégonde (Montréal).

Choisi comme marguillier de la paroisse Notre-Dame de Montréal en 1837. Obtint plusieurs postes de commissaire.

Décédé à Montréal, le 13 février 1880, à l'âge de 69 ans et 9 mois. Inhumé dans le cimetière Notre-Dame-des-Neiges, le 17 février 1880.

Avait épousé dans l'église Notre-Dame de Montréal, le 29 avril 1833, Angélique Cuvillier, fille du marchand Austin **Cuvillier** et de Marie-Claire Perrault.

Une de ses filles épousa le fils de James **Leslie**.

Bibliographie: *DBC*.

DELISLE, Georges-Isidore
(1856–1920)

Né à Sherbrooke, dans la paroisse Saint-Michel, le 30 juin 1856, fils d'Augustin Delisle, manufacturier, et de Carmel Gauthier.

Fit ses études au collège de Trois-Rivières, puis à Montréal. Interrompit ses études pour seconder son père dans la direction du moulin à corder et à filer à Yamachiche. Devint propriétaire de cette entreprise jusqu'en 1908. Teneur de livres pour la compagnie d'assurances La Foncière à Montréal, il devint par la suite premier comptable et président de cette compagnie. Président de la Compagnie de téléphone du Saint-Maurice et du Lac-Champlain et de la compagnie d'assurances La Protectrice du colon à Yamachiche. Coprésident du conseil Dumoulin de l'Alliance nationale.

Élu député libéral dans Saint-Maurice en 1908. Réélu en 1912, 1916 (sans opposition) et 1919.

Décédé en fonction à Yamachiche, le 26 mars 1920, à l'âge de 63 ans et 9 mois. Inhumé dans le cimetière de cette paroisse le 30 mars 1920.

Avait épousé à Yamachiche, le 8 janvier 1884, Marie-Léda Héroux, fille de Georges-Félix Héroux, architecte, et de Marie-Elzire Milette.

DELISLE, Gustave
(1879–1937)

Né à Chicoutimi, dans la paroisse Saint-François-Xavier, le 2 janvier 1879, fils d'Hubert Delisle, marchand, et de Marie-Adèle Martin.

Fit ses études au séminaire de Chicoutimi.

Commença son apprentissage de typographe au *Progrès du Saguenay* en 1894. Acheta en 1899 le matériel d'imprimerie de *la Défense* qui servait également à l'impression du *Naturaliste canadien* et de *l'Oiseau-Mouche*. Fondateur, propriétaire puis éditeur de l'hebdomadaire *le Travailleur* de Chicoutimi de 1905 à 1912. Exerça par la suite le métier de courtier d'assurances. Capitaine de l'armée de réserve du régiment du Saguenay. Chevalier de Colomb.

Échevin au conseil municipal de Chicoutimi de 1914 à 1921. Candidat conservateur défait dans Chicoutimi en 1912 et 1916. Président de l'Association libérale de Chicoutimi de 1918 à 1921. Élu député libéral dans Chicoutimi en 1923. Réélu en 1927 et 1931. Ne s'est pas représenté en 1935.

Décédé à Chicoutimi, le 26 mars 1937, à l'âge de 58 ans et 3 mois. Inhumé à Chicoutimi, dans le cimetière de la paroisse Saint-François-Xavier, le 29 mars 1937.

Avait épousé dans sa paroisse natale, le 14 juin 1905, Anita Truchon, fille d'Eugène Truchon, manœuvre, et de Célanire Savard.

DELISLE, Joseph-Hormisdas (1896–1972)

Né à Montréal dans la paroisse Saint-Charles, le 18 février 1896, fils de Wilfrid Delisle, forgeron, et de Rachel Boyer.

Fit ses études au collège de Valleyfield et au Business C. Helie à Montréal.

Exploita pendant plus de quatorze ans une épicerie à Saint-Henri et dirigea par la suite une entreprise de camionnage. S'occupa du transport des journaux. Président-fondateur du Syndicat de l'industrie du journal. Directeur de la Fédération des métiers de l'imprimerie du Canada. Directeur de la caisse populaire de Sainte-Clothilde de 1944 à 1963.

Échevin du quartier Saint-Henri et membre du comité exécutif du conseil municipal de Montréal de 1938 à 1940, puis conseiller du district n° 1 de 1940 à 1944. Élu député de l'Union nationale dans Montréal–Saint-Henri en 1944. Assermenté ministre sans portefeuille dans le cabinet Duplessis le 30 août 1944. Réélu en 1948. Défait en 1952.

Commissaire et président de la Commission des accidents du travail de la province de Québec de 1952 à 1961. Candidat progressiste-conservateur défait dans Montréal–Saint-Henri aux élections fédérales de 1962.

Secrétaire et président de la Société Saint-Vincent-de-Paul de Sainte-Clothilde de 1930 à 1944. Membre des Chevaliers de Colomb et de l'ordre fraternel des Aigles. Dirigea pendant plusieurs années l'organisation des œuvres de sa paroisse, notamment celle de la Fédération des œuvres de charité canadiennes-françaises.

Décédé à l'Île-Perrot, le 7 mars 1972, à l'âge de 76 ans. Inhumé à Montréal, dans le cimetière Notre-Dame-des-Neiges, le 11 mars 1972.

DE LONGUEUIL. V. LE MOYNE DE LONGUEUIL

DE LORIMIER. V. LORIMIER

DELORME. V. SIMON

DE LOTBINIÈRE. V. CHARTIER DE LOTBINIÈRE ; HARWOOD ; JOLY DE LOTBINIÈRE

DEMERS, Alexis (1803–1833)

Né à Montréal et baptisé dans la paroisse Notre-Dame, le 30 mars 1803, fils d'Alexis Demers, charretier, et de Catherine Roy.

Admis à la pratique de la médecine le 3 mai 1824. Exerça sa profession à Saint-Benoît (Mirabel). Nommé visiteur des écoles du comté de Vaudreuil, le 11 juin 1831. Membre du Bureau d'examinateurs en médecine du district de Montréal, à compter du 11 juillet 1831.

Élu député de Vaudreuil en 1830; appuya tantôt le parti patriote, tantôt le parti des bureaucrates, pendant les deux premières sessions.

Décédé en fonction probablement à Montréal, le 21 janvier 1833, à l'âge de 29 ans et 9 mois. Inhumé dans l'église Notre-Dame, le 25 janvier 1833.

Avait épousé dans sa paroisse natale, le 2 octobre 1827, Marie-Antoinette Allard, fille de Jean-Baptiste Allard, bourgeois, et de Marie Allard.

DEMERS, Alexis-Louis (1825–1886)

[Né à Saint-Jean-Chrysostome, dans le sud-ouest du Québec, le 23 juillet 1825, fils d'Alexis Demers, cultivateur, et de Josephte Bessette.]

Clerc de notaire chez son oncle Narcisse Demers. Cultivateur à Coaticook vers 1876. Fut aussi marchand et juge de paix. Capitaine dans la milice canadienne.

Secrétaire-trésorier (1855), conseiller ainsi que maire de Saint-Georges de Henryville. Élu député libéral dans Iberville en 1881. Réélu sans opposition en 1886.

Décédé en fonction à Henryville, le 22 octobre 1886, à l'âge de 61 ans et 3 mois. Inhumé dans le cimetière de cette paroisse, le 26 octobre 1886.

Avait épousé à Henryville, dans la paroisse Saint-Georges, le 13 février 1849, Marie-Julie Brazeau, fille d'Antoine Brazeau, cultivateur, et de Louise Moreau ; puis, dans la même paroisse, le 22 octobre 1855, Marie Goyette, fille d'Abraham Goyette, cultivateur, et d'Émilie Bertrand.

Père de Louis-Philippe Demers, député à la Chambre des communes de 1900 à 1906, et de Joseph Demers, député à la Chambre des communes de 1906 à 1922.

DEMERS, Joseph
(1861–1936)

Né dans la paroisse Sainte-Julie (Laurierville), le 11 novembre 1861, fils d'Édouard Demers, charron, et d'Olympe Rousseau.

Fit ses études à l'école de sa paroisse. Commis chez Georges Turcotte à Sainte-Julie de 1877 à 1883, il ouvrit par la suite un magasin général à Thetford Mines. Directeur et promoteur de la Compagnie hydraulique de Saint-François. Membre du Club canadien, du City Club et des Chevaliers de Colomb.

Fut échevin de Kingsville (aujourd'hui Thetford Mines) du 13 janvier 1896 au 9 janvier 1899, maire du 1er février 1897 au 25 janvier 1898, puis échevin de Thetford Mines du 16 juin 1905 au 2 août 1906. Élu député libéral dans Mégantic en 1912. Ne s'est pas représenté en 1916.

Décédé à Thetford Mines, le 16 août 1936, à l'âge de 74 ans et 9 mois. Inhumé à Thetford Mines, dans le cimetière de la paroisse Saint-Alphonse, le 19 août 1936.

Avait épousé dans sa paroisse natale, le 30 septembre 1885, Marie Roberge, fille de Louis Roberge, marchand, et de Philomène Blouin.

Beau-frère d'Eugène **Roberge** et d'Eusèbe Roberge, député à la Chambre des communes de 1922 à 1939.

DEMERS, Philippe

Né à Saint-Sébastien, dans la vallée du Richelieu, le 28 avril 1919, fils de Charles-Émile Demers, cultivateur, et d'Amanda Desranleau.

Fit ses études au couvent des Sœurs Saint-Joseph à Saint-Sébastien, au séminaire de Saint-Hyacinthe et aux écoles de médecine vétérinaire d'Oka et de Saint-Hyacinthe. Obtint

son doctorat de l'École de médecine vétérinaire de Saint-Hyacinthe.

Vétérinaire à Shawinigan de 1948 à 1966. Président du Collège de médecine vétérinaire de la province de Québec. Président du Club Richelieu de Shawinigan en 1959.

Marguillier de la fabrique de Saint-Sauveur à Shawinigan-Sud. Échevin au conseil municipal de Shawinigan-Sud du 15 juillet 1953 au 2 juillet 1957, puis maire de cette municipalité du 15 juillet 1957 au 15 novembre 1962. Candidat de l'Union nationale défait dans Saint-Maurice en 1962. Ne s'est pas représenté à l'élection partielle du 18 janvier 1965. Élu député de l'Union nationale dans Saint-Maurice en 1966. Nommé adjoint parlementaire du premier ministre le 23 décembre 1969. Nommé directeur général de l'Union nationale le 1er septembre 1970. Réélu en 1970. Défait en 1973. Candidat progressiste-conservateur défait dans Champlain aux élections fédérales de 1980.

Fut directeur général adjoint à la direction générale des bureaux et laboratoires régionaux du ministère de l'Agriculture à Québec à compter de 1973. Directeur du Jardin zoologique de Québec du 22 mars 1981 au 28 avril 1990. Retraité depuis cette date.

DE MONTIGNY. V. TESTARD DE MONTIGNY

DENAULT, Georges-Ervé
(1882–1923)

Né à Saint-Urbain-Premier, le 23 juillet 1882, fils d'Édouard Denault, cultivateur, et d'Émilie Marie David.

Fit ses études à La Prairie, puis à l'école Sarsfield à Montréal. Travailla d'abord chez son frère, D.O.E. Denault, marchand de gros à Sherbrooke. Commerçant à Sainte-Eulalie en 1901. Fonda plus tard, avec son frère Victor, la maison Denault et Frères à Danville. Établit par la suite son commerce à Asbestos.

Maire d'Asbestos en 1917 et 1918. Élu député libéral dans Richmond aux élections générales du 5 février 1923. N'a jamais siégé.

Décédé à Asbestos, le 7 février 1923, à l'âge de 40 ans et 7 mois. Inhumé à Asbestos, dans le cimetière de la paroisse Saint-Aimé, le 10 février 1923.

Avait épousé à Wotton, dans la paroisse Saint-Hippolyte, le 15 septembre 1903, Alice Paquin, institutrice, fille d'Édouard Paquin et de Rosalie Benoît.

DÉNÉCHAU, Claude
(1768–1836)

Né à Québec et baptisé dans la paroisse Notre-Dame, le 8 mars 1768, fils de Jacques Dénéchaud, chirurgien et apothicaire, et d'Angélique Gastonguay.

S'intéressa assez tôt au commerce. S'associa à son frère Pierre avant de faire du commerce d'import-export pour son propre compte. Hérita en 1801 d'une partie de la seigneurie de Saint-Hyacinthe. Acquit en 1811 un domaine à Berthier (Berthier-sur-Mer) et, en 1813, devint locataire de la seigneurie de Bellechasse. Après 1813, s'installa à Berthier tout en conservant une résidence à Québec. Nommé caissier suppléant au Bureau des billets de l'armée en 1814. Prit un associé en 1818 afin d'exploiter un pont à péage sur la rivière du Sud. Quitta définitivement Québec en 1829–1830.

Élu député de la Haute-Ville de Québec en 1808. Réélu en 1809, 1810, 1814, 1816 et avril 1820. Appuya le parti des bureaucrates durant ses six mandats. Ne se serait pas représenté en juillet 1820.

Officier de milice, participa à la guerre de 1812 ; promu lieutenant-colonel en 1828. Fut secrétaire-trésorier, puis président, de la Société du feu de Québec ; secrétaire-trésorier de la Compagnie de l'Union de Québec ; président, puis vice-président, de la Société bienveillante de Québec. Souscrivit à la Loyal and Patriotic Society of the Province of Lower Canada en 1813. Reçut des prix de la Société d'agriculture de Québec en 1818. Obtint plusieurs postes de commissaire et fut juge de paix pour le district de Québec. Francmaçon à compter de 1800, devint grand maître provincial en 1820 ; abandonna la franc-maçonnerie quelques mois avant sa mort.

Décédé à Berthier (Berthier-sur-Mer), le 30 octobre 1836, à l'âge de 68 ans et 7 mois. Inhumé dans l'église Notre-Dame-de-l'Assomption, le 3 novembre 1836.

Avait épousé dans la paroisse Notre-Dame, à Saint-Hyacinthe, le 23 juin 1800, Marianne-Josette Delorme, fille de Jacques-Hyacinthe Simon, dit Delorme, seigneur de Saint-Hyacinthe, et de sa seconde femme, Marie-Anne Crevier Déchenaux ; puis, dans la paroisse Notre-Dame de Québec, le 26 mai 1807, Adélaïde Gauvreau, fille de Louis **Gauvreau** et de sa première femme, Marie-Louise Beleau.

Beau-père de Marc-Pascal de **Sales Laterrière**. Beau-frère de Hyacinthe-Marie **Simon, dit Delorme**. Cousin par alliance de Jean **Dessaulles**.

Bibliographie: *DBC*.

DENIS, Michel

Né à Saint-Norbert, près de Berthierville, le 19 mars 1932, fils de Georges Denis, cultivateur, et de Bernadette Désy.

Fit ses études à l'académie Saint-Guillaume-de-l'Épiphanie, au séminaire de Joliette et à l'École des arts graphiques à Montréal.

Travailla à l'Imprimerie nationale à Joliette. Contrôleur de production aux Arsenaux canadiens à Saint-Paul-l'Ermite de 1952 à 1963. Courtier d'assurances pour la compagnie Sun Life et gérant adjoint des Prévoyants du Canada de 1963 à 1967. Gérant de district à la compagnie Dairy Queen de Québec ltée de 1968 à 1973.

Maire de Sainte-Élisabeth de novembre 1971 à novembre 1977. Élu député libéral dans Berthier en 1973. Défait en 1976. Candidat libéral défait dans Joliette à l'élection partielle fédérale du 17 août 1981.

Gérant de l'entreprise Charbonneau Floral à compter de décembre 1976. Fut vice-président de l'Union des employés des Arsenaux canadiens. Fit partie de l'armée de réserve de 1948 à 1951. Membre des Chevaliers de Colomb. Président de secteur à la Croix-Rouge.

DENIS, Paul
(<1843– ≥1867)

Né peut-être à Beauharnois. Porta d'abord le patronyme de Saint-Denis.

Étudia au petit séminaire de Montréal de 1843 à 1850. Admis au barreau le 1er mars 1858.

Exerça sa profession à Beauharnois ; fut associé notamment avec François-Xavier-Anselme **Trudel**. Fait conseiller de la reine le 28 juin 1867.

Élu député de Beauharnois en 1861. Réélu en 1863. Bleu. Son mandat prit fin avec l'avènement de la Confédération, le 1er juillet 1867. Candidat conservateur défait dans Beauharnois aux élections de la Chambre des communes en 1867.

Décédé en ou après 1867.

On ne sait pas s'il était célibataire ou marié.

DE NIVERVILLE. V. BOUCHER DE NIVERVILLE

DÉOM, André

Né à Rigaud, le 25 juillet 1929, fils de Joseph Déom, notaire, et de Rita Meloche.

Fit ses études au Jardin de l'enfance et au collège Bourget à Rigaud, ainsi qu'à l'université de Montréal où il obtint une maîtrise en relations industrielles en 1951.

Administrateur et conseiller accrédité par l'American Psychological Corporation. Surveillant du personnel puis directeur adjoint du personnel à la Quebec Iron and Titanium à Tracy de 1951 à 1957. Directeur du personnel et des relations publiques des entreprises **Brillant** (Jules-André) à Rimouski de 1957 à 1965. Nommé vice-président de Québec Téléphone en 1963. Directeur du personnel à Sidbec en 1965 et 1966. De 1967 à 1969, il fut vice-président du fabricant de papier Rolland ltée. Consultant à la Société Ducharme, Déom et Associés inc. en 1969. Administrateur de la Mutuelle SSQ (Service de santé du Québec) de 1970 à 1972, puis de Casavant Frères ltée de 1972 à 1976. Président de Sintec, conseil en gestion. Il fut également conférencier invité au département des relations industrielles de l'université de Montréal de 1955 à 1957. Administrateur des cours d'extension universitaire à Rimouski de 1962 à 1965. Président du Conseil d'orientation économique du Québec de 1963 à 1966. Nommé membre du comité d'enquête sur le chômage saisonnier dans la province en 1963 et président en juin 1964. Professeur invité au département des relations industrielles de l'université Laval de 1963 à 1973. Membre du comité de planification sur l'éducation des adultes au ministère de l'Éducation du Québec. Président du conseil d'administration du cégep Édouard-Montpetit et gouverneur de l'université du Québec de 1967 à 1973. Membre du Conseil de planification et de développement du Québec et membre du comité de tourisme de 1969 à 1973. Secrétaire de la commission d'urbanisme de la ville de Tracy en 1956 et 1957.

Élu député libéral dans Laporte en 1973. Ne s'est pas représenté en 1976.

Fut sous-ministre adjoint au ministère fédéral du Travail de 1981 à 1983. Arbitre de griefs au Québec et en Ontario à compter de 1983.

Collaborateur à la revue *Bleu et or* en 1948. Vice-président de l'Association des diplômés en relations industrielles en 1956 et 1957. Membre fondateur et administrateur de la Société des conseillers en relations industrielles du Québec de 1964 à 1969. Président général du Centre des dirigeants d'entreprise de 1969 à 1973. Participa à la fondation du Conseil du patronat du Québec. Membre du comité exécutif de l'Association professionnelle des industriels (API) et secrétaire de la régionale du Bas-Saint-Laurent de cette association. Membre de l'Association pour la recherche et l'intervention psychologiques (ARIP). Vice-président de la Chambre de commerce de Rimouski. Membre du Club Richelieu.

DE ROCHEBLAVE. V. RASTEL DE ROCHEBLAVE

DE ROUVILLE. V. HERTEL DE ROUVILLE

DE SAINT-JUST. V. LETELLIER DE SAINT-JUST

DE SAINT-OURS. V. SAINT-OURS

DE SAINT-RÉAL. V. VALLIÈRES DE SAINT-RÉAL

DE SALABERRY. V. IRUMBERRY DE SALABERRY

DESAULNIERS, Abraham Lesieur (1822–1883)

Né à Yamachiche, le 17 décembre 1822, fils de Charles Lesieur Desaulniers, cultivateur, et de Rosalie Caron.

Fit ses études au collège de Nicolet, à la Wilbraham Academy, dans l'État du Connecticut, et à la McGill University à Montréal. Fit sa cléricature auprès de Me Pierre-Benjamin **Dumoulin**. Admis au barreau du Bas-Canada le 3 juin 1850.

Pratiqua à Trois-Rivières. Avocat puis substitut du procureur général. Journaliste et écrivain. Rédacteur en chef de *l'Ère nouvelle* en 1853 et du journal trifluvien *l'Écho du Saint-Maurice*. Collaborateur aux journaux *le Courrier des États-Unis* et *le Constitutionnel* de Trois-Rivières. Publia un album de généalogie de la famille Desaulniers. Auteur de : *la Création* (1866), *Généalogie de ma famille* (1867) et du *Dictionnaire de droit et de procédure canadienne* (1878). Fut directeur du collège de Trois-Rivières.

Conseiller municipal de Trois-Rivières en 1854. Élu député conservateur dans Saint-Maurice en 1867. Ne s'est pas représenté en 1871.

Décédé à Trois-Rivières, le 23 janvier 1883, à l'âge de 60 ans et un mois. Inhumé à Trois-Rivières, le 25 janvier 1883.

Avait épousé à Trois-Rivières, le 6 septembre 1852, Marguerite Dupuis, fille de Louis Dupuis, mouleur, et de Marie-Josephte Dufresne.

DESAULNIERS, Alexis Lesieur (1837–1918)

Né à Rivière-du-Loup-en-Haut (maintenant Louiseville), le 31 août 1837, fils d'Alexis Lesieur Desaulniers et de Lucie Bélair.

Fit ses études au collège de Nicolet, à l'université Laval à Montréal et à la McGill University. Admis au barreau du Bas-Canada le 7 octobre 1861.

Exerça sa profession d'avocat à Louiseville.

Échevin de cette municipalité en 1891. Élu député conservateur dans Maskinongé en 1867. Défait en 1871 et 1875. Candidat conservateur défait dans Maskinongé aux élections fédérales de 1878. Ne s'est pas représenté en 1883. Élu député conservateur à la Chambre des communes dans Maskinongé à l'élection partielle du 22 décembre 1884. Défait comme candidat nationaliste en 1887 et comme indépendant en 1900.

Décédé à Montréal, le 9 juillet 1918, à l'âge de 80 ans et 10 mois. Inhumé à Louiseville, dans le cimetière Saint-Odilon, le 12 juillet 1918.

Avait épousé dans sa paroisse natale, le 19 mars 1862, Sophie-Ernestine-Oliva Pichette, fille de Joseph-Édouard Pichette, marchand et registrateur, et de Marie-Léocadie Lemaître Augé.

Père d'Arthur Lesieur Desaulniers, député à la Chambre des communes de 1917 à 1930. Cousin de Louis-Léon Lesieur **Desaulniers**. Beau-père d'Hector **Caron**.

DESAULNIERS, Eugène Merrill (1868–1939)

Né à Yamachiche, le 5 novembre 1868, fils de Louis-Léon Lesieur **Desaulniers**, médecin et inspecteur des prisons et asiles de la province de Québec, et de Marie Flora Josephine Merrill.

Fit ses études à l'école des Frères des écoles chrétiennes à Yamachiche, au lycée Leblond-de-Brumath à Montréal, puis à l'université Laval à Montréal où il fut reçu médecin en 1895.

Pratiqua la médecine à Saint-Lambert, près de Montréal. Nommé membre du Conseil d'hygiène de la province de Québec le 25 août 1915. Vice-président puis président général de l'Association des bonnes routes du Canada en 1921.

Chef de l'Association libérale du comté de Chambly. Directeur du Club de réforme de Montréal pendant cinq ans. Maire de Saint-Lambert en 1908 et 1909 et commissaire d'école de cette municipalité. Élu député libéral dans Chambly à l'élection partielle du 12 novembre 1909. Réélu en 1912. Élu sans opposition en 1916 et 1919. Orateur suppléant de l'Assemblée législative du 8 novembre 1916 au 20 novembre 1919.

Son siège devint vacant le 17 juin 1922 lorsqu'il fut nommé président de la Commission des liqueurs de la province de Québec, poste qu'il occupa jusqu'en 1924.

Décédé à Montréal, le 6 décembre 1939, à l'âge de 71 ans et un mois. Inhumé à Montréal, dans le cimetière Notre-Dame-des-Neiges, le 9 décembre 1939.

Avait épousé dans la cathédrale de Montréal, le 27 septembre 1898, Marie-Élisa Saint-Denis, fille d'Édouard Saint-Denis et de Mathilde Mailloux; puis, à Montréal, dans la paroisse Saint-Louis-de-France, le 16 septembre 1903, Mathilde Duchesneau, fille de Joseph-Alfred Duchesneau, médecin, et de Valérie Poulin.

Arrière-petit-fils d'Augustin **Rivard**. Petit-fils de François Lesieur **Desaulniers**.

DESAULNIERS, François-L. (1850–1913)

Né à Yamachiche, le 19 septembre 1850, fils de François Desaulniers, cultivateur, et de Marguerite Pothier. Désigné sous les prénoms de Sévère, Pierre.

Fit ses études à l'école paroissiale des Frères des écoles chrétiennes à Yamachiche et au collège de Nicolet de 1864 à 1872. Ordonné prêtre en 1872. Quitta la prêtrise en 1875 pour effectuer des études de droit à Trois-Rivières puis à l'université Laval. Admis au barreau de la province de Québec le 13 janvier 1879.

Juge de paix du district de Trois-Rivières en 1878. Associé par la suite à Nérée Le Noblet **Duplessis** dans le cabinet des avocats Désilets, Desaulniers et Duplessis de Trois-Rivières.

Élu député conservateur dans Saint-Maurice en 1878. Réélu en 1881. Ne s'est pas représenté en 1886. Greffier adjoint du Conseil législatif en 1886. Élu député conservateur à la Chambre des communes dans Saint-Maurice en 1887. Réélu en 1891. Ne s'est pas représenté en 1896. Greffier des comités de l'Assemblée législative de 1896 à 1913.

Résida à Montréal en 1877, à Yamachiche, puis retourna à Montréal. Président de la Société d'agriculture du comté de Saint-Maurice. Collaborateur aux journaux *le Constitutionnel* en 1874 et 1875, *le Canadien* de 1875 à 1877, *le Foyer domestique* en 1878, *le Journal des Trois-Rivières* en 1891. Collaborateur à la *Revue canadienne*. Rédacteur du *Messager de Nicolet* de 1882 à 1884. Homme de lettres, il signa plusieurs ouvrages dont: *Réunion des paroissiens d'Yamachiche* (1876), *les Vieilles Familles d'Yamachiche* (4 volumes: 1898-1908), *Recherches généalogiques sur les familles Gravel, Cloutier, Bruneau, Dufresne, Proulx, Douville, Charest, Buisson, Tessier* (1902), *Charles Lesieur et la fondation d'Yamachiche* (1902), *Notes historiques sur la paroisse Saint-Guillaume-d'Upton* (1905), *la Généalogie des familles Gouin et Allard* (1909) et *la Généalogie des familles Richer de la Flèche et Hamelin* (1909).

Décédé à Montréal, le 29 janvier 1913, à l'âge de 62 ans et 4 mois. Inhumé à Yamachiche, le 1er février 1913.

Avait épousé dans la paroisse Saint-Guillaume, le 24 juillet 1877, Aglaé-Agnès Maher, fille de François Maher, marchand, et d'Agnès Fontaine dit Bienvenue.

DESAULNIERS, François Lesieur (1785–1870)

Né à Yamachiche et baptisé dans la paroisse Sainte-Anne, le 17 avril 1785, fils de Charles Desaulniers et de Marie Carbonneau.

Fut cultivateur à Yamachiche. Atteignit le grade de lieutenant-colonel dans la milice.

Élu député de Saint-Maurice à une élection partielle le 12 août 1836; appuya le parti patriote. Son mandat prit fin avec la suspension de la constitution, le 27 mars 1838. Élu dans la même circonscription en 1844; fit partie du groupe canadien-français. Ne se serait pas représenté en 1848.

Décédé à Yamachiche, le 7 août 1870, à l'âge de 85 ans et 3 mois. Inhumé dans le cimetière paroissial, le 11 août 1870.

Avait épousé dans sa paroisse natale, le 11 novembre 1805, Charlotte Rivard (Rivard-Dufresne), fille d'Augustin **Rivard (Rivard-Dufresne)** et de Geneviève Grégoire.

Père de Louis-Léon Lesieur **Desaulniers**.

Bibliographie: L.-Desaulniers, F., *Les vieilles familles d'Yamachiche* [...], t. 2, Montréal, Beauchemin, 1899, p. 12. Pellerin, J.-Alcide, *Yamachiche et son histoire (1672–1978)*, Trois-Rivières, Éditions du Bien public, 1980, p. 682-683.

DESAULNIERS, Louis-Léon Lesieur (1823–1896)

Né à Yamachiche, le 18 février 1823, puis baptisé le 20, dans la paroisse Saint-Antoine-de-Padoue, à Rivière-du-Loup (Louiseville), fils de François Lesieur **Desaulniers**, cultivateur, et de Charlotte Rivard (Rivard-Dufresne). Signait L.L.L. Desaulniers.

Fit ses études classiques au séminaire de Nicolet de 1834 à 1841. Étudia la médecine à Trois-Rivières pendant un an, puis à la Harvard University de Cambridge, au Massachusetts, où il reçut son diplôme en 1846.

Exerça sa profession d'abord à Yamachiche.

Défait dans Saint-Maurice en 1851. Élu député de cette circonscription en 1854; réformiste, puis bleu. Réélu en 1858 et 1861; bleu. Défait en 1863. Élu sans opposition député conservateur de Saint-Maurice à la Chambre des communes en 1867. Démissionna le 29 septembre 1868 pour devenir, le même jour, inspecteur au Bureau des inspecteurs des prisons et asiles de la province de Québec, dont il fut plus tard et jusqu'à sa mort le président. Élu député conservateur de Saint-Maurice aux élections fédérales en 1878. Réélu en 1882. Ne s'est pas représenté en 1887. Défait en 1891.

Fut juge de paix et officier de milice. Fit partie du Conseil de l'instruction publique, de 1862 à 1876.

Décédé à Montréal, le 31 octobre 1896, à l'âge de 73 ans et 8 mois. Inhumé dans le cimetière de la paroisse Sainte-Anne, à Yamachiche, le 3 novembre 1896; cependant ses restes auraient été transportés dans le cimetière Notre-Dame-des-Neiges, à Montréal, vers 1906.

Avait épousé dans la paroisse Notre-Dame de Montréal, le 16 novembre 1850, Marie Flora Josephine Merrill, fille du marchand Henry William Merrill et de Marie-Anne Latrimouille.

Père d'Eugène Merrill **Desaulniers**. Cousin d'Alexis Lesieur **Desaulniers**. Petit-fils d'Augustin **Rivard (Rivard-Dufresne)**.

Bibliographie: *DBC*. Pellerin, J.-Alcide, *Yamachiche et son histoire (1672–1978)*, Trois-Rivières, Éditions du Bien public, 1980, p. 682-683.

DESBIENS, Hubert

Né à Lac-Bouchette, au Lac-Saint-Jean, le 20 mars 1931, fils de Raoul Desbiens, commerçant, et de Marie-Louise Dumais.

Fit ses études à l'école de Chambord, à l'école supérieure Notre-Dame-d'Arvida et à l'université du Québec à Chicoutimi où il fit un stage de perfectionnement. Titulaire d'un brevet supérieur d'enseignement de l'école normale Laval à Québec.

Professeur de français à la commission scolaire régionale du Saguenay de 1950 à 1966. Professeur de biologie à la commission scolaire régionale Lapointe de 1966 à 1976. Secrétaire de la Fédération du syndicat des enseignants du Saguenay–Lac-Saint-Jean en 1953. Registraire du comté de Dubuc de 1967 à 1974. Membre de la Jeune Chambre, de la Chambre de commerce et des Chevaliers de Colomb.

Commissaire d'école à Bagotville (La Baie) de juin 1964 à juin 1968. Participa à la fondation du Mouvement souveraineté-association. Président de ce mouvement dans le comté de Dubuc en 1967 et 1968. Président du Parti québécois dans le comté de Dubuc en 1968 et 1969 et de 1972 à 1976. Coordonnateur en chef de la campagne électorale du comté de Dubuc en 1970 et 1973. Élu député du Parti québécois dans Dubuc en 1976. Réélu en 1981 et 1985. Ne s'est pas représenté en 1989. Adjoint parlementaire du ministre de l'Éducation du 23 janvier au 23 octobre 1985.

Président de la Société nationale des Québécois du Saguenay–Lac-Saint-Jean de 1990 à 1992.

DESBLEDS, Alexis
(<1790– ≥1814)

Nommé capitaine de la compagnie de Sainte-Marie, dans le 6ᵉ bataillon de milice des Cantons-de-l'Est, le 9 mars 1804 ; servit pendant la guerre de 1812.

Élu député de Bedford en 1810. Ne se serait pas représenté en 1814.

Décédé en ou après 1814.

On ne sait pas s'il était célibataire ou marié.

DESCARRIES, Joseph-Adélard
(1853–1927)

Né à Saint-Timothée, le 7 novembre 1853, fils de Pierre Descarries (Déquarri), forgeron, et d'Élisabeth Gougeon.

Fit ses études à l'école primaire de Saint-Timothée, au collège de Montréal et aux universités McGill et Laval à Montréal. Étudia le droit auprès d'Alexandre **Lacoste**. Admis au barreau de la province de Québec le 14 janvier 1879. Créé conseil en loi du roi le 30 juin 1903.

Exerça sa profession à Montréal. Associé à L.G.A. Cressé, puis à son fils, Théophile-Narcisse Descarries. Promoteur immobilier. Président de la Wealtley Mines Co. Ltd. et de la compagnie d'assurances contre le feu l'Equitable Mutual. Directeur des Champs d'or de Rigaud. Président de la Société Saint-Jean-Baptiste de Lachine et secrétaire de la section Notre-Dame de cette association. Secrétaire de l'Union catholique. Membre des clubs conservateurs de Montréal et de Lachine, du Club Lafontaine et des Chevaliers de Colomb.

Maire de Lachine de 1897 à 1906. Marguillier de sa paroisse. Candidat conservateur défait dans Jacques-Cartier aux élections partielles provinciales du 26 août 1882, du 26 septembre 1883 et du 26 mars 1884. Élu député conservateur dans la même circonscription en 1892. Démissionna le 20 décembre 1895. Candidat conservateur défait dans Jacques-Cartier à l'élection partielle fédérale du 30 décembre 1895. Élu à l'élection partielle fédérale du 1ᵉʳ février 1915. Défait en 1921.

Décédé à Lachine, le 25 juillet 1927, à l'âge de 73 ans et 9 mois. Inhumé dans le cimetière de la paroisse des Saints-Anges-de-Lachine, le 28 juillet 1927.

Avait épousé à Châteauguay, dans la paroisse Saint-Joachim, le 21 juin 1881, Célina-Elmire Le Pailleur, fille d'Alfred-Narcisse Le Pailleur, notaire, et de Philomène Dalton.

DESCHAMPS. V. ÉNO

DESCHÊNES, Georges-Honoré
(1841–1892)

Né à Cacouna, le 25 août 1841, fils adoptif de Hilary Gagnon et d'Adeline Pelletier.

Fit ses études à Cacouna. Cultivateur à Saint-Épiphane. Agent des sauvages (Amérindiens) de 1872 à 1875. Commerçant de bois après 1891. Administrateur de la St. Lawrence and Temiscouata Railway Co. et de la Société d'agriculture du comté de Témiscouata dont il fut aussi vice-président. Secrétaire-trésorier de la municipalité de Saint-Épiphane de 1872 à 1875 et de 1876 à 1882 ainsi que de la commission scolaire du même endroit de 1872 à 1882.

Élu député libéral dans Témiscouata en 1875. Élu député conservateur en 1878. Réélu sans opposition en 1881. Réélu en 1886. Ne s'est pas représenté en 1890. Candidat libéral défait dans Témiscouata aux élections fédérales de 1891.

Décédé à Saint-Épiphane, le 11 août 1892, à l'âge de 50 ans et 11 mois. Inhumé dans le cimetière de cette paroisse, le 15 août 1892.

Avait épousé à Saint-Épiphane, le 26 janvier 1864, Suzanne Michaud, fille de Moyse Michaud et de Justine Dumont.

Bibliographie: *DBC.*

DE SERRES, Gaspard
(1855–1928)

Né à Saint-Ambroise-de-Kildare, le 9 octobre 1855, fils d'Antoine De Serres, cultivateur, et d'Hedwige Ratelle.

Fit ses études à l'école Saint-Jacques.

Banquier, industriel et propriétaire foncier à Montréal. Possédait des actifs dans la Banque du Peuple et dans les banques Ville-Marie et Saint-Hyacinthe. Président de la Société nationale de fiducie. Administrateur de la Caisse nationale d'économie. Nommé dépositaire des fonds réglementaires des 22e et 163e régiments canadiens-français par le gouvernement fédéral en 1920. Cofondateur et codirecteur du journal *le Canada*. Directeur de l'Assistance publique. Président de l'École technique de 1908 à 1919. Fondateur de l'École ménagère provinciale. Fut directeur et vice-président de l'hôpital Notre-Dame de Montréal. Membre du Club Saint-Denis, du Club de réforme, du Club canadien, du Club Chapleau et du Club Winchester. Membre de l'Association athlétique amateur nationale.

Échevin du quartier Centre au conseil municipal de Montréal de février 1904 à février 1908 et membre de la commission administrative d'avril 1918 à juin 1919. Nommé conseiller législatif de la division de Lanaudière le 27 janvier 1928. Appuya le Parti libéral.

Décédé en fonction à Montréal, le 20 décembre 1928, à l'âge de 73 ans et 2 mois. Inhumé à Montréal, dans le cimetière Notre-Dame-des-Neiges, le 22 décembre 1928.

Avait épousé à Montréal, dans la paroisse Saint-Jacques, le 17 avril 1880, Marie-Emma Poirier, fille de Cyrille Poirier et de Marcelline Hogues; puis, dans la cathédrale de Montréal, le 3 mars 1902, Marie-Louise Beauregard, veuve de Maurice Frey.

DESFOSSÉS, Jean
(1787–1854)

Né à Nicolet et baptisé dans la paroisse Saint-Jean-Baptiste, le 27 novembre 1787, fils de Joseph Desfossés et de Madeleine Boudreau.

S'établit, vers 1809, à Trois-Rivières où il fit du commerce. Servit dans la milice volontaire pendant la guerre de 1812, puis obtint une commission d'enseigne en mai 1821. Promu lieutenant en octobre 1825, fut destitué par le gouverneur George **Ramsay**; rétabli dans son grade par le gouverneur Matthew **Whitworth-Aylmer** en mars 1831, devint capitaine en septembre 1832, major en août 1847 et, enfin, lieutenant-colonel dans la milice le 20 mai 1850.

Élu député de Trois-Rivières à une élection partielle le 9 février 1833; appuya le parti patriote, mais ne prit part qu'à un vote au cours de la dernière session. Ne se serait pas représenté en 1834.

Décédé à Trois-Rivières, le 21 avril 1854, à l'âge de 66 ans et 4 mois. Inhumé dans le cimetière de la paroisse de l'Immaculée-Conception, le 24 avril 1854.

Avait épousé dans l'église protestante St. James, à Trois-Rivières, le 1er décembre 1816, Charlotte Miller; puis, dans la paroisse Notre-Dame, à Montréal, le 16 février 1822, Angèle Ménéclier de Montrochon, fille du marchand Nicolas Ménéclier de Montrochon et d'Angélique Mayez.

Beau-frère de Nicolas-Eustache **Lambert Dumont**. Sa petite-fille épousa Joseph-Adolphe **Tessier**.

DESJARDINS, Charles-Alfred
(1846–1934)

Né à Kamouraska, dans la paroisse Saint-Louis, le 26 janvier 1846, fils de Joseph Roy dit Desjardins, navigateur et constructeur de voiliers, et de Rose Ouellet. Désigné aussi sous le nom de Roy, dit Desjardins.

Fit ses études à Kamouraska. D'abord navigateur, il acheta plus tard à Saint-André une fabrique d'horloges qu'il transforma ensuite en manufacture de machinerie agricole. Celle-ci fut incorporée en 1901 sous le nom de La compagnie Desjardins, et un atelier de construction de voitures y fut plus tard ajouté. Fut également cultivateur et marchand général. Maître de poste et télégraphiste à Saint-André de 1884 à 1913. Constructeur et propriétaire de l'aqueduc de Saint-André en 1889 et de celui de Cabano en 1906. Constructeur et copropriétaire de la compagnie de téléphone de Kamouraska. Constructeur du quai de Saint-André en 1890. Cofondateur de la compagnie de la Traverse de Lévis ltée en 1908.

Candidat conservateur défait dans Kamouraska en 1886. Élu député conservateur dans la même circonscription en 1890. Réélu sans opposition en 1892. Ne s'est pas représenté en 1897. Créé commandeur de l'ordre de Saint-Grégoire-le-Grand. Membre des Chevaliers de Colomb.

Décédé à Saint-André, le 6 septembre 1934, à l'âge de 88 ans et 7 mois. Inhumé dans le cimetière de la paroisse Saint-André, le 11 septembre 1934.

Avait épousé à Saint-André, le 12 août 1867, Émilie Dumont, fille de Rémi Dumont, cultivateur, et de Léa Saint-Pierre; puis, à Montréal, dans la paroisse Saint-Louis-de-France, le 4 septembre 1913, Eugénie Godbout, fille de Jean-Baptiste Godbout et d'Arthémise Labrie.

Beau-frère d'Eugène **Godbout**.

DESJARDINS, Gaston

Né à Baker Brook, au Nouveau-Brunswick, le 2 octobre 1932, fils d'Antoine Desjardins, contremaître pour la compagnie Canadien National, et de Marie Bouchard.

Fit ses études à Baker Brook, au collège Saint-Louis à Edmunston et à l'université Laval à Québec. Admis au barreau de la province de Québec en juin 1959.

Pratiqua le droit à Québec. Associé senior du cabinet des avocats Desjardins, Lacroix, Routhier, Bouchard, Gagnon et Beaupré. Conseiller juridique adjoint du comité de législation du gouvernement du Québec.

Secrétaire de la commission politique du Parti libéral en 1967 et 1968. Président de la commission juridique de ce parti de 1970 à 1973. Élu député libéral dans Louis-Hébert en 1973. Nommé adjoint parlementaire du ministre de la Justice le 13 novembre 1973. Ne s'est pas représenté en 1976.

Nommé juge à la Cour supérieure le 6 octobre 1978. Participa à la fondation de la Jeune Chambre de Sainte-Foy en 1965. En fut également conseiller juridique en 1965 et 1966, puis président en 1966 et 1967. Conseiller juridique de la Régionale des jeunes chambres et de la Fédération des jeunes chambres du Canada français de 1965 à 1967.

DESJARDINS, Gérard
(1909–1962)

Né à Lac-des-Écorces, le 27 juin 1909, fils d'Ovila Desjardins, cultivateur, et d'Alma Miron.

Fit ses études dans sa paroisse natale et au séminaire Saint-Joseph à Mont-Laurier où il obtint un diplôme commercial en 1927.

Commis aux chantiers de la Canadian International Paper Co. de 1927 à 1934. Fut transféré au bureau de Maniwaki en 1934 et devint directeur des mesurages, puis s'occupa de la comptabilité jusqu'en 1948. Ouvrit un bureau d'assurances à Maniwaki en 1943. Membre de la Chambre de commerce de Maniwaki, du Club Rotary et des Chevaliers de Colomb.

Élu député de l'Union nationale dans Gatineau en 1948. Réélu en 1952, 1956 et 1960. Défait en 1962.

Décédé à Maniwaki, le 25 décembre 1962, à l'âge de 53 ans et 5 mois. Inhumé à Maniwaki, dans le cimetière de la paroisse de L'Assomption-de-la-Vierge-Marie, le 29 décembre 1962.

Avait épousé à Maniwaki, dans la paroisse de L'Assomption-de-la-Vierge-Marie, le 22 février 1936, Germaine Courchaine, fille d'Alfred Courchaine, cultivateur, et de Marie Ladouceur.

DESJARDINS, Louis-Georges
(1849–1928)

Né à Saint-Jean-Port-Joli, le 12 mai 1849, fils de François Roy dit Desjardins, cultivateur, et de Clarisse Miville dit Deschênes. Désigné aussi sous le nom de Roy, dit Desjardins.

Fit ses études au collège de Lévis et à la Royal Military School à Québec. Exerça le métier de journaliste à Québec. Fut propriétaire, éditeur et rédacteur du journal *le Canadien*, avec Joseph-Israël **Tarte**, du 10 août 1875 au 27 mars 1880.

Élu député conservateur dans Montmorency en 1881. Réélu en 1886. Défait en 1890. Élu député conservateur à la Chambre des communes dans la même circonscription à l'élection partielle du 25 juillet 1890. Réélu dans L'Islet en 1891. Démissionna le 11 octobre 1892. Greffier de l'Assemblée législative du 15 octobre 1892 au 3 janvier 1912.

Lieutenant-colonel du 17e bataillon d'infanterie de Lévis, il servit dans la milice volontaire de 1884 à 1898. Auteur de: *Précis historique du 17e bataillon d'infanterie de Lévis depuis sa formation en 1862 jusqu'à 1872, suivi des ordres permanents du même corps* (1872); *M. Laurier devant l'histoire: les erreurs de son discours et les véritables principes du Parti conservateur* (1877); *De l'idée conservatrice dans l'ordre politique* (1879); *Considérations sur l'annexion* (1891), *A True and Sound Policy of Equal Rights for All. Open Letters to Dalton McCarthy* (1893); *Decisions of the Speakers of the House of Commons of Canada, 1867–1900* (1901); *Décisions des orateurs de l'Assemblée législative de la province de Québec 1867–1901* (1902); *l'Angleterre, le Canada et la Grande Guerre* (1917); *l'Harmonie dans l'union* (1919).

Décédé à Montréal, le 8 juin 1928, à l'âge de 79 ans. Inhumé à Montréal, dans le cimetière Notre-Dame-des-Neiges, le 11 juin 1928.

Avait épousé à Lévis, dans la paroisse Notre-Dame-de-la-Victoire, le 3 février 1873, Marie-Aurélie Lachance, fille de Claude Lachance et de Marie-Archange Giguère.

DESJARLAIS, Camille-Émile
(1853–1925)

Né à Massueville, le 10 mars 1853, fils de Benjamin Desjarlais et de Geneviève Denis.

Fit des études commerciales à Acton Vale. Commerçant aux États-Unis pendant vingt ans, puis vint s'établir à Sainte-Edwidge-de-Clifton. Gérant de la Banque Nationale de cette localité pendant trois ans.

Conseiller municipal de Sainte-Edwidge-de-Clifton de février 1908 à février 1909. Commissaire d'école et maire de cette municipalité de février 1909 à janvier 1921. Élu sans opposition député libéral dans Compton en 1919. Ne s'est pas représenté en 1923.

Décédé à Sainte-Edwidge-de-Clifton, le 26 novembre 1925, à l'âge de 72 ans et 8 mois. Inhumé dans le cimetière de cette paroisse, le 30 novembre 1925.

[Avait épousé, le 14 juillet 1871, Rose de Lima Brassard]; puis, à Sainte-Edwidge-de-Clifton, le 31 janvier 1888, Anna Gervais dit Talbot, fille de Roch Gervais dit Talbot et d'Élisabeth Martineau.

DESMARAIS, Odilon
(1854–1904)

Né à Joliette, le 26 février 1854, fils de Jean-Baptiste Desmarais, bailli, et d'Émérentienne Beauchamps.

Fit ses études au collège de Joliette, puis à la McGill University à Montréal. Fit sa cléricature auprès d'Alexandre **Lacoste**. Admis au barreau de la province de Québec le 11 juillet 1876. Créé conseil en loi de la reine le 22 juin 1899.

Exerça sa profession à Saint-Hyacinthe et à Montréal. Associé à Honoré **Mercier** en 1876. Eut également pour associés Mes Morison et Cordeau et fit partie du cabinet des avocats Greenshields, Greenshields et Desmarais en 1894. Procureur de la couronne du district de Montréal.

Conseiller municipal de Saint-Hyacinthe de 1888 à 1890. Élu député libéral dans Saint-Hyacinthe en 1890. Défait en 1892. Élu député libéral à la Chambre des communes dans Montréal–Saint-Jacques en 1896. Réélu en 1900.

Son siège devint vacant lors de sa nomination comme juge du district de Trois-Rivières le 25 juin 1901. Collabora aux journaux l'*Industrie* de Trois-Rivières et *le National* de Montréal. Président et éditeur de la Compagnie d'impression L'Union. A publié : *Discours prononcé à l'Assemblée législative de Québec, le 7 novembre 1890* (1890) et *Plaidoyer dans l'affaire de Napoléon Demers* (1896). Membre de la Société Saint-Jean-Baptiste. Quartier-maître du 84e bataillon de Saint-Hyacinthe.

Décédé à Trois-Rivières, le 18 mai 1904, à l'âge de 50 ans et 3 mois. Inhumé à Trois-Rivières, dans le cimetière Saint-Louis, le 21 mai 1904.

Avait épousé à Trois-Rivières, dans la paroisse de l'Immaculée-Conception, le 23 mai 1877, Marie-Louise-Herminie Gélinas, fille de Louis-Raphaël Gélinas, marchand et éditeur du journal *la Minerve*, et de Caroline Loranger.

DESMARAIS, Stanislas-Edmond
(1872–1948)

Né à Durham-Sud, le 10 octobre 1872, fils de Médard Desmarais, cultivateur, et de Caroline Beaudoin.

Étudia à Sainte-Christine et à l'académie du Sacré-Cœur à Richmond. D'abord employé de H.P. Woles, puis marchand à Richmond de 1897 à 1948. Propriétaire d'un commerce de bois, de charbon et de glace et d'un moulin à scie à Richmond.

Membre de la commission scolaire de Richmond du 6 juillet 1936 au 3 juillet 1943. Maire de cette municipalité de 1927 à 1929 et de 1931 à 1933. Élu député libéral dans Richmond à l'élection partielle du 22 octobre 1923. Réélu en 1927 et 1931. Défait en 1935. Nommé greffier de la Cour de circuit et de la Cour de magistrat ainsi que registrateur du comté de Richmond le 10 juin 1936. Réélu en 1939 et défait en 1944.

Président de l'Association des marchands détaillants du Canada de 1931 à 1936, de l'Association des marchands détaillants du Québec, du Richmond Development, de la Chambre de commerce et de la Société Saint-Jean-Baptiste de Richmond. Membre des Chevaliers de Colomb.

Décédé à Richmond, le 2 mars 1948, à l'âge de 75 ans et 4 mois. Inhumé à Richmond, dans le cimetière de la paroisse Sainte-Bibiane, le 5 mars 1948.

Avait épousé à Warwick, dans la paroisse Saint-Médard, le 7 février 1899, Joséphine Janelle, fille d'Octave Janelle et de Delphine Bédard.

DESMEULES, Joseph-Léonce

Né à Alma, le 13 août 1914, fils de Joseph Desmeules, cultivateur, et de Célina Boily.

Fit ses études à Alma et fut stagiaire au juvénat de Lévis. Exerça le métier de ferblantier. Employé à la compagnie Price Brothers, il fut l'un des fondateurs du Syndicat de la pulpe et du papier. Fonda sa propre entreprise en 1950 sous la raison sociale J.L. Desmeules qui deviendra plus tard la maison Desmeules et Duchesne. Membre du Syndicat d'entraide économique et du conseil d'administration du Conseil économique régional. Membre de la Chambre de commerce et de la Société Saint-Jean-Baptiste d'Alma, puis membre fondateur de la Garde paroissiale.

Président de la commission scolaire de Naudville de 1948 à 1956. Organisa la fusion des municipalités qui donna naissance à la ville d'Alma. Maire de Naudville du 6 février 1956 au 6 juillet 1962. Maire d'Alma du 5 novembre 1962 au 8 novembre 1965. Élu député de l'Union nationale dans Lac-Saint-Jean en 1966. Défait en 1970.

DESPRÉS. V. aussi COUILLARD-DESPRÉS

DESPRÉS, Michel

Né à Québec, le 14 octobre 1957, fils de Raymond Després, vérificateur, et d'Huguette Champagne, gérante commerciale.

A étudié au cégep de Limoilou en sciences administratives. Obtint un baccalauréat en administration des affaires de l'université Laval en 1982. Fit également des études de maîtrise en administration à l'École des hautes études commerciales de Montréal en 1983.

Directeur en gestion des opérations pour le groupe Gestion Sal-tan inc. de 1982 à 1984. Directeur général de l'Association québécoise de l'industrie de la pêche en 1984 et 1985.

Membre du Cercle de la garnison, du conseil d'administration de la Fondation Saint-Jean-Eudes, de la Chambre de commerce de Beauport et de la Corporation de développement économique de Limoilou.

Élu député libéral dans Limoilou en 1985. Réélu en 1989. Nommé vice-président de la commission politique et administration de l'Assemblée internationale des parlementaires de langue française le 2 juillet 1990.

DESRIVIÈRES, Henri
(≈1805–1865)

Né vers 1805, fils de François Desrivières.

Acquit en 1829, avec François-Pierre **Bruneau**, la seigneurie de Montarville. Participa à la rébellion de 1837, mais ne fut pas arrêté.

S'occupa d'administration municipale à Montréal, entre 1836 et 1840, à titre de juge de la Cour des sessions spéciales de la paix. Préfet du comté de Missisquoi. Élu sans opposition député de Verchères en 1841 ; fit partie du groupe canadien-français. Démissionna le 6 novembre 1841, afin de permettre à James **Leslie** de se porter candidat.

Décédé à Stanbridge, le 12 novembre 1865, à l'âge d'environ 60 ans. Inhumé dans l'église de Notre-Dame-des-Anges, le 15 novembre 1865.

Avait épousé Marie-Angélique Hay.

DESROSIERS, Hospice
(1863–1935)

Né à Saint-Jean-Port-Joli, le 24 juin 1863, fils d'Hospice Du Tremblé, cultivateur, et de Diana Vallé. Baptisé sous le nom de Dutremble.

Fit ses études à Saint-Jean-Port-Joli et au collège de L'Islet.

Employé du Canadien National, il travailla dans diverses municipalités dont Saint-Flavien où il était télégraphiste, et Sainte-Martine où il remplissait les fonctions de chef de gare et de télégraphiste tout en s'occupant de son commerce d'expédition de foin et de grains vers les États-Unis. Fonda à Sainte-Martine la maison H. Desrosiers et Fils en 1906. Ouvrit plus tard un bureau et un entrepôt à Montréal et y organisa un moulin d'engrais alimentaires.

Maire de Sainte-Martine de 1907 à 1911. Élu député conservateur dans Châteauguay en 1908. Cette élection fut cependant annulée le 13 novembre 1908. N'a jamais siégé. Défait à l'élection partielle du 28 décembre 1908 et aux élections générales de 1912.

Décédé à Montréal, le 20 avril 1935, à l'âge de 71 ans et 9 mois. Inhumé dans le cimetière de la paroisse Sainte-Martine, le 23 avril 1935.

Avait épousé à Saint-Flavien, le 27 mai 1886, Anny (Marie-Anne) Houde, fille de François Houde, employé de chemin de fer, et de Clarisse Lemay.

DESSAULLES, Georges-Casimir (1827–1930)

Né à Saint-Hyacinthe, dans la paroisse Notre-Dame-du-Rosaire, le 29 septembre 1827, fils de Jean **Dessaulles**, propriétaire des seigneuries Dessaulles et de Yamaska, et de Marie-Rosalie Papineau.

Fit ses études au séminaire de Saint-Hyacinthe, au séminaire de Québec et à l'université de Georgetown (D.C.). A étudié le droit auprès de Mes Giard et Lafrenaye de 1848 à 1850.

Administrateur des seigneuries Dessaulles et de Yamaska. Directeur et président de la St. Hyacinthe Manufacturing Co. Cofondateur de la Banque de Saint-Hyacinthe.

Échevin au conseil municipal de Saint-Hyacinthe de 1858 à 1862 et de 1865 à 1868. Maire de cette municipalité de 1868 à 1879 et de 1886 à 1897. Élu député libéral dans Saint-Hyacinthe en 1897. Ne s'est pas représenté en 1900.

Receveur du Quebec Southern and South Shore Railways en 1904. Nommé sénateur de la division de Rougemont le 12 mars 1907.

Docteur en droit honoris causa de l'université de Georgetown en 1915. Juge de paix. Président de la Société Saint-Jean-Baptiste.

Décédé en fonction à Saint-Hyacinthe, le 19 avril 1930, à l'âge de 102 ans et 6 mois. Inhumé dans le cimetière de la paroisse Saint-Hyacinthe-le-Confesseur, le 22 avril 1930.

Avait épousé à Trois-Rivières, le 20 janvier 1857, Émilie-Emma Mondelet, fille de Dominique **Mondelet**, juge à la Cour supérieure, et de Harriet Munro; puis, dans la cathédrale de Saint-Hyacinthe, le 14 janvier 1869, Louise-Frances Leman, fille de David Shepard Leman, médecin, et d'Honorine Papineau.

Frère de Louis-Antoine **Dessaulles**. Neveu de Louis-Joseph **Papineau**. Beau-frère de Maurice **Laframboise**.

DESSAULLES, Jean (1766–1835)

Né à Saint-François-du-Lac, en 1766, fils de Jean-Pierre De Saulles, marchand protestant d'origine suisse, et de Marguerite Crevier Décheneaux.

Étudia au collège Saint-Raphaël, à Montréal, de 1779 à 1781.

Suivit sa famille venue s'installer, vers 1780, dans la seigneurie de Saint-Hyacinthe, qu'administrait une de ses tantes maternelles. Y acquit des propriétés et travailla comme agent seigneurial. En 1814, hérita de son cousin Hyacinthe-Marie Simon, dit Delorme, le manoir et certains droits sur la seigneurie de Saint-Hyacinthe.

Élu député de Richelieu en 1816. Réélu en avril 1820, juillet 1820, 1824 et 1827. Élu député de Saint-Hyacinthe en 1830. Était d'allégeance nationaliste modérée. Nommé au Conseil législatif le 7 janvier 1832. Démissionna comme député le 7 juin 1832.

Fut juge de paix, officier de milice, syndic chargé de promouvoir l'instruction primaire et l'établissement d'écoles à Saint-Hyacinthe, et bienfaiteur du collège de Saint-Hyacinthe.

Décédé en fonction dans son manoir seigneurial de Saint-Hyacinthe, le 20 juin 1835, à l'âge de 68 ou de 69 ans. Inhumé dans l'église Notre-Dame-du-Rosaire, le 23 juin 1835.

Avait épousé dans la paroisse Notre-Dame-du-Rosaire, à Saint-Hyacinthe, le 7 janvier 1799, Marguerite-Anne Waddens, fille de Jean-Étienne Waddens, trafiquant de fourrures d'origine suisse, et de Marie-Josephte Deguire; puis, dans la paroisse Notre-Dame de Montréal, le 21 février 1816, Marie-Rosalie Papineau, fille de Joseph **Papineau**, notaire et seigneur, et de Rosalie Cherrier.

Père de Georges-Casimir et de Louis-Antoine **Dessaulles**. Beau-frère de Denis-Benjamin et de Louis-Joseph **Papineau**. Beau-père de Maurice **Laframboise**. Cousin par alliance de Claude **Dénéchau**.

Bibliographie: *DBC*.

DESSAULLES, Louis-Antoine (1818–1895)

Né à Saint-Hyacinthe et baptisé dans la paroisse Notre-Dame-du-Rosaire, le 31 janvier 1818, fils de Jean **Dessaulles**, seigneur, et de sa seconde femme, Marie-Rosalie Papineau.

Étudia au collège de Saint-Hyacinthe de 1825 à 1829, puis de 1832 à 1834, et, entre-temps, au petit séminaire de Montréal. Entreprit en 1834 l'apprentissage du droit à Montréal, où il demeurait chez son oncle Louis-Joseph **Papineau**, mais ne le termina pas.

Prit part aux activités du parti patriote en 1837 et était avec son oncle **Papineau** à Saint-Denis, sur le Richelieu, en novembre. Séjourna à Paris et à Londres en 1839, puis aux États-Unis à quelques reprises, et de nouveau en Europe d'octobre 1842 à mars 1843. Avait hérité de son père, en 1835, la seigneurie de Saint-Hyacinthe qu'il exploita jusqu'en juillet 1867.

Défait dans Saint-Hyacinthe en 1844. Maire de Saint-Hyacinthe de novembre 1849 jusqu'en avril 1857. Candidat annexionniste et rouge défait en 1851. Défait dans Bagot à une élection partielle le 20 octobre 1854. Élu conseiller législatif de la division de Rougemont en 1856; son siège devint vacant en raison de sa nomination, le 19 décembre 1863, comme greffier de la couronne et de greffier de la paix pour le district de Montréal. Coupable de détournement de fonds dans l'exercice de ces fonctions, fut révoqué le 13 septembre 1875, quelques mois après avoir fui aux États-Unis et s'être embarqué pour l'Europe. Vécut en Belgique, principalement à Gand, puis s'installa à Paris en février 1878.

Auteur libéral et anticlérical, fit paraître un grand nombre d'articles de journaux et de brochures. Collaborateur du journal montréalais *l'Avenir* à compter de décembre 1847; rédacteur en chef du *Pays,* organe des libéraux avancés de Montréal, en 1852 et de mars 1861 à décembre 1863. Membre actif de l'Institut canadien de Montréal à compter de 1855, en fut président à trois reprises entre mai 1862 et mai 1867; prononça une vingtaine de conférences, de 1850 à 1871.

Décédé à Paris, le 4 août 1895, à l'âge de 77 ans et 6 mois. Inhumé dans le cimetière de Pantin, le 6 août 1895.

Avait épousé dans la paroisse Notre-Dame-du-Rosaire, à Saint-Hyacinthe, le 4 février 1850, sa cousine Catherine-Zéphirine Thompson, fille de John Thompson et de Flavie Truteau.

Frère de Georges-Casimir **Dessaulles**. Petit-fils de Joseph **Papineau**. Beau-frère de Maurice **Laframboise**. Beau-père de Frédéric-Ligori Béique, sénateur canadien.

_____

Bibliographie: *DBC.*

DE TONNANCOUR. V. GODEFROY DE TONNANCOUR

DE VARENNES, Ernest (1865–1919)

Né à Québec, dans la paroisse Saint-Jean-Baptiste, le 8 février 1865, fils de Ferdinand de Varennes, menuisier et entrepreneur, et d'Ide Bertrand.

A étudié au séminaire de Québec, au collège de Lévis et à l'université Laval à Québec. Admis à la pratique du notariat le 24 juin 1890.

Exerça sa profession à Waterloo. Secrétaire-trésorier de la ville de Waterloo. Secrétaire-trésorier du comté de Shefford de mars 1908 à mars 1919.

Conseiller législatif de la division de Bedford du 8 avril 1904 au 4 janvier 1919. Appuya le Parti libéral.

Décédé en fonction le 4 janvier 1919, à l'âge de 53 ans et 11 mois. Inhumé à Sainte-Foy, dans le cimetière Notre-Dame-de-Belmont, le 8 janvier 1919.

Avait épousé à La Malbaie, le 21 octobre 1890, Joséphine-Marie-Louise Cimon, fille de Pamphile-Hubert Cimon, shérif du district de Saguenay, et de Marie-Nalima Lemoine.

DEVLIN, Charles Ramsay (1858–1914)

[Né à Aylmer, le 29 octobre 1858, fils de Charles Devlin, marchand, et d'Hélène Roanay.]

Fit ses études au collège de Montréal et à l'université Laval à Québec.

Marchand à Aylmer, homme d'affaires et journaliste.

Élu député libéral à la Chambre des communes dans Ottawa en 1891. Réélu dans Wright en 1896. Commissaire du Canada en Irlande de 1897 à 1903. Secrétaire général de la United Irish League en Irlande de 1903 à 1906. Lors de son séjour en Irlande, il fut élu sans opposition représentant de Galway City (Irlande) à la Chambre des communes britannique à l'élection partielle de 1903 et aux élections générales de 1906. Régisseur du manoir de Northshead en 1906. Démissionna en 1906 comme député à la Chambre des communes britannique pour revenir au Canada. Élu député libéral à la Chambre des communes dans Nicolet à l'élection partielle du 29 décembre 1906. Démissionna le 21 octobre 1907 et fut élu député libéral à l'Assemblée législative dans Nicolet à l'élection partielle du 4 novembre 1907. Ministre de la Colonisation, des Mines et des Pêcheries dans le cabinet Gouin du 17 octobre 1907 au 1er mars 1914. Réélu dans la même circonscription en 1908 et dans les circonscriptions de Nicolet et de Témiscamingue en 1912. Renonça à son mandat dans Nicolet le 14 novembre 1912.

Docteur en droit honoris causa de l'université Laval en 1908 et de l'université d'Ottawa en 1910.

Décédé en fonction à Aylmer, le 1er mars 1914, à l'âge de 55 ans et 4 mois. Inhumé dans le cimetière d'Aylmer, le 4 mars 1914.

Avait épousé à Sainte-Scholastique (Mirabel), le 27 septembre 1893, Blanche Testard de Montigny, fille de Charles-Edmond Testard de Montigny, protonotaire du district de Terrebonne, et de Marie-Brésil-Alphonsine Blois.

Frère d'Emmanuel Berchmans Devlin, député à la Chambre des communes de 1905 à 1921.

DE WITT, Jacob
(1785–1859)

Né à Windham, au Connecticut, le 17 septembre 1785, fils de Henry De Witt, marchand, et de Hannah Dean.

Arriva à Montréal avec ses parents vers 1802. Fit son apprentissage dans le commerce de chapellerie de son père, puis s'engagea dans le commerce de la quincaillerie. Investit dans la navigation à vapeur et les entreprises de bois. Propriétaire foncier. Prit part à la création de la Banque du Canada, de la Banque de la cité à Montréal, de la Banque du peuple, dont il fut le vice-président puis le président, et de la Banque d'épargne de la cité et du district de Montréal, dont il fut administrateur. L'un des fondateurs de la Compagnie du chemin de fer de Montréal et Bytown.

S'occupa d'administration municipale, à Montréal, entre 1836 et 1840; fut candidat défait aux élections municipales dans le quartier Saint-Antoine en 1842, puis dans Sainte-Anne en 1851. Élu député de Beauharnois en 1830. Réélu en 1834. Appuya le parti patriote jusqu'aux rébellions de 1837–1838; son mandat prit fin avec la suspension de la constitution, le 27 mars 1838. Défait en 1841. Élu sans opposition dans Leinster à une élection partielle le 8 août 1842; vota avec le groupe canadien-français. Réélu en 1844. Déclaré dûment élu dans Beauharnois le 1er mars 1848. Fut de tendance libérale durant ses quatrième et cinquième mandats. Signa le Manifeste annexionniste en 1849. Défait en 1851. Élu dans Châteauguay en 1854; rouge. Ne s'est pas représenté en 1858.

Cofondateur de la congrégation American Presbyterian à Montréal entre 1822 et 1824, fut ordonné conseiller presbytéral en 1830. Administrateur du Montreal General Hospital, de la Maison d'industrie à Montréal et de l'Immigration Committee of Montreal. Fut vice-président de l'Association for the Encouragement of Home Manufactures.

Décédé à Montréal, le 23 mars 1859, à l'âge de 73 ans et 6 mois. Les obsèques eurent lieu dans l'église American Presbyterian, le 25 mars 1859.

Avait épousé dans l'église anglicane du canton de Dunham, le 12 janvier 1816, Sophronia Frary, de Montréal.

Bibliographie: *DBC.*

DÉZIEL, Gérard
(1927–1984)

Né à Sherbrooke, le 28 février 1927, fils de Joseph Déziel, policier et pompier, et d'Alice Fréchette.

Fit ses études à l'école Saint-Jean-Baptiste ainsi qu'à l'école supérieure et à l'école technique du collège du Sacré-Cœur à Sherbrooke.

Entrepreneur électricien. Fondateur et copropriétaire de Communications services inc. et de ses filiales ainsi que des Entreprises G.D. enr. Représentant de la Corporation des maîtres électriciens à la Commission du centre d'apprentissage de Sherbrooke pendant onze ans et au comité conjoint de la construction pendant quatre ans. Membre de l'Association des constructeurs des Cantons-de-l'Est et de l'Association des membres de l'habitation. Membre des Chevaliers de Colomb.

Échevin du quartier Est au conseil municipal de Sherbrooke de novembre 1968 à novembre 1974, et de novembre 1978 à son décès. Élu député libéral dans Saint-François en 1973. Défait en 1976.

Décédé à Sherbrooke, le 14 mai 1984, à l'âge de 57 ans et 2 mois. Inhumé à Sherbrooke, dans le cimetière Saint-Michel, le 16 mai 1984.

Avait épousé à Sherbrooke, dans la paroisse Sainte-Jeanne-d'Arc, le 6 août 1949, Pierrette Chartier, fille de Léonide Chartier, machiniste, et d'Hélène Saint-Pierre.

DIGÉ, Jean
(≈1736–1813)

Né en France, dans l'évêché d'Avranches, vers 1736, fils de Jacques Digé, navigateur, et de Jeanne Augé. Baptisé Jean-Charles.

Apprit avec son père la navigation. Par la suite, vint au Canada. Était établi à Sainte-Anne-de-la-Pocatière (La Pocatière) en 1762. Pratiqua le métier de navigateur et fit l'acquisition de biens fonciers dans la région. Fut sous-bailli de Sainte-Anne-de-la-Pocatière, puis inspecteur des chemins en 1797.

Élu député de Cornwallis en 1792; appuya tantôt le parti canadien, tantôt le parti des bureaucrates. En 1796, retira sa candidature avant la tenue du scrutin.

Décédé à Sainte-Anne-de-la-Pocatière (La Pocatière), le 14 juillet 1813, à l'âge d'environ 77 ans. Inhumé dans l'église paroissiale, le 15 juillet 1813.

Avait épousé dans la paroisse Sainte-Anne (à La Pocatière), le 30 janvier 1763, Véronique Lévêque, fille de François Lévêque et d'Angélique Bérubé; puis, dans la paroisse Notre-Dame-de-Liesse, à Rivière-Ouelle, le 20 avril 1812, Marie-Charlotte Sajos (Sageot), veuve de Pierre Darris.

Bibliographie: *DBC.* Pelletier, Jean-Guy, «Jean Digé, vous connaissez?», *Le Kamouraska*, 18 août 1991, p. 12.

DILLON, Joseph Henry
(1877–1938)

Né à Montréal, le 17 avril 1877, fils de John Dillon, boulanger, et de Rose-Anne O'Neil.

Fit ses études à l'école des Frères des écoles chrétiennes, à l'école du Plateau et à la McGill University à Montréal. Admis au barreau de la province de Québec le 4 juillet 1907. Créé conseil en loi du roi le 5 août 1920.

Exerça sa profession à Montréal et s'associa notamment avec Lomer **Gouin** et Louis-Philippe **Bérard**. Comme fonctionnaire municipal, il fut secrétaire du service de la voirie à l'Hôtel de ville de Montréal de 1907 à 1924.

Élu député libéral dans Montréal–Sainte-Anne à l'élection partielle du 5 novembre 1924. Réélu sans opposition en 1927. Assermenté ministre sans portefeuille dans le cabinet Taschereau le 10 janvier 1927. De nouveau élu en 1931. Démissionna le 2 octobre 1935. Candidat libéral défait dans Sainte-Anne lors des élections fédérales de 1935.

Membre du Northern District Catholic School Board, du Club de réforme et des Chevaliers de Colomb.

Décédé à Montréal, le 28 octobre 1938, à l'âge de 61 ans et 6 mois. Inhumé à Montréal, dans le cimetière Notre-Dame-des-Neiges, le 31 octobre 1938.

Il était célibataire.

DION, Napoléon
(1849–1919)

Né à Trois-Pistoles, le 5 mai 1849, fils de Thomas Dion, ferblantier, et de Mathilde Nadeau.

A étudié à l'école de sa paroisse natale et au collège de Rimouski. Marchand, ferblantier et plombier à Fraserville (Rivière-du-Loup).

Membre du conseil municipal de Fraserville de 1885 à 1889, puis en 1898 et 1899. Élu sans opposition député libéral dans Témiscouata en 1900. Réélu en 1904 et 1908.

Maître de poste au Parlement de Québec du 12 avril 1912 jusqu'à son décès. Membre de la Société Saint-Jean-Baptiste de Fraserville.

Décédé à Fraserville, le 4 février 1919, à l'âge de 69 ans et 8 mois. Inhumé dans le cimetière de la paroisse Saint-Patrice-de-la-Rivière-du-Loup, le 7 février 1919.

Avait épousé à Notre-Dame-du-Portage, le 18 décembre 1868, Élise Lebel, fille d'Ignace Lebel et de Marie-Anne Saint-Pierre; puis, dans la paroisse Saint-Jean-Baptiste-de-l'Isle-Verte, le 1er septembre 1874, Aurélie Sophronie Fortin, veuve de Nérée Bois.

DIONNE, Albert

Né à Saint-Mathieu-de-Rioux, le 3 juin 1905, fils de Gonzague Dionne, cultivateur, et de Rose-de-Lima Rioux.

Fit ses études à Saint-Mathieu et à l'École technique de Montréal.

Mécanicien, il travailla quelques années dans un garage à Montréal puis s'établit à Saint-Mathieu et Rimouski. Garagiste et concessionnaire de véhicules Ford à Rimouski de 1932 à 1979 sous la raison sociale de Dionne Automobiles inc. à Rimouski. Directeur de Rimouski Transport ltée. Président de la compagnie d'autobus Rimouski ltée, de Service Dionne inc. et de la compagnie d'immeubles Albert Dionne ltée. Président de Rimouski Airlines inc. de 1947 à 1954; cette dernière se fusionna à une autre compagnie aérienne pour former Québécair en 1953. Administrateur de la compagnie d'assurance-vie La Solidarité et de la compagnie des Poissons de Gaspé ltée. Fut président et fondateur de l'Association des garagistes de Rimouski inc. de 1945 à 1955. Président de l'Association provinciale des marchands d'automobiles du Québec. Vice-président de la Fédération des vendeurs d'automobiles en 1954. Membre des Chevaliers de Colomb. Directeur de la Chambre de commerce de Rimouski. Vice-président de la Villa de l'Essor de 1966 à 1970 puis président. Marguillier de la paroisse Saint-Germain de Rimouski de 1968 à 1970. A publié *Ma vie et ce que j'en ai fait* (1988).

Échevin de la ville de Rimouski de 1945 à 1956. Membre de la commission d'urbanisme de cette municipalité. Élu député libéral dans Rimouski en 1956. Réélu en 1960 et 1962. Fut whip adjoint du Parti libéral de 1960 à 1966. Ne s'est pas représenté en 1966.

DIONNE, Amable
(1781–1852)

Né à Kamouraska et baptisé dans la paroisse Saint-Louis, le 30 novembre 1781, fils d'Alexandre Dionne, cultivateur, et de Magdelaine Michaud.

Étudia à Kamouraska pendant un an et demi.

Marchand à Rivière-Ouelle à compter de 1802; fut aussi associé dans la maison de commerce Casgrain et Dionne, à Kamouraska, de 1812 à 1818. Seigneur de La Pocatière et de la Grande-Anse. Capitaine dans la milice en 1818, accéda au grade de major en 1830.

Élu député de Kamouraska en 1830; appuya les Quatre-vingt-douze Résolutions. Réélu en 1834; démissionna le 5 mai 1835. Pendant les troubles de 1837, se rangea du côté des autorités. Nommé au Conseil législatif le 22 août

1837, en fit partie jusqu'à la suspension de la constitution, le 27 mars 1838. Membre du Conseil spécial du 2 avril 1838 jusqu'à la dissolution de ce conseil, en juin, et à nouveau du 2 novembre 1838 jusqu'à l'entrée en vigueur de l'Acte d'Union, le 10 février 1841. Appelé au Conseil législatif le 19 août 1842.

Décédé en fonction à Sainte-Anne-de-la-Pocatière (La Pocatière), le 2 mai 1852, à l'âge de 70 ans et 5 mois. Inhumé dans l'église paroissiale, le 6 mai 1852.

Avait épousé dans la paroisse Notre-Dame-de-Liesse, à Rivière-Ouelle, le 10 juin 1811, Catherine Perrault, fille de Michel Perrault, maître d'école, et de Marie-Angélique Damour, et nièce et fille adoptive du seigneur Jacques-Nicolas **Perrault**.

Père d'Élisée **Dionne**. Beau-père de Jean-Charles **Chapais** et de Pierre-Elzéar **Taschereau**.

———

Bibliographie: *DBC*.

DIONNE, Benjamin
(1798–1883)

Né à Kamouraska et baptisé dans la paroisse Saint-Louis, le 7 janvier 1798, fils de Benjamin Dionne, laboureur, et de Marie-Thècle Robichaud.

S'établit vers 1825 à Cacouna, où il fut marchand. Syndic à l'occasion de la construction du presbytère et de l'église Saint-Georges. Lieutenant-colonel dans la milice.

Maire de Cacouna. Élu député de Témiscouata en 1854. Réélu en 1858. Réformiste, puis bleu. Ne s'est pas représenté en 1861.

Décédé à Cacouna, le 28 juin 1883, à l'âge de 85 ans et 5 mois. Inhumé dans le cimetière de la paroisse Saint-Georges, le 2 juillet 1883.

Avait épousé dans la paroisse de Saint-Jean-Port-Joli, le 26 juillet 1825, Clémentine Fraser, fille de Simon Fraser, notaire, et de Félicité Boucher.

Beau-père de Charles Bertrand, député à la Chambre des communes du Canada et fils de Louis **Bertrand**.

DIONNE, Élisée
(1828–1892)

Né à Kamouraska, le 21 août 1828, fils d'Amable **Dionne**, négociant, et de Marie-Catherine Perreault.

Fit ses études à l'école anglaise de M. Gale à Saint-Augustin, près de Québec, puis au collège de Sainte-Anne-de-

la-Pocatière et au collège des Jésuites à Worcester aux États-Unis. Admis au barreau du Bas-Canada le 6 octobre 1851.

Exerça sa profession, pendant environ six mois, avec son beau-frère, Me Jean-Thomas Taschereau. Il s'établit à Sainte-Anne-de-la-Pocatière où il exploita ses propriétés. Membre du Conseil d'agriculture.

Nommé conseiller législatif de la division de Grandville le 2 novembre 1867. Appuya le Parti conservateur. Commissaire de l'Agriculture et des Travaux publics dans les cabinets Chapleau et Mousseau du 4 mars 1882 au 23 janvier 1884.

Siégea au Conseil législatif jusqu'à son décès survenu à Sainte-Anne-de-la-Pocatière, le 22 août 1892, à l'âge de 64 ans. Inhumé dans le caveau de l'église de Sainte-Anne-de-la-Pocatière, le 25 août 1892.

Avait épousé à Saint-Hyacinthe, dans la paroisse Notre-Dame-du-Rosaire, le 10 novembre 1852, Clara Têtu, fille de Jean-François Têtu, notaire et registrateur à Saint-Hyacinthe, et de Cécile Chabot.

Beau-père de Louis-Alexandre **Taschereau**. Beau-frère de Jean-Charles **Chapais**. Oncle de Thomas **Chapais**.

DIONNE, France

Née à Rivière-du-Loup, le 23 août 1953, fille de Paul Dionne, agriculteur, et de Lucille Francœur.

Fit ses études primaires et secondaires à Saint-Pascal-de-Kamouraska de 1959 à 1970 puis au Bart Secretarial College à Québec de 1970 à 1972. A étudié en administration au La Salle Extension University à Chicago entre 1974 et 1977 et fit un certificat en administration à l'université du Québec à Rimouski entre 1979 et 1982. A suivi des cours de l'Institut canadien des courtiers en valeurs mobilières et de l'Association des fonds mutuels du Canada.

Secrétaire de direction au bureau du pourvoyeur de la Commission des accidents du travail du Québec en 1972, au ministère des Affaires extérieures du Canada pour le bureau des Affaires culturelles à Ottawa de 1977 à 1974, au bureau du premier secrétaire commercial à l'ambassade du Canada à Washington de 1974 à 1977 puis au bureau du ministre-conseiller et représentant adjoint du Canada de la mission permanente du Canada aux Nations Unies à Genève de 1977 à 1979. Employée de la Banque Royale du Canada au bureau du directeur de la succursale de Saint-Pascal de 1980 à 1984 puis au centre international du Québec de la Banque Royale du Canada à Québec en 1984 et 1985.

Secrétaire du Club des jeunes ruraux de Saint-Pascal de 1966 à 1969. Administratrice des Jeunes Ruraux de l'Est du

Québec de 1968 à 1970. Membre du Club Richelieu de Saint-Pascal à compter de 1989. Membre de l'Association des Dionne d'Amérique depuis 1988, et présidente à partir de 1992.

Élue députée libérale dans Kamouraska-Témiscouata en 1985. Réélue en 1989. Nommée adjointe parlementaire du ministre de l'Industrie, du Commerce et de la Technologie le 21 juin 1989 et le 29 novembre 1989.

DIONNE, Joseph
(1786–1859)

Né à Québec et baptisé dans la paroisse Notre-Dame, le 27 avril 1786, sous le prénom de Joseph-Marie, fils de Gabriel Dionne et de Marie Richard.

Fut cuisinier à bord d'une goélette, puis apprenti tonnelier à Québec. Vers 1816, s'établit à Saint-Pierre-les-Becquets, où il exerça son métier et se lança dans le commerce du bois. Nommé, en 1845, commissaire chargé de l'érection civile des paroisses et de la construction des églises, presbytères et cimetières. Bienfaiteur du monastère des ursulines de Trois-Rivières.

Fit partie du Conseil spécial du 2 avril 1838 jusqu'à la dissolution de ce conseil, en juin, et à nouveau du 2 novembre 1838 jusqu'à l'entrée en vigueur de l'Acte d'Union, le 10 février 1841. Fut membre du Conseil législatif à compter du 19 août 1842.

Décédé en fonction à Saint-Pierre-les-Becquets, le 27 décembre 1859, à l'âge de 73 ans et 8 mois.

Avait épousé dans la paroisse Saint-Pierre-Apôtre, à Saint-Pierre-les-Becquets, le 13 février 1821, Ursule Leclerc, fille d'Alexis Leclerc et de Jeannette Rivard.

DIONNE, Joseph-Omer
(1904–1981)

Né à Grand Isle, dans l'État du Maine, le 5 juillet 1904, fils de Tancrède Dionne, cultivateur, et d'Eudoxie Boucher.

Fit ses études à Grand Isle, au séminaire de Rimouski, au séminaire du Sacré-Cœur à Saint-Victor et au St. Mary's College à Van Buren, dans l'État du Maine. Fit un stage sur une ferme expérimentale du Maine.

Industriel agricole à Cookshire. Producteur de pommes de terre et éleveur d'animaux de race. Président-fondateur de l'Association des producteurs de pommes de terre du Québec en 1956. Membre de la Chambre de commerce locale et de l'Association forestière.

Membre du Club de réforme. Candidat libéral défait dans Compton en 1960. Élu député libéral dans la même circonscription en 1970. Réélu dans Mégantic-Compton en 1973. Défait en 1976.

Décédé au centre hospitalier Saint-Vincent-de-Paul, près de Sherbrooke, le 15 août 1981, à l'âge de 77 ans et un mois. Inhumé à Cookshire le 19 août 1981.

Avait épousé à Saint-Victor, le 20 février 1928, Germaine Veilleux, fille de Joseph Veilleux, cultivateur, et de Célanire Poulin; puis, à Sherbrooke, dans l'église St. Patrick, le 2 septembre 1952, Marguerite Tardif, fille de Sylvio Tardif, contremaître, et de Marie-Anna Labbé.

Père de Marcel Dionne, député à la Chambre des communes de 1979 à 1984.

DORAIS, Louis-Trefflé
(1835–1907)

Né à Sainte-Martine, près de Châteauguay, le 19 mars 1835, fils de Léon Dorais, cultivateur, et de Félicité Lamagdelaine.

Fit ses études à Sainte-Martine.

Commerçant, exportateur et acheteur de foin. Fut maître de poste et maire de Warwick. S'établit à Saint-Grégoire en 1872, où il fut commerçant et exportateur de foin.

Candidat conservateur indépendant défait dans Nicolet en 1881. Élu député conservateur indépendant dans Nicolet à l'élection partielle du 5 février 1883. Réélu sous la même allégeance en 1886. Cette élection fut annulée par la Cour supérieure le 21 mai 1888. Ne s'est pas représenté à l'élection partielle du 17 juillet 1888.

Directeur des travaux du gouvernement fédéral à Sorel de 1888 à 1896. S'établit à Montréal en 1896.

Décédé à Montréal, le 2 janvier 1907, à l'âge de 71 ans et 9 mois. Inhumé à Montréal, dans le cimetière Notre-Dame-des-Neiges, le 5 janvier 1907.

Avait épousé à Gentilly, le 25 août 1856, Marie-Louise-Elmire Poisson, fille d'Alexis Poisson, menuisier, et d'Aline Mailhiot.

Beau-père de Louis-Edmond **Panneton**.

DORCHESTER, baron. V. CARLETON

DORION, Antoine-Aimé
(1818–1891)

Né à Sainte-Anne-de-la-Pérade (La Pérade), le 17 janvier 1818, puis baptisé le 19, dans l'église paroissiale, fils de Pierre-Antoine **Dorion**, marchand, et de Geneviève Bureau.

Étudia au séminaire de Nicolet de 1830 à 1837. Fit l'apprentissage du droit auprès de Côme-Séraphin **Cherrier**, à compter de 1838; reçu au barreau en 1842.

Exerça sa profession à Montréal, notamment en tant qu'associé de **Cherrier**. Cofondateur en 1852, et probablement propriétaire, du journal *le Pays*. Bâtonnier du barreau de Montréal en 1852–1853, 1861–1862 et de 1873 à 1875, et bâtonnier général de la province de Québec en 1873–1874. Nommé conseiller de la reine en 1863.

Candidat dans le quartier Saint-Jacques aux élections municipales de Montréal en 1854, mais retira sa candidature avant la fin du scrutin. Élu député de la cité de Montréal en 1854; chef des rouges. En 1857, déclina l'invitation à devenir ministre dans le gouvernement Macdonald–Cartier. Forma un ministère avec George Brown: conseiller exécutif du 2 au 4 août 1858 et commissaire des Terres de la couronne du 2 au 5 août 1858. À son entrée au cabinet, son siège de député était devenu vacant. Élu dans la cité de Montréal à une élection partielle le 9 septembre 1858. Réélu en 1858. Rouge. Défait dans Montréal-Est en 1861; refusa la circonscription de Waterloo North, dans le Haut-Canada. Membre du ministère Macdonald–Sicotte: conseiller exécutif et secrétaire de la province du Canada, du 24 mai 1862 jusqu'à sa démission le 27 janvier 1863. Élu sans opposition dans Hochelaga à une élection partielle le 20 juin 1862. Constitua un ministère avec John Sandfield Macdonald: conseiller exécutif et procureur général du Bas-Canada, du 16 mai 1863 au 29 mars 1864. Défait dans Montréal-Est mais élu dans Hochelaga en 1863; rouge, s'opposa au projet de confédération. Son mandat de député prit fin avec l'avènement de la Confédération, le 1er juillet 1867. Élu député d'Hochelaga à la Chambre des communes en 1867; chef du Parti libéral, tant au fédéral qu'au provincial. Défait dans Hochelaga aux élections provinciales en 1871. Élu dans Napierville aux élections fédérales en 1872. Prêta serment comme membre du Conseil privé le 7 novembre 1873. Fit partie du cabinet Mackenzie: ministre de la Justice et procureur général, du 7 novembre 1873 au 31 mai 1874. À son entrée au ministère, son siège de député était devenu vacant. Réélu dans Napierville à une élection fédérale partielle le 27

novembre 1873. Réélu en 1874. Son mandat de député prit fin avec sa nomination comme juge en chef de la Cour du banc de la reine de la province de Québec, le 1er juin 1874; occupa cette charge jusqu'à sa mort. Fut administrateur de la province, du 8 novembre au 15 décembre 1876.

Prit part en 1842 à la fondation du Club national démocratique ainsi qu'à celle de l'Association d'annexion de Montréal, dont il fut secrétaire. Cofondateur et vice-président de la Société des amis en 1844. Fait chevalier (sir) en 1877.

Décédé à Montréal, le 31 mai 1891, à l'âge de 73 ans et 4 mois. Après des obsèques célébrées dans l'église Notre-Dame, fut inhumé dans le cimetière Notre-Dame-des-Neiges, le 3 juin 1891.

Avait épousé dans la paroisse Notre-Dame de Montréal, le 12 août 1848, Iphigénie Trestler, fille du docteur Jean-Baptiste Trestler et d'Eulalie Delisle, et petite-fille de Jean-Joseph **Trestler**.

Petit-fils de Pierre **Bureau**. Beau-père de Christophe-Alphonse Geoffrion, député à la Chambre des communes.

Bibliographie: *DBC*.

DORION, Jacques
(≈1797–1877)

Né à Québec, vers 1797, fils de [Pierre Dorion, boucher, et de Jane Clarke].

Étudia au petit séminaire de Québec de 1810 à 1816. Fit sa médecine à Paris entre 1816 et 1822.

Exerça sa profession à Saint-Ours jusqu'à sa mort.

Élu député de Richelieu en 1830. Réélu en 1834. Appuya le parti patriote durant ses deux mandats; conserva son siège jusqu'à la suspension de la constitution, le 27 mars 1838. Accusé de haute trahison pour avoir pris part à la rébellion de 1837, fut emprisonné du 12 décembre 1837 au 3 mars 1838.

Obtint quelques postes de commissaire. Fut juge de paix et officier de milice. Fondateur et président de la Société Saint-Jean-Baptiste de Saint-Ours.

Décédé à Saint-Ours, le 30 décembre 1877, à l'âge d'environ 80 ans. Inhumé dans le cimetière de la paroisse de l'Immaculée-Conception, le 1er janvier 1878.

Avait épousé dans la paroisse de l'Immaculée-Conception, à Saint-Ours, le 30 juin 1824, Catherine-Louise Lovell, fille de Jacques-Édouard Lovell et de Josephte-Catherine Murray, et nièce de Charles de **Saint-Ours**.

Père de Joseph-Adolphe **Dorion**.

Bibliographie: *DBC.*

DORION, Jean-Baptiste-Éric
(1826–1866)

Né à Sainte-Anne-de-la-Pérade (La Pérade), le 17 septembre 1826, puis baptisé le 23, fils de Pierre-Antoine **Dorion**, marchand, et de Geneviève Bureau.

Fit de brèves études à Sainte-Anne-de-la-Pérade avant de se rendre à Québec pour apprendre l'anglais.

À compter de 1842, fut commis-marchand à Trois-Rivières, puis rédacteur en chef et imprimeur du journal *Gros Jean l'Escogriffe*. De 1844 à 1848, gagna sa vie comme commis à Montréal. En 1847, lança *le Sauvage*, puis *L'Avenir*, dont il fut copropriétaire et directeur-gérant. En 1852, s'installa comme cultivateur à Durham; mit sur pied un bureau de poste, un magasin et une scierie. Fonda *le Défricheur*, à L'Avenir, en 1862.

Candidat dans Champlain en 1851 mais retira sa candidature en faveur de Thomas **Marchildon** après un jour de scrutin. Élu député des circonscriptions unies de Drummond et Arthabaska en 1854. Défait dans ces circonscriptions unies et dans Maskinongé en 1858. Élu dans Drummond et Arthabaska en 1861. Réélu en 1863. Rouge, s'opposa au projet de confédération.

Cofondateur en 1844, vice-président, puis président de l'Institut canadien de Montréal. L'un des fondateurs de la Société mercantile d'économie, dont il fut secrétaire, ainsi que de l'Association pour le peuplement des Cantons-de-l'Est et de l'Institut des artisans du comté de Drummond. Publia, à Trois-Rivières, *Un souvenir pour 1844* [...] et, à Québec, en 1855, sous le pseudonyme de Frère de Jean-Baptiste, *Tenure seigneuriale; paie, pauvre peuple, paie!* Édita à Montréal la brochure *Institut-canadien en 1852*.

Décédé en fonction à L'Avenir, le 1er novembre 1866, à l'âge de 40 ans et un mois. Après des obsèques imposantes, fut inhumé dans le cimetière de l'endroit, le 5 novembre 1866.

Avait épousé dans la paroisse Saint-Joseph, à Soulanges, le 21 juin 1853, Marie Abby Victoria Hays, fille d'Eleazar Hays et de Catherine Trestler.

Petit-fils de Pierre **Bureau**. Petit-fils par alliance de Jean-Joseph **Trestler**.

Bibliographie: *DBC.*

DORION, Joseph-Adolphe
(1832–1900)

Né à Saint-Ours, le 19 mars 1832, fils de Jacques **Dorion**, médecin, et de Catherine-Louise Lovell.

Fit ses études au séminaire de Saint-Hyacinthe et au collège de Joliette. Admis à la pratique du notariat en 1863.

Notaire à Saint-Ours, coroner et juge de paix. Président de la Société d'agriculture du comté de Richelieu pendant dix ans. Trésorier du conseil de comté pendant vingt-quatre ans.

Candidat défait dans Richelieu en 1861. Élu député conservateur dans Richelieu en 1871. Ne s'est pas représenté en 1875. Nommé conseiller législatif de la division de Sorel le 6 décembre 1882. Démissionna le 13 décembre 1897.

Décédé à Saint-Ours, le 24 octobre 1900, à l'âge de 68 ans et 7 mois. Inhumé dans les voûtes de l'église de Saint-Ours, le 27 octobre 1900.

Avait épousé dans sa paroisse natale, le 5 juillet 1865, Henriette-Amélie de Saint-Ours, fille de Roch de **Saint-Ours**, seigneur de Saint-Ours, et de Catherine-Hermine Juchereau Duchesnay.

DORION, Nicolas
(1764–1826)

Né à Québec et baptisé dans la paroisse Notre-Dame, le 6 août 1764, fils de François Dorion et de Nathalie Trudelle.

Fut marchand à Québec; associé avec Paul Dorion dans la Nicolas Dorion and Company, vers 1790.

Élu député de Devon en 1796; appuya le parti canadien. Ne se serait pas représenté en 1800.

Décédé à Haverhill, au New Hampshire, le 7 juillet 1826, à l'âge de 61 ans et 11 mois.

On ne sait pas s'il était célibataire ou marié.

DORION, Pierre-Antoine
(≈1789–1850)

Né probablement à Québec, vers 1789, fils de Noël Dorion et de Barbe Trudelle.

Aurait travaillé en tant que commis dans le magasin de Pierre **Bureau**, à Sainte-Anne-de-la-Pérade (La Pérade), avant de s'engager dans le commerce du bois. Nommé syndic des écoles de sa localité en 1829, puis inspecteur. Obtint quelques postes de commissaire et fut juge de paix.

Élu député de Champlain en 1830. Réélu en 1834. Appuya le parti patriote durant ses deux mandats; conserva son siège jusqu'à la suspension de la constitution, le 27 mars 1838.

Décédé à Drummondville, le 12 septembre 1850, à l'âge d'environ 61 ans. Inhumé dans l'église Saint-Frédéric, le 14 septembre 1850.

Avait épousé dans l'église de l'Immaculée-Conception, à Trois-Rivières, le 21 février 1814, Geneviève Bureau, fille du marchand Pierre **Bureau** et de Geneviève Gilbert.

Père d'Antoine-Aimé et de Jean-Baptiste-Éric **Dorion**.

———

Bibliographie : *DBC.*

DORRIS, Cyprien
(1860–1918)

Né à Saint-Michel, le 11 septembre 1860, fils de Narcisse Doris, cultivateur, et de Marie Pinsonnault.

Cultivateur et commerçant de foin à Saint-Michel, Napierville et Saint-Édouard.

Conseiller municipal à Saint-Michel en 1882 et maire de cette municipalité de 1893 à 1905. Préfet du comté de Napierville de mars 1896 à mars 1897. Élu député libéral dans Napierville en 1897. Réélu sans opposition en 1900. Défait en 1904. Élu de nouveau à l'élection partielle du 14 décembre 1905 et sans opposition en 1908. Réélu en 1912 et 1916.

Décédé en fonction à Saint-Michel, le 21 septembre 1918, à l'âge de 58 ans. Inhumé dans le cimetière de cette paroisse, le 24 septembre 1918.

Avait épousé dans sa paroisse natale, le 7 juillet 1890, Indiana Marcil, fille de Joseph Marcil, cultivateur, et d'Henriette Pinsonnault ; puis, dans la cathédrale de Montréal, le 21 mars 1905, Amanda Arpin, fille d'Augustin Arpin et d'Olivine Isabelle.

DOSTALER, Omer
(1848–1925)

Né dans la paroisse Sainte-Geneviève-de-Berthier (Berthierville), le 19 novembre 1848, fils de Pierre-Eustache **Dostaler**, cultivateur, et de Geneviève Mousseau.

Fit ses études à Berthierville.

Agriculteur sur la terre paternelle dont il devint propriétaire en 1884.

Élu député libéral dans Berthier à l'élection partielle du 15 janvier 1890. Ne s'est pas représenté aux élections de 1890.

Décédé à Berthierville, le 3 décembre 1925, à l'âge de 77 ans. Inhumé dans le cimetière de la paroisse Sainte-Geneviève-de-Berthier, le 7 décembre 1925.

Avait épousé dans sa paroisse natale, le 30 janvier 1877, Sophie-Marie Desrosiers, fille d'Hercule Desrosiers et d'Éloïse Dostaler.

Petit-fils d'Alexis **Mousseau**. Cousin de Joseph-Alfred **Mousseau** et de Joseph-Octave Mousseau, député à la Chambre des communes en 1891.

DOSTALER, Pierre-Eustache
(1809–1884)

Né à Berthier (Berthierville), le 15 mai 1809, puis baptisé le 16, dans la paroisse Sainte-Geneviève-de-Berthier, sous le nom de Pierre-Amable Cazobon, fils d'Eustache Cazobon (Cazobon Dostaler), agriculteur, et de Geneviève Cottenoir (Cotnoir), dit Préville.

Étudia dans son village natal.

Fut cultivateur, président de la Société d'agriculture du comté de Berthier en 1861 et membre de la Chambre d'agriculture de la province de Québec pendant cinq ans. Capitaine dans la milice et juge de paix. Administrateur de l'Isolated Risk Insurance Company.

Défait dans Berthier en 1851. Élu député de Berthier en 1854 ; d'abord dans l'opposition, puis réformiste modéré et bleu. Défait en 1858. Élu dans la même circonscription en 1861 ; bleu. Défait en 1863. Représenta la division de Lanaudière au Conseil législatif à compter du 2 novembre 1867 ; appuya le Parti conservateur.

Décédé en fonction à Berthier (Berthierville), le 14 janvier 1884, à l'âge de 74 ans et 7 mois. Inhumé dans le cimetière paroissial, le 18 janvier 1884.

Avait épousé dans sa paroisse natale, le 28 février 1832, Geneviève Mousseau, fille du cultivateur Alexis **Mousseau** et de Marie-Anne Piette.

Père d'Omer **Dostaler**. Oncle de Joseph-Alfred **Mousseau** et de Joseph-Octave Mousseau, député à la Chambre des communes du Canada. Grand-oncle de Joseph-Octave **Mousseau**.

DOUAIRE. V. BONDY

DOUGHERTY, Joan

Née à Montréal, le 2 mars 1927, fille de Edward H. Mason, médecin, et de Loretta O'Reilly.

Obtint, à la McGill University, un baccalauréat en sciences en 1947 et une maîtrise en histologie en 1950. Étudia au Massachusetts Institute of Technology en biophysique en 1948 et 1949.

Présidente de la Commission des écoles protestantes du Montréal métropolitain de 1977 à 1981 et membre de cet organisme à compter de 1974. Membre du conseil d'administration de la McGill University à partir de 1975. Membre du conseil d'administration de la Quebec Federation of Home and School Associations de 1965 à 1967. Membre du conseil d'administration de Family Service Association de 1965 à 1968. Membre du comité protestant du Conseil supérieur de l'éducation de 1969 à 1973. Directrice générale du conseil d'administration de l'Association québécoise pour les enfants ayant des troubles d'apprentissage de 1970 à 1974. Commissaire d'école pour le district d'Outremont et de Mont-Royal de 1973 à 1981. Membre de différents conseils de direction d'organismes œuvrant dans le domaine de l'enfance exceptionnelle à partir de 1989.

Élue députée libérale dans Jacques-Cartier en 1981. Réélue en 1985. Adjointe parlementaire du ministre de l'Éducation du 13 décembre 1985 au 9 août 1989. Défaite en 1989.

DOYON, Cyrille
(1842–1918)

Né à Saint-Isidore, le 28 octobre 1842, fils d'Antoine Doyon, cultivateur, et de Marie-Archange Pépin dit Lachance.

Fit ses études au collège de Montréal.

Marchand et agriculteur. Établit la première beurrerie à Saint-Isidore en 1885. Inspecteur pour la Farmers' Assurance Co. et la Sovereign Assurance Co. Juge de paix.

Maire de Saint-Isidore du 26 janvier 1874 au 6 mars 1876. Élu député libéral indépendant à la Chambre des communes dans Laprairie en 1887. Défait comme candidat libéral en 1891. Élu député conservateur à l'Assemblée législative dans Laprairie en 1892. Défait en 1897. S'installa à Montréal en 1898.

Décédé à Montréal, le 7 janvier 1918, à l'âge de 75 ans et 2 mois. Inhumé à Montréal, dans le cimetière Notre-Dame-des-Neiges, le 10 janvier 1918.

Avait épousé à Sainte-Julienne, le 2 août 1869, Vitaline Riopel, fille de Joseph Riopel, cultivateur, et de Marie Coitou dit Saint-Jean.

DOYON, Réjean

Né à Saint-Georges-de-Beauce, le 6 septembre 1937, fils de François Doyon, boulanger, et de Olivia Genest.

Fit son cours classique à Saint-Georges-de-Beauce, obtint un baccalauréat ès arts, un baccalauréat en sciences sociales et une licence en droit de l'université Laval, à Québec. Admis au barreau du Québec en 1970.

Fut agent du service extérieur au ministère des Affaires extérieures de 1961 à 1963, deuxième secrétaire et vice-consul à l'ambassade du Canada en Autriche de 1963 à 1965, conseiller technique au ministère de l'Éducation de 1965 à 1967 et secrétaire général de l'Association des commissions scolaires du diocèse de Québec de 1967 à 1970. Exerça le droit à Amos, en Abitibi, en 1970, fut directeur général de l'administration et chef du contentieux au ministère des Communications du Québec de 1971 à 1974. Substitut du procureur général du Québec à Montréal en 1974 et à Québec en 1977. Secrétaire de la Commission de refonte des lois municipales de 1974 à 1977. Secrétaire général de l'administration et chef du contentieux de la Communauté urbaine de Québec (CUQ) de 1978 à 1980. Fut membre de l'Institut des affaires publiques du Canada et membre du conseil d'administration de cet institut pour la région de Québec en 1979, ainsi que président-fondateur de l'Alliance du personnel de direction supérieure de la CUQ.

Élu député libéral dans Louis-Hébert à l'élection partielle du 5 avril 1982. Réélu en 1985 et 1989. Adjoint parlementaire du ministre des Transports du 13 décembre 1985 au 26 août 1987, du ministre des Relations internationales du 26 août 1987 au 17 mai 1989 et du ministre des Affaires municipales du 17 mai 1989 au 9 août 1989. Élu président de la Commission de la culture le 29 novembre 1989.

DOZOIS, Paul
(1908–1984)

Né à Montréal, le 23 mai 1908, fils d'Émile Dozois, tailleur, et de Marie-Anna Sansfaçon.

Fit ses études aux écoles Olier et Saint-Jacques, puis à l'Institut Laroche à Montréal.

Travailla d'abord chez un marchand de tabac à Montréal, puis fut propriétaire d'un commerce de tabac dans cette ville de 1935 à 1956. Courtier d'assurances à Montréal en 1956.

Représentant de la Chambre de commerce des jeunes au conseil municipal de Montréal de 1942 à 1944, puis de la Chambre de commerce de 1946 à 1956. Membre du comité exécutif du conseil municipal de Montréal de décembre 1947 à septembre 1956. Directeur de l'Union des municipalités de la province en 1954 et 1955.

Élu député de l'Union nationale dans Montréal–Saint-Jacques en 1956. Ministre des Affaires municipales dans les cabinets Duplessis, Sauvé et Barrette du 26 septembre 1956 au 5 juillet 1960. Réélu dans la même circonscription en 1960 et 1962, puis dans Saint-Jacques en 1966. Ministre des Affaires municipales dans le cabinet Johnson du 16 juin 1966 au 31 octobre 1967. Ministre des Finances dans les cabinets Johnson et Bertrand du 16 juin 1966 au 18 juillet 1969. Ministre des Institutions financières, Compagnies et Coopératives dans les cabinets Johnson et Bertrand du 28 mai au 10 octobre 1968. Démissionna le 18 juillet 1969.

Nommé commissaire à l'Hydro-Québec le 1er août 1969, il occupa ce poste jusqu'en 1979. Nommé administrateur de la Société d'énergie de la Baie James le 20 décembre 1971. Membre de la Commission hydroélectrique du Québec et de la Churchill Falls (Labrador) Ltd. À l'emploi de la compagnie d'assurances Gérard Parizeau de 1979 à 1984.

Membre de l'Association des courtiers d'assurances du Québec. Président de la Chambre de commerce des jeunes de Montréal en 1940 et 1941. Gouverneur honoraire à vie de cette association. Membre de la Chambre de commerce de Montréal, du Montreal Board of Trade et du Centre commercial de Montréal. Membre honoraire de l'Association canadienne d'urbanisme. Membre du Club Saint-Denis, du Club Renaissance de Montréal et du Cercle de la Place d'Armes. Fut président du comité central de l'Association catholique de la jeunesse canadienne-française et cofondateur de l'Association athlétique nationale de la jeunesse. Président général de la campagne de la Fédération des œuvres de charité canadiennes-françaises en 1950 et président de cette fédération en 1955 et 1956. Docteur honoris causa de l'université de Sherbrooke en 1969. Gouverneur à vie de l'hôpital Notre-Dame.

Décédé à Portland, Maine, le 2 juillet 1984, à l'âge de 76 ans et un mois. Inhumé à Montréal dans le cimetière Notre-Dame-des-Neiges, le 6 juillet 1984.

Avait épousé à Montréal, dans la paroisse Notre-Dame-de-Grâce, le 19 mai 1942, Pauline Crevier, fille d'Arthur Crevier, représentant industriel, et de Malvina Porlier.

DRAPEAU, Joseph
(1752–1810)

Né à Pointe-Lévy (Lauzon devenu Lévis) et baptisé dans la paroisse Saint-Joseph, le 13 avril 1752, fils de Pierre Drapeau, cultivateur, et de Marie-Joseph Huard, dit Désilets.

Au début des années 1770, s'établit à Québec. Servit dans la milice durant l'invasion américaine de 1775–1776. Obtint un permis pour vendre des spiritueux en 1779 et une licence d'hôtelier en 1781. Fit des affaires avec Louis **Bourdages** à compter de 1788 et avec un marchand de Baie-Saint-Paul, de 1793 à 1804. Acheta et fit construire de nombreux bateaux pour transporter ses marchandises entre Montréal et Rimouski; posséda un chantier naval à Baie-Saint-Paul et commerça directement avec l'Europe. Investit dans la propriété foncière et immobilière. Fit l'acquisition de nombreuses seigneuries, notamment celles de Champlain et de Lessard (appelée aussi Pointe-au-Père), et de la moitié de la seigneurie de l'Île-d'Orléans.

Élu député de Northumberland en 1809. Réélu en 1810. Appuya généralement le parti canadien.

Membre de la Société du feu de Québec et de la Société d'agriculture. Officier de milice. Se joignit à l'Association, fondée en 1794 pour appuyer l'autorité britannique.

Décédé en fonction à Québec, le 3 novembre 1810, à l'âge de 58 ans et 6 mois. Inhumé au cimetière des Picotés, dans la paroisse Notre-Dame, le 6 novembre 1810.

Avait épousé dans la paroisse Saint-Antoine-de-Tilly, le 14 octobre 1782, Marie-Geneviève Noël, fille du seigneur de Tilly, Jean-Baptiste Noël, et de Geneviève Dussaut.

Grand-père par alliance d'Ulric-Joseph **Tessier**.

Bibliographie: *DBC*.

DROLET, Antoine

Né aux Écureuils (Donnacona), le 26 mars 1940, fils de Noël Drolet, cultivateur, et d'Antoinette Rochette.

Fit ses études au juvénat Saint-Vincent-de-Paul et à l'externat classique Saint-Jean-Eudes à Québec. Suivit des cours privés en administration et en relations publiques à Donnacona.

Gérant adjoint de la Coopérative agricole Les Écureuils de 1957 à 1964, puis secrétaire-gérant de la Société coopérative de Neuville de septembre 1964 à mai 1967. Après la fusion de ces deux sociétés, il fut gérant de la nouvelle entreprise jusqu'en avril 1970.

Président de la Jeunesse créditiste du comté de Portneuf en 1961 et organisateur du comté de 1962 à 1970. Candidat du Ralliement national défait dans Portneuf en 1966. Organisateur en chef du Ralliement créditiste en 1970. Élu député de ce parti dans Portneuf en 1970. Whip du Ralliement créditiste de février à septembre 1973. Candidat du Parti créditiste défait en 1973.

Directeur responsable des locations et de l'aménagement à l'administration générale du Comité organisateur des jeux olympiques (COJO) en 1974. Nommé chef de bureau responsable de l'aménagement et de l'entretien à la direction générale des services du COJO en janvier 1976. Chef de cabinet adjoint du leader parlementaire du gouvernement du 22 février 1977 au 22 mai 1978, puis chef de cabinet jusqu'au 16 octobre 1978. Secrétaire particulier adjoint du président de l'Assemblée nationale en 1978 et 1979. Directeur de cabinet du vice-président de l'Assemblée nationale en 1979 et 1980, puis directeur du cabinet du président de l'Assemblée nationale de 1980 à 1983. Responsable des services à la clientèle à la Direction de la gestion immobilière de l'Assemblée nationale à compter de 1983.

Fut successivement publiciste, secrétaire-trésorier, vice-président et président des loisirs de son village de 1957 à 1967. Administrateur de la caisse populaire des Écureuils de 1965 à 1968. Membre de la Caisse d'entraide économique du comté de Portneuf en 1970, de l'Union catholique des cultivateur (UCC) et de la Société Saint-Jean-Baptiste.

DROLET, Charles
(1795–1873)

Né à Québec et baptisé dans la paroisse Notre-Dame, le 8 mai 1795, fils de Charles Drolet et d'Angélique Hill.

Admis au barreau en 1827, exerça sa profession à Québec.

Élu député de Saguenay à une élection partielle le 6 février 1836; membre de l'Association des frères-chasseurs; prôna la rébellion armée, mais n'a pas pris part aux événements de 1837. Conserva son siège jusqu'à la suspension de la constitution, le 27 mars 1838. Ayant fait évader deux patriotes de la citadelle de Québec le 16 novembre 1838, fut arrêté, sur l'ordre de son cousin François **Quirouet**, chez qui il s'était réfugié. Réussit à s'enfuir aux États-Unis; fut nommé

par Robert **Nelson** un des douze conseillers de la future république bas-canadienne.

Reçu au barreau de l'État de New York, à Buffalo, en 1839; pratiqua le droit à Detroit. Rentra à Montréal en 1849. Nommé greffier de la Cour de la vice-amirauté de Québec en 1850 et, en 1854, greffier suppléant de la Cour d'appel.

Décédé à Québec, le 22 septembre 1873, à l'âge de 78 ans et 4 mois. Après des obsèques célébrées en la cathédrale Notre-Dame de Québec, fut inhumé dans le cimetière Notre-Dame-de-Belmont, à Sainte-Foy, le 25 septembre 1873.

Avait épousé dans la paroisse Notre-Dame, à Québec, le 27 juillet 1830, Marguerite Quirouet, fille de Rémi Quirouet et nièce de François **Quirouet**.

Bibliographie: *DBC*.

DROLET, François
(1772– ≥1827)

Né à Saint-Augustin (Saint-Augustin-de-Desmaures) et baptisé dans la paroisse Saint-Augustin, le 12 novembre 1772, sous le prénom de François-Xavier, fils de Philippe Drolet et de Marguerite Savard.

Fut marchand à Saint-Augustin, puis à Québec où il s'installa, côte de la Fabrique, entre 1800 et 1805.

Élu député de Hampshire en 1824; appuya le parti canadien et, à compter de 1826, le parti patriote. Ne se serait pas représenté en 1827.

Décédé en ou après 1827.

Avait épousé dans sa paroisse natale, le 9 janvier 1797, Louise Fiset, fille d'Ignace Fiset et de Louise Lainé.

DROLET, Joseph-Toussaint
(1786–1838)

Né à Saint-Marc-sur-Richelieu, le 31 octobre 1786, fils de Joseph-Charles (Joseph-Marie) Drolet et de Brigitte Raynault, dit Blanchard.

Fit du commerce à Saint-Marc-sur-Richelieu avec son père, dont il fut l'associé puis le successeur. Servit pendant la guerre de 1812, notamment à l'île aux Noix, en qualité de capitaine dans la milice; obtint en 1815 le grade de major. Le 22 octobre 1825, acquit la seigneurie de Cournoyer, aussi appelée Saint-Marc. Nommé en 1829 commissaire chargé de l'ouverture d'un chemin et commissaire chargé de l'amélioration de la navigation sur la rivière Richelieu. Destitué de la milice pour des raisons politiques, la première fois en 1827, fut réintégré en 1830.

Élu sans opposition député de Verchères à une élection partielle le 31 juillet 1832 ; vota pour les Quatre-vingt-douze Résolutions. Réélu en 1834. Appuya le parti patriote. De nouveau rayé des cadres de la milice en août 1837. Fut vice-président de l'assemblée des six comtés tenue à Saint-Charles-sur-Richelieu le 23 octobre 1837. Un ordre d'arrestation ayant été lancé contre lui le 29 novembre, se livra aux autorités un mois plus tard ; fut emprisonné jusqu'au 15 juin 1838. Son mandat de député avait pris fin avec la suspension de la constitution, le 27 mars 1838.

Décédé à Saint-Marc-sur-Richelieu, dans son manoir, le 31 octobre 1838, à l'âge de 52 ans. Inhumé dans l'église Saint-Marc.

Avait épousé dans la paroisse Saint-Joseph, à Chambly, le 26 octobre 1812, Sophie Boileau, fille du négociant René **Boileau** et de Josephte de Gannes de Falaise.

DROUIN, Henri

Né à L'Annonciation, le 6 décembre 1911, fils d'Arthur-Albert Drouin, marchand, et de Louisa Bourgeois.

Fit ses études à Amos, à l'académie commerciale de Québec, au séminaire de Sainte-Thérèse, au séminaire de Joliette et à l'université de Montréal.

Admis au barreau de la province de Québec le 10 juillet 1936. Fit un stage d'études en droit minier à l'Osgoode Hall de Toronto. Exerça sa profession à Amos de 1936 à 1950. Greffier de la municipalité d'Amos de 1938 à 1944. Avocat de la couronne de 1939 à 1944. Juge à la Cour supérieure de 1950 à 1976. Conseiller juridique et directeur de A.A. Drouin inc., épicier grossiste. Avocat-conseil à Amos à partir de 1977.

Élu député libéral dans Abitibi-Est en 1944. Défait en 1948. Fut président de la Chambre de commerce des jeunes d'Amos en 1940 et 1941, de l'Association des anciens du séminaire de Joliette et du Club Rotary en 1941. Directeur de l'Association sportive d'Amos. Secrétaire de l'Association des prospecteurs de l'Ouest québécois. Membre de l'Association du barreau canadien, du Montreal Board of Trade, du Canadian Institute of Mining, du Club de la garnison de Québec et de la Société historique d'Amos.

DROUIN, Henri-Paul
(1894–1958)

Né à Québec, dans la paroisse Saint-Roch, le 17 février 1894, fils d'Alfred Drouin, commis voyageur, et de Délima Dufour.

Fit ses études à l'école des Frères des écoles chrétiennes, au collège de Lévis et à l'université Laval à Québec. Admis au barreau de la province de Québec le 10 septembre 1918. Créé conseil en loi du roi le 18 juin 1930.

Exerça sa profession à Québec. Associé à Mes Élisée **Thériault**, Oscar **Drouin**, Valmore **Bienvenue**, Adjutor Dussault, Roméo Gingras et Fernand Drouin. Conseiller juridique de la Commission des liqueurs de la province de Québec de 1936 à 1940. Registraire des services nationaux de guerre de 1940 à 1942. Conseiller de l'organisme chargé d'appliquer la loi facilitant les transactions et arrangements entre compagnies et créanciers de 1933 à 1944. Nommé conseiller juridique de la commission scolaire de Québec en 1938. Membre du conseil d'administration de la Corporation de prêt et revenu du Canada et du fonds mutuel de cette corporation.

Élu député libéral dans Québec-Est en 1944. Défait en 1948. Défait comme candidat libéral indépendant en 1952. Président du Club Mercier. Membre des Chevaliers de Colomb.

Décédé à Québec, le 2 avril 1958, à l'âge de 64 ans et un mois. Inhumé à Québec, dans le cimetière Saint-Charles, le 7 avril 1958.

Avait épousé à Québec, dans la paroisse Saint-Sauveur, le 28 juin 1922, Marie-Blanche-Antoinette-Juliette Bédard, fille de Napoléon Bédard et d'Antoinette Martineau.

Frère d'Oscar **Drouin**.

DROUIN, Oscar
(1890–1953)

Né à Québec, dans la paroisse Saint-Roch, le 29 septembre 1890, fils d'Alfred Drouin, commis voyageur, et de Délima Dufour.

Fit ses études à l'école Jacques-Cartier, à l'académie commerciale de Québec, au collège de Lévis ainsi qu'à l'université Laval à Québec. Admis au barreau de la province de Québec le 7 septembre 1915.

Exerça sa profession à Québec avec Élisée **Thériault**, Valmore **Bienvenue**, Henri-Paul **Drouin**, Adjutor Dussault, Charles-Auguste Gamache, Lucien Gosselin, Marcel Létourneau et Jean-Charles McGee. Créé conseil en loi du roi le 6 octobre 1926. Rédacteur de l'*Ère nouvelle*.

Élu député libéral dans Québec-Est à l'élection partielle du 24 octobre 1928. Réélu en 1931. Candidat défait à la mairie de Québec en 1934. Élu député de l'Action libérale nationale dans Québec-Est en 1935. Élu député de l'Union nationale en 1936. Fut organisateur en chef de ce parti en 1936 et 1937. Ministre des Terres et Forêts dans le cabinet Duplessis du 26 août 1936 au 22 février 1937, date de sa démission du cabinet. Avec un groupe de dissidents de l'Union nationale, il annonça la fondation, le 26 juin 1937, du Parti national. Réélu député libéral en 1939, il fut ministre des Affaires municipales, de l'Industrie et du Commerce dans le cabinet Godbout du 8 novembre 1939 au 1er avril 1943. Ministre des Affaires municipales et ministre de l'Industrie et du Commerce du 1er avril 1943 au 29 juin 1944. Ne s'est pas représenté en 1944.

Président de la commission municipale de Québec de juin 1944 à juillet 1945. Candidat indépendant défait dans Matapédia-Matane aux élections fédérales de 1945. Retourna à l'exercice de sa profession.

Membre du Club de la garnison, du Club de réforme, du Club des journalistes, de la Société généalogique canadienne-française et de la Société historique de Montréal.

Décédé à Québec, le 16 juillet 1953, à l'âge de 62 ans et 9 mois. Inhumé à Québec, dans le cimetière Saint-Charles, le 20 juillet 1953.

Avait épousé à Montréal, dans la paroisse du Saint-Enfant-Jésus, le 23 avril 1918, Cécile Lemieux, fille de Marc Lemieux et d'Anna Tanguay ; puis, à Québec, dans la paroisse Notre-Dame-du-Chemin, le 17 janvier 1922, Bibiane Auger, fille de Charles Auger, comptable, et de Malvina Tardif.

Frère d'Henri-Paul **Drouin**.

DRUMMOND, Lewis Thomas (1813–1882)

Né à Coleraine (en Irlande du Nord), le 28 mai 1813, fils de Lewis Drummond, avocat, et de Susan Harkin.

Arriva au Bas-Canada en 1825 avec sa mère devenue veuve. Étudia au séminaire de Nicolet de 1826 à 1832, puis fit l'apprentissage du droit à Montréal, auprès de Charles Dewey **Day**. Admis au barreau en 1836.

Exerça sa profession à Montréal ; défendit notamment des patriotes en 1838 et représenta l'Église catholique dans la question des biens des jésuites en 1846. Nommé conseiller de la reine en 1848. Investit dans l'immobilier à Montréal, la navigation sur le Richelieu et le Saint-Laurent, et les chemins de fer ; fut, en outre, administrateur de la Banque d'épargne de la cité et du district de Montréal, à partir de 1842, et l'un des fondateurs de la Garden River Mining Company, en 1847, et de la Compagnie du télégraphe des deux mondes, en 1859.

Défait aux élections municipales de Montréal en décembre 1842. Élu député de la cité de Montréal à une élection partielle le 17 avril 1844. Défait dans la cité de Montréal mais élu dans Portneuf en 1844 ; de tendance libérale, se rangea du côté du groupe canadien-français. Élu dans Shefford en 1848 ; appuya le groupe canadien-français, puis les réformistes. Fut solliciteur général du Bas-Canada, sans siège dans le ministère La Fontaine–Baldwin, du 7 juin 1848 au 27 octobre 1851. Par suite de cette nomination, son siège de député était devenu vacant. Réélu dans Shefford à une élection partielle le 11 juillet 1848. Fit partie des ministères Hincks–Morin, MacNab–Morin et MacNab–Taché : conseiller exécutif et procureur général du Bas-Canada du 28 octobre 1851 au 10 septembre 1854, puis du 11 septembre 1854 au 26 janvier 1855 et du 27 janvier 1855 au 23 mai 1856 ; fut également représentant du gouvernement au conseil d'administration du Grand Tronc du 20 novembre 1852 au 23 mai 1856. Réélu député dans Shefford en 1851, 1854 et 1858 ; appuya les réformistes, puis les bleus mais, à partir de 1858, fut de tendance libérale. Membre du ministère Brown–Dorion : conseiller exécutif du 2 au 4 août 1858 et procureur général du Bas-Canada du 2 au 5 août 1858. À son entrée au cabinet, son siège de député était devenu vacant. Défait dans Shefford à une élection partielle le 14 septembre 1858, mais élu dans Lotbinière à une élection partielle le 2 octobre 1858. Élu dans Rouville en 1861 ; rouge. Nommé, le 28 mai 1863, conseiller exécutif et commissaire des Travaux publics dans le ministère Macdonald–Dorion ; en conséquence, son siège de député se trouva vacant. Défait dans Rouville et dans Jacques-Cartier en 1863, dut démissionner du cabinet le 23 juillet 1863.

Nommé juge puîné à la Cour du banc de la reine en mars 1864 ; cessa d'exercer ses fonctions pour raison de santé le 31 octobre 1873. S'engagea au sein de la Société Saint-Vincent-de-Paul.

Décédé à Montréal, le 24 novembre 1882, à l'âge de 69 ans et 5 mois. Inhumé dans le cimetière de la paroisse Notre-Dame, le 27 novembre 1882.

Avait épousé à Saint-Marc-sur-Richelieu, le 16 novembre 1842, Josette-Elmire Debartzch, fille héritière du seigneur Pierre-Dominique **Debartzch** et de Josette de Saint-Ours.

Beau-frère d'Alexandre-Édouard **Kierzkowski**.

Bibliographie: *DBC*.

DRUMMOND, Thomas Kevin

Né à Montréal, le 5 juin 1930, fils de Louis Drummond, homme d'affaires, et de Margaret Robertson.

Fit ses études au Lower Canada College à Montréal, à la Trinity College School à Port Hope en Ontario et aux universités McGill de Montréal et Harvard de Boston. Titulaire d'un baccalauréat en commerce, d'une licence en sciences économiques et politiques (1953) et d'une maîtrise en administration (1959). Étudia le russe à l'École des langues orientales, puis reçut également un diplôme d'études supérieures en français de l'université de la Sorbonne.

Courtier en valeurs mobilières chez W.C. Pitfield à Montréal de 1953 à 1955. Vice-président de la Drummond, McCall & Co. Ltd. de Montréal. Conseiller technique à la direction générale des finances du ministère de l'Éducation du Québec en 1966. Chef de cabinet du président du Conseil du trésor à Ottawa en 1968.

Élu député libéral dans Westmount en 1970. Réélu en 1973. Ministre des Terres et Forêts dans le cabinet Bourassa du 12 mai 1970 au 30 juillet 1975. Ministre de l'Agriculture dans le même cabinet du 30 juillet 1975 au 26 novembre 1976. Ne s'est pas représenté en 1976.

Exploitant agricole dans le comté de Huntingdon. Fut nommé à la Régie des marchés agricoles en 1981 à titre de régisseur.

DUBÉ, Alfred
(1884–1964)

Né à Rimouski, dans la paroisse Saint-Germain, le 27 juin 1884, fils de Paul Dubé, cultivateur, et de Célina Labrie.

Fit ses études à l'école paroissiale.

Fut cultivateur sur la terre paternelle à Rimouski et en devint propriétaire en 1912. Secrétaire de la Société d'agriculture du comté de Rimouski de 1918 à 1948. Promoteur de l'Exposition régionale agricole et industrielle du Bas de Québec en 1937.

Candidat de l'Action libérale nationale défait dans Rimouski en 1935. Élu député de l'Union nationale dans la même circonscription en 1936. Défait en 1939. Réélu député en 1944, 1948 et 1952. Ne s'est pas représenté en 1956. Fut également maire de Sainte-Odile-sur-Rimouski du 28 janvier 1943 au 7 septembre 1948.

Membre de l'Office des marchés agricoles de 1956 à 1964. Marguillier de la paroisse Sainte-Odile de 1940 à 1943. Président des clubs d'éleveurs de bovins Ayrshire et chevaux percherons du Bas-Saint-Laurent. Commandeur de l'ordre du Mérite agricole. Membre des Chevaliers de Colomb et du Club Renaissance.

Décédé à Rimouski, le 20 juin 1964, à l'âge de 79 ans et 11 mois. Inhumé dans le cimetière de la paroisse Sainte-Odile, le 23 juin 1964.

Avait épousé dans sa paroisse natale, le 29 octobre 1906, Antoinette Alexandre, fille de François Alexandre, cultivateur, et d'Alphonsine Boucher.

DUBÉ, Louis-Félix
(1879–1953)

Né à Saint-Georges-de-Cacouna, le 5 juillet 1879, fils de Louis Dubé, menuisier, et de Catherine Flood.

Fit ses études à l'école de sa paroisse natale, à l'école normale de Québec et à l'université Laval à Montréal. Reçu médecin en 1904. Fit des stages au New York Post-Graduate School and Hospital en 1913.

Médecin et chirurgien, il exerça sa profession à Notre-Dame-du-Lac, près du lac Témiscouata, de 1904 à 1953. Il y fonda un hôpital privé en 1922, puis l'hôpital Notre-Dame-du-Détour, avec Aimé Fortin, Charles-Auguste Lainé et Joseph-Antoine **Raymond**, en 1942. Directeur de la clinique de tuberculose du même endroit. Fondateur de la Ligue antituberculeuse et de puériculture du comté de Témiscouata et de la Société médicale de Témiscouata-Madawaska.

Candidat de l'Action libérale nationale défait dans Témiscouata en 1935. Élu député de l'Union nationale dans Témiscouata en 1936. Défait en 1939.

Gouverneur du Collège des médecins et chirurgiens de la province de Québec en 1926 et vice-président en 1931. Collaborateur aux journaux *le Saint-Laurent*, *le Bulletin médical de Québec* et *l'Union médicale du Canada*. Auteur de diverses publications relatives au domaine de la santé. Membre du comité de rédaction du journal *la Clinique* à Montréal. Lauréat de la Société internationale de la tuberculose. Récipiendaire de la croix Saint-Germain du Mérite diocésain en 1945.

Décédé à Notre-Dame-du-Lac, le 3 décembre 1953, à l'âge de 73 ans et 4 mois. Inhumé dans le cimetière de la paroisse Notre-Dame-du-Lac, le 7 décembre 1953.

Avait épousé à Fort-Coulonge, dans la paroisse Saint-Pierre, le 26 novembre 1905, Marie-Louise Blondin, fille d'Ovide Blondin, capitaine de bateau, et d'Éléonore Trudelle.

DUBOIS, Claude

Né à Saint-Michel, le 11 octobre 1931, fils d'Hervé Dubois, commerçant, et de Georgette Sicotte.

A étudié au couvent des Sœurs de Sainte-Anne-de-Saint-Michel, au collège de Saint-Rémi et au Luke Collahan à Montréal. Obtint un diplôme commercial et un diplôme en irrigation et aspersion.

Commerçant et homme d'affaires. Président de H. Dubois & Fils ltée, entreprise spécialisée dans la vente d'équipements pour horticulteurs. Membre de la Chambre de commerce et du Club Richelieu de Saint-Rémi.

Maire de Saint-Rémi de 1972 à 1976. Élu député de l'Union nationale dans Huntingdon en 1976. Quitta l'Union nationale pour joindre les rangs du Parti libéral le 13 septembre 1979. Réélu député libéral en 1981 et 1985. Ne s'est pas représenté en 1989.

DUBORD, Charles-Eugène
(1856–1917)

Né à Champlain, le 16 septembre 1856, fils de Louis-Édouard Dubord, médecin, et de Joséphine Martineau.

Fit ses études au collège de Sainte-Anne-de-la-Pérade. Marchand et cultivateur à Beauport. Directeur et président de la Beauport Brewery Co. Directeur de la Quebec Electric Power Co. Président de la Compagnie de chemin de fer Québec-Île d'Orléans. Président de la Commission de l'Exposition de Québec. Président du Conseil d'agriculture de la province de Québec du 1er septembre 1908 au 15 septembre 1910.

Candidat libéral indépendant défait dans Québec-Comté à l'élection partielle du 31 octobre 1901. Nommé conseiller législatif de la division de La Salle le 11 janvier 1907. Appuya le Parti libéral.

Décédé en fonction à Giffard, le 24 mai 1917, à l'âge de 60 ans et 8 mois. Inhumé dans le cimetière de Beauport, le 28 mai 1917.

Avait épousé à Québec, dans la paroisse Saint-Roch, le 27 juin 1881, Marie-Joséphine Chabot, fille de Pierre Chabot et d'Éliza Paré.

DUBORD, Hippolyte
(1801–1872)

Né à Bonaventure, le 25 novembre 1801, fils de Louis Dubord, navigateur, et de Marie-Antoinette Bourdages.

Fit l'apprentissage de la construction navale à Québec, où il devint constructeur de navires vers 1827. Cessa d'exercer son métier aux environs de 1869. Vécut ensuite dans la paroisse Saint-François-de-Sales, à Neuville.

S'occupa d'administration municipale, à Québec, de 1836 à 1840, à titre de juge de paix. Élu député de la Basse-Ville de Québec en 1834; appuya tantôt le parti des bureaucrates, tantôt le parti patriote. Conserva son siège jusqu'à la suspension de la constitution, le 27 mars 1838. Élu dans la cité de Québec en 1851; indépendant. Ne se serait pas représenté en 1854. Réélu en 1858; bleu. Son élection fut toutefois annulée par un comité spécial de la Chambre d'assemblée, le 16 avril 1860. Peut-être candidat conservateur indépendant défait dans Portneuf aux élections de la Chambre des communes en 1867.

Décédé à Québec, le 10 octobre 1872, à l'âge de 70 ans et 10 mois. Inhumé dans le cimetière de la paroisse Sainte-Jeanne-de-Neuville, le 12 octobre 1872.

Avait épousé dans la paroisse Notre-Dame de Québec, le 31 janvier 1870, Bridget Furlong, de la paroisse Saint-François-de-Sales, à Neuville, fille du fermier Peter Furlong et de Margaret Moloy.

Bibliographie: *DBC.*

DUBREUIL, Joseph-Émile
(1894–1959)

Né à Montréal, dans la paroisse Sainte-Brigide, le 15 décembre 1894, fils d'Honoré Dubreuil, menuisier, et de Jeanne-Aline Chaput.

Fit ses études à l'académie Sainte-Brigide à Montréal. Quincaillier à Montréal. Membre des Chevaliers de Colomb, de la Société Saint-Jean-Baptiste, de la Société des artisans et du Club de réforme de Montréal.

Échevin de la ville de Montréal représentant le quartier Montcalm de 1932 à 1940 et le district n° 6 de 1940 à 1954. Marguillier de la paroisse Saint-Jean-Berchmans à Montréal de janvier 1935 à janvier 1941. Élu député libéral dans Montréal–Jeanne-Mance en 1939. Réélu en 1944. Défait en 1948.

Décédé à Montréal, le 29 septembre 1959, à l'âge de 64 ans et 8 mois. Inhumé à Montréal, dans le cimetière Notre-Dame-des-Neiges, le 3 octobre 1959.

Avait épousé à Montréal, dans la paroisse Saint-Charles, le 31 octobre 1916, Marie-Berthe-Anne Cadieux, fille d'Alphonse Cadieux et de Philomène Forget.

DUCHARME, Charles Romulus (1886–1976)

Né à Sainte-Élisabeth, près de Berthierville, le 4 novembre 1886, fils de Joseph Ducharme, cultivateur, et d'Exérine Boucher.

Fit ses études au séminaire de Joliette, au collège Bourget à Rigaud et à l'université Laval à Montréal. Fit sa cléricature auprès de Raoul Ducharme et de J.-Pierre Léon Ducharme. Admis au barreau de la province de Québec le 7 juillet 1910.

Exerça sa profession à La Tuque de 1910 à 1967, faisant d'abord partie du cabinet Ducharme et Ducharme, puis du cabinet Ducharme et Boudreau en 1945. Conseiller juridique de la municipalité de La Tuque de 1923 à 1968. Créé conseil en loi du roi le 12 février 1936.

Candidat conservateur défait dans Portneuf aux élections fédérales de 1921 et de 1925. Élu député de l'Action libérale nationale à l'Assemblée législative dans Laviolette en 1935. Élu député de l'Union nationale en 1936. Défait en 1939. De nouveau élu en 1944, 1948, 1952 et 1956. Adjoint parlementaire du ministre des Affaires municipales du 1er janvier 1956 au 1er mai 1960. Réélu en 1960 et 1962. Ne s'est pas représenté en 1966.

Président honoraire du Club Rotary. Membre des Chevaliers de Colomb, du Club Richelieu et de la Chambre de commerce de La Tuque.

Décédé à La Tuque, le 15 février 1976, à l'âge de 89 ans et 3 mois. Inhumé dans le cimetière de La Tuque, le 18 février 1976.

Avait épousé à Montréal, dans la paroisse Saint-Jacques, le 24 février 1914, Marie-Régina Collette, fille d'Édouard Collette et d'Emma Murray; puis, à La Tuque, dans la paroisse Saint-Zéphirin, le 12 octobre 1932, Marie-Alice Boudreau, fille de John Boudreau et de Marie Tremblay.

DUCHARME, Jean-Marie (1723–1807)

Né à Lachine, le 19 juillet 1723, puis baptisé le 20, dans la paroisse des Saints-Anges, fils de Joseph Ducharme, fermier et trafiquant de fourrures, et de sa seconde femme, Thérèse Trottier.

Engagé dans la traite des fourrures avec les Amérindiens, tant avant qu'après la Conquête, surtout dans les territoires du Sud-Ouest. Prit part, en 1754, à une expédition militaire française contre des trafiquants de fourrures de la Pennsylvanie et, en 1755, à la construction et au ravitaillement du fort Duquesne (Pittsburg, Pennsylvanie). Eut à quelques

reprises des démêlés avec les autorités britanniques et espagnoles pour avoir passé outre à des interdictions de faire de la traite. Pendant l'invasion américaine de 1775–1776, fut emprisonné pour avoir approvisionné l'ennemi, bien qu'il eût aidé aussi à le chasser. Participa à la mise sur pied d'un magasin général pour les trafiquants en 1779 à Michillimakinac (Mackinaw City, Michigan). Fut l'un des chefs d'une expédition militaire britannique infructueuse contre les Espagnols à Saint Louis, au Missouri, en 1779–1780. Se retira à sa ferme de Lachine au cours des années 1780.

Élu député de Montréal en 1796. Ne se serait pas représenté en 1800.

Décédé à Lachine, le 20 juillet 1807, à l'âge de 84 ans. Inhumé dans l'église des Saints-Anges, le 21 juillet 1807.

Avait épousé dans sa paroisse natale, le 3 août 1761, Marie Roy, fille de Louis Roy et de Marie-Angélique Allaire; puis, au même endroit, le 3 février 1789, Françoise Demers, dit Dumay, fille de Jean-Baptiste Demers, dit Dumay, et d'Ursule Bonne (Beaune).

Bibliographie: *DBC*.

DUCHESNAY. V. JUCHEREAU DUCHESNAY

DUCHESNOIS, Étienne (1765–1826)

Né à Berthier (Berthierville) et baptisé dans la paroisse Sainte-Geneviève-de-Berthier, le 9 juillet 1765, fils d'Étienne Duchesnois, négociant d'origine française, et de Catherine-Françoise Leroux.

Fut commerçant à Varennes. Nommé juge de paix le 14 mai 1817. Major dans la milice; sa commission fut révoquée le 29 août 1837.

Élu député de Surrey en 1814. Réélu en 1816, avril 1820 et juillet 1820. Participa à peu de votes; appuya plutôt le parti canadien. Ne se serait pas représenté en 1824.

Décédé à Varennes, le 16 décembre 1826, à l'âge de 61 ans et 5 mois. Inhumé dans le cimetière paroissial, le 18 décembre 1826.

Avait épousé dans la paroisse Sainte-Anne, à Varennes, le 28 août 1797, Josette Massue, fille du seigneur Gaspard Massue et de Josephte Huet Dulude.

Beau-frère d'Aignan-Aimé et de Louis **Massue**.

DUCKETT, William
(1825–1887)

Né à Montréal, le 12 février 1825, puis baptisé le 16, dans la paroisse Notre-Dame, fils de William Duckett, colporteur d'origine irlandaise, et de Marie-Monique Chevrier (Cherrier).

Étudia à Montréal. Fut marchand à Coteau-Landing.

Élu député de Soulanges en 1863 ; de tendance conservatrice. Son mandat prit fin avec l'avènement de la Confédération, le 1er juillet 1867. Élu député conservateur de Soulanges à l'Assemblée législative en 1878. Réélu en 1881. Défait en 1886.

Décédé à Coteau-Landing, le 19 septembre 1887, à l'âge de 62 ans et 7 mois. Inhumé dans le cimetière paroissial de Saint-Zotique, le 22 septembre 1887.

Avait épousé dans la paroisse Saint-Polycarpe, le 22 août 1848, Clémence-Iphigénie Prieur, fille du cultivateur Régis Prieur et d'Élizabeth Lemay.

DUCLOS, Joseph
(<1788– ≥1810)

Fut probablement cultivateur.

Élu député d'Effingham en 1808. Réélu en 1809. Appuya le parti canadien. Ne se serait pas représenté en 1810.

Décédé en ou après 1810.

On ne sait pas s'il était célibataire ou marié.

DUFFY, Henry Thomas
(1852–1903)

Né dans le canton de Durham, le 29 mai 1852, fils de John Duffy, fermier, et de Mary Ann Mountain.

Fit ses études à l'école publique, au St. Francis College à Richmond, puis au McGill College à Montréal où il obtint un baccalauréat en littérature anglaise en 1876 et un diplôme en droit en 1879. Admis au barreau de la province de Québec le 11 juillet 1879.

Exerça sa profession d'avocat à Sweetsburg. Fut procureur de la couronne pour le district de Bedford et avocat de la Banque d'Ottawa à Granby.

Maire de Sweetsburg. Candidat libéral défait dans Brome à l'élection partielle du 28 novembre 1889. Ne s'est pas représenté en 1890 et 1892. Élu député libéral dans Brome en 1897. Nommé commissaire des Travaux publics dans le cabinet Marchand le 26 mai 1897, son siège devint vacant ; il se fit réélire à l'élection partielle du 19 juin 1897. Il conserva son poste de commissaire des Travaux publics jusqu'au 3 octobre 1900. Nommé trésorier de la province dans le cabinet Parent le 3 octobre 1900. Élu sans opposition en 1900. Il demeura trésorier jusqu'à son décès.

Créé conseil en loi de la reine le 19 mai 1899. Bâtonnier du barreau du district de Bedford à deux reprises. Bâtonnier du barreau de la province de Québec en 1901 et 1902. Docteur en lettres honoris causa de la McGill University en 1902 et du Bishop's College. Fellow du Royal Colonial Institute de Londres. Syndic de l'église anglicane de Sweetsburg. Désigné membre associé du Conseil de l'instruction publique en 1899.

Décédé en fonction à Québec, le 3 juillet 1903, à l'âge de 51 ans et un mois. Inhumé à Ulverton, dans le cimetière de la Congregational Church, le 6 juillet 1903.

Il était célibataire.

DUFFY, William James
(1888–1946)

[Né à South Durham (Durham-Sud), le 21 novembre 1888, fils d'Edward James Duffy, cultivateur et constructeur de moulins, et de Margaret McCrea.]

A étudié à South Durham et à la Gould Intermediate School. Cultivateur et entrepreneur à Gould. Propriétaire d'une scierie à Gould et d'un moulin à farine à Lingwick. Président et directeur de la Société d'agriculture de Compton en 1929.

Maire du canton de Lingwick de 1928 à 1934. Membre de la commission scolaire locale. Président de l'Association libérale de Compton. Élu député libéral dans Compton en 1931. Défait en 1935. Ne s'est pas représenté en 1936. Réélu en 1939 et 1944.

Décédé en fonction, à Gould, le 18 janvier 1946, à l'âge de 57 ans et un mois. Inhumé dans le cimetière anglican du village de Gould, le 21 janvier 1946.

Avait épousé dans l'église presbytérienne de Gould, dans le canton de Lingwick, le 17 octobre 1923, Annie Jane MacLeod, fille d'Angus MacLeod.

DUFOUR, Fernand
(1924–1985)

Né à Saint-Hilarion, le 28 septembre 1924, fils de Léopold Dufour, cultivateur, et de Lucie Girard.

Fit ses études dans sa paroisse natale, au séminaire de Chicoutimi et à l'université Laval. Reçu médecin en 1954.

Exerça sa profession de médecin à Vanier. Membre fondateur du bureau médical de l'hôpital Christ-Roi de Québec. Fut président de la Ligue des propriétaires ainsi que vice-président et président de la Société Saint-Jean-Baptiste de Vanier. Membre honoraire du Jeune Commerce de Vanier. Membre de l'organisation des loisirs de Vanier.

Élu député libéral dans Vanier en 1973. Défait en 1976.

Décédé à Vanier, le 14 avril 1985, à l'âge de 60 ans et 6 mois. Inhumé à Québec, dans le cimetière Saint-Charles, le 18 avril 1985.

Avait épousé, à Baie-Saint-Paul, le 12 juin 1954, Anne-Marie Tremblay, fille de Joseph Tremblay et de Blanche Gauthier; puis, à Québec, dans la paroisse Saint-Pascal-de-Maizerets, le 18 juin 1956, Fernande Boulanger, fille d'Antoine Boulanger et d'Albertine Plante.

DUFOUR, Francis

Né à Kénogami, le 28 mars 1929, fils d'Alfred Dufour, ouvrier, et de Marie Dufour.

A étudié aux écoles primaires Sacré-Cœur de Kénogami et Notre-Dame de Roberval et à l'école supérieure Notre-Dame d'Arvida de 1945 à 1947. Fit un cours commercial à Jonquière et un cours scientifique à Arvida.

Commis de bureau à la trésorerie municipale d'Arvida en 1947. Employé à la compagnie Alcan de 1948 à 1975. Fut directeur du Syndicat des employés d'Alcan de 1955 à 1963.

Conseiller municipal, de 1960 à 1964, puis maire d'Arvida de 1967 à 1975. Maire de Jonquière de 1975 à 1985. Président de l'Union des municipalités du Québec de 1982 à 1984. Président de la Conférence des maires du Haut-Saguenay de 1968 à 1970. Membre de l'exécutif du Conseil régional de développement à titre de vice-président aux affaires industrielles du Conseil régional de développement de 1971 à 1973. Membre de l'exécutif du Conseil métropolitain du Haut-Saguenay de 1976 à 1982. Membre du conseil d'administration de la MRC du Fjord-du-Saguenay de 1982 à 1985. Fut également président de la Société de développement économique de Jonquière. Membre des Chevaliers de Colomb et de l'ordre loyal des Mooses.

Candidat du Parti québécois défait dans Jonquière en 1973. Élu député du Parti québécois dans la même circonscription en 1985. Réélu en 1989. Vice-président de la Commission de l'agriculture, des pêcheries et de l'alimentation depuis le 16 février 1988.

DUFOUR, Joseph
(1874–1956)

Né à Saint-Pascal, près de Kamouraska, le 28 novembre 1874, fils de Joseph Dufour, cultivateur et voiturier, et d'Arthémise Roy.

Fit ses études primaires à Saint-Octave-de-Métis et ses études commerciales par cours privés.

Télégraphiste à l'Intercolonial Railways de 1893 à 1910, puis marchand de bois et industriel à Saint-Moïse de 1910 à 1940. Courtier d'assurances. Président-gérant de la compagnie Roy ltée et de la compagnie J. Dufour & fils ltée. Membre des Chevaliers de Colomb. Nommé secrétaire-trésorier de la municipalité de Saint-Moïse le 1er octobre 1899.

Élu député libéral dans Matane en 1919. Réélu sans opposition dans Matapédia en 1923. Élu de nouveau en 1927, 1931 et 1935. Défait en 1936. Réélu en 1939. Ne s'est pas représenté en 1944.

Créé commandeur de l'ordre Saint-Grégoire-le-Grand en 1922.

Décédé à Saint-Noël, le 2 novembre 1956, à l'âge de 81 ans et 11 mois. Inhumé dans le cimetière de Saint-Noël, le 6 novembre 1956.

Avait épousé à Saint-Moïse, en Gaspésie, le 13 août 1895, Élise Verreau, fille de Lazare Verreau, cultivateur, et de Philomène Fradette.

DUFOUR, Philippe
(1872–1928)

Né à La Malbaie, le 13 juillet 1872, fils d'Adolphe Dufour, cultivateur, et d'Édesse Harvey.

Fit ses études au séminaire Saint-Charles-Borromée à Sherbrooke et à l'École de laiterie de Saint-Hyacinthe.

Cultivateur spécialisé dans l'industrie laitière. Récipiendaire du Mérite agricole. Président de la Société d'agriculture de Charlevoix. Secrétaire-trésorier de La Malbaie de 1908 à 1914.

Conseiller de La Malbaie de 1902 à 1908 et maire de 1914 à 1920. Préfet du comté de Charlevoix du 14 mars 1917 au 8 mars 1921. Élu député libéral dans Charlevoix-Saguenay en 1919. Réélu en 1923. Défait comme candidat libéral indépendant en 1927. Shérif du district de Saguenay en 1927–1928.

Décédé à La Malbaie, le 2 septembre 1928, à l'âge de 56 ans et 2 mois. Inhumé dans le cimetière de La Malbaie, le 4 septembre 1928.

Avait épousé dans sa paroisse natale, le 8 juin 1897, Marie Caroline Cimon, fille de Cléophe **Cimon**, notaire, et de Caroline Langlois.

DUFOUR, dit BONA, Joseph
(1744–1829)

Né à Petite-Rivière, le 7 octobre 1744, puis baptisé le 14, dans la paroisse Saint-François-Xavier, à Petite-Rivière-Saint-François, sous le prénom de Joseph-Michel, fils de Bonaventure Dufour et d'Élisabeth Tremblay.

En 1771, s'établit à l'île aux Coudres où il fut cultivateur, chef d'équipes de pêche au béluga, meunier, propriétaire terrien et agent seigneurial. Nommé capitaine dans la milice vers 1792, fut promu lieutenant-colonel le 24 mai 1794; démissionna en juillet 1825.

Élu député de Northumberland en 1792; appuya généralement le parti canadien. Ne s'est pas représenté en 1796.

Décédé à l'île aux Coudres, le 15 décembre 1829, à l'âge de 85 ans et 2 mois. Inhumé dans l'église Saint-Louis, le 16 décembre 1829.

Avait épousé dans la paroisse Saint-Louis, à l'île aux Coudres, le 2 septembre 1771, Charlotte Tremblay, fille de Guillaume Tremblay et de sa femme Marie-Jeanne.

Bibliographie: *DBC.*

DUFRESNE. V. aussi RIVARD

DUFRESNE, Alexandre
(1818– ≥1877)

Né à Belœil, le 20 avril 1818, puis baptisé le 21, dans la paroisse Saint-Mathieu, sous le prénom d'Alexandre-Octave, fils de Jean-Baptiste Dufresne, forgeron, et d'Ursule Poirier.

Marchand, s'établit à Christieville (Iberville). Fut un des dirigeants de l'Institut canadien de l'endroit. En 1860, avec, entre autres, Félix-Gabriel **Marchand**, participa à la fondation du *Franco-Canadien* de Saint-Jean-sur-Richelieu. Membre du Club Saint-Jean-Baptiste de Montréal, créé en 1864 ou 1865, mit sur pied une section de ce club dans la circonscription d'Iberville. Publia, en mars 1867, sa correspondance avec l'évêque de Saint-Hyacinthe, Mgr Charles La Rocque, sur la question de la confédération.

Maire d'Iberville de 1858 à 1860, en 1873–1874 et de 1875 à 1877. Élu député d'Iberville en 1861. Réélu en 1863. Rouge, s'opposa au projet de confédération. Son mandat prit fin avec l'avènement de la Confédération, le 1er juillet 1867. Candidat libéral défait dans Iberville aux élections de l'Assemblée législative et de la Chambre des communes en 1867.

Décédé en ou après 1877.

Avait épousé dans la paroisse de Sainte-Mélanie, le 17 octobre 1843, Élizabeth Favelin, fille de Sébastien Favelin, officier français, et de Marguerite Ginguet.

Bibliographie: Fournier, Rodolphe, «Iberville et ses célébrités», *Cahiers de la Société d'histoire du Haut-Richelieu*, 1, 2 (juin 1984), p. 10.

DUFRESNE, Alexandre-Napoléon
(1855–1926)

Né à Saint-Césaire, le 19 octobre 1855, fils d'Alexandre Dufresne, cultivateur, et d'Adéline Goyette.

A étudié au collège commercial de Saint-Césaire.

Cultivateur et commerçant à Saint-Césaire.

Élu député conservateur dans Rouville en 1897. Défait en 1900.

Décédé à Saint-Césaire, le 20 octobre 1926, à l'âge de 71 ans. Inhumé dans le cimetière de cette paroisse, le 23 octobre 1926.

Avait épousé, dans sa paroisse natale, le 6 février 1877, Marie-Acélia Alix, fille de Denis Alix et d'Esther Savage; [puis, le 6 juin 1882, Agnès Lamoureux].

DUFRESNE, Joseph
(1805–1873)

Né à Saint-Paul-de-Lavaltrie (Saint-Paul) et baptisé dans la paroisse Saint-Paul, le 2 décembre 1805, fils de Louis Dufresne et de Thérèse Deveau dit Jolicœur.

Admis à la pratique du notariat le 25 avril 1834.

Exerça sa profession à Saint-Jacques-de-l'Achigan puis, à compter de 1850, à Saint-Lin où il fut aussi juge de paix. Pratiqua ensuite le notariat à Saint-Alexis et, de 1867 à 1870, à Montréal. Nommé shérif du comté de Saint-Jean en 1871. S'occupa de colonisation dans les cantons.

Élu député de Montcalm en 1854; de tendance modérée, puis bleu. Réélu en 1858; bleu. Défait en 1861. Élu dans Montcalm à une élection partielle le 20 février 1862. Réélu sans opposition en 1863. Bleu. Fut mis sous la garde du sergent d'armes pour absence injustifiée à trois reprises (en 1859, 1860 et 1863), puis libéré après avoir fourni des explications. Son mandat prit fin avec l'avènement de la Confédération, le 1er juillet 1867. Élu sans opposition député conservateur de Montcalm à la Chambre des communes en 1867. Démissionna le 13 juillet 1871.

[Décédé à Saint-Jean-sur-Richelieu, le 5 novembre 1873, à l'âge de 67 ans et 11 mois.]

Avait épousé dans la paroisse Notre-Dame de Montréal, le 5 août 1833, Julie Brault-Pominville, fille de Jean-Baptiste Brault-Pominville et de Marie Langheron.

DUFRESNE, Pierre-Joseph
(1872–1946)

Né à Sainte-Élisabeth, le 2 mars 1872, fils de Joseph Dufresne, cultivateur, et d'Anastasie Hudon dit Beaulieu.

A étudié à l'école de sa paroisse natale. Travailla à Montréal, puis s'installa à Joliette où il fut propriétaire de la biscuiterie J. Dufresne de 1907 à 1927. Fut ensuite nommé directeur des entrepôts de la Commission des liqueurs du Québec. Membre du Club canadien et des Chevaliers de Colomb.

Élu député conservateur dans Joliette en 1919. Réélu en 1923. Défait en 1927.

Décédé à Joliette, le 1er octobre 1946, à l'âge de 74 ans et 6 mois. Inhumé à Joliette, dans le cimetière de la paroisse Saint-Charles-Borromée, le 4 octobre 1946.

Avait épousé dans la cathédrale de Joliette, le 28 janvier 1896, Albina Marion, fille de Pierre Marion, cultivateur, et d'Eugénie Beaulieu.

DUGAS, Firmin
(1830–1889)

Né à Rawdon, le 8 mars 1830, fils de Firmin-Philémon Dugas, cultivateur et lieutenant-colonel, et de Marthe Édouard (Martha Edwards).

Fit ses études au collège de L'Assomption. Propriétaire de plusieurs scieries.

Président de la commission scolaire de Saint-Liguori du 8 juillet 1860 au 8 juillet 1861 et du 8 juillet 1865 au 27 juillet 1868. Maire de cette municipalité de 1860 à 1862. Candidat défait aux élections de 1861. Élu député conservateur dans Montcalm aux élections de 1867. Réélu sans opposition en 1871. Élu en vertu du double mandat député conservateur dans Montcalm à la Chambre des communes à l'élection partielle du 15 septembre 1871. Résigna son siège à l'Assemblée

législative le 20 janvier 1874, à la suite de l'abolition du double mandat. Réélu à la Chambre des communes en 1872, 1874, 1878 et 1882. Défait comme candidat nationaliste en 1887.

Décédé à Saint-Liguori, le 16 mars 1889, à l'âge de 59 ans. Inhumé dans le cimetière de Saint-Liguori, le 20 mars 1889.

Avait épousé dans sa paroisse natale, le 30 décembre 1851, Julie-Adéline Pominville, fille de Louis Pominville, boulanger, et de Julie Leduc ; puis, à Saint-Liguori, le 12 février 1861, Marie-Malvina-Célina Reinhart, fille d'Édouard Reinhart, cultivateur, et de Clara Apping ; et puis, à Rawdon, dans la paroisse Saint-Patrice, le 4 janvier 1876, Anastasia Quinn, veuve de James Daly.

Père de Joseph-Louis-Euclide Dugas, député à la Chambre des communes de 1892 à 1900.

DUGAS, Lucien
(1897–1985)

Né à Joliette, le 31 décembre 1897, fils de François-Octave Dugas, avocat, et d'Alix Godin.

Fit ses études à l'école Bonsecours, au séminaire de Joliette et à l'université de Montréal. Licencié en philosophie et en droit en 1921. Admis au barreau de la province de Québec le 9 juillet 1921.

Professeur au séminaire de Joliette. Exerça sa profession d'avocat à Joliette seul de 1921 à 1948, puis avec ses fils avocats Jacques et Claude. Créé conseil en loi du roi le 30 décembre 1931.

Candidat libéral défait dans Joliette en 1923. Élu député libéral dans Joliette en 1927. Réélu en 1931 et 1935. Orateur de l'Assemblée législative du 24 mars au 7 octobre 1936. Défait en 1936 et 1939.

Président de la Régie des services publics de la province de Québec de 1939 à 1945. Membre du Conseil national du travail en 1945. Commissaire d'école à Joliette en 1953. Professeur de droit municipal à la faculté de droit de l'université de Montréal de 1956 à 1961. Président de la Commission des liqueurs de 1960 à 1967. Nommé juge à la Cour provinciale du district de Joliette le 8 mai 1961. Pris sa retraite le 31 décembre 1967. Directeur de la compagnie de téléphone de Joliette.

Membre de l'Association du barreau canadien et vice-président national de la section de droit municipal. Bâtonnier de la section des Laurentides en 1953 et 1954. Président des examinateurs du barreau de 1954 à 1961. Président du barreau rural en 1956. Membre du Club de réforme de Montréal et des Chevaliers de Colomb. Décoré de la médaille du jubilé de George V en 1935, de l'ordre de l'Empire britannique et de la médaille d'argent de la ville de Paris en 1961.

Décédé à Montréal, le 29 octobre 1985, à l'âge de 87 ans et 9 mois. Inhumé à Joliette, le 2 novembre 1985.

Avait épousé à Outremont, dans la paroisse Sainte-Madeleine, le 8 juin 1926, Simone Guimond, fille d'Azarie Guimond, secrétaire, et de Maria Trempe.

Son père fut député à la Chambre des communes de 1900 à 1909. Petit-fils de François-Benjamin Godin, député à la Chambre des communes de 1867 à 1872.

DUGUAY, Joseph-Léonard
(1900–1946)

Né à Pabos, le 8 octobre 1900, fils de Jean Duguay, cultivateur et épicier, et de Marie-Louise Leblanc.

Fit ses études à l'école de sa paroisse natale, au séminaire de Rimouski, au collège Sainte-Marie et à l'université de Montréal. Diplômé en art dentaire en 1926.

Exerça sa profession de chirurgien dentiste à Amqui, en 1926, puis s'établit à Alma, en 1927.

Élu député conservateur à la Chambre des communes dans Lac-Saint-Jean en 1930. Défait sous la même allégeance dans Lac-Saint-Jean–Roberval en 1935 et 1940, puis comme candidat indépendant en 1945. Élu député conservateur à l'Assemblée législative dans Lac-Saint-Jean en 1935. Élu député de l'Union nationale en 1936. Défait en 1939. Maire d'Alma du 2 juillet 1938 au 25 avril 1940. S'établit par la suite à Montréal.

Président du comité local des finances de guerre. Membre de la Chambre de commerce et des Chevaliers de Colomb.

Décédé à Montréal, le 3 décembre 1946, à l'âge de 46 ans et un mois. Inhumé à Montréal, dans le cimetière Notre-Dame-des-Neiges, le 7 décembre 1946.

Avait épousé à Montréal, dans la paroisse Notre-Dame-de-Grâce, le 15 février 1928, Gertrude Duhamel, fille d'Alexandre Duhamel, couturier, et d'Anne Garneau.

DUGUAY, Joseph-Nestor
(1846–1907)

Né à Baie-du-Febvre, le 15 mars 1846, fils de Joseph Duguay, marchand, et d'Anne-Scholastique-Olive Beauchemin.

Fit ses études au collège de Nicolet. Marchand et homme d'affaires. Introduisit l'industrie laitière dans la région

de Yamaska. Propriétaire de fromageries. Agent général de Baie-du-Febvre. Organiste.

Élu député conservateur dans Yamaska à l'élection partielle des 11 et 12 février 1874. Ne s'est pas représenté en 1875. Maire de Saint-Zéphirin-de-Courval de février 1875 à février 1876. Candidat conservateur défait dans Yamaska en 1890.

Décédé à Baie-du-Febvre, le 17 mars 1907, à l'âge de 61 ans. Inhumé dans le cimetière de la paroisse Saint-Antoine-de-la-Baie-du-Febvre, le 19 mars 1907.

[Avait épousé à Danville, le 15 avril 1866, Marie-Éméline Davis, fille de Harry Davis et de Harriet Smith]; puis, dans la paroisse Saint-Antoine-de-la-Baie-du-Febvre, le 28 avril 1877, Marie-Nina Davis, sœur de sa première épouse; et puis, dans la même paroisse, le 5 avril 1905, Émiline Lacerte, fille de Joseph Lacerte et d'Adélaïde Allie.

Son père fut député à la Chambre des communes de 1872 à 1874.

DUHAIME, Yves

Né à Chicoutimi, le 27 mai 1939, fils de Gabriel Duhaime, bibliothécaire, et de Rose-Émilie Gauthier.

Fit ses études à l'école Saint-Sacrement et au séminaire Sainte-Marie à Shawinigan, à la McGill University à Montréal où il fut licencié en droit, puis à l'Institut des sciences politiques de Paris où il obtint un diplôme en relations internationales. A suivi un cours d'officier à l'école royale d'artillerie à Picton en Ontario et a obtenu le grade de capitaine-adjudant. Admis au barreau de la province de Québec en juin 1963.

Exerça sa profession à Shawinigan et à Grand-Mère de 1963 à 1966, puis à Shawinigan de 1969 à 1977. Propriétaire d'une ferme d'élevage de bovins pur-sang.

Candidat du Parti québécois défait dans Saint-Maurice en 1970 et 1973. Conseiller municipal de Saint-Jean-des-Piles du 6 novembre 1974 au 7 juillet 1976. Président régional du Parti québécois de 1974 à 1977 et président du même parti dans Saint-Maurice en 1975 et 1976. Élu député du Parti québécois dans Saint-Maurice en 1976. Réélu en 1981. Ministre du Tourisme, de la Chasse et de la Pêche dans le cabinet Lévesque du 26 novembre 1976 au 21 septembre 1979. Ministre de l'Industrie, du Commerce et du Tourisme, du 21 septembre 1979 au 30 avril 1981. Ministre de l'Énergie et des Ressources du 30 avril 1981 au 27 novembre 1984. Ministre des Finances dans le cabinet Lévesque du 27 novembre 1984 au 3 octobre 1985 et dans le cabinet Johnson (Pierre Marc) du 3 au 16 octobre 1985. Ne s'est pas représenté en 1985.

Est retourné à la pratique du droit. Fut expert-conseil dans le secteur économico-industriel chez Lavalin inc. Nommé au conseil d'administration de la Banque du Canada en septembre 1986. Expert-conseil, à son compte, à la compagnie Dura inc. à Montréal à partir de janvier 1986. Membre du conseil d'administration de Natrel en 1991 puis président et chef de la direction de la même société à compter du 21 avril 1992.

DUHAMEL, Georges
(1855–1892)

Né à Belœil, le 2 janvier 1855, fils de Toussaint Duhamel, cultivateur, et de Théotiste Ostilly (Ostigny).

Étudia au collège Sainte-Marie-de-Monnoir à Marieville. Étudia le droit auprès de Mes Longpré et Dugas, puis de Mes de Bellefeuille et Turgeon. Admis au barreau de la province de Québec le 11 janvier 1879.

Exerça sa profession à Montréal où il fut associé à Me Adam sous la raison sociale Adam et Duhamel. Rédacteur du journal *le Courrier de Montréal* de 1881 à 1883 et propriétaire du *National* de 1889 à 1892.

Vice-président de 1878 à 1880 et président du Club Cartier en 1881. Quitta le Parti conservateur en 1885 lors de l'affaire Riel et devint l'un des principaux organisateurs du Parti national dans le district de Montréal. Candidat du Parti national défait dans Laprairie en 1886. Élu député du Parti national dans Iberville à l'élection partielle du 11 décembre 1886. Démissionna à la suite de sa nomination comme solliciteur général en 1887 et fut réélu sans opposition dans la même circonscription à l'élection partielle du 12 février 1887. Solliciteur général de la province de Québec dans le cabinet Mercier du 29 janvier 1887 au 8 mai 1888. Commissaire des Terres de la couronne dans le même cabinet du 8 mai 1888 au 21 décembre 1891. Réélu dans Laprairie en 1890. Défait en 1892.

Décédé à Montréal, le 11 août 1892, à l'âge de 37 ans et 7 mois. Inhumé à Montréal, dans le cimetière Notre-Dame-des-Neiges, le 13 août 1892.

Avait épousé à Montréal, dans la paroisse Saint-Jacques, le 30 janvier 1883, Marie-Catherine-Cordélia Dugas, fille d'Adolphe Dugas, médecin, et de Pélagie David.

Bibliographie: *DBC*.

DUHAMEL, Joseph-Édouard
(1858–1924)

Né à L'Assomption, le 27 janvier 1858, fils de Benjamin Duhamel, marchand, et d'Honorine Vaillant.

Fit ses études au collège de L'Assomption. Reçu notaire en 1882.

Exerça sa profession à L'Assomption. Propriétaire d'un réseau téléphonique à L'Assomption en 1901. Secrétaire-trésorier de la commission scolaire de L'Assomption du 8 juillet 1889 au 4 juillet 1904. Secrétaire-trésorier de cette municipalité de 1899 à 1924, ainsi que de la Corporation municipale du comté de L'Assomption.

Candidat libéral défait dans L'Assomption en 1897. Élu député libéral dans la même circonscription en 1900. Réélu sans opposition en 1904. Son siège fut déclaré vacant à la suite de sa nomination au poste d'inspecteur des bureaux d'enregistrement le 5 avril 1906.

Décédé à L'Assomption, le 29 août 1924, à l'âge de 66 ans et 7 mois. Inhumé dans le cimetière de L'Assomption, le 1er septembre 1924.

Avait épousé à Verchères, le 13 mai 1884, Marie-Amanda Geoffrion, fille de Joseph Geoffrion, registrateur, et de Julie Morin.

DUHAMEL, Louis
(1835–1915)

Né à Verchères, le 1er janvier 1835, fils de François Duhamel, forgeron, et de Josephte Audet. Baptisé sous le prénom de Roch.

Fit ses études au collège d'Ottawa et à la McGill University à Montréal. Reçu médecin en 1860.

Exerça sa profession à Ottawa, à Pembroke (Ontario) et dans le canton de Wright. Propriétaire d'une pharmacie à Hull jusqu'en 1886.

Élu député conservateur dans Ottawa en 1875. Réélu en 1878 et 1881. Ne s'est pas représenté en 1886. Registrateur du comté d'Ottawa, à Hull, du 7 août 1886 jusqu'à son décès. Protonotaire de Hull de 1901 jusqu'à son décès.

Décédé à Hull, le 27 octobre 1915, à l'âge de 80 ans et 9 mois. Inhumé à Hull, dans le cimetière de la paroisse Notre-Dame-de-Grâce, le 30 octobre 1915.

Avait épousé à Aylmer, le 21 juin 1862, Félonise Bel, veuve de Joseph Damay Bourgeois et fille de Joseph Bel et de Félonise Mousseau; puis, à Hull, dans la paroisse Notre-Dame-de-Grâce, le 20 juillet 1901, Ézilda Mazurette dit Lapierre, veuve de Césaire **Thérien**.

DULAC, François-Xavier
(1841–1890)

Né à Saint-Georges (Beauce), le 26 juillet 1841 (baptisé à Saint-François), fils d'Augustin Bonhomme dit Dulac, cordonnier, et de Marie Caron. Désigné aussi sous le nom de Bonhomme, dit Dulac.

Cultivateur et marchand.

Maire d'Aubert-Gallion (maintenant Saint-Georges), de 1870 à 1872, puis secrétaire à partir de 1872. Nommé préfet du comté de Beauce le 9 mars 1870. Élu député conservateur dans Beauce à l'élection partielle du 24 février 1874. Réélu en 1875. Défait en 1878 et 1886. Candidat indépendant défait dans Beauce aux élections fédérales de 1887.

Décédé à Saint-Georges, le 11 juillet 1890, à l'âge de 48 ans et 11 mois. Inhumé dans le cimetière de Saint-Georges, le 14 juillet 1890.

Avait épousé à Saint-Georges, le 21 juin 1864, Flavie Veilleux, fille de Louis Veilleux et d'Adélaïde Quirion.

DUMAINE, Cyrille
(1897–1946)

Né à Saint-Hugues, le 8 juillet 1897, fils d'Ernest Dumaine, cultivateur, et de Léda Cartier.

Fit ses études à l'école de Saint-Hugues, au séminaire de Saint-Hyacinthe et à l'université de Montréal. Admis à la pratique du notariat en 1924.

Exerça sa profession à Saint-Éphrem-d'Upton. Secrétaire de la compagnie des Moulins de Lachute d'Upton.

Élu sans opposition député libéral à la Chambre des communes dans Bagot à l'élection partielle du 27 janvier 1930. Réélu en 1930. Ne s'est pas représenté en 1935. Élu député libéral à l'Assemblée législative dans Bagot en 1935. Réélu en 1936. Cette élection fut annulée le 30 décembre 1937. Défait à l'élection partielle du 16 février 1938. Élu en 1939 et 1944. Orateur suppléant du 12 mai 1942 au 23 février 1943. Orateur de l'Assemblée législative du 23 février 1943 au 7 février 1945.

Membre de l'Association du notariat du district de Saint-Hyacinthe. Membre des Chevaliers de Colomb, des clubs de réforme de Montréal et de Québec, du Club de la garnison et du Club maskoutain de Saint-Hyacinthe.

Décédé en fonction, à Ottawa, le 11 octobre 1946, à l'âge de 49 ans et 3 mois. Inhumé dans le cimetière de Saint-Éphrem-d'Upton, le 14 octobre 1946.

Avait épousé dans sa paroisse natale, le 14 juillet 1925, Alice Lafontaine, fille d'Émery Lafontaine, cultivateur, et de Joséphine Deslauriers.

DUMAIS, Paschal
(1798–1873)

Né à Rivière-Ouelle, le 11 septembre 1798, puis baptisé le 12, dans la paroisse Notre-Dame-de-Liesse, fils de Vincent Dumais et de Modeste Langlais. Signait P. Dumais.

Après avoir fait l'apprentissage du droit à Rivière-Ouelle et à Québec, obtint sa commission de notaire le 15 novembre 1819.

Exerça sa profession à Cacouna jusqu'en 1842, puis à Kamouraska. Occupa aussi les fonctions de greffier de la Cour des commissaires, de registrateur adjoint du comté de Rimouski et de secrétaire-trésorier de la commission scolaire. Fut représentant de l'Équitable, compagnie d'assurance contre le feu.

Élu député de Rimouski en 1830, mais l'élection fut annulée le 17 décembre 1831.

Décédé à Kamouraska, le 9 juin 1873, à l'âge de 74 ans et 8 mois. Inhumé dans le cimetière paroissial, le 13 juin 1873.

Avait épousé dans la paroisse Saint-Louis, à Kamouraska, le 5 mars 1832, Éléonore Couillard, fille de Paul Couillard-Dupuis et de Josephte Chamberland.

Père de Séverin **Dumais**.

DUMAIS, Séverin
(1840–1907)

Né à Saint-Georges-de-Cacouna, le 10 février 1840, fils de Paschal **Dumais**, notaire et capitaine dans la milice, et d'Éléonore Couillard.

A étudié au collège et à l'École d'agriculture de Sainte-Anne-de-la-Pocatière. Fit sa cléricature auprès de son père et du notaire F.S. McKey à Papineauville. Admis à la pratique du notariat le 4 mars 1864.

Notaire à Hébertville et instituteur. Nommé agent des Terres de la couronne en 1899.

Maire d'Hébertville du 16 avril 1881 au 3 février 1890. Candidat du Parti national défait dans Chicoutimi et Saguenay en 1886. Élu député du Parti national dans la même circonscription à l'élection partielle du 18 juin 1888. Candidat conservateur défait dans Lac-Saint-Jean en 1890.

Lieutenant de la compagnie n° 7 de la milice de réserve de Chicoutimi.

Décédé à Hébertville, le 28 avril 1907, à l'âge de 67 ans et 2 mois. Inhumé dans le cimetière de cette paroisse, le 1er mai 1907.

[Avait épousé à Saint-Michel, le 1er juillet 1887, Honorine Gagné.]

DUMAS, Alexandre
(≈1726–1802)

Né à Nègrepelisse, en France, vers 1726, fils de Jean Dumas et de Marie Favar.

Huguenot, issu d'une famille de la région de Montauban liée au négoce, vint à Québec en 1751 comme représentant d'une entreprise commerciale française. Vers 1755, se lança à son compte. S'intéressa, entre autres, au commerce des produits de la pêche dans le golfe du Saint-Laurent, à l'exploitation du poste de l'île de Gros Mécatina et au commerce de détail, tant avant qu'après la Conquête. Fut copropriétaire d'une meunerie. De 1767 à 1783, détint le bail d'exploitation des forges du Saint-Maurice, près de Trois-Rivières, d'abord avec des associés, puis seul à partir de 1778. Reçut une commission de notaire en 1783; exerça cette profession à Québec jusqu'en 1802. Obtint une commission d'avocat en 1784; fut reçu dans la Communauté des avocats le 30 mars 1785 et quitta sa charge le 9 août 1787. De 1793 environ jusqu'à sa mort, traita, pour son compte, des affaires dans le secteur foncier et agit souvent à titre de procureur dans des questions de cette nature.

Élu député de Dorchester en 1796; appuya généralement le parti canadien. Ne se serait pas représenté en 1800.

En récompense de ses services comme capitaine dans la milice de Québec pendant l'invasion américaine de 1775–1776, reçut des terres dans les cantons et fut promu lieutenant-colonel en 1802. Est l'auteur d'un discours publié dans *la Gazette de Québec* du 24 mai 1792; pourrait être l'auteur d'une série d'articles, intitulée «Pour accompagner la nouvelle constitution» et publiée dans *la Gazette de Québec* du 23 février au 15 mars 1792 sous le pseudonyme de Solon.

Décédé à Québec, le 11 juillet 1802, à l'âge d'environ 76 ans. Les obsèques eurent lieu dans l'église anglicane de Québec, le 13 juillet 1802.

Avait épousé dans la paroisse Notre-Dame-du-Bonsecours, à L'Islet (L'Islet-sur-Mer), le 6 octobre 1760, après avoir abjuré sa foi protestante, Josephte Laroche, [fille d'Augustin Laroche et de Louise Corbin], et veuve du capitaine de vaisseau Jean Requiem; puis, dans l'église anglicane de Québec, le 15 septembre 1776, Marie-Françoise Fornel, fille du marchand Louis Fornel et de la marchande Marie-Anne Barbel, et veuve d'Antoine-Florent Meignot; enfin, dans l'église anglicane de Québec, le 15 mai 1802, Catherine Lee, fille du marchand Thomas Lee [et de Catherine Langlois].

Oncle par alliance de Thomas **Lee**.

Bibliographie: *DBC*.

DUMAS, Norbert
(1812–1869)

Né à Terrebonne, le 22 octobre 1812, puis baptisé le 23, dans la paroisse Saint-Louis, fils d'Antoine Dumas, négociant, et de Marie-Rose Roy.

Admis au barreau en novembre 1834.

Exerça le droit à Montréal. Fait conseiller de la reine en 1854. L'année suivante, fut nommé l'un des commissaires chargés de la compilation des cadastres des seigneuries du district de Montréal et, en novembre 1866, membre de la Cour de révision créée pour s'occuper de l'évaluation des seigneuries.

Élu député de Leinster en 1848; fit partie du groupe canadien-français, puis réformiste. Ne s'est pas représenté en 1851.

Décédé à Montréal, le 19 avril 1869, à l'âge de 56 ans et 5 mois. Après des obsèques célébrées dans l'église Notre-Dame, fut inhumé le 23 avril 1869.

Avait épousé dans la paroisse Notre-Dame de Montréal, le 19 février 1844, Magdeleine-Émilie-Alphonsine Roy, fille du commerçant Joseph **Roy** et d'Émilie-Sophie Lusignany (Lusignan).

DUMONT. V. aussi LAMBERT DUMONT

DUMONT, Bernard
(1927–1974)

Né à Saint-Henri, près de Lévis, le 15 janvier 1927, fils de Philippe Dumont, boucher, et d'Albertine Vallières.

Fit ses études à Saint-Vallier, et suivit un cours de perfectionnement à l'université d'Ottawa.

Membre de l'Union catholique des cultivateurs (UCC) pendant seize ans. Secrétaire-trésorier du Cercle Lacordaire pendant dix ans. Agent d'assurances à Saint-Vallier, il fut nommé gérant adjoint de la Société des artisans en 1965.

Maire de Saint-Vallier de 1959 à 1962. Élu député du Crédit social à la Chambre des communes dans Bellechasse en 1962. Défait en 1963. Candidat indépendant défait dans Dorchester à l'élection partielle provinciale du 5 octobre 1964. Candidat du Ralliement créditiste défait dans Bellechasse aux élections fédérales de 1965. Élu député du Ralliement créditiste à la Chambre des communes dans Frontenac en 1968. Démissionna le 6 avril 1970. Élu député du Ralliement créditiste à l'Assemblée nationale dans Mégantic en 1970. A quitté les rangs du Ralliement créditiste en février 1972, réintégra les rangs du groupe parlementaire le 11 août 1972. Candidat du Parti créditiste défait dans Frontenac en 1973. Candidat indépendant défait dans Rivière-du-Loup–Témiscouata aux élections fédérales de 1974.

Décédé à Berthier-sur-Mer, le 25 septembre 1974, à l'âge de 47 ans et 8 mois. Inhumé dans le cimetière de Saint-Vallier, le 29 septembre 1974.

Avait épousé à Lévis, dans la paroisse Notre-Dame-de-la-Victoire, le 17 août 1950, Suzanne Turgeon, fille d'Arthur Turgeon et d'Ida Barns.

DUMONT, Joseph
(1847–1912)

Né à Saint-André, le 19 avril 1847, fils de Lifsey Dumont, cultivateur, et d'Émilie Saint-Pierre.

Fit ses études au collège de Sainte-Anne-de-la-Pocatière.

Marchand à Kamouraska.

Élu député libéral à l'Assemblée législative dans Kamouraska à l'élection partielle du 19 mars 1877. Cette élection fut annulée par la Cour supérieure le 4 mars 1878. Élu député libéral à la Chambre des communes dans Kamouraska en 1878. Ne s'est pas représenté en 1882.

Séjourna aux États-Unis de 1882 à 1887. Archiviste au Secrétariat de la province de Québec du 17 septembre 1887 au 25 juin 1909, date de sa nomination au poste de secrétaire adjoint de la province.

Zouave pontifical à Rome en 1869. Créé chevalier de l'ordre de Saint-Grégoire-le-Grand en 1909.

Décédé à Québec, le 15 janvier 1912, à l'âge de 64 ans et 9 mois. Inhumé à Sainte-Foy, dans le cimetière de Notre-Dame-de-Belmont, le 18 janvier 1912.

Avait épousé à Saint-André, le 24 août 1874, Cléophile Paradis, fille d'Hippolyte Paradis et d'Angélique Pelletier; puis, à Rivière-Ouelle, le 22 juillet 1889, Marie-Eugénie Gagnon, fille d'Eusèbe Gagnon, cultivateur, et d'Éléonore Hudon, dit Beaulieu.

DUMOUCHEL, Léandre
(1811–1882)

Né à Saint-Benoît (Mirabel) et baptisé dans la paroisse Saint-Benoît, le 29 mars 1811, sous le prénom de Vital-Léandre, fils de Jean-Baptiste Dumouchel (Dumouchelle), marchand, et de Marie-Victoire Félix.

Étudia au petit séminaire de Montréal, de 1821 à 1829, puis fit l'apprentissage de la médecine; admis à l'exercice de sa profession en 1835.

Fut médecin à Saint-Benoît. En 1837, participa au soulèvement, mais ne fut pas arrêté. Perdit toutefois sa commission de juge de paix pour Sainte-Scholastique (Mirabel) et se réfugia à Sainte-Anne-du-Bout-de-l'Île, jusqu'à l'amnistie du 28 juin 1838. Reprit l'exercice de la médecine principalement à Saint-Benoît et, pendant quelque temps au début des années 1840, à Saint-Jérôme. Lieutenant-colonel du 2e bataillon de milice de Deux-Montagnes, de 1847 à 1869. Président de la Société d'agriculture du comté de Deux-Montagnes pendant dix-neuf ans.

Refusa de se porter candidat dans la circonscription de Deux-Montagnes en 1851. Élu conseiller législatif de la division des Mille-Isles en 1864, occupa son siège jusqu'à l'avènement de la Confédération, le 1er juillet 1867. Représenta la même division au Sénat, à compter du 23 octobre 1867. Appuya le Parti conservateur.

Décédé en fonction à Saint-Benoît (Mirabel), le 24 septembre 1882, à l'âge de 71 ans et 5 mois. Inhumé dans le cimetière de la paroisse Saint-Benoît, le 28 septembre 1882.

Avait épousé dans la paroisse Notre-Dame, à Montréal, le 20 novembre 1839, Herminie Peltier, fille du marchand Toussaint Peltier et d'Élizabeth Lacoste; puis, dans la paroisse Saint-Antoine, à Longueuil, le 12 février 1872, Marie Bauzet, veuve d'Édouard Lespérance.

Neveu de Jean-Joseph **Girouard**. Cousin de Félix-Hyacinthe **Lemaire**.

Bibliographie: Dufour-Dumouchel, Madeleine, «Jean-Baptiste Dumouchel, le patriote», *MSGCF*, 29, 2 (avril-juin 1978), p. 94-107.

DUMOULIN, Jacques
(1898–1988)

Né à Québec, le 12 février 1898, fils de Philippe-Benjamin Dumoulin, gérant de la Banque Molson pour le district de Québec et vice-président de la Caisse d'économie de Québec, et de Marie-Louise Taschereau.

Fit ses études au pensionnat Saint-Jean-Berchmans à Québec, au séminaire de Québec, au collège de Lévis, au collège Loyola à Montréal et à l'université Laval à Québec. Admis au barreau de la province de Québec le 9 juillet 1921.

Exerça sa profession à Québec avec M⁰ Gabriel Gaudry de 1921 à 1955. Trésorier du barreau de Québec de 1933 à 1936.

Élu député libéral dans Montmorency en 1939. Réélu en 1944. Défait en 1948.

Juge à la Cour de l'échiquier du Canada de 1955 à 1970, puis juge à la division d'appel de la Cour fédérale du Canada de 1970 à 1972.

Nommé membre du Conseil de l'instruction publique de la province de Québec en 1942. Directeur et vice-président de la Banque d'économie de Québec de 1950 à 1955. Bâtonnier du district de Québec et bâtonnier du barreau de la province de Québec en 1952 et 1953.

Auteur de *Visions d'Espagne* (1927). Membre du Club de la garnison et du Cercle universitaire de Québec. Créé conseil en loi du roi le 30 décembre 1931. Nommé docteur en droit honoris causa en 1952.

Décédé à Sarasota, Floride, le 20 février 1988, à l'âge de 90 ans. Inhumé à Sainte-Foy, dans le cimetière Notre-Dame-de-Belmont, le 28 février 1988.

Avait épousé dans la paroisse Notre-Dame de Québec, le 9 mai 1922, Gérardine Boisvert, fille d'Henri Boisvert, notaire, et d'Évangéline Belleau ; puis, à Ottawa, le 9 octobre 1968, Agnes Grace Young, fille de William Thomas Young et de Mary Armour, et veuve de W. Kelley.

DUMOULIN, Pierre-Benjamin (≈1799–1856)

Né probablement à Trois-Rivières en 1799, fils de François Dumoulin, négociant, et de Louise-Charlotte Cressé.

Étudia au séminaire de Nicolet de 1810 à 1815. Fit l'apprentissage du droit à compter de 1816 auprès de Pierre **Vézina**, à Trois-Rivières. Admis au barreau en 1821.

Exerça sa profession à Trois-Rivières. Seigneur d'une partie de Grosbois-Est, de 1825 environ jusqu'en 1846 ; pratiqua le prêt sur hypothèque. Nommé conseiller de la reine et juge de paix en 1838, commissaire de la Cour des requêtes en 1839 et commissaire des banqueroutes en 1840. Perdit son titre et sa dernière fonction en 1843.

Défait dans Trois-Rivières à une élection partielle le 13 septembre 1826. Élu député de cette circonscription en 1827. Réélu en 1830 ; démissionna le 31 octobre 1832. Candidat dans Trois-Rivières à l'élection qui n'a pas été terminée en 1848. Élu député de Yamaska en 1851 ; réformiste. Ne s'est pas représenté en 1854.

Fut bâtonnier du district de Trois-Rivières et à nouveau conseiller de la reine à compter de 1853. Élu maire de Trois-Rivières en 1845 et 1853. Nommé juge en chef de la Cour des sessions trimestrielles de Trois-Rivières en 1856.

Décédé à Trois-Rivières, le 24 septembre 1856, à l'âge d'environ 57 ans. Inhumé dans la cathédrale, le 27 septembre 1856.

Avait épousé dans la paroisse de l'Immaculée-Conception de Trois-Rivières, le 2 mai 1825, Hermine Rieutord, fille du médecin François Rieutord et de Françoise-Ursule Leprouste.

Père de Sévère **Dumoulin**.

Bibliographie : *DBC*.

DUMOULIN, Sévère (1829–1910)

Né à Trois-Rivières, le 4 février 1829, fils de Pierre-Benjamin **Dumoulin**, avocat, et d'Hermine Rieutord.

Fit ses études au collège de Nicolet et au collège des Jésuites à Fordham, dans l'État de New York. Admis au barreau du Bas-Canada le 3 mai 1852.

Directeur de la Three Rivers Gas Co. Gérant de la succursale de la Banque du Haut-Canada à Trois-Rivières de 1856 à 1863. Président de la Three Rivers Building Society. Élu à deux reprises bâtonnier du district de Trois-Rivières. Président de la Société Saint-Jean-Baptiste.

Échevin de Trois-Rivières de 1857 à 1861, puis en 1864 et 1865. Maire de Trois-Rivières du 7 juin 1865 au 15 juillet 1869 et du 14 juillet 1879 au 15 juillet 1885. Président de la commission scolaire.

Candidat conservateur défait dans Trois-Rivières en 1867. Élu sans opposition député conservateur dans la même circonscription à l'élection partielle du 16 octobre 1868. Démissionna le 16 septembre 1869 lors de sa nomination comme shérif du district de Trois-Rivières, poste qu'il occupa jusqu'en 1881. De nouveau élu député conservateur dans la même circonscription en 1881. Son élection fut cependant annulée par la Cour supérieure le 9 juillet 1883. Défait à l'élection partielle du 26 mars 1884.

Décédé à Trois-Rivières, le 17 mai 1910, à l'âge de 81 ans et 3 mois. Inhumé à Trois-Rivières, dans le cimetière Saint-Louis, le 19 mai 1910.

[Avait épousé, le 23 septembre 1862, Frances Sophia Macaulay, fille de Samuel Macaulay] ; puis, dans la cathédrale de Trois-Rivières, le 5 juillet 1877, Elizabeth Broster, fille de John Broster, commerçant de bois, et de Philomène Lézé.

Beau-frère de Louis-Édouard **Pacaud**.

DUNIÈRE, Louis
(1723–1806)

Né à Québec et baptisé dans la paroisse Notre-Dame, le 7 mai 1723, fils de Louis Dunière (Guinière, Gunière), marchand, et de Marguerite Durand.

Travailla probablement pour son père avant de devenir négociant à Québec. Fit le commerce, entre autres, du blé et d'autres produits agricoles; fut fournisseur de l'armée. Participa à une entreprise de pêche au phoque et de commerce sur la côte du Labrador. Propriétaire d'un chantier naval à Québec. Associé à Francis **Badgley**, de Montréal, dans la Dunière, Badgley and Company. Fut régisseur de la seigneurie de Bellechasse avant d'en acquérir les titres et les droits par bail emphytéotique. Propriétaire foncier.

Pendant l'invasion américaine de 1775–1776, prit part à la défense de Québec à titre de capitaine dans la milice, grade qu'il conserva jusqu'à sa mort. Un des fondateurs de la Société d'agriculture du district de Québec en 1789.

Élu député de Hertford en 1792; appuya généralement le parti canadien. Ne s'est pas représenté en 1796.

Décédé à Berthier (Berthier-sur-Mer), le 31 mai 1806, à l'âge de 83 ans. Inhumé dans l'église Notre-Dame-de-l'Assomption, le 2 juin 1806.

Avait épousé dans la paroisse Notre-Dame de Québec, le 1er juillet 1748, Élizabeth Trefflé, dit Rottot, fille du marchand Pierre Trefflé, dit Rottot, et d'Élizabeth Gauthier.

Père de Louis-François **Dunière**. Oncle par alliance de Bonaventure (dont il fut aussi le beau-père) et de Pierre-Louis **Panet**. Sa fille épousa un fils de Pierre **Marcoux**.

Bibliographie: *DBC.*

DUNIÈRE, Louis-François
(1754–1828)

Né à Québec et baptisé dans la paroisse Notre-Dame, le 11 juillet 1754, fils de Louis **Dunière**, négociant, et d'Élizabeth Trefflé, dit Rottot.

Fit probablement du commerce à Québec pendant un certain temps.

Élu député de Hertford en 1796; appuya généralement le parti canadien. Ne s'est pas représenté en 1800.

Nommé en 1809 commissaire chargé de faire prêter serment aux membres de la Législature. En 1810, résidait à Berthier (Berthier-sur-Mer). Fut juge de paix et major dans la milice; obtint des terres en reconnaissance de ses services pendant la guerre de 1812.

Décédé à Pointe-du-Lac, le 29 août 1828, à l'âge de 74 ans et un mois. Inhumé dans l'église de La Visitation, le 1er septembre 1828.

Était célibataire.

DUNKIN, Christopher
(1812–1881)

Né à Walworth (Londres), le 25 septembre 1812, fils de Summerhays Dunkin et de Martha Hemming, qui épousa plus tard le docteur Jonathan Barber.

Fit des études universitaires à Londres et à Glasgow, de 1829 à 1831, puis à la Harvard University de Cambridge, au Massachusetts, où il enseigna aussi de 1833 à 1835. Fit l'apprentissage du droit à Montréal; admis au barreau en 1846.

Fut rédacteur du *Morning Courier*, à Montréal, en 1837–1838. Secrétaire de la Commission d'éducation, créée en 1838, et de la Commission du service postal, de 1839 à 1847. Exerça les fonctions de secrétaire provincial adjoint du Bas-Canada, du 1er janvier 1842 au 19 mai 1847. Pratiqua le droit comme avocat à Montréal, puis, à partir de 1862, à Knowlton. Fit partie des conseils d'administration du St. Francis College de Richmond et du McGill College de Montréal, à compter de 1854. Membre du Conseil de l'instruction publique en 1859. Nommé conseiller de la reine le 28 juin 1867. Propriétaire foncier à Knowlton. Actionnaire de la Compagnie du chemin de fer de jonction des comtés du Sud-Est.

Défait dans Drummond en 1844. Élu député des circonscriptions unies de Drummond et Arthabaska en 1858; de tendance conservatrice. Défait en 1861. Élu dans Brome à une élection partielle le 17 mars 1862. Réélu sans opposition en 1863. Fut de tendance conservatrice modérée; s'opposa au projet de confédération. Son mandat prit fin avec l'avènement de la Confédération, le 1er juillet 1867. Élu député conservateur de Brome à l'Assemblée législative, sans opposition, et à la Chambre des communes en 1867. Refusa la charge de trésorier provincial offerte par Joseph-Édouard **Cauchon**. Fit partie du cabinet Chauveau à titre de trésorier de la province de Québec, du 15 juillet 1867 au 25 octobre 1869, date d'assermentation du nouveau trésorier provincial, Joseph Gibb **Robertson**. Prêta serment comme membre du Conseil privé le 16 novembre 1869. Fut membre du cabinet Macdonald:

détint le portefeuille de l'Agriculture du 16 novembre 1869 au 24 octobre 1871. À son entrée au ministère, son siège de député fédéral était devenu vacant. Réélu dans Brome à une élection partielle le 29 novembre 1869. Ne s'est pas représenté aux élections provinciales en 1871. Son siège de député fédéral devint vacant par suite de sa nomination comme juge de la Cour supérieure de la province de Québec pour le district de Bedford le 25 octobre 1871.

Fut officier de milice. Reçut un doctorat en droit civil du Bishop's College en 1875. Président de la Société d'agriculture du comté de Bedford. Est l'auteur de : *Address at the bar of the Legislative Assembly of Canada [...] on behalf of certain proprietors of seigniories in Lower Canada [...]* (Québec, 1853); *Address [...] against a bill introduced by the Hon. Mr. Attorney General Drummond* ([Québec, 1853]); *Case (in part) of the seigniors of Lower Canada, submitted to the judges of [...] Lower Canada [...]* (Montréal, 1855); *Chronological list or index of grants in fief and royal gratifications of grants in fief, made in New France to [...] 1760* (Québec, 1853); et de *Speech delivered in the Legislative Assembly [...] during the debate on the subject of the confederation of the British North American provinces* (Québec, 1865).

Décédé à Knowlton, le 6 janvier 1881, à l'âge de 68 ans et 3 mois. Les obsèques eurent lieu dans la cathédrale anglicane Christ Church, à Montréal, le 11 janvier 1881.

Avait épousé dans l'État du Massachusetts, le 13 août 1835, Mary Barber, fille de son beau-père, le docteur Jonathan Barber.

Cousin d'Edward John **Hemming**.

———

Bibliographie: *DBC*.

DUNN, Thomas
(1729–1818)

Né à Durham, en Angleterre, en 1729.

Vint s'établir à Québec peu après la capitulation de septembre 1760. Se lança dans le commerce; associé à William **Grant**, détint le monopole de la traite des fourrures et de l'exploitation de la pêche sur la côte nord. Investit dans la propriété foncière, notamment dans les seigneuries de la rive nord du Saint-Laurent, l'île d'Anticosti et les cantons; engagé dans la spéculation et le prêt. Prit part à l'exploitation des forges du Saint-Maurice, près de Trois-Rivières; copropriétaire de la Compagnie des forges de Batiscan. Propriétaire de la Cape Diamond Brewery de Québec.

Fut juge de paix. Nommé maître des requêtes de la Cour de la chancellerie en 1764. Agit à l'occasion en qualité de procureur du roi dans les affaires de succession. Juge de la Cour des plaids communs pour les districts de Québec et de Trois-Rivières du 31 juillet 1770 jusqu'en 1793. Siégea à la Cour de circuit en 1771 et 1772, à la Cour des prérogatives en 1779 et à la Cour d'appel en 1788. Nommé juge de la Cour du banc du roi de Québec en 1794; démissionna en 1809. Nommé président de la Cour d'appel en 1801. Obtint de nombreux postes de commissaire. Fut trésorier du Comité de secours pour les protestants pauvres, président de l'Association de Québec, cofondateur du Fonds de soutien à la guerre contre la France révolutionnaire.

Membre du Conseil de Québec en 1764, 1766. Receveur général par intérim du 31 juillet 1770 au printemps de 1777. Nommé conseiller législatif en 1775. Membre du conseil privé du gouverneur Guy **Carleton** en 1776. Était conseiller exécutif en 1784. Fit partie du Conseil exécutif du 16 septembre 1791 jusqu'à sa mort. Nommé en 1792 au Conseil législatif, dont il fut président suppléant à cinq reprises, du 18 février 1793 au 22 janvier 1794, du 18 décembre 1794 au 9 janvier 1802, du 23 janvier 1805 au 18 février 1806, du 22 février 1808 au 5 janvier 1809 et du 5 février 1811 au 23 février 1814. Fut administrateur civil en l'absence du gouverneur du 5 août 1805 au 24 octobre 1807 et du 19 juin 1811 au 13 septembre 1811.

Décédé en fonction à Québec, le 15 avril 1818, à l'âge de 89 ans. Après des obsèques célébrées dans la cathédrale anglicane Holy Trinity, fut inhumé dans le cimetière St. Matthew, le 19 avril 1818.

Avait épousé dans l'église anglicane de Québec, le 27 novembre 1783, Henriette Guichaud, fille de Jacques Guichaud et veuve de Pierre Fargues, tous deux négociants de Québec.

Sa petite-fille épousa William **Rhodes**.

———

Bibliographie: *DBC*.

DUNSCOMB, John William
(<1821–1875)

Était marchand à Montréal, au début des années 1840.

Fit partie du conseil municipal de Montréal, à compter de 1840 jusqu'à sa démission et son remplacement par James **Ferrier**, le 1er juillet 1841. Élu député de Beauharnois en 1841; tory. Démissionna le 8 octobre 1842.

Occupa le poste de receveur des douanes à Québec et celui de commissaire des douanes de la province du Canada. Auteur de *Provincial laws of the customs* et *Canadian customhouse guide*, publiés à Montréal en 1844.

Décédé probablement en 1875.

Avait épousé Caroline Birch Dumford.

DUPLESSIS. V. aussi SIROIS-DUPLESSIS

DUPLESSIS, Maurice Le Noblet (1890–1959)

Né à Trois-Rivières, dans la paroisse de l'Immaculée-Conception, le 20 avril 1890, fils de Nérée Le Noblet **Duplessis**, avocat, et de Marie-Catherine-Camille-Berthe Genest.

Fit ses études au collège Notre-Dame à Montréal, au séminaire de Trois-Rivières et à l'université Laval à Montréal. Admis au barreau de la province de Québec le 4 septembre 1913.

Exerça sa profession à Trois-Rivières au cabinet des avocats Duplessis et Duplessis en 1913, Duplessis et Langlois en 1914 et, plus tard, Duplessis, Langlois et Lamothe. Créé conseil en loi du roi le 30 décembre 1931. Bâtonnier du barreau de Trois-Rivières en 1937. Bâtonnier du barreau de la province de Québec en 1937 et 1938.

Candidat conservateur défait dans Trois-Rivières en 1923. Élu député conservateur dans cette circonscription en 1927 et 1931. Choisi chef de l'Opposition par le caucus du Parti conservateur le 7 novembre 1932. Choisi chef du Parti conservateur le 4 octobre 1933 et réélu député de ce parti en 1935. Fonda l'Union nationale le 7 novembre 1935. Élu député de ce parti en 1936, 1939, 1944, 1948, 1952 et 1956. Premier ministre, président du Conseil exécutif et procureur général de la province de Québec du 26 août 1936 au 8 novembre 1939 et du 30 août 1944 au 7 septembre 1959. Ministre des Terres et Forêts du 23 février 1937 au 27 juillet 1938. Ministre de la Voirie du 7 juillet au 30 novembre 1938.

Créé chevalier de l'ordre de Saint-Jean-de-Jérusalem. Nommé docteur honoris causa de l'université Laval, de la McGill University, de l'université de Montréal, du Bishop's College et de l'université de Caen en France.

Décédé en fonction à Schefferville, le 7 septembre 1959, à l'âge de 69 ans et 4 mois. Inhumé à Trois-Rivières, dans le cimetière Saint-Louis, le 10 septembre 1959.

Il était célibataire.

Neveu de Richard-Stanislas **Cooke** et de William-Pierre **Grant**.

Bibliographie : Benoît, André, *Maurice Duplessis et le duplessisme : bilan historiographique, 1959–1980*, thèse à l'université de Montréal, 1983, 186 p. Black, Conrad, *Duplessis*, traduit de l'anglais par Monique Benoît, Montréal, Éditions de l'Homme, 1977, 2 vol. Nish, Cameron, *Quebec in the Duplessis Era, 1935–1959; dictatorship or democracy?* Toronto, Copp and Clark, 1970, 164 p. Roberts, Leslie, *Le chef : une biographie politique de Maurice L. Duplessis*, traduit de l'anglais par Jean Paré, Montréal, Éditions du Jour, 1963, 195 p. (réédité en 1972). Desrosiers, Richard, *L'idéologie de Maurice Duplessis 1946–1955*, thèse de maîtrise à l'université de Montréal, 1971, 239 p. Rumilly, Robert, *Maurice Duplessis et son temps*, Montréal, Fides, 1973, 2 vol. Saint-Aubin, Bernard, *Duplessis et son époque*, Montréal, La Presse, 1979, 278 p.

DUPLESSIS, Nérée Le Noblet (1855–1926)

Né à Yamachiche, le 5 mars 1855, fils de Joseph Le Noblet Duplessis, cultivateur, et de Marie-Louise Lefebvre Descoteaux.

Fit ses études au séminaire de Trois-Rivières et au séminaire de Nicolet. Admis au barreau de la province de Québec le 12 janvier 1880.

Exerça sa profession à Trois-Rivières avec François-Sévère Lesieur **Desaulniers**, J.-M. Désilets et P.-N. Martel. Créé conseil en loi de la reine en 1893. Bâtonnier du barreau de Trois-Rivières en 1901.

Élu député conservateur dans Saint-Maurice en 1886. Réélu sans opposition en 1890, 1892 et 1897. Défait en 1900. Échevin de Trois-Rivières en 1903. Candidat conservateur défait dans Trois-Rivières–Saint-Maurice aux élections fédérales de 1904. Maire de Trois-Rivières du 11 juillet 1904 au 3 avril 1905.

Nommé juge à la Cour supérieure pour le district de Saguenay, Chicoutimi, Roberval le 16 juin 1914. Muté dans le district de Trois-Rivières le 3 mars 1921.

Décédé à Montréal, le 23 juin 1926, à l'âge de 71 ans et 4 mois. Inhumé à Trois-Rivières, dans le cimetière Saint-Louis, le 26 juin 1926.

Avait épousé dans la cathédrale de Trois-Rivières, le 14 juillet 1886, Marie-Catherine-Camille-Berthe Genest, fille de Laurent-Ubald-Archibald Genest, avocat, et de Marie-Charlotte-Esther-Emma McCallum.

Père de Maurice Le Noblet **Duplessis**. Beau-frère de Richard-Stanislas **Cooke** et de William-Pierre **Grant**.

DUPONT, Flavien
(1847–1898)

[Né à Saint-Simon, près de Saint-Hyacinthe, le 13 février 1847, fils de Flavien Dupont, cultivateur, et de Nathalie Fournier.]

Fit ses études au séminaire de Saint-Hyacinthe. Admis à la pratique du notariat le 3 octobre 1873.

Notaire à Saint-Liboire. Secrétaire-trésorier de la Société d'agriculture et de colonisation du comté de Bagot. Secrétaire-trésorier du comté de Bagot de 1874 à 1898.

Élu député conservateur dans Bagot à l'élection partielle du 7 juillet 1876. Défait en 1878. Élu député conservateur à la Chambre des communes dans Bagot à l'élection partielle du 2 septembre 1882. Ne s'est pas représenté en 1883. Réélu sans opposition en 1887. De nouveau élu en 1891 et sans opposition en 1896.

Décédé en fonction à Sherbrooke, le 12 mars 1898, à l'âge de 51 ans. Inhumé dans le cimetière Saint-Liboire, le 15 mars 1898.

Il était célibataire.

Neveu de Pierre-Samuel **Gendron**.

DUPRÉ. V. aussi LE COMTE DUPRÉ

DUPRÉ, Arthur
(1905–1983)

Né à Saint-Hilaire, le 15 juin 1905, fils d'Ulric Dupré, cordonnier, et de Régina Désautels.

Fit ses études à Saint-Hilaire, puis au séminaire des pères Montfortains à Papineauville.

Cultivateur de 1924 à 1934. Garagiste, concessionnaire General Motors et président de Dupré Automobiles inc. à Belœil. Créé chevalier de l'ordre de Saint-Grégoire-le-Grand en 1952.

Échevin au conseil municipal de Belœil de février 1935 à février 1937, puis maire de cette municipalité de février 1937 à avril 1961. Élu député libéral dans Verchères en 1944. Réélu en 1948 et 1952. Défait en 1956. Nommé conseiller législatif de la division de Montarville le 21 août 1963, poste qu'il occupa jusqu'à l'abolition du Conseil législatif, le 31 décembre 1968.

Décédé à Montréal, le 3 août 1983, à l'âge de 77 ans et 10 mois. Inhumé dans le cimetière Mont-Saint-Hilaire, le 6 août 1983.

Avait épousé à La Présentation, le 16 octobre 1928, Diana Nichols, fille de Joseph Nichols, cultivateur, et de Virginie Côté.

DUPRÉ, Marcel

Né à Montréal, le 1er juillet 1911, fils de Napoléon Dupré, inspecteur, et de Dina Fournier.

Étudia à l'école Baril à Montréal, puis suivit des cours privés pour compléter ses études classiques. Fréquenta le Elie Business College pendant deux ans.

Vendeur d'articles pour fumeurs de 1930 à 1949, puis vendeur d'automobiles de 1949 à 1970.

Candidat libéral défait dans Maisonneuve en 1960. Élu député libéral dans Maisonneuve en 1962. Défait en 1966.

Employé au ministère des Transports de la province de Québec de 1971 à 1976. Huissier-audiencier à la Cour supérieure jusqu'en 1983.

Fut directeur de la Société des hommes d'affaires de l'est de Montréal. Président-fondateur des Loisirs de la paroisse du Très-Saint-Rédempteur. Chevalier de Colomb. Marguillier.

DUPRÉ, Maurice

Né à Saint-Hyacinthe, le 13 mars 1937, fils d'Ovila Dupré, facteur d'orgues, et d'Angela Colette.

Licencié en droit de l'université du Québec à Montréal en 1977.

Représentant pour Casavant de 1952 à 1963. En 1963, il fonda sa propre compagnie, Les Orgues Maska enr., puis y fut facteur d'orgues jusqu'en 1970. Il demeura propriétaire de cette entreprise jusqu'en 1981. Administrateur de la Régie du logement à Saint-Hyacinthe de 1976 à 1980. Directeur par intérim de la Régie du logement à Longueuil en 1980. Directeur provincial de Centraide en 1979.

Élu député du Parti québécois dans Saint-Hyacinthe en 1981. Vice-président de la Commission de l'agriculture, des pêcheries et de l'alimentation, du 15 mars 1984 au 23 octobre 1985. Défait en 1985. Conseiller juridique au ministère de la Main-d'œuvre et de la Sécurité du revenu à partir de 1985.

DUPUIS. V. aussi COUILLARD DUPUIS

DUPUIS, François-Xavier
(1859–1919)

Né à Saint-Anicet, le 28 septembre 1859, fils d'Édouard Dupuis, bailli de Saint-Anicet, et d'Angélique Quesneville.

Fit ses études au collège de Montréal et à l'université Laval à Montréal. Admis au barreau de la province de Québec le 1er janvier 1885. Créé conseil en loi de la reine le 9 juin 1899.

Exerça sa profession à Montréal avec Edmond Lussier pendant vingt ans. Chef du bureau Dupuis et Sénécal. Premier président de l'Association nationale d'athlétisme amateur de Montréal. Recorder de la cité de Sainte-Cunégonde (île de Montréal) du 21 mars 1891 à 1900.

Élu député libéral dans Châteauguay en 1900. Réélu sans opposition en 1904. Son siège devint vacant lors de sa nomination comme recorder de la Cour municipale de Montréal le 30 mars 1907. Il occupa ce poste jusqu'au 22 août 1912.

Décédé à Montréal, le 12 décembre 1919, à l'âge de 60 ans et 2 mois. Inhumé dans le cimetière de Saint-Anicet, le 15 décembre 1919.

Avait épousé à Sainte-Martine, le 26 juillet 1888, Azilda McGowan, fille de James McGowan, marchand, et de Caroline Laberge.

DUPUIS, Joseph-Alcide
(1869–1917)

Né à Saint-Alexis, le 9 septembre 1869, fils de David Dupuis, cultivateur, et d'Élise Laporte.

Étudia au collège de Joliette.

Marchand de tabac à Saint-Jacques. Vice-président de l'Association des planteurs de tabac en 1907. Membre des Chevaliers de Colomb. Président de la commission scolaire de Saint-Jacques de 1910 à 1913.

Élu maire de Saint-Jacques en 1916. Élu député libéral dans Montcalm en 1916.

Décédé en fonction à Saint-Jacques, le 22 juin 1917, à l'âge de 47 ans et 9 mois. Inhumé dans le cimetière de Saint-Jacques, le 25 juin 1917.

Avait épousé à Saint-Jacques, le 8 janvier 1898, Marie-Élisabeth Cloutier, fille de Joseph Cloutier, cultivateur, et d'Élise Fergusson.

DUPUIS, Louis-Auguste
(1884–1967)

Né à Saint-Roch-des-Aulnaies, le 24 août 1884, fils de Jules-Arthur Dupuis, cultivateur, et d'Eugénie Miville Dechêne.

Étudia au collège de Sainte-Anne-de-la-Pocatière et à l'université Laval à Québec. Fit sa cléricature auprès de Joseph Sirois et fut reçu notaire le 16 juillet 1907.

Mena une double carrière dans la pratique du notariat et dans l'enseignement. Exerça sa profession à La Pocatière. Vice-président de la Chambre des notaires en 1937 et président de 1942 à 1945. Professeur de droit rural à l'École d'agriculture de La Pocatière de 1914 à 1943. Professeur agrégé à la faculté d'agriculture de l'université Laval de 1943 à 1962.

Élu sans opposition député libéral dans Kamouraska à l'élection partielle du 6 décembre 1909. Ne s'est pas représenté en 1912. Candidat libéral indépendant défait à l'élection partielle du 19 octobre 1920. Maire de La Pocatière du 2 février 1925 au 18 novembre 1936.

Secrétaire et gérant de la caisse populaire de Sainte-Anne-de-la-Pocatière de 1915 à 1927. Secrétaire-trésorier de la paroisse Sainte-Anne-de-la-Pocatière du 6 février 1915 au 25 avril 1919. Commissaire à l'Office du drainage du Québec de 1943 à 1945.

Décédé à Québec le 11 mars 1967, à l'âge de 82 ans et 6 mois. Inhumé dans le cimetière de la paroisse Sainte-Anne-de-la-Pocatière, le 14 mars 1967.

Avait épousé dans la paroisse Notre-Dame de Québec, le 14 juin 1909, Marie-Éva-Berthe Raymond, fille de Raoul Raymond, médecin, et de Marie-Éva Gauvreau.

Petit-fils de Jean-Baptiste **Couillard Dupuis**. Neveu d'Alphonse-Arthur Miville Dechêne, député à la Chambre des communes de 1896 à 1901, puis sénateur en 1901 et 1902, ainsi que de François-Gilbert **Miville Dechêne** et de Pamphile-Gaspard **Verreault**.

DUPUIS, Luce

Née à Sainte-Marthe, le 25 septembre 1940, fille d'Elzéar Leroux, agriculteur et contremaître pour la fonction publique, et de Joséphine Séguin, institutrice.

A étudié à l'école normale Esther-Blondin à Rigaud où elle obtint un brevet d'enseignement en 1957. Titulaire d'un baccalauréat en arts plastiques de l'université du Québec à Montréal en 1972 et d'une maîtrise en création artistique de Concordia University en 1979. Entreprend en 1986 un doctorat en fondements de l'éducation à l'université de Montréal.

Enseignante au primaire et au secondaire pendant 8 ans, puis aux universités du Québec à Trois-Rivières en 1977 et à Montréal de 1977 à 1987. Sculpteure, ses œuvres furent exposées en Amérique du Nord et en Europe. Membre de plusieurs conseils d'administration et de nombreux jurys dans le domaine des arts de 1980 à 1987.

Présidente du Parti québécois dans Verchères en 1988 et 1989. Élue députée du Parti québécois dans Verchères en 1989.

DUPUIS, Yvon

Né à Montréal, le 11 octobre 1926, fils d'Hector Dupuis, agent d'assurances, et de Rosanne (Annie) Rafferty.

Fit ses études au collège de Varennes, au collège de Longueuil et à l'école normale Jacques-Cartier à Montréal.

Courtier d'assurances et propriétaire de deux magasins de musique. Cofondateur et président de la Société Thémis Multifactum de 1965 à 1972. Fondateur du journal *Défi*. Animateur à la radio, à CKVL, à CKAC et à CHLT. Président de Publivox inc. Propriétaire d'une agence de voyages depuis 1981. Président de Tours Expert à compter de 1988.

Élu député libéral dans Montréal–Sainte-Marie en 1952. Défait en 1956. Candidat libéral indépendant défait dans Saint-Jean-Iberville–Napierville aux élections fédérales de 1957. Élu député libéral à la Chambre des communes dans cette circonscription en 1958, puis réélu en 1962 et 1963. Secrétaire parlementaire au Secrétariat d'État du 14 mai 1963 au 2 février 1964. Nommé membre du Conseil privé le 3 février 1964. Ministre d'État dans le cabinet Pearson du 3 février 1964 au 22 janvier 1965, date de sa démission. Défait comme candidat libéral indépendant en 1965. Élu chef du Ralliement créditiste du Québec le 4 février 1973. Candidat de ce parti défait dans Saint-Jean aux élections provinciales de 1973. Quitta le Ralliement créditiste et fonda le Parti présidentiel le 5 mai 1974. Démissionna du Parti présidentiel le 21 octobre 1974.

Membre du Club de réforme, de l'Association France-Amérique et des Chevaliers de Colomb.

Son père fut député fédéral de 1950 à 1958.

DURANLEAU, Alfred
(1871–1951)

Né à Farnham, le 1er novembre 1871, fils de Napoléon Duranleau, cultivateur, et d'Adélaïde Patenaude.

Fit ses études au collège de Saint-Césaire, au collège Sainte-Marie-de-Monnoir et à l'université Laval à Montréal. Admis au barreau de la province de Québec le 14 janvier 1897.

Exerça sa profession à Montréal jusqu'en 1935. Associé avec Rodolphe Monty et E.R. Angers. Créé conseil en loi du roi le 26 juin 1915. Membre du Conseil du barreau de Montréal de 1915 à 1917 et bâtonnier du barreau de Montréal et de la province de Québec en 1931.

Élu député conservateur dans Montréal-Laurier en 1923. Défait en 1927. Élu député conservateur à la Chambre des communes dans Chambly-Verchères en 1930. Démissionna le 7 août 1930 à la suite de sa nomination comme ministre, puis fut réélu sans opposition à l'élection partielle du 25 août 1930. Nommé membre du Conseil privé le 7 août 1930. Ministre de la Marine dans le cabinet Bennett du 7 août 1930 au 19 juillet 1935. Son siège devint vacant lors de sa nomination comme juge à la Cour supérieure le 20 juillet 1935. Occupa ce poste jusqu'à son décès.

Membre du Bureau des examinateurs du barreau de la province de Québec. Gouverneur à vie de l'hôpital Notre-Dame de Montréal. Membre de la Chambre de commerce de Montréal, du Club des journalistes, du Club Saint-Denis, de l'Alliance française et des Chevaliers de Colomb.

Décédé à Montréal, le 14 mars 1951, à l'âge de 79 ans et 4 mois. Inhumé dans le cimetière Notre-Dame-des-Neiges, le 17 mars 1951.

Avait épousé à Montréal, dans la paroisse Saint-Jacques, le 22 août 1898, Laure Monty, fille de Jacques Monty, marchand, et d'Adèle Beauchemin.

DURHAM, comte de. V. LAMBTON

DUROCHER, Jean-Baptiste
(1754–1811)

Né à L'Assomption, le 15 août 1754, puis baptisé le 17, dans la paroisse Saint-Pierre-du-Portage, sous le prénom de Jean-Baptiste-Amable, fils de Jean-Baptiste Desrocher (Durocher), négociant, et de sa première femme, Geneviève Boucher.

Établi comme marchand à Montréal, fit aussi le commerce des fourrures avec la région de Detroit. Acquit des terres sur les bords du lac Saint-François ainsi qu'à Montréal. Élu marguillier de la paroisse Notre-Dame en décembre 1789. Promu major dans le 2e bataillon de milice de la ville de Montréal en août 1809, fut destitué par le gouverneur James Henry **Craig** en 1810. Membre du Club des Apôtres.

Élu député de Montréal-Ouest en 1792; appuya tantôt le parti canadien, tantôt le parti des bureaucrates. Ne s'est pas représenté en 1796. Nommé juge de paix en avril 1800, s'occupa à ce titre d'administration municipale, à Montréal. Élu député de Montréal en 1808. Réélu en 1809 et 1810. Donna son appui au parti canadien.

Décédé en fonction à Montréal, le 8 juillet 1811, à l'âge de 56 ans et 10 mois. Inhumé dans la paroisse Notre-Dame, le 9 juillet 1811.

Avait épousé dans la paroisse Sainte-Anne, à Varennes, le 1er juillet 1782, Marie-Joseph Curot, fille de Charles Curot et de Marie-Joseph Moquin; puis, à Oka, le 24 septembre 1792, Charlotte Trottier Desrivières Beaubien, fille du marchand Eustache Trottier Desrivières Beaubien et de Marguerite Malhiot, et nièce de François **Malhiot**.

DUROCHER, Olivier
(1743–1821)

Né à Lanoraie, le 12 novembre 1743, puis baptisé le 13, dans la paroisse Saint-Joseph, fils d'Olivier Durocher, médecin et marchand d'origine française, et de Thérèse Juillet, descendante d'un des compagnons d'Adam Dollard Des Ormeaux au Long-Sault.

Cultivateur; fut aussi capitaine dans la milice.

Élu député de Surrey en 1796; appuya le parti canadien. Ne se serait pas représenté en 1800.

Décédé à Saint-Antoine-sur-Richelieu, le 2 juillet 1821, à l'âge de 77 ans et 7 mois. Inhumé dans le cimetière paroissial, le 3 juillet 1821.

Avait épousé dans la paroisse Saint-Antoine-de-Padoue, à Saint-Antoine-sur-Richelieu, le 9 février 1768, Marie-Louise-Angélique Courtemanche, fille de Jacques Courtemanche et de Marie-Anne Migeon.

DUSSAULT, Bona
(1882–1953)

Né à Saint-Alban, le 29 mai 1882, fils de Selim Dussault, cultivateur, et d'Amanda Gauthier.

Fit ses études à l'école de sa paroisse natale.

Marin sur des bateaux au long cours de 1900 à 1910. Fut admis dans la Corporation des pilotes licenciés le 10 mars 1910. Devint ensuite pilote sur le fleuve Saint-Laurent entre Québec et Montréal. Pilote pour la compagnie Furness-Wity de 1913 à 1947. Directeur de l'Association des pilotes unis de Montréal en 1924 et 1925, vice-président en 1926 et 1927 et président en 1928. Membre du Club Renaissance de Québec.

Maire de Saint-Marc-des-Carrières de janvier 1918 à mars 1937 et préfet du comté de Portneuf du 8 mars 1922 au 10 mars 1937. Candidat libéral indépendant défait dans Portneuf aux élections fédérales de 1935. Élu député de l'Action libérale nationale dans Portneuf aux élections provinciales de 1935. Élu député de l'Union nationale en 1936. Défait en 1939. Réélu en 1944, 1948 et 1952. Ministre de l'Agriculture dans le cabinet Duplessis du 26 août 1936 au 8 novembre 1939. Ministre des Affaires municipales dans le même cabinet du 30 août 1944 au 29 avril 1953.

Décédé en fonction, à Saint-Marc-des-Carrières, le 29 avril 1953, à l'âge de 70 ans et 11 mois. Inhumé dans le cimetière de cette paroisse, le 2 mai 1953.

Avait épousé à Saint-Tite, le 4 février 1913, Gabrielle Lacoursière, fille de Joseph-Antoine Lacoursière, notaire, et d'Adélaïde Charest; puis, à Saint-Marc-des-Carrières, le 11 décembre 1930, Bertha Légaré, infirmière, fille de William Légaré et de Marie Morin.

DUSSAULT, Roland

Né à Breakeyville, le 15 novembre 1940, fils de Laurent Dussault, menuisier, et d'Alice Olivier.

A étudié à l'école primaire de Sainte-Hélène-de-Breakeyville, à l'école Saint-Maxime à Laval (L'Abord-à-Plouffe), au collège André-Grasset, à l'école normale Ville-Marie où il obtint un brevet A et un baccalauréat en pédagogie et au collège Sainte-Marie à Montréal où il obtint un baccalauréat ès arts. Il fit un stage de perfectionnement en bibliothéconomie à l'université d'Ottawa.

Enseignant et bibliothécaire à l'école secondaire Sainte-Martine. Membre de l'exécutif syndical des travailleurs de l'enseignement d'Youville de 1970 à 1975, dont trois ans comme vice-président du syndicat et coresponsable syndical de la revue *Options* en 1965 et 1966.

Secrétaire de l'exécutif des Jeunesses républicaines du Québec en 1963. Animateur et trésorier de la troupe de théâtre Made in Québec de 1968 à 1970. Membre de la Société historique de la vallée de Châteauguay de 1973 à 1977.

Organisateur et président du Rassemblement pour l'indépendance nationale (RIN) dans le comté de Saint-Henri de 1965 à 1967. Directeur national du RIN de 1967 jusqu'à la dissolution du parti. Président de l'Association du Parti québécois du comté de Saint-Henri de 1968 à 1972. Organisateur du Parti québécois du comté de Saint-Henri en 1970. Vice-président du Parti québécois dans le comté de Châteauguay en 1973. Candidat du Parti québécois défait dans Châteauguay en 1973. Élu député du Parti québécois dans Châteauguay en 1976. Réélu en 1981. Whip adjoint du gouvernement du 11 octobre 1979 au 2 septembre 1981. Adjoint parlementaire du ministre de l'Industrie, du Commerce et du Tourisme du 2 septembre 1981 au 23 octobre 1985. Défait en 1985.

Retourné à l'enseignement en 1986, il quitta en janvier 1987. Nommé assistant-guide au Mouvement raélien canadien en 1987, il devint responsable de la région de Châteauguay-Valleyfield et conférencier. Membre du conseil organisationnel de ce mouvement pour Montréal-Laval en 1991.

Président du conseil d'administration de l'école Ébénisterie Québec de 1986 à 1989. Conférencier de la Société nationale de marketing en 1989. Trésorier et administrateur de Danse Imédia de 1988 à 1991. Conseiller spécial de la Corporation canadienne de la Pelote basque de 1986 à 1992, il devint membre de son conseil d'administration en 1992.

DUTIL, Robert

Né à Saint-Georges, le 16 avril 1950, fils de Roger Dutil, industriel, et de Gilberte Lacroix.

A étudié au séminaire de Saint-Georges de 1962 à 1967, au cégep de Saint-Georges de 1967 à 1970 et à l'université Laval de 1970 à 1973 et de 1980 à 1982. Titulaire d'un baccalauréat en éducation physique (1973) et d'une maîtrise en administration des affaires (1982).

Directeur général du Centre sportif Saint-Georges de 1973 à 1975. Administrateur et copropriétaire du magasin Sports Experts de Saint-Georges de 1976 à 1984. Copropriétaire de Vélosport inc. et de Procycle inc. de 1977 à 1985.

Conseiller municipal, de 1975 à 1979, et maire de Saint-Georges de 1979 à 1985. Préfet de la MRC Beauce-Sartigan de 1982 à 1985. Directeur du conseil d'administration de l'Union des municipalités de 1982 à 1985. Élu député libéral dans Beauce-Sud en 1985. Réélu en 1989. Ministre délégué aux Pêcheries dans le cabinet Bourassa du 12 décembre 1985 au 30 juin 1987. Ministre délégué à la Santé et aux Services sociaux du 30 juin au 9 décembre 1987, puis ministre délégué à la Famille, à la Santé et aux Services sociaux du 9 décembre 1987 au 21 décembre 1988. Ministre des Communications du 21 décembre 1988 au 11 octobre 1989. Assermenté ministre des Approvisionnements et Services le 11 octobre 1989.

Petit-fils d'Édouard **Lacroix**.

DU TREMBLAY, Pamphile-Réal
(1879–1955)

Né à Sainte-Anne-de-la-Pérade, le 5 mars 1879, fils de Pamphile Du Tremblay, arpenteur, et de Clémence Dufort.

Fit ses études au collège de Trois-Rivières, au collège de Lévis, à l'école normale de Québec, à l'université Laval à Montréal et à la McGill University. Admis au barreau de la province de Québec le 8 juillet 1901.

Exerça sa profession d'avocat à Montréal. Fut président de la compagnie d'assurances La Prévoyance du 26 décembre 1930 au 26 octobre 1936. Fut président de la Compagnie de publication La Presse ltée de 1932 à 1955 et de la Compagnie de publication La Patrie ltée de 1933 à 1955. Fut également président de la Canadian Printing and Lithographing Co. Ltd. et de la Provident Adjustment and Investing Co. Directeur de la Yorkshire Insurance Co., de la Montreal Apartment Ltd. et de la Drummond Investment Ltd.

Élu député libéral à la Chambre des communes dans Laurier-Outremont en 1917. Ne s'est pas représenté en 1921. Nommé conseiller législatif de la division de Sorel le 3 janvier 1925. Appuya le Parti libéral. Nommé sénateur de la division de Repentigny le 19 novembre 1942.

Créé conseil en loi du roi en 1917. Membre du conseil du patronage de l'École des hautes études commerciales. Directeur de la Canadian Forestry Association. Vice-président de la Société canadienne de la Croix-Rouge pour le Québec. Gouverneur à vie de l'hôpital Notre-Dame de Montréal. Membre du Club des journalistes, du Club de réforme, du Mount Royal Club et du Club Rideau. Créé chevalier de la Légion d'honneur en 1925. Récipiendaire de la médaille d'or de l'Académie française en 1930. Docteur en droit honoris causa de l'université de Montréal en 1948.

Décédé en fonction, à Montréal, le 6 octobre 1955, à l'âge de 76 ans et 7 mois. Inhumé dans le cimetière Notre-Dame-des-Neiges, le 11 octobre 1955.

Avait épousé dans la paroisse Notre-Dame de Montréal, le 21 septembre 1907, Angéline Berthiaume, fille de Trefflé **Berthiaume** et d'Elmina Gadbois.

DUTREMBLE, Hospice. V. DESROSIERS, Hospice

DUVAL, Jean-François-Joseph
(1802–1881)

Né à Québec, le 17 juillet 1802, puis baptisé le 18, dans la paroisse Notre-Dame, fils de François Duval, enseigne dans le Royal Canadian Volunteer Regiment, et d'Ann Eliza Germain.

Étudia à l'école du ministre presbytérien Daniel Wilkie et au petit séminaire de Québec. Fit l'apprentissage du droit auprès de George **Vanfelson**, de juillet 1818 à juin 1820, puis chez Joseph-Rémi **Vallières de Saint-Réal**, dont il devint l'associé après avoir été admis au barreau, le 21 juillet 1823.

Élu député de la Haute-Ville de Québec à une élection partielle le 30 juin 1829. Réélu en 1830; appuya tantôt le parti patriote, tantôt le parti des bureaucrates, et vota contre les Quatre-vingt-douze Résolutions. Défait en 1834.

Fait conseiller du roi le 22 juin 1835. Nommé juge assistant de la Cour du banc du roi en juillet 1839, à la suite de la suspension d'Elzéar **Bédard** et de Philippe **Panet**, puis juge de la Cour supérieure en janvier 1852, juge de la Cour du banc de la reine trois ans plus tard et, en mars 1864, juge en chef de ce dernier tribunal. Prit sa retraite le 1er juin 1874.

Décédé à Québec, le 6 mai 1881, à l'âge de 78 ans et 9 mois. Après des obsèques célébrées dans la basilique Notre-Dame de Québec, fut inhumé dans le cimetière Notre-Dame-de-Belmont, à Sainte-Foy, le 9 mai 1881.

Avait épousé dans la paroisse de La Nativité-de-Notre-Dame, à Beauport, le 11 juin 1849, Adélaïde Dubuc, veuve de Joseph-Jacques Duval.

Beau-frère d'Antoine **Polette**.

DUVAL, Joseph-Odilon
(1895–1966)

Né à Saint-Calixte, le 13 mai 1895, fils de Médéric **Duval**, hôtelier, et d'Emma Lefebvre.

Fit ses études à l'école de Saint-Calixte et exerça le métier de cultivateur.

Élu député libéral dans Montcalm en 1939. Défait en 1944. Maître de poste à Saint-Calixte de 1944 à 1966.

Décédé à Saint-Calixte, le 16 mars 1966, à l'âge de 70 ans et 10 mois. Inhumé dans le cimetière de cette paroisse, le 19 mars 1966.

Avait épousé à Sainte-Julienne, le 21 mai 1919, Blanche Robert, fille de Joseph Robert et de Rose de Lima Longpré.

DUVAL, Médéric
(1866–1934)

Né à Saint-Calixte, le 1er mars 1866, fils de Joseph Duval, cultivateur, et d'Adée Bélec.

Fit ses études à l'école de Saint-Calixte.

Hôtelier à Saint-Calixte. Commerçant d'animaux. Gérant de la succursale de la Banque provinciale. Courtier d'assurances. Garde-pêche et garde-chasse. Nommé secrétaire-trésorier de la municipalité de Saint-Calixte le 10 mars 1899, poste qu'il occupa pendant plus de trente ans.

Marguillier de Saint-Calixte. Élu député libéral dans Montcalm en 1931.

Décédé en fonction, à Montréal, le 2 novembre 1934, à l'âge de 68 ans et 8 mois. Inhumé dans le cimetière de Saint-Calixte, le 6 novembre 1934.

Avait épousé dans sa paroisse natale, le 11 mai 1891, Emma Lefebvre, fille d'Octave Lefebvre et de Marie Goulet.

Père de Joseph-Odilon **Duval**.

DUVERNAY, Ludger
(1799–1852)

Né à Verchères et baptisé dans la paroisse Saint-François-Xavier, le 22 janvier 1799, sous le prénom de Joseph-Ludger, fils de Joseph Crevier Duvernay, maître menuisier, et de Marie-Anne-Julie Rocbert de La Morandière, qui épousa en secondes noces Joseph **Beauchamp**.

Étudia à Varennes. Fit l'apprentissage du métier d'imprimeur à Montréal, de 1813 à 1815, dans l'atelier du *Spectateur*.

Travailla dans cette entreprise jusqu'en 1817, puis mit sur pied une imprimerie à Trois-Rivières. Publia *la Gazette des Trois-Rivières*, *l'Ami de la religion et du roi*, *le Constitutionnel* et *l'Argus*. De retour à Montréal en 1827, fit paraître le *Canadian Spectator* jusqu'en 1829 et *la Minerve*, achetée d'Augustin-Norbert **Morin** et qui défendait les idéaux du parti patriote et de Louis-Joseph **Papineau**, jusqu'en 1837; en reprit la publication de 1842 à 1852, prônant cette fois les idées des réformistes de Louis-Hippolyte **La Fontaine**. Fut emprisonné quatre fois pour diffamation; se battit en duel à deux reprises.

Défait dans Rouville à une élection partielle le 9 février 1833. Élu sans opposition député de Lachenaie à une élection partielle le 26 mai 1837. Conserva son siège jusqu'à la suspension de la constitution, le 27 mars 1838.

Quitta Montréal lorsqu'un mandat d'arrêt fut lancé contre lui et d'autres patriotes, le 16 novembre 1837; dirigea un groupe de patriotes à la bataille de Moore's Corner (Saint-Armand-Station), en décembre 1837. Se rendit aux États-Unis; en 1839–1840, fit paraître à Burlington, au Vermont, *le Patriote canadien*. Fut de retour à Montréal en 1842.

Cofondateur et président, en 1834, de la société Aide-toi, le Ciel t'aidera, dont les membres s'intéressaient à la politique et à la littérature; fit du 24 juin une fête nationale. Membre fondateur en 1843, commissaire ordonnateur, puis président en 1851 de l'Association Saint-Jean-Baptiste de Montréal.

Décédé à Montréal, le 28 novembre 1852, à l'âge de 53 ans et 10 mois. Après des obsèques célébrées en l'église Notre-Dame, fut inhumé dans le cimetière de la rue Saint-Antoine, le 1er décembre 1852; ses restes furent transférés dans le cimetière Notre-Dame-des-Neiges, le 21 octobre 1855.

Avait épousé à Saint-Antoine-de-la-Rivière-du-Loup (Louiseville), le 14 février 1825, Reine Harnois, fille du capitaine Augustin Harnois et de Josephte Déjarlais.

Oncle de Pierre **Fortin**.

———

Bibliographie: *DBC.*

EARL, Paul
(1893–1963)

Né à Montréal, le 27 septembre 1893, fils d'Edward Earl, sculpteur, et de Mary Jane Bastain.

Fit ses études à la High School et à l'École technique de Montréal ainsi qu'au Royal Naval College à Greenwich, en Angleterre.

Manufacturier et président de Earl Brothers inc. Lieutenant dans la Marine royale de 1915 à 1919. Commandant dans la réserve navale d'officiers de la région de Montréal (RCNVR) de 1942 à 1946. Président du Montreal United Service Institute.

Élu député libéral dans Montréal–Notre-Dame-de-Grâce en 1948. Réélu en 1952, 1956, 1960 et 1962. Ministre des Mines dans le cabinet Lesage du 5 juillet 1960 au 28 mars 1961, puis ministre du Revenu du 28 mars 1961 au 23 mai 1963.

Créé commandeur de l'ordre de l'Empire britannique. Membre du Mount Stephen Club, du Naval Officers Club, du Club de réforme de Montréal et du Club de la garnison de Québec.

Décédé en fonction à Limerick, en Irlande, le 23 mai 1963, à l'âge de 70 ans et 8 mois. Incinéré à Montréal, au Mount Royal Crematorium, le 27 mai 1963.

Avait épousé à Montréal, le 24 juin 1925, Jean Scott Gatehouse, fille de John Edgar Gatehouse et d'Isabel Brown.

EDDY, Ezra Butler
(1827–1906)

[Né à Bristol, dans l'État du Vermont, le 22 août 1827, fils de Samuel Eddy et de Clarissa Eastman.]

Fit ses études à Bristol.

S'établit à Hull en 1851 où il devint fabricant d'allumettes et propriétaire de moulins de pâtes et papiers ainsi que de plusieurs scieries sous le nom de E.B. Eddy Co. Directeur du Canada Central Railway.

Élu député conservateur dans Ottawa en 1871. Défait en 1875. Échevin de Hull du 21 janvier 1878 au 17 janvier 1888. Maire de cette ville du 24 janvier 1881 au 28 janvier 1885 et du 25 janvier 1887 au 17 janvier 1888. À la fois maire et échevin en 1891 et 1892.

Président de l'Ottawa Ladies College. Membre de la Masonic Lodge.

Décédé à Hull, le 10 février 1906, à l'âge de 78 ans et 5 mois. Inhumé dans le cimetière de Bristol, dans l'État du Vermont, le 13 février 1906.

[Avait épousé, le 1er décembre 1846, Zaida Diona Arnold, fille de U.F. Arnold; puis, à Chatham, au Nouveau-Brunswick, en juin 1894, Jennie G.H. Sheriff, fille de John Sheriff.]

Bibliographie: Labelle, Rhéal, *Monographie industrielle de la compagnie E.B. Eddy*, thèse de maîtrise à l'université Laval, Québec, 1953, 177 p.

EGAN, John
(1811–1857)

Né à Lissavahaum, dans le comté de Galway (en république d'Irlande), le 11 novembre 1811.

S'installa au Bas-Canada en 1830. S'engagea dans le commerce du bois équarri, à titre de commis d'un marchand du canton de Clarendon, situé le long de la rivière des Outaouais, avant de s'établir à son propre compte. Ouvrit un magasin à Aylmer, puis se lança dans l'exploitation forestière dans la vallée de l'Outaouais et diverses autres régions du Bas-Canada, ainsi que dans le Haut-Canada où il allait fonder le village d'Eganville. En 1836, prit part à la création de l'Ottawa Lumber Association à Bytown (Ottawa) et, en 1837, mit sur pied la John Egan and Company. Engagé dans l'aménagement de plusieurs rivières, dans la construction routière et ferroviaire, et dans l'établissement d'un réseau de navigation à vapeur. Propriétaire de scieries et de moulins à farine. L'un des fondateurs de la Union Forwarding Company et de la Union Railroad, en 1846, de la Bytown and Pembroke Railway

Company, en 1852, de la Compagnie des jetées, quais et bassins du Cap-Rouge, en 1853 ; président de la Bytown and Aylmer Union Turnpike Company.

Préfet du district de Sydenham en 1841. Maire d'Aylmer en 1847. Élu sans opposition député de la circonscription d'Ottawa en 1848 ; de tendance libérale, puis indépendant modéré. Réélu sans opposition en 1851 ; modéré, puis réformiste. Élu dans Pontiac en 1854 ; se rangea du côté des réformistes, puis des bleus.

Fut juge de paix et officier de milice. Fit partie de la Bytown Emigration Society. Participa à l'établissement de l'église anglicane Christ Church à Aylmer.

Décédé en fonction à Québec, le 11 juillet 1857, à l'âge de 45 ans et 8 mois. Inhumé à Aylmer.

Avait épousé à Bytown (Ottawa), le 13 août 1839, Anne Margaret Gibson, [fille d'un capitaine de la Marine royale].

Bibliographie : *DBC.*

ELGIN, comte d'. V. BRUCE

ÉLIE, Antonio
(1893–1968)

Né à Baie-du-Febvre, le 9 décembre 1893, fils de Joseph Élie, cultivateur, et d'Éloïse Bélisle.

Fit ses études à l'académie Saint-Antoine-de-la-Baie et chez les Frères des écoles chrétiennes.

Cultivateur et éleveur de Holstein. Propriétaire de la renardière de Baieville. Directeur du Syndicat coopératif agricole de La Baie de 1915 à 1930. Gérant du Syndicat de la batteuse de trèfle pendant quinze ans. Président du Club d'éleveurs Holstein de Nicolet-Yamaska et Drummond. Directeur de l'association Holstein-Friesian du Canada, section Québec. Président de la Société générale des éleveurs de la province de Québec. Président du Syndicat du rachat des rentes seigneuriales de la province. Gérant de la caisse populaire de La Baie pendant vingt-trois ans. Membre de la Corporation de la betteraverie de Saint-Hilaire.

Conseiller municipal de La Baie (Baie-du-Febvre) en 1923 et 1924. Élu député conservateur dans Yamaska en 1931. Réélu en 1935. Élu député de l'Union` nationale en 1936, 1939, 1944, 1948, 1952 et 1956. Assermenté ministre sans portefeuille, dans les cabinets Duplessis, Sauvé et Barrette, le 26 août 1936, le 7 juillet 1938, le 30 août 1944, le 11

septembre 1959 et le 8 janvier 1960. Réélu en 1960 et 1962. Ne s'est pas représenté en 1966.

Marguillier de sa paroisse de 1946 à 1949. Commandeur de l'ordre du Mérite agricole et de l'ordre de Saint-Grégoire-le-Grand. Membre du Club Renaissance de Québec, du Club Saint-Louis de Trois-Rivières et de l'Institut canadien de Québec.

Décédé à Baie-du-Febvre, le 15 janvier 1968, à l'âge de 75 ans et un mois. Inhumé dans le cimetière de cette paroisse, le 19 janvier 1968.

Avait épousé dans sa paroisse natale, le 19 janvier 1915, Berthe-Annette Lemire, fille de Calixte Lemire et de Delphine Lesieur Desaulniers.

ELKAS, Sam

Né à Sherbrooke, le 31 mars 1938, fils de Salim Elkas, commerçant, et d'Ida Zambil.

A étudié à la Sherbrooke High School et suivit des cours en administration aux universités McGill et Western (Ontario).

Employé de Bell Canada de 1957 à 1989, il fut directeur régional de 1986 à 1989. Conseiller municipal de 1973 à 1975, et maire de Kirkland de 1975 à 1989. Au sein de la Communauté urbaine de Montréal, il fut membre du comité exécutif de 1978 à 1989, président de la commission de l'environnement de 1986 à 1989, et président de la Régie de la gestion des déchets solides de 1985 à 1989. Membre du conseil d'administration du Vieux-Port de Montréal de 1984 à 1989. Membre de la commission du développement économique de la banlieue Ouest de 1983 à 1989.

Élu député libéral dans Robert–Baldwin en 1989. Ministre de la Sécurité publique dans le cabinet Bourassa du 11 octobre 1989 au 5 octobre 1990. Assermenté ministre des Transports le 11 octobre 1989.

ELMSLEY, John
(1762–1805)

Né en Angleterre, dans la paroisse de Marylebone (à Londres), en 1762, fils d'Alexander Elmsly (Elmslie), fermier, et d'Anne Elligood.

Fit des études à l'Oriel College de l'University of Oxford à compter de 1782 ; obtint une maîtrise ès lettres en 1789. Fut admis au barreau à l'Inner Temple en 1790.

Nommé juge en chef du Haut-Canada en avril 1796, arriva à Newark (Niagara-on-the-Lake) en novembre. S'opposa au déménagement du gouvernement de Newark à York (Toronto), mais s'y installa en 1798. Rédigea des rapports sur de nombreuses questions se rattachant au Haut-Canada.

Choisi comme juge en chef du Bas-Canada à la suite de la démission de William **Osgoode**, prêta serment le 29 octobre 1802. Nommé au Conseil exécutif le 14 août 1802 ; en fit partie jusqu'à sa mort. Assermenté comme membre du Conseil législatif le 8 février 1803 ; agit à titre de président à compter du 5 février 1803.

Décédé en fonction à Montréal, le 29 avril 1805, à l'âge de 42 ou de 43 ans. Inhumé dans le cimetière anglais, rue Dorchester (boulevard René-Lévesque), à Montréal.

Avait épousé à Londres, le 23 juillet 1796, Mary Hallowell, fille de Benjamin Hallowell, loyaliste.

———

Bibliographie : *DBC*.

ÉNAULT. V. ÉNO

ENGLAND, Rufus Nelson
(1851–1911)

[Né à Knowlton, le 4 mai 1851, fils d'Israël England, tanneur et marchand, et de Mary Villiers Curtis.]

Fit ses études à l'académie de Knowlton et au Stanstead College. Marchand et télégraphiste au Canadien Pacifique. Maître de poste à Knowlton. Gérant de la firme I.E. England and Sons.

Élu député conservateur dans Brome à l'élection partielle du 28 novembre 1889. Réélu en 1890 et 1892. Ne s'est pas représenté en 1897.

Décédé à Montréal, le 28 novembre 1911, à l'âge de 60 ans et 6 mois. Inhumé à Knowlton, dans le cimetière méthodiste, le 1er décembre 1911.

[Avait épousé la fille de Jotham Beach ; puis, à Riceburg (Stanbridge), le 12 août 1890, Mary Cornelia Lambkin, fille de Philo Lambkin, entrepreneur.]

ÉNO, Norbert
(1793–1841)

Né à Berthier (Berthierville), le 20 septembre 1793, puis baptisé le 21, dans la paroisse Sainte-Geneviève-de-Berthier, fils d'Antoine Éno, qui fut coseigneur, et de Marie-Josephte Fauteux. Parfois désigné sous les patronymes de Esnault et Hénault.

Fut marchand à Saint-Cuthbert. Nommé capitaine dans la milice du comté de Berthier en mai 1818, promu major en mars 1827, renvoya sa commission en novembre 1837. Fait juge de paix le 26 août 1830, puis commissaire au tribunal des petites causes le 26 décembre 1834 ; ces deux commissions lui furent retirées le 31 octobre 1837, à cause de ses prises de position politiques.

Élu député de Berthier à une élection partielle le 7 mars 1837. Son mandat prit fin avec la suspension de la constitution, le 27 mars 1838.

Décédé à Saint-Cuthbert, le 1er octobre 1841, à l'âge de 48 ans. Inhumé dans l'église paroissiale, le 5 octobre 1841.

Avait épousé dans la paroisse de Saint-Cuthbert, le 29 octobre 1815, sa cousine Geneviève Fauteux, fille de l'agriculteur Joseph Fauteux et de Geneviève Dubord-Lafontaine ; elle épousa en secondes noces Joseph-Édouard **Faribault**.

ÉNO, dit DESCHAMPS, Amable
(≈1785–1875)

Né peut-être à Repentigny, vers 1785, fils de Joseph Éno (Énault, dit Deschamps) et de Marie-Joseph Richaume. Désigné, à son mariage, sous le nom d'Amable Énault, dit Deschamps, signa Amable Deschamps. Par la suite, utilisa les patronymes Deschamps et Éno, dit Deschamps.

Fut agriculteur à Repentigny. Nommé en 1827 juge de paix et lieutenant dans la milice ; accéda en 1851 au grade de lieutenant-colonel.

Élu député de L'Assomption en 1830 ; appuya le parti patriote. Ne s'est pas représenté en 1834.

Décédé à Repentigny, le 22 juillet 1875, à l'âge d'environ 90 ans. Inhumé dans le caveau de l'église de la Purification-de-la-Bienheureuse-Vierge-Marie, le 26 juillet 1875.

Avait épousé dans la paroisse Saint-Antoine, à Lavaltrie, le 14 février 1803, Marie-Louise Étié, fille de Louis Étié et de Marie-Louise Laurence.

ESINHART, Andrew
(1838– ≈1915)

Né à La Prairie, le 27 décembre 1838, fils d'Andrew Eisenhart, aubergiste, et de Charlotte Barbeau.

Marchand à La Prairie. Propriétaire d'un moulin à scie à Sainte-Clothilde. Propriétaire d'une briqueterie qui fit faillite vers 1870. S'installa en 1876 à Iberville où il fut propriétaire d'un magasin général et d'un entrepôt à grains.

Élu sans opposition député conservateur dans Laprairie en 1871. Défait en 1875.

Maire d'Iberville en 1882 et 1883. S'établit ensuite aux États-Unis où il décéda vers 1915.

Avait épousé dans la paroisse Notre-Dame-de-Montréal, le 25 février 1867, Marie-Ézelda Valotte, fille d'Henri Valotte, notaire, et d'Angélique Noro. Se serait remarié aux États-Unis.

ESNAULT. V. ÉNO

ÉTHIER, Joseph
(1733–1816)

Né à Pointe-Claire, le 8 décembre 1733, puis baptisé le 9, dans la paroisse Saint-Joachim, sous le prénom de Joseph-Amable, fils de Joseph Éthier, [chirurgien], et de Catherine Lauzon. Son patronyme s'orthographia aussi Etié, Ethié et Héthier.

Officier dans la milice, était capitaine dans le 2ᵉ bataillon de la Rivière-du-Chêne au début de la guerre de 1812.

Élu député d'York en 1796 ; ne prit part qu'aux votes de la première session et appuya le parti canadien. Ne se serait pas représenté en 1800.

Décédé à Saint-Eustache, le 1ᵉʳ février 1816, à l'âge de 82 ans et un mois. Inhumé dans le cimetière de la paroisse Saint-Eustache, le 3 février 1816.

Avait épousé dans la paroisse de Sainte-Geneviève, île de Montréal, le 25 janvier 1762, Marie-Josephte Turpin, fille de Jean-Baptiste Turpin et de Marie-Louise Lamagdeleine (Madeleine, dit Vivier).

ÉVANTUREL, François
(1821–1891)

Né à Québec et baptisé dans la paroisse Notre-Dame, le 22 octobre 1821, fils de François Évanturel, jardinier (fut soldat dans l'armée napoléonienne), et de Marie-Anne Bédard.

Étudia au petit séminaire de Québec de 1832 à 1841. Fit l'apprentissage du droit auprès de René-Édouard **Caron** ; admis au barreau en 1845.

S'établit comme avocat à Québec. L'un des administrateurs de la Compagnie du chemin de fer de la rive nord ; secrétaire de la Compagnie du chemin de fer et de la navigation du Saint-Maurice. Rédacteur en chef du *Canadien,* dont il fut l'un des propriétaires de 1862 à 1865, puis le seul, de 1865 à 1872.

Élu député de Québec à une élection partielle le 7 août 1855 ; bleu. Défait dans Québec et dans la cité de Québec en 1858. Élu dans Québec en 1861. Membre du ministère Macdonald–Sicotte : conseiller exécutif et ministre de l'Agriculture et des Statistiques du 24 mai 1862 au 15 mai 1863. À son entrée au cabinet, son siège de député était devenu vacant. Réélu à une élection partielle le 9 juin 1862. Réélu en 1863. Était de tendance libérale. Mis sous la garde du sergent d'armes de l'Assemblée, le 23 février 1864, pour absence injustifiée, fut libéré le même jour. Son mandat de député prit fin avec l'avènement de la Confédération, le 1ᵉʳ juillet 1867. Candidat libéral défait dans Québec aux élections de l'Assemblée législative en 1871.

Officier de milice. Cofondateur de l'Institut canadien de Québec en 1848, en fut le premier trésorier. Auteur, sous le pseudonyme de Montre-Œil, cocher de nuit, de : *les Deux Cochers de Québec ; souvenirs historiques* (Québec, 1886).

Décédé à Québec, le 12 mars 1891, à l'âge de 69 ans et 4 mois. Les obsèques eurent lieu dans l'église Saint-Jean-Baptiste, le 14 mars 1891.

Avait épousé dans la paroisse Saint-Roch, à Québec, le 22 octobre 1844, Louise-Jeanne-Eugénie Huot, fille de l'huissier Pierre Huot et de Jeanne-Gertrude Bériault.

Beau-frère d'Édouard **Rémillard**.

Bibliographie: *DBC*.

FALKNER, Paschal
(1833– ≥1862)

Né à Sault-au-Récollet (Montréal), le 4 avril 1833, puis baptisé le 5, dans la paroisse de la Visitation-de-la-Bienheureuse-Vierge-Marie, fils de Charles Falkner, cultivateur d'ascendance écossaise, et de sa seconde femme, Marie-Pauline (Apolline) Dagenais. Désigné aussi sous le prénom de Joseph-Paschal.

Étudia au petit séminaire de Montréal de 1848 à 1856, puis suivit les cours de l'école de droit du collège Sainte-Marie. Admis au barreau le 7 mars 1859, exerça sa profession à Montréal.

Élu député d'Hochelaga en 1861; rouge. Après l'entrée d'Antoine-Aimé **Dorion** dans le ministère Macdonald–Sicotte en mai 1862, lui offrit son siège, puis démissionna le 6 juin.

Décédé en ou après 1862.

Avait épousé dans la paroisse Notre-Dame de Montréal, le 7 février 1861, Rachel Robreau-Duplessis, fille de Joseph Robreau-Duplessis et d'Henriette Trové, dit Saint-Romain.

FALLU, Élie

Né à Nouvelle, en Gaspésie, le 2 mars 1932, fils d'Antoine Fallu, cultivateur, et d'Anna Gaudreau.

Fit ses études à l'école de Nouvelle, au séminaire de Chambly, au séminaire de Gaspé, à l'externat classique Sainte-Croix, à l'université d'Ottawa, à l'université de Montréal, à l'université Laval et à l'université de la Sorbonne à Paris. Fréquenta aussi l'École pratique des hautes études à Paris. Diplômé en éducation physique, en pédagogie et en lettres. Titulaire d'un doctorat en histoire.

Professeur à l'externat classique de Longueuil. De 1962 à 1976, il enseigna l'histoire au séminaire de Sainte-Thérèse (collège Lionel-Groulx) où il fut membre du conseil d'administration en 1967 et 1968. Professeur à l'université de Montréal de 1963 à 1969. Rédacteur de programmes du cours collégial en 1966 et 1967 et président de comités à la Direction générale des études collégiales (DIGEC). Négociateur syndical au séminaire de Sainte-Thérèse.

Membre du Mouvement souveraineté-association. Président du Parti québécois du comté de Terrebonne en 1968 et 1969, puis en 1972 et 1973. Membre du conseil national et secrétaire du conseil régional du parti en 1972 et 1973. Élu député du Parti québécois dans Terrebonne en 1976. Réélu dans Groulx en 1981. Adjoint parlementaire du ministre de l'Éducation du 18 octobre 1979 au 21 janvier 1981 et du ministre des Affaires municipales du 21 janvier 1981 au 15 mars 1984. Président de la Commission de l'aménagement et des équipements du 15 mars au 20 décembre 1984. Ministre délégué aux Relations avec les citoyens dans les cabinets Lévesque et Johnson (Pierre Marc) du 20 décembre 1984 au 16 octobre 1985. Ministre des Communautés culturelles et de l'Immigration dans le cabinet Johnson (Pierre Marc) du 16 octobre au 12 décembre 1985. Défait dans Groulx en 1985. Retourna à l'enseignement. Fonda deux entreprises dans le domaine de l'informatique et de la production audio-visuelle. Élu maire de Sainte-Thérèse en 1987 et en 1991.

Auteur de : *Cicéron et ses hôtes* (1966), *les Études anciennes et leurs avenirs* (1968), *Cicéron et les finances publiques* (1974), *le Droit privé romain et l'organisation judiciaire à Rome* (1976). Collaborateur à la revue *les Humanités classiques au Québec*, à la *Revue des études latines* et à *Aufstieg und Niedergang der Römischen Welt*. Membre fondateur du garage coopératif des Mille-Isles. Fondateur du Regroupement des citoyens de Sainte-Thérèse.

FARAND, Avila
(1870–1941)

Né à Saint-Clet, le 11 juillet 1870, fils de Joseph Farand, cultivateur, et de Marcelline Arsenault. Fit ses études au collège Bourget à Rigaud.

Marchand général à Saint-Clet et à Coteau-Landing. Agent de la brasserie Union de 1904 à 1907. Fondateur et président de la Compagnie d'aqueduc de Saint-Clet en 1906. Représentant de la National Breweries Ltd. de 1907 à 1916.

Agent de la brasserie Frontenac en 1924. Distributeur des produits de la British American Oil Co. pour les comtés de Vaudreuil et de Soulanges.

Secrétaire du conseil municipal de la paroisse Saint-Clet du 19 janvier 1903 au 10 février 1908. Commissaire d'école au même endroit de 1908 à 1912. Élu député libéral dans Soulanges en 1916. Réélu en 1919. Défait en 1923. Réélu en 1927, 1931 et 1935. Ne s'est pas représenté en 1936.

Président de la Société d'agriculture de Saint-Clet en 1917. Membre de l'Alliance nationale et secrétaire de cette association de 1893 à 1896. Membre du Club de réforme, des Chevaliers de Colomb et des Forestiers catholiques dont il fonda la section de Saint-Clet. Chevalier de l'ordre de Saint-Grégoire-le-Grand.

Décédé à Lake Wales, en Floride, le 8 février 1941, à l'âge de 70 ans et 6 mois. Inhumé dans le cimetière de Saint-Clet, le 13 février 1941.

Avait épousé à Les Cèdres dans la paroisse Saint-Joseph-de-Soulanges, le 29 août 1893, Émelda Séguin, fille de Jean-Baptiste Séguin, cultivateur, et d'Éléazelle Trottier.

FARIBAULT, Joseph-Édouard
(1773–1859)

Né à Berthier-en-Haut (Berthierville) et baptisé dans la paroisse Sainte-Geneviève-de-Berthier, le 4 mai 1773, fils de Barthélemy Faribault, notaire, et de Catherine-Antoine Véronneau.

Après avoir fait son stage de clerc auprès de son père, reçut sa commission de notaire en 1791.

Pratiqua le notariat jusqu'en 1849, d'abord à Berthier-en-Haut, puis à L'Assomption. Fit également l'acquisition de terrains et de bâtiments, exploita des baux à ferme, prêta des capitaux, loua, construisit et fit valoir des scieries et des moulins à farine. De 1812 à 1822, fut administrateur en titre de la seigneurie de Lavaltrie. Reçut des concessions de terre dans le canton de Kilkenny par suite de sa participation comme officier de milice à la guerre de 1812.

Élu député de Leinster en 1808; ne prit part à aucun vote. Ne s'est pas représenté en 1809. Membre du Conseil spécial du 2 avril 1838 jusqu'à la dissolution de ce conseil, en juin, et à nouveau du 2 novembre 1838 jusqu'à l'entrée en vigueur de l'Acte d'Union, le 10 février 1841.

Fut préfet du district de Leinster en 1841 et 1842; maire de L'Assomption de 1846 à 1848. Obtint plusieurs postes de commissaire et fut juge de paix. Secrétaire de la fabrique de la paroisse Saint-Pierre-du-Portage, de 1796 à

1830, fut aussi membre du conseil formé à L'Assomption en 1825 en vue d'ouvrir une école élémentaire publique.

Décédé à L'Assomption, le 3 août 1859, à l'âge de 86 ans et 2 mois. Inhumé dans la paroisse Saint-Pierre-du-Portage, le 6 août 1859.

Avait épousé dans la paroisse Saint-Pierre-du-Portage, à L'Assomption, le 24 novembre 1794, Marie-Anne-Élisabeth Poudret, fille d'Antoine Poudret, négociant, et de Marie-Apolline Spagniolini; puis, dans la même paroisse, le 1er novembre 1845, Geneviève Fauteux, veuve de Norbert **Éno**, marchand.

Beau-père de Louis-Michel **Viger**. Oncle de Barthélemy **Joliette**.

Bibliographie: *DBC*.

FARIBAULT, Marcel
(1908–1972)

Né à Montréal, dans la paroisse Saint-Louis-de-France, le 8 octobre 1908, fils de René Faribault, notaire, et d'Anna Pauzé.

Fit ses études au collège de L'Assomption et à l'université de Montréal. Reçu notaire en 1930. Obtint un doctorat en droit à l'université de Montréal et le prix David pour sa thèse en 1936.

Notaire à Montréal. Exerça d'abord sa profession avec son père, puis pratiqua seul dès 1940. Membre de l'étude Leroux, Faribault & Leroux de 1950 à 1959. Commissaire des incendies de la ville de Montréal de 1937 à 1939. Professeur agrégé de procédure notariale à l'université de Montréal en 1939 et 1940, puis professeur titulaire de 1940 à 1960.

Nommé conseiller législatif de la division de Repentigny le 31 octobre 1967. Appuya l'Union nationale. Démissionna le 9 juin 1968. Partisan de la thèse des deux nations, il fut le lieutenant de Robert Stanfield, chef du Parti conservateur du Canada, aux élections fédérales de 1968. Candidat conservateur défait dans Gamelin aux élections fédérales de 1968.

Secrétaire de l'Association du notariat du district de Montréal de 1934 à 1938, et président en 1942. Président de la Commission de révision des lois d'assurances de la province de Québec en 1949. Président intérimaire de la Chambre des notaires en 1950 et 1951. Secrétaire général de l'université de Montréal de 1950 à 1955 et membre du conseil des gouverneurs de 1963 à 1967.

Membre des conseils d'administration de: la Société générale de financement du Québec, Dupuis Frères ltée, la Candiac Development Corp., la compagnie de téléphone Bell, la Banque canadienne nationale, la Compagnie d'assurance canadienne mercantile, la Compagnie d'assurance canadienne nationale, la Compagnie d'assurance générale de commerce, La Prévoyance, L'Économie mutuelle d'assurance, l'International Business Machines Co. Ltd., la Dominion Textile Co. Ltd., la Canet Construction Ltd., la Montreal Cottons Ltd., la Roy-Nat Ltd., Rougier inc., la compagnie Miron ltée, les laboratoires Laurin ltée, Corbeil ltée, Arrow Shoe Ltd., la Canadian Arena Co., le Crédit foncier franco-canadien, la compagnie France-Film, Télé-Métropole inc., Cinémonde canadien ltée, les Éditions Fides, Sidbec, la Dominion Steel & Coal Corp., Rodeca Inc., le laboratoire Dysne-Inhal et Tetreault Shoe Ltd.

Collaborateur à la *Revue du notariat* et aux *Mémoires de la Société royale du Canada*. A publié notamment *Dix pour un ou le pari confédératif* avec Robert Fowler (1965), *Unfinished Business, Some Thoughts on the Mounting Crisis in Quebec* (1967), *Vers une nouvelle constitution* (1967) et *Révision constitutionnelle* (1970).

Nommé membre de la Société royale du Canada en 1956. Membre de la Chambre de commerce de Montréal, du Conseil des arts du Canada, de la Société des écrivains canadiens, du Club Saint-Denis, du Cercle universitaire de Montréal et de la Ligue du progrès civique de Montréal. Docteur en droit honoris causa des universités Laval, de Montréal, d'Ottawa, de Toronto, de Hamilton et du Collège militaire de Kingston.

Décédé à Outremont, le 26 mai 1972, à l'âge de 63 ans et 7 mois. Inhumé à Montréal, dans le cimetière Notre-Dame-des-Neiges, le 29 mai 1972.

Avait épousé à Outremont, dans la paroisse Saint-Germain, le 20 janvier 1938, Marguerite Masson, fille d'Henri Masson et de Jeanne Desjardins.

FARRAH, Georges

Né à Cap-aux-Meules, Îles-de-la-Madeleine, le 23 août 1957, fils d'Arthur Farrah, administrateur, et d'Hilda Boudreau.

A étudié à l'école primaire Notre-Dame Auxiliatrice à Verdun, de 1962 à 1967, à la polyvalente des Îles, de 1969 à 1974, au séminaire Saint-Augustin, en 1974 et 1975, puis à l'université de Moncton, de 1975 à 1979 où il obtient un baccalauréat en sciences administratives.

Propriétaire de l'Auberge du village à Cap-aux-Meules de 1979 à 1991. Enseigna à la commission scolaire des Îles à l'éducation aux adultes en 1982. Membre de la Chambre de commerce des Îles et de l'Association des hôteliers de la province de Québec à compter de 1979. Membre du conseil d'administration de la caisse populaire de Lavernière à partir de

1984. Membre fondateur, en 1981, puis président, en 1983 et 1984, du Club optimiste de Cap-aux-Meules.

Organisateur en chef du député fédéral Rémi Bujold de 1979 à 1984. Président de l'Association libérale des Îles-de-la-Madeleine en 1980 et 1981. Élu député libéral dans Îles-de-la-Madeleine en 1985. Réélu en 1989. Président du caucus des députés de l'Est de décembre 1989 à décembre 1991. Vice-président de la Commission de coopération et du développement de l'AIPLF à compter de 1989. Nommé adjoint parlementaire du ministre du Tourisme le 3 juillet 1991.

FARRALL. V. O'FARREL

FAUCHER, Benjamin
(1915–1990)

Né à Saint-Elphège, le 12 avril 1915, fils d'Urbain Faucher, cultivateur, et d'Olive Côté.

Fit ses études à Saint-Elphège, au séminaire de Nicolet, au séminaire de Québec, à l'Institut agricole d'Oka et à l'École d'hygiène de Montréal. Diplômé de l'université de Montréal en médecine vétérinaire (1943) et en hygiène publique (1956).

Au service des ministères de la Santé et de l'Agriculture à titre de vétérinaire et d'inspecteur sanitaire de 1943 à 1970. Président de la caisse populaire de Saint-François-du-Lac en 1948 et 1949. Membre des Chevaliers de Colomb.

Échevin de Pierreville de janvier 1964 à septembre 1969. Candidat libéral défait dans Yamaska en 1966. Élu député libéral dans la même circonscription en 1970. Réélu dans Nicolet-Yamaska en 1973. Défait en 1976.

Décédé à Pierreville, le 26 décembre 1990, à l'âge de 75 ans et 8 mois. Inhumé à Pierreville, le 29 décembre 1990.

Avait épousé à Saint-Elphège, le 15 juillet 1946, Gilberte Boisvert, institutrice, fille d'Oscar Boisvert, menuisier, et de Joséphine Turcotte, institutrice.

FAUCHER, Pierre-Vincent
(1864–1934)

Né à Québec, le 8 octobre 1864, fils de Narcisse Faucher, charpentier, et de Mathilde Valin.

Fit ses études au séminaire de Québec et à l'université Laval à Québec. Reçu médecin en 1891.

Exerça sa profession à Québec. Professeur de médecine à l'université Laval à Québec de 1909 à 1934. Médecin attaché à l'hôpital l'Hôtel-Dieu de Québec en 1922.

Candidat conservateur défait dans Québec-Centre en 1916. Ne s'est pas représenté en 1919. Président de l'Association conservatrice en 1920. Élu député conservateur dans Québec-Centre en 1923. Ne s'est pas représenté en 1927.

Gouverneur et secrétaire conjoint du Collège des médecins de la province de Québec de 1904 à 1907. Cofondateur de la Société médicale de Québec dont il fut président en 1916. Membre des Chevaliers de Colomb.

Décédé à Québec, le 3 juillet 1934, à l'âge de 69 ans et 8 mois. Inhumé à Sainte-Foy, dans le cimetière Notre-Dame-de-Belmont, le 6 juillet 1934.

Avait épousé à Québec, dans la paroisse Saint-Jean-Baptiste, le 26 novembre 1888, Marie-Lauretta Carpentier, fille de Guillaume Carpentier, commerçant, et de Marie Julien ; puis, dans la même paroisse, le 23 septembre 1907, Rose-Anna DeBlois, fille d'Ambroise DeBlois et veuve de Joseph-Éphrem Cloutier.

FAUCHER DE SAINT-MAURICE, Narcisse-Henri-Édouard (1844–1897)

Né dans la paroisse Notre-Dame de Québec, le 18 avril 1844, fils de Narcisse-Constantin Faucher, avocat et seigneur de Beaumont et de Vincennes, et de Catherine-Henriette Mercier.

Fit ses études au séminaire de Québec et au collège de Sainte-Anne-de-la-Pocatière, puis étudia le droit auprès des avocats Ulric-Joseph Tessier et Henri Taschereau. Volontaire dans l'armée française de l'empereur Maximilien au Mexique en 1864 et 1865.

Greffier des bills privés du Conseil législatif de la province de Québec du 4 novembre 1867 au 30 novembre 1881. Rédacteur en chef du *Journal de Québec* de 1883 à 1885 et du *Canadien* en 1885 et 1886. Journaliste à *la Presse*. Collaborateur à plusieurs journaux et revues dont : *l'Album universel*, *l'Événement*, *la Nouvelle-France*, *les Nouvelles Soirées canadiennes*, *l'Opinion publique* et *la Revue nationale*.

Élu député conservateur dans Bellechasse en 1881. Réélu en 1886. Défait en 1890. Candidat conservateur défait dans Bellechasse aux élections fédérales de 1891. Greffier des procès-verbaux de l'Assemblée législative du 25 avril 1892 au 1er avril 1897.

Cofondateur du Crédit foncier franco-canadien. Créé chevalier de la Légion d'honneur de France en 1881. Récipiendaire de la médaille du Mexique. Chevalier de l'ordre militaire de la Guadeloupe. Membre fondateur de la Société royale du Canada en 1882. Membre de la Société historique et littéraire

de Québec, de la Presse associée de la province de Québec et de plusieurs associations à caractère historique et littéraire.

A publié plusieurs ouvrages dont des études historiques, des contes et légendes, des récits de voyages, des traités militaires, ainsi qu'une étude sur la procédure parlementaire intitulée *Procédure parlementaire. Décisions des orateurs, protêts, règles et règlements du Conseil législatif de la Province de Québec avec index, décisions des orateurs, jugements, règles et règlements de l'Assemblée législative de la province de Québec avec index 1868–1885* (1885).

Décédé à Québec, le 1er avril 1897, à l'âge de 52 ans et 11 mois. Inhumé à Sainte-Foy, dans le cimetière Notre-Dame-de-Belmont, le 5 avril 1897.

Avait épousé dans sa paroisse natale, le 25 mai 1868, Joséphine Berthelot d'Artigny, fille d'Amable Berthelot d'Artigny, médecin, et de Zoé Desrochers.

Bibliographie: *DBC*.

FAUTEUX, Gaspard (1898–1963)

Né à Saint-Hyacinthe, le 27 août 1898, fils d'Homère Fauteux, dentiste, et d'Héva Mercier.

Fit ses études chez les Sœurs grises de Québec, au séminaire de Québec, au collège de Lévis, au collège Sainte-Marie à Montréal ainsi qu'à l'université de Montréal. Reçu chirurgien dentiste le 13 juin 1921.

Sergent dans le corps dentaire canadien au camp militaire Valcartier. Exerça sa profession dans la Beauce jusqu'en 1926, puis s'établit à Montréal. Organisateur de la clinique dentaire de l'Hôtel-Dieu de Montréal en 1928 et 1929.

Membre de l'Union libérale Papineau et de l'Association libérale Sainte-Marie. Élu député libéral à l'Assemblée législative dans Montréal–Sainte-Marie aux élections de 1931. Défait en 1935. Élu député libéral à la Chambre des communes dans Sainte-Marie à l'élection partielle du 9 février 1942. Réélu en 1945 et 1949. Orateur à la Chambre des communes le 6 septembre 1945 au 30 avril 1949. Nommé membre du Conseil privé le 15 mai 1949. Démissionna le 28 août 1950. Lieutenant-gouverneur de la province de Québec du 3 octobre 1950 au 14 février 1958.

Gouverneur du Collège des chirurgiens dentistes de la province de Québec d'août 1930 à juillet 1932. Directeur de la Refinex Trading Co., de l'Industrial Steel and Fibre Co., de la Bruck Silk Mills Ltd., de la Canadian Home Insurance Co., de la Jefferson Maritime Insurance Co. (New York) et de la United

Asbestos Corp. Président du bureau de direction de l'Hôtel Windsor et de la Beaconing Optical and Precision Material Co. Ltd. Partenaire de la Davidson and Corp. Membre du Club de la garnison de Québec, du Club de réforme, du Winter Club de Québec, du Mount Stephen Club de Montréal, de la Légion canadienne BESL, section Jean-Brillant, de la Mental Motorist League, de la Société Saint-Jean-Baptiste du district Saint-Eusèbe, du Club Lemieux, du Club Chapleau et des Chevaliers de Colomb. Créé commandeur de l'ordre national de la Légion d'honneur le 12 janvier 1949. Fait chevalier de grâce de l'ordre de Saint-Jean-de-Jérusalem. Titulaire de la Croix-Rouge de Grèce. Docteur honoris causa de l'université Laval en 1950, de l'université de Montréal en 1951 et de la McGill University en 1957.

Décédé à Montréal, le 29 mars 1963, à l'âge de 64 ans et 6 mois. Inhumé à Montréal, dans le cimetière Notre-Dame-des-Neiges, le 2 avril 1963.

[Avait épousé à New York, dans l'église Notre-Dame-de-Lourdes, le 18 septembre 1923, Marguerite Barré, fille d'Antoine Barré, artiste, et d'Antoinette Skelly.]

Petit-fils d'Honoré **Mercier** et de Joseph Godbout, député à la Chambre des communes de 1887 à 1901, puis sénateur de 1901 à 1923. Neveu de Lomer **Gouin**. Beau-père de Claude **Castonguay**.

FELTON, William Bowman
(1782–1837)

Né à Gloucester, en Angleterre, en 1782, fils de John Felton, officier dans la Marine royale, et d'Elizabeth Butt.

Officier dans la marine britannique, servit pendant les guerres napoléoniennes, en Méditerranée et à Gibraltar. Quitta son poste en 1814 et fut mis à la demi-solde. Entreprit d'investir dans la colonisation et l'exploitation agricole en Amérique du Nord. Arriva à Québec en 1815 et s'installa, en 1816, dans le canton d'Ascot qu'il fit mettre en valeur. Acquit d'autres propriétés foncières, dans les cantons d'Ascot et d'Orford.

Nommé au Conseil législatif le 6 avril 1822, prit son siège le 28 novembre 1823.

À compter de 1822, occupa le poste d'agent local des Terres de la couronne. En 1825–1826, tenta sans succès de mettre sur pied une entreprise de colonisation, la Lower Canada Land Company. Nommé commissaire des Terres de la couronne en 1827; accusé de malversations par la Chambre d'assemblée, fut suspendu de ses fonctions en août 1836, puis démis à la fin de l'année.

Décédé en fonction à sa résidence, Belvidere, près de Sherbrooke, le 30 juin 1837, à l'âge de 54 ou de 55 ans. Inhumé dans la mission anglicane de Sherbrooke et Lennoxville, le 3 juillet 1837.

Avait épousé à l'île de Minorque, en 1811, Anna Maria Valls.

Père de William Locker Pickmore **Felton**. Beau-père de Thomas Cushing **Aylwin**.

Bibliographie: DBC.

FELTON, William Locker Pickmore
(1812–1877)

Né à Mahon, île de Minorque, le 6 ou le 23 avril 1812, fils de William Bowman **Felton**, officier dans la marine britannique, et d'Anna Maria Valls.

Accompagna ses parents venus s'établir au Bas-Canada en 1815. Étudia à Hatley, dans les Cantons-de-l'Est, et à Saint-Jean-Baptiste-de-Nicolet. Fit l'apprentissage du droit à Québec, auprès d'Andrew **Stuart** et de Henry **Black**; admis au barreau en 1834.

Exerça sa profession à Québec pendant trois ans et, en 1837, fut rattaché au district judiciaire de Saint-François. Agit à titre de procureur de la couronne de 1853 à 1861. Nommé président de la Cour des sessions avant 1854. Fait conseiller de la reine en décembre 1854. Élu bâtonnier du district de Saint-François en 1861, occupa ce poste jusqu'en 1875. Bien que de confession protestante, encouragea la fondation, en 1857, à Sherbrooke, du Mont Notre-Dame.

Élu député des circonscriptions unies de Sherbrooke et Wolfe en 1854; se rangea du côté des réformistes, puis fut de tendance conservatrice. Défait dans Richmond et Wolfe en 1858. Défait dans la ville de Sherbrooke en 1861, puis dans Richmond et Wolfe en 1863.

Décédé à la résidence familiale de Belvidere, près de Sherbrooke, le 12 novembre 1877, à l'âge de 65 ans et 6 ou 7 mois.

Avait épousé à Québec, le 6 août 1835, Clara Lloyd, fille de Thomas Lloyd, chirurgien à la demi-solde de l'armée britannique.

Beau-frère de Thomas Cushing **Aylwin**.

Bibliographie: DBC.

FÉRÉ. V. FERRÉ

FERRÉ, Jean-Baptiste
(1767–1828)

Né à Québec et baptisé dans la paroisse Notre-Dame, le 12 février 1767, fils de Jean-Baptiste Ferré et d'Angélique Brisson. Son patronyme s'orthographia aussi Féré.

Fut meunier à Saint-Eustache; en 1809, demanda sans succès à la Chambre d'assemblée le privilège exclusif pour vingt ans de fabriquer, selon un procédé de son invention, des fers pour actionner les meules de moulin à farine. Capitaine dans le 2e bataillon de milice de la Rivière-du-Chêne, commanda la compagnie de Saint-Eustache pendant la guerre de 1812; fut destitué de son grade pour des raisons politiques par le gouverneur George **Ramsay** en 1827.

Élu député d'York à une élection partielle le 2 mars 1815. Réélu en 1816. Participa à peu de votes, mais appuyait le parti canadien. Ne se serait pas représenté en avril 1820.

Décédé à Saint-Eustache, le 27 février 1828, à l'âge de 61 ans. Inhumé dans l'église paroissiale, le 1er mars 1828.

Avait épousé dans la paroisse de Saint-Eustache, le 25 novembre 1788, Josephte Bouchard, fille de Joseph Bouchard et de Marie-Josephte Labonté.

FERRES, James Moir
(≤1813–1870)

Né [à Aberdeen], en Écosse, le 3 septembre 1811 ou en 1813, [fils de John Ferres et de Christian Middleton].

Étudia à la *grammar school* et au Marischal College, à Aberdeen.

En 1833, arriva à Montréal, où il enseigna. Peu après, occupa le poste de directeur de l'académie de Frelighsburg, dans les Cantons-de-l'Est. Cofondateur, en 1835, de l'hebdomadaire *Missiskoui Standard,* dont il fut le rédacteur en chef jusqu'en décembre 1836. Exerçait la charge de registrateur adjoint, dans la paroisse de Saint-Armand, en 1838. L'année suivante, devint rédacteur en chef du *Montreal Herald*. Nommé secrétaire du Montreal Turnpike Trust en juin 1840, démissionna à l'arrivée au pouvoir des réformistes en 1842. Retourna au *Montreal Herald,* qu'il dirigea jusqu'en 1843. Nommé contrôleur des rentrées fiscales à la deuxième division du district de Montréal en 1844, fut démis de ses fonctions pour avoir participé aux élections dans Shefford en 1848. Rédacteur en chef et principal propriétaire de la *Montreal Gazette,* à compter de décembre 1848, s'en départit en 1854.

Arrêté à la suite de l'incendie du Parlement en avril 1849, fut rapidement remis en liberté.

Élu député de Missisquoi-Est en 1854; d'abord opposé aux réformistes, se rangea bientôt de leur côté, puis fut de tendance conservatrice. Élu dans Brome en 1858; de tendance conservatrice. Ne s'est pas représenté en 1861.

En 1861, obtint un poste au sein du Bureau d'inspecteurs des asiles et prisons, dont il fut président en 1868. Nommé directeur du pénitencier de Kingston, en Ontario, en mai 1869.

Décédé à Kingston, le 21 avril 1870, soit à l'âge d'environ 57 ans, soit à l'âge de 58 ans et 7 mois. [Inhumé à Lachine, près de Montréal.]

Avait épousé dans la cathédrale anglicane Holy Trinity, à Québec, le 23 octobre 1838, Sarah Jane Robertson, originaire d'Aberdeen, en Écosse, [fille de George Robertson et de Margaret Hannah Allshorn].

_____

Bibliographie: *DBC.*

FERRIE, Adam
(1777–1863)

Né à Irvine, dans le comté d'Ayrshire, en Écosse, le 15 avril 1777, fils de James Faerrie et de Jean Robertson.

Fit du commerce dans sa ville natale et à Glasgow, à compter de 1792 et de 1799 respectivement, puis à Manchester, en Angleterre, à partir de 1811. Vécut quelques années à la Jamaïque. En 1829, s'installa à Montréal où, en 1824, il avait fondé avec un associé une entreprise d'import-export. Contribua à l'établissement du Bureau de commerce de Montréal et de la Banque de la cité à Montréal. Actionnaire de la Compagnie d'assurance de Montréal contre les accidents du feu et de la Compagnie du gaz de Montréal. Bienfaiteur de la St. Andrew's Society, aida à sa mise sur pied en 1834 et en devint le premier vice-président. Philanthrope, fut notamment administrateur de la Boulangerie publique de Montréal, de 1837 à 1840.

Fit partie du conseil municipal de Montréal de 1840 à 1843. Appelé au Conseil législatif le 9 juin 1841, prit son siège le 15.

S'établit à Hamilton en 1853. Actionnaire de la Gore Bank de Hamilton et de l'Ottawa and Rideau Forwarding Company. Appartenait à l'Église presbytérienne.

Décédé en fonction à Hamilton, dans le Haut-Canada, le 24 décembre 1863, à l'âge de 86 ans et 8 mois.

Avait épousé [à Port-Glasgow, en Écosse, le 3 juin 1805], Rachel Campbell, [fille de Colin Campbell, de cette ville].

––––––

Bibliographie: *DBC*.

––––––

FERRIER, James
(1800–1888)

Né dans la région de Fife, en Écosse, le 22 octobre 1800.

Fit l'apprentissage du commerce à Perth. En 1821, vint s'établir à Montréal où il travailla pour le compte d'un marchand, avant de lancer sa propre entreprise en 1823. Exploita un magasin, rue Notre-Dame, jusqu'en 1836 et investit dans l'immobilier, puis s'engagea dans divers autres secteurs, dont ceux du crédit, des assurances, du développement industriel et du transport. Fut administrateur, dès l'ouverture à Montréal en 1837, de la Banque de l'Amérique septentrionale britannique, l'un des fondateurs de la Banque Molson en 1855 et de la Compagnie de crédit de Montréal en 1871, actionnaire de plusieurs autres établissements bancaires canadiens; président de la Compagnie d'assurance de Montréal contre les accidents du feu et administrateur de la Compagnie d'assurance de l'Amérique du Nord contre les accidents; promoteur et président de la Compagnie de Montréal pour l'exploitation des mines, locataire et exploitant des forges du Saint-Maurice de 1847 à 1851; fut administrateur de la Compagnie du pont international et eut des intérêts dans la Compagnie des steamers de la malle royale du Canada et des Antilles, ainsi que dans plusieurs compagnies ferroviaires, particulièrement celle du chemin à rails de Montréal et de Lachine, dont il fut président de 1846 à 1851, et celle du Grand Tronc, dont il présida le conseil d'administration canadien jusqu'à sa mort. Lié à la création, en 1847, et à la gestion de la Nouvelle Compagnie du gaz de la cité de Montréal, de même qu'à l'exploitation de l'entreprise de quincaillerie en gros et au détail de ses fils.

Membre du conseil municipal de Montréal à compter de 1841, représenta le quartier Est de 1842 à 1846, puis le quartier Saint-Laurent de 1846 à 1848, et fut maire de 1844 à 1847. Fit partie du Conseil législatif du 27 mai 1847 jusqu'à l'avènement de la Confédération, le 1er juillet 1867. Sénateur de la division de Shawinigan à partir du 23 octobre 1867 et conseiller législatif de la division de Victoria à compter du 2 novembre 1867. Appuya le Parti conservateur.

Fut juge de paix et officier de milice. Président de 1845 à 1852, puis membre jusqu'à sa mort de l'Institution royale pour l'avancement des sciences qui dirigea le McGill College, dont il fut fait chancelier en 1884; membre du conseil du Victoria College de Cobourg, en Ontario; vice-président de la Sabbath School Association of Canada et de la Société missionnaire canadienne-française; président de la Montreal Auxiliary Bible Society. D'abord rattaché à l'Église presbytérienne, devint un membre très actif et un bienfaiteur de l'Église méthodiste. Président de la Quebec Temperance and Prohibitory League et de la Montreal Temperance Vigilance Association. Président de la Société Saint-André de Montréal, à plusieurs reprises, et de la Société d'archéologie et de numismatique de Montréal, en 1864–1865.

Décédé en fonction à Montréal, le 30 mai 1888, à l'âge de 87 ans et 7 mois. Après des obsèques célébrées dans l'église méthodiste St. James Street, fut inhumé dans le cimetière du Mont-Royal, le 2 juin 1888.

Avait épousé Mary Todd.

––––––

Bibliographie: *DBC*.

––––––

FILION, Claude

Né à Québec, le 7 décembre 1945, fils de Léo Filion, agronome, et d'Alice Lescadres.

A étudié à Montréal au séminaire des Eudistes de 1957 à 1965 et à l'université de Montréal de 1965 à 1968 où il fut licencié en droit. Admis au barreau en 1969.

Pratiqua le droit à Montréal dans le cabinet Daoust, Duceppe, Beaudry, Filion, Jolicœur, Denis et Gagnon de 1969 à 1976. Directeur adjoint du cabinet du ministre du Travail et de la Main-d'œuvre de 1977 à 1980 et du ministre des Institutions financières, des Coopératives et des Consommateurs en 1980 et 1981. Directeur du cabinet du ministre des Affaires sociales en 1981 et 1982. Membre du cabinet Filion et Bisson à compter de 1983. Fut membre du conseil de tutelle du Syndicat des employés de l'entretien de la CTCUM et de l'Association unie des compagnons et apprentis de l'industrie de la plomberie et de la tuyauterie des États-Unis et du Canada, section 144. Conseiller juridique et membre de conseils d'administration de plusieurs corporations. Vice-président et secrétaire général d'Oxfam Québec de 1975 à 1980.

Conseiller juridique du Parti québécois aux élections de 1973. Élu député du Parti québécois dans Taillon en 1985. Président de la Commission des institutions du 11 février 1986 au 9 août 1989. Ne s'est pas représenté en 1989. Retourna à la pratique du droit à Montréal en 1989. Nommé commissaire à la Commission des droits de la personne le 19 juin 1991.

FILION, Jean

Né à Québec, le 22 mars 1951, fils de Léopold Filion, comptable, et de Jeanne Courcy.

Fit ses études collégiales au cégep de Limoilou et de Sainte-Foy et universitaires à l'université Laval, où il obtint un diplôme en sciences de l'administration en 1975, et à l'université de Sherbrooke où il reçut un diplôme de maîtrise en fiscalité en 1978. Membre de l'Ordre des comptables agréés à compter de 1981.

Vérificateur d'entreprises pour Samson, Bélair et Associés en 1973 et 1974, et pour Revenu Canada de 1974 à 1976. Fiscaliste consultant à la firme Bélanger, Hébert & Associés de Sherbrooke de 1978 à 1982. Responsable du service de fiscalité chez Poissant Richard/Thorne Riddell à Québec de 1982 à 1985. Consultant financier et fiscal pour la firme Murray Axmith, à Québec, de 1984 à 1988. Président et directeur général de Fiscalité Jean Filion inc. à compter de 1985. Conférencier, professeur et commentateur en matière de fiscalité. Membre de la Corporation professionnelle des comptables en administration industrielle du Québec, de l'Association canadienne d'études fiscales et de la Fondation internationale pour l'enseignement du droit des affaires. Membre de l'Association québécoise de planification fiscale successorale à compter de 1978, membre du conseil d'administration de cette association et président du comité d'activités régionales, section Québec, de 1983 à 1985.

Élu député du Parti québécois dans Montmorency à l'élection partielle du 12 août 1991.

FILION, Joseph
(1874–1954)

Né à Rivière-des-Prairies, dans la paroisse Saint-Joseph, le 24 août 1874, fils de Philibert Filion, journalier et charretier, et de Julienne Pilon.

Fit ses études au collège Saint-Jean-Baptiste à Montréal. Charretier et entrepreneur en construction à partir de 1897. Membre du Club de réforme et des Chevaliers de Colomb de Montréal.

Échevin de la municipalité de Laval-des-Rapides en 1929 et maire en 1930. Élu député libéral dans Laval en 1931. Défait en 1935.

Décédé à Montréal, le 12 mars 1954, à l'âge de 79 ans et 6 mois. Inhumé à Montréal, dans le cimetière Notre-Dame-des-Neiges, le 15 mars 1954.

Avait épousé à Montréal, dans la paroisse Saint-Jean-Baptiste, le 19 août 1895, Cordélia Legault, fille de Prosper Legault et d'Annie Catafart.

FILLION, Joseph-Ludger
(1895–1971)

Né à Alma, le 17 mai 1895, fils d'Adolphe Fillion, cultivateur, et de Marie Potvin.

Fit ses études au couvent du Bon-Conseil à Alma et au séminaire de Chicoutimi.

Cultivateur, marchand, agent d'assurances et postillon à Alma. Officier de circulation au service du ministère de la Voirie pendant deux ans vers 1931. Collabora au journal *le Canada* de Montréal. Secrétaire-trésorier de Saint-Joseph-d'Alma de 1917 à 1925.

Élu député libéral dans Lac-Saint-Jean en 1931. Défait en 1935. Ne s'est pas représenté en 1936. Réélu en 1939 et 1944. Whip adjoint du Parti libéral de 1942 à 1945 et whip de 1945 à 1948. Défait en 1948.

Fondateur du Cercle Saint-Joseph-d'Alma de l'Association catholique de la jeunesse canadienne-française (ACJC) en 1918. Président de la Ligue de hockey senior du Saguenay–Lac-Saint-Jean. Membre des Chevaliers de Colomb.

Décédé à Québec, le 12 septembre 1971, à l'âge de 76 ans et 3 mois. Inhumé à Alma dans le cimetière de la paroisse Saint-Joseph, le 15 septembre 1971.

Avait épousé à Saint-Bruno, au Lac-Saint-Jean, le 7 août 1916, Marie-Héléna Simard, fille d'Ernest Simard, cultivateur, et de Wannie Gaudreau.

FINLAY, Hugh
(≈1730–1801)

Né peut-être à Glasgow, en Écosse, vers 1730, fils de Robert Finlay, tanneur et cordonnier, et de Susanna Parkins.

Vint à Québec en 1763. S'engagea dans le commerce de gros et de détail, et investit dans la propriété foncière. Le 10 juin 1763, à titre de maître des Postes en résidence à Québec, entreprit l'établissement du service postal dans la colonie; nommé inspecteur des routes postales sur le continent de l'Amérique du Nord le 5 janvier 1773, un des deux maîtres généraux des Postes adjoints de l'Amérique du Nord le 31 janvier 1774, maître général des Postes adjoint de la province de Québec en 1784, et maître général des Postes adjoint de l'Amérique du Nord britannique en 1788; négocia avec les États-Unis un accord postal qui fit date. Destitué du département des Postes en octobre 1799. Exerça la charge de greffier de la couronne en chancellerie du 24 mai 1792 jusqu'à la fin de sa vie. Fut aussi vérificateur des comptes du Bas-Canada et président du comité des terres du Conseil exécutif.

Nommé au Conseil de Québec le 25 septembre 1765, au Conseil législatif en 1775. Fit partie du Conseil privé du gouverneur Guy **Carleton** en 1776. Était membre du Conseil exécutif en 1784. Conseiller exécutif du 16 septembre 1791 jusqu'à sa mort. Appelé au Conseil législatif en 1792.

Fut juge de paix, officier de milice, secrétaire de la Société d'agriculture, administrateur de la bibliothèque de Québec. Auteur de *Journal kept by Hugh Finlay, surveyor of the post roads on the continent of North America, during his survey [...] begun the 13th Sepr. 1773 & ended 26th June 1774*, réimprimé en 1975 sous le titre de *The Hugh Finlay journal; colonial postal history, 1773–1774*. On lui attribue «Journal of the siege and blockade of Quebec by the American rebels, in autumn 1775 and winter 1776», publié en 1875 par la Literary and Historical Society of Quebec.

Décédé en fonction à Québec, le 26 décembre 1801, à l'âge d'environ 71 ans. Les obsèques eurent lieu dans l'église anglicane de Québec, le 30 décembre 1801.

Avait épousé à Québec, vers 1769, Mary Phillips.

Bibliographie : *DBC*.

FINNIE, John Thomas
(1847–1925)

[Né à Peterhead, en Écosse, le 14 septembre 1847, fils de Robert Finnie et de Mary Finnie.]

A étudié à Peterhead, à la Montreal High School, à la McGill University à Montréal ainsi qu'au Royal College of Surgeons à Édimbourg. Reçu médecin en 1869.

Exerça à Montréal à partir de 1870. Fut médecin examinateur de l'Aetna Life Insurance Co. et de la Canada Life Insurance Co. Directeur de la Canadian Widows' and Orphans' Insurance Co. Président du St. George Club, de la Caledonian Society et de la Quebec Fish and Game Protective Association.

Élu député libéral dans Montréal n° 4 en 1908. Réélu dans Montréal–Saint-Laurent en 1912 et 1916. Occupa le poste de whip. Son siège devint vacant à la suite de sa nomination au poste de percepteur du Revenu provincial pour le district de Montréal le 23 février 1918. Occupa ce poste jusqu'à son décès.

Décédé à Montréal, le 10 février 1925, à l'âge de 77 ans et 4 mois. Inhumé à Montréal, dans le Mount Royal Cemetery, le 13 février 1925.

Avait épousé à Montréal, dans l'église St. Stephens, le 9 avril 1874, Amelis Ann Healy, fille de Christopher Healy.

FISET, Eugène
(1874–1951)

Né à Rimouski, le 15 mars 1874, fils de Jean-Baptiste-Romuald Fiset, médecin, et de Marie-Florrine-Aimée Plamondon.

Fit ses études au séminaire de Rimouski et à l'université Laval à Québec. Fit des stages à l'hôpital Saint-Antoine à Paris et au Nose and Throat Hospital à Londres. Reçu médecin en 1901.

Fit partie du 2e bataillon du régiment Royal canadien lors de la guerre des Boers en 1899 et de 1900, et reçut à cette occasion la médaille de la reine Victoria et du Distinguished Service Order. Directeur général du Service médical du Royal canadien de 1903 à 1906, puis chirurgien général en 1914. Major général dans la réserve des officiers du Royal canadien en 1914. Sous-ministre de la Milice et de la Défense nationale de 1906 à 1922. Vice-président du Conseil de la défense du Canada en 1910. Se retira de la vie militaire en 1923.

Élu député libéral à la Chambre des communes dans Rimouski à l'élection partielle du 2 septembre 1924. Réélu en 1925, 1926, 1930 et 1935. Lieutenant-gouverneur de la province de Québec du 30 décembre 1939 au 3 octobre 1950.

Récipiendaire d'un doctorat honoris causa de l'université Laval en 1940, du Bishop's College en 1941 et de l'université de Montréal en 1943. Fellow du Collège royal des médecins-chirurgiens du Canada en 1943. Créé compagnon de l'ordre de Saint-Michel et Saint-George en 1913 et chevalier du même ordre en 1917. Récipiendaire de la Croix militaire de Tchécoslovaquie en 1918. Créé chevalier de l'ordre de Saint-Jean-de-Jérusalem en 1941. Commandeur de la Légion d'honneur de France et de l'ordre de la Couronne de Belgique. Membre de l'ordre de Saint-Sava de Yougoslavie.

Décédé à Saint-Patrice-de-la-Rivière-du-Loup, le 8 juin 1951, à l'âge de 77 ans et 3 mois. Inhumé dans le cimetière de Rimouski, le 11 juin 1951.

Avait épousé dans la paroisse Notre-Dame de Québec, le 20 mai 1902, Zoé-Mary Stella Taschereau, fille de Jean-Thomas Linière Taschereau, avocat et député à la Chambre des communes de 1884 à 1887, et de Zoé-Mary Alleyn.

Son père fut député à la Chambre des communes de 1872 à 1882, de 1887 à 1891 et de 1896 à 1897, puis sénateur de 1897 à 1917.

FISET, Louis-Philippe
(1854–1934)

Né à Saint-Cuthbert, le 11 janvier 1854, fils d'Henry Fisette, cultivateur, et de Praxède Beautrond Major.

Fit ses études au collège de Montréal et à l'école de médecine Victoria à Montréal. Reçu médecin en 1878.

Exerça sa profession à Saint-Boniface-de-Shawinigan, dès 1880.

Maire de Saint-Boniface-de-Shawinigan de 1898 à 1900. Candidat libéral défait dans Trois-Rivières aux élections fédérales de 1896. Élu député libéral à l'Assemblée législative dans Saint-Maurice en 1900. Réélu sans opposition en 1904. Ne s'est pas représenté en 1908.

Officier spécial au département de l'Instruction publique de la province de Québec de 1908 à 1934.

Décédé à Montréal, le 4 septembre 1934, à l'âge de 80 ans et 7 mois. Inhumé à Montréal, dans le cimetière Notre-Dame-des-Neiges, le 6 septembre 1934.

Il était célibataire.

FISHER, James
(<1776–1822)

Né probablement en Écosse.

Médecin et officier, vint au Canada avec les forces britanniques envoyées combattre la révolte des Treize colonies nord-américaines. Nommé aide-chirurgien de l'hôpital militaire de Québec le 1er février 1776. Exerça la même fonction à la garnison de Québec du 25 octobre 1778 jusqu'à son accession au poste de chirurgien le 12 novembre 1783. Nommé en 1788 examinateur en médecine du district de Québec. Devint médecin de l'Hôpital Général de Québec en 1789. Fut consulté à titre d'expert à diverses reprises et chargé d'une mission médicale spéciale par les autorités coloniales.

Élu député de Northumberland en 1796; appuya généralement le parti des bureaucrates. Ne se serait pas représenté en 1800.

Fit partie du conseil d'administration de la bibliothèque de Québec. Devint médecin attitré des Ursulines de Québec en 1807. Refusa en 1812 d'assumer la direction médicale du district militaire de Montréal. Obtint quelques postes

de commissaire. Prêteur. Se retira de l'armée le 25 juin 1815 et retourna en Écosse en 1816.

Décédé à Édimbourg, en Écosse, le 26 juin 1822.

On ne sait pas s'il était célibataire ou marié.

Bibliographie : *DBC.*

FISHER, John
(1789–1858)

Né à Montréal, le 26 octobre 1789, puis baptisé le 1er novembre, dans l'église anglicane Christ Church, fils d'Alexander Fisher et de Jane Grant.

Se lança dans le commerce à Montréal. Travailla d'abord pour la Hector Russell and Company, puis fonda avec son frère la Daniel and John Fisher, entreprise spécialisée dans le commerce des articles d'épicerie et de nouveautés. Plus tard, s'associa avec son beau-frère Francis Hunter. En 1829, était membre du Committee of Trade de Montréal. Nommé commissaire au tribunal des petites causes en 1838.

S'occupa d'administration municipale, à Montréal, avant 1833, à titre de juge de la Cour des sessions spéciales de la paix. Élu député de Montréal-Ouest en 1830; appuya le parti des bureaucrates. Démissionna le 26 mars 1832.

Décédé à Montréal, le 3 février 1858, à l'âge de 68 ans et 3 mois. Les obsèques eurent lieu dans l'église presbytérienne St. Paul, le 5 février 1858.

Avait épousé dans l'église presbytérienne St. Andrew, à Québec, le 27 octobre 1820, Margaret Hunter, fille de Francis Hunter et d'une prénommée Margaret.

FISHER, Martin Beattie
(1881–1941)

[Né à Hemmingford, le 2 janvier 1881, fils de Finley Fisher et d'Eliza Beattie.]

Fit ses études à Hemmingford et exerça le métier d'agent d'assurances à Hemmingford.

Élu député conservateur dans Huntingdon à l'élection partielle du 4 novembre 1930. Réélu en 1931 et 1935. Élu en 1936 sous la bannière de l'Union nationale. Trésorier provincial dans le cabinet Duplessis du 26 août 1936 au 8 novembre 1939. Nommé conseiller législatif de la division d'Inkerman le 23 septembre 1939.

Décédé en fonction à Hemmingford, le 17 décembre 1941, à l'âge de 60 ans et 11 mois. Inhumé dans le cimetière de Hemmingford, le 20 décembre 1941.

Avait épousé dans sa paroisse natale, le 30 août 1910, Frances Maria Wark, fille de Wellington Warren Wark et de Marguerite Warden Herrick.

FITCH, Louis
(1888–1956)

[Né à Suceava, en Roumanie, le 1ᵉʳ janvier 1888, fils de Joshna Feiczerwicz et de Schleema Herzberg.] Arriva au Canada en 1891. Prit le nom de Fitch en 1912.

Fit ses études à la Quebec High School, à la McGill University et à l'université de la Sorbonne à Paris. Récipiendaire de la médaille d'or Elizabeth Torrance et de la bourse d'études MacDonald. Admis au barreau de la province de Québec en septembre 1911.

Avocat et historien. Exerça sa profession à Montréal au cabinet Jacobs, Hall, Couture et Fitch jusqu'en 1919, puis au cabinet Fitch, Lande et Berger. Créé conseil en loi du roi le 26 novembre 1924. Entreprit de nombreux voyages d'études en Europe (principalement en Espagne), en Afrique et en Amérique centrale où il s'intéressa à l'histoire des communautés juives dans les pays hispanophones. Donna de nombreuses conférences et collabora à divers journaux et revues traitant de la vie des juifs, notamment le journal montréalais *Adler*.

Candidat conservateur défait dans Montréal–Saint-Louis en 1927. Élu député de l'Union nationale dans la même circonscription à l'élection partielle du 2 novembre 1938. Défait en 1939.

Auteur de *Tercentenary History of Quebec* (1908) et *The Disestablishment of the Anglican Church in Wales* (1909). Président des comités scolaires du Conseil de la communauté juive de Montréal et, pendant de nombreuses années, du Hebrew University Committee for Canada. Cofondateur et président du Congrès juif du Canada. Président de l'Organization for Rehabilitation and Training et de la Canadian Art Organization. Vice-président de la Canadian Zionist Federation de 1921 à 1940.

Décédé à Montréal, le 14 avril 1956, à l'âge de 68 ans et 3 mois. Inhumé à Beaconsfield, dans le cimetière Shaare Zion, le 17 avril 1956.

Avait épousé à Montréal, le 17 juin 1914, Minnie Bernstein, fille d'Hyman Bernstein et de Sarah Levin.

Bibliographie: Figler, Bernard, *Biography of Louis Fitch, O.C.*, Canadian Jewish Profiles, Ottawa, 1968, 98 p.

FITZPATRICK, Charles
(1851–1942)

Né à Sainte-Foy, dans la paroisse Notre-Dame-de-Foy, le 19 décembre 1851, fils de John Fitzpatrick, marchand de bois, et de Mary Connoly.

Fit ses études au collège de Sainte-Anne-de-la-Pocatière, au séminaire de Québec et à l'université Laval à Québec. Récipiendaire de la médaille d'or du gouverneur général en 1876. Admis au barreau de la province de Québec le 9 septembre 1876.

Exerça sa profession à Québec et s'associa notamment avec Simon-Napoléon **Parent**, Louis-Alexandre **Taschereau** et Lawrence Arthur **Cannon**. Avocat de la couronne pour le district de Québec en 1879 et en 1887. Fut l'avocat de Louis Riel en 1885 et d'Honoré **Mercier** (père) en 1892.

Élu député libéral à l'Assemblée législative dans le comté de Québec en 1890. Refusa le poste de procureur général dans le cabinet Boucher de Boucherville en 1891. Réélu sans opposition en 1892. Démissionna le 11 juin 1896. Élu député libéral à la Chambre des communes dans le comté de Québec en 1896. Démissionna le 13 juillet 1896 à la suite de sa nomination comme solliciteur général, puis fut réélu sans opposition à l'élection partielle du 30 juillet 1896. Solliciteur général du Canada dans le cabinet Laurier du 13 juillet 1896 au 9 février 1902. De nouveau élu en 1900. Nommé membre du Conseil privé du Canada le 11 février 1902. Ministre de la Justice et procureur général dans le cabinet Laurier du 11 février 1902 au 3 juin 1906. Réélu en 1904. Son siège devint vacant en 1906 lors de son accession à la magistrature. Juge en chef de la Cour suprême du Canada du 4 juin 1906 au 20 octobre 1918. Agit comme administrateur du Canada du 16 au 21 avril 1907, du 13 mai au 8 juin 1907, du 5 juin au 24 juillet 1909, du 22 au 27 janvier 1912 et du 22 mars au 24 octobre 1913. Membre du Conseil privé du Royaume-Uni et délégué à la Cour d'arbitrage de La Haye en 1908. Lieutenant-gouverneur de la province de Québec du 23 octobre 1918 au 31 octobre 1923.

Fit également carrière dans l'enseignement à l'université Laval où il fut professeur agrégé en 1905, professeur de droit criminel en 1905 et 1906, puis de 1909 à 1936, et professeur titulaire de 1906 à 1936. Il fut nommé professeur émérite en 1936. A publié sous un pseudonyme *les Écoles du Manitoba: la question du jour* (1896).

Créé conseil en loi de la reine en 1893. Délégué à la convention nationale des Irlandais en 1896. Admis au barreau de la province de l'Ontario en 1896. Bâtonnier du barreau de Québec et du barreau de la province de Québec de 1897 à

1899. Docteur en droit honoris causa des universités Laval en 1902, d'Ottawa en 1906, de McGill, de Toronto et Notre Dame en Indiana en 1911, et de Harvard à Boston en 1912. Créé chevalier commandeur de l'ordre de Saint-Grégoire-le-Grand le 28 juin 1907 et grand-croix de l'ordre de Saint-Michel et Saint-George le 19 juin 1911. Membre du Club de la garnison de Québec, du St. James Club de Montréal, du National Club de Toronto et du Club Rideau d'Ottawa. Président de l'Irish National League, section Québec.

Décédé à Québec, le 17 juin 1942, à l'âge de 90 ans et 6 mois. Inhumé dans le cimetière de la paroisse Saint-Colomb-de-Sillery, le 19 juin 1942.

Avait épousé dans la paroisse Notre-Dame de Québec, le 20 mai 1879, Marie-Elmire-Corinne Caron, fille de René-Édouard **Caron**, avocat, et de Marie-Joséphine De Blois.

Beau-frère d'Adolphe-Philippe Caron, député à la Chambre des communes de 1873 à 1900. Beau-père de Lawrence Arthur **Cannon**. Grand-père de Charles-Arthur Dumoulin Cannon, député à la Chambre des communes de 1949 à 1958. Oncle de Louis-Alexandre **Taschereau**.

Bibliographie: Langham, Josephine Steward, *Race and religion in the early career of Charles Fitzpatrick*, thèse de maîtrise à l'université Laval, Québec, 1975, 226 p.

FLAMAND, Antonio

Né à Saint-Honoré, au Saguenay, le 28 juin 1933, fils de Élias Flamand, cultivateur, et de Béatrice Gagnon.

Fit ses études à Saint-Honoré et au séminaire de Chicoutimi. Entreprit des études en droit à l'université de Sherbrooke. Suivit des cours d'administration à l'École nationale d'administration publique (ENAP). Fut boursier de la Fondation Maurice-Duplessis.

Fut adjoint du directeur du service de financement de l'archevêché de Montréal, Marcel **Léger**. S'établit à Rouyn en 1964 et fut enseignant jusqu'en 1966.

Élu député de l'Union nationale dans Rouyn-Noranda en 1966. Adjoint parlementaire du ministre des Transports et des Communications du 16 octobre 1968 au 12 novembre 1969. Quitta l'Union nationale en raison d'un désaccord sur le «Bill 63», le 12 novembre 1969. Ne s'est pas représenté en 1970. Échevin au conseil municipal de Rouyn de 1971 à 1973. Candidat du Parti québécois défait dans Rouyn-Noranda en 1973.

Directeur de l'établissement de santé La Maison Rouyn-Noranda d'octobre 1970 à juin 1977 et du pavillon Charles-Roy-Boyer de janvier 1976 à juin 1977. Membre du conseil d'administration de l'Association des centres d'accueil du Québec de 1974 à 1976. Directeur de l'hebdomadaire *l'Image de la Rive-Sud* (Longueuil) à compter de février 1978. A publié *le Complot* (1981). Employé du ministère de l'Environnement de 1980 à 1990, il fut notamment directeur régional du ministère en Abitibi-Témiscamingue, directeur général aux opérations pour l'ouest du Québec et cadre-conseil auprès du sous-ministre.

FLEURY, Émery
(1901–1975)

Né à Saint-Léonard-d'Aston, le 10 février 1901, fils d'Adolphe Fleury, cultivateur, et d'Albertine Doucet.

Fit ses études à Saint-Léonard-d'Aston, au séminaire de Nicolet et à l'Institut agricole d'Oka.

Cultivateur à Saint-Léonard-d'Aston à partir de 1926. Propagandiste en industrie laitière de 1931 à 1935.

Candidat conservateur défait dans Nicolet en 1935. Élu député de l'Union nationale dans la même circonscription en 1936. Défait en 1939. Réélu en 1944 et 1948. Ne s'est pas représenté en 1952.

Fonctionnaire municipal à Trois-Rivières de 1963 à 1970. Membre de l'Association professionnelle de l'Union catholique des cultivateurs (UCC). Membre du Club Renaissance.

Décédé à Trois-Rivières, le 16 octobre 1975, à l'âge de 74 ans et 8 mois. Inhumé dans le cimetière de Saint-Léonard-d'Aston, le 18 octobre 1975.

Avait épousé dans sa paroisse natale, le 2 juillet 1929, Juliette Bergeron, fille de Johnny Bergeron et de Dina Lord; puis, à Granby, dans la paroisse Notre-Dame, le 23 juin 1952, Germaine Robitaille, fille de Charles Robitaille et d'Alexina Major, et veuve de Roland Potvin.

FLYNN, Edmund James
(1847–1927)

Né à Percé, le 16 novembre 1847, fils de James Flynn, pêcheur, et d'Elizabeth Tostevin.

Fit ses études au séminaire de Québec et à l'université Laval à Québec. Admis au barreau de la province de Québec le 16 septembre 1873.

Registraire adjoint, protonotaire adjoint et greffier adjoint à la Cour du banc de la reine ainsi que registraire à la Cour de circuit de Gaspé, de 1867 à 1869. Exerça sa profession d'avocat à Québec aux cabinets Rémillard et Flynn;

Drouin, Flynn et Gosselin ; Flynn et Flynn. Professeur agrégé et licencié en droit de l'université Laval à Québec de 1874 à 1878. Professeur titulaire de droit romain à la même université de 1874 à 1927. Docteur en droit en 1878. Secrétaire de la faculté de droit de l'université Laval de 1874 à 1880. Membre du conseil de l'université Laval de 1891 à 1927 et doyen de la faculté de droit de 1915 à 1921. Membre du Bureau des gouverneurs de l'université Laval de 1915 à 1927 et professeur émérite de cette même université en 1926 et 1927.

Secrétaire-trésorier de la municipalité de Percé de 1867 à 1869. Candidat libéral défait dans Gaspé en 1875 et à l'élection partielle du 2 juillet 1877. Élu sans opposition député libéral dans Gaspé en 1878. Le 29 octobre 1879, il joignit les rangs du Parti conservateur avec quatre de ses collègues, entraînant la démission du gouvernement Joly de Lotbinière, devenu alors minoritaire. Son siège devint vacant lors de sa nomination à titre de commissaire des Terres de la couronne dans le cabinet Chapleau, poste qu'il occupa du 31 octobre 1879 au 30 juillet 1882. Il fut réélu sans opposition député conservateur dans Gaspé à l'élection partielle du 6 décembre 1879. De nouveau élu en 1881. Son siège devint vacant lors de sa nomination comme commissaire des Chemins de fer dans le cabinet Ross le 11 février 1884. Réélu à l'élection partielle du 2 avril 1884, il conserva son poste de commissaire des Chemins de fer jusqu'au 27 juillet 1886. Réélu sans opposition en 1886, il fut solliciteur général dans les cabinets Ross et Taillon du 12 mai 1885 au 29 janvier 1887. Défait en 1890. Candidat conservateur défait dans le comté de Québec aux élections fédérales de 1891. Commissaire des Terres de la couronne dans le cabinet Boucher de Boucherville du 21 décembre 1891 au 16 décembre 1892. Réélu dans les circonscriptions de Gaspé et de Matane aux élections de 1892. Résigna son siège de Matane le 6 juin 1892. Fut procureur général intérimaire du 12 novembre au 31 décembre 1892 dans les cabinets Boucher de Boucherville et Taillon. Commissaire des Terres de la couronne dans le cabinet Taillon du 16 décembre 1892 au 11 mai 1896. Premier ministre et commissaire des Travaux publics du 11 mai 1896 au 24 mai 1897. Réélu dans Gaspé en 1897. Élu dans Nicolet en 1900. Ne s'est pas représenté en 1904. Chef de l'Opposition de 1897 à 1905. Candidat conservateur défait dans Dorchester aux élections fédérales de 1908.

Juge à la Cour supérieure du district de Beauce du 9 juin 1914 au 26 juin 1920, puis juge à la Cour du banc du roi jusqu'à son décès.

Créé conseil en loi de la reine le 22 juin 1899. Bâtonnier du barreau de Québec de 1907 à 1909. Membre du Club de la garnison.

Décédé à Québec, le 7 juin 1927, à l'âge de 79 ans et 6 mois. Inhumé à Sainte-Foy, dans le cimetière Notre-Dame-de-Belmont, le 10 juin 1927.

Avait épousé dans la paroisse Notre-Dame de Québec, le 11 mai 1875, Augustine Côté, fille d'Augustin Côté, propriétaire du *Journal de Québec*, et d'Émilie Lemieux ; puis, dans la paroisse Notre-Dame de Montréal, le 8 janvier 1912, Marie Cécile Pouliot, veuve d'Eugène Globensky.

Grand-père de Jacques Flynn, député à la Chambre des communes de 1958 à 1962 et sénateur depuis 1962.

FONTAINE, Serge

Né à Villeroy, le 17 septembre 1947, fils de Jean-Charles Fontaine, vendeur, et d'Irène Labbé.

A étudié au séminaire de Plessisville, au collège de Victoriaville et à l'université Laval. Admis au barreau de la province de Québec en mars 1974.

Avocat, il exerça sa profession à Sainte-Perpétue et à Victoriaville.

Vice-président du Parti progressiste-conservateur du comté de Drummond. Organisateur de l'Union nationale dans Nicolet-Yamaska pendant six ans. Élu député de l'Union nationale dans Nicolet-Yamaska en 1976. Nommé leader adjoint de l'Union nationale le 1er juillet 1980. Défait dans Nicolet en 1981. Retourna à la pratique du droit dans le cabinet Fontaine et Gagné de 1981 à 1989. Élu président du Fonds de développement Laprade-Drummond (Fondel) en 1988. Nommé directeur du Bureau d'aide juridique de Victoriaville en 1989.

Élu commissaire à la commission scolaire Port-Royal en 1983 et membre de l'exécutif de cette commission. Membre de l'exécutif de la commission scolaire régionale Provencher. Membre du conseil d'administration de la Société du parc industriel du Centre du Québec de 1985 à 1987. Actif au sein des caisses populaires, il fut élu, en 1987 et 1988, président de l'Association des caisses populaires de la zone Nicolet-Yamaska et nommé président du comité de déontologie de la Fédération des caisses populaires du Centre du Québec en 1989.

FORBES, Charles John
(1786–1862)

Né à Gosport, en Angleterre, le 10 février 1786, fils de Robert Forbes et d'Elizabeth Cobb.

Étudia au collège d'Altona (en Allemagne).

Fut commis dans les bureaux de l'Intendance de l'armée britannique, puis commissaire général adjoint, de 1805 à 1817 et de 1824 à 1836. Servit en Méditerranée, en Nouvelle-Écosse, à Montréal (1825–1832) et en Jamaïque. Officier à la retraite, établi à Carillon, au Bas-Canada, en 1836, fournit des informations aux autorités sur les actions des patriotes à Saint-Benoît (Mirabel), à compter d'octobre 1837 ; loua des bâtisses à l'armée et rassembla des volontaires qui pillèrent et incendièrent le village avec les hommes de John **Colborne** en décembre 1837. Propriétaire foncier ; s'intéressa aussi à la fabrication de la bière et aux chemins de fer. Fut juge de paix de 1837 à 1862.

Élu député de Deux-Montagnes à une élection partielle le 18 avril 1842 ; tory. Ne se serait pas représenté en 1844.

Décédé à Carillon, le 22 septembre 1862, à l'âge de 76 ans et 7 mois. Les obsèques eurent lieu dans l'église anglicane St. Andrew, le 24 septembre 1862.

Avait épousé, probablement en Angleterre, le 20 juin 1815, Sophia Browne, cousine de John **Wainwright**.

———

Bibliographie : *DBC*.

FORBES, William
(1787–1814)

Né à Rivière-du-Loup (Louiseville) et baptisé dans la paroisse Saint-Antoine-de-Padoue, le 21 juillet 1787, sous le prénom de Guillaume, fils de John Forbes, cultivateur originaire d'Inverness, en Écosse, et de Mary Ann McDonell.

Fut marchand à Vaudreuil ; en 1812, était associé avec son frère Daniel. Propriétaire d'un emplacement dans le village des Cèdres. Obtint, au début de la guerre de 1812, un contrat pour approvisionner l'armée en bois de diverses espèces. Au cours de l'été de 1814, effectua le transport de navires et de provisions pour l'armée, de Montréal à Kingston.

Élu député d'York en 1814 ; n'eut pas le temps d'occuper son siège.

Décédé en fonction à Montréal, le 22 novembre 1814, à l'âge de 27 ans et 4 mois. Les obsèques eurent lieu dans l'église Notre-Dame, le 25 novembre 1814.

Était célibataire.

FOREST, Ludger (L'Assomption)
(1826–1903)

Né à L'Assomption, le 20 décembre 1826, fils de François Forest, cultivateur et capitaine dans la milice, et de Marie Amireau.

Fit ses études au collège de L'Assomption et au collège Victoria à Montréal. Reçu médecin en 1856.

Exerça sa profession à L'Assomption.

Candidat libéral défait dans L'Assomption aux élections fédérales de 1874 et 1879. Élu député libéral à l'Assemblée législative dans cette circonscription en 1886. Son élection fut annulée le 30 novembre 1888. Réélu à l'élection partielle du 27 décembre 1888. Défait en 1890 et 1892.

Décédé à L'Assomption, le 16 avril 1903, à l'âge de 76 ans et 3 mois. Inhumé dans le cimetière de cette paroisse, le 20 avril 1903.

Avait épousé dans sa paroisse natale, le 15 février 1858, Athala Archambault, fille de Pierre-Urgel **Archambault**, marchand, et de Joséphine Beaupré.

Beau-frère de Louis-Olivier **Taillon**.

FOREST, Ludger (Sherbrooke)
(1877–1943)

Né à Wotton, le 10 novembre 1877, fils d'Isaïe Forest, médecin, et d'Hortense Fortier.

Fit ses études au séminaire Saint-Charles-Borromée à Sherbrooke et à l'université Laval à Montréal.

Exerça la profession de dentiste à Sherbrooke. Gouverneur du Collège des dentistes de la province de Québec de 1914 à 1917. Membre de la Société d'odontologie de Montréal. Directeur de Beauce Electric Co. et de l'Exposition des Cantons-de-l'Est.

Président de l'Association libérale de Sherbrooke. Échevin du quartier Sud de Sherbrooke de 1913 à 1922. Élu sans opposition député libéral dans Sherbrooke à l'élection partielle du 7 septembre 1922. Défait en 1923. Maire de Sherbrooke en 1932 et 1933.

Membre du Club de réforme et des Chevaliers de Colomb.

Décédé à Sherbrooke, le 28 mars 1943, à l'âge de 65 ans et 4 mois. Inhumé à Sherbrooke, dans le cimetière Saint-Michel, le 30 mars 1943.

Avait épousé à Sherbrooke, dans la paroisse Saint-Michel, le 18 décembre 1926, Marie-Emma Benoît, fille de Joseph N. Benoît et de Malvina Gaucher.

FORGET, Adélard
(1876–1965)

Né à Saint-Sébastien, le 11 février 1876, fils de Michel Forget, cultivateur, et de Marie-Louise Charron.

Fit ses études au collège d'Iberville.

Cultivateur et marchand de foin. Président de la Société d'agriculture d'Iberville de 1910 à 1912. Président de Henryville Canning Ltd. Secrétaire de la compagnie de téléphone de Saint-Sébastien.

Conseiller municipal de Saint-Sébastien de janvier 1913 à janvier 1918. Élu député libéral dans Iberville en 1919. Maire de Saint-Sébastien de janvier 1921 à janvier 1925. Candidat défait dans Iberville en 1923. Shérif de Saint-Jean de 1932 à 1956. Membre des Chevaliers de Colomb.

Décédé à Marieville, le 27 avril 1965, à l'âge de 89 ans et 2 mois. Inhumé dans le cimetière de Saint-Sébastien, le 30 avril 1965.

Avait épousé dans sa paroisse natale, le 12 juin 1900, Léona Lussier, fille de Joseph Lussier, cultivateur, et de Valérie Gamache.

FORGET, Claude

Né à Montréal, le 28 mai 1936, fils de Lucien Forget, comptable, et d'Isola Nadeau.

A étudié à l'école des Sœurs de la Providence à Montréal, à l'Institut Monjeau à Saint-Hilaire et à l'université de Montréal.

Admis au barreau de la province de Québec en 1959. Bachelier en sciences économiques en 1962. Obtint une maîtrise en finances publiques de la London School of Economics and Political Science en 1963. Recherchiste à la Commission royale d'enquête sur la fiscalité en 1963. De 1964 à 1966, il poursuivit ses études à la Johns Hopkins University à Baltimore, aux États-Unis, pour l'obtention d'un doctorat en économique et recherche opérationnelle.

Professeur en sciences économiques à l'université de Montréal de 1966 à 1969. Secrétaire et coordonnateur du comité des sous-ministres des Affaires intergouvernementales, des Finances et du Revenu chargé d'orienter l'attitude du Québec dans la réforme des lois de l'impôt en 1967. Secrétaire (1967) et président (1968) de la Ligue des droits de l'homme. Consultant à la Commission d'enquête sur la santé et le bien-être social de 1968 à 1970. Directeur de recherche du comité canado-américain de la Private Planning Association of Canada (C.D. Howe Institute) de 1969 à 1972. Sous-ministre adjoint au ministère de la Santé et des Affaires sociales du Québec de 1971 à 1973.

Élu député libéral dans Saint-Laurent en 1973. Ministre des Affaires sociales dans le cabinet Bourassa du 13 novembre 1973 au 26 novembre 1976. Réélu en 1976 et 1981. Démissionna le 17 novembre 1981.

Économiste-conseil associé à la firme Sécor inc. Président de la Commission royale d'enquête sur l'assurance-chômage de septembre 1985 au 30 novembre 1986. Président de l'Institut de l'amiante de mars 1987 à juillet 1989. Nommé membre du Conseil d'évaluation des technologies de la santé le 13 juillet 1988 et vice-président principal aux affaires corporatives de la corporation du groupe La Laurentienne en juin 1989.

Rédacteur en chef du *Quartier latin* en 1956 et 1957. Membre de l'Association canadienne d'économique et de la Montreal Economics Association. Fut membre du conseil d'administration de la Caisse de dépôt et placement du Québec. Président de l'Association des économistes du Québec en 1990. Nommé membre du conseil d'administration du Canadian Institute for Advanced Research en 1991. Nommé président du conseil d'administration du Royal Victoria Hospital de Montréal le 8 novembre 1991. Récipiendaire du titre d'officier de l'ordre du Canada le 30 octobre 1991. Membre du conseil de l'université de Montréal à partir du 27 novembre 1991.

FORGET, Paul-André

Né à Lafontaine, près de Saint-Jérôme, le 31 août 1931, fils de Patrice Forget, cultivateur, et d'Alzire Thémens.

A étudié à Saint-Jérôme de 1937 à 1945 et au séminaire de Sainte-Thérèse en 1945 et 1946. A suivi également des cours en gestion et en administration à l'université du Québec à Montréal.

Agriculteur. Propriétaire d'une entreprise laitière, céréalière et acéricole à Lafontaine à partir de 1952. Vice-président de la Société d'agriculture de Terrebonne en 1977. Membre du conseil d'administration de la Fédération des Laurentides de l'Union des producteurs agricoles (UPA) en 1978 puis président de l'UPA, syndicat de base des Plaines, en 1980. Directeur puis président de la Société coopérative de la Rivière-du-Nord en 1970. Membre du conseil d'administration de l'exposition agricole de Berthier pour la région Laurentides-Lanaudière en 1977 et de l'Association des éleveurs de Holstein en 1974.

Administrateur de la Laiterie Casavant en 1971. Directeur du conseil des coopératives des Laurentides en 1982. Membre du conseil d'administration du Conseil régional de développement des Laurentides en 1978 et de la caisse populaire de Saint-Jérôme en 1979. Membre de la Société de développement économique rive-nord des Mille-Îles en 1978 et de la Chambre de commerce de Saint-Jérôme en 1981.

Conseiller municipal de la paroisse de Saint-Jérôme en 1956 et 1959. Président par intérim puis président de l'Association libérale de Prévost de 1981 à 1985. Élu député libéral dans Prévost en 1985. Réélu en 1989.

FORSYTH, John
(≤1762–1837)

Baptisé à Huntly, en Écosse, le 8 décembre 1762, fils de William Forsyth et de Jean Phyn.

Vint au Bas-Canada, probablement en 1779, pour travailler à la succursale montréalaise de la Phyn, Ellice and Company de Londres (par la suite la Robert Ellice and Company). À compter de 1790, fut l'associé de son cousin John **Richardson** dans la Forsyth, Richardson and Company. Engagé à titre personnel dans le commerce des fourrures, la navigation à vapeur et les assurances. Cofondateur, en 1817, de la Banque de Montréal, en fut administrateur de 1817 à 1820 et vice-président en 1825–1826. Participa à la fondation du Committee of Trade de Montréal, en 1822, mais en refusa la présidence. Membre de la Commission du havre de Montréal, du Bureau d'examinateurs des candidats aux postes d'inspecteurs de potasse et de perlasse ; administrateur à vie du Montreal General Hospital.

Nommé au Conseil législatif le 3 juillet 1827, prêta serment le 20 novembre 1827. S'occupa d'administration municipale, à Montréal, avant 1833.

Membre du Beaver Club. Servit comme officier de milice pendant la guerre de 1812 ; promu lieutenant en 1828. Passa les dernières années de sa vie en Grande-Bretagne.

Décédé en fonction à Londres, le 27 décembre 1837, à l'âge d'environ 75 ans.

Avait épousé dans l'église presbytérienne de Québec, le 29 mars 1798, Margaret Grant, fille du marchand Charles Grant.

Un de ses fils épousa une fille de Samuel **Gerrard**. Oncle par alliance de David **Burnet**.

Bibliographie : *DBC.*

FORTIER, Émery-Hector
(1891–1966)

Né à Capelton (Ascot), le 20 juillet 1891, fils de Thomas Fortier et de Mélina Sansoucy.

Fit ses études à l'académie Saint-Jean-Baptiste, au séminaire Saint-Charles-Borromée et au Gleason Business College à Sherbrooke.

Débuta comme commis à l'entreprise de son père, Hébert et Fortier, à Sherbrooke. Propriétaire de l'épicerie Le Syndicat et de Fortier et Dion. Directeur de Fortier Stores. Gérant général de la Sovereign Life Insurance Co. pour la région des Cantons-de-l'Est.

Échevin au conseil municipal de Sherbrooke du 16 janvier 1922 au 12 janvier 1925 et du 9 avril 1929 au 14 novembre 1934. Élu député libéral dans Sherbrooke en 1931. Défait en 1935.

Inspecteur de la Commission du salaire minimum pour la rive sud du Saint-Laurent de 1937 à 1941. Nommé gérant du bureau de l'assurance-chômage de Sherbrooke en 1941.

Membre de l'Association catholique de la jeunesse canadienne-française (ACJC), du Cercle Larocque, du Cercle Laporte de Sherbrooke et de l'Association des jeunes libéraux.

Décédé à Sherbrooke, le 18 février 1966, à l'âge de 74 ans et 6 mois. Inhumé dans le cimetière Saint-Michel, le 21 février 1966.

Avait épousé à Sherbrooke, dans la paroisse Saint-Jean-Baptiste, le 1er octobre 1912, Élodia Dion, fille de Josué Dion et d'Emma Gagné ; puis, dans la même paroisse, le 1er octobre 1934, Émilienne Dubé, fille de Cléophas Dubé et d'Amanda Lemay.

FORTIER, Guy

Né à Québec, le 9 novembre 1912, fils d'Arthur Fortier, notaire, et d'Aline Moffatt.

A étudié à l'école Saint-Louis-de-Gonzague, au séminaire de Québec et à l'université Laval.

Reçu médecin en 1937. Fit des études post-universitaires en chirurgie à la New York Polyclinic Medical School et au Chicago Cook County Hospital. Titulaire d'un certificat de spécialiste en chirurgie générale du Collège royal des médecins-chirurgiens du Canada et du Collège des médecins-chirurgiens du Québec. Exerça sa profession à Gaspé. Fut président de Téléphone Bonaventure, du motel Du Pont à Québec et de la Pharmacie Fortier à Gaspé.

Maire de Gaspé de 1959 à 1962. Élu député libéral dans Gaspé-Sud en 1962. Nommé adjoint parlementaire du ministre de la Santé le 20 janvier 1965. Réélu en 1966 et 1970, et dans Gaspé en 1973. Adjoint parlementaire du ministre des Affaires sociales du 1er septembre 1971 au 18 octobre 1976. Défait en 1976.

Président de la Chambre de commerce de Gaspé en 1950 et président régional des Chambres de commerce de la Gaspésie. Membre de l'Association médicale canadienne et de la Société des chirurgiens du Québec. Président-fondateur du Club Richelieu de Gaspé.

FORTIER, Hyacinthe-Adélard (1875–1966)

Né à Saint-Hermas, le 11 décembre 1875, fils d'Isidore Fortier, cultivateur, et d'Elmire Lalande.

Fit ses études au séminaire de Sainte-Thérèse et à l'université Laval à Montréal. Fit sa cléricature auprès des avocats Dandurand et Brodeur. Admis au barreau de la province de Québec le 22 août 1899.

Exerça sa profession à Hull avec son beau-père. Avocat de la couronne pour le district d'Ottawa. Bâtonnier du district de Hull de 1912 à 1916. Commissaire aux appels des internés de guerre. Président de la Commission administrative des services de guerre pour le district militaire de Québec en 1942.

Échevin de la ville de Hull du 15 janvier au 30 décembre 1912. Élu député libéral dans Labelle en 1912. Nommé membre du Conseil de l'instruction publique de la province de Québec en 1913. Réélu sans opposition en 1916. Démissionna le 16 novembre 1917 pour se faire élire à la Chambre des communes. Élu sans opposition député libéral à la Chambre des communes dans Labelle en 1917. Réélu en 1921.

Juge à la Cour supérieure du district de Trois-Rivières du 11 septembre 1925 jusqu'à sa retraite en 1958.

Créé conseil en loi du roi le 5 novembre 1912. Docteur en droit honoris causa de l'université d'Ottawa en 1949. Membre du Club national, du Cercle universitaire de Montréal et de l'Alliance française.

Décédé à Hull, le 18 janvier 1966, à l'âge de 91 ans et un mois. Inhumé à Hull, dans le cimetière de la paroisse Notre-Dame-de-Lorette, le 21 janvier 1966.

Avait épousé à Papineauville, le 7 mai 1901, Anne-Marie Major, fille de Charles Beautron **Major**, avocat, et de Scholastique Cymodocie Trudel.

FORTIER, Joseph-Hugues (1877–1955)

Né à Sainte-Marie, le 19 décembre 1877, fils de Tancrède Fortier, médecin, et de Éliza Taschereau.

Fit ses études au séminaire Saint-Charles-Borromée à Sherbrooke et à l'université Laval à Québec. Admis au barreau de la province de Québec le 26 janvier 1901.

Créé conseil en loi du roi le 26 juin 1916. Exerça sa profession d'avocat à Sainte-Marie avec Mes Gustave Hamel, Léonce Cliche et Lorenzo Dutil.

Élu sans opposition député libéral dans Beauce à l'élection partielle du 15 décembre 1921. Réélu en 1923 et sans opposition en 1927.

Son siège devint vacant le 3 décembre 1929 lorsqu'il fut nommé juge de la Cour des sessions de la paix à Québec et magistrat de police le 3 décembre 1929. Retraité en 1947.

Décédé à Québec, le 22 septembre 1955, à l'âge de 77 ans et 9 mois. Inhumé dans le cimetière de Sainte-Marie, le 26 septembre 1955.

Avait épousé à Saint-Joseph-de-la-Pointe-de-Lévy, le 12 octobre 1909, Marie-Blanche Riverin, fille de Charles-Alphonse Riverin et d'Alexandrine Miville Deschênes.

FORTIER, Moïse (1815–1877)

Né à Saint-Léon (Saint-Léon-le-Grand), le 6 novembre 1815, puis baptisé le 7, dans la paroisse Saint-Léon, fils de Charles Fortier, cultivateur, et de Félicité Blais. Son prénom s'orthographia aussi Moyse.

S'établit comme marchand à Saint-David-d'Yamaska. Fut vice-président du chemin de fer Richelieu, Drummond et Arthabaska, et juge de paix.

Maire de la paroisse Saint-David (Saint-David-d'Yamaska) pendant vingt-deux ans. Fut peut-être le dénommé Fortier qui se porta candidat dans la circonscription de Yamaska en 1851, mais qui se désista en faveur d'un autre candidat rouge. Élu député de Yamaska en 1861; mis sous la garde du sergent d'armes le 19 mai 1862, pour absence injustifiée, fut libéré après avoir fourni des explications. Réélu en 1863; s'opposa au projet de confédération. Rouge. Son mandat prit fin avec l'avènement de la Confédération, le 1er juillet 1867. Élu député libéral de Yamaska à la Chambre des communes en 1867. Ne s'est pas représenté en 1872.

Décédé à Saint-David-d'Yamaska, le 17 octobre 1877, à l'âge de 61 ans et 11 mois. Inhumé dans le cimetière de la paroisse Saint-David, le 20 octobre 1877.

Avait épousé dans la paroisse Saint-Michel, à Yamaska, le 14 novembre 1836, Mathilde Paradis, fille de Jean-Baptiste Paradis et de Josephte Damphousse.

FORTIER, Octave-Cyrille
(1810– ≥1872)

Né à Québec, le 5 août 1810, puis baptisé le 7, dans la paroisse Notre-Dame, fils de François Fortier et de Madeleine-Béatrice Poulin.

Obtint l'autorisation de pratiquer la médecine le 3 novembre 1830.

Exerça sa profession à Saint-Gervais. Fut commissaire au tribunal des petites causes.

Élu député de Bellechasse à une élection partielle le 17 octobre 1854. Réélu en 1858. Bleu. Défait en 1861.

Nommé sergent d'armes du Conseil législatif le 19 janvier 1865, occupa ce poste jusqu'en 1867.

Décédé en ou après 1872.

Avait épousé dans la paroisse Notre-Dame-de-l'Assomption, à Berthier (Berthier-sur-Mer) le 4 février 1833, Henriette-Émilie Ruel, fille de Louis Ruel et de Josephte Magnan.

Beau-frère d'Augustin-Guillaume **Ruel**.

FORTIER, Pierre

Né à Montréal, le 15 novembre 1932, fils de Georges-Albert Fortier, fonctionnaire provincial, et d'Angéline Desmarais.

Bachelier ès arts du collège André-Grasset en 1953. Bachelier en génie mécanique de l'École polytechnique de l'université de Montréal en 1957. Boursier Athlone (gouvernement britannique), il poursuivit ses études en génie nucléaire à l'Imperial College of Science and Technology de 1957 à 1959.

Ingénieur chez Pratt and Whitney, à Longueuil, en 1959 et 1960 et chez Dominion Bridge de 1960 à 1962. Ingénieur-concepteur à la Société d'ingénierie Shawinigan, une filiale de la Shawinigan Water and Power, de 1962 à 1964. Directeur de projet de 1964 à 1969, adjoint au directeur de 1969 à 1971, puis vice-président à la gestion des filiales au Canada et à l'étranger de 1971 à 1974 pour le Groupe SNC. Vice-président de 1975 à 1978, vice-président et directeur général de Canatom inc. de 1978 à 1980, puis président du Canatom inc. et président d'Alsthom-Canatom inc. en 1980.

Membre du conseil de l'université de Montréal de 1971 à 1978 puis membre de son comité exécutif de 1974 à 1978. Président de l'Association des ingénieurs-conseils du Canada en 1979. Membre du conseil d'administration de la Chambre de commerce de Montréal en 1990.

Élu député libéral dans Outremont à l'élection partielle du 17 novembre 1980. Réélu en 1981 et 1985. Vice-président de la Commission de l'économie et du travail du 4 avril 1984 au 23 octobre 1985. Ministre délégué à la Privatisation dans le cabinet Bourassa du 12 décembre 1985 au 20 août 1986 et ministre délégué aux Finances et à la Privatisation du 20 août 1986 au 11 octobre 1989. Ne s'est pas représenté en 1989.

Président et chef des opérations de la Société financière des caisses Desjardins inc. à compter d'octobre 1989. Nommé administrateur du conseil de Trusco Desjardins et membre du conseil d'administration de la Société de portefeuille du groupe Desjardins assurances générales, d'Assurance-vie Desjardins inc. et de la Corporation Desjardins des valeurs mobilières d'octobre 1990 à avril 1992. Membre du conseil de l'université de Montréal et de l'Institut de recherches cliniques de Montréal à compter d'août 1991.

FORTIER, Thomas
(1796–1876)

Né à Québec, le 27 septembre 1796, puis baptisé le 28, dans la paroisse Notre-Dame, fils de Joseph Fortier, marchand, et de Rose Laurent.

Étudia au petit séminaire de Québec. Pendant la guerre de 1812, servit dans la milice d'élite incorporée: fait enseigne le 25 mai 1812, fut promu lieutenant dans le 1er bataillon en octobre et prit part en cette qualité à la bataille de Châteauguay, le 26 octobre 1813; fut licencié le 24 mars 1815. Par la suite, fit des études de médecine à l'université de New York, qui lui conféra un doctorat le 7 avril 1818. Obtint l'autorisation de pratiquer sa profession au Bas-Canada le 13 octobre 1818.

Exerça la médecine à Saint-Grégoire (Bécancour) et à Baie-du-Febvre, puis à Gentilly (Bécancour) où il s'établit en 1822. Élu syndic des écoles en 1832 et 1834; était vice-président de la commission scolaire en 1845. Participa à des assemblées de patriotes en 1837, mais, opposé à l'usage des armes, se dissocia de ce mouvement après la bataille de Saint-Charles. Mena à bien le projet de construction de la nouvelle église de Gentilly en 1842. Instigateur de la fondation de l'Association Saint-Jean-Baptiste de l'endroit en 1865, en fut l'un des administrateurs pendant plusieurs années. Écrivit dans divers journaux, notamment dans *la Gazette des Trois-Rivières,* le *Populaire* de Montréal et *la Gazette de Québec,* ainsi que dans *la Minerve* de Montréal, dont il fut correspondant. Commissaire au tribunal des petites causes.

Élu député de Nicolet en 1848. Réélu en 1851 et 1854. Membre du groupe canadien-français, puis réformiste. Candidat en 1858, mais retira sa candidature avant la fin du scrutin.

Décédé à Gentilly (Bécancour), le 21 mai 1876, à l'âge de 79 ans et 7 mois. Inhumé dans l'église Saint-Édouard, le 24 mai 1876.

Avait épousé dans la cathédrale anglicane Holy Trinity, à Québec, le 15 novembre 1819, Eliza Hanna, fille de James G. Hanna, orfèvre et marchand, et de sa seconde femme, Elizabeth Saul; puis, dans la paroisse Saint-Édouard, à Gentilly (Bécancour), le 14 avril 1834, Léocadie Grondin, fille de Louis Grondin et d'Esther Deshaies, dit Tourigny.

FORTIN, Carrier

Né à Beauceville, le 9 septembre 1915, fils de Joseph-Édouard **Fortin**, avocat et journaliste, et de Marie-Blanche Carrier.

A étudié au collège du Sacré-Cœur à Beauceville, au séminaire de Québec et à l'université Laval. Admis au barreau de la province de Québec le 23 septembre 1940. Créé conseil en loi de la reine en 1961.

Avocat à Asbestos de 1940 à 1942, puis à Sherbrooke de 1942 à 1969. Secrétaire de la faculté de droit de l'université de Sherbrooke de 1954 à 1961, membre du conseil de cette faculté de 1961 à 1965, et professeur de droit civil, de législation ouvrière et de droit des compagnies de 1954 à 1964. Codirecteur de l'*Hebdo Laval*, puis fondateur et rédacteur du journal *le Citoyen* en 1941 devenu plus tard l'*Asbestos*. Directeur de l'Assurance-vie Desjardins de 1958 à 1962. Directeur des Placements collectifs inc. de 1955 à 1962 et de 1967 à 1969.

Échevin de la ville de Sherbrooke de 1953 à 1962. Élu député libéral dans Sherbrooke en 1962. Assermenté ministre sans portefeuille dans le cabinet Lesage le 5 décembre 1962. Ministre du Travail dans le même cabinet du 8 août 1963 au 16 juin 1966. Défait en 1966. Nommé juge à la Cour supérieure le 13 novembre 1969. Juge surnuméraire à compter de 1984. Président du Comité des juges en 1973.

Fondateur de la Coopérative d'habitations d'Asbestos en 1940. Président de l'Œuvre des terrains de jeux de Sherbrooke. Président du Club Richelieu en 1951. Trésorier de 1947 à 1949, syndic de 1957 à 1959 et bâtonnier du barreau de Saint-François en 1959. Directeur de l'Association du barreau rural. Créé conseil en loi de la reine le 7 février 1961. Membre de la Chambre de commerce de Sherbrooke, du Club de réforme, des Chevaliers de Colomb et de l'Association libérale de Sherbrooke.

Titulaire d'un doctorat honorifique de l'université de Sherbrooke en 1965.

FORTIN, Gilles

Né à Montréal, le 8 février 1946, fils de Lionel Fortin, technicien mécanicien, et de Cécile Mercier.

Après ses études secondaires, il obtint un diplôme en mécanique d'ajustage et dessin industriel à l'Institut professionnel de Lachine en 1963. A suivi plusieurs cours de perfectionnement dans le domaine du marketing et de la gestion.

Opérateur en ajustage mécanique de 1963 à 1967 à la compagnie Allis Chalmers Canada LTD. Fut promu contremaître d'atelier en 1967. Représentant aux ventes pour la compagnie Kennametal Tools ltée de 1972 à 1976. Vice-président et directeur des ventes et des finances des Industries Metka ltée de 1977 à 1980. En 1980, il devint président de Usinage Druco 1980 inc.

Élu député libéral dans Marguerite-Bourgeoys à l'élection partielle du 18 juin 1984. Réélu en 1985. Ne s'est pas représenté en 1989. De nouveau président d'Usinage Druco 1980 inc. et de Canbec Métal inc.

Membre de la Society of Manufacturing Engineers, de la Société de contrôle numérique et du Club d'administration industrielle du Canada. Membre du Club optimiste et des Chevaliers de Colomb.

FORTIN, Jean-Baptiste (1764–1841)

Né à L'Islet (L'Islet-sur-Mer), le 29 décembre 1764, puis baptisé le 30, dans la paroisse Notre-Dame-du-Bonsecours, fils de Charles Fortin et de Marie-Magdelaine Pin.

Fut cultivateur à L'Islet. S'occupa de colonisation et de l'ouverture des terres en arrière de la seigneurie de L'Islet. Obtint plusieurs postes de commissaire liés à la construction de chemins dans les seigneuries environnantes.

Élu député de Devon en 1804. Réélu en 1808, 1809 et 1810. Ne se serait pas représenté en 1814. Élu dans la même circonscription en avril 1820. Réélu en juillet 1820, 1824 et 1827. Élu dans L'Islet en 1830. Réélu en 1834. Appuya généralement le parti canadien, puis le parti patriote. Son mandat prit fin avec la suspension de la constitution, le 27 mars 1838.

Décédé à L'Islet (L'Islet-sur-Mer), le 6 janvier 1841, à l'âge de 76 ans. Inhumé dans l'église paroissiale, le 8 janvier 1841.

Avait épousé dans sa paroisse natale, le 29 janvier 1788, sa parente Geneviève Fortin, fille de Joseph Fortin et de Marie-Claire Dumontier.

Grand-père de Louis-Napoléon **Fortin**.

———

Bibliographie: Richard, Joseph-Arthur, *Histoire de Cap-Saint-Ignace, 1672–1970*, s.l., 1970, p. 212-213.

FORTIN, Joseph-Édouard
(1884–1949)

Né à La Malbaie, le 10 juin 1884, fils de Joseph-Télesphore Fortin, marchand et journaliste, et d'Eugénie Chamberlant.

Fit ses études au collège de Lévis et à l'université Laval à Québec. Admis au barreau de la province de Québec le 10 juillet 1907.

Exerça sa profession d'avocat à Baie-Saint-Paul durant un an. Comme journaliste, il débuta au journal de son père, *l'Écho de Charlevoix*, dont il fut rédacteur du 8 septembre 1904 au 26 décembre 1907. Avec son père, il fonda en 1908 *l'Éclaireur de Beauceville*, dont il fut rédacteur jusqu'en 1937. Président de l'Association canadienne des hebdomadaires en 1924. Directeur gérant de *l'Événement* à Québec de 1924 à 1926. Fondateur et administrateur de l'hebdomadaire *la Parole* de Drummondville de 1926 à 1929. Collaborateur à *l'Autorité* de Montréal et à *l'Avenir du Nord* de Saint-Jérôme. Vice-président de l'Association du sucre d'érable de Beauce.

Maire de Beauceville de 1922 à 1925. Élu sans opposition député libéral dans Beauce à l'élection partielle du 9 décembre 1929. Réélu en 1931. Ne s'est pas représenté en 1935.

Registrateur du comté de Beauce du 30 avril 1935 au 17 février 1938, puis registrateur conjoint du 17 février 1938 jusqu'à son décès.

Décédé à Montréal, le 9 avril 1949, à l'âge de 64 ans et 9 mois. Inhumé dans le cimetière de Saint-François-de-Beauce, le 13 avril 1949.

Avait épousé à Lévis, dans la paroisse Notre-Dame-de-Lévis, le 10 septembre 1907, Marie-Blanche Carrier, fille de Louis-Napoléon Carrier, registrateur, et de Marie-Joséphine Dupuis.

Père de Carrier **Fortin**.

FORTIN, Joseph-Émile
(1885–1961)

Né à Saint-Alexandre, le 11 août 1885, fils de Régent Fortin, marchand et meunier, et de Lumina McDonald.

Fit ses études à l'école de Saint-Alexandre, au collège de Sainte-Anne-de-la-Pocatière, au séminaire de Trois-Rivières et à l'université Laval à Québec.

Reçu médecin en 1909. Exerça sa profession à Robertsonville, de 1909 à 1942, puis à Thetford Mines en 1942 où il fut attaché à l'hôpital Saint-Joseph-de-Thetford. Médecin attitré de la mine Lake Asbestos à partir de 1955.

Maire de Robertsonville en 1933 et 1934. Candidat conservateur défait dans Mégantic-Frontenac aux élections fédérales de 1940. Élu député de l'Union nationale à l'Assemblée législative dans Mégantic à l'élection partielle du 18 septembre 1957. Défait en 1960.

Membre des Chevaliers de Colomb et du Club Renaissance de Québec.

Décédé à Sainte-Foy, le 9 janvier 1961, à l'âge de 75 ans et 4 mois. Inhumé dans le cimetière de Robertsonville, le 13 janvier 1961.

Avait épousé à Laurierville, dans la paroisse de Sainte-Julie, le 8 janvier 1912, Marie-Aline Couture, fille de Georges Couture, marchand et hôtelier, et de Catherine Marceau.

FORTIN, Louis-Napoléon
(1850–1892)

Né à Cap-Saint-Ignace, le 8 août 1850, fils de Louis Fortin et de Marguerite Bernier.

Fit ses études au collège de Sainte-Anne-de-la-Pocatière et à l'université Laval à Québec. Récipiendaire du prix Morin. Reçu médecin en 1874, il exerça sa profession à Cap-Saint-Ignace.

Élu député libéral dans Montmagny à l'élection partielle du 30 novembre 1876. Réélu en 1878. Le 29 octobre 1879, il joignit les rangs du Parti conservateur avec quatre de ses collègues, entraînant la démission du gouvernement Joly de Lotbinière, devenu minoritaire. Maire de Cap-Saint-Ignace du 5 décembre 1881 au 6 janvier 1883. Réélu député conservateur en 1881, il fut déclaré défait par un jugement de la Cour supérieure rendu le 5 janvier 1883. Nommé inspecteur de la colonisation, il fut démis de ses fonctions le 21 décembre 1887.

Décédé à Cap-Saint-Ignace, le 31 mars 1892, à l'âge de 41 ans et 7 mois. Inhumé dans le cimetière du même endroit, le 4 avril 1892.

Avait épousé dans la paroisse Notre-Dame de Québec, le 21 juin 1881, Marie-Sophie-Laurette Larue, fille de Siméon Larue et de Marie-Anne Thibaudeau.

Petit-fils de Jean-Baptiste **Fortin**.

FORTIN, Octave
(1876–1959)

Né à Rimouski, le 20 septembre 1876, fils d'Étienne Fortin, cultivateur, et de Restitule Bérubé.

Fit ses études à l'école modèle de Saint-Octave-de-Métis.

Cultivateur à Saint-Octave-de-Métis, puis hôtelier et commerçant à Val-Brillant à partir de 1920.

Commissaire d'école à Saint-Octave-de-Métis du 7 mai 1916 au 1er juillet 1917. Élu député libéral dans Matane à l'élection partielle du 27 décembre 1918. Ne s'est pas représenté en 1919.

Décédé à Rimouski, le 11 janvier 1959, à l'âge de 82 ans et 3 mois. Inhumé à Val-Brillant, le 14 janvier 1959.

Avait épousé à Sainte-Luce, le 28 avril 1903, Éméren-tienne Charest, fille de Joseph Charest, cultivateur, et de Georgina Parent.

FORTIN, Pierre
(1823–1888)

Né à Verchères, le 14 décembre 1823, fils de Pierre Fortin, charpentier, et de Marie-Anne-Julie Crevier, dit Duvernay.

Fit ses études au collège de Montréal et à la McGill University à Montréal. Reçu médecin en 1845.

Exerça sa profession à La Prairie de 1845 à 1847. Médecin volontaire à la Grosse-Île lors de l'épidémie de typhus en 1847 et 1848. Commandant d'un escadron de cavalerie lors des émeutes à Montréal en 1849. Magistrat chargé de l'application des lois sur les pêcheries pour le Bas-du-Fleuve et les côtes du golfe du Saint-Laurent de 1852 à 1867. Commanda les goélettes *La Canadienne* et *Napoléon III*.

En vertu du double mandat, il fut élu sans opposition député conservateur dans Gaspé à l'Assemblée législative en 1867 et 1871, et à la Chambre des communes en 1867 et 1872. Son siège devint vacant lors de sa nomination au Conseil exécutif, puis fut réélu sans opposition à l'élection partielle du 7 avril 1873. Commissaire des Terres de la couronne dans le cabinet Ouimet du 27 février 1873 au 7 septembre 1874, date de sa démission à la suite du scandale des Tanneries. Ne s'est pas représenté au fédéral en 1874. Réélu aux élections provinciales de 1875. Nommé orateur de l'Assemblée législative le 4 novembre 1875, il démissionna de ce poste le 9 novembre 1876, en raison de la contestation de son élection qui fut d'ailleurs annulée le 7 mars 1877. Réélu à l'élection partielle du 2 juillet 1877. Ne s'est pas représenté aux élections provinciales de 1878. Élu à la Chambre des communes aux élections de 1878. Réélu sans opposition en 1882. Nommé sénateur de la division de Kennebec le 13 mai 1887.

Publia plusieurs rapports officiels de ses voyages sur le Saint-Laurent. En 1862, il entreprit la rédaction d'une série de descriptions de plus de quatre-vingts animaux marins et d'oiseaux inventoriés dans le Bas-du-Fleuve et le golfe du Saint-Laurent. Collabora au journal *la Minerve*. Fit don à l'université Laval de son musée de zoologie en 1873. Cofondateur et président de la Société de géographie de Québec en 1878 et 1879.

Décédé en fonction à La Prairie, le 15 juin 1888, à l'âge de 64 ans et 6 mois. Inhumé à La Prairie, dans l'église de La Nativité de la Sainte Vierge, le 19 juin 1888.

Il était célibataire.

Neveu de Ludger **Duvernay**.

Bibliographie : *DBC.*

FORTIN, Roméo
(1886–1953)

Né à Montréal, le 16 mai 1886, fils de Louis Fortin et de Marie-Émélie Descaries.

Fit ses études au collège Mont-Saint-Louis à Montréal.

Chef de gare à Howick pendant quarante ans. Président de la Howick Motor Sales Co. et des Industries canadiennes-françaises. Membre des Chevaliers de Colomb, du Club canadien et de la Société Saint-Jean-Baptiste.

Élu député libéral dans Châteauguay-Laprairie en 1939. Ne s'est pas représenté en 1944.

Décédé à Montréal, le 16 août 1953, à l'âge de 67 ans et 3 mois. Inhumé dans le cimetière de Saint-Rémi, le 19 août 1953.

Avait épousé à Fort Covington, dans l'État de New York, le 6 juin 1910, Louise Asselin, fille de Joseph Asselin.

FOSTER, Asa Belknap
(1817–1877)

Né à Newfane, au Vermont, le 21 avril 1817, fils de Stephen Sewell **Foster**, médecin, et de Sally Belknap.

Arrivé au Bas-Canada avec ses parents en 1822, étudia à l'école de Frost Village, dans les Cantons-de-l'Est.

Travailla à la construction de voies ferrées en Nouvelle-Angleterre à compter de 1837. S'établit comme marchand à Waterloo, dans le Bas-Canada, en 1852. Fut entrepreneur en construction ferroviaire. Président de la Compagnie du chemin de fer de jonction des comtés du Sud-Est; vice-président et administrateur de la Canada Central Railway Company; administrateur du Brockville and Ottawa Railway et de la Compagnie du chemin de fer canadien du Pacifique; à partir de 1871, fit l'acquisition de tronçons de chemin de fer, notamment du Brockville and Ottawa Railway et du Canada Central. Administrateur de la Banque du district de Bedford. Propriétaire foncier; s'intéressa à l'agriculture. Fut officier de milice.

Élu député de Shefford à une élection partielle le 14 septembre 1858; de tendance conservatrice. Démissionna le 24 septembre 1860. Élu sans opposition conseiller législatif de la division de Bedford en 1860; conserva son siège jusqu'à l'avènement de la Confédération, le 1er juillet 1867. Sénateur de la division de Bedford du 23 octobre 1867 jusqu'à sa démission le 10 février 1876. Appuya le Parti conservateur. Choisi comme maire de Waterloo en 1867.

Décédé à Montréal, le 1er novembre 1877, à l'âge de 60 ans et 6 mois. [Après des obsèques célébrées à Waterloo, fut inhumé à Knowlton.]

Avait épousé dans l'église anglicane, à Shefford, le 29 avril 1840, Elizabeth Fish, fille de Joseph Fish, de Hatley, dans le Bas-Canada, et de Mary Wells.

Bibliographie: *DBC*.

FOSTER, George Buchanan
(1897–1974)

Né à Montréal, le 19 août 1897, fils de George Greene Foster, avocat et sénateur de 1917 à 1931, et de Mary Maud Buchanan.

Fit ses études au Lower Canada College, à la Montreal High School et à la McGill University. Fit sa cléricature auprès des avocats Lafleur, MacDougall, MacFarlane et Barclay. Admis au barreau de la province de Québec le 16 juillet 1920. Créé conseil en loi du roi le 10 janvier 1931.

Pratiqua le droit à Montréal et s'associa d'abord au cabinet de son père. Président de la Canada and Dominion Sugar Co. Ltd. et de la Wire Rope Industries of Canada Ltd. Vice-président de la Noranda Mines Ltd. Membre des conseils d'administration des compagnies suivantes: IAC Ltd., Travelers Insurance, Brompton Pulp & Paper, Acme Glove, Holt Renfrew, Lake St. John's Paper, Montreal Trust, St. Lawrence Corporation, Sherbrooke Machinery, Donnacona Paper, Sagamo Penmans, Gaspe Copper, Seven Up, J.S. Mitchell, Combustion Engineering Superheater, Hilton of Canada et British Bank Note. Membre du comité protestant du Conseil de l'instruction publique de la province de Québec.

Conseiller législatif de la division de Victoria du 21 août 1946 jusqu'à l'abolition du Conseil législatif, le 31 décembre 1968.

Lieutenant dans l'aviation royale et récipiendaire de la Distinguished Flying Cross en 1918. Président du Children's Memorial Hospital. Membre à vie de la Brome Historical Society. Membre du Mount Royal Club et de l'ordre de l'Empire britannique.

Décédé à Knowlton, le 3 juin 1974, à l'âge de 76 ans et 2 mois. Inhumé dans le cimetière protestant de Knowlton, le 4 juin 1974.

Avait épousé à Montréal, dans la Christ Cathedral Church, le 12 novembre 1928, Barbara Helen MacDougall, fille de Gordon Walters MacDougall, avocat, et d'Hilda Beatrix Marler.

FOSTER, Stephen Sewell
(1792–1868)

Né à Oakham, au Massachusetts, le 22 novembre 1792, fils de Samuel Foster, d'ascendance puritaine, et de Patty Wilkings. Reçut à la naissance l'unique prénom de Sewell.

Obtint en 1815, de la Vermont Medical Society, le droit de pratiquer la médecine. Exerça à Newfane jusqu'en 1822, année où il s'installa sur une ferme, dans la colonie de pionniers de Frost Village, au Bas-Canada. En 1830, fut autorisé à exercer la médecine, ce qu'il fit dans les Cantons-de-l'Est jusqu'à la fin de sa vie.

Défait dans Shefford en 1834; s'était rangé du côté du parti des bureaucrates. Élu député de Shefford en 1841; unioniste et tory. Réélu en 1844; tory. Défait en 1848.

Remplit les fonctions d'administrateur du Collège des médecins et chirurgiens du Bas-Canada, de 1847 jusqu'à sa démission en 1866, et de coroner associé dans le district de Bedford, à compter de 1859. S'était établi à Knowlton en 1857.

Fut juge de paix, commissaire, et médecin d'un bataillon de milice. Fréquenta la faculté de médecine du McGill College de Montréal et reçut des diplômes honorifiques d'universités anglaises et écossaises. Fondateur et administrateur de la Frost Village Academy. De confession congrégationaliste, à l'origine, devint membre actif de l'Église d'Angleterre.

Décédé à Knowlton, le 29 décembre 1868, à l'âge de 76 ans et un mois.

Avait épousé, le 7 février 1813, Sally Belknap, fille de Daniel Belknap, de Dummerston, au Vermont.

Père d'Asa Belknap **Foster**.

———

Bibliographie: *DBC*.

FOUCHER, Louis-Charles
(1760–1829)

Né à Rivière-des-Prairies (Montréal) et baptisé dans la paroisse Saint-Joseph, le 13 septembre 1760, fils d'Antoine Foucher, notaire d'origine française (fut plus tard avocat), et de Marie-Joachim Chesnier.

Étudia au collège Saint-Raphaël de Montréal de 1773 à 1800. Obtint une commission de notaire le 19 octobre 1784, mais n'exerça cette profession que pendant un an. Fut admis au barreau en juillet 1787.

Pratiqua le droit comme avocat à Montréal. Nommé solliciteur général et inspecteur du Domaine du roi, en remplacement de Jonathan **Sewell**, en mai 1795, occupa ce poste jusqu'à sa nomination comme juge de la Cour provinciale de Trois-Rivières, le 1er janvier 1803. Accéda à la Cour du banc du roi à Montréal le 10 décembre 1812; suspendu temporairement de ses fonctions à la demande de la Chambre d'assemblée en mars 1817, fut réinstallé en 1819. Obtint plusieurs poste de commissaire. Officier de milice, atteignit le grade de lieutenant-colonel en 1812. Membre du Club des Apôtres et l'un des fondateurs en 1828 de la Bibliothèque des avocats de Montréal.

Défait dans Effingham mais élu député de Montréal-Ouest en 1796. Défait à nouveau dans Effingham mais élu dans York en 1800. Élu dans Trois-Rivières en 1804. Appuya généralement le parti des bureaucrates. Défait en 1808.

Décédé à Montréal, le 26 décembre 1829, à l'âge de 69 ans et 3 mois. Inhumé dans la paroisse Notre-Dame, le 29 décembre 1829.

Avait épousé dans la paroisse Notre-Dame de Montréal, le 6 août 1787, Marie-Élizabeth Foretier, fille du négociant Pierre Foretier et de Thérèse Legrand.

Beau-père de Hugues **Heney**. Beau-frère par alliance de Denis-Benjamin **Viger**. Oncle par alliance de Janvier-Domptail **Lacroix**.

———

FOURNIER, Charles-François
(1805– ≥1863)

Né à Saint-Jean-Port-Joli et baptisé dans la paroisse du même nom, le 15 mai 1805, fils de François **Fournier**, arpenteur, et de Catherine Miville-Deschênes.

Recut sa commission d'arpenteur le 25 juillet 1826, puis exerça sa profession. Fut lieutenant-colonel commandant du 1er bataillon de milice de L'Islet, juge de paix, commissaire au tribunal des petites causes et président de l'Institut littéraire de Saint-Jean-Port-Joli.

Élu député de L'Islet à une élection partielle le 6 mai 1847. Réélu en 1848, 1851 et 1854. Proclamé élu dans la même circonscription le 7 juin 1858 à la place de Louis-Bonaventure **Caron**. Réélu en 1861. Membre du groupe canadien-français, puis réformiste et bleu. Défait en 1863.

Décédé en ou après 1863.

Avait épousé Mary Jane Brotherton, de Gaspé.

———

FOURNIER, François
(1776–1836)

Né à Saint-Jean-Port-Joli, probablement le 2 juin 1776, fils de Louis Fournier et de Madeleine Jean.

Étudia l'arpentage auprès de Jeremiah McCarthy, puis obtint une commission d'arpenteur-juré en janvier 1799. Capitaine dans la milice, commanda la compagnie de Saint-Jean en 1812; fut promu major dans le 1er bataillon du comté de L'Islet en juillet 1830. Nommé juge de paix le 12 août 1830.

Élu député de Devon en 1814. Réélu en 1816, avril 1820 et juillet 1820. Ne se serait pas représenté en 1824.

Décédé à Saint-Jean-Port-Joli, le 18 octobre 1836, à l'âge de 60 ans et 4 mois. Inhumé dans l'église paroissiale, le 20 octobre 1836.

Avait épousé dans la paroisse de Saint-Jean-Port-Joli, le 13 février 1804, Catherine Miville-Deschênes, fille de l'agriculteur Joseph Miville-Deschênes et de Françoise Pain.

Père de Charles-François **Fournier**.

FOURNIER, Roy
(1921–1991)

Né à Maniwaki, le 22 août 1921, fils d'Alphonse Fournier, avocat et député à la Chambre des communes de 1930 à 1933, et de Lorette Roy.

Fit ses études à l'école normale de Hull, au collège Brébeuf à Montréal, à l'université d'Ottawa et à l'université de Montréal. Licencié en science politique en 1947 et en droit en 1948. Admis au barreau de la province de Québec en juillet 1948.

Conseiller juridique de la ville de Hull et des municipalités de Pointe-Gatineau, Delhom et Low.

Fondateur de la Jeunesse libérale du comté de Hull et président de l'Association libérale de ce comté. Élu député libéral dans Gatineau en 1962. Réélu en 1966 et en 1970. Ministre d'État dans le cabinet Bourassa du 29 octobre 1970 au 11 février 1971. Solliciteur général dans le même cabinet du 11 février 1971 jusqu'à sa démission, le 2 août 1972.

Nommé juge à la Cour provinciale, affecté au tribunal des transports, le 2 août 1972. Membre du tribunal des transports de 1973 à 1982.

Lieutenant dans la marine canadienne de 1942 à 1945. Récipiendaire de l'Atlantic Star en 1945. Président-fondateur de l'Association des vétérans étudiants de l'université de Montréal. Président de la Royal Canadian Legion de 1952 à 1955. Membre du Club Rotary et du Club canadien. Créé conseil en loi de la reine le 3 mai 1963. Bâtonnier du barreau de Hull en 1964 et 1965.

Décédé à Montréal, le 20 juin 1991, à l'âge de 69 ans et 9 mois. Les funérailles eurent lieu à Hull, dans l'église Saint-Joseph, le 24 juin 1991.

Avait épousé à Ottawa, le 16 juillet 1945, Pauline Audet, fille d'Antonio Audet et d'Yvonne Darcy.

FOURNIER, Télesphore
(1823–1896)

Né à Saint-François-de-Sales-de-la-Rivière-du-Sud, le 5 août 1823, fils de Guillaume Fournier, meunier et cultivateur, et de Marie-Archange Morin.

Fit ses études au séminaire de Nicolet et son droit auprès de René-Édouard **Caron**. Admis au barreau du Bas-Canada le 10 septembre 1846.

Exerça sa profession d'avocat à Québec successivement avec John Gleason, Charles-Alphonse Carbonneau, Matthew Hearn, et Achille Larue. Copropriétaire et corédacteur du journal le National de Québec de 1855 à 1859.

Candidat défait dans le comté de Bellechasse en 1854 et dans le comté de Montmagny en 1854 et 1857. Candidat défait au Conseil législatif dans la division de Stadacona en 1861 et dans La Durantaye en 1864. Élu sans opposition député libéral à la Chambre des communes dans Bellechasse à l'élection partielle du 15 août 1870. Réélu en 1872 et 1874. Élu, en vertu du double mandat, député libéral à l'Assemblée législative dans Montmagny aux élections de 1871. Résigna son siège à l'Assemblée législative le 19 novembre 1873. Nommé membre du Conseil privé le 7 novembre 1873. Ministre du Revenu de l'intérieur dans le cabinet Mackenzie du 7 novembre 1873 au 8 juillet 1874. Ministre de la Justice du 8 juillet 1874 au 18 mai 1875 et ministre des Postes du 19 mai au 7 octobre 1875 dans le même cabinet. Résigna ses fonctions lors de sa nomination comme juge à la Cour suprême du Canada, poste qu'il occupa du 8 octobre 1875 au 9 septembre 1895.

Créé conseil en loi de la reine en 1863. Bâtonnier du barreau de Québec en 1867 et du barreau de la province de Québec en 1868. Vice-doyen de la faculté de droit de l'université d'Ottawa de 1892 à 1895. Fut également membre fondateur et secrétaire adjoint de la Société canadienne d'études littéraires et scientifiques.

Décédé à Ottawa, le 10 mai 1896, à l'âge de 72 ans et 9 mois. Inhumé au même endroit, le 13 mai 1896.

Avait épousé à Saint-Pierre-les-Becquets, le 22 juillet 1857, Hermine Demers, fille de Wilbrod Demers, marchand, et de Suzanne Pirenne de Hovas.

Bibliographie : *DBC.*

FOURQUIN, dit LÉVEILLÉ, Michel
(1791–1861)

Né à Yamaska et baptisé dans la paroisse Saint-Michel, le 30 septembre 1791, fils de Joseph Léveillé et de Marguerite Lasalle. Connu surtout sous le patronyme de Fourquin.

Fut cultivateur à Yamaska.

Défait dans Yamaska en 1844. Élu député de cette circonscription en 1848 ; membre du groupe canadien-français, puis réformiste. Défait en 1851.

Se noya dans la baie de Lavallière, le 27 octobre 1861, à l'âge de 70 ans. Inhumé dans l'église Saint-Michel, à Yamaska, le 29 octobre 1861.

Avait épousé dans sa paroisse natale, le 6 février 1815, Catherine Parenteau, fille de Michel Parenteau et d'Élisabeth Forcier ; puis, dans la paroisse Saint-Antoine-de-Padoue, à

Baie-du-Febvre, le 13 janvier 1825, Suzanne Chouinard, veuve d'Antoine Caya; enfin, dans la paroisse Saint-Pierre, à Sorel, le 13 mai 1859, Geneviève Leclerc, veuve d'Édouard Ducondu.

FOX, Charles James Warwick (1910–1971)

Né à Montréal, le 2 juin 1910, fils d'Arthur Théodore Fox, manufacturier, et de Frances May Bennet.

Gérant d'un moulin à papier à Mistassini. Copropriétaire et gérant d'un moulin de pulpe à Rivière-du-Loup. Président et gérant de la Great Lakes Pulp and Paper de Fort William en Ontario. Cultivateur à Bondville (Lac-Brome).

Élu sans opposition député de l'Union nationale dans Brome à l'élection partielle du 7 décembre 1948. Réélu en 1952. Ne s'est pas représenté en 1956.

Décédé à Montréal, le 12 septembre 1971, à l'âge de 61 ans et 3 mois. Inhumé à Montréal, dans le Mount Royal Cemetery, le 16 septembre 1971.

[Avait épousé Léona Marjorie Lunder.]

FRADET, Benoît

Né à Vimont (Laval), le 4 avril 1965, fils d'Yvon Fradet, inspecteur en canalisation, et d'Huguette Fonvielle, adjointe administrative.

Fit ses études secondaires à l'école Horizon-Jeunesse et au collège Ahuntsic où il reçut un diplôme d'études collégiales en génie civil en 1985.

De 1985 à 1988, il exerça sa profession au sein des entreprises suivantes: Fortier, Franklin, Legault inc., le Groupe Permacon inc. et Fradet, Grenier, Larivière inc. Technologue en sciences appliquées pour le Groupe Dessau inc. en 1988 et chargé de projets chez Fortier, Franklin, Legault inc. à compter d'août 1988. Membre du Club optimiste Vimont-Laval et des Chevaliers de Colomb.

Élu député libéral dans Vimont en 1989.

FRADET, Pierre (1833–1910)

Né à Saints-Gervais-et-Protais, le 20 septembre 1833, fils d'Ambroise Fradet, journalier, et d'Angèle Gonthier.

Exerça le métier de menuisier.

Élu député conservateur dans Bellechasse aux élections de 1875. Défait en 1878.

Décédé à Québec, le 27 juin 1910, à l'âge de 76 ans et 9 mois. Inhumé à Sainte-Foy, dans le cimetière Notre-Dame-de-Belmont, le 29 juin 1910.

Avait épousé dans la paroisse Notre-Dame de Québec, le 24 novembre 1856, Louise Lachance, fille de Léon Lachance et de Catherine Saint-Hilaire.

FRANCHÈRE, Joseph (1785– ≥1824)

Né à Québec et baptisé dans la paroisse Notre-Dame, le 15 août 1785, fils d'Antoine Franchère et de Marie-Josette Nicolas.

Pendant la guerre de 1812, servit en qualité de capitaine et d'adjudant dans le 2e bataillon de milice de la division de Nicolet. Recommandé pour obtenir les charges de juge de paix et de commissaire au tribunal des petites causes dans le comté de Bedford, le 25 octobre 1819.

Élu député de Bedford en avril 1820. Défait en juillet 1820 par John **Jones** (Bedford), dont l'élection fut annulée le 31 décembre 1821. Élu à une élection partielle en mars 1822. Ne s'est pas représenté en 1824.

Décédé en ou après 1824.

On ne sait pas s'il était célibataire ou marié.

Frère de Timothée **Franchère**. Beau-frère de Rémi-Séraphin **Bourdages**.

FRANCHÈRE, Timothée (≈1790–1849)

Né vers 1790, fils d'Antoine Franchère et de Marie-Josette Nicolas.

Fut marchand à Saint-Mathias. Servit pendant la guerre de 1812 en qualité d'adjudant dans le 1er bataillon de milice de la division de Chambly. Le 7 juin 1821, fut nommé capitaine et adjudant dans la division de Rouville. Désigné à titre de commissaire chargé de surveiller la construction du canal de Chambly en février 1832, puis élu commissaire d'école en juillet. Engagé dans le mouvement insurrectionnel de 1837, s'enfuit aux États-Unis le 17 novembre; un mandat d'arrêt ayant été lancé contre lui le 1er décembre, il demanda son pardon au gouverneur, qui le lui accorda le 22 du même mois. Nommé de nouveau, en juin 1840, commissaire du canal de Chambly. Fut administrateur de la Banque du peuple.

Défait dans Rouville en 1841. Élu député de cette circonscription à une élection partielle le 25 septembre 1843.

Réélu en 1844. Fit partie du groupe canadien-français. Ne s'est pas représenté en 1848.

Décédé à Saint-Mathias, le 5 octobre 1849, à l'âge d'environ 59 ans. Inhumé au même endroit, le 10 octobre 1849.

Avait épousé dans la paroisse Saint-Pierre-du-Portage, à L'Assomption, le 18 octobre 1824, Louise-Eugénie Faribault, fille d'Édouard Faribault et d'Anne-Élisa Boudret.

Frère de Joseph **Franchère**. Beau-frère de Rémi-Séraphin **Bourdages**.

FRANCŒUR, Joseph-Achille (1882–1959)

Né à Cap-Saint-Ignace, le 28 août 1882, fils d'Auguste Francœur, cultivateur, et de Marie-Avila Caron.

Étudia à Cap-Saint-Ignace et fit son apprentissage de plombier à Rivière-du-Loup et à Québec.

Exerça le métier d'entrepreneur en plomberie. S'établit à Montréal en 1906. Fonda une entreprise de systèmes de chauffage avec Edgar Tremblay en 1907. Propriétaire, directeur et gérant de J.-A. Francœur et Compagnie en 1911. Inventeur de la fournaise à eau chaude Francœur. Membre de l'Association des maîtres plombiers et du Builders' Exchange.

Président du Club libéral Saint-Denis–Dorion. Candidat libéral défait dans Montréal-Dorion en 1927. Élu député libéral dans la même circonscription en 1931. Défait en 1935 et 1936. Réélu dans Montréal-Mercier en 1939 et 1944. Assermenté ministre sans portefeuille dans le cabinet Godbout le 21 juin 1944. Défait en 1948.

Gouverneur de l'hôpital Notre-Dame et de l'hôpital Saint-Joseph à Montréal. Membre du Club de réforme et du Club canadien.

Décédé à Montréal, le 21 janvier 1959, à l'âge de 76 ans et 4 mois. Inhumé à Montréal, dans le cimetière Notre-Dame-des-Neiges, le 24 janvier 1959.

Avait épousé à Montréal, dans la paroisse Sacré-Cœur, le 15 mai 1913, Léonie Bienvenue-Francœur, fille de Philippe Francœur et de Cléophine Gauvin.

Frère de Joseph-Napoléon **Francœur**.

FRANCŒUR, Joseph-Georges (1889–1956)

Né à Lévis, le 7 octobre 1889, fils de William Francœur, mécanicien, et de Delvina Tondreau.

Fit ses études au collège Sainte-Croix et au collège de Montréal. Membre de l'expédition Bernier à bord de l'*Arctic* en 1904 et 1905. Entra au Canadien Pacifique en 1907 et fut promu expéditeur des trains le 13 octobre 1913.

Échevin de Lévis du 14 mars 1927 au 14 mars 1929 et du 3 février 1936 au 15 avril 1941. Élu député libéral dans Lévis en 1939. Défait en 1944.

Chef évaluateur pour la cité de Lévis de 1952 à 1956. Membre des Chevaliers de Colomb.

Décédé à Rimouski, le 19 juillet 1956, à l'âge de 66 ans et 9 mois. Inhumé à Lévis, dans le cimetière Mont-Marie, le 24 juillet 1956.

Avait épousé à Lévis, le 1er avril 1913, Noëlla Rochette-Massé, fille de Gédéon Rochette, menuisier, et de Joséphine Goupil, et fille adoptive de William Massé, charpentier, et d'Amaryllis Goupil.

FRANCŒUR, Joseph-Napoléon (1880–1965)

Né à Cap-Saint-Ignace, le 13 décembre 1880, fils d'Auguste Francœur, cultivateur, et d'Avila Caron.

Fit ses études à l'école normale Laval, au séminaire de Québec et à l'université Laval à Québec. Admis au barreau de la province de Québec le 8 juillet 1904.

Exerça sa profession à Québec et s'associa à plusieurs avocats, notamment: Philippe-Auguste Choquette, député à la Chambre des communes de 1887 à 1893 et sénateur de 1904 à 1919; Antonin **Galipeault**; J.-L. Larue; Thomas Viens, député à la Chambre des communes de 1917 à 1925 et de 1935 à 1942, puis sénateur de 1942 à 1968; Philippe Lanctôt; et Charles Gamache. Président de la Limoilou Land Co.

Candidat libéral indépendant défait dans Lotbinière en 1904. Élu député libéral dans Lotbinière en 1908. Réélu en 1912 et sans opposition en 1916, 1919, 1923 et 1927. De nouveau élu en 1931 et en 1935. Orateur de l'Assemblée législative du 10 décembre 1919 au 10 janvier 1928. Ministre des Travaux publics et du Travail du 5 juin 1930 au 28 octobre 1931, puis ministre des Travaux publics dans le cabinet Taschereau du 28 octobre 1931 au 11 juin 1936. Ministre du Travail du 20 décembre 1935 au 13 mars 1936 et ministre des Mines dans le même cabinet du 13 mars au 11 juin 1936. Défait en 1936. Élu député libéral à la Chambre des communes dans Lotbinière à l'élection partielle du 27 décembre 1937.

Juge à la Cour du banc du roi du 9 février 1940 jusqu'à sa démission en 1945.

Auteur de la célèbre motion Francœur qui fut l'objet du livre *Quebec and Confederation, a Record of the Debate of the Legislative Assembly of Quebec on the Motion Proposed by J.N. Francœur, Member for Lotbinière* (1918). Créé conseil en loi du roi le 29 décembre 1913. Membre du Club de la garnison, du Cercle universitaire de Montréal, du Club canadien, du YMCA et du Wartime Labour Relations Board.

Décédé à Québec, le 25 juillet 1965, à l'âge de 84 ans et 7 mois. Inhumé à Leclercville, dans le cimetière de la paroisse Sainte-Emmélie, le 28 juillet 1965.

Il était célibataire.

Frère de Joseph-Achille **Francœur**.

FRASER, Alexandre
(1803–1877)

Né à Saint-François-de-la-Rivière-du-Sud et baptisé dans la paroisse Saint-François-de-Sales, le 2 avril 1803, fils de Joseph Fraser, négociant et capitaine, et de Catherine Talbot.

Obtint une commission de notaire le 11 septembre 1830. Exerça sa profession à Saint-André-de-Kamouraska (Saint-André), où il s'occupa aussi d'agriculture et de commerce, de 1831 à 1860, puis à Québec jusqu'en mai 1877.

Élu député de Kamouraska à une élection partielle le 16 juin 1835; appuya tantôt le parti patriote, tantôt le parti des bureaucrates. Son mandat prit fin avec la suspension de la constitution, le 27 mars 1838.

Décédé probablement à Québec, le 8 juillet 1877, à l'âge de 74 ans et 3 mois. Aurait été inhumé à Ottawa, le 11 juillet 1877.

Avait épousé dans la paroisse Notre-Dame, à Québec, le 22 janvier 1822, Angélique Poncy, fille de François-René Poncy et de Perpétue Miville-Deschênes; puis, dans la paroisse Saint-André, à Saint-André-de-Kamouraska (Saint-André), le 8 août 1831, Julie Chassé, fille de Jean-Baptiste Chassé et de Julie Michaud, et veuve du notaire Ignace Bernier.

FRASER, James
(≈1785–1844)

Né vers 1785.

S'occupa de commerce à Montréal, à titre de courtier et de commissaire-priseur.

Élu député de Montréal-Ouest en 1814, prêta serment le 14 février 1816. Défait en 1816.

Décédé à Montréal, le 15 septembre 1844, à l'âge d'environ 59 ans. Les obsèques eurent lieu dans l'église anglicane Christ Church, le 17 septembre 1844.

Avait épousé dans l'église anglicane Christ Church, à Montréal, le 14 septembre 1814, Ann Brownson.

FRASER, John (conseiller législatif)
(≈1727–1795)

Né dans le comté d'Inverness, en Écosse, vers 1727, fils de William Fraser et de Margaret Macdonell.

Étudia au collège des Jésuites à Douai, en France.

Lieutenant dans le 78th Foot (Fraser's Highlanders), prit part notamment aux sièges de Louisbourg, en 1758, et de Québec, en septembre 1759; promu capitaine en avril 1760. Par suite du licenciement de son régiment en 1763, fut mis à la demi-solde et s'établit dans la colonie. Nommé juge de la Cour des plaids communs à Montréal en 1764 et, l'année suivante, juge de paix pour le district de Montréal. Au moment de l'invasion américaine de 1775–1776, reprit du service au sein du même régiment; fut fait prisonnier. Démis de ses fonctions de magistrat des plaidoyers communs en 1777 pendant sa captivité, fut réintégré dans son poste au cours de l'année suivante; sa nomination fut renouvelée en janvier 1792. Devint juge de la Cour du banc du roi à Montréal en décembre 1794.

Appelé au Conseil législatif en 1775 et au Conseil exécutif en 1784. Fit de nouveau partie du Conseil législatif à compter de 1792.

Décédé en fonction à Montréal, le 5 décembre 1795, à l'âge d'environ 68 ans. Inhumé dans la crypte Saint-Amable de l'église Notre-Dame, le 8 décembre 1795.

Avait épousé à Montréal, le ou vers le 1er août 1765, Marie-Claire Fleury Deschambault, fille de Joseph Fleury Deschambault, receveur de la Compagnies des Indes au Canada, marchand et propriétaire foncier, et de Catherine Veron de Grandmesnil.

Beau-père de Charles-Étienne **Chaussegros de Léry**.

FRASER, John (Northumberland)
(≈1791–1882)

Né vers 1791.

Fut marchand, courtier et commissaire-priseur à Québec. En 1824, fit l'acquisition de biens seigneuriaux, notamment d'une partie du fief de La Pocatière qu'il vendit à Amable **Dionne** en 1830. Désigné à titre de commissaire chargé de l'ouverture d'un chemin de Saint-Pierre-de-la-Rivière-du-Sud à Saint-Thomas, le 23 juillet 1833. Fait juge de paix en janvier 1834 et commissaire au tribunal des petites causes en mai

1838. L'un des membres fondateurs de la Société littéraire et historique de Québec.

Élu député de Northumberland en 1824; appuya généralement le parti canadien, puis le parti patriote. Ne se serait pas représenté en 1828. Conseiller législatif du 9 juin 1841 jusqu'à sa démission, le 15 novembre 1843.

Nommé greffier de la Cour de circuit de Restigouche le 13 novembre 1844.

Décédé à Charleston, en Caroline du Sud, le 21 avril 1882, à l'âge d'environ 91 ans.

On ne sait pas s'il était célibataire ou marié.

FRASER, John Malcolm
(≤1800–1860)

Né à La Malbaie ou à Québec, en 1799 ou le 9 janvier 1800, fils de Malcolm Fraser (ffraser), ancien officier, originaire d'Écosse, devenu propriétaire foncier et seigneur, et de sa concubine Marguerite Ducros, dit Laterreur, de la seigneurie de Mount Murray.

En 1815, hérita d'une partie de la seigneurie de Mount Murray, qui avait été concédée à son père, en avril 1762, par le gouverneur James Murray; rendit foi et hommage le 5 mai 1823. Fit aussi du commerce à Québec. En août 1829, fut désigné à titre de commissaire chargé de l'ouverture d'un chemin entre Baie-Saint-Paul et Saint-Joachim.

Membre du conseil municipal de Québec en 1833–1834. Nommé au Conseil législatif le 22 août 1837, occupa son siège jusqu'à la suspension de la constitution, le 27 mars 1838.

Décédé à La Malbaie ou à Québec, le 16 avril 1860, à l'âge d'environ 60 ans. Les obsèques eurent lieu dans la cathédrale anglicane Holy Trinity, à Québec, le 19 avril 1860.

Avait épousé dans la cathédrale anglicane Holy Trinity, à Québec, le 4 octobre 1827, Grace Forsyth, fille du marchand Henry George Forsyth, natif d'Aberdeen, en Écosse.

FRASER, Kenneth

Né à Dundee, le 17 octobre 1917, fils de William D. Fraser, cultivateur, et de Margaret Janet Templeton.

Fit ses études à la Dundee Consolidated School.

Producteur agricole à Dundee. Gouverneur du Huntingdon City Hospital. Membre du Club Rotary.

Conseiller municipal de Dundee de janvier 1954 à septembre 1958. Candidat libéral défait dans Huntingdon en 1960 et 1962. Élu député libéral dans Huntingdon en 1966. Réélu en 1970 et 1973. Défait en 1976.

FRASER DE BERRY, John
(1816–1876)

[Né à Saint-Martin (Laval), le 25 novembre 1816, fils de Simon Fraser, médecin et officier du 42e régiment du Royal Highlanders.]

Fit ses études à Terrebonne et à Montréal. Admis à la pratique du notariat en 1839.

Seigneur de Contrecœur et de Cournoyer. Président de la commission des petites causes. Chef du New Clan Fraser de la province de Québec. Major de la milice de réserve de Verchères. Président de la Société Saint-Jean-Baptiste.

Prit l'ancien nom de sa famille, De Berry, lors de son entrée au Conseil législatif. Candidat défait dans la division de Montarville aux élections du Conseil législatif en 1858. Nommé conseiller législatif de la division de Rougemont le 2 novembre 1867. Appuya le Parti conservateur.

Décédé en fonction à Saint-Marc-sur-Richelieu, le 15 novembre 1876, à l'âge de 59 ans et 11 mois. Inhumé dans le cimetière de cette paroisse, le 22 novembre 1876.

Avait épousé dans la paroisse Notre-Dame de Québec, le 24 octobre 1842, sa cousine Elizabeth Fraser.

FRÉCHETTE, Raynald

Né à Asbestos, le 13 octobre 1933, fils d'Irénée Fréchette, menuisier, et d'Alice Leroux.

Fit ses études au collège Saint-Aimé à Asbestos, au séminaire Saint-Charles-Borromée à Sherbrooke et à l'université de Sherbrooke.

Admis au barreau de la province de Québec en juin 1961. Exerça sa profession à Sherbrooke. Fut président de tribunaux d'arbitrage. Président-fondateur de la Société de criminologie de Sherbrooke. Donna des cours d'assainissement des finances familiales aux travailleurs de la CSN en 1964 et 1965.

Candidat de l'Union nationale défait dans Richmond en 1962. Élu député de l'Union nationale dans Sherbrooke en 1966. Orateur suppléant de l'Assemblée législative puis vice-président de l'Assemblée nationale du 22 octobre 1968 au 24 février 1970. Président de l'Assemblée nationale du 24 février au 9 juin 1970. Défait en 1970. Membre du cabinet d'avocats Fréchette, Blanchette, Gobeil, Gaudette, Vaillancourt-Beaulieu et Grimard jusqu'en 1981. Élu député du Parti québécois dans

Sherbrooke en 1981. Ministre du Revenu dans le cabinet Lévesque du 30 avril 1981 au 9 septembre 1982. Leader adjoint du gouvernement du 4 mars 1982 au 12 mars 1984. Ministre du Travail du 9 septembre 1982 au 3 octobre 1985. Ministre de la Justice et ministre du Travail dans le cabinet Johnson (Pierre Marc) du 3 octobre au 12 décembre 1985. Défait en 1985.

Retourna à la pratique du droit à Sherbrooke dans le cabinet Fréchette, Chapdelaine, Montplaisir et Walsh à compter de janvier 1986. Anima une émission de ligne ouverte à CJRS. Nommé juge à la Cour supérieure de Montréal le 19 juillet 1988 puis affecté au district judiciaire de Saint-François en 1991.

Membre de la Chambre de commerce et des Chevaliers de Colomb de Sherbrooke. A publié en collaboration *les Députés de Sherbrooke au Parlement fédéral et au Parlement provincial 1867–1989* (1989).

FRÉGEAU, Isidore
(1833–1906)

Né à Saint-Pie, le 9 décembre 1833, fils de Jean-Baptiste Frégeau, cultivateur, et d'Angélique Lemonde.

Fit ses études à Saint-Pie. Reçu médecin en 1861, il exerça sa profession à North Stukely, Lawrenceville, Waterloo et Sherbrooke.

Maire de North Stukely pendant dix ans. Élu député conservateur dans Shefford en 1881. Ne s'est pas représenté en 1886.

Décédé à Sherbrooke, le 2 septembre 1906, à l'âge de 72 ans et 9 mois. Inhumé à Sherbrooke dans le cimetière de la paroisse Saint-Michel, le 5 septembre 1906.

Avait épousé à Saint-Hilaire, le 11 mars 1862, Marie-Onésime-Caroline Tétro-Ducharme, fille de François Édesse Tétro-Ducharme et de Julienne Lambert ; puis, à Sherbrooke dans la paroisse Saint-Michel, le 21 juillet 1887, Hermine Simoneau, veuve d'Alphonse Paquette.

FRÉGEAU, Raymond-François
(1904–1978)

Né à Rock Island, le 25 janvier 1904, et baptisé à Stanstead, fils de Samuel Frégeau, industriel, et d'Hermine Gilmore.

Fit ses études au collège de Stanstead et au collège Loyola à Montréal. Bachelier ès arts de l'université de Montréal.

Manufacturier à Rock Island. Gérant de la Rock Island Overall Co. Ltd. Membre de la Chambre de commerce internationale et des Chevaliers de Colomb.

Élu député libéral dans Stanstead en 1939. Candidat indépendant défait en 1944. Échevin de 1944 à 1957 et maire de Rock Island de 1957 à 1960.

Décédé à Sherbrooke, le 22 août 1978, à l'âge de 74 ans et 6 mois. Inhumé dans le cimetière de Rock Island, le 24 août 1978.

Avait épousé à Montréal, dans la paroisse Saint-Ignace-de-Loyola, le 12 mai 1943, Élizabeth Dupont, fille d'Édouard Dupont, agent, et d'Éva Sarrazin.

FRELIGH, Richard Van Vliet
(1781–1850)

Né à Clinton, dans l'État de New York, le 10 novembre 1781, fils d'Abram Freligh, médecin d'ascendance allemande ou hollandaise.

Vint au Bas-Canada en février 1801 avec ses parents, qui s'établirent dans les Cantons-de-l'Est, à l'endroit appelé aujourd'hui Freligsburg. Participa à la mise en valeur des moulins à farine et à foulon, ainsi que de la scierie et des deux cents acres de terre que son père acquit peu après leur arrivée. Plus tard, devint l'unique propriétaire du domaine. Nommé commissaire d'école le 2 avril 1825. Prit part à la construction et à l'entretien de la *grammar school* de Frelighsburg.

Élu député de Missisquoi à une élection partielle le 4 décembre 1829. Ne s'est pas représenté en 1830. Défait en 1834.

Décédé à Frelighsburg, le 11 janvier 1850, à l'âge de 68 ans et 2 mois. Inhumé dans le cimetière anglican de l'endroit.

Avait épousé, aux États-Unis, Mary Marvin, fille d'Elihu Marvin et de sa femme, Thankful.

Bibliographie: Missisquoi County Historical Society, *Sixth annual report illustrated*, 1960, p. 39-40. Thomas, C., *Contributions to the history of the Eastern Townships* […], Montréal, Lovell, 1866, p. 73-74.

FRENCH, Charles Daniel
(1884–1954)

[Né à Scotstown, le 26 janvier 1884, fils de Charles French, hôtelier, et de Kate MacIver.]

A étudié à Scotstown. Fermier et éleveur à Cookshire. Président de la Kennedy Construction Co. Ltd. à Montréal de 1919 à 1946. Membre du Club canadien de Montréal.

Candidat de l'Union nationale défait dans Compton en 1939. Élu député de l'Union nationale dans la même circonscription à l'élection partielle du 3 juillet 1946. Réélu en 1948 et en 1952. Ministre des Mines dans le cabinet Duplessis du 15 décembre 1948 au 3 mai 1954.

Décédé en fonction à Westmount, le 3 mai 1954, à l'âge de 70 ans et 3 mois. Inhumé dans le Cookshire Cemetery, le 7 mai 1954.

Avait épousé dans l'église presbytérienne de Scotstown, le 1er janvier 1914, Emily Christina Macaulay, fille de Malcom B. Macaulay, entrepreneur, et d'Emma M. Bailey.

Frère de John William **French**.

FRENCH, John William
(1888–1970)

[Né à Scotstown, le 22 octobre 1888, fils de Charles French, hôtelier, et de Kate MacIver.]

A étudié à Scotstown et à la Cookshire High School. Entrepreneur. Membre de la Masonic Lodge.

Conseiller municipal de Cookshire de 1925 à 1935. Membre de la commission scolaire locale de 1935 à 1940. Élu député de l'Union nationale dans Compton à l'élection partielle du 15 septembre 1954. Défait en 1956.

Décédé à Cookshire, le 8 novembre 1970, à l'âge de 82 ans. Inhumé dans le Cookshire Cemetery, le 10 novembre 1970.

[Avait épousé à Bronxville, dans l'État de New York, le 12 mars 1935, Dorothy Isabella MacLeod, fille de John MacLeod, fermier et marchand.]

Frère de Charles Daniel **French**.

FRENCH, Richard

Né à Montréal, le 25 février 1947, fils de John Kenneth French, ingénieur, et de Clare Erina Ridchardson.

Titulaire d'un baccalauréat en biochimie de l'University of British Columbia en 1968 et d'un doctorat en histoire de Oxford en 1973.

Professeur adjoint au département d'histoire à la Princeton University (New Jersey) en 1971 et 1972. Conseiller adjoint au ministère d'État de la Science et de la Technologie en 1972 et 1973. Conseiller au Conseil des sciences du Canada en 1973 et 1974. Directeur adjoint de l'unité de l'ap-

pareil gouvernemental, bureau du Conseil privé, de 1974 à 1977. Professeur agrégé à la faculté d'administration de la McGill University de 1977 à 1981. Associé de la Société d'études et des changements organisationnels (SECOR inc.) de 1978 à 1981. A publié en collaboration avec A. Béliveau *la GRC et la gestion de la sécurité nationale* (1979).

Élu député libéral dans Westmount en 1981. Président de la Commission de la culture du 15 mars 1984 au 23 octobre 1985. Réélu en 1985. Ministre des Communications dans le cabinet Bourassa du 12 décembre 1985 au 21 décembre 1988. Ministre délégué au Développement technologique du 23 juin 1988 au 6 juillet 1988. Ministre délégué à la Technologie du 6 juillet 1988 au 21 décembre 1988. Ministre des Approvisionnements et Services du 12 octobre 1988 au 21 décembre 1988. Démissionna du cabinet le 21 décembre 1988. Ne s'est pas représenté en 1989. Vice-président, Affaires gouvernementales et questions de réglementation, chez Bell Canada à Ottawa à compter du 26 septembre 1989 puis vice-président des ventes et services, marchés grand public, chez Bell Canada à Montréal à partir du 2 décembre 1991.

FRIGON, Joseph-Auguste
(1870–1944)

Né à Saint-Prosper, le 7 février 1870, fils de Joseph-Alphée Frigon, négociant, et d'Eugénie Girard.

Étudia au collège d'Arthabaska. Fit un stage de perfectionnement en anglais aux États-Unis en 1885 et 1886.

D'abord commerçant à Saint-Narcisse. S'installa à Shawinigan Falls en 1900 et exploita une briqueterie pendant un an. Propriétaire d'un magasin général dans cette localité de 1901 à 1907. Travailla dans le domaine des transactions immobilières à partir de 1907. Fut directeur de la compagnie de terrains et construction de Shawinigan Falls.

Maire de Saint-Narcisse de 1896 à 1899. Président de la commission scolaire de Shawinigan Falls de 1911 à 1915. Maire de Shawinigan Falls de 1913 à 1915, puis en 1917 et 1918. Élu député libéral dans Saint-Maurice en 1927. Réélu en 1931. Défait en 1935. Candidat libéral indépendant défait dans Saint-Maurice–Laflèche aux élections fédérales de 1940.

Décédé à Shawinigan, le 14 février 1944, à l'âge de 74 ans. Inhumé à Shawinigan, dans le cimetière Saint-Joseph, le 17 février 1944.

Avait épousé à Saint-Prosper, le 28 septembre 1891, Marie-Annette Massicotte, fille de Clair Massicotte, cultivateur, et de Marie-Éléonore Trudel.

FROBISHER, Benjamin Joseph (1782–1821)

Né à Montréal, le 26 mars 1782, puis baptisé le 31, dans l'église anglicane de Montréal, fils de Joseph **Frobisher**, commerçant de fourrures, et de Charlotte Jobert.

En 1791, alla poursuivre ses études en Angleterre.

De retour au Canada, s'engagea en 1799 dans l'apprentissage de la traite des fourrures, dans l'Ouest, pour le compte de la North West Company (NWC). Fut promu commis. En 1804, était au service d'un commerçant de fourrures de Québec lié à la NWC.

Élu député de Montréal en 1804; appuya le parti des bureaucrates. Ne se serait pas représenté en 1808. Candidat dans Dorchester en 1810, mais retira sa candidature avant la fin du scrutin.

Fut juge de paix pour les districts de Trois-Rivières et de Québec. Officier de milice dans le district de Trois-Rivières, fut aussi officier payeur d'un bataillon en 1815 et, la même année, aide de camp provincial de l'administrateur Gordon Drummond, puis du gouverneur John Coape **Sherbrooke** en 1816. Toujours engagé dans la traite des fourrures, fit de fréquents séjours dans les régions du Nord-Ouest. Prit part à la lutte armée entre la NWC et la Hudson's Bay Company, en 1817, à l'Île-à-la-Crosse, en Saskatchewan; arrêté en juin 1819 aux rapides Grand, au Manitoba, fut blessé et fait prisonnier. Réussit à s'échapper le 30 septembre et à revenir à Québec.

Décédé à Québec, le 18 mars 1821, à l'âge de 38 ans et 11 mois. Les obsèques eurent lieu dans la cathédrale anglicane Holy Trinity, le 21 mars 1821.

Avait épousé dans l'église anglicane de Québec, le 6 février 1804, Isabella Grant, fille de James Grant et de Susannah Coffin, belle-fille de John **Craigie**, et nièce de Nathaniel et de Thomas **Coffin**.

Bibliographie: *DBC*.

FROBISHER, Joseph (1740–1810)

Né à Halifax, en Angleterre, le 15 avril 1740, fils de Joseph Frobisher et de Rachel Hargrave.

Arriva dans la province de Québec vers 1763. Se lança dans le commerce des fourrures à Montréal et dans le Nord-Ouest, et, avec deux de ses frères, mit sur pied la firme Benjamin and Joseph Frobisher, qui devint la McTavish, Frobisher and

Company en novembre 1787 et fut une composante principale de la North West Company; se retira de la compagnie en 1798. Investit dans la propriété foncière, notamment dans les cantons, et se constitua un domaine, Beaver Hall, alors en dehors de Montréal. Devint actionnaire de la Compagnie des forges de Batiscan en 1793 et de la Compagnie des propriétaires des eaux de Montréal en 1801. Obtint de nombreux postes de commissaire.

Élu député de Montréal-Est en 1792; appuya le parti des bureaucrates. Ne s'est pas représenté en 1796. S'occupa d'administration municipale, à Montréal, après 1796.

Fut major dans la milice de Montréal, marguillier de l'église anglicane Christ Church, membre du comité montréalais chargé de recruter des adhérents à l'Association, fondée en 1794 pour appuyer l'autorité britannique, membre fondateur et secrétaire du Beaver Club de Montréal.

Décédé à Montréal, le 12 septembre 1810, à l'âge de 70 ans et 5 mois. Les obsèques eurent lieu dans la Christ Church, le 15 septembre 1810.

Avait épousé dans la Christ Church de Montréal, le 30 janvier 1779, Charlotte Jobert, fille de Jean-Baptiste Jobert, chirurgien, et de Charlotte Larchevêque.

Père de Benjamin Joseph **Frobisher**.

Bibliographie: *DBC*.

FRULLA-HÉBERT, Liza

Née à Montréal, le 30 mars 1949, fille d'Ivo Frulla et d'Anna Antonacci.

Titulaire d'un baccalauréat ès arts au collège Basile-Moreau en 1968–1969 et d'une maîtrise en pédagogie de l'université de Montréal en 1973.

Employée du département des affaires publiques du Comité organisateur des jeux olympiques (COJO) de 1974 à 1976. Devint reporter sportif puis travailla pour diverses agences de publicité dont Vickers et Benson. Fut successivement directrice des marques et directrice du marketing et des communications à la Brasserie Labatt entre 1982 et 1987. Vice-présidente et directrice générale de la station radio CKAC en 1988 et 1989.

Membre de plusieurs conseils d'administration dont ceux du Publicité-Club de Montréal, de la Fondation de l'Hôtel-Dieu, de la Fondation des maladies mentales, de la Fondation québécoise du cancer, des Jeunes Entrepreneurs du

FRULLA-HÉBERT

Québec et de la Fondation de la faune. Vice-présidente du conseil d'administration du Mondial 90.

Élue députée libérale dans Marguerite-Bourgeoys en 1989. Ministre des Communications dans le cabinet Bourassa du 11 octobre 1989 au 5 octobre 1990. Assermentée ministre des Affaires culturelles le 5 octobre 1990.

GABIAS, Joseph-Maurice
(1890–1935)

Né à Montréal, dans la paroisse Sainte-Cunégonde, le 27 octobre 1890, fils de Maurice Gabias, instituteur et courtier d'assurances, et de Marie Raynaud.

Fit ses études au collège de Sainte-Cunégonde, au collège de Montréal et à l'International Business College.

Commis au service de la Phoenix Insurance Co. à Montréal de 1907 à 1910. En 1910, il devint secrétaire-trésorier de la Home Realty Co., et plus tard directeur-gérant de cette entreprise jusqu'en 1921. Courtier d'assurances de 1921 à 1927. Contrôleur des finances et gérant de la cité de Trois-Rivières de 1928 à 1930. Directeur de la G. and G. Engineering Corp. Président de l'Anglo Canadian Insurance Co. Vice-président de la Reina Mineral & Soda Water Co. Ltd. et de la Montreal Transport Ltd.

Conseiller municipal du quartier Sainte-Cunégonde à Montréal de 1921 à 1934. Maire suppléant de la ville de Montréal du 1er novembre 1923 au 1er février 1924. Président du comité exécutif du conseil municipal de Montréal de 1932 à 1934. Élu député libéral dans Montréal–Saint-Henri en 1931.

Membre de la Chambre de commerce de Montréal, de la Société des artisans canadiens-français, de la Société Saint-Jean-Baptiste, des Forestiers catholiques, du Club de réforme et des Chevaliers de Colomb. Membre à vie de l'Association athlétique amateur nationale.

Décédé en fonction à New York, le 15 mai 1935, à l'âge de 44 ans et 6 mois. Inhumé à Montréal, dans le cimetière Notre-Dame-des-Neiges, le 18 mai 1935.

Avait épousé à Saint-Rémi, le 18 octobre 1916, Yvonne Bariteau, fille de Pierre Bariteau, commerçant, et d'Alexandrine Lavigueur.

Père d'Yves **Gabias**.

GABIAS, Yves

Né à Montréal, le 8 décembre 1920, fils de Joseph-Maurice **Gabias**, courtier d'assurances, et d'Yvonne Bariteau.

Fit ses études à l'école Sainte-Cunégonde à Montréal, au collège de Montréal, au collège Brébeuf et à l'université de Montréal. Admis au barreau de la province de Québec en juillet 1944.

Commentateur à la station radiophonique CHLN et collaborateur aux journaux *la Chronique* et *le Nouvelliste* de 1940 à 1949. En 1944 et 1945, il pratiqua le droit dans le cabinet Raymond, Langlois et Bissonnette de Montréal et devint le secrétaire particulier de Maxime Raymond, député fédéral et chef du Bloc populaire. Pratiqua également le droit à Trois-Rivières de 1945 à 1959. Coroner adjoint et juge municipal adjoint de Trois-Rivières ainsi que procureur de la Commission des liqueurs du Québec à Trois-Rivières, Champlain et Maskinongé en 1948. Secrétaire conjoint de la Commission de refonte des lois d'assurance de la province de Québec en 1950. Conseiller juridique de la Régie des loyers dans les cités de Trois-Rivières, Cap-de-la-Madeleine, Louiseville et Nicolet de 1951 à 1953. Substitut du procureur général pour le district de Trois-Rivières de 1955 à 1959. Nommé juge à la Cour des sessions de la paix à Trois-Rivières en décembre 1958, il démissionna le 24 février 1960. Retourna à l'exercice de sa profession jusqu'en 1969.

Élu député de l'Union nationale dans Trois-Rivières en 1960. Réélu en 1962 et 1966. Secrétaire de la province dans les cabinets Johnson et Bertrand du 16 juin 1966 au 10 octobre 1968. Ministre des Institutions financières, Compagnies et Coopératives dans le cabinet Bertrand du 10 octobre 1968 au 29 avril 1969. Ministre de l'Immigration dans le même cabinet du 3 décembre 1968 au 28 mars 1969. Démissionna le 29 avril 1969 lors de son accession à la magistrature. Juge à la Cour provinciale à Trois-Rivières du 30 avril 1969 au 8 décembre 1990.

Membre de la Chambre de commerce de Trois-Rivières. Président du Club Richelieu. Membre du Comité de l'œuvre des terrains de jeux. Créé conseil en loi de la reine le 26 janvier 1955.

GABOURY, Amédée
(1838–1912)

Né à Saint-Jean-Baptiste, près de Saint-Hyacinthe, le 26 mars 1838, fils de Jean-Baptiste Gaboury, cultivateur, et de Rosalie Ayet, dit Malo.

A étudié au collège de Saint-Hyacinthe et à l'école de médecine Victoria à Montréal. Reçu médecin en 1862, il exerça sa profession à Saint-Martin.

Élu député libéral dans Laval à l'élection partielle du 13 juin 1883. Cette élection fut cependant annulée par la Cour supérieure le 31 mai 1884. Défait à l'élection partielle du 14 juillet 1884.

Décédé à Saint-Martin (Laval), le 11 juin 1912, à l'âge de 73 ans et 2 mois. Inhumé dans le cimetière de cette paroisse, le 14 juin 1912.

Avait épousé à Saint-Martin (Laval), le 24 novembre 1873, Virginie Lavoie, fille de Louis Lavoie et de Luce Gauthier; [puis, à Montréal, Rosalie Picard].

Frère de Tancrède-Charles **Gaboury**.

GABOURY, Benoît

Né à Saint-Maurice, le 26 août 1920, fils d'Arthur Gaboury, cultivateur, et de Rose-Anna Germain.

Étudia à l'école Saint-François et à l'académie de Trois-Rivières, puis poursuivit son cours commercial à St. Johnsbury aux États-Unis. Fréquenta par la suite l'École de papeterie de Trois-Rivières où il obtint son diplôme de technicien professionnel en papeterie.

Employé au laboratoire de l'International Paper Co. en 1940. S'enrôla dans le Corps d'aviation royal canadien (CARC) en 1941. Travailla comme pilote d'essai et d'entraînement à Mont-Joli, puis servit également outre-mer. En 1947 et 1948, il fut gérant de l'entreprise de son beau-père, Bégin enr., grossiste à Mont-Joli.

Échevin au conseil municipal de Mont-Joli de 1952 à 1955 et maire de cette municipalité de 1955 à 1961. Élu député de l'Union nationale dans Matane à l'élection partielle du 2 juillet 1958. Défait en 1960.

Gérant de la Compagnie Powell Food pour l'Est du Canada de 1960 à 1970. Courtier en alimentation. Assistant-directeur puis directeur de la commercialisation de Loto-Québec de 1970 à 1977.

Membre de l'Institut des techniciens professionnels et diplômés du Canada. Président-fondateur du Conseil d'orientation économique du Bas-Saint-Laurent en 1954. Secrétaire de la Ligue des propriétaires de Mont-Joli. Membre des chambres de commerce junior et senior, de la Légion canadienne, de la Société Saint-Jean-Baptiste, du Club Richelieu, du Cercle Lacordaire, de l'Ambulance Saint-Jean, du Club Renaissance, des Jeunesses musicales et des Chevaliers de Colomb.

GABOURY, Tancrède-Charles
(1851–1937)

Né à Saint-Jean-Baptiste, près de Saint-Hyacinthe, le 13 mars 1851, fils de Jean-Baptiste Gaboury, cultivateur, et de Rosalie Ayet, dit Malo.

Fit ses études dans sa paroisse natale, au collège de Saint-Hyacinthe, à l'université Saint-Joseph à Ottawa et au collège Victoria à Montréal. Admis à la pratique de la médecine le 23 mars 1873.

Exerça d'abord sa profession à Sainte-Rose (Laval), puis dans l'Outaouais, notamment à Bryson et à Campbell's Bay. Membre adjoint du Bureau provincial d'hygiène de la province de Québec. Président de l'hôpital Gaboury.

Maire de Bryson en 1889 et 1890, puis en 1897. Candidat libéral défait dans Pontiac aux élections fédérales de 1896. Élu député libéral à l'Assemblée législative dans la même circonscription en 1908. Défait en 1912.

Nommé percepteur du Revenu provincial pour le district de Montréal le 26 juillet 1913. Occupa ce poste jusqu'à son décès.

Décédé à Montréal, le 28 décembre 1937, à l'âge de 86 ans et 9 mois. Inhumé à Rigaud, dans le cimetière de la paroisse Sainte-Madeleine, le 31 décembre 1937.

Avait épousé à Rigaud, dans la paroisse Sainte-Madeleine, le 26 juin 1877, Mary Jane Fletcher, fille de John Fletcher et d'Adéline Barcelo.

Frère d'Amédée **Gaboury**.

GADOURY, Joseph-Olivier
(1860–1929)

Né dans la paroisse Sainte-Geneviève-de-Berthier (Berthierville), le 22 décembre 1860, fils d'Alexis Gadoury, cultivateur, et d'Isabelle Hénault.

Fit ses études au collège de Joliette et à l'école de médecine Victoria à Montréal. Reçu médecin le 9 mai 1888, il exerça sa profession à Berthierville. Pratiqua également pendant une courte période à Montréal.

Maire de Berthierville de 1915 à 1923. Élu député conservateur dans Berthier en 1912. Ne s'est pas représenté en 1916. Défait en 1923.

Décédé à Berthierville, le 14 février 1929, à l'âge de 68 ans et un mois. Inhumé dans le cimetière de la paroisse de Sainte-Geneviève-de-Berthier, le 18 février 1929.

Avait épousé à Montréal, dans la paroisse Saint-Jacques, le 16 octobre 1893, Rachel Daveluy, fille de Wilfrid Daveluy, capitaine de bateau, et de Louise-Laure La Siseraye.

GAGNÉ, Arsène
(1910–1964)

Né à Montréal, le 4 mai 1910, fils d'Arsène Gagné, typographe, et de Régina Therrien.

Fit ses études à l'école Jean-Talon ainsi qu'aux collèges Sainte-Marie et Loyola à Montréal.

Typographe et pressier dans l'entreprise familiale. S'associa à son père sous la raison sociale d'Arsène Gagné enr. en 1937. Cette entreprise fut également connue sous les noms suivants : Compagnie Arsène Gagné ltée, imprimeur-libraire (1956) et Imprimerie et Librairie Saint-Hubert inc. Président du comité de crédit de la caisse populaire de Notre-Dame-du-Rosaire. Membre de la Chambre de commerce de Montréal, de l'Association des hommes d'affaires du Nord et du Syndicat des pressiers de Montréal. Membre des Chevaliers de Colomb. Fondateur et président honoraire de l'Amicale de l'école Jean-Talon. Marguillier de la paroisse Notre-Dame-du-Saint-Rosaire.

Vice-président de la Jeunesse libérale de Saint-Denis–Dorion. Adhéra par la suite à l'Union nationale. Cofondateur et président (1944 à 1955) de la Jeunesse de l'Union nationale du district de Montréal et organisateur de ce parti dans la circonscription de Montréal-Laurier. Élu député de l'Union nationale dans Montréal-Laurier à l'élection partielle du 6 juillet 1955. Réélu en 1956. Défait en 1960.

Décédé à Montréal, le 7 août 1964, à l'âge de 54 ans et 3 mois. Inhumé à Montréal, dans le cimetière Notre-Dame-des-Neiges, le 11 août 1964.

Avait épousé à Montréal, dans la paroisse Saint-Jean-Berchmans, le 10 juin 1939, Cécile-Albertine Durocher, fille de Pacifique Durocher et d'Albertine Léonard.

GAGNÉ, Bernard
(1910–1986)

Né à Sorel, le 14 novembre 1910, fils de Jean-Baptiste Gagné, marchand et homme d'affaires, et d'Aléda Saint-Martin.

Fit ses études au collège Mont-Saint-Bernard à Sorel et aux collèges Sainte-Marie et Loyola à Montréal.

Marchand. Dirigea le commerce de grains et de farine et l'épicerie de son père de 1931 à 1948. Propriétaire du *Progrès du Richelieu* en 1948.

Premier vice-président de la Jeunesse de l'Union nationale en 1948. Élu député de l'Union nationale dans Richelieu en 1948. Défait en 1952. Réélu en 1956. Whip adjoint de l'Union nationale de 1956 à 1960. Défait de nouveau en 1960 et 1962. Candidat progressiste-conservateur défait dans Richelieu aux élections fédérales de 1968. Candidat défait à la mairie de Sorel en 1970.

Décédé à Sorel, le 4 février 1986, à l'âge de 75 ans et 2 mois. Inhumé à Sorel, le 7 février 1986.

Avait épousé à Montréal, dans la paroisse Saint-Louis-de-Gonzague, le 18 septembre 1947, Jeanne Berthiaume, fille d'Évariste Berthiaume, constable, et d'Exila Saint-Georges.

GAGNÉ, Joseph-David
(1886–1972)

Né dans la paroisse Saint-Alphonse (La Baie), le 20 août 1886, fils de Georges Gagné, marchand, et de Georgiana Laberge.

Fit ses études à l'école Saint-Alphonse et au séminaire de Chicoutimi.

Exerça d'abord le métier de commis à la manufacture de meubles A. Godbout à Chicoutimi. En 1911, il travailla à la Canadian Rattan Chair Co. Ltd. à Saint-Romuald-d'Etchemin, puis à Victoriaville. Il fut par la suite propriétaire de plusieurs entreprises, notamment l'Eastern Furniture Ltd., l'Eastern Woodwork Co. Ltd., l'Eastern Lumber Ltd., l'Imprimerie d'Arthabaska inc., la Victoria Shirt Co. et Gagné et frères limitée. De 1940 à 1964, il fut propriétaire du journal *l'Union des Cantons de l'Est* à Arthabaska. Membre de l'Association des manufacturiers de meubles du Canada, du Confederation Club, du Club Bellerose et des Chevaliers de Colomb.

Maire de Victoriaville de 1927 à 1934, puis en 1937 et 1938. Président de la commission scolaire de Victoriaville de 1923 à 1932. Élu député de l'Union nationale dans Arthabaska en 1936. Ne s'est pas représenté en 1939.

Décédé à Victoriaville, le 19 février 1972, à l'âge de 85 ans et 6 mois. Inhumé à Victoriaville, dans le cimetière de la paroisse Sainte-Victoire, le 22 février 1972.

Avait épousé à Chicoutimi, dans la paroisse Saint-François-Xavier, le 8 septembre 1909, Marie-Louise-Dona Godbout, fille d'Alfred Godbout, marchand, et d'Albina Bélanger ; puis, à Trois-Rivières, dans la paroisse de l'Immaculée-Conception, le 16 février 1933, Marguerite Laurin, fille d'Alphonse Laurin et d'Edwidge Larivière.

GAGNÉ, Roméo
(1905–1959)

Né à Mont-Joli, le 15 septembre 1905, fils de Joseph Gagné, journalier, et de Rosalie Émond.

Fit ses études à l'école des Frères du Sacré-Cœur à Mont-Joli.

Journalier à la compagnie Price Brothers Ltd. de 1922 à 1924, puis commis, inspecteur et comptable dans les établissements de cette firme à Price, Rimouski et Montmagny jusqu'en 1939. Se porta acquéreur de la compagnie Thibault en 1939 et fonda l'entreprise d'eaux gazeuses Me-Ga. Devint copropriétaire et directeur de Napoléon Dumont enr. en 1941. Copropriétaire, directeur et gérant de Méthot et Gagné, embouteilleurs autorisés de Coca-Cola dans les comtés de Kamouraska, Rivière-du-Loup, Témiscouata et une partie du comté de Rimouski. Directeur de Heating Service Regd. Vice-président de St. Lawrence Airways. Actionnaire des compagnies Horlogerie canadienne limitée et Galvanor limitée.

Candidat de l'Union nationale défait dans Rivière-du-Loup en 1944. Échevin de la cité de Rivière-du-Loup de novembre 1945 à février 1951. Élu député de l'Union nationale dans Rivière-du-Loup en 1948. Réélu en 1952. Ne s'est pas représenté en 1956.

Président du comité local des finances de guerre. Secrétaire-trésorier du comité local de récupération. Membre des Chevaliers de Colomb de Rivière-du-Loup. Président du Club Rotary, de la Société Saint-Jean-Baptiste et de la Société de la Croix-Rouge de Rivière-du-Loup.

Décédé à Rivière-du-Loup, le 2 août 1959, à l'âge de 53 ans et 10 mois. Inhumé à Rivière-du-Loup, dans le cimetière de la paroisse Saint-Patrice, le 6 août 1959.

Avait épousé à Cap-Saint-Ignace, le 13 juin 1935, Simone Méthot, fille de Léandre Méthot et d'Anna Painchaud.

GAGNON, Adolphe
(1810–1885)

Né dans la paroisse Saint-Pierre-et-Saint-Paul (à Baie-Saint-Paul), le 20 mai 1810, puis baptisé le 21, sous le prénom d'Abraham, fils de Louis Gagnon, cultivateur, et de Marguerite Durette.

Fut marchand à la baie Saint-Paul. Juge de paix et lieutenant dans le 1er bataillon de milice du comté de Charlevoix.

Maire de la municipalité de la paroisse Saint-Pierre-et-Saint-Paul de 1845 à 1857, et préfet du comté de Charlevoix. Candidat défait au siège de conseiller législatif dans la division des Laurentides en 1856. Défait dans la même division à une élection complémentaire le 2 mars 1857. Élu député de Charlevoix en 1861; réélu en 1863. Rouge, s'opposa au projet de confédération. Son mandat prit fin avec l'avènement de la Confédération, le 1er juillet 1867. Candidat libéral défait dans Charlevoix aux élections de la Chambre des communes en 1867. Élu député libéral de Charlevoix à l'Assemblée législative en 1871. Ne s'est pas représenté en 1875.

Décédé dans la paroisse Saint-Pierre-et-Saint-Paul (à Baie-Saint-Paul), le 28 août 1885, à l'âge de 75 ans et 3 mois. Inhumé dans le cimetière paroissial, le 31 août 1885.

Avait épousé dans sa paroisse natale, le 28 novembre 1833, Ursule Garneau, fille du forgeron Pierre Garneau et de Marie Lemire (Lemyrre); puis, dans la même paroisse, le 2 octobre 1855, Adelphine Huot, fille du notaire Charles-Pierre Huot et de Sophie Martineau.

GAGNON, Charles-Antoine-Ernest
(1846–1901)

Né à Rivière-Ouelle, le 4 décembre 1846, fils d'Antoine Gagnon, marchand, et de Julie-Adèle Pelletier.

Fit ses études au collège de Sainte-Anne-de-la-Pocatière. Admis à la pratique du notariat le 4 mars 1869.

Exerça sa profession à Rivière-Ouelle, puis à Québec. Secrétaire-trésorier de la commission scolaire de Rivière-Ouelle du 22 juillet 1872 au 9 décembre 1890, du conseil municipal et trésorier de la fabrique. Évaluateur de la compagnie de chemin de fer l'Intercolonial, pour la division Saint-Laurent, de juin 1874 à mars 1878. Commissaire chargé de recevoir des affidavits relatifs aux accidents ou catastrophes maritimes, de 1874 à 1878. Participa à la fondation du journal l'Électeur avec Charles-Alphonse-Pantaléon **Pelletier**, Wilfrid **Laurier**, Henri-Gustave **Joly de Lotbinière**, David-Alexandre **Ross**, François **Langelier**, Joseph **Shehyn**, W. Reid et D.W. Campbell. Il fut également gérant de la société éditrice de l'Électeur jusqu'en 1881. Membre du comité de rédaction des Nouvelles Soirées canadiennes et de l'hebdomadaire la Kermesse. Collabora à la Bibliothèque internationale de l'Alliance scientifique universelle, au Courrier du Canada, à l'Enseignement primaire, aux Noces d'or, à la Revue canadienne et à la Voix du patriotisme.

Élu député libéral dans Kamouraska en 1878. Réélu en 1881. Son élection fut annulée par la Cour supérieure le 5 janvier 1883. Réélu à l'élection partielle du 30 janvier 1883 et aux élections de 1886. Son siège devint vacant lors de sa nomination au Conseil exécutif et fut réélu sans opposition à l'élection partielle du 12 février 1887. Secrétaire et registraire de la province dans le cabinet Mercier du 29 janvier 1887 au 9 mai

1890. Ne s'est pas représenté en 1890. Shérif du district de Québec du 9 mai 1890 au 11 juin 1901.

Devint membre de la Chambre des notaires de la province de Québec en 1882, puis en fut président de 1885 à 1890. Honoré par le gouvernement français du titre d'officier d'académie.

Décédé à Québec, le 11 juin 1901, à l'âge de 54 ans et 6 mois. Inhumé dans le cimetière de Rivière-Ouelle, le 14 juin 1901.

Avait épousé dans sa paroisse natale, le 14 juin 1870, Marie-Malvina Gagnon, fille de François Gagnon, cultivateur, et de Léocadie Lévesque.

Neveu de Charles-Alphonse-Pantaléon **Pelletier**.

GAGNON, Clovis

Né à Bic, le 5 janvier 1926, fils d'Émile Gagnon, notaire, et de Blanche Roy.

Fit ses études à Bic, au séminaire de Rimouski et à l'université Laval à Québec. Reçu notaire en 1950, il exerça sa profession à Sayabec.

Élu député de l'Union nationale dans Matapédia à l'élection partielle du 9 juillet 1953. Réélu en 1956. Adjoint parlementaire du ministre des Terres et Forêts du 8 janvier au 6 juillet 1960. Défait en 1960 et 1962.

Retourna à l'exercice de sa profession. Régisseur à la Régie des services publics de 1968 à 1973. Membre du Tribunal de l'expropriation à compter de 1973.

Président régional de la Société canadienne de la Croix-Rouge. Président honoraire de l'Ambulance Saint-Jean. Membre de la Chambre de commerce de Sayabec et de la Société Saint-Jean-Baptiste.

GAGNON, Fabien
(1898–1957)

Né à Saint-François-de-Beauce, le 21 janvier 1898, fils de Jean Gagnon, cultivateur, et de Marie Poulin.

Fit ses études au séminaire de Québec et à l'université Laval. Récipiendaire de la médaille du lieutenant-gouverneur de la province de Québec. Reçu médecin en 1922. Boursier du gouvernement français.

Médecin-chef du service de gynécologie de l'hôpital Saint-Sacrement à Québec. Professeur d'obstétrique et de gynécologie à la faculté de médecine de l'université Laval en 1931, puis professeur agrégé de 1932 à 1957. Membre de l'académie des sciences de New York. Président de la Société

de gynécologie du Canada. Membre de l'American Cancer Society.

Élu député libéral dans Compton en 1956.

Décédé en fonction à Québec, le 11 juin 1957, à l'âge de 59 ans et 5 mois. Inhumé à Sainte-Foy, dans le cimetière Notre-Dame-de-Belmont, le 15 juin 1957.

Avait épousé à Québec, dans la paroisse Saint-Jean-Baptiste, le 13 août 1923, Marguerite-Marie Dugal, fille de Jean-François-Siméon Dugal et d'Amanda Bilodeau.

GAGNON, François

Né à Cap-Chat, le 18 avril 1922, fils d'Hector Gagnon, agriculteur, et d'Alice Roy.

Fit ses études à Cap-Chat. Administrateur et propriétaire d'une ferme à Cap-Chat. Secrétaire-trésorier de la corporation municipale de la paroisse Saint-Norbert-du-Cap-Chat de 1948 à 1961. Vérificateur des livres des corporations scolaires et municipales de la province de Québec en 1950. Secrétaire-trésorier de la commission scolaire de Cap-Chat de 1951 à 1962. Secrétaire-trésorier de la corporation municipale du village de Cap-Chat de 1954 à 1966. Agent de la succursale de la Banque canadienne nationale à Cap-Chat de 1957 à 1975. Fut directeur de l'Électricité municipale de Cap-Chat à Sainte-Anne-des-Monts.

Élu député de l'Union nationale dans Gaspé-Nord en 1962. Réélu en 1966. Adjoint parlementaire du ministre du Tourisme, de la Chasse et de la Pêche du 30 novembre 1966 au 23 décembre 1969. Ministre d'État aux Travaux publics dans le cabinet Bertrand du 23 décembre 1969 au 12 mai 1970. Assuma également la fonction de ministre d'État à l'Industrie et au Commerce, division des Pêcheries. Réélu en 1970. Ne s'est pas représenté en 1973. Maire de Cap-Chat en 1976 et 1977.

Secrétaire-gérant de la ville de Cap-Chat en 1977 et 1978. Directeur du bureau Caritas-Gaspé et administrateur du Centre d'accueil de Cap-Chat. Président du comité Action-citoyens de cette municipalité à partir de 1975.

GAGNON, Henri-Louis
(1881–1964)

Né à Lambton le 13 septembre 1881, fils de Louis Gagnon, menuisier, et de Sobronie Bélanger.

Fit ses études à Lambton. Entrepreneur en menuiserie et marchand de bois à Lambton.

Élu député libéral dans Frontenac en 1931. Défait en 1935. Maire de Lambton en 1935 et 1936. Fut également préfet de comté. Nommé shérif du comté de Beauce le 9 mai 1936. Réélu député libéral dans la même circonscription en 1939. Défait en 1944. Président de la commission scolaire de Lambton du 7 juillet 1937 au 30 juin 1950. Marguillier de la paroisse Saint-Vital de 1940 à 1942.

Décédé à Lambton, le 16 juin 1964, à l'âge de 82 ans et 9 mois. Inhumé à Lambton, dans le cimetière de la paroisse Saint-Vital, le 19 juin 1964.

Avait épousé à Sainte-Marie, le 6 septembre 1904, Marie-Julie-Lumina Nolet, fille de Marcel Nolet, marchand, et de Marie-Julie Blouin.

GAGNON, Joseph-William
(1879–1929)

Né à Yamachiche, le 15 février 1879, fils de Nérée Gagnon, cultivateur, et d'Elzire Bourassa.

Fit ses études au collège de Yamachiche et suivit des cours d'anglais à Montréal.

Travailla d'abord comme commis à Montréal pour la maison Charles Beauchesne, puis fonda à Louiseville un commerce de voitures, de foin et de grains. Correspondant local du journal *la Presse* de 1922 à 1927. Président de la Société d'agriculture du comté de Maskinongé de 1924 à 1927. Membre de la Société Saint-Vincent-de-Paul.

Maire de Louiseville de 1922 à 1926. Préfet du comté de Maskinongé de décembre 1924 à mars 1926. Élu député libéral dans Maskinongé en 1927.

Décédé en fonction à Louiseville, le 17 décembre 1929, à l'âge de 50 ans et 10 mois. Inhumé dans le cimetière de Louiseville, le 20 décembre 1929.

Avait épousé à Louiseville, le 12 août 1901, Flore Vermette, fille de Fabien Vermette et de Marie Picotte.

GAGNON, Marcel

Né à Sainte-Brigide-d'Iberville, le 19 avril 1936, fils de Joseph Gagnon, cultivateur, et de Béatrice Morrisseault.

A étudié à Sainte-Brigide, puis à l'école Notre-Dame-des-Érables à Brigham, en agriculture, et à l'université du Québec à Trois-Rivières, en sciences administratives.

Représentant de la compagnie Robin Hood de 1960 à 1965, de la compagnie Maple Leaf Meals en 1965 et 1966, puis de la compagnie Marcel Bédard ltée à Yamachiche de 1966 à 1970. Gérant général du comptoir agricole de Saint-

Hyacinthe en 1970 et 1971. Gérant de territoire pour la Brasserie Labatt de 1971 à 1973. Aviculteur à partir de 1973. Président du Syndicat des producteurs d'œufs de la Mauricie et administrateur de l'Union des producteurs agricoles (UPA) de la Mauricie de 1973 à 1976. Membre de l'exécutif de la Fédération des producteurs d'œufs du Québec de 1974 à 1976. Président des Loisirs de Champlain et de la Mauricie.

Élu député du Parti québécois dans Champlain en 1976. Réélu en 1981. Adjoint parlementaire du ministre de l'Environnement du 2 mai 1984 au 21 février 1985. Président de la Commission des institutions du 19 mars au 23 octobre 1985. Défait en 1985. Défait comme candidat indépendant en 1989.

Exerça divers métiers. Propriétaire d'un commerce de fruits et légumes à Saint-Louis-de-France à compter de 1990.

GAGNON, Onésime
(1888–1961)

Né à Saint-Léon-de-Standon, le 23 octobre 1888, fils d'Onésime Gagnon, marchand, et de Julie Morin.

Fit ses études au collège de Sainte-Anne-de-la-Pocatière et à l'université Laval à Québec. Boursier Rhodes, il étudia deux ans à Oxford en Angleterre. Admis au barreau de la province de Québec le 8 juillet 1912.

Exerça sa profession à Québec au cabinet des avocats Fitzpatrick, Dupré et Parent, puis avec Edgar Champoux, André Gagnon et Claude Gagnon. Créé conseil en loi du roi le 26 novembre 1924. Bâtonnier du barreau de Québec en 1937. Professeur agrégé à la faculté de droit de l'université Laval de 1942 à 1944, puis professeur titulaire de 1944 à 1958. Chargé de cours à la faculté des sciences sociales de 1944 à 1958. Nommé professeur émérite à la faculté de droit en 1958. Membre du conseil d'administration de l'université Laval de 1951 jusqu'à son décès.

Élu député conservateur à la Chambre des communes dans Dorchester en 1930. Candidat défait à la direction du Parti conservateur de la province de Québec en 1933. Nommé membre du Conseil privé le 30 août 1935. Ministre sans portefeuille dans le cabinet Bennett du 30 août au 23 octobre 1935. Défait à l'élection fédérale de 1935. Élu député de l'Union nationale à l'Assemblée législative dans Matane en 1936. Ministre des Mines, de la Chasse et des Pêcheries dans le cabinet Duplessis du 26 août au 15 décembre 1936, puis ministre des Mines et des Pêcheries du 15 décembre 1936 au 8 novembre 1939. Réélu en 1939, 1944, 1948, 1952 et 1956. Trésorier de la province (Finances) du 30 août 1944 au 27 janvier 1958. Démissionna comme député de Matane le 24 janvier 1958. Lieutenant-gouverneur de la province de Québec du 14 février 1958 jusqu'à son décès.

Docteur en droit honoris causa de l'université Laval en 1939, du Bishop's College en 1946, de l'université de Montréal en 1948 et de la McGill University en 1959. Président de l'Association du jeune barreau de Québec en 1920. Directeur de l'Acadia-Atlantic Sugar Refineries. Président de la Société des arts, sciences et lettres de Québec en 1920. Membre de la Royal Society of Arts de Londres. Vice-président de l'Association des clubs canadiens. Président du Club canadien de Québec de 1931 à 1935. Président de la section de Québec de l'Institut canadien des affaires internationales de 1942 à 1945. Président du comité France-Amérique de 1948 à 1951. Membre du Club de la garnison et du Cercle universitaire de Québec. Nommé lieutenant-colonel honoraire du régiment de Dorchester et de Beauce en 1931. Créé chevalier de l'ordre de Saint-Jean-de-Jérusalem en 1958, grand-croix de l'ordre de Malte en 1960 et officier de l'ordre de la Fidélité française en 1961.

Décédé en fonction au Bois-de-Coulonge, à Sillery, le 30 septembre 1961, à l'âge de 72 ans et 11 mois. Inhumé à Sainte-Foy, dans le cimetière Notre-Dame-de-Belmont, le 4 octobre 1961.

Avait épousé dans la paroisse Notre-Dame de Québec, le 8 janvier 1920, Marie-Cécile-Eulalie Desautels, fille de Joseph-Cyprien Desautels, notaire, et de Marie-Hectorine Palardy.

GAGNON, Pierre
(1887–1973)

Né à Saint-Fabien, près de Rimouski, le 20 septembre 1887, fils de Frédéric Gagnon, cultivateur, et de Marie-Henriette Côté.

Fit ses études dans sa paroisse natale. Cultivateur à Saint-Fabien de 1904 à 1919 et puis à Rivière-Ouelle à partir de 1919. Entrepreneur et commerçant de bois de sciage sous la raison sociale de Gagnon et Lavoie enr. Propriétaire d'un moulin à scie à Rivière-Manie.

Élu député libéral dans Kamouraska à l'élection partielle du 31 octobre 1927. Commissaire d'école en 1927 et président de la commission scolaire de Rivière-Ouelle de 1927 à 1935. Réélu député en 1931 et 1935. Défait en 1936. Maire de Rivière-Ouelle du 16 août 1937 au 7 février 1961. Préfet du comté de Kamouraska du 11 juin 1941 au 13 juin 1945.

Membre de la Société coopérative de Rivière-Ouelle. Membre des Chevaliers de Colomb.

Décédé à Rivière-Ouelle, le 2 mai 1973, à l'âge de 85 ans et 7 mois. Inhumé dans le cimetière de cette paroisse, le 5 mai 1973.

Avait épousé à Saint-Fabien, le 17 janvier 1912, Marie-Aimée Gagnon, fille d'Édouard Gagnon, cultivateur, et de Victoria Fortin.

GAGNON-TREMBLAY, Monique

Née à Plessisville, le 26 mai 1940, fille de Joseph Gagnon, modeleur, et d'Antoinette Provencher.

Fit un cours en secrétariat à la Quirion Business School. Secrétaire exécutive du notaire Jean Tétreault à Plessisville pendant onze ans. Obtint un baccalauréat ès arts de l'université Laval en 1969, une licence en droit en 1972, et un diplôme en droit notarial de l'université de Sherbrooke en 1973.

Notaire à Ascot Corner de 1973 à 1985. Chargée de cours en droit notarial à l'université de Sherbrooke de 1979 à 1985. Fut membre de l'Association de planification fiscale et successorale québécoise, directrice de la corporation de l'hôpital d'Youville à Sherbrooke et de la Commission des services juridiques de l'Estrie. Membre de l'AFEAS d'Ascot Corner.

Conseillère municipale d'Ascot Corner de 1979 à 1985. Candidate libérale défaite dans Saint-François en 1981. Élue députée libérale dans cette circonscription en 1985. Réélue en 1989. Ministre déléguée à la Condition féminine dans le cabinet Bourassa du 12 décembre 1985 au 11 octobre 1989. Assermentée ministre des Communautés culturelles et de l'Immigration le 3 mars 1989. Nommée vice-présidente du Conseil du trésor le 11 octobre 1989.

GALIPEAULT, Antonin
(1879–1971)

Né à Maskinongé, le 7 août 1879, fils de Louis-Édouard Galipeault, notaire, et de Marie-Caroline Ratel.

Fit ses études au séminaire de Joliette et à l'université Laval. Admis au barreau le 10 juillet 1900.

Exerça d'abord sa profession d'avocat avec Jules-Alfred **Lane**. Fut associé notamment à Louis Saint-Laurent, premier ministre du Canada de 1948 à 1957, Joseph-Napoléon **Francœur**, Hector **Laferté**, Edgar **Rochette** et Maurice Boisvert, député à la Chambre des communes de 1949 à 1957. Directeur de la Levis Drydock Co. Ltd., de la Traverse de Lévis, de la Compagnie des terrains de Québec, de la Brasserie Champlain, de la Corporation d'énergie de Montmagny et d'Abana Mines Ltd. Président de O.I. Pouliot ltée. Vice-président de la Sun Trust Co. Membre des conseils d'administration de la Compagnie des terrains de Limoilou, de Brique Frontenac, d'Astoria Mines et de la Quebec Power and Telephone Co. Directeur de l'École technique de Québec et de l'École des hautes études commerciales de Montréal.

Candidat libéral défait dans Maskinongé en 1904. Conseiller municipal du quartier Saint-Sauveur à Québec de 1906 à 1910. Élu sans opposition député libéral dans Bellechasse à l'élection partielle du 2 février 1909. Réélu en 1912. Orateur suppléant de l'Assemblée législative du 12 janvier 1915 au 22 mai 1916. Réélu en 1916. Orateur de l'Assemblée législative du 7 novembre 1916 au 25 août 1919. Réélu sans opposition en 1919. Son siège devint vacant lors de sa nomination comme ministre, puis fut réélu sans opposition à l'élection partielle du 6 septembre 1919. Réélu en 1923 et 1927. Ministre des Travaux publics et du Travail dans les cabinets Gouin et Taschereau du 25 août 1919 au 2 mai 1930.

Son siège devint vacant lorsqu'il fut nommé juge à la Cour du banc du roi le 2 mai 1930. Devint juge en chef de cette cour le 18 janvier 1950. Administrateur du gouvernement de la province de Québec, en l'absence du lieutenant-gouverneur, de 1950 à 1953. Il prit sa retraite en 1963.

Président de la Société Saint-Jean-Baptiste de Québec en 1903 et 1904. Membre des clubs de réforme de Québec et de Montréal, du Club canadien et du Club de la garnison. Créé conseil en loi du roi le 22 octobre 1910. Docteur en droit honoris causa de l'université Laval en 1925.

Décédé à Québec, le 12 mai 1971, à l'âge de 91 ans et 9 mois. Inhumé à Sainte-Foy, dans le cimetière Notre-Dame-de-Belmont, le 15 mai 1971.

Avait épousé à Montréal, dans la paroisse Saint-Jacques, le 22 avril 1903, Marie-Ermentine Lamontagne, fille d'Elzéard Lamontagne, courtier d'assurances, et de Marcelline Langis.

Père de Jean-Paul **Galipeault**.

GALIPEAULT, Jean-Paul
(1905–1983)

Né à Québec, le 20 juin 1905, fils d'Antonin **Galipeault**, avocat, et de Marie-Ermentine Lamontagne.

Fit ses études au séminaire de Joliette, au séminaire de Québec et à l'université Laval. Fit sa cléricature au cabinet Galipeault, Boisvert et Galipeault. Admis au barreau de la province de Québec le 5 juillet 1930. Créé conseil en loi du roi le 28 juin 1944. Docteur en droit honoris causa de l'université Laval en 1957.

Exerça sa profession d'avocat au cabinet Galipeault et Galipeault, puis s'associa à Marc Choquette à Québec. Président du jeune barreau de Québec en 1937 et 1938. Bâtonnier du barreau de Québec en 1955 et 1956 et du barreau de la province de Québec en 1956 et 1957. Membre du conseil d'administration de plusieurs compagnies. Vice-président de la Champlain Brewery Ltd. Fut président de l'Association des brasseries de la province de Québec en 1947 et 1948.

Membre du Club de réforme de Montréal et du Club de réforme de Québec dont il fut président de 1938 à 1948. Membre du Cercle universitaire, du Club de presse de Québec, du Club de la garnison et du Club Kinsmen dont il fut président en 1950 et 1951. Fut président de l'Association de la jeunesse libérale. Élu député libéral dans Québec-Ouest en 1956. Ne s'est pas représenté en 1960.

Directeur adjoint à la Régie des loyers de 1960 à 1970.

Décédé à Charlesbourg, le 12 septembre 1983, à l'âge de 78 ans et 2 mois. Le service religieux fut chanté à Québec, dans l'église Saint-Cœur-de-Marie, le 14 septembre 1983.

Avait épousé à Cabano, le 20 juin 1931, Thérèse Michaud, fille de David Michaud et d'Ernestine Labrie.

GALLIENNE, Donald

Né à Rivière-Moisie, le 29 juin 1916, fils de Wilfrid Eugène Gallienne, marchand général, et de Stella Bernatchez.

Fit ses études dans sa paroisse natale et à Sept-Îles, puis au collège de Lévis de 1929 à 1933 et à l'académie commerciale de Québec de 1933 à 1935.

Œuvra dans le domaine de la vente et en administration à Québec et à Montréal de 1936 à 1940. Navigateur dans l'Aviation royale canadienne de 1941 à 1945. Membre des Forces armées. Agent de la British American Oil Co. de 1949 à 1964 et de la compagnie General Motors pendant dix ans. Membre fondateur de la Chambre de commerce de Sept-Îles, du Club Richelieu et des Chevaliers de Colomb. Membre fondateur de l'Aéro Club de Sept-Îles. Décoré de l'ordre du mérite Nord-Côtier en 1982.

Échevin de Sept-Îles pendant 15 ans entre 1947 et 1966, puis maire de février 1967 à novembre 1973. Élu député libéral dans Duplessis à l'élection partielle du 11 octobre 1972. Réélu en 1973. Ne s'est pas représenté en 1976.

Gérant au Centre de recherches sur le saumon de l'Atlantique à Matamick. Conseiller et relationniste pour diverses entreprises dont l'usine de fruits de mer de Rivière-au-Tonnerre et les Tourbières Sept-Îles.

GALT, Alexander Tilloch
(1817–1893)

Né à Chelsea (Londres), le 6 septembre 1817, fils de John Galt, auteur, et d'Elizabeth Tilloch.

Vint au Canada avec sa famille en 1828. Entreprit des études classiques au séminaire anglican de Chambly, mais, par suite du renvoi de son père par les administrateurs de la Canada Company, dut retourner en Grande-Bretagne en 1830.

Nommé commis aux écritures au bureau sherbrookois de la British American Land Company, quitta son pays en 1835; y fut rappelé en 1842. D'abord choisi comme responsable du bureau londonien de la compagnie, obtint le poste de secrétaire au Canada, où il revint en 1843, puis celui de commissaire; remplit cette dernière fonction pendant douze ans. Investit, en 1845, dans la Fabrique de coton de Sherbrooke. L'un des promoteurs, puis l'organisateur principal, avec Samuel **Brooks** et Edward **Hale** (Sherbrooke), de la Compagnie du chemin à lisses du Saint-Laurent et de l'Atlantique; élu administrateur en 1845 et président du conseil en 1849. Actionnaire de la Compagnie du chemin de fer de Montréal et Kingston, reconnue légalement en 1851, et de la société ferroviaire C.S. Gzowski and Company, de 1852 à 1858. Fit de la spéculation foncière. S'engagea dans les secteurs manufacturier et minier, ainsi que dans celui des banques, entre autres la Commercial Bank of Canada, dans le Haut-Canada, et la Banque des Townships de l'Est, à Sherbrooke.

Élu sans opposition député de Sherbrooke à une élection partielle le 17 avril 1849; indépendant, de tendance modérée; appuya le mouvement annexionniste. Démissionna le 10 janvier 1850. Élu sans opposition dans la ville de Sherbrooke à une élection partielle le 8 mars 1853. Réélu en 1854. Indépendant, de tendance libérale; appuya d'abord les réformistes, puis les rouges. Réélu en 1858; indépendant, puis passa du côté des libéraux-conservateurs le 2 août 1858, mais refusa l'offre de devenir premier ministre. Fit partie du ministère Cartier–Macdonald jusqu'au 23 mai 1862: conseiller exécutif à compter du 6 août 1858 et inspecteur général à partir du 7 août 1858. À son entrée au cabinet, son siège de député était devenu vacant. Réélu à une élection partielle le 23 août 1858. Séjourna en Grande-Bretagne d'octobre 1858 jusqu'au début de 1859, avec George-Étienne **Cartier** et John **Ross**, pour discuter avec Londres d'un projet de fédération des colonies de l'Amérique du Nord britannique. Réélu dans la ville de Sherbrooke en 1861 et 1863; de tendance conservatrice. Envoyé par le gouvernement canadien à Washington, en 1861, pour discuter notamment du traité de réciprocité. Membre des ministères Taché–Macdonald et Belleau–Macdonald: conseiller exécutif du 30 mars 1864 au 6 août 1865 et du 7 août 1865 au 1er juillet 1867; ministre des Finances du 30 mars 1864 au 6 août 1865 et du 7 août 1865 au 12 août 1866, date de sa démission à ce titre. À son entrée au Conseil, son siège de député était devenu vacant. Réélu à une élection partielle le 11 avril 1864. Prit part à la conférence de Charlottetown en septembre 1864 et à celle de Québec, en octobre. Fut chargé, le 24 mars 1865, avec trois autres ministres, d'entreprendre des négociations avec Londres sur le projet de confédération. Membre de la délégation canadienne à la conférence de Londres en décembre 1866. Son mandat de député prit fin avec l'avènement de la Confédération, le 1er juillet 1867. Élu sans opposition député conservateur de la ville de Sherbrooke à la Chambre des communes en 1867, après avoir accepté le ministère des Finances dans le cabinet Macdonald; fut ministre du 1er juillet jusqu'à sa démission le 7 novembre 1867. Ne s'est pas représenté en 1872.

Représenta le Canada aux réunions d'une commission d'arbitrage sur les pêches, à Halifax, en 1877. Séjourna en Europe et en Grande-Bretagne en 1879. Le premier haut-commissaire du Canada à Londres, fut en fonction du 11 mai 1880 au 1er juin 1883. Fit aussi des affaires dans l'Ouest canadien: fonda diverses compagnies, dont la North-Western Coal and Navigation Company Limited, la Compagnie des chemins de fer et de houille d'Alberta, l'Alberta Irrigation Company.

Fut reçu en audience par la reine Victoria le 27 février 1867. Fait chevalier commandeur de l'ordre de Saint-Michel et Saint-George (sir), le 5 juillet 1869, et grand-croix du même ordre, le 25 mai 1878. Obtint un diplôme honorifique en droit de l'University of Edinburgh en 1883. Auteur de nombreux discours et d'analyses politiques, dont: *Canada: 1849 to 1859* (Londres et Québec, 1860); *Church and State* et *Civil liberty in Lower Canada* (Montréal, 1876); *The relations of the colonies to the Empire, present and future* [...] et *The future of the Dominion of Canada* (Londres, 1883).

Décédé à Montréal, le 19 septembre 1893, à l'âge de 76 ans. Après des obsèques imposantes célébrées à sa résidence, fut inhumé au cimetière du Mont-Royal, le 21 septembre 1893; l'acte de sépulture est conservé dans les registres de l'église méthodiste St. James.

Avait épousé dans l'église méthodiste St. James, à Montréal, le 9 février 1848, Elliott Torrance, fille du marchand John Torrance et d'Elizabeth Fisher; puis, [dans la même ville], en 1851, Amy Gordon Torrance, sœur de la première.

Bibliographie: *DBC*.

GAREAU ; GARAULT. V. SAINT-ONGE

GARDEN, George
(≈1772–1828)

Né en Écosse vers 1772.

Arriva à Québec en 1793, venant de Glasgow, puis s'établit à Montréal où il se lia au milieu des affaires. Engagé avec Alexander **Auldjo** et d'autres dans le commerce de gros, à Montréal et dans le Haut-Canada, au sein de l'Auldjo, Maitland and Company (1812–1815), puis de la Maitland, Garden, and Auldjo (1815–1826), ainsi qu'à Québec dans la Garden, Auldjo and Company. Agit à titre de coreprésentant au Canada de la Phoenix Assurance Company, de Londres. Un des fondateurs, en 1817, de la Banque de Montréal, dont il fut administrateur jusqu'en 1826 et vice-président de 1818 à 1822. Fit partie du conseil d'administration de la Banque d'épargne de Montréal, fondée en 1819. S'intéressa à l'amélioration des communications par terre et par eau entre le Haut et le Bas-Canada ; actionnaire de la Compagnie des propriétaires du canal de Lachine (1819–1821).

S'occupa d'administration municipale, à Montréal, après 1796. Élu député de Montréal-Ouest en avril 1820. Réélu en juillet 1820. Séjourna en Grande-Bretagne en 1821–1822. Ne se serait pas représenté en 1824.

Un des fondateurs du Montreal Curling Club en 1807. Officier de milice, servit pendant la guerre de 1812. Membre du conseil d'administration du Montreal General Hospital. Président du comité des affaires temporelles de la Congrégation presbytérienne de Montréal en 1812 et ordonné conseiller presbytéral en 1819.

Décédé à Montréal, le 15 octobre 1828, à l'âge d'environ 56 ans. Les obsèques eurent lieu dans l'église presbytérienne, le 20 octobre 1828.

Avait épousé, avant 1818, Euphemia Forbes.

Bibliographie : *DBC*.

GARDNER, Laurier

Né à Sainte-Hélène-de-Chester (Chester-Est), le 1er octobre 1944, fils de Léo-Paul Gardner, commerçant, et d'Édith Roberge.

A étudié au séminaire de Nicolet de 1957 à 1959, au séminaire de Chambly en 1959 et 1960, au collège de Victoriaville de 1960 à 1965 et à l'université Laval où il obtient un baccalauréat ès arts en 1965, un baccalauréat en pédagogie et un brevet d'enseignement en 1966. Titulaire également des certificats CHEM et CHES de l'université du Québec à Trois-Rivières.

Enseignant à la commission scolaire régionale des Bois-Francs de 1965 à 1985. Fut également journaliste à temps partiel au *Nouvelliste* pendant cinq ans et à la *Nouvelle* pendant un an. Membre du Club optimiste et des Chevaliers de Colomb.

Candidat défait de l'Union nationale dans Arthabaska en 1973. Élu député libéral dans cette circonscription en 1985. Défait en 1989. Retourna à l'enseignement.

Frère de Roch **Gardner**.

GARDNER, Roch

Né dans la paroisse Sainte-Hélène-de-Chester (Chester-Est), le 10 novembre 1938, fils de Léo-Paul Gardner, commerçant, et d'Édith Roberge.

Fit ses études à Trottier Mills, au collège de Victoriaville et aux universités d'Ottawa, de Sherbrooke et Laval. Titulaire d'un baccalauréat en pédagogie et en information scolaire.

Enseignant à Princeville de 1960 à 1967, et à Victoriaville à compter de 1970. Fut président du Syndicat des enseignants. Propriétaire et président du Crédit de Beaumont inc., de Plesvic enr. et des Perrons modernes inc. Président des Forges Victoria. Président de la Chambre de commerce de Victoriaville. Président régional des chambres de commerce. Chevalier de Colomb.

Échevin à Saint-Norbert-d'Arthabaska de 1964 à 1966. Élu échevin au conseil municipal de Victoriaville le 5 novembre 1978. Élu député de l'Union nationale dans Arthabaska en 1966. Défait en 1970.

Frère de Laurier **Gardner**.

GARNEAU, Édouard Burroughs
(1859–1911)

Né dans la paroisse Notre-Dame de Québec, le 18 janvier 1859, fils de Pierre **Garneau**, marchand, et de Cécile Burroughs.

Fit ses études à l'académie commerciale et à la High School de Québec ainsi qu'au Eastman's National Business College à Poughkeepsie, dans l'État de New York.

Commerçant et importateur de nouveautés. Devint l'associé de son père, de son oncle François-Xavier Garneau, et plus tard de son frère Georges Garneau, dans l'entreprise familiale P. Garneau, Fils et Cie en 1882. Président de la maison Garneau ltée et de la Quebec Land Co. Directeur de la compagnie de navigation Richelieu et Ontario, de la compagnie du chemin de fer Québec et Saguenay, de la Compagnie de téléphone national, de la Quebec Cartage and Transfer Co., de la Monarch Life Assurance Co. Président de la Chambre de commerce de Québec.

Nommé conseiller législatif de la division de La Durantaye le 8 avril 1904. Appuya le Parti libéral.

Occupa cette fonction jusqu'à son décès survenu à Québec, le 18 août 1911, à l'âge de 52 ans et 7 mois. Inhumé à Sainte-Foy, dans le cimetière Notre-Dame-de-Belmont, le 21 août 1911.

Avait épousé dans sa paroisse natale, le 25 octobre 1882, Marie-Laure-Eulalie Braün, fille de Frédéric Braün, avocat, et de Laure De-Sales Laterrière.

Cousin de Némèse **Garneau**.

GARNEAU, Némèse
(1847–1937)

Né à Sainte-Anne-de-la-Pérade, le 15 novembre 1847, fils de Jean-Baptiste Garneau, médecin, et de Nathalie Rinfret, dit Malouin.

Fit ses études à l'académie Saint-Cyr à Sainte-Anne-de-la-Pérade et à l'académie du professeur Thom à Québec.

Fut commis-marchand pour la maison de commerce A. Merrill and Co. pendant quatre ans, puis chez Laird and Telfer, négociants en gros, pendant deux ans et enfin chez Thomas Laidlaw pendant quatre autres années. Propriétaire avec Wm. Fyfe d'un commerce de nouveautés à Québec de 1870 à 1877. Fonda, en 1878, la maison Au bon marché qu'il dirigea jusqu'en 1897, laissant alors son fils et son associé, F.X. Peticlerc, lui succéder. Promoteur, vice-président et président de la Compagnie de pulpe de Chicoutimi. Membre du comité exécutif de la North American Pulp and Paper Co. Vice-président de la Compagnie des pouvoirs d'eau de Chicoutimi. Fut l'un des promoteurs et des directeurs du Trans-Canada Railway. Directeur de la Quebec Bridge and R. Co. Promoteur et président dès sa fondation, en 1909, de la compagnie Les prévoyants du Canada. Directeur de la Banque Provinciale de 1910 à 1925, puis conseiller de cette entreprise pour le district de Québec. Conseiller de la Chambre de commerce de Québec. Propriétaire d'une ferme à Sainte-Foy. Lauréat du Mérite agricole en 1895. Membre du Conseil d'agriculture de la province de Québec et du comité exécutif de la Société d'industrie laitière (dont il fut membre à vie) de 1897 à 1929. Vice-président et directeur de la Société de colonisation du Québec.

Vice-président et président de la Société des éleveurs de la province de Québec. Membre de la Canadian National Live Stock Records Co. Fut l'un des fondateurs et des administrateurs du Syndicat des cultivateurs de la province de Québec. Vice-président de la Quebec Fire Association. Créé commandeur de l'ordre de Saint-Grégoire-le-Grand en 1916.

Élu député libéral dans Québec en 1897. Réélu sans opposition en 1900. Siégea à l'Assemblée législative jusqu'à sa nomination comme conseiller législatif de la division de Shawinigan le 5 juin 1901. Ministre de l'Agriculture dans le cabinet Parent du 1er au 23 mars 1905.

Occupa la fonction de conseiller législatif jusqu'à son décès survenu à Québec, le 16 novembre 1937, à l'âge de 90 ans. Inhumé à Sainte-Foy, dans le cimetière Notre-Dame-de-Belmont, le 18 novembre 1937.

Avait épousé à Québec, dans la paroisse Saint-Jean-Baptiste, le 24 octobre 1870, Marie-Emmélie-Élodie Plamondon, fille de Joseph-Pébius Plamondon, avocat, et d'Emmélie Bertrand; puis, dans la paroisse Notre-Dame de Québec, le 2 juillet 1921, Marie-Anne Paradis, fille de François Paradis, cultivateur, et de Béatrice Demers.

Neveu de Pierre **Garneau** et de Rémi-Ferdinand **Rinfret**. Cousin d'Édouard Burroughs **Garneau**.

GARNEAU, Pierre
(1823–1905)

Né à Cap-Santé, le 8 mai 1823, fils de François-Xavier Garneau, forgeron, et de Julie-Henriette Gignac.

Fit ses études à Cap-Santé. De 1839 à 1847, il fut commis chez plusieurs marchands de Québec. Par la suite, il s'associa avec Louis-Eugène Dorion en 1848, puis avec Laurent et Cyrice Têtu de 1851 à 1861, sous la raison sociale de L. et C. Têtu et Cie. Copropriétaire de la maison Têtu et Garneau de 1861 à 1870, puis de P. Garneau et Frère de 1870 à 1878, devenue plus tard P. Garneau, Fils et Cie. Cofondateur en 1866 de la Compagnie de navigation à vapeur de Québec et du golfe dont il fut président et vice-président. Président de la Quebec Street Railway Co. de 1863 à 1878 et de la Compagnie du chemin de fer du Grand-Nord du Canada. Président et directeur de la Compagnie d'assurances de Québec. Vice-président de la Compagnie de lumière électrique de Québec et de Lévis, de la Stadacona Bank, de la Quebec Rubber Co., de la Riverside Worsted Co. et de la Col. Mutual Life Ins. Co. Cofondateur, en 1872, puis vice-président du chemin à lisses de bois de Québec-Gosford. Fondateur et directeur du chemin de fer de Québec–Lac-Saint-Jean. Directeur de la De Lery Gold

Mining Co., de la Quebec and Lake St. John Lumber and Trading Co. et de la Banque Internationale du Canada.

Maire de Québec du 2 mai 1870 au 4 mai 1874. Candidat conservateur défait dans Québec-Centre aux élections fédérales de 1867. Élu sans opposition député conservateur à l'Assemblée législative dans le comté de Québec à l'élection partielle du 21 mars 1873. Son siège devint alors vacant mais il se fit réélire sans opposition à l'élection partielle du 5 octobre 1874. Réélu en 1875. Commissaire de l'Agriculture et des Travaux publics dans le cabinet Boucher de Boucherville du 22 septembre 1874 au 25 janvier 1876. Commissaire des Terres de la couronne dans le même cabinet du 25 janvier 1876 au 8 mars 1878. Défait en 1878. Réélu sans opposition en 1881. Défait en 1886. Se rallia au Parti national en 1886. Nommé conseiller législatif de la division de La Durantaye le 31 janvier 1887. Commissaire des Terres de la couronne dans le cabinet Mercier du 29 janvier 1887 au 8 mai 1888, puis commissaire des Travaux publics du 8 mai 1888 au 21 décembre 1891. Démissionna du Conseil législatif le 4 avril 1904.

Président de la Chambre de commerce de Québec en 1871. Membre de l'Union Club, du Club de la garnison et du Club canadien de Québec. Officier de l'Instruction publique de France et officier de l'ordre de Léopold II de Belgique.

Décédé à Québec, le 23 juin 1905, à l'âge de 82 ans et un mois. Inhumé à Sainte-Foy, dans le cimetière Notre-Dame-de-Belmont, le 27 juin 1905.

Avait épousé dans la paroisse Notre-Dame de Québec, le 15 septembre 1857, Cécile Burroughs, fille d'Edward Burroughs, protonotaire, et de Catherine Voyer.

Père d'Édouard Burroughs **Garneau**. Oncle de Némèse **Garneau**. Grand-père de Lucille Garneau, épouse d'Antoine **Rivard**.

———

Bibliographie: Béchard, A., *L'honorable Pierre Garneau*, Saint-Hyacinthe, Le Courrier de Saint-Hyacinthe, 1884, 45 p. («Galerie nationale»).

———

GARNEAU, Raymond

Né à Plessisville, le 3 janvier 1935, fils de Daniel Garneau, cultivateur et commerçant, et de Valérie Gosselin.

Fit ses études au collège Mont-Saint-Louis à Montréal et à l'université Laval où il obtint une maîtrise en sciences commerciales en 1958. Licencié en sciences économiques de l'université de Genève (Suisse) en 1963.

Responsable des placements hypothécaires à l'Assurance-vie Desjardins de 1959 à 1961. Professeur d'histoire du travail et de géographie économique à l'Institut technologique de Lauzon. Professeur d'économique à l'université Laval.

Secrétaire général adjoint de la Fédération libérale du Québec d'août 1963 à octobre 1965. Secrétaire exécutif du premier ministre Jean Lesage d'octobre 1965 à juin 1966. Chef de cabinet du chef de l'Opposition de 1966 à 1970. Élu député libéral dans Jean-Talon en 1970. Réélu en 1973. Ministre de la Fonction publique dans le cabinet Bourassa du 12 mai au 6 octobre 1970. Ministre des Finances dans le cabinet Bourassa du 1er octobre 1970 au 26 novembre 1976. Président du Conseil du trésor de 1971 à 1976. Ministre de l'Éducation dans le même cabinet du 26 septembre 1975 au 20 janvier 1976. Réélu en 1976. Candidat défait à la direction du Parti libéral le 15 avril 1978. Démissionna comme député le 20 décembre 1978. Président de la Banque d'épargne et de crédit du district de Montréal, devenue plus tard la Banque Laurentienne, de 1979 à 1983. Élu député libéral à la Chambre des communes dans Laval-des-Rapides en 1984. Nommé leader de son parti au Québec le 22 juillet 1987. Défait dans Ahuntsic en 1988.

Président et chef des opérations de l'Industrielle-Alliance de janvier 1989 à mars 1991, puis président du conseil et chef de la direction de cette même compagnie à compter de mars 1991. Élu administrateur de Québec-Téléphone en 1991. Administrateur de Trusco Général en 1989; devint président du conseil d'administration de cette société en 1991.

Fut secrétaire de l'exécutif de l'Association générale des étudiants de Laval. Membre du conseil d'administration de l'université Laval à compter de 1991.

———

GARON, Jean

Né à Saint-Michel, le 6 mai 1938, fils d'Emmanuel Garon, homme d'affaires, et de Jeanne Sweeny.

Fit ses études à l'université Laval à Québec. Obtint un baccalauréat en sciences sociales en 1960. Termina une maîtrise en sciences sociales avec spécialisation en économique en 1962. Licencié en droit en 1969. Admis au barreau de la province de Québec en juin 1970.

Économiste au bureau de planification du ministère de la Jeunesse en 1962 et 1963. Chargé de la promotion des ventes et études connexes à la compagnie Ciment Québec inc. de 1963 à 1968. Professeur de sciences économiques au cégep de Limoilou en 1968 et 1969. Professeur de droit fiscal, économique et coopératif à la faculté de droit et à la faculté des sciences de l'administration de l'université Laval de 1970 à 1976.

Vice-président du Rassemblement pour l'indépendance nationale (RIN) de la région de Québec en 1962, président de la région de l'Est du Québec en 1963, puis membre du comité exécutif national de ce parti en 1964. Cofondateur du Regroupement national en septembre 1964. Cofondateur et organisateur en chef du Ralliement national dans l'Est du Québec en mars 1966. Membre fondateur du Parti québécois en 1968. Candidat du Parti québécois défait dans Charlevoix en 1973. Élu député du Parti québécois dans Lévis en 1976. Réélu en 1981. Ministre de l'Agriculture dans le cabinet Lévesque du 26 novembre 1976 au 21 septembre 1979. Ministre de l'Agriculture, des Pêcheries et de l'Alimentation dans les cabinets Lévesque et Johnson (Pierre Marc) du 21 septembre 1979 au 12 décembre 1985. Candidat défait à la direction du Parti québécois le 29 septembre 1985. Réélu en 1985 et 1989. Vice-président de la Commission du budget et de l'administration du 11 février 1986 au 1er juillet 1989. Président de la Commission de l'économie et du travail du 1er juillet 1989 au 9 août 1989. Élu président de la Commission de l'aménagement et des équipements le 29 novembre 1989.

Directeur du journal *Garnier* au collège des Jésuites de Québec de 1956 à 1958. Directeur provincial de l'exécutif des *Escholiers griffonneurs* (presse étudiante nationale) en 1957 et 1958. Membre du comité directeur du journal *la Nation* en 1964 et 1965. A publié sa thèse de maîtrise sous le titre : *les Aspects économiques et juridiques de la discrimination des prix au Canada*. Auteur de nombreux articles parus dans des revues professionnelles, de plusieurs communications données lors de congrès scientifiques et de textes préparés pour Télé-Université. Animateur de radio à CFLS Lévis en 1986.

GARON, Joseph
(1814–1890)

Né à Rivière-Ouelle, le 8 mai 1814, fils de Régis Garon et de Marie-Louise Hudon, dit Beaulieu.

Reçu notaire en 1835, il exerça sa profession à Rimouski. Un des directeurs de la Compagnie d'assurance mutuelle contre le feu des comtés de Rimouski, Témiscouata et Kamouraska.

Candidat défait aux élections de 1854, 1858 et 1861. Élu député conservateur dans Rimouski en 1867. Défait en 1871.

Décédé à Montréal, le 17 octobre 1890, à l'âge de 76 ans et 5 mois. Inhumé à Montréal, dans le cimetière Notre-Dame-des-Neiges, le 20 octobre 1890.

Avait épousé dans sa paroisse natale, le 15 septembre 1846, Éliza Garon, fille de Pierre Garon, notaire, et de Priseille Ouellet.

GASPÉ. V. AUBERT DE GASPÉ

GATES, Horatio
(1777–1834)

Né à Barre, au Massachusetts, le 30 octobre 1777, fils de Benjamin Gates.

Engagé dans le commerce au Massachusetts. En 1807, ouvrit un magasin à Montréal avec un associé ; approvisionna les troupes britanniques pendant et après la guerre de 1812. Propriétaire immobilier et foncier. Actif dans le commerce d'import-export, à Montréal et à Québec, le change, la navigation à vapeur et les chemins de fer. Cofondateur, puis président de la Banque de Montréal et de la Banque du Canada. Auteur de textes sur des sujets relatifs au commerce à l'intention d'hommes d'affaires américains. Fut gardien de la Maison de la Trinité ; administrateur du Committee of Trade.

Nommé au Conseil législatif le 1er août 1832, prêta serment le 16 mars 1833. S'occupa d'administration municipale, à Montréal, avant 1833.

Fut l'un des fondateurs et des administrateurs du Montreal General Hospital ; syndic de la Maison d'industrie et du Theatre Royal ; cofondateur de l'Institut des artisans de Montréal ; président de la Société d'école anglaise et canadienne de Montréal. Franc-maçon, servit à titre de trésorier de la Grande Loge provinciale du district de Montréal et de William Henry. Obtint quelques postes de commissaire.

Décédé en fonction à Montréal, le 11 avril 1834, à l'âge de 56 ans et 5 mois. Les obsèques eurent lieu dans l'église presbytérienne St. Andrew, le 14 avril 1834.

Avait épousé à Highgate, au Vermont, le 2 mars 1814, Clarissa Adams.

Bibliographie : *DBC*.

GATIEN, Joseph-François-Albert
(1879–1953)

Né à Marieville, le 28 février 1879, fils de Louis Gatien, cultivateur, et de Georgiana Daigneau.

Fit ses études à l'école paroissiale, au collège Sainte-Marie-de-Monnoir à Marieville ainsi qu'à l'université Laval à Montréal.

Reçu médecin en 1904, il exerça d'abord sa profession à Labelle avec le Dr J.A. Bigonnesse, puis vint s'établir dans le quartier Maisonneuve, à Montréal, en 1905. Médecin attitré du conseil Maisonneuve de l'ordre des Chevaliers de Colomb, de l'Union Saint-Joseph du Canada, de l'Alliance nationale et de la Société des artisans canadiens-français. Médecin examinateur pour la Prudential Life Insurance et pour la National Life Excelsior.

Élu député de l'Union nationale dans Maisonneuve en 1944. Réélu en 1948. Défait en 1952.

Curateur public de la province de Québec en 1952 et 1953.

Président du conseil Viauville et de l'Union Saint-Joseph du Canada. Président de l'Association des médecins de l'Est en 1932. Gouverneur du Collège des médecins et chirurgiens de la province de Québec de 1934 à 1947, puis vice-président de cette association de 1947 à 1953.

Décédé à Montréal, le 11 août 1953, à l'âge de 74 ans et 5 mois. Inhumé dans le cimetière Notre-Dame-des-Neiges, le 14 août 1953.

Avait épousé à Montréal, dans la paroisse Saint-Jacques, le 26 juin 1906, Albertine Labelle, fille de Camille Labelle et de Marilène Leclerc.

GAUCHER, Guillaume Gamelin
(1810–1885)

Né à Sault-Saint-Louis (Kahnawake), le 16 août 1810, puis baptisé le 17, dans la paroisse Saint-François-Xavier, sous le prénom de Jean-Guillaume, fils de Charles-Gédéon Gaucher, lieutenant au département des Affaires indiennes, et de Catherine de Lorimier. Signait aussi Charles Guillaume Gammelin Gaucher.

Étudia dans son village natal, puis s'établit comme marchand à Sainte-Geneviève, dans l'île de Montréal. Fut lieutenant-colonel dans la milice, juge de paix et commissaire au tribunal des petites causes.

Maire de la municipalité de la paroisse (1845), puis du village (1859) de Sainte-Geneviève. Élu député de Jacques-Cartier à une élection partielle le 26 août 1864; bleu. Son mandat prit fin avec l'avènement de la Confédération, le 1er juillet 1867. Élu député conservateur de Jacques-Cartier à la Chambre des communes en 1867. Ne s'est pas représenté en 1872.

Décédé à Sainte-Geneviève, île de Montréal, le 16 septembre 1885, à l'âge de 75 ans et un mois. Inhumé dans la crypte de l'église Sainte-Geneviève, le 19 septembre 1885.

Avait épousé dans la paroisse de Sainte-Geneviève, le 7 janvier 1835, Marguerite-Charlotte Berthelot, fille du négo-ciant Alexis Berthelot et de Marie-Charlotte-Adélaïde Pezard Latouche de Champlain.

Beau-père d'Alfred **Rochon**.

GAUDET, Alexandre
(1870–1961)

Né à Sainte-Eulalie, le 29 décembre 1870, baptisé à Saint-Wenceslas, fils de David Gaudet, cultivateur, et de Delphine Hébert.

Fit ses études dans sa paroisse natale. Entreprit par la suite des travaux d'agriculture et de déboisement sur la ferme familiale, ouvrit un magasin général à Sainte-Eulalie, puis fonda la compagnie Alexandre Gaudet ltée à Aston-Jonction. Exploita un commerce en gros de foin et de paille. Fut meunier, industriel en alimentation animale et épicier grossiste. Membre du Montreal Board of Trade et du Montreal Corn Exchange. Membre des Chevaliers de Colomb.

Maire d'Aston-Jonction de 1928 à 1937 et de 1941 à 1947. Préfet du comté de Nicolet de 1930 à 1932. Commissaire d'école, marguillier et syndic d'église. Élu député libéral dans Nicolet à l'élection partielle du 7 novembre 1933. Réélu aux élections de 1935. Défait en 1936.

Décédé à Aston-Jonction, le 20 janvier 1961, à l'âge de 90 ans. Inhumé à Aston-Jonction, dans le cimetière de la paroisse Saint-Raphaël, le 23 janvier 1961.

Avait épousé à Saint-Célestin, le 18 janvier 1892, Flore Bourgeois, fille de François Bourgeois, cultivateur, et d'Adélina Prince.

GAUDET, Joseph
(1818–1882)

Né et baptisé à Gentilly (Bécancour), le 10 mai 1818, sous le nom de Godet, fils de Charles (Jean) Godet, cultivateur, et de Marguerite Panneton.

Fut cultivateur à Gentilly. Président de la Société d'agriculture du comté de Nicolet vers 1867; membre du Conseil d'agriculture de la province de Québec de 1869 à 1881. Juge de paix. Capitaine dans la milice.

Élu député de Nicolet en 1858. Réélu sans opposition en 1861 et 1863. Bleu jusqu'en 1864, puis bleu indépendant. Occupa son siège jusqu'à l'avènement de la Confédération, le 1er juillet 1867. Élu député conservateur de Nicolet à l'Assemblée législative et à la Chambre des communes en 1867. Adhéra au Programme catholique d'avril 1871. Ne s'est pas représenté au provincial en 1871. Réélu au fédéral en 1872 et

1874. Son mandat prit fin avec sa nomination comme conseiller législatif de la division de Kennebec, le 30 octobre 1877; prêta serment et prit son siège le 19 décembre 1877.

Décédé en fonction à Gentilly (Bécancour), le 4 août 1882, à l'âge de 64 ans et 2 mois. Inhumé dans la crypte de l'église Saint-Édouard, le 7 août 1882.

Avait épousé dans la paroisse Saint-Édouard (à Bécancour), le 23 février 1846, Marie (Déneige) Levasseur, fille du cultivateur Joseph Levasseur et de Marguerite Marchand.

Père d'Athanase Gaudet, député à la Chambre des communes du Canada.

———
Bibliographie: *DBC*.

GAUDRAULT, Joseph-Arthur
(1868–1961)

Né à Laterrière, le 25 mars 1868, fils de Germain Gaudrault, cultivateur, et d'Olympe Ouellet.

Étudia à Laterrière et à l'École de laiterie de Saint-Hyacinthe où il suivit des cours d'inspecteur de fromage.

Fromager, il fonda la Chambre de fromage de Chicoutimi avec Elzéar Boivin. Secrétaire-trésorier de Laterrière de 1900 à 1913. Secrétaire-trésorier de la commission scolaire de Laterrière du 4 juillet 1900 au 5 novembre 1905 et du 17 juillet 1908 au 11 mars 1913. Propriétaire du magasin général du village de Laterrière de 1912 à 1924.

Conseiller municipal de Laterrière de 1903 à 1913 et maire de 1916 à 1921. Élu député libéral dans Chicoutimi en 1919. Défait en 1923.

Registrateur du district de Chicoutimi de 1924 à 1949.

Décédé à Roberval, le 29 mai 1961, à l'âge de 93 ans et 2 mois. Inhumé à Chicoutimi, dans le cimetière de la paroisse Saint-Isidore, le 1er juin 1961.

Avait épousé à Chicoutimi, dans la paroisse Saint-François-Xavier, le 23 janvier 1899, Marie-Alice Simard, institutrice, fille de Joseph Simard, meunier, et d'Édith Guimond.

GAULT, Charles Ernest
(1861–1946)

Né à Montréal, le 19 septembre 1861, fils de Matthew Gault, agent d'assurances, et d'Elizabeth Joanna Bourne.

Étudia à la Montreal High School et au Preparatory College. Fut d'abord commis dans une banque, puis devint courtier. Directeur de la Montreal Loan and Mortgage Co. Vice-président du Montreal Stock Exchange.

Président de l'Association libérale conservatrice et du Club conservateur junior. Élu député conservateur dans Montréal n° 5 à l'élection partielle du 24 janvier 1907. Réélu en 1908. Réélu dans Montréal–Saint-Georges en 1912 et sans opposition en 1916 et 1919. De nouveau élu en 1923, 1927 et 1931. Chef de l'Opposition du 16 octobre 1931 au 7 novembre 1932. Réélu en 1935 et défait en 1936.

Vice-président du conseil du Montreal Board of Trade en 1899 et 1900, et des conseils du Sheltering Home et de la St. Andrew Society. Gouverneur de l'Irish Protestant Benevolent Society et du Montreal General Hospital. Lieutenant-colonel du 5th Royal Highlanders. Membre du Mount Royal Club.

Décédé à Montréal, le 25 décembre 1946, à l'âge de 85 ans et 3 mois. Inhumé dans le Mount Royal Cemetery, le 27 décembre 1946.

Avait épousé à Montréal, dans l'église St. George, le 25 septembre 1890, Florence Fairbanks, fille de Rufus Fairbanks et d'Elizabeth Wakeman.

Son père était député à la Chambre des communes de 1878 à 1887.

GAUTHIER, Gilles

Né à Louiseville, le 3 septembre 1935, fils de Charles Gauthier, épicier, et d'Alma Lapointe.

Fit ses études à l'école Tessier à Louiseville, au couvent de Maskinongé, au collège Saint-Jean, au séminaire de philosophie de Montréal et à l'université Laval à Québec. Admis au barreau de la province de Québec en juin 1963.

Exerça sa profession d'avocat à Trois-Rivières avec Me Chartier. Membre des Chevaliers de Colomb.

Candidat progressiste-conservateur défait dans Trois-Rivières aux élections fédérales de 1968. Élu député de l'Union nationale à l'Assemblée nationale dans Trois-Rivières à l'élection partielle du 8 octobre 1969. Défait dans la même circonscription en 1970 et dans celle de Champlain en 1976.

GAUTHIER, Guy

Né à Acton Vale, le 20 mars 1920, fils de Léon Gauthier, médecin, et d'Alice Daigneault.

Fit ses études à l'académie Saint-André à Acton Vale, au séminaire de Saint-Hyacinthe et à la faculté de médecine de l'université de Montréal. Reçu médecin en 1947.

Exerça sa profession à Sherbrooke en 1947, puis s'établit à Saint-Michel-des-Saints. Attaché au Centre local de services communautaires de Brandon-Nord de 1975 à 1983. Retraité depuis 1987.

Conseiller municipal de 1950 à 1953, puis maire de la municipalité de Saint-Michel-des-Saints de 1955 à 1972. Membre de la commission scolaire de Saint-Michel-des-Saints de 1959 à 1963. Élu député de l'Union nationale dans Berthier en 1966. Nommé adjoint parlementaire du ministre de la Santé le 23 décembre 1969. Réélu en 1970. Whip adjoint de l'Union nationale de juin 1966 à décembre 1972. Défait en 1973.

GAUTHIER, Joseph
(1877–1934)

Né à Montréal, dans la paroisse du Sacré-Cœur, le 11 mars 1877, fils d'Édouard Gauthier, forgeron, et de Célina Richard.

A étudié à l'école Plessis.

Travailla à l'imprimerie du journal l'*Étendard* puis à *la Patrie* pendant vingt-quatre ans. Devint membre de l'Union typographique internationale Jacques-Cartier en 1897. Y occupa plusieurs fonctions dont celle de président de 1929 à 1933. Vice-président du Conseil des métiers et du travail.

Membre à vie de l'Union libérale Papineau. Élu député ouvrier dans Montréal–Sainte-Marie à l'élection partielle du 22 décembre 1921. Défait comme candidat ouvrier en 1923. Élu député libéral en 1927, son élection fut annulée par la Cour supérieure le 12 décembre 1927. Ne s'est pas représenté à l'élection partielle du 24 octobre 1928.

Chef du bureau de renseignements de la Commission des accidents du travail à Montréal de 1928 à 1934.

Décédé à Montréal, le 27 juin 1934, à l'âge de 57 ans et 3 mois. Inhumé à Montréal, dans le cimetière Notre-Dame-des-Neiges, le 29 juin 1934.

Avait épousé dans sa paroisse natale, le 30 mai 1899, Mélina Bourgeois, fille de David Bourgeois et de Julianna Quintal.

GAUTHIER, Joseph-Georges
(1918–1978)

Né à Val-Jalbert, le 17 juin 1918, fils de Georges Tremblay, journalier, et de Dina Boivin. Orphelin de mère, il fut élevé par la famille de Joseph Gauthier, marchand.

Fit ses études à Chambord, au séminaire de Chicoutimi et à l'École technique de Québec.

Exerça le métier de technicien en équipement motorisé à Chambord.

Maire de Chambord de 1957 à 1963. Préfet du comté de Lac-Saint-Jean-Ouest de décembre 1961 à décembre 1962. Élu député de l'Union nationale dans Roberval en 1962. Réélu en 1966. Nommé adjoint parlementaire du ministre de l'Agriculture et de la Colonisation le 30 novembre 1966. Nommé de nouveau le 16 octobre 1968. Défait en 1970.

Membre de la Chambre de commerce de Roberval et des Chevaliers de Colomb.

Décédé à Chambord, le 1er août 1978, à l'âge de 60 ans et un mois. Inhumé dans le cimetière de Chambord, le 4 août 1978.

Avait épousé à Québec, dans la paroisse Saint-Fidèle, le 2 juin 1941, Cécile Archambault, fille d'Adélard Archambault et de Rosa Ouellet.

GAUTHIER, Louis-Joseph
(1866–1938)

Né dans la paroisse Notre-Dame de Montréal, le 21 mars 1866, fils de Joseph Gauthier et de Julie Généreux.

A étudié au séminaire de Montréal et à l'université Laval à Montréal. Fit sa cléricature au cabinet Archibald, McCormick et Duclo. Admis au barreau de la province de Québec le 25 juillet 1889.

Pratiqua à Montréal, Laurentides et Westmount. Créé conseil en loi du roi en 1901. Commissaire pour la refonte du Code municipal en 1908.

Maire de Laurentides en 1905. Élu sans opposition député libéral à l'Assemblée législative dans L'Assomption à l'élection partielle du 29 octobre 1906. Défait en 1908. Élu député libéral à la Chambre des communes dans Saint-Hyacinthe en 1911. Réélu sans opposition dans Saint-Hyacinthe–Rouville en 1917. Défait comme candidat indépendant en 1921 et comme candidat conservateur dans Dorchester en 1925. Défait comme candidat conservateur dans L'Assomption aux élections provinciales de 1927.

Fondateur de la compagnie des Véhicules moteurs de Montréal ltée. Président de la Société des artisans canadiens-français. Membre du Club canadien.

Décédé à Montréal, le 12 avril 1938, à l'âge de 72 ans. Inhumé à Montréal, dans le cimetière Notre-Dame-des-Neiges, le 15 avril 1938.

Avait épousé dans sa paroisse natale, le 31 mai 1893, Marie-Amazilie Morency, fille de Frédéric Morency et de Célina Roy; puis, à Saint-Lin, le 1er octobre 1901, Marie-Anne Desmarais, fille d'Edmond Desmarais, beurrier, et de Rose de Lima Ducharme.

GAUTHIER, Michel

Né à Québec, le 18 février 1950, fils de Joseph-Georges **Gauthier**, technicien, et de Cécile Archambault.

Obtint un brevet d'enseignement de l'école normale de Roberval en 1969. Bachelier en enseignement élémentaire de l'université du Québec à Chicoutimi en 1975.

Enseignant à la commission scolaire de Roberval de 1970 à 1975. Conseiller pédagogique à la commission scolaire de Roberval de 1975 à 1977. Enseignant à l'université du Québec à Chicoutimi, au programme de perfectionnement des maîtres de français, de 1975 à 1980. Directeur des services éducatifs et directeur général adjoint de la commission scolaire de Roberval de 1977 à 1981. Président de la Corporation touristique de Chambord en 1975 et 1976. Président de la Chambre de commerce de Chambord en 1977 et 1978.

Élu député du Parti québécois dans Roberval en 1981. Adjoint parlementaire du ministre des Finances du 23 février 1983 au 23 octobre 1985. Réélu en 1985. Vice-président de la Commission des affaires sociales du 11 février 1986 au 2 février 1988. Démissionna comme député de Roberval le 2 février 1988.

Directeur général de la commission scolaire intégrée de Roberval à compter de 1988.

GAUTHIER, Onésime
(1834–1886)

Né à Saint-Urbain, dans Charlevoix, le 2 décembre 1834, fils de Michel Gauthier-Larouche, cultivateur, et de Marie Tremblay.

Fit ses études dans sa paroisse natale.

Il fut cultivateur, instituteur, directeur de la colonisation et agent de la Canadian Titanic Iron Company Ltd. à Saint-Urbain.

Maire de Saint-Urbain pendant plusieurs années. Élu député conservateur dans Charlevoix en 1875. Réélu en 1878 et 1881.

Décédé en fonction à Québec, le 16 juin 1886, à l'âge de 51 ans et 6 mois. Inhumé dans le cimetière de Saint-Urbain, le 18 juin 1886.

Avait épousé à Saint-Urbain, le 28 novembre 1871, Mélanie Simard, fille de Joseph Simard et de Marguerite Fortin.

GAUTHIER, Paul
(1901–1957)

Né à Montréal, dans la paroisse Saint-Édouard, le 21 février 1901, fils de Damase Gauthier, commis-marchand, et de Victoria Lafortune.

A étudié à l'académie Saint-Paul à Montréal, au collège de L'Assomption et à l'université de Montréal. Admis à la pratique du notariat le 9 août 1924.

Exerça sa profession à Montréal. Membre de la section Saint-Édouard de la Société Saint-Jean-Baptiste, de l'Association des anciens élèves du collège de L'Assomption et de l'académie Saint-Paul, de l'Association catholique de la jeunesse canadienne-française (ACJC) et du Canadian Order of Foresters. Secrétaire du Cercle Charlebois.

Secrétaire général de l'Association libérale de Saint-Denis–Dorion et de Saint-Édouard. Élu député libéral dans Montréal-Laurier en 1939. Défait en 1944.

Décédé à Montréal, le 1er janvier 1957, à l'âge de 55 ans et 10 mois. Inhumé à Montréal, dans le cimetière Notre-Dame-des-Neiges, le 5 janvier 1957.

Avait épousé dans sa paroisse natale, le 27 septembre 1927, Carmen Valiquette, fille d'Abondius Valiquette et de Corine Tanguay.

GAUTHIER, Pierre
(1894–1972)

Né à Deschambault, le 31 août 1894, fils de Wilbrod Gauthier, pilote, et de Joséphine Gauthier.

A étudié au collège de Sainte-Anne-de-la-Pérade, au séminaire de Québec et à l'université Laval à Québec. Reçu médecin en 1921, il exerça sa profession à Deschambault.

Élu député libéral à l'Assemblée législative dans Portneuf à l'élection partielle du 31 octobre 1927. Réélu en 1931. Whip du Parti libéral provincial de 1931 à 1935. Défait en 1935. Élu sans opposition député libéral à la Chambre des communes dans Portneuf à l'élection partielle du 27 janvier 1936. Réélu en 1940. Démissionna le 20 juillet 1944 pour se porter candidat du Bloc populaire aux élections provinciales de 1944, il fut défait. Organisateur en chef du Bloc populaire pour la région de Québec. Réélu député libéral à la Chambre des communes en 1945, 1949, 1953 et 1957. Président du caucus des députés libéraux de la province de Québec à Ottawa de 1949 à 1957. Whip du Parti libéral fédéral pour le Québec de 1953 à 1957, puis whip en chef de l'Opposition en 1957. Défait en 1958.

Membre du Corps médical de l'armée canadienne en 1941 et 1942. Membre de la Société médicale du comté de Portneuf, de la Chambre de commerce de Portneuf, du Club de réforme et des Chevaliers de Colomb.

Décédé à Montréal, le 6 juillet 1972, à l'âge de 77 ans et 10 mois. Inhumé dans le cimetière de Deschambault, le 8 juillet 1972.

Avait épousé à Montréal, dans la paroisse Saint-Clément, le 24 septembre 1921, Carmen Bélair, fille d'Hormidas Bélair et d'Emma Bonin.

GAUTRIN, Henri-François

Né à Béthune, en France, le 30 juillet 1943, fils d'Henri-François Gautrin, ingénieur, et de Marcelle Lamory, professeure d'éducation physique.

A étudié au collège Stanislas où il obtint un baccalauréat français en 1960. Titulaire d'un baccalauréat en sciences de l'université de Montréal en 1964, d'une maîtrise en sciences de la McGill University en 1966 et d'un doctorat d'État de l'université de Dijon en 1971. A étudié également à l'Institut d'études politiques de Paris et à l'École des ponts et chaussées.

Physicien spécialisé en physique-mathématiques. Professeur titulaire au département de mathématiques et de statistiques de l'université de Montréal de 1969 à 1989. Président du Syndicat général des professeurs de l'université de Montréal de 1975 à 1979. Membre du conseil de cette université de 1981 à 1989 et membre du comité exécutif de 1982 à 1989. Fut président du CLSC Octave-Roussin, vice-président de l'Office des services de garde à l'enfance et membre du conseil d'administration du fonds FCAR.

Président du NPD-Québec de 1973 à 1979. Candidat du NPD défait au fédéral dans Outremont en 1972 et dans Longueuil en 1974. Candidat du parti de la coalition Nouveau Parti démocratique-Regroupement des militants syndicaux défait dans Mercier aux élections provinciales de 1976 et candidat libéral défait dans Dorion en 1981. Secrétaire puis président de la commission politique du PLQ en 1986 et 1987. Élu député libéral dans Verdun en 1989.

GAUVIN, Réal

Né à Saint-Adalbert, le 30 mars 1935, fils de Maurice Gauvin, entrepreneur, et de Jeannette Bourgault.

Fit ses études primaires et secondaires à Saint-Adalbert.

Gérant d'une entreprise de sciage et de coupe de bois de 1958 à 1962. Fit de l'exploitation forestière dans l'entreprise familiale de 1962 à 1972. Titulaire d'une licence de pilote, il fut copropriétaire d'Aeronex Aircraft de 1974 à 1981. Propriétaire de R.-A. Gauvin Transport, entreprise spécialisée dans le transport du bois de construction à compter de 1975, et d'Autobus St-Adalbert inc., service de transport scolaire, à partir de 1978. Fut président du CLSC des Appalaches.

Maire de Saint-Adalbert de 1975 à 1985. Élu député libéral dans Montmagny-L'Islet en 1985. Réélu en 1989.

GAUVREAU, Louis
(1761–1822)

Né à Petite-Rivière-Saint-Charles, à Québec, le 11 mai 1761, puis baptisé le 12, dans la paroisse Notre-Dame, fils d'Alexis Gauvreau, cultivateur, et de Marie-Anne Hamel.

Fit ses études primaires, et peut-être des études secondaires, à Québec.

Quitta très tôt la ferme paternelle en vue de se lancer dans les affaires. Exploita un magasin général et fit le commerce de marchandises locales et importées, notamment du bois, tant en gros qu'au détail. Engagé aussi dans le secteur du crédit et dans celui de l'immobilier. Acquit, entre autres, le fief de la Grosse-Île.

Élu député de Québec en 1810. Réélu en 1814, 1816, avril 1820 et juillet 1820. Appuya tantôt le parti canadien, tantôt le parti des bureaucrates.

Fut marguillier de la paroisse Notre-Dame de Québec entre 1807 et 1814. Contribua financièrement à des associations sans but lucratif.

Décédé en fonction à Québec, le 16 août 1822, à l'âge de 61 ans et 3 mois. Inhumé dans la paroisse Notre-Dame, le 19 août 1822 ; ses restes furent transportés dans la chapelle des Ursulines, le 9 décembre 1828.

Avait épousé à Québec, le 23 février 1783, Marie-Louise Beleau ; puis, dans la cathédrale Notre-Dame de Québec, le 13 septembre 1806, Josette Vanfelson, fille d'Antoine (Anthony) Vanfelson, boucher, et de Josephte Monier (Meunier).

Beau-frère de George **Vanfelson**. Beau-père de Narcisse-Fortunat **Belleau** et de Claude **Dénéchau**.

Bibliographie : *DBC*.

GAUVREAU, Louis-Honoré
(1812–1858)

Né à Rivière-du-Loup (Louiseville), le 28 septembre 1812, puis baptisé le 29, dans la paroisse Saint-Antoine-de-Padoue, fils de Louis Gauvreau, marchand de Québec, et de Marie-Félicité Lemaître (Le Maître-Bellenoix), qui épousa en secondes noces Étienne **Mayrand**.

Étudia au séminaire de Nicolet de 1828 à 1831. Ayant obtenu sa licence de médecin le 27 juillet 1835, fut admis à la pratique de son art le 19 juillet 1836.

Exerça sa profession à Rivière-du-Loup (Louiseville). En 1837, appuya la cause des patriotes et, en 1843, fut chargé, dans sa localité, de recueillir les souscriptions destinées à l'Association de la délivrance, formée à Montréal en vue de faire revenir les exilés de 1838.

Élu député de Maskinongé en 1858; bleu.

Décédé en fonction à Rivière-du-Loup (Louiseville), le 20 octobre 1858, à l'âge de 46 ans. Inhumé dans le cimetière paroissial, le 25 octobre 1858.

Avait épousé dans la paroisse de l'Immaculée-Conception, à Trois-Rivières, le 4 septembre 1839, Anne-Louise Dumoulin, fille de Jean-Emmanuel Dumoulin et d'Antoinette Doucet; puis, dans la paroisse Saint-Antoine-de-Padoue (à Louiseville), le 22 juillet 1850, Marguerite Boudon-Larivière, veuve de Léger Lambert.

GÉLINAS, Pierre
(1818–1911)

Né à Yamachiche, le 14 août 1818, fils de Joseph Gélinas, cultivateur, et de Marianne Bellemare.

Fit ses études au collège de Nicolet. Reçu notaire en 1850, il exerça sa profession à Saint-Aimé.

Candidat conservateur défait dans Richelieu aux élections fédérales de 1867. Élu député conservateur à l'Assemblée législative dans Richelieu à l'élection partielle du 29 octobre 1869. Ne s'est pas représenté en 1871.

Décédé à Saint-Aimé, le 3 avril 1911, à l'âge de 92 ans et 8 mois. Inhumé dans le cimetière de cette paroisse, le 5 avril 1911.

[Avait épousé à Saint-Aimé, le 28 avril 1840, Eulalie Désilets, fille de Pierre Désilets et d'Élisabeth Lefebvre.]

GENDRON, Aimé
(1887–1953)

Né à Saint-Étienne-de-Beauharnois, le 9 mai 1887, fils de Ferdinand Gendron, cultivateur, et de Victoria Brières.

Étudia à l'école de Saint-Étienne. Buandier, il devint propriétaire, en 1909, de Sanitary Laundry qu'il dirigea plus tard sous le nom de Canada Laundry. Président de l'Association des blanchisseurs et nettoyeurs de la province de Québec. Directeur de l'Est central commercial, de la Chambre de commerce du district de Montréal et du Centre national du commerce ltée. Membre à vie du Club canadien. Membre des Chevaliers de Colomb, de la Société des Oliviers, de l'Union des Latins d'Amérique, de la Ligue des propriétaires, de l'Association des zouaves pontificaux, de la Société Saint-Jean-Baptiste, de l'Alhambra et du Club social de Montréal.

Marguillier de la paroisse Saint-Eusèbe à Montréal. Élu député de l'Union nationale dans Montréal–Sainte-Marie en 1948. Défait en 1952.

Décédé à Montréal, le 17 octobre 1953, à l'âge de 66 ans et 5 mois. Inhumé à Montréal, dans le cimetière Notre-Dame-des-Neiges, le 20 octobre 1953.

Avait épousé à Montréal, dans la paroisse Saint-Charles, le 18 septembre 1909, Adeline Létourneau, fille de Norbert Létourneau, maître charretier, et de Marie Caron.

GENDRON, Ferdinand-Ambroise
(1856–1917)

Né à Beauport, le 10 février 1856, fils d'Ambroise Gendron, mesureur de bois, et d'Esther Chamberland.

Fit des études primaires et commerciales. S'établit à Hull en 1876. Il débuta comme inspecteur de bois, puis fut promu surveillant général des chantiers de bois de la compagnie E.B. Eddy. En 1890, il s'associa à Adrien Chevrier et devint entrepreneur dans le commerce du bois. Président de la Hurricanaw Lumber Co. et de la Raven Lake Mining Co. Agent des Terres de la couronne pour les districts d'Ottawa, Labelle et Pontiac de 1898 à 1905.

Échevin de Hull du 20 janvier 1902 au 19 janvier 1903. Maire du 19 janvier 1903 au 17 janvier 1904. Élu député libéral dans Ottawa en 1904. Réélu en 1908 et 1912, puis sans opposition en 1916.

Décédé en fonction à Amos, le 9 août 1917, à l'âge de 61 ans et 6 mois. Inhumé dans le cimetière de Hull, le 14 août 1917.

Avait épousé à Ottawa, le 16 octobre 1881, Corrine Lapierre, fille de F.X. Lapierre et d'Adèle Leblanc.

Beau-frère de Simon-Napoléon **Parent**.

GENDRON, François

Né à Val-Paradis, en Abitibi, le 3 novembre 1944, fils d'Odilon Gendron, menuisier, et de Marguerite Mercier.

Fit ses études à La Sarre, au pavillon Saint-Viateur à La Ferme, au collège Louis-Querbes à Berthierville, à l'école normale d'Amos (diplômé en pédagogie) et à l'université du Québec à Rouyn-Noranda (diplômé en administration).

Professeur de 1966 à 1971, puis tuteur de la vie étudiante à la commission scolaire régionale Lalonde (commission scolaire Abitibi) de 1971 à 1973. Animateur pédagogique à Multi-Média de 1973 à 1976. Fondateur et secrétaire du Syndicat des travailleurs de l'enseignement du Nord-Ouest (STENOQ) et délégué pendant trois ans au conseil provincial de la Corporation des enseignants du Québec (CEQ).

Conseiller municipal au canton La Sarre de 1973 à 1976. Élu député du Parti québécois dans Abitibi-Ouest en 1976. Whip adjoint du Parti québécois de novembre 1976 à septembre 1979. Ministre de la Fonction publique dans le cabinet Lévesque du 21 septembre 1979 au 30 avril 1981. Réélu en 1981. Ministre d'État à l'Aménagement du 30 avril 1981 au 9 septembre 1982. Ministre délégué à l'Aménagement et au Développement régional du 9 septembre 1982 au 20 décembre 1984. Ministre de l'Éducation dans les cabinets Lévesque et Johnson (Pierre Marc) du 20 décembre 1984 au 12 décembre 1985. Réélu en 1985 et 1989. Leader parlementaire adjoint de l'Opposition du 15 décembre 1985 au 12 novembre 1987. Leader parlementaire de l'Opposition du 12 novembre 1987 au 9 août 1989. Leader parlementaire adjoint de l'Opposition à compter du 10 octobre 1989. Vice-président de l'exécutif de la section Québec à l'Assemblée internationale des parlementaires de langue française (AIPLF) à compter du 16 avril 1986.

GENDRON, Pierre-Samuel
(1828–1889)

Né à Saint-Hyacinthe, dans la paroisse Notre-Dame-du-Rosaire, le 31 août 1828, fils de Siméon Gendron, cultivateur, et de Marie-Louise Dion.

Fit ses études au collège de Saint-Hyacinthe. Instituteur pendant neuf ans. Étudia aussi auprès du notaire Louis Taché à Saint-Hyacinthe. Reçu notaire en 1860.

Exerça sa profession de notaire à Sainte-Rosalie de 1860 à 1876. Président de la Compagnie du chemin de fer de jonction du lac Champlain et du Saint-Laurent.

Secrétaire du conseil de comté de Bagot de 1855 à 1873 et du conseil municipal de la paroisse Sainte-Rosalie. Élu député conservateur à la Chambre des communes et à l'Assemblée législative dans Bagot en 1867. Réélu en 1871 et sans opposition en 1875 à l'Assemblée législative. Réélu en 1872 à la Chambre des communes, il ne s'est pas représenté en 1874. Résigna son siège à l'Assemblée législative le 12 juin 1876.

Protonotaire du district de Montréal du 23 juin 1876 jusqu'en 1887.

Membre de la Chambre des notaires de Saint-Hyacinthe. Secrétaire de la Société d'agriculture de Sainte-Rosalie de 1855 à 1870. Fondateur et président de la Société de colonisation de Bagot en 1875.

Décédé à Saint-Hyacinthe, le 11 juin 1889, à l'âge de 60 ans et 9 mois. Inhumé dans le cimetière de la paroisse Sainte-Rosalie, le 13 juin 1889.

Avait épousé à Saint-Simon, le 13 mai 1850, Louise Fournier, fille de Marcel Fournier, cultivateur, et de Marguerite Gendron.

Oncle de Flavien **Dupont**.

Bibliographie : *DBC*.

GENEST, Charles-Borromée
(1832–1873)

Né à Gentilly, le 4 octobre 1832, fils de Laurent Genest, notaire, et de Marie-Anne Panneton.

A étudié au séminaire de Nicolet.

Travailla d'abord aux États-Unis. De retour au Canada il fut député-greffier du Bureau de la paix de Trois-Rivières puis il étudia le droit. Admis au barreau du Bas-Canada le 2 février 1863.

Candidat conservateur défait dans Trois-Rivières aux élections fédérales de 1867. Élu député conservateur à l'Assemblée législative dans Trois-Rivières à l'élection partielle du 19 octobre 1869. Défait en 1871.

Décédé à Trois-Rivières, le 14 janvier 1873, à l'âge de 40 ans et 3 mois. Inhumé à Trois-Rivières, dans le cimetière Saint-Louis, le 17 janvier 1873.

Avait épousé à Gentilly, le 16 avril 1855, Marie-Dalila Brunel, fille de Félix Brunel, marchand, et de Julie Tourigny.

Ses nièces, Marie-Catherine-Camille-Berthe Genest, Florence Genest et Laurentine Genest, étaient respectivement les épouses de Nérée Le Noblet **Duplessis**, Richard Stanislas **Cooke** et William-Pierre **Grant**.

GEOFFRION, Amédée
(1867–1935)

Né à Varennes, le 6 février 1867, fils d'Élie Geoffrion, cultivateur, et de Marguerite Beauchamp.

Fit ses études au collège de L'Assomption et à l'université Laval à Montréal. Admis au barreau de la province de Québec le 10 janvier 1889.

Exerça sa profession à Montréal et s'associa à Joseph-Émery **Robidoux**, Dominique **Monet**, Victor Cusson et Omer Goyette. Nommé recorder de Longueuil le 8 avril 1905. Occupa ce poste jusqu'en 1908.

Échevin de Longueuil de 1909 à 1912. Candidat libéral défait dans Verchères en 1904. Élu député libéral dans Verchères en 1908. Réélu en 1912. Démissionna le 17 août 1912. Candidat libéral défait dans Chambly-Verchères aux élections fédérales de 1930.

Nommé recorder de Montréal le 27 août 1912, il présida une enquête sur la police de Montréal en 1922 et 1923. Revint à la pratique du droit en 1927 et s'associa à Yves Choquette.

Créé conseil en loi du roi le 30 juin 1906. Membre de la Chambre de commerce, du Cercle universitaire et du Cercle des avocats.

Décédé à Montréal, le 25 janvier 1935, à l'âge de 67 ans et 11 mois. Inhumé à Montréal, dans le cimetière de l'Est, le 26 janvier 1935.

Avait épousé dans la cathédrale de Montréal, le 13 août 1895, Yvonne Gaudet, fille de Michel-Henri-Édouard Gaudet, médecin, et de Léocadie Marteau.

Beau-frère d'Ernest **Tétreau**. Grand-père de Jérôme **Choquette**.

GEOFFRION, Félix
(1832–1894)

Né à Varennes, le 3 octobre 1832, puis baptisé le 4, dans la paroisse Sainte-Anne, sous le prénom de Félix-Éleuthère, fils de Félix Geoffrion, cultivateur, et de Catherine Brodeur.

Obtint une commission de notaire en octobre 1853.

Exerça le notariat à Verchères. Nommé registrateur du comté de Verchères en 1854, occupa ce poste jusqu'en 1863. Élu au sein du bureau de la Chambre des notaires du district de Montréal en 1859, 1862 et 1865; fut membre du comité formé en 1862 en vue de modifier la loi organique du notariat. Engagé dans l'administration scolaire et municipale à titre de secrétaire-trésorier. Président de la Compagnie du chemin de fer de Montréal, Chambly et Sorel.

Élu député de Verchères en 1863; rouge, s'opposa au projet de confédération. Son mandat prit fin avec l'avènement de la Confédération, le 1er juillet 1867. Élu député libéral de Verchères à la Chambre des communes en 1867. Se lia au mouvement national en 1872. Réélu député libéral en 1872 et 1874. Prêta serment comme membre du Conseil privé le 8 juillet 1874. Fit partie du cabinet Mackenzie à titre de ministre du Revenu de l'intérieur, du 8 juillet 1874 jusqu'à sa démission pour raison de santé, le 8 novembre 1876. À son entrée au ministère, son siège de député était devenu vacant. Réélu à une élection partielle le 25 juillet 1874. Réélu dans Verchères aux élections fédérales en 1878, 1882, 1887 et 1891.

Décédé en fonction à Verchères, le 7 août 1894, à l'âge de 61 ans et 10 mois. Inhumé dans le cimetière de la paroisse Saint-François-Xavier, le 10 août 1894.

Avait épousé dans la paroisse Saint-François-Xavier de Verchères, le 20 octobre 1856, Almaïde Dansereau, fille du maire Joseph Dansereau et de Rosalie Chagnon.

Frère de Christophe-Alphonse et de Victor Geoffrion, tous deux députés à la Chambre des communes du Canada.

Bibliographie: *DBC*.

GEORGEN, Henry
(1787–1815)

Né à Kingston, dans le Haut-Canada, le 28 janvier 1787, fils de Christopher Georgen, ancien officier devenu tailleur, originaire de Worms, en Allemagne, et de Phebe Right, issue d'une famille loyaliste.

Venu s'établir avec ses parents à Montréal, fit l'apprentissage du droit, puis fut admis au barreau le 16 janvier 1810.

Exerça sa profession à Montréal. Pendant la guerre de 1812, servit en qualité de capitaine de la compagnie de Farnham, dans le 6e bataillon de milice des Cantons-de-l'Est.

Élu député de Bedford en 1814.

Décédé en fonction à Québec, le 3 juillet 1815, à l'âge de 28 ans et 5 mois.

S'était probablement marié.

GÉRIN. V. aussi GÉRIN-LAJOIE

GÉRIN, Elzéar
(1843–1887)

Né à Yamachiche, le 14 novembre 1843, fils d'Antoine Gérin, dit Lajoie, cultivateur, et d'Amable Gélinas.

A étudié à l'école des Frères de Yamachiche et au collège de Nicolet. Admis au barreau de la province de Québec le 19 juillet 1873.

Membre du cabinet des avocats Gervais et Gérin. Corédacteur du *Journal de Québec* en 1865. Rédacteur en chef du *Canada* d'Ottawa en 1866. Collaborateur, en France, du *Journal de Paris*. À son retour, il pratiqua le droit à Trois-Rivières et devint rédacteur du *Constitutionnel* de 1868 à 1882. Rédacteur de *la Minerve* de 1880 à 1887. Collabora également à *la Revue canadienne*.

Candidat conservateur défait à la Chambre des communes dans Saint-Maurice à l'élection partielle du 30 octobre 1868. Élu député conservateur à l'Assemblée législative dans Saint-Maurice en 1871. Ne s'est pas représenté en 1875. Nommé conseiller législatif de la division de Kennebec le 25 août 1882.

Auteur notamment de l'*Histoire de la Gazette de Québec* (1864) et de *Voyages sur le Saint-Maurice* (1872). Créé conseil en loi de la reine en 1887.

Décédé en fonction à Montréal, le 18 août 1887, à l'âge de 43 ans et 9 mois. Inhumé à Trois-Rivières, le 23 août 1887.

Avait épousé à Trois-Rivières, le 14 octobre 1873, Marie-Agathe-Élodie Dufresne, fille de Frédéric-Dominique Dufresne et de Julie Bailey.

Cousin de Charles **Gérin-Lajoie**.

Bibliographie: *DBC*.

GÉRIN, Henri
(1900–1941)

Né à Coaticook, le 13 avril 1900, fils d'Auguste Gérin, fabricant de beurre, et de Léonie Boulé.

Fit ses études à l'école Sacré-Cœur à Coaticook, au séminaire Saint-Charles-Borromée à Sherbrooke et au séminaire de Montréal. Étudia le droit auprès de Me Jean-Charles Samson. Admis au barreau de la province de Québec le 14 janvier 1935.

Fut propriétaire d'un bureau d'assurances générales puis exerça la profession d'avocat avec Me Jean-Charles Samson.

Élu député de l'Union nationale dans Stanstead à l'élection partielle du 2 novembre 1938. Défait en 1939.

Décédé à Coaticook, le 2 septembre 1941, à l'âge 41 ans et 5 mois. Inhumé à Coaticook, dans le cimetière de la paroisse Saint-Edmond, le 5 septembre 1941.

Avait épousé à Sherbrooke, dans la paroisse Saint-Michel, le 29 août 1932, Bernadette Codère, fille de Louis-Joseph Codère et de Joséphine Bourque.

Frère de Léon-Denis **Gérin**.

GÉRIN, Léon-Denis
(1894–1975)

Né à Sainte-Edwige-de-Clifton, le 6 juin 1894, fils d'Auguste Gérin, fabricant de beurre, et de Léonie Boulé.

A étudié à l'école privée, à l'école élémentaire et à l'académie anglaise à Coaticook, au séminaire de Saint-Hyacinthe et au collège Mont-Saint-Louis à Montréal. Diplômé en études commerciales.

Marchand général et propriétaire d'une beurrerie à Coaticook. Membre de la Société Saint-Jean-Baptiste, des Chevaliers de Colomb, du Club social de Sherbrooke et du Club Renaissance de Québec.

Échevin de Coaticook en 1934 et 1935, puis en 1942 et 1943. Maire de cette municipalité en 1944 et 1945. Élu député de l'Union nationale dans Stanstead en 1948. Réélu en 1952 et 1956. Défait en 1960.

Décédé à Coaticook, le 1er avril 1975, à l'âge de 80 ans et 9 mois. Inhumé à Coaticook, dans le cimetière de la paroisse Saint-Edmond, le 4 avril 1975.

Avait épousé à Coaticook, dans la paroisse Saint-Jean-l'Évangéliste, le 13 septembre 1926, Graziella Dupuis, fille de Philippe Dupuis, vendeur, et de Marie-Anne Gauvin.

Frère d'Henri **Gérin**.

GÉRIN-LAJOIE, Charles
(1824–1895)

Né à Yamachiche et baptisé dans la paroisse Sainte-Anne, le 28 décembre 1824, sous le prénom d'André-Charles, fils d'André Gérin et d'Ursule Caron. Aussi désigné sous le patronyme de Lajoie.

Étudia au séminaire de Nicolet de 1836 à 1838.

Fut propriétaire de moulins et d'une manufacture à Yamachiche.

Élu député de Saint-Maurice en 1863; rouge, vota contre le projet de confédération. Son mandat prit fin avec l'avènement de la Confédération, le 1er juillet 1867. Élu député libéral de Saint-Maurice à la Chambre des communes en 1874. Ne s'est pas représenté en 1878.

Nommé, par le gouvernement fédéral, surintendant des Travaux publics dans Saint-Maurice en 1878, occupa ce poste jusqu'à sa mort.

Décédé à Trois-Rivières, le 6 novembre 1895, à l'âge de 70 ans et 10 mois. Inhumé à Yamachiche, le 8 novembre 1895.

Avait épousé dans sa paroisse natale, le 19 septembre 1843, Élizabeth Dupont, fille de Charles Dupont et de Clotilde Geffrard.

Petit-fils de Charles **Caron**. Cousin d'Elzéar **Gérin**.

GÉRIN-LAJOIE, Paul

Né à Montréal, le 23 février 1920, fils d'Henri Gérin-Lajoie, avocat, et de Pauline Dorion.

Fit ses études au collège Brébeuf à Montréal et aux universités de Montréal et d'Oxford en Angleterre. Admis au barreau de la province de Québec en juillet 1943. Boursier Rhodes en 1945. Docteur en droit en 1948.

Conseiller juridique de la Commission fédérale d'enquête sur les pratiques restrictives du commerce en 1953 et de la Commission fédérale d'enquête sur le cabotage de 1954 à 1957. Président du comité des affaires constitutionnelles de la Chambre de commerce de Montréal de 1954 à à 1958. Fondateur de l'hebdomadaire l'Écho de Vaudreuil-Soulanges et Jacques-Cartier en 1957. Conseiller de différentes organisations et institutions telles la ville de Montréal, la Fédération des collèges classiques, la Fédération des commissions scolaires du Québec, la Chambre de commerce de la province de Québec et la Fédération des pilotes du fleuve Saint-Laurent.

Secrétaire puis président de la commission politique du Parti libéral du Québec. Candidat libéral défait dans Vaudreuil-Soulanges aux élections de 1956 et à l'élection partielle du 18 septembre 1957. Candidat défait à la direction du Parti libéral en mai 1958. Élu député libéral dans Vaudreuil-Soulanges en 1960. Réélu en 1962 et 1966. Ministre de la Jeunesse dans le cabinet Lesage du 5 juillet 1960 au 13 mai 1964. Ministre de l'Éducation dans le même cabinet du 13 mai 1964 au 16 juin 1966. Vice-président du conseil des ministres de 1964 à 1966. Président du comité des affaires constitutionnelles du Parti libéral du Québec de 1966 à 1969. Démissionna comme député le 20 juin 1969.

Professeur invité à la faculté des sciences sociales de l'université d'Ottawa en 1969 et 1970, puis à la faculté de droit de l'université de Montréal de 1970 à 1975. Président de la mission des examinateurs de l'Organisation pour la coopération et le développement économique (OCDE) sur la recherche et le développement en éducation aux États-Unis en 1969. Vice-président de la Commission du gouvernement fédéral sur les prix et les revenus en 1969 et 1970. Président de l'Agence canadienne de développement international (ACDI) de 1970 à 1977. Directeur de Projecto international de 1978 à 1986. Directeur général de la Société du Vieux-Port de Montréal de 1981 à 1985. Président de la fondation Paul-Gérin-Lajoie, organisme philanthropique dans le domaine de la coopération internationale fondée en 1977. Membre du Conseil des gouverneurs de la Banque mondiale.

Auteur de : *Constitutional Amendment in Canada* (thèse de doctorat, 1950); *Pourquoi le Bill 60?* (1963); *Une politique économique pour le Québec* (1968) et *Combats d'un révolutionnaire tranquille* (1989). Collabora à la rédaction de certains ouvrages tels que: *l'Organisation et les besoins de l'enseignement classique dans le Québec* (1954); *la Signification et les besoins de l'enseignement classique pour les jeunes filles* (1954); *les Problèmes des commissions scolaires de la province de Québec* (1954); *Mémoire de la cité de Montréal à la commission d'enquête sur les problèmes constitutionnels* (1955) et *Confederation: One Hundred Years Later, Does It Still Work?* (1963).

Récipiendaire du prix David en 1950. Président de l'Association du jeune barreau du Canada en 1950 et 1951. Membre du barreau de Montréal, du barreau de la province de Québec, de l'Association du barreau canadien, du Club Saint-Denis de Montréal et des cercles universitaires de Montréal et d'Ottawa. Créé conseil en loi de la reine le 30 septembre 1960. A reçu le prix Buzzel, accordé par la Quebec Federation of Protestant Home and School Associations, en 1963. S'est vu décerner des doctorats honorifiques des universités suivantes: de Montréal en 1963; Mount Allison (Nouveau-Burnswick) et McGill en 1964; Carleton et Laval en 1965; Western Ontario, Bishop et Sir George Williams en 1966; d'Ottawa en 1974; Candido Mendès (Rio de Janeiro, Brésil) en 1976; de Sherbrooke en 1978. Décoré de la croix de commandeur de l'ordre de Malte et récipiendaire du prix international de la Paix de l'Association canadienne des fédéralistes mondiaux en 1976. Créé grand officier de l'ordre national du Lion du Sénégal en 1977.

GERRARD, Samuel
(1767–1857)

Né en Irlande, peut-être dans le comté de Kilkenny, en 1767.

Vint s'installer à Montréal vers 1785. Fit le commerce des fourrures, d'abord avec les régions du Témiscamingue et du sud-ouest de Michillimakinac (Mackinac Island, Michigan), plus tard avec les territoires situés au nord et à l'ouest des Grands Lacs jusque dans l'Athabasca. Participa à la création et à l'exploitation de diverses sociétés, notamment de la Grant, Campion and Company en 1791, puis, en 1795, de ce qui allait devenir la Parker, Gerrard, Ogilvy and Company; fut en rapport avec la North West Company. Actionnaire, jusqu'en 1832, de la Michilimackinac Company. De 1817 à 1821, fit partie d'un regroupement commercial à l'origine de la mise sur pied de trois sociétés, à Londres, Québec et Montréal, qui s'occupaient d'import-export pour le commerce de gros ou de détail. Engagé aussi dans les secteurs de la navigation, de la spéculation immobilière et, après 1821, du crédit. Président de la Banque de Montréal de 1820 à 1826; cofondateur, administrateur, puis président en 1856 de la Banque d'épargne de Montréal; détint une part importante de la Banque du Canada jusqu'en 1831. Représentant, dans le Haut et le Bas-Canada, de l'Alliance British and Foreign Life and Fire Assurance Company of London. Acquit, en 1841, les seigneuries de Lanaudière et de Carufel.

Fut membre du Conseil spécial du 2 avril 1838 jusqu'à la dissolution de ce conseil, en juin, et à nouveau du 2 novembre 1838 jusqu'à l'entrée en vigueur de l'Acte d'Union, le 10 février 1841.

Officier de milice. Juge de paix. Franc-maçon. Trésorier, vice-président (1835–1837) et président (1837–1857) du Montreal General Hospital. Président de la Société d'école anglaise et canadienne de Montréal, ainsi que de la Montreal Auxiliary Bible Society.

Décédé à Montréal, le 24 mars 1857, à l'âge de 89 ou de 90 ans.

Avait épousé dans l'église anglicane Christ Church, à Montréal, le 11 novembre 1792, Ann Grant, fille du trafiquant de fourrures John Grant et d'Anne Freeman.

Beau-frère par alliance de Jacob **Jordan** (fils). Une de ses filles épousa un fils de John **Forsyth**.

Bibliographie: *DBC*.

GERVAIS, Albert
(1922–1989)

Né à Saint-Casimir, dans Portneuf, le 7 août 1922, fils d'Alfred Gervais, journalier, et d'Angéline Vachon.

Fit ses études à l'école Saint-Louis-de-Gonzague à Saint-Casimir, au juvénat et au scolasticat Saint-Joseph à Pointe-du-Lac, à l'université d'Ottawa et à l'université de Montréal. Licencié en pédagogie.

Enseignant pendant quinze ans à Dolbeau, Kiskissing, Perron, Rivière-des-Prairies et Mont-Royal. Principal d'école à Perron, en Abitibi, de 1944 à 1949. Membre de la Corporation générale des instituteurs et institutrices catholiques du Québec, de l'Association canadienne des éducateurs de langue française et de l'Association de l'éducation du Québec.

Reporter au *Soleil* et à l'*Événement-Journal* de Québec en 1943. Directeur de l'*Enseignement*, organe officiel de la Corporation générale des instituteurs et institutrices catholiques de la province de Québec, de 1949 à 1962. Directeur-fondateur et propriétaire du journal *le Magister* en 1965 et du journal *Rive-Sud-Express* en 1976. Auteur du recueil de poèmes *Au soleil de minuit* (1946), du roman *la Déesse brune* (1948) et du radiothéâtre *la Chaîne*, diffusée à Radio-Canada. Lauréat du Grand Prix du théâtre organisé par la Société Radio-Canada. Collaborateur aux revues *Relations* et *Revue dominicaine*. Président de la Chambre de commerce de Saint-Nicolas. Membre des clubs Renaissance de Montréal et de Québec. Membre des Chevaliers de Colomb.

Élu député de l'Union nationale dans Montmorency en 1962. Ne s'est pas représenté en 1966.

Décédé à Québec, le 19 mars 1989, à l'âge de 66 ans et 7 mois. Les funérailles eurent lieu dans l'église de Saint-Casimir (Portneuf), le 22 mars 1989.

Avait épousé à Villemontel, en Abitibi, le 9 août 1952, Denise Sills, institutrice, fille d'Ovide Sills, garde-forestier, et de Carry Baulne.

Bibliographie: Brousseau, Vincent, *Bio-bibliographie analytique de monsieur Albert Gervais*, thèse de maîtrise à l'université Laval, Québec, 1963, 186 p.

GERVAIS, Jean-Guy

Né à Saint-Dominique-du-Rosaire (en Abitibi), le 19 octobre 1940, fils d'Édouard Gervais, journalier, et d'Yvette Bacon.

Fit ses études secondaires à Longueuil et techniques à Montréal.

Engagé dans la marine canadienne de 1959 à 1964, il fut opérateur de radar, technicien en électronique, puis préposé à la navigation maritime et moniteur en formation navale. À l'emploi de Montréal Floral Green Inc. de 1964 à 1966, de Calvert Dale de 1966 à 1972, et des Entreprises Marsolais inc. de 1972 à 1981. Vice-président et administrateur de la compagnie Service général d'entretien d'immeuble de Montréal inc. à compter de 1981.

Élu député libéral dans L'Assomption à l'élection partielle du 3 juin 1985. Réélu aux élections de 1985. Défait en 1989.

Nommé membre de la Commission municipale du Québec le 13 août 1990.

GIARD, Allen Wright
(1864–1926)

[Né à St. Albans, dans l'État du Vermont, le 17 avril 1864, fils de Stephen Giard, cultivateur, et de Marguerite Wright.]

Fit ses études au collège de L'Assomption.

Marchand et cultivateur à La Patrie. Commissaire de l'industrie animale pour le district de Sherbrooke.

Commissaire d'école à La Patrie de 1894 à 1897 et président de la commission scolaire de juillet 1894 à juillet 1895. Conseiller municipal, maire et juge de paix à La Patrie. Élu député conservateur dans Compton en 1900. Réélu en 1904 et 1908. Défait en 1912. Exerça également la fonction de whip.

Décédé à Sherbrooke, le 9 mars 1926, à l'âge de 61 ans et 10 mois. Inhumé à La Patrie, dans le cimetière de la paroisse Saint-Pierre, le 12 mars 1926.

Avait épousé à La Patrie, le 29 décembre 1889, Eudoxie Bourret, fille d'Alexis Bourret, marchand, et de Marie Lavallée.

GIASSON, Julien

Né à L'Islet, le 16 octobre 1927, fils de Jules Giasson, cultivateur, et d'Eugénie Lemieux.

A étudié à l'école Saint-Émile à L'Islet et au collège de Sainte-Anne-de-la-Pocatière, puis suivit des cours spécialisés en assurance-vie.

Agent organisateur de chantiers coopératifs de l'Union catholique des cultivateurs (UCC) de 1950 à 1952, puis organisateur syndical pour le même organisme de 1952 à 1955. Courtier d'assurances à L'Islet à compter de 1955. Membre de l'Association des courtiers d'assurances du Québec et de l'Association des assureurs-vie du Canada. Président diocésain de la Jeunesse agricole catholique. Participa à diverses associations coopératives et fut responsable de la fondation du chantier coopératif de La Pocatière. Membre de la Chambre de commerce, de la Société Saint-Jean-Baptiste et des Chevaliers de Colomb.

Élu député libéral dans L'Islet en 1970. Réélu dans Montmagny-L'Islet en 1973. Whip adjoint et vice-président du caucus ministériel de novembre 1973 à juillet 1975. Nommé ministre d'État aux Affaires sociales dans le cabinet Bourassa le 30 juillet 1975. Réélu en 1976. Défait en 1981.

GIGUÈRE, Joseph-Philibert
(1885–1947)

Né à Saint-Odilon-de-Cranbourne, le 13 octobre 1885, fils de Vital Giguère, cultivateur, et d'Alphonsine Lessard.

A étudié à Saint-Odilon et fit par la suite un cours commercial. Télégraphiste et agent à Vallée-Jonction pour le Quebec Central Railway de 1908 à 1913. Employé de la maison Henry Atkinson, marchand de bois à Saint-Léon-de-Standon, en 1913, puis gérant en 1916. Fut par la suite propriétaire d'un commerce de bois. Propriétaire de l'aqueduc de Saint-Léon-de-Standon. Maître de poste.

Maire de Saint-Léon-de-Standon du 13 mai 1931 au 2 décembre 1935. Préfet du comté de Dorchester en 1933. Élu député libéral dans Dorchester en 1931. Défait en 1935.

Décédé à Saint-Léon-de-Standon, le 18 décembre 1947, à l'âge de 62 ans et 2 mois. Inhumé dans le cimetière de cette paroisse, le 22 décembre 1947.

Avait épousé à Saint-Léon-de-Standon, le 7 octobre 1912, Emma Simard, organiste, fille d'Oliva Simard, marchand de bois, et de Marie Hervé.

GILBERT, Joseph-Oscar
(1888–1971)

Né à Sainte-Anne-de-Beaupré, le 22 novembre 1888, fils de Joseph Gilbert, cultivateur, et de Malvina Labbé.

A étudié au séminaire de Québec et à l'université Laval à Québec où il fut diplômé en économie politique. Docteur en sciences commerciales honoris causa de l'université Laval.

Secrétaire au ministère des Postes, à Québec, de 1908 à 1920. Devint propriétaire de l'hôtel Saint-Roch en 1920. Président de l'Association hôtelière de la province de Québec de 1923 à 1933 et de l'Association des marchands détaillants du

Canada pour le district de Québec de 1930 à 1935. Directeur de la Chambre de commerce de Québec. Vice-président de la Champlain Brewing Company of Quebec et de Jules Gauvin limitée. Administrateur de la Caisse d'économie de Québec en 1955. Devint propriétaire des quotidiens *le Soleil* et *l'Événement-Journal* en 1948. Membre de la Presse canadienne, de la Presse du Commonwealth et de la Presse associée. Gouverneur de la faculté de commerce de l'université Laval. Colonel honoraire du régiment de l'académie de Québec en 1927. Nommé membre de la Commission des champs de bataille nationaux en 1936. Président de la Quebec Winter Sports Association, des Célébrations du 350e anniversaire de la fondation de la cité de Québec en 1958 et du Club de réforme. Membre du Club Mercier et du Canadian Club.

Conseiller législatif de la division de Bedford du 30 mars 1960 jusqu'à l'abolition du Conseil législatif, le 31 décembre 1968. Appuya l'Union nationale.

Décédé à Québec, le 10 avril 1971, à l'âge de 82 ans et 7 mois. Inhumé dans le cimetière de Sainte-Anne-de-Beaupré, le 14 avril 1971.

Avait épousé à Québec, dans la paroisse Saint-Roch, le 17 mai 1915, Marie-Laura-Alice Lamonde, fille d'Albert Lamonde, entrepreneur, et de Rose Turcotte.

GILL, Charles-Ignace (1844–1901)

Né à Saint-François-du-Lac, le 12 mars 1844, fils d'Ignace **Gill** et d'Elizabeth McDougald.

Fit ses études au collège de Nicolet et à l'université Laval à Québec.

Fit sa cléricature auprès d'Ulric-Joseph **Tessier**. Admis au barreau de la province de Québec le 9 octobre 1867.

Exerça sa profession à Sorel et s'associa à James Armstrong jusqu'en 1871, puis pratiqua seul par la suite.

Élu député conservateur à l'Assemblée législative dans Yamaska en 1871. Démissionna le 14 janvier 1874 pour se porter candidat conservateur aux élections fédérales dans Yamaska où il fut élu sans opposition. Réélu en 1878. Son siège devint vacant lors de son accession à la magistrature.

Nommé juge à la Cour supérieure du district de Richelieu le 19 mai 1879, puis du district de Montréal le 12 avril 1886.

Docteur en droit honoris causa de l'université Laval à Québec en 1890. A publié : *Notes sur de vieux manuscrits abénaquis* (1886) ; *Notes historiques sur l'origine de la famille Gill, de Saint-François-du-Lac et Saint-Thomas-de-Pierreville* et *His-*

toire de ma propre famille (1887). Directeur de la Montreal, Portland and Boston Railway Co.

Décédé à Montréal le 16 septembre 1901, à l'âge de 57 ans et 6 mois. Inhumé à Sorel, dans le cimetière de la paroisse Saint-Pierre, le 21 septembre 1901.

Avait épousé dans la paroisse Saint-Thomas-de-Pierreville, le 1er janvier 1870, Marie-Rosalie-Delphine Sénécal, fille de Louis-Adélard **Sénécal**, homme d'affaires, et de Justine Delphine Dansereau.

GILL, Ignace (1808–1865)

Né à Saint-François-du-Lac, le 15 mars 1808, puis baptisé le 16, dans la paroisse Saint-François-Xavier, fils de Thomas Gill, cultivateur d'ascendance américaine, et de Catherine Bazin.

Fut commis chez des marchands de Baie-du-Febvre avant de se lancer à son compte vers 1830 ; tint magasin dans la mission abénaquise de Saint-François-de-Sales (Odanak) jusqu'en 1850. Par la suite, s'occupa du commerce du bois, de la construction de chalands et fut agent de la seigneurie de Pierreville. Nommé juge de paix et commissaire au tribunal des petites causes. Fut maître de poste de Saint-François-du-Lac et président de la Société d'agriculture du comté de Yamaska.

Élu député de Yamaska en 1854 ; réformiste, puis bleu. Réélu en 1858 ; bleu. Défait en 1861. Maire de la paroisse Saint-Thomas-de-Pierreville (Pierreville) en 1862–1863.

Décédé à Saint-Thomas-de-Pierreville (Pierreville), le 1er septembre 1865, à l'âge de 57 ans et 5 mois. Inhumé dans le cimetière de la paroisse Saint-Thomas, le 4 septembre 1865.

Avait épousé dans la paroisse Saint-Antoine-de-Padoue, à Baie-du-Febvre, le 30 janvier 1832, Elizabeth McDougald (McDougal), fille d'Allen McDougald et de Mary McPherson ; puis, dans l'église anglicane de Drummondville, le 10 septembre 1850, Jane Henrietta Robins, fille de William Robins, ancien registrateur du comté de Drummond, et de Margaret Anderson.

Père de Charles-Ignace **Gill**.

Bibliographie: *DBC.*

GILLIES, David
(1849–1926)

[Né à Herron's Mills, en Écosse, le 27 juin 1849, fils de John Gillies, marchand de bois, et de Mary Cullen Bain.]

Fit ses études à Lanark, à Carleton Place et au Brockville Business College en Ontario.

En 1873, il fonda avec ses trois frères une entreprise d'exploitation du bois, la firme Gillies Bros. Ltd., à Braeside en Ontario. Fut membre du bureau de direction, puis président de cette entreprise de 1914 à 1926. S'établit à Carleton Place, Ontario, en 1880.

Élu député libéral dans Pontiac en 1892. Réélu sans opposition en 1897. Réélu en 1900 et sans opposition en 1904. Ne s'est pas représenté en 1908.

Décédé à Carleton Place, le 12 octobre 1926, à l'âge de 77 ans et 3 mois. Inhumé dans le cimetière de Carleton Place, le 14 octobre 1926.

Avait épousé dans l'église presbytérienne de Carleton Place, dans le comté de Lanark (Ontario), le 20 février 1879, Martha Poole, fille d'Elizabeth et de James Poole, éditeur.

GILMAN, Francis Edward
(1842–1917)

[Né à Danville, le 11 avril 1842, fils de Stephen M. Gilman.]

Fit ses études au St. Francis College à Richmond et à la McGill University à Montréal. Admis au barreau du Bas-Canada le 5 juin 1865. Docteur en droit en 1877.

Créé conseil en loi de la reine le 19 mai 1885. Exerça sa profession d'avocat à Montréal et fut associé à L.H. Boyd. Gouverneur à vie du Mechanics Institute, du Montreal General Hospital, du Western Hospital et du Protestant Infant's Home.

Échevin du quartier Saint-Antoine au conseil municipal de Montréal de 1879 à 1882 et président du comité de police de mars 1881 à mars 1882. Candidat libéral défait dans Argenteuil en 1881. Nommé conseiller législatif de la division de Wellington le 12 mars 1887. Appuya le Parti libéral.

Décédé en fonction à Westmount, le 24 mai 1917, à l'âge de 75 ans et un mois. Inhumé à Montréal, dans le cimetière presbytérien Stanley, le 26 mai 1917.

[Avait épousé à Montréal, dans la Presbyterian Church, le 10 mai 1866, Amelia Maria Weaver, fille de George W. Weaver, manufacturier.]

GINGRAS, Jean-Élie
(1804–1891)

Né à Québec et baptisé dans la paroisse Notre-Dame, le 5 juin 1804, fils de Joseph Gingras, navigateur, et de Josephte Millotte. Signait J. Elie Gingras.

Exerça d'abord le métier de navigateur, puis se lança dans la construction de navires. Fut membre de la Maison de la Trinité de Québec.

Fit partie du conseil municipal de Québec en 1850–1851. Élu conseiller législatif de la division de Stadacona à une élection complémentaire le 19 septembre 1864, conserva son siège jusqu'à l'avènement de la Confédération, le 1er juillet 1867. Nommé conseiller législatif de la division des Laurentides le 2 novembre 1867, démissionna le 10 décembre 1887. Appuya le Parti conservateur.

Décédé dans le quartier Saint-Sauveur, à Québec, le 13 avril 1891, à l'âge de 86 ans et 10 mois. Après des obsèques célébrées en l'église Saint-Roch, fut inhumé dans le cimetière Saint-Charles, le 15 avril 1891.

Avait épousé dans la paroisse Notre-Dame de Québec, le 7 novembre 1826, Reine Labbé, fille du charpentier Jacques Labbé et de Geneviève Forton; puis, au même endroit, le 15 septembre 1856, Caroline Lacroix, fille de Louis Lacroix et d'Élisabeth Pain; puis, dans la même paroisse, le 21 septembre 1887, Marie-Rébecca Godbout, fille du pilote Laurent Godbout et de Marguerite Lapointe.

GIRARD, Alfred
(1859–1919)

Né à Sainte-Marie-de-Monnoir, le 4 août 1859, fils de Pierre Girard, cultivateur, et de Marie Pelletier.

A étudié au collège de Sainte-Marie-de-Monnoir, au collège de Sherbrooke et à la McGill University à Montréal. Admis au barreau de la province de Québec le 4 décembre 1882. Créé conseil en loi du roi le 30 juin 1903.

Exerça sa profession d'avocat à Marieville et à Montréal. Président de la Compagnie du pouvoir électrique de Québec et de la compagnie électrique Red Falls. Directeur de la Compagnie hydraulique Saint-François.

Élu député libéral dans Rouville en 1890. Réélu en 1892. Défait en 1897. Réélu en 1900, puis sans opposition en 1904. De nouveau élu en 1908. Son siège devint vacant à la suite de sa nomination comme protonotaire à la Cour supérieure de Montréal, le 5 octobre 1908.

Occupa cette fonction jusqu'à son décès survenu à Montréal, le 17 février 1919, à l'âge de 58 ans et 6 mois.

Inhumé à Montréal, dans le cimetière Notre-Dame-des-Neiges, le 19 février 1919.

Avait épousé dans la paroisse Notre-Dame de Montréal, le 24 juin 1882, Eugénie Reeves, fille de Joseph Reeves et d'Émilie Plante ; puis, à Saint-Hilaire, le 20 janvier 1891, Marie-Albina Auclair, fille de Joseph Auclair, hôtelier, et d'Alphonsine Morin.

GIRARD, Joseph
(1853–1933)

Né à Saint-Urbain, le 2 août 1853, fils de Patrice Girard, cultivateur, et de Marie Tremblay.

A étudié au séminaire de Québec. Cultivateur, il s'établit à Saint-Gédéon, au Lac-Saint-Jean, en 1880. Président de la Société d'agriculture du Lac-Saint-Jean et de la Société laitière de Québec. Membre du Club Saint-Gédéon.

Commissaire d'école à Saint-Gédéon du 9 juillet 1883 au 9 juillet 1917 et président de la commission scolaire du 6 septembre 1885 au 9 juillet 1917. Secrétaire adjoint au conseil municipal de 3 mars 1890 au 1er mars 1891, puis secrétaire du 2 mars 1891 au 4 février 1918. Élu député conservateur à l'Assemblée législative dans Lac-Saint-Jean en 1892. Réélu en 1897. Ne s'est pas représenté en 1900. Élu député conservateur à la Chambre des communes dans Chicoutimi et Saguenay en 1900 et en 1904. Élu député libéral en 1908 et député conservateur en 1911. Défait comme unioniste (conservateur) en 1917 et comme conservateur en 1921.

Décédé à Saint-Gédéon, le 30 mars 1933, à l'âge de 79 ans et 8 mois. Inhumé dans le cimetière de l'endroit, le 3 avril 1933.

Avait épousé à Saint-Urbain, le 5 avril 1875, Marie-Emma Côté, fille de Vital Côté et d'Ursule Gauthier.

GIROUARD, Jean
(1856–1940)

Né à Saint-Benoît (Mirabel), le 7 mars 1856, fils de Jean-Joseph **Girouard**, notaire, et d'Émélie Berthelot.

Fit ses études au collège Saint-Sulpice et à l'école de médecine Victoria à Montréal. Admis à la pratique de la médecine le 24 mars 1879.

Exerça sa profession pendant deux ans à Saint-Philippe-d'Argenteuil (Chatham) et à Sainte-Marthe, puis s'installa à Longueuil en 1884. Président de la Compagnie des tramways de Longueuil. Vice-président de la Montarville Land Co. Ltd.

Commissaire d'école à Longueuil du 4 juin 1892 au 13 juillet 1904. Nommé conseiller législatif de la division de Lorimier le 27 mars 1897. Appuya le Parti conservateur. Démissionna de ce poste le 17 juin 1936. Président de la commission scolaire de Longueuil du 13 juillet 1904 au 15 juillet 1913, puis commissaire jusqu'au 8 juillet 1934.

Président de la Société Saint-Jean-Baptiste. Membre de l'ordre des Forestiers catholiques et membre fondateur du Club Lemoyne.

Décédé à Longueuil, le 12 novembre 1940, à l'âge de 84 ans et 8 mois. Inhumé à Longueuil, dans la crypte de l'église Saint-Antoine, le 15 novembre 1940.

Avait épousé à Montréal, dans la paroisse Saint-Jacques, le 15 mai 1883, Marie-Lydia Laviolette, fille de Joseph-Gaspard **Laviolette** et d'Antoinette-Corinne Bédard.

Frère de Joseph Girouard, député à la Chambre des communes de 1892 à 1896.

GIROUARD, Jean-Joseph
(1794–1855)

Né à Québec, le 13 novembre 1794, puis baptisé le 14, dans la paroisse Notre-Dame, fils de Joseph Girouard, entrepreneur en construction navale, et de Marie-Anne Baillairgé.

Étudia sous la direction d'un curé ami de la famille de sa mère, à Sainte-Famille, île d'Orléans (1805), Sainte-Anne-des-Plaines (1806–1811) et Saint-Eustache. À compter de 1811, fit l'apprentissage du notariat, dans l'île de Montréal d'abord, à Saint-Eustache ensuite. Reçut sa commission de notaire en 1816.

Exerça le notariat à Saint-Benoît (Mirabel) où il s'établit en 1816. Pendant la guerre de 1812, avait servi comme volontaire, puis à titre d'adjudant dans la milice. Au début de 1828, quitta la milice pour protester contre la destitution d'autres officiers patriotes.

Élu sans opposition député de Deux-Montagnes à une élection partielle le 20 décembre 1831 ; appuya généralement le parti patriote. Réélu en 1834 ; donna son appui au parti patriote. Son mandat prit fin avec la suspension de la constitution, le 27 mars 1838.

Fit l'objet d'un mandat d'arrêt pour haute trahison en raison de sa participation à la rébellion de 1837 ; tenta de se réfugier aux États-Unis, mais, s'étant ravisé, se livra. Fut emprisonné à Montréal, de décembre 1837 à juillet 1838, et de nouveau, du 4 novembre jusqu'au 27 décembre 1838. Retourna à Saint-Benoît, où sa maison avait été incendiée par les troupes britanniques, et reprit l'exercice de sa profession. En 1842, déclina l'offre de faire partie du gouvernement.

Est l'auteur de *Relation historique des événements de l'élection du comté du lac des Deux Montagnes en 1834* [...] (Montréal, 1835) et le coauteur de «Journal de famille de J.-J. Girouard et d'Émélie Berthelot» (conservé aux Archives nationales du Québec à Québec). Dessinateur et portraitiste, fit, pendant son incarcération en 1837–1838, le portrait d'autres patriotes.

Décédé à Saint-Benoît (Mirabel), le 18 septembre 1855, à l'âge de 60 ans et 10 mois. Inhumé le 21 septembre 1855, dans la chapelle de l'hospice Youville, dont il était cofondateur.

Avait épousé dans la paroisse Saint-Benoît (à Mirabel), le 24 novembre 1818, Marie-Louise Félix, fille de Pierre Félix et de Marie-Louise Lacelle; puis, à Saint-Eustache, le 30 avril 1851, Marie-Émélie Berthelot, fille du notaire Joseph-Amable Berthelot et de Marie-Michelle Hervieux.

Père de Jean **Girouard** et de Joseph Girouard, député à la Chambre des communes du Canada. Oncle de Léandre **Dumouchel** et de Félix-Hyacinthe **Lemaire**.

―――

Bibliographie: *DBC.*

―――――――――――

GIROUARD, Joseph-Éna
(1855–1937)

Né à Stanfold (Princeville), le 17 juin 1855, fils d'Urbain Girouard, cultivateur, et de Rosalie Brunelle.

Fit ses études au collège commercial de Princeville de 1865 à 1868 et au séminaire de Nicolet de 1870 à 1877. Fit un stage auprès du notaire Louis Lavergne, à Stanfold, de 1877 à 1881. Admis à la pratique du notariat le 19 novembre 1881.

Exerça sa profession de notaire à Drummondville. Devint gérant de la Banque Jacques-Cartier en 1887. Admis au barreau de la province de Québec le 14 janvier 1897. Il exerça sa profession d'avocat à Arthabaska où il fit partie des cabinets suivants: Côté et Girouard de 1897 à 1902, Méthot et Girouard, puis Girouard, Beaudry et Girouard de 1907 à 1915. Fut secrétaire-trésorier de la municipalité de Grantham du 4 décembre 1882 au 17 mai 1897, de la commission scolaire de cette paroisse et de la municipalité d'Arthabaska. Directeur de la Banque Jacques-Cartier de 1887 à 1897.

Maire de Drummondville du 2 mars 1889 au 16 juin 1897. Élu député libéral dans Drummond-Arthabaska à l'élection partielle du 24 mars 1886, puis réélu aux élections générales de 1886. Maire de Drummondville de 1889 à 1897. Élu

député d'Arthabaska en 1890, 1892 et 1897. Son siège devint vacant lorsqu'il fut nommé registraire pour aider le commissaire du territoire du Yukon le 7 juillet 1898. Registraire et membre du Conseil du Yukon de 1898 à 1908. Pratiqua sa profession d'avocat à Montréal de 1908 à 1916, puis shérif du district d'Arthabaska de 1916 à 1936.

Décédé à Arthabaska, le 2 décembre 1937, à l'âge de 82 ans et 5 mois. Inhumé à Arthabaska, dans le cimetière de la paroisse Saint-Christophe, le 6 décembre 1937.

Avait épousé à Drummondville, dans la paroisse Saint-Frédéric, le 6 septembre 1882, Emma E. Watkins, fille de William Watkins et de Margaret Wright; [puis, le 10 avril 1917, Cléophée Marcil]; puis, dans la cathédrale de Nicolet, le 13 juillet 1926, Régina Smith, fille de Pierre Smith et d'Éléonore Côté.

Père de Wilfrid **Girouard**.

―――

Bibliographie: Genest, Jean, *Joseph-Éna Girouard et son temps*, Drummondville, Les cahiers de la Société historique du Centre du Québec, 1981, 48 p.

―――――――――――

GIROUARD, Wilfrid
(1891–1980)

Né à Drummondville, le 9 septembre 1891, fils de Joseph-Éna **Girouard**, avocat, et d'Emma Watkins.

Fit ses études au collège d'Arthabaska, aux collèges Sainte-Marie et Loyola, puis à la McGill University à Montréal. Admis au barreau de la province de Québec le 31 juillet 1916. Créé conseil en loi du roi le 6 octobre 1926.

Exerça sa profession à Arthabaska avec Me Joseph-Édouard **Perreault**. Secrétaire du barreau du district d'Arthabaska. Bâtonnier de la province de Québec en 1940 et 1941. Membre du Club de réforme, des clubs Victoriaville et Arthabaska, du Cercle universitaire de Montréal, du Club de la garnison de Québec et des Chevaliers de Colomb.

Élu député libéral à la Chambre des communes dans Drummond-Arthabaska en 1925. Réélu en 1926, 1930 et 1935. Démissionna en 1939. Élu député libéral à l'Assemblée législative dans Arthabaska en 1939. Procureur général dans le cabinet Godbout du 8 novembre 1939 au 8 mai 1942. Son siège devint vacant lorsqu'il fut nommé juge à la Cour supérieure du district de Trois-Rivières le 8 mai 1942, poste qu'il occupa jusqu'en 1963.

Décédé à Québec, le 26 octobre 1980, à l'âge de 89 ans et un mois. Inhumé à Arthabaska, le 29 octobre 1980.

Avait épousé à Arthabaska, dans la paroisse Saint-Christophe, le 31 juillet 1923, Thérèse Marsil, fille de David

Marsil et de Claire Laurin; puis, à Outremont, dans la paroisse Saint-Viateur, le 9 avril 1949, Marie-Louise-Florence Côté, fille de Joseph-Alphonse Côté, fonctionnaire et marchand, et de Marie Adam, et veuve de Paul-Émile Champoux.

GIROUX, Louis-Arthur
(1893–1945)

Né à Farnham, le 6 avril 1893, fils d'Arthur Giroux, avocat, et d'Eugénie Lafond.

A étudié au collège Sainte-Croix à Farnham, au séminaire de Saint-Hyacinthe et à l'université Laval à Québec. Admis au barreau de la province de Québec le 4 juillet 1918. Créé conseil en loi du roi le 14 février 1929.

De 1915 à 1918, il fut secrétaire de Pierre-Évariste **Leblanc** qui était alors lieutenant-gouverneur de la province de Québec. S'établit à Sweetsburg, en société avec son père de 1918 à 1928. S'associa avec Me Patrick E. Delaney en 1928. Secrétaire du barreau de Bedford de 1919 à 1929. Examinateur du barreau de la province de Québec de 1929 à 1932. Bâtonnier du district de Bedford de 1932 à 1934. Cofondateur de l'Association du barreau rural dont il fut également secrétaire de 1938 à 1943, puis président en 1944.

Gouverneur du Perkins Hospital de Brome de 1929 à 1945 et de l'hôpital Saint-Luc de Montréal de 1938 à 1945. Président honoraire de la Chambre de commerce des Cantons-de-l'Est. Vice-président du Cowansville Board of Trade. Membre de la Commercial Law League of America. Directeur de l'Association forestière de Québec. Secrétaire du British Red Cross Fund et responsable pour la province de Québec du Duchess of Connaught Prisoners of War Fund. Membre du Cercle universitaire. Fut également éditeur et collaborateur au journal *le Correspondant* de Farnham.

Conseiller municipal de Sweetsburg du 18 janvier 1929 au 16 juin 1945. Président de la commission scolaire de Sainte-Rose-de-Lima-de-Sweetsburg de 1932 à 1935. Secrétaire de l'Association conservatrice du comté de Missisquoi. Conseiller législatif de la division de Wellington du 23 février 1937 jusqu'à son décès.

Décédé en fonction à Lac-Brome, le 16 juin 1945, à l'âge de 52 ans et 3 mois. Inhumé dans le cimetière de la paroisse de Knowlton, le 20 juin 1945.

Avait épousé dans la paroisse Notre-Dame de Québec, le 22 juin 1920, Marie-Josephte-Cécile-Juliette Bolduc, fille de Jean-Baptiste Bolduc, médecin, et d'Élise Larue.

Père de Gabrielle Bertrand, qui a été élue à la Chambre des communes en 1984 et 1988. Beau-père de Jean-Jacques **Bertrand**. Grand-père de Jean-François **Bertrand**.

GLADU, Victor
(1844–1897)

Né à Saint-Antoine-sur-Richelieu, le 16 avril 1844, fils de Victor Gladu, notaire, et d'Adée Perrin.

A étudié au collège des Jésuites à Montréal. A étudié le notariat auprès de Félix **Geoffrion**. Admis à la pratique du notariat en juin 1866.

Notaire à Saint-François-du-Lac. Agent d'immeubles pour John Joseph Caldwell **Abbott**. Gérant de la société Cartier, Gill, Laramée et Cie à Saint-François-du-Lac. Secrétaire-trésorier de la Société d'agriculture du comté de Yamaska. Syndic officiel en vertu de l'Acte des faillites de 1874.

Préfet du comté de Yamaska. Maire et conseiller municipal de Saint-François-du-Lac. Candidat libéral défait dans Yamaska en 1881. Défait dans Yamaska aux élections fédérales de 1882. Élu député libéral à l'Assemblée législative dans la même circonscription en 1886, 1890 et 1892. Défait en 1897. De nouveau élu à l'élection partielle du 16 novembre 1897.

Décédé en fonction à Saint-François-du-Lac, le 1er décembre 1897, à l'âge de 53 ans et 8 mois. Inhumé dans le cimetière de l'endroit, le 4 décembre 1897.

Avait épousé à Saint-François-du-Lac, le 25 août 1868, Marie Gill, fille de David Gill, cultivateur, et de Caroline Plamondon.

Père de Joseph-Ernest-Oscar Gladu, député à la Chambre des communes de 1904 à 1911 et de 1917 à 1921.

GOBÉ, Jean-Claude

Né à Charleville (France), le 11 avril 1949, fils de Jules Gobé et de Simone Costerlink.

A étudié au collège Sainte-Jeanne-D'Arc à Orléans de 1961 à 1965, à l'académie de Montpellier de 1965 à 1967 et au 7e régiment d'infanterie de la marine à Fréjus de 1967 à 1971. Arriva au Canada en 1972.

Agent de commercialisation et responsable des relations avec la clientèle chez Renault Canada de 1972 à 1976. Directeur adjoint au développement et directeur de la région de l'Est du Québec pour Ademco ltée de 1976 à 1978. Directeur des marchés extérieurs et gouvernementaux chez Comterm ltée de 1978 à 1980. Directeur général et administrateur de Location Noma inc. de 1980 à 1985. Membre des chambres de commerce de Montréal et de Rivière-des-Prairies, du Club Kiwanis métropolitain et du Club optimiste de Rivière-des-Prairies.

Élu député libéral dans LaFontaine en 1985. Réélu en 1989. Membre de l'exécutif de la section québécoise de l'Assemblée internationale des parlementaires de langue française, et également chargé de mission parlementaire de la région des Amériques à compter de 1986.

GOBEIL, Paul

Né à Saint-Rémi-de-Tingwick, le 1er mars 1942, fils de Jean-Marie Gobeil, superviseur, et de Marie-Reine Potvin.

A étudié au collège de Victoriaville et à l'université Laval où il obtint un baccalauréat ès arts en 1961. Titulaire d'un baccalauréat (1963) et d'une maîtrise (1964) en commerce de l'université de Sherbrooke. A suivi également l'Advanced Management Program (AMP) de la Harvard Business School en 1981.

Partenaire de la firme Larochelle, Savard, Gosselin, Gobeil et Associés de 1966 à 1970, de la firme Samson, Bélair, Côté, Lacroix et Associés de 1970 à 1973 et conseiller pour la firme Larochelle, Savard et Associés en 1973 et 1974. De 1974 à 1985, il occupa les fonctions suivantes chez Provigo inc. : adjoint au vice-président (finances et administration) ainsi que directeur des finances de 1974 à 1976 ; vice-président (finances et administration), trésorier et secrétaire adjoint de 1976 à 1981 ; vice-président (finances) de 1981 à 1984 ; vice-président exécutif de 1983 à 1985 ; président et directeur général (distribution) en 1985. Président et directeur général de Loeb inc., ainsi que président de Loeb Corp. (É.-U.) de 1981 à 1985. Vice-président du conseil d'administration de IGA Canada ltée de 1981 à 1985, ainsi que membre du conseil d'administration, du comité exécutif et du comité de vérification de Distribution aux consommateurs inc. en 1985.

Élu député libéral dans Verdun en 1985. Ministre délégué à l'Administration et président du Conseil du trésor dans le cabinet Bourassa du 12 décembre 1985 au 23 juin 1988. Ministre des Affaires internationales du 23 juin 1988 au 11 octobre 1989. Ne s'est pas représenté en 1989.

Président du conseil d'administration du Trust Royal, coprésident du conseil d'administration d'Aerospatiale Canada inc. et vice-président du conseil de Métro-Richelieu à compter de 1990. Président du conseil d'administration de la Société de fiducie Banker's Trust. Nommé membre du conseil d'administration de Royal Trusco Limited en 1991. Nommé président du conseil d'administration d'Hydro-Québec International en 1992.

GODBOUT, Alexis
(1799–1887)

Né à Saint-Pierre, île d'Orléans, et baptisé dans la paroisse du même nom, le 1er février 1799, fils de Pierre Godbout et de Marie-Anne Leclerc.

Était marchand dans le quartier Saint-Roch de Québec, à l'époque de son mariage.

Élu député d'Orléans à une élection partielle le 5 février 1834 ; vota pour les Quatre-vingt-douze Résolutions. Réélu en 1834 ; appuya tantôt le parti patriote, tantôt le parti des bureaucrates. Son mandat prit fin avec la suspension de la constitution, le 27 mars 1838.

Nommé registrateur du comté de Dorchester, le 13 septembre 1856, résida à Sainte-Hénédine au moins jusqu'à sa démission, en 1868.

Décédé à Lac-Etchemin, le 22 octobre 1887, à l'âge de 88 ans et 8 mois. Inhumé dans le cimetière de la paroisse Sainte-Germaine, le 24 octobre 1887.

Avait épousé dans la paroisse Saint-Laurent, île d'Orléans, le 23 novembre 1830, Julie Gauvreau, fille de Louis-Claude Gauvreau et de Marie Vincent.

GODBOUT, Arthur
(1872–1932)

Né à Lambton, le 13 décembre 1872, fils de Joseph Godbout, cultivateur, et de Lucie Roy.

A étudié au séminaire de Québec et à l'université Laval à Montréal. Admis au barreau de la province de Québec le 12 juillet 1898. Créé conseil en loi du roi le 6 septembre 1912.

Exerça sa profession d'avocat au cabinet Bouffard et Godbout à Saint-Georges-Est et à Saint-Joseph.

Élu député libéral dans Beauce à l'élection partielle du 31 janvier 1902. Réélu sans opposition en 1904. De nouveau élu en 1908 et 1912, puis sans opposition en 1916 et 1919. Exerça la fonction de whip. Son siège devint vacant lorsqu'il fut nommé juge à la Cour de magistrat du district de Beauce le 18 octobre 1921.

Décédé à Saint-Georges, le 12 mars 1932, à l'âge de 59 ans et 3 mois. Inhumé dans le cimetière de la paroisse Saint-Georges-Ouest, le 16 mars 1932.

Avait épousé à Saint-Georges-Ouest, le 13 mai 1901, Corinne Poulin, fille d'Éphrem Poulin et de Zoé Genest.

Frère de Joseph Godbout, député à la Chambre des communes de 1887 à 1901, puis sénateur de 1901 à 1923.

GODBOUT, Ernest

Né à Québec, le 8 septembre 1912, fils de François-Xavier Godbout, avocat, et de Georgianna Bouret.

Fit ses études aux écoles paroissiales Saint-Cœur-de-Marie et Notre-Dame-du-Chemin à Québec, au collège de Sainte-Anne-de-la-Pocatière, au collège de Lévis, au séminaire de Québec, puis à l'université Laval où il fut reporter et rédacteur en chef de l'*Hebdo Laval*, vice-président de l'Association générale des étudiants en 1936 et président du comité de réception. Admis au barreau de la province de Québec en juillet 1936.

Créé conseil en loi du roi le 11 mars 1948. Exerça sa profession d'avocat à Québec. Conseiller juridique de la ville de Québec. Greffier adjoint à la Cour du recorder de 1938 à 1940. Avocat au contentieux municipal de 1940 à 1973. Participa à la défense civile pendant la Seconde Guerre mondiale. Publia des poèmes, des articles dans quelques journaux et revues, dont *la Concorde*. Journaliste à l'*Événement-Journal* en 1936. Fut président de l'Association des employés civiques de Québec, vice-président du Syndicat des fonctionnaires municipaux de Québec et président du tribunal d'arbitrage pour les chantiers maritimes de la région de Québec au cours de la guerre. Fut officier rapporteur (président d'élection) de 1938 à 1960, commissaire du recensement et directeur de l'enregistrement national dans le comté fédéral de Québec-Est.

Élu député libéral dans Québec-Est en 1962. Ne s'est pas représenté en 1966.

GODBOUT, Eugène
(1857–1943)

Né à Saint-Éloi, le 31 janvier 1857, fils de Jean-Baptiste Godbout, cultivateur, et d'Arthémise Labrie.

Fit ses études à Saint-Éloi. Fut cultivateur et éleveur. Membre des Chevaliers de Colomb.

Élu député libéral dans Témiscouata à l'élection partielle du 22 décembre 1921. Défait en 1923.

Décédé à Saint-Éloi, le 26 mars 1943, à l'âge de 86 ans et 2 mois. Inhumé dans le cimetière de cette paroisse, le 29 mars 1943.

Avait épousé dans sa paroisse natale, le 8 janvier 1878, Marie-Louise Duret, fille d'Eugène Duret, cultivateur, et d'Odile Gauvin.

Père de Joseph-Adélard **Godbout**. Beau-frère de Charles-Alfred **Desjardins**.

GODBOUT, Joseph-Adélard
(1892–1956)

Né à Saint-Éloi, le 24 septembre 1892, fils d'Eugène **Godbout**, cultivateur, et de Marie-Louise Duret.

A étudié au séminaire de Rimouski, à l'école d'agriculture de Sainte-Anne-de-la-Pocatière et au Amherst Agricultural College, dans l'État du Massachusetts.

Professeur à l'École d'agriculture de Sainte-Anne-de-la-Pocatière de 1918 à 1930. Agronome pour le ministère de l'Agriculture dans le comté de L'Islet de 1922 à 1925.

Élu sans opposition député libéral dans L'Islet à l'élection partielle du 13 mai 1929. Réélu en 1931 et 1935. Ministre de l'Agriculture dans le cabinet Taschereau du 27 novembre 1930 au 27 juin 1936. Premier ministre de la province de Québec et président du Conseil exécutif du 11 juin au 26 août 1936. Ministre de l'Agriculture et de la Colonisation du 27 juin au 26 août 1936. Défait en 1936. Confirmé chef du Parti libéral lors d'un congrès tenu le 11 juin 1938. Réélu en 1939. De nouveau premier ministre, président du Conseil exécutif et ministre de l'Agriculture du 8 novembre 1939 au 30 août 1944. Ministre de la Colonisation du 8 novembre 1939 au 5 novembre 1942 et du 12 février 1943 au 30 août 1944. Réélu en 1944. Chef de l'Opposition de 1944 à 1948. Défait en 1948. Nommé sénateur de la division de Montarville le 25 juin 1949.

Titulaire d'un doctorat honoris causa en sciences agricoles de l'université Laval en 1931, en médecine vétérinaire de l'université de Montréal en 1940, et en droit de la McGill University, du Bishop's College et du Massachusetts State College. Nommé professeur honoraire à la faculté d'agriculture de l'université Laval en 1940. Codirecteur de l'Association des éleveurs de Holstein-Friesian. Nommé président de la section Sainte-Anne-de-la-Pocatière de la Société des agronomes canadiens en mars 1929 et de l'Association des techniciens agricoles du Canada en 1933. Membre des Agronomes de l'Est du Québec, du Mount Stephen Club, du Club des journalistes de Québec et des Chevaliers de Colomb. Commandeur de l'ordre du Mérite agricole de la province de Québec et commandeur de l'ordre du Mérite agricole de France.

Décédé à Montréal, le 18 septembre 1956, à l'âge de 63 ans et 11 mois. Inhumé à Frelighsburg, dans le cimetière de la paroisse Saint-François-d'Assise, le 22 septembre 1956.

Avait épousé à L'Islet, le 9 octobre 1923, Dorilda Fortin, fille de Florent Fortin et d'Éliza Lebourdais.

Neveu de Charles-Alfred **Desjardins**.

Bibliographie: Genest, Jean-Guy, *Vie et œuvre d'Adélard Godbout, 1892–1956*, thèse de doctorat (histoire) à l'université Laval, Québec, 1977, 2 vol., 306 et 365 p.

GODEFROY DE TONNANCOUR, Joseph-Marie (1750–1834)

Né à Trois-Rivières, le 15 août 1750, puis baptisé le 16, sous le prénom de Marie-Joseph, dans la paroisse de l'Immaculée-Conception, fils de Louis-Joseph Godefroy de Tonnancour, seigneur et marchand, et de sa seconde femme, Louise Carrerot.

Étudia au petit séminaire de Québec de 1765 à 1771, puis au collège jésuite Louis-le-Grand à Paris et à l'University of Oxford en Angleterre.

Participa en 1775 à la défense du fort Saint-Jean, sur le Richelieu, contre l'invasion américaine; fait prisonnier, fut libéré en 1777. S'installa en 1784 dans la seigneurie de Yamaska, dont il devint propriétaire en 1787. Colonel dans la milice de 1784 à 1831, servit pendant la guerre de 1812. Fut juge de paix. Obtint divers postes de commissaire.

Élu député de Buckingham en 1792; appuya généralement le parti canadien. Ne se serait pas représenté en 1796.

Décédé à Yamaska, le 22 novembre 1834, à l'âge de 84 ans et 3 mois. Inhumé dans le cimetière de l'église Saint-Michel, le 24 novembre 1834.

Avait épousé dans la paroisse Saint-Michel, à Yamaska, le 23 août 1785, Marie-Catherine Pélissier, fille de Pierre Pélissier, dit La Feuillade, et de Marie-Anne Brouillard.

Père de Léonard et de Marie-Joseph **Godefroy de Tonnancour**. Beau-père de Léon **Rousseau**. Beau-frère de Michel-Eustache-Gaspard-Alain **Chartier de Lotbinière**, de Thomas **Coffin**, de Nicolas **Saint-Martin** et de Paul-Roch de **Saint-Ours**.

Bibliographie: *DBC*.

GODEFROY DE TONNANCOUR, Léonard (1793–1867)

Né à Saint-Michel-d'Yamaska (Yamaska) et baptisé dans l'église paroissiale, le 7 novembre 1793, fils de Joseph-Marie **Godefroy de Tonnancour**, seigneur, et de Marie-Catherine Pélissier.

Fit ses études au séminaire de Nicolet de 1806 à 1812.

Travailla à la gestion et à l'exploitation des domaines fonciers de sa famille. En 1834, hérita de son père une partie des seigneuries de Yamaska et de Saint-François, ainsi que des terres dans le canton d'Acton.

Élu député de Yamaska à une élection partielle le 14 août 1832; appuya plutôt le parti patriote et vota pour les Quatre-vingt-douze Résolutions. Réélu en 1834; donna d'abord son appui au parti patriote, puis s'en dissocia. Son mandat prit fin avec la suspension de la constitution, le 27 mars 1838.

Décédé à Saint-Michel-d'Yamaska (Yamaska), le 29 janvier 1867, à l'âge de 73 ans et 2 mois. Inhumé dans le cimetière de la paroisse Saint-Michel, le 1er février 1867.

Avait épousé dans la paroisse Saint-Denis, à Saint-Denis, sur le Richelieu, le 14 septembre 1835, Marguerite Cherrier, fille de Benjamin-Hyacinthe-Martin **Cherrier**, arpenteur, et de Marguerite Richer.

Frère de Marie-Joseph **Godefroy de Tonnancour**. Beau-frère de Léon **Rousseau**.

Bibliographie: *DBC*.

GODEFROY DE TONNANCOUR, Marie-Joseph (1786–1850)

Né à Yamaska, le 5 juin 1786, fils de Joseph-Marie **Godefroy de Tonnancour**, colonel dans la milice, et de Marie-Catherine Pélissier (Pélissier, dit La Feuillade).

Obtint une commission de lieutenant et d'aide-major dans la milice, le 17 avril 1803. Fait lieutenant et adjudant du 1er bataillon de milice de Yamaska en 1812 et promu capitaine le 7 octobre 1813, servit pendant toute la guerre de 1812. Accéda au grade de major le 3 février 1822, et à celui de lieutenant-colonel le 1er juillet 1830. Fut coseigneur de Yamaska, à la suite de la mort de son père en 1834.

Élu député de Trois-Rivières en avril 1820; ne prit part à aucun vote. Ne s'est pas représenté en juillet 1820.

Décédé à Yamaska, le 2 septembre 1850, à l'âge de 64 ans et 2 mois. Inhumé dans l'église paroissiale, le 5 septembre 1850.

Avait épousé dans la paroisse Saint-Michel, à Yamaska, le 24 octobre 1815, sa cousine Marie-Anne Pélissier, dit La Feuillade, fille de Basile Pélissier, dit La Feuillade, et de Marguerite Dugas; puis, dans la paroisse de l'Immaculée-Conception, à Trois-Rivières, le 15 septembre 1835, sa cousine Charlotte Godefroy de Tonnancour, fille de Pierre-André Godefroy de Tonnancour et de Charlotte Henry.

Frère de Léonard **Godefroy de Tonnancour**. Beau-frère de Jean-Olivier **Arcand** et de Léon **Rousseau**.

GODET. V. GAUDET

GODIN, Gérald

Né à Trois-Rivières, le 13 novembre 1938, fils de Paul Godin, médecin, et de Louisa Marceau.

Étudia au Jardin de l'enfance et au séminaire Saint-Joseph à Trois-Rivières. Fit un stage d'initiation théâtrale au Théâtre des Nations à Paris en 1962.

Comme journaliste, il travailla successivement au *Nouvelliste* de Trois-Rivières de 1959 à 1961, au *Nouveau Journal* de Montréal en 1961 et 1962, de nouveau au *Nouvelliste* en 1962 et 1963, à Radio-Canada de 1963 à 1969, à l'Office national du film (ONF) en 1969 et à *Québec-Presse* de 1969 à 1974, où il occupa également le poste de directeur général pendant un an. Chargé de cours en journalisme à l'université de Montréal en 1975, puis à l'université du Québec à Montréal en 1975 et 1976. Écrivain résident à l'université d'Ottawa au département des lettres françaises en 1976. Professeur permanent à l'université du Québec à Montréal en 1976 et 1977.

Directeur de l'Association coopérative des éditions Parti pris de 1963 à 1976. De 1966 à 1976, il fut collaborateur au magazine *Maclean*, au quotidien *la Presse* ainsi qu'aux revues *Liberté*, *Maintenant*, *Parti pris* et *Canadian Forum*. Fut emprisonné en 1970, en vertu de la Loi sur les mesures de guerre. Poète, il publia plusieurs recueils à compter de 1960, dont une rétrospective de son œuvre, intitulée *Ils ne demandaient qu'à brûler* (1987), qui a reçu le prix de la ville de Montréal et le prix Québec-Paris. A publié également un roman, *l'Ange exterminé* (1990). Récipiendaire du prix Duvernay de la Société Saint-Jean-Baptiste de Montréal en 1987. Décoré officier du Mérite national français le 23 février 1988.

Secrétaire général de la Société Saint-Jean-Baptiste de Montréal de mars 1975 à mai 1976, et premier vice-président de cet organisme de mars à novembre 1976. Fut directeur de la compagnie d'assurance mutuelle Économie en 1976. Fut membre du Syndicat des journalistes, du conseil d'administration de la Société de presse (SODEP) et du conseil d'administration de l'Association des éditeurs canadiens. Secrétaire et recherchiste au Tribunal de la culture en 1976.

Élu député du Parti québécois dans Mercier en 1976. Adjoint parlementaire du ministre des Affaires culturelles du 17 mai au 18 octobre 1979 et adjoint parlementaire du ministre de la Justice du 18 octobre 1979 au 6 novembre 1980. Ministre de l'Immigration dans le cabinet Lévesque du 6 novembre 1980 au 30 avril 1981. Réélu en 1981. Ministre des Communautés culturelles et de l'Immigration du 30 avril 1981 au 25 septembre 1984. Ministre d'État par intérim au Développement culturel et scientifique du 17 février au 9 septembre 1982. Ministre délégué aux Affaires linguistiques du 25 septembre au 20 décembre 1984. De nouveau ministre des Communautés culturelles et de l'Immigration dans les cabinets Lévesque et Johnson (Pierre Marc) du 20 décembre 1984 au 16 octobre 1985. Ministre des Affaires culturelles dans le cabinet Johnson (Pierre Marc) du 16 octobre au 12 décembre 1985. Réélu en 1985 et 1989.

Bibliographie: Arguin, Maurice, *La société québécoise et sa langue jugée par cinq écrivains du «Parti pris»*, thèse (D.S.E.) à l'université Laval, Québec, 1976. 191 p.

GOLDBLOOM, Victor Charles

Né à Montréal, le 31 juillet 1923, fils d'Alton Goldbloom, pédiatre, et d'Annie Ballon.

A étudié dans une école privée, à l'école Selwyn House, au Lower Canada College et à la McGill University à Montréal, où il obtint son diplôme de médecine en 1945. Il fit un stage dans les hôpitaux universitaires McGill et Columbia à New York. Servit dans l'armée canadienne de 1944 à 1946. Diplômé en pédiatrie en 1950.

Professeur de pédiatrie, de sociologie et d'économie de la médecine à la McGill University de 1950 à 1970. Président du comité sur l'économie médicale à l'Association des pédiatres de la province de Québec, à l'Association médicale de la province de Québec et à l'Association médicale canadienne. Vice-président du Collège des médecins et chirurgiens de la province de Québec de 1962 à 1966. Consultant à l'Agence de bien-être de l'enfance et d'adoption de la communauté juive de Montréal, à l'Association canadienne des ergothérapeutes et à l'Association canadienne des physiothérapeutes. Président du conseil de la Corporation hospitalière Mont Sinaï à compter de juin 1987. Président du comité de coordination des établissements publics juifs, des services communautaires juifs et président du comité des relations communautaires, région du Québec, du Congrès juif canadien. Titulaire d'un doctorat honorifique en droit de l'University of Toronto en 1990. Nommé officier de l'ordre du Canada le 11 avril 1984 et de l'ordre du Québec le 24 janvier 1991.

Élu député libéral dans D'Arcy-McGee en 1966. Réélu en 1970. Assermenté ministre sans portefeuille dans le cabinet Bourassa le 12 mai 1970. Réélu en 1973. Ministre des Affaires municipales du 21 février au 13 novembre 1973, puis ministre des Affaires municipales et de l'Environnement du 13 novembre 1973 au 26 novembre 1976. Réélu en 1976. Démissionna comme député le 16 octobre 1979.

Nommé président du Conseil canadien des chrétiens et des juifs en 1979. Président international de cet organisme en 1982. Président du Bureau des audiences publiques sur l'environnement (BAPE) du 1er septembre 1987 au 15 janvier 1990. Directeur général du Fonds de la recherche en santé du Québec à compter du 15 janvier 1990. Nommé commissaire aux langues officielles le 20 juin 1991.

GOODHUE, Charles Frederick Henry
(≈1785– ≈1840)

Né vers 1785, à Putney, au Vermont, fils de Josiah Goodhue, médecin, et de Rachel Burr.

En 1819, habitait Sherbrooke, où il mit sur pied une manufacture de haches. Entrepreneur agricole, exploita la plus grande partie des propriétés de William Bowman **Felton**. Également propriétaire foncier. Désigné comme juge de paix en mars 1814. Nommé registrateur du comté de Sherbrooke en mai ou en juin 1830, démissionna le 14 mars 1837. Obtint d'autres postes de commissaire.

Élu député de Sherbrooke en 1830; appuya généralement le parti patriote jusqu'au mois de février 1832, puis donna son appui au parti des bureaucrates et vota contre les Quatre-vingt-douze Résolutions. Ne s'est pas représenté en 1834. Refusa, le 7 avril 1838, de faire partie du Conseil spécial.

Décédé à Chicago, vers 1840.

On ne sait pas s'il était célibataire ou marié.

Frère de George Jervis Goodhue, conseiller législatif du Haut-Canada.

GOSFORD, comte de. V. ACHESON

GOSSELIN, Claude-Gilles

Né à East Angus, le 12 mars 1924, fils de Stanislas Gosselin, marchand, et d'Yvonne Touchette.

Fit ses études au couvent des Sœurs des Saints-Noms de Jésus et de Marie, au collège Saint-Louis-de-France à East Angus, puis à l'École des arts et métiers de Sherbrooke où il obtint son diplôme. Fit son service militaire dans l'aviation canadienne en 1942 et 1943.

Commerçant d'animaux de 1944 à 1960. Propriétaire d'une ferme d'élevage à East Angus et distributeur de viande en gros.

Élu député de l'Union nationale dans Compton à l'élection partielle du 18 novembre 1957. Réélu en 1960, 1962 et 1966. Ministre des Terres et Forêts dans les cabinets Johnson et Bertrand du 16 juin 1966 au 12 mai 1970. Défait en 1970. Candidat progressiste-conservateur défait dans Mégantic-Compton-Stanstead aux élections fédérales de 1979.

Membre des conseils d'administration des compagnies Rexfor de 1970 à 1980, Tembec de 1973 à 1978, Nitec de 1974 à 1976 et Intrafor de 1976 à 1978. Vice-président exécutif de Samoco de 1976 à 1980. Retraité depuis 1981.

Président de l'Association des parents et maîtres du collège de Sherbrooke. Membre de l'Association des producteurs agricoles, de la Canadian Pulp and Paper Association, de l'Association du commerce d'East Angus, de la Compton County Historical and Museum Society, de la Légion canadienne, du Club social de Sherbrooke et des Chevaliers de Colomb. Président de la Corporation des résidents du Lac Miroir de 1980 à 1981.

GOSSELIN, François
(1837–1909)

Né à Saint-Athanase, près d'Iberville, le 13 novembre 1837, fils de François Gosselin, cultivateur, et d'Onésime Nadeau.

Étudia à l'école élémentaire de Saint-Athanase.

Marchand et agriculteur à Saint-Alexandre. Occupa la fonction de président de la Banque de Saint-Jean.

Maire de Saint-Alexandre de 1862 à 1865. Commissaire d'école à Saint-Alexandre. Élu député libéral dans Iberville en 1890. Réélu en 1892, 1897, 1900 et 1904. Son siège devint vacant lorsqu'il fut nommé conseiller législatif de la division de Rougemont le 17 janvier 1906.

Décédé en fonction à Saint-Alexandre, le 9 avril 1909, à l'âge de 71 ans et 5 mois. Inhumé dans le cimetière de cette paroisse, le 12 avril 1909.

Avait épousé à Henryville, le 11 février 1861, Mélanie Manie, fille d'Antoine Manie et de Flavie Lanoue.

Frère de Joseph-Jean-Baptiste **Gosselin**.

GOSSELIN, Gérard

Né à Saint-Just-de-Bretenières, le 1er février 1945, fils de Vital Gosselin, ouvrier, et de Présilda Bélanger.

A étudié à Lac-Frontière, au séminaire de Sherbrooke et à l'université de Sherbrooke. Diplômé en sciences religieuses et licencié en enseignement secondaire.

Professeur à l'externat classique de Magog de 1966 à 1968, à l'école Albert-L'Heureux à Coaticook en 1968 et 1969, à l'école LeBer à Sherbrooke en 1970 et 1971 et à la polyvalente Sacré-Cœur à Granby en 1971. Organisateur communautaire. Directeur du Carrefour de cultures populaires à Sherbrooke de 1973 à 1975. Journaliste à la pige pour les médias régionaux de 1967 à 1975. Membre fondateur et président de la Coopérative funéraire de l'Estrie. Membre du conseil d'administration du Centre communautaire juridique de l'Estrie. Membre d'OXFAM et de SUCO.

Membre fondateur du Mouvement souveraineté-association. Élu député du Parti québécois dans Sherbrooke en 1976. Défait à la convention de son parti. Ne s'est pas représenté en 1981.

GOSSELIN, Henri-A.
(1888–1952)

[Né à Lee, dans l'État du Massachusetts, le 6 décembre 1888, fils de Pierre Gosselin, cultivateur, et d'Emma Barbeau.]

Fit ses études à Lawrenceville et au collège de Sherbrooke.

Contrôleur et télégraphiste au Canadien Pacifique et cultivateur à Farnham. Propriétaire d'une ferme à Lawrenceville. Membre de l'Association des télégraphistes des chemins de fer nationaux. Directeur de la Chambre de commerce de Farnham de 1928 à 1938. Gouverneur et directeur de l'hôpital Perkins à Cowansville. Membre du Club de réforme de Montréal et des Chevaliers de Colomb.

Commissaire d'école à Farnham de 1923 à 1940. Échevin de Farnham de 1924 à 1927, puis maire de 1932 à 1938. Maire de Lawrenceville en 1927. Élu député libéral dans Missisquoi en 1939. Réélu en 1944. Défait en 1948. Élu député libéral à la Chambre des communes dans Brome-Missisquoi en 1949.

Décédé en fonction à Montréal, le 27 janvier 1952, à l'âge de 63 ans et un mois. Inhumé dans le cimetière de Lawrenceville, le 30 janvier 1952.

[Avait épousé à Saint-Jean, le 3 février 1914, Alda Beaudry, fille de Moïse Beaudry, mécanicien.]

GOSSELIN, Joseph-Jean-Baptiste
(1848–1929)

Né à Saint-Athanase, près d'Iberville, le 22 novembre 1848, fils de François Gosselin, cultivateur, et d'Onésime Nadeau.

Fit ses études à l'école paroissiale de Saint-Alexandre.

En 1886, il s'établit à Notre-Dame-de-Stanbridge, où il fut propriétaire d'un magasin général pendant vingt ans et de plusieurs fermes. Propriétaire d'une filature. S'occupa aussi du commerce d'exportation de foin. Membre du Club de réforme de Montréal.

Président de la commission scolaire, membre du conseil municipal et maire de Notre-Dame-de-Stanbridge. Élu député libéral dans Missisquoi en 1900. Réélu sans opposition en 1904. De nouveau élu en 1908, en 1912 et sans opposition en 1916. Son siège devint vacant lorsqu'il fut nommé conseiller législatif de la division de Bedford le 20 janvier 1919.

Décédé en fonction à Notre-Dame-de-Stanbridge, le 16 mai 1929, à l'âge de 80 ans et 5 mois. Inhumé dans le cimetière de cette paroisse, le 20 mai 1929.

Avait épousé à Saint-Alexandre, le 3 octobre 1878, Rose-de-Lima Gauthier, fille d'Antoine Gauthier et de Marie Dalphé.

Frère de François **Gosselin**.

GOSSELIN, Louis-Honoré
(<1851– ≥1881)

Marchand à Matane vers 1863. Marchand à Petite-Matane de 1869 à 1875. S'occupa également de l'exploitation de la pêche à la morue à Gros-Morne, aux Capucins et à l'Anse-à-la-Croix. Fondateur et directeur de la compagnie d'assurances La Rimouski.

Élu député conservateur dans Rimouski en 1871. Démissionna le 29 mars 1872. Exerça le métier de garde-forestier à partir de 1875. Gérant de la Compagnie d'assurances mutuelles contre le feu des comtés de Rimouski, Témiscouata et Kamouraska en 1877.

GOSSET, John
(<1810– ≥1832)

Neveu du Jersiais Philip Robin, qui dirigea, à compter de 1824, la Charles Robin and Company, entreprise engagée dans le commerce de la pêche en Gaspésie.

Nommé magistrat à Pasbébiac le 31 décembre 1831.

Élu député de Bonaventure en 1830, ne prit part à aucun vote et démissionna le 15 novembre 1832. Défait à une élection partielle le 12 décembre 1832.

Décédé en ou après 1832.

On ne sait pas s'il était célibataire ou marié.

GOUDREAU, Albert
(1887–1962)

Né à Wotton, le 4 février 1887, fils d'Honoré Goudreau, cultivateur, et de Victoria Corbeil.

Fit ses études à l'école rurale de Wotton et fut cultivateur dans le canton de Windsor de 1913 à 1920. Contremaître à la Canada Paper Co. de Windsor Mills de 1920 à 1927. En 1927, il s'établit à Asbestos où il fut entrepreneur et menuisier-charpentier. Président-fondateur du Syndicat des ouvriers d'Asbestos en 1934 et de la Société Saint-Jean-Baptiste d'Asbestos en 1938. Administrateur et fondateur de la caisse populaire d'Asbestos. Membre du comité de la défense nationale lors du plébiscite sur la conscription. Membre des Chevaliers de Colomb et de la Ligue du Sacré-Cœur.

Conseiller municipal du canton de Windsor de 1916 à 1918. Échevin de la ville d'Asbestos de 1933 à 1944, puis maire de 1945 à 1950. Élu député conservateur dans Richmond en 1935. Élu sous la bannière de l'Union nationale en 1936. Défait en 1939. Réélu en 1944 et 1948. Défait de nouveau en 1952.

S'établit à Sherbrooke où il devint inspecteur des bâtiments de 1953 à 1957. Revint à Asbestos en 1958.

Décédé à Sherbrooke, le 12 octobre 1962, à l'âge de 75 ans et 8 mois. Inhumé à Asbestos, dans le cimetière de la paroisse Saint-Aimé, le 16 octobre 1962.

Avait épousé dans sa paroisse natale, le 20 juin 1908, Amanda Lefebvre, fille de Louis Lefebvre, cultivateur, et de Virginie Guimond.

GOUIN, Antoine-Némèse
(1821–1899)

Né à Sainte-Anne-de-la-Pérade et baptisé dans la paroisse Sainte-Anne, le 25 février 1821, sous le prénom d'Antoine, fils de Charles Gouin, maître de poste, et de Marguerite Richer-Laflèche.

Étudia au séminaire de Saint-Hyacinthe de 1832 ou 1833 à 1839, et par la suite fit l'apprentissage du droit dans le cabinet de Côme-Séraphin **Cherrier** (Montréal), à Montréal. Admis au barreau le 16 janvier 1844.

Exerça sa profession à Montréal pendant deux ans, puis à Sorel, où ses parents s'étaient établis en 1825. Fit partie de la Société des amis, fondée à Montréal en 1842.

Élu député de Richelieu en 1851; mis sous la garde du sergent d'armes le 11 juin 1853 pour absence injustifiée, fut libéré après avoir fourni des explications. Réformiste. Ne se serait pas représenté en 1854.

Nommé, le 18 mai 1858, protonotaire de la Cour supérieure à Sorel, greffier de la couronne et de la paix, ainsi que greffier de la Cour de circuit pour le district de Richelieu.

Décédé à Sorel, le 10 juin 1899, à l'âge de 78 ans et 3 mois. Inhumé dans le cimetière de la paroisse Saint-Pierre, le 13 juin 1899.

Avait épousé dans la paroisse Saint-Pierre, à Sorel, le 18 mars 1863, Adèle-Catherine Penton, née à Calais, en France, d'un père anglais et d'une mère française, et veuve de James Lane, sous-commissaire général de l'armée britannique.

Oncle de Lomer **Gouin**.

GOUIN, Lomer
(1861–1929)

Né à Grondines, le 19 mars 1861, fils de Joseph-Nérée Gouin, médecin, et de Séraphine Fugère.

Fit ses études au collège de Sorel, au collège de Lévis et à l'université Laval à Montréal. Fit sa cléricature auprès de Me Toussaint-Antoine-Rodolphe Laflamme, député à la Chambre des communes de 1872 à 1878, et de Me John Joseph Caldwell **Abbott**. Admis au barreau de la province de Québec le 2 avril 1884. Créé conseil en loi de la reine le 9 juin 1899. Docteur en lettres honoris causa en 1902. Docteur en droit honoris causa du Bishop's College en 1913 et des universités McGill en 1911, Toronto en 1915 et Queen's en 1921.

Exerça sa profession avec S. Pagnuelo, Louis-Olivier **Taillon**, Raymond **Préfontaine**, Joseph-Émery **Robidoux**, E.N. Saint-Jean, Honoré **Mercier** (père), E. Brassard, Jérémie-Louis **Décarie**, D. Murphy, Louis-Philippe **Bérard** et Rodolphe Lemieux, député à la Chambre des communes de 1896 à 1930, puis sénateur de 1930 à 1937. Comme avocat, il représenta également plusieurs compagnies ferroviaires, notamment le Grand Tronc, Montreal and Champlain Railway, Beauharnois Railway, Chateauguay Northern Railway et Montreal Terminal Railway. Bâtonnier général du barreau de la province de Québec en 1910 et 1911.

Fut directeur ou administrateur des établissements et compagnies suivants: Assurance Mont-Royal, Banque d'épargne de la cité et du district de Montréal, Banque de Montréal, Crédit foncier, Royal Trust Co., Shawinigan Water and Power Co., Laurentide Paper Co., Lake of the Woods Milling Co., St. Maurice Power, Royal Exchange Insurance, National City Co., Mutual Life Insurance, Montreal Light, Heat and Power Co., Canada Insurance, Canadian International Paper Co. et Title Guarantee and Trust Corp. Membre du bureau de contrôle de la Banque Provinciale du Canada.

Directeur politique du journal *la Presse* d'août à décembre 1920. Nommé membre du Conseil de l'instruction publique de la province de Québec le 10 mai 1898 et président du conseil d'administration de l'université de Montréal en 1920. A publié : *Code municipal de la province de Québec* (1890), *le Remaniement des subsides fédéraux des provinces* (1903) et *Discours prononcés par l'honorable Lomer Gouin à l'Assemblée législative de Québec* (1904).

Échevin du quartier Est au conseil municipal de Montréal de février à novembre 1900. Candidat libéral défait dans Richelieu aux élections fédérales de 1891. Élu député libéral à l'Assemblée législative dans Montréal n° 2 en 1897. Réélu sans opposition en 1900 et 1904. Commissaire des Travaux publics dans le cabinet Parent du 3 octobre 1900 au 2 juillet 1901, date de sa nomination comme ministre de la Colonisation et des Travaux publics. Avec deux de ses collègues, Adélard Turgeon et William Alexander **Weir**, il démissionna du cabinet Parent le 3 février 1905. Son siège devint vacant à la suite de son accession au Conseil exécutif. Réélu à l'élection partielle du 10 avril 1905. Élu dans la circonscription de Portneuf et défait dans Montréal n° 2 aux élections de 1908. Élu simultanément dans Portneuf et Saint-Jean en 1912. Résigna son siège de député de Saint-Jean le 14 novembre 1912. Réélu sans opposition dans Portneuf en 1916 et 1919. Premier ministre de la province de Québec et président du Conseil exécutif du 23 mars 1905 au 8 juillet 1920, date de sa démission comme premier ministre. Procureur général du 23 mars 1905 au 25 août 1919. Ministre de la Colonisation, des Mines et des Pêcheries du 30 septembre au 17 octobre 1907. Son siège devint vacant lors de sa nomination comme conseiller législatif de la division de Salaberry le 22 juillet 1920, il n'a jamais siégé. Démissionna le 20 octobre 1921. Élu député libéral à la Chambre des communes dans Laurier-Outremont aux élections de 1921. Nommé membre du Conseil privé le 29 décembre 1921. Réélu à l'élection partielle du 19 janvier 1922 à la suite de sa nomination comme ministre. Ministre de la Justice dans le cabinet King du 29 décembre 1921 au 3 janvier 1924. Ne s'est pas représenté en 1925. Nommé lieutenant-gouverneur de la province de Québec le 10 janvier 1929. Il occupa cette fonction jusqu'à son décès.

Président du Club national en 1889 et 1890 et de la North American Fish and Game Protective Association. Membre du Club de la garnison de Québec, du Club Saint-Denis, du Club canadien et du Club de réforme de Montréal. Créé officier de l'Instruction publique de France en 1902, chevalier de la Légion d'honneur de France en 1907, chevalier par le roi Édouard VII en 1908, grand officier de l'ordre de Léopold de Belgique en 1912, commandeur de l'ordre de Saint-Michel et Saint-George en 1913 et commandeur de l'ordre de la Couronne de Belgique en 1920.

Décédé en fonction à Québec, le 28 mars 1929, à l'âge de 68 ans et 11 mois. Inhumé à Montréal, dans le cimetière Notre-Dame-des-Neiges, le 1er avril 1929.

Avait épousé à Montréal, dans la paroisse Saint-Jacques, le 24 mai 1888, Éliza Mercier, fille d'Honoré **Mercier** (père), avocat, et de Léopoldine Boivin ; puis, dans la cathédrale de Montréal, le 19 septembre 1911, Alice Amos, fille d'Auguste Amos, industriel, et de Marie-Louise Boyer.

Père de Paul **Gouin** et de Léon Mercier Gouin, sénateur de 1940 à 1976. Beau-frère de Gaspard **Fauteux**.

Bibliographie : Dutil, P.A., «The politics of progressivism in Quebec : the Gouin ‹Coup› revisited», *CHR*, 59, 4 (1988), p. 441-465. Gouin, Jacques, *Sir Lomer Gouin 1861–1929*, Montréal-Nord, Éditions Marie-France, 1981, 45 p.

GOUIN, Louis (1756–1814)

Né à Sainte-Anne-de-la-Pérade, le 27 décembre 1756, puis baptisé le 28, dans la paroisse Sainte-Anne, sous le prénom de Louis-Joseph, fils de Louis Gouin, cultivateur engagé également dans la traite des fourrures, et de Marie-Thérèse Lanouette (Rivard-Lanouette).

Était capitaine dans la milice en 1781 ; accéda plus tard au grade de major dans la division de Trois-Rivières. En 1789, s'installa comme marchand à Baie-du-Febvre. Fut propriétaire du moulin de la commune, d'octobre 1800 à septembre 1802. Fit l'acquisition de la seigneurie de Courval en janvier 1804, puis d'une partie de la seigneurie de Saint-François en janvier 1806. Nommé commissaire d'école à Baie-du-Febvre, le 7 août 1809.

Élu député de Buckingham en 1800 ; participa à peu de votes et appuya tantôt le parti canadien, tantôt le parti des bureaucrates. Ne se serait pas représenté en 1804.

Décédé à Baie-du-Febvre, le 1er septembre 1814, à l'âge de 57 ans et 8 mois. Inhumé dans l'église Saint-Antoine-de-Padoue, le 3 septembre 1814.

Avait épousé dans sa paroisse natale, le 19 août 1776, sa cousine Marie-Élisabeth Gouin, fille de Joachim Gouin et d'Élisabeth Rivard ; puis, au même endroit, le 17 avril 1780, Catherine Rousseau, fille de Louis Rousseau, marchand de la paroisse Saint-Charles, à Grondines, et de Marie-Joseph Chabot.

GOUIN, Paul
(1898–1976)

Né à Montréal, dans la paroisse Saint-Jacques, le 20 mai 1898, fils de Lomer **Gouin**, avocat, et d'Éliza Mercier.

Fit ses études au Jardin de l'enfance à Montréal, au séminaire de Québec, à l'université Laval à Québec et à l'université de Montréal. Admis au barreau de la province de Québec le 30 août 1920. Fut lieutenant d'un régiment de chars d'assaut en Angleterre durant la Première Guerre mondiale.

Membre du cabinet des avocats Beaulieu et Gouin, puis du cabinet Cormier, Gouin et Demers. Président et directeur-gérant de la maison d'édition Louis Carrier et Cᵢᵉ ltée.

Un des fondateurs de l'Action libérale nationale, fondée le 6 juin 1934, qui s'allia par la suite avec les conservateurs de Maurice Duplessis. Cofondateur et directeur de l'hebdomadaire *la Province* de 1935 à 1938. Élu député de l'Action libérale nationale dans L'Assomption en 1935. Retira son appui à Maurice Duplessis le 18 juin 1936, et ne se présenta pas aux élections tenues la même année. Choisi chef de l'Action libérale nationale le 24 juillet 1938. Candidat de l'Action libérale nationale défait dans Montréal-Mercier en 1939. Cofondateur du Bloc populaire en 1942. Candidat national indépendant défait dans L'Assomption en 1944.

Propriétaire du magasin d'artisanat Beaumanoir à Montréal en 1946. Récipiendaire d'un doctorat honoris causa en lettres de l'université Laval en 1951. Membre du Conseil de la vie française en Amérique de 1951 à 1975 et président de 1955 à 1961. Conseiller technique en matière culturelle auprès du Conseil exécutif de la province de Québec. Président du Festival de Montréal et de la Société des festivals de Montréal en 1952. Officier de l'ordre académique Honneur et Mérite de la Société du bon parler français en 1953. Président de la Commission des monuments historiques de la province de Québec de 1955 à 1968. Membre du Cercle universitaire et du Club de réforme. Cofondateur de la revue *Vie des arts*. A publié notamment *Médailles anciennes* (1927), *Servir* (1938), *Manifeste de l'Action libérale nationale* (1936) et *Que devons-nous attendre du Bloc* (1943).

Décédé à Montréal, le 4 décembre 1976, à l'âge de 78 ans et 7 mois. Inhumé à Montréal, dans le cimetière Notre-Dame-des-Neiges, le 8 décembre 1976.

Avait épousé à Princeville, dans la paroisse Saint-Eusèbe, le 12 octobre 1922, Gabrielle Garneau, fille de Pierre-Ulric Garneau, médecin, et de Dorilla Brunelle.

Bibliographie: Ferland, Philippe, *Paul Gouin*, Montréal, Guérin, 1991, 604 p. Gosselin, Paul-É., «Feu Paul Gouin», *Vie française*, 31, 4-5-6 (décembre 1976 et janvier-février 1977), p. 43-35. Verrette, Adrien, «Hommages [...]. Paul Gouin, 1898-1976», *Vie française*, 31, 10-11-12 (juin-juillet-août 1977), p. 122-127.

GOULET, Bertrand

Né à Saints-Gervais-et-Protais, le 20 novembre 1944, fils de François Goulet, commerçant, et d'Antonia Fortin.

A étudié au collège de Saints-Gervais-et-Protais, au collège de Lévis, à l'Institut de technologie de Lauzon, à l'École nationale d'enseignement technique (ENET) et à l'École d'architecture navale à Québec. Titulaire d'un diplôme de l'ENET et d'un brevet d'enseignement spécialisé.

Professeur de dessin industriel à la commission scolaire régionale Chauveau. Propriétaire d'Unico enr. Fut président de l'Association des enseignants de l'école normale de Rivière-du-Loup et vice-président du Toastmaster Club.

Élu député de l'Union nationale dans Bellechasse en 1976. Nommé whip de son parti le 23 janvier 1980. Défait en 1981. Directeur général de l'Union nationale de février 1977 à juillet 1978.

Commissaire industriel de la Corporation industrielle Laporte de 1981 à 1986 et du Conseil de développement économique Chaudière-Laporte de 1986 à 1988. Directeur de la direction du développement économique de la ville de Charlesbourg à compter du 8 août 1988. Fut nommé commissaire industriel de l'année en 1987.

GOULET, Paul-Oliva
(1901–1972)

Né à Notre-Dame-des-Bois, le 24 mars 1901, fils de Théophile Goulet, cultivateur, et d'Adéline Gobeil.

A étudié à l'école primaire de Saint-Édouard-de-Fabre, au Témiscamingue, et à l'École de laiterie de Saint-Hyacinthe.

Travailla d'abord comme cuisinier sur un bateau. Propriétaire d'un magasin général à Saint-Édouard-de-Fabre à partir de 1925. Commerçant de bois, entrepreneur forestier et marchand de foin. Fut aussi chef de gare et maître de poste.

Commissaire d'école à Saint-Édouard-de-Fabre du 6 juillet 1931 au 5 juin 1955. Maire de cette municipalité de janvier 1935 à mai 1955. Candidat libéral défait dans Témiscamingue en 1936. Élu député libéral dans la même circonscription en 1939. Défait en 1944 et 1948. Réélu en 1952. Défait de nouveau en 1956. Candidat libéral défait dans Pontiac-Témiscamingue aux élections fédérales de 1962 et de 1963.

Gérant du bureau du Centre de main-d'œuvre du Québec à Ville-Marie, du 14 octobre 1964 jusqu'en 1972. Directeur de la station radiophonique Radio-Témiscamingue à Ville-Marie.

Décédé à Québec, le 25 avril 1972, à l'âge de 71 ans et un mois. Inhumé dans le cimetière de Saint-Édouard-de-Fabre, le 29 avril 1972.

Avait épousé à Saint-Édouard-de-Fabre, le 25 mai 1921, Laura Pellerin, fille de Désiré Pellerin, cultivateur, et d'Éléonore Dorval.

GOYETTE, Odilon
(1842–1921)

Né à Saint-Constant, le 3 novembre 1842, fils de Joseph Goyette, sculpteur, et d'Henriette Delorier.

Fut cultivateur à Saint-Constant.

Maire et conseiller municipal de Saint-Constant. Élu député national dans Laprairie à l'élection partielle du 30 juillet 1887. Son élection fut annulée par la Cour supérieure le 3 janvier 1889. Réélu à l'élection partielle du 24 janvier 1889. Ne s'est pas représenté en 1890.

Décédé à Saint-Constant, le 5 septembre 1921, à l'âge de 78 ans et 10 mois. Inhumé à Saint-Constant, le 8 septembre 1921.

Il était célibataire.

GRANDCHAMP. V. CORNELLIER

GRANNIS, John
(<1814– ≥1836)

Fils d'Américains de Claremont, au New Hampshire.

Compta parmi les pionniers du village de Charleston, dans les Cantons-de-l'Est, appelé aussi East Hatley (Hatley) et érigé officiellement en 1818. S'occupa notamment d'agriculture. En 1829, participa à la fondation de la Charleston Academy, dont il fut l'un des administrateurs.

Élu député de Stanstead en 1834; appuya généralement le parti patriote. Démissionna le 17 octobre 1836, à cause de son intention de quitter définitivement la province.

Décédé en ou après 1836.

Avait épousé une prénommée Roxanna, décédée à Hatley le 16 février 1834.

Bibliographie: Pellerin, Maude Gage, *The story of Hatley*, Hatley, 1967, p. 59-60.

GRANT, Charles William
(1782–1848)

Né à Québec et baptisé dans l'église anglicane, le 4 février 1782, fils de David Alexander Grant, capitaine dans le 84th Foot (fut aussi administrateur et coseigneur), et de Marie-Charles-Joseph Le Moyne de Longueuil, baronne de Longueuil.

En 1804, acheta à William **Grant** (dont il était à la fois le petit-neveu et le petit-fils par alliance) une partie des exploitations d'une entreprise de pêche et de chasse sur la côte du Labrador. Servit pendant la guerre de 1812 en qualité de lieutenant-colonel du bataillon de milice de Boucherville et d'officier de l'état-major; fait prisonnier par les Américains le 8 décembre 1813, fut gardé comme otage à Worcester, au Massachusetts. Avait reçu une commission de juge de paix pour les districts de Québec, Montréal et Trois-Rivières, en mars 1813. Fut vice-président de la Société d'école anglaise et canadienne de Montréal, mise sur pied en 1822. Affecté au commandement du 1er bataillon de milice de la ville et du comté de Montréal, le 17 avril 1830. À la mort de sa mère en 1841, hérita du titre de baron de Longueuil.

Nommé conseiller législatif le 21 décembre 1811, occupa son siège jusqu'à la suspension de la constitution, le 27 mars 1838.

Décédé à sa résidence d'Alwington House, près de Kingston, au Haut-Canada, le 5 juillet 1848, à l'âge de 66 ans et 5 mois.

Avait épousé dans la cathédrale anglicane Holy Trinity, à Québec, le 21 mai 1814, Caroline Coffin, fille de John Coffin, colonel du 104th Foot (New Brunswick Regiment of Fencible Infantry).

Beau-frère de Charles-Nicolas-Fortuné de **Montenach**.

GRANT, William
(1744–1805)

Né à Blairfindy, en Écosse, le 15 juin 1744, fils de William Grant, laird, et de Jean Tyrie.

En 1759, fut envoyé comme représentant de la compagnie britannique Alexander, Robert and William Grant à Québec, où il s'établit. Fit du commerce de gros touchant, entre autres, à l'approvisionnement en marchandises, blé et farine, à la traite des fourrures et à la pêche. Investit dans la propriété foncière, incluant des seigneuries et des cantons, plus particulièrement dans les régions de Québec et de Montréal, et dans le bas Saint-Laurent. Engagé dans la spéculation et le prêt. Exploita des moulins, une flotte de goélettes, des distilleries. Fut associé notamment à Thomas **Dunn**. Pendant l'invasion américaine de 1775–1776, participa à la défense de Québec. Obtint divers postes de commissaire. En 1805, fut nommé maître adjoint de la Maison de la Trinité de Québec.

Conseiller législatif de 1777 à 1791. Receveur général adjoint d'avril 1777 à août 1784. Élu député de la Haute-Ville de Québec en 1792. Réélu en 1796. Défait en 1800. Élu dans la Haute-Ville de Québec en 1804. Appuya généralement le parti des bureaucrates pendant ses trois mandats.

Membre fondateur en 1789 de la Société bienveillante de Québec et de la Société d'agriculture ; fut administrateur de cette dernière. Administrateur de la bibliothèque de Québec. Organisateur et président du Club constitutionnel en 1792. Franc-maçon, fut grand maître adjoint de l'ordre des Moderns en 1794.

Décédé en fonction à Québec, le 5 octobre 1805, à l'âge de 61 ans et 3 mois. Les obsèques eurent lieu dans la cathédrale anglicane Holy Trinity de Québec, le 8 octobre 1805.

Avait épousé, à Montréal, Marie-Anne-Catherine Fleury Deschambault, veuve du seigneur Charles-Jacques Le Moyne de Longueuil : ils furent mariés secrètement par le supérieur des jésuites, avec une dispense spéciale du gouverneur, et publiquement, le 11 septembre 1770, par le ministre de l'église anglicane de Montréal.

Grand-oncle et grand-père par alliance de Charles William **Grant**. Oncle par alliance de John **Richardson**.

Bibliographie : *DBC.*

GRANT, William-Pierre
(1872–1943)

Né dans la paroisse Saint-François-Xavier-de-Chicoutimi, le 3 juin 1872, fils de William Grant, marchand et négociant, et d'Emma Caron.

Fit ses études au séminaire de Chicoutimi et à l'académie La Salle à Trois-Rivières.

D'abord commis à Trois-Rivières au service de la St. Maurice Lumber, devenue plus tard l'International Paper Co. Nommé gérant de cette compagnie à Batiscan en 1911.

Élu député libéral dans Champlain à l'élection partielle du 30 novembre 1925. Réélu en 1927 et en 1931. Ne s'est pas représenté en 1935. Nommé registrateur du comté de Champlain le 2 novembre 1935, fonction qu'il occupa jusqu'à son décès.

Décédé à Batiscan, le 25 août 1943, à l'âge de 71 ans et 2 mois. Inhumé dans le cimetière de la paroisse Saint-François-Xavier-de-Batiscan, le 28 août 1943.

Avait épousé dans la cathédrale de Trois-Rivières, le 12 septembre 1901, Laurentine Genest, fille de Laurent-Ubald-Archibald Genest, avocat et greffier de la paix, et d'Emma McCallum.

Beau-frère de Nérée Le Noblet **Duplessis** et de Richard-Stanislas **Cooke**. Oncle de Maurice Le Noblet **Duplessis**. Son épouse était la nièce de Charles-Borromée **Genest**.

GRATTON, Michel

Né à Hull, le 1er février 1939, fils d'Aurèle Gratton, administrateur, et de Germaine Trépanier.

Étudia aux écoles Laverdure et Larocque à Hull, à l'école secondaire de l'université d'Ottawa, et aux universités d'Ottawa et McGill où il obtint un baccalauréat en génie civil. A terminé des études postuniversitaires en technologie du gaz naturel à l'Illinois Institute of Technology en 1962, en relations publiques et promotion en 1964, puis en administration générale à l'American Management Association (New York) en 1965.

Adjoint au vice-président de la Consumers' Gas Co. à Toronto de 1960 à 1962. Directeur de la distribution à l'Ottawa Gas et à la Société gazifère de Hull, filiales de la Consumers' Gas Co., de 1962 à 1964. Adjoint au président de J.G. Bisson Construction ltée de 1964 à 1967. Directeur général de Distribuco inc. de 1967 à 1970 et secrétaire-trésorier en 1970. Directeur général de Migneault ltée à Gatineau et président de Placements Gratton inc. en 1970. Ingénieur associé de la firme Barré, Pellerin, Lemoine, Toutant et Associés.

Président-fondateur de l'Association libérale du comté de Gatineau en 1970 et président régional du Parti libéral du Québec en 1971 et 1972. Candidat défait à la mairie de Hull en 1970. Membre de l'exécutif du Parti libéral du Québec en 1976. Fondateur du mouvement Québec-Canada en 1977. Élu député libéral dans Gatineau à l'élection partielle du 11 octobre 1972. Cette élection fut annulée le 18 octobre 1972.

Réélu à l'élection partielle du 15 novembre 1972 et aux élections de 1973, 1976 et 1981.

Leader parlementaire adjoint de l'Opposition officielle du 15 octobre 1982 au 14 mars 1984 et leader parlementaire de l'Opposition officielle du 15 mars 1984 au 14 juin 1985. Réélu en 1985. Leader du gouvernement du 16 décembre 1985 au 9 août 1989. Ministre du Revenu et ministre délégué à la Réforme électorale dans le cabinet Bourassa du 12 décembre 1985 au 11 octobre 1989. Ministre du Tourisme du 30 juin 1987 au 11 octobre 1989. Ne s'est pas représenté en 1989.

Directeur général de l'Institut de l'amiante à compter de janvier 1990 puis président de cet institut à partir de juin 1990. Président du comité exécutif provisoire du Groupe international pour la sécurité dans l'utilisation des fibres à compter de 1991.

Membre de l'Engineering Institute of Canada et de la Corporation des ingénieurs professionnels du Québec. Directeur de la Jeune Chambre de Hull en 1964. Membre du conseil d'administration du Conseil économique de l'Outaouais en 1968 et 1969. Président de la Chambre de commerce de Hull en 1971 et 1972. Président de l'Association des anciens de l'université d'Ottawa en 1965.

GRAVEL, Raymond

Né à Saint-Marc-des-Carrières, le 18 février 1929, fils de Joseph Gravel, journalier, et de Claudia Peticlerc.

Fit ses études au collège de sa paroisse natale. Préposé aux malades à l'hôpital Saint-Michel-Archange (maintenant centre hospitalier Robert-Giffard) de 1953 à 1965, puis moniteur en réadaptation de 1965 à 1976.

Conseiller de l'exécutif du Parti québécois dans Limoilou en 1972 et 1973. Élu député du Parti québécois dans Limoilou en 1976. Réélu en 1981. Adjoint parlementaire du ministre du Loisir, de la Chasse et de la Pêche du 5 décembre 1984 au 23 octobre 1985. Ne s'est pas représenté en 1985. Retraité depuis cette date.

GRAY, Ralph
(≤1740–1813)

Né vraisemblablement en Écosse, entre 1736 et 1740.

Vint au Canada pendant la guerre de Sept Ans à titre de soldat et de tailleur régimentaire; servit à Louisbourg, puis à Québec où il fut blessé à deux reprises en 1759. Par la suite, quitta l'armée et s'établit comme tailleur à Québec. Nommé,

en janvier 1765, à l'un des quatre postes de sous-bailli de la ville. Se lança dans l'importation et le commerce de gros, dont il se retira en 1778; s'installa d'abord sur sa propriété de New Garden, à La Canardière, près de Québec, et plus tard sur celle de Millbank, à Beauport. Investit aussi dans le prêt ainsi que dans l'achat, la vente et la location de biens immobiliers; en 1774, acquit notamment l'arrière-fief de Grandpré. L'un des exploitants du pont à péage Dorchester, sur la rivière Saint-Charles. Actionnaire de l'hôtel de l'Union, à Québec.

Élu député de Québec en 1808. Réélu en 1809. Appuya le parti des bureaucrates. Défait en 1810.

Décédé à Beauport, le 27 décembre 1813, à l'âge d'environ 73 ans. Les obsèques eurent lieu dans l'église presbytérienne St. Andrew, à Québec, le 30 décembre 1813.

Avait épousé, avant avril 1764, Mary Ann Scott; puis, dans la cathédrale anglicane Holy Trinity, à Québec, le 22 août 1810, Phoebe (Phebe) Wallen, veuve de James Frost, ancien capitaine du port de Québec.

Bibliographie: *DBC*.

GRÉGOIRE, Georges-Stanislas
(1854–1928)

[Né à Restigouche, le 6 novembre 1854, fils de Mathias Grégoire, hôtelier, et de Zoé Beaulieu.]

Fit ses études au collège de Lévis, au séminaire de Québec et à l'université Laval à Québec. Reçu médecin en 1877.

Exerça d'abord sa profession à Stornoway, puis à Garthby, à Kingsey Falls, à Lambton et à Lac-Mégantic. Auteur de l'essai poétique: *De Chéops à Eiffel ou le cycle du matérialisme* (1893).

Élu député libéral dans Frontenac en 1912. Réélu en 1916 et sans opposition en 1919. Défait en 1923.

Fit ensuite partie du bureau des traducteurs à l'Assemblée législative du 22 novembre 1923 à sa mort.

Décédé à Sherbrooke, le 5 avril 1928, à l'âge de 74 ans et 6 mois. Inhumé à Lac-Mégantic, dans le cimetière de la paroisse Sainte-Agnès, le 10 avril 1928.

Avait épousé à Stratford, dans la paroisse Saint-Gabriel, le 1er juillet 1879, Marie-Euphrasie-Virginie Legendre, fille d'Édouard Legendre et d'Esther Martel.

GRÉGOIRE, Gilles

Né à Québec, le 6 mai 1926, fils de Joseph-Ernest **Grégoire**, avocat, et de Germaine Bolduc.

Fit ses études au collège Saint-Louis-de-Gonzague, au collège des Jésuites et à l'université Laval.

Licencié en droit en 1951. Journaliste, publiciste et homme d'affaires.

Élu député du Ralliement créditiste à la Chambre des communes dans Lapointe en 1962. Réélu député du Crédit social en 1963 et député du Ralliement créditiste en 1965. Démissionna du Ralliement créditiste le 11 septembre 1966. Élu président du parti du Ralliement national le 21 août 1966; ce parti se fusionna au Mouvement souveraineté-association le 4 août 1968. Vice-président du Parti québécois de 1968 à 1972. Candidat du Parti québécois défait dans Jonquière aux élections provinciales de 1970. Élu député du Parti québécois dans Frontenac en 1976. Adjoint parlementaire du ministre des Richesses naturelles devenu ministre de l'Énergie et des Ressources du 1er décembre 1976 au 12 mars 1981. Réélu en 1981. Siégea comme député indépendant à partir du 20 juin 1983. Ne s'est pas représenté en 1985.

A publié le Problème de l'inflation (1960) et Aventure à Ottawa (1969). Récipiendaire de la médaille d'honneur de l'Assemblée nationale française en 1965. Codirecteur de l'Association parlementaire France-Canada.

GRÉGOIRE, Joseph-Ernest
(1886–1980)

Né à Disraëli, le 31 juillet 1886, fils d'Alfred Grégoire, marchand, et de Georgiana Frappier.

Fit ses études à l'école paroissiale et au couvent des Sœurs des Saints-Noms de Jésus et de Marie à Disraëli, au collège Saint-Charles-Borromée à Sherbrooke et à l'université Laval à Québec. Admis à la pratique du notariat en 1912. Poursuivit ses études à l'université catholique de Louvain en Belgique où il fut diplômé en sciences politiques et diplomatiques en 1913, puis en sciences politiques et sociales en 1914. Étudia également à l'université de Lille à Boulogne-sur-Mer (France) où il obtint un diplôme supérieur de français en 1913. De 1914 à 1919, il fut agent de recherche pour le gouvernement fédéral au British Museum à Londres et responsable du Bureau de la province de Québec à Londres lors des absences prolongées du représentant officiel. De retour au Québec en 1919, il fit alors sa cléricature auprès de William Paradis. Admis au barreau de la province de Québec le 15 septembre 1923.

Professeur à l'académie commerciale en 1921 et à l'École des beaux-arts de Québec en 1922. Professeur à l'université Laval où il enseigna l'économie politique à la faculté des arts et l'économie sociale et politique à la faculté de droit de 1932 à 1938. Il fut également membre du bureau de direction de l'École des sciences sociales en 1933 et 1934, puis professeur d'économie politique à cette école de 1934 à 1938. Se consacra à la pratique du droit à Québec de 1938 à 1966.

Maire de la ville de Québec du 1er mars 1934 au 1er mars 1938. Élu député de l'Action libérale nationale dans Montmagny en 1935. Élu député de l'Union nationale en 1936. Avec un groupe de dissidents de l'Union nationale, il fonda, le 26 juin 1937, le Parti national. Ne s'est pas représenté en 1939. Vice-président de l'Association du Crédit social du Canada. Candidat de l'Union des électeurs défait dans Beauce à l'élection partielle du 21 novembre 1945 et dans Saint-Maurice en 1948.

Auteur de la Commission de l'électricité de la province de Québec (1934). Membre de l'Association du barreau canadien. Ancien président de l'Association générale des comptables. Trésorier du comité France-Amérique et de la Société Saint-Jean-Baptiste. Vice-président de la Ligue des consommateurs d'électricité. Membre de l'Institut canadien, du Club Rotary de Québec, du Club canadien, du Quebec Winter Club, du Old Colony Club, du Quebec Board of Trade, du Club des journalistes et des Chevaliers de Colomb. Créé chevalier de la Légion d'honneur de France en 1934, puis commandeur de l'ordre de l'Empire britannique en 1935.

Décédé à Québec, le 17 septembre 1980, à l'âge de 94 ans et un mois. Inhumé à Sainte-Foy, dans le cimetière Belmont, le 20 septembre 1980.

Avait épousé dans la paroisse Notre-Dame de Québec, le 28 juin 1922, Germaine Bolduc, fille de Jean-Baptiste-Bolduc, médecin, et d'Élise Larue.

Père de Gilles **Grégoire**.

Bibliographie: Provencher, Jean, J.-Ernest Grégoire, 4 années de vie politique, thèse à l'université Laval, Québec, 1969.

GREIG, William
(1840–1918)

Né à Howick, le 12 août 1840, fils de William Greig, fermier, et de Janet Brodie.

Fit ses études à Howick et devint par la suite opérateur de moulin à scie, marchand de bois et fermier. Nommé membre du Conseil de l'agriculture le 9 février 1896.

Candidat conservateur défait dans Châteauguay aux élections provinciales de 1890. Élu député conservateur dans la même circonscription en 1892. Défait en 1897. Défait dans Châteauguay aux élections fédérales de 1900.

Décédé à Ormstown, le 10 janvier 1918, à l'âge de 77 ans et 5 mois. Inhumé dans le cimetière de Georgetown, le 14 janvier 1918.

[Avait épousé à Howick, le 29 décembre 1879, Janet Templeton, fille de John Templeton, fermier.]

GREIVE, Edward
(1797–1845)

Né probablement en 1797.

Marchand à Trois-Rivières, fut aussi l'agent d'affaires, dans la région, de Mathew **Bell**. En mai 1837, fit l'acquisition de lots dans les cantons de Brompton et de Durham. Entré dans la milice comme enseigne et paie-maître le 18 mai 1821, et promu lieutenant en octobre 1825, en fit partie jusqu'en 1833. Nommé capitaine de l'une des deux compagnies de volontaires mises sur pied par **Bell**, en décembre 1837, pour combattre la rébellion. Le 4 décembre 1841, obtint le poste de trésorier de la municipalité du district de Trois-Rivières.

Élu député de Trois-Rivières en 1844; tory.

Décédé en fonction à Trois-Rivières, le 2 juin 1845, à l'âge de 47 ou de 48 ans. Les obsèques eurent lieu dans l'église anglicane St. James, le 5 juin 1845.

Avait épousé dans l'église anglicane St. James, à Trois-Rivières, le 17 janvier 1844, Catherine Bell, fille de Mathew **Bell** et d'Ann MacKenzie.

Beau-frère de William **Walker** (conseiller).

GRENIER, Fernand
(1927–1988)

Né à Nantes, près de Lac-Mégantic, le 28 juin 1927, fils d'Odilon Grenier, cultivateur, et d'Alexina Rodrigue.

Fit ses études à Milan, au collège de Saint-Victor, au collège de l'université d'Ottawa, à l'université de Sherbrooke où il obtint un baccalauréat en éducation, à l'université Notre-Dame à la Nouvelle-Orléans où il fut licencié en sciences spécialisées.

Professeur de latin et de français de 1960 à 1966. Directeur du collège Bourget à Rigaud en 1965 et 1966.

Élu député de l'Union nationale dans Frontenac en 1966. Défait en 1970. Maire de Nantes du 3 novembre 1969 au 7 novembre 1971. Préfet du comté de Frontenac du 10 décembre 1969 au 9 décembre 1971. Secrétaire particulier du chef de l'Union nationale, Gabriel Loubier, en 1972. Défait dans Lotbinière en 1973. Président de l'Union nationale en 1974 et 1975. Élu dans Mégantic-Compton en 1976. Whip de l'Union nationale de 1976 à 1980. Démissionna le 7 janvier 1980. Candidat progressiste-conservateur défait dans Mégantic-Compton-Stanstead aux élections fédérales de 1980. Candidat de l'Union nationale défait dans Mégantic-Compton à l'élection partielle provinciale du 17 novembre 1980. Conseiller municipal de Lac-Mégantic de 1986 à son décès.

Directeur général des centres d'accueil de Lac-Mégantic et de Lambton de 1970 à 1976. Président de l'Association des directeurs des centres d'accueil du Québec en 1971 et 1972. Directeur des Loisirs de Lac-Mégantic. Président du Club optimiste de Lac-Mégantic en 1974 et 1975, puis lieutenant-gouverneur des clubs optimistes en 1975 et 1976. Élu vice-président de l'Optimist International, St-Louis, Missouri, en 1986. Membre des Chevaliers de Colomb.

Décédé à Lac-Mégantic, le 19 janvier 1988, à l'âge de 61 ans et 5 mois. Inhumé à Lac-Mégantic, dans le cimetière de la paroisse Sainte-Agnès, le 23 janvier 1988.

Avait épousé à Lac-Mégantic, dans la paroisse Sainte-Agnès, le 20 août 1966, Marina Ferguson, professeure, fille de Melvin Ferguson, inspecteur au Canadien Pacifique, et d'Hildred Ward.

GRENIER, Pierre
(1837–1903)

Né à Trois-Rivières, le 11 juin 1837, fils de François-Rémi Grenier, cultivateur, et de Rosalie Moreau.

A étudié au séminaire de Nicolet et à l'École de médecine et de chirurgie de Montréal. Reçu médecin en 1862.

Pratiqua la médecine à Saint-Maurice.

Élu député conservateur dans Champlain en 1890. Réélu en 1892 et 1897. Ne s'est pas représenté en 1900.

Décédé à Saint-Maurice, le 23 décembre 1903, à l'âge de 66 ans et 6 mois. Inhumé dans le cimetière de Saint-Maurice, le 26 décembre 1903.

Avait épousé à Nicolet, le 3 septembre 1866, Lucie Proulx, fille de Jean-Baptiste-Georges **Proulx** et de Julie Alexander; puis, dans la même paroisse, le 17 février 1876, Cornélie Proulx, sœur de sa première épouse.

GREY, Charles
(1804–1870)

Né à Howick Hall, dans le comté de Northumberland, en Angleterre, le 15 mars 1804, fils de Charles Grey, 2e comte Grey, futur premier ministre anglais.

Entreprit une carrière militaire, à titre de sous-lieutenant dans la Rifle Brigade, en 1820; accéda au grade de lieutenant-colonel en 1830 et commanda le 73th Regiment de 1833 à 1842. Exerça les fonctions de secrétaire particulier de son père, premier lord de l'Amirauté, de 1830 à 1834. Devint l'un des écuyers de la reine Victoria en 1837.

Membre de la Chambre des communes britannique de 1831 à 1837. Accompagna son beau-frère, le nouveau gouverneur en chef de l'Amérique du Nord britannique John George **Lambton**, à Québec, où il débarqua le 27 mai 1838. Fit partie du Conseil spécial du 28 juin 1838 jusqu'à la dissolution de ce conseil, le 2 novembre 1838. Fut aussi conseiller exécutif.

Retourna en Angleterre avec **Lambton**, en novembre 1838. Fait colonel en 1846, major général en 1854 et lieutenant général en 1861, accéda au grade de général en 1865. Occupa le poste de secrétaire particulier du prince Albert de Saxe-Cobourg-Gotha, de 1849 à 1861, et ensuite de la reine, jusqu'à sa mort.

Décédé probablement à Londres, le 31 mars 1870, à l'âge de 66 ans.

Avait épousé en Angleterre, en juillet 1830, Caroline Eliza Farquhar, fille de sir Thomas Farquhar.

Père d'Albert Henry George Grey, 4e comte Grey, gouverneur général du Canada.

GROTHÉ, Raoul-Ovide
(1879–1969)

Né dans la paroisse Notre-Dame de Montréal, le 21 juin 1879, fils de Louis-Ovide Grothé, fabricant de cigares, et d'Arthémise David.

Étudia au collège Saint-Laurent et fit également son cours commercial.

Entra au service de la compagnie de son père, L.O. Grothé et Cie, en 1896. Devint président de l'entreprise en 1911, puis la réorganisa en 1914 sous la raison sociale de L.O. Grothé ltée, Montréal et Saint-Hyacinthe. Président des Usines chimiques du Canada ltée. Vice-président de la Westmoreland Co. Ltd., de la West Valley Land Co., de la Duys Canadian Tobacco Ltd. et de la Corporation du pont Saint-Louis. Commissaire censeur de la Banque Provinciale du Canada.

Directeur de la Sun Trust Co. Ltd., du Credit Canadian Inc., du West Hill Land, de la Société d'administration et de fiducie, de la Montreal Life Insurance et de La Prévoyance.

Échevin de la ville d'Outremont en 1924 et 1925. Conseiller législatif de la division de Salaberry du 23 décembre 1927 jusqu'à l'abolition du Conseil législatif, le 31 décembre 1968. Appuya le Parti libéral.

Fut président et trésorier de la Chambre de commerce du district de Montréal. Vice-président de la section des fabricants de cigares de la Canadian Cigar & Tobacco Association. Membre de la Canadian Manufacturers Association, de la Dominion Commercial Travellers Association, du Montreal Board of Trade, de l'Alliance nationale et de la Société des artisans canadiens-français. Lieutenant-colonel honoraire du 65e régiment des Carabiniers de Mont-Royal en 1928. Grand commandeur du premier ordre de l'Alhambra du Canada. Gouverneur à vie des hôpitaux Notre-Dame, Sainte-Justine, Sainte-Jeanne-d'Arc, Notre-Dame-de-la-Merci, de l'Institut des sourds-muets et de la crèche de la Miséricorde. Président du Club de réforme et de l'AAA nationale. Directeur du Club Saint-Denis et du Club canadien. Membre des clubs des journalistes de Québec et de Montréal.

Décédé à Westmount, le 21 août 1969, à l'âge de 90 ans et 2 mois. Inhumé à Montréal, dans le cimetière Notre-Dame-des-Neiges, le 25 août 1969.

Avait épousé à Montréal, dans la paroisse Saint-Louis-de-France, le 26 novembre 1900, Juliette Brosseau, fille de Noé Brosseau, marchand et tailleur, et d'Emma Brosseau.

GROULX, Henri
(1888–1952)

Né à Montréal, dans la paroisse Sainte-Brigide, le 21 mai 1888, fils de Fabien Groulx, boucher, et d'Agnès Lalonde.

A étudié au collège Mont-Saint-Louis, au collège Saint-Laurent et à l'université Laval à Montréal.

Licencié en pharmacie en 1914, il fut par la suite propriétaire d'une pharmacie.

Membre de la Commission scolaire des écoles catholiques de Saint-Viateur-d'Outremont en 1934 et président de 1935 à 1937. Élu député libéral dans Montréal-Outremont en 1939. Secrétaire de la province dans le cabinet Godbout du 8 novembre 1939 au 16 octobre 1940. Dans le même cabinet, il occupa également les fonctions de ministre de la Santé du 8 novembre 1939 au 13 mai 1941, ministre du Bien-être social du 16 octobre 1940 au 13 mai 1941, ministre de la Santé et du Bien-être social du 13 mai 1941 au 30 août 1944. Réélu en 1944, 1948 et 1952.

Président de l'Association pharmaceutique de la province de Québec de 1932 à 1934. Membre du conseil de l'Association pharmaceutique du Canada, de la Commission provinciale des examinateurs, de l'Association des anciens élèves de l'École de pharmacie de l'université de Montréal, du Cercle universitaire et de la Chambre de commerce de Montréal. Membre de la commission d'administration de l'université de Montréal de 1940 à 1950 et du sénat académique de 1946 à 1950. Nommé docteur honoris causa en pharmacie de l'université de Montréal le 30 mai 1941.

Décédé à Outremont, le soir de son élection, le 16 juillet 1952, à l'âge de 64 ans et 2 mois. Inhumé à Montréal, dans le cimetière Notre-Dame-des-Neiges, le 21 juillet 1952.

Avait épousé à Outremont, dans la paroisse Saint-Viateur, le 7 avril 1920, Marguerite Mercure, fille d'Alfred Mercure, entrepreneur général, et d'Elmire Talbot.

GUAY, Florian

Né à Saint-Léon-de-Standon, le 23 novembre 1941, fils d'Émile Guay, cultivateur, et de Noëlla Saint-Hilaire.

Fit ses études à l'école de Saint-Léon-de-Standon, à l'Institut Raymond à Québec, puis à Sainte-Claire. A suivi un cours de perfectionnement à l'École du meuble de Victoriaville en 1968.

Travailla à la ferme paternelle, puis dans l'industrie forestière et dans l'industrie de la construction de 1959 à 1964. Technicien en mécanique diesel de 1964 à 1968. Gérant général des Meubles Standon ltée de 1968 à 1970.

Organisateur créditiste dans la circonscription de Dorchester aux élections fédérales de 1962, 1965 et 1968. Élu député du Ralliement créditiste dans Dorchester en 1970. Candidat du Parti créditiste défait dans Beauce-Nord en 1973. Échevin de Saint-Léon-de-Standon en 1974 et 1975, puis maire de cette municipalité de 1975 à 1979.

Entrepreneur en construction.

GUAY, Gérard
(1908–1991)

Né à Québec, le 20 juin 1908, fils de Pierre-Edgar Guay, employé des douanes, et d'Amarilda Dussault.

Fit ses études au couvent Saint-Jean-Baptiste, puis à l'académie Saint-Joseph à Québec. Obtint un diplôme d'études commerciales.

Marchand à Québec de 1931 à 1955. Fut directeur de la Willard Storage Battery Co. de Toronto, de la Canadian Wire and Cable Co. d'Ottawa et de la United Motor Service Co. d'Oshawa. Fut vice-président de Retail Merchant. Membre de la Chambre de commerce de Québec, du Club Richelieu et du Club Renaissance.

Échevin au conseil municipal de Québec de 1944 à 1950. Élu député de l'Union nationale dans Québec-Centre en 1948. Ne s'est pas représenté en 1952.

Membre de la Commission du salaire minimum de juin 1955 à juillet 1973.

Décédé à Québec, le 25 janvier 1991, à l'âge de 81 ans et 7 mois. Inhumé à Québec, dans le cimetière Saint-Charles, le 29 janvier 1991.

Avait épousé à Québec, dans la paroisse du Saint-Esprit, le 4 juin 1934, Berthe Simard, fille de Joseph Simard, voyageur de commerce, et d'Alice Falardeau.

GUAY, Richard

Né à Montréal, le 15 novembre 1943, fils de Maurice Guay, sténographe judiciaire, et d'Irène Brassard.

A étudié chez les Sœurs de la Providence, aux collèges Stanislas et Brébeuf, puis à l'université de Montréal. Admis au barreau de la province de Québec en 1968. Président du comité provisoire, puis vice-président du premier exécutif de l'Union générale des étudiants du Québec (UGEQ) en 1964 et 1965.

Journaliste à Radio-Canada de 1966 à 1969 et correspondant de Radio-Canada aux Nations Unies de 1969 à 1971. Responsable de cours de journalisme en Afrique pour l'Agence canadienne de développement international (ACDI) de 1971 à 1973. Coordonnateur des relations fédérales-provinciales pour le ministère des Communications de 1973 à 1975. Conseiller auprès du sous-ministre des Affaires culturelles en 1975 et 1976.

Élu député du Parti québécois dans Taschereau en 1976. Adjoint parlementaire du ministre des Communications du 1er décembre 1976 au 18 octobre 1979, du ministre des Affaires municipales du 18 octobre 1979 au 21 janvier 1981, du ministre d'État à l'Aménagement et délégué à l'Habitation du 21 janvier au 12 mars 1981. Réélu dans la même circonscription en 1981. Adjoint parlementaire du ministre délégué à l'Habitation et à la Protection du consommateur du 1er mai 1981 au 3 mars 1982. Adjoint parlementaire du ministre des Communications du 3 mars au 30 novembre 1982. Leader parlementaire adjoint du gouvernement du 30 novembre 1982 au 23 mars 1983. Président de l'Assemblée nationale du 23 mars

1983 au 16 décembre 1985. Défait en 1985. Décoré de l'ordre de la Pléiade le 14 février 1991.

Avocat et arbitre à compter de 1985.

GUERIN, James John
(1856–1932)

Né dans la paroisse Notre-Dame de Montréal, le 4 juillet 1856, fils de Thomas Guerin, ingénieur, et de Mary McGuire.

Fit ses études au collège de Montréal, à la McGill University et au Royal College of Physicians en Angleterre. Reçu médecin en 1878.

Exerça sa profession à Montréal. Professeur de clinique médicale à l'université Laval à Montréal. Président du bureau médical de l'Hôtel-Dieu de Montréal. Directeur du Royal Edward Institute. Gouverneur de l'hôpital Notre-Dame et du Victorian Order of Nurses. Directeur de la National Real Estate and Investment Co. Vice-président de la Standard Gold Mines Ltd. Commissaire du gouvernement fédéral chargé du règlement des réclamations résultant de la rébellion du Nord-Ouest en 1886.

Élu député libéral dans Montréal n° 6 à l'élection partielle du 22 octobre 1895. Réélu en 1897 et sans opposition en 1900. Assermenté ministre sans portefeuille dans le cabinet Marchand le 26 mai 1897, puis dans le cabinet Parent le 3 octobre 1900. Nommé membre du Conseil de l'instruction publique de la province de Québec le 26 juin 1901. Défait en 1904. Maire de Montréal et président du Bureau des commissaires de février 1910 à février 1912. Candidat libéral défait dans Sainte-Anne aux élections fédérales de 1917. Ne s'est pas représenté en 1921. Élu à la Chambre des communes dans la même circonscription en 1925. Réélu en 1926. Défait en 1930.

Membre du Mount Royal Club, de l'University Club et du Club de réforme. Président honoraire de l'Association des médecins de langue française de l'Amérique du Nord. Président de la St. Patrick Society en 1895, 1896 et 1897. Docteur honoris causa en médecine de l'université Laval en 1902 et en droit du Trinity College de Dublin (Irlande) en 1912. Créé chevalier de l'ordre de Saint-Grégoire-le-Grand en 1911.

Décédé à Montréal, le 10 novembre 1932, à l'âge de 76 ans et 4 mois. Inhumé à Montréal, dans le cimetière Notre-Dame-des-Neiges, le 14 novembre 1932.

Avait épousé à Montréal, dans l'église St. Patrick, le 1er juin 1885, Mary O'Brien, fille de James O'Brien, marchand et sénateur de 1896 à 1903, et de Mary Quinn.

Père de Thomas **Guerin**.

GUERIN, Thomas
(1886–1963)

Né à Montréal, le 13 septembre 1886, fils de James John Guerin, médecin, et de Mary O'Brien.

A étudié au collège Loyola à Montréal, à l'université Laval à Montréal et à l'université d'Ottawa. Titulaire d'une licence et d'une maîtrise en histoire. Obtint un doctorat ès arts de l'université de Montréal en 1948.

Homme d'affaires et écrivain. Participa aux deux guerres mondiales. Consul général d'Autriche à Montréal de 1930 à 1938 et consul général de Grèce pendant trois ans. Professeur d'anglais invité à la faculté des lettres de l'université de Montréal de 1952 à 1955. Directeur et contrôleur de Siscoe Gold Mines et Siscoe Metal Ltd. Membre de la Commission des écoles catholiques de Montréal de 1953 à 1961.

Candidat libéral indépendant défait dans Verdun aux élections fédérales de 1935. Élu député libéral à l'Assemblée législative dans Montréal–Sainte-Anne à l'élection partielle du 23 mars 1942. Réélu en 1944 et défait en 1948.

Docteur en lettres honoris causa de l'université Laval en 1915. Membre du 17th Duke of York's Royal Canadian Hussars dont il fut nommé lieutenant le 6 juin 1907, capitaine le 5 octobre 1908 et major le 7 juin 1912. Fit également partie du 6th Duke of Connaught's Royal Canadian Hussars à titre de lieutenant-colonel, du 15 janvier 1930 au 14 décembre 1936, et de colonel honoraire, du 31 mars 1948 au 31 mars 1954. A publié : *Feudal Canada. The Story of the Seigniories of New France* (1926); *Caps and Crowns of Europe* (1929); *The Gael in New France* (1946); *From the Crusades to Quebec, The Knights of Malta in the New World* (1949); et *The French Guérins of the Glen* (1963). Vice-président canadien de la Société historique irlandaise de New York et président de la Société canadienne interaméricaine. Fut honoré de la médaille de la Reconnaissance française et de l'ordre de la Couronne de Belgique. Créé chevalier de l'ordre de Saint-Jean-de-Jérusalem et chevalier commandeur du Saint-Sépulcre en 1938, puis officier de l'ordre de l'Empire britannique en 1943. Fondateur de l'ordre souverain et militaire de Malte au Canada dont il fut président de 1957 à 1961. Créé grand officier de l'ordre du Mérite civil (Espagne), commandeur de l'ordre d'Isabelle-la-Catholique, de l'ordre du Sauveur (Grèce), de l'ordre de Saint-Sava (Serbie) et de l'ordre de l'Honneur et du Mérite de la Croix-Rouge (Cuba). Membre du Club de la garnison de Québec.

Décédé à Montréal, le 6 janvier 1963, à l'âge de 76 ans et 3 mois. Inhumé dans le cimetière Notre-Dame-des-Neiges, le 9 janvier 1963.

[Avait épousé à East Hampton, dans l'État de New York, le 18 août 1928, Alice Cuddihy, fille de R.J. Cuddihy, rédacteur du *Literary Digest* et du *Standard Dictionary*.]

GUEROUT, Pierre
(1751–1830)

Né en France et baptisé sous le prénom de Pierre-Guillaume, dans la paroisse de Mille Ville, diocèse de Rouen, le 31 août 1751, fils de Jacques Guerout, commerçant de religion protestante, et de Judith Lévesque.

Vint vers 1767 à Québec, où il s'initia au commerce auprès de son oncle François Lévesque. Pendant l'invasion américaine de 1775–1776, prit part à la défense de la ville à titre de volontaire dans l'armée. Fit du commerce à son compte, d'abord à Québec, puis à Saint-Antoine-sur-Richelieu, où il fut juge de paix en 1785, puis, à compter de 1787, à Saint-Denis, sur le Richelieu. Investit dans la propriété foncière et le prêt. Actionnaire de la Banque de Montréal en 1817. Obtint de nombreux postes de commissaire.

Élu député de Richelieu en 1792; appuya généralement le parti des bureaucrates. Ne s'est pas représenté en 1796. Défait en 1804; appuyait le parti canadien.

Fut membre de la Société d'agriculture du district de Montréal. Nommé lieutenant-colonel dans la milice en 1802.

Décédé à Saint-Denis, sur le Richelieu, le 18 juin 1830, à l'âge de 78 ans et 9 mois. Les obsèques eurent lieu dans l'église anglicane Christ Church de William Henry (Sorel), le 23 juin 1830.

Avait épousé dans l'église anglicane de Québec, le 10 mai 1779, Marie-Anne-Magdeleine Mayer, fille de Jean Mayer, commerçant, [et de Marie Drouin]; puis, dans l'église presbytérienne de Québec, le 13 mai 1793, Josephte Maria Woolsey, [fille de John William Woolsey, coroner], et apparentée à Louis **Dunière**, à Bonaventure et à Pierre-Louis **Panet**.

Cousin de François **Lévesque**.

Bibliographie: *DBC*.

GUERTIN, Aimé
(1898–1970)

Né à Aylmer, le 7 juin 1898, fils de Thimoté Guertin, commerçant, et de Lina Bélanger.

Fit ses études à l'école primaire Labelle à Aylmer.

Télégraphiste à l'emploi du Canadien Pacifique en 1916. Courtier d'assurances sous la raison sociale d'Assurances Guertin ltée à partir de 1925. Président des Immeubles Gatineau et des Placements des douze inc. Propriétaire de Voyages Guertin enr. Secrétaire-trésorier de la Société d'immeubles et développements ltée et de la Compagnie des maisons modèles ltée. Président de la commission industrielle de Hull et vice-président exécutif de la Commission de la capitale nationale de 1959 à 1964.

Élu député conservateur dans Hull en 1927. Nommé whip du Parti conservateur en janvier 1928. Réélu en 1931. Démissionna le 1er octobre 1935 pour se porter candidat du Parti de la reconstruction dans Hull aux élections fédérales de 1935, il fut défait.

Président-fondateur de l'Union des chambres de commerce de l'Ouest du Québec de 1940 à 1949. Vice-président de l'Association des courtiers d'assurances de la province de Québec de 1941 à 1956. Président de l'Association des petits propriétaires de la ville de Hull, de la Ligue de sécurité de la province de Québec et de l'Association ambulancière Saint-Jean, section de Hull. Membre des Chevaliers de Colomb et des clubs Rotary et Lions.

Décédé à Hull, le 8 juin 1970, à l'âge de 72 ans. Inhumé à Aylmer, dans le cimetière de la paroisse Saint-Paul, le 11 juin 1970.

Avait épousé à Hull, dans la paroisse Notre-Dame-de-Lorette, le 16 novembre 1921, Aline Tremblay, fille de François Tremblay, fonctionnaire, et d'Anna Withmore.

GUÉVREMONT, Georges
(1897–1963)

Né à Sorel, le 3 janvier 1897, fils d'Alfred Guévremont, notaire, et d'Oliva Beauchemin.

Fit ses études au Mont-Saint-Bernard à Sorel et à l'université de Montréal. Membre du corps médical de la marine canadienne de 1914 à 1918 et de la Canadian Corps Association. Diplômé en pharmacie en 1920.

Exerça sa profession de pharmacien à Sorel de 1920 à 1933, puis vint s'établir à Montréal en 1934. Membre de l'Est central commercial, des Chevaliers de Colomb et du Club canadien.

Candidat conservateur défait dans Richelieu en 1931. Échevin du district n° 9 du conseil municipal de Montréal de 1940 à 1954 et membre du Comité exécutif de 1940 à 1944. Élu député de l'Union nationale dans Montréal–Jeanne-Mance en 1948. Défait en 1952.

Décédé à Montréal, le 14 octobre 1963, à l'âge de 66 ans et 9 mois. Inhumé à Sorel, dans le cimetière de la paroisse Saint-Pierre, le 18 octobre 1963.

Avait épousé à Montréal, dans la paroisse Sainte-Catherine, le 21 octobre 1924, Berthe Dupré, fille de Joseph Dupré, marchand et tailleur, et d'Émilie Despatie.

GUÉVREMONT, Jean-Baptiste
(1826–1896)

Né à l'île Dupas, dans le comté de Berthier, et baptisé dans la paroisse de La Visitation, le 4 septembre 1826, fils de Pierre Guévremont, agriculteur, et de Monique Cournoyer.

Étudia dans sa paroisse natale.

S'établit comme cultivateur à Sorel en 1851.

Élu député de Richelieu en 1854 ; de tendance modérée, puis bleu. Défait en 1858. Élu conseiller législatif de la division de Sorel en 1858, mais l'élection fut annulée le 30 avril 1860. Élu dans la division de Sorel à une élection complémentaire le 18 juin 1860. Conserva son siège de conseiller jusqu'à l'avènement de la Confédération, le 1er juillet 1867. Candidat libéral défait dans Richelieu aux élections de l'Assemblée législative en 1867. Sénateur de la division de Sorel à compter du 23 octobre 1867 ; appuya le Parti libéral. Démissionna le 14 juillet 1896. Élu maire de Sorel en 1891.

Décédé à Sorel, le 5 décembre 1896, à l'âge de 70 ans et 3 mois. Inhumé dans le cimetière de la paroisse Saint-Pierre, le 9 décembre 1896.

Avait épousé dans la paroisse Saint-Pierre, à Sorel, le 2 mai 1848, Marie-Anne Paulhus, fille d'Ignace Paulhus et de Louise Paulhus.

GUGY, Bartholomew Conrad Augustus
(1796–1876)

Né le 6 novembre 1796, puis baptisé le 28, dans l'église anglicane St. James, à Trois-Rivières, fils de Louis **Gugy**, futur seigneur, et de Juliana O'Connor.

Fit ses études secondaires à l'école anglicane de Cornwall, dans le Haut-Canada. Pendant la guerre de 1812, servit à titre d'officier de milice ; prit part à la bataille de Châteauguay en 1813.

Admis au barreau en 1822, exerça sa profession.

Élu député de Sherbrooke à une élection partielle le 21 septembre 1831 ; appuya tantôt le parti patriote, tantôt le parti des bureaucrates, mais vota contre les Quatre-vingt-douze Résolutions. Réélu en 1834 ; appuya le parti des bureaucrates. Son mandat prit fin avec la suspension de la constitution, le 27 mars 1838.

Pendant la rébellion de 1837, se battit du côté des troupes britanniques. Fut nommé magistrat rémunéré à Montréal en novembre 1838, magistrat de police au même endroit en juillet 1840 et adjudant général de la milice du Bas-Canada en mars 1841 ; démissionna de ce dernier poste en juin 1846.

Défait dans Saint-Maurice et dans la ville de Sherbrooke en 1841 ; de tendance tory. Élu sans opposition dans la ville de Sherbrooke en 1848 ; indépendant de tendance tory, puis tory. Ne s'est pas représenté en 1851. Représenta le quartier Ouest au conseil municipal de Montréal de 1847 à 1850.

Fut l'un des représentants du Canada à l'Exposition universelle de Londres en 1851. Nommé temporairement inspecteur et surintendant de police à Montréal en 1853, année où il hérita de son père plusieurs seigneuries et un domaine à Beauport, sur lequel il se retira. Est l'auteur de Letters originally published in the «Quebec Gazette», addressed to His Excellency Sir E.W. Head, Bart, Governor-General of B.N. America [...] (Québec, 1855) et de How I lost my money: an episode in my life (Québec, 1859). Reçut la médaille de Crysler's Farm.

Décédé à sa résidence de Darnoc, à Beauport, le 11 juin 1876, à l'âge de 79 ans et 7 mois. Après des obsèques célébrées dans l'église anglicane St. Matthew de Québec, fut inhumé dans le cimetière Mount Hermon, à Sillery, le 13 juin 1876.

Avait épousé dans l'église anglicane Christ Church, à Montréal, le 13 août 1828, Louise-Sophie Juchereau Duchesnay, fille du seigneur Antoine-Louis **Juchereau Duchesnay** et de Marie-Louise Fleury de La Gorgendière ; puis, dans la chapelle anglicane de l'hôpital de la Marine et des Émigrés, à Québec, le 23 octobre 1869, Mary McGrath, fille de Thomas McGrath, médecin de Hancock, [au Michigan].

Bibliographie: DBC.

GUGY, Louis
(1770–1840)

Né à Paris, en janvier 1770, fils de Barthélemy Gugy, colonel dans le régiment des gardes suisses, et de Jeanne-Élisabeth Teissier. Reçut à sa naissance le prénom de Jean-Georges-Barthélemy-Guillaume-Louis.

En 1791, était lieutenant dans le régiment des gardes suisses que son père commandait. Séjourna pendant deux ans en Suisse, puis quelques mois à Québec en 1794. Après son mariage, revint à Québec, puis alla vivre à Yamachiche. En 1797, hérita de son père les seigneuries Dumontier et de Grandpré ainsi que la moitié de la seigneurie de Grosbois.

Après 1799, s'installa à Trois-Rivières où il fut shérif de 1805 à 1827.

Élu député de Saint-Maurice en 1809. Ne se serait pas représenté en 1810. Élu dans Saint-Maurice en 1816. Appuya généralement le parti des bureaucrates. Son siège devint vacant par suite de sa nomination au Conseil législatif, le 10 avril 1818; en fit partie jusqu'à la suspension de la constitution, le 27 mars 1838.

À partir de 1827, occupa le poste de shérif à Montréal. À la suite des événements survenus le 21 mai 1832, à l'occasion de l'élection partielle tenue dans Montréal-Ouest, fut accusé par les chefs du parti patriote de partialité au détriment de leur candidat, Daniel **Tracey**. En 1836, un comité de la Chambre l'accusa de fraude et de négligence. Fut relevé de ses fonctions par Londres en 1837.

Actif dans la milice à compter de 1803, accéda au grade de lieutenant-colonel en 1813. Fut juge de paix du district de Trois-Rivières. Obtint plusieurs postes de commissaire. L'un des fondateurs de la Société d'agriculture de Montréal en 1834.

Décédé à Montréal, le 17 juillet 1840, à l'âge de 70 ans et 5 mois. Les obsèques eurent lieu dans l'église anglicane Christ Church, le 20 juillet 1840.

Avait épousé [dans l'église St. Andrews-in-the-Fields], à Londres, le 27 février 1795, Juliana O'Connor, [fille de James O'Connor, chirurgien dans l'armée de James Wolfe].

Père de Bartholomew Conrad Augustus **Gugy**.

———

Bibliographie: *DBC.*

GUIBORD, Edmond
(1894–1971)

Né à Montréal, dans la paroisse Sainte-Brigide, le 17 septembre 1894, fils d'Amédée Guibord et de Marie-Anne Duchesne.

A étudié chez les Frères des écoles chrétiennes à Grand-Mère, au séminaire de Trois-Rivières, au collège Sainte-Marie et à l'université Laval à Montréal. Lieutenant de l'armée canadienne en 1918. Reçu médecin en 1918, il exerça sa profession à Montréal, puis s'établit à Grand-Mère en 1922.

Maire de Grand-Mère de 1923 à 1930 et échevin de 1937 à 1941. Candidat libéral défait dans Champlain aux élections fédérales de 1930. Candidat libéral défait dans Laviolette aux élections provinciales de 1936. Élu à l'Assemblée législative en 1939. Ne s'est pas représenté en 1944.

Décédé à Saint-Lambert, le 16 décembre 1971, à l'âge de 77 ans et 3 mois. Inhumé dans le cimetière de Saint-Lambert, le 20 décembre 1971.

Avait épousé à Montréal, dans la paroisse du Sacré-Cœur-de-Jésus, le 6 septembre 1921, Marie-Ella Chaussé, fille de Joseph Chaussé et de Marie-Anne Éthier.

GUILLEMETTE, Alphonse-Edgar
(1877–1950)

Né à Princeville, le 25 juin 1877, fils de Ludger Guillemette, marchand, et d'Anabella Provencher.

S'établit à Shawinigan en 1899. Débuta comme boulanger, puis devient commerçant de foin et de grains.

Échevin de Shawinigan en 1901 et 1902, puis de 1909 à 1914. Marguillier de la paroisse Saint-Pierre de 1917 à 1920. Candidat libéral défait dans Saint-Maurice à l'élection partielle du 19 octobre 1920. Élu député libéral dans Saint-Maurice à l'élection partielle du 5 novembre 1924. Défait en 1927.

Nommé percepteur du Revenu provincial pour le district de Shawinigan en 1929. Administrateur du Bureau des véhicules automobiles de la province de Québec à Shawinigan. Fut aussi agent d'immeubles.

Membre de la Chambre de commerce de Shawinigan, des Chevaliers de Colomb et du Club du Nord.

Décédé à Shawinigan, le 23 août 1950, à l'âge de 73 ans et 2 mois. Inhumé à Shawinigan, dans le cimetière de la paroisse Saint-Joseph, le 26 août 1950.

Avait épousé à Sainte-Geneviève-de-Batiscan, le 19 mai 1906, Éda Trudel, fille de Philippe Trudel, registrateur adjoint, et de Séphora Saint-Arnaud.

Beau-frère de Marc **Trudel**.

GUILLEMETTE, Éloi
(1911–1984)

Né à Saint-Célestin, le 1er décembre 1911, fils d'Ernest Guillemette, cultivateur, et de Flore Daneau.

Étudia à l'école de sa paroisse natale, au séminaire de Nicolet et à l'École d'agriculture de Sainte-Anne-de-la-Pocatière. Fit un stage d'un an au collège MacDonald à Sainte-Anne-de-Bellevue.

Exerça la profession d'agronome. Fut secrétaire du Bureau régional des agronomes de Pierreville et devint par la suite agronome adjoint à Sainte-Anne-de-la-Pocatière. Donna des cours sur la culture du lin à Plessisville en 1941 et fut propagandiste et organisateur de lineries coopératives au Québec et en Ontario pour les gouvernements fédéral et provincial. Travailla durant deux ans à la réorganisation de la linerie coopérative à Saint-Jean-d'Iberville. Nommé agronome adjoint du comté de Mégantic en 1947 et agronome du comté de Frontenac en 1949. Propriétaire des Huiles et Pétrole de Mégantic enr. Correspondant de *la Tribune* à Lac-Mégantic.

Élu député de l'Union nationale dans Frontenac en 1956. Réélu en 1960 et 1962. Ne s'est pas représenté en 1966.

Publia en 1940 *le Lin, sa culture, son industrie*. Récipiendaire de la médaille du Mérite diocésain de Sherbrooke. Fondateur de la Chambre de commerce des jeunes de Plessisville. Membre de la Chambre de commerce des jeunes de Mégantic et de la Chambre de commerce de Lac-Mégantic. Membre des Chevaliers de Colomb, du Club des Francs, du Club Renaissance de Québec, de la Légion canadienne, de la Société Saint-Jean-Baptiste et de l'Association forestière des Cantons-de-l'Est.

Décédé à Sherbrooke, le 23 février 1984, à l'âge de 73 ans et 2 mois. Inhumé à Saint-Célestin, le 25 février 1984.

Avait épousé dans la paroisse Saint-Thomas-de-Pierreville, le 15 juillet 1939, Ruth Fortier, fille d'Honorius Fortier, gérant de banque, et de Marie-Évangéline Gill.

GUILLET, Louis
(1788–1868)

Né à Batiscan et baptisé dans la paroisse Saint-François-Xavier, le 28 janvier 1788, fils de Jean-Baptiste Guillet, marchand, et de Marguerite Langlois.

Fit l'apprentissage du notariat auprès de François-Xavier **Larue**, à Pointe-aux-Trembles (Neuville). Reçut une commission de notaire en 1809.

Pratiqua sa profession à Sainte-Geneviève-de-Batiscan jusqu'en 1863. Fut juge de paix et commissaire au tribunal des petites causes. Obtint d'autres postes de commissaire. Se vit refuser le poste d'agent de certains fiefs, dans le district de Trois-Rivières, en 1842. Fut sous-agent pour percevoir les rentes dues au bureau des biens des jésuites.

Élu député de Champlain en 1844. Réélu en 1848. Membre du groupe canadien-français, puis réformiste. Défait en 1851.

Décédé à Batiscan, le 28 octobre 1868, à l'âge de 80 ans et 9 mois. [Inhumé au même endroit, le 30 octobre 1868.]

Avait épousé à Sainte-Geneviève-de-Batiscan, vers 1818, Louise Leclerc.

Frère de Valère **Guillet**. Beau-frère d'Alexis **Rivard**.

Bibliographie : *DBC.*

GUILLET, Valère
(1796–1881)

Né à Batiscan et baptisé dans la paroisse Saint-François-Xavier, le 5 juillet 1796, fils de Jean-Baptiste Guillet, marchand, et de Marguerite Langlois.

Étudia au séminaire de Nicolet de 1811 à 1817, puis fit l'apprentissage du droit dans l'étude de son frère Louis **Guillet**, à Sainte-Geneviève-de-Batiscan. Admis à la pratique du notariat en mars 1825.

Exerça sa profession à Saint-Pierre-les-Becquets pendant six mois, puis à Yamachiche et, de 1835 environ jusqu'en 1879, à Trois-Rivières.

Élu député de Saint-Maurice en 1830. Réélu en 1834. Appuya le parti patriote. Démissionna le 29 juin 1836.

Nommé coroner du district de Trois-Rivières, le 5 novembre 1836, occupa cette charge jusqu'en 1878.

Fut secrétaire de la Chambre des notaires des districts de Trois-Rivières et de Saint-François de 1847 à 1862, puis président jusqu'en 1868. Est l'auteur d'un traité intitulé « Un petit système d'agriculture », publié dans *la Bibliothèque canadienne* (Montréal) en 1829, et pour lequel il avait reçu un prix de la Société pour l'encouragement des sciences et des arts de Québec en 1828, ainsi que d'un article qu'il fit paraître dans *le Foyer canadien* (Québec) en 1865, sous le titre d'« Un petit épisode du siège de Québec en 1775 ».

Décédé à Trois-Rivières, le 26 février 1881, à l'âge de 84 ans et 7 mois. Inhumé dans le cimetière Saint-Louis, le 1er mars 1881.

Était célibataire.

Beau-frère d'Alexis **Rivard**.

GUY, Étienne
(1774–1820)

Né à Montréal et baptisé dans la paroisse Notre-Dame, le 16 février 1774, fils de Pierre Guy, marchand et propriétaire foncier, et de sa cousine Marie-Josephte Hervieux.

Étudia au collège Saint-Raphaël de Montréal de 1785 à 1792, puis au College of New Jersey, à Princeton, États-Unis, d'octobre 1794 à janvier 1796.

Élu député de Montréal en 1796 ; appuya le parti canadien. Ne se serait pas représenté en 1800.

Reçut une commission d'arpenteur en 1798, puis exerça cette profession. Servit dans la milice, notamment comme major pendant la guerre de 1812; fut promu lieutenant-colonel plus tard.

Décédé à Montréal, le 29 décembre 1820, à l'âge de 46 ans et 10 mois. Inhumé dans la paroisse Notre-Dame, le 31 décembre 1820.

Avait épousé à Lachine, le 16 novembre 1801, Catherine Vallée, fille de Pierre Vallée et de Catherine Trefflé, dit Rottot, et veuve de Nicolas Berthelette.

Frère de Louis **Guy**.

––––––

Bibliographie: *DBC.*

GUY, Louis
(1768–1850)

Né à Montréal, le 27 juin 1768, puis baptisé le 28, dans la paroisse Notre-Dame, fils de Pierre Guy, marchand et propriétaire terrien, et de Marie-Josephte Hervieux.

Étudia à Montréal, puis, en 1787, obtint une commission d'arpenteur; exerça cette profession. En 1791–1792, fréquenta le College of New Jersey, à Princeton, aux États-Unis. Au terme de son apprentissage dans l'étude de Joseph **Papineau**, en 1801, fut admis à l'exercice du notariat.

Fut notaire à Montréal jusqu'en 1842; devint notaire du roi en 1828 et notaire de la reine en 1838. Pendant la guerre de 1812, servit en qualité d'officier de milice et prit part à la bataille de Châteauguay en 1813; accéda au grade de colonel en 1830. Fut président du Comité constitutionnel de Montréal, opposé au projet d'union du Haut et du Bas-Canada, en 1822.

Nommé au Conseil législatif le 20 décembre 1830, prêta serment le 12 janvier 1833; en fit partie jusqu'à la suspension de la constitution, le 27 mars 1838. S'occupa d'administration municipale, à Montréal, avant 1833.

Décoré de la médaille de la bataille de Châteauguay. Obtint de nombreux postes de commissaire. Archéologue amateur.

Décédé à Montréal, le 17 février 1850, à l'âge de 81 ans et 7 mois. Inhumé dans la paroisse Notre-Dame, le 20 février 1850.

Avait épousé dans la paroisse Notre-Dame de Montréal, le 19 octobre 1795, sa parente Josette Curot, fille de Michel Curot et de Charlotte Hervieux.

Frère d'Étienne **Guy**. Beau-père d'Antoine-Olivier **Berthelet** et de Melchior-Alphonse d'**Irumberry de Salaberry**.

––––––

Bibliographie: *DBC.*

HACKETT, Michael Felix
(1851–1926)

Né à Granby, le 23 août 1851, fils de Patrick Hackett, marchand, et de Mary Griffin.

A étudié au Granby Academy College, au collège de Sainte-Marie-de-Monnoir, au collège de Saint-Hyacinthe et à la McGill University. Admis au barreau de la province de Québec le 17 juin 1874.

Avocat à Stanstead Plain. Directeur et vice-président de Stanstead and Sherbrooke Mutual Fire Insurance.

Maire de Stanstead Plain du 4 août 1890 au 4 janvier 1904. Préfet du comté de Stanstead de 1891 à 1897. Élu député conservateur dans Stanstead en 1892. Réélu à l'élection partielle du 21 mars 1895. Président du Conseil exécutif dans le cabinet Taillon du 28 février 1895 au 11 mai 1896. Secrétaire et registraire dans le cabinet Flynn du 11 mai 1896 au 24 mai 1897. Réélu en 1897. Défait en 1900. Candidat conservateur défait dans Stanstead aux élections fédérales de 1904.

Nommé juge à la Cour supérieure du district de Bedford le 3 décembre 1915.

Président du Stanstead County Farmers' Institute, du Board of School Trustee et de la Société Saint-Joseph. Membre du Board of Examiners for School Teachers of Eastern Townships pendant six ans. Capitaine dans la milice de 1891 à 1897. Créé conseil en loi de la reine le 19 mai 1899. Bâtonnier du barreau de Saint-François en 1892 et 1893, puis en 1900 et 1901. Président de la Catholic Mutual Benefit Association of Canada de 1895 à 1916.

Décédé à Cowansville, le 12 avril 1926, à l'âge de 74 ans et 6 mois. Inhumé à Stanstead, dans le cimetière Mont-Sainte-Marie, le 14 avril 1926.

Avait épousé à Stanstead, dans la paroisse du Sacré-Cœur-de-Jésus, le 4 septembre 1883, Florence Alberta Knight, fille d'Albert **Knight** et de Julia Ann Rose.

Père de John Thomas Hackett, député à la Chambre des communes de 1930 à 1935 et de 1945 à 1949, puis sénateur en 1955 et 1956.

HAINS, Roma

Né à Saint-Lambert, le 17 octobre 1922, fils de Napoléon Hains, charpentier, et d'Angélina Robert.

A étudié à l'école normale de Laprairie et à l'université de Montréal où il obtint un baccalauréat ès arts en 1942, une licence en pédagogie en 1946 et une maîtrise en littérature en 1949.

Comptable à la caisse populaire Ville-Émard de 1950 à 1956. Professeur d'histoire et de littérature au collège supérieur de Saint-Henri de 1953 à 1956. Directeur de l'école Saint-Jean-Damascène de 1956 à 1959 et de l'école Cœur-Immaculée-de-Marie de 1960 à 1978. Rédacteur en chef de l'hebdomadaire *la Voix populaire* en 1978 et 1979. Président des élections scolaires pour le quartier Saint-Henri en 1980.

Élu député libéral dans Saint-Henri en 1981. Réélu en 1985. Ne s'est pas représenté en 1989.

HALE, Edward (Portneuf)
(<1812–1862)

Fut seigneur de Portneuf. En 1812, forma avec des associés une maison commerciale à Québec, la Coltman and Hale. Officier de milice: lieutenant dans le corps de cavalerie volontaire de Québec à compter du 24 avril 1812, obtint le grade de capitaine le 25 janvier 1815; promu major dans le 2e bataillon de milice de Portneuf le 8 avril 1830.

Fit partie du Conseil spécial du 1er août 1839 jusqu'à l'entrée en vigueur de l'Acte d'Union, le 10 février 1841.

Décédé le 15 octobre 1862.

On ne sait pas s'il était célibataire ou marié.

Oncle d'Edward **Hale** (Sherbrooke).

HALE, Edward (Sherbrooke)
(1801–1875)

Né à Québec, le 6 décembre 1801, puis baptisé dans l'église anglicane, le 26 janvier 1802, fils de John **Hale**, trésorier-payeur général adjoint des troupes britanniques, et d'Elizabeth Frances Amherst.

Étudia à Kensington, en Angleterre.

De retour à Québec, obtint le poste de secrétaire au bureau de l'auditeur de la province du Bas-Canada. De 1823 à 1828, exerça les fonctions de secrétaire privé de son oncle, lord William Pitt Amherst, gouverneur général des Indes, puis visita une partie de l'Europe. Revint à Québec et, en 1833, acheta et exploita une ferme à Sherbrooke où il s'installa. Fut actionnaire de la British American Land Company ; fit l'acquisition et la mise en valeur de nombreuses propriétés foncières dans les Cantons-de-l'Est. Pendant la rébellion de 1837–1838, servit comme secrétaire du colonel des volontaires de Sherbrooke.

Fit partie du Conseil spécial du 19 septembre 1839 jusqu'à l'entrée en vigueur de l'Acte d'Union, le 10 février 1841. Nommé en août 1840 président du conseil de district de Sherbrooke. Élu député de la ville de Sherbrooke en 1841. Réélu en 1844. Unioniste et tory. Ne s'est pas représenté en 1848. Nommé conseiller législatif de la division de Wellington le 2 novembre 1867, prêta serment le 27 décembre ; appuya le Parti conservateur.

S'occupa d'un projet de construction ferroviaire dans les Cantons-de-l'Est. Posséda des intérêts dans la Banque des Townships de l'Est et fut président, à compter de 1865, de la Stanstead and Sherbrooke Mutual Fire Insurance Company. Chancelier du Bishop's College de Lennoxville en 1866. Un des administrateurs de l'hôpital Jeffery Hale de Québec.

Décédé en fonction à Québec, le 26 avril 1875, à l'âge de 73 ans et 4 mois. Les obsèques eurent lieu dans l'église anglicane St. Peter de Sherbrooke, le 29 avril 1875.

Avait épousé dans la cathédrale anglicane Holy Trinity, à Québec, le 10 mars 1831, Eliza Cecilia Bowen, fille d'Edward **Bowen**, juge de la Cour du banc du roi à Québec, et d'Eliza Davidson.

Neveu d'Edward **Hale** (Portneuf). Un de ses fils épousa la petite-fille de Jonathan **Sewell**.

Bibliographie : *DBC.*

HALE, John
(1765–1838)

Né en Angleterre, en 1765, fils du colonel John Hale et de Mary Chaloner.

Entré dans les Royal Marines en 1776, devint lieutenant dans le 2nd Foot en 1779, puis capitaine. Accompagna à Halifax le prince Edward Augustus, dont il était le secrétaire

militaire. Fut de retour en Angleterre en 1798, puis vint à Québec en juin 1799 en qualité de trésorier-payeur général adjoint des troupes britanniques au Canada. Nommé inspecteur général des comptes publics en 1807. S'intéressa à la propriété foncière et, en 1819, acquit la seigneurie de Sainte-Anne-De La Pérade. Fut aussi procureur et bailleur de fonds pour certains commerçants, dont George Waters **Allsopp** et John **Cannon**. Président de la Banque d'épargne de Québec de 1821 à 1823, puis vice-président de 1823 à 1826.

Membre du Conseil législatif du 3 décembre 1808 jusqu'à la suspension de la constitution, le 27 mars 1838 ; en fut président suppléant du 23 février 1814 au 16 janvier 1815, du 21 février 1815 au 20 janvier 1816 et du 7 février 1817 au 10 mars 1823. Membre du Conseil exécutif du 28 décembre 1820 jusqu'à sa mort. Fut chargé de remplacer John **Caldwell** dans l'exercice de ses fonctions de receveur général du 25 novembre 1823 jusqu'à sa mort.

Obtint quelques postes de commissaire, fut juge de paix et officier de milice. Fut vice-président de la Société d'agriculture du district de Trois-Rivières, syndic du musée Chasseur de Québec. Fit paraître dans les *Transactions* de la Société littéraire et historique de Québec, dont il était membre : «Observations on crickets in Canada».

Décédé à Québec, le 24 décembre 1838, à l'âge de 72 ou de 73 ans. Les obsèques eurent lieu dans la cathédrale anglicane Holy Trinity, le 27 décembre 1838.

Avait épousé à Londres, le 3 avril 1799, Elizabeth Frances Amherst, qui fut aquarelliste, fille de William Amherst, officier de l'armée britannique, et d'Elizabeth Patterson, et sœur de lord William Pitt Amherst.

Frère d'Edward **Hale** (Portneuf). Père d'Edward **Hale** (Sherbrooke).

Bibliographie : *DBC.*

HALL, John Smythe
(1853–1909)

Né à Montréal, le 7 août 1853, fils de John S. Hall, marchand de bois et propriétaire de moulins, et d'Emma Brigham.

A étudié au Bishop's College à Lennoxville et à la McGill University à Montréal. Étudia le droit au cabinet Cross, Lunn & Lunn. Admis au barreau de la province de Québec le 11 janvier 1876.

Pratiqua le droit à Montréal et fut associé notamment à Joseph-Adolphe **Chapleau** et Levi Ruggles **Church**. Éditeur du journal montréalais *The Daily Herald*.

Élu député conservateur dans Montréal-Ouest en 1886. Réélu sans opposition dans Montréal n° 5 en 1890. Trésorier de la province dans le cabinet Boucher de Boucherville du 21 décembre 1891 au 12 novembre 1892. Réélu en 1892. De nouveau trésorier de la province dans le cabinet Taillon du 30 décembre 1892 jusqu'à sa démission, le 6 octobre 1894. Défait en 1897.

Président de la Société de la bibliothèque de la McGill University en 1880, des Gradués de McGill en 1884 et du Junior Conservative Club de Montréal. Élu membre de la corporation de la McGill University en 1883 et 1886. Second lieutenant de la Field Battery of Canadian Artillery en 1881, il se retira avec le grade de major en 1895. Docteur en droit honoris causa du Bishop's College en 1895. Membre du Club de la garnison, du Montreal Club, du St. James Club et de l'Union Club. Créé conseil en loi de la reine le 22 juin 1899.

Décédé à Calgary, en Alberta, le 8 janvier 1909, à l'âge de 55 ans et 5 mois. Inhumé à Montréal, le 14 janvier 1909.

Avait épousé à Ottawa, le 3 janvier 1883, Victoria Rosine Brigham, fille de Thomas Cortez Brigham et de Sarah Smith.

HAMEL, André J.

Né à Sherbrooke, le 25 septembre 1937, fils d'Antoine Hamel et de Cécile Rousseau.

A étudié au séminaire Saint-Charles de Sherbrooke de 1950 à 1954. A terminé à temps partiel un certificat en service social en 1964, un baccalauréat ès arts en 1971 et un baccalauréat ès arts spécialisé en lettres en 1975 à l'université de Sherbrooke. Titulaire d'un certificat en Fund Raising de l'University of San Francisco en 1976. Fit des études en administration à l'université de Montréal en 1985 et des études de droit à l'université de Sherbrooke de 1980 à 1983. Suivit également des sessions d'études et de formation au travail en équipe, en psychologie des relations humaines et en relations publiques.

Conseiller en service social à la Commission des écoles catholiques de Sherbrooke de 1962 à 1965. Responsable du service social scolaire à la commission régionale de l'Estrie de 1965 à 1968. Secrétaire administratif à la faculté des arts de l'université de Sherbrooke de 1968 à 1971. Relationniste au service des relations publiques de l'université de Sherbrooke de 1971 à 1973. Directeur général de l'Association générale des anciens de l'université de Sherbrooke de 1973 à 1985 et directeur général de la fondation de cette association en 1985.

Président de la Corporation des conseillers sociaux du Québec de 1967 à 1970 et en 1973 et 1974. Membre du conseil d'administration de la Chambre de commerce de Sherbrooke en 1976 et du Centre de services sociaux de l'Estrie en 1976 et 1977, fut également président de cet organisme de 1977 à 1979. Président de l'Association des centres de services sociaux du Québec en 1978 et 1979. Membre de la Société canadienne des relations publiques et de la Société des relationnistes du Québec.

Élu député libéral dans Sherbrooke en 1985. Réélu en 1989. Adjoint parlementaire du ministre de l'Enseignement supérieur et de la Science du 21 septembre 1988 au 9 août 1989. Adjoint parlementaire du ministre des Affaires internationales du 29 novembre 1989 au 31 octobre 1990. Nommé adjoint parlementaire de la ministre de l'Enseignement supérieur et de la Science le 31 octobre 1990 et adjoint parlementaire du ministre des Affaires internationales le 15 avril 1992.

HAMEL, Édouard
(1879–1964)

Né à Pont-Rouge, le 29 décembre 1879, fils de Ferdinand Hamel, cultivateur, et d'Ada Eddleston.

Fit ses études au séminaire de Québec et à l'université Laval à Québec. Diplômé en droit en 1903. Admis à la pratique du notariat le 14 juillet 1906. Fit un stage, de 1906 à 1908, à Sainte-Geneviève-de-Batiscan auprès de Ferdinand **Trudel**, registrateur du comté de Champlain.

S'installa par la suite à Pont-Rouge où il exerça sa profession pendant vingt ans. Propriétaire d'une ferme. Fut vice-président de la Fonderie suprême ltée de Pont-Rouge. Secrétaire-trésorier de la commission scolaire du village de Pont-Rouge de 1912 à 1920 et président de 1921 à 1934. Secrétaire du conseil de comté de Portneuf du 14 juin 1916 au 9 mars 1921. Secrétaire-trésorier de la municipalité du village de Pont-Rouge de 1911 à 1921 et maire de 1921 à 1925, puis de 1929 à 1931. Président de la Société d'agriculture de Portneuf du 13 mars 1944 au 1er octobre 1945.

Élu sans opposition député libéral dans Portneuf à l'élection partielle du 11 octobre 1920. Réélu en 1923 et 1927. Son siège devint vacant lorsqu'il fut nommé registrateur de la division d'enregistrement de Portneuf le 29 juin 1927.

Registrateur de 1927 à 1953 et, conjointement avec Paul-Henri Moisan, de 1953 à 1955. Retourna à la pratique du notariat de 1956 jusqu'à son décès.

Décédé à Pont-Rouge, le 22 mai 1964, à l'âge de 84 ans et 4 mois. Inhumé à Pont-Rouge, dans le cimetière de la paroisse Sainte-Jeanne-de-Neuville, le 26 mai 1964.

Avait épousé dans sa paroisse natale, le 21 octobre 1913, Jeanne Dallaire, fille de Jean d'Avila Dallaire, marchand, et de Marie-Louise Lemieux.

HAMEL, Laurent

Né à Iberville, le 31 janvier 1926, fils de Charles Hamel, comptable, et de Lydia Larivière.

Fit ses études à l'académie d'Iberville, au séminaire de Saint-Jean et à l'université Laval où il fut diplômé de la faculté de commerce en 1949.

Comptable. Travailla à la conserverie David Lord pendant onze ans. Vérificateur pour les paroisses du diocèse de Saint-Jean de 1974 à 1977. Fut président régional du Club Richelieu. Membre des Chevaliers de Colomb.

Président régional de la Fédération libérale de Richelieu. Secrétaire de l'Association libérale du comté d'Iberville pendant huit ans. Élu député libéral dans Iberville en 1960. Réélu en 1962. Défait en 1966.

HAMEL, Paul-Yvon

Né à Saint-Jean-Baptiste, le 11 février 1934, fils d'Alfred Hamel, cultivateur, et de Léonie Chabot.

A étudié à l'école primaire de Saint-Jean-Baptiste, au collège Notre-Dame à Montréal et à l'Institut agricole d'Oka.

Travailla à la Brasserie Carling de 1953 à 1966. Vendeur d'assurances pour la maison Perron et Associés en 1970 et 1971. Voyageur de commerce pour les Engrais chimiques Ricard de 1971 à 1979. Responsable des projets spéciaux à Cidrobec de 1979 à 1988. Directeur des relations publiques pour le groupe Soprin inc. à compter de 1988. Fut président de la Fondation Rouville en 1989.

Élu député de l'Union nationale dans Rouville en 1966. Whip adjoint de l'Union nationale de juin 1966 à avril 1970. Défait en 1970. Candidat du Parti créditiste défait dans Iberville en 1973. Maire de Marieville de 1973 à 1987.

HAMEL, Philippe
(1884–1954)

Né dans la paroisse Notre-Dame de Québec, le 12 octobre 1884, fils d'Auguste Hamel, médecin et professeur à l'université Laval, et de Sophie Vallière.

Fit ses études au séminaire de Québec, à la faculté de médecine de l'université Laval à Québec, à la faculté de chirurgie dentaire de l'université Laval à Montréal ainsi qu'à l'univer-

sité de Pennsylvanie à Philadelphie. Docteur en art dentaire en 1907.

Pratiqua sa profession à Québec. Professeur agrégé à la faculté de médecine de l'université Laval à Québec de 1930 jusqu'à son décès. Chef du service de stomatologie aux hôpitaux du Saint-Sacrement, de l'Enfant-Jésus et de l'Hôtel-Dieu-du-Sacré-Cœur. Président des Placements d'Iberville.

Directeur de la Ligue d'action nationale. Élu député de l'Action libérale nationale dans Québec-Centre en 1935. Élu sous la bannière de l'Union nationale en 1936. Avec un groupe de dissidents de l'Union nationale il fonda, le 26 juin 1937, le Parti national. Ne s'est pas représenté en 1939.

Gouverneur du Collège des chirurgiens dentistes de la province de Québec de 1924 à 1934. Président de l'Association dentaire canadienne de 1932 à 1934. Président des Dentistes de langue française de l'Amérique du Nord en 1941. Membre de la Société de stomatologie de Québec, de l'American Academy of Dental Medicine, de l'Académie internationale d'odontologie de Buenos Aires. Premier rédacteur de la section française de la *Revue dentaire canadienne*. Directeur de l'Institut canadien. Membre de la Société symphonique de Québec, du Club Richelieu de Québec et du Club Rotary. A publié notamment : *Discours prononcés à la législature de Québec* (1936), *le Trust de l'électricité, menace pour la sécurité sociale* (1936), *la Bourse et ses ruines* (1937), *Notre société croule sous le poids de l'usure* (1940), *Discours prononcés à l'Assemblée législative de Québec* (1939), *la Canalisation du Saint-Laurent* (1940), *la Marche vers le socialisme* (1942), *les Abus du capitalisme* (1945), *la Carie dentaire, ses causes, sa prévention* (1945), *les Responsables de la deuxième guerre mondiale* (1948) et *Nécrologie, docteur Arthur Langlois* (1949).

Décédé à Québec, le 22 janvier 1954, à l'âge de 69 ans et 3 mois. Inhumé à Sainte-Foy, dans le cimetière Notre-Dame-de-Belmont, le 25 janvier 1954.

Avait épousé à Montréal, dans la paroisse Saint-Jacques, le 11 janvier 1909, Georgianna Normandin, fille d'Alphonse Normandin, notaire, et d'Hélène Lapierre.

Bibliographie : Belzile, Marie-Paule, *Bio-bibliographie du docteur Philippe Hamel*, thèse à l'université Laval, Québec, 1949, 114 p. Chaloult, René, *Le docteur Philippe Hamel*, Montréal, L'Œuvre des tracts, 1954, 16 p. («L'Œuvre des tracts», 407). Lapointe, Richard, *La politique au service d'une conviction, Philippe Hamel : deux décennies d'action politique*, thèse à l'université Laval, Québec, 1987, 154 p.

HAMEL, René
(1910–1982)

Né à Grand-Mère, le 9 février 1910, fils de Léonide Hamel, manœuvre, et de Marie-Jeanne Drolet.

A étudié aux écoles Saint-Nicolas à Montréal et L'Immaculée-Conception à Shawinigan. De 1925 à 1929, il fut au service du fabricant de papier Belgo. Par la suite, il poursuivit ses études au séminaire de Chambly, au séminaire Saint-Joseph à Trois-Rivières, à l'université Laval où il fut licencié en droit en 1937, puis à l'université de Louvain, en Belgique, où il fut licencié en sciences politiques et sociales. Admis au barreau de la province de Québec le 9 août 1937.

Exerça sa profession à Shawinigan. Fut membre du cabinet Pinsonnault, Crête et Hamel en 1939 et 1940, puis fonda son propre cabinet en 1940. Conseiller juridique de la ville de Shawinigan de 1949 à 1955.

Candidat du Bloc populaire défait dans la circonscription de Saint-Maurice aux élections provinciales de 1944. Élu député du Bloc populaire à la Chambre des communes dans Saint-Maurice–Laflèche en 1945. Candidat indépendant défait en 1949. Élu député libéral à l'Assemblée législative dans Saint-Maurice en 1952. Réélu en 1956. Chef intérimaire de l'Opposition lors de la session de 1956 et 1957. Candidat défait à la direction du Parti libéral en 1958. Réélu en 1960 et 1962. Ministre des Affaires municipales dans le cabinet Lesage du 5 juillet 1960 au 20 décembre 1961. Ministre du Travail du 5 juillet 1960 au 8 août 1963. Procureur général du 8 août 1963 au 30 octobre 1964. Démissionna le 30 octobre 1964 lors de son accession à la magistrature.

Créé conseil en loi de la reine le 30 septembre 1960. Nommé juge à la Cour supérieure et juge *ex officio* à la Cour du banc de la reine le 29 octobre 1964. Chargé de cours de sociologie au grand séminaire de Trois-Rivières, au juvénat de Pointe-du-Lac et à l'école supérieure de L'Immaculée-Conception. Ancien président du Cercle international des étudiants étrangers de l'université de Louvain, en Belgique. Fondateur et président du Club Richelieu de Shawinigan en 1950. Membre de la Chambre de commerce de Shawinigan, de la Légion canadienne, de l'Association des anciens de Louvain et des Chevaliers de Colomb. Récipiendaire de la médaille d'or du gouverneur général.

Décédé à Shawinigan, le 16 décembre 1982, à l'âge de 72 ans et 10 mois. Les funérailles eurent lieu à Shawinigan, dans l'église Saint-Bernard, le 20 décembre 1982.

Avait épousé à Québec, dans la paroisse du Très-Saint-Sacrement, le 25 mars 1940, Marie-Paule Masse, fille de Jan-vier Masse, mécanicien de machines fixes, et de Célina Lévesque.

HAMEL, Wilfrid
(1895–1968)

Né à L'Ancienne-Lorette, le 16 juillet 1895, fils d'Edmond Hamel, cultivateur, et de Mathilda Paradis.

Fit ses études à L'Ancienne-Lorette et à l'académie commerciale de Québec. Titulaire d'un doctorat en sciences commerciales honoris causa de l'université Laval en 1958.

Comptable du bureau Maranda et Labrecque limitée en 1913, il fut actionnaire et directeur de cette entreprise de 1925 à 1941.

Membre de la Société Saint-Vincent-de-Paul, du Club de réforme, du Club des journalistes de Québec et des Chevaliers de Colomb.

Marguillier de la paroisse du Sacré-Cœur-de-Jésus de 1940 à 1942. Candidat libéral défait dans Saint-Sauveur en 1936. Élu député dans la même circonscription en 1939. Assermenté ministre d'État dans le cabinet Godbout le 8 novembre 1939. Ministre des Terres et Forêts du 5 novembre 1942 au 30 août 1944. Réélu en 1944. Défait en 1948 et 1952. Organisateur du Parti libéral du Canada pour le district de Québec en 1949. Maire de Québec du 15 décembre 1953 au 1er décembre 1965.

Décédé à Québec, le 31 décembre 1968, à l'âge de 73 ans et 5 mois. Inhumé à L'Ancienne-Lorette, le 4 janvier 1969.

Avait épousé dans sa paroisse natale, le 11 juin 1917, Marie-Célina Martel, fille de Charles Martel et de Marie Légaré.

HAMILTON, Clarence
(1833–1894)

[Né à New Carlisle, le 29 décembre 1833, fils de John Robinson **Hamilton**, avocat, et d'Eliza Racey.]

Fit ses études à Québec. S'occupa de l'exploitation des pêches. Armateur, négociant et exportateur. Fut propriétaire d'un établissement de pêche à Longue-Pointe, près de Mingan.

Élu député libéral dans Bonaventure en 1867. Défait en 1871.

Décédé à Longue-Pointe, le 14 janvier 1894, à l'âge de 60 ans et 11 mois. Inhumé à New Carlisle, dans le St. Andrews Church Yard, le 10 mai 1894.

Avait épousé Jane Wiley.

HAMILTON, John
(1827–1888)

Né à Hawkesbury, dans le Haut-Canada, le 16 décembre 1827, fils de George Hamilton, entrepreneur forestier, et de Susannah Christiana Craigie.

Étudia à Montréal.

En 1843, se lança dans le commerce du bois avec ses deux frères aînés au sein de la Hamilton and Thomson, société qui faisait de l'exploitation forestière dans le Haut et le Bas-Canada et exportait sur le marché britannique ; s'occupa plus particulièrement des scieries à Hawkesbury. Participa à la mise sur pied, vers 1849, de la Hamilton Brothers, qu'il exploita seul à compter de 1872. Administrateur de plusieurs compagnies de chemin de fer ainsi que de la Reliance Mutual Life Assurance Society of London, de la Compagnie de placement et d'agence du Canada, et de la Coldbrooke Rolling Mills Company, de la Nouvelle-Écosse. Actionnaire de la Banque des marchands, en fut vice-président de 1875 à 1877, puis président jusqu'en 1882 ; fit partie du conseil d'administration de la Banque de Montréal à compter de 1884. Président de la Canada Timber and Lumber Association de 1876 à 1884.

Président du conseil municipal de Hawkesbury de 1858 à 1864. Fut à trois reprises préfet des comtés unis de Prescott et de Russell. Élu conseiller législatif de la division d'Inkerman en 1860, occupa son siège jusqu'à l'avènement de la Confédération, le 1er juillet 1867. Sénateur de la division d'Inkerman du 23 octobre 1867 jusqu'à sa démission le 11 mai 1887. Appuya le Parti conservateur.

Décédé à Montréal, le 3 avril 1888, à l'âge de 60 ans et 3 mois. Les obsèques eurent lieu dans l'église anglicane St. John Evangelist, le 5 avril 1888.

Avait épousé en 1852 Rebecca Lewis, [fille du révérend John Lewis, de Cork, en Irlande] ; puis, après 1860, Ellen Marion Wood, [fille de William Wood, de Seale Lodge, dans le Surrey, en Angleterre] ; enfin, le 3 juin 1872 ou 1873, Jean [Cambie, fille de Charles Cambie, de Castletownarra, dans le comté de Tipperary (en république d'Irlande), et] veuve [de John] Major.

Petit-fils de John **Craigie**.

_____

Bibliographie : *DBC*.

HAMILTON, John Robinson
(1808–1870)

Né à Québec, le 5 mars 1808, puis baptisé le 18, dans la cathédrale anglicane Holy Trinity, fils de Gavin Major Hamilton, marchand, et de Mary Robinson.

Fit l'apprentissage du droit auprès de Joseph-Rémi **Vallières de Saint-Réal**, de mai 1825 à juin 1826, puis d'Andrew **Stuart** et de Henry **Black** ; admis au barreau le 3 mai 1830.

Exerça sa profession à Québec jusqu'en 1836 et, par la suite, à Gaspé et à New Carlisle où il s'établit. Nommé conseiller de la reine le 25 juillet 1844.

Élu député de Bonaventure à une élection partielle le 12 décembre 1832 ; appuya tantôt le parti des bureaucrates, tantôt le parti patriote, mais était opposé aux Quatre-vingt-douze Résolutions. Défait en 1834. Élu dans la même circonscription en 1841 ; antiunioniste et indépendant. Défait en 1844, 1848 et 1851. Candidat défait au siège de conseiller législatif de la division du Golfe en 1858.

Décédé à New Carlisle, le 24 décembre 1870, à l'âge de 62 ans et 9 mois. Inhumé dans le cimetière de l'église anglicane St. Andrew, le 31 décembre 1870.

Avait épousé à New York, le 7 décembre 1831, Elisa Racey.

Père de Clarence **Hamilton**.

HANLEY, Frank

Né à Montréal, le 5 avril 1909, fils de John Hanley, brasseur, et de Stella Johnson.

Fit ses études à la St. Ann's Boys School à Montréal.

Fut champion de boxe poids plume de la cité de Montréal et de la province. Obtint une licence de jockey de l'État du Maryland en 1925. Pratiqua ce sport pendant plusieurs années dans les États de Maryland, New York, Virginie, Floride et Pennsylvanie, ainsi qu'à Cuba. Fut ensuite journalier à la voirie municipale de Montréal avant de travailler au service des parcs et terrains de jeux. A enseigné la culture physique et la boxe durant plusieurs années. Président du St. Ann's Community Council, de la St. Patrick Society et des United Irish Societies of Montreal. Membre du Social Register of Canada et du Catholic Order of Foresters.

Échevin du district n° 2 au conseil municipal de Montréal de 1940 à 1962 et du quartier Sainte-Anne de 1962 à 1970. Vice-président du comité exécutif de la cité de Montréal en 1954. Élu député indépendant dans Montréal–Sainte-Anne en 1948. Réélu en 1952, 1956, 1960, 1962 et 1966. Défait en 1970 et 1973. Candidat indépendant défait dans Saint-

Henri aux élections fédérales de 1972. Fut président de l'organisation du Parti progressiste-conservateur à Montréal. Nommé commissaire au recensement en 1985.

HARDY, Denis

Né à Sainte-Thérèse, le 27 janvier 1936, fils d'Hervé Hardy, cultivateur, et de Jeanne Lafleur.

Étudia à l'école primaire de Rosemère, au séminaire de Sainte-Thérèse et à l'université de Montréal où il suivit des cours de droit et de sciences politiques. Admis au barreau de la province de Québec en janvier 1964.

Pratiqua le droit à Saint-Jérôme et à Sainte-Thérèse. Conseiller juridique de la Chambre de commerce de Saint-Jérôme. Professeur de droit et de sciences politiques au cégep de Saint-Jérôme et au cégep Lionel-Groulx à Sainte-Thérèse.

Fut successivement président des Étudiants libéraux de l'université de Montréal, président de la Fédération des étudiants libéraux du Québec et vice-président de la Fédération canadienne des universitaires libéraux. Élu député libéral dans Terrebonne à l'élection partielle du 18 janvier 1965. Nommé adjoint parlementaire du ministre de l'Industrie et du Commerce le 19 janvier 1966. Défait en 1966. Élu en 1970. Vice-président de l'Assemblée nationale du 10 juin 1970 au 28 février 1973. Adjoint parlementaire du ministre des Affaires culturelles du 28 février au 25 septembre 1973. Réélu en 1973. Ministre des Affaires culturelles dans le cabinet Bourassa du 13 novembre 1973 au 5 août 1975. Ministre des Communications dans le même cabinet du 5 août 1975 au 26 novembre 1976 et leader parlementaire adjoint d'août 1975 à octobre 1976. Défait en 1976.

Avocat-conseil du cabinet Gourd, Mayrand et Brunet à compter du 3 mars 1978. Membre de la Commission des biens culturels du 16 juillet 1986 au 31 mai 1988. Président de la Commission de reconnaissance des associations d'artistes à compter du 1er avril 1988.

Membre du conseil d'administration de la Chambre de commerce des jeunes de Montréal. Fut secrétaire de la Société historique de Sainte-Thérèse. Membre des Chevaliers de Colomb, du Club Rotary et de l'ordre des Aigles de Saint-Jérôme. Membre de la Conférence des membres de tribunaux administratifs.

HAREL, Louise

Née à Sainte-Thérèse-de-Blainville, le 22 avril 1946, fille de Roger Harel, cadre scolaire, et de Mignonne Laroche, coiffeuse.

Obtint un baccalauréat ès arts au séminaire Sainte-Thérèse en 1965. Étudia en sociologie à l'université de Montréal. Vice-présidente de l'Union générale des étudiants du Québec (UGEQ) en 1968. Licenciée en droit de l'université de Montréal en 1977. Admise au barreau du Québec en 1978.

Permanente au secrétariat national du Parti québécois en 1970 et 1971. Travailla au Conseil de développement social du Montréal métropolitain, au service d'appui technique aux groupes populaires, de 1971 à 1974. Responsable du dossier de la condition féminine au Centre des services sociaux de Montréal de 1979 à 1981.

Membre de la Fédération des femmes du Québec et de nombreuses coopératives. Membre de la SSJB de Montréal.

Présidente de la région Montréal-Centre du Parti québécois de 1974 à 1979 et vice-présidente du Parti québécois de 1979 à 1981. Élue députée du Parti québécois dans Maisonneuve en 1981. Présidente de la Commission de l'économie et du travail du 15 mars au 25 septembre 1984. Ministre des Communautés culturelles et de l'Immigration dans le cabinet Lévesque du 25 septembre au 27 novembre 1984, date de sa démission comme ministre. Adjointe parlementaire du ministre de la Justice du 16 mai au 23 octobre 1985. Réélue en 1985. Vice-présidente de la Commission de la culture du 11 février 1986 au 9 août 1989. Réélue dans Hochelaga-Maisonneuve en 1989. Présidente de la Commission de l'éducation à compter du 29 novembre 1989.

HARRISON, Edward
(≈1729–1794)

Né soit vers 1729, selon un recensement fait vers 1773, soit vers 1734, d'après son acte d'inhumation.

Fut envoyé, en 1763, à Québec et à Montréal, pour le compte de marchands de Londres. S'engagea dans le commerce, plus spécialement celui des grains, à Québec en 1763. Associé à des marchands de Montréal dans la traite des fourrures. Propriétaire de navires. Acquit le fief de la Grosse-Île en 1784. Officier dans la milice de Québec à partir de 1775, avait accédé au grade de major à la fin de sa vie.

Fut membre du Conseil de Québec à compter de janvier 1773 et du Conseil législatif à partir d'août 1775. Fit partie des conseils privés des gouverneurs Guy **Carleton** et Frederick

Haldimand. Était membre du Conseil exécutif en 1784. Nommé conseiller législatif en 1792.

Décédé en fonction le 15 octobre 1794, à l'âge d'environ 60 ou 65 ans. Inhumé à Québec, le 17 octobre 1794.

S'était marié.

Peut-être le beau-père de John **Jones** (Basse-Ville de Québec).

Bibliographie: *DBC*.

HART, Ezekiel
(1770–1843)

Né à Trois-Rivières, le 15 mai 1770, fils d'Aaron Hart, commerçant, prêteur et propriétaire foncier, et de Dorothea Judah. Son prénom s'orthographiait parfois Ezechiel.

Fit une partie de ses études aux États-Unis.

En 1792, fut associé aux affaires de son père: magasin à Trois-Rivières et commerce des fourrures. En 1793, se trouvait à New York. Avec deux de ses frères et l'appui financier de son père, fonda à Trois-Rivières, en 1796, la M. and E. Hart Company, qui mit sur pied une brasserie, une malterie, une potasserie, une perlasserie et peut-être une boulangerie; s'en retira vers 1800. Par la suite, s'engagea dans le commerce d'import-export, l'exploitation d'un magasin général, l'investissement foncier, principalement à Trois-Rivières et à Cap-de-la-Madeleine; hérita de la seigneurie de Bécancour. Admis dans la milice en 1803, servit pendant la guerre de 1812; fut promu colonel en 1830. Un des fondateurs de la Banque de Montréal en 1817.

Défait dans Trois-Rivières en 1804. Élu député de Trois-Rivières à une élection partielle le 11 avril 1807; on contesta la validité du serment qu'il avait prêté en raison de ses croyances religieuses, et il ne fut pas autorisé à prendre son siège à l'ouverture de la session le 29 janvier 1808; consentit à prêter serment à nouveau le 12 février, mais, le 20 février, fut expulsé par la Chambre à cause de sa religion judaïque, et son siège fut déclaré vacant. Réélu en 1808; appuya le parti des bureaucrates; fut de nouveau expulsé par la Chambre pour la même raison le 5 mai 1809. Ne s'est pas représenté en 1809.

Décédé à Trois-Rivières, le 16 septembre 1843, à l'âge de 73 ans et 4 mois. Après d'imposantes obsèques, fut inhumé dans le deuxième cimetière juif de Trois-Rivières.

Avait épousé à New York, en février 1794, Frances Lazarus, nièce d'Ephraim Hart et de Frances Noah.

Cousin de Henry **Judah**.

Bibliographie: *DBC*.

HARTT, Maurice
(1895–1950)

[Né à Tacu, en Roumanie, le 15 avril 1895, fils de Saul Hartt et de Malia Segal.] Arriva au Canada à l'âge de douze ans.

A étudié chez les Frères de la Présentation à Kénogami, à la High School catholique de Montréal et à la Queen's University de Kingston, en Ontario. Fit sa cléricature auprès de Me Robert L. Calder.

Admis au barreau de la province de Québec le 8 juillet 1935, il exerça sa profession à Montréal.

Créé conseil en loi du roi le 17 décembre 1942. Membre du Club de réforme, du Mount Royal Club et du Montefiore Club.

Élu député libéral à l'Assemblée législative dans Montréal–Saint-Louis en 1939. Réélu en 1944. Démissionna le 18 mars 1947 et fut élu député libéral à la Chambre des communes dans Cartier à l'élection partielle du 31 mars 1947. Réélu en 1949.

Décédé en fonction à Montréal, le 15 mars 1950, à l'âge de 54 ans et 11 mois. Inhumé à Montréal, dans le cimetière de la congrégation Shaar Hashomayim, le 17 mars 1950.

Avait épousé à Montréal, dans la synagogue Bethleem David, le 15 août 1934, Rose Gertrude Gallay, fille de Joseph Gallay et de Sophie Parsant.

HARVEY, André

Né à Jonquière, le 29 avril 1939, fils de Charles Harvey, menuisier, et de Cécile-Ida Girard.

A étudié à l'académie Saint-Jean-Baptiste, à l'école secondaire Sacré-Cœur et au Goyetche Business College à Jonquière, ainsi qu'à l'académie de Québec et à l'université Laval. Fut diplômé en publicité et suivit par la suite un cours sur le coopératisme en Scandinavie.

Annonceur à CKRS (radio et télévision) de 1957 à 1960. Comme journaliste, il fut directeur des pages sportives au journal *la Presse* pour la région du Saguenay–Lac-Saint-Jean en 1960 et 1961. Représentant commercial de la compagnie Domtar pour la région du Saguenay–Lac-Saint-Jean de 1961 à 1963, et pour la compagnie Ganong Bros. de 1963 à 1966. Directeur du service de la publicité, secteur de la consommation, à la Fédération des magasins Coop de 1967 à 1970.

Membre de l'Association libérale du comté de Charles-bourg et du conseil supérieur du Parti libéral du Québec. Élu député libéral dans Chauveau en 1970. Réélu dans Charles-bourg en 1973. Défait en 1976. Défait dans Jonquière en 1981.

Animateur au service de la recherche et du développement de la Fédération des caisses d'entraide économique du Québec, à Alma, de 1977 à avril 1978, directeur de ce service jusqu'en 1980 puis adjoint au président en 1980 et 1981. De 1981 à 1985, il travailla en marketing pour les produits Alcan du Canada. Professeur en marketing, à son compte, et chargé de cours au cégep Bois-de-Boulogne et à l'université McGill de 1985 à 1987. Publiciste-conseil. Adjoint du chef du protocole du gouvernement du Québec en 1987 à l'occasion du Sommet de la francophonie. Nommé membre de la Régie des loteries et courses du Québec le 29 novembre 1989.

Directeur de la Jeune Chambre de commerce du Canada en 1960, de l'Association des voyageurs de commerce du Saguenay–Lac-Saint-Jean de 1961 à 1966 et du Club vente-publicité de Québec inc. de 1968 à 1970. Membre des Chevaliers de Colomb et du Club optimiste d'Orsainville. Membre honoraire de la Jeune Chambre de commerce de Charlesbourg de 1970 à 1973. Président du Conseil régional de développement du Saguenay–Lac-Saint-Jean et vice-président (finances) des CRD associés du Québec de 1977 à 1980. Membre fondateur de la Caisse d'entraide économique de Chauveau.

Frère de Gérald **Harvey**.

HARVEY, Gérald

Né à Jonquière, le 1er mars 1928, fils de Charles Harvey, menuisier, et de Cécile-Ida Girard.

Fit ses études à l'école Saint-Charles, à l'académie Saint-Michel à Jonquière, au collège Sacré-Cœur à Victoriaville et au Goyetche Business College à Jonquière. A suivi également des cours de l'International Accountant Society. Diplômé en comptabilité et tenue de livres en 1955.

Comptable au service des chemins de fer nationaux de 1954 à 1959. Commentateur sportif à la station radiophonique CKRS à Jonquière de 1954 à 1958 et chroniqueur sportif au quotidien le *Progrès du Saguenay*. Comptable à la compagnie Price ltée à Jonquière en 1959 et 1960. Annonceur officiel au Palais des sports et au Club de courses sous harnais à Jonquière. Président de la Fraternité des employés des chemins de fer et autres transports. Membre de l'Union internationale des commis et comptables. Membre des Chevaliers de Colomb.

Fut président de l'Association libérale du comté de Jonquière-Kénogami et de la Fédération régionale du Saguenay–Lac-Saint-Jean. Membre du conseil supérieur de la Fédération libérale du Québec pendant douze ans. Élu député libéral dans Jonquière-Kénogami en 1960. Réélu en 1962. Nommé adjoint parlementaire du ministre de la Famille et du Bien-être social le 19 décembre 1962. Réélu dans Jonquière en 1966, 1970 et 1973. Assermenté ministre sans portefeuille dans le cabinet Bourassa le 12 mai 1970. Ministre du Revenu du 1er octobre 1970 au 31 juillet 1975. Ministre du Travail et de la Main-d'œuvre du 30 juillet 1975 au 26 novembre 1976. Défait en 1976.

Vice-président exécutif de l'Association provinciale des marchands d'automobiles du Québec ltée de 1978 à 1982. Fondateur de la compagnie Constructions Rive-Gauche inc. en 1982 et président de cette compagnie jusqu'à sa retraite en 1992. Directeur au conseil d'administration de la fondation de l'université du Québec à Chicoutimi à compter de 1977.

Frère d'André **Harvey**.

HARVEY, Ghislain

Né à Bagotville, le 6 mai 1946, fils de Georges-Henri Harvey, ouvrier, et de Marie-Rose-de-Lima Pouliot.

Fit ses études à l'académie Saint-Alphonse-de-Bagotville, au collège Saint-Édouard à Port-Alfred, à l'école secondaire Dominique-Racine à Chicoutimi, au cégep de Chicoutimi et à l'université du Québec à Chicoutimi. Bachelier en sciences humaines en 1972.

Professeur et animateur à la Télévision éducative du Québec (TEVEC) en 1968 et 1969. Professeur à l'éducation des adultes en 1969 et 1970. Animateur social au ministère de l'Éducation pour le programme Action sociale jeunesse (AJS) en 1970 et 1971. Fut directeur du Conseil de la santé et des services sociaux de la région du Saguenay–Lac-Saint-Jean et directeur du Centre communautaire d'aide juridique régionale. Président du conseil d'administration de Centrart à compter de 1989 et membre du conseil d'administration de Les Saguenéens junior majeur à partir de 1991.

Élu député libéral dans Dubuc en 1973. Défait en 1976.

Directeur général de l'Office municipal d'habitation de La Baie du 28 novembre 1977 au 2 février 1987, date à laquelle il devint directeur général de l'Office municipal d'habitation de Chicoutimi.

HARWOOD, Antoine Chartier de Lotbinière (1825–1891)

Né à Montréal et baptisé dans la paroisse Notre-Dame, le 23 avril 1825, fils de Robert Unwin **Harwood**, marchand, et de Marie-Louise-Josephte (Louisa J.) Chartier de Lotbinière, héritière de la seigneurie de Vaudreuil.

Étudia au petit séminaire de Montréal de 1838 à 1845. Admis au barreau le 20 novembre 1848.

S'établit dans la seigneurie de Vaudreuil, dont il fut coseigneur. Secrétaire de la Compagnie du chemin de fer de Vaudreuil, que son père contribua à fonder, en 1853, puis à administrer. Servit comme capitaine dans le 1er bataillon de milice de Vaudreuil. Occupa le poste d'adjudant général adjoint de la milice dans le district militaire n° 6; démissionna en 1889, mais conserva son grade de lieutenant-colonel. Commandant, en 1871, de l'École militaire de Montréal.

Élu député de Vaudreuil en 1863; de tendance conservatrice. Son mandat prit fin avec l'avènement de la Confédération, le 1er juillet 1867. Élu sans opposition député conservateur de Vaudreuil à l'Assemblée législative en 1867. Ne s'est pas représenté en 1871.

Décédé à l'hôpital Notre-Dame de Montréal, le 6 août 1891, à l'âge de 66 ans et 3 mois. Inhumé dans le caveau de l'église Saint-Michel, à Vaudreuil, le 10 août 1891.

Avait épousé dans la paroisse Saint-Eustache, à Saint-Eustache, le 4 février 1851, Angélique Lefebvre de Bellefeuille, fille d'Eustache-Antoine Lefebvre de Bellefeuille, adjudant général de la milice du Bas-Canada et coseigneur des Mille-Îles, et de Margaret McGillis.

Petit-fils de Michel-Eustache-Gaspard-Alain **Chartier de Lotbinière**. Frère de Henry Stanislas et de Robert William Harwood, députés à la Chambre des communes du Canada. Cousin d'Henri-Gustave **Joly de Lotbinière**. Beau-frère d'Henri-Elzéar **Taschereau**.

HARWOOD, Robert Unwin (1798–1863)

Né à Sheffield, en Angleterre, le 22 janvier 1798, fils d'un commerçant dénommé Harwood et d'Elizabeth Unwin.

Arriva à Montréal en 1821. Se joignit à l'entreprise de quincaillerie John Harwood and Company, gérée par son frère. À compter de 1829, s'occupa de la mise en valeur de la seigneurie de Vaudreuil, dont sa femme venait d'hériter; fit notamment la production de la farine, à partir de 1841, et transforma ses terres en franc et commun socage, entre 1846

et 1853. Participa à la mise sur pied, en 1853, et à l'administration de la Compagnie du chemin de fer de Vaudreuil.

Nommé au Conseil législatif le 10 janvier 1832, prêta serment le 14 décembre; en fit partie jusqu'à la suspension de la constitution, le 27 mars 1838. Fut membre du Conseil spécial du 1er août 1839 jusqu'à l'entrée en vigueur de l'Acte d'Union, le 10 février 1841. Défait comme candidat réformiste dans Vaudreuil en 1848. Défait dans la même circonscription en 1851 et 1854. Élu député de Vaudreuil en 1858; de tendance conservatrice; démissionna le 3 octobre 1860. Élu conseiller législatif de la division de Rigaud le 5 novembre 1860.

Refusa d'être nommé juge de paix. Obtint quelques postes de commissaire.

Décédé en fonction au manoir seigneurial de Vaudreuil, le 12 avril 1863, à l'âge de 65 ans et 2 mois. Les obsèques eurent lieu dans la cathédrale anglicane Christ Church, à Montréal, le 16 avril 1863.

Avait épousé dans l'église anglicane Christ Church, à Montréal, le 15 décembre 1823, Marie-Louise-Josephte (Louisa J.) Chartier de Lotbinière, fille aînée du seigneur Michel-Eustache-Gaspard-Alain **Chartier de Lotbinière**.

Père d'Antoine Chartier de Lotbinière **Harwood**. Oncle d'Henri-Gustave **Joly de Lotbinière**.

Bibliographie: *DBC.*

HATT, Samuel (<1796–1842)

Né probablement à Londres, fils de Richard Hatt et d'une prénommée Mary.

Fit du commerce à Niagara (Niagara-on-the-Lake, en Ontario), à compter de 1796. Fut associé avec son frère Richard dans la construction de moulins à farine et dans la spéculation foncière, à Ancaster, de 1798 à 1816. Juge de paix à partir de 1807. Officier de milice: capitaine dans le 5th Lincoln Militia en 1814, prit part à la bataille de Lundy's Lane. En 1816, acheta une partie de la seigneurie de Chambly où il s'établit. L'année suivante, contribua à la construction d'une église anglicane à Chambly. Actionnaire d'une société fondée en octobre 1820 dans le but de construire un navire à vapeur, le *De Salaberry*. Président du Bureau de santé de Chambly en 1832.

Membre du Conseil législatif du 29 novembre 1829 jusqu'à la suspension de la constitution, le 27 mars 1838.

Décédé à Chambly, le 8 juillet 1842.

S'était marié.

Son fils épousa la fille de Charles-Michel d'**Irumberry de Salaberry**. Frère de Richard Hatt, député à la Chambre d'assemblée du Haut-Canada.

HAY, John
(1862–1925)

Né à Chatham, près de Lachute, le 26 juin 1862, fils de John Hay, cultivateur, et de Margaret Drew.

Fit ses études à Brownsburg, et à l'académie de Lachute.

Cultivateur. Membre du Conseil d'agriculture de la province de Québec. Président de la Provincial Plowmen Association. Vice-président de la Société d'agriculture du comté d'Argenteuil en 1896, puis président en 1910. Administrateur de la Presbyterian Church à Lachute.

Maire de Lachute de 1907 à 1909. Candidat libéral défait dans Argenteuil en 1892. Élu député libéral dans Argenteuil à l'élection partielle du 5 mars 1910. Défait en 1912. Réélu en 1916 et sans opposition en 1919. De nouveau élu en 1923.

Décédé en fonction à Lachute, le 16 janvier 1925, à l'âge de 62 ans et 6 mois. Inhumé dans le cimetière protestant de Lachute, le 18 janvier 1925.

Avait épousé à Petit-Brûlé, au Nouveau-Brunswick, le 6 juillet 1897, Helen Emily Morin, fille de John Morin et d'Agnes Anderson.

HEAD, Edmund Walker
(1805–1868)

Né à Wiarton Place, près de Maidstone, en Angleterre, le 16 février 1805, fils de sir John Head, pasteur, et de Jane Walker.

Étudia à Winchester et, à partir de 1823, à l'Oriel College d'Oxford où il fut fait bachelier ès arts en 1827.

Visita le continent européen pendant deux ans, puis, en 1830, entra au Merton College d'Oxford à titre de boursier (*fellow*) chargé, entre autres, de cours d'humanités. Par la suite, retourna en Italie, en Espagne et en Allemagne. Nommé commissaire adjoint de l'Assistance publique pour une partie de l'Angleterre et du pays de Galles en 1836, fut promu à la même charge pour la région métropolitaine de Londres en 1840 et, à la fin de 1841, devint l'un des trois commissaires principaux.

Le 11 avril 1848, entra en fonction, à Fredericton, en qualité de lieutenant-gouverneur du Nouveau-Brunswick. Refusa un poste d'administrateur colonial en Guyane. Nommé gouverneur général de la province du Canada le 21 septembre 1854, prêta serment le 19 décembre, à Québec. Pendant son mandat, eut à s'occuper notamment de l'avenir des territoires de la Hudson's Bay Company (HBC) et, en 1857–1858, du choix d'une capitale définitive – question qui provoqua l'instabilité ministérielle à l'origine de la manœuvre du double remaniement (*double shuffle*) –, ainsi que de la position de la colonie à l'égard des États-Unis au début de la guerre de Sécession en 1861. Quitta la province le 24 octobre 1861 ; le lendemain, fut remplacé dans ses fonctions par Charles Stanley **Monck**, qui agit d'abord à titre d'administrateur avant de lui succéder comme gouverneur en novembre.

De retour en Angleterre, fut défait dans la circonscription de Pontefract, dans le Yorkshire. D'avril 1862 jusqu'à sa mort, occupa un poste de commissaire de la fonction publique non rémunéré. Élu gouverneur de la HBC en 1863. Déclina la charge de gouverneur de Ceylan en 1864.

Succéda à son père en 1838 comme baronnet (sir). Fait conseiller privé en 1857 et chevalier commandeur de l'ordre du Bain en 1857 ou 1860. Élu membre de la Royal Society ; fut secrétaire et trésorier de l'Athenæum. Reçut des diplômes honorifiques d'Oxford et de Cambridge. Auteur de poèmes et d'un essai de philologie, ainsi que de la traduction d'ouvrages sur la peinture européenne et d'une saga islandaise, qui parurent à Londres entre 1833 et 1868.

Décédé à Londres, le 28 janvier 1868, à l'âge de 62 ans et 11 mois.

Avait épousé, le 27 novembre 1838, Anna Maria Yorke, fille du révérend John Yorke.

Bibliographie: *DBC.*

HEARN, John
(1827–1894)

Né en Irlande et baptisé le 4 janvier 1827 à Waterford, fils de Thomas Hearn et de Catherine Power. Arriva au Canada en 1842.

Fit ses études à la Meagher's Academy, en Irlande, puis sous la direction d'un professeur privé à Québec.

Débuta à titre de commis chez Hugh Murray, marchand de Québec. Établit par la suite un commerce de fournitures pour navires à Québec en 1849. Actif également dans le domaine de l'immobilier. Administrateur de la St. Lawrence and Temiscouata Railway Co. puis de la Compagnie du chemin de fer le Grand Nord. Devint président de l'Emmet Rifle Club en 1848. Président du St. Patrick's C. & L. Institute en 1870 et de la Hibernian Benevolent Society en 1884. Membre du conseil d'administration de l'Association de l'asile Sainte-Brigitte.

Échevin au conseil municipal de la ville de Québec de 1856 à 1865, de 1867 à 1873 et de 1877 à 1894. Élu sans opposition député conservateur dans Québec-Ouest en 1867 et 1871. Réélu en 1875, il résigna son siège de député le 9 novembre 1877 à la suite de sa nomination à titre de conseiller législatif de la division de Stadacona le 30 octobre 1877. Démissionna le 19 février 1892 pour se porter candidat au niveau fédéral. Élu député conservateur à la Chambre des communes dans Québec-Ouest à l'élection partielle du 26 février 1892.

Décédé en fonction à Québec, le 17 mai 1894, à l'âge de 67 ans et 4 mois. Inhumé à Sillery, dans le cimetière de l'église St. Patrick, le 19 mai 1894.

Avait épousé dans la paroisse Notre-Dame de Québec, le 20 novembre 1849, Mary Doran, fille de John Doran et de Bridget Doffin.

Père de John Gabriel **Hearn**.

———

Bibliographie: *DBC*.

HEARN, John Gabriel
(1863–1927)

Né à Québec, le 26 mars 1863, fils de John **Hearn**, marchand, et de Mary Doran.

Fit ses études à l'académie commerciale de Québec, au Collège militaire royal de Kingston, puis au Royal Arsenal de Woolwich, en Angleterre.

Déclina un poste au sein de l'armée britannique. Directeur adjoint de la Cartoucherie de Québec. Agent d'immeubles et administrateur de la succession de son père. Membre du Royal Arcanum et des Chevaliers de Colomb.

Échevin au conseil municipal de Québec et président du comité des finances de cette ville de 1896 à 1898. Élu sans opposition député libéral dans Québec-Ouest en 1900. Ne s'est pas représenté en 1904.

Décédé à Québec, le 28 janvier 1927, à l'âge de 63 ans et 10 mois. Inhumé à Sillery, dans le cimetière de l'église St. Patrick, le 31 janvier 1927.

[Avait épousé à Philadelphie, en Pennsylvanie, le 12 février 1890, Katherine M. Ryan.]

HEATH, Edmund
(1813–1883)

Né à Bristol, en Angleterre, le 13 septembre 1813.

S'établit à Clarendon, au Bas-Canada, où il fit le commerce du bois. L'un des actionnaires fondateurs de la Compagnie du chemin de fer de Bytown et Pembroke en 1853. Nommé agent des Terres de la couronne au fort Coulonge (Fort-Coulonge), sur la rivière des Outaouais, le 1er septembre 1855. Servit comme major dans le 1er bataillon de milice du comté de Pontiac de 1862 à 1869.

Élu député de Pontiac en 1858; de tendance conservatrice. Défait en 1861. Élu sans opposition député conservateur de Pontiac à la Chambre des communes en 1867. Ne s'est pas représenté en 1872.

Décédé à Clarendon, le 21 janvier 1883, à l'âge de 69 ans et 4 mois. Inhumé dans le cimetière de la paroisse anglicane du canton de Clarendon, le 24 janvier 1883.

Avait épousé en secondes noces dans la paroisse anglicane de Clarendon, le 9 mai 1854, Elizabeth Neue.

HÉBERT, Edgar
(1911–1984)

Né à Salaberry-de-Valleyfield, le 29 octobre 1911, fils de Victor Hébert, mécanicien, et de Martine Saint-Arnault.

Fit ses études au Jardin de l'enfance, au séminaire de Salaberry-de-Valleyfield et à l'université de Montréal où il fut licencié en pharmacie en 1936.

Exerça sa profession à Montréal de 1936 à 1940, puis à Salaberry-de-Valleyfield où il devint copropriétaire de la pharmacie Laroche en 1941 et seul propriétaire en 1958.

Élu député de l'Union nationale dans Beauharnois en 1948. Réélu en 1952, 1956 et 1960. Whip adjoint de l'Union nationale de janvier 1954 à janvier 1956. Adjoint parlementaire du ministre des Ressources hydrauliques du 6 juin 1958 au 6 juillet 1960. Défait en 1962.

Prit sa retraite en 1973. Directeur de l'Association des anciens du séminaire et président de l'Amicale du séminaire de Salaberry-de-Valleyfield. Membre honoraire de l'Harmonie de Valleyfield et de Beauharnois. Membre du Club Renaissance, du Club Richelieu, de la Société Saint-Jean-Baptiste et des Chevaliers de Colomb.

Décédé à Salaberry-de-Valleyfield, le 14 octobre 1984, à l'âge de 72 ans et 11 mois. Inhumé dans le cimetière de Valleyfield, le 17 octobre 1984.

Avait épousé à Verdun, dans la paroisse Notre-Dame-de-la-Paix, le 20 septembre 1941, Marie-Paule Élie, fille de John Élie, ingénieur mécanicien, et d'Eucharisté Méthot.

HÉBERT, Ernest
(1878–1930)

Né à Drummondville, le 12 juillet 1878, fils d'Arthur Hébert, commis, et de Margaret Cooke.

Fit ses études à Drummondville, au séminaire de Sainte-Thérèse et à l'université Laval à Montréal. Admis au barreau de la province de Québec le 8 octobre 1900. Créé conseil en loi du roi le 6 septembre 1912.

Exerça sa profession à Montréal pendant deux ans chez Taillefer et Hébert, puis s'établit à Joliette où il s'associa avec F.O. Dugas et A. Dugas jusqu'en 1909. Substitut du procureur général dans le district de Joliette en 1909. Procureur de la couronne. Président de l'Association du barreau de Joliette. Membre des Chevaliers de Colomb.

Échevin de la municipalité de Joliette de 1913 à 1915. Commissaire d'école de 1914 à 1916. Élu député libéral dans Joliette en 1916. Défait en 1919.

Décédé à Joliette, le 28 février 1930, à l'âge de 51 ans et 7 mois. Inhumé à Joliette, le 3 mars 1930.

[Avait épousé à Ottawa, le 11 juin 1907, Hermine Olivier, fille de Louis-Adolphe Olivier, avocat.]

HÉBERT, Germain
(1922–1983)

Né à Saint-Léonard-d'Aston, le 31 juillet 1922, fils d'Aquila Hébert, homme d'affaires, et d'Albina Gaudet.

Fit ses études à Saint-Léonard-d'Aston et au collège Sacré-Cœur à Victoriaville.

Commis de bureau chez Alexandre **Gaudet** de 1941 à 1954, responsable de la mise en marché et de la publicité de 1954 à 1958, puis responsable du personnel administratif et gérant d'une succursale à Drummondville de 1958 à 1962.

Candidat libéral défait dans Nicolet en 1960. Élu député libéral dans la même circonscription en 1962. Défait en 1966.

Suivit un cours en valeurs mobilières et fut courtier à Saint-Léonard-d'Aston de 1966 à 1971. Commissaire d'école à Saint-Léonard-d'Aston en 1967 et à la commission scolaire régionale Provencher à Nicolet de 1967 à 1971.

Secrétaire particulier de Louis-Philippe **Lacroix** de 1971 à 1976. Gérant adjoint des édifices de la colline parle-mentaire au ministère des Travaux publics et Approvisionnements à partir de 1976.

Président-fondateur de la Chambre de commerce des jeunes de Saint-Léonard-d'Aston. Président de l'Œuvre des terrains de jeux et de la Société Saint-Jean-Baptiste de Saint-Léonard-d'Aston. Membre des Chevaliers de Colomb.

Décédé à Trois-Rivières, le 25 octobre 1983, à l'âge de 61 ans et 2 mois. Inhumé dans le cimetière de Saint-Léonard-d'Aston, le 28 octobre 1983.

Avait épousé à Saint-Célestin, le 19 janvier 1946, Laurentia Guillemette, institutrice, fille d'Ernest Guillemette, cultivateur, et de Flore Daneau.

HÉBERT, Jean-Baptiste
(1779–1863)

Né au village Godefroy (Bécancour), le 19 septembre 1779, fut baptisé dans la paroisse Saint-Grégoire (à Bécancour), fils d'Étienne Hébert, agriculteur, et de Marie-Josephte Babin, tous deux Acadiens.

Fut cultivateur et marchand à Saint-Grégoire (Bécancour). Syndic pour la construction de l'église en 1803. Capitaine dans le 3e bataillon de milice de la division de Bécancour, commanda la compagnie de Saint-Grégoire de Nicolet pendant la guerre de 1812 ; obtint ensuite le grade de major. Maître charpentier et entrepreneur, travailla à la construction de plusieurs églises, entre autres à Lotbinière et à Kamouraska, et de nombreux édifices dont, en 1827, le séminaire de Nicolet.

Élu député de Buckingham en 1808. Réélu en 1809. Appuya le parti canadien. Élu dans Buckingham en 1810, prêta serment et prit son siège le 21 février 1812. Ne se serait pas représenté en 1814. Élu député de Nicolet à une élection partielle le 3 avril 1835. Emprisonné le 4 février 1838 en raison de sa participation à la rébellion, fut libéré le 27 du même mois. Son mandat de député prit fin avec la suspension de la constitution, le 27 mars 1838.

Décédé à Kamouraska, le 15 juin 1863, à l'âge de 83 ans et 8 mois. Inhumé dans l'église Saint-Louis, le 18 juin 1863.

Avait épousé dans la paroisse Saint-Jean-Baptiste, à Nicolet, le 4 mai 1801, Marie Béliveau, fille du cultivateur François Béliveau et de Marie Leblanc ; puis, dans la paroisse Saint-Antoine-de-Padoue, à Baie-du-Febvre, le 31 mai 1807, Judith Lemire, fille d'Antoine Lemire, coseigneur, et de Marie-Josèphe Proulx.

Beau-frère de Jean-Baptiste **Proulx**.

Bibliographie: Hébert, Pierre-Maurice, «Jean-Baptiste Hébert (1779–1863)», *Les Cahiers nicolétains*, 2, 3 (sept. 1980), p. 67-89; 6, 3 (sept. 1984), p. 127-141; 7, 1 (mars 1865), p. 3-33.

HÉBERT, Noël
(1819–1868)

Né à Nicolet, le 24 décembre 1819, puis baptisé le 25, dans la paroisse Saint-Grégoire (à Bécancour), sous le prénom de Pierre-Noël, fils de Pierre Hébert, agriculteur d'origine acadienne, et de Louise Manseau.

Fut cultivateur; au moment de son mariage, était établi à Arthabaskaville (Arthabaska). Servit à titre de capitaine dans le 3e bataillon de milice de Mégantic.

Élu député de Mégantic en 1858. Réélu en 1861. Rouge. Défait en 1863.

Décédé à Kaskaskia (dans l'Illinois, aux États-Unis), en 1868, à l'âge de 48 ou de 49 ans.

Avait épousé dans la paroisse Saint-Grégoire (à Bécancour), le 13 février 1849, Thérèse Bourk (Bourque), fille d'Alexis Bourk (Bourque) et d'Esther Richard.

HEMMING, Edward John
(1823–1905)

[Né à Londres, le 30 août 1823, fils de Henry Keene Hemming et de Sophia Wirgman.]

Fit ses études à la Clapham Grammar School. Voyagea dans les colonies britanniques comme aspirant de marine de 1836 à 1845, puis rejoignit alors son père en Irlande. Quitta l'Irlande sur l'invitation de son cousin, Christopher **Dunkin**, pour venir étudier le droit au McGill College en 1851. Admis au barreau du Bas-Canada le 7 mai 1855.

S'établit à Montréal en 1855, où il exerça sa profession avec Alexander Hutchison Lunn jusqu'en 1858. S'établit par la suite à Drummondville où il exploita une ferme.

Préfet du comté de Drummond. Maire du canton de Wickham du 7 janvier 1867 au 3 février 1872 et du village de Drummondville en 1886 et 1887. Élu député conservateur dans Drummond-Arthabaska en 1867. Défait en 1871. Magistrat des districts d'Arthabaska et de Saint-François de 1873 à 1878. Candidat conservateur défait dans Mégantic en 1881. Maire de Dummondville du 2 février 1885 au 1er février 1886.

Nommé protonotaire conjoint du district d'Arthabaska le 26 janvier 1887. S'établit à Knowlton en 1899.

Membre du comité protestant du Conseil de l'instruction publique. Président de la Société d'agriculture du comté de Drummond. Président-directeur du chemin de fer à lisses de Richelieu, Drummond et Arthabaska. Publia *De la négligence de la chimie par les cultivateurs* (1853), qui remporta le prix de la Société royale d'agriculture d'Angleterre, et *Digested Index to the Statutes in Force in Lower Canada* (1856). Marguillier de la St. George's Church à Drummondville pendant dix-huit ans. Docteur en droit civil en 1871. Élu bâtonnier du barreau d'Arthabaska en 1890. Créé conseil en loi de la reine le 11 mai 1894.

Décédé à Knowlton, le 17 septembre 1905, à l'âge de 82 ans. Inhumé dans le cimetière de Knowlton, le 19 septembre 1905.

[Avait épousé à Londres, en juillet 1855, Sophia Louisa Robinson, fille de Thomas Robinson.]

Bibliographie: *DBC* (à paraître).

HÉNAULT. V. ÉNO

HENEY, Hugues
(1789–1844)

Né à Montréal et baptisé dans la paroisse Notre-Dame, le 9 septembre 1789, fils d'Hugues Heney, marchand, et de Thérèse Foretier.

Étudia au collège Saint-Raphaël, à Montréal, de 1798 à 1806. Après un stage de cinq ans comme clerc, probablement dans le cabinet de Joseph **Bédard** (York), fut admis au barreau en 1811.

Pratiqua la profession d'avocat à Montréal. Pendant la guerre de 1812, servit en qualité de lieutenant et d'adjudant dans la milice de Montréal. Fut juge de paix du district de Trois-Rivières à compter de 1815.

Élu député de Montréal-Est en avril 1820. Réélu en juillet 1820, 1824, 1827 et 1830. Appuya généralement le parti canadien, puis le parti patriote, jusqu'en décembre 1831; par la suite, s'en éloigna. Démissionna le 28 février 1832. S'occupa d'administration municipale, à Montréal, avant 1833. Fit partie du Conseil exécutif du 28 janvier 1833 jusqu'à l'entrée en vigueur de l'Acte d'Union, le 10 février 1841.

Occupa le poste de greffier en loi de la Chambre d'assemblée, du 1er mars 1832 au 28 février 1835; à cette date, ses fonctions de conseiller exécutif amenèrent l'Assemblée à déclarer le poste vacant. Exerça la charge de grand voyer du district de Trois-Rivières, du 7 décembre 1832 jusqu'à son abolition en 1841. Obtint plusieurs postes de commissaire, dont celui qui l'autorisait, en décembre 1837, à faire prêter le serment d'allégeance.

Est l'auteur de *Commentaire ou Observations sur l'[...] Acte constitutionnel du Haut et du Bas-Canada* (Montréal, 1832) et d'un manuscrit intitulé « État de la prison d'État de la Nouvelle-York ».

Décédé à Trois-Rivières, le 13 janvier 1844, à l'âge de 54 ans et 4 mois. Inhumé dans la chapelle des Ursulines, dans la paroisse de l'Immaculée-Conception, le 17 janvier 1844.

Avait épousé dans la paroisse Notre-Dame de Montréal, le 14 octobre 1817, sa cousine Marie-Léocadie Foucher, fille du juge Louis-Charles **Foucher** et de Marie-Élizabeth Foretier, et nièce par alliance de Denis-Benjamin **Viger**.

Bibliographie: *DBC.*

HENRY, Edme
(1760–1841)

Né à Longueuil, le 15 novembre 1760, fils d'Edme Henry, chirurgien-major dans le régiment du Royal Roussillon, et de Geneviève Fournier. Connu également sous le prénom d'Edmund.

Étudia au collège Saint-Raphaël, à Montréal, de 1772 à 1778. Fit l'apprentissage du droit pendant trois ans et fut reçu notaire en 1783.

Exerça sa profession à Montréal, mais interrompit ses activités, de 1787 à 1793, pour régler des affaires familiales à Saint-Pierre et Miquelon. En 1794, ouvrit un cabinet à Laprairie (La Prairie) et, en 1804, prit un associé; cessa de pratiquer en 1831. Agent seigneurial de 1815 à 1835, fonda les villages de Christieville (Iberville), Napierville et Henryville; fut agent de la couronne. Fit l'acquisition de propriétés foncières dans la région de Laprairie. Fut copropriétaire d'un vapeur avec Joseph **Masson**, le mari de sa belle-fille. En 1837, créa la Henry's Bank à Laprairie, puis déclara faillite.

Élu député de Huntingdon en 1810; ne semble pas avoir participé aux votes. Ne se serait pas représenté en 1814.

Officier de milice pendant la guerre de 1812, commanda un bataillon à Châteauguay en 1813; promu lieutenant-colonel en 1822. Obtint quelques postes de commissaire.

Décédé à Laprairie, le 14 septembre 1841, à l'âge de 80 ans et 9 mois. Inhumé dans la crypte de l'église de La Nativité-de-la-Très-Sainte-Vierge, le même jour.

Avait épousé [à Laprairie] Eunice Parker; puis, dans la paroisse de La Nativité-de-la-Très-Sainte-Vierge, à Laprairie, le 9 octobre 1828, Marie-Clotilde Girardin, veuve de Jean-Baptiste **Raymond**.

Bibliographie: *DBC.*

HERIOT, Frederick George
(1786–1843)

Né [à l'île de Jersey] le 11 janvier 1786, baptisé à la maison le 14, puis dans l'église anglicane de Saint-Hélier, le 11 août, fils de Roger Heriot, chirurgien dans l'armée, et d'Anne Susanne Nugent.

Entra dans l'armée britannique en 1801. Vint au Canada en 1802 et vécut plusieurs années à Québec. Pendant la guerre de 1812, servit sous les ordres de Charles-Michel d'**Irumberry de Salaberry**, à titre de major intérimaire; devint commandant du corps des Voltigeurs canadiens, avec le grade de lieutenant-colonel, en 1814. Fonda Drummondville à l'été de 1815. Propriétaire foncier, stimula l'agriculture et l'élevage. Fut promu major général en 1841, après avoir été responsable de l'organisation militaire des Cantons-de-l'Est pendant la rébellion de 1837.

Élu député de Drummond à une élection partielle le 7 novembre 1829. Réélu en 1830; démissionna le 31 janvier 1833. Nommé au Conseil spécial le 16 avril 1840; en fut membre jusqu'à l'entrée en vigueur de l'Acte d'Union, le 10 février 1841.

Obtint quelques postes de commissaire et fut juge de paix. Reçut la croix de compagnon de l'ordre du Bain en 1822 et le titre d'aide de camp du gouverneur en 1826.

Décédé à Drummondville, le 30 décembre 1843, à l'âge de 57 ans et 11 mois. Inhumé dans le cimetière de la paroisse anglicane St. George, le 1er janvier 1844.

Était célibataire.

Cousin de Robert Nugent **Watts**.

Bibliographie: *DBC.*

HERTEL DE ROUVILLE,
Jean-Baptiste-Melchior
(1748–1817)

Né à Trois-Rivières et baptisé dans la paroisse de l'Immaculée-Conception, le 21 octobre 1748, fils de René-Ovide Hertel de Rouville, lieutenant général civil et criminel, et de Louise-Catherine André de Leigne.

Entra en qualité d'enseigne dans le régiment du Languedoc en 1760 et entreprit une carrière militaire qui le mena, après la Conquête, en France et en Corse. Revint dans la province de Québec en 1772. Pendant l'invasion américaine, prit part à la défense du fort Saint-Jean, sur le Richelieu, en 1775, pour le compte des Britanniques ; fait prisonnier, fut gardé en captivité aux États-Unis pendant vingt mois. De retour, obtint une commission de capitaine ; se retira à la demi-solde en 1783. Propriétaire foncier ; hérita de son père en 1792 la moitié de la seigneurie de Rouville, qu'il acquit en entier en 1797, et une partie de celle de Chambly. Fut juge de paix et colonel dans la milice.

Élu député de Bedford en 1792 ; appuya généralement le parti canadien. Ne se serait pas représenté en 1796. Nommé conseiller législatif en 1812.

Décédé en fonction à Chambly, le 30 novembre 1817, à l'âge de 69 ans et un mois. Inhumé dans l'église Saint-Joseph, le 3 décembre 1817.

Avait épousé dans la paroisse Notre-Dame de Montréal, le 10 mai 1784, Marianne Hervieux, fille du négociant Jean-Baptiste Hervieux et de Marie-Charlotte Marin de Lamarque.

Père de Jean-Baptiste-René **Hertel de Rouville**. Beau-père de Charles-Michel d'**Irumberry de Salaberry**.

Bibliographie : *DBC*.

HERTEL DE ROUVILLE, Jean-Baptiste-René (1789–1859)

Né à Montréal et baptisé dans la paroisse Notre-Dame, le 20 juin 1789, fils de Jean-Baptiste-Melchior **Hertel de Rouville** et de Marianne Hervieux.

Lieutenant dans la milice dès 1807, servit à titre de capitaine pendant la guerre de 1812 et prit part à la bataille de Châteauguay en 1813. Commandant du bataillon de Chambly depuis 1816, fut destitué en février 1828 après avoir signé une pétition dénonçant les abus du gouvernement de George **Ramsay**. Hérita de son père en 1817 la seigneurie de Rouville, où il s'installa, et une partie de celle de Chambly. Vendit la première en 1844 ; vécut à Sorel et, à compter de 1858, à Belœil.

Élu député de Bedford en 1824. Réélu en 1827. Élu dans Rouville en 1830 ; démissionna, pour des raisons de santé, le 10 novembre 1832. Nommé au Conseil législatif le 22 août 1837, en fit partie jusqu'à la suspension de la constitution, le 27 mars 1838.

Décédé à Boucherville, le 3 janvier 1859, à l'âge de 69 ans et 6 mois. Les obsèques eurent lieu dans l'église Sainte-Famille, le 8 janvier 1859.

Avait épousé dans la paroisse Sainte-Famille, à Boucherville, le 3 septembre 1816, Charlotte de Labroquerie (Boucher de La Broquerie), fille de Joseph Boucher de La Broquerie et de Charlotte Boucher de Niverville de Montizambert.

Beau-frère de Charles-Michel d'**Irumberry de Salaberry**. Beau-père de Joseph **Daigle**.

Bibliographie : *DBC*.

HÉTIER. V. ÉTHIER

HÉTU, Damien

Né à Sainte-Agathe, le 24 octobre 1926, fils de Napoléon Hétu, marchand, et de Thérèse Bélisle.

A étudié au collège Sacré-Cœur de Sainte-Agathe de 1933 à 1942. A suivi des cours de perfectionnement en électricité et chauffage électrique et des cours de technicien en radio et télévision.

Entrepreneur-électricien à Sainte-Agathe à compter de 1952. Promoteur du centre sportif de Sainte-Agathe. Président du Club de motoneige de Sainte-Agathe en 1968 et 1969. Président de l'Association de l'aide à la jeunesse et membre du Comité d'école-enfance en difficulté de 1978 à 1982.

Conseiller municipal, de 1959 à 1965, et maire de Sainte-Agathe de 1970 à 1974. Directeur de l'Association libérale de Terrebonne de 1966 à 1972 et de l'Association libérale fédérale de Labelle de 1967 à 1972. Trésorier de l'Association libérale Laurentides-Labelle en 1972 et 1973 puis président du comité exécutif de cette association de 1978 à 1983. Candidat libéral défait dans Labelle en 1981. Élu député libéral dans cette circonscription en 1985. Défait en 1989.

HODGINS, William (1856–1930)

Né à Shawville, le 26 octobre 1856, fils de James Hodgins, fermier et marchand général, et de Sarah Hodgins.

Fit ses études à la Shawville High School et au Belleville Business College, en Ontario.

Fermier à Portage-du-Fort. S'établit à Shawville où il exploita une filature en 1915, à Arn Prior de 1924 à 1926, puis à Regina, en Saskatchewan, en 1926. Fit l'élevage de bovins

Shorthorn et le commerce de chevaux Clydesdale. Président de la Pontiac Rural Telephone Co. Gérant de la Shawville Elevator Co. Président de la Pontiac No. 1 Agricultural Society.

Maire de Clarendon de janvier à juin 1914. Commissaire d'école à Shawville pendant vingt ans. Élu député libéral dans Pontiac en 1916. Défait en 1919. Maire de Shawville de janvier 1921 à décembre 1923.

Décédé à Birch Hills (Saskatchewan), le 28 juin 1930, à l'âge de 73 ans et 8 mois. Inhumé à Shawville, dans le St. Paul's Cemetery, le 4 juillet 1930.

[Avait épousé à Litchfield, le 2 novembre 1881, Marion Stevenson, fille de John Stevenson, professeur et cultivateur.]

HOLDEN, Richard B.

Né à Montréal, le 7 juillet 1931, fils de John Hastie Holden, industriel, et de Marguerite Holden Hutcheson.

A étudié à la Westmount High School, à l'Institut d'étude politique de l'université de Grenoble et à la McGill University où il obtint un diplôme en droit en 1955. Admis au barreau en 1956. Créé conseil en loi de la reine en 1971. A suivi également des cours à la Columbia School of Journalism (1970) et à la Carleton School of Journalism (1986).

Avocat à Montréal, il pratiqua au sein de différents cabinets dont Heward, Holden, Hutcheson, Cliff, McMaster et Meighen (1956), Paré, Mackay, Barbeau, Holden et Steinberg (1960–1980) et Holden & Associates. Adjoint spécial auprès du Protecteur du citoyen du Québec en 1969 et 1970. Vice-président de la Commission sur les pratiques restrictives de commerce en 1984.

Gouverneur du Dawson College de 1968 à 1971. Curateur de Erskine & American United Church en 1974 et 1975. A publié *The Quebec Crucible* (1970). Conseiller de Nick Auf der Maur aux élections municipales de Montréal en 1978, 1982 et 1986.

Candidat indépendant défait dans Westmount–Saint-Georges en 1962. Candidat progressiste-conservateur défait dans Dollard aux élections fédérales de 1979. Élu député du Parti Égalité dans Westmount en 1989. Siège comme indépendant depuis le 11 octobre 1991 et comme député du Parti québécois depuis le 11 août 1992.

HOLMES, Benjamin
(1794–1865)

Né à Dublin (en république d'Irlande), le 23 avril 1794, fils de Thomas Holmes, militaire, et de Susanna Scott.

Arriva à Montréal en 1801 en compagnie de ses parents. En 1812, entreprit de faire l'apprentissage du commerce, notamment chez Horatio **Gates**; pendant la guerre, servit dans les Canadian Light Dragoons, mais fut fait prisonnier en octobre 1813. Après sa libération en juillet 1814, fit du commerce dans le Haut-Canada. En novembre 1817, entra au service de la Banque de Montréal comme préposé aux escomptes; accéda en 1827 au poste de caissier (directeur général), dont il démissionna le 21 février 1846. Prit part à la répression de la rébellion de 1837–1838, à titre de lieutenant-colonel de la Montreal Light Infantry.

Élu député de la cité de Montréal en 1841; d'abord unioniste et tory, puis indépendant, se rangea en 1842 du côté du groupe canadien-français. Démissionna le 1er février 1844. Élu dans la cité de Montréal en 1848; de tendance libérale, puis appuya le groupe canadien-français, mais s'en dissocia lorsqu'il signa le Manifeste annexionniste et qu'il fut élu vice-président de l'Association constitutionnelle de Montréal en 1849; redevint de tendance libérale. Ne se serait pas représenté en 1851. S'occupa d'administration municipale, à Montréal, avant 1833, puis représenta le quartier Ouest au conseil municipal de 1842 à 1846 et en 1850–1851; défait à la mairie en 1860.

S'engagea dans le commerce de produits finis en août 1846, en s'associant avec John **Young** (cité de Montréal); de février 1848 à décembre 1849, fit affaire sous le nom de Holmes, Young, and Knapp. Fut vice-président du chemin à lisses du Saint-Laurent et de l'Atlantique, puis du Grand Tronc de 1853 à 1858; administrateur de la Banque de Montréal de 1853 à 1865. Nommé, en décembre 1863, percepteur des douanes à Montréal.

Décédé à Montréal, le 23 mai 1865, à l'âge de 71 ans et un mois.

Avait épousé dans l'église anglicane Christ Church, à Montréal, le 5 juin 1819, Élisabeth Arnoldi, fille du docteur Daniel Arnoldi et d'Élisabeth Franchère.

Beau-père de Charles Dewey **Day.**

Bibliographie: *DBC.*

HOLTON, Luther Hamilton
(1817–1880)

Né à Sheffield's Corner (Soperton, en Ontario), le 22 janvier 1817, fils d'Ezra Holton, cultivateur, et d'Anner ou Anna Phillips, originaires de Brandon, au Vermont.

Étudia pendant quatre ans à la Union School de Montréal. En 1829, commença l'apprentissage des affaires dans le bureau de comptabilité d'un oncle paternel négociant à Montréal.

Entra en 1836 au service d'une entreprise d'expédition et de courtage, qui faisait notamment le commerce des marchandises et le transport des voyageurs sur le haut Saint-Laurent, le lac Ontario et le lac Érié ; en devint l'un des associés en 1841 et, en mars 1845, la maison prit le nom de Hooker and Holton. En 1846, fut nommé vice-président de la Montreal Free Trade Association et élu au conseil d'administration du Bureau de commerce de Montréal, qu'il présida de 1856 à 1859 et en 1862–1863, au moment où il fit partie de la Commission du havre de Montréal. L'un des fondateurs de la Banque d'épargne de la cité et du district de Montréal en 1846 ; siégea au conseil d'administration jusqu'en 1873, notamment à titre de président à compter de 1871. Devint l'un des vice-présidents de l'Association d'annexion de Montréal en 1849. Après 1850, investit dans les chemins de fer et se retira de la Hooker and Holton (janvier 1854) ; fut l'un des fondateurs avec Alexander Tilloch **Galt** en 1852, puis actionnaire jusqu'en 1857 de l'entreprise de construction ferroviaire C.S. Gzowski Company, et l'un des administrateurs du Grand Tronc en 1852–1853.

Représenta le quartier Sainte-Anne au conseil municipal de Montréal en 1850 (mai)–1851. Élu député de la cité de Montréal en 1854 ; mis sous la garde du sergent d'armes pour absence injustifiée, le 8 novembre 1854, fut libéré après avoir fourni des explications ; rouge. Défait en 1858. Refusa de se porter candidat dans Montréal-Centre en 1861. Membre du ministère Brown–Dorion : conseiller exécutif du 2 au 4 août 1858 et commissaire des Travaux publics du 2 au 5 août 1858. Élu sans opposition conseiller législatif de la division de Victoria en 1862 ; son siège devint vacant en raison de son entrée, le 16 mai 1863, dans le ministère Macdonald–Dorion : fut conseiller exécutif et ministre des Finances jusqu'au 29 mars 1864. Défait dans Montréal-Centre mais élu dans Châteauguay en 1863 ; rouge, s'opposa au projet de confédération. Son mandat prit fin avec l'avènement de la Confédération, le 1er juillet 1867. Élu député libéral de Châteauguay à la Chambre des communes en 1867. Élu député libéral de Montréal-Centre à l'Assemblée législative en 1871, démissionna le 16 janvier 1874, par suite de l'abolition du double mandat. Réélu dans Châteauguay au fédéral en 1872, 1874 et 1878 ; refusa, en 1873 et 1875, de faire partie du cabinet.

Participa à la mise sur pied, en 1842, et à la direction de la Unitarian Society de Montréal. L'un des administrateurs du McGill College de 1876 à 1880. Officier de milice. Membre du St. James Club et du Rideau Club.

Décédé en fonction au Russell Hall, à Ottawa, le 14 mars 1880, à l'âge de 63 ans et un mois. Après des obsèques célébrées dans l'église unitarienne de Montréal, Church of the Messiah, le 17 mars 1880, fut inhumé dans le cimetière du Mont-Royal.

Avait épousé à Montréal, le 27 avril 1839, sa cousine germaine Eliza Forbes, fille de William Forbes.

Père d'Edward Holton, député à la Chambre des communes du Canada.

_____

Bibliographie : *DBC*.

HOTCHKISS, Merritt
(<1814– ≥1865)

Fils de Henry Hoyle, son père adoptif, et d'une prénommée Sarah.

Fut marchand à Lacolle ; vers 1865, exploitait un moulin à farine. Commissaire au tribunal des petites causes du 22 mai 1834 jusqu'à sa destitution, le 10 août 1837.

Élu député de L'Acadie en 1834 ; appuya généralement le parti patriote, mais n'a pas participé aux votes de la quatrième session. Son mandat prit fin avec la suspension de la constitution, le 27 mars 1838.

Décédé en ou après 1865.

Avait épousé en secondes noces, à Caldwell's Manor, le 2 mai 1837, Sarah Anne Schuyler.

HOUDE, Albert

Né à Saint-Félix-de-Valois, le 18 mai 1931, fils de Gérard Houde, aviculteur, et de Juliette Charbonneau.

Fit ses études dans sa paroisse natale puis suivit des cours de vente, d'administration, de relations humaines, de techniques commerciales et d'anglais.

Fut à l'emploi du comptoir avicole de Saint-Félix-de-Valois durant huit ans, propriétaire d'un circuit de distribution de lait durant dix ans et, de 1963 à 1968, gérant de la Meunerie René Poirier ltée. Fut copropriétaire de la Meunerie Marcel Bérard ltée de Yamachiche de 1968 à 1970. En 1970, fut nommé représentant des ventes de la Compagnie Newhrauser, où il devint gérant des ventes en 1978. Depuis 1971, il possède et exploite plusieurs fermes avicoles. À Saint-Félix-de-Valois, il fut membre du conseil d'administration de la caisse populaire pendant dix ans, président-fondateur du service des loisirs, marguillier de 1966 à 1969 et membre de la Chambre de commerce. Président du Club de motoneige de sa région de 1970 à 1973. Vice-président du Syndicat de la chair de volaille de la région de Joliette de 1974 à 1976. Vice-président de la Fédération des producteurs d'œufs de consommation du Québec (FEDCO) pour la région de Joliette de 1973 à 1981.

Président de l'Association libérale provinciale du comté de Berthier de 1975 à 1981. Élu député du Parti libéral dans Berthier en 1981. Réélu en 1985 et 1989. Adjoint parlementaire du ministre de l'Agriculture, des Pêcheries et de l'Alimentation à compter du 17 mai 1989.

HOUDE, Camillien
(1889–1958)

Né à Montréal, dans la paroisse Saint-Joseph, le 13 août 1889, fils d'Azade Houde, meunier, et de Joséphine Frenette.

Étudia aux écoles Saint-Joseph, Sarsfield, Le Plateau, Saint-Louis et au collège de Longueuil.

Fut d'abord commis à la Banque d'Hochelaga en 1912, puis inspecteur adjoint et gérant de la succursale de 1916 à 1919. Représentant à Montréal pour la biscuiterie J. Dufresne de Joliette. Fit un stage à la compagnie La Sauvegarde et devint par la suite agent d'assurances.

Élu député conservateur dans Montréal–Sainte-Marie en 1923. Défait en 1927. Réélu à l'élection partielle du 24 octobre 1928. Élu chef du Parti conservateur le 10 juillet 1929. Chef de l'Opposition conservatrice de 1929 à 1931. Défait dans Montréal–Saint-Jacques et dans Montréal–Sainte-Marie en 1931. Démissionna comme chef du Parti conservateur le 19 septembre 1932. Candidat conservateur défait dans la circonscription fédérale de Montréal–Saint-Henri à l'élection partielle du 17 janvier 1938. Élu député indépendant dans la circonscription provinciale de Montréal–Sainte-Marie en 1939. Ne s'est pas représenté en 1944. Candidat conservateur défait dans la circonscription fédérale de Montréal–Sainte-Marie en 1945. Élu député indépendant à la Chambre des communes dans Papineau en 1949. Ne s'est pas représenté en 1953.

Maire de Montréal de 1928 à 1932, de 1934 à 1936, de 1938 à 1940, de 1944 à 1954. Arrêté le 5 août 1940 en raison de son opposition à la conscription, il fut interné dans un camp en Ontario jusqu'à sa libération le 16 août 1944. Directeur du journal *l'Illustration* qui devint *le Montréal-Matin* en 1941. Président de la commission montréalaise de distribution du travail de janvier à avril 1932.

Créé commandeur de l'ordre de l'Empire britannique et chevalier de la Légion d'honneur. Décoré de la Croix d'Italie.

Décédé à Montréal, le 11 septembre 1958, à l'âge de 69 ans. Inhumé à Montréal, dans le cimetière Notre-Dame-des-Neiges, le 15 septembre 1958.

Avait épousé à Montréal, dans la paroisse Sainte-Cunégonde, le 22 octobre 1913, Bertha-Andréa Bourgie, fille d'Urgel Bourgie, entrepreneur de pompes funèbres, et de Victoria Saint-Onge; puis, à Montréal, dans la paroisse Sainte-Catherine, le 26 juin 1919, Georgianna Falardeau, fille de Jean-Baptiste Falardeau, peintre, et d'Agnès Germain.

Bibliographie: Grenon, Hector, *Camillien Houde*, Montréal, Stanké, 1979, 319 p. LaRoque, Hertel, *Camillien Houde, Le p'tit gars de Ste-Marie*, Montréal, Éditions de l'Homme, 1961, 157 p. Lévesque, Robert et Robert Migner, *Les boss politiques à Montréal: Camillien et les années vingt, suivi de Camillien au goulag: cartographie du houdisme*, Montréal, Éditions des Brûlés, 1978, 183 p. Migner, Robert, *Camillien Houde et le houdisme (1889–1937)*, thèse à l'université de Montréal, 1971. Renaud, Charles, *L'imprévisible monsieur Houde*, Montréal, Éditions de l'Homme, 1964, 146 p. Saint-Onge, Armand, *Le fonds Camillien-Houde: collection des archives privées aux Archives nationales du Québec à Montréal*, Montréal, University Archives, McGill University, 1974.

HOUDE, Charles-Édouard
(1823–1912)

Né à Rivière-du-Loup-en-Haut (maintenant Louiseville), le 18 décembre 1823, fils de Joseph Houde, cultivateur, et de Rosalie Massé.

Débuta dans le commerce à Yamaska, puis s'établit à Saint-Célestin. Commerçant de bois, de papier et de foin. Marchand général, forestier dans l'Outaouais, officier de la Colonisation au ministère des Terres et Forêts, juge de paix et maître de poste. Secrétaire municipal de Saint-Célestin de 1855 à 1865.

Maire de Saint-Célestin de 1864 à 1875. Préfet du comté de Nicolet. Candidat conservateur défait dans Nicolet en 1875. Élu député conservateur dans la même circonscription à l'élection partielle du 18 août 1876. Réélu en 1878 et en 1881. Cette dernière élection fut annulée le 5 janvier 1883 et il fut défait à l'élection partielle du 5 février 1883. Candidat nationaliste défait en 1886. Candidat libéral-indépendant défait dans Nicolet aux élections fédérales de 1891. De nouveau maire de Saint-Célestin de 1885 à 1894 et premier maire de la municipalité d'Annaville de 1897 à 1912. Marguillier de la paroisse Saint-Célestin de 1886 à 1890.

Décédé à Saint-Célestin, le 23 novembre 1912, à l'âge de 88 ans et 11 mois. Inhumé le 25 novembre 1912.

Avait épousé à Yamaska, le 7 juin 1847, Léocadie Therrien, fille de Damase Therrien et de Marie Levasseur.

HOUDE, Fernand
(1924–1989)

Né à Saint-Marc-des-Carrières, le 3 février 1924, fils d'Henri Houde, mécanicien, et de Marie-Jeanne Arcand.

Étudia à Québec aux écoles Saint-Maurice, Saint-Charles et Saint-Esprit, à l'école supérieure Saint-Fidèle et à l'université Laval. Obtint un baccalauréat en sciences commerciales en 1945.

De 1945 à 1948, il occupa le poste de comptable à la Compagnie de Sable ltée. De 1948 à 1950, il fit un stage au bureau des comptables Boulet et Boulet à titre de vérificateur. De 1950 à 1961, il fut successivement comptable et vice-président de la Compagnie de Sable ltée, puis devint, en 1961, président de cette compagnie. Membre de le Chambre de commerce de Québec.

Ancien président de l'Association libérale du comté de Limoilou. Élu député libéral dans Limoilou en 1970. Réélu en 1973. Défait en 1976.

Décédé à Sillery, le 2 janvier 1989, à l'âge de 64 ans et 10 mois. Inhumé à Québec, dans le cimetière Saint-Charles, le 5 janvier 1989.

Avait épousé à L'Islet, le 23 septembre 1950, Yolande Morin, fille d'Ernest Morin, chef de gare, et de Noëlla Gaudreau.

HOUDE, Gilles

Né à Montréal, le 23 avril 1932, fils de Charles-Armand Houde, vendeur, et de Dora Berger.

Étudia à l'école Saint-Gérard et au collège André-Grasset à Montréal, puis obtint un diplôme d'enseignement de l'école normale Jacques-Cartier en 1954, un baccalauréat ès sciences en éducation physique de l'université d'Ottawa en 1956 et une maîtrise en hygiène et en éducation physique de l'University of Florida en 1957.

Directeur du programme d'éducation physique et d'hygiène à la commission scolaire Jacques-Cartier en 1957. Professeur d'éducation physique à l'université de Montréal en 1961. Professeur d'hygiène à l'école normale Jacques-Cartier en 1961 et 1962. Directeur des sports à la Palestre nationale et au Centre Paul-Sauvé en 1962 et 1963. Gérant général du Centre culturel et sportif des métiers de la construction en 1963 et 1964. Conseiller technique du ministre de l'Éducation en 1964 et 1965. Directeur de la jeunesse, des sports et loisirs de la Cité des jeunes à Vaudreuil en 1964 et 1965. Fondateur et propriétaire avec Bernard **Lachance** du camp d'éducation physique Gilles Houde inc. de 1966 à 1970. Copropriétaire d'un camp de vacances à Saint-Émile-de-Suffolk. Animateur des émissions *le Sport en revue*, *Kim*, *la Vie sportive*, *En forme* et *Jeunesse oblige*, diffusées à Radio-Canada. Animateur de l'émission *Double élimination* à Télé-Métropole. Animateur radiophonique à CKAC et CJMS. Animateur et scripteur de treize films consacrés aux jeunes et réalisés par Georges Francon.

Candidat défait au poste d'échevin du conseil municipal de Laval en 1969. Élu député libéral dans Fabre en 1966. Réélu en 1970 et 1973. Adjoint parlementaire du ministre des Communications, responsable du Haut-Commissariat à la jeunesse, aux loisirs et aux sports et chargé de l'Office franco-québécois pour la jeunesse du 3 juin au 1er décembre 1970. Adjoint parlementaire du ministre de l'Éducation du 1er décembre 1970 au 2 mai 1972, du ministre des Affaires intergouvernementales du 2 mai 1972 au 28 février 1973 et du ministre du Tourisme, de la Chasse et de la Pêche du 28 février 1973 au 18 octobre 1976. Défait dans Maisonneuve en 1976. Échevin de Saint-Adolphe-d'Howard en 1976 et 1977.

Chroniqueur sportif pendant quelques mois au journal *le Devoir* après sa défaite en 1976. Animateur à la radio et à la télévision. Responsable des relations publiques pour la station touristique du Mont-Tremblant. Directeur régional pour le Québec de la condition physique, sports amateurs Canada. Directeur du développement et des projets spéciaux au Palais des congrès de février 1987 à mars 1988. Nommé commissaire touristique à l'Agence de développement touristique Memphrémagog en mars 1988. Membre du conseil d'administration de la Société des établissements de plein air du Québec de 1989 à 1991. Nommé directeur de l'Office du tourisme du Québec à Paris en novembre 1991.

Membre de l'Association des professionnels de l'activité physique, de l'Association canadienne des centres de loisirs et de l'Association des camps de vacances du Québec. Membre du Comité d'organisation des jeux olympiques (COJO). Gouverneur à vie des Chevaliers sportifs. A reçu le prix d'héroïsme Dupuis, les médailles du Mérite sportif du gouvernement du Québec, du Mérite de la Croix-Rouge canadienne et du club de la Médaille d'or de la Palestre nationale. Honoré par la Société Pierre-de-Coubertin de France et par la Royal Life Saving Society d'Angleterre.

HOUDE, Louis
(1879–1945)

Né à Deschaillons, le 2 octobre 1879, fils de Phydime Houde, cultivateur, et d'Emma Lebœuf.

Fit ses études à Deschaillons, au séminaire de Québec et à l'université Laval à Montréal. Admis au barreau de la province de Québec le 13 janvier 1905.

Exerça sa profession d'avocat à Plessisville et s'associa à son fils, Me Édouard Houde, en 1935. Président du conseil d'administration de la fonderie de Plessisville de 1915 à 1940.

Maire de Plessisville de 1910 à 1913. Candidat libéral défait dans Mégantic en 1936. Élu député libéral dans Mégantic en 1939. Démissionna le 3 octobre 1940 et fut nommé juge à la Cour des jeunes délinquants à Québec le 7 novembre 1940.

Décédé à Québec, le 9 décembre 1945, à l'âge de 66 ans et 2 mois. Inhumé à Plessisville, dans le cimetière de la paroisse Saint-Calixte-de-Somerset, le 11 décembre 1945.

Avait épousé à Princeville, le 31 octobre 1905, Marie-Louise Matte, fille de Philippe-Henri Matte, industriel, et de Marie-Anne Relique Delisle; puis, dans la paroisse Notre-Dame de Québec, le 13 janvier 1943, Marguerite Audet, fille de Louis-Onésime Audet et de Céleste Touchette.

HOUDE, Moïse
(1811–1885)

Né à Rivière-du-Loup (Louiseville) et baptisé dans la paroisse Saint-Antoine-de-Padoue, le 11 février 1811, fils d'Augustin Houde, agriculteur, et de Geneviève Foucher.

Exerça le métier de forestier, dans la région de l'Outaouais, pendant de nombreuses années. Fut juge de paix.

Préfet du comté de Maskinongé de 1858 à 1864 et de 1868 à 1874. Défait dans la circonscription de Maskinongé en 1861. Élu député de Maskinongé en 1863; rouge, s'opposa au projet de confédération. Son mandat prit fin avec l'avènement de la Confédération, le 1er juillet 1867. Candidat libéral défait dans Maskinongé aux élections provinciales et fédérales en 1867. Élu député libéral de Maskinongé à l'Assemblée législative en 1871. Réélu comme conservateur en 1875. Défait en 1878.

Décédé à Louiseville, le 23 juillet 1885, à l'âge de 74 ans et 5 mois. Inhumé dans le cimetière paroissial, le 27 juillet 1885.

Avait épousé dans la paroisse Saint-Antoine-de-Padoue, à Rivière-du-Loup (Louiseville), le 3 juillet 1843, sa cousine Mathilde Foucher, fille du cultivateur Alexis Foucher et d'Antoinette Chrétien.

Oncle de Frédéric Houde, député à la Chambre des communes du Canada.

HOUDE, Roger

Né à Val-d'Or, le 22 avril 1938, fils de Germain Houde, marchand, et de Lucienne Trudel.

Fit ses études à l'académie Saint-Sauveur à Val-d'Or, au collège Sacré-Cœur à Sainte-Anne-de-la-Pérade et à l'université Laval. Obtint une maîtrise en relations industrielles en 1968. Consultant en relations industrielles à Val-d'Or.

Candidat libéral défait dans Abitibi-Est en 1970. Chef de cabinet du ministre des Terres et Forêts de juin 1970 à octobre 1973. Élu député libéral dans la même circonscription en 1973. Adjoint parlementaire du ministre des Terres et Forêts du 13 novembre 1973 au 19 novembre 1975, puis adjoint parlementaire du ministre de l'Agriculture du 19 novembre 1975 au 18 octobre 1976. Ne s'est pas représenté en 1976.

Vice-président national de l'Entraide universitaire mondiale.

HOVINGTON, Claire-Hélène

Née à Sacré-Cœur, au Saguenay, le 14 mai 1944, fille d'Edmour Hovington, hôtelier, et de Juliette Hovington.

A étudié chez les Ursulines de Mérici à Québec de 1956 à 1960, à l'école normale des Ursulines de 1960 à 1962, et à l'université de Montréal de 1966 à 1970 où elle obtint un baccalauréat en science politique. Fit également un stage à l'École scientifique de Sherbrooke en 1965 et 1966 et aux instituts agricoles de Saint-Hyacinthe et de Vancouver en 1973. A suivi un cours de perfectionnement en horticulture et arrangements floraux à l'École d'art floral de Montréal en 1974.

Enseignante au couvent Sacré-Cœur de 1960 à 1964. Professeure de français aux néo-Canadiens de 1965 à 1970. Entreprit une carrière de relationniste. Hôtesse au pavillon du Québec à l'Exposition universelle d'Osaka (Japon) en 1970. Relationniste pour la Galerie des peintres canadiens à la Place des arts de Montréal de 1970 à 1973. Fit la promotion des arts plastiques de 1970 à 1985. Conseillère en placement en art de 1974 à 1985. Propriétaire de serres pour la culture des plants de tomates de 1974 à 1985.

Élue députée libérale dans Matane en 1985. Réélue en 1989. Whip adjointe du gouvernement du 16 décembre 1985 au 21 juin 1989. Présidente de la Commission de la culture du

21 juin au 9 août 1989. Élue vice-présidente de la Commission de l'éducation le 29 novembre 1989.

HOYLE, Robert
(1781–1857)

Né dans le Lancashire, en Angleterre, le 16 septembre 1781.

En 1806, se rendit aux États-Unis où il s'installa près de Keeseville, dans l'État de New York ; s'engagea dans la production du bois de construction. Pendant la guerre de 1812, vint se réfugier au Bas-Canada ; s'occupa peut-être de l'approvisionnement des troupes britanniques. S'établit dans la vallée du Richelieu, près de Lacolle, dont son frère devint seigneur usufruitier. Se lança dans l'agriculture et le commerce, notamment celui du bois ; exploita un magasin en face de l'île aux Noix et un bac à Noyan. Investit dans la propriété foncière.

Élu député de L'Acadie en 1830 ; appuya plutôt le parti des bureaucrates et vota contre les Quatre-vingt-douze Résolutions. Ne s'est pas représenté en 1834.

Nommé receveur des douanes à Stanstead en avril 1834 et registrateur du comté de L'Acadie en mars 1835. Pendant la rébellion de 1837–1838, servit dans la milice des Cantons-de-l'Est ; fut promu lieutenant-colonel. Nommé de nouveau receveur des douanes en décembre 1838. Cessa d'exercer ses charges publiques et revint à Lacolle en 1844.

Fut juge de paix. Obtint quelques postes de commissaire.

Décédé à Lacolle, le 15 février 1857, à l'âge de 75 ans et 4 mois. Inhumé dans le cimetière Glenwood, à Champlain, dans l'État de New York.

Avait épousé Pamelia Wright ; puis, en 1832, Elizabeth B. Nye, sœur de marchands de Lacolle.

Bibliographie: *DBC*.

HUBERT, Louis-Édouard
(1766–1842)

Né à Montréal, le 15 février 1766, puis baptisé le 16, sous le prénom de Louis, dans la paroisse Notre-Dame, fils de Pierre Hubert, inspecteur des bois de construction, et de Marie-Josephte Chartier.

Étudia à Montréal et au petit séminaire de Québec.

Après ses études, s'établit à Saint-Denis, sur le Richelieu, où il s'engagea dans le commerce du blé, notamment, et l'acquisition de propriétés foncières.

Élu député de Richelieu en 1800 ; appuya tantôt le parti canadien, tantôt le parti des bureaucrates. Ne s'est pas représenté en 1804.

Pendant la guerre de 1812, prit part à la défense du Canada en qualité de lieutenant quartier-maître dans la milice d'élite. Démissionna le 24 mai 1814 et reprit ses occupations commerciales et agricoles. N'accorda pas son appui aux patriotes en 1837–1838, mais subit des représailles matérielles de la part des troupes britanniques, et deux de ses fils furent détenus pendant six mois.

Décédé à Saint-Denis, sur le Richelieu, le 9 novembre 1842, à l'âge de 76 ans et 8 mois. Inhumé dans le caveau de l'église paroissiale, le 12 novembre 1842.

Avait épousé dans la paroisse Saint-Antoine-de-Padoue, à Saint-Antoine-sur-Richelieu, le 22 novembre 1796, Cécile Cartier, fille du marchand Jacques **Cartier** et de Cécile Gervaise.

Oncle par alliance de George-Étienne **Cartier**. Apparenté par alliance à John **Neilson**.

Bibliographie: *DBC*.

HUNT, James
(1835–1915)

[Né en Angleterre le 22 juin 1835, fils de Gaymer Hunt, cultivateur, et d'Elizabeth Hunt.]

Arriva au Canada à l'âge de deux ans. Fit ses études à l'école rurale de Bury.

Cultivateur, charron, maréchal-ferrant et propriétaire d'un magasin général.

Président de la commission scolaire de Bury pendant six ans. Conseiller municipal et maire de Bury de 1892 à 1901. Élu député libéral dans Compton en 1897. Ne s'est pas représenté en 1900.

Décédé à Bury, le 10 novembre 1915, à l'âge de 80 ans et 4 mois. Inhumé à Bury, dans le cimetière Saint-Paul, le 13 novembre 1915.

Avait épousé à Bury, le 20 décembre 1855, Jane Stokes, fille de Thomas Stokes, charron.

HUNTINGTON, Lucius Seth
(1827–1886)

Né à Compton, le 26 mai 1827, fils de Seth Huntington, cultivateur, et de Mary Hovey, tous deux d'ascendance américaine.

Étudia dans les Cantons-de-l'Est, puis au Brownington Seminary, dans le Vermont. Fit l'apprentissage du droit auprès de John Sewell **Sanborn**; en même temps, enseigna à Hatley ainsi qu'à Magog, et, en 1852, devint principal de la Shefford Academy, à Frost Village. Admis au barreau en 1853.

Exerça sa profession et fit du commerce dans les Cantons-de-l'Est. Cofondateur, en 1856, de l'*Advertiser and Eastern Townships Sentinel*, auquel il collabora et qu'il dirigea à Knowlton, puis, à compter de 1857, à Waterloo. Devint secrétaire de la Compagnie du chemin de fer de Stanstead, Shefford et Chambly, en 1857. Nommé conseiller de la reine en 1863. Par la suite, s'établit à Montréal où il fit partie du bureau d'avocats Laflamme, Huntington et Laflamme; collabora au *Montreal Herald* dont il fut actionnaire. Propriétaire de mines de cuivre dans le canton de Bolton et engagé dans la construction ferroviaire. Eut des intérêts dans l'Association d'assurance mutuelle sur la vie du Canada.

Candidat dans Shefford à une élection partielle au terme de laquelle, le 20 novembre 1860, il n'y eut pas d'élu, puisque les deux candidats étaient ex æquo. Élu député de cette circonscription en 1861. Fut membre du ministère Macdonald–Dorion: conseiller exécutif et solliciteur général du Bas-Canada du 28 mai 1863 au 29 mars 1864. Réélu dans Shefford en 1863. Rouge; s'opposa au projet de confédération. Son mandat prit fin avec l'avènement de la Confédération, le 1er juillet 1867. Élu député libéral de Shefford à la Chambre des communes en 1867. Réélu en 1872; dévoila en Chambre le scandale du Pacifique, en 1873. Prêta serment comme membre du Conseil privé le 20 janvier 1874. Fit partie du cabinet Mackenzie: président du Conseil privé du 20 janvier 1874 au 8 octobre 1875, puis ministre des Postes du 9 octobre 1875 au 16 octobre 1878. Réélu dans Shefford aux élections fédérales en 1874 et 1878. Défait en 1882.

S'installa à New York. Écrivit un roman intitulé *Professor Conant: a story of English and American social and political life*, publié à Toronto en 1884. Est aussi l'auteur d'un discours, *The independence of Canada* [...], prononcé devant la Société d'agriculture du comté de Missisquoi en 1869.

Décédé à New York, le 19 mai 1886, à l'âge de 58 ans et 11 mois. Après des obsèques célébrées dans la cathédrale anglicane Christ Church, à Montréal, fut inhumé dans le cimetière Mont-Royal, le 22 mai 1886.

Avait épousé en 1853 Miriam Jane Wood, fille du major David Wood, commerçant de Frost Village; puis, à New York, le 28 octobre 1877, Ellen Brown Marsh, veuve de l'ingénieur civil Charles Marsh.

Bibliographie: *DBC*.

HUOT, François
(1756–1822)

Baptisé sous le prénom de Pierre-François, dans la paroisse Notre-Dame-de-Foy, à Sainte-Foy, le 23 août 1756, fils de François Huot, cultivateur, et de Marie Maheu.

Fut d'abord serviteur dans la famille Lanaudière avant de s'engager dans le commerce de détail à Québec, domaine dans lequel il fit carrière seul jusque vers 1815, à l'exception d'une année (1796–1797) pendant laquelle il s'associa à Michel **Clouet**. Investit dans des entreprises d'utilité publique (pont Dorchester, sur la Saint-Charles, Compagnie de l'Union de Québec) et dans l'immobilier (propriétés à Québec, terres à Beauport).

Élu député de Hampshire en 1796. Réélu en 1800. Retira sa candidature en faveur de Joseph-Bernard **Planté** avant la fin du scrutin en 1804. Élu dans Hampshire en 1808. Réélu en 1809, 1810, 1814, 1816, avril 1820 et juillet 1820. Appuya généralement le parti canadien.

Administrateur de la Société du feu de Québec. Marguillier de la paroisse Notre-Dame de Québec de 1807 à 1814. Était capitaine dans la milice pendant la guerre de 1812.

Décédé en fonction à Québec, le 29 janvier 1822, à l'âge de 65 ans et 5 mois. Inhumé dans le cimetière des Picotés, dans la paroisse Notre-Dame de Québec, le 1er février 1822.

Avait épousé dans la paroisse Sainte-Famille, île d'Orléans, le 18 janvier 1780, Marie-Charles (Charlotte) Leblond, fille de Jean-Baptiste Leblond et de Marie-Charles (Charlotte) Létourneau; puis, dans la paroisse Notre-Dame de Québec, le 14 janvier 1783, Marie-Louise Robitaille, fille de François Robitaille et de sa femme Marie-Mathurin; enfin, dans la paroisse Saint-Charles-Borromée, à Charlesbourg, le 10 octobre 1801, Françoise Villers, [fille de Jacques-Joseph Villers] et veuve de Jean Bergevin (Bergevin, dit Langevin).

Père d'Hector-Simon **Huot**. Beau-père de Charles **Langevin**.

Bibliographie: *DBC*.

HUOT, Hector-Simon
(1803–1846)

Né à Québec et baptisé dans la paroisse Notre-Dame, le 16 janvier 1803, fils de François **Huot**, marchand, et de sa troisième femme, Françoise Villers.

Étudia au petit séminaire de Québec, puis fit son stage de clerc en droit auprès de Louis **Lagueux**. Admis au barreau en 1825.

Exerça sa profession à Québec; fut secrétaire de la Bibliothèque du barreau de Québec en 1840. Participa à l'adoption de la loi qui prévoyait l'établissement des premières écoles normales du Bas-Canada, en 1836; fut secrétaire ainsi que président de la Société d'éducation du district de Québec.

Élu député de Portneuf en 1830; prit part à la relance du journal *le Canadien* en 1831 et, à compter de 1832, appuya généralement le parti patriote. Réélu en 1834; au nombre des patriotes modérés de la région de Québec. Son mandat prit fin avec la suspension de la constitution, le 27 mars 1838. Fut conseiller municipal de la ville de Québec du 15 août 1840 jusqu'à sa démission le 7 janvier 1842.

Nommé registrateur du district de Berthier en janvier 1842, greffier du bureau du secrétaire de la province le 14 février 1843 et protonotaire du district de Québec le 9 avril 1844.

Décédé à Québec, le 25 juin 1846, à l'âge de 43 ans et 5 mois. Inhumé dans la chapelle Sainte-Anne de la cathédrale Notre-Dame, le 30 juin 1846.

Avait épousé dans la paroisse Notre-Dame de Québec, le 16 février 1830, Josephte Clouet, fille de Joseph Clouet, cultivateur de Beauport, et de Marie Allard.

Demi-frère de Charles **Langevin**. Neveu par alliance de Michel **Clouet**. Cousin par alliance d'Étienne **Parent**.

———

Bibliographie: *DBC.*

HUOT, Pierre-Gabriel (1825–1913)

Né à Québec et baptisé dans la paroisse Notre-Dame, le 22 janvier 1825, sous le prénom de Pierre-Gabriel-Octave, fils de Pierre Huot, marchand, et de Marie-Victoire Richard.

Admis à l'exercice du notariat en février 1850, mais ne pratiqua pas sa profession.

Se lança dans le journalisme à Québec. Rédacteur en chef de *la Voix du peuple,* de sa fondation en décembre 1851 jusqu'à sa disparition en 1852. L'un des propriétaires et des rédacteurs du *National* de Québec, de novembre 1855 à juin 1859. Cofondateur, vers 1850, de la Chambre de lecture de Saint-Roch. Président de la Société Saint-Jean-Baptiste de Québec en 1864–1865. Publia, en 1876, l'*Éloge du révérend M.Z. Charest, curé de Saint-Roch de Québec.* Écrivit également des poésies, reproduites dans *le Répertoire national* [...] de James

Huston; l'une de ses compositions, «la Huronne», fut mise en musique.

Élu député de Saguenay en 1854; libéral indépendant. Son élection fut cependant annulée le 17 novembre 1854. Élu dans la même circonscription à une élection partielle le 18 janvier 1855; de tendance libérale. Défait dans Charlevoix et dans la cité de Québec en 1858. Élu dans Québec-Est à une élection partielle le 18 mai 1860; appuya les rouges. Élu conseiller législatif de la division de Stadacona en 1860; toutefois, l'élection fut déclarée nulle le 16 mai 1861. Entre-temps avait remis sa démission comme député, mais l'orateur avait annoncé, le 16 mars 1861, qu'il ne l'acceptait pas. Réélu député de Québec-Est en 1861; donna son appui aux rouges. Réélu sans opposition en 1863; de tendance libérale, mais fut en faveur du projet de confédération. Son mandat prit fin avec l'avènement de la Confédération, le 1er juillet 1867. Élu sans opposition député conservateur de Québec-Est à la Chambre des communes en 1867, démissionna le 14 juin 1870.

Nommé maître de poste de Québec le 31 mai 1870, exerça cette fonction du 1er juillet 1870 jusqu'à ce qu'il fût démis, le 1er janvier 1874. S'installa aux États-Unis en 1886.

Décédé à New York, en septembre 1913, à l'âge de 88 ans et 7 ou 8 mois.

Avait épousé dans la chapelle de l'Hôpital Général de Québec, dans la paroisse Notre-Dame-des-Anges, le 18 novembre 1856, Marie-Arthémise Hamel, fille de Joseph Hamel, arpenteur et inspecteur des chemins, et de Marguerite Gagné, de la paroisse Saint-Roch.

HUS, dit MILLET, Charles (1738–1802)

Né à Sorel, le 4 mars 1738, puis baptisé le 5, dans la paroisse Saint-Pierre, fils de Claude Millet (Hus, dit Millet) et de Françoise Mandeville. Aussi désigné sous le patronyme de Millette.

Fut capitaine dans la milice. Élu sous-bailli de Sorel en 1770 et bailli l'année suivante.

Élu député de Richelieu en 1796; ne prit part qu'aux votes de la première session et appuya généralement le parti canadien. Ne se serait pas représenté en 1800.

Décédé à Sorel, le 29 mars 1802, à l'âge de 64 ans. Inhumé dans la paroisse Saint-Pierre, le 30 mars 1802.

Avait épousé dans sa paroisse natale, le 31 janvier 1763, Catherine Antaya, dit Pelletier, fille de Michel Antaya, dit Pelletier, et de Marie-Louise Letendre.

HUSHION, William James
(1880–1954)

Né à Montréal, dans la paroisse Sainte-Brigide, le 3 novembre 1880, fils de Daniel Hushion, charretier, et de Margaret Phelan.

Fit ses études à l'école St. Patrick, puis au collège Sainte-Anne à Montréal.

Débuta sa carrière d'homme d'affaires avec son père. Fit le commerce des grains et puis fonda la compagnie W.J. Hushion. Fut directeur des compagnies suivantes : Hushion and Hushion Ltd., Canada Catering Co. Ltd., Rock Product Co. Ltd., Wesh Coal Corporation, Nu-Way Box Co. Ltd. et Quebec Flour Mills. Président de Montreal Transfer Terminal Ltd., Seven Industries Ltd. et Clinton Distilleries Corporation. Vice-président de la Montreal Distilleries Corporation. Promoteur de la compagnie Montreal and Quebec Products Exchanges Inc. Nommé gouverneur à vie de l'hôpital Notre-Dame de Montréal en 1923 et du St. Mary's Hospital en 1924. Membre du Club de réforme, du Mount Stephen Club, du Club Saint-Denis, du Club canadien, du Club Senneville et de la Shamrock Athletic Association.

Échevin du quartier Saint-Joseph au conseil municipal de Montréal de 1914 à 1928. Candidat libéral défait dans Montréal–Sainte-Anne aux élections provinciales de 1916 et dans Saint-Antoine aux élections fédérales de 1917. Élu député libéral à l'Assemblée législative dans Montréal–Sainte-Anne en 1923. Démissionna le 4 août 1924 et fut élu député libéral à la Chambre des communes dans Saint-Antoine à l'élection partielle du 2 septembre 1924. Défait en 1925. Ne s'est pas représenté en 1926. Défait de nouveau, aux élections fédérales, dans Saint-Antoine en 1930. Réélu dans Sainte-Anne en 1935. Nommé sénateur de la division de Victoria le 15 février 1940.

Décédé en fonction à Montréal, le 29 janvier 1954, à l'âge de 73 ans et 2 mois. Inhumé à Montréal, dans le cimetière Notre-Dame-des-Neiges, le 1er février 1954.

[Avait épousé à Montréal, le 6 novembre 1906, Winnifred Rosanne Dempsey, fille de James Dempsey et de Rose Ann Murray.]

HUTCHINSON, Matthew
(1843–1926)

[Né à Musquodoboit, dans le comté de Halifax, en Nouvelle-Écosse, le 20 octobre 1843, fils de William Scott Hutchinson, cultivateur, et de Sarah Marthe Archibald.]

Fit ses études à la London Grammar School à London, en Ontario, à la McGill University à Montréal et au Military College à Toronto. Récipiendaire de la médaille d'or Elizabeth Torrance en 1873. Admis au barreau de la province de Québec le 13 janvier 1874. Créé conseil en loi de la reine le 19 mai 1899.

Membre du cabinet des avocats McMaster, Hutchinson et Knapp en 1874, puis du cabinet McMaster, Hutchinson et McLennan. S'associa par la suite à Me Oughtred. En 1877, il entra à la McGill University où il fut chargé de cours jusqu'en 1880, puis professeur adjoint de 1880 à 1888, professeur de droit romain de 1889 à 1893 et professeur émérite de 1893 à 1926. Fut pendant un an maître de la Prince Consort Lodge. Fut également grand maître de l'Independent Order of Odd-fellows. Membre du Canada Club.

Échevin de Westmount de 1885 à 1890, puis maire de 1891 à 1893. Commissaire d'école à Westmount pendant trois ans. Élu sans opposition député libéral dans Montréal no 5 en 1900. Ne s'est pas représenté en 1904.

Nommé juge puîné à la Cour supérieure du Québec le 16 novembre 1904.

Décédé à Westmount, le 22 janvier 1926, à l'âge de 82 ans et 3 mois. Inhumé à Montréal dans le Mount Royal Cemetery, le 25 janvier 1926.

[Avait épousé à Montréal, dans l'église St. Gabriel, le 15 janvier 1874, Mary Hood, fille de David Hood, ingénieur, et de Mary Douglas ; puis, à Montréal, dans l'église St. George, le 28 juin 1888, Elizabeth Langlands, fille de James Langlands et de Virginia Clarke ; puis, à Montréal, dans l'église Crescent, le 6 juillet 1905, Annie MacVicar, fille du révérend MacVicar.]

HYDE, George Gordon
(1884–1946)

Né à Montréal, le 24 janvier 1884, fils de John Hyde et d'Annie Isabella Gordon.

Fit ses études à la Montreal High School et à la McGill University. Fit sa cléricature auprès de Me R.C. Smith. Admis au barreau de la province de Québec le 21 août 1908. Créé conseil en loi du roi le 27 décembre 1918.

Avocat à Montréal spécialisé en droit commercial et en droit des compagnies. Il fit partie du cabinet des avocats Hyde et Ahern, et Markey, Skinner et Hyde. Président du jeune barreau de Montréal en 1918. Vice-président de l'Association du barreau canadien en 1944. Président du Club de réforme de Montréal en 1935. Membre du Montreal Club, du Mount Royal Club, de l'University Club, du Club de la garnison de Québec, du Mount Bruno Club et du Toronto Club. Gouverneur du Montreal General Hospital. Membre du Montreal Board of Trade.

Candidat libéral défait dans Montréal–Saint-Georges en 1935. Élu député libéral dans Westmount–Saint-Georges en 1939. Nommé conseiller législatif de la division de Victoria le 14 janvier 1942.

Décédé en fonction à Montréal, le 20 juillet 1946, à l'âge de 62 ans et 6 mois. Inhumé à Montréal, dans le Mount Royal Cemetery, le 23 juillet 1946.

Avait épousé à Montréal, dans l'église Crescent, le 6 décembre 1911, Lilian Boronow, fille de Richard Boronow, avocat.

Père de John Richard **Hyde**.

HYDE, John Richard

Né à Montréal, le 15 novembre 1912, fils de George Gordon **Hyde**, avocat, et de Lilian Boronow.

Fit ses études à la Victoria High School à Montréal, à la Argyle School à Westmount, à la Westmount High School, au Collège militaire royal de Kingston, de 1930 à 1934, aux universités de Cambridge, en Angleterre, en 1934 et 1935, et de Montréal, de 1935 à 1938. Admis au barreau de la province de Québec le 8 juillet 1938.

Exerça sa profession d'avocat à Montréal avec son père, au cabinet Hyde et Ahern, en 1938 et 1939. Fit partie de la Royal Canadian Artillery de 1939 à 1945, puis demeura dans la force de réserve active qu'il quitta en 1954 avec le grade de brigadier. S'associa de nouveau à Me Ahern de 1946 à 1971.

Élu député libéral dans Westmount–Saint-Georges à l'élection partielle du 6 juillet 1955. Réélu en 1956, 1960 et 1962. Orateur suppléant de l'Assemblée législative du 21 septembre 1960 au 9 janvier 1962, puis orateur du 9 janvier 1962 au 14 octobre 1965. Ministre du Revenu dans le cabinet Lesage du 14 octobre 1965 au 16 juin 1966. De nouveau élu en 1966. Ne s'est pas représenté en 1970. Juge à la Cour provinciale de 1971 jusqu'au 15 novembre 1982.

Membre de l'Association du barreau canadien, de la Westmount Municipal Association, du Club de la garnison de Québec et du Club de réforme de Montréal dont il fut président en 1958. Créé conseil en loi de la reine le 16 décembre 1960.

IRUMBERRY DE SALABERRY, Charles-Michel d' (1778–1829)

Né à Beauport et baptisé dans la paroisse de la Nativité-de-Notre-Dame, le 19 novembre 1778, fils d'Ignace-Michel-Louis-Antoine d'**Irumberry de Salaberry**, officier, et de Françoise-Catherine Hertel de Saint-François.

Enrôlé comme volontaire dans l'armée britannique au Bas-Canada, obtint un grade d'officier d'infanterie en 1794. Servit aux Antilles jusqu'en 1804, puis en Angleterre, en Irlande (1807) et aux Pays-Bas (1809). Atteint de fièvre épidémique, rentra en Angleterre en octobre 1809. Revint au Bas-Canada en 1810, à titre d'aide de camp du major général Francis de Rottenburg. En 1812, recruta le corps de milice des Voltigeurs canadiens qu'il commanda à la bataille de Châteauguay, le 26 octobre 1813; en céda le commandement en 1814, mais occupa le poste d'officier supérieur de visite jusqu'à la démobilisation en 1815. Reçut le grade de lieutenant-colonel dans l'armée en 1814. S'installa, cette année-là, à Chambly où il acquit et exploita des propriétés foncières, plus particulièrement les fiefs de Saint-Mathias, de Beaulac et une partie de la seigneurie de Chambly. Engagé aussi dans le prêt et la navigation à vapeur.

Nommé au Conseil législatif le 14 décembre 1818.

Décoré de la médaille commémorative de la bataille de Châteauguay en 1816. Fait compagnon de l'ordre du Bain en 1817. Fut juge de paix.

Décédé en fonction à Chambly, le 27 février 1829, à l'âge de 50 ans et 3 mois. [Inhumé dans l'église Saint-Joseph.]

Avait épousé à Chambly, le 13 mai 1812, Marie-Anne-Julie Hertel de Rouville, fille de Jean-Baptiste-Melchior **Hertel de Rouville**, seigneur, et de Marianne Hervieux, parente de Pierre-Amable **De Bonne**.

Père de Melchior-Alphonse d'**Irumberry de Salaberry**. Oncle d'Édouard-Louis-Antoine-Charles **Juchereau Duchesnay**. Beau-frère de Jean-Baptiste-René **Hertel de Rouville**. Sa fille épousa le fils de Samuel **Hatt**.

Bibliographie: *DBC.*

IRUMBERRY DE SALABERRY, Ignace-Michel-Louis-Antoine d' (1752–1828)

Né à Beauport, le 4 juillet 1752, puis baptisé le 5, dans la paroisse de la Nativité-de-Notre-Dame, fils de Michel de Salaberry, officier de marine, et de Madeleine-Louise Juchereau Duchesnay de Saint-Denis.

Étudia au petit séminaire de Québec de 1765 à 1769.

En 1775, prit part en tant que volontaire à la défense du fort Saint-Jean, sur le Richelieu, contre l'invasion américaine; fut blessé à deux reprises. En 1777, participa à la bataille de Saratoga (Schuylerville, New York). Se retira à la demi-solde en 1783.

Élu député de Dorchester et de Québec en 1792; opta pour Dorchester le 8 janvier 1793; appuya généralement le parti canadien. Défait en 1796. Élu dans la Basse-Ville de Québec en 1804; donna généralement son appui au parti canadien. Défait dans la Basse-Ville de Québec, mais élu dans Huntingdon en 1808; appuya le parti des bureaucrates. Défait dans la Basse-Ville de Québec en 1809. Nommé au Conseil législatif le 4 décembre 1817.

Fut juge de paix. Major dans le 1er bataillon du Royal Canadian Volunteer Regiment de 1796 à 1802. Nommé surintendant adjoint des Abénaquis de Saint-François en 1801 et inspecteur des forêts du Bas-Canada en 1808. Participa à la guerre de 1812 en qualité de lieutenant-colonel dans la milice d'élite; par la suite, obtint le grade de colonel. Propriétaire, notamment de biens seigneuriaux.

Décédé en fonction à Québec, le 22 mars 1828, à l'âge de 75 ans et 8 mois. Inhumé dans l'église de la Nativité-de-Notre-Dame, à Beauport, le 26 mars 1828.

Avait épousé dans la paroisse Notre-Dame de Montréal, le 18 février 1778, Françoise-Catherine Hertel de Saint-François, fille de Joseph Hertel de Saint-François, seigneur de Pierreville, et de Suzanne Blondeau.

Père de Charles-Michel d'**Irumberry de Salaberry**. Grand-père d'Édouard-Louis-Antoine-Charles **Juchereau Duchesnay**. Grand-père par alliance de Thomas Edmund **Campbell**.

Bibliographie: *DBC.*

IRUMBERRY DE SALABERRY, Melchior-Alphonse d' (1813–1867)

Né à Saint-Philippe-de-Laprairie (La Prairie), le 19 mai 1813, fils du lieutenant-colonel Charles-Michel d'**Irumberry de Salaberry** et de Marie-Anne-Julie Hertel de Rouville.

En 1829, se vit offrir une place dans l'armée britannique par Matthew **Whitworth-Aylmer**, qu'il refusa. Fut choisi comme aide de camp extraordinaire en 1834; devenu lieutenant-colonel en 1837, s'opposa aux patriotes au fort Chambly.

Nommé au Conseil législatif le 22 août 1837, en fit partie jusqu'à la suspension de la constitution, le 27 mars 1838. Refusa, en 1839, de devenir membre du Conseil spécial. Élu député de Rouville en 1841; unioniste et tory. Son siège devint vacant le 1er janvier 1842 par suite de sa nomination au poste de registrateur du district de Richelieu. Défait dans Rouville à une élection partielle le 7 juillet 1842.

Reçu au barreau de Montréal en 1845, exerça la profession d'avocat. Remplit la charge de coroner adjoint de Montréal, du 23 avril 1847 jusqu'à sa démission en 1848. Fut adjudant général adjoint pour le Bas-Canada de la milice provinciale jusqu'à sa mort.

Décédé à Québec, le 27 mars 1867, à l'âge de 53 ans et 10 mois. Inhumé, avec les honneurs militaires, dans l'église de la Nativité-de-Notre-Dame, à Beauport, le 30 mars 1867.

Avait épousé à Montréal, le 22 septembre 1846, Marie-Émilie Guy, fille du notaire Louis **Guy** et de Josette Curot.

Bibliographie: *DBC.*

IRVINE, George (1826–1897)

Né à Québec, le 16 novembre 1826, puis baptisé le 31 janvier 1827, dans la cathédrale anglicane Holy Trinity, fils de John George Irvine, marchand, et d'Ann Bell.

Fit des études classiques à Québec auprès du ministre anglican Francis James Lundy. Obtint une commission d'avocat en janvier 1848.

Exerça sa profession à Québec et se spécialisa en droit commercial, discipline qu'il enseigna au Morrin College. Fait conseiller de la reine le 28 juin 1867. Bâtonnier du barreau de Québec en 1872–1873 et en 1884–1885. Vice-président de la Banque d'Union du Bas-Canada. De 1875 à 1878, fut chancelier du Bishop's College, de Lennoxville, dont il reçut, en 1875, un doctorat honorifique en droit civil.

Fit partie du conseil municipal de Québec de 1859 à 1862. Élu député de Mégantic en 1863; de tendance conservatrice. Son mandat prit fin avec l'avènement de la Confédération, le 1er juillet 1867. Solliciteur général dans le cabinet Chauveau du 15 juillet 1867 au 27 février 1873. Élu député conservateur de Mégantic à l'Assemblée législative et à la Chambre des communes en 1867. Réélu sans opposition au provincial en 1871, mais ne se représenta pas au fédéral en 1872. Entré au cabinet Ouimet comme procureur général le 27 février 1873, démissionna le 30 juillet 1874, puis siégea à titre de conservateur indépendant. Élu sans opposition sous la bannière libérale dans Mégantic aux élections provinciales en 1875. Son siège devint vacant en raison de sa nomination, le 28 janvier 1876, au poste de commissaire du chemin de fer Québec, Montréal, Ottawa et Occidental, charge qu'il remplit jusqu'en 1878. Élu député libéral provincial dans Mégantic en 1878. Réélu en 1881, résigna son siège le 6 juin 1884 afin d'accéder à la magistrature.

Juge de la Cour de vice-amirauté pour le district de Québec, du 7 juin 1884 jusqu'à l'abolition de ce tribunal, le 1er juillet 1891, puis juge de l'amirauté à la Cour de l'échiquier pour le district de Québec, à compter du 2 octobre 1891. Continua à pratiquer la profession d'avocat.

Cofondateur et président de l'Union Club de Québec. Membre du St. James Club et du Club de la garnison.

Décédé à Québec, le 24 février 1897, à l'âge de 70 ans et 3 mois. Après des obsèques célébrées dans l'église anglicane St. Matthew de Québec, fut inhumé [dans le cimetière Mount Hermon, à Sillery], le 26 février 1897.

Avait épousé dans la cathédrale anglicane Holy Trinity de Québec, le 19 août 1856, Annie Routh LeMesurier, fille du marchand Henry LeMesurier.

Petit-fils de James **Irvine** et de Mathew **Bell**.

Bibliographie: *DBC.*

IRVINE, James
(1766–1829)

Né en Angleterre, en 1766, fils d'Adam Irvine, Écossais, et d'Elizabeth Irvine.

Peu après la Conquête, suivit sa famille qui s'installa à Québec. Plus tard, s'engagea dans le commerce : mit sur pied la Munro and Irvine, dissoute en octobre 1797 ; au printemps de 1798, fonda l'Irvine, McNaught and Company, société spécialisée dans le commerce d'import-export, à laquelle se joignit James **Leslie** en 1809. Fit l'acquisition de plusieurs terrains et propriétés, dont le domaine de Belmont House à Sainte-Foy. De 1805 à 1812, fut gardien de la Maison de la Trinité et, de 1809 à 1822, président du Committee of Trade de Québec. En 1824, fut nommé arbitre du Bas-Canada pour régler les droits entre le Haut et le Bas-Canada.

Membre du Conseil exécutif depuis le 17 novembre 1808, démissionna en 1822. Défait dans la Basse-Ville de Québec en 1809. Élu député de la Haute-Ville de Québec en 1810. Ne se serait pas représenté en 1814. Fit partie du Conseil législatif à compter du 20 février 1818.

Obtint divers postes de commissaire. Fut juge de paix, président de la Société du feu et de la Société d'agriculture de Québec, membre du conseil d'administration de l'Institution royale pour l'avancement des sciences. Officier de milice, servit pendant la guerre de 1812 ; se retira en 1822.

Décédé en fonction à Québec, le 27 septembre 1829, à l'âge de 62 ou de 63 ans. Après des obsèques célébrées dans la cathédrale anglicane Holy Trinity, le 1er octobre 1829, fut probablement inhumé dans le cimetière St. Matthew.

Avait épousé dans l'église anglicane de Québec, le 13 juillet 1801, Ann Pyke, fille de John George Pyke, commerçant de Halifax et député à la Chambre d'assemblée de la Nouvelle-Écosse, et d'Elizabeth Allan, sœur de John Allan, ancien député néo-écossais.

Grand-père de George **Irvine**. Beau-frère de George **Pyke** et de Benjamin **Tremain**.

_____

Bibliographie : *DBC*.

JEANNOTTE, Joseph-Édouard
(1890–1957)

Né à Sainte-Marthe, le 27 novembre 1890, fils d'Adhémar Jeannotte, notaire, et de Marie-Camilla Bourque.

A étudié au collège de Valleyfield et à l'université Laval à Montréal. Admis à la pratique du notariat en 1917.

Exerça sa profession à Coteau-Landing. Vérificateur pour la Commission municipale de Québec. Conseiller juridique de la Chambre de commerce de Vaudreuil-Soulanges et des Chevaliers de Colomb. Président honoraire de la Société d'agriculture de Soulanges. Secrétaire-trésorier de Coteau-Landing de décembre 1932 à janvier 1937.

Maire de Coteau-Landing de janvier 1937 à janvier 1938. Élu député de l'Union nationale dans Vaudreuil-Soulanges en 1948. Réélu en 1952 et 1956.

Décédé en fonction à Coteau-Landing, le 3 février 1957, à l'âge de 66 ans et 2 mois. Inhumé dans le cimetière de Saint-Zotique, le 6 février 1957.

Avait épousé dans la paroisse Notre-Dame de Montréal, le 18 octobre 1921, Marie-Anna Forget, fille de Frédéric Forget et de Rose-Délima Aubry.

JETTÉ, Louis-Amable
(1836–1920)

Né à L'Assomption, le 15 janvier 1836, fils d'Amable Jetté, marchand, et de Caroline Gauffreau.

A étudié au collège de L'Assomption et à l'université Laval à Montréal. Étudia le droit auprès de Mes Pelletier et Bélanger et de Mes David et Ramsay. Admis au barreau du Bas-Canada le 2 février 1857.

Mena une triple carrière dans les domaines du droit, du journalisme et de l'enseignement. Avocat à Montréal, il fut associé avec Me Siméon Lesage et Me Hector Fabre (sénateur de 1875 à 1882), puis avec Me Frédéric-Liguori Béique (sénateur de 1902 à 1933). Commissaire pour la révision du Code civil de la province de Québec, il déposa un rapport minoritaire

intitulé *Observation relative au Code de procédure civile*. Créé conseil en loi de la reine le 31 mai 1878.

Élu député libéral à la Chambre des communes dans Montréal-Est en 1872. Réélu sans opposition en 1874. Ne s'est pas représenté en 1878. Déclina l'offre de devenir ministre de la Justice dans le cabinet Mackenzie en mai 1878. Président de l'Association de réforme du Parti national.

Juge à la Cour supérieure pour le district de Montréal du 2 septembre 1878 au 20 janvier 1898. Lieutenant-gouverneur de la province de Québec du 1er février 1898 au 15 septembre 1908. De nouveau juge à la Cour supérieure du 4 septembre 1908 au 16 novembre 1909. Juge en chef à la Cour du banc du roi de la province de Québec du 16 novembre 1909 jusqu'en 1911. Du 9 novembre 1910 au 10 avril 1911, il fut administrateur du gouvernement provincial en l'absence de Charles-Alphonse-Pantaléon **Pelletier**.

Membre et président de la Commission royale d'enquête sur l'affaire du chemin de fer de la Baie-des-Chaleurs en 1891. Membre du tribunal chargé de délimiter les frontières de l'Alaska (1903). Collaborateur aux journaux *l'Ordre*, *le Courrier de Montréal* et *l'Union catholique* en 1863. Rédacteur du journal *l'Union nationale*. Fondateur et rédacteur de la *Revue critique de législation et de jurisprudence du Canada* de 1871 à 1875. Correspondant de la *Revue de droit international* de Gand, en Belgique. Professeur de droit civil à l'université Laval à Montréal de 1878 à 1920. Membre du Conseil de l'instruction publique de 1870 à 1898. Doyen de la faculté de droit de l'université Laval à Montréal de 1890 à 1898.

Se vit décerner un doctorat en droit honoris causa de l'université Laval en 1878 et de l'University of Toronto en 1908, ainsi qu'un doctorat en droit civil du Bishop's College en 1899. Créé commandeur de la Légion d'honneur de France le 30 août 1898 et commandeur de l'ordre de Saint-Michel et Saint-George le 17 septembre 1901. Fondateur de la Société d'économie sociale de Montréal. Président de la Commission des champs de bataille de Québec. Vice-président des Fonds patriotiques canadiens en 1900. Directeur de l'École polytechnique de Montréal. Membre de la Société de législation comparée et de la Société d'histoire diplomatique de Paris.

Membre honoraire de la Société littéraire et historique de Québec. Membre du Club de la garnison.

Décédé à Québec, le 5 mai 1920, à l'âge de 84 ans et 4 mois. Inhumé à Montréal, dans le cimetière Notre-Dame-des-Neiges, le 8 mai 1920.

Avait épousé dans la paroisse Notre-Dame de Montréal, le 23 avril 1862, Berthilde Laflamme, fille de Toussaint Laflamme, marchand, et de Marguerite-Suzanne Thibodeau.

Beau-frère de Rodolphe Laflamme, député libéral à la Chambre des communes de 1872 à 1878. Beau-père de Rodolphe Lemieux, député libéral à la Chambre des communes de 1896 à 1930 et sénateur de 1930 à 1937.

JOBIN, Albert
(1867–1952)

Né à Québec, le 23 février 1867, fils de Joseph Jobin, charpentier, et de Malvina Jolicœur.

A étudié au séminaire de Québec et à l'université Laval à Québec.

Reçu médecin en 1893, il exerça sa profession à Québec.

Élu député libéral dans Québec-Est en 1904. Défait comme candidat libéral-indépendant en 1908. Échevin au siège n° 2 du quartier Saint-Roch au conseil de la ville de Québec de 1907 à 1911.

Participa à la fondation de l'Action sociale avec le docteur Jules Dorion et Mgr Paul-Eugène Roy. Enseigna la pathologie et la pédiatrie à l'université Laval à partir de 1916. Professeur émérite en 1939. Chef du service de pédiatrie à la crèche Saint-Vincent-de-Paul pendant dix ans. Chef du dispensaire de pathologie à l'Hôtel-Dieu pendant trente-trois ans. Secrétaire du Collège des médecins de la province de Québec. Cofondateur de l'Association des médecins de langue française. Rédacteur du *Bulletin médical*. Président du Comité d'hygiène mentale.

A publié principalement : *Histoire de la congrégation Notre-Dame-de-Jacques-Cartier* (1940) et *Histoire de Québec* (1947). Membre de la congrégation Notre-Dame-de-Jacques-Cartier de 1890 à 1952. Président de la Société Saint-Jean-Baptiste.

Décédé à Québec, le 16 juillet 1952, à l'âge de 85 ans et 5 mois. Inhumé à Québec, dans le cimetière Saint-Charles, le 19 juillet 1952.

Avait épousé à Québec, dans la paroisse Saint-Roch, le 25 septembre 1894, Marie-Célina-Juliana Delâge, fille de Jean-Baptiste Delâge, notaire, et de Marie-Emma-Elmire Fraser.

Beau-frère de Cyrille Fraser **Delâge**.

Bibliographie : Raymond-Marie, sœur, *Bibliographie analytique de l'œuvre du docteur Albert Jobin, m.d., 1867–1952, précédée d'une biographie*, thèse à l'université Laval, Québec, 1964, 153 p.

JOBIN, André
(1786–1853)

Né à Montréal, le 8 août 1786, fils de François Jobin et d'Angélique Sarrère, dit La Victoire.

Étudia au collège Saint-Raphaël, à Montréal, de 1797 à 1805. Fit l'apprentissage du droit, puis fut reçu notaire en 1813.

Exerça sa profession à Montréal, puis à Sainte-Geneviève, jusqu'en 1853. Élu en 1828 membre du comité chargé de rédiger les instructions pour les trois délégués envoyés en Angleterre par la Chambre d'assemblée.

S'occupa d'administration municipale, à Montréal, avant 1833. Élu sans opposition député de Montréal à une élection partielle le 25 novembre 1835 ; appuya le parti patriote. Conserva son siège jusqu'à la suspension de la constitution, le 27 mars 1838. Membre du Comité central et permanent du district de Montréal qui, en 1837, dirigeait l'action des patriotes ; fut emprisonné du 3 mai au 7 juillet 1838. Candidat réformiste défait dans Vaudreuil en 1841. Élu dans Montréal à une élection partielle le 26 octobre 1843. Réélu en 1844 et 1848. Fit partie du groupe canadien-français ; réformiste. Ne se serait pas représenté en 1851.

Dessina une carte de la ville et de l'île de Montréal, publiée en 1834, ainsi qu'un plan de la prison de Montréal. Membre du conseil d'administration de la Banque d'épargne de la cité et du district de Montréal en 1846. Fut élu premier président de la Chambre des notaires et devint lieutenant-colonel dans la milice en 1847. Nommé inspecteur des écoles catholiques de la ville et du comté de Montréal en 1852.

Décédé à Sainte-Geneviève, le 11 octobre 1853, à l'âge de 67 ans et 2 mois. Les obsèques eurent lieu dans l'église paroissiale, le 14 octobre 1853.

Avait épousé dans la paroisse Notre-Dame de Montréal, le 16 mai 1808, Marie-Josèphe Baudry, fille du sellier Louis Baudry et d'Angélique Monarque ; puis, au même endroit, le 22 avril 1816, Marie Archambault, veuve de Louis Baudry ; ensuite, dans la paroisse Sainte-Geneviève, île de Montréal, le 16 février 1824, Émilie Masson, fille d'Eustache Masson, qui fut cultivateur et commerçant, et de Scholastique Pfeiffer (Payfer) ; enfin, dans la paroisse de l'Assomption-de-la-Sainte-Vierge, à L'Assomption, le 27 mai 1839, Marie-Mathilde-Élisabeth Dorval, fille de l'arpenteur Laurent Dorval et de Marie-Louise Christin, dit Saint-Amour.

Oncle de Joseph-Hilarion **Jobin**. Beau-frère par alliance de Paul-Timothée **Masson**.

———

Bibliographie: *DBC*.

JOBIN, Joseph-Hilarion
(1811–1881)

Né à Montréal et baptisé dans la paroisse Notre-Dame, le 25 octobre 1811, fils de Joseph Jobin, tanneur (fut aussi brasseur), et de Marie-Rachel Travé, dit Saint-Romain.

Étudia au petit séminaire de Montréal de 1824 à 1828, et fréquenta une académie anglaise, puis fit l'apprentissage du notariat auprès de son oncle André **Jobin**. Admis à la pratique de sa profession le 7 février 1833.

Fut notaire à Montréal jusqu'en 1881. Exerça la charge de juge de paix.

Élu député de Berthier en 1851. Élu dans Joliette en 1854. Réélu en 1858 et 1861. Rouge. Ne s'est pas représenté en 1863.

Décédé à Montréal, le 31 août 1881, à l'âge de 69 ans et 10 mois. Inhumé dans le cimetière Notre-Dame-des-Neiges, le 3 septembre 1881.

Avait épousé dans la paroisse Notre-Dame de Montréal, le 3 septembre 1832, Rachel-Charlotte Desautels, fille du notaire Joseph Desautels et de Charlotte Kipp, d'ascendance loyaliste.

———

Bibliographie: Richard, Louis, «La famille Masson (V)», *MSGCF*, 14, 10 (oct. 1963), p. 180-181.

JODOIN, Claude
(1913–1975)

Né à Westmount, dans la paroisse Saint-Léon, le 25 mai 1913, fils d'Henri Jodoin, avocat, et de Béatrice Crépeau.

A étudié à l'école Olier, puis aux collèges classiques Sainte-Marie et Brébeuf à Montréal. Abandonna ses études en raison de la crise économique de 1929. Fut capitaine de réserve dans le deuxième bataillon des Fusiliers Mont-Royal pendant la Seconde Guerre mondiale.

Employé au service de la Voirie provinciale de 1932 à 1937. Représentant et négociateur de l'Union internationale des ouvriers de vêtements pour dames en 1937.

Président de la Jeunesse libérale du district de Saint-Jacques, président de la Jeunesse libérale de Montréal en 1938 et président des Jeunesses libérales du Canada en 1939.

Représenta le Conseil des métiers et du travail de Montréal au conseil municipal de décembre 1940 à décembre 1942 et de décembre 1947 à octobre 1954. Élu député libéral dans Montréal–Saint-Jacques à l'élection partielle du 23 mars 1942. Défait sous la bannière libérale en 1944, puis comme candidat indépendant en 1948. Refusa, en 1956, le poste de sénateur que lui avait offert Louis Saint-Laurent, premier ministre du Canada.

Gérant de l'Union internationale des ouvriers de vêtements pour dames de 1947 à 1951. Membre de l'exécutif de la Confédération internationale des syndicats libres de 1949 à 1960. Vice-président du Congrès des métiers et du travail du Canada (CMTC) de 1949 à 1954, puis président en 1954. Membre adjoint du conseil d'administration de l'Organisation internationale du travail de 1951 à 1960. Président du Congrès du travail du Canada de 1956 à 1966. Prit sa retraite en 1967.

Titulaire d'un doctorat honorifique en droit de l'université du Nouveau-Brunswick en 1967. Décoré de l'ordre du Canada et de la médaille du Centenaire en 1967. Nommé à la Galerie de la renommée du travail en 1972.

Décédé à Ottawa, le 1er mars 1975, à l'âge de 61 ans et 10 mois. Inhumé à Montréal, dans le cimetière Notre-Dame-des-Neiges, le 4 mars 1975.

Avait épousé à Montréal, dans la paroisse du Sacré-Cœur-de-Jésus, le 14 février 1948, Lilly Cooke, fille d'Alfred Cooke et d'Yvonne Lapierre.

———

JODOIN, Jean-Baptiste
(1809–1884)

Né à Boucherville, le 14 juillet 1809, fils de Jean-Baptiste Jodoin, cultivateur, et de Céleste Quintal.

Agriculteur. Juge de paix.

Maire de sa paroisse du 13 janvier 1862 au 20 janvier 1868. Élu député conservateur dans Chambly en 1867. Ne s'est pas représenté en 1871. Fut gardien du palais de justice de Boucherville de 1878 jusqu'à son décès.

Décédé à Montréal, le 14 janvier 1884, à l'âge de 74 ans et 6 mois. Inhumé à Boucherville, dans le cimetière de la paroisse Saint-Famille, le 17 janvier 1884.

Avait épousé dans sa paroisse natale, le 12 octobre 1830, Gilette Viau, dit L'Espérance, fille de Josephte et de Jacques Viau, dit L'Espérance; puis, dans la même paroisse, le 28 juillet 1866, Marie-Louise Jodoin, fille d'Hippolyte Jodoin et de Marie Provost, et veuve de Toussaint Favreau.

JOHNSON, Andrew Stuart
(1848–1926)

Né dans le canton d'Inverness, le 14 décembre 1848, fils de Samuel Johnson, cultivateur, et d'Agnes Steel.

Fit ses études dans son village natal.

Cultivateur et marchand de bois. Propriétaire de la compagnie minière Johnson Asbestos Co. Maître de poste à Clapham (Saint-Jean-de-Brébeuf).

Conseiller municipal de Thetford Mines du 16 novembre au 7 décembre 1885, puis maire du 7 décembre 1885 au 5 mars 1888. Fut élu député conservateur dans Mégantic en 1886, mais son élection fut annulée le 13 juin 1888. Défait à l'élection partielle du 27 décembre 1888. Élu de nouveau en 1890. Ne s'est pas représenté en 1892.

Décédé à Thetford Mines, le 11 juin 1926, à l'âge de 77 ans et 6 mois. Inhumé à Sherbrooke, dans le cimetière Elmwood, le 15 juin 1926.

[Avait épousé à Inverness Maria McGommon.]

JOHNSON, Daniel (père)
(1915–1968)

Né à Danville, le 9 avril 1915, fils de Francis Johnson, journalier, et de Marie-Adéline Daniel.

A étudié à l'école paroissiale de Danville, au séminaire de Saint-Hyacinthe et à l'université de Montréal. Fit sa cléricature auprès de Me Henri Crépeau. Admis au barreau de la province de Québec le 20 juillet 1940.

Exerça sa profession à Montréal, avec Me Whitelaw en 1940; Sullivan en 1941 et 1942; Piper, Nantel et Tormey en 1942 et 1943; Jonathan **Robinson** en 1943 et 1944, Robinson et Wilson de 1944 à 1946, et Johnson et Tormey après 1946. Conseiller juridique du conseil central de Montréal de la Confédération des travailleurs catholiques du Canada (CTCC), de l'Association des hebdomadaires de langue française, de l'Association des hôteliers du Québec, de l'Association professionnelle des employés d'Acton Rubber Inc. et du jeune barreau de Montréal. Directeur et président de plusieurs entreprises. Collaborateur au journal étudiant *le Quartier latin* et à *la Patrie*.

Élu député de l'Union nationale dans Bagot à l'élection partielle du 18 décembre 1946. Réélu en 1948, 1952, 1956, 1960 et 1962. Adjoint parlementaire du président du Conseil exécutif du 1er janvier au 15 décembre 1955. Orateur suppléant du 15 décembre 1955 au 30 avril 1958. Ministre des Ressources hydrauliques dans les cabinets Duplessis, Sauvé et Barrette du 30 avril 1958 au 5 juillet 1960. Élu chef de l'Union nationale le 23 septembre 1961. Chef de l'Opposition à l'Assemblée législative de 1961 à 1966. Réélu en 1966. Premier ministre de la province de Québec et président du Conseil exécutif du 16 juin 1966 au 26 septembre 1968. Ministre des Richesses naturelles du 16 juin 1966 au 31 octobre 1967, des Affaires fédérales-provinciales du 16 juin 1966 au 26 avril 1967 et des Affaires intergouvernementales du 26 avril 1967 au 26 septembre 1968.

Auteur de l'ouvrage *Égalité ou indépendance* (1965). A publié en collaboration avec Réginald D. Tormey, *Index to Supreme Court Cases 1923–1950* (1951). Président de la Fédération canadienne des étudiants catholiques, de la section française de l'Union des jeunesses catholiques du Canada et de l'Association générale des étudiants de l'université de Montréal. Vice-président de Pax Romana. Vice-président général de l'Association catholique de la jeunesse canadienne-française (ACJC) et du comité national de l'Action catholique. Membre fondateur et conseiller juridique de l'Union des Latins d'Amérique. Membre et conseiller juridique de la Chambre de commerce des jeunes de la province de Québec et du Canada.

Membre du Club Saint-Denis, du Club Renaissance, du Club de la garnison, du Cercle universitaire de Montréal, du Quebec Winter Club et des Chevaliers de Colomb. Créé conseil en loi du roi le 14 juin 1950. Docteur en droit honoris causa des universités Queen's et McGill en 1967, puis des universités de Montréal et de Sherbrooke en 1968.

Décédé en fonction au barrage Manic 5, le 26 septembre 1968, à l'âge de 53 ans et 5 mois. Inhumé dans le cimetière de Saint-Pie, le 1er octobre 1968.

Avait épousé à Montréal, dans la paroisse Notre-Dame-de-Grâce, le 2 octobre 1943, Reine Gagné, fille d'Horace-J. Gagné, avocat, et de Lauretta Demers.

Père de Pierre Marc **Johnson** et de Daniel **Johnson** (fils). Frère de Maurice Johnson, député à la Chambre des communes de 1958 à 1962.

Bibliographie: *Les 24 heures de Daniel Johnson*, s.l., s.n., 1968?, 100 p. Comeau, Robert et autres, *Daniel Johnson: rêve d'égalité et projet d'indépendance*, Sillery, Presses de l'Université du Québec, 1991, 451 p. Gervais, Albert, *Daniel Johnson*, Montréal, Fides, 1984, 64 p. Gervais, Jean-Francis, *Le Premier Ministre Daniel Johnson face au fédéralisme*, thèse de maîtrise à l'université Laval, Québec, 1969, 87 p. Laporte, Jean-Louis, *Daniel Johnson, cet inconnu*, Montréal, Beauchemin, 1968, 112 p. Proulx, Jérôme, *Le Panier de crabes. Un témoignage vécu sur l'Union nationale sous Daniel Johnson*, Montréal, Parti pris, 1971, 207 p. («Aspects», 10).

JOHNSON, Daniel (fils)

Né à Montréal, le 24 décembre 1944, fils de Daniel **Johnson**, avocat, et de Reine Gagné.

Licencié en droit de l'université de Montréal en 1966. Admis au barreau du Québec en 1967. Titulaire d'une maîtrise en droit en 1968 ainsi que d'un doctorat en droit en 1971 de l'University of London, en Angleterre. Obtint, en 1973, un MBA à la Harvard Business School, à Boston.

Secrétaire de Power Corporation du Canada de 1973 à 1981. Vice-président de cette entreprise de 1978 à 1981. Fut aussi membre du conseil d'administration et du comité exécutif d'organismes communautaires, dont le CRSSS du Montréal métropolitain, le centre Marie-Vincent, l'Institut de cardiologie de Montréal, les Grands Ballets canadiens et la Chambre de commerce du district de Montréal de 1974 à 1981.

Élu député libéral dans Vaudreuil-Soulanges en 1981. Candidat à la direction du Parti libéral le 15 octobre 1983. Vice-président de la Commission du budget et de l'administration du 15 mars 1984 au 23 octobre 1985. Réélu en 1985 et dans Vaudreuil en 1989. Ministre de l'Industrie et du Commerce dans le cabinet Bourassa du 12 décembre 1985 au 23 juin 1988. Leader adjoint du gouvernement à compter du 16 décembre 1985. Ministre délégué à l'Administration du 23 juin 1988 au 11 octobre 1989. Assermenté ministre délégué à l'Administration et à la Fonction publique le 11 octobre 1989 et nommé de nouveau leader adjoint du gouvernement le 29 novembre 1989. Président du Conseil du trésor à compter du 23 juin 1988.

Frère de Pierre Marc **Johnson**. Neveu de Maurice Johnson, député à la Chambre des communes de 1958 à 1962.

JOHNSON, John
(1741–1830)

Né à Mount Johnson (près d'Amsterdam, New York), le 5 novembre 1741, fils de William Johnson, surintendant des Affaires des Indiens du Nord, et de Catherine Weissenberg (Wisenberg, Wysenberk).

Reçut son instruction à la maison, au fort Johnson (près d'Amsterdam), et, de 1757 à 1760, étudia sporadiquement au College and Academy of Philadelphia.

Dès l'âge de 13 ans, accompagna son père dans ses expéditions militaires et ses conférences avec les Amérindiens. En 1764, dirigea une expédition amérindienne dans la région de l'Ohio. Après un séjour en Grande-Bretagne de 1765 à

1767, s'établit dans la colonie de New York. Au printemps de 1776, chassé par la Révolution américaine, s'enfuit à Montréal. Fut chargé de recruter deux bataillons et prit part à la guerre contre les Treize colonies, notamment au siège du fort Stanwix et à la bataille d'Oriskany en 1777, et aux raids dans la vallée de la Mohawk en 1780. Nommé général de brigade en Amérique du Nord ainsi que surintendant général des Affaires indiennes en 1782. À partir de 1784, s'occupa des réfugiés loyalistes dans la région du Haut-Saint-Laurent. N'ayant pas été nommé lieutenant-gouverneur du Haut-Canada en 1791, s'installa à Londres avec sa famille. Revint avec les siens à Montréal, à l'automne de 1796, et réintégra son poste de surintendant des Affaires indiennes. Investit dans l'immobilier tant dans le Haut qu'au Bas-Canada ; acquit, entre autres, la seigneurie de Monnoir en 1795, puis celle d'Argenteuil.

Membre du Conseil législatif de 1786 à 1791 et, de nouveau, à compter de 1796.

Fut fait chevalier (sir) entre 1765 et 1767. Hérita de son père, en 1774, le titre de baronnet (sir).

Décédé en fonction à Montréal, le 4 janvier 1830, à l'âge de 88 ans et 2 mois. Après des obsèques militaires et maçonniques, ses restes furent transportés et inhumés au pied du mont Sainte-Thérèse (mont Saint-Grégoire), dans la seigneurie de Monnoir.

Avait épousé à New York, le 29 juin 1773, Mary Watts, [fille de John Watts], puis avait répudié son épouse de fait, Clarissa Putnam.

Bibliographie: *DBC*.

JOHNSON, Pierre Marc

Né à Montréal, le 5 juillet 1946, fils de Daniel **Johnson**, avocat, et de Reine Gagné.

Fit ses études au couvent des Sœurs de la Providence et aux collèges Stanislas et Saint-Laurent. Fit un stage de trois mois à l'Austro American Society à Salzbourg (Autriche) en 1966. Obtint un baccalauréat en science politique du collège Brébeuf en 1967 et une licence en droit de l'université de Montréal en 1970. Diplômé en médecine de l'université de Sherbrooke en 1975. Fut admis au barreau de la province de Québec en 1971 et admis à la pratique de la médecine en 1976.

De 1966 à 1970, il occupa divers postes au sein de plusieurs associations étudiantes ainsi qu'à OXFAM-International. Professeur au cégep de Sherbrooke en 1972. Participa à une recherche sur l'analyse des problèmes de santé pour le ministère de l'Éducation en 1973. Exerça la médecine à l'hôpital Maisonneuve à Montréal. Fut membre du conseil d'administration de la faculté de médecine de l'université de Sherbrooke.

Élu député du Parti québécois dans Anjou en 1976. Réélu en 1981. Ministre du Travail et de la Main-d'œuvre dans le cabinet Lévesque du 6 juillet 1977 au 6 novembre 1980. Ministre des Consommateurs, des Coopératives et des Institutions financières du 6 novembre 1980 au 30 avril 1981. Ministre des Affaires sociales du 30 avril 1981 au 5 mars 1984. Président du Comité de développement social du 9 septembre 1982 au 5 mars 1984. Ministre de la Justice du 5 mars 1984 au 3 octobre 1985. Ministre délégué aux Affaires intergouvernementales canadiennes du 5 mars 1984 au 12 décembre 1985. Ministre par intérim des Communautés culturelles et de l'Immigration du 27 novembre au 20 décembre 1984.

Élu président du Parti québécois le 29 septembre 1985. Premier ministre du Québec et président du conseil exécutif du 3 octobre au 12 décembre 1985. Réélu en 1985. Chef de l'Opposition officielle du 12 décembre 1985 au 10 novembre 1987, date de sa démission comme président du Parti québécois, chef de l'Opposition officielle et député d'Anjou.

Professeur de droit constitutionnel au Centre de recherche sur le droit public et les politiques gouvernementales à la York University de Toronto du 15 février au 15 mai 1988. Membre du cabinet d'avocats Guy et Gilbert à compter de 1988. Professeur de droit et directeur du Centre de droit, de médecine et d'éthique de McGill à partir de 1988. Conseiller spécial du Secrétaire général de la Conférence des Nations Unies sur l'environnement à compter de 1991. Membre des conseils d'administration d'Unimédia et de SNC.

Frère de Daniel **Johnson** (fils). Neveu de Maurice Johnson, député à la Chambre des communes de 1958 à 1962.

JOHNSTON, Raymond Thomas

Né à Waltham, le 31 décembre 1914, fils de Robert Johnston, marchand général, et de Theresa Coghlan.

A étudié à Waltham, Chapeau, à la High School de Westmeath, en Ontario, au College Ottawa University, au St. Patrick's College à Ottawa et à l'Ottawa Normal School. A obtenu son certificat d'enseignement de la province de l'Ontario en 1935.

Employé à la Canadian International Paper Co., au Témiscamingue, de 1935 à 1938. Copropriétaire du magasin général Johnston Bros. Regd. de 1938 à 1967. Commerçant

de bois. Fit partie du Corps canadien des forestiers de 1941 à 1946.

Vice-président de la commission scolaire de Clapham de 1946 à 1972. Conseiller municipal d'Otter Lake de 1947 à 1977. Élu député de l'Union nationale dans Pontiac en 1948. Réélu en 1952, 1956, 1960, 1962 et 1966. Whip adjoint de l'Union nationale de juin 1952 à juin 1958 et de juin 1960 à mai 1966. Adjoint parlementaire du ministre de la Chasse et des Pêcheries du 12 mars 1959 au 6 juillet 1960. Ministre du Revenu dans les cabinets Johnson et Bertrand du 16 juin 1966 au 12 mai 1970. Défait en 1970. Vice-président de la commission scolaire de Pontiac à compter de 1972.

Membre des Chevaliers de Colomb. Gouverneur de district de la Légion canadienne. Chevalier de l'ordre de Saint-Grégoire-le-Grand.

JOLICŒUR, Henri
(1905–1967)

Né dans la paroisse Notre-Dame de Québec, le 18 avril 1905, fils d'Émile Jolicœur, pharmacien, et d'Alma Savard.

Étudia au séminaire de Québec, où il reçut la médaille du lieutenant-gouverneur, et à l'université Laval à Québec. Admis au barreau de la province de Québec le 14 janvier 1929.

Il exerça sa profession à Québec et à La Malbaie. Membre du cabinet des avocats Jolicœur, Pelletier, Dionne et Jolicœur. Rédacteur de l'hebdomadaire *le Journal* en 1929. Secrétaire particulier du vice-président de la Chambre des communes, Armand **La Vergne**, de 1931 à 1935.

En 1935, il fut organisateur à Québec du Parti de la reconstruction. Élu député de l'Union nationale dans Bonaventure en 1936. Défait en 1939. Réélu en 1944, 1948 et 1952. Défait en 1956.

Nommé juge à la Cour des sessions de la paix le 26 avril 1960, poste qu'il occupa jusqu'à son décès. Créé conseil en loi du roi le 30 décembre 1938.

Décédé à Québec, le 9 septembre 1967, à l'âge de 62 ans et 4 mois. Inhumé à Sainte-Foy, dans le cimetière Notre-Dame-de-Belmont, le 13 septembre 1967.

Avait épousé à Québec, dans la paroisse des Saints-Martyrs-Canadiens, le 23 septembre 1948, Carmen Martin, fille de Gazallie Martin et de Maria Tremblay.

JOLIETTE, Barthélemy
(1789–1850)

Né et baptisé dans la paroisse Saint-Thomas (à Montmagny), le 9 septembre 1789, fils d'Antoine Jolliet, notaire, et de Catherine Faribault.

Étudia à l'école du village de L'Assomption, puis fit l'apprentissage du notariat auprès de son oncle Joseph-Édouard **Faribault**. Obtint sa commission de notaire en 1810.

Exerça sa profession à L'Assomption de 1810 à 1824. Géra la seigneurie de Lavaltrie à compter de 1822, stimula l'exploitation forestière et créa le village d'Industrie (Joliette). Entrepreneur et homme d'affaires engagé, en particulier dans le secteur des chemins de fer.

Défait dans Leinster en 1814; l'élection fut annulée le 21 mars 1815. Défait en 1816. Élu dans Leinster en avril 1820. Ne s'est pas représenté en juillet 1820. Élu dans L'Assomption en 1830. Démissionna le 15 juin 1832, par suite de sa nomination au Conseil législatif, le 8 janvier 1832; fut conseiller jusqu'à la suspension de la constitution, le 27 mars 1838. Membre du Conseil spécial du 2 avril 1838 jusqu'à la dissolution de ce conseil, en juin, et à nouveau du 2 novembre 1838 jusqu'à l'entrée en vigueur de l'Acte d'Union, le 10 février 1841. Appelé au Conseil législatif le 9 juin 1841.

Prit part à la guerre de 1812 à titre de capitaine dans la milice; devint lieutenant-colonel en 1827. Obtint quelques postes de commissaire et fut juge de paix.

Décédé en fonction à Industrie (Joliette), le 21 juin 1850, à l'âge de 60 ans et 9 mois. Inhumé dans l'église Saint-Charles-Borromée, le 25 juin 1850.

Avait épousé dans la paroisse Saint-Antoine, à Lavaltrie, le 27 septembre 1813, Charlotte Lanaudière (Tarieu de Lanaudière), fille du seigneur Charles-Gaspard **Tarieu de Lanaudière** et de Suzanne-Antoinette Margane de Lavaltrie.

Bibliographie: *DBC*.

JOLIVET, Jean-Pierre

Né à Montréal, le 23 août 1941, fils de Julien Jolivet, journalier, et de Lucienne Poirier.

Fit ses études à l'école paroissiale de Richelieu, à l'académie Sacré-Cœur à Grand-Mère, au séminaire Sainte-Marie à Shawinigan, à l'école des Frères de l'instruction chrétienne à Pointe-du-Lac et à l'université Laval où il fut diplômé en pédagogie.

Professeur de niveau secondaire à la régionale Chambly, à Saint-Basile-le-Grand en 1963, et dans la région de la Mauricie de 1964 à 1969. Président du Syndicat des travailleurs de l'enseignement de la Mauricie (STEM) de 1968 à 1972 et représentant syndical permanent de 1972 à 1976. Président du comité d'implantation du Centre local de services communautaires (CLSC) de Grand-Mère–Normandie.

Membre du Rassemblement pour l'indépendance nationale (RIN) et du Mouvement souveraineté-association (MSA). Candidat du Parti québécois défait dans Laviolette en 1973. Élu député du Parti québécois dans la même circonscription en 1976. Réélu en 1981. Vice-président de l'Assemblée nationale du 11 novembre 1980 au 20 décembre 1984. Ministre délégué aux Forêts dans les cabinets Lévesque et Johnson (Pierre Marc) du 20 décembre 1984 au 12 décembre 1985. Réélu en 1985 et 1989. Vice-président de la Commission de l'éducation du 11 février 1986 au 17 novembre 1987. Leader adjoint de l'Opposition officielle du 17 novembre 1987 au 9 août 1989. Vice-président de la Commission de l'économie et du travail à compter du 29 novembre 1989.

JOLY, Jean-A.

Né à Montréal, le 29 août 1939, fils de Réal Joly et d'Alice St-Pierre.

A étudié à Montréal à l'école Saint-Herménégilde de 1945 à 1952, à l'externat classique Sainte-Croix en 1953 et 1954 et à l'école supérieure Chomedey-de-Maisonneuve de 1954 à 1956. Diplômé en techniques d'avionnerie de l'Aviation royale canadienne en 1959 et reçu assureur-vie agréé à l'université Laval en 1975.

Courtier d'assurances. Directeur, administrateur et conseiller en formation à la compagnie Prudentielle d'Amérique de 1962 à 1968. Administrateur et directeur des ventes de Crown Life Assurances de 1968 à 1981 et à l'Industrielle assurances de 1981 à 1985. Membre de plusieurs associations dont l'Association des assureurs-vie du Canada, l'Association des assureurs-vie de Montréal et l'Association des directeurs d'agence d'assurances de Montréal. Membre de la Société de criminologie de Montréal. Président-fondateur de l'équipe Accès: «Les drogues, parlons-en». Personne-ressource désignée par le ministère de la Justice pour l'application de la Loi sur les jeunes contrevenants de 1981 à 1984.

Élu député libéral dans Fabre en 1985. Réélu en 1989. Vice-président de la Commission de l'économie et du travail du 8 juin au 9 août 1989. Vice-président de la Commission des affaires sociales à compter du 29 novembre 1989. Membre de l'exécutif de la section Québec de l'Association parlementaire du Commonwealth.

JOLY DE LOTBINIÈRE, Henri-Gustave (1829–1908)

Né à Épernay, en France, le 5 décembre 1829, fils de Gaspard-Pierre-Gustave Joly, marchand, et de Julie-Christine Chartier de Lotbinière. Son prénom s'orthographiait aussi Henry-Gustave. Ajouta de Lotbinière à son nom en 1888.

Étudia à Paris de 1836 à 1849. Fit l'apprentissage du droit au Bas-Canada à compter de 1850; admis au barreau le 6 novembre 1855.

Exerça sa profession à Québec. S'occupa aussi de gérer la seigneurie de Lotbinière, propriété de sa mère qui, en 1860, lui en céda les droits. S'intéressa au commerce du bois, aux chemins de fer et aux sciences naturelles.

Élu député de Lotbinière en 1861. Réélu sans opposition en 1863. Rouge, s'opposa au projet de confédération. Son mandat prit fin avec l'avènement de la Confédération, le 1er juillet 1867. Élu sans opposition député libéral de Lotbinière à l'Assemblée législative et à la Chambre des communes en 1867. Chef de l'Opposition à l'Assemblée à partir de mars 1869. Réélu aux élections provinciales en 1871 et fédérales en 1872. Ne s'est pas représenté au fédéral en 1874. Réélu député libéral provincial en 1875. Refusa à deux reprises le poste de sénateur, en 1874 et 1877, ainsi que celui de ministre fédéral de l'Agriculture dans le cabinet Mackenzie. Fut premier ministre de la province de Québec et commissaire de l'Agriculture et des Travaux publics du 8 mars 1878 au 30 octobre 1879. Réélu en 1878 et, sans opposition, en 1881. Chef de l'Opposition de 1879 à 1883. Démissionna de ses fonctions de député provincial le 25 novembre 1885. Élu député libéral de Portneuf à la Chambre des communes en 1896. Fut contrôleur du Revenu de l'intérieur du 13 juillet 1896 au 29 juin 1897, mais sans faire partie du cabinet. À sa nomination, son siège de député était devenu vacant. Réélu sans opposition dans Portneuf à une élection fédérale partielle le 30 juillet 1896. Prêta serment comme membre du Conseil privé et comme ministre du Revenu de l'intérieur le 30 juin 1897; détint ce portefeuille jusqu'à sa démission, le 21 juin 1900. Lieutenant-gouverneur de la Colombie-Britannique du 21 juin 1900 au 25 mai 1906.

Fait conseiller de la reine en 1878. Cofondateur, en 1880, du journal l'Électeur de Québec, avec notamment Wilfrid **Laurier**. Président de la Compagnie du chemin de fer de Gosford, de la Fruit Growers' Association of Quebec, de la Société d'agriculture du comté de Lotbinière, du Conseil d'agriculture de la province de Québec. Vice-président de la Human Society of British North America, de l'Imperial Federation League du Canada et de la Société de géographie de Québec. Reçut un doctorat honorifique en droit du Bishop's College en 1887 et du Queen's College de Kingston en 1894. Nommé chevalier de l'ordre de Saint-Michel et Saint-George (sir) en 1895.

Décédé à Québec, le 16 novembre 1908, à l'âge de 78 ans et 11 mois. Après des obsèques célébrées dans la cathédrale anglicane Holy Trinity, fut inhumé dans le cimetière Mount Hermon, à Sillery, le 18 novembre 1908.

Avait épousé dans la cathédrale anglicane Holy Trinity, à Québec, le 6 mai 1856, Margaretta Josepha Gowen, fille du commerçant Hammond Gowen.

Petit-fils de Michel-Eustache-Gaspard-Alain **Chartier de Lotbinière**. Neveu de Robert Unwin **Harwood**. Cousin d'Antoine Chartier de Lotbinière **Harwood**.

Bibliographie: *DBC* (à paraître).

JONES, John (Basse-Ville de Québec) (≈1752–1818)

Né vers 1752.

S'établit à Québec en 1777. Fit la vente de spiritueux dans la basse ville, puis s'occupa d'un commerce de gros, rue Saint-Pierre. En 1786, céda tous ses biens au syndic de ses créanciers, James **Tod**. Trois ans plus tard, se fit courtier et encanteur. Copropriétaire, avec William **Vondenvelden**, de la Nouvelle Imprimerie qui publia *le Cours du Temps/Times* d'août 1794 jusqu'en juillet 1795, année où il vendit sa part à son associé. S'engagea dans la spéculation foncière, particulièrement dans les cantons, à compter de 1800; vendit et loua des propriétés ainsi que des terrains à Québec entre 1813 et 1817. Compta au nombre des actionnaires de la Compagnie de l'Union de Québec. En 1816, annonça sa retraite partielle de la vente aux enchères.

Élu sans opposition député de la Basse-Ville de Québec en 1808; appuya tantôt le parti canadien, tantôt le parti des bureaucrates. Réélu en 1809; appuya généralement le parti des bureaucrates. En 1810, retira sa candidature en faveur de John **Mure**.

Officier de milice depuis 1797, fut promu capitaine en 1812. Secrétaire, puis président de la Société du feu de Québec. Fit partie de plusieurs comités à caractère économique. Élu président administratif du Café des marchands en 1806.

Décédé à Québec, le 3 août 1818, à l'âge d'environ 66 ans. Les obsèques eurent lieu dans la cathédrale anglicane Holy Trinity, le 5 août 1818.

Avait épousé en secondes noces, à Québec, le 14 mai 1794, Margaret Harrison, peut-être la fille d'Edward **Harrison**.

Bibliographie: DBC.

JONES, John (Bedford)
(1761–1842)

Né à Montréal, en 1761, fils de John Jones, quartier-maître dans l'armée britannique, originaire du pays de Galles (fut aussi maître des casernes à William Henry (Sorel)). Signait John Jones Junr.

Vécut une partie de son enfance dans la colonie de New York, notamment à Fort Edward où son père était commandant. Se réfugia au Canada avec ses parents quand éclata la Révolution américaine. Ayant rejoint, tout comme son père, les troupes britanniques de John Burgoyne, fut fait prisonnier à Saratoga (Schuylerville, New York) en octobre 1777, puis libéré à la fin de la guerre. Revint au Canada avec sa famille qui s'établit à William Henry (Sorel). Major dans le 2e bataillon de milice des Cantons-de-l'Est pendant la guerre de 1812, prit part à la bataille de Plattsburgh; promu lieutenant-colonel le 3 avril 1821, aurait servi aussi dans la milice volontaire du district de Montréal. Fut inspecteur de potasse à Sorel.

[Élu député de Bedford en 1809; appuya le parti des bureaucrates. Ne s'est pas représenté en 1810.] Élu dans la même circonscription en juillet 1820, mais l'élection fut annulée le 31 décembre 1821; donna son appui tantôt au parti canadien, tantôt au parti des bureaucrates.

Décédé à Saint-Jean-sur-Richelieu, en 1842, à l'âge de 80 ou de 81 ans.

Avait épousé devant un ministre anglican, à Montréal, le 15 août 1786, Marie-Magdelaine Heney, fille de Hugh Heney, employé de la North West Company, et de Marie-Madelaine Lepailleur.

Père de Robert **Jones** (Missisquoi). Frère de Robert **Jones** (William Henry).

Bibliographie: Borthwick, J. Douglas, History and biographical gazetteer of Montréal, Montréal, Lovell, 1892, p. 480-482.

JONES, Robert (Missisquoi)
(≈1793–1874)

Né probablement à William Henry (Sorel), vers 1793, vraisemblablement le fils de John **Jones** (Bedford) et de Marie-Magdelaine Heney.

Vécut dans le canton de Stanbridge, à Saint-Jean (Saint-Jean-sur-Richelieu) et à Christieville (Iberville).

[Candidat défait dans Missisquoi en 1830.] Nommé conseiller législatif le 2 août 1832, conserva son siège jusqu'à la suspension de la constitution, le 27 mars 1838. Élu député de Missisquoi en 1841; tory. Ne se serait pas représenté en 1844. Conseiller législatif du 16 janvier 1849 jusqu'à sa résignation en 1850; l'annonce de sa démission fut faite au Conseil législatif, par le gouverneur, le 22 mai 1850.

Décédé à Montréal, le 21 janvier 1874, à l'âge d'environ 80 ans. Après des obsèques célébrées en l'église anglicane St. George, fut inhumé dans le cimetière Mont-Royal, le 23 janvier 1874.

On ne sait pas s'il était célibataire ou marié.

Neveu de Robert **Jones** (William Henry).

JONES, Robert (William Henry)
(≈1770–1844)

Né probablement dans l'État de New York, vers 1770, vraisemblablement le fils de John Jones, quartier-maître dans l'armée britannique, originaire du pays de Galles.

Succéda à son père comme gardien des casernes du fort de William Henry (Sorel) en 1793. Administrateur de la seigneurie Sorel de 1798 à 1806. Nommé commissaire chargé de faire prêter le serment d'allégeance le 30 juin 1812. Officier de milice, accéda au grade de major dans la division de Saint-Ours le 16 mars 1812, fut promu lieutenant-colonel, puis, en mars 1830, commandant du 4e bataillon de la milice de Bedford. Devint juge de paix le 26 avril 1830 et commissaire au tribunal des petites causes le 2 juin 1834.

Élu député de William Henry en 1814. Réélu en 1816, avril 1820 et juillet 1820. Appuya le parti des bureaucrates. Défait en 1824 [et en 1830].

Décédé à William Henry (Sorel), le 24 septembre 1844, à l'âge d'environ 74 ans. Inhumé à cet endroit, le 27 septembre 1844.

S'était marié.

Frère de John **Jones** (Bedford). Oncle de Robert **Jones** (Missisquoi).

Bibliographie: Couillard-Després, Azarie, *Histoire de Sorel des origines à nos jours*, Sorel, Beaudry et Frappier, 1980 (réédition de l'édition de 1926).

JORDAN, Jacob (père)
(1741–1796)

Né en Angleterre, le 19 septembre 1741.

Se trouvait à Montréal en août 1761, en qualité d'agent d'une compagnie londonienne liée au ravitaillement de l'armée. S'engagea dans le commerce des grains. Acquit des propriétés foncières, notamment la seigneurie de Terrebonne en 1784, et des moulins. Exploita une boulangerie, une manufacture de tabac et une distillerie à Montréal. Prit part au commerce des fourrures au sein, entre autres, de la Jordan, Forsyth and Company. Fut agent montréalais des forges du Saint-Maurice et fournisseur de l'armée.

Élu député d'Effingham en 1792; appuya le parti des bureaucrates.

Décédé en fonction à Saint-Louis-de-Terrebonne (Terrebonne), le 23 février 1796, à l'âge de 54 ans et 5 mois. [Inhumé dans le cimetière protestant de Montréal.]

Avait épousé à Montréal, le 21 novembre 1767, Ann Livingston, qui était peut-être la fille de John Livingston, commerçant de fourrures; puis, dans l'église anglicane Christ Church de Montréal, le 29 octobre 1792, Marie-Anne Raby.

Père de Jacob **Jordan**.

Bibliographie: *DBC*.

JORDAN, Jacob (fils)
(1770–1829)

Né à Montréal, le 31 mars 1770, puis baptisé le 3 mai dans l'église anglicane, fils de Jacob **Jordan**, commerçant, et de sa première femme, Ann Livingston.

Entreprit une carrière dans l'infanterie britannique, le 11 janvier 1786, à titre d'enseigne dans le 60th Regiment; promu lieutenant en octobre 1789, capitaine en décembre 1795, puis peut-être major et lieutenant-colonel, fut mis à la demi-solde en 1797. Hérita de son père, en 1796, la seigneurie de Terrebonne, qu'il posséda jusqu'en 1802. Engagé dans le commerce des grains et l'exportation. Fut juge de paix. Plus tard, exerça les fonctions de gouverneur d'une île des Indes.

Élu député d'Effingham en 1796; prit part à quelques votes seulement au cours de la première session et appuya le parti des bureaucrates. Ne s'est pas représenté en 1800.

Décédé en Angleterre, en 1829, à l'âge de 58 ou de 59 ans.

Avait épousé dans l'église anglicane Christ Church, à Montréal, le 21 août 1793, Catherine Grant, fille du trafiquant de fourrures John Grant et d'Anne Freeman.

Beau-frère par alliance de Samuel **Gerrard**.

JORON, Guy

Né à Montréal, le 2 juin 1940, fils de Conrad Joron, commerçant, et de Blanche Moreau.

Fit ses études au collège Saint-Laurent, au collège Loyola et à l'université de Montréal. Bachelier en science politique en 1964.

Vice-président d'une maison de courtage, membre de la Bourse de Montréal, conseiller en placements et analyste financier de 1965 à 1970. Président de la Tribune économique et sociale du Québec en 1967 et 1968. Collaborateur à la revue *Québec industrie*l en 1966. A publié *Salaire minimum annuel $ 1 million! ou la course à la folie* (1976). Secrétaire de l'Association des diplômés de l'université de Montréal en 1967 et 1968.

Membre de l'exécutif national du Parti québécois de 1971 à 1974. Élu député du Parti québécois dans Gouin en 1970. Défait en 1973. Réélu dans Mille-Îles en 1976. Assermenté membre du Conseil exécutif le 26 novembre 1976. Ministre délégué à l'Énergie dans le cabinet Lévesque du 1er décembre 1976 au 21 septembre 1979. Ministre des Consommateurs, des Coopératives et des Institutions financières du 21 septembre 1979 au 6 novembre 1980, date de sa démission au cabinet. Démissionna comme député le 26 février 1981.

Membre du conseil d'administration d'Hydro-Québec de 1981 à 1987 et président de la Place des arts de 1982 à 1988. Membre du conseil d'administration et membre du comité exécutif du groupe PRENOR à compter de 1982.

JOURDAIN, Claude

Né à Cap-Chat, le 6 avril 1930, fils d'Edgar Jourdain, industriel, et d'Alvine Pelletier.

Étudia à Cap-Chat, à Pointe-au-Père, au collège Sacré-Cœur à Bathurst, au Nouveau-Brunswick, et au collège de l'Assomption à Worcester, dans l'État du Massachusetts. Fit ses études de droit à l'université Laval et à l'université d'Ottawa. Admis au barreau de la province de Québec en décembre 1958.

Ouvrit un cabinet à Cap-Chat en 1959, puis s'associa à Me Fernand Guérette en 1962. Fut directeur de l'Ungava Transport Ltd. et de l'Ungava Trading Inc.

Élu député libéral dans Gaspé-Nord en 1960. Défait en 1962. Maire de la paroisse de Cap-Chat du 5 mai 1961 au 4 novembre 1968, puis de la ville de Cap-Chat du 5 novembre 1968 au 5 novembre 1973. Préfet du comté de Gaspé-Ouest de 1961 à 1969.

Procureur de la couronne à Sainte-Anne-des-Monts à compter de 1970. Assermenté juge à la Cour supérieure dans le district de Rimouski le 26 août 1983, puis dans le district de Québec en 1989.

Fut conseiller juridique de la Chambre de commerce de Gaspé-Nord. Fondateur et directeur du Bureau d'expansion industrielle et de productivité de Gaspé-Nord inc. Vice-président du Bureau d'aménagement de l'Est du Québec (BAEQ) et président du Conseil régional de développement de l'Est du Québec (CRD). Président du centre de ski Monts Chic-Chocs inc., de la corporation de l'aréna de Cap-Chat, de la corporation de l'hôpital Des Monts et de la Société canadienne de la Croix-Rouge. Bâtonnier du barreau du Bas-Saint-Laurent–Gaspésie en 1977.

JOYAL, Dorvina-Évariste
(1892–1956)

Né à Drummondville, le 30 mai 1892, fils d'Émile Joyal, cultivateur, et de Philomène Caron.

A étudié à Drummondville, à Saint-François-du-Lac et à l'école Lalime à Saint-Hyacinthe.

Commis à la Banque Molson à Montréal. Gérant de la succursale de la Banque de Montréal à Saint-Ours, puis à Saint-Henri à Montréal. Courtier d'assurances et agent d'immeubles, il fut gérant de la South Shore Homes and Land Ltd. pendant vingt-cinq ans à MacKayville (Saint-Hubert).

Membre du conseil de la ville de Longueuil de 1923 à 1930. Élu député libéral dans Chambly en 1939. Réélu en 1944. Défait en 1948.

Décédé à Montréal, le 18 janvier 1956, à l'âge de 63 ans et 8 mois. Inhumé dans le cimetière de Saint-Lambert, le 21 janvier 1956.

Avait épousé à Montréal, dans la paroisse Saint-Stanislas, le 12 juin 1916, Marie-Rose-Hectorine Desmarais, fille d'Hector Desmarais, manœuvre, et d'Arsélia Angers.

JUCHEREAU DUCHESNAY, Antoine
(1740–1806)

Né dans la paroisse de la Nativité-de-Notre-Dame, à Beauport, le 7 février 1740, fils d'Antoine Juchereau Duchesnay, seigneur, et de Marie-Françoise Chartier de Lotbinière.

Entreprit une carrière militaire et participa à la guerre de Sept Ans en qualité d'enseigne dans les troupes de la Marine. Après la Conquête, fut au service de la couronne britannique. En 1767, se lança dans le commerce avec les Antilles et s'occupa de la gestion des biens et des propriétés de son cousin, le seigneur Michel Chartier de Lotbinière. Hérita de son père en 1772 quatre seigneuries, dont celle de Beauport, et entreprit la mise en valeur de ses biens fonciers. Fit l'acquisition d'autres propriétés. En 1775, pendant l'invasion américaine, prit part, à titre de volontaire, à la défense du fort Saint-Jean, sur le Richelieu; fait prisonnier, fut libéré en 1777. Fut colonel dans la milice et juge de paix.

Élu député de Buckingham en 1792; appuya tantôt le parti canadien, tantôt le parti des bureaucrates. Ne s'est pas représenté en 1796. Membre du Conseil exécutif du 29 décembre 1794 jusqu'à sa mort.

Décédé à Beauport, le 15 décembre 1806, à l'âge de 66 ans et 10 mois.

Avait épousé dans la paroisse de la Nativité-de-Notre-Dame, à Beauport, le 12 août 1765, Julie-Louise Liénard de Beaujeu de Villemonde, fille de Louis Liénard de Beaujeu de Villemonde, officier et seigneur, et de sa première femme, Louise-Charlotte Cugnet; puis, dans la paroisse Saint-Pierre, île d'Orléans, le 7 mai 1778, Catherine Le Comte Dupré, fille de Jean-Baptiste Le Comte Dupré, commerçant, seigneur et futur conseiller législatif, et de Catherine Martel de Brouague, et nièce de Georges-Hippolyte **Le Comte Dupré**.

Père d'Antoine-Louis et de Jean-Baptiste **Juchereau Duchesnay**. Grand-père d'Édouard-Louis-Antoine-Charles **Juchereau Duchesnay**. Beau-père de François **Blanchet** et de Gabriel-Elzéar **Taschereau**.

Bibliographie: *DBC.*

JUCHEREAU DUCHESNAY, Antoine-Louis
(1767–1825)

Né à Québec, le 18 février 1767, puis baptisé le 19, dans la paroisse Notre-Dame, fils d'Antoine **Juchereau Duchesnay**, seigneur, et de sa première femme, Julie-Louise Liénard de Beaujeu de Villemonde.

Étudia au petit séminaire de Québec de 1776 à 1785.

Se joignit en 1798, à titre de lieutenant, au Royal Canadian Volunteer Regiment, qui fut démobilisé en 1802. Hérita de son père en 1806 la seigneurie de Beauport. Poursuivit sa carrière militaire et, en 1809, devint adjoint à l'adjudant général de la milice du Bas-Canada; était lieutenant-colonel en 1814. Fut juge de paix des districts de Québec, de Montréal et de Trois-Rivières en 1813. Accepta le commandement du bataillon de milice de Beauport en 1816.

Élu député de Hampshire en 1804. Réélu en 1808 et 1809. Appuya tantôt le parti des bureaucrates, tantôt le parti canadien. Assermenté comme membre du Conseil législatif le 12 décembre 1810. [Fait membre honoraire du Conseil exécutif le 6 janvier 1812, en devint membre actif le 18 janvier 1817.]

Membre du conseil d'administration de l'Institution royale pour l'avancement des sciences en 1821. Fit partie du comité qui présida l'assemblée publique, le 14 octobre 1822, à Québec, pour protester contre le projet d'union des Canadas. Obtint plusieurs postes de commissaire.

Décédé en fonction au manoir de Beauport, le 17 février 1825, à l'âge de 57 ans et 11 mois. Les obsèques eurent lieu dans l'église de la Nativité-de-Notre-Dame, le 22 février 1825.

Avait épousé dans la paroisse Saint-Joseph, à Deschambault, le 11 février 1793, Marie-Louise Fleury de La Gorgendière, fille du seigneur Louis Fleury de La Gorgendière et de Nathalie Boudreau.

Demi-frère de Jean-Baptiste **Juchereau Duchesnay**. Père d'Elzéar-Henri **Juchereau Duchesnay**. Oncle d'Édouard-Louis-Antoine-Charles **Juchereau Duchesnay**. Beau-père de Bartholomew Conrad Augustus **Gugy**.

Bibliographie: *DBC.*

JUCHEREAU DUCHESNAY, Édouard-Louis-Antoine-Charles (1809–1886)

Né à Québec, le 8 novembre 1809, fils de Michel-Louis Juchereau Duchesnay, qui fut officier dans l'armée et dans la milice, ainsi que seigneur, et de Charlotte-Hermine-Louise-Catherine d'Irumberry de Salaberry.

Aurait fait l'apprentissage du droit auprès de Joseph-Rémi **Vallières de Saint-Réal**; admis au barreau le 10 janvier 1832. N'exerça jamais sa profession d'avocat.

Nommé shérif adjoint du district de Montréal en 1837. À la mort de son père, en 1838, hérita des seigneuries de Fossambault et de Gaudarville. Fut adjudant général adjoint de la milice du Bas-Canada, avec le grade de major, du 23 mai 1839 jusqu'en 1842. Obtint le grade de lieutenant-colonel du 4e bataillon de milice de Portneuf le 16 juin 1847.

Élu député de Portneuf en 1848; membre du groupe canadien-français, puis réformiste. Ne s'est pas représenté en 1851. Élu conseiller législatif de la division de La Salle en 1858; conserva son siège jusqu'à l'avènement de la Confédération, le 1er juillet 1867. Représenta la division de La Salle au Sénat du 23 octobre 1867 jusqu'à sa démission le 7 janvier 1871. Appuya le Parti conservateur.

Décédé à Québec, le 10 septembre 1886, à l'âge de 76 ans et 10 mois. Inhumé à Sainte-Catherine-de-Fossambault (Sainte-Catherine).

Avait épousé Elizabeth Levallée, veuve de John Lynd, le frère de David **Lynd**; puis, à Québec, le 2 mai 1877, Arline Laroche, veuve de l'écrivain et militaire Ludger-Napoléon Voyer.

Petit-fils d'Ignace-Michel-Louis-Antoine d'**Irumberry de Salaberry** et d'Antoine **Juchereau Duchesnay**. Neveu de Charles-Michel d'**Irumberry de Salaberry**, d'Antoine-Louis et de Jean-Baptiste **Juchereau Duchesnay**. Cousin d'Elzéar-Henri **Juchereau Duchesnay**.

Bibliographie: Roy, Pierre-Georges, *La famille Juchereau Duchesnay,* Lévis, 1903, p. 304-307.

JUCHEREAU DUCHESNAY, Elzéar-Henri (1809–1871)

Né à Beauport, le 19 juillet 1809, fils d'Antoine-Louis **Juchereau Duchesnay**, seigneur de Beauport, et de Marie-Louise Fleury de La Gorgendière. Fut aussi appelé Henri-Elzéar.

Étudia sous la direction de précepteurs, puis fit l'apprentissage du droit auprès de Charles **Panet**. Admis au barreau en 1832.

Exerça sa profession à Québec. À la suite de son premier mariage en 1834, s'installa à Sainte-Marie-de-la-Nouvelle-Beauce (Sainte-Marie); en 1838, hérita de sa femme une partie de la seigneurie Sainte-Marie. Nommé magistrat rémunéré pour le district de Montréal en 1839 et magistrat de police en 1840, s'établit à Sainte-Marie-de-Monnoir (Marieville). En 1843, revint pratiquer le droit à Québec, mais, l'année suivante, retourna s'établir à Sainte-Marie-de-la-Nouvelle-Beauce. Fut président de la Société d'agriculture à compter de 1847, président des commissaires d'école de 1849 à 1856, officier de milice et commissaire au tribunal des petites causes.

Élu sans opposition conseiller législatif de la division de Lauzon en 1856. Réélu sans opposition en 1864; son mandat prit fin avec l'avènement de la Confédération, le 1er juillet 1867. Sénateur de la division de Lauzon à compter du 23 octobre 1867. Appuya le Parti conservateur. Fut maire de Sainte-Marie-de-la-Nouvelle-Beauce de 1868 à 1870.

Décédé en fonction à Sainte-Marie-de-la-Nouvelle-Beauce (Sainte-Marie), le 12 mai 1871, à l'âge de 61 ans et 9 mois. Inhumé dans l'église paroissiale.

Avait épousé [à Sainte-Marie-de-la-Nouvelle-Beauce], le 24 juillet 1834, Julie Perrault, fille d'Olivier **Perrault**, seigneur et juge, et de Marie-Louise Taschereau; puis, [au même endroit], le 17 juin 1844, Élisabeth-Suzanne Taschereau, fille de Jean-Thomas **Taschereau**, seigneur et juge, et de Marie Panet.

Cousin d'Édouard-Louis-Antoine-Charles **Juchereau Duchesnay**.

––––––

Bibliographie: *DBC*.

JUCHEREAU DUCHESNAY, Jean-Baptiste (1779–1833)

Né à Beauport et baptisé dans la paroisse de la Nativité-de-Notre-Dame, le 16 février 1779, fils d'Antoine **Juchereau Duchesnay**, seigneur, et de sa seconde femme, Catherine Le Comte Dupré. Connu aussi sous le nom de chevalier Duchesnay.

Étudia pendant trois ans au petit séminaire de Québec.

Se lança dans la carrière militaire. Fit partie du Royal Canadian Volunteer Regiment à titre d'enseigne en 1796, puis de lieutenant jusqu'en 1802. Fut marchand à Lotbinière, mais, en 1805, réintégra l'armée. En 1806, hérita de son père l'usufruit de la seigneurie de la Grande-Anse, qu'il mit en valeur. Pendant la guerre de 1812, servit en qualité de capitaine dans les Voltigeurs canadiens, notamment à la bataille de Châteauguay en 1813; mis à la demi-solde en juillet 1815. Nommé aide de camp provincial, avec le grade de lieutenant-colonel dans la milice, en 1821, et inspecteur de milice en 1828. Membre du Bureau de santé de Québec pendant l'épidémie de choléra de 1832.

Appelé au Conseil législatif le 4 avril 1832.

Décédé en fonction à Québec, le 13 janvier 1833, à l'âge de 53 ans et 10 mois. Inhumé dans l'église de la Nativité-de-Notre-Dame, à Beauport, le 15 janvier 1833.

Avait épousé dans l'église presbytérienne de Québec, le 1er septembre 1807, une Anglaise, Eliza Jones.

Demi-frère d'Antoine-Louis **Juchereau Duchesnay**. Oncle d'Édouard-Louis-Antoine-Charles **Juchereau Duchesnay**. Petit-fils de Jean-Baptiste Le Comte Dupré, nommé conseiller législatif en 1779.

––––––

Bibliographie: *DBC*.

JUDAH, Henry (1808–1883)

Né à Londres, en 1808. Désigné aussi sous le nom de Henry Hague Judah.

Fit l'apprentissage du droit à Trois-Rivières; admis au barreau le 29 mai 1829.

Exerça la profession d'avocat à Trois-Rivières jusqu'en 1840, puis à Montréal. L'un des fondateurs, puis le président de la Banque d'épargne de la cité et du district de Montréal. Compta parmi les promoteurs du chemin de fer de Montréal et Bytown. Fait conseiller de la reine en 1854. Nommé, en 1855, l'un des commissaires chargés de la confection des cadastres des seigneuries dans le Bas-Canada.

Élu député de Champlain à une élection partielle le 22 septembre 1843; de tendance libérale. Ne s'est pas représenté en 1844.

Décédé à Montréal, le 10 février 1883, à l'âge de 74 ans ou de 75 ans. Les obsèques eurent lieu en l'église anglicane St. James, à Montréal, le 13 février 1883.

Avait épousé dans l'église anglicane St. James, à Trois-Rivières, le 10 juin 1834, Harline Kimber, fille du docteur René-Joseph **Kimber** et d'Apolline Berthelet.

Cousin d'Ezekiel **Hart**. Apparenté à la seconde femme de Joseph-Rémi **Vallières de Saint-Réal**.

JULIEN. V. SAINT-JULIEN

JUNEAU, Carmen

Née à Saint-Grégoire-de-Greenlay, près de Windsor, le 25 août 1934, fille de Raymond Cloutier, employé de Domtar, et d'Albertine Gauthier.

Fit ses études secondaires au couvent Notre-Dame à Windsor. Suivit un cours d'infirmière auxiliaire à l'hôpital Saint-Vincent-de-Paul à Sherbrooke.

Fondatrice du club de patinage artistique Les patins d'argent de Windsor. Vice-présidente du Centenaire de Windsor en 1975. Présidente des Fêtes du 25e anniversaire de la paroisse Saint-Gabriel-Lalemant (Windsor) en 1977. Conférencière pour les Weight Watchers de 1970 à 1980. Membre des Filles d'Isabelle. Membre de l'AFEAS.

Candidate du Parti québécois défaite dans Johnson à l'élection partielle du 17 novembre 1980. Élue députée du Parti québécois dans Johnson en 1981. Adjointe parlementaire du ministre délégué aux Relations avec les citoyens du 23 janvier au 23 octobre 1985. Réélue en 1985 et 1989.

KAINE, John Charles
(1854–1923)

Né dans la paroisse Notre-Dame de Québec, le 18 octobre 1854, fils de John Kaine, charretier, et d'Ellen McGowan.

Étudia à l'académie commerciale de Québec.

Il débuta dans les affaires en 1886 et fut propriétaire de navires et marchand de bois. Devint président de la compagnie de transport Kaine and Bird. Représentant de la Lake Champlain Transportation Co. et de la firme d'importation de bois de pulpe Burleigh and Weeks de Whitehall, dans l'État de New York.

Élu député libéral dans Québec-Ouest en 1904. Assermenté ministre sans portefeuille dans le cabinet Gouin le 3 janvier 1906. Réélu en 1908 et en 1912. Son siège devint vacant lorsqu'il fut nommé conseiller législatif de la division de Stadacona le 23 avril 1915. Assermenté ministre sans portefeuille dans le cabinet Taschereau le 9 juillet 1920.

Président du St. Patrick's Literary Institute de Québec. A publié *The Irish Man in Canada* (1907).

Décédé en fonction à Québec, le 1er avril 1923, à l'âge de 68 ans et 6 mois. Inhumé à Sillery, dans le cimetière de l'église St. Patrick, le 4 avril 1923.

Avait épousé à Québec, dans l'église St. Patrick, le 27 janvier 1879, Theresa Maria Tucker, fille de James Tucker et de Maria Hurst; puis, à Beauport, le 16 février 1904, Helen Smith, veuve de Robert Battis.

KEHOE, John

Né à Gatineau, le 20 octobre 1934, fils de William Kehoe, cultivateur et policier, et de Mary Murphy.

Obtint un baccalauréat ès arts de l'université d'Ottawa en 1956. Licencié en droit de la McGill University en 1959. Admis au barreau du Québec en 1960.

Exerça sa profession d'avocat avec Roy **Fournier** en 1960. Ouvrit son propre cabinet en 1961. En 1973, devint membre du cabinet Kehoe et Blais, puis, en 1978, membre du cabinet Kehoe, Blais et Robinson. Avocat de la couronne à la Cour de bien-être social, à Hull, de 1960 à 1966. Conseiller juridique de la ville de Gatineau de 1964 à 1981. Avocat de la couronne pour le district judiciaire de Hull de 1971 à 1974. Marguillier de Saint-Aloysius-de-Gatineau de 1969 à 1972. Membre de la Légion royale de Gatineau. Membre de la Chambre de commerce de Gatineau. Membre des Chevaliers de Colomb.

Élu député libéral dans Chapleau en 1981. Réélu en 1985 et en 1989. Nommé adjoint parlementaire au ministre de la Justice le 14 août 1991.

KELLY, John Hall
(1879–1941)

Né à Saint-Godefroy, en Gaspésie, le 1er septembre 1879, fils de Mancer James Kelly, cultivateur, et de Sarah Bridget Hall.

Fit ses études au collège de Lévis, au collège Saint-Joseph à Westmoreland, au Nouveau-Brunswick, et à l'université Laval à Québec. Admis au barreau de la province de Québec le 10 juillet 1903.

Exerça sa profession à New Carlisle, et se spécialisa en droit corporatif. Président des compagnies suivantes : New Richmond Mining Co., North American Mining Co., Gaspé Mines, Cascapédia Mines et Paspébiac Mines. Fondateur et président de la compagnie de téléphone Bonaventure et Gaspé en 1905.

Élu député libéral dans Bonaventure en 1904. Réélu en 1908 et 1912. Résigna son mandat le 25 avril 1914 et fut nommé conseiller législatif de la division de Grandville le 29 avril 1914. Nommé ministre sans portefeuille dans le cabinet Taschereau le 30 octobre 1935. Démissionna de son poste de conseiller le 29 décembre 1939 et fut nommé haut-commissaire du Canada en Irlande le même jour.

Auteur de l'ouvrage *The Position of the Settler in the Province of Quebec* (1907). Créé conseil en loi du roi le 28 décembre 1914. Membre du Club de la garnison de Québec.

[Décédé à Dublin, en Irlande, le 10 mars 1941, à l'âge de 61 ans et 6 mois. Inhumé à Dublin, dans le cimetière Gasnevin.]

Avait épousé dans la paroisse Notre-Dame de Québec, le 10 février 1904, Marie-Adèle Dionne, fille de Léonidas Dionne, avocat, et de Maria Lamontagne; puis, à Québec, dans l'église St. Patrick, le 21 mars 1928, Eleanor Louise Parmelee, fille de George William Parmelee, directeur de l'Éducation protestante de la province de Québec, et de Mary Louise Foss.

KENNEDY, Andrew
(1842–1904)

[Né le 3 janvier 1842, fils de Daniel Kennedy, cultivateur, et de Mary Sheridan.]

Étudia d'abord à Mégantic. En 1860, il émigra aux États-Unis avec sa famille et poursuivit ses études à Worcester, dans l'État du Massachusetts. Revint au Canada durant la guerre de Sécession.

Exerça le métier d'entrepreneur en construction au Texas, au Kansas, en Colombie-Britannique et en Alberta. S'établit ensuite à Saint-Ferdinand.

Élu député conservateur dans Mégantic à l'élection partielle du 18 avril 1876. Défait en 1878.

Décédé à Saint-Ferdinand, le 10 février 1904, à l'âge de 62 ans et un mois. Inhumé dans le cimetière de l'endroit, le 13 février 1904.

Avait épousé à Saint-Ferdinand, le 7 juin 1888, Marie Cloutier, fille d'Augustin Cloutier, marchand, et de Délima Gauvin.

KENNEDY, George

Né à Saint-Antoine-Abbé, le 7 octobre 1927, fils de Patrick Kennedy, cultivateur, et d'Yvonne Lemieux.

Fit ses études à l'école Maritana à Saint-Antoine-Abbé, au séminaire de Valleyfield, au collège Mont-Saint-Louis et à l'École des hautes études commerciales à Montréal. Bachelier en sciences commerciales en 1953. Admis à l'Institut des comptables agréés en 1958.

Ouvrit un bureau de comptables agréés en 1960. Membre sociétaire de la firme Lacroix, Vaillancourt et Associés à Montréal à compter de 1966.

Élu député libéral dans Châteauguay en 1962. Réélu en 1966, 1970 et 1973. Défait en 1976.

Membre du conseil d'administration de la Barrie Memorial Hospital Corporation, du Barrie Memorial Hospital Centre et de la Barrie Memorial Hospital Foundation. Membre de l'Ordre des comptables agréés du Québec et du Canada. Fut cadet dans la marine canadienne de 1948 à 1952. Membre des Chevaliers de Colomb.

KENNEDY, Patrick
(1832–1895)

[Né en 1832 à Trasersten, dans le comté de Tipperary, en Irlande, fils d'Edward Kennedy.]

Maître charretier et entrepreneur général. Membre du Council Board of the Church Wardens. Directeur de l'asile des orphelins St. Patrick. Président de la St. Ann's Temperance & Benefit Society et de plusieurs autres sociétés de tempérance.

Échevin du quartier Sainte-Anne au conseil municipal de Montréal de 1877 à 1883 et de 1887 à 1894. Président de la commission de police de la ville de Montréal du 13 mars 1882 au 13 mars 1883. Élu député conservateur dans Montréal n° 6 aux élections de 1892.

Décédé en fonction à Montréal, le 30 juin 1895, à l'âge de 63 ans. Inhumé à Montréal, dans le cimetière Notre-Dame-des-Neiges, le 2 juillet 1895.

Avait épousé en Irlande, en 1861, Elizabeth Tracey.

KENNEDY, Xavier
(1851–1915)

Né à Douglastown, le 3 juin 1851, et baptisé au même endroit le 3 juillet 1851, fils de John Kennedy, pêcheur, et de Catherine Morris.

Fit ses études à Douglastown et fut marchand de poissons. Président du Bureau de santé, du Gaspé Board of Trade et juge de paix.

Maire de Douglastown et préfet du comté de Gaspé. Élu député libéral dans Gaspé en 1900. Ne s'est pas représenté en 1904.

Décédé à Douglastown, le 1er mai 1915, à l'âge de 63 ans et 10 mois. Inhumé dans le cimetière de l'endroit, le 4 mai 1915.

[Avait épousé Mélina Desmarais]; puis, dans l'église Notre-Dame à Grande-Rivière, le 10 avril 1894, Bridget Carbery, fille de Thomas Carbery, manœuvre, et de Marie Devoyer.

KERR, James
(1765–1846)

Né à Leith, en Écosse, le 23 août 1765, fils de Robert Kerr, marchand, et de Jean Murray. Signa aussi Ker.

Étudia dans une *grammar school* de Leith, avant d'entreprendre, en 1785, des études de droit à l'Inner Temple de Londres. S'inscrivit aussi à l'University of Glasgow. Admis au barreau.

Pratiqua sa profession à Londres et dans les environs, puis vint à Québec où, après en avoir reçu l'autorisation en août 1794, il exerça le droit jusqu'en juillet 1809. Siégea à la Cour de vice-amirauté du Bas-Canada, d'août 1797 jusqu'à ce qu'il fût démis de ses fonctions, en septembre 1834. Nommé juge de la Cour du banc du roi le 5 octobre 1807, mais sa nomination fut révoquée le 21. Occupa le poste de juge puîné de la Cour du banc du roi du district de Québec, de juillet 1809 jusqu'à sa destitution, en novembre 1834, ce que demandait la Chambre d'assemblée depuis deux ans. Fut membre du Conseil exécutif du 8 janvier 1812 jusqu'à sa démission, le 20 novembre 1831 ; à ce titre fit partie de la Cour d'appel, qu'il présida, ainsi que de la Cour du banc du roi, en l'absence du juge en chef Jonathan **Sewell**.

Nommé au Conseil législatif le 19 octobre 1821, prit son siège le 28 novembre 1823 et l'occupa jusqu'à la suspension de la constitution, le 27 mars 1838 ; en fut président suppléant du 22 janvier 1827 au 4 février 1831.

Est l'auteur de *Letter to Mr. Clark Bentom* ([Québec, 1804]) et de *Petition [...] to the Honorable the House of Commons* (Québec, 1836).

Décédé à Québec, le 5 mai 1846, à l'âge de 80 ans et 8 mois. Les obsèques eurent lieu dans la cathédrale anglicane Holy Trinity, le 8 mai 1846.

Avait épousé probablement en Angleterre, vers 1793, une prénommée Margaret ; puis, en Écosse, entre 1816 et 1819, une prénommée Isabella.

Bibliographie: *DBC.*

KHELFA, Albert

Né au Caire, en Égypte, le 11 janvier 1945, fils de Fakhry Khelfa, avocat, et de Marguerite Ganho.

A étudié à l'université du Caire où il fut diplômé en chirurgie dentaire en 1969. Titulaire d'un baccalauréat en enseignement spécialisé de l'université du Québec à Trois-Rivières en 1971 et d'un brevet d'enseignement en 1974. Titu-laire également d'un certificat en administration en 1978 et d'un certificat en mesure et en évaluation en 1981. A suivi également des cours en science politique comme auditeur libre à la Sir George Williams University en 1973.

Professeur de biologie comparative et de biologie humaine à l'école secondaire Fernand-Lefebvre à Sorel de 1969 à 1983. Professeur d'anglais au niveau primaire à l'école Jean-de-Brébeuf de Sorel de 1983 à 1985. Fut propriétaire d'une parfumerie de 1972 à 1976. Vice-président et président du conseil des délégués du Syndicat des professeurs de Sorel de 1976 à 1980. Fondateur et président du Groupe multiculturel de Sorel-Tracy de 1978 à 1980. Membre du Club Richelieu Sorel-Tracy, du Club optimiste et des Chevaliers de Colomb.

Élu député libéral dans Richelieu en 1985. Réélu en 1989.

KIERANS, Eric William

Né à Montréal, le 2 février 1914, fils d'Hugh Kierans, électricien, et de Lena Schmidt.

Fit ses études à l'école St. Thomas Aquinas, au collège Loyola et à la McGill University où il fut diplômé en économie.

De 1936 à 1942, il travailla chez Ogilvie Flour Mills Co. Ltd., au service de la direction des ventes, puis, de 1943 à 1945, chez E.S. and A. Robinson Ltd. and Planned Sales Ltd., à la promotion des ventes. Fondateur et président de la compagnie Canadian Adhesives de 1946 à 1960. Président d'Hygiene Products Ltd. de 1952 à 1960. Professeur de commerce et de finance à la McGill University et directeur de l'École de commerce de cette université de 1953 à 1960. Président de la Bourse de Montréal et de la Bourse canadienne de 1960 à 1963.

Élu député libéral dans Montréal–Notre-Dame-de-Grâce à l'élection partielle du 25 septembre 1963. Ministre du Revenu dans le cabinet Lesage du 8 août 1963 au 14 octobre 1965, puis ministre de la Santé du 14 octobre 1965 au 16 juin 1966. Réélu dans Notre-Dame-de-Grâce en 1966. Président de la Fédération libérale du Québec de 1966 à 1968. Candidat défait au congrès de direction du Parti libéral fédéral le 6 avril 1968. Démissionna le 31 mai 1968. Élu député libéral à la Chambre des communes dans Duvernay en 1968. Ministre des Postes dans le cabinet Trudeau du 6 juillet 1968 au 28 avril 1971, et ministre des Communications du 1er avril 1969 au 28 avril 1971. Ne s'est pas représenté en 1972.

Fut conseiller économique du gouvernement néo-démocrate du Manitoba pour le développement des ressources en avril 1972. Professeur de commerce et finances à la McGill University de 1972 à 1980 et à la Dalhousie University en 1983 et 1984. Directeur de la Savings and Trust Corporation (Colombie-Britannique) en 1975. Nommé au conseil de direction de Sidbec et Sidbec Dosco ltée en avril 1978, puis à la Caisse de dépôt et placement en 1979. Président de Canadian Adhesives Limited en 1980 et directeur de Kara Investments Limited en 1982. Auteur de *Challenge of Confidence: Kierans on Canada* (1967).

Lieutenant de réserve dans le 2e bataillon du Victoria Rifles of Canada de 1942 à 1945. Membre de la Canadian Tax Foundation, de la Canadian Political Science Association, de l'American Finance Association, de l'American Economic Association, de l'Institute of Chartered Financial Analysts. Membre du Cercle universitaire, du Seigniory Club, du Faculty Club de la McGill University et du Winter Club de Québec.

Bibliographie: Swift, Jamie, *Odd Man Out. The Life and Times of Eric Kierans*, Douglas & McIntyre, 1988, 338 p.

KIERZKOWSKI, Alexandre-Édouard (1816–1870)

Né dans le grand-duché de Poznan, le 21 novembre 1816, puis baptisé à Odolanow (en Pologne), le 20 octobre 1817, sous les prénoms d'Alexander Edward, fils de Filip Jakub Kierzkowski, officier de l'armée polonaise, et de Maryanna Ludwika Liebermann.

Officier de l'armée nationale polonaise, participa à la campagne contre les Russes en 1830–1831, puis se réfugia en France. Étudia à l'École centrale des arts et manufactures de Paris, où il obtint un diplôme d'ingénieur civil en 1838.

S'installa au Canada en 1842, après avoir passé un an aux États-Unis. De 1842 à 1844, fut au service du département des Travaux publics à titre d'ingénieur civil. Après son premier mariage, s'établit à Saint-Marc-sur-Richelieu. En 1846, hérita d'une partie des seigneuries de son beau-père. L'un des directeurs de la Société d'agriculture du Bas-Canada, publia un opuscule intitulé *la Question de la tenure seigneuriale du Bas-Canada ramenée à une question de crédit foncier* (Montréal, 1852), qui parut aussi en anglais. Actionnaire du chemin à lisses du Saint-Laurent et de l'Atlantique. Fut vice-président de l'Institut des artisans, commissaire d'école, juge de paix et officier de milice.

Élu conseiller législatif de la division de Montarville en 1858; l'élection fut annulée le 18 avril 1861. Défait dans la même division à une élection complémentaire le 17 juin 1861. Élu député de Verchères en 1861; rouge. Mis sous la garde du

sergent d'armes le 7 mars 1863 pour avoir refusé de répondre à une question du comité chargé d'enquêter sur son élection dans Verchères; fut libéré quelques jours plus tard, mais son élection fut annulée le 4 mai 1863, et Charles-François **Painchaud** fut proclamé élu à sa place. Élu député libéral de Saint-Hyacinthe à la Chambre des communes en 1867.

Décédé en fonction à Saint-Ours, sur le Richelieu, le 4 août 1870, à l'âge de 53 ans et 8 mois. Inhumé dans le cimetière de Saint-Charles-sur-Richelieu.

Avait épousé à Montréal, le 15 mai 1845, Louise-Aurélie Debartzch, fille du seigneur Pierre-Dominique **Debartzch** et de Josette de Saint-Ours; puis, le 21 octobre 1868, sa cousine par alliance Caroline-Virginie de Saint-Ours, fille de François-Roch de **Saint-Ours** et Catherine-Hermine Juchereau Duchesnay.

Beau-frère de Lewis Thomas **Drummond**.

Bibliographie: DBC.

KIMBER, René-Joseph (1786–1843)

Né à Québec et baptisé dans la paroisse Notre-Dame, le 26 novembre 1786, fils de René Kimber, marchand d'ascendance allemande, et de Marie-Josette Robitaille.

Étudia au collège Saint-Raphaël de Montréal de 1801 à 1806. Commença l'apprentissage de la médecine à Trois-Rivières, où son père s'était installé vers 1798; fit un séjour d'études en Europe, d'août 1806 à octobre 1808. Admis à la pratique de sa profession le 22 juillet 1811.

Exerça à Trois-Rivières; fut le médecin des Ursulines. Pendant la guerre de 1812, servit en qualité d'officier de milice et de chirurgien; promu capitaine en février 1814. Fut juge de paix et obtint divers autres postes de commissaire. Participa à la création d'une société d'éducation à Trois-Rivières, en 1830.

Élu député de Trois-Rivières à une élection partielle le 5 décembre 1832. Réélu en 1834. Appuya généralement le parti patriote; vota pour les Quatre-vingt-douze Résolutions, mais était opposé à l'usage des armes. Son mandat prit fin avec la suspension de la constitution, le 27 mars 1838. Élu dans Champlain en 1841; antiunioniste, fut membre du groupe canadien-français. Accepta, en août 1843, l'offre de faire partie du Conseil législatif; l'avis de convocation fut délivré le 4 septembre 1843 et son siège de député devint vacant.

Décédé en fonction à Montréal, le 22 décembre 1843, à l'âge de 57 ans. Inhumé dans l'église Notre-Dame, le 26 décembre 1843.

Avait épousé dans la paroisse Notre-Dame de Montréal, le 29 octobre 1811, Apolline Berthelet, fille du négociant Pierre Berthelet et de sa seconde femme, Marguerite Viger.

Beau-père de Henry **Judah**.

KINCARDINE, comte de. V. BRUCE

KING, James
(1848–1900)

Né à Saint-Antoine-de-Tilly, le 18 février 1848, fils de Charles King, marchand de bois, et de Sarah Murray.

Exploitant forestier. Membre de la firme King Bros. Co. qui s'occupait du commerce du bois et de l'exploitation de mines. Propriétaire des seigneuries de Saint-Jean-Deschaillons et du Lac-Matapédia. Propriétaire foncier de la région de Thetford Mines. Propriétaire de la Hampden & Thetford Royal Mines. Administrateur et vice-président de l'Union Bank of Canada. Vice-président de la Quebec Mining Association. Membre du Club de la garnison.

Élu député conservateur dans Mégantic en 1892. Ne s'est pas représenté en 1897.

[Décédé à Cedar Hall (Val-Brillant), dans la seigneurie Lac-Matapédia, le 21 juin 1900, à l'âge de 52 ans et 4 mois. Inhumé à Lyster, le 23 juin 1900.]

Il était célibataire.

Bibliographie: *DBC*.

KIRKLAND, Charles-Aimé
(1896–1961)

Né à Saint-Constant, le 16 novembre 1896, fils de Joseph Kirkland, employé du Canadien Pacifique, et de Rosalie Lanctôt.

Fit ses études au collège de Sainte-Thérèse, au collège Saint-Jean, à l'université Laval à Montréal où il fut diplômé en médecine en 1923. Fit une spécialité en médecine à la Harvard University.

Servit dans le régiment des Royal Canadian Engineers en 1916 et 1917. Exerça la médecine générale à Saint-Pierre (île de Montréal) à compter de 1927 et pratiqua à l'Hôpital Général et à l'hôpital Saint-Joseph à Lachine.

Maire de Saint-Pierre de 1938 à 1958. Élu député libéral dans Jacques-Cartier en 1939. Réélu en 1944 et 1948. Whip du Parti libéral en 1948. Élu de nouveau en 1952, 1956 et 1960. Assermenté ministre d'État le 5 juillet 1960.

Membre de l'Association canadienne des médecins de langue française et de l'Association des médecins du Canada. Membre à vie du Canadian Service Club et du British Empire Service Club, section Lachine. Chevalier de Colomb.

Décédé en fonction à Montréal, le 9 août 1961, à l'âge de 64 ans et 8 mois. Inhumé dans le cimetière de Lachine, le 12 août 1961.

Avait épousé à Salaberry-de-Valleyfield, le 8 décembre 1923, Rose Demers, fille de Zéphirin Demers.

Père de Marie-Claire **Kirkland**.

KIRKLAND, Marie-Claire

Née à Palmer, dans l'État du Massachusetts, le 8 septembre 1924, fille de Charles-Aimé **Kirkland**, médecin, et de Rose Demers.

Fit ses études au couvent Villa-Maria et à la McGill University à Montréal où elle reçut un baccalauréat ès arts et une licence en droit. Suivit un séminaire en droit international à Genève, en Suisse. Admise au barreau de la province de Québec en octobre 1952. Créée conseil en loi de la reine le 17 décembre 1969.

Exerça sa profession à Saint-Pierre (île de Montréal) et à Montréal au cabinet de Mes Cerini et Jamieson de 1952 à 1961. Collabora à la revue *Châtelaine* durant les années soixante.

Fut présidente du comité de la constitution de la Fédération des femmes libérales du Québec. Première femme à l'Assemblée législative, elle fut élue députée libérale dans Jacques-Cartier à l'élection partielle du 14 décembre 1961. Réélue en 1962. Assermentée ministre sans portefeuille dans le cabinet Lesage le 5 décembre 1962. Ministre des Transports et des Communications dans le cabinet Lesage du 25 novembre 1964 au 16 juin 1966. De nouveau élue dans Marguerite-Bourgeoys en 1966 et réélue en 1970. Ministre du Tourisme, de la Chasse et de la Pêche dans le cabinet Bourassa du 12 mai 1970 au 15 février 1972, puis ministre des Affaires culturelles du 2 février 1972 au 14 février 1973. Son siège devint vacant lors de sa nomination à titre de juge de la Cour provinciale et présidente de la Commission du salaire minimum le 14 février 1973. Juge dans le district judiciaire de Montréal à compter de 1980. Retraitée en 1991.

Nommée docteur honoris causa des universités Moncton, au Nouveau-Brunswick en 1965, et de York, en Ontario,

---

— 399 —

en 1975. Grande dame de l'ordre de Saint-Jean-de-Jérusalem. Élue vice-présidente du conseil exécutif de la Ligue de sécurité de la province de Québec. Membre directrice de l'Orchestre symphonique de chambre de McGill. Gouverneur à vie de la Corporation de l'hôpital Douglas. Fondatrice et présidente du chapitre canadien de l'Alliance internationale des femmes. Créée chevalier de l'ordre national du Québec le 26 juin 1985.

KNIGHT, Albert
(1817– >1870)

Né à Waterford, au Vermont, le 12 février 1817, fils de Samuel Knight, officier.

En 1837, après avoir été commis dans une entreprise commerciale, se lança en affaires à son propre compte, à Stanstead Plain, dans les Cantons-de-l'Est. Lié à la mise sur pied de la Banque Saint-François en 1854; fut président de la succursale de la Banque des Cantons-de-l'Est à Stanstead. Entre 1863 et 1866, participa à la création d'un grand nombre d'entreprises liées à l'exploitation minière et, en 1866, à la reconnaissance légale de la Compagnie du chemin de fer de Waterloo, Magog et Stanstead. Fit partie du conseil d'administration du chemin de fer des rivières Connecticut et Passumpsic. Exerça la charge de commissaire au tribunal des petites causes.

Défait dans Stanstead en 1858. Élu député de cette circonscription en 1861. Réélu sans opposition en 1863. Fut de tendance conservatrice. Son mandat prit fin avec l'avènement de la Confédération, le 1er juillet 1867. Défait dans Stanstead aux élections à la Chambre des communes en 1867.

Décédé après 1870.

Avait épousé dans l'église anglicane de Hatley, le 11 avril 1838, Julia Ann Rose, fille du capitaine Timothy Rose.

Beau-père de Michael Felix **Hackett**.

KNIGHT, Ephraim
(1786–1868)

Né à Shrewsbury, au Vermont, le 27 février 1786, fils d'Amos Knight et d'une prénommée Susannah.

Vint s'établir dans les Cantons-de-l'Est avant la guerre de 1812. Résidait à Saint-Armand vers 1810; par la suite, s'installa à Dunham et, après son mariage, à Bedford où il fit du commerce pendant bon nombre d'années. Eut aussi des intérêts dans un hôtel et un moulin à Pike River. En 1849, aida son fils à mettre sur pied l'exploitation agricole de Knight Homestead, à mi-chemin entre Bedford et Stanbridge East. Fut bailli

du district de Bedford durant plusieurs années. Membre de la Masonic Select Surveyors' Lodge, qui devint plus tard la Prevost Lodge.

Élu député de Missisquoi en 1834; appuya généralement le parti patriote. En juillet 1837, prit part à une assemblée de réformistes du comté de Missisquoi, à Stanbridge. Un mandat d'arrêt ayant été lancé contre lui en décembre 1837 pour haute trahison, fut emprisonné à Montréal du 5 au 11 janvier 1838. Son mandat de député prit fin avec la suspension de la constitution, le 27 mars 1838.

Décédé à Stanbridge, le 3 février 1868, à l'âge de 81 ans et 11 mois.

Avait épousé dans l'église anglicane de Dunham, le 23 décembre 1819, Philenda (Phelinda) Beeman, de Saint-Armand.

Bibliographie: Missisquoi County Historical Society, *Fifth annual report*, 1913, p. 76.

KNOWLTON, Lyman
(1774–1832)

Né à Templeton, au Massachusetts, en janvier 1774, fils d'Ezekiel Knowlton et d'Anna Miles.

Un des pionniers du canton de Stukely, où il s'établit en 1801; exploita un magasin et un moulin à farine. Fut juge de paix, major dans la milice (1806) et commissaire d'école (1815 ou 1816). Était universaliste.

Élu député de Shefford à une élection partielle le 23 novembre 1829; appuya le parti patriote. Ne se serait pas représenté en 1830.

Décédé à Stukely-Sud, le 28 juillet 1832, à l'âge de 58 ans et 6 mois. Les obsèques eurent lieu à l'église épiscopale du canton de Shefford, le 30 juillet 1832.

Avait épousé à Templeton, au Massachusetts, le 17 décembre 1795, Tepha Whitcomb, fille de Joshua Whitcomb et d'une prénommée Eunice.

Cousin de Paul Holland **Knowlton**.

KNOWLTON, Paul Holland
(1787–1863)

Né à Newfane, au Vermont, le 17 septembre 1787, fils de Silas Knowlton – dont le père fut juge et partisan des loyalistes – et de Sally Holbrook.

En 1807, vint dans le canton de Stukely, où ses parents s'étaient établis en 1796; s'occupa d'agriculture. En 1815, s'installa dans le canton de Brome; exploita une ferme, un magasin et une distillerie, et s'engagea dans l'acquisition et l'administration de biens fonciers. À partir de 1834, jeta les bases du village de Knowlton: mit sur pied des installations industrielles et commerciales, fit du développement foncier et routier, et contribua à la construction de l'église anglicane et d'une école secondaire. Se distingua à titre d'officier de milice pendant la rébellion de 1837.

Élu député de Shefford en 1830; vota d'abord généralement avec le parti patriote, mais, à compter de 1832–1833, appuya le parti des bureaucrates; vota contre les Quatre-vingt-douze Résolutions. Ne s'est pas représenté en 1834. Fit partie du Conseil spécial du 2 avril 1838 jusqu'à la dissolution de ce conseil, en juin, et à nouveau du 2 novembre 1838 jusqu'à l'entrée en vigueur de l'Acte d'Union, le 10 février 1841. Nommé au Conseil législatif le 9 juin 1841. Fut maire du canton de Brome. Élu préfet du comté de Brome en 1855; occupa ce poste jusqu'en 1862.

Fut juge de paix. Obtint quelques postes de commissaire. Intéressé à l'histoire, devint correspondant des Cantons-de-l'Est auprès de la Société littéraire et historique de Québec en 1834. Président-fondateur de la Société d'agriculture du comté de Shefford en 1834 et de celle du comté de Brome en 1856.

Décédé en fonction à Knowlton, le 28 août 1863, à l'âge de 75 ans et 11 mois.

Avait épousé dans le comté de Franklin, au Vermont, le 22 septembre 1808, Laura Moss, maîtresse d'école de Bridport, Vermont.

Sa nièce épousa le fils de Samuel **Wood**.

Bibliographie: *DBC*.

LABBÉ, Tancrède
(1887–1956)

Né à East Broughton, dans la paroisse du Sacré-Cœur-de-Jésus, le 18 juin 1887, fils de Théophile Labbé, cultivateur, et d'Odélie Beaudoin.

Étudia au collège des Frères des écoles chrétiennes et fit son cours commercial à Sainte-Marie-de-Beauce.

Exerça d'abord le métier de commis dans un magasin général, puis fut gérant de ce commerce de 1913 à 1919. Devint par la suite épicier grossiste sous la raison sociale de T. Labbé ltée. Cofondateur d'une fabrique de crème glacée, les Produits Régal ltée, en 1921. Directeur de la compagnie Thetford Asbestos. Membre de l'Association des manufacturiers de crème glacée de la province de Québec et de la Wholesale Grocers Association.

Maire de Thetford Mines du 3 février 1931 au 9 février 1937 et du 19 mai 1947 au 21 mai 1951. Candidat conservateur défait dans Mégantic en 1931. Élu député de l'Action libérale nationale dans Mégantic en 1935. Réélu en 1936 sous la bannière de l'Union nationale. Défait en 1939. Réélu à l'élection partielle du 19 novembre 1940 et aux élections générales de 1944, 1948, 1952 et 1956. Assermenté ministre sans portefeuille dans le cabinet Duplessis le 30 août 1944.

Membre honoraire de la Chambre de commerce de Thetford Mines de 1931 à 1937 et de 1947 à 1951. Membre du Club canadien, du Club Rotary et des Chevaliers de Colomb.

Décédé en fonction à Saint-Romuald, le 13 décembre 1956, à l'âge de 69 ans et 6 mois. Inhumé à Thetford Mines, dans le cimetière de la paroisse Saint-Alphonse, le 17 décembre 1956.

Avait épousé à Thetford Mines, dans la paroisse Saint-Alphonse, le 27 juin 1911, Anna Lachance, fille de Jean-Baptiste Lachance et d'Olive Callet.

LABBÉ, Wilfrid
(1892–1975)

Né à Victoriaville, dans la paroisse Sainte-Victoire, le 27 avril 1892, fils de Xavier Labbé, cultivateur, et de Delvina Blanchet.

Fit ses études à Victoriaville.

Cultivateur, éleveur et commerçant de chevaux, à partir de 1923, à Sainte-Victoire-d'Arthabaska. Président de l'Union catholique des cultivateurs (UCC) de Victoriaville en 1937. Président de la Société d'agriculture d'Arthabaska de 1938 à 1944. Président des Éleveurs de percherons en 1952.

Maire de la municipalité de la paroisse Sainte-Victoire-d'Arthabaska de janvier 1937 à novembre 1969 et préfet du comté d'Arthabaska du 8 mars 1939 au 11 juin 1969. Fondateur et président de l'Union des conseils de comté de la province de Québec en 1944. Candidat de l'Union nationale défait dans Arthabaska en 1939 et 1944. Élu député de l'Union nationale dans la même circonscription en 1948, 1952 et 1956. Assermenté ministre d'État dans le cabinet Duplessis le 5 août 1952, dans le cabinet Sauvé le 11 septembre 1959 et dans le cabinet Barrette le 8 janvier 1960. Défait en 1960.

Vice-président de la Chambre de commerce. Membre du Club Richelieu et des Chevaliers de Colomb.

Décédé à Arthabaska, le 12 mai 1975, à l'âge de 83 ans. Inhumé à Victoriaville, dans le cimetière de la paroisse Sainte-Victoire, le 16 mai 1975.

Avait épousé dans sa paroisse natale, le 5 septembre 1916, Emma Boisvert, fille de Pierre Boisvert et de Marie Leblanc ; puis, dans la paroisse Notre-Dame de Montréal, le 14 janvier 1961, Madeleine Brassard, fille de Philippe Brassard et de Corinne Brunel, et veuve de Gustave Grenier.

LABELLE, Pierre
(1808– ≥1864)

Né à Saint-Vincent-de-Paul (Laval) et baptisé dans la paroisse du même nom, le 27 octobre 1808, fils de Joseph Labelle, menuisier, et de Catherine Bleau.

Exploitait une terre à Saint-Vincent-de-Paul (Laval). Fut entrepreneur en bâtiment à Montréal, où il construisit notamment le palais de justice au cours des années 1850.

Représenta le quartier Saint-Jacques au conseil municipal de Montréal de 1852 à 1855. Élu député de Laval en 1854. Réélu en 1858 et 1861. Réformiste, puis bleu. Son siège devint vacant en raison de sa nomination comme surintendant des Travaux publics, en septembre 1861.

Décédé en ou après 1864.

Avait épousé dans la paroisse Notre-Dame de Montréal, le 20 juillet 1830, Émilie Boisseau, veuve de Jacques Barsalou.

LABELLE, René
(1909–1985)

Né à Saint-Henri (Montréal), le 1er juin 1909, fils d'Alphée Labelle, négociant, et de Rose-Alma Lépine.

Étudia à l'école de Saint-Henri et à l'école normale de Montréal, puis suivit des cours en génie électrique de l'International Correspondence School. Membre de l'Association des ingénieurs électriciens.

Débuta comme électricien en 1927. Devint par la suite entrepreneur-électricien sous la raison sociale de René Labelle et Cie ltée de 1932 à 1939. Dirigea les travaux électriques de la Shipshaw Power Development de 1939 à 1944. Membre du comité de rédaction du Code canadien d'électricité.

Élu député de l'Union nationale dans Montréal–Saint-Henri en 1936. Ne s'est pas représenté en 1939.

Inspecteur en chef adjoint du Bureau des examinateurs des électriciens de la province de Québec, puis examinateur en chef et directeur du même service de 1946 à 1960. Nommé juge de paix le 10 juillet 1946. Maire de la ville de Roxboro de juillet 1958 à novembre 1964.

Président de l'Association internationale des inspecteurs électriciens d'Indianapolis en 1956 et 1957. Membre de la Canadian Electrical Association, de l'Electrical Maintenance Club et de la National Fire Protection Association (Chicago). Président honoraire à vie de l'hospice Saint-Henri. Membre des Chevaliers de Colomb.

Décédé à Montréal, le 20 décembre 1985, à l'âge de 76 ans et 6 mois. Inhumé à Montréal, dans le cimetière Sainte-Geneviève, le 21 décembre 1985.

Avait épousé à Lachine, dans la paroisse Sainte-Agnès, le 6 juin 1931, Olivette Brazeau, fille de Noé Brazeau, tailleur, et de Rébecca Lalonde.

LABERGE, Arthur
(1888–1957)

Né à Châteauguay, le 27 janvier 1888, fils d'Honoré Laberge, marchand, et d'Emma Laberge.

Marchand général.

Maire de Châteauguay de 1923 à 1928 et de 1943 à 1954. Candidat conservateur défait dans Châteauguay en 1931. Élu député de l'Union nationale dans Châteauguay en 1948. Réélu en 1952 et 1956.

Décédé en fonction à Châteauguay, le 7 juin 1957, à l'âge de 69 ans et 4 mois. Inhumé à Châteauguay, dans le cimetière de la paroisse Saint-Joachim, le 11 juin 1957.

Avait épousé à Sainte-Philomène, le 28 octobre 1912, Rhéa Morand, fille de Victor Morand, cultivateur, et de Léose Bergevin.

Cousin de Joseph-Maurice **Laberge**.

LABERGE, Charles
(1827–1874)

Né à Montréal, le 20 octobre 1827, puis baptisé le 21, fils d'Ambroise Laberge, marchand, et de Rose Franchère. Souvent désigné sous le prénom de Charles-Joseph.

Étudia au séminaire de Saint-Hyacinthe à compter de 1836; fonda le journal du collège, le Libéral. Fit l'apprentissage du droit à Montréal, où il prit part à la mise sur pied et aux activités de l'Institut canadien, et collabora au journal l'Avenir, dès sa fondation en 1847; admis au barreau en 1848.

Exerça la profession d'avocat à Montréal, puis dans la région de Saint-Jean-sur-Richelieu, où il s'établit en 1852. Nommé conseiller de la reine en 1858.

Élu député d'Iberville en 1854; rouge. Réélu en 1858. Fut solliciteur général du Bas-Canada dans le ministère Brown–Dorion, du 2 au 5 août 1858, sans occuper de siège dans le cabinet. Son mandat de député ayant pris fin avec cette nomination, il fut réélu dans Iberville à une élection partielle le 6 septembre 1858; rouge. Ne s'est pas représenté en 1861. Défait dans Saint-Jean aux élections fédérales en 1867. Élu maire de Saint-Jean-sur-Richelieu à deux reprises, refusa un troisième mandat.

Fonda en 1860, avec Félix-Gabriel **Marchand**, le Franco-Canadien (Saint-Jean-sur-Richelieu), auquel il collabora. Fit aussi paraître des articles dans l'Ordre (Montréal), sous le pseudonyme Libéral, mais catholique. Nommé juge de la Cour supérieure à Sorel en septembre 1863, perdit son poste en juillet 1864. S'installa à Montréal, en 1872, à titre de rédacteur en chef du journal libéral le National.

Décédé à Montréal, le 6 août 1874, à l'âge de 46 ans et 9 mois. Inhumé dans le cimetière Notre-Dame-des-Neiges, le 8 août 1874.

Avait épousé peut-être à Terrebonne, le 23 novembre 1859, Hélène-Olive Turgeon, fille de Joseph-Ovide **Turgeon** et d'Hélène-Olive Turgeon.

Apparenté à Joseph **Franchère**.

Bibliographie: *DBC.*

LABERGE, Édouard
(1829–1883)

Né à Sainte-Philomène, le 21 août 1829, fils de François Laberge, cultivateur, et d'Appoline Brault (Barron).

A étudié au collège de Montréal et à la McGill University. Reçu médecin en 1856, il exerça sa profession à Sainte-Philomène.

Élu député libéral dans Châteauguay en 1867. Réélu en 1871 et sans opposition en 1875. De nouveau élu en 1878 et 1881.

Décédé en fonction à Sainte-Philomène, le 22 août 1883, à l'âge de 54 ans. Inhumé dans le cimetière de cette paroisse, le 24 août 1883.

Avait épousé dans sa paroisse natale, le 6 septembre 1862, Nathalie Poulin, fille de Joseph Poulin et de Josephte Lemire.

LABERGE, Henri-E.

Né à Saint-Louis-de-Gonzague, le 16 décembre 1932, fils d'Émile Laberge, cultivateur, et de Divina Sauvé.

A étudié à Saint-Louis-de-Gonzague, à Berthierville, à Beauharnois et à l'Institut agricole d'Oka.

Télégraphiste pendant six ans pour une compagnie de chemin de fer. Devint assureur-vie à Saint-Léonard (île de Montréal) en 1959, puis obtint le titre d'assureur-vie agréé en 1965. Œuvra pour L'Industrielle, L'Alliance et Les Artisans jusqu'en 1976. Fut directeur puis secrétaire du magasin Coop de Saint-Léonard et vice-président du conseil des Équipes Séréna à Montréal et en région.

Élu député du Parti québécois dans Jeanne-Mance en 1976. Défait en 1981.

Employé au cabinet du ministre Gilbert Paquette d'octobre 1982 à janvier 1984. Employé à la Fondation pour le développement de la science et de la technologie de janvier 1984 à septembre 1985. Représentant pour Gaz métropolitain à Montréal à compter de décembre 1985.

LABERGE, Joseph-Maurice

Né à Châteauguay, le 12 octobre 1907, fils de Joseph-Magloire Laberge, marchand de fourrures, et de Laura Côté.

Étudia à Châteauguay et au collège Mont-Saint-Louis à Montréal, puis suivit un cours commercial au St. Jerome College à Kitchener, en Ontario.

Représentant local de la Banque canadienne nationale à compter de 1935. En 1946, il fonda avec ses frères un magasin de fourrures sous la raison sociale de Laberge, Chevalier ltée. Membre des Chevaliers de Colomb.

Conseiller de la municipalité de Châteauguay de 1941 à 1946, et maire de 1959 à 1961. Président de la commission scolaire du même endroit de 1952 à 1958. Élu député de l'Union nationale dans Châteauguay à l'élection partielle du 18 septembre 1957. Réélu en 1960. Défait en 1962.

Cousin d'Arthur **Laberge**.

LABISSONNIÈRE, Joseph-Arthur
(1875–1930)

Né à Batiscan, le 25 décembre 1875, fils de François Labissonnière, cultivateur, et de Virginie Martineau.

A étudié à l'école normale de Batiscan et au séminaire de Nicolet.

Cultivateur à Champlain.

Élu député conservateur dans Champlain en 1912. Défait en 1916. Ne s'est pas représenté en 1919. De nouveau défait en 1923. Fut secrétaire-trésorier de la commission scolaire de Champlain de 1922 à 1929. Maire de Champlain de janvier 1917 à janvier 1922, puis secrétaire-trésorier de 1922 à 1930. Secrétaire de l'Union des municipalités.

Décédé à Champlain, le 9 mai 1930, à l'âge de 54 ans et 5 mois. Inhumé dans le cimetière de Champlain, le 12 mai 1930.

Avait épousé dans sa paroisse natale, le 6 février 1899, Amanda Marchand, fille d'Adelphis Marchand, cultivateur, et de Marie Dupuis.

LABRÈCHE-VIGER, Louis
(1823–1872)

Né à Terrebonne, le 13 février 1823, puis baptisé le 14, dans la paroisse Saint-Charles, à Lachenaie, fils de Louis

Labrèche, journalier, et de Marguerite-Julie Viger. Ajouta Viger à son patronyme, en l'honneur de son protecteur, Denis-Benjamin Viger. Signa son acte de mariage Louis LaBrèche Viger.

Étudia au petit séminaire de Montréal de 1836 à 1842, grâce à l'aide de **Viger**, qui le fit aussi collaborer au journal *l'Aurore des Canadas*. Entra au grand séminaire, mais en sortit après deux ans pour faire l'apprentissage du droit auprès de Côme-Séraphin **Cherrier** (Montréal). Admis au barreau en 1848.

Fut l'un des secrétaires de l'Association pour le peuplement des Cantons-de-l'Est, fondée en 1848, rédacteur à *l'Avenir* jusqu'en 1851 et rédacteur en chef du *Pays* en 1852. S'occupa d'un commerce d'épicerie, d'abord comme employé vers 1852, puis à titre d'associé en 1854. Actionnaire de la Trust and Loan Company. Membre de l'Institut canadien de Montréal, créé en 1844, démissionna en avril 1858 afin de participer, le mois suivant, à la fondation de l'Institut canadien-français. Collabora à *l'Ordre*, à partir de 1861.

Élu député de Terrebonne en 1861. Réélu en 1863. Rouge; vota contre le projet de confédération. Son mandat prit fin avec l'avènement de la Confédération, le 1er juillet 1867.

Décédé à Montréal, le 27 avril 1872, à l'âge de 49 ans et 2 mois. Inhumé dans la paroisse Notre-Dame, le 1er mai 1872.

Avait épousé dans la paroisse Saint-Enfant-Jésus-de-la-Pointe-aux-Trembles, à Montréal, le 5 mars 1852, Caroline Laflamme, fille du marchand Toussaint Lebœuf, dit Laflamme, et de Marguerite-Suzanne Thibodeau.

Beau-frère de Toussaint-Antoine-Rodolphe Laflamme, député à la Chambre des communes du Canada.

Bibliographie: *DBC*.

LABRIE, Jacques
(1784–1831)

Né à Saint-Charles, près de Beaumont, le 4 janvier 1784, fils de Jacques Nau, dit Labry, cultivateur, et de Marie-Louise Brousseau.

Élève au petit séminaire de Québec de 1798 à 1804, fit ensuite l'étude de la médecine à Québec, auprès de François **Blanchet**, et à Édimbourg, en Écosse.

De 1806 à 1808, pendant son apprentissage de la médecine, fut rédacteur au *Courrier de Québec*, de Pierre-Amable **De Bonne**. Plus tard, exerça la profession médicale à Montréal, puis à Saint-Eustache où il s'établit. Servit comme chirurgien dans la milice au cours de la guerre de 1812; fut destitué de son grade d'officier de milice en juillet 1827. Fonda à Saint-Eustache, en 1821, deux écoles qu'il dirigea; enseigna à l'école des filles jusqu'à la fermeture de l'établissement, en 1828. Fut nommé au Bureau d'examinateurs en médecine du district de Montréal en 1831 et, à l'automne, entreprit une tournée d'inspection des écoles de Deux-Montagnes.

Élu député d'York en 1827; appuya le parti patriote. Élu dans Deux-Montagnes en 1830; donna généralement son appui au parti patriote.

Est l'auteur de manuels d'histoire et de géographie, et d'un manuscrit d'histoire du Canada qui fut détruit pendant la rébellion de 1837. Publia à Montréal, en 1827, *les Premiers Rudimens de la constitution britannique traduits de l'anglais de M. Brooke* [...].

Décédé en fonction à Saint-Eustache, le 26 octobre 1831, à l'âge de 47 ans et 9 mois. Inhumé dans l'église du même nom, le 29 octobre 1831.

Avait épousé dans la paroisse Saint-Eustache, le 12 juin 1809, Marie-Marguerite Gagnier, fille du notaire Pierre-Rémi Gagnier et de Marie-Joseph Poitras.

Bibliographie: *DBC*.

LACERTE, Élie
(1821–1898)

Né à Yamachiche, le 15 novembre 1821, fils de Pierre Lacerte et de Louise Blais.

A étudié au collège de Nicolet et à la Harvard University à Boston. Admis à la pratique de la médecine en 1847.

Exerça sa profession à Yamachiche. Fut également commerçant et maître de poste à Yamachiche.

Élu député conservateur à la Chambre des communes dans Saint-Maurice à l'élection partielle du 30 octobre 1868. Réélu sans opposition en 1872. Défait en 1874. Élu député conservateur à l'Assemblée législative dans Saint-Maurice en 1875. Ne s'est pas représenté en 1878.

Occupa le poste d'agent des terres du Saint-Maurice de 1887 à 1898.

Décédé à Yamachiche, le 22 mars 1898, à l'âge de 76 ans et 4 mois. Inhumé dans le cimetière de l'endroit, le 24 mars 1898.

Avait épousé dans sa paroisse natale, le 1er mai 1848, Marguerite-Louise Lami, fille de Louis Lami, lieutenant dans la milice et cultivateur, et d'Adélaïde-Marguerite Lemaître de Lottinville.

LACHANCE, Bernard

Né à Montréal, le 3 avril 1935, fils de Gérard Lachance, arpenteur, et de Thérèse Lahaie.

Fit ses études à Montréal chez les sœurs de la Providence (Bordeaux), au collège Mont-Saint-Louis et aux universités McGill et de Montréal. Diplômé en technique d'arpentage et de photogrammétrie.

Travailla d'abord à la Banque d'épargne de la cité et du district de Montréal, puis chez les arpenteurs-géomètres J.M.O. Lachance et John Rohar. De 1970 à 1973, il fut successivement secrétaire particulier adjoint au cabinet des ministres Guy Saint-Pierre, Gérard D. Levesque et Paul Phaneuf. Administrateur et propriétaire avec Gilles **Houde** du camp d'éducation physique Gilles Houde inc. à Montréal. Membre des Hommes d'affaires de Laval inc., de la Chambre de commerce de Laval, de la Société d'horticulture et d'écologie de Laval inc., du Club Lions et du Club de la garnison de Québec. Fit partie de la Marine royale du Canada et des forces de l'Organisation des Nations Unies (ONU) en Corée.

Fut vice-président exécutif des Jeunes Libéraux de l'Association libérale provinciale du comté de Jeanne-Mance, puis vice-président exécutif et secrétaire exécutif de l'Association libérale provinciale du comté de Fabre. Élu député libéral dans Mille-Îles en 1973. Défait en 1976.

Responsable des relations publiques chez Hurtubise, Rohar et Alacie, arpenteurs-géomètres, à compter de 1976.

LACHANCE, Claude

Né à Saint-Nazaire-de-Dorchester, le 3 octobre 1945, fils de Léopold Lachance, garagiste, et de Cécile Turgeon.

Fit ses études secondaires et collégiales au collège de Lévis. Bachelier ès arts de l'université Laval en 1967. Licencié en lettres de l'université Laval en 1970. Diplômé de l'école normale supérieure de l'université Laval en 1971. Titulaire d'un brevet d'enseignement du ministère de l'Éducation.

Enseignant à la commission scolaire régionale Louis-Fréchette de septembre 1970 à juin 1974; y fut successivement secrétaire puis président du conseil d'école, chef du département des sciences humaines et directeur adjoint de la polyvalente Saint-Damien de juillet 1974 à avril 1981. Membre du conseil d'administration du CLSC de Lac-Etchemin de février à juin 1975 et de mai 1977 à décembre 1979; président de ce conseil d'août 1978 à décembre 1979. Préfet suppléant du conseil de comté (Dorchester) de décembre 1977 à novembre 1979; préfet de ce conseil de novembre 1979 à avril 1981. Maire de Saint-Nazaire-de-Dorchester de novembre 1973 à avril 1981.

Élu député du Parti québécois dans Bellechasse en 1981. Président de la Commission du budget et de l'administration du 15 mars 1984 au 23 octobre 1985. Défait en 1985 et 1989.

Retourné à l'enseignement à titre de directeur adjoint à la polyvalente Saint-Damien. Maire de Saint-Nazaire-de-Dorchester à compter du 17 mai 1987.

LACHAPELLE, Bernard

Né à Montréal, le 8 novembre 1931, fils d'Urgel Lachapelle, enseignant, et de Cordélia Leduc.

Fit ses études à l'école Saint-Stanislas à Montréal et à l'École polytechnique de Montréal où il obtint un baccalauréat en sciences appliquées. Poursuivit des études de maîtrise en sciences de l'administration industrielle au Massachusetts Institute of Technology à Boston.

Analyste industriel pour la Banque d'expansion industrielle en 1955 et 1956. Employé de la Corporation des ingénieurs du Québec de 1956 à 1961, puis président de cette association en 1964 et 1965. Gérant adjoint de la maison Catelli à Montréal de 1961 à 1966, vice-président à la production de 1966 à 1972. Vice-président administratif de l'université du Québec en 1972. Administrateur du Conseil canadien des ingénieurs, de Boscoville, de United Red Feather Services et du Conseil canadien des normes.

Professeur d'administration industrielle à l'université Laval et à l'École des hautes études commerciales à Montréal. Membre de la Corporation des ingénieurs du Québec, de l'Engineering Institute of Canada, du Canadian Institute of Food Technology et de l'Engineers' Club of Montreal.

Élu député libéral dans Chauveau en 1973. Ministre d'État à l'Office de planification et de développement du Québec du 13 novembre 1973 jusqu'en novembre 1976. Ministre d'État au Conseil exécutif responsable de l'Office de développement de l'Est du Québec, de l'Office des professions, du Conseil du statut de la femme et de la Régie de la langue française du 30 juillet 1975 jusqu'en novembre 1976. Ministre d'État à l'Éducation du 26 septembre 1975 jusqu'en novembre 1976. Défait en 1976.

De 1976 à 1978, il fut conseiller-cadre au siège social de l'université du Québec et professeur en administration à l'université du Québec à Montréal. Associé-directeur chez Charette, Fortier, Hawey & Touche, Ross et Associés. Président d'Uniglobe Voyages royal inc. de 1986 à 1989. Nommé président de la commission des services électriques de la ville de Montréal en 1989.

LACHAPELLE, Huguette

Née à Saint-Basile (dans Portneuf), le 28 octobre 1942, fille de Roger Boisseau, militaire, et de Rita Marcotte.

Obtint un diplôme d'études commerciales au Elie Business College à Montréal.

Secrétaire-réceptionniste dans différents bureaux de Montréal de 1956 à 1962. Membre du cabinet de la ministre Lise Payette de 1976 à 1981.

Élue députée du Parti québécois dans Dorion en 1981. Whip adjointe du gouvernement du 22 septembre 1982 au 4 décembre 1984. Whip du gouvernement du 4 décembre 1984 au 23 octobre 1985. Défaite en 1985.

Est retournée à la fonction publique.

LACOMBE. V. aussi TRULLIER

LACOMBE, Aurèle
(1887–1963)

Né à Sainte-Scholastique (Mirabel), le 28 janvier 1887, fils de Simon Lacombe, cultivateur, et de Marie Allard.

Étudia à l'école primaire de Sainte-Scholastique.

Employé municipal et agent d'affaires à Montréal. Fondateur et président de l'Union des employés de tramways. Instigateur de l'Union des pompiers et des policiers de Montréal.

Élu député ouvrier dans Montréal-Dorion en 1919. Assermenté ministre sans portefeuille dans le cabinet Taschereau le 27 septembre 1921. Défait comme candidat ouvrier ministériel en 1923.

Fonctionnaire au département des véhicules automobiles et directeur du département de la circulation provinciale.

Décédé à Montréal, le 6 mars 1963, à l'âge de 76 ans et 2 mois. Inhumé à Saint-Placide, le 9 mars 1963.

Avait épousé dans sa paroisse natale, le 29 août 1911, Zéphirine Cyr, fille d'Octave Cyr et d'Agnès Clavel.

LACOMBE, Georges-Albini
(1864–1941)

Né à Lavaltrie, le 13 janvier 1864, fils de Narcisse Lacombe, cultivateur et de Caroline Peltier.

Fit ses études au collège de L'Assomption, à l'École de médecine et de chirurgie de Montréal et à l'université de Winnipeg où il fut reçu médecin en 1886.

De 1886 à 1891, il pratiqua la médecine dans une réserve indienne, au service du gouvernement manitobain, et à la compagnie de chemin de fer Canadien Pacifique. Exerça également sa profession à Faribault, au Minnesota. De retour au Québec en 1891, il fut nommé professeur d'anatomie au Bishop's College à Lennoxville, puis s'installa à Montréal. Admis au barreau de la province de Québec le 6 juillet 1901 et nommé commissaire du recensement de Montréal n° 1 la même année. Secrétaire francophone de l'Enquête royale sur les droits des mineurs du Klondike en 1904. Exerça le droit à Montréal jusqu'en 1908 et fut associé notamment à Cuthbert-Alphonse **Chênevert**.

Élu député libéral dans Montréal n° 1 en 1897. Réélu en 1900, 1904 et 1908. Son siège devint vacant lorsqu'il fut nommé, le 5 octobre 1908, registrateur conjoint de la division de Hochelaga et Jacques-Cartier, avec A. Chauret. Il occupa ce poste jusqu'en 1922, et retourna alors à la pratique médicale à Lavaltrie.

Décédé à Cartierville, le 17 mai 1941, à l'âge de 77 ans et 4 mois. Inhumé à Montréal, dans le cimetière Notre-Dame-des-Neiges, le 21 mai 1941.

[Avait épousé à Winnipeg, le 11 octobre 1885, Henriette Muller, fille de Jean Muller.]

LACOSTE, Alexandre
(1842–1923)

Né à Boucherville, le 13 janvier 1842, fils de Louis **Lacoste**, notaire, et de Marie-Antoinette-Thaïs Proulx.

Fit ses études au séminaire de Saint-Hyacinthe et à l'université Laval à Québec. Admis au barreau du Bas-Canada le 3 février 1863.

Exerça sa profession à Montréal au cabinet des avocats Leblanc, **Cassidy** (Francis) et Lacoste ; Lacoste et Drummond ; Lacoste, Globenski et Bisaillon ; Lacoste, Bisaillon et Brousseau ; et Lacoste, Bisaillon, Brousseau et Lajoie. Créé conseil en loi de la reine par le gouvernement du Québec le 25 février 1876. Docteur en droit de l'université Laval en 1879. Bâtonnier du barreau de Montréal en 1879 et 1880. Créé conseil en loi de la reine par le gouvernement du Canada le 11 octobre 1880. Professeur de droit à l'université Laval à Montréal de 1880 à 1923. Administrateur des compagnies d'assurances Liverpool, London & Globe et Manitoba Insurance Co. Président du bureau des censeurs de la Banque Provinciale du Canada.

Président du comité d'organisation du Parti conservateur du district de Montréal. Conseiller législatif de la division des Mille-Isles du 4 mars 1882 jusqu'à sa démission le 6 décembre 1883. Nommé sénateur de la division de Montarville le 11 janvier 1884. Orateur du Sénat du 27 avril au 13 septembre 1891. Démissionna à la suite de sa nomination comme juge en chef de la province de Québec, poste qu'il occupa du 14 septembre 1891 au 26 janvier 1907. Nommé au Conseil privé du Canada le 1er octobre 1892. Administrateur de la province de Québec du 20 mars au 30 août 1893 et du 8 avril au 13 mai 1897.

Décoré de l'ordre de Saint-Michel et Saint-George le 24 mai 1893. Docteur en droit honoris causa du Bishop's College en 1895. Créé chevalier par la reine Victoria le 15 juin 1897. Vice-président de l'Association des parcs et terrains de jeux de Montréal. Membre du Mount Royal Club, du Manitoba Club et du comité du King Edward Memorial.

Décédé à Montréal, le 17 août 1923, à l'âge de 81 ans et 7 mois. Inhumé dans le cimetière Notre-Dame-des-Neiges, le 21 août 1923.

Avait épousé dans la paroisse Notre-Dame de Montréal, le 8 mai 1866, Marie-Louise Globenski, fille de Léon Globenski, employé des douanes, et d'Angélique Limoges.

Beau-père d'Auguste-Maurice **Tessier**. Grand-père de Maurice **Tessier**.

LACOSTE, Jean-Marc

Né à Verdun, le 2 juillet 1949, fils de Lucien Lacoste, chauffeur d'autobus, et d'Anita Giroux.

Étudia à l'école Notre-Dame-de-la-Paix et à l'école supérieure Richard à Verdun, puis suivit des cours en administration scolaire.

Employé de Canada Packers à Montréal de 1967 à 1970. Commis-comptable chez Atwater Beef de 1970 à 1976. Responsable des loisirs et des sports du quartier Notre-Dame-de-la-Paix. Contribua à la mise sur pied d'un centre socioculturel pour le milieu défavorisé de Verdun en 1974. Président de la campagne de la Société canadienne du cancer de Verdun. Commissaire d'école à la Commission des écoles catholiques de Verdun et représentant substitut au conseil scolaire de l'île de Montréal de juin 1973 à novembre 1976. Membre de la Société Saint-Jean-Baptiste et du Mouvement Québec français.

Organisateur du Parti québécois dans le comté de Verdun de 1972 à 1976. Élu député du Parti québécois dans Sainte-Anne en 1976. Défait en 1981. Conseiller municipal à Verdun de 1981 à 1985.

Agent immobilier pour Le Permanent puis pour RE/MAX.

LACOSTE, Louis
(1798–1878)

Né à Boucherville, le 3 avril 1798, fils de Louis Lacoste et de Joséphine Dubois.

Étudia au petit séminaire de Montréal de 1810 à 1815, puis fit l'apprentissage du droit. Reçut une commission de notaire en 1821.

Exerça sa profession à Boucherville. Fut président de la Chambre des notaires du district de Montréal et officier de milice.

Élu député de Chambly en 1834; appuya le parti patriote. En raison de sa participation à la rébellion, fut emprisonné à Montréal du 8 décembre 1837 au 7 juillet 1838. Son mandat prit fin avec la suspension de la constitution, le 27 mars 1838. Élu dans Chambly à une élection partielle le 23 octobre 1843. Réélu en 1844. Fit partie du groupe canadien-français. Ne s'est pas représenté en 1848. Élu dans Chambly à une élection partielle le 25 septembre 1849. Réélu en 1851. Réformiste; mis sous la garde du sergent d'armes le 5 novembre 1852 pour absence injustifiée, fut libéré après avoir fourni des explications. Ne s'est pas représenté en 1854. Élu dans Chambly en 1858; bleu; démissionna en 1861. Élu conseiller législatif de la division de Montarville à une élection complémentaire le 17 juin 1861, prêta serment le 20 mars 1862; conserva son siège jusqu'à l'avènement de la Confédération, le 1er juillet 1867. Sénateur de la division de Montarville à compter du 23 octobre 1867. Appuya le Parti conservateur.

Décédé en fonction à Boucherville, le 26 novembre 1878, à l'âge de 80 ans et 7 mois. Inhumé dans le caveau de l'église Sainte-Famille, le 2 décembre 1878.

Avait épousé dans la paroisse Sainte-Famille, à Boucherville, le 14 janvier 1823, Catherine de Labrureé, fille du seigneur René Boucher de La Bruère et de sa première femme, Catherine Perrault; puis, dans la paroisse Saint-Charles, à Saint-Charles-sur-Richelieu, le 29 septembre 1835, Charlotte Mount, [fille de Philip Mount et de Christiane Munro], et veuve de Louis-François-Jacques Genevay; enfin, dans la paroisse Sainte-Famille, à Boucherville, le 17 novembre 1838, Thaïs Proulx, fille de Louis-Basile Proulx et de Thaïs Foizy.

Père d'Alexandre **Lacoste**.

Bibliographie: *DBC.*

LACOUTURE, Louis
(1858–1932)

Né à Saint-Ours, le 22 janvier 1858, fils de Théophile Lacouture, cultivateur, et de Julienne Gaudet.

Étudia chez les Frères des écoles chrétiennes de 1864 à 1875.

Employé de la compagnie maritime Richelieu & Ontario Navigation, connue aujourd'hui sous le nom de Canada Steamship Lines Ltd., où il fut agent local de 1880 à 1895, comptable en chef de 1911 à 1920 et directeur de 1921 à 1924. Fondateur de la Compagnie de navigation du Saint-Laurent et de la Compagnie du théâtre Gaieté. Propriétaire de l'île Lacroix (île du Club Riendeau).

Élu député conservateur dans Richelieu en 1892. Ne s'est pas représenté en 1897. Défait en 1900.

Décédé à Sorel, le 16 janvier 1932, à l'âge de 73 ans et 11 mois. Inhumé dans le cimetière de Sorel, le 19 janvier 1932.

Avait épousé à Sorel, le 31 juillet 1877, Célanire Badeau, fille d'Ignace Badeau, charpentier, et de Mathilde Martin.

LACROIX, Édouard
(1889–1963)

Né à Sainte-Marie, le 6 janvier 1889, fils d'André Lacroix, propriétaire de moulins, et de Marie Amanda Théberge.

Fit son cours commercial au collège des Frères des écoles chrétiennes à Sainte-Marie, puis commença à travailler dès l'âge de 14 ans. Fit un stage de télégraphiste au Quebec Central Railroad à Disraëli.

Fut employé de la compagnie de bois Champoux de Causapscal et puis de la B.C. Howard pendant quatre ans. Exploitant forestier dans le Maine et en Gaspésie. Fonda sa première compagnie, en 1911, sous la raison sociale Édouard Lacroix ltée. Fondateur et président de plusieurs entreprises dont Madawaska Co. (Maine) en 1920, Madawaska Corporation en 1926, St. George Woolen Mills en 1928, Port Royal Pulp and Paper Co. Ltd. en 1932 et St. George Pulp & Paper Co. Ltd. en 1935.

Marguillier de la paroisse de L'Assomption à Saint-Georges de 1950 à 1954. Élu député libéral à la Chambre des communes dans Beauce en 1925. Réélu en 1926, 1930, 1935 et 1940. Adhéra à l'Action libérale nationale le 12 août 1934. Démissionna le 11 juillet 1944 et se fit élire député du Bloc populaire à l'Assemblée législative dans Beauce en 1944. N'a

jamais siégé. Démissionna le 14 mai 1945. Élu, à titre posthume, au Temple de la renommée du monde des affaires canadien (Canadian Business Hall of Fame) en 1991.

Décédé à Saint-Georges, le 19 janvier 1963, à l'âge de 74 ans. Inhumé dans le cimetière de Saint-Georges-Est, le 23 janvier 1963.

[Avait épousé à Saint-Georges-Ouest, le 23 mai 1911, Anna Poulin, fille d'Olivier Poulin et de Lucie Poulin; puis, à Saint-Georges, le 11 mai 1945, Marie-Minnie Poulin, cousine de sa première épouse.]

Grand-père de Robert **Dutil**.

Bibliographie : Beaupré, Marie et Guy Massicotte, *Édouard Lacroix. Pionnier de l'entrepreneurship beauceron*, Rimouski, université du Québec à Rimouski, 1989, 260 p.

LACROIX, Janvier-Domptail
(1778–1856)

Né à Saint-Vincent-de-Paul (Laval), le 31 janvier 1778, puis baptisé sous le prénom de Jacques-Janvier dans l'église paroissiale, le 1er février, fils de Joseph-Hubert **Lacroix**, commerçant, et de Françoise-Pélagie Poncy.

Fréquenta le collège Saint-Raphaël, à Montréal, à compter de 1795. Étudia le droit, probablement à Montréal, et fut admis au barreau en 1801.

Exerça sa profession à Montréal. Pendant la guerre de 1812, servit à titre d'officier de milice; démissionna en 1813. Reconnu coupable de faux témoignage par un comité spécial de la Chambre d'assemblée, le 25 février 1817, dans une affaire impliquant l'oncle de sa femme, le juge Louis-Charles **Foucher**, mais ne fut pas emprisonné. Coseigneur de Blainville à compter de 1819, puis seul titulaire en 1829; vendit la seigneurie en 1846 et se réinstalla à Montréal.

Nommé au Conseil législatif le 22 août 1837, en fit partie jusqu'à la suspension de la constitution, le 27 mars 1838.

Obtint plusieurs postes de commissaire. Fut l'un des administrateurs de la Maison d'industrie à Montréal.

Décédé à Montréal, le 15 juillet 1856, à l'âge de 78 ans et 5 mois. Les obsèques eurent lieu dans l'église Notre-Dame, le même jour.

Avait épousé dans l'église Notre-Dame de Montréal, le 3 mai 1802, Marie-Anne Bouate, fille du lieutenant Jean-Baptiste Bouate et de Marie-Céleste Foucher.

Beau-père de John **Pangman**. Grand-père par alliance de Louis-Napoléon **Casault**.

Bibliographie: *DBC.*

LACROIX, Joseph-Hubert
(1743–1821)

Né à Québec et baptisé dans la paroisse Notre-Dame, sous le prénom de Hubert-Joseph, le 5 mai 1743, fils de Hubert-Joseph de Lacroix, chirurgien et botaniste, et d'Anne-Madeleine Dontaille (Domptail).

Commerçant à Québec. Pendant l'invasion militaire de 1775–1776, participa comme milicien à la défense de la colonie. En 1776, était établi à Saint-Vincent-de-Paul (Laval), où il fit le commerce des fourrures. Administra la seigneurie de Blainville; en hérita en 1806, puis l'exploita. Fut juge de paix du district de Montréal. Obtint divers postes de commissaire. Officier de milice, accéda au grade de colonel en 1807 et commanda une division pendant la guerre de 1812.

Élu député d'Effingham en 1792. Élu dans York en 1796. Appuya généralement le parti canadien. Ne se serait pas représenté en 1800.

Décédé à Saint-Vincent-de-Paul (Laval), le 15 juillet 1821, à l'âge de 78 ans et 2 mois. Inhumé dans l'église paroissiale, le 17 juillet 1821.

Avait épousé dans la paroisse Notre-Dame de Québec, le 15 avril 1765, Françoise-Pélagie Poncy, fille de François-Philippe Poncy, marchand, et de Pélagie La Morille; puis, dans la paroisse Saint-Vincent-de-Paul (à Laval), le 9 septembre 1811, Louise Launière, sa belle-sœur.

Père de Janvier-Domptail **Lacroix**.

Bibliographie: *DBC.*

LACROIX, Louis-Philippe

Né à Saint-Charles, dans Bellechasse, le 1er février 1926, fils de Willie Lacroix, commis et marchand, et d'Anna Asselin.

Fit ses études à Saint-Charles.

Travailla durant trois ans pour la Banque canadienne nationale à Plessisville, Saint-Anselme et Saint-Charles. De 1947 à 1957, il fut secrétaire, trésorier et comptable en chef de quatre entreprises établies à Saint-Charles. De 1957 à 1960, il fut comptable pour la compagnie des chantiers maritimes George T. Davie & Sons Ltd. et, de 1960 à 1962, pour une entreprise de construction d'habitations à Dorval.

Président de l'Association libérale du comté de Bellechasse. Président régional de la Fédération libérale de la région des Alleghanys. Membre du comité exécutif du Parti libéral. Élu député libéral dans Îles-de-la-Madeleine en 1962. Réélu en 1966, 1970 et 1973. Whip en chef du Parti libéral de mai 1970 à novembre 1976 et responsable des pêches maritimes et commerciales du Québec de septembre 1975 à novembre 1976.

Après sa défaite en novembre 1976, il devint représentant des ventes pour Bellechasse Transports.

Membre du Club de réforme, de la Chambre de commerce et du Club optimiste de Sainte-Foy. Secrétaire de la Croix-Rouge du comté de Bellechasse.

LADOUCEUR, Clodomir
(1907–1985)

Né à Sainte-Élisabeth, près de Berthierville, le 18 avril 1907, fils de Noé Ladouceur, cultivateur, et de Marie-Louise Savoie.

En 1929, après avoir terminé ses études à Berthier, il s'associa avec son frère et fit l'acquisition d'une beurrerie à Sainte-Élisabeth. En 1934, il devint propriétaire d'une seconde beurrerie aux Cèdres. Fut par la suite cultivateur à Berthier de 1941 à 1945 et propriétaire d'une beurrerie à Saint-Marc de 1945 à 1958.

Maire de Saint-Marc de 1951 à 1961. Candidat de l'Union nationale défait dans Verchères en 1952. Préfet du comté de Verchères du 11 mars 1953 au 14 juin 1961. Élu député de l'Union nationale dans Verchères en 1956. Défait en 1960. Directeur de l'Union des conseils de comté de la province de Québec de 1956 à 1961.

Agent d'assurances pour la compagnie La Souveraine, à Belœil, à compter de 1960.

Décédé à Belœil, le 18 août 1985, à l'âge de 78 ans et 4 mois. Inhumé dans le cimetière de Saint-Marc-sur-Richelieu, le 21 août 1985.

Avait épousé à Sainte-Élizabeth, le 19 juin 1930, Annette Bellemare, fille d'Oscar Bellemare, cultivateur, et d'Ida Morel.

LAFERTÉ, Hector
(1885–1971)

Né à Saint-Germain-de-Grantham, le 8 novembre 1885, fils de Joseph **Laferté**, marchand, et de Georgianna-Jeanne Tessier.

Fit ses études au collège de Nicolet et à l'université Laval. Admis au barreau de la province de Québec le 31 juillet 1909.

Exerça sa profession d'avocat à Québec avec Mes Pouliot, Alphonse Métayer, Antonin **Galipeault**, Philippe-Auguste Choquette (sénateur de 1904 à 1919), Louis Saint-Laurent (premier ministre du Canada de 1948 à 1957) et Ernest Lapointe (député à la Chambre des communes de 1904 à 1941). Vice-président de la compagnie Eugène Leclerc ltée. Conseiller juridique de plusieurs syndicats ouvriers, notamment celui des ouvriers de la chaussure de Québec. Vice-président et conseiller juridique de l'Association du tourisme franco-américain de la Nouvelle-Angleterre au Québec.

Correspondant parlementaire du journal *la Libre parole* en 1912. Fondateur et premier président de l'Association de la jeunesse libérale. Secrétaire des ministres de l'Agriculture Jules **Allard**, Jérémie-Louis **Décarie** et Joseph-Édouard **Caron**. Conseiller juridique de la Fédération des clubs libéraux, puis président en 1924. Élu député libéral dans Drummond en 1916. Réélu sans opposition en 1919. De nouveau élu en 1923, 1927 et 1931. Orateur suppléant de l'Assemblée législative du 21 décembre 1923 au 10 janvier 1928. Orateur du 10 janvier 1928 au 24 avril 1929. Ministre de la Colonisation, des Mines et des Pêcheries dans le cabinet Taschereau du 24 avril 1929 au 4 avril 1930, et ministre de la Colonisation, de la Chasse et des Pêcheries du 4 avril 1930 au 25 juillet 1934, date de sa démission du cabinet. Son siège devint vacant à la suite de sa nomination comme conseiller législatif de la division de Stadacona le 27 juillet 1934, poste qu'il occupa jusqu'à l'abolition du Conseil législatif le 31 décembre 1968. Président du Conseil législatif du 27 juillet 1934 au 2 octobre 1936, du 17 janvier 1940 au 31 décembre 1944 et du 6 juillet 1960 au 23 juin 1966. Leader de l'Opposition au Conseil législatif d'octobre 1936 à janvier 1940 et de janvier 1945 à juillet 1960.

Créé conseil en loi du roi le 27 juin 1919. Président honoraire de la Galerie de la presse en 1920. Nommé gouverneur à vie de l'Association pour la protection du poisson et du gibier de la province de Québec en 1923. Trésorier du barreau de Québec en 1923. Gouverneur général du parlement modèle en 1926. Président de l'Association du jeune barreau, des Anciens de Laval et du Club Mercier de Québec. Vice-président de la Société d'agriculture des Cantons-de-l'Est. Membre de la Société zoologique de Québec, de la Société canadienne d'histoire naturelle et de la Société historique de Drummondville. Président du Club de réforme de Québec. Membre du Club de la garnison, du Club des journalistes, du Club de réforme de Montréal et de la Société des sciences et lettres de Québec. Docteur en droit honoris causa de l'université Laval en 1953.

Décédé à Québec, le 13 septembre 1971, à l'âge de 85 ans et 10 mois. Inhumé à Drummondville, dans le cimetière de la paroisse Saint-Frédéric, le 16 septembre 1971.

Avait épousé à Saint-Césaire, le 28 juin 1911, Irène Sénécal, fille de Simon Sénécal, courtier en immeubles, et d'Elphégina Nadeau.

LAFERTÉ, Joseph
(1851–1930)

Né à Saint-David, près de Yamaska, le 27 septembre 1851, fils d'Antoine Théroux, dit Plessis et Laferté, cultivateur, et d'Angèle Vanasse.

Cultivateur et marchand général. Directeur de la Société d'agriculture du comté de Drummond.

Commissaire d'école à Saint-Germain-de-Grantham en 1894 et 1895. Fondateur du Club libéral de Drummondville. Élu député libéral dans Drummond à l'élection partielle du 31 octobre 1901. Réélu en 1904 et 1908. Son élection de 1908 fut annulée le 31 décembre 1909. Ne s'est pas représenté à l'élection partielle du 5 mars 1910. Organisateur du Parti libéral pendant vingt-cinq ans à Saint-Germain-de-Grantham. Registrateur conjoint du comté de Drummond, avec C.H. Millar, du 17 octobre 1912 au 2 mai 1916. Maire de Saint-Germain-de-Grantham de 1912 à 1927. Préfet du comté de Drummond de mars 1913 à mars 1914.

Décédé le 1er mai 1930, à l'âge de 78 ans et 8 mois. Inhumé dans le cimetière de la paroisse Saint-Germain-de-Grantham, le 5 mai 1930.

Avait épousé à Saint-Germain-de-Grantham, le 16 novembre 1874, Aurélie Girard, fille de Séverin Girard, cultivateur, et d'Angèle Saint-Pierre ; puis, à Saint-Bonaventure, le 26 mai 1879, Georgianna-Jeanne Tessier, fille de Louis Tessier, cultivateur, et d'Angèle Charland ; puis, à Saint-Célestin, le 22 juillet 1893, Délina Tessier, fille de Gaspard Tessier, cultivateur, et d'Adèle Rompré.

Père d'Hector **Laferté**.

LAFLÈCHE. V. RICHER

LAFLEUR, Pierre-Auguste
(1872–1954)

Né à Sainte-Adèle, le 3 mars 1872, fils d'Odilon Lafleur, menuisier, et de Célina Beauchamp.

Fit ses études à Lachute.

Marchand de meubles à Verdun et président de O.B. Lafleur and Sons Woodwork Manufacturers. Contrôleur des loyers à Verdun.

Échevin de la municipalité de Verdun de 1921 à 1933. Élu député conservateur dans Montréal-Verdun en 1923. Réélu en 1927, 1931 et 1935. Élu député de l'Union nationale en 1936. Défait en 1939, 1944 et 1948.

Décédé à Verdun, le 14 décembre 1954, à l'âge de 82 ans et 9 mois. Inhumé à Montréal, dans le cimetière Notre-Dame-des-Neiges, le 18 décembre 1954.

Avait épousé à Verdun, dans la paroisse Notre-Dame-des-Sept-Douleurs, le 29 octobre 1918, Jennie Veitch ; puis, dans la cathédrale de Montréal, le 10 décembre 1949, Annette Dubé, fille de Wilfrid Dubé et d'Angélina Lemay.

LAFOND, Joseph-Roméo (1879–1931)

[Né à Hull, le 9 mars 1879, fils de Gédéon Lafond, marchand, et d'Alvina Grondin.]

Fit ses études à l'université d'Ottawa et à l'université Laval à Québec.

Commerçant et cultivateur, il succéda à son père à la direction de G. Lafond et Fils. Fut président de l'Association des marchands détaillants, section Québec-Ouest. Membre du Club de réforme et de l'Alliance nationale. Président honoraire du Regal Club et président du Club Kiwanis de Hull. Président de la commission de l'École technique.

Président de la Jeunessse libérale de Hull et de l'Association libérale du même comté. Élu député libéral dans Hull en 1923. Candidat libéral indépendant défait en 1927.

Décédé à Hull, le 13 janvier 1931, à l'âge de 51 ans et 10 mois. Inhumé dans le cimetière de la paroisse Notre-Dame-de-Grâce, le 15 janvier 1931.

Avait épousé à Hull, dans la paroisse Notre-Dame-de-Grâce, le 5 octobre 1904, Laurence Leduc, fille de Charles Leduc et d'Ursule Gravelle.

Beau-frère d'Arthur **Trahan**.

LAFONTAINE. V. aussi MÉNARD ; ROBERT

LAFONTAINE, Eugène (1857–1935)

Né à Saint-Édouard, le 26 novembre 1857, fils de Laurent-David **Lafontaine**, médecin, et d'Edwige Singer.

A étudié au collège de Montréal ainsi qu'à l'université Laval à Montréal. Récipiendaire du prix Cherrier en 1879. Admis au barreau de la province de Québec le 14 juillet 1879. Docteur en droit de l'université Laval en 1882. Créé conseil en loi de la reine le 9 juin 1899.

Exerça sa profession à Montréal avec Raymond **Préfontaine**, puis avec Frédéric Liguori Béïque, sénateur de 1902 à 1933, et avec Me Turgeon.

Président de la Commission des écoles catholiques de Montréal de mai 1919 à juin 1928. Élu député libéral dans Napierville en 1886. Ne s'est pas représenté en 1890.

Professeur de droit civil et romain à l'université Laval à Montréal de 1888 à 1930, secrétaire de la faculté de droit de 1890 à 1914 et doyen de cette faculté de 1920 à 1930. Assistant du procureur de la reine. Nommé juge à la Cour supérieure du district de Montréal le 31 août 1906 et juge à la Cour du banc du roi le 22 décembre 1922. Prit sa retraite en 1932. Président de la Société d'économie politique et sociale, de la Ligue antialcoolique et du Dominion Prohibition Committee. Vice-président de la Numismatic and Antiquarian Society. Directeur de la Société Saint-Jean-Baptiste. Collaborateur à la *Revue légale* et à la revue *Thémis*. Auteur de *Droit romain* (1912). Membre du Club Saint-Denis, du Club de réforme, du Club universitaire et du Club national.

Décédé à Montréal, le 21 avril 1935, à l'âge de 77 ans et 5 mois. Inhumé à Montréal, dans le cimetière Notre-Dame-des-Neiges, le 24 avril 1935.

Avait épousé à Montréal, dans la paroisse Saint-Vincent-de-Paul, le 14 janvier 1880, Elmire Moll, fille de Louis-Joseph **Moll**, médecin, et de Valérie Divine Bondy.

LAFONTAINE, Fernand-Joseph

Né à Montréal, le 14 novembre 1922, fils d'Alphonse Lafontaine, contremaître, et d'Hedwidge Chouinard.

Fit ses études à l'école La Dauversière à Montréal, au collège de Varennes, au collège de Longueuil, au collège Mont-Saint-Louis et à l'École polytechnique de Montréal où il fut reçu ingénieur civil en 1946.

Ingénieur stagiaire à la compagnie Imperial Oil (Montréal-Est) de mai à août 1946. Lieutenant de la 26e compagnie de génie à Québec en 1946. Ingénieur de district au ministère de la Colonisation de 1946 à 1959. Ingénieur-conseil à Montréal en 1959.

Élu député de l'Union nationale dans Labelle à l'élection partielle du 16 septembre 1959. Réélu en 1960, 1962, 1966 et 1970. Organisateur en chef de l'Union nationale de 1963 à 1970. Ministre des Travaux publics dans le cabinet

Johnson du 16 juin 1966 au 31 octobre 1967 et ministre de la Voirie dans les cabinets Johnson et Bertrand du 16 juin 1966 au 12 mai 1970. Défait dans Laurentides-Labelle en 1973.

Ingénieur-conseil à Montréal de 1974 à 1978.

Membre de la Corporation des ingénieurs professionnels, de l'Engineering Institute, de la Chambre de commerce de Nomininngue et de la Chambre de commerce de L'Annonciation. Membre des Chevaliers de Colomb.

LAFONTAINE, Georges (1857–1919)

[Né à Saint-Barthélémi, le 1er février 1857, fils de Sigefroi Lafontaine et d'Émilie Sylvestre.]

Cultivateur et marchand à Louiseville. Était maître de poste à son décès.

Élu député conservateur dans Maskinongé à l'élection partielle du 10 mars 1904. Réélu en 1904 et 1908. Défait en 1912. Défait également dans Maskinongé aux élections fédérales de 1917.

Décédé à Louiseville, le 28 octobre 1919, à l'âge de 62 ans et 8 mois. Inhumé dans le cimetière de cette paroisse, le 3 novembre 1919.

[Avait épousé à Louiseville, le 19 février 1888, Délia Barrette]; puis, au même endroit, le 15 mars 1909, Graziella Richard, veuve d'Arthur Houde, vétérinaire.

LAFONTAINE, Joseph (Shefford) (1829–1907)

Né dans la paroisse Saint-Antoine-de-Lavaltrie, le 7 août 1829, fils d'Abraham Lesiège, cultivateur, et de Marie-Thérèse Robillard. Baptisé sous le prénom de Lesiège.

Fit ses études au collège de L'Assomption, puis à Montréal. Admis à la pratique du notariat le 10 octobre 1856.

Exerça sa profession à Saint-Ours, de 1856 à 1863, et à Roxton Falls, de 1863 à 1906. Commissaire à la Cour supérieure du district de Bedford. Éditeur de l'*Avenir* à Montréal.

Candidat libéral défait dans Shefford en 1867. Élu député libéral dans la même circonscription en 1878. Ne s'est pas représenté en 1881. Maire de Roxton Falls de 1880 à 1882.

[Décédé à Roxton Falls, en juin 1907, à l'âge d'environ 78 ans.]

[Avait épousé, le 21 février 1871, Céline-Élisa Mongeau, fille de Théophile Mongeau.]

LAFONTAINE, Joseph (Berthier) (1865–1920)

Né à Saint-Barthélémi, le 25 novembre 1865, fils d'Amable Lafontaine, cultivateur, et de Julie Lincourt.

Étudia à Saint-Barthélémi, au collège de Joliette et au collège de L'Assomption.

Devint par la suite cultivateur.

Maire de Saint-Barthélémi de 1897 à 1903. Préfet du comté de Berthier. Président de la commission scolaire de Saint-Barthélémi du 20 août 1910 au 22 juillet 1919. Élu député libéral dans Berthier à l'élection partielle du 10 mars 1904. Réélu sans opposition en 1904. De nouveau élu en 1908. Défait en 1912. Réélu en 1916.

Fut nommé inspecteur des prisons le 22 mai 1919.

Décédé à Saint-Barthélémi, le 25 juillet 1920, à l'âge de 54 ans et 8 mois. Inhumé dans le cimetière de cette paroisse, le 29 juillet 1920.

Avait épousé dans sa paroisse natale, le 15 janvier 1889, Georgie Rochette, fille de Norbert Rochette, cultivateur, et de Marie-Louise Malbœuf; puis, dans la même paroisse, le 17 janvier 1905, Juliette Mousseau, veuve d'Aristide Sylvestre, médecin.

LAFONTAINE, Laurent-David (1823–1892)

Né à Saint-Philippe, le 10 août 1823, fils de François Lafontaine, cultivateur, et de Marie Coupal.

Fit ses études au collège de Montréal et probablement à l'École de médecine et de chirurgie de Montréal. Reçu médecin en 1846.

Exerça sa profession à Saint-Jean et à Saint-Édouard. Agent de la seigneurie de Saint-Georges.

Maire de Saint-Édouard. Préfet du comté de Napierville en 1864 et 1865. Secrétaire-trésorier de la commission scolaire de Saint-Édouard. Élu sans opposition député libéral dans Napierville à l'élection partielle du 11 octobre 1870. Réélu sans opposition en 1871 et 1875. De nouveau élu en 1878. Whip du Parti libéral en 1881. Défait en 1881.

Décédé à Montréal, le 20 février 1892, à l'âge de 68 ans et 6 mois. Inhumé dans l'église de Saint-Édouard, le 24 février 1892.

Avait épousé à Saint-Édouard, le 18 juin 1850, Cécile Daigneau, fille d'Alexis Daigneau et de Pélagie Hébert; puis, dans la même paroisse, le 5 février 1857, Edwidge Singer, fille de Paul Singer et de Marie Stevens; puis, dans la même paroisse, le 17 septembre 1868, Clémence Lemay, dit

Delorme, fille de Jean Lemay, dit Delorme et de Cécile Marguerite Dagenais.

Père d'Eugène **Lafontaine**.

LA FONTAINE, Louis-Hippolyte
(1807–1864)

Né à Boucherville et baptisé dans la paroisse Sainte-Famille, le 4 octobre 1807, fils d'Antoine Ménard, dit La Fontaine, menuisier, et de Marie-Josephte Fontaine, dit Bienvenue.

Étudia au petit séminaire de Montréal de 1820 à 1824. Après les belles-lettres, entreprit un stage de clerc en droit à Montréal. Admis au barreau en 1829.

Exerça sa profession à Montréal; nommé conseiller de la reine en 1842. Investit dans l'immobilier, notamment en société avec Lewis Thomas **Drummond**.

Élu député de Terrebonne en 1830. Réélu en 1834. Appuya généralement le parti patriote. Représenta le quartier Saint-Joseph au conseil municipal de Montréal de 1834 à 1836. En novembre et décembre 1837, tenta vainement, y compris en se rendant à Londres, de trouver une solution constitutionnelle aux problèmes du Bas-Canada. Son mandat de député prit fin avec la suspension de la constitution, le 27 mars 1838. Fut de retour à Montréal en juin 1838, emprisonné en novembre, puis libéré le 13 décembre. Refusa le poste de solliciteur général en avril 1840 et, en août, lança l'«Adresse aux électeurs de Terrebonne». Retira sa candidature, devant Michael **McCulloch**, dans Terrebonne en 1841. Élu dans la quatrième division d'York, dans le Haut-Canada, à une élection partielle le 21 septembre 1841; fit partie du groupe canadien-français. Appelé à former un ministère avec Robert **Baldwin**: fut membre du Conseil exécutif du 16 (prêta serment le 19) septembre 1842 au 27 novembre 1843 et procureur général du Bas-Canada du 16 septembre 1842 au 27 novembre ou au 11 décembre 1843. Son siège de député devint vacant par suite de sa nomination au Conseil; réélu dans la quatrième division d'York à une élection partielle le 8 octobre 1842. Démissionna comme chef du gouvernement le 27 novembre 1843. Élu dans Terrebonne en 1844; fut chef de l'Opposition. Réélu dans Terrebonne et élu dans la cité de Montréal en 1848. Forma un ministère avec **Baldwin**: fut membre du Conseil exécutif et procureur général du Bas-Canada du 10 ou du 11 mars 1848 au 27 octobre 1851. Son mandat de député ayant pris fin en raison de sa nomination au Conseil, il fut réélu dans la cité de Montréal à une élection partielle le 28 mars 1848; réformiste. Démissionna comme chef du gouvernement le 27 octobre 1851. Ne s'est pas représenté en 1851.

Retourna à l'exercice du droit à Montréal. Nommé juge en chef de la Cour du banc de la reine le 13 août 1853 et président du tribunal en matière seigneuriale en 1855.

Reçut le titre de baronnet (sir) en 1854 et celui de chevalier commandeur de l'ordre pontifical de Saint-Sylvestre en 1855. Est l'auteur d'articles dans *la Minerve* et dans *les Annales* de la Société historique de Montréal, de pamphlets (*les Deux Girouettes, ou l'hypocrisie démasquée* (Montréal, 1834) et *Notes sur l'inamovibilité des curés dans le Bas-Canada* (Montréal, 1837) et de *Analyse de l'ordonnance du Conseil spécial sur les bureaux d'hypothèques* [...] (Montréal, [1842]); a écrit en collaboration *De l'esclavage en Canada* (Montréal, 1859).

Décédé à Montréal, le 26 février 1864, à l'âge de 56 ans et 4 mois. Après des obsèques célébrées dans l'église Notre-Dame, fut inhumé dans le cimetière Notre-Dame-des-Neiges, le 29 février 1864.

Avait épousé dans la paroisse Notre-Dame, à Québec, le 9 juillet 1831, Adèle Berthelot, fille adoptive d'Amable **Berthelot**; puis, dans la paroisse Notre-Dame-de-Grâce, à Montréal, le 30 janvier 1861, Julie-Élizabeth-Geneviève, dite Jane, Morrison, veuve de Thomas Kinston, officier du génie dans l'armée britannique, fille d'une dénommée Boucher et arrière-petite-fille de Louis **Olivier**.

Petit-fils d'Antoine **Ménard-Lafontaine**.

Bibliographie: *DBC.*

LAFRAMBOISE, Maurice
(1821–1882)

Né à Montréal et baptisé dans la paroisse Notre-Dame, sous le prénom de Maurice-Alexis, le 18 août 1821, fils d'Alexis Laframboise, marchand, et de Lucie-Angélique Cotté (Côté).

Étudia au petit séminaire de Montréal de 1831 à 1840. Fit l'apprentissage du droit auprès de Côme-Séraphin **Cherrier** (Montréal); admis au barreau en 1843.

Exerça sa profession à Saint-Hyacinthe. Administra la seigneurie Dessaulles jusqu'en 1852. S'établit à Montréal en 1864. L'un des promoteurs du chemin de fer de Philipsburg, Farnham et Yamaska, et l'un des principaux actionnaires de la Banque de Saint-Hyacinthe. Administrateur de l'Imprimerie du journal montréalais *le Pays.* Cofondateur en 1872 du journal libéral *le National,* dont il fut propriétaire, éditeur et imprimeur jusqu'en 1879, et rédacteur en chef de mai 1874 jusqu'à la fin d'août 1876. Engagé dans les œuvres de l'asile Nazareth et de l'Hôpital Général.

Maire de Saint-Hyacinthe de 1857 à 1860. Élu député de Bagot en 1858. Réélu en 1861 et 1863. Rouge. Fit partie du ministère Macdonald–Dorion : conseiller exécutif et commissaire des Travaux publics du 24 juillet 1863 au 29 mars 1864. À son entrée au cabinet, son siège de député était devenu vacant. Réélu à une élection partielle le 15 août 1863 ; s'opposa au projet de confédération. Son mandat prit fin avec l'avènement de la Confédération, le 1er juillet 1867. Membre du Club Saint-Jean-Baptiste opposé au projet de confédération. Candidat libéral défait dans Bagot aux élections de la Chambre des communes en 1867. Élu député libéral de Shefford à l'Assemblée législative en 1871. Déclina l'offre de devenir receveur des postes à Montréal en 1874. Réélu sans opposition en 1875. Ne s'est pas représenté en 1878.

Nommé juge de la Cour supérieure pour le district de Gaspé en octobre 1878, remplit cette charge jusqu'à sa mort.

Décédé à Montréal, le 1er février 1882, à l'âge de 60 ans et 5 mois. Inhumé dans le cimetière Notre-Dame-des-Neiges, le 4 février 1882.

Avait épousé dans la paroisse Notre-Dame-du-Rosaire, à Saint-Hyacinthe, le 18 février 1846, Marie-Eugénie-Rosalie Dessaulles, fille du seigneur Jean **Dessaulles** et de sa seconde femme, Marie-Rosalie Papineau.

Beau-frère de Georges-Casimir et de Louis-Antoine **Dessaulles**. Beau-père de Louis-Onésime **Loranger**. Neveu par alliance de Louis-Joseph **Papineau** et de Jules-Maurice **Quesnel**.

Bibliographie : *DBC*.

LAFRANCE, Émilien
(1911–1977)

Né à Danville, le 6 septembre 1911, fils de Louis Lafrance, marchand, et de Victoria Paquette.

A étudié à l'académie Masson à Danville, au séminaire Saint-Charles-Borromée à Sherbrooke ainsi qu'au collège Sacré-Cœur à Victoriaville.

Voyageur de commerce de 1930 à 1945. Membre de la commission scolaire de Danville de 1945 à 1950, et président par la suite. Membre de la commission scolaire de l'Asbesterie jusqu'en 1976. Devint agent d'immeubles à Danville en 1948. Fondateur et président de la caisse populaire et de la Coopérative d'habitation de Danville. Membre du comité du Conseil régional du développement (CRD) des mines des Cantons-de-l'Est. À ce titre, il collabora à la rédaction d'un mémoire sur l'amiante. Administrateur de la Société diocésaine de Sherbrooke.

Organisateur local de l'Action libérale nationale en 1935. Président de la Ligue pour la défense du Canada. Candidat du Bloc populaire défait dans Richmond-Wolfe aux élections fédérales de 1945. Élu député libéral à l'Assemblée législative dans Richmond en 1952. Réélu en 1956, 1960 et 1962. Whip en chef du Parti libéral de 1958 à 1960. Ministre du Bien-être social dans le cabinet Lesage du 5 juillet 1960 au 14 octobre 1965. Ministre d'État du 14 octobre 1965 au 16 juin 1966. Réélu en 1966. Ne s'est pas représenté en 1970.

Président de la Jeunesse étudiante catholique (JEC), des cercles Lacordaire, du Tiers-ordre de Saint-François et de la Société Saint-Jean-Baptiste de Danville. Membre des Chevaliers de Colomb, de la Chambre de commerce, du Club de réforme et de la Ligue du Sacré-Cœur. Président du Cercle d'études des Syndicats catholiques de Sherbrooke, de l'Association professionnelle des voyageurs de commerce et du Syndicat interprofessionnel de Sherbrooke. Docteur en droit honoris causa de l'université de Sherbrooke.

Décédé au lac Memphrémagog, le 21 octobre 1977, à l'âge de 66 ans et un mois. Inhumé à Danville, dans le cimetière de la paroisse Sainte-Anne, le 25 octobre 1977.

Avait épousé à Magog, dans la paroisse Saint-Patrice, le 11 juillet 1942, Géraldine Langlois, fille d'Euclide Langlois, agent, et de Bertha Donigan.

Bibliographie : Lévesque, Michel, *Le conservatisme au Québec : le cheminement politique d'Émilien Lafrance, 1952–1970*, mémoire en sciences politiques, McGill University, 1988.

LAFRANCE, Paul

Né à Sainte-Anne-de-la-Pocatière, le 31 décembre 1932, fils de Léon Lafrance, navigateur, et de Gracia Bélanger.

Fit ses études au collège de Sainte-Anne-de-la-Pocatière et à l'université de Montréal où il fut reçu chirurgien dentiste en 1960.

Exerça sa profession à Rivière-du-Loup jusqu'en juin 1992. Membre de l'Association dentaire canadienne et de l'Association dentaire de la province de Québec. Directeur de la Société d'analgésie de l'Est du Québec. Fut secrétaire de la Société dentaire de la Rive Sud. Vice-président de la Jeune Chambre, puis président de la Chambre de commerce de Rivière-du-Loup en 1967. Président du Centre culturel de Rivière-du-Loup. Vice-président et directeur de la Société Saint-Jean-Baptiste de Sainte-Anne-de-la-Pocatière. Membre du Club Richelieu.

Secrétaire de l'Association fédérale libérale du comté de Témiscouata. Élu député libéral dans Rivière-du-Loup en 1970. Réélu en 1973. Défait en 1976.

LAFRANCE, Yvon

Né à Iberville, le 4 août 1944, fils de Conrad Lafrance, journalier, et de Françoise Daigle.

Fit ses études universitaires au Collège militaire royal de Saint-Jean-sur-Richelieu et au Royal Military College of Canada de Kingston. Poursuivit des études postuniversitaires à l'école d'état-major de Paris, en France, au collège d'état-major de l'armée à Kingston et au collège d'état-major et de commandement des Forces armées canadiennes de Toronto.

Militaire de carrière, il fut lieutenant-colonel au sein du Royal 22e régiment. À ce titre, il participa aux opérations de maintien de la paix avec l'Organisation des Nations Unies (ONU) à Chypre. Coopérant avec l'Organisation du traité de l'Atlantique Nord (OTAN) en République fédérale d'Allemagne, en France et en Norvège. Attaché militaire à l'ambassade du Canada à Paris pendant deux ans. De 1982 à 1986, il occupa différents postes de commandement. Nommé vice-commandant au Collège militaire royal de Saint-Jean-sur-Richelieu en 1982 et commandant du 2e bataillon du Royal 22e régiment et commandant de la Citadelle de Québec en 1984. Entreprit une seconde carrière dans les affaires à compter de 1986. Actionnaire principal de l'entreprise Pré-Mec inc. d'Iberville. Directeur de la Chambre de commerce du Haut-Richelieu.

Élu député libéral dans Iberville en 1989.

LAFRENIÈRE, Jean-Baptiste
(1874–1939)

Né à Sainte-Ursule, le 14 juin 1874, fils de Jean-Baptiste Lafrenière, cultivateur, et d'Amélia Beaupré.

Fit ses études au séminaire de Joliette. Admis à la pratique du notariat en juillet 1900.

Exerça sa profession à Sorel avec Me Alfred Guévremont de 1900 à 1903, puis pratiqua seul par la suite. De 1903 à 1908, il fut secrétaire et président de la Compagnie électrique de Sorel. En 1917, il forma la compagnie des Chantiers Manseau ltée, connue aujourd'hui sous le nom de Marine Industrie. Secrétaire-trésorier de la commission scolaire de Sorel du 11 septembre 1925 au 25 octobre 1934. Cofondateur et directeur pendant vingt ans de la compagnie d'imprimerie du *Courrier de Sorel*.

Échevin de la ville de Sorel du 27 janvier au 20 avril 1905, puis maire du 28 janvier 1910 au 11 avril 1919. Élu député libéral dans Richelieu en 1923. Réélu en 1927. Son siège fut déclaré vacant à la suite de sa nomination au poste de président de la Commission provinciale du crédit agricole le 19 juin 1929. Registrateur du comté de Richelieu de 1935 à 1939.

Vice-président de la Chambre des notaires de 1918 à 1921, et président de 1924 à 1927. Président de la Société historique de Sorel de 1900 à 1908. Directeur de la Société Saint-Jean-Baptiste de 1900 à 1908 et président local en 1910. Secrétaire de la Chambre de commerce de Sorel de 1905 à 1909. Président de la Société d'agriculture du comté de Richelieu. Directeur de l'Hôpital Général du district de Richelieu. A publié *la Commission d'écoles et le collège classique de Sorel* (1908). Secrétaire et directeur du Club nautique de Sorel. Secrétaire de l'ordre des Ouvriers unis de Sorel. Membre des Chevaliers de Colomb.

Décédé à Sorel, le 8 juin 1939, à l'âge de 64 ans et 11 mois. Inhumé à Sorel, dans le cimetière de la paroisse Saint-Pierre, le 12 juin 1939.

Avait épousé dans la paroisse Saint-Pierre-de-Sorel, le 6 août 1900, Caroline Pontbriand, fille de Georges-Alfred Pontbriand, industriel, et d'Émilie Beauchemin.

LAFRENIÈRE, Marcel

Né à Malartic, en Abitibi, le 19 juin 1939, fils d'Isaac Lafrenière, mineur, et de Lucienne Crépaud.

Termina son cours secondaire à l'école supérieure Saint-Martin à Malartic. Étudia à l'école de soudure Grenier à Louiseville en 1954 et 1955. Suivit des cours de management à Guelph (Ontario).

Membre des Forces armées canadiennes de 1956 à 1959. Mineur à la compagnie minière Campbell en 1960. Agent d'affaires pour le Conseil des métiers de la construction (FTQ), régions Côte-Nord et Abitibi en 1961 et 1962. Employé par divers entrepreneurs miniers de 1962 à 1972. Responsable du service des loisirs de Chibougamau d'octobre 1972 à avril 1981. Fondateur et trésorier de l'Association des arénas du Québec de 1978 à 1980. Fut président de la Fédération de hockey sur glace du Québec. Membre de la Société Saint-Jean-Baptiste. Membre du Club Kiwanis de Chibougamau.

Élu député du Parti québécois dans Ungava en 1981. Vice-président de la Commission des affaires sociales du 20 mars au 23 octobre 1985. Ne s'est pas représenté en 1985.

Commerçant de 1985 à 1991.

LAFRENIÈRE, Réjean

Né à Messines, près de Maniwaki, le 31 août 1935, fils d'Herménegilde Lafrenière, commerçant, et de Germaine Rochon.

A étudié au séminaire de Mont-Laurier et à l'École des arts et métiers de Mont-Laurier.

Gérant, de 1956 à 1966, puis propriétaire de l'entreprise familiale H. Lafrenière enr. en 1966. Fondateur et propriétaire de Lac-Sainte-Marie Realty de 1970 à 1988. Copropriétaire et promoteur du Domaine Neufchatel enr. à compter de 1979. Membre du comité consultatif pour la région de l'ouest du Québec (entente Canada-Québec sur le développement économique des régions en 1989). Membre de la fondation et de la corporation du centre hospitalier de Maniwaki puis gouverneur de cet hôpital. Membre fondateur du Foyer d'accueil de Gracefield en 1967. Promoteur de la fondation Bürhle destinée à offrir une aide financière aux étudiants en hôtellerie.

Commissaire d'école à la commission scolaire régionale Henri-Bourassa et à la commission scolaire de la Haute-Gatineau de 1974 à 1979. Maire de Lac-Sainte-Marie de 1967 à 1989. Préfet de la Corporation du comté de Gatineau en 1968 et 1969 et de la MRC de la Vallée-de-la-Gatineau de 1983 à 1989. Élu député libéral dans Gatineau en 1989.

LAFRENIÈRE, Siméon
(1873–1946)

Né à Saint-Damien, près de Saint-Gabriel-de-Brandon, le 16 janvier 1873, fils d'Onésime Lafrenière, cultivateur, et d'Eugénie Alarie.

A étudié à Saint-Damien, Saint-Gabriel et Rawdon.

Travailla d'abord aux États-Unis, puis revint au Québec en 1900 et s'établit comme cultivateur à Saint-Damien.

Commissaire d'école à Saint-Damien de juillet 1905 à juillet 1911. Échevin de la municipalité de Saint-Damien en 1911, puis maire en 1913 et 1916. Élu sans opposition député libéral dans Berthier en 1919. Réélu en 1923.

Son siège devint vacant lorsqu'il fut nommé registrateur du comté de Berthier le 11 novembre 1925. Il occupa ce poste jusqu'au 24 décembre 1936 et du 24 octobre 1939 au 10 novembre 1944. Officier rapporteur (président d'élection) du comté de Berthier en 1936, il utilisa son vote prépondérant au profit du candidat libéral à la suite de l'égalité des votes entre les deux candidats.

Décédé à Berthierville, le 6 mai 1946, à l'âge de 73 ans et 4 mois. Inhumé dans le cimetière de Saint-Damien, le 8 mai 1946.

Avait épousé dans sa paroisse natale, le 7 janvier 1903, Anna Desautels, institutrice, fille de Benjamin Desautels, ouvrier, et de Philomène Maxwell.

LAGLANDERIE. V. RIVARD

LAGUEUX, Étienne-Claude
(1765–1842)

Né à Cap-Saint-Ignace, en octobre 1765, puis baptisé le 8 novembre, dans la paroisse Saint-Ignace-de-Loyola, sous le prénom de Claude-Joseph, fils de Pierre Lagueux et de Marie Tremblay.

Fut marchand à Québec.

Élu député de Northumberland en 1814. Réélu en 1816, avril 1820 et juillet 1820. Appuya généralement le parti canadien. Ne se serait pas représenté en 1824. Élu dans la même circonscription en 1827 ; donna plus souvent son appui au parti patriote qu'au parti des bureaucrates. Ne se serait pas représenté en 1830.

Décédé dans le quartier Saint-Roch, à Québec, le 3 août 1842, à l'âge de 76 ans et 9 ou 10 mois. Inhumé dans la chapelle Sainte-Anne de la cathédrale Notre-Dame, le 6 août 1842.

Avait épousé dans la paroisse Notre-Dame de Québec, le 20 janvier 1789, Cécile Grihault, dit Larivière, fille de François Grihault, dit Larivière, et de Cécile Maranda.

Oncle de Louis **Lagueux**. Beau-frère de John **Cannon**.

Bibliographie: « La famille Lagueux », *BRH*, 38, 10 (oct. 1932), p. 577-579.

LAGUEUX, Louis
(1793–1832)

Né à Québec et baptisé dans la paroisse Notre-Dame, le 20 novembre 1793, fils de Louis Lagueux, commerçant, et de Louise Bégin.

Étudia au petit séminaire de Québec de 1806 à 1814. Fit l'apprentissage du droit auprès de Joseph-Rémi **Vallières de Saint-Réal**. Obtint sa commission d'avocat en 1817.

S'engagea dans le commerce en 1817, mais abandonna l'année suivante. Exerça sa profession.

Élu député de Dorchester en avril 1820. Réélu en juillet 1820, 1824, 1827 et 1830. Appuya le parti canadien, puis le parti patriote dont il aurait été l'un des chefs.

Nommé secrétaire de la Société d'éducation de Québec en 1823. Obtint quelques postes de commissaire. Est l'auteur d'un texte d'une page publié à Québec en 1827 : *Electors of Quebec submitting the present state of the province, and the abuses and grievances which prevail therein, and praying for relief and justice.*

Décédé en fonction à Québec, le 15 juin 1832, à l'âge de 38 ans et 6 mois. Inhumé au cimetière Saint-Louis, dans la paroisse Notre-Dame, le même jour.

Avait épousé dans la cathédrale Notre-Dame de Québec, le 9 juillet 1816, Rose-Louise Bergevin, dit Langevin, fille de Jean Bergevin (Bergevin, dit Langevin), cultivateur, et de Françoise Villers ; puis, dans la paroisse Saint-Joseph, à Chambly, le 3 août 1820, Josephte-Aurélie Mignault, fille de Jean-Baptiste Mignault et de Marie-Josephte Ledoux.

Neveu d'Étienne-Claude **Lagueux**. Petit-fils de Charles **Bégin**.

——————

Bibliographie : *DBC*.

——————

LAHAIE, Désiré
(1867–1934)

Né à Sainte-Scholastique (Mirabel), le 5 septembre 1867, fils de Jean-Baptiste Lahaie, cultivateur, et de Sophie Carrière.

Fit ses études aux académies de Sainte-Scholastique et de Lachute.

Marchand général à Alexandria, Renfrew, puis Buckingham où il fut associé à W.A. McCallum. Membre des Chevaliers de Colomb et de l'ordre des Forestiers catholiques.

Commissaire d'école à Buckingham de 1913 à 1934. Échevin de Buckingham en 1916 et 1917, puis de 1926 à 1929, et maire de 1918 à 1925. Élu député libéral dans Labelle à l'élection partielle du 17 août 1922. Réélu dans Papineau en 1923, 1927 et 1931.

Décédé en fonction à Buckingham, le 11 octobre 1934, à l'âge de 67 ans et un mois. Inhumé dans le cimetière de Sainte-Scholastique, le 13 octobre 1934.

Il était célibataire.

——————

LAJOIE. V. BAREIL ; GÉRIN-LAJOIE

——————

LALANDE, Georges

Né à Lac-Nominingue (près de Mont-Laurier), le 15 mai 1939, fils de Charles-Borromée Lalande, cultivateur, et de Jeannette Pesant.

Obtint un diplôme en génie mécanique du Royal Canadian Electrical Mechanical Engineers de Kingston en 1961, un baccalauréat ès arts de l'université de Montréal en 1970 et une licence en droit de la même université en 1973. Obtint en outre un diplôme de gestion de l'ENAP en 1977. Admis au barreau du Québec en 1974.

Aspirant officier au sein du R.C.E.M.E. (Royal Canadian Electrical Mechanical Engineers), Kingston, Ontario, en 1958. Chargé de projet en électro-hydraulique pour Jarry Hydraulique de Montréal (division de l'aéronautique) en 1961. Chargé de projet et superviseur en aéronautique pour l'American Brake Shoes (aerospace division), Oxnard en Californie, en 1963. Officier juridique au bureau du juge-avocat général d'Ottawa en 1971. Directeur adjoint des services judiciaires du palais de justice de Saint-Jérôme en 1973. Directeur régional des services judiciaires du palais de justice de Québec en 1976 et du palais de justice de Montréal en 1978. Membre de l'Institut d'administration publique du Canada.

Élu député libéral dans Maisonneuve à l'élection partielle du 14 novembre 1979. Défait en 1981.

Directeur des services d'enregistrement au ministère de la Justice à Sainte-Foy en 1981. Directeur de la sécurité routière à la Régie de l'assurance automobile du Québec en 1982. Chargé de cours à l'université Laval en science politique. Vice-président à la Régie de l'assurance automobile du Québec de janvier 1986 à mai 1989. Nommé président de la Commission d'appel en matière de lésions corporelles le 3 mai 1989. Nommé sous-ministre au ministère des Transports le 18 décembre 1991.

——————

LALIBERTÉ, Édouard-Hippolyte
(1845–1911)

Né à Lotbinière, le 13 octobre 1845, fils de Joseph Laliberté, cultivateur, et de Marcelline Lahaye.

Fit ses études au collège Faucher à Lotbinière et au séminaire de Québec. Admis à la pratique du notariat en 1873.

Exerça sa profession à Warwick, de 1875 à 1898, puis s'établit à Deschaillons. Membre de la Chambre des notaires du district d'Arthabaska.

Élu député libéral dans Lotbinière à l'élection partielle du 30 janvier 1886. Réélu aux élections de 1886, puis sans opposition en 1890. De nouveau élu en 1892 et 1897. Ne s'est pas représenté en 1900.

Sergent d'armes à l'Assemblée législative de 1902 à 1911.

Décédé à Deschaillons, le 5 mars 1911, à l'âge de 65 ans et 5 mois. Inhumé à Warwick, dans le cimetière de la paroisse Saint-Médard, le 7 mars 1911.

Avait épousé dans sa paroisse natale, le 14 janvier 1873, Marie-Joséphine-Julia Durand, fille de Germain Durand et d'Adèle Perrault; puis, à Deschaillons, le 19 octobre 1898, Florentine Côté, veuve de Joseph Laliberté.

L'ALLIER, Jean-Paul

Né à Hudson, le 12 août 1938, fils de Paul L'Allier, boulanger, et de Georgette Duquette.

Étudia au séminaire de Sainte-Thérèse, à l'université de Montréal et à l'université d'Ottawa. Suivit le cours d'officier du Corps d'entraînement des officiers canadiens (CEOC). Nommé sous-lieutenant en octobre 1958 et instructeur à l'École d'infanterie royale canadienne. Commandant en second du contingent du CEOC de l'université d'Ottawa.

Admis au barreau de la province de Québec en juin 1963. Obtint un diplôme d'études supérieures en droit de l'université d'Ottawa en 1964. Exerça sa profession d'avocat à Hull et Ottawa. Professeur aux facultés de droit et de commerce de l'université d'Ottawa de 1962 à 1965. De 1964 à 1966, il occupa le poste de maître de recherche au Centre africain de formation et de recherche administrative pour le développement (CAFRAD) à Tanger, au Maroc. Éditeur des publications du CAFRAD. Organisa le Service de la coopération avec l'extérieur du ministère des Affaires culturelles en 1966 et en fut le directeur de juillet 1966 à avril 1968. Coordonnateur pour le gouvernement du Québec des visites des chefs d'État à Expo 67. Mit sur pied l'Office franco-québécois pour la jeunesse dont il fut secrétaire général conjoint de 1968 à 1970, puis président du conseil d'administration de 1970 à 1976.

Élu député libéral dans Deux-Montagnes en 1970. Réélu en 1973. Ministre des Communications dans le cabinet Bourassa du 12 mai 1970 au 5 août 1975. Responsable du Haut-Commissariat à la jeunesse, aux loisirs et aux sports du 12 mai jusqu'en décembre 1970. Chargé de l'Office franco-québécois pour la jeunesse du 12 mai 1970 au 26 novembre 1976. Ministre de la Fonction publique du 6 octobre 1970 au

12 mai 1972. Ministre des Affaires culturelles du 5 août 1975 au 26 novembre 1976. Défait en 1976.

En décembre 1976, il fut nommé chargé de projet à l'École nationale d'administration publique (ENAP). Avocat et conseiller en affaires publiques dans le cabinet Langlois, Trudeau, Tourigny de 1976 à 1981. Délégué général du Québec à Bruxelles de 1981 à 1984. Consul honoraire de Belgique à Québec de 1985 à 1988. Conseiller en affaires publiques, Jean Paul L'Allier et Associés, de 1984 à 1989. Élu maire de Québec le 5 novembre 1989.

Élu président du conseil d'administration du Théâtre du Nouveau Monde en décembre 1978. Fut président du Grand Théâtre de Québec et président de la Fondation du Théâtre du Nouveau Monde de Montréal. Collaborateur au journal le Devoir de 1984 à 1987. A publié Les années qui viennent (1987). Créé officier de l'ordre de la Légion d'honneur le 12 mai 1992.

LALONDE, Émery (père)
(1821–1888)

Né à Rigaud, le 29 avril 1821, fils d'Antoine Lalonde, cultivateur, et de Véronique Gemus.

Sociétaire du commerce de fer Prévost, Hébert et Cie. Travailla au service de l'Intercolonial.

Maire de Sainte-Marthe de 1858 à 1862 et de 1866 à 1868. Élu député conservateur dans Vaudreuil en 1871. Réélu en 1875, en 1878 et sans opposition en 1881. Son siège devint vacant en 1882 lorsqu'il fut nommé fonctionnaire au palais de justice de Montréal.

Décédé à Montréal, le 25 avril 1888, à l'âge de 66 ans et 11 mois. Inhumé à Montréal dans le cimetière Notre-Dame-des-Neiges, le 26 avril 1888.

Avait épousé à Vaudreuil, dans la paroisse Saint-Michel, le 27 août 1849, Marie-Claire-Louise Prévost, fille de François-Hyacinthe Prévost, notaire, et d'Angélique-Athalide Turgeon.

Père d'Émery **Lalonde**.

LALONDE, Émery (fils)
(1851–1925)

Né à Sainte-Marthe, le 22 juin 1851, fils d'Émery **Lalonde**, marchand, et de Marie-Claire-Louise Prévost.

A étudié au collège des Sulpiciens ainsi qu'à l'école de médecine Victoria à Montréal. Reçu médecin en 1873.

Exerça sa profession pendant trois ans à Sainte-Marthe, puis à Rigaud. Évaluateur du canal de Soulanges pour le gouvernement fédéral. Un des fondateurs de la Société d'apiculture de la province de Québec.

Candidat libéral défait dans Vaudreuil à l'élection partielle du 30 octobre 1882 et en 1886. Défait dans la circonscription fédérale de Vaudreuil en 1887. Élu député libéral à l'Assemblée législative dans Vaudreuil en 1890. Son élection fut annulée le 31 octobre 1890, mais il fut réélu à l'élection partielle du 22 novembre 1890. Défait en 1892. Maire de Rigaud du 8 janvier 1893 au 3 avril 1897 et du 7 juin 1897 au 9 janvier 1900. Réélu député libéral en 1897 et en 1900.

Son siège devint vacant lors de sa nomination comme registrateur conjoint de Montréal-Est, le 25 avril 1901. Il occupa ce poste jusqu'en 1922.

Décédé à Montréal, le 6 juin 1925, à l'âge de 73 ans et 11 mois. Inhumé à Montréal, dans le cimetière Notre-Dame-des-Neiges, le 9 juin 1925.

Avait épousé à Montréal, dans la paroisse Saint-Jacques, le 22 octobre 1873, Émélie-Rosalie Gariépy, fille d'Alfred Gariépy et de Rosalie Fortin.

LALONDE, Fernand

Né à Mont-Laurier, le 27 août 1932, fils de Maurice Lalonde, avocat, et d'Éléonore Côté.

A étudié au séminaire de Mont-Laurier, au séminaire de Saint-Jean-d'Iberville, au collège Sainte-Marie à Montréal et aux universités de Montréal et McGill. Admis au barreau de la province de Québec en juin 1957. Créé conseil en loi de la reine le 12 février 1974.

Exerça sa profession à Montréal de 1957 à 1971 et fut associé avec Mes Geoffrion et Prud'homme. Conseiller spécial du solliciteur général du Québec en 1971. Nommé président intérimaire de la Commission des valeurs mobilières du Québec en février 1972. Sous-ministre des Institutions financières, Compagnies et Coopératives et président-directeur général de la Régie de l'assurance-dépôts du Québec en 1972 et 1973. Membre du barreau du Québec et de l'Association du barreau canadien.

Élu député libéral dans Marguerite-Bourgeoys en 1973. Nommé ministre d'État au Conseil exécutif dans le cabinet Bourassa le 13 novembre 1973 et ministre d'État à l'Éducation, responsable de l'application de la Loi sur la langue officielle, le 11 septembre 1974. Solliciteur général dans le cabinet Bourassa du 30 juillet 1975 au 26 novembre 1976. Réélu en 1976 et en 1981. Leader parlementaire adjoint de l'Opposition officielle du 17 mars au 2 septembre 1982. Lea-

der parlementaire de l'Opposition officielle du 2 septembre 1982 au 14 mars 1984, date de sa démission comme leader et député.

Responsable du dossier de privatisation de Québécair en 1986 et de Dofor en 1987. Conseiller du premier ministre. Membre de plusieurs conseils d'administration dont Air Canada et Culinar. Pratique le droit au cabinet Aherm, Lalonde, Nuss, Drymer. Nommé président du Musée des beaux-arts de Montréal en 1991. Nommé président du conseil de la Société d'énergie Foster Whealer ltée en 1992.

LALONDE, Philippe
(1899–1974)

Né à Saint-Polycarpe, le 14 mai 1899, fils d'Émery Lalonde, cultivateur, et de Martine Taillefer.

Étudia à l'école supérieure de Saint-Henri à Montréal et suivit des cours de perfectionnement dans un collège commercial.

Champion provincial de boxe de la catégorie des poids légers en 1920. Sportif professionnel, il était membre de l'équipe de crosse le National et gardien de but réserviste pour le club de hockey Canadien. Promoteur sportif et propriétaire d'un poste d'essence à Saint-Henri.

Élu député libéral dans Montréal–Saint-Henri en 1952. Réélu en 1956, 1960 et 1962. Nommé adjoint parlementaire du premier ministre Jean Lesage le 19 décembre 1962. Défait dans Saint-Henri en 1966. Candidat indépendant en 1970, il se désista le 20 avril 1970.

Membre des Chevaliers de Colomb et de l'Ouest commercial.

Décédé à Montréal, le 14 mars 1974, à l'âge de 74 ans et 10 mois. Inhumé à Montréal, dans le cimetière Notre-Dame-des-Neiges, le 18 mars 1974.

Avait épousé à Montréal, dans la paroisse Saint-Zotique, le 28 juin 1920, Simone Desgroseillers, fille de Michel Desgroseillers et d'Albertine Laviolette.

LAMBERT, Gaston

Né à Saint-Norbert, le 29 octobre 1919, fils de Joseph Lambert, cultivateur, et de Palmerina Hénault.

Fit ses études à l'école Sainte-Anne à Saint-Norbert et au séminaire de Joliette.

Exploita une manufacture de bas.

Élu député libéral dans Joliette à l'élection partielle du 23 novembre 1960. Défait en 1962.

Agent d'assurances à Joliette à compter de 1962.

LAMBERT DUMONT, Nicolas-Eustache (1767–1835)

Né à Trois-Rivières, le 25 septembre 1767, fils d'Eustache-Louis Lambert Dumont, seigneur et officier de milice, et de Marguerite-Angélique Boisseau. Connu aussi sous le prénom d'Eustache-Nicolas.

Continua la tradition familiale en devenant officier de milice et seigneur. En 1795, était major du bataillon de milice de Vaudreuil ; devint lieutenant-colonel en 1804. Fit l'acquisition en 1796 et 1797 de la seigneurie de l'Île-à-la-Fourche. En 1807, hérita de son père une partie de la seigneurie des Mille-Îles qu'il mit en valeur. Apparemment arpenteur et ingénieur, reçut de la Chambre d'assemblée, en 1830, l'autorisation de jeter un pont à péage sur la rivière des Prairies ; fut peut-être le constructeur de trois autres ponts reliant Saint-Eustache à l'île Jésus.

Élu député d'York en 1804 ; appuya tantôt le parti des bureaucrates, tantôt le parti canadien. Défait en 1808. Élu dans York en 1814. Réélu en 1816, avril 1820, juillet 1820 et 1824. Appuya le parti des bureaucrates. Défait en 1827. Ne se serait pas représenté en 1830.

Obtint quelques postes de commissaire et fut nommé, en 1821, juge au tribunal des petites causes du comté d'York.

Décédé à Saint-Eustache, le 25 avril 1835, à l'âge de 67 ans et 7 mois. Inhumé dans l'église Saint-Eustache, le 28 avril 1835.

Avait épousé à Rivière-des-Prairies (Montréal), le 8 septembre 1800, Marie-Narcisse Lemaire Saint-Germain, fille d'André Lemaire Saint-Germain, négociant, et d'Ursule Dépré ; puis, dans l'église de l'Immaculée-Conception, à Trois-Rivières, le 8 novembre 1834, Sophie Ménéclier de Montrochon, fille du marchand Nicolas Ménéclier de Montrochon et d'Angélique Mayez.

Beau-frère de Jean **Desfossés**.

———
Bibliographie : *DBC.*

LAMBTON, John George (1792–1840)

Né à Londres, le 12 avril 1792, fils de William Henry Lambton, député à la Chambre des communes britannique, et de lady Anne Barbara Frances Villiers.

Fit ses études sous la direction de précepteurs, puis à l'Eton College, en Angleterre, de 1805 à 1809.

S'engagea dans la carrière militaire en 1809, en qualité de cornette dans les hussards royaux. Élu député de Durham à la Chambre des communes britannique en septembre 1813 ; whig radical, représenta cette circonscription jusqu'en 1828. Fait baron Durham en janvier 1828, puis vicomte Lambton et comte de Durham en mars 1833, année où il quitta définitivement le cabinet. Nommé ambassadeur de Russie en 1835 ; reçut les décorations des ordres de Saint-André, d'Alexandre Nevski, de Sainte-Anne de Russie et de l'Aigle blanc de Russie. De retour en Angleterre en 1837, fut décoré de l'ordre du Bain.

En juillet 1837, refusa d'être envoyé en mission spéciale au Canada, mais, le 15 janvier 1838, accepta d'y venir à titre de gouverneur en chef de l'Amérique du Nord britannique et de commissaire enquêteur. Nommé le 30 mars 1838, arriva à Québec le 27 mai et entra en fonction le 29. Après avoir dissous le Conseil spécial le 1er juin 1838, forma son propre Conseil exécutif le 2, puis un nouveau Conseil spécial le 28 juin 1838 ; le même jour, publia une ordonnance au sujet des patriotes emprisonnés et fugitifs. Entreprit de mener son enquête sur la situation dans la colonie. Le 9 octobre 1838, en raison de la non-reconnaissance par Londres de son ordonnance, annonça qu'il démissionnait de son poste. S'embarqua le 1er novembre 1838. Rentré en Angleterre, rédigea le rapport de son enquête, qui fut déposé officiellement devant le Parlement le 11 février 1839 et publié, à Londres, sous le titre de *Report on the affairs of British North America, from the Earl of Durham* [...] – une traduction française, intitulée *Rapport de Durham,* est parue à Montréal en 1948.

Décédé à Cowes, île de Wight, au sud de l'Angleterre, le 28 juillet 1840, à l'âge de 48 ans et 3 mois.

Avait épousé à Gretna Green, en Écosse, le 1er janvier 1812, Harriet Cholmondeley ; puis, [en Angleterre], le 9 décembre 1816, lady Louisa Elizabeth Grey, fille de Charles Grey, 2e comte Grey, chef des whigs à la Chambre des lords et futur premier ministre anglais.

Beau-frère de Charles **Grey**.

———
Bibliographie : *DBC.*

LAMONTAGNE, Gilles

Né à Montréal, le 17 avril 1919, fils de Trefflé Lamontagne, industriel, et de Anna Kieffer.

A étudié au collège Jean-de-Brébeuf à Montréal et à l'École des hautes études commerciales.

Engagé dans l'aviation royale du Canada, en 1941, lors du second conflit mondial. En mars 1943, son avion est abattu au-dessus des Pays-Bas et il est fait prisonnier jusqu'en mai 1945. De retour au pays en 1946, il fait l'acquisition d'un commerce d'importation qu'il administre durant vingt ans.

Membre fondateur du parti Le Progrès civique de Québec et chef de ce parti de 1965 à 1977. Membre du conseil municipal de Québec de 1962 à 1965. Maire de Québec de 1965 à 1977. Président de l'Union des municipalités du Québec de 1974 à 1977.

Élu député du Parti libéral à la Chambre des communes dans Langelier à l'élection partielle du 24 mai 1977. Réélu en 1979 et 1980. Assermenté ministre sans portefeuille dans le cabinet Trudeau du 19 janvier au 1er février 1978. Ministre des Postes du 2 février 1978 au 3 juin 1979. Ministre de la Défense nationale de mars 1980 à août 1983. Ministre intérimaire des Anciens Combattants du 1er octobre 1980 au 21 septembre 1981. Démissionna le 27 mars 1984. Lieutenant-gouverneur du Québec du 28 mars 1984 au 9 août 1990.

Membre de la Chambre de commerce de Québec. Président du Club Rotary. Membre du Conseil économique du Canada. Colonel honoraire de la Réserve aérienne du Canada depuis 1987. Nommé membre du conseil d'administration de l'université Laval le 21 août 1991.

LAMONTAGNE, Robert

Né à Saint-Félicien, le 13 février 1933, fils de François-Xavier Lamontagne, notaire, et d'Alberte Dumas.

Fit ses études au collège de Saint-Félicien, au collège Notre-Dame à Roberval, au séminaire de Joliette et à l'université Laval à Québec. Admis à la pratique du notariat en 1956.

Exerça sa profession à Chibougamau de 1956 à 1962, puis à Saint-Félicien au sein de l'étude Lamontagne, Lamontagne et Côté. Fondateur et président de la Chambre de commerce des jeunes, vice-président du Club Kiwanis, vice-président de la Chambre de commerce senior et président de Caritas-Abitibi à Chibougamau entre 1957 et 1962. Directeur de plusieurs entreprises minières, financières et commerciales. Promoteur du Commissariat industriel de Saint-Félicien.

Échevin de Chibougamau du 14 avril 1958 au 11 janvier 1962. Élu député libéral dans Roberval en 1970. Réélu en 1973. Vice-président de l'Assemblée nationale du 2 mars 1973 au 14 décembre 1976. Réélu en 1976. Whip du Parti libéral du 14 décembre 1976 au 12 mars 1981. Défait en 1981.

Notaire honoraire. Courtier en valeurs mobilières chez Levesque, Beaubien, Geoffrion inc. à Saint-Félicien à compter de 1981. Président du conseil d'administration du Zoo de Saint-Félicien à partir de 1987.

LAMOUREUX, Lucien
(1864–1942)

Né à Saint-Valentin, le 22 février 1864, fils de François Lamoureux, cultivateur, et de Pélagie Gagnon.

A étudié à Saint-Valentin et à Saint-Sébastien.

Cultivateur à Henryville. Éleveur de chevaux percherons et canadiens et de vaches Holstein. Commerçant de foin et de chevaux.

Échevin d'Henryville. Marguillier de la paroisse Saint-Georges-d'Henryville du 24 décembre 1923 au 31 décembre 1925. Élu député libéral dans Iberville en 1923. Réélu en 1927 (sans opposition), en 1931, en 1935 (sans opposition) et en 1936. Candidat de l'Union nationale défait en 1939.

Décédé à Montréal, le 21 août 1942, à l'âge de 78 ans et 6 mois. Inhumé dans le cimetière de Saint-Sébastien, le 24 août 1942.

Avait épousé à Notre-Dame-de-Stanbridge, le 22 janvier 1906, Élise Desranleau, veuve de Joseph Létourneau.

LANAUDIÈRE. V. TARIEU DE LANAUDIÈRE

LANCTÔT, Joseph
(1847–1914)

Né à Saint-Constant, le 20 août 1847, fils de Camille Lanctôt, cultivateur, et de Zoé Tremblay.

A étudié aux collèges de Montréal et d'Ottawa, puis à l'École de médecine et de chirurgie de Montréal.

Reçu médecin en mai 1869, il pratiqua pendant dix-huit mois à Nashua, au New Hampshire, puis à Saint-Philippe et à Laprairie. Vint s'établir à Saint-Henri (Montréal) en septembre 1874. Gouverneur du Collège des médecins et chirurgiens de la province de Québec de 1881 à 1887 et en 1897. Médecin de la commission d'hygiène de Saint-Henri en 1885.

Maire de Saint-Henri de janvier à avril 1886. Commissaire d'école en 1885 et président de la commission scolaire de Saint-Henri de juillet 1886 à juin 1897. Candidat libéral défait dans Hochelaga aux élections fédérales de 1887 et 1891, puis dans la même circonscription aux élections provinciales de 1892. Nommé conseiller législatif de la division de Rigaud le 4 avril 1898.

Décédé en fonction à Montréal, le 20 février 1914, à l'âge de 66 ans et 6 mois. Inhumé à Montréal, dans la crypte de l'église de la paroisse Saint-Henri, le 23 février 1914.

Avait épousé dans la cathédrale de Montréal, le 21 juin 1881, Clara Bourassa, fille d'Hubert Bourassa, cultivateur, et de Marie-Louise Bonlier, dit Laferté.

Oncle de Roch Lanctôt, député à la Chambre des communes de 1904 à 1929.

LANDRY, Auguste-Charles-Philippe (1846–1919)

Né à Québec, dans la paroisse Saint-Roch, le 15 janvier 1846, fils de Jean-Étienne Landry, médecin, et de Caroline-Eulalie Lelièvre.

Fit ses études au collège de Lévis, au séminaire de Québec et à l'École d'agriculture de Sainte-Anne-de-la-Pocatière.

Fut assistant de cours de chimie à l'université Laval de 1865 à 1867 et professeur d'agriculture à l'école normale Laval.

Président de la Société d'agriculture du comté de Montmagny de 1878 à 1894 et de 1897 à 1905, directeur de 1894 à 1897 et président honoraire de 1905 à 1919. Vice-président de l'Union agricole nationale. Secrétaire de la Société de colonisation nº 3 de Montmagny. Collaborateur du journal le Matin de Québec et du Journal de l'agriculture de Montréal. Vice-président de la Lake Huron and Quebec Railway Co., copropriétaire du Quebec Lunatic Asylum et promoteur de la Canadian Acetylene Co. Commandant de la 15e brigade d'infanterie lors de l'invasion des Fenians. Lieutenant-colonel et commandant du 61e régiment en 1895. Aide de camp de lord Aberdeen en 1897 et de lord Stanley de Preston. Colonel en 1903 et colonel honoraire en 1909.

Président de l'Association conservatrice de la province de Québec. Candidat conservateur défait dans la circonscription provinciale de Montmagny à l'élection partielle du 16 décembre 1873. Élu député conservateur dans la même circonscription en 1875; son élection fut annulée le 29 mai 1876. Élu député conservateur à la Chambre des communes dans Montmagny en 1878. Réélu en 1882. Défait en 1887. Nommé sénateur de la division de Stadacona le 23 février

1892. Maire de Limoilou du 1er mai 1899 au 4 septembre 1900. Président du Sénat du 29 octobre 1911 au 2 juin 1916.

Membre du Conseil de l'agriculture de la province de Québec et de la Société d'entomologie du Canada. Récipiendaire de la médaille d'or du Conseil de l'agriculture. Président de l'Association canadienne-française de l'Ontario. Membre de la Société bibliographique de Paris et membre spécial des Fêtes du tricentenaire de la ville de Québec. Créé chevalier de l'ordre de Saint-Grégoire-le-Grand et de l'ordre du Saint-Sépulcre. A publié notamment: les Boissons alcooliques et leurs falsifications (1867), Traité populaire d'agriculture théorique et pratique et Où est la disgrâce? (1876). Défenseur des droits des minorités francophones du Manitoba et de l'Ontario, il prononça plusieurs discours et publia quelques brochures sur ce sujet.

Décédé à Québec, le 20 décembre 1919, à l'âge de 73 ans et 11 mois. Inhumé à Sainte-Foy, dans le cimetière Notre-Dame-de-Belmont, le 23 décembre 1919.

Avait épousé à Saints-Gervais-et-Protais, le 6 octobre 1868, Marie-Anne-Antoinette-Wilhelmine Couture, fille d'Étienne Couture, cultivateur, et de Véronique Létang; puis, dans la paroisse Notre-Dame de Québec, le 4 novembre 1908, Amélie Dionne, veuve d'Édouard Taschereau et fille d'Élisée **Dionne**, avocat, et de Marie-Louise-Clara Têtu.

Beau-frère de Louis-Alexandre **Taschereau**.

LANDRY, Bernard

Né à Saint-Jacques, le 9 mars 1937, fils de Bernard Landry et de Thérèse Granger.

Étudia à l'académie Saint-Louis à Saint-Jacques, au séminaire de Joliette et à l'université de Montréal où il fut diplômé en économie et finance. Poursuivit ses études à l'Institut d'études politiques à Paris.

De 1964 à 1968, il fut conseiller technique au cabinet du ministre des Richesses naturelles, adjoint au directeur général de la planification du ministère des Richesses naturelles, coordonnateur pour le Québec du Conseil canadien des ministres des Richesses naturelles et chargé de mission au cabinet du ministre de l'Éducation. Admis au barreau de la province de Québec en juin 1965. Suivit un stage de perfectionnement au ministère des Finances et des Affaires économiques à Paris de 1965 à 1967. Pratiqua le droit à Joliette et à Montréal de 1969 à 1976. Comme avocat, il représenta plusieurs groupes ou associations, notamment les grévistes de la compagnie Firestone et de la Canadian Gypsum à Joliette, le comité de citoyens de Laval et les expropriés de la région de Gentilly. Fut secrétaire exécutif du Comité ouvrier des droits de l'homme (Congrès du Travail du Canada).

Candidat du Parti québécois défait dans Joliette en 1970 et dans Joliette-Montcalm en 1973. En 1974, il devenait membre de l'exécutif national du Parti québécois. Élu député du Parti québécois dans Fabre en 1976. Assermenté membre du Conseil exécutif le 26 novembre 1976 et ministre d'État au Développement économique dans le cabinet Lévesque le 2 février 1977. Occupa ce poste jusqu'au 9 septembre 1982. Réélu dans Laval-des-Rapides en 1981. Ministre délégué au Commerce extérieur du 9 septembre 1982 au 12 janvier 1983. Ministre du Commerce extérieur dans les cabinets Lévesque et Johnson (Pierre Marc) du 12 janvier 1983 au 16 octobre 1985. Membre du comité ministériel permanent au Développement économique du 9 septembre 1982 au 12 décembre 1985. Ministre des Relations internationales dans les cabinets Lévesque et Johnson (Pierre Marc) du 5 mars 1984 au 16 octobre 1985. Ministre des Finances dans le cabinet Johnson (Pierre Marc) du 16 octobre au 12 décembre 1985. Candidat à la direction du Parti québécois en 1985, il retira sa candidature le 16 août 1985. Défait en 1985. Élu vice-président du Parti québécois le 11 novembre 1989.

Professeur au département des sciences administratives de l'université du Québec à Montréal à compter de 1986. Coanimateur et personne-ressource à l'émission de télévision d'affaires publiques *le Monde magazine* en 1986–1987. Membre du conseil d'administration de Micro-Logic d'Applications MLA inc. à compter de 1987.

Fut président-fondateur du conseil étudiant du séminaire de Joliette, président des étudiants de la faculté de droit de l'université de Montréal, président des étudiants de l'université de Montréal, président du comité de fondation de l'Union générale des étudiants du Québec (UGEQ) et président-fondateur de l'Association générale des étudiants québécois en France (AGEQEF).

Officier d'infanterie de milice. Membre de l'exécutif de fondation de la Ligue des droits de l'homme, de l'Association canadienne des sciences politiques et de l'Association du barreau canadien.

LANE, Jules-Alfred
(1868–1918)

[Né à Hull, le 30 janvier 1868, fils d'Alfred Lane et de Zénaïde Lauzon.]

Fit ses études au collège de L'Assomption et à l'université Laval où il reçut le prix Prince-de-Galles. Admis au barreau

de la province de Québec le 25 juillet 1894. Créé conseil en loi du roi le 30 juin 1906.

Exerça sa profession d'avocat à Québec et s'associa à Mes Antonin **Galipeault**, François-Xavier **Lemieux** (neveu) et Marc-Aurèle Lemieux.

Président du Club Mercier pendant deux ans. Élu député libéral dans Québec-Est en 1900. Ne s'est pas représenté en 1904.

Décédé à Québec, le 25 octobre 1918, à l'âge de 50 ans et 8 mois. Inhumé à Québec, dans le cimetière Saint-Charles, le 28 octobre 1918.

Avait épousé à Montréal, dans la paroisse du Saint-Enfant-Jésus, le 28 septembre 1897, Marie-Albertine Lauzon, fille d'Exupère-Édouard Lauzon, marchand de bois, et de Marie-Joséphine Grenier.

LANGELIER, Charles
(1850–1920)

Né à Sainte-Rosalie, le 23 août 1850, fils de Louis-Sébastien Langelier, cultivateur, et de Julie-Esther Casault.

Fit ses études au séminaire de Saint-Hyacinthe, au séminaire de Québec et à l'université Laval. Médaillé de lord Dufferin. Fit sa cléricature auprès de son frère François **Langelier**. Admis au barreau de la province de Québec le 18 septembre 1875. Créé conseil en loi de la reine le 4 juillet 1899.

Exerça sa profession d'avocat à Québec et fut associé notamment avec son frère. Membre du Conseil du barreau de Québec. Rédacteur des rapports judiciaires de Québec. Propriétaire et éditeur du journal l'*Électeur* d'août 1883 à janvier 1886.

Élu député libéral à l'Assemblée législative dans Montmorency en 1878. Défait en 1881. Candidat libéral défait dans la même circonscription aux élections fédérales de 1882. Candidat libéral défait dans Bellechasse aux élections provinciales de 1886. Élu député libéral à la Chambre des communes dans Montmorency en 1887. Démissionna le 10 juin 1890 et se fit élire à l'Assemblée législative dans Montmorency en 1890. Son siège devint vacant à la suite de sa nomination au Conseil exécutif et il se fit réélire à l'élection partielle du 12 juillet 1890. Président du Conseil dans le cabinet Mercier du 30 juin au 29 septembre 1890. Secrétaire et registraire dans le même cabinet du 22 août 1890 au 21 décembre 1891. Défait dans Montmorency à l'élection de 1892, puis dans Bonaventure à l'élection partielle du 22 décembre 1897. Réélu dans Lévis à l'élection partielle du 19 décembre 1898 et sans opposition en 1900.

Son siège devint vacant à la suite de sa nomination comme shérif du district de Québec le 26 juin 1901. Nommé juge à la Cour des sessions de la paix le 29 janvier 1910.

Collaborateur à la revue *Canada* de 1890 à 1894. A publié notamment : *Éloge de l'agriculture* (1891), *Lord Russel de Killowen à Québec* (1896), *John Buckworth Parkin, avocat et conseil de la reine* (1897), *Souvenirs politiques de 1878 à 1890, récits, études et portraits* (1909), *la Confédération, sa genèse, son établissement* (1916) et *la Procédure criminelle d'après le code et la jurisprudence* (1916). Président de l'Institut canadien. Gouverneur de l'université Laval. Président du Canadian Club et du Club de la garnison.

Décédé à Québec, le 7 février 1920, à l'âge de 69 ans et 5 mois. Inhumé dans le cimetière Saint-Charles, le 10 février 1920.

Avait épousé dans la paroisse Notre-Dame de Québec, le 2 août 1882, Marie-Louise-Georgianna-Lucille Larue, fille de Thomas-Georges Larue, percepteur du Revenu provincial, et d'Hélène-Marie-Louise Guénette.

LANGELIER, François
(1838–1915)

Né à Sainte-Rosalie, le 24 décembre 1838, fils de Louis-Sébastien Langelier, cultivateur, et de Julie-Esther Casault.

Étudia au séminaire de Saint-Hyacinthe et à l'université Laval à Québec, puis poursuivit ses études à Paris de 1861 à 1863. Admis au barreau du Bas-Canada le 10 octobre 1861.

Pratiqua le droit à Québec avec son frère, Charles **Langelier**. Enseigna à la faculté de droit de l'université Laval de 1863 à 1915 et fut doyen de cette faculté de 1892 à 1915.

En 1880, il participa à la fondation du journal *l'Électeur* avec Charles-Alphonse-Pantaléon **Pelletier**, Wilfrid **Laurier**, Henri-Gustave **Joly de Lotbinière**, David-Alexandre **Ross**, Charles-Antoine-Ernest **Gagnon**, Joseph **Shehyn**, W. Reid et D.W. Campbell. Collabora également à la *Revue légale* de 1895 à 1897. Occupa les postes de président du Quebec, Montmorency and Charlevoix Railways et de directeur de St. Lawrence and Temiscouata Railway. Fut aussi promoteur du Canadien Pacifique et président de la Banque de Montréal.

Candidat libéral défait dans Bagot en 1871. Élu député libéral dans Montmagny à l'élection partielle du 16 décembre 1873. Défait en 1875. Réélu en 1878 dans Portneuf. Commissaire des Terres de la couronne dans le cabinet Joly de Lotbinière du 8 mars 1878 au 19 mars 1879. Trésorier de la province du 12 mars au 31 octobre 1879. Défait dans Portneuf en 1881. Maire de la ville de Québec de 1882 à 1890. Élu

député libéral à la Chambre des communes dans Mégantic à l'élection partielle du 10 juillet 1884. Réélu dans Québec-Centre en 1887, 1891 et 1896.

Démissionna le 14 janvier 1898 lors de sa nomination comme juge à la Cour supérieure de Québec. Nommé juge à la Cour supérieure de Montréal en janvier 1901. Administrateur de la province en 1903. Nommé juge en chef à la Cour supérieure de Québec le 6 juin 1906. Assermenté lieutenant-gouverneur de la province de Québec le 6 mai 1911.

A publié : *Lettres sur les affaires municipales* (1868), *De la preuve en matières civiles et commerciales* (1894), *Commentaires du Code civil de la province de Québec* (6 volumes : 1905-1911) et *Cours de droit civil de la province de Québec*. Créé conseil en loi de la reine par la province de Québec le 9 mars 1878, puis par le gouvernement du Canada le 11 octobre 1880. Nommé docteur honoris causa de l'université Laval et de l'université de Paris en 1878, et du Bishop's College en 1903. Élu bâtonnier du barreau de Québec en 1885, 1887 et 1888. Vice-président de l'Association du barreau canadien en 1897. Secrétaire de la première Société de colonisation de la province de Québec. Membre du Conseil de l'instruction publique. Président de l'Institut canadien, de la Ligue antialcoolique et des Fêtes du troisième centenaire de la ville de Québec. Président du Conseil des arts et manufactures. Membre de la Société royale du Canada en 1908 et président de la section française de cette société en 1910. Créé chevalier par Édouard VII en 1907, chevalier de l'ordre de Saint-Jean-de-Jérusalem en 1912 et chevalier de l'ordre de Saint-Michel et Saint-George en 1914.

Décédé en fonction à Spencer Wood, à Sillery, le 8 février 1915, à l'âge de 76 ans et un mois. Inhumé à Québec, dans le cimetière Saint-Charles, le 11 février 1915.

Avait épousé à Québec, dans la paroisse Saint-Roch, le 2 février 1864, Marie-Virginie-Sarah Légaré, fille d'Ignace Légaré et de Julie Thomas, dit Bigaouette ; puis, dans la paroisse Notre-Dame de Québec, le 31 mai 1892, Marie-Louise Braün, fille de Frédéric Braün, avocat, et d'Eulalie de Sales de Laterrière.

Bibliographie : Cloutier, Alfred, *Sir François Langelier, K.C.M.G., étude sur sa carrière comme professeur*, Québec, 1915, 13 p.

LANGEVIN, Charles
(1789–1869)

Né à Beauport et baptisé dans la paroisse de la Nativité-de-Notre-Dame, le 1er décembre 1789, sous le prénom de

Charles-François, fils de Jean Bergevin (Bergevin, dit Langevin) et de Françoise Villers.

Se lança dans le commerce. En 1811, s'associa avec son frère Jean, marchand à Québec, puis s'engagea dans les activités d'import-export menées par l'homme d'affaires montréalais Joseph **Masson**, dont il devint l'homme de confiance à Québec et l'associé. Fit partie de la Masson, LaRocque, Strang and Company, succursale québécoise de la Robertson, Masson, LaRocque and Company de Montréal, établie en 1830, qui devint en 1841 la Masson, Langevin et Compagnie et qui fut réorganisée en décembre 1847, avec la participation notamment d'Isidore **Thibaudeau**, sous la raison sociale de Langevin, Masson, Thibaudeau et Compagnie; prit sa retraite en 1852. Fut membre du Bureau de commerce de Québec. Pendant la guerre de 1812, avait servi en qualité de lieutenant dans le 2e bataillon de la ville et banlieue de Québec.

Élu député de Hampshire en avril 1820. Réélu en juillet 1820. Appuya généralement le parti canadien. Ne s'est pas représenté en 1824. Refusa de faire partie du Conseil législatif en 1848.

Décédé à Québec, le 14 mars 1869, à l'âge de 79 ans et 3 mois. Inhumé dans la cathédrale Notre-Dame, le 18 mars 1869.

Avait épousé dans la paroisse Notre-Dame de Québec, le 7 janvier 1813, Julie Raby, fille d'Augustin-Jérôme **Raby** et de Marie-Gillette Turgeon; puis, dans la paroisse de l'Immaculée-Conception, à Trois-Rivières, le 18 septembre 1837, Clotilde Kimber, veuve de René-Zéphirin Leblanc.

Demi-frère d'Hector-Simon **Huot**. Beau-frère de Jacques **Deligny**.

Bibliographie: « M. Charles Langevin », *BRH*, 39, 5 (mai 1933), p. 314.

LANGEVIN, Hector-Louis (1826–1906)

Né à Québec et baptisé dans la paroisse Notre-Dame, sous le prénom de Louis-Hector, le 25 août 1826, fils de Jean Langevin, marchand, et de Sophie-Scholastique La Force (Laforce).

Étudia au petit séminaire de Québec. Fit l'apprentissage du droit auprès de George-Étienne **Cartier** et d'Augustin-Norbert **Morin**; admis au barreau le 9 octobre 1850. Fait conseiller de la reine le 30 mars 1864.

N'exerça que très peu sa profession d'avocat. S'intéressa au journalisme: fut rédacteur en chef, de 1847 à 1849, des *Mélanges religieux* et, en 1849, du *Journal d'agriculture*,

tous deux publiés à Montréal, et, enfin, de février à juillet 1857, du *Courrier du Canada,* paru à Québec. Directeur politique du *Canadien* de 1872 à 1875. Propriétaire du journal *le Monde* en 1884. Collaborateur à la revue *le Drapeau* en 1889. Fut secrétaire-trésorier puis vice-président de la Compagnie de chemin de fer de la rive nord.

Représenta le quartier du Palais au conseil municipal de Québec de 1856 à 1858, puis fut maire de 1858 à 1861. Élu député de Dorchester en 1858. Réélu en 1861, sans opposition, et en 1863. Bleu. Membre du ministère Taché–Macdonald: fut conseiller exécutif et solliciteur général du Bas-Canada, du 30 mars 1864 au 6 août 1865. À son entrée au cabinet, son siège de député était devenu vacant. Élu dans Dorchester à une élection partielle, le 11 avril 1864. Fit partie du ministère Belleau–Macdonald: membre du Conseil exécutif à compter du 7 août 1865, solliciteur général du Bas-Canada du 7 août 1865 au 2 novembre 1866, puis maître général des Postes à partir du 3 novembre 1866. Participa aux conférences de Charlottetown et de Québec en 1864 et à celle de Londres en 1866. Ses mandats de député et de ministre prirent fin avec l'avènement de la Confédération, le 1er juillet 1867.

Élu député conservateur de Dorchester à l'Assemblée législative et, sans opposition, à la Chambre des communes en 1867. Assermenté au Conseil privé le 1er juillet 1867. Fit partie du cabinet fédéral Macdonald: secrétaire d'État et surintendant général des Affaires indiennes, du 1er juillet 1867 au 7 décembre 1869, puis ministre des Travaux publics du 8 décembre 1869 au 6 novembre 1873. Délégué par le gouvernement canadien pour négocier l'adhésion de la Colombie-Britannique à la Confédération en 1871. Remplit les fonctions de ministre de la Milice et de la Défense du 21 mai au 30 juin 1873. Élu sans opposition dans Québec-Centre aux élections provinciales en 1871; succéda à George-Étienne **Cartier** à la tête des conservateurs québécois en juin 1873. Réélu député fédéral dans Dorchester en 1872. Ne s'est pas représenté aux élections fédérales en 1874. Démissionna comme député provincial le 21 janvier 1874. Élu dans Charlevoix à une élection fédérale partielle le 22 janvier 1876, mais l'élection fut annulée. Élu dans la même circonscription à une élection fédérale partielle le 2 mars 1877. Défait dans Rimouski aux élections fédérales en 1878. Membre du gouvernement Macdonald à titre de maître général des Postes du 19 octobre 1878 au 19 mai 1879. Élu dans Trois-Rivières à une élection fédérale partielle le 6 novembre 1878. Détint le portefeuille des Travaux publics dans le cabinet Macdonald du 20 mai 1879 au 6 juin 1891. Réélu en 1882, sans opposition, et en 1887. Réélu dans Trois-Rivières et élu dans Richelieu en 1891. Membre du gouvernement Abbott à titre de ministre des Travaux publics du 16 juin au 11 août 1891. Démissionna à titre de député de Richelieu le 14 décembre 1891. Ne s'est pas représenté en 1896.

Est l'auteur de : *le Canada, ses institutions, ressources, produits, manufactures, etc.* (Québec, 1855), qui reçut un prix à l'Exposition universelle de Paris tenue cette année-là, puis du *Droit administratif ou Manuel des paroisses et des fabriques* (Québec, 1862). Président de la Société Saint-Jean-Baptiste de Québec de 1861 à 1863, et de l'Institut canadien de 1863 à 1865. Fait compagnon de l'ordre du Bain en 1868, chevalier commandeur de l'ordre de Saint-Grégoire-le-Grand en 1870 et chevalier commandeur de l'ordre de Saint-Michel et Saint-George (sir) le 24 mai 1881. Obtint un doctorat honorifique en droit de l'université Laval en 1882.

Décédé à Québec, le 11 juin 1906, à l'âge de 79 ans et 9 mois. Inhumé dans la chapelle de l'Hôtel-Dieu-du-Précieux-Sang, le 15 juin 1906.

Avait épousé dans la paroisse Notre-Dame-de-Liesse, à Rivière-Ouelle, le 10 janvier 1854, Marie-Justine Têtu, fille de Charles-Hilaire Têtu et de Marie-Thérèse Paquet.

Beau-père de Thomas **Chapais**.

Bibliographie : *DBC* (à paraître). Désilets, Andrée, *Hector-Louis Langevin, un père de la Confédération canadienne (1826–1906)*, Québec, Les Presses de l'université Laval, 1969, 461 p. («Les Cahiers de l'Institut d'histoire», 14). Fraser, Barbara J.S., *The political career of sir Hector Langevin*, thèse, University of Toronto, Toronto, 1959, 241 p.

LANGLAIS, Hormisdas
(1890–1976)

Né à Saint-Octave-de-Métis, le 2 septembre 1890, fils de Louis Langlais, marchand, et de Marie-Claire Blanchet.

A étudié au collège de Sainte-Anne-de-la-Pocatière, au collège de Lévis et à l'École des hautes études commerciales de Montréal. Licencié en sciences commerciales et maritimes en 1914.

S'enrôla en 1915 dans le service de surveillance de sous-marins dans le golfe Saint-Laurent. Propriétaire de La maison de Chauffage et de Ventilation ltée. Membre de l'Association des licenciés de l'École des hautes études commerciales, du Club Renaissance et du Cercle universitaire.

Candidat de l'Action libérale nationale défait dans Îles-de-la-Madeleine en 1935. Élu député de l'Union nationale en 1936. Réélu en 1939, 1944, 1948, 1952, 1956 et 1960. Nommé whip en chef de l'Union nationale en décembre 1944. Adjoint parlementaire du ministre des Mines du 1er juillet 1955 au 6 juillet 1960. Défait en 1962.

Décédé à Québec, le 6 avril 1976, à l'âge de 85 ans et 7 mois. Inhumé à Sainte-Foy, dans le cimetière Notre-Dame-de-Belmont, le 9 avril 1976.

Avait épousé à Arthabaska, dans la paroisse Saint-Christophe, le 8 septembre 1920, Berthe Maheu, fille de Trefflé Maheu, marchand, et de Marie-Louise Dorais.

LANGLAIS, Jules
(1877–1926)

Né à Kamouraska, le 29 avril 1877, fils de Jean-Baptiste Langlais, cultivateur, et de Marie-Delvina Anctil.

Étudia au collège de Sainte-Anne-de-la-Pocatière ainsi qu'à l'université Laval à Montréal. Admis au barreau de la province de Québec le 5 juillet 1902. Exerça sa profession d'avocat à Rivière-du-Loup avec Me Louis Saint-Jacques.

Candidat conservateur défait dans Kamouraska en 1912. Élu député conservateur dans Témiscouata en 1923.

Décédé en fonction à Rivière-du-Loup, le 11 août 1926, à l'âge de 49 ans et 3 mois. Inhumé à Rivière-du-Loup, dans le cimetière de la paroisse Saint-Patrice, le 16 août 1926.

Avait épousé dans sa paroisse natale, le 14 septembre 1903, Alice Leblanc, fille de Régis Leblanc, capitaine, et de Clara Chouinard.

LANGLOIS, Godfroy
(1866–1928)

Né à Sainte-Scholastique (Mirabel), le 26 décembre 1866, fils de Joseph Langlois, marchand, et d'Olympe Proulx Clément.

Fit ses études au collège de Sainte-Thérèse, au collège Saint-Laurent et à l'université Laval à Montréal. Diplômé en droit en 1886.

Exerça la profession de journaliste. Collabora à plusieurs journaux, notamment *le Clairon*, et fut directeur de *l'Écho des Deux-Montagnes* qui allait devenir, à la fin de 1892, *la Liberté*. Fut également rédacteur en chef de *La Patrie* de 1897 à 1903, puis fondateur et directeur du *Canada* de 1903 à 1910 et du *Pays* à partir de 1910. Président de la Quebec Press Association et du Comité des journalistes de Montréal en 1903. A publié notamment : *la République de 1848* (1897), *Sus au Sénat* (1898) et *l'Uniformité des livres* (1908). Directeur de l'Association des citoyens de Montréal. Membre de l'Automobile Club de France, du Cercle inter-allié de Paris, du Cercle des sports de Bruxelles et du Club de réforme de Montréal.

Président du Club national de Montréal en 1901. Élu député libéral dans Montréal n° 3 en 1904 et 1908. Réélu en 1912 dans Montréal–Saint-Louis. Son poste devint vacant lorsqu'il fut nommé, le 14 mai 1914, agent général de la province de Québec en Belgique, poste qu'il occupa du 1er juillet 1914 jusqu'à son décès.

[Décédé à Bruxelles, le 6 avril 1928, à l'âge de 61 ans et 3 mois. Inhumé dans cette ville, le 10 avril 1928.]

Avait épousé à Montréal, dans la paroisse Saint-Louis-de-France, le 24 janvier 1900, Louise Hirbour, fille d'Emmanuel Hirbour, notaire, et de Délia Giard.

Bibliographie: Dutil, Patrice A., *The politics of liberal progressivism in Quebec: Godfroy Langlois and the Liberal Party, 1889–1914*, thèse, York University, 1987, 562 p.

LANGLOIS, Joseph-Alphonse (1860–1927)

Né à Québec, dans la paroisse Saint-Roch, le 23 septembre 1860, fils de Marcel Langlois, charretier, et d'Henriette Pouliot.

Fit ses études chez les Frères des écoles chrétiennes.

Opérateur de machine dans l'industrie de la chaussure. Gérant à la compagnie Louis Gauthier. Président de la Société Saint-Jean-Baptiste de Québec, section Saint-Sauveur, en 1905 et 1906, puis en 1909 et 1910.

Marguillier de la paroisse Saint-Malo de 1924 à 1927. Élu député ouvrier dans Saint-Sauveur à l'élection partielle du 12 novembre 1909. Réélu en 1912. Défait en 1916.

Nommé assistant-registrateur de Québec après sa défaite, poste qu'il occupa jusqu'à son décès.

Décédé à Québec, le 25 mai 1927, à l'âge de 66 ans et 8 mois. Inhumé à Québec, dans le cimetière Saint-Charles, le 27 mai 1927.

Avait épousé à Québec, dans la paroisse Saint-Sauveur, le 29 septembre 1884, Marie-Octavie Pinel, dit Lafrance, fille de Jean-Baptiste Pinel, dit Lafrance, et de Marie Duquet.

LANGLOIS, Pierre (1750–1830)

Né à Saint-Laurent, île d'Orléans, le 14 juin 1750, puis baptisé le 15, dans la paroisse du même nom, fils de Jean Langlois et d'Éléonore Nolin.

Son père fut fait prisonnier par les Britanniques en 1759, à la bataille des plaines d'Abraham, puis emmené en Angleterre où il mourut.

Fit du commerce à Québec; en 1822, était établi rue Saint-Pierre. Fut marguillier de la paroisse Notre-Dame.

Défait dans Buckingham en 1796. Élu député de Dorchester en 1808. Réélu en 1809 et 1810. Appuya le parti canadien. Ne se serait pas représenté en 1814.

Décédé à Québec, le 2 janvier 1830, à l'âge de 79 ans et 6 mois. Inhumé dans la chapelle de l'Hôtel-Dieu, le 5 janvier 1830.

Était célibataire.

Bibliographie: Roy, Léon, «Nos familles Langlois et Langlais», *BRH*, 53, 2 (février 1947), p. 50-56.

LANGUEDOC, François (1790–1840)

Né à Québec, le 11 octobre 1790, puis baptisé le 12, sous le prénom de François de Borgias, dans la paroisse Notre-Dame, fils de Jacques Languedoc, marchand, et d'Angélique Samson.

Se lança dans le commerce à Québec. De 1812 à 1821, fut l'un des associés de la John White and Company, qui s'occupa de l'administration d'un magasin de fournitures pour la marine, d'approvisionnement et de transport de marchandises pour l'armée et le gouvernement, et de vente aux enchères. Actionnaire, secrétaire et trésorier de deux compagnies engagées dans le transport fluvial. Compta parmi les promoteurs du canal de Chambly et de la Banque de Québec. Investit dans l'immobilier à Québec et dans divers cantons; en 1824, s'installa définitivement dans sa seigneurie de Saint-Georges, qu'il mit en valeur.

Élu député de la Basse-Ville de Québec en 1816. Ne s'est pas représenté en avril 1820. Élu sans opposition dans L'Acadie en 1830; prêta serment le 10 janvier 1832; mis sous la garde du sergent d'armes le 15 janvier 1833 pour absence injustifiée, fut libéré quelques jours plus tard; s'opposa aux Quatre-vingt-douze Résolutions. Défait en 1834.

Obtint divers postes de commissaire. Fut juge de paix et officier de milice.

Décédé dans son manoir seigneurial à Saint-Édouard, le 23 septembre 1840, à l'âge de 49 ans et 11 mois. Inhumé dans l'église paroissiale, le 25 septembre 1840.

Avait épousé dans la paroisse Notre-Dame de Québec, le 15 février 1813, Anna Maria Philipps, fille de John Philipps, capitaine, et de Rachel Levy.

Beau-frère de Louis **Roy Portelance**.

Bibliographie: *DBC.*

LANTHIER. V. LANTIER

LANTIER, Jacques-Philippe (1814–1882)

Né à Saint-Joseph-de-Soulanges (Les Cèdres), le 21 juillet 1814, puis baptisé le 22, dans la paroisse du même nom, fils d'Antoine Lantier, meunier, et de Marie-Reine Rancourt. Son patronyme s'orthographiait parfois Lanthier.

Étudia au séminaire de Nicolet de 1826 à 1832, puis au petit séminaire de Montréal de 1832 à 1834.

Fut marchand à Saint-Polycarpe. Auteur de: *Canal des Cèdres* (Ottawa, 1873), *The harbours of Coteau Landing and Cascades Bay* (Ottawa, 1874) et *The question of the Cascades and Coteau Landing canal* (Montréal, 1874).

Élu député de Vaudreuil en 1844; fit partie du groupe canadien-français. Ne s'est pas représenté en 1848. Élu député conservateur de Soulanges à la Chambre des communes en 1872. Réélu en 1874 sans opposition, en 1878 et 1882.

Décédé en fonction à Saint-Polycarpe, le 15 septembre 1882, à l'âge de 68 ans et un mois. Inhumé dans le cimetière paroissial, le 19 septembre 1882.

Avait épousé dans l'église de Saint-Polycarpe, le 24 mai 1865, Julienne Bonneville, veuve de son frère Olivier Lantier, marchand à Montréal.

LAPALME, Georges-Émile (1907–1985)

Né à Montréal, le 14 janvier 1907, fils d'Euclide Lapalme, manufacturier, et de Valéda Bazinet.

Fit ses études à l'école Bonsecours à Joliette, au séminaire de Joliette et à l'université de Montréal. Admis au barreau de la province de Québec le 10 janvier 1929.

Exerça sa profession d'avocat à Joliette, seul de 1929 à 1939 puis avec Charles-Édouard Ferland, député à la Chambre des communes de 1928 à 1945, puis sénateur de 1945 à 1951. Conseiller du barreau des Laurentides en 1946. Fondateur du *Joliette Journal* en 1947.

Élu député libéral à la Chambre des communes dans Joliette-L'Assomption-Montcalm en 1945. Réélu en 1949. Démissionna le 23 juin 1950.

Élu à l'unanimité chef du Parti libéral du Québec le 20 mai 1950, il occupa cette fonction jusqu'en 1958. Candidat libéral défait dans Joliette aux élections provinciales de 1952. Élu député libéral dans Montréal-Outremont à l'élection partielle du 9 juillet 1953. Chef de l'Opposition de 1953 à 1960. Réélu dans Montréal-Outremont en 1956, 1960 et 1962. Vice-premier ministre de juillet 1960 à septembre 1964. Procureur général dans le cabinet Lesage du 5 juillet 1960 au 8 août 1963 et ministre des Affaires culturelles du 28 mars 1961 au 9 septembre 1964. Ne s'est pas représenté en 1966.

Président de la Société de développement de l'industrie cinématographique canadienne en 1968. Président de la Commission des biens culturels au ministère des Affaires culturelles de 1972 à 1978. Nommé président de la Commission d'enquête sur la disparition de biens culturels à place Royale le 7 décembre 1978.

Auteur d'une série d'articles parus dans l'hebdomadaire *Joliette Journal* et dont certains furent repris dans la brochure *Politique canadienne*. Publia également ses mémoires en trois volumes: *le Bruit des choses réveillées* (1969), *le Vent de l'oubli* (1970) et *le Paradis du pouvoir* (1973). Créé conseil en loi de la reine le 20 septembre 1960. Membre de l'Académie septentrionale de France depuis 1962. Docteur en droit honoris causa de la Bishop University en 1963.

Décédé à Montréal, le 5 février 1985, à l'âge de 78 ans. Incinéré le 7 février 1985. Les funérailles eurent lieu dans l'église Saint-Viateur, à Outremont, le 8 février 1985.

Avait épousé à Montréal, dans la paroisse Saint-Arsène, le 22 juillet 1935, Maria Langlois, fille de Léonidas Langlois et de Maria Perreault.

Bibliographie: Léonard, Jean-François, *Georges-Émile Lapalme*, Montréal, Presses de l'université du Québec, 1988, 297 p. («Les leaders politiques du Québec contemporain»).

LAPERRIÈRE, David (1868–1932)

Né à Pierreville, le 7 mai 1868, fils d'Adolphe Laperrière, marchand général et constructeur de bateaux, et de Philomène Allard.

Étudia à l'école de Pierreville et à l'académie commerciale de Nicolet.

Marchand de bois de 1886 jusqu'à son décès.

Maire de Pierreville de janvier 1914 à janvier 1931. Élu député libéral dans Yamaska à l'élection partielle du 22 octobre 1923. Réélu en 1927. Ne s'est pas représenté en 1931.

Décédé à Pierreville, le 18 mai 1932, à l'âge de 64 ans. Inhumé dans le cimetière de cette paroisse, le 21 mai 1932.

Avait épousé dans sa paroisse natale, le 22 juillet 1890, Alice Desmarais, fille de Damase Desmarais, cultivateur, et d'Hermine Piché.

LAPIERRE, Lauréat
(1882–1948)

Né à Saint-Jean-Chrysostome, le 11 décembre 1882, fils de Ferdinand Lapierre, journalier et cultivateur, et d'Émilie Samson.

Fit ses études commerciales au collège de Saint-Ferdinand-d'Halifax, puis au collège Mont-Saint-Bernard à Sorel.

Comptable au service d'une compagnie minière à Thetford Mines. À ce titre, il eut l'occasion d'agir comme médiateur de plusieurs conflits de travail. Membre des Chevaliers de Colomb.

Membre du Club libéral de Thetford Mines. Élu député libéral dans Mégantic en 1916. Réélu sans opposition en 1919. De nouveau élu en 1923. Nommé ministre sans portefeuille dans le cabinet Taschereau le 4 juin 1924. Réélu en 1927 et 1931. Son siège devint vacant lorsqu'il fut nommé shérif du district de Québec le 3 mai 1934.

Décédé à Québec, le 1er mai 1948, à l'âge de 65 ans et 4 mois. Inhumé à Thetford Mines, dans le cimetière de la paroisse Saint-Alphonse, le 5 mai 1948.

Il était célibataire.

LAPLANTE, Patrice

Né à Cabano, le 17 février 1929, fils d'Élude Laplante, aiguiseur de scies, et d'Éva Leblanc.

Fit ses études à Cabano et suivit des cours d'administration à Montréal.

Mécanicien à Montréal, puis commerçant dans le nord de Montréal pendant seize ans.

Président du comité d'école de la polyvalente Calixa-Lavallée et membre du comité régional de la Région V de 1971 à 1973. Commissaire à la Commission des écoles catholiques de Montréal (CECM) de 1970 à 1977. Membre du bureau de direction de la Fédération des commissions scolaires catholiques du Québec (FCSCQ) de 1973 à 1976. Gérant des ser-

vices aux personnes du Camp international jeunesse lors des Jeux olympiques de 1976. S'occupa pendant sept ans de la Société Saint-Vincent-de-Paul et du Comité administratif des loisirs.

Élu député du Parti québécois dans Bourassa en 1976. Réélu en 1981. Whip adjoint du gouvernement du 1er septembre 1983 au 23 octobre 1985. Ne s'est pas représenté en 1985.

Commissaire à la Commission d'appel en matière de lésions professionnelles du 4 décembre 1985 au 17 juin 1987. Retraité.

LAPOINTE, Alfred
(1835– ≥1906)

Né à Sainte-Thérèse, le 9 avril 1835, fils de Jean-Marie Godard, menuisier, et d'Émilie Tremblay. Baptisé sous le nom de Godard.

Fit ses études au collège de Sainte-Thérèse.

Cultivateur et propriétaire de moulins à bois et à farine. Juge de paix et commissaire au tribunal des petites causes.

Maire de Sainte-Justine-de-Newton en 1876, de 1881 à 1885 et de 1903 à 1906. Candidat défait dans la circonscription de Vaudreuil aux élections fédérales de 1872 et 1882. Élu sans opposition député conservateur à l'Assemblée législative dans la même circonscription à l'élection partielle du 19 juin 1884. Réélu en 1886. Défait en 1890. Défait également dans Vaudreuil aux élections fédérales de 1900.

Décédé à une date inconnue.

Avait épousé dans la cathédrale de Montréal, le 3 septembre 1868, Marie Antoinette Léontine Tessier, fille de Nicolas Tessier, menuisier, et de Julie Gaudry ; puis, à Saint-Eugène, en Ontario, le 2 mars 1878, Susanna Towner, fille de John Crosby Towner et de Marie Louise Lefebvre.

LAPOINTE, Hugues
(1911–1982)

Né à Rivière-du-Loup, le 3 mars 1911, fils d'Ernest Lapointe, député à la Chambre des communes de 1904 à 1941, et d'Emma Pratte.

Fit ses études à l'université d'Ottawa et à l'université Laval. Admis au barreau de la province de Québec le 24 juillet 1935. Créé conseil en loi du roi le 25 juillet 1950.

Pratiqua le droit à Québec de 1936 à 1961 et fut associé notamment avec son père et Guy **Roberge**. Servit outre-mer avec le régiment de la Chaudière durant la Seconde Guerre mondiale et fut démobilisé avec le grade de lieutenant-colonel.

Élu député libéral à la Chambre des communes dans Lotbinière en 1940. Réélu en 1945. Adjoint parlementaire du ministre de la Défense nationale du 25 septembre 1945 au 18 janvier 1949, et du ministre des Affaires extérieures du 19 janvier au 23 août 1949. Élu de nouveau en 1949 et nommé membre du Conseil privé le 24 août 1949. Solliciteur général du Canada dans le cabinet Saint-Laurent du 24 août 1949 au 6 août 1950. Ministre des Affaires des Anciens Combattants du 7 août 1950 au 21 juin 1957. Réélu en 1953. Ministre des Postes du 3 novembre 1955 au 21 juin 1957. Défait en 1957. Délégué général de la province de Québec à Londres de 1961 à 1966. Assermenté lieutenant-gouverneur de la province de Québec le 22 février 1966, il occupa cette fonction jusqu'au 27 avril 1978.

Avocat-conseil auprès du cabinet Goodwin, De Blois et Associés, de Québec, de 1978 à son décès.

Docteur en droit honoris causa de l'université d'Ottawa en 1954 et du Royal Military College of Canada en 1967. Nommé colonel honoraire du régiment de la Chaudière en 1970. Créé chevalier de grâce de l'ordre de Saint-Jean-de-Jérusalem et grand-croix de l'ordre de Malte en 1966. Membre du Club de la garnison, du Club Rideau, du Club de réforme et de l'Institut des affaires internationales.

Décédé à Sainte-Foy, le 13 novembre 1982, à l'âge de 71 ans et 8 mois. Inhumé à Rivière-du-Loup, le 16 novembre 1982.

Avait épousé à Ottawa, le 15 octobre 1938, Marie-Lucette Valin, fille de Romuald-Eugène Valin, médecin, et de Juliette Dupré.

LAPOINTE, Roger

Né à Ferme-Neuve, le 10 septembre 1940, fils d'Émile Lapointe, entrepreneur forestier, et de Thérèse Ouellette.

Fit ses études à Ferme-Neuve, au séminaire Saint-Joseph à Mont-Laurier, au collège universitaire Laval, à l'université Laval à Québec et à l'université de Montréal. Titulaire d'un baccalauréat en pédagogie et d'une licence en administration scolaire.

Professeur de mathématiques et de sciences à la commission scolaire régionale Henri-Bourassa à Mont-Laurier de 1962 à 1966, puis coordonnateur de l'enseignement de 1966 à 1970 et directeur des services de l'enseignement de 1970 à 1973. Fondateur et président de l'Association des enseignants de la commission scolaire régionale Henri-Bou-

rassa (APEHB), vice-président de la Fédération des enseignants du diocèse de Mont-Laurier et membre du conseil provincial de la Corporation des enseignants du Québec (CEQ) de 1964 à 1966. Délégué à l'Association d'éducation du Québec. Membre du comité provisoire de création du cégep Lionel-Groulx en 1968 et 1969. Membre de la mission 27 (région de l'Outaouais) chargée du regroupement des commissions scolaires élémentaires en 1971 et 1972. Vice-président de l'Association des cadres scolaires (région de l'Outaouais) en 1972 et 1973. Président du conseil d'administration de l'hôpital Notre-Dame-de-Sainte-Croix à Mont-Laurier de 1971 à 1973. Membre du conseil d'administration de l'Association des hôpitaux de la province de Québec (AHPQ) de 1971 à 1973 et vice-président du conseil régional de cette même association en 1972 et 1973. Membre du conseil d'administration de Québec-Canada. Membre des Chevaliers de Colomb et vice-président du Club Richelieu de Mont-Laurier.

Vice-président de l'Association libérale de Labelle de 1970 à 1973 et secrétaire de l'Association libérale de Laurentides-Labelle en 1973. Élu député libéral dans Laurentides-Labelle en 1973. Défait en 1976.

Coordonnateur en mesures et évaluation à la commission scolaire régionale Henri-Bourassa de 1976 jusqu'au 1er juillet 1979. Directeur des services éducatifs de la même commission scolaire de 1979 à 1982 et à la commission scolaire régionale Pierre-Nepveu de 1982 à 1985. Directeur général de cette commission scolaire à compter de 1985.

LAPOINTE, Thomas
(1876–1945)

Né à Ham-Nord, le 2 novembre 1876, fils de Joseph Lapointe, cultivateur, et de Célina Morin.

Étudia à l'école Saint-Charles à Garthby et au séminaire Saint-Charles-Borromée à Sherbrooke.

Cultivateur. Gérant du département du bois à la Brompton Pulp and Paper à Garthby de 1896 jusqu'à son décès. Propriétaire d'un moulin à Disraëli et commerçant de bois dans les comtés de Wolfe et Frontenac. Membre des Chevaliers de Colomb.

Maire de Disraëli du 14 mai 1929 au 6 août 1934. Élu député libéral dans Wolfe à l'élection partielle du 14 novembre 1933. Réélu en 1935. Défait en 1936. Réélu en 1939. Défait en 1944.

Décédé à Disraëli, le 28 août 1945, à l'âge de 68 ans et 9 mois. Inhumé à Disraëli, le 31 août 1945.

Avait épousé à Lambton, le 15 juillet 1901, Marie-Virginie Labrecque, fille de Louis-Napoléon Labrecque, secrétaire-trésorier de la municipalité de Lambton, et de Célina Bourque.

LAPORTE, Joseph
(1806–1862)

Né à Pointe-aux-Trembles, île de Montréal, et baptisé dans la paroisse du Saint-Enfant-Jésus-de-la-Pointe-aux-Trembles, le 20 septembre 1806, fils de Charles Laporte, cultivateur, et de Josephte Christin, dit Saint-Amour.

Fut cultivateur. Nommé juge de paix et commissaire au tribunal des petites causes le 22 juin 1851. Obtint divers autres postes de commissaire.

Élu député de la division Hochelaga de la circonscription de Montréal en 1854. Élu dans Hochelaga en 1858. Réformiste, puis bleu. Défait en 1861.

Décédé à Pointe-aux-Trembles, île de Montréal, le 19 août 1862, à l'âge de 55 ans et 10 mois. Inhumé dans le cimetière paroissial, le 22 août 1862.

Avait épousé dans la paroisse Sainte-Anne, à Varennes, le 15 février 1830, Desanges Messier, veuve de Théophile Richard.

LAPORTE, Michel

Né à Montréal, le 12 février 1955, fils de Roger Laporte, agent de probation, et d'Aline Lafleur, fourreuse.

A étudié à l'école secondaire Jean-Baptiste-Meilleur, au cégep du Vieux-Montréal et à l'université du Québec à Montréal. Licencié en droit en 1980. Admis au barreau en 1980.

Aide-animateur dans le quartier montréalais Hochelaga à compter de 1973. Avocat au Centre d'information communautaire et de dépannage Sainte-Marie de 1983 à 1985. Directeur d'un groupe de travail chargé de rédiger un livre sur l'accès à la propriété, l'*Informateur immobilier*, d'octobre 1983 à juillet 1984. Coordonnateur d'un projet sur les droits et obligations des propriétaires et locataires en 1984 et 1985.

Élu député libéral dans Sainte-Marie en 1985. Défait dans Sainte-Marie–Saint-Jacques en 1989.

Secrétaire général associé au Secrétariat à la jeunesse, ministère du Conseil exécutif, à compter de juillet 1990.

LAPORTE, Pierre
(1921–1970)

Né à Montréal, le 25 février 1921, fils de René Laporte, médecin, et de Juliette Leduc.

A étudié au collège de L'Assomption et à l'université de Montréal. Récipiendaire du trophée Villeneuve. Fit sa cléricature auprès de Me Bernard Nantel et fut admis au barreau de la province de Québec en juillet 1945.

Journaliste et correspondant parlementaire au journal *le Devoir* pendant seize ans. Pratiqua le droit avec Me Jean-Paul Verschelden, puis avec Me Simon Venne. Membre du comité d'étude sur les relations extérieures du barreau en 1949.

Candidat indépendant défait dans Montréal-Laurier en 1956. Élu député libéral dans Chambly à l'élection partielle du 14 décembre 1961. Réélu en 1962 et 1966. Ministre des Affaires municipales dans le cabinet Lesage du 5 décembre 1962 au 16 juin 1966 et ministre des Affaires culturelles du 9 septembre 1964 au 16 juin 1966. Leader parlementaire du gouvernement du 21 janvier 1965 au 18 avril 1966. Leader de l'Opposition après les élections de 1966. Candidat défait au congrès de direction du Parti libéral en 1970. Réélu en 1970 et nommé leader parlementaire du gouvernement. Ministre de l'Immigration et ministre du Travail et de la Main-d'œuvre dans le cabinet Bourassa du 12 mai 1970 jusqu'à son décès.

Vice-président de la Chambre de commerce des jeunes de Montréal de 1939 à 1945. A publié *le Vrai Visage de Duplessis* (1960).

Enlevé par le Front de libération du Québec (FLQ) le 9 octobre 1970. Son corps fut retrouvé à Saint-Hubert le 17 octobre 1970 et fut inhumé à Montréal, dans le cimetière Notre-Dame-des-Neiges, le 20 octobre 1970.

Avait épousé à L'Assomption, le 11 août 1945, Françoise Brouillet, fille d'Ovide Brouillet, cultivateur, et de Marie-Laure Durand.

Petit-fils d'Alfred **Leduc**. Cousin de Guy **Leduc**.

Bibliographie: Haggart, Ronald Bernard, et Audrey E. Golden, *Octobre 70, un an... après*, adaptation française de Jean-V. Dufresne et autres, Montréal, Hurtubise HMH, 1971, 287 p. Vallières, Pierre, *L'exécution de Pierre Laporte*, Montréal, Éditions Québec/Amérique, 1977, 223 p.

L'ARCHEVÊQUE, Adolphe
(1873–1947)

Né à Sainte-Brigide-d'Iberville, le 13 juillet 1873, fils de Léon L'Archevêque, forgeron, et de Julie Collerette, dit Bourguignon.

A étudié au collège de L'Assomption. Exerça la profession de dentiste à Montréal et à Terrebonne.

Échevin du quartier Delorimier au conseil municipal de Montréal de 1930 à 1932 et de 1934 à 1938. Président de la commission de l'aqueduc de Montréal de janvier 1937 à décembre 1938.

Élu député conservateur dans Montréal-Mercier en 1923. Whip du Parti conservateur de 1923 à 1927. Défait en 1927.

Décédé à Montréal, le 4 juillet 1947, à l'âge de 73 ans et 11 mois. Inhumé à Montréal, dans le cimetière Notre-Dame-des-Neiges, le 8 juillet 1947.

Avait épousé dans sa paroisse natale, le 21 novembre 1893, Rose-Anna Brouillette, fille de Jean-Baptiste Brouillette, charretier, et d'Anatalie Robert.

LAREAU, Edmond
(1848–1890)

Né à Saint-Grégoire-le-Grand, le 13 mars 1848, fils de Bénoni Lareau, cultivateur, et d'Odile Sylvestre. Baptisé Pierre-Bénoni-Evremond.

A étudié au collège Sainte-Marie-de-Monnoir et au Victoria College. Admis au barreau de la province de Québec le 27 septembre 1870. Bachelier en droit de la McGill University en 1874.

Professeur d'histoire du droit à la McGill University de 1874 à 1880. Créé conseil en loi de la reine le 10 septembre 1879. Premier président, en 1875, du Club national. Rédacteur au journal le Pays de 1870 à 1872, puis au National en 1872. Fit partie de l'équipe de direction du Lower Canada Jurist avec John S. Archibald. Collabora à la Patrie et au Temps en 1883. Fut également correspondant de la Revue internationale des lois de Gand, en Belgique.

Candidat libéral défait dans Rouville aux élections fédérales de 1882. Élu député libéral à l'Assemblée législative dans Rouville en 1886.

Membre de la Société de législation de Paris. A publié notamment: Histoire de la littérature canadienne (1874) et Histoire du droit canadien [...] (1888–1889).

Décédé en fonction à Montréal, le 21 avril 1890, à l'âge de 42 ans et un mois. Inhumé dans le cimetière Notre-Dame-des-Neiges, le 24 avril 1890.

Avait épousé à Montréal, dans la paroisse Saint-Jacques, le 9 février 1880, Marguerite Robillard, fille de Joseph C. Robillard et de Marguerite Dufour.

Bibliographie: *DBC.*

LA REINE. V. COUPAL

LARIVIÈRE, Jean-Guy

Né à Saint-Isidore-de-Prescott, en Ontario, le 29 juillet 1930, fils de Pierre Larivière, agriculteur, et de Florestine Léger.

Étudia à l'école Immaculée-Conception à Saint-Isidore et au National Institute of America à Chicago. Diplômé en électronique et en électricité.

Président et copropriétaire de L. & M. Electronics Inc. de Campbell's Bay à compter de 1962. Directeur de la Chambre de commerce de Campbell's Bay. Membre de la Légion royale canadienne, du Club Lions et des Chevaliers de Colomb.

Échevin de Campbell's Bay de 1964 à 1967. Commissaire d'école en 1968. Président de l'Association libérale du comté de Pontiac de 1966 à 1970. Élu député libéral dans Pontiac en 1970. Réélu dans Pontiac-Témiscamingue en 1973 et 1976. Ne s'est pas représenté en 1981.

LARIVIÈRE, Nil-Élie
(1899–1969)

Né à Bonfield, en Ontario, le 11 juillet 1899, fils d'Odéric Larivière, cultivateur, et d'Alma Perron.

Fit ses études à Bonfield.

S'établit à Rouyn en 1925 et y exerça différents métiers. Propriétaire du garage Doyon et Larivière en 1927 et d'un poste d'essence en 1931. Fondateur et président jusqu'à son décès de Larivière et Frères limitée, concessionnaires d'accessoires d'automobile. Directeur de la mine Stadacona. Président du journal la Frontière de Rouyn. Président de la Chambre de commerce de Rouyn-Noranda en 1942 et 1943. Directeur de l'Association forestière. Membre du Club Richelieu, des Chevaliers de Colomb et de l'Association des pompiers du Témiscamingue.

Membre du conseil municipal de Rouyn en 1926. Marguillier de la paroisse Saint-Michel-Archange de 1943 à 1946. Élu député de l'Action libérale nationale dans Témiscamingue en 1935. Élu député de l'Union nationale en 1936. Défait en 1939. Élu de nouveau en 1944 et 1948. Défait en 1952.

Décédé à Macamic, le 3 mai 1969, à l'âge de 69 ans et 9 mois. Inhumé dans le cimetière de Rouyn, le 6 mai 1969.

Avait épousé à Bonfield, le 19 mai 1927, Louise-Irène Smith, fille de Peter Smith et de Virginie Dupuis.

LAROCHE, Marcellin

Né à Pont-Rouge, le 4 décembre 1919, fils de Lauréat Laroche, cheminot, et de Graziella Leclerc.

Étudia à l'école Saint-Charles à Pont-Rouge et au séminaire Montfort à Papineauville.

Employé des Machineries Pont-Rouge et président de la section locale de la Confédération des syndicats catholiques du Canada (CTCC) de 1942 à 1945. Agent distributeur pour la compagnie Imperial Oil Ltd. de 1945 à 1960.

Élu député libéral dans Portneuf en 1960. Réélu en 1962. Ne s'est pas représenté en 1966.

Voyageur de commerce de 1966 à 1970. Agent de maîtrise en soutien administratif au ministère des Travaux publics et de l'Approvisionnement à compter de 1972.

Président de la Jeunesse ouvrière catholique (JOC). Directeur de la Société Saint-Jean-Baptiste de Pont-Rouge. Membre de la Chambre de commerce, du Club de réforme et des Chevaliers de Colomb.

LAROCHELLE, Joseph-Théophile
(1877–1954)

Né à Saint-Henri, près de Lévis, le 19 novembre 1877, fils de Léon Larochelle, marchand, et d'Henriette Turgeon.

A étudié au collège de Lévis.

Hôtelier à Holyoke (Massachusetts) pendant quatre ans. Épicier à Lévis puis propriétaire de l'hôtel Larochelle pendant la Seconde Guerre mondiale. Membre des Chevaliers de Colomb.

Conseiller municipal de Lévis pendant huit ans et commissaire d'école de 1923 à 1927. Élu député de l'Action libérale nationale dans Lévis en 1935. Élu député de l'Union nationale en 1936. Défait en 1939. De nouveau élu en 1944 et 1948. Assermenté ministre sans portefeuille dans le cabinet Duplessis le 30 août 1944. Démissionna le 29 décembre 1948

et fut nommé conseiller législatif de la division de La Salle le 30 décembre 1948.

Décédé en fonction à Lévis, le 8 octobre 1954, à l'âge de 76 ans et 11 mois. Inhumé dans le cimetière de Saint-Henri, le 12 octobre 1954.

Avait épousé dans la paroisse Saint-Éphrem-de-Tring, le 21 janvier 1908, Amanda Vallée, fille de Louis Vallée et de Mathilda Paquette, et veuve d'Abraham Blondeau, marchand.

LAROCHELLE, Louis-Napoléon
(1834–1890)

Né à Saint-Anselme, le 14 novembre 1834, fils de Siméon Gautron, dit Larochelle, industriel, et de Sophie Vachon, dit Pomerleau.

Fit ses études au séminaire de Québec.

Manufacturier et propriétaire d'un moulin à scie, d'une fonderie et d'une fabrique de textile, dans le comté de Dorchester. Entrepreneur en construction ferroviaire dans la région de Québec. Fut l'un des promoteurs de la Levis and Kennebec Railway Co. S'associa à Charles Scott pour établir le trajet de Lévis à Scott-Jonction en 1874. Auteur de la brochure *Chemin de Lévis et Kennebec: réfutation de la brochure de C.A. Scott* (1877).

Maire de Saint-Anselme de 1870 à 1878 et de 1881 à 1889 et préfet du comté de Dorchester de 1881 et 1886. Candidat conservateur défait dans Dorchester en 1867. Élu sans opposition député conservateur dans Dorchester en 1871 et 1875. Ne s'est pas représenté en 1878. Défait en 1881. Élu sans opposition député du Parti conservateur en 1886. Son siège devint vacant lorsqu'il fut nommé conseiller législatif de la division de Lauzon le 7 décembre 1888.

Décédé en fonction à Saint-Anselme, le 27 octobre 1890, à l'âge de 55 ans et 11 mois. Inhumé dans le cimetière de cette paroisse, le 30 octobre 1890.

Avait épousé dans la paroisse Notre-Dame de Québec, le 12 décembre 1876, Marie-Georgiana Plante, fille de Thomas Plante et d'Henriette Roy.

Bibliographie: *DBC*.

LAROCQUE. V. aussi ROCBRUNE

LAROCQUE, François-Antoine
(1753–1792)

Né à Québec et baptisé dans la paroisse Notre-Dame, le 23 septembre 1753, fils d'Antoine Larocque, écrivain du roi d'origine française, et de Catherine Guillemot, veuve d'Alexis Sauvageau.

Vers 1768, accompagna son père qui s'établit comme marchand à L'Assomption. Se lança lui aussi dans le commerce. En 1786, fit l'acquisition d'une terre sur les bords de la rivière de l'Achigan et, en 1792, obtint deux cents acres dans le canton de Rawdon.

Élu député de Leinster en 1792; ne put occuper son siège.

Décédé en fonction à L'Assomption, le 31 octobre 1792, à l'âge de 39 ans et un mois. Inhumé dans le cimetière paroissial, le 2 novembre 1792.

Avait épousé dans la paroisse Saint-Pierre-du-Portage, à L'Assomption, le 23 avril 1781, Angélique Leroux, fille de Germain Leroux d'Esneval, négociant d'origine parisienne, et de Marie-Catherine Vallée, veuve de Pierre Beaudin.

Beau-frère de Laurent **Leroux**. Son petit-fils épousa la fille d'Antoine-Olivier **Berthelet**. Son arrière-petite-fille épousa Joseph-Aldéric Ouimet, député à la Chambre des communes du Canada.

LAROCQUE, Gédéon
(1831–1903)

Né à Chambly, le 21 décembre 1831, fils d'Édouard Larocque et de Louise Daigneau.

Étudia au collège de Chambly, au collège de Saint-Hyacinthe, à l'École de médecine et de chirurgie de Montréal et fit un stage auprès de son oncle, Luc-Eusèbe Larocque. Reçu médecin en 1855.

Exerça sa profession à Longueuil. Enseigna également la musique. Participa à la colonisation de la région du Lac-à-la-Truite, en 1851. Propriétaire d'une ferme à Beaumont (Côte-du-Sud).

Maire de Longueuil de 1862 à 1870. Préfet du comté de Chambly pendant quatre ans. Élu député libéral dans Chambly en 1871. Ne s'est pas représenté en 1875.

Agent du chemin de fer du Nord en 1874. Nommé sergent d'armes à l'Assemblée législative le 29 juillet 1875, poste qu'il occupa jusqu'en 1902. A publié des traités sur l'horticulture et l'agriculture dont *Culture et préparation du tabac* (1881) et *Manuel des engrais* (1904).

Décédé à Montréal, le 23 octobre 1903, à l'âge de 71 ans et 10 mois. Inhumé à Longueuil, dans le cimetière de la paroisse Saint-Antoine, le 26 octobre 1903.

Avait épousé à Longueuil, dans la paroisse Saint-Antoine, le 30 janvier 1856, Félicité Thibault, fille d'Amable Thibault et de Marie-Rose Savard; puis, dans la cathédrale de Montréal, le 17 mai 1870, Rosalie-Christine Brauners, fille de John C. Brauners et de Jeannet Johnson; puis, à Belœil, le 3 janvier 1874, Azilda Davignon, veuve d'Alfred Bissonneau, médecin.

LAROQUE. V. ROCBRUNE

LAROSE, Achille
(1839–1904)

Né à Verchères, le 27 février 1839, fils d'Hubert Chagnon, cultivateur, et de Marguerite Chagnon. Baptisé sous le nom de Chagnon.

Fit ses études au collège de L'Assomption.

En 1872, il s'établit à Ware, au Massachusetts, et y pratiqua le commerce et l'agriculture.

Élu député libéral dans Verchères à l'élection partielle du 17 juillet 1879. L'élection a été annulée le 20 mai 1881.

Décédé à Calixa-Lavallée, le 20 janvier 1904, à l'âge de 64 ans et 10 mois. Inhumé dans le cimetière de cette paroisse, le 22 janvier 1904.

Avait épousé dans sa paroisse natale, le 23 juillet 1861, Philomène Dansereau, fille de François-Xavier Dansereau, cultivateur, et de Rosalie Chicoine.

LAROUCHE, Arthur
(1900–1968)

Né à Chicoutimi, le 1er juillet 1900, fils d'Anthime Larouche, cultivateur, et de Louise Tremblay.

A étudié aux séminaires de Chicoutimi et d'Halifax.

Aviculteur de 1927 à 1935. Marchand général de 1940 à 1968. Directeur du *Progrès du Saguenay*. Fondateur du Syndicat des épiciers de Chicoutimi.

Échevin de la municipalité de Rivière-du-Moulin de 1932 à 1936, puis maire de 1952 à 1958. Préfet du comté de Chicoutimi en 1957 et 1958. Président de l'Action libérale nationale de Chicoutimi et député de cette formation politique élu dans Chicoutimi en 1935. Élu député de l'Union nationale en 1936. Démissionna le 13 avril 1938.

Président adjoint de la Régie des alcools de la province de Québec en 1939 et 1940. Président de la commission scolaire de Rivière-du-Moulin de juillet 1944 à septembre 1948.

Président du cercle Labrecque de l'Association catholique de la jeunesse canadienne-française (ACJC) et du comité régional de l'ACJC de Chicoutimi. Membre de l'Association des marchands détaillants. Directeur de la Société Saint-Jean-Baptiste de Chicoutimi. Membre du comité diocésain de l'Action catholique. Trésorier du Club canadien.

Décédé à Chicoutimi, le 10 juillet 1968, à l'âge de 68 ans. Inhumé à Chicoutimi, dans le cimetière de la cathédrale, le 13 juillet 1968.

Avait épousé dans sa paroisse natale, le 6 septembre 1939, Marie-Gérardine-Ririte Gagnon, fille de François Gagnon, entrepreneur forestier, et d'Yvonne Tremblay.

LAROUCHE, Joseph-André (1909–1989)

Né à Lorrainville, au Témiscamingue, le 24 juin 1909, fils d'Alfred Larouche, cultivateur et commerçant d'animaux, et d'Éva Bellehumeur.

A étudié au collège Bourget à Rigaud, à l'université de Montréal et à l'université de Sherbrooke.

Commis à la Banque canadienne nationale à Notre-Dame-du-Nord de 1926 à 1928. Commis et gérant d'un magasin général à Guérin de 1928 à 1937. Inspecteur spécial pour le ministère de la Colonisation du Québec de 1937 à 1945. Entrepreneur forestier et marchand général de 1945 à 1950. Quincaillier et commerçant d'appareils électroménagers à Rouyn de 1950 à 1960.

Commissaire d'école à Guérin de 1932 à 1936 et conseiller municipal de 1934 à 1936. Président de la commission scolaire de Ville-Marie de juillet 1948 à octobre 1949. Échevin de la corporation municipale de Ville-Marie du 20 décembre 1948 au 4 juillet 1949. Élu député de l'Union nationale dans Témiscamingue en 1956. Réélu en 1960. Défait en 1962.

Contrôleur des inventaires des magasins de meubles Bellehumeur de 1963 à 1966. Directeur du transport des écoliers à la commission scolaire régionale du Cuivre de 1966 à 1974. Suivit des cours intensifs d'administration en transport scolaire à l'université de Montréal et à l'université de Sherbrooke où il fut diplômé en 1970. Membre de la Chambre de commerce de Ville-Marie, de la Chambre de commerce de Rouyn-Noranda et des Chevaliers de Colomb.

Décédé à Rouyn-Noranda, le 28 décembre 1989, à l'âge de 80 ans et 6 mois. Inhumé à Rouyn-Noranda, le 2 janvier 1990.

Avait épousé à Notre-Dame-du-Nord, le 18 novembre 1930, Georgette Ricard, fille de Donat Ricard, cultivateur et journalier, et de Louise Morissette; puis, à Rouyn, le 26 juillet 1972, Dolorès Charlebois, fille d'Honorius Charlebois et d'Évelyne Brouillard.

LAROUCHE, René Serge

Né à Alma, le 27 février 1944.

Titulaire d'un baccalauréat en pédagogie de l'université de Montréal, d'une maîtrise en communication de la State University of North Carolina, d'une maîtrise en administration publique de l'École nationale d'administration publique et d'une maîtrise en affaires internationales de la Fletcher School of Law and Diplomacy (Tufts-Harvard). Diplômé également de l'International Marketing Institute de Cambridge au Massachusetts.

Secrétaire aux affaires académiques de l'université de Sherbrooke de 1971 à 1975. Directeur général de la Fédération des professeurs des universités du Québec de 1975 à 1980. Conseiller auprès de Science Research Associates (SRA/Maxwell Communications). Conseiller en marketing international à Anjou à compter de 1983.

Président de l'Organisation canadienne pour l'éducation du développement (Québec) de 1985 à 1989. Membre de la Corporation professionnelle des administrateurs agréés. Auteur de nombreuses publications didactiques.

Élu député libéral dans Anjou à l'élection partielle du 25 septembre 1988. Réélu aux élections générales de 1989. Siégea comme député indépendant à partir du 29 août 1990. Démissionna comme député le 19 juin 1991.

LARUE, François-Xavier (1763–1855)

Né le 28 octobre 1763, à Pointe-aux-Trembles (Neuville), puis baptisé le 29, dans la paroisse Saint-François-de-Sales, fils d'Augustin Larue et de Thérèse Delisle.

Effectua un stage de clerc en notariat à Québec à compter de 1783. Reçut une commission de notaire en 1788.

Exerça sa profession à Pointe-aux-Trembles de 1788 à 1843. Ayant hérité d'une ferme dans la seigneurie de Neuville, s'occupa d'agriculture. Fit l'acquisition d'autres propriétés foncières. Fut officier-rapporteur (directeur du scrutin) dans

Hampshire en 1792. Agit à titre de représentant administratif et financier du seigneur de Neuville de 1832 à 1845.

Élu député de Hampshire en 1810; appuya généralement le parti canadien. Ne se serait pas représenté en 1814. Élu dans Hampshire à une élection partielle le 8 mai 1826. Réélu en 1827. Élu dans Portneuf en 1830. Réélu en 1834; conserva son siège jusqu'à la suspension de la constitution, le 27 mars 1838.

Servit pendant la guerre de 1812 en qualité de major dans la milice. Obtint divers postes de commissaire. Fut juge de paix, représentant de la Société d'agriculture. Refusa le poste de président de l'Association des notaires du district de Québec, créée en 1840.

Décédé à Pointe-aux-Trembles, le 13 juillet 1855, à l'âge de 91 ans et 8 mois. Inhumé dans l'église Saint-François-de-Sales, le 16 juillet 1855.

Avait épousé dans la paroisse Saint-Augustin, à Saint-Augustin-de-Desmaures, le 4 octobre 1790, Marie-Magdeleine Hainse, fille de Barthélemy Hains et de Marie-Josephte Bériau.

Grand-père de Praxède **Larue**.

Bibliographie: *DBC*.

LARUE, Praxède
(1823–1902)

Né à Saint-Antoine-de-Tilly, le 2 septembre 1823, fils de Martin-Damase Larue, notaire, et de Marie-des-Anges Lefebvre.

Étudia au séminaire de Québec.

Reçu médecin en 1844, il exerça sa profession à Saint-Augustin-de-Desmaures. Président du Conseil d'hygiène de la province de Québec. Président-fondateur de la Société de colonisation de Portneuf.

Élu député conservateur dans Portneuf en 1867. Réélu en 1871 et 1875. Ne s'est pas représenté en 1878. Nommé conseiller législatif de la division de La Salle le 27 février 1885. Démissionna le 29 juin 1896.

Décédé à Saint-Augustin-de-Desmaures, le 29 novembre 1902, à l'âge de 79 ans et 2 mois. Inhumé dans le cimetière de cette paroisse, le 3 décembre 1902.

Avait épousé à Saint-Augustin-de-Desmaures, le 2 mai 1859, Henriette Couture, fille de François Couture, cultivateur, et de Louise Valin.

Petit-fils de François-Xavier **Larue**. Cousin de Vildebon-Winceslas **Larue**.

Bibliographie: Le Moine, J.M., *Saint-Augustin et son médecin dévoué. L'hon. Praxède Larue*, Québec, Léger-Brousseau, 1895.

LARUE, Vildebon-Winceslas
(1851–1906)

Né à Saint-Pierre-de-la-Rivière-du-Sud, le 3 octobre 1851, fils de Vildebon Larue, notaire, et d'Euphémie Bossé.

A étudié au collège de Sainte-Anne-de-la-Pocatière et à l'université Laval à Québec.

Admis à la pratique du notariat le 12 mai 1873, il exerça sa profession à Québec. Membre de la Chambre des notaires en 1879 et président de 1891 à 1894. Président du bureau local de la Compagnie d'assurance manufacturière permanente de Québec. Directeur de la Caisse d'économie de Québec, de la Quebec Building Society, de la Compagnie de pulpe de Chicoutimi, de la compagnie du *Chronicle* et de la compagnie de *L'Événement*. Lieutenant du 61e bataillon de 1868 à 1874.

Nommé conseiller législatif de la division de La Salle le 3 juillet 1896. Appuya le Parti conservateur. Orateur du Conseil législatif du 12 janvier au 19 juin 1897.

Décédé en fonction à Québec, le 23 décembre 1906, à l'âge de 55 ans et 2 mois. Inhumé à Sainte-Foy, dans le cimetière Notre-Dame-de-Belmont, le 26 décembre 1906.

Avait épousé dans la paroisse Notre-Dame de Québec, le 8 janvier 1876, Joséphine Richard, fille de Jean Richard et de Marie-Marguerite Hamel.

Petit-neveu de François-Xavier **Larue**. Cousin de Praxède **Larue**.

LATERRIÈRE. V. SALES LATERRIÈRE

LATULIPPE, Gérard

Né à Montréal, le 5 novembre 1944, fils de Gérard Latulippe, fonctionnaire, et d'Eugénie Dufort.

A étudié en sciences économiques à la Sir George Williams University en 1964 et 1965 et obtint une licence en droit de l'université de Montréal en 1966. Admis au barreau en 1968. Fit une scolarité de maîtrise en droit corporatif à l'université d'Ottawa de 1968 à 1970. Diplômé en sciences de l'administration de l'École des hautes études commerciales de Montréal en 1979.

Avocat dans le cabinet Malo, Wilhelmy et Associés de 1968 à 1976 et associé senior chez Latulippe, L'Écuyer et Associés de 1977 à 1981 et chez McDougall, Lemay et Associés de 1981 à 1985. Membre du conseil d'administration de l'hôpital Saint-Luc de 1978 à 1980.

Vice-président de la commission politique du Parti libéral du Québec en 1984 et 1985. Candidat libéral défait dans Rosemont en 1981. Élu député libéral dans Chambly en 1985. Nommé Solliciteur général dans le cabinet Bourassa le 12 décembre 1985. Démissionna du cabinet le 30 juin 1987 et comme député le 14 juin 1989. Nommé délégué général du Québec à Mexico le 15 juin 1989.

LATULIPPE, Paul-André

Né à Lac-Mégantic, le 25 mai 1941, fils de Henri Latulippe, marchand et industriel, et de Marie-Ange Latulippe.

A étudié au collège Sacré-Cœur à Lac-Mégantic, au collège Mont-Saint-Louis à Montréal, à l'École des hautes études commerciales, puis à l'université de Montréal en dessin industriel.

Travailla pendant quatre ans dans une manufacture de meubles à Lac-Mégantic. Industriel dans le domaine du meuble. Fut directeur général de Megantic Furniture Co. Ltd. Employé à la Bourse de Montréal. Cofondateur de Nantes Furniture. Fut directeur de la Caisse d'entraide économique de Frontenac et de la *Revue politique*, aux éditions de l'Ordre nouveau, pendant deux ans.

Élu député du Ralliement créditiste dans Frontenac en 1970. Candidat du Parti créditiste défait dans Mégantic-Compton en 1973.

Son père fut député à la Chambre des communes de 1962 à 1974.

LAURENDEAU, Adélard
(1883–1968)

Né à Montréal, dans la paroisse Saint-Charles, le 1er décembre 1883, fils de Ferdinand Laurendeau, menuisier et contremaître, et d'Azilda Gagné.

A étudié à l'école Champlain et au collège Sainte-Marie à Montréal.

Peintre lettreur aux usines Angus du Canadien Pacifique de 1901 à 1921. De 1908 à 1920, il fut vice-président du CPR Federation for the Union et président du CPR Local Protective Board à l'usine Angus. Fut l'un des fondateurs de l'Union des employés du Canadien Pacifique et vice-président de l'Association athlétique de cette compagnie. Directeur du Club ouvrier. Membre de la Brotherhood Railway Carmen of America pendant quinze ans, de l'Association nationale athlétique amateur et des Chevaliers de Colomb.

Élu député ouvrier dans Maisonneuve en 1919. Défait en 1923.

Décédé à Montréal, le 21 juillet 1968, à l'âge de 84 ans et 7 mois. Inhumé à Montréal, dans le cimetière Notre-Dame-des-Neiges, le 24 juillet 1968.

Avait épousé à Montréal, dans la paroisse Sacré-Cœur-de-Jésus, le 10 juin 1904, Alma Brien dit Durocher, fille de Prospère Brien dit Durocher et de Joséphine Blais.

LAURENDEAU, André
(1912–1968)

Né dans la paroisse Notre-Dame de Montréal, le 21 mars 1912, fils d'Arthur Laurendeau, professeur de chant et maître de chapelle, et de Blanche Hardy, pianiste.

A étudié au collège Sainte-Marie à Montréal, à l'université de Montréal, ainsi qu'à la Sorbonne et à l'Institut catholique de Paris.

Collaborateur à la revue *l'Action nationale* de 1934 à 1937, puis directeur de 1937 à 1943. Cofondateur du mouvement Jeune-Canada en 1933. Secrétaire général de la Ligue pour la défense du Canada en 1942.

Secrétaire du Bloc populaire canadien en 1943. Choisi chef de l'aile québécoise de ce parti le 4 février 1944. Élu député du Bloc populaire dans la circonscription de Montréal-Laurier en 1944. Démissionna comme chef de l'aile québécoise du Bloc populaire et membre de ce parti le 6 juillet 1947. Ne s'est pas représenté en 1948.

De nouveau directeur de *l'Action nationale* de 1948 à 1954, et membre du conseil de direction jusqu'en 1962. Éditorialiste et rédacteur en chef adjoint du journal *le Devoir* de 1947 à 1957, et rédacteur en chef de 1957 à 1968. Animateur de l'émission télévisée «Pays et merveilles» de 1952 à 1961. Chroniqueur au *Magazine Maclean* de 1961 à 1966. Coprésident de la Commission royale d'enquête sur le bilinguisme et le biculturalisme de 1963 à 1968.

Auteur de plusieurs écrits dont: *Notre nationalisme* (1935), *l'Abbé Lionel Groulx* (1938), *Actualité de Saint-François* (1938), *Alerte aux Canadiens français* (1941), *Nos écoles enseignent-elles la haine de l'anglais?* (1942), *Ce que nous sommes* (1945), *la Centralisation et la guerre* (1946), *Voyages au pays de l'enfance* (1960), *la Crise de la conscription 1942* (1962) et *Une vie d'enfer* (1965). Auteur également d'une pièce de théâtre, *Deux femmes terribles*, et de dramatiques pour la télévision, notamment *la Vertu des chattes* et *Marie-Emma*. Vice-président de la Ligue d'action nationale. Membre de la Société des écrivains canadiens, de la Société Saint-Jean-Baptiste, de la section française de la Société royale du Canada et de l'Académie canadienne-française.

Décédé à Ottawa, le 1er juin 1968, à l'âge de 56 ans et 2 mois. Inhumé à Saint-Gabriel-de-Brandon, le 5 juin 1968.

Avait épousé à Outremont, dans la paroisse Saint-Viateur, le 4 juin 1935, Ghislaine Perrault, fille d'Antonio Perrault, avocat, et de Marguerite Mousseau.

Cousin d'Aldéric Laurendeau, député à la Chambre des communes de 1945 à 1949.

———

Bibliographie: Behills, Michael D., *The social and political ideas of André Laurendeau*, thèse de maîtrise à l'University of Alberta, Edmonton, 1969, 220 p. Comeau, Robert et Lucille Beaudry (dir.), *André Laurendeau. Un intellectuel d'ici*, Sillery, Presses de l'université du Québec, 1990, 320 p. Cook, Ramsay et Michael D. Behills, *The essential Laurendeau*, Toronto, Copp Clark Pub., 1976, 256 p. Durand, Gilles, *La pensée économique, sociale et politique d'André Laurendeau (1947–1959)*, Montréal, thèse à l'université de Montréal, 1969, 204 p. Jobin, Francine, *Édition critique d'André Laurendeau, paru dans Le Devoir, sous le pseudonyme de Candide*, thèse à l'université Laval, Québec, 1985, 285 p. Laurin, Suzanne, *André Laurendeau, artisan des passages. Recueil de textes sur l'éducation*, Montréal, Hurtubise/HMH, 1988, 126 p. Monière, Denis, *André Laurendeau*, Montréal, Québec/Amérique, 1983, 347 p. Onu, Tônu, *L'aspect nationaliste et politique de la pensée d'André Laurendeau, 1959–1963*, thèse de maîtrise à l'université Laval, Québec, 1974, 73 p. Pirotte, Nadine, *Penser l'éducation. Nouveaux dialogues avec André Laurendeau*, Montréal, Boréal, 1989, 233 p.

LAURIAULT, Wilfrid-Eldège (1899–1976)

Né à Montréal, dans la paroisse Sainte-Cunégonde, le 24 novembre 1899, fils d'Eldège Lauriault, cloutier, et de Flore Charron.

A étudié au collège Mont-Saint-Louis et à l'École polytechnique à Montréal.

Exerça les professions d'ingénieur civil et d'arpenteur-géomètre. A publié divers ouvrages relatifs à sa profession.

Échevin du district n° 1 au conseil municipal de Montréal de 1944 à 1960. Élu député de l'Action libérale nationale dans Montréal–Saint-Henri en 1935. Candidat libéral indépendant défait aux élections provinciales de 1936 et aux élections fédérales de 1940.

Décédé à Montréal, le 13 novembre 1976, à l'âge de 76 ans et 11 mois. Inhumé à Montréal, dans le cimetière de la paroisse Saint-Laurent, le 17 novembre 1976.

Avait épousé à Verdun, dans la paroisse Notre-Dame-des-Sept-Douleurs, le 14 septembre 1929, Aurélienne Trudeau, fille de Napoléon Trudeau, agent d'affaires, et de Donalda Dansereau.

———

LAURIER, Wilfrid (1841–1919)

Né à Saint-Lin, le 20 novembre 1841, fils de Carolus Laurier, arpenteur provincial, et de Marie-Marcelle Martineau.

Étudia aux écoles de Saint-Lin et de New Glasgow, au collège de L'Assomption et à la McGill University. Fit sa cléricature auprès de Rodolphe Laflamme, député à la Chambre des communes de 1872 à 1878. Admis au barreau du Bas-Canada le 8 avril 1865.

Exerça sa profession d'avocat à Montréal pendant quelques mois avec Me Médéric Lanctôt, puis à L'Avenir et à Arthabaska avec Mes E. Richard et Joseph La Vergne. Rédacteur et propriétaire du journal *le Défricheur* en 1866 et 1867, avec Jean-Baptiste-Éric **Dorion**. Participa à la fondation du journal *l'Électeur* avec François **Langelier**, Charles-Alphonse-Pantaléon **Pelletier**, Henri-Gustave **Joly de Lotbinière**, David-Alexandre **Ross**, Charles-Antoine-Ernest **Gagnon**, Joseph **Shehyn**, W. Reid et D.W. Campbell. Collabora également au journal *le Temps* et à *l'Union nationale*. Créé conseil en loi de la reine le 20 janvier 1879. Avocat de la couronne en 1880.

Élu député libéral à l'Assemblée législative dans Drummond-Arthabaska en 1871. Démissionna le 19 janvier 1874 pour se porter candidat aux élections fédérales. Élu député libéral à la Chambre des communes dans Drummond-Arthabaska en 1874. Ministre du Revenu de l'intérieur dans le cabinet Mackenzie du 8 octobre 1877 au 16 octobre 1878. Son siège devint vacant lors de sa nomination et il fut défait à l'élection partielle fédérale du 27 octobre 1877. Réélu député libéral dans Québec-Est à l'élection partielle du 28 novembre 1877. Réélu en 1878, 1882, 1887 et sans opposition en 1891. Élu simultanément dans les circonscriptions de Québec-Est et Saskatchewan en 1896, il opta pour Québec-Est. Chef de l'Opposition de 1887 à 1896. Premier ministre du Canada et président du Conseil privé du 11 juillet 1896 au 6 octobre 1911. Son siège devint alors vacant et il fut réélu sans opposition dans Québec-Est à l'élection partielle du 30 juillet 1896. De nouveau élu en 1900. Réélu simultanément dans Québec-Est et Wright en 1904, il démissionna comme député de Wright le 20 janvier 1905. Réélu simultanément dans Québec-Est et Ottawa en 1908. Il opta pour Québec-Est le 17 décembre 1909. Réélu simultanément dans Québec-Est et sans opposition dans Soulanges en 1911. Chef de l'Opposition de 1911 à 1919. Réélu dans Québec-Est et défait dans Ottawa en 1917.

Créé grand-croix de l'ordre de Saint-Michel et Saint-George, grand officier de la Légion d'honneur (1897) et chevalier de l'Empire britannique (1897). Docteur en droit honoris causa des universités de Toronto, Oxford et Cambridge en 1897, McGill et Queen's en 1898, Édimbourg en 1902 et Glasgow en 1911. Docteur en droit et en littérature honoris causa de l'université Laval en 1902. A publié *Lecture in Political Liberalism*. Directeur de la Royal Mutual Life Insurance Co. Vice-président de l'Institut canadien de Montréal. Lieutenant-colonel honoraire du 9ᵉ régiment des Voltigeurs de Québec. Servit dans la compagnie d'infanterie d'Arthabaskaville de 1869 à 1878 et fut en service durant le raid des Fenians en 1870. Membre honoraire du Cobden Club et du National Liberal Club. Vice-président du Colonial Club. Membre du Boston Canadian Club, du Club de la garnison de Québec, du Rideau Hall d'Ottawa et du St. James Club de Montréal.

Décédé à Ottawa, le 17 février 1919, à l'âge de 77 ans et 2 mois. Inhumé dans le cimetière de la paroisse Notre-Dame-d'Ottawa, le 22 février 1919.

Avait épousé dans la cathédrale de Montréal, le 13 mai 1868, Zoé Lafontaine, fille de Godefroy Napoléon Lafontaine, protonotaire, et de Zoé Lavigne.

Demi-frère de Romuald-Charlemagne Laurier, député à la Chambre des communes de 1900 à 1906. Oncle de Robert Laurier, député à l'Assemblée législative ontarienne de 1940 à 1945.

Bibliographie: *A Laurier bibliography*, Waterloo (Ontario), Wilfrid Laurier University Library, 1973, 24 p. Bélanger, Réal, *Histoire économique et sociale de Saint-Lin, 1805–1883, et l'importance de la famille Laurier*, Ottawa, Information Canada, 1975, 160 p. («History and Archeology/Histoire et archéologie», 2). Bélanger, Réal, *Wilfrid Laurier: quand la politique devient passion*, Québec, Les Presses de l'université Laval, 1984. Clippingdale, Richard, *Laurier; His Life and World*, Toronto/Montréal, McGraw-Hill Ryerson Ltd., 1979, 224 p. Neathy, Herbert Blair, *Laurier and a Liberal Quebec: a Study in Political Management*, The Carleton Library, nᵒ 63, Toronto, McClelland and Stewart, 1973. 244 p. Spigelman, Martin, *Wilfrid Laurier*, Don Mills, Fitzhenry and Whiteside Ltd., 1978.

LAURIN, Camille

Né à Charlemagne, le 6 mai 1922, fils d'Éloi Laurin, commerçant, et de Mary Morin.

Étudia aux écoles Saint-Simon et Saint-Jude, à Charlemagne, et au collège de L'Assomption. De 1942 à 1949, il poursuivit des études en médecine à l'université de Montréal. Après l'obtention de son doctorat en médecine, il se spécialisa en psychiatrie au Boston State Hospital, puis en psychanalyse à Paris.

Exerça d'abord sa profession à l'Institut Albert-Prévost à Montréal en 1957, puis devint directeur scientifique de cet établissement en 1958. Professeur titulaire à la faculté de médecine de l'université de Montréal. Nommé directeur des services au département de psychiatrie de la même faculté en 1958.

Participa à la fondation du Mouvement souveraineté-association. Élu président du conseil exécutif du Parti québécois en 1968, conseiller de l'exécutif en 1969 et vice-président du Parti québécois en février 1971. Élu député du Parti québécois dans Bourget en 1970. Chef parlementaire du Parti québécois d'avril 1970 à octobre 1973. Défait en 1973. Réélu dans la même circonscription en 1976 et en 1981. Assermenté membre du Conseil exécutif le 26 novembre 1976 et ministre d'État au Développement culturel dans le cabinet Lévesque le 2 février 1977. Ministre d'État au Développement culturel et scientifique du 12 juin 1980 au 6 novembre 1980. Ministre de l'Éducation du 6 novembre 1980 au 5 mars 1984. Ministre des Affaires sociales du 5 mars 1984 jusqu'à sa démission du cabinet le 26 novembre 1984. Démissionna comme député le 25 janvier 1985. Membre de la direction du Rassemblement démocratique pour l'indépendance en 1986.

Directeur du journal étudiant *le Quartier latin* en 1947. Travailla pour l'Entraide universitaire internationale, à Genève, en 1948 et 1949. Membre fondateur de l'Association des psychothérapeutes catholiques en 1956 et membre de la Société française de psychanalyse. Secrétaire de l'Association des psychiatres du Québec de 1958 à 1964, puis président en 1964. Auteur de nombreuses publications scientifiques et de deux ouvrages intitulés *Ma traversée du Québec* (1970) et *Témoignage* (1972). Récipiendaire du prix Heinz E. Lehman, prix d'excellence en psychiatrie, en 1990.

Retourna à la pratique de la psychiatrie au pavillon Albert-Prévost de l'hôpital du Sacré-Cœur de Montréal en 1985. Directeur du département de psychiatrie de cet hôpital à compter de 1986.

LAURIN, Joseph
(1811–1888)

Né à Québec et baptisé dans la paroisse Notre-Dame, le 18 octobre 1811, fils de Joseph Laurin, tailleur, et de Catherine Fluet.

Fit des études classiques au petit séminaire de Québec de 1824 à 1833, puis y enseigna pendant un an tout en étudiant la théologie. En 1834, fut nommé professeur au collège de Sainte-Anne-de-la-Pocatière, mais quitta la vie religieuse et entreprit de faire l'apprentissage du droit à Québec. De 1836 à 1839, publia des manuels scolaires, notamment *Traité d'arithmétique* [...] *suivi d'un traité d'algèbre*; *Livre destiné à l'instruction de l'enfance* [...]; *Traité sur la tenue des livres* [...] *rédigé pour la classe mercantile*; *le Chansonnier canadien, ou nouveau recueil de chansons*; *Géographie élémentaire, par demandes et par réponses* [...]. Reçut une commission de notaire en 1839.

Exerça sa profession à Québec jusqu'à sa mort. En 1840, élu secrétaire et conseiller juridique de la Société amicale et bienveillante des charpentiers de vaisseaux de Québec. Cofondateur de l'Association des notaires du district de Québec. Secrétaire de la Chambre des notaires de 1848 à 1862, en fut le trésorier de 1862 à 1868, puis le président de 1868 à 1870.

Candidat dans Saguenay à une élection partielle le 6 février 1836, mais retira sa candidature après treize jours de scrutin. Représenta le quartier Saint-Roch au conseil municipal de Québec de 1843 à 1847. Élu député de Lotbinière en 1844. Réélu en 1848 et 1851. Membre du groupe canadien-français, puis réformiste. Défait en 1854. Fut maire de L'Ancienne-Lorette de 1858 à 1862.

Juge de paix et commissaire de la Cour du banc de la reine; obtint d'autres postes de commissaire. Lieutenant-colonel dans la milice. Président de la Société d'agriculture du comté de Québec. Surintendant des lots de grève dans la province de Québec et agent de la seigneurie de Lauzon.

Décédé à L'Ancienne-Lorette, le 3 mars 1888, à l'âge de 76 ans et 4 mois. Inhumé dans l'église Notre-Dame-de-l'Annonciation, le 7 mars 1888.

Avait épousé dans la paroisse Saint-Joseph, à Lauzon (Lévis), le 3 septembre 1839, Marie-Louise Dalaire, fille du marchand Étienne Dalaire (Dallaire) et de Marie [Beaudoin], dit Larivière.

Bibliographie: *DBC.*

LAVALLÉE, Azellus
(1894–1976)

Né à Berthier (Berthierville), le 29 janvier 1894, fils de Joseph-Oscar Lavallée, cultivateur, et de Élodie Laporte.

A étudié au collège Saint-Joseph à Berthierville.

Fermier et éleveur à Sainte-Geneviève-de-Berthier. Il dirigea la ferme de son père jusqu'en 1918, puis s'établit à son compte. Fit l'élevage des bovins Ayrshire, des moutons Hamp-shire et des chevaux canadiens. Décoré du Mérite agricole en 1928. Fut à plusieurs reprises juge d'expositions agricoles. Président à deux reprises de la Société des éleveurs d'animaux de race pure du Québec. Président du comité général de la Société des éleveurs de la province de Québec, de la Société des éleveurs de moutons du Québec, du Club des éleveurs Ayrshire de Berthier-Maskinongé et de la Société d'agriculture du comté de Berthier pendant vingt ans. Vice-président du Club provincial d'éleveurs de bovins Ayrshire. Président de la Chambre de commerce de Berthierville en 1972.

Maire de la municipalité de la paroisse Sainte-Geneviève-de-Berthier de 1933 à 1937. Préfet du comté de Berthier en 1935. Candidat indépendant défait dans Berthier-Maskinongé aux élections fédérales de 1945. Élu député de l'Union nationale à l'Assemblée législative dans Berthier en 1948. Réélu en 1952, 1956 et 1960. Défait en 1962.

Décédé à Berthierville, le 30 août 1976, à l'âge de 82 ans et 7 mois. Inhumé à Berthierville, le 1er septembre 1976.

Avait épousé à Saint-Norbert, le 21 janvier 1918, Éva Denis, fille d'Arsène Denis, cultivateur, et de Georgiana Laporte.

Beau-frère de Joseph-Arthur Denis, député à la Chambre des communes de 1921 à 1934, et d'Azellus Denis, député à la Chambre des communes de 1935 à 1964 et sénateur à partir de 1964.

LAVALLÉE, Vincent-Paul
(1839–1931)

Né à Berthier-en-Haut (Berthierville), le 27 mars 1839, fils de Paul Lavallée, cultivateur, et de Marie Laférière.

A étudié au collège de Berthier et à l'École de médecine et de chirurgie de Montréal.

Reçu médecin en 1860, il exerça à Saint-Félix-de-Valois. Fut également commissaire au tribunal des petites causes.

Élu député conservateur dans Joliette en 1867. Réélu en 1871, 1875 (sans opposition), 1878 et 1881. Son siège devint vacant lorsqu'il fut nommé conseiller législatif de la division de Lanaudière le 4 septembre 1885. Démissionna le 24 janvier 1888. Candidat défait dans Joliette aux élections fédérales de 1896.

Décédé le 15 octobre 1931, à l'âge de 92 ans et 6 mois. Inhumé dans le cimetière de Saint-Félix-de-Valois, le 19 octobre 1931.

Avait épousé à Berthier, le 9 septembre 1861, Henriette Chalut, fille de Jean-Baptiste Chalut, notaire, et de

Catherine Mousseau ; puis, à Saint-Félix-de-Valois, le 14 février 1870, Élie Crépeau, fille de Maxime Crépeau, notaire, et de Joséphine Mousseau.

LAVALTRIE. V. MARGANE DE LAVALTRIE

LA VERGNE, Armand
(1880–1935)

Né à Arthabaska, le 21 février 1880, fils de Joseph La Vergne, avocat, juge et député à la Chambre des communes de 1887 à 1897, et d'Émilie Barthe.

Étudia au collège du Sacré-Cœur à Arthabaska, au séminaire de Québec, à l'université d'Ottawa et à l'université Laval à Québec. Fit des études postuniversitaires à Paris. Fit sa cléricature auprès de Me Jules-Alfred **Lane**. Admis au barreau de la province de Québec en 1903. Créé conseil en loi du roi le 13 juin 1918.

Exerça sa profession à Québec et à Montmagny. S'associa à Me Alleyn Taschereau de 1903 à 1912. Fut membre du cabinet d'avocats **Roy** (Ernest), Langlais, La Vergne et Godbout de 1916 à 1921. Pratiqua seul jusqu'en 1927 et fit ensuite partie du cabinet Belleau, La Vergne et La Vergne. Bâtonnier du barreau de Québec en 1930 et 1931. Fut aussi conférencier et journaliste. Dirigea *le Courrier* de Montmagny et collabora au *Devoir*, au *Droit*, au *Nationaliste*, à *l'Action catholique* et au *Matin*.

Participa avec Olivar Asselin à la fondation de la Ligue nationaliste en 1903 et en devint le secrétaire avec Omer Héroux. Élu député libéral à la Chambre des communes dans Montmagny à l'élection partielle du 16 février 1904 et aux élections générales du 3 novembre 1904. Exclu du Parti libéral par Wilfrid **Laurier** en janvier 1907. Démissionna en mai 1908 pour se porter candidat aux élections provinciales. Élu député nationaliste à l'Assemblée législative dans Montmagny en 1908 et 1912. Il occupa la fonction de whip au Parti conservateur en 1909 puis en 1912. Ne s'est pas représenté en 1916. Candidat indépendant défait dans Montmagny aux élections fédérales de 1917, puis dans le comté de Québec en 1921. Candidat indépendant défait dans Montmorency aux élections provinciales de 1923. Candidat conservateur défait dans Montmagny aux élections fédérales de 1925 et de 1926. Organisateur pour le district de Québec du congrès conservateur tenu à Winnipeg en 1927. Élu député conservateur à la Chambre des communes dans Montmagny en 1930. Élu vice-président de la Chambre des communes le 10 septembre 1930. Siégea jusqu'à son décès.

Publia en 1935 *Trente ans de vie nationale*. Lieutenant-colonel de réserve en 1912 et commandant du 61e régiment de Montmagny. Membre de la Société Saint-Jean-Baptiste et de la direction nationale de la Self-Determinative Ireland of Canada and Newfoundland. Membre honoraire de l'Union nationale Métis de Saint-Boniface. Membre à vie de la Société du parler français. Membre des Chevaliers de Colomb et du Club de la garnison de Québec.

Décédé en fonction à Ottawa, le 5 mars 1935, à l'âge de 55 ans. Inhumé à Arthabaska, dans le cimetière de la paroisse Saint-Christophe, le 8 mars 1935.

Avait épousé dans la paroisse Notre-Dame de Montréal, le 1er décembre 1904, Georgette Roy, fille de Philippe-Honoré **Roy**, avocat, et d'Auglore Molleur.

Petit-fils de Joseph-Guillaume **Barthe**.

Bibliographie : Gervais, A., *Essai de bio-bibliographie de Armand-Renaud Lavergne*, université de Montréal, 1952, 48 p. LaTerreur, Marc, *Armand Lavergne* (textes choisis), Montréal, Fides, 1968. 95 p. (« Classiques canadiens », 31). Levitt, Joseph, *The social program of the nationalists of Québec (1900–1914)*, thèse (Ph. D.), University of Toronto, 1968, 432 p.

LAVIGNE, Laurent

Né à Montréal, le 10 août 1935, fils de Joseph-Victor Lavigne, enseignant, et de Gilberte Gervais.

Fit ses études à l'école de Saint-Léonard-de-Port-Maurice, dans Portneuf, à l'école Saint-Bernardin-de-Sienne à Saint-Michel, au collège Saint-Laurent et à l'École des métiers où il fut diplômé en soudure. Obtint également un certificat d'études pédagogiques de l'UQAM en 1971.

Décorateur à Radio-Canada et professeur à la régionale Salaberry de 1969 à 1976.

Élu député du Parti québécois dans Beauharnois en 1976. Réélu en 1981. Adjoint parlementaire du ministre du Travail du 2 mai 1984 au 23 octobre 1985. Ne s'est pas représenté en 1985.

Exploite une ferme et un atelier de soudure.

LAVIOLETTE, Joseph-Gaspard
(1812–1903)

Né à Saint-Eustache, le 1er mars 1812, fils de Jean-Baptiste-Étienne Guernier, dit Laviolette, lieutenant-colonel, et de Louise-Adélaïde Lemaire Saint-Germain.

A étudié au collège de Montréal. Seigneur de Sherrington. Lieutenant-colonel dans la milice. Commissaire des recensements de 1860 et 1870. Directeur de la compagnie de chemin de fer Montreal and Champlain Railroad. Vice-président du bureau de direction de la Banque Provinciale. Fondateur de la compagnie d'assurances Canadienne. Juge de paix.

Maire de la municipalité de la paroisse Saint-Cyprien-de-De Léry du 23 juillet 1855 au 30 décembre 1856, et maire de Napierville du 9 février 1873 au 19 juillet 1875. Préfet du comté de Napierville-Laprairie en 1875. Nommé conseiller législatif de la division de Lorimier le 1er mai 1876. Appuya le Parti conservateur. Démissionna le 11 mars 1897.

Décédé à Montréal, le 4 octobre 1903, à l'âge de 91 ans et 7 mois. Inhumé à Montréal, dans le cimetière Notre-Dame-des-Neiges, le 7 octobre 1903.

Avait épousé dans la paroisse Notre-Dame de Montréal, le 21 janvier 1834, Christine-Célanie Roy-Portelance, veuve de Pierre Beaudry et fille du lieutenant-colonel Louis **Roy-Portelance**; puis, à L'Assomption, le 12 octobre 1859, Corinne Bédard, fille de Thomas Bédard, notaire, et de Marie-Angélique Chaput.

Beau-père de Jean **Girouard**.

LAVOIE, Jean-Noël

Né à Montréal, le 24 novembre 1927, fils de Zéphirin Lavoie, commerçant, et de Laura Gaudreault.

Fit ses études à l'orphelinat Saint-Arsène à Montréal, au collège Laval à Saint-Vincent-de-Paul, au collège de Saint-Laurent et à l'université de Montréal. En 1949, il suivit un cours d'officier de l'armée canadienne à Borden, en Ontario.

Admis à la pratique du notariat en juillet 1951, il exerça sa profession à L'Abord-à-Plouffe (Laval) jusqu'en 1953. S'associa avec Me Pierre Lafontaine en 1953, puis fonda l'étude Lavoie, Lafontaine et Boily en 1958. Fondateur et propriétaire des journaux *Opinions de l'Île-Jésus* en 1962 et *Citizen of Île-Jésus* de 1959 à 1966. Membre de l'Association des hommes d'affaires de Laval et de la Chambre de commerce de l'Île-Jésus. Membre du Club de la garnison de Québec et du Club de réforme de Montréal. Président du conseil d'administration de la Maisonnée d'Oka.

Échevin du siège no 4 à L'Abord-à-Plouffe de 1954 à 1956. Maire de cette municipalité de 1959 à 1961, et, à ce titre, commissaire de la Corporation interurbaine de l'Île-Jésus. Maire de Chomedey de 1961 à 1965. Fondateur du Regroupement municipal en 1963. Maire et président du comité exécutif de la ville de Laval en 1965. Candidat défait à la mairie de Laval en 1965. Candidat libéral défait dans Laval en 1956. Élu député libéral dans la même circonscription en 1960. Réélu en 1962 et 1966. Démissionna le 24 octobre 1969. De nou-

veau défait à la mairie de Laval en 1969. Réélu en 1970, 1973 et 1976. Président de l'Assemblée nationale du 9 juin 1970 au 14 décembre 1976. Leader parlementaire de l'Opposition officielle du 14 décembre 1976 jusqu'au 9 mai 1979. Ne s'est pas représenté en 1981.

Fut président de la section québécoise de l'Association des parlementaires du Commonwealth de 1970 à 1976 et de la section canadienne de l'Association internationale des parlementaires de langue française en 1974. Décoré en tant que grand officier de l'ordre de la Pléiade en 1991.

LAVOIE, René

Né à Disraëli, le 24 juillet 1921, fils de Félix Lavoie, marchand, et d'Éva Beaudoin.

Fit son cours primaire à Disraëli et à South Brookfield, en Nouvelle-Écosse, et son cours classique au séminaire Saint-Charles-Borromée à Sherbrooke et au séminaire du Sacré-Cœur à Saint-Victor. A également suivi des cours de perfectionnement à l'université Laval.

Commis-comptable à la Nova Scotia Woodenware Co. Ltd., à South Brookfield. Membre de la Gendarmerie royale du Canada. Relationniste pour les compagnies Saunders Form Hardware (Toronto), Perry Building Products (Saint-Lambert), Bouchard et Robitaille, puis Amico (Québec). Président des entreprises Delbas et de Pradibec inc. Juge de paix à partir de 1946. Président d'élection du comté de Wolfe de 1952 à 1956. Directeur des renseignements à la Commission des transports du Québec. Président du Bureau d'aménagement du comté de Wolfe. Président de la corporation et du conseil d'administration de la Villa Lavoie, centre d'accueil de Disraëli.

Directeur du bureau du conseil national de l'Union nationale. Candidat de l'Union nationale défait dans Wolfe en 1960. Élu dans la même circonscription en 1962. Whip en chef de l'Opposition officielle de 1962 à 1966. Commissaire d'école à Disraëli d'août 1964 à juin 1966. Réélu en 1966. Whip en chef du gouvernement de 1966 à 1970. Nommé adjoint parlementaire du ministre des Terres et Forêts le 30 novembre 1966. Réélu en 1970. Whip en chef de l'Opposition officielle de 1970 à 1973. Ne s'est pas représenté en 1973.

Décoré de la médaille du Centenaire en 1967. Membre de l'Association professionnelle catholique des voyageurs de commerce du Canada, de l'Association des vétérans de la Gendarmerie royale du Canada, de la Chambre de commerce du Canada, de l'Institut canadien d'administration publique, des Chevaliers de Colomb, des Amis de Saint-Benoît et des Chevaliers de l'Amicale mariste. Membre honoraire du mess des officiers du 22e régiment et membre honoraire à vie de la garde paroissiale de Disraëli. Président honoraire des Jeunes Chambres de la région des Bois-Francs–Saint-François.

LAVOIE-ROUX, Thérèse

Née à Rivière-du-Loup, le 12 mars 1928, fille de Lauréat Lavoie, ingénieur forestier, et de Charlotte Dubé.

A étudié au couvent Bon-Pasteur à Rivière-du-Loup, au pensionnat des Sœurs de Sainte-Anne et au collège Marie-Anne à Lachine, aux universités de Montréal et McGill, au Smith College à Northampton, et au Putnam Center à Boston. Obtint une maîtrise en sciences sociales et un brevet d'enseignement de piano.

Travailleuse sociale, elle exerça sa profession au Montreal Children's Hospital de 1951 à 1960. Elle y fut également professeure-thérapeute de 1954 à 1956. Professeure à l'École de service social de l'université de Montréal de 1960 à 1969, et chargée de cours à l'École de réhabilitation de l'université de Montréal de 1961 à 1964 et à l'Institut Marguerite-d'Youville en 1965 et 1966.

Commissaire et vice-présidente de la Commission des écoles catholiques de Montréal (CECM) en 1969 et 1970. Présidente de la CECM et du comité exécutif de cet organisme de 1970 à 1976. Vice-présidente du Conseil scolaire de l'île de Montréal en 1973 et 1974, puis membre de ce conseil de 1974 à 1976. Fut membre de l'Association canadienne pour l'arriération mentale, de l'Association de Montréal pour l'arriération mentale, de l'Association canadienne des travailleurs sociaux, des Loisirs pour handicapés, de l'Institut Clairséjour pour enfants socio-affectifs, des Services sociaux aux familles Étienne-Pernet. Trésorière de l'Association du Québec des travailleurs sociaux professionnels. Membre de l'Association canadienne d'éducation et du Forum pour jeunes Canadiens. Membre du Council on Social Work Education (USA), de l'American Association on Mental Deficiency, du Conseil du Québec de l'enfance exceptionnelle, de l'Association des diplômés des Hautes Études commerciales, de l'Association des diplômés de l'université de Montréal et de l'Association canadienne de l'éducation. Nommée membre honoraire de la Société des archivistes du Québec en juin 1973.

Élue députée libérale dans L'Acadie en 1976. Réélue en 1981 et 1985. Présidente de la Commission des affaires sociales du 15 mars 1984 au 23 octobre 1985. Ministre de la Santé et des Services sociaux dans le cabinet Bourassa du 12 décembre 1985 au 11 octobre 1989. Ne s'est pas représentée en 1989. Nommée sénatrice le 27 septembre 1990.

Membre des conseils d'administration de Commassur inc. et du Groupe Commerce compagnie d'assurances à compter de 1990.

LAWN, Edward Charles
(1879–1961)

Né à l'Île-du-Grand-Calumet, le 18 juillet 1879, fils de John Lawn, cultivateur, et de Jane Kenshaly.

A étudié à l'école publique de Bryson, à la Griffin School à l'Île-du-Grand-Calumet et à l'Ottawa's Business College. Marchand général et marchand de bois à Campbell's Bay. Président de Lawn Bros. Ltd.

Commissaire d'école à Campbell's Bay pendant trente-cinq ans. Maire de cette municipalité de 1920 à 1946. Préfet du comté de Pontiac de 1926 à 1928. Élu député libéral dans Pontiac en 1935. Réélu en 1936, 1939 et 1944. Défait en 1948.

Décédé à Campbell's Bay, le 15 mai 1961, à l'âge de 81 ans et 10 mois. Inhumé à Campbell's Bay, dans le cimetière de l'église St. John the Evangelist, le 18 mai 1961.

Avait épousé à Vinton, dans la paroisse Sainte-Élizabeth, le 17 juillet 1906, Maggie Shannon, fille de Michael Shannon, bûcheron, et de Catherine Murtagh.

LAYTON, Gilbert
(1899–1961)

Né à Montréal, le 5 novembre 1899, fils de Philip Edward David Layton et d'Alice Marion Gilbert.

A étudié à la Victoria School à Montréal, à la Montreal High School et à l'université McGill.

Marchand et sociétaire de la firme Layton Brothers de 1918 à 1932. Secrétaire exécutif de la Montreal Association for the Blind et gouverneur du Women's General Hospital.

Élu député de l'Union nationale dans Montréal–Saint-Georges en 1936. Assermenté ministre sans portefeuille dans le cabinet Duplessis le 26 août 1936 et le 7 juillet 1938. Candidat indépendant défait dans la circonscription de Westmount–Saint-Georges en 1939. Candidat conservateur indépendant défait dans Montréal–Mont-Royal aux élections fédérales de 1945.

Décédé à Montréal, le 29 mai 1961, à l'âge de 61 ans et 6 mois. Inhumé à Montréal, dans le Mount Royal Cemetery, le 1er juin 1961.

Avait épousé à Montréal, le 18 février 1921, Norah Lestelle England, fille d'Arthur John England et de Florence Louise Grimmett.

LAZURE, Denis

Né à Napierville, le 12 octobre 1925, fils de Thomas Lazure, fabricant de beurre, et de Berthe Durivage.

Fit ses études à l'école Daigneault à Napierville, aux collèges Notre-Dame et Brébeuf à Montréal, puis à l'université de Montréal où il fut reçu docteur en médecine. Se spécialisa par la suite en psychiatrie à l'université de Pennsylvanie. Diplômé de l'American Association of Psychiatric Clinics for Children. Obtint un certificat de spécialiste du Collège des médecins du Canada et de la Corporation des médecins du Québec. Diplômé en administration hospitalière de l'University of Toronto en 1967.

Fondateur et directeur du département de psychiatrie infantile de l'hôpital Sainte-Justine à Montréal de 1957 à 1969. Directeur général de l'hôpital Rivière-des-Prairies de 1969 à 1975, puis de l'hôpital Louis-Hippolyte-Lafontaine en 1975 et 1976. Professeur de psychiatrie à l'université de Montréal. Procéda également à l'organisation des services de santé mentale pour les gouvernements du Québec, de l'Ontario et du Manitoba. Président de l'Association des psychiatres du Canada en 1966 et 1967. Président du Conseil interaméricain des psychiatres en 1967 et 1968. Président de la Société Canada-Chine en 1974 et 1975. Dirigea pendant un an le premier hôpital psychiatrique d'Haïti.

Candidat néo-démocrate défait dans Outremont–Saint-Jean à l'élection partielle fédérale du 29 mai 1967. Défait également dans Gamelin aux élections fédérales de 1968. Élu député du Parti québécois dans Chambly en 1976. Ministre des Affaires sociales dans le cabinet Lévesque du 26 novembre 1976 au 30 avril 1981. Réélu dans Bertrand en 1981. Ministre d'État au Développement social du 30 avril 1981 au 9 septembre 1982. Ministre responsable de l'Office des personnes handicapées du Québec du 1er mai 1981 au 4 décembre 1984. Ministre délégué aux Relations avec les citoyens et citoyennes du 9 septembre 1982 au 4 décembre 1984, date de sa démission du cabinet et comme député.

Effectua une étude sur les soins psychiatriques à la Barbade pour l'Organisation mondiale de la santé. Psychiatre à l'hôpital Charles-Lemoyne de Greenfield Park de 1986 à 1989.

Élu de nouveau dans Laprairie en 1989. Vice-président de la Commission du budget et de l'administration à compter du 29 novembre 1989.

LEBEL, Gérard

Né à Rivière-du-Loup, le 12 janvier 1930, fils d'Albert Lebel, marchand, et de Jeanne Côté.

A étudié au collège Saint-Patrice à Rivière-du-Loup, au collège de Sainte-Anne-de-la-Pocatière et à l'université Laval. Admis au barreau de la province de Québec le 8 juillet 1956. Créé conseil en loi de la reine le 17 septembre 1969.

Exerça sa profession d'avocat à Rivière-du-Loup. Fut aussi professeur à l'école Monseigneur-Taché à Rivière-du-Loup et à la faculté de droit de l'université Laval. Secrétaire des Anciens de Laval. Vice-président de la Chambre de commerce de Rivière-du-Loup. Président du Club Richelieu. Membre du Conseil d'orientation économique et des Chevaliers de Colomb.

Candidat de l'Union nationale défait dans Rivière-du-Loup en 1962. Élu député de l'Union nationale dans la même circonscription en 1966. Orateur suppléant de l'Assemblée législative du 6 décembre 1966 au 22 octobre 1968, puis orateur du 22 octobre 1968 au 31 décembre 1968 et président du 1er janvier 1969 au 23 décembre 1969. Ministre des Communications dans le cabinet Bertrand du 23 décembre 1969 au 12 mai 1970. Il fut défait en 1970 et retourna à l'exercice de sa profession.

Bâtonnier du Bas-Saint-Laurent en 1976. Professeur de droit à l'université Laval. Nommé juge à la Cour supérieure le 5 septembre 1987.

LEBLANC, Denise

Née à L'Étang-du-Nord (Îles-de-la-Madeleine), le 15 décembre 1949, fille de Redger Leblanc, pêcheur, et de Maria Leblanc.

Fit ses études aux Îles-de-la-Madeleine, à l'école Saint-Pierre à La Vernière, à la polyvalente des Isles, au collège de L'Assomption, au cégep de la Gaspésie, à l'université Laval et à l'université de Montréal. Bachelière en lettres. Étudia également le droit pendant un an.

A collaboré à plusieurs émissions de radio et de télévision. Professeure à la commission scolaire régionale des Îles et au cégep de la Gaspésie en 1972 et 1973. Directrice en chef du journal le Radar. Directrice exécutive du Festival de la mer des Îles-de-la-Madeleine en 1975.

Présidente de l'exécutif provisoire du Parti québécois aux Îles-de-la-Madeleine et vice-présidente pour la région du Bas-Saint-Laurent–Gaspésie–Îles-de-la-Madeleine. Membre de l'exécutif national en 1977. Élue députée du Parti québécois dans Îles-de-la-Madeleine en 1976. Adjointe parlementaire du ministre de l'Industrie et du Commerce de décembre 1976 à septembre 1979 et du ministre de l'Agriculture, des Pêcheries et de l'Alimentation de septembre 1979 à avril 1981. Réélue en 1981. Ministre de la Fonction publique dans le cabinet Lévesque du 30 avril 1981 au 1er avril 1984. Ministre déléguée à la Condition féminine du 29 novembre 1983 au 26 novembre 1984, date de sa démission du cabinet. Siégea comme indépendante à compter du 27 novembre 1984. Ne s'est pas représentée en 1985. Présidente du Rassemblement démocratique pour l'indépendance de mars 1985 à juin 1986.

Directrice du magazine *Allure* à compter de 1986. Directrice générale de l'Atelier d'artisanat du centre-ville de Montréal.

LE BLANC, Étienne
(1759–1831)

Né à Champlain, fut baptisé dans la paroisse Notre-Dame-de-la-Visitation, le 13 novembre 1759, fils de Jean-Jacques Le Blanc, commerçant natif d'Acadie, et de Marie Héon.

Marchand à Champlain, à compter de 1789 au moins. Fit l'acquisition de terres; en 1795, acheta une partie de la seigneurie Champlain. S'établit à Trois-Rivières en 1801 et fit du commerce, tout en continuant à accroître le nombre de ses propriétés foncières et à les administrer.

Défait dans Saint-Maurice en 1809. Élu député de cette circonscription en 1814. Ne se serait pas représenté en 1816.

Fut juge de paix du district de Trois-Rivières à partir de 1803. Obtint quelques postes de commissaire.

Décédé à Trois-Rivières, le 11 juillet 1831, à l'âge d'environ 71 ans. Les obsèques eurent lieu dans l'église de l'Immaculée-Conception, le 13 juillet 1831.

Avait épousé dans la paroisse Notre-Dame-de-la-Visitation, à Champlain, le 10 mai 1796, Josette Drouet de Richerville, fille de Jean Drouet de Richerville, seigneur de Dutort, et de Marguerite Martel de Brouague.

Père d'Ovide **Le Blanc**.

Bibliographie: *DBC*.

LEBLANC, Jacques

Né à Saint-Adalbert (Côte-du-Sud), le 3 novembre 1924, fils d'Honoré Leblanc, cultivateur, et de Germaine Duval.

Obtint un diplôme d'études commerciales au collège de Sainte-Anne-de-la-Pocatière en 1942. Suivit des cours sur le système coopératif, l'acériculture et la sylviculture.

Secrétaire-gérant d'une coopérative agricole de 1942 à 1948. Mesureur et classificateur de bois pour la compagnie W.J. Sharples de 1948 à 1959, et pour l'entreprise Lagueux et Frères de 1959 à 1962. Marchand de meubles à Saint-Pamphile à partir de 1962. Donna des cours aux adultes en gestion agricole de 1970 à 1972. Maire de la ville de Saint-Pamphile de 1974 à 1978. Membre du Club Lions et des Chevaliers de Colomb.

Élu député du Parti québécois dans Montmagny-L'Islet en 1981. Adjoint parlementaire du ministre délégué aux Forêts du 21 février au 23 octobre 1985. Défait en 1985.

Retraité. Président du conseil d'administration et du conseil exécutif de la corporation Transport adapté Chutes-de-la-Chaudière à compter de 1988.

LE BLANC, Ovide
(1801–1870)

Né à Champlain et baptisé dans la paroisse Notre-Dame-de-la-Visitation, le 4 février 1801, fils d'Étienne **Le Blanc**, marchand d'ascendance acadienne, et de Josette Drouet de Richerville.

Passa son enfance à Trois-Rivières, puis fit l'apprentissage du notariat auprès de Jean **Bélanger**, à Québec. Reçut une commission de notaire le 14 février 1822.

Exerça sa profession tout d'abord à Trois-Rivières, puis bientôt à Beauharnois et, de 1843 à 1855 environ, à Montréal; peu après, s'établit à Portage-du-Fort, sur la rivière des Outaouais. Nommé syndic de l'école n° 1 de Beauharnois en 1831, juge de paix l'année suivante et marguillier de la paroisse Saint-Clément en 1837. Lieutenant dans la milice de Beauharnois en 1832, fut promu capitaine en 1835. Membre de la Commission d'enquête sur l'indemnisation des personnes qui avaient subi des pertes pendant la rébellion au Bas-Canada, de 1849 à 1852. Fit partie du bureau de la Chambre des notaires du district de Montréal de 1853 à 1856.

Défait dans Beauharnois en 1844. Élu député de cette circonscription en 1851; généralement réformiste. Défait en 1854.

Décédé vraisemblablement à Portage-du-Fort, en 1870, à l'âge de 68 ou de 69 ans.

Avait épousé dans la paroisse Notre-Dame de Montréal, le 28 mai 1845, Sophie Lindsay, fille de William Lindsay, marchand, puis greffier de la Chambre d'assemblée du Bas-

Canada, et de Marianne (Mary Ann) Melvin, et veuve de l'avocat Daniel-Hippolyte-Saint-Georges Dupré.

Bibliographie: Richard, Louis, «Ovide Leblanc (1801–1870)», *BRH*, 58, 4 (oct.-déc. 1952), p. 177-181.

LEBLANC, Pierre-Évariste
(1853–1918)

Né à Saint-Martin (Laval), le 10 août 1853, fils de Joseph Leblanc, forgeron, et de Marie-Adèle Bélanger.

Fit ses études à l'académie de Saint-Martin, à l'école normale Jacques-Cartier à Montréal, où il reçut le prix Prince-de-Galles, et aux universités Laval et McGill à Montréal. Fit sa cléricature auprès de Mᵉ Pagnuelo et de Mᵉ Joseph-Aldéric Ouimet, député à la Chambre des communes de 1873 à 1896. Admis au barreau de la province de Québec le 14 juillet 1876. Créé conseil en loi de la reine le 9 juin 1899.

Enseigna de 1872 à 1876, puis exerça sa profession d'avocat à Montréal au cabinet Leblanc et Brossard. Membre du Club Cartier, du Mount Royal Club, du St. James Club, du Club de la garnison et de l'Union Club.

Fondateur de l'Association conservatrice de Montréal en 1898. Élu député conservateur dans Laval à l'élection partielle du 30 octobre 1882. Cette élection fut annulée le 25 mai 1883, et il fut défait à l'élection partielle du 13 juin 1883. Élu à l'élection partielle du 14 juillet 1884. Réélu en 1886, son élection fut annulée le 7 avril 1888. Réélu à l'élection partielle du 8 mai 1888, puis aux élections de 1890 et sans opposition à celles de 1892. Orateur de l'Assemblée législative du 26 avril 1892 au 23 novembre 1897. De nouveau élu en 1897, 1900 et 1904. Chef de l'Opposition de 1905 à 1908. Défait aux élections générales de 1908 et à l'élection partielle du 28 décembre 1908. Lieutenant-gouverneur de la province de Québec du 12 février 1915 au 18 octobre 1918. Créé commandeur de l'ordre de Saint-Michel et Saint-George en 1916. Chevalier de l'ordre de Saint-Jean-de-Jérusalem.

Décédé à Spencer Wood, à Sillery, le 18 octobre 1918, à l'âge de 65 ans et 2 mois. Inhumé à Montréal, dans le cimetière Notre-Dame-des-Neiges, le 21 octobre 1918.

Avait épousé à Montréal, dans la paroisse Saint-Jacques, le 12 janvier 1886, Marie-Joséphine-Hermine Beaudry, fille de Théodore Beaudry et de Marie-Catherine Vallée.

LE BOUTILLIER, David
(1811–1854)

Né à Saint-Jean, île de Jersey, et baptisé dans la paroisse du même nom, le 14 octobre 1811, fils de Josué Le Boutillier et d'Anne Amy. Son patronyme s'orthographiait aussi Le Bouthillier.

S'installa à Paspébiac, en Gaspésie, en 1827. Travailla d'abord comme apprenti commis au service de la Charles Robin and Company. En 1838, s'engagea dans le commerce de la morue séchée et fonda la Le Boutillier Brothers. Fut nommé directeur de l'entreprise, qui mit sur pied et exploita plusieurs établissements de pêche, notamment dans la péninsule gaspésienne, au Nouveau-Brunswick ainsi qu'au Labrador, et fit du commerce avec les Antilles et les ports de la Méditerranée.

Élu député de Bonaventure en 1851; réformiste, puis modéré. Ne s'est pas représenté en 1854.

Décédé vraisemblablement à Paspébiac en 1854, à l'âge de 42 ou de 43 ans.

Était vraisemblablement célibataire.

Bibliographie: *DBC*.

LE BOUTILLIER, John
(1797–1872)

Né à Saint-Jean, île de Jersey, le 23 avril 1797, fils de Jean-David Le Boutillier et de Marie Baudains. Son patronyme s'orthographiait aussi Le Bouthillier.

Étudia dans son île natale et en Angleterre.

Arriva en Gaspésie vers 1815. S'engagea dans le commerce des pêcheries, d'abord à titre de commis de la Charles Robin and Company, puis comme gérant de l'entreprise à Paspébiac et à Percé; par la suite, se lança à son compte. En 1830, fonda la John Le Boutillier and Company, qui exploita des établissements de pêche dans l'ensemble de la péninsule gaspésienne et qui exporta ses produits en Europe, aux Antilles et au Brésil. Se fixa à Gaspé vers 1830. Lieutenant-colonel dans la milice.

Élu député de Gaspé à une élection partielle le 11 mars 1833; vota contre les Quatre-vingt-douze Résolutions. Réélu en 1834; appuya généralement le parti des bureaucrates. Son mandat prit fin avec la suspension de la constitution, le 27 mars 1838. Élu dans Bonaventure en 1844; tory. Ne s'est pas représenté en 1848. Élu dans Gaspé en 1854; réformiste, puis bleu. Réélu en 1858, en 1861 sans opposition et en 1863;

bleu. Son dernier mandat prit fin avec l'avènement de la Confédération, le 1ᵉʳ juillet 1867. Nommé conseiller législatif de la division du Golfe le 2 novembre 1867; prêta serment le 27 décembre; appuya le Parti conservateur.

Décédé en fonction à Gaspé, le 31 juillet 1872, à l'âge de 75 ans et 3 mois. Anglican converti au catholicisme, fut inhumé dans le cimetière de la paroisse Saint-Albert-de-Gaspé, le 2 août 1872.

Avait épousé en 1824 Elizabeth Robin, fille de Philip Robin, marchand de Gaspé, et de Marthe Arbour.

Bibliographie: *DBC*.

LE BRODEUR. V. BRODEUR

LECAVALIER, Narcisse
(1827–1892)

Né à Saint-Laurent (île de Montréal), le 3 juillet 1827, fils de Guillaume Lecavalier, cultivateur, et de Marie-Louise Groulx.

A étudié au séminaire de Sainte-Thérèse où il fit un an de théologie. Admis à la pratique du notariat le 14 février 1853, il exerça sa profession à Saint-Laurent.

Secrétaire-trésorier des conseils municipaux de Saint-Laurent en 1855, de Notre-Dame-de-Grâce en 1877 et de Côte-des-Neiges du 5 mars 1877 au 5 mars 1886. Secrétaire-trésorier des commissions scolaires de Côte-des-Neiges en 1853, de Saint-Laurent en 1860 et de Notre-Dame-de-Grâce du 24 août 1876 au 5 mars 1886. Membre du conseil d'administration des Écoles dissidentes.

Élu député conservateur dans Jacques-Cartier en 1867. Réélu en 1871, 1875, 1878 et sans opposition en 1881.

Démissionna lors de sa nomination comme registrateur des comtés de Hochelaga et Jacques-Cartier le 11 juillet 1882, poste qu'il occupa jusqu'à son décès.

Décédé à Saint-Laurent, le 30 avril 1892, à l'âge de 64 ans et 10 mois. Inhumé dans la crypte de l'église de Saint-Laurent, le 4 mai 1892.

Avait épousé dans la paroisse Saint-Grégoire-le-Grand, le 5 août 1856, Marie-Émilie Grevier, veuve d'Augustin-Candide Duclos Decelles, notaire.

LECHASSEUR, Guy

Né à Québec, le 24 janvier 1916, fils d'Arthur Lechasseur, employé civil, et de Lumina Veilleux.

Fit ses études à l'académie Saint-Joseph, au séminaire de Québec et à l'université Laval. Interrompit ses études de droit en 1940 en raison de la guerre. Officier d'infanterie et d'état-major outre-mer jusqu'à la fin de la Deuxième Guerre mondiale, il participa aux campagnes de France et de Hollande. A obtenu le grade de major. Termina ses études et fut reçu au barreau en juillet 1946.

De 1946 à 1957, il fut registraire, puis conseiller senior au bureau de l'Arbitre canadien sous la loi de l'assurance-chômage. Directeur des relations extérieures de la compagnie Steinberg's Limited de 1957 à 1960. Exerça sa profession d'avocat à Montréal au cabinet Lemieux et Lechasseur de 1960 à 1970.

Élu député libéral dans Verchères en 1960. Réélu en 1962. Adjoint parlementaire du ministre du Revenu du 19 décembre 1962 au 27 juillet 1963, et du secrétaire de la province du 27 juillet 1963 au 25 novembre 1965. Occupa le poste d'orateur de l'Assemblée législative du 22 octobre 1965 au 1ᵉʳ décembre 1966. Réélu en 1966.

Démissionna le 4 mars 1970 et fut nommé le même jour juge à la Cour de bien-être social devenue par la suite le Tribunal de la jeunesse et la Cour du Québec. Retraité en 1986.

Créé conseil en loi de la reine le 1ᵉʳ mai 1961. Président du comité du centenaire de la Confédération pour la province de Québec en 1964 et 1965. Membre de la Légion canadienne. Récipiendaire de l'Efficiency Decoration.

LECLERC, Arthur
(1902–1979)

Né à Trois-Pistoles, le 26 octobre 1902, fils de Willie Leclerc, marchand, et de Wilhelmine Rousseau.

Fit ses études à Trois-Pistoles, aux collèges de Sainte-Anne-de-la-Pocatière et de Nicolet, et à l'université Laval à Québec. Reçu médecin en 1928.

Exerça sa profession de médecin chirurgien aux Escoumins, à Saint-Paul-du-Nord, à Baie-Saint-Paul et à La Malbaie à partir de 1943. Fonda un petit hôpital à Baie-Saint-Paul et fut directeur médical à l'hôpital Saint-Joseph à La Malbaie. Membre du Bureau médical de Charlevoix, de l'Association des médecins de la province de Québec et de l'Association des médecins de langue française du Canada. Membre de la Chambre de commerce de La Malbaie, du Cercle Lacordaire et de la Société des artisans.

Élu député de l'Union nationale dans Charlevoix-Saguenay en 1936. Ne s'est pas représenté en 1939. De nouveau élu dans la même circonscription en 1944, et dans Charlevoix en 1948, 1952, 1956 et 1960. Assermenté ministre d'État dans le cabinet Duplessis le 5 août 1952. Ministre de la Santé dans les cabinets Duplessis, Sauvé et Barrette du 5 novembre 1958 au 5 juillet 1960. Défait en 1962.

Décédé à Québec, le 17 avril 1979, à l'âge de 76 ans et 6 mois. Inhumé à Sainte-Foy, dans le cimetière Notre-Dame-de-Belmont, le 20 avril 1979.

Avait épousé à Montmagny, dans la paroisse Saint-Thomas-de-la-Pointe-à-la-Caille, le 22 octobre 1928, Marie-Antoinette Tremblay, fille de Léandre Tremblay, inspecteur à la compagnie Price, et d'Éléonore Gobeil.

LECLERC, Aurèle
(1883–1968)

[Né à Leclercville, le 8 mai 1883, fils de Nérée Leclerc, cultivateur, et de Zéphirine Laliberté.]

A étudié au séminaire de Québec et à l'université Laval. Admis à la pratique du notariat en 1911.

Exerça sa profession à Québec. Pratiqua pendant douze ans avec Cyrille Fraser **Delâge** et J.-B. Delâge. Fut le premier président de l'Association des laboureurs de la province. Directeur du Club automobile de Québec.

Élu député libéral dans Québec en 1916. Réélu sans opposition en 1919 et 1923.

Son siège devint vacant le 5 octobre 1923 lorsqu'il fut nommé registrateur conjoint de Québec, poste qu'il occupa jusqu'en 1963. Son élection du 5 février 1923 fut annulée le 6 novembre 1923 par la Cour supérieure.

Décédé à Courville, le 23 juin 1968, à l'âge de 85 ans et un mois. Inhumé à Sainte-Foy, dans le cimetière Notre-Dame-de-Belmont, le 26 juin 1968.

Avait épousé à Québec, dans la paroisse Saint-Roch, le 30 septembre 1913, Julia Gagnon, fille de Victor Gagnon et de Victoria Drouin.

LECLERC, Eugène
(1865–1937)

Né à Cap-Santé, le 6 mai 1865, fils de Théodore Leclerc, cultivateur, et de Sara Langlois.

Exerça d'abord le métier de tailleur de cuir. Président du Conseil central des métiers et du travail de Québec. Secrétaire de la municipalité de Québec en 1880. De 1887 à 1912,

il s'associa avec Pierre Roy dans l'affermage des journaux *la Justice*, *l'Électeur* et *le Soleil*. Débuta dans les assurances en 1896 et fonda, en 1912, la compagnie Leclerc, Cook et Joubert. Fut l'un des pionniers de l'industrie de la pulpe dans la région du Lac-Saint-Jean. Codirecteur d'une fabrique de ciment à Québec et propriétaire d'une pépinière.

Organisateur du Parti libéral. Échevin et maire de Limoilou de 1908 à 1910. Élu député libéral dans Québec-Centre à l'élection partielle du 23 décembre 1908. Réélu en 1912. Ne s'est pas représenté en 1916.

Nommé commissaire consultant des incendies pour la cité de Québec le 1er avril 1918. A publié quelques ouvrages sur la prévention des incendies, notamment *Statistiques rouges* (1932) et *Conseils pratiques sur la prévention des incendies* (1935). Président conjoint et trésorier général de la Société Saint-Jean-Baptiste. Fondateur et président de plusieurs sociétés de secours mutuels. Membre du comité exécutif canadien des Underwriters, de la Chambre de commerce de Québec, du Club canadien, du Club de réforme, de l'Union Saint-Joseph, de l'ordre des Forestiers catholiques et de l'Alliance nationale. Marguillier de la paroisse Saint-Jean-Baptiste en 1913.

Décédé à Québec, le 28 décembre 1937, à l'âge de 72 ans et 7 mois. Inhumé à Sainte-Foy, dans le cimetière Notre-Dame-de-Belmont, le 31 décembre 1937.

Avait épousé à Québec, dans la paroisse Saint-Jean-Baptiste, le 10 janvier 1893, Anna Voyer, veuve d'Alexandre Faucher Weippert, marchand.

LECLERC, Jean

Né à Québec, le 28 mai 1958, fils de Jean-Robert Leclerc, administrateur, et de Suzanne Lajeunesse.

Fit ses études secondaires et collégiales au séminaire de Québec de 1970 à 1977 et entreprit, en 1977, un baccalauréat en administration à l'université Laval.

Employé de Biscuits Leclerc, il fut adjoint au directeur du marketing de 1977 à 1979, directeur du marketing de 1979 à 1981, puis directeur général de cette entreprise de 1982 à 1985. Directeur de l'Association canadienne des manufacturiers de biscuits de 1981 à 1985.

Commissaire à la commission scolaire de Charlesbourg de 1981 à 1983. Élu député libéral dans Taschereau en 1985. Adjoint parlementaire du ministre de la Main-d'œuvre et de la Sécurité du revenu du 17 mai 1989 au 9 août 1989. Réélu en 1989. Nommé adjoint parlementaire du ministre de l'Industrie, du Commerce et de la Technologie le 29 novembre 1989.

Adjoint parlementaire de la ministre des Affaires culturelles du 6 mars 1991 au 15 avril 1992.

LE COMTE DUPRÉ, Georges-Hippolyte (1738–1797)

Né à Montréal, le 23 mars 1738, puis baptisé le 24, dans l'église Notre-Dame, fils de Jean-Baptiste Le Comte Dupré, marchand, et de Marie-Anne Hervieux. Désigné souvent sous le nom de Saint-Georges Dupré.

Fut marchand à Montréal jusque vers 1770. Pendant l'invasion américaine de 1775–1776, servit dans la milice et exerça les fonctions de commissaire pour les corvées et les transports dans le district de Montréal ; l'un des douze signataires de la capitulation de Montréal, le 12 novembre 1775. Après le départ des Américains, fut, avec deux autres officiers, chargé le 25 juin 1776 de juger leurs sympathisants et les espions. Accéda au grade de colonel dans la milice. Nommé grand voyer substitut du district de Montréal en 1783. Inspecteur de police à Montréal à compter de 1788.

Élu député de Huntingdon en 1792 ; appuya tantôt le parti canadien, tantôt le parti des bureaucrates. Ne se serait pas représenté en 1796. S'occupa d'administration municipale, à Montréal, avant la fin de 1797.

Décédé à Montréal, le 26 novembre 1797, à l'âge de 59 ans et 8 mois. Inhumé dans la chapelle Saint-Amable de l'église Notre-Dame, le 28 novembre 1797.

Avait épousé dans la paroisse Notre-Dame de Montréal, le 9 janvier 1764, Marie-Charlotte Liénard de Beaujeu, fille du lieutenant Daniel-Hyacinthe-Marie Liénard de Beaujeu et de Michelle-Élisabeth Foucault ; puis, à Saint-Vincent-de-Paul (Laval), le 22 mars 1770, Marie-Louise-Charlotte de La Corne, fille de Luc de La Corne, officier dans les troupes de la Marine, commerçant et futur conseiller législatif, et de sa première femme, Marie-Anne Hervieux.

Frère de Jean-Baptiste Le Comte Dupré, nommé conseiller législatif en 1786. Sa nièce épousa Antoine **Juchereau Duchesnay**.

Bibliographie : *DBC*.

LECOURS, Henri

Né à East Angus, le 6 mars 1933, fils d'Albert Lecours et de Bibiana Lemay.

Fit ses études à l'école d'East Angus, au collège Saint-Viateur à Montréal, et aux universités de Sherbrooke et McGill.

Suivit aussi des cours à l'université d'Ottawa et à l'université libre de Lille, en France. Reçu médecin en 1961 et admis au Licence Medical Canadian Council (LMCC) en 1962.

Exerça sa profession à partir de 1963 à Black Lake et à Coleraine. Membre du Collège des médecins de la province de Québec, de l'Association des médecins de langue française et de l'Association des omnipraticiens de la région des Bois-Francs.

Président de l'Association libérale du comté de Frontenac de 1971 à 1973. Élu député libéral dans Frontenac en 1973. Défait en 1976.

LEDOUX, Gaston (1915–1970)

Né à Magog, le 21 mars 1915, fils de Wilfrid Ledoux, journalier, et de Marie Bernard.

Fit ses études au collège Sacré-Cœur à Magog et à la Magog High School.

Syndicaliste. Travailla à la Dominion Textile à Magog de 1933 à 1946. En 1936, il contribua à mettre sur pied le premier syndicat de l'industrie textile à Magog ; il en fut également secrétaire en 1939, vice-président en 1940 et président de 1941 à 1945. Président de la Fédération nationale catholique du textile de 1945 à 1952. Directeur de la Confédération des travailleurs catholiques du Canada (CTCC) de 1946 à 1948, et premier vice-président de 1948 à 1952. Membre de la Commission ouvrière fédérale et responsable de l'administration du décret C.P. 1003 des industries de guerre de 1941 à 1945. Représentant des ouvriers du textile canadien à la Conférence internationale du travail à Genève en 1948. Conseiller technique de la Fédération nationale catholique du textile en 1952. Associé du bureau d'assurances générales Boivin, Ledoux et Charbonneau à Granby. Membre fondateur du Jardin zoologique de Granby. Membre de la Société des artisans canadiens-français, de la Chambre de commerce senior et des Chevaliers de Colomb.

Élu député libéral dans Shefford en 1952. Démissionna le 17 mai 1955.

Décédé à Kemptville, en Ontario, le 1er janvier 1970, à l'âge de 55 ans et 7 mois. Inhumé à Magog, dans le cimetière de la paroisse Saint-Patrice, le 9 mai 1970.

Avait épousé à Magog, le 30 décembre 1939, Doris Tétreault, fille de Joseph Tétreault et de Malvina Bonin.

LEDUC, Alfred
(1868–1957)

Né dans la paroisse Notre-Dame de Montréal, le 2 août 1868, fils d'Édouard Leduc, boucher, et de Marie-Louise Marcotte.

Fit ses études à l'école Saint-Joseph à Montréal, au collège de Montréal et à l'académie de l'archevêché de Montréal.

Commis puis maître boucher à l'entreprise paternelle à partir de 1887. Prit la direction, avec son frère, du commerce de son père en 1889 sous la raison sociale de E. & A. Leduc, puis en devint l'unique propriétaire en 1909. Directeur de la Boulangerie moderne à Montréal, de l'Assurance mutuelle et du commerce de Saint-Hyacinthe et de la Chateauguay Garden City Co. Vice-président du Montreal Live Stock Exchange. Président de l'Association des bouchers de 1900 à 1905. Président de l'Association des hommes d'affaires de la partie ouest de Montréal et trésorier de l'Association des propriétaires de la partie ouest. Membre de la Chambre de commerce de Montréal en 1924 et 1925. Gouverneur à vie de l'hôpital Notre-Dame, de l'hôpital Western et du YMCA de Westmount. Président honoraire de l'Association des bouchers et du Live Stock Exchange. Membre du Club de réforme.

Échevin de Saint-Henri de 1894 à 1897 et de 1900 à 1903, et de Sainte-Cunégonde de 1903 à 1905. Élu député libéral à la Chambre des communes dans Westmount–Saint-Henri en 1917. Ne s'est pas représenté en 1921. Élu député libéral à l'Assemblée législative dans Montréal–Saint-Henri en 1927. Assermenté ministre sans portefeuille dans le cabinet Taschereau le 25 avril 1927. Ne s'est pas représenté en 1931.

Décédé à Montréal, le 24 juin 1957, à l'âge de 88 ans et 10 mois. Inhumé à Montréal, dans le cimetière Notre-Dame-des-Neiges, le 27 juin 1957.

Avait épousé dans sa paroisse natale, le 6 septembre 1892, Eugénie Claude, fille de Pierre Claude, marchand, et de Philomène Lecompte.

Grand-père de Guy **Leduc** et de Pierre **Laporte**.

LEDUC, André

Né à Grand-Mère, le 25 octobre 1919, fils de Dosithée Leduc, épicier grossiste, et de Joséphine Hudon-Beaulieu.

Fit ses études au collège Sacré-Cœur à Grand-Mère et au collège Brébeuf à Montréal.

Exerça le métier d'épicier grossiste. Président de l'Association des épiciers en gros du Québec en 1960 et 1961. Vice-président de l'Alliance Trans-Kébec ltée. Fut administrateur du Conseil d'expansion économique provincial et de la Caisse d'entraide économique de Grand-Mère. Fondateur et président du Club Richelieu de Grand-Mère en 1943. Président du Jeune Commerce de 1945 à 1947, secrétaire-trésorier en 1948 et 1949, et président de la Chambre de commerce en 1966. Président honoraire de la Société Saint-Jean-Baptiste en 1973. Membre des Chevaliers de Colomb.

Commissaire d'école à Grand-Mère de 1951 à 1958, puis président de la commission scolaire de 1958 à 1960. Élu député de l'Union nationale dans Laviolette en 1966. Whip adjoint de l'Union nationale de juin 1966 à avril 1970. Ne s'est pas représenté en 1970.

LEDUC, Édouard
(1894–1986)

Né à Saint-Clet, le 4 mars 1894, fils de Ferdinand Leduc, cultivateur, et de Caroline Schmidt.

Fit ses études à Saint-Clet.

Cultivateur à Saint-Clet. Président de la Société d'agriculture de Soulanges de 1937 à 1939. Comptable de l'Assurance mutuelle de Saint-Clet pendant cinquante-deux ans. Secrétaire de cette municipalité de 1921 à 1974, de la commission scolaire de 1921 à 1969, de la société d'aqueduc pendant 47 ans et de la corporation du syndic pendant 41 ans.

Candidat conservateur défait dans Soulanges en 1931 et 1935. Élu député de l'Union nationale dans Soulanges en 1936. Défait dans Vaudreuil-Soulanges en 1939 et 1944.

Décédé à Saint-Clet, le 28 janvier 1986, à l'âge de 91 ans et 10 mois. Inhumé dans le cimetière de Saint-Clet, le 1er février 1986.

Avait épousé à Sainte-Marthe, le 28 février 1922, Rose-Ida Viau, fille de Philias Viau, marchand général, et de Rose de Lima Ranger.

LEDUC, François-Joseph
(1895–1985)

Né à Saint-Benoît (Mirabel), le 21 novembre 1895, fils d'Apollinaire Leduc, épicier, et de Clara Mary Holland.

Fit ses études à Montréal à l'académie St-Paul, au collège Mont-Saint-Louis, à l'École polytechnique et à l'École des sciences politiques et économiques de l'université de Montréal. Bachelier en sciences appliquées (génie chimique et génie civil) de l'université de Montréal en 1924. Licencié en sciences sociales en 1927. Nommé docteur en sciences honoris causa de l'université de Montréal en 1937.

Chimiste au service de la Canadian Inspection and Testing Laboratories. Chimiste-métallurgiste à la General Car and Machinery Works Ltd., puis à la Machine agricole de Montmagny de 1916 à 1918. Chimiste et directeur adjoint du département de la pulpe à la compagnie Belgo et à la Canadian Carbide Ltd. de 1918 à 1921. Fondateur et chef du laboratoire des matériaux et du service des achats de la cité de Montréal de 1924 à 1931. Membre de la firme d'ingénieurs-conseils F.J. Leduc et Associés de 1931 à 1949. Membre de la Corporation des ingénieurs professionnels du Québec, de la Société de chimie industrielle, de l'Institut des ingénieurs du Canada, de la Société des ingénieurs civils de France, de l'Asphalt Technologists of America et de la Société d'astronomie de Toulouse. Directeur de la succursale montréalaise de la British Society of Chemical Industry.

Échevin d'Ahuntsic au conseil municipal de Montréal du 9 avril 1934 au 28 août 1936. Élu député conservateur dans Laval en 1935. Élu député de l'Union nationale en 1936. Ministre de la Voirie dans le cabinet Duplessis du 26 août 1936 au 7 juillet 1938. Sommé par le premier ministre de démissionner, il refusa et fut écarté du cabinet le 7 juillet 1938. Élu député libéral en 1939 et 1944. Défait en 1948.

Vice-président de la Commission du tarif à Ottawa de 1949 à 1959. Revint s'établir à Montréal en 1959 et exerça son métier d'ingénieur jusqu'à l'âge de 85 ans.

Auteur de nombreux articles publiés dans des revues techniques et d'un ouvrage sur la technocratie.

Décédé à Outremont, le 8 février 1985, à l'âge de 89 ans et 2 mois. Inhumé à Montréal, dans le cimetière Notre-Dame-des-Neiges, le 11 février 1985.

Avait épousé à Montréal, dans la paroisse Saint-Édouard, le 24 septembre 1919, Caroline Kochenburger, fille de Daniel Kochenburger, entrepreneur de plomberie, et de Thérésa Lambour.

LEDUC, Germain
(1931–1989)

Né à Saint-Laurent (île de Montréal), le 8 mai 1931, fils de Joseph-Avila Leduc, cultivateur, et d'Adrienne Cousineau.

Fit son cours classique au collège Saint-Laurent et obtint une licence en droit de l'université de Montréal en 1956.

Notaire de la firme Leduc, Grou et Leduc de 1956 à 1982. Fut président de la commission scolaire Sainte-Croix de 1972 à 1978, président du cégep Saint-Laurent de 1973 à 1979 et président de la caisse populaire de Saint-Laurent de 1970 à 1982. Fut également professeur invité en droit à l'université de Montréal pendant un an et membre du conseil d'ad-

ministration de l'hôpital Notre-Dame-de-l'Espérance de 1972 à 1974. Fit également partie d'un sous-comité de législation en droit.

Élu député libéral dans Saint-Laurent à l'élection partielle du 5 avril 1982. Réélu dans la même circonscription en 1985. Démissionna le 12 décembre 1985 pour céder son siège au chef du Parti libéral du Québec, Robert Bourassa.

Membre du conseil d'administration de la Société de développement industriel (SDI) du 20 juin 1986 à son décès. Fondateur du parti de l'Alliance municipale de Saint-Laurent en juillet 1986. Candidat défait à la mairie de Saint-Laurent pour ce parti à l'élection du 2 novembre 1986.

Décédé à Saint-Laurent, le 28 mars 1989, à l'âge de 57 ans et 9 mois. Inhumé dans le cimetière Saint-Laurent, le 1er avril 1989.

Avait épousé à Saint-Laurent, le 30 juin 1956, Marielle St-Aubin, fille de Léo St-Aubin, cultivateur, et de Sarah Gohier.

LEDUC, Guy

Né à Montréal, le 18 juin 1928, fils de Claude Leduc, comptable, et de Gabrielle Noiseux.

Fit ses études à l'école Notre-Dame-des-Neiges et aux collèges Notre-Dame, Brébeuf et Sainte-Marie à Montréal. Fit un stage de perfectionnement en administration des affaires et suivit des cours de direction du personnel et de mise en marché en 1964.

Représentant de Yardley of London (Canada). Gérant de district, directeur du personnel et administrateur de l'Assurance-vie du Saint-Laurent à Trois-Rivières. Gérant du service français à la compagnie Dupont du Canada en 1959 et chez McCann-Erickson du Canada ltée en 1963 où il fut également membre du bureau de direction. Professeur à la Sir George Williams University School of Retailing à Montréal pendant trois ans. Participa à la mise sur pied de la Commission de transport de la Rive-Sud de Montréal.

Élu député libéral dans Taillon en 1966. Réélu en 1970 et 1973. Vice-président du caucus libéral de mai 1970 à février 1973. Nommé adjoint parlementaire du ministre des Affaires municipales le 28 février 1973. Démissionna du Parti libéral le 28 février 1975. Siégea comme député indépendant à partir du 18 mars 1975. Ne s'est pas représenté en 1976.

Fut directeur adjoint au journal le Sudiste, puis directeur adjoint de l'animation du Vieux-Port de Québec. Exerce la fonction d'adjoint au vice-président marketing, communications et ventes au Parc olympique de Montréal.

Membre des conseils d'administration CIBL-FM et du Festival de musique. Trésorier de la Fondation du jardin et du pavillon japonais. Vice-président du conseil du Centre d'études du tourisme.

Petit-fils d'Alfred **Leduc**. Cousin de Pierre **Laporte**.

LEDUC, Léon
(1832–1895)

Né dans la paroisse Notre-Dame de Montréal, le 12 décembre 1832, fils de Léon Leduc, cultivateur, et Pélagie Papin.

A étudié au collège de Sainte-Thérèse. Apprit son métier de tanneur à Oshawa de 1850 à 1854. Devint tanneur à Montréal en 1854. S'établit à Sorel et y fonda une tannerie en 1861. Sociétaire de plusieurs entreprises de la chaussure.

Élu député conservateur dans Richelieu en 1881. Défait en 1886 et 1890.

Décédé à Sorel, le 1er avril 1895, à l'âge de 63 ans et 8 mois. Inhumé dans le cimetière de Sorel, le 3 avril 1895.

Avait épousé à Montréal, dans la paroisse Notre-Dame-de-Grâce, le 14 février 1860, Aglaé Claude, fille de Pierre Claude et de Marie Lauzon.

LEDUC, Michel

Né à Montréal, le 22 juin 1940, fils de René Leduc, gérant de banque, et de Simone Jacob.

Titulaire d'un brevet «A» de l'école normale Jacques-Cartier et d'une licence en lettres de l'université de Montréal. Termina une maîtrise en lettres à l'université de Montréal en 1973.

Professeur à la commission scolaire de Chambly de 1965 à 1967. Professeur à l'Agence canadienne de développement international en Afrique de 1967 à 1969. Professeur et chef du département de lettres au cégep Saint-Laurent de 1972 à 1981. Commissaire national des scouts du Canada en 1966 et 1967. Président du comité directeur du conseil national du PQ de 1976 à 1979. Conseiller au bureau de direction du PQ en 1979. Président du Syndicat des professeurs du cégep Saint-Laurent. Membre du conseil d'administration et de l'exécutif du même cégep de 1974 à 1976.

Candidat du Parti québécois défait dans Laval en 1976. Élu député du Parti québécois dans Fabre en 1981. Whip adjoint du gouvernement du 19 mai 1981 au 22 septembre 1982. Adjoint parlementaire du ministre de l'Éducation du 22 septembre 1982 au 23 janvier 1985. Adjoint parlementaire du ministre des Relations internationales du 23 janvier au 23 octobre 1985. Défait en 1985 et 1989. Président du Parti

québécois, région de Laval, à compter de 1990. Directeur de projet pour le Centre éducatif et culturel (CEC).

LEE, Thomas
(1783–1832)

Né à Québec et baptisé dans la paroisse Notre-Dame, le 8 avril 1783, fils de Jean-Thomas Lée, marchand d'ascendance irlandaise et bordelaise, et de Marie-Angélique Gautron. Connu également sous le patronyme de Lée.

Étudia au petit séminaire de Québec, puis fit l'apprentissage du notariat; obtint l'autorisation d'exercer sa profession le 21 février 1805.

Fut notaire à Québec jusqu'à sa mort. Propriétaire d'une scierie et d'une fabrique d'huile de graine de lin, à Saint-Roch. Copropriétaire de l'Imprimerie canadienne, qui publiait le journal *le Canadien*. En 1821, demanda sans succès d'être admis au barreau. Occupait le poste de secrétaire de l'école britannique de Québec en 1826. Destitué de son grade de capitaine dans le 1er bataillon de milice de Québec en 1827, publia une lettre ouverte à ce sujet dans *la Gazette de Québec* du 29 octobre, qu'il fit paraître ensuite en brochure. En 1830, fut nommé commissaire chargé des chemins vicinaux de Québec et magistrat.

Élu député de Northumberland en 1809. Réélu en 1810 et 1814. Donna son appui au parti canadien. Défait en 1816. Défait dans Québec à une élection partielle le 28 mars 1818. Élu dans la Basse-Ville de Québec en avril 1820. Ne s'est pas représenté en juillet 1820. Élu dans la Basse-Ville de Québec à une élection partielle le 11 décembre 1828. Réélu en 1830. Appuya généralement le parti patriote.

Décédé en fonction à Québec, le 20 août 1832, à l'âge de 49 ans et 4 mois. Après des obsèques célébrées en la cathédrale Notre-Dame, fut inhumé dans le cimetière des Picotés, le 21 août 1832.

Avait épousé dans la paroisse Notre-Dame de Québec, le 20 septembre 1808, Marie Just, fille du docteur John Conrad Just et de Josephte Fisbach; puis, dans la cathédrale anglicane Holy Trinity, à Québec, le 10 août 1822, Mary Neilson, fille de l'imprimeur James Neilson et d'une prénommée Marie-Louise.

Beau-frère de George **Vanfelson**. Neveu par alliance d'Alexandre **Dumas**.

Bibliographie: «Thomas Lee était-il d'origine anglaise?», *BRH*, 33, 6 (juin 1927), p. 352-353. Berneval, «Thomas Lee était-il d'origine anglaise?», *BRH*, 33, 12 (déc. 1927), p. 726-728.

LEES, John
(≈1740–1807)

Né en Écosse vers 1740, fils de John Lees, marchand.

Arriva à Québec probablement en 1761, année où son père établit son commerce dans la basse ville. En 1773, fonda la Davison and Lees, société qui, jusqu'au 15 août 1791, s'occupa d'importation, de l'approvisionnement de l'armée, de l'acquisition de propriétés foncières, surtout dans la région de Québec et à l'ouest de Trois-Rivières, notamment de la seigneurie Gastineau, et qui obtint le bail du Domaine du roi et celui des forges du Saint-Maurice. Pendant l'invasion américaine de 1775–1776, prit part à la défense de la ville de Québec en qualité d'enseigne dans la milice ; devint capitaine peu après. Nommé garde-magasin général du département des Affaires indiennes à Lachine le 20 avril 1795. Fut juge de paix ; juge de la Cour provinciale d'appel en 1806 et 1807.

Élu député de Trois-Rivières en 1792. Réélu en 1796, 1800 et 1804. Appuya généralement le parti des bureaucrates durant ses trois premiers mandats. Nommé membre honoraire du Conseil exécutif le 30 juin 1794, prit son siège le 29 décembre, puis prêta serment en juillet 1795 ; en fut membre actif de décembre 1804 jusqu'à sa mort.

Fut administrateur de la Société d'agriculture du district de Québec ; membre du conseil d'administration de la bibliothèque de Québec.

Décédé en fonction à Lachine, le 4 mars 1807, à l'âge d'environ 67 ans. Les obsèques eurent lieu dans l'église anglicane Christ Church de Montréal, le 6 mars 1807.

Était célibataire.

Bibliographie : *DBC.*

LEFEBVRE, Charles-A.

Né à Montréal, le 15 mai 1929, fils de Raoul Lefebvre, marchand, et de Charlotte Racicot.

A étudié à l'académie Saint-Germain à Outremont, aux collèges Brébeuf et Sainte-Marie, et à l'École polytechnique à Montréal où il fut licencié en sciences appliquées.

Ingénieur au service de la compagnie Shell du Canada, puis consultant et entrepreneur en plastiques industriels pendant quatre ans. Responsable des recherches appliquées sur les plastiques à la compagnie Uniroyal pendant quatre ans. Professeur à l'école secondaire Jérôme-Leroyer jusqu'en 1976.

Vice-président du conseil régional du Parti québécois de la région de Montréal-Ouest pendant deux ans, président du comté de Mont-Royal pendant quatre ans et président du comté de Viau en 1975 et 1976. Élu député du Parti québécois dans Viau en 1976. Défait en 1981.

Devint entrepreneur en rénovation domiciliaire après 1981 puis agent hypothécaire.

LEFEBVRE, Jean-Baptiste
(1779–1829)

Né à Pointe-Claire et baptisé dans la paroisse Saint-Joachim, le 16 septembre 1779, fils de Jean-Baptiste Lefebvre (Lefaivre), négociant à Montréal, et de Josephte Chénier.

Fit carrière comme marchand à Vaudreuil. Capitaine dans le 1er bataillon de milice de Vaudreuil au début de la guerre de 1812, fut promu major dans le 2e bataillon de la ville et banlieue de Montréal l'année suivante. Était visiteur de l'école royale Saint-Charles en 1827.

Élu député d'York en 1827 ; appuya le parti patriote.

Décédé en fonction le 3 août 1829, à l'âge de 49 ans et 10 mois : se noya dans les rapides de Lachine. Son corps, retrouvé le 7 dans les îles de Boucherville, fut inhumé dans l'église Saint-Michel, à Vaudreuil, le 10 août 1829.

Avait épousé dans la paroisse Saint-Michel, à Vaudreuil, le 9 juin 1806, Marie-Charlotte Saint-Julien, fille de Michel Saint-Julien et de Marie-Charlotte Cerée.

LEFEBVRE, Jean-Paul

Né à Sainte-Rose (Laval), le 5 juillet 1926, fils d'Alphonse Lefebvre, marchand, et de Marie-Anne Beaudry.

Fit ses études à l'école Caron à Montréal et au collège Roussin à Pointe-aux-Trembles.

Propagandiste à la Fédération de Montréal et à la Centrale de la jeunesse étudiante catholique de 1944 à 1947. Secrétaire national de la Ligue ouvrière catholique en 1947 et 1948. Directeur du service d'éducation au Conseil de la coopération du Québec de 1949 à 1954. Directeur adjoint du service de l'éducation à la Confédération des travailleurs catholiques du Canada (CTCC) de 1954 à 1961. Scripteur et animateur de diverses émissions de radio et télévision éducatives de 1956 à 1964, dont « Joindre les deux bouts » et « la Faim des autres ». Directeur des relations extérieures à la Confédération des syndicats nationaux (CSN) et directeur du journal *le Travail* de 1961 à 1964. Fondateur et directeur du service de l'éducation aux adultes à la Commission des écoles catholiques de Montréal de 1964 à 1966.

Commissaire d'école à la Commission des écoles catholiques de Montréal de 1961 à 1964. Élu député libéral dans Ahuntsic en 1966. Ne s'est pas représenté en 1970.

Journaliste à la pige. Consultant auprès de divers organismes gouvernementaux et privés de 1970 à 1972. Membre de la fonction publique fédérale, il occupa les postes suivants : directeur général de la formation et de la main-d'œuvre au ministère de la Main-d'œuvre et de l'Immigration de janvier 1973 à novembre 1975 ; sous-ministre adjoint au ministère des Communications de novembre 1975 à février 1979 ; directeur général du perfectionnement à la Commission de la fonction publique de février 1979 à février 1980 ; sous-secrétaire d'État adjoint à la Citoyenneté et aux Langues officielles de février 1980 à juin 1983. De juin 1983 à juin 1986, il participa au programme Échanges Canada en tant que chargé de projet à l'éducation permanente à l'université de Montréal. Journaliste et écrivain à compter de 1986. Fut directeur général de la revue *Communauté chrétienne* de juillet 1989 à juillet 1991.

Collaborateur aux journaux *le Devoir*, *The Montreal Star* puis *la Presse*. Auteur de : *la Lutte ouvrière* (1960), *Comment joindre les deux bouts* (en collaboration) (1961), *En grève* (en collaboration) (1963), *les Adultes à l'école* (1966), *Réflexions d'un citoyen* (1968), *Québec, mes amours* (1968), *Entre deux fêtes* (1987), et *les Temps changent* (1989).

LEFEBVRE, Roger

Né à Black Lake, le 23 juillet 1943, fils d'Arthur Lefebvre, homme d'affaires, et d'Agathe Beaudoin.

A étudié au collège de Thetford Mines de 1957 à 1963, au collège universitaire de Sherbrooke en 1963 et 1964 et à l'université de Sherbrooke. Licencié en droit en 1967. Admis au barreau en 1968.

Exerça sa profession d'avocat à Thetford Mines dans le cabinet Roy, Lefebvre, Gosselin & Ouellet de 1968 à 1985. Président de la Chambre de commerce de Black Lake en 1970. Président de la Société d'expansion Parc Provence inc. de 1974 à 1980. Vice-président de la Société économique de la région de l'amiante. Membre du Comité de revalorisation de l'amiante de 1983 à 1985. Membre des Chevaliers de Colomb et du Club optimiste.

Élu député libéral dans Frontenac en 1985. Réélu en 1989. Leader parlementaire adjoint du 16 décembre 1985 au 16 octobre 1990. Élu vice-président de l'Assemblée nationale le 16 octobre 1990.

LEFEBVRE DE VILLEMURE, Jean-Baptiste (1828–1885)

Né à Terrebonne, le 29 janvier 1828, fils de Jean-Baptiste Lefebvre de Villemure, cultivateur, et de Marie-Amable Lemaître, dit Auger.

Travailla d'abord comme instituteur. Reçu notaire le 14 juin 1851, il exerça sa profession à Saint-Jérôme. Agent administrateur d'Augustin-Norbert **Morin**.

Maître de poste à Saint-Jérôme en 1861. Secrétaire-trésorier de la commission scolaire de Saint-Jérôme en 1869.

Marguillier de sa paroisse de 1863 à 1865. Maire de Saint-Jérôme de 1874 à 1879, puis échevin de 1879 à 1881. Nommé conseiller législatif de la division des Mille-Isles le 3 juin 1880. Appuya le Parti conservateur. Démissionna le 4 mars 1882.

Décédé à Saint-Jérôme, le 4 août 1885, à l'âge de 57 ans et 7 mois. Inhumé dans le caveau de l'église de Saint-Jérôme, le 8 août 1885.

Avait épousé à Saint-Jérôme, le 19 janvier 1852, Marguerite-Olive Testard de Montigny, fille de Casimir-Amable **Testard de Montigny**, lieutenant-colonel dans la milice, et de Marthe Gordon ; puis, à Saint-Athanase, le 5 avril 1858, Marguerite Loupret, fille d'André Loupret et de Marie-Éléonore Larault.

LEFRANÇOIS, Nicolas (1794–1866)

Né à L'Ange-Gardien, le 7 novembre 1794, puis baptisé le 8, dans la paroisse de La Visitation-de-Notre-Dame, à Château-Richer, fils de Pierre Lefrançois et de Marguerite Gravelle.

Reçut sa commission d'arpenteur le 27 mars ou le 27 mai 1823. Exerça sa profession jusqu'en 1865, à la fois sur la rive nord du Saint-Laurent, entre Portneuf et La Malbaie, principalement dans la région de la Côte-de-Beaupré, et sur la rive sud du fleuve, entre la seigneurie de Lauzon, où il effectua de très nombreuses mesures de terrain, et Saint-Jean-Port-Joli.

Élu député de Montmorency à une élection partielle le 28 mars 1836 ; appuya le parti patriote. Son mandat prit fin avec la suspension de la constitution, le 27 mars 1838.

Décédé à L'Ange-Gardien, le 27 février 1866, à l'âge de 71 ans et 3 mois. Inhumé dans l'église paroissiale, le 2 mars 1866.

Était apparemment célibataire.

LÉGARÉ, Joseph
(1795–1855)

Né à Québec, le 10 mars 1795, puis baptisé le 11, dans la paroisse Notre-Dame, fils de Joseph Légaré, cordonnier (fut aussi marchand), et de Louise Routier.

Étudia au petit séminaire de Québec en 1810–1811. Commença l'apprentissage du métier de peintre et vitrier en 1812; acquit le statut de maître avant juin 1817.

Établi à Québec, peignit quelque 250 œuvres. Prit part à la décoration du Théâtre royal de Québec en 1832 et réalisa le premier sceau de la ville de Québec en 1833. Copropriétaire de la Galerie de peinture de Québec de 1838 à 1840. Exposa à plusieurs reprises et dans divers endroits un grand nombre de toiles qu'il avait amassées, et publia en 1852 un catalogue de sa collection. Propriétaire immobilier, fut aussi seigneur d'une partie du fief de Saint-François de 1827 à 1841.

Représenta le quartier du Palais au conseil municipal de Québec de 1833 à 1837. Codirecteur du journal le *Libéral*. Membre du Comité permanent de Québec, fut emprisonné le 13 novembre 1837, puis libéré le 18. Antiunioniste. Devint, en 1847, président adjoint du Comité constitutionnel de la réforme et du progrès. Candidat réformiste défait dans la cité de Québec en 1848. Défait sous l'étiquette de rouge annexionniste dans la même circonscription à une élection partielle le 29 janvier 1850. Nommé au Conseil législatif le 8 février 1855.

Reçut en 1828 une médaille honoraire de la Société pour l'encouragement des sciences et des arts en Canada. Président de la classe des arts de la Société littéraire et historique de Québec en 1833. Cofondateur de la Société Saint-Jean-Baptiste de Québec en 1842, en fut vice-président jusqu'en 1847. Juge de paix. Marguillier de la paroisse Notre-Dame de Québec. Membre du comité provincial créé en vue de l'Exposition universelle de Paris de 1855.

Décédé en fonction à Québec, le 21 juin 1855, à l'âge de 60 ans et 3 mois. Inhumé dans la chapelle Sainte-Anne de la cathédrale Notre-Dame, le 23 juin 1855.

Avait épousé dans la paroisse Notre-Dame de Québec, le 21 avril 1818, Geneviève Damien, fille du navigateur Joseph Damien et de Catherine Parant.

Bibliographie: *DBC*.

LEGAULT, Augustin-Armand
(1884–1934)

Né à Saint-Hermas, le 12 octobre 1884, fils d'Augustin Legault, cultivateur, et d'Edwidge Drouin.

A étudié à l'école normale Jacques-Cartier à Montréal et aux Collegiate Institutes de Birgetown et Chatham, en Ontario. Enseigna au Québec, en Ontario, au Manitoba, en Saskatchewan et en Alberta. Fit ses études de droit aux universités McGill et Laval à Montréal et sa cléricature auprès de Joseph-Léonide **Perron**.

Admis au barreau de la province de Québec le 16 août 1915. Exerça sa profession d'avocat à Maniwaki. Membre de la Chambre de commerce de Maniwaki.

Maire de Maniwaki de février 1921 à mai 1927 et de 1933 jusqu'à son décès. Préfet du comté de Hull de 1925 à 1927. Candidat libéral indépendant défait dans Hull en 1927. Élu député libéral dans Gatineau en 1931.

Décédé en fonction à Maniwaki, le 19 décembre 1934, à l'âge de 50 ans et 2 mois. Inhumé à Maniwaki, le 21 décembre 1934.

Avait épousé à Maniwaki, le 20 juillet 1921, Irène Roy, fille d'Arthur Roy et de Séraphie Raymond.

Beau-frère d'Alphonse Fournier, député à la Chambre des communes de 1930 à 1953.

LEGAULT, Yolande D.

Née à Saint-Joseph-du-Lac, le 1er juin 1941, fille de George Dumoulin, pomiculteur, et d'Anette Desormeaux.

A étudié à l'école St-Joseph, à Saint-Joseph-du-Lac, et chez les sœurs de la Congrégation Notre-Dame de Saint-Eustache en 1957 et 1958.

Secrétaire à la Banque canadienne nationale de Saint-Eustache et à la caisse populaire de Bordeaux de 1959 à 1962. Correspondante pour le journal hebdomadaire l'*Éveil* de 1966 à 1980. Exploite avec son époux un verger à compter de 1963 et une érablière à partir de 1977. Présidente de la compagnie Verger des Cèdres ltée. Cofondatrice d'un bureau de comptabilité.

Élue députée libérale dans Deux-Montagnes en 1985. Membre de l'exécutif de l'Assemblée internationale des parlementaires de langue française de 1986 à 1989. Ne s'est pas représentée en 1989.

LEGENDRE, François
(1763–1853)

Né à Sainte-Croix-de-Lotbinière (Sainte-Croix) et baptisé dans la paroisse Sainte-Croix, le 25 août 1763, fils de François Legendre, qui fut cultivateur et propriétaire foncier, et de Marie-Joseph Lemay. Désigné parfois sous le prénom de François d'Assise; son patronyme s'orthographia aussi Le Gendre.

Étudia au petit séminaire de Québec, puis fit l'apprentissage de l'arpentage auprès de Jeremiah McCarthy; admis à l'exercice de sa profession le 6 juin 1792.

S'établit à Gentilly (Bécancour). En 1796, fut directeur du scrutin dans la circonscription de Buckingham.

Élu député de Buckingham en 1804; appuya généralement le parti canadien. Ne s'est pas représenté en 1808. Élu dans la même circonscription en 1809; ne prit part à aucun vote. Réélu en 1810. Ne se serait pas représenté en 1814.

Fait lieutenant-colonel commandant du 3e bataillon de milice de Bécancour en mai 1812, et habilité à faire prêter le serment d'allégeance le 30 juin de la même année. Nommé commissaire chargé des chemins dans le comté de Québec en 1817, juge de paix en 1820 et commissaire chargé de l'ouverture d'un chemin entre Gentilly et la rivière Bécancour en 1829. Reçut de son beau-père l'usufruit de la seigneurie de Saint-François en 1828.

Décédé à Gentilly (Bécancour), le 4 février 1853, à l'âge de 89 ans et 5 mois. Inhumé dans l'église Saint-Édouard, le 8 février 1853.

Avait épousé dans la paroisse Saint-Jean-Baptiste, à Nicolet, le 23 janvier 1810, Marie-Anne Proulx, fille du seigneur Louis **Proulx** et de Marie-Anne Brassard.

Frère de Louis **Legendre**. Un de ses fils épousa une sœur de Joseph-Édouard **Turcotte**.

LEGENDRE, Louis
(1779–1860)

Né à Sainte-Croix-de-Lotbinière (Sainte-Croix), le 5 février 1779, puis baptisé le 6, dans la paroisse Sainte-Croix, fils de François Legendre, qui fut cultivateur et propriétaire foncier, et de Marie-Joseph Lemay. Son patronyme s'orthographia aussi Le Gendre.

Obtint une commission d'arpenteur le 10 juin 1800.

S'établit dans la paroisse Saint-Louis, à Lotbinière, dont il fut marguillier et où il exerça sa profession.

Élu député de Buckingham en 1808; appuya généralement le parti canadien. Ne s'est pas représenté en 1809.

Fait magistrat dans le district de Québec en 1815. Promu capitaine dans la milice en avril 1815, accéda au grade de lieutenant-colonel le 1er mars 1827. Habilité à faire prêter le serment d'allégeance à Lotbinière en décembre 1837; le 19 de ce mois, avait participé à une assemblée loyale tenue à Sainte-Croix. Nommé commissaire au tribunal des petites causes le 30 mars 1839.

Décédé à Deschaillons, le 12 décembre 1860, à l'âge de 81 ans et 10 mois. Inhumé dans l'église Saint-Louis, à Lotbinière, le 15 janvier 1861.

Avait épousé dans la paroisse Saint-Joseph, à Deschambault, le 29 août 1815, Julie Hamelin, fille d'Aubert Hamelin et de Marie-Josette Arcand.

Frère de François **Legendre**.

LÉGER, Marcel

Né à Montréal, le 8 juin 1930, fils d'Arthur Léger, commerçant, et de Juliette Doherty.

A étudié à l'école Sainte-Cunégonde à Montréal, au collège Séraphique à Trois-Rivières, au collège Sainte-Marie à Montréal et à l'université de Montréal. Diplômé en administration en 1950. Suivit également des cours de psychologie sociale, de dynamique de groupe et de sociologie à l'université de Montréal.

Fut président et gérant général de la société Lumen inc., président de la société Sifar, gérant d'unité à la compagnie Proctor & Gamble et administrateur de la caisse populaire d'Anjou à Montréal. Professeur et principal de l'école Saint-Télesphore. Directeur du service de financement de l'archevêché de Montréal. Journaliste au *Devoir*, puis directeur de la revue *l'Épicier* et du journal *Maître électricien*. Membre du comité de pastorale de l'archidiocèse de Montréal, de l'Association des hommes d'affaires de Pointe-aux-Trembles et des Chevaliers de Colomb.

Président de l'Association du Parti québécois du comté de Lafontaine et coordonnateur régional pour l'est de Montréal. Directeur général de l'organisation électorale du Parti québécois de 1972 à 1974. Nommé conseiller de l'exécutif national en février 1973. Élu député du Parti québécois dans Lafontaine en 1970. Réélu en 1973. Whip de son parti de juin 1970 à octobre 1976. Réélu en 1976 et 1981. Assermenté membre du Conseil exécutif le 26 novembre 1976 et désigné ministre délégué à l'Environnement dans le cabinet Lévesque le 1er décembre 1976. Ministre de l'Environnement du 29 novembre 1979 au 8 septembre 1982, date de sa démission comme ministre. Fondateur du Parti nationaliste, engagé sur la scène fédérale, le 14 septembre 1983. Chef intérimaire de ce parti du 14 septembre 1983 jusqu'à sa démission le 17 mai 1984. Ministre délégué au Tourisme du 25 septembre au 20 décembre 1984 puis ministre du Tourisme dans les cabinets Lévesque et Johnson (Pierre Marc) du 20 décembre 1984 au 12 décembre 1985. Défait en 1985.

Copropriétaire d'une firme de sondage, Le Grouge Léger et Léger, où il est associé avec son fils à compter de 1986. Chargé de cours dans divers universités et cégeps. Directeur général de la Fondation des sourds du Québec inc. du 5 novembre 1986 au 15 septembre 1987. Directeur général de la section francophone canadienne d'Amnistie internationale en 1986 et 1987. Président de la Fédération des Acadiens du Québec à compter de 1988. A publié *le Parti québécois, ce n'était qu'un début* (1986) et *le Québec en question* (1990).

LEGRAS PIERREVILLE, Pierre
(1738–1810)

Né à Montréal et baptisé dans la paroisse Notre-Dame, le 18 novembre 1738, fils de Jean-Baptiste Legras, marchand, et de Geneviève Gamelin.

Fut marchand à Saint-François-du-Lac. Hérita de son père, en 1768, la seigneurie de Pierreville ; ajouta Pierreville à son patronyme. Par la suite, s'établit à Boucherville. Lieutenant dans la milice du district de Montréal en 1779, fut promu capitaine vers 1784 ; major rattaché à la milice de Boucherville en 1794, accéda au grade de lieutenant-colonel en 1802. Nommé l'un des commissaires chargés du recensement, en 1784, et juge de paix dans le district de Montréal, en 1799. Obtint six cents acres de terre dans le canton de Godmanchester, en 1795.

Élu député de Kent en 1792 ; appuya généralement le parti canadien. Ne s'est pas représenté en 1796.

Décédé à Boucherville, le 22 juillet 1810, à l'âge de 71 ans et 8 mois. Inhumé dans l'église Sainte-Famille, le 24 juillet 1810.

Avait épousé dans la paroisse Sainte-Famille, à Boucherville, le 25 octobre 1779, Charlotte Boucher de la Bruère, fille de René Boucher de la Bruère, seigneur de Boucherville, et de Louise-Renée Pécaudy de Contrecœur.

LEGRIS, Joseph-Hormisdas
(1850–1932)

Né à Rivière-du-Loup-en-Haut (Louiseville), le 6 mai 1850, fils d'Antoine-Laurent Legris et de Marie-Léocadie Bélan. A étudié à l'école modèle de Rivière-du-Loup-en-Haut.

Cultivateur. Capitaine du 86e bataillon de la milice volontaire. Secrétaire-trésorier de Louiseville de 1882 à 1902. Mit sur pied une compagnie d'assurance mutuelle contre le feu.

Candidat nationaliste défait dans Maskinongé en 1886. Élu député du Parti national dans Maskinongé à l'élection partielle du 28 avril 1888. Son élection fut annulée le 29 novembre 1890. Défait en 1890. Élu député libéral à la Chambre des communes dans Maskinongé en 1891. Réélu en 1896 et 1900. Démissionna le 31 janvier 1903. Nommé sénateur de la division de Repentigny le 12 mars 1903. Maire de Louiseville de février 1921 à février 1922.

Décédé en fonction à Ottawa, le 6 mars 1932, à l'âge de 81 ans et 10 mois. Inhumé dans le cimetière de Louiseville, le 9 mars 1932.

Avait épousé à Berthier (Berthierville), le 18 juin 1879, Emma Champagne, fille de Georges Champagne, maire et préfet de comté, et de Geneviève Mousseau.

LEMAIRE, Félix-Hyacinthe
(1808–1879)

Né en mars 1808 et baptisé à la mission du Lac-des-Deux-Montagnes (Oka) le 16 mars 1808, fils d'Antoine-Hyacinthe Lemaire, menuisier, et de Josette Félix.

Reçu notaire en 1836. Fut nommé agent du séminaire de Saint-Sulpice à la seigneurie du Lac-des-Deux-Montagnes en 1842. Major du bataillon de milice de Deux-Montagnes. Greffier à la Cour de circuit.

Maire de la réserve militaire de Deux-Montagnes. Nommé conseiller législatif de la division des Mille-Isles le 2 novembre 1867. Appuya le Parti conservateur. Président du Conseil législatif et membre du Conseil exécutif dans le cabinet Boucher de Boucherville du 22 septembre 1874 au 25 janvier 1876.

Décédé en fonction à Saint-Benoît (Mirabel), le 17 décembre 1879, à l'âge de 71 ans et 9 mois. Inhumé dans le cimetière de cette paroisse, le 20 décembre 1879.

Avait épousé à Sainte-Scholastique (Mirabel), le 16 janvier 1837, Luce Arthémise Barcelo, fille de Jacob Barcelo, cultivateur, et de Luce Dorion.

Neveu de Jean-Joseph **Girouard**. Cousin de Léandre **Dumouchel**.

Bibliographie : *DBC*.

LEMAY, Henri

Né à Chicoutimi, le 22 août 1939, fils de Lucien LeMay, journaliste, et d'Henriette Jalbert.

Bachelier en administration de l'université de Sherbrooke et diplômé de l'école normale Rigaud.

Enseignant de 1959 à 1971. Directeur adjoint de la polyvalente Monseigneur-Sévigny de Chandler de 1971 à 1981. Membre du Club optimiste. Secrétaire de la Chambre de commerce de Chandler en 1980.

Conseiller municipal de Pabos-Mills de 1974 à 1976, puis maire de cette municipalité de 1976 à 1981. Préfet du comté de Gaspé de 1978 à 1981. Élu député du Parti québécois dans Gaspé en 1981. Adjoint parlementaire du ministre de l'Agriculture, des Pêcheries et de l'Alimentation du 25 mai 1983 au 20 décembre 1984. Ministre délégué au Développement et à la Voirie des régions dans les cabinets Lévesque et Johnson (Pierre Marc) du 20 décembre 1984 au 12 décembre 1985. Défait en 1985.

Directeur adjoint de la polyvalente de Grande-Rivière puis de celle de Chandler.

LEMAY, Joseph-Henri
(1885–1947)

Né à Sainte-Croix, le 31 décembre 1885, fils de Samuel Lemay, cultivateur, et d'Arthémise Lachance.

Fit ses études à Thetford Mines, au collège Saint-Charles-Borromée à Sherbrooke et à l'université Laval à Montréal. Admis au barreau de la province de Québec le 22 juillet 1910.

Exerça sa profession d'avocat à Sherbrooke de 1910 à 1922 et fut associé notamment avec E.P. McCabe. Journaliste pendant cinq ans, notamment au journal *la Tribune* de Sherbrooke. Directeur de E.T. Real Estate, de la E.T. Agricultural Association et de la Compagnie mutuelle d'immeubles.

Secrétaire de l'Association libérale de Sherbrooke. Élu sans opposition député libéral dans Sherbrooke en 1919.

Son siège devint vacant lorsqu'il fut nommé juge des districts de Saint-François et Bedford, le 25 avril 1922. Retraité en janvier 1947.

A écrit: *Petite Étude sur l'action rédhibitoire* (1925) et *Traité sur le droit civil*. Auteur des pièces de théâtre *l'Espionne boche* (1916), *le Volontaire* et *Marguerite l'ouvrière*. Officier du 54e bataillon de Sherbrooke. Membre des Chevaliers de Colomb, du Club des Francs, des Artisans canadiens-français et du Cercle Larocque. Chevalier de la Société du bon parler français. Président de l'union régionale de l'Association catho-lique de la jeunesse canadienne-française (ACJC) en 1912. Président de la Société Saint-Jean-Baptiste de Sherbrooke en 1916 et 1917 et de 1927 à 1930, et de celle du diocèse de Sherbrooke de 1942 à 1944. En 1952, cette société institua le prix littéraire Juge-Lemay qu'elle attribue annuellement dans la région des Cantons-de-l'Est. Vice-président de la Société Saint-Jean-Baptiste de la province de Québec jusqu'à son décès.

Décédé à Sherbrooke, le 20 juillet 1947, à l'âge de 61 ans et 6 mois. Inhumé à Sherbrooke, dans le cimetière de la paroisse Saint-Michel, le 23 juillet 1947.

Avait épousé à Sherbrooke, dans la paroisse Saint-Michel, le 13 février 1911, Lumina Gagné, fille d'Alfred Gagné et de Georgina Payeur.

LEMAY, Napoléon
(1865–1946)

Né à Sainte-Croix, le 2 novembre 1865, fils de Louis Lemay, notaire, et de Célina Deblois.

Fit ses études à Sainte-Croix et au séminaire de Québec.

Commis, agent et marchand jusqu'en 1888. Secrétaire-trésorier de la commission scolaire et de la corporation municipale de Sainte-Croix.

Marguillier de la paroisse Saint-Pascal-Baylon à Québec de 1927 à 1930. Élu député conservateur dans Lotbinière en 1900. Siégea dans les rangs du parti ministériel à compter du 13 février 1902. Élu député libéral en 1904. Candidat conservateur défait en 1908.

Décédé à Québec, le 21 janvier 1946, à l'âge de 80 ans et 2 mois. Inhumé à Québec, dans le cimetière Saint-Charles, le 25 janvier 1946.

Avait épousé à Québec, dans la paroisse Saint-Jean-Baptiste, le 28 octobre 1884, Marie-Odile-Amanda Côté, fille de Ferdinand Côté, peintre, et d'Adélaïde Tardif; puis, dans sa paroisse natale, le 19 juin 1907, Sophie Boisvert, veuve d'Arthur Lemay.

LEMAY, Théophile
(1784–1848)

Né à Varennes, le 12 octobre 1784, puis baptisé le 13, dans la paroisse Sainte-Anne, fils de Paul Lemay, dit Delorme, et d'Élisabeth Monjon. Désigné au début de sa vie sous le patronyme de Lemay, dit Delorme, mais signait Lemay.

Fut d'abord cultivateur à Sainte-Marie-de-Monnoir (Marieville) avant d'obtenir une commission de notaire, le 16 novembre 1820 ; exerça dès lors cette profession jusqu'à sa mort. Officier de milice, servit pendant la guerre de 1812 en qualité d'adjudant dans le 6e bataillon des Cantons-de-l'Est ; nommé capitaine en novembre 1820, accéda, avant février 1836, au grade de lieutenant-colonel du 2e bataillon de Rouville. Remplit durant plusieurs années, à compter de 1833, les fonctions de commissaire au tribunal des petites causes et, en 1836, était juge de paix.

Élu député de Rouville à une élection partielle le 20 décembre 1832 ; appuya tantôt le parti patriote, tantôt le parti des bureaucrates, et vota contre les Quatre-vingt-douze Résolutions. Défait en 1834. Arrêté par les rebelles en 1837 et gardé prisonnier jusqu'en novembre 1838 au moins.

Décédé à Sainte-Marie-de-Monnoir (Marieville), le 17 avril 1848, à l'âge de 63 ans et 6 mois. Inhumé dans l'église du Saint-Nom-de-Marie, le 19 avril 1848.

Avait épousé dans la paroisse Saint-Mathieu, à Belœil, le 26 novembre 1810, Marie-Esther Letêtu, fille de Charles-Étienne Letêtu et de Marie-Josette Massue ; puis, dans la paroisse Saint-Denis, à Saint-Denis sur le Richelieu, le 1er février 1836, Julie-Scholastique Talon-Lespérance, veuve de Charles Lamothe.

LEMIEUX, Albert

Né à Saint-Stanislas-de-Kostka, le 23 avril 1916, fils d'Arthur Lemieux, marchand, et de Régina Fortier.

Fit ses études à l'école modèle de Saint-Stanislas, au séminaire de Valleyfield et à l'université de Montréal. Vice-président de la Société des débats de l'université de Montréal et récipiendaire du trophée Cardinal-Villeneuve en 1938. Admis au barreau de la province de Québec le 16 janvier 1941.

Exerça sa profession d'avocat à Salaberry-de-Valleyfield de 1941 à 1966.

Directeur, pour le comté de Beauharnois, de la Ligue pour la défense du Canada. Élu député du Bloc populaire dans Beauharnois en 1944. Ne s'est pas représenté en 1948.

Juge à la Cour de bien-être social pour les districts de Beauharnois et Iberville du 24 novembre 1966 au 19 janvier 1970. Retourna à l'exercice de sa profession à Valleyfield de 1975 à 1985.

Président national des ligues du Sacré-Cœur de 1951 à 1956. Membre du Club Richelieu pendant sept ans. Président de la Société Saint-Jean-Baptiste de Valleyfield de 1942 à 1944. Membre des Chevaliers de Colomb.

LEMIEUX, François-Xavier (oncle) (1811–1864)

Né à Pointe-Lévy (Lévis) et baptisé dans la paroisse Saint-Joseph, le 9 février 1811, fils de Gabriel Lemieux, cultivateur, et de Judith Bonneville.

Étudia au petit séminaire de Québec, puis fit l'apprentissage du droit. Admis au barreau en 1839.

Pratiqua sa profession à Québec. Nommé conseiller de la reine en 1854. Élu bâtonnier du barreau de Québec en 1863. Fut officier de milice. Administrateur de la St. Lawrence Warehouse, Dock and Wharfage Company.

Élu député de Dorchester à une élection partielle le 12 juillet 1847. Réélu en 1848 et 1851. Membre du groupe canadien-français, puis réformiste. Représenta le gouvernement au conseil d'administration du Grand Tronc du 20 novembre 1852 au 19 novembre 1855. Élu sans opposition dans Lévis en 1854. Fit partie du ministère MacNab–Taché : conseiller exécutif et commissaire des Travaux publics du 27 janvier 1855 au 23 mai 1856. À son entrée au cabinet, son siège de député était devenu vacant. Réélu à une élection partielle le 10 février 1855 ; bleu. Membre du ministère Taché–Macdonald, occupa les mêmes fonctions que dans le cabinet précédent, du 24 mai 1856 au 25 novembre 1857. Réélu en 1858 ; de tendance libérale-conservatrice. Conseiller exécutif du 2 au 4 août 1858 et receveur général du 2 au 5 août 1858 dans le ministère Brown–Dorion. À son entrée au Conseil, son siège de député était devenu vacant. Réélu à une élection partielle le 28 août 1858 ; de tendance libérale modérée. Défait en 1861. Élu sans opposition conseiller législatif de la division de La Durantaye le 15 septembre 1862.

Décédé en fonction à Lévis, le 16 mai 1864, à l'âge de 53 ans et 3 mois. Inhumé dans l'église Notre-Dame-de-la-Victoire, le 19 mai 1864.

Était probablement célibataire.

Oncle de François-Xavier **Lemieux**.

Bibliographie : *DBC.*

LEMIEUX, François-Xavier (neveu) (1851–1933)

Né à Lévis, dans la portion de territoire comprise aujourd'hui dans Saint-David-de-l'Auberivière, le 9 avril 1851, fils d'Antoine Lemieux, cultivateur, et d'Henriette Lagueux.

Étudia au collège de Lévis, au séminaire de Québec et à l'université Laval. Fit sa cléricature auprès de Me Gilbert Larue et fut admis au barreau de la province de Québec le 24 juillet 1872.

Avocat criminaliste, s'associa à Me Jules-Alfred **Lane**. Fut l'avocat de Louis Riel en 1885 et d'Honoré **Mercier** (père) en 1892. Procureur de la couronne pour le district de Beauce. Bâtonnier du barreau du district de Québec en 1896 et bâtonnier général de la province de Québec en 1896 et 1897. Secrétaire-trésorier de la municipalité de la paroisse Saint-David-de-l'Auberivière en 1885 et 1888. Membre du Conseil de l'instruction publique.

Candidat libéral défait dans Bonaventure aux élections provinciales de 1878 et dans Beauce aux élections fédérales de 1882. Élu député libéral à l'Assemblée législative dans Lévis à l'élection partielle du 16 novembre 1883. Réélu dans Lévis en 1886 et 1890. Ne s'est pas représenté en 1892. Réélu dans Bonaventure à l'élection partielle du 11 décembre 1894. De nouveau élu dans Bonaventure et Lévis en 1897.

Ces deux sièges devinrent vacants à la suite de sa nomination comme juge à la Cour supérieure du district d'Arthabaska le 13 novembre 1897. Nommé juge du district de Saint-François le 7 juillet 1898, et du district de Québec en août 1906. Nommé juge en chef suppléant à la Cour supérieure le 8 mai 1911, puis juge en chef le 2 février 1915.

Docteur en droit honoris causa de l'université Laval en 1900. Créé chevalier de Sa Majesté George V le 1er janvier 1915. Commandeur de l'ordre de Saint-Grégoire-le-Grand. A publié notamment *Sobre et riche* (1910).

Décédé à Québec, le 18 juillet 1933, à l'âge de 82 ans et 3 mois. Inhumé à Sainte-Foy, dans le cimetière Notre-Dame-de-Belmont, le 21 juillet 1933.

Avait épousé dans la paroisse Notre-Dame de Québec, le 4 février 1874, Diane Plamondon, fille de Marc-Aurèle Plamondon, avocat et juge à la Cour supérieure, et de Mathilde Lecuyer.

Neveu de François-Xavier **Lemieux**.

LEMIEUX, Gérard
(1908–1985)

Né à Weedon, le 11 août 1908, fils de Joseph-Pierre-Cyrénus **Lemieux**, médecin, et d'Orpha Deveau.

Fit ses études à l'académie du Sacré-Cœur à Weedon, au séminaire de Québec et à l'université Laval à Québec. Reçu médecin en 1933.

Exerça sa profession à Weedon de 1933 à 1963. Fut directeur et président de la Compagnie de téléphone de Weedon pendant quinze ans. Vice-président de l'Association des médecins de langue française des Cantons-de-l'Est. Membre de l'Association médicale du Québec, de la Chambre de commerce de Weedon et du Club de réforme de Sherbrooke.

Échevin de Weedon-Centre du 12 janvier 1938 au 14 juin 1951. Élu député libéral dans Wolfe en 1952. Défait en 1956. Réélu en 1960. Nommé adjoint parlementaire du ministre du Bien-être social le 8 novembre 1960. Défait en 1962.

Décédé à Québec, le 10 juin 1985, à l'âge de 76 ans et 9 mois. Une cérémonie religieuse eut lieu à Sherbrooke, dans l'église du Perpétuel Secours, le 15 juin 1985.

Avait épousé à Sherbrooke, dans la paroisse Saint-Michel, le 22 juin 1938, Françoise Bachand, fille de Charles-Émile Bachand, protonotaire à la Cour supérieure, et d'Émilie Codère.

LEMIEUX, Gustave
(1864–1956)

Né dans la paroisse Notre-Dame de Montréal, le 19 décembre 1864, fils d'Hormisdas-Alphonse Lemieux, commis et inspecteur des douanes, et de Philomène-Marie-Anne Bisaillon.

Fit ses études au collège de Nicolet et au Bishop's College à Lennoxville. Reçu chirurgien dentiste en 1893.

Pratiqua à Montréal. Gouverneur du Collège des chirurgiens dentistes de la province de Québec du 26 octobre 1914 au 14 février 1920. Membre de la Commission d'inspection médicale des écoles de la ville de Montréal. Membre du Club de réforme et du Club canadien.

Élu sans opposition député libéral dans Gaspé en 1912. Réélu en 1916 et sans opposition en 1919 et 1923. De nouveau élu en 1927. Ne s'est pas représenté en 1931. Orateur suppléant de l'Assemblée législative du 12 janvier 1922 au 21 décembre 1923. Nommé conseiller législatif de la division de Montarville le 2 décembre 1932.

Décédé en fonction à Montréal, le 19 juillet 1956, à l'âge de 91 ans et 7 mois. Inhumé à Montréal, dans le cimetière Notre-Dame-des-Neiges, le 23 juillet 1956.

Avait épousé à Montréal, dans la paroisse Saint-Jacques, le 3 septembre 1894, Marie-Louise-Julie Christin, fille d'Alphonse Christin, avocat, et de Julie Caty.

Frère de Louis-Joseph **Lemieux** et de Rodolphe Lemieux, député à la Chambre des communes de 1896 à 1930 et sénateur de 1930 à 1937.

LEMIEUX, Jean-Guy

Né à Saint-Cœur-de-Marie, au Lac-Saint-Jean, le 17 février 1947, fils de Léopold Lemieux, journalier, et de Brigitte Larouche.

A étudié au collège de Jonquière et à l'université Laval où il fut licencié en droit en 1974. Admis au barreau en 1975.

Avocat plaideur au ministère de la Justice en 1975. Secrétaire-administratif et avocat-conseil du ministre des Consommateurs, Coopératives et Institutions financières ainsi qu'auprès du ministre de l'Immigration en 1975 et 1976. Avocat-conseil à la Commission de la santé et de la sécurité du travail en 1977. Adjoint spécial du ministre fédéral des Postes en 1978. Avocat dans le cabinet Blouin, Lemieux et Associés de 1979 à 1981 puis à l'Office de recrutement et de sélection du personnel de 1981 à 1985.

Membre de l'Association canadienne du barreau canadien en 1977 et 1978 et de l'Institut canadien des affaires internationales à compter de 1977.

Élu député libéral dans Vanier en 1985. Réélu en 1989. Président de la Commission du budget et de l'administration à compter du 11 février 1986.

LEMIEUX, Joseph-Pierre-Cyrénus
(1870–1949)

Né à Saint-Sébastien, le 21 octobre 1870, fils de Georges Lemieux, cultivateur et menuisier, et de Marie Roy.

Fit ses études à Saint-Sébastien, au séminaire de Québec et à la McGill University à Montréal.

Reçu médecin en 1898, il exerça sa profession à Notre-Dame-de-Lourdes-de-Ham de 1898 à 1900, puis à Weedon de 1900 à 1933. Coroner adjoint pour le district de Saint-François de 1902 à 1921.

Élu sans opposition député libéral dans Wolfe à l'élection partielle du 15 décembre 1921. Réélu en 1923 et sans opposition en 1927. De nouveau élu en 1931. Whip en chef du Parti libéral de 1928 à 1932.

Son siège devint vacant lorsqu'il fut nommé shérif du district de Saint-François à Sherbrooke le 1er mai 1933. Occupa cette fonction jusqu'à son décès.

Décédé à Sherbrooke, le 18 décembre 1949, à l'âge de 79 ans et 2 mois. Inhumé à Sherbrooke, dans le cimetière de la paroisse Saint-Michel, le 21 décembre 1949.

Avait épousé à Lambton, dans la paroisse Saint-Vital, le 20 juin 1899, Orpha Deveau, fille d'Elzéar Deveau, tanneur, et de Marie Lavergne.

Père de Gérard **Lemieux**.

LEMIEUX, Louis-Joseph
(1869–1952)

Né à Montréal et baptisé dans la paroisse Notre-Dame de Montréal, le 12 avril 1869, fils d'Alphonse Lemieux, inspecteur des douanes, et de Marie-Anne-Philomène Bisaillon.

Fit ses études au collège Sainte-Marie à Montréal et à l'université Laval à Montréal. Reçu médecin en 1893.

De 1893 à 1896, il exerça sa profession à Portland et enseigna l'histoire de la médecine à l'Oregon State University. De retour à Montréal en 1896, il fut médecin consultant de diverses compagnies de chemin de fer et de l'hôpital Notre-Dame. Fit un stage de perfectionnement à Paris en 1903. Professeur agrégé d'histoire de la médecine à l'université Laval à Montréal en 1909. Coroner du district de Saint-François.

Élu sans opposition député libéral dans Gaspé en 1904 et 1908.

Son siège devint vacant lorsqu'il fut nommé, le 15 janvier 1910, shérif du district de Montréal, fonction qu'il exerça jusqu'en 1925. Occupa le poste d'agent général de la province de Québec en Angleterre de 1925 à 1936.

A publié notamment *The Governors General of Canada 1608–1931*. Fondateur et président de la compagnie de produits biologiques Europa ltée en 1936. Membre de l'Alliance médicale de la province de Québec, de la Portland Medical Association et de l'Oregon State Medical Society. Membre du Montreal University Club et du Club de réforme, vice-président du Cercle Carillon et secrétaire du Club national. Gouverneur à vie de l'hôpital Notre-Dame. Nommé officier de l'Académie en 1911 et de l'Instruction publique en 1912.

Décédé à Montréal, le 10 décembre 1952, à l'âge de 83 ans et 6 mois. Inhumé à Montréal, dans le cimetière Notre-Dame-des-Neiges, le 13 décembre 1952.

[Avait épousé à Portland, dans l'État de l'Orégon, le 27 novembre 1893, Alice-Henriette David, fille de Laurent-Olivier **David**, avocat, et d'Albina Chenet; puis en secondes noces, Suzanne de Munter.]

Frère de Gustave **Lemieux** et de Rodolphe Lemieux, député à la Chambre des communes de 1896 à 1930 et sénateur de 1930 à 1937. Beau-frère d'Athanase **David**.

LEMIRE, Yvon

Né à Baie-de-Shawinigan, le 19 décembre 1939, fils de Rodolphe Lemire, menuisier, et de Gabrielle Bellemarre.

Fit ses études au collège Saint-Georges et à l'Institut de technologie de Shawinigan. A étudié également à l'université de Montréal en administration.

Débuta comme étalagiste-décorateur. Fonda l'entreprise de construction Yvon Lemire inc. en 1964 et la Société immobilière Habitel de la Mauricie inc. en 1968. Acquéreur, en 1975, de l'entreprise Robert Bourassa inc., spécialisée en matériaux de construction. Président de l'Association des constructeurs d'habitation du Québec en 1984 et 1985. Président du Club optimiste de Shawinigan en 1968, du club de hockey junior Les Cataractes de Shawinigan et de la Chambre de commerce du même endroit en 1980.

Candidat libéral défait dans Saint-Maurice en 1981. Élu député libéral dans la même circonscription en 1985. Réélu en 1989. Adjoint parlementaire du ministre de la Main-d'œuvre et de la Sécurité du revenu et du ministre du Travail du 5 février 1986 au 26 août 1987 et adjoint parlementaire du ministre de l'Énergie et des Ressources à compter du 26 août 1987.

LE MOIGNAN, Michel

Né à Grande-Rivière, le 7 novembre 1919, fils de Francis Le Moignan, débardeur, et de Nellie Sullivan.

A étudié à Grande-Rivière, chez les Cisterciens de Val-d'Espoir, au séminaire de Gaspé, à l'université Laval et à l'université d'Ottawa. Licencié en théologie en 1949. Ordonné prêtre le 12 mars 1949.

Secrétaire de l'évêché de Gaspé. Préposé à la discipline au séminaire diocésain. Directeur des étudiants, professeur de littérature et d'histoire du Canada pendant dix-huit ans et directeur des études au séminaire de Gaspé de 1959 à 1964. Curé de Douglastown en 1967 et de la paroisse Saint-Albert-de-Gaspé de 1968 à 1976. Cofondateur de la Société historique de la Gaspésie en 1962 et de la *Revue d'histoire de la Gaspésie* en 1963. Membre actif de la Fédération des sociétés d'histoire du Québec. Membre de la Chambre de commerce de Gaspé. Chroniqueur à l'hebdomadaire *le Pharillon* de 1973 à 1976. Publia: *le Frère Antoine Bernard, historien de la Gaspésie et du peuple acadien* (1986) et *Généalogies des familles Le Moignan–île de Jersey–Canada–États-Unis* (1972). Récipiendaire du prix Mérite culturel gaspésien en 1991.

Élu député de l'Union nationale dans Gaspé en 1976. Chef intérimaire de l'Union nationale du 3 mars 1980 au 9 janvier 1981. Chef parlementaire de l'Union nationale du 10 au 12 mars 1981. Défait en 1981.

LE MOINE, Benjamin-Henri (1811–1875)

Né à Québec, le 15 août 1811, fils de Benjamin Le Moine, marchand, et de Julia Ann MacPherson.

Fit l'apprentissage des affaires à titre de commis chez C.A. Holt de 1825 à 1835, puis occupa le poste de caissier (directeur) de la Banque du peuple, fondée en février 1835 par Jacob **De Witt** et Louis-Michel **Viger**. Fut président de l'établissement de 1870 à 1872, année où il prit sa retraite.

Élu député de Huntingdon en 1844; membre du groupe canadien-français. Ne s'est pas représenté en 1848.

Décédé probablement à Montréal, le 18 avril 1875, à l'âge de 63 ans et 8 mois.

Avait épousé dans l'église presbytérienne de Valcartier, le 4 avril 1836, sa cousine Sophia Eliza MacPherson.

Bibliographie: Audet, Francis-J., «Le banquier Benjamin-Henri Lemoine», *BRH*, 33, 4 (avril 1927), p. 213-214.

LE MOYNE DE LONGUEUIL, Joseph-Dominique-Emmanuel (1738–1807)

Né dans la seigneurie de Soulanges, le 2 avril 1738, fils de Paul-Joseph Le Moyne de Longueuil, dit chevalier de Longueuil, officier des troupes de la Marine et seigneur, et de Marie-Geneviève Joybert de Soulanges.

Entreprit une carrière militaire dans les troupes de la Marine en 1750. Prit part à la guerre de Sept Ans; fut blessé au cours de la bataille de Sainte-Foy, le 28 avril 1760. Après la Conquête, passa en France. Revint au Bas-Canada par suite d'un héritage fait en 1767. Participa à la défense du fort Saint-Jean, sur le Richelieu, en novembre 1775; fut fait prisonnier par les Américains. En 1777, nommé inspecteur de milice; le resta jusqu'au 24 décembre 1783. Administra et exploita des seigneuries, dont celle de Soulanges, héritées de son père en 1778. Fut nommé colonel dans la milice en 1794 et lieutenant-colonel commandant du 1er bataillon du Royal Canadian Volunteer Regiment en 1796.

Prêta serment comme conseiller législatif le 7 juillet 1778. Membre du Conseil exécutif du 16 septembre 1791 jusqu'à sa mort. Nommé au Conseil législatif en 1792.

Décédé en fonction à Montréal, le 19 janvier 1807, à l'âge de 68 ans et 9 mois. Les obsèques eurent lieu dans l'église Notre-Dame, le 21 janvier 1807.

Avait épousé dans la paroisse Notre-Dame de Montréal, le 10 mars 1770, Louise Prud'homme, veuve de Louis de Bonne de Missègle, mort d'une blessure subie à la bataille de Sainte-Foy, et mère de Pierre-Amable **De Bonne**.

Oncle de Jacques-Philippe **Saveuse de Beaujeu**.

———

Bibliographie: *DBC.*

LENNOX, Charles
(1764–1819)

Né en Angleterre, le 9 septembre 1764, fils de lord George Henry Lennox et de lady Louisa Kerr.

Très jeune, fut officier dans la milice britannique. Obtint le grade de lieutenant-colonel dans l'armée en 1789 et servit à ce titre aux Antilles en 1794; fut promu général en 1814. Élu député du Sussex à la Chambre des communes en 1790; réélu en 1796, 1802 et 1806. Hérita d'un oncle, en 1806, le duché de Richmond et Lennox. Fut lord-lieutenant d'Irlande de 1807 à 1813. Vécut à Bruxelles de 1815 à 1818.

Nommé gouverneur en chef de l'Amérique du Nord britannique le 8 mai 1818, arriva à Québec le 29 juillet 1818 et entra en fonction le 30.

Apporta son appui à différents clubs sportifs et à une troupe de théâtre.

Décédé en fonction près de Richmond, dans le Haut-Canada, au cours d'une tournée, le 28 août 1819, à l'âge de 54 ans et 11 mois. Inhumé dans la cathédrale anglicane Holy Trinity de Québec, le 4 septembre 1819.

Avait épousé, le 9 septembre 1789, Charlotte Gordon, fille d'Alexander Gordon, 4e duc de Gordon.

Beau-père de Peregrine Maitland, lieutenant-gouverneur du Haut-Canada et administrateur du Bas-Canada.

———

Bibliographie: *DBC.*

LÉONARD, Jacques

Né à Saint-Jovite, le 2 décembre 1936, fils d'Odilon Léonard, cultivateur, et de Simone Desjardins.

Fit ses études à Saint-Jovite, au séminaire Saint-Joseph à Mont-Laurier, à la faculté d'administration et de commerce de l'université Laval de 1959 à 1962, et à l'École pratique des hautes études à Paris de 1964 à 1966. Titulaire d'un diplôme de comptable agréé et d'une maîtrise en sciences commerciales de l'université Laval.

Vérificateur à la firme comptable Clarkson, Gordon et Co. de Montréal de 1962 à 1964. Professeur à l'École des hautes études commerciales à Montréal en 1966 et 1967, puis à l'université du Rwanda en 1967 et 1968. De 1968 à 1976, il occupa, à l'université de Montréal, les postes de directeur adjoint du service des budgets, d'adjoint au vice-recteur à la recherche et de vice-doyen à l'éducation permanente. Conseiller technique de la Coopérative d'exploitation des Hautes-Laurentides. Propriétaire d'une ferme à Saint-Jovite.

Président du Parti québécois dans le comté de Labelle de 1970 à 1972. Contrôleur national de ce parti. Candidat du Parti québécois défait dans Labelle en 1970, puis dans Laurentides-Labelle en 1973. Élu député du Parti québécois dans Laurentides-Labelle en 1976. Réélu en 1981 dans Labelle. Assermenté membre du Conseil exécutif le 26 novembre 1976. Assermenté ministre d'État à l'Aménagement dans le cabinet Lévesque le 2 février 1977. Occupa ce poste jusqu'au 6 novembre 1980. Ministre des Affaires municipales du 6 novembre 1980 au 5 mars 1984. Ministre des Transports du 5 mars au 22 novembre 1984, date de sa démission du cabinet. Démissionna comme député du Parti québécois et siégea comme indépendant à compter du 27 novembre 1984. Démissionna comme député le 23 mai 1985. Ne s'est pas représenté en 1985. Élu de nouveau député du Parti québécois dans Labelle en 1989.

Doyen de la faculté d'éducation permanente de l'université de Montréal de 1985 à 1989. Fut également membre du conseil d'administration et du bureau de direction de la Financière Entraide, Coopérants.

LEROUX, Laurent
(1759–1855)

Né à L'Assomption, le 17 novembre 1759, puis baptisé le 18, dans la paroisse Saint-Pierre-du-Portage, fils de Germain Leroux d'Esneval, négociant d'origine parisienne, et de Marie-Catherine Vallée, veuve de Pierre Beaudin.

Dès 1776, s'engagea dans la traite des fourrures comme commis d'un marchand à Michillimakinac (Mackinaw City, Michigan). À partir de 1784 environ, travailla pour le compte de la Gregory, MacLeod and Company jusqu'au Grand lac des Esclaves (dans les Territoires du Nord-Ouest) et, à compter de 1787, pour la North West Company (NWC). Participa à une partie de l'expédition d'Alexander **Mackenzie** vers l'Arctique. Fonda le fort Providence (Old Fort Providence), dans la baie de Yellowknife. Revint à L'Assomption en 1794 ou 1795. S'occupa du commerce de blé et de victuailles hérité de son père, de la confection de ceintures fléchées pour la NWC, avec Jacques **Trullier, dit Lacombe**, de l'engagement d'hommes pour la New North West Company, de la fabrication de potasse et de la vente d'articles de quincaillerie. Investit dans la propriété foncière. Fut actionnaire de la Banque de Montréal.

Élu député de Leinster en 1827; appuya le parti patriote pendant la première session, puis ne prit part à aucun vote. Ne s'est pas représenté en 1830.

Fut juge de paix. Officier de milice, servit pendant la guerre de 1812. Obtint quelques postes de commissaire.

Décédé à L'Assomption, le 26 mai 1855, à l'âge de 95 ans et 6 mois.

Avait épousé dans la région de l'Athabasca, avant 1789, à la façon du pays, une Amérindienne de la nation des Sauteux; puis, à L'Assomption, le 20 juin 1796, Esther Loisel.

Beau-père de Jean-Moïse **Raymond**. Beau-frère de François-Antoine **Larocque**.

Bibliographie: *DBC.*

LÉRY. V. CHAUSSEGROS DE LÉRY

LESAGE, Émile
(1904–1963)

Né à Louiseville, le 8 février 1904, fils d'Éphrem Lesage, boucher, et de Maria Paquin.

A étudié au collège de Louiseville et à l'académie La Salle à Trois-Rivières.

Débuta dans les affaires en 1928 et fut marchand à Macamic et Normétal. Actionnaire de quelques compagnies minières. Membre des Chevaliers de Colomb et du Club de la Confédération.

Marguillier de la paroisse Saint-Jean-l'Évangéliste. Maire de la ville de Macamic de mai 1958 à mai 1961. Candidat conservateur défait dans Abitibi en 1935. Élu député de l'Union nationale dans la même circonscription en 1936. Défait en 1939. Réélu dans Abitibi-Ouest en 1944, 1948 et 1952. Adjoint parlementaire du ministre de la Colonisation du 1er janvier 1955 au 20 juin 1956. Défait en 1956. Nommé conseiller législatif de la division de Montarville le 1er août 1956.

Décédé en fonction à Macamic, le 27 juillet 1963, à l'âge de 59 ans et 5 mois. Inhumé à Macamic, dans le cimetière de la paroisse Saint-Jean-l'Évangéliste, le 31 juillet 1963.

Avait épousé à Macamic, le 26 juin 1928, Fabiola Bordeleau, fille d'Alexandre Bordeleau, cultivateur et marchand de bois, et de Bernadette Baillargeon.

LESAGE, Jean
(1912–1980)

Né à Montréal, le 10 juin 1912, fils de Xavéri Lesage, enseignant et fonctionnaire, et de Cécile Côté.

Fit ses études au jardin de l'enfance Saint-Enfant-Jésus à Montréal, au pensionnat Saint-Louis-de-Gonzague à Québec, au séminaire de Québec et à l'université Laval à Québec. Admis au barreau de la province de Québec le 10 juillet 1934. Créé conseil en loi de la reine le 13 janvier 1961.

Fit partie de l'armée de réserve de 1933 à 1945. Exerça sa profession à Québec avec Me Paul Lesage en 1934, puis avec Charles Gavan Power, Valmore **Bienvenue**, Paul Lesage et Jean Turgeon. Fut également l'associé de Jean **Bienvenue**. De 1939 à 1944, il fut procureur de la couronne et procureur de la Commission des prix et du commerce en temps de guerre.

Élu député libéral à la Chambre des communes dans Montmagny-L'Islet en 1945. Réélu en 1949. Adjoint parlementaire du secrétaire d'État aux Affaires extérieures du 24 janvier 1951 au 31 décembre 1952. Adjoint parlementaire du ministre des Finances du 1er janvier au 13 juin 1953. Élu de nouveau en 1953. Ministre des Ressources et du Développement économique dans le cabinet Saint-Laurent du 17 septembre au 15 décembre 1953, puis ministre du Nord canadien et des Ressources nationales du 16 décembre 1953 au 21 juin 1957. Réélu en 1957 et 1958. Démissionna le 13 juin 1958, à la suite de son élection à la direction du Parti libéral du Québec le 31 mai 1958. Élu député libéral à l'Assemblée législative dans Québec-Ouest en 1960. Réélu en 1962. Premier ministre, président du Conseil exécutif et ministre des Finances du 5 juillet 1960 au 16 juin 1966. Ministre des Affaires fédérales-provinciales du 28 mars 1961 au 16 juin 1966. Ministre du Revenu du 30 mai au 8 août 1963. Élu dans Louis-Hébert en 1966. Chef de l'Opposition de 1966 à 1970. Fit part de sa décision d'abandonner le poste de chef du Parti libéral le 28 août 1969. Demeura en fonction jusqu'au congrès du leadership en janvier 1970. Ne s'est pas représenté en 1970.

Après avril 1970, il fit partie de la commission chargée par le gouvernement du Québec de la préparation de la législation. Occupa le poste de directeur de plusieurs compagnies, notamment Lever Brothers Ltd., Montreal Trust Co., Mondev Corporation Ltd., Campbell Chibougamau Mines Ltd. et J.J. Baker Ltd. Membre du conseil d'administration de la Canadian

Reynolds Metals Co. en 1971. Nommé président du conseil d'administration des Nordiques de Québec en juin 1972.

Auteur d'une brochure intitulée *Jean Lesage s'engage* et d'articles publiés dans la revue *Canadian Education*. Quelques-uns de ses discours furent publiés, notamment dans le recueil : *Un Québec fort dans une nouvelle fédération* (1965). Colonel honoraire du 6ᵉ régiment d'artillerie de 1965 à 1970. Docteur honoris causa des universités Laval, Bishop, Mount Allison, McGill, Western, Sir George Williams, des universités de Montréal, Sherbrooke, Ottawa, Toronto, Moncton, de l'université du Nouveau-Brunswick, du Darmouth College (New Hampshire) et de l'École des sciences politiques d'Athènes. Compagnon de l'ordre du Canada. Chevalier de l'ordre de Saint-Jean-de-Jérusalem et de l'ordre de Saint-Lazare-de-Jérusalem. Honoré du grade de Grand officier de l'ordre de la Pléiade, à titre posthume, le 14 février 1991. Récipiendaire de la médaille des Anciens de l'université Laval en 1961. Membre des cercles universitaires de Québec et d'Ottawa, des clubs de réforme de Québec et de Montréal et du Club de la garnison de Québec.

Décédé à Sillery, le 12 décembre 1980, à l'âge de 68 ans et 6 mois. Inhumé à Sainte-Foy, dans le cimetière Belmont, le 22 décembre 1980.

Avait épousé à Saint-Raymond, le 2 juillet 1938, Corinne Lagarde, cantatrice, fille d'Alexandre Lagarde, gérant de commerce, et de Valéria Matte.

Bibliographie : Arthur, René, « Sensible, courageux et bourreau de travail, voilà mon patron Jean Lesage », *Perspectives*, 17 janvier 1970, p. 2-8. Comeau, Robert (dir.), *Jean Lesage et l'éveil d'une nation*, Sillery, Presses de l'université du Québec, 1989, 368 p. Daignault, Richard, *Lesage*, Montréal, Libre expression, 1981, 320 p. Thompson, Dale C., *Jean Lesage et la révolution tranquille*, Saint-Laurent, Éd. du Trécarré, 1984, 615 p.

LESAGE, Robert

Né à Hull, le 15 février 1937, fils d'Aurèle LeSage et d'Irène Boisvenue.

Fit ses études secondaires à l'académie de La Salle d'Ottawa, des études en législation et administration à l'École des hautes études commerciales de Montréal et à l'université Carleton d'Ottawa.

Fonctionnaire municipal à Hull à compter de 1961, il fut notamment greffier pendant dix-neuf ans. Membre de la Corporation des officiers municipaux et de la Municipal Finance Officers Association of Canada and United States.

Président de l'Association libérale de la circonscription de Hull de 1979 à 1981. Élu député libéral dans Hull à l'élection partielle du 29 mai 1989. Réélu aux élections générales de 1989. Président délégué de la section Québec de l'Association parlementaire Ontario-Québec à partir de janvier 1992.

LESAGE, Zénon
(1885–1956)

Né à Sainte-Thérèse, le 18 décembre 1885, fils de Jérémie Lesage, cultivateur, et d'Orgéline Labelle.

Fit ses études au séminaire de Sainte-Thérèse et à l'université Laval à Montréal. Reçu médecin en 1911.

Exerça sa profession à l'Hôtel-Dieu de Montréal pendant dix-huit mois et dans la paroisse Saint-Jean-de-la-Croix. En 1928, il fit un stage de cinq mois à Paris. Directeur de l'hôpital Saint-Luc.

Échevin du quartier Saint-Jean au conseil municipal de Montréal du 7 avril 1930 au 9 décembre 1940, puis du district nᵒ 6 du 9 décembre 1940 au 11 décembre 1944. Membre du comité exécutif du 9 avril 1934 au 15 décembre 1936. Élu député de l'Action libérale nationale dans Montréal-Laurier en 1935. Candidat de l'Union nationale défait en 1936 et 1939.

Gouverneur de la prison de Bordeaux et directeur médical de l'hôpital affilié de 1944 jusqu'à son décès. Membre de la commission d'hygiène de la ville de Montréal.

Décédé à Montréal, le 4 février 1956, à l'âge de 70 ans et 8 mois. Inhumé dans le cimetière Notre-Dame-des-Neiges, le 8 février 1956.

Avait épousé à Montréal, dans la paroisse Saint-Georges, le 2 juin 1914, Amanda Lacoste, fille d'Étienne Lacoste et de Mélina David.

LESIEUR. V. DESAULNIERS

LESLIE, James
(1786–1873)

Né à Kair, en Écosse, le 4 septembre 1786, fils de James Leslie, capitaine d'infanterie.

Fit des études au Marischal College, puis à l'University of Aberdeen, en Écosse.

S'établit comme marchand à Montréal vers 1804. Devint propriétaire en 1809 de la James Leslie and Company, spécialisée dans le commerce de gros ; à compter de 1849, eut comme associé Henry **Starnes**. Cofondateur (1817), puis administrateur (1817–1829) de la Banque de Montréal. Fit l'acquisition et la mise en valeur des seigneuries de Bourchemin, de Ramesay et du Lac-Matapédia.

Élu député de Montréal-Est en 1824. Réélu en 1827, 1830 et 1834. Appuya généralement le parti canadien, puis le parti patriote. S'occupa d'administration municipale, à Montréal, avant 1833. Conserva son siège de député jusqu'à la suspension de la constitution, le 27 mars 1838. Défait comme candidat antiunioniste dans Montréal en 1841. Élu dans Verchères à une élection partielle le 28 décembre 1841; vota avec le groupe canadien-français. Réélu en 1844 et 1848; de tendance libérale. Fit partie du ministère La Fontaine–Baldwin: membre du Conseil exécutif du 11 mars 1848 au 27 octobre 1851, en fut président du 11 mars au 14 septembre 1848; secrétaire provincial du 15 septembre 1848 au 27 octobre 1851. À son entrée au cabinet, son siège de député était devenu vacant. Appelé au Conseil législatif le 23 mai 1848; en fut membre jusqu'à l'avènement de la Confédération, le 1er juillet 1867. Sénateur de la division d'Alma à compter du 23 octobre 1867; appuya le Parti conservateur.

Officier de milice; servit pendant la guerre de 1812 et se retira en 1862 avec le grade de lieutenant-colonel.

Décédé en fonction à Montréal, le 6 décembre 1873, à l'âge de 87 ans et 3 mois.

Avait épousé, en 1815, Julia Langan, fille du seigneur Patrick Langan.

Son fils épousa l'une des filles d'Alexandre-Maurice **Delisle**.

Bibliographie: *DBC.*

LESLIE, Robert Jamieson
(1862–1905)

[Né à Spry Bay, en Nouvelle-Écosse, le 28 février 1862, fils de Henry Leslie et de Sarah Fraser.]

A étudié à Halifax.

Marchand de la ville d'Halifax.

Élu député libéral à l'Assemblée législative dans Îles-de-la-Madeleine en 1904.

[Décédé en fonction le 5 décembre 1905, lors du naufrage du *Lunenberg*. Son corps fut retrouvé le 25 décembre 1905.]

[Avait épousé le 14 novembre 1897 Bertie Starratt.]

LESSARD, Joseph
(1847–1914)

Né dans la paroisse Saint-Léon-le-Grand, le 8 avril 1847, fils de David Lessard, cultivateur, et d'Adèle Lamy.

Fit ses études au collège de Nicolet. Éditeur du journal *le Nouveau Monde*, gérant du journal *le Monde* et fondateur des *Modes françaises illustrées*. Président de la Press Association en 1890 et 1891. Résidait à Montréal.

Élu député conservateur dans Maskinongé en 1890. Son élection a été annulée par la Cour supérieure le 30 janvier 1892. Défait en 1892.

Inspecteur des édifices du gouvernement du Québec.

Décédé à Montréal, le 27 mars 1914, à l'âge de 66 ans et 11 mois. Inhumé à Montréal, dans le cimetière Notre-Dame-des-Neiges, le 30 mars 1914.

Avait épousé à Sainte-Philomène (Mercier), le 27 mai 1878, Marguerite D'Amour, fille de Jean-Baptiste D'Amour et de Marcelline Parent.

LESSARD, Lucien

Né à Grandes-Bergeronnes, le 22 février 1938, fils de Léon Lessard, commerçant et homme d'affaires, et de Marie Morin.

A étudié à l'école de Bergeronnes, au collège Sacré-Cœur à Victoriaville, au séminaire de Chicoutimi, au collège Saint-Laurent à Montréal et à l'université Laval. Obtint un baccalauréat en sciences sociales en 1962, puis une maîtrise en science politique.

Professeur de sciences sociales à Forestville de 1962 à 1967, et à Hauterive de 1967 à 1970. Enseigna également les sciences politiques au cégep de Hauterive. Membre de l'exécutif du Syndicat des enseignants de la Côte-Nord de 1962 à 1968. Fondateur du Conseil d'orientation économique de la Côte-Nord en 1965. Conseiller technique de la Fédération des jeunes chambres de commerce du Canada français en 1966 et 1967, et vice-président en 1967 et 1968.

Candidat du Ralliement national défait dans Saguenay en 1966. Élu député du Parti québécois dans la même circonscription en 1970. Réélu en 1973, 1976 et 1981. Ministre des Travaux publics et de l'Approvisionnement dans le cabinet Lévesque du 26 novembre 1976 au 6 juillet 1977. Ministre des Transports du 26 novembre 1976 au 21 septembre 1979. Ministre du Loisir, de la Chasse et de la Pêche du 21 septembre 1979 au 2 septembre 1982, date de sa démission du cabinet. Démissionna comme député le 9 novembre 1982.

Propriétaire de l'Imprimerie Laizé de Hauterive. Directeur général du Centre local des services sociaux (CLSC) de Forestville à compter du 1er juillet 1986.

LESTER, Robert
(≈1746–1807)

Né à Galway (en république d'Irlande) vers 1746.

Arriva vers 1770 à Québec où il s'établit comme marchand. S'engagea dans le commerce de gros, le prêt, l'approvisionnement de l'armée, l'investissement foncier, notamment dans les Cantons-de-l'Est. Fut administrateur de successions, conseiller et agent financier du clergé catholique. Copropriétaire d'une flotte de navires et de la Cape Diamond Brewery. Un des fondateurs de la Robert Lester and Company, vers 1786, et de la Lester and Morrogh, en avril 1790. Pendant l'invasion américaine de 1775–1776, avait pris part à la défense de Québec à titre de capitaine dans la milice; accéda au grade de lieutenant-colonel en 1799. Obtint quelques postes de commissaire.

Élu député de la Basse-Ville de Québec en 1792; appuya généralement le parti des bureaucrates. Défait en 1796. Élu dans la même circonscription en 1800; donna son appui au parti des bureaucrates. Ne se serait pas représenté en 1804.

Fut à plusieurs reprises trésorier de la bibliothèque de Québec; administrateur et trésorier de la Société d'agriculture.

Décédé à Québec, le 12 juillet 1807, à l'âge d'environ 61 ans. Inhumé dans la cathédrale Notre-Dame, le 15 juillet 1807.

Était probablement célibataire.

Bibliographie: *DBC.*

LETELLIER. V. aussi TELLIER

LETELLIER, Blaise-Ferdinand
(1862–1930)

Né à Lévis, le 22 juin 1862, fils de Blaise Letellier, mesureur de bois, et d'Émérentienne Lacombe.

A étudié au séminaire de Québec et à l'université Laval. Médaillé du gouverneur général, du lieutenant-gouverneur et récipiendaire du prix Tessier. Admis au barreau le 7 juillet 1886. Créé conseil en loi du roi le 30 juin 1903.

Pratiqua le droit à Québec avec Nazaire **Ollivier** jusqu'en 1896, puis au cabinet Corriveau et Paré. Par la suite, il exerça avec Mes Letellier et Bouffard, à Saint-François-de-Beauce. Collaborateur au journal *la Justice*. Codirecteur du journal l'*Union libérale* de 1890 à 1893 et secrétaire de rédaction en 1892 et 1893.

Candidat libéral défait dans Dorchester en 1900. Candidat conservateur défait dans Beauce à l'élection partielle du 31 janvier 1902. Nommé conseiller législatif de la division de Lauzon le 29 septembre 1905. Appuya le Parti libéral. Démissionna le 12 octobre 1910 et fut nommé juge à la Cour supérieure du district de Chicoutimi-Saguenay le même jour.

Décédé à Montréal, le 15 décembre 1930, à l'âge de 68 ans et 6 mois. Inhumé à Sainte-Foy, dans le cimetière Notre-Dame-de-Belmont, le 18 décembre 1930.

Avait épousé à Québec, dans la paroisse Saint-Roch, le 4 juin 1889, Elmina Angers, fille de François-Xavier-Albert Angers et d'Elmina Taschereau.

LETELLIER DE SAINT-JUST, Luc
(1820–1881)

Né à Rivière-Ouelle, le 12 mai 1820, puis baptisé le 13, sous le prénom de Luc-Horatio, dans la paroisse Notre-Dame-de-Liesse, fils de François Letellier, notaire, et de Marie-Sophie Casgrain.

Étudia à l'école primaire de Rivière-Ouelle et de Kamouraska, puis, de 1830 à 1836, au collège de Sainte-Anne-de-la-Pocatière. Obtint un diplôme du petit séminaire de Québec en 1837. Fit l'apprentissage du droit à Rivière-Ouelle, puis fut reçu notaire en 1841.

Exerça sa profession à Rivière-Ouelle.

Élu député de Kamouraska à une élection partielle le 1er février 1851; de tendance libérale. Défait en 1851, 1854 et 1858. Élu conseiller législatif de la division de Grandville le 31 octobre 1860. Fit partie du ministère Macdonald–Dorion: conseiller exécutif et ministre de l'Agriculture du 16 mai 1863 au 29 mars 1864. À son entrée au cabinet, son siège de conseiller législatif était devenu vacant. Réélu sans opposition à une élection complémentaire le 5 juin 1863; demeura conseiller législatif jusqu'à l'avènement de la Confédération, le 1er juillet 1867. Sénateur de la division de Grandville du 23 octobre 1867 jusqu'à sa démission le 14 décembre 1876; leader du Parti libéral. Défait dans Kamouraska à une élection partielle provinciale le 12 février 1869. Défait dans L'Islet en 1871. Prêta serment comme membre du Conseil privé le 7 novembre 1873. Membre du cabinet Mackenzie: ministre de l'Agriculture du 7 novembre 1873 au 14 décembre 1876.

Nommé lieutenant-gouverneur de la province de Québec le 15 décembre 1876, fut destitué le 25 juillet 1879.

Décédé à Rivière-Ouelle, le 28 janvier 1881, à l'âge de 60 ans et 8 mois. Inhumé dans l'église Notre-Dame-de-Liesse, le 2 février 1881.

Avait épousé dans la paroisse Notre-Dame-de-Liesse, à Rivière-Ouelle, le 9 février 1848, Eugénie-Éliza Laurent, fille du négociant François Laurent et d'Éliza O'Brien (remariée au marchand Charles-Hilaire Têtu).

Petit-fils de Michel **Tellier**. Beau-frère de Jean-Baptiste **Couillard Dupuis**. Neveu de Philippe **Panet**.

Bibliographie: *DBC*.

LÉTOURNEAU, Jean-Charles
(1775–1838)

Né à Saint-Pierre-de-la-Rivière-du-Sud (Montmagny), le 28 novembre 1775, puis baptisé le 29, dans l'église paroissiale, fils de Joseph-Marie Létourneau et de Marie-Françoise Cloutier.

Étudia au petit séminaire de Québec de 1789 à 1792. Fit l'apprentissage du notariat, notamment auprès de Nicolas-Gaspard **Boisseau**. Admis à la pratique de cette profession en 1803.

Fut notaire de 1803 à 1838 dans la paroisse Saint-Thomas (à Montmagny). Obtint quelques postes de commissaire.

Élu député de Devon en 1827. Élu dans L'Islet en 1830. Réélu en 1834. Appuya généralement le parti patriote. Son mandat prit fin avec la suspension de la constitution, le 27 mars 1838.

Décédé dans la paroisse Saint-Thomas (à Montmagny), le 21 avril 1838, à l'âge de 62 ans et 4 mois. Inhumé dans l'église paroissiale, le 24 avril 1838.

Avait épousé dans la paroisse Saint-Thomas (à Montmagny), le 24 novembre 1806, Catherine Boisseau, fille de Nicolas-Gaspard **Boisseau** et de Catherine Aubert de Gaspé.

Neveu par alliance de Pierre-Ignace **Aubert de Gaspé**.

Bibliographie: *DBC*.

LÉTOURNEAU, Louis-Alfred
(1873–1938)

Né à Sainte-Famille, à l'Île d'Orléans, le 7 août 1873, fils de François-Xavier Létourneau, cultivateur, et de Philomène Boucher, dit Morency.

Fit ses études à Sainte-Famille. Travailla d'abord à la fabrique de conserves Drouin Frères dont il deviendra propriétaire en 1893. Ouvrit une épicerie en 1890 avec son frère Elzéar. Fondateur de la briqueterie Paradis et Létourneau en 1897, de la conserverie Quebec Preserving en 1905, puis de la National Dock and Dredging Corporation Limited. Élu président général de la Société Saint-Jean-Baptiste de Québec en 1922. Président du Club de réforme en 1924. Membre du Club canadien et des Chevaliers de Colomb.

Échevin du quartier Saint-Roch au conseil municipal de Québec de 1906 à 1908. Candidat défait à la mairie de Québec en 1934. Élu député libéral dans Québec-Est en 1908. Réélu en 1912, 1916, 1919, 1923 et, sans opposition, en 1927. Son siège devint vacant lorsqu'il fut nommé conseiller législatif de la division de La Salle, le 23 décembre 1927.

Décédé en fonction à Québec, le 13 décembre 1938, à l'âge de 65 ans et 3 mois. Inhumé à Québec, dans le cimetière Saint-Charles, le 16 décembre 1938.

Avait épousé à Québec, dans la paroisse Saint-Roch, le 4 juillet 1893, Marie-Clarina Drouin, fille d'Olivier Drouin et de Thérèse Canac, dit Marquis; puis, dans la même paroisse, le 10 octobre 1897, Ludivine Létourneau, fille d'Eusèbe Létourneau et de Célina Pageot.

LÉTOURNEAU, Séverin
(1871–1949)

Né à Saint-Constant, le 23 mai 1871, fils d'Hubert Létourneau, cultivateur, et de Claire Vadney Lanctôt.

A étudié à l'école normale Jacques-Cartier et à l'université Laval à Montréal. Fit sa cléricature auprès de Mᵉ Louis-Conrad Pelletier, député à la Chambre des communes de 1891 à 1896. Admis au barreau de la province de Québec le 9 juillet 1895. Créé conseil en loi du roi le 30 juin 1906.

Exerça sa profession à Montréal. Membre de plusieurs cabinets d'avocats, notamment Pelletier et Létourneau de 1895 à 1909, Pelletier, Létourneau et Beaulieu de 1909 à 1915, puis Létourneau, Beaulieu, Marin et Mercier de 1915 à 1918.

Élu président du Club libéral Saint-Henri en 1908 et 1911. Organisateur du Parti libéral du district de Montréal de 1911 à 1921. Élu député libéral dans Montréal-Hochelaga en

1912. Président de la Fédération des clubs libéraux de la province de Québec en 1914. Réélu sans opposition en 1916. Ne s'est pas représenté en 1919. Conseiller législatif de la division de Rigaud du 5 décembre 1919 au 25 janvier 1922.

Nommé juge à la Cour du banc du roi le 25 janvier 1922 et juge en chef de la province de Québec le 9 janvier 1942. Fut administrateur de la province en l'absence du lieutenant-gouverneur en 1942.

Docteur en droit honoris causa de l'université de Montréal en 1943. Président de l'Union Saint-Joseph de Saint-Henri. Membre fondateur de l'hôpital Notre-Dame de Montréal. Membre de l'Association athlétique nationale et du Club de réforme. Directeur de l'Association de chasse et pêche de la province de Québec. Membre à vie du Club Chapleau et du Cercle universitaire France-Amérique.

Décédé à Montréal, le 17 décembre 1949, à l'âge de 78 ans et 7 mois. Inhumé dans le cimetière de Saint-Mathias, le 3 mai 1950.

Avait épousé dans sa paroisse natale, le 30 juin 1896, Antonine Lanctôt, fille d'Alphonse Lanctôt, marchand, et de Mélina Riendeau.

LEVASSEUR, Paul

Né à Mont-Joli, le 15 avril 1912, fils de Georges Levasseur, employé du Canadien National, et de Marie-Louise Ouellet.

Fit ses études à Mont-Joli.

Messager puis assistant au bureau d'avocat J.B. Tremblay à Alma de 1931 à 1944. Propriétaire de la maison de courtage Levasseur immeubles de 1944 à 1975. Membre de l'Association catholique de la jeunesse canadienne-française.

Fut commissaire d'école à Alma de 1948 à 1952, puis maire de cette municipalité du 2 juillet 1952 au 4 juillet 1960. Élu député de l'Union nationale dans Lac-Saint-Jean à l'élection partielle du 16 septembre 1959. Défait en 1960 et 1962.

Inspecteur à la Banque de Montréal, dans la région du Saguenay, de 1970 à 1975, puis agent d'immeubles.

LE VASSEUR BORGIA, Joseph (1773–1839)

Né à Québec et baptisé dans la paroisse Notre-Dame, le 6 janvier 1773, fils de Louis Le Vasseur Borgia, forgeron, et de Marie-Anne Trudel. Signait LeVasseur Borgia.

Étudia au petit séminaire de Québec de 1786 à 1792, puis effectua un stage de clerc en droit. Obtint sa commission d'avocat en 1800.

Exerça sa profession à Québec.

Défait dans Cornwallis en 1804. Défait dans la Haute-Ville de Québec à une élection partielle le 14 décembre 1805. Participa à la fondation du *Canadien* en 1806. À cause de ses liens avec ce journal, fut destitué de son poste d'officier de milice par le gouverneur James Henry **Craig**, le 14 juin 1808; fut réintégré et promu capitaine en 1812 par le gouverneur George **Prevost**. Élu dans Cornwallis en 1808; appuya le parti canadien. Réélu en 1809, 1810, 1814 et 1816. Arrêté et mis sous la garde du sergent d'armes sur un ordre donné par l'Assemblée le 10 mars 1819, pour avoir insulté et menacé le député Samuel **Sherwood**. Défait en avril 1820. Élu dans Cornwallis en 1824. Réélu en 1827. Ne s'est pas représenté en 1830.

Décédé à Québec, le 27 juin 1839, à l'âge de 66 ans et 5 mois. Inhumé dans le cimetière des Picotés, dans la paroisse Notre-Dame, le 2 juillet 1839.

Eut un fils.

Bibliographie: *DBC.*

LÉVEILLÉ. V. aussi FOURQUIN

LÉVEILLÉ, André

Né à Montréal, le 11 août 1933, fils de Roméo Léveillé, forgeron, et de Florina Gadouas.

Fit ses études à l'école Sainte-Élisabeth-du-Portugal et à l'école Charlevoix à Montréal, au collège Sacré-Cœur à La Prairie et au collège des Frères de l'instruction chrétienne à Oka. A suivi divers cours notamment dans le domaine de la comptabilité au Benoît Business College à Montréal et au ministère de la Jeunesse en 1960 et 1961, et en courtage à la Corporation des courtiers en immeubles du Québec en 1972. A suivi également divers cours donnés par la McGill University et la Sir George Williams Business School.

Comptable de l'Association de l'hospitalisation du Québec jusqu'en 1966. Secrétaire exécutif du Conseil du travail de Montréal. Représentant et vice-président syndical de la Fédération des travailleurs du Québec (FTQ). Après sa défaite en 1970, il œuvra dans le domaine des relations publiques et devint conseiller spécial du bureau du président de la Commission des transports du Québec puis éditeur. Membre de la Société canadienne des relations publiques.

Élu député de l'Union nationale dans Maisonneuve en 1966. Whip adjoint de l'Union nationale de novembre 1966 à décembre 1968. Candidat défait à la direction de l'Union nationale le 21 juin 1969 et le 19 juin 1971. Défait en 1970 et dans Maisonneuve en 1985.

LÉVESQUE, François (1772–1823)

Né à Québec et baptisé dans la paroisse Notre-Dame, sous le prénom de François-Étienne, le 17 juin 1772, fils de François Lévesque, commerçant (fut aussi conseiller législatif et exécutif), et de Catherine Trottier Desauniers Beaubien. Signa, de 1811 à 1816, François Lévesque aîné.

Fit l'apprentissage du droit, à compter de 1791, auprès de Jean-Antoine **Panet** et d'Alexis **Caron** (Surrey). Fut secrétaire du Club constitutionnel de Québec en 1793. Admis au barreau le 17 mai 1796.

Exerça sa profession d'avocat à Montréal jusqu'en 1800 tout en faisant du commerce.

Élu député de Surrey en 1800; appuya généralement le parti canadien. Ne s'est pas représenté en 1804.

Nommé capitaine dans le 2e bataillon de milice de Québec en 1805. Vécut à l'extérieur de la province, notamment à New York, de 1807 environ jusqu'en 1811. À son retour, s'établit à Montréal.

Décédé à Montréal, le 11 octobre 1823, à l'âge de 51 ans et 3 mois. Les obsèques eurent lieu dans l'église Notre-Dame, le 13 octobre 1823.

Avait épousé dans la paroisse Notre-Dame, à Montréal, le 15 septembre 1796, Cécile Robert, fille d'Antoine Robert et de Louise Becquemont, et veuve de Normand MacLeod; puis, dans l'église presbytérienne St. Andrew, à Montréal, le 5 mai 1823, Sarah Ann Morriss.

Cousin de Pierre **Guerout**.

Bibliographie: Beauregard, Marthe-F., «L'honorable François Lévesque, son neveu Pierre Guérout, et leurs descendants (première partie)», *MSGCF*, 8, 1 (janvier 1957), p. 13-30.

LEVESQUE, Gérard D.

Né à Port-Daniel, dans Bonaventure, le 2 mai 1926, fils de J. Edmond Levesque, homme d'affaires, et d'Irene Dea.

A étudié au couvent Saint-Rosaire à Paspébiac, au séminaire de Gaspé et au collège Jean-de-Brébeuf à Montréal. Diplômé des universités de Montréal (baccalauréat ès arts) et McGill (licence en droit). Admis au barreau de la province de Québec en juillet 1949.

Depuis 1949, il est successivement, à New Carlisle, membre des cabinets d'avocats Sheehan et Levesque, Levesque et Arsenault, puis Levesque et Landry. Dirige la firme Levesque automobile ltée de Paspébiac à partir de 1951. Dirigea également la firme Carleton automobile ltée de 1957 à 1987. Président de l'Association des marchands d'automobiles de la Baie-des-Chaleurs de 1952 à 1955. Directeur de l'Association provinciale des marchands d'automobiles du Québec de 1955 à 1957. Président de la Chambre de commerce de la Gaspésie en 1953. Membre du conseil exécutif de la Chambre de commerce de la province de Québec et directeur des relations extérieures pour l'est du Québec en 1955. Membre du Club de réforme, du Club de la garnison et du Cercle universitaire de Québec.

Élu député libéral dans Bonaventure en 1956. Réélu en 1960, 1962, 1966, 1970, 1973, 1976, 1981, 1985 et 1989. Ministre de la Chasse et des Pêcheries dans le cabinet Lesage du 5 juillet 1960 au 5 décembre 1962, puis ministre de l'Industrie et du Commerce du 5 décembre 1962 au 16 juin 1966. Ministre des Affaires intergouvernementales dans le cabinet Bourassa du 12 mai 1970 au 11 février 1971 et du 2 février 1972 au 31 juillet 1975. Ministre de l'Industrie et du Commerce du 12 mai 1970 au 15 février 1972. Ministre responsable de l'Office de planification et de développement du Québec du 2 février 1972 au 26 novembre 1976. Ministre de la Justice du 30 juillet 1975 au 26 novembre 1976. Leader du gouvernement de 1970 à 1976 et vice-premier ministre du 2 février 1972 au 26 novembre 1976. Chef de l'Opposition officielle du 14 décembre 1976 au 9 mai 1979 et chef intérimaire du Parti libéral du 1er janvier 1977 au 15 avril 1978. Leader parlementaire de l'Opposition officielle du 9 mai 1979 au 1er septembre 1982. Chef intérimaire du Parti libéral du 10 août 1982 au 15 octobre 1983. Chef de l'Opposition officielle du 1er septembre 1982 au 14 juin 1985. Leader parlementaire de l'Opposition du 14 juin au 23 octobre 1985. Assermenté ministre des Finances le 12 décembre 1985.

Bibliographie: Lambert, Serge, *Gérard D. Levesque. Le maître politique*, [Sainte-Foy], GID Design, 1992, 210 p.

LÉVESQUE, Joseph-Wenceslas (1873–1953)

Né à Saint-Pacôme, le 11 octobre 1873, fils de Germain Lévesque, marchand, et de Philomène Lévesque.

A étudié au collège de Sainte-Anne-de-la-Pocatière et à l'université Laval à Montréal. Admis à la pratique du notariat le 16 septembre 1901, il exerça sa profession à Montréal.

Président de la commission scolaire du village de Saint-Vincent-de-Paul de 1906 à 1922. Élu député libéral dans Laval en 1908. Son élection fut annulée par la Cour supérieure le 19 novembre 1908, mais il fut réélu à l'élection partielle du 28 décembre 1908. De nouveau élu en 1912 et 1916. Ne s'est pas représenté en 1919.

Maire de Saint-Vincent-de-Paul du 5 mars 1917 au 22 avril 1921 et préfet du comté de Laval du 10 mars 1920 au 10 février 1921.

Percepteur des droits sur les successions à Montréal du 1er mai 1919 au 30 avril 1924.

Décédé à Westmount, le 4 juillet 1953, à l'âge de 79 ans et 9 mois. Inhumé dans le cimetière de Saint-Vincent-de-Paul, le 8 juillet 1953.

Avait épousé à Saint-Vincent-de-Paul (Laval), le 1er septembre 1902, Marie-Éléonore Prévost, fille de Théodore Prévost et d'Annie Lacasse.

LÉVESQUE, Léonard

Né à Mont-Carmel, le 23 mai 1935, fils de Joseph Lévesque, cultivateur, et d'Alice Pelletier.

A étudié à l'école principale de Mont-Carmel et à l'École d'orientation des métiers du Québec à Montréal.

Travailla un an dans le domaine de l'électronique à Saint-Pascal. En 1962, il devint cultivateur sur la ferme paternelle. Vice-président de la caisse populaire de Mont-Carmel. Membre des Chevaliers de Colomb. Organisateur sportif du comité des loisirs de sa région. Premier vice-président du Club Lions de Mont-Carmel.

Marguillier de la paroisse Notre-Dame-du-Mont-Carmel en 1974 et 1975. Conseiller de l'exécutif du Parti québécois de son comté en 1973 et 1974. Élu député du Parti québécois dans Kamouraska-Témiscouata en 1976. Réélu en 1981. Adjoint parlementaire du ministre de l'Environnement du 21 février au 23 octobre 1985. Défait en 1985. Retraité.

LÉVESQUE, René (1922–1987)

Né à New Carlisle, le 24 août 1922, fils de Dominique Lévesque, avocat, et de Diane Dionne-Pineault.

A étudié à l'école primaire de New Carlisle, au collège de Gaspé, au collège Saint-Charles-Garnier à Québec et entreprit des études de droit à l'université Laval.

Débuta à la radio comme annonceur et rédacteur de nouvelles à la station CHNC de New Carlisle. Travailla par la suite à CHRC en 1941 et 1942, puis à CBV. Agent de liaison et correspondant de guerre pour les forces armées américaines en 1944 et 1945. Employé du service international de Radio-Canada de 1946 à 1951. Correspondant en Corée en 1952 et chef du service des reportages radiotélévisés de 1952 à 1956. Animateur de l'émission radiophonique «Au lendemain de la veille» et des émissions télévisées «Carrefour» et «Premier plan» de 1953 à 1956. Pigiste et animateur de la télésérie «Point de mire» de 1956 à 1959. Collaborateur à la revue *Cité libre*. Participa activement à la grève des réalisateurs de Radio-Canada en 1959. Membre de l'Union canadienne des journalistes de langue française et de l'Union des artistes de Montréal.

Membre du Parti libéral en 1960. Élu député libéral dans Montréal-Laurier en 1960 et 1962. Réélu dans Laurier en 1966. Ministre des Ressources hydrauliques et ministre des Travaux publics dans le cabinet Lesage du 5 juillet 1960 au 28 mars 1961. Ministre des Richesses naturelles du 28 mars 1961 au 19 janvier 1966 et ministre de la Famille et du Bien-être social dans le même cabinet du 14 octobre 1965 au 16 juin 1966. Siégea comme député indépendant à partir de 1967.

Quitta le Parti libéral le 14 octobre 1967 pour fonder le Mouvement souveraineté-association (MSA) le 19 novembre 1967. Devint président du Parti québécois le 14 octobre 1968. Candidat du Parti québécois défait dans Laurier en 1970 et dans Dorion en 1973. Entre 1970 et 1976, il fut chroniqueur au *Journal de Montréal* et au *Journal de Québec*. Élu député du Parti québécois dans Taillon en 1976. Réélu en 1981. Premier ministre de la province de Québec et président du Conseil exécutif du 25 novembre 1976 au 3 octobre 1985. Ministre des Affaires intergouvernementales par intérim du 8 janvier au 17 février 1982. Ministre délégué à la Condition féminine par intérim du 27 novembre 1984 au 16 janvier 1985. Démissionna comme président du Parti québécois le 20 juin 1985 et comme député de Taillon le 29 septembre 1985.

Animateur à la radio, à CKAC, à l'émission «Point de vue sur l'actualité» du 31 août 1987 jusqu'à sa mort. Animateur à Télé-Métropole de deux émissions spéciales, le 31 août et le 6 septembre 1987, à l'occasion du Sommet de la francophonie.

A publié *Option Québec* (1968), *la Passion du Québec* (1978), *Oui* (1980) et *Attendez que je me rappelle...* (1986). Grand officier de la Légion d'honneur et récipiendaire de la médaille de la ville de Paris en novembre 1977. Honoré du grade de Grand officier de l'ordre de la Pléiade, à titre posthume, le 14 février 1991.

Décédé à Montréal, le 1er novembre 1987, à l'âge de 65 ans et 2 mois. Inhumé à Sillery, dans le cimetière Saint-Michel, le 5 novembre 1987.

Avait épousé à Québec, dans la paroisse Saint-Cœur-de-Marie, le 3 mai 1947, Louise L'Heureux, fille d'Eugène L'Heureux, directeur de *l'Action catholique* de Québec, et de Jeannette Magnan ; puis, à Montréal, le 12 avril 1978, Corinne Côté, fille de Roméo Côté et d'Irma Tremblay.

Bibliographie : *René Lévesque : textes et entrevues (1960–1987)*, Sillery, Presses de l'université du Québec, 1991, 444 p. Aubin, François, *René Lévesque tel quel*, Montréal, Boréal Express, 1973, 173 p. Carrier, André, *Les idées sociales, économiques et politiques de René Lévesque*, thèse de maîtrise à l'université d'Ottawa, 1970, 162 p. Desbarats, Peter, *René Lévesque ou le projet inachevé*, trad. par Robert Guy Scully, Montréal, Fides, 1977, 277 p. Lévesque, René, *René Lévesque par lui-même : 1963–1984*, Montréal, Guérin littérature, 1988, 412 p. Provencher, Jean, *René Lévesque : portrait d'un Québécois*, Montréal, La Presse, 1973, 270 p.

LÉVESQUE, Robert
(1905–1985)

Né à Sainte-Anne-des-Monts, le 19 juin 1905, fils de Bélonie Lévesque, cultivateur, et de Marie-Louise Fournier.

Fit ses études à l'école des Sœurs du Saint-Rosaire à Sainte-Anne-des-Monts.

Officier de la Cour supérieure en 1921 et 1922. Constable puis boucher et marchand à Sainte-Anne-des-Monts.

Maire de cette municipalité de 1939 à 1941 et de 1963 à 1967. Élu député libéral dans Gaspé-Nord en 1948. Défait en 1952 et 1956.

Décédé à Sainte-Anne-des-Monts, le 9 avril 1985, à l'âge de 79 ans et 9 mois. Inhumé au même endroit, le 12 avril 1985.

Avait épousé à Rivière-à-Claude, le 21 novembre 1928, Adrienne Rioux, fille de Félix Rioux, journalier, et d'Oliva Auclair.

LIBMAN, Robert

Né à Montréal, le 8 novembre 1960, fils de David Libman, comptable agréé, et de Goldie Aronovitch.

A étudié à la Herzliah High School, au Vanier College et à la McGill University où il obtint un baccalauréat en architecture en 1985.

Architecte à Montréal chez Jacques Béique et Associés en 1985 et 1986 et chez Tolchinsky et Goodz de 1986 à 1989. Membre de l'Ordre des architectes du Québec à compter de 1987. Vice-président de la B'Nai Brith Balfour Lodge depuis 1988.

Cofondateur du Parti Égalité et chef de ce parti à compter de 1988. Élu député du Parti Égalité dans D'Arcy-McGee en 1989.

LINCOLN, Clifford

Né à l'Île-Maurice (dans l'océan Indien), le 1er septembre 1928, fils de Francis Lincoln, administrateur, et de Régina De Baize.

Fit ses études postcollégiales au Side Bar of Mauritius et à l'Insurance Institute of Southern Rhodesia and South Africa (Cape Town). Arriva au Canada en 1958 après un séjour de quelques années en Afrique du Sud et en Rhodésie. Fut reçu Fellow of the Insurance Institute of Canada en 1961, Fellow of the Chartered Insurance Institute (London) en 1962 et Fellow of the Chartered Institute of Arbitrators (London) en 1970.

S'installa à Montréal puis à Vancouver où il fonda une entreprise spécialisée dans les assurances internationales. Revint s'établir à Montréal. Président de Linkman Ltd. Président de Lincoln Manson Inc. Vice-président de Dominican International Insurance Consultants. Vice-président et membre du conseil de Tomenson Saunders Whitehead ltée. Président du bureau de discipline de l'Association des courtiers d'assurances du Québec de 1978 à 1980. Conférencier de l'American Management Association et du Canadian Management Centre de 1970 à 1980.

Président de Promotions sociales Taylor Thibodeau. Ex-président de Lakeshore Association for Retarded Citizens et de West Island Adaptation Services. Ex-membre du conseil de l'Association du Québec pour la déficience mentale.

Élu député libéral dans Nelligan en 1981. Réélu en 1985. Ministre de l'Environnement dans le cabinet Bourassa du 12 décembre 1985 au 21 décembre 1988, date de sa démission du cabinet. Ne s'est pas représenté en 1989. Candidat défait du Parti libéral à l'élection fédérale partielle du 12 février 1990 dans Chambly. Candidat à la direction du Parti libéral du

Canada au congrès de juin 1990, il se désista le 27 février 1990. Choisi candidat libéral dans la circonscription fédérale de Lachine–Lac-Saint-Louis le 17 juin 1992.

Consultant en matière environnementale.

LISLOIS, Joseph-Couillard
(1856–1935)

Né à Montmagny, le 8 janvier 1856, fils de Charles-Couillard Lislois, cultivateur, et de Geneviève Nicol.

A étudié à l'académie des Frères de la doctrine chrétienne à Montmagny. Marchand à Montmagny.

Maire de Montmagny de 1890 à 1896 et de 1898 à 1901. Élu député libéral dans Montmagny en 1897. Ne s'est pas représenté en 1900. Candidat libéral défait dans la même circonscription en 1908.

Nommé shérif de Montmagny le 15 août 1919.

Décédé à Montmagny, le 4 février 1935, à l'âge de 79 ans et un mois. Inhumé à Montmagny, dans le cimetière Saint-Odilon, le 7 février 1935.

Avait épousé dans sa paroisse natale, le 19 octobre 1886, Alphonsine-Palmyre Joncas, fille de Lazarre Joncas et d'Élisabeth-Julie Lebreux.

LIVERNOIS, Charles Benoit
(1755–1840)

Né à Saint-Charles-sur-Richelieu, le 12 mars 1755, puis baptisé le 13, dans la paroisse Saint-Charles, fils de Jean-Baptiste Benoit, dit Livernois, et de Marie-Anne Gipoulon. Connu aussi sous les patronymes de Benoit, Benoit-Livernois et Benoit, dit Livernois.

Élu député de Richelieu en 1800; prit part aux votes d'une session seulement et appuya généralement le parti canadien. Ne se serait pas représenté en 1804.

Décédé à Saint-Hyacinthe, le 5 janvier 1840, à l'âge de 84 ans et 9 mois. Inhumé dans l'église Notre-Dame-du-Rosaire, le 7 janvier 1840.

Avait épousé dans la paroisse Notre-Dame-du-Rosaire, à Saint-Hyacinthe, le 2 février 1787, Marie-Joseph Mingot, dit Dumaine, fille de Louis-Michel Mingot, dit Dumaine, et de Marie-Anne Fontaine.

Un de ses fils épousa une fille de Louis **Bourdages**.

LIZOTTE, Fernand

Né à Lévis, le 4 mars 1904, fils de Pierre Lizotte, cheminot, et de Célina Boutin.

Fit ses études à l'école Saint-Laurent et au collège de Lévis, à l'Institut Thomas et à la faculté de médecine de l'université Laval à Québec. Fit son internat au St. Peter's General Hospital à New Brunswick, dans l'État du New Jersey. Reçu médecin en 1933.

Pendant ses études, il fut rédacteur au journal *le Quotidien* de Lévis de 1926 à 1930, et fonda, en 1928, l'hebdomadaire universitaire *le Bérêt*. Capitaine de réserve de 1926 à 1932 et officier médical du Royal 22e régiment cantonné à Aldershot, en Angleterre, en 1939 et 1940.

Médecin-chirurgien résident à l'hôpital Jeffery Hale en 1931 et 1932. Pratiqua par la suite à Saint-Aubert et à Saint-Jean-Port-Joli. Officier médical sur le navire *N.B. McLean* en 1935 et 1936. Fonda l'hôpital Saint-Jean-Port-Joli en 1948, puis fut membre de la corporation et directeur médical jusqu'en 1960. Secrétaire et président du bureau médical de l'hôpital Saint-Jean-Port-Joli.

Syndic de la desserte de Lac-Trois-Saumons à Saint-Aubert en 1958. Commissaire d'école à Saint-Jean-Port-Joli de décembre 1958 à juillet 1960. Maire de Saint-Jean-Port-Joli en 1959 et 1960 et de 1965 à 1981. Préfet du comté de L'Islet de juin 1960 à mars 1961 et de mai 1971 à janvier 1977. Vice-président de la protection civile des comtés de Kamouraska et L'Islet en 1966 et 1967.

Membre de l'Association de la jeunesse libérale de la Rive-Sud de 1930 à 1935, membre de l'Action libérale nationale en 1935, adjoint à l'organisateur en chef de l'Union nationale de 1963 à 1966. Candidat du Parti de la reconstruction défait dans Montmagny-L'Islet aux élections fédérales de 1935. Élu député de l'Union nationale à l'Assemblée législative dans L'Islet en 1948. Réélu en 1952 et 1956. Ne s'est pas représenté en 1960. Élu de nouveau en 1962 et 1966. Whip adjoint de janvier 1963 à juin 1966. Ministre des Transports et Communications dans les cabinets Johnson et Bertrand du 16 juin 1966 au 21 janvier 1970, puis ministre des Transports dans le cabinet Bertrand du 21 janvier au 12 mai 1970. Défait en 1970. Président de l'Association de l'Union nationale du comté de l'Islet de 1970 à 1973, et de Montmagny-L'Islet à partir de 1976.

Président du cercle Notre-Dame de l'Association catholique de la jeunesse canadienne-française (ACJC) de 1924 à 1930. Secrétaire de la Société Saint-Jean-Baptiste, section de Lévis, de 1926 à 1931. Président de la Chambre de commerce de Saint-Jean-Port-Joli en 1947 et de la fondation Chanoine-Fleury en 1977. Membre du Club Renaissance.

Président de l'Association des médecins de la Rive-Sud. Membre du Bureau médical de l'hôpital Notre-Dame-de-Fatima de La Pocatière, de la Corporation professionnelle des médecins du Québec, de l'Association des médecins de langue française du Canada et de la Fédération des médecins omnipraticiens du Québec.

LIZOTTE, Laurent

Né à Saint-Éloi, le 1er février 1922, fils de Jules Lizotte, marchand général, et de Léda Quesnel.

Fit ses études à Saint-Éloi, au collège de Sainte-Anne-de-la-Pocatière et à l'université Laval.

Reçu médecin en 1946, il exerça sa profession à Saint-Raphaël de 1946 à 1957, puis à Montmagny de 1957 à 1960. Commissaire d'école à Saint-Raphaël en 1956 et 1957. Candidat libéral défait dans Bellechasse en 1952 et dans Montmagny en 1956. Élu député libéral dans Montmagny en 1960. Nommé adjoint parlementaire du ministre de la Santé le 8 novembre 1960. Défait en 1962.

À compter de 1963, il fut directeur des services de santé d'urgence, sous-ministre adjoint au ministère de la Santé et directeur général adjoint de la Régie de l'assurance-maladie du Québec. Conseiller cadre au ministère des Affaires sociales à partir de 1976.

Fut commandant de la 7e compagnie médicale, du 5e bataillon des services, puis colonel et commandant du district nº 3 de Québec. Membre du Club Richelieu, des Chevaliers de Colomb, de la Société médicale canadienne, de la Société Saint-Jean-Baptiste et de la Chambre de commerce de Montmagny.

LIZOTTE, Louis-Philippe
(1891–1972)

Né à Saint-Pacôme, le 13 juillet 1891, fils de Luc Lizotte, marchand, et de Wilhelmine Dionne.

Fit ses études au collège de Sainte-Anne-de-la-Pocatière et à l'université Laval à Québec. Admis au barreau de la province de Québec le 10 juillet 1919. Créé conseil en loi du roi le 5 octobre 1927.

Pratiqua le droit à Rivière-du-Loup jusqu'en 1956 et fut associé notamment à Léon **Casgrain** et Ernest Lapointe, député à la Chambre des communes de 1904 à 1941. Procureur de la couronne pour le district de Kamouraska en 1927.

Élu trésorier du barreau de Gaspé en mars 1930. Bâtonnier du barreau du Bas-Saint-Laurent en 1941. Secrétaire puis président de la Chambre de commerce de Rivière-du-Loup de 1927 à 1930. Président de la compagnie de traversiers Rivière-du-Loup–Tadoussac ltée de 1927 à 1940 et de l'Hôtel Manoir ltée. Directeur du chemin de fer du Témiscouata. Auteur de *la Vieille Rivière-du-Loup, ses vieilles gens, ses vieilles choses, 1673–1916* (1967).

Échevin de Rivière-du-Loup de 1931 à 1935, et maire de 1935 à 1939. Élu député libéral à la Chambre des communes dans Kamouraska en 1940. Démissionna le 24 juillet 1944 pour se porter candidat aux élections provinciales. Élu député libéral à l'Assemblée législative dans Kamouraska en 1944. Défait en 1948.

Juge à la Cour supérieure de 1956 à 1966.

Décédé à Sillery, le 15 mai 1972, à l'âge de 80 ans et 10 mois. Inhumé à Rivière-du-Loup, dans le cimetière de la paroisse Saint-Patrice, le 18 mai 1972.

Avait épousé à Rivière-du-Loup, le 2 juin 1919, Thérèse Fraser, fille de Malcolm Fraser, seigneur, et de Marie-Diana Larue.

LOCKE, Thomas
(1824–1884)

[Né à Barnston, le 16 juin 1824, fils de Levi Locke et de Sally Clement.]

Cultivateur et éleveur. Capitaine dans la milice.

Maire de Barnston en 1864 et 1865. Juge de paix et commissaire d'école. Élu député conservateur dans Stanstead en 1867. Réélu sans opposition en 1871. Défait en 1875.

Décédé à Barnston, le 27 janvier 1884, à l'âge de 59 ans et 7 mois. Inhumé à Stanstead, dans le cimetière de l'église méthodiste, le 31 janvier 1884.

[Avait épousé à Lisbon, dans l'État du New Hampshire, en 1846, Lydia E. Howard.]

LOISELLE, Nicole

Née à Montréal, le 8 mars 1954, fille de Gérard Loiselle, homme d'affaires, et de Claire Dumouchel.

Fit ses études secondaires à la polyvalente Charles-Lemoyne de 1965 à 1971, et un cours de secrétariat juridique à l'école Progressive de 1971 à 1973.

Auprès du député fédéral de Westmount–Saint-Henri, elle fut adjointe de député de 1973 à 1979, adjointe ministérielle de 1980 à 1984 et adjointe administrative de comté de

1984 à 1988. Présidente de la société immobilière La Meunerie Saint-Henri à compter de 1987. Adjointe administrative dans un cabinet d'avocats de Montréal. Membre du conseil d'administration de l'Association des jeunes dirigeants politiques. Membre fondatrice de la fondation du CLSC Saint-Henri.

Élue députée libérale dans Saint-Henri en 1989.

Son père fut député fédéral de 1957 à 1979.

LONGUEUIL. V. LE MOYNE DE LONGUEUIL

LONGUEUIL, baron de. V. GRANT

LORANGER, Louis-Onésime (1837–1917)

Né à Yamachiche, le 7 avril 1837, fils de Joseph Loranger, aubergiste, et de Marie-Louise Dugal.

A étudié au collège Sainte-Marie à Montréal. Admis au barreau du Bas-Canada le 3 mars 1858. Créé conseil en loi de la reine en 1881. Docteur en droit honoris causa de l'université Laval en 1901.

Associé avec ses deux frères, J.M. Loranger et Thomas-Jean-Jacques **Loranger**.

Avocat de la couronne lors de l'enquête des tanneries. Membre du Conseil du barreau de Montréal en 1868 et 1869, 1871 et 1872, 1874 et 1875. Président et organisateur des fêtes de la Saint-Jean-Baptiste en 1874. Président de la Société Saint-Jean-Baptiste de Montréal en 1895 et 1896. Président de l'hôpital Notre-Dame de Montréal de 1906 à 1917. Membre du Club Lafontaine.

Échevin du quartier Saint-Louis au conseil municipal de Montréal de février 1871 à mars 1877. Candidat libéral défait dans Laprairie aux élections fédérales de 1872. Élu député conservateur à l'Assemblée législative dans Laval en 1875. Réélu sans opposition en 1878. Son siège devint vacant lors de sa nomination au cabinet. Réélu sans opposition à l'élection partielle du 13 novembre 1879 et aux élections de 1881. Procureur général dans le cabinet Chapleau du 31 octobre 1879 au 31 juillet 1882. Son siège devint vacant à la suite de sa nomination comme juge à la Cour supérieure du district de Trois-Rivières le 5 août 1882. Prit sa retraite en mai 1910.

Décédé à Saint-Hilaire, le 18 août 1917, à l'âge de 80 ans et 4 mois. Inhumé à Montréal, dans le cimetière Notre-Dame-des-Neiges, le 21 août 1917.

Avait épousé dans la paroisse Notre-Dame de Montréal, le 3 octobre 1867, Marie-Angélique-Rosalie Laframboise, fille de Maurice **Laframboise**, avocat, et de Marie-Rosalie-Eugénie Dessaulles; puis, dans la même paroisse, le 24 mai 1888, Marie-Antoinette Valois, veuve d'Eugène Varin.

LORANGER, Thomas-Jean-Jacques (1823–1885)

Né à Yamachiche, le 2 février 1823, fils de Joseph Loranger, cultivateur (fut aussi aubergiste), et de Marie-Louise Dugal.

Étudia au séminaire de Nicolet de 1834 à 1841. À compter de 1842, fit l'apprentissage du droit auprès d'Antoine **Polette**, à Trois-Rivières; reçu au barreau en 1844.

Pratiqua sa profession à Trois-Rivières et à Nicolet avant de joindre le cabinet de Lewis Thomas **Drummond**, à Montréal. Nommé conseiller de la reine en 1854. L'un des substituts du procureur général devant la Cour seigneuriale créée en 1854. Publia à Montréal, en 1855, *Mémoire composé de la plaidoirie de T.J.J. Loranger* [...] *devant la Cour seigneuriale* et, en 1856, *Suite du mémoire de M. Loranger contenant sa réplique* [...]. Fit partie, du 28 mars 1856 au 31 janvier 1861, de la commission chargée de la refonte des statuts du Bas-Canada. En 1858, s'associa à ses deux frères avocats, dont Louis-Onésime **Loranger**. Collaborateur, de 1869 à 1872, de *la Revue légale*, publiée à Montréal et à Sorel. Cofondateur, en 1879, de la revue montréalaise *la Thémis*.

Élu député de Laprairie en 1854; réformiste, puis bleu. Fit partie du ministère Macdonald–Cartier à compter du 26 novembre 1857 : conseiller exécutif jusqu'au 29 juillet 1858 et secrétaire provincial du Canada jusqu'au 1er août 1858. Réélu en 1858; bleu. Réélu en 1861; indépendant.

Son siège de député devint vacant par suite de sa nomination, le 28 février 1863, comme juge de la Cour supérieure; exerça ces fonctions à Beauharnois, à Saint-Jean (Saint-Jean-sur-Richelieu), puis à Sorel jusqu'à sa retraite en mai 1879. Fut ensuite professeur de droit administratif à l'université Laval à Montréal.

Membre du premier Conseil de l'instruction publique en 1859. Président de l'Association Saint-Jean-Baptiste de Montréal en 1880 et 1884. Commandeur de l'ordre de Saint-Grégoire-le-Grand. Est aussi l'auteur de : *Commentaire sur le Code civil du Bas-Canada* (2 vol., Montréal, 1873–1879) et de *Lettres sur l'interprétation de la constitution fédérale* [...] (2 vol., Québec, 1883–1884). À titre de président d'une commission chargée en 1877 de codifier les lois générales en vigueur dans la province de Québec, fit paraître à Québec, en 1878,

Premier rapport des commissaires [...], puis, en 1881, *Rapport de la commission de révision et refonte des statuts* [...] et, en 1882, *Travaux de la commission de codification des statuts sur les réformes judiciaires.*

Décédé à Sainte-Pétronille, île d'Orléans, le 18 août 1885, à l'âge de 62 ans et 6 mois. Après des obsèques solennelles célébrées dans l'église Notre-Dame de Montréal, fut inhumé dans le cimetière Notre-Dame-des-Neiges, le 21 août 1885.

Avait épousé à Montréal, le 13 mai 1850, Sarah-Angélique Truteau; puis, à Québec, le 6 juillet 1864, Zélie-Angélique Borne, arrière-petite-fille de Pierre-Ignace **Aubert de Gaspé**.

Bibliographie: *DBC.*

LORIMIER, Claude-Nicolas-Guillaume de (1744–1825)

Né à Lachine, le 4 septembre 1744, fils de Claude-Nicolas de Lorimier de La Rivière, officier dans les troupes de la Marine, et de Marie-Louise Lepallieur de Laferté. Connu sous le nom de Guillaume, chevalier de Lorimier.

Entreprit une carrière militaire à titre d'officier subalterne pendant la guerre de Sept Ans. Après la Conquête, fut peut-être employé comme interprète au département britannique des Affaires indiennes et exploita un chantier. Reprit du service à l'occasion de l'invasion américaine de 1775–1776: effectua notamment des opérations de reconnaissance et des raids à la tête de groupes d'Amérindiens; fut blessé en juin 1776. Commanda avec succès une attaque surprise dans l'État de New York en 1780. Avait été nommé agent résident du département des Affaires indiennes à Caughnawaga (Kahnawake, Québec) au début du conflit. Est l'auteur de «Mes services pendant la guerre américaine», publié dans *Invasion du Canada* (Montréal, 1873) et traduit sous le titre de *At war with the Americans* (Victoria, C.-B., s.d.).

Élu député de Huntingdon en 1792; appuya le parti canadien. Ne se serait pas représenté en 1796.

Pendant la guerre de 1812, fut nommé capitaine résident auprès des Amérindiens de Caughnawaga et d'autres Iroquois. Assista à la bataille de Châteauguay en octobre 1813. Nommé surintendant adjoint du régiment des Embodied Indian Warriors, au moment de sa création en août 1814, et obtint le grade de major.

Décédé à Caughnawaga (Kahnawake), le 5 juin 1825, à l'âge de 80 ans et 9 mois. Inhumé le 7 juin 1825.

Avait épousé [à Lachine], le 26 juin 1783, Louise Schuyler, Iroquoise; puis, le 23 mars 1793, Marie-Madeleine-Claire Brassard Deschenaux, fille du seigneur Joseph Brassard Deschenaux et de sa seconde femme, Madeleine Vallée; enfin, à Caughnawaga (Kahnawake), le 27 février 1801, Skaouennetsi (Anne Gregory).

Bibliographie: *DBC.*

LORRAIN, Pierre

Né à Farnham, le 21 avril 1942, fils de Roch Lorrain et de Jeanne Marcil.

A étudié au collège Roussin à Pointe-aux-Trembles et à l'université de Sherbrooke où il obtint un baccalauréat ès arts en 1966 et une licence en droit en 1970. Admis au barreau en 1973.

Pratiqua le droit à Saint-Jean-sur-Richelieu de 1973 à 1985. Membre du conseil d'administration et du bureau de direction de la caisse populaire Saint-Jean de 1977 à 1985. Conseiller juridique et membre du conseil d'administration de la Fédération des scouts du diocèse de Saint-Jean. Membre du conseil d'administration du Centre des œuvres de Saint-Jean et de la Chambre de commerce de Saint-Jean de 1970 à 1980. Secrétaire fondateur du Club optimiste de Saint-Luc et de la télévision communautaire du Haut-Richelieu. Président-fondateur de l'Office du tourisme du Haut-Richelieu en 1978, président en 1979–1980 et membre du conseil d'administration en 1980–1981.

Élu député libéral dans Saint-Jean en 1985. Président de l'Assemblée nationale du 16 décembre 1985 au 28 novembre 1989. Ne s'est pas représenté en 1989.

Nommé délégué général du Québec à Bruxelles le 20 décembre 1989.

LORRAIN, Roméo (1901–1967)

Né à Buckingham, le 26 mai 1901, fils de Joseph Lorrain et de Marie Roi.

Fréquenta l'école de Saint-Michel-de-Buckingham et poursuivit par la suite des études classiques et commerciales.

Travailla comme journaliste au *Droit* d'Ottawa et y fonda le cahier *la Région de Buckingham*. Marchand et homme d'affaires. Principal fondateur et président du cercle Châtelain de l'Action catholique de la jeunesse canadienne-française (ACJC). Directeur du Cercle dramatique Bélanger. Membre du

Club Renaissance, du Club de la garnison, du Canadian Club et du Seigniory Club.

Élu député de l'Action libérale nationale dans Papineau en 1935. Réélu sous la bannière de l'Union nationale en 1936, 1939, 1944, 1948, 1952 et 1956. Ministre des Travaux publics dans les cabinets Duplessis, Sauvé et Barrette du 30 août 1944 au 5 juillet 1960. Secrétaire et registraire dans le cabinet Duplessis du 24 avril au 26 septembre 1956. Réélu en 1960 et 1962. Ne s'est pas représenté en 1966.

Décédé au lac Long, le 6 juillet 1967, à l'âge de 66 ans et 2 mois. Inhumé dans le cimetière de Buckingham, le 10 juillet 1967.

Avait épousé à Montréal, dans la paroisse de La Nativité-de-la-Sainte-Vierge, le 13 décembre 1948, Marie-Lucienne-Rachel Smith, infirmière, fille d'Hormisdas Smith et de Rose-Almas Harnois.

LORTIE, Joseph-Arthur
(1869–1958)

Né à Sainte-Justine-de-Newton, le 2 janvier 1869, fils de Joseph Lortie, cultivateur, et de Marie-Julienne Montpetit.

A étudié au collège Bourget à Rigaud et à l'université Laval. Reçu médecin en 1895, il exerça sa profession à Saint-Polycarpe.

Conseiller municipal de Saint-Polycarpe de janvier 1908 à février 1909. Élu député conservateur à la Chambre des communes dans Soulanges en 1908. Défait en 1911. Élu député conservateur à l'Assemblée législative dans Soulanges en 1923. Défait en 1927.

Décédé à Coteau-du-Lac, le 15 février 1958, à l'âge de 89 ans et un mois. Inhumé dans le cimetière de Saint-Polycarpe, le 20 février 1958.

Avait épousé à Saint-Polycarpe, le 8 octobre 1900, Marie-Anna Gladu, fille de Louis-Adolphe Gladu, notaire, et de Marie-Alphonsine Pharand.

LORTIE, Pierre
(1868–1945)

Né à Châteauguay, le 26 juin 1868, fils de Pierre Lortie, cultivateur, et d'Émérence Goulet.

A étudié chez les Frères des écoles chrétiennes et au collège Saint-Laurent à Montréal.

Cultivateur à Lac-des-Écorces. Occupa le poste de contremaître lors de la construction du chemin de fer entre Nomininingue et Mont-Laurier en 1907 et 1908, et lors de la construction des chemins de colonisation. Garde-forestier.

Maire de Lac-des-Écorces de mars 1911 à octobre 1915. Préfet du comté de Labelle de mars 1921 à décembre 1922. Élu député libéral dans Labelle en 1923. Réélu en 1927 et 1931. Ne s'est pas représenté en 1935.

Décédé à Lac-des-Écorces, le 25 février 1945, à l'âge de 76 ans et 8 mois. Inhumé dans le cimetière de cette paroisse, le 1er mars 1945.

Avait épousé à Sainte-Agathe, le 26 mai 1891, Donalda Lachaine, fille de Joseph Lachaine, cultivateur, et de Rose de Lima Cousineau, puis en secondes noces à Sainte-Agathe, Joséphine Bourré.

LOTBINIÈRE. V. CHARTIER DE LOTBINIÈRE ; JOLY DE LOTBINIÈRE

LOUBIER, Gabriel

Né à Black Lake, le 27 septembre 1932, fils de Rémi Loubier, homme d'affaires, et de Marie Côté.

Fit ses études à l'école Saint-Louis-de-France à Black Lake, au collège de L'Islet, au collège de Sainte-Anne-de-la-Pocatière, au collège des Jésuites à Québec et à l'université Laval. Admis au barreau de la province de Québec en décembre 1958. Créé conseil en loi de la reine le 14 février 1968.

Exerça sa profession d'avocat à Québec au cabinet Legendre, Lafrenière, Cossette et Loubier. Membre de la Chambre de commerce de Québec, du Cercle universitaire et des Chevaliers de Colomb.

Élu député de l'Union nationale dans Bellechasse en 1962. Réélu en 1966. Ministre du Tourisme, de la Chasse et de la Pêche dans les cabinets Johnson et Bertrand du 16 juin 1966 au 12 mai 1970. Ministre responsable du Haut-Commissariat à la jeunesse, aux loisirs et aux sports de septembre 1967 à 1970. Réélu en 1970. Chef de l'Opposition du 6 juillet 1971 au 25 septembre 1973. Le 19 juin 1971, il fut élu chef de l'Union nationale qui porta le nom d'Unité Québec du 25 octobre 1971 au 14 janvier 1973. Défait en 1973. Démissionna de son poste de chef du parti le 30 mars 1974.

Administrateur de plusieurs sociétés dont Mégantic Métal, Acier Québec inc. et Aciers Transbec ltée. Reprit l'entreprise de récupération de son père, Loubier métal, en 1985. S'associa, en 1986, au cabinet Saint-Hilaire, Simard, Leclerc, Caron, Gingras, Delage et Leblanc de Québec.

LOVELL, Henry
(1828–1907)

[Né à Barnston, le 13 juin 1828, fils de William Lovell, cultivateur, et de Mary Hanson.]

Fermier, puis marchand à Barnston. S'installa à Coaticook à partir de 1867. Associé de Kensell, Tabor & Cⁱᵉ, commerçants de farine et de céréales. Exportateur de céréales aux États-Unis durant la guerre civile. En 1876, il fonda avec son fils, Moodie Brock **Lovell**, la compagnie H. Lovell and Sons, spécialisée dans le commerce de la farine et des céréales, et plus tard dans le commerce et la transformation du bois. Propriétaire de la Grand Valley Lumber Company.

Conseiller municipal de Coaticook de 1876 à 1885 et de 1888 à 1891. Maire en 1874 et 1875, puis en 1886 et 1887. Élu député libéral à l'Assemblée législative dans Stanstead en 1878. Défait en 1881 et 1886. Élu député libéral à la Chambre des communes dans Stanstead en 1900. Réélu en 1904.

Décédé en fonction à Coaticook, le 4 décembre 1907, à l'âge de 79 ans et 6 mois. Inhumé à Coaticook, dans le cimetière de l'église méthodiste, le 7 décembre 1907.

[Avait épousé en 1850 Artemissa Merriman, fille d'Isaac Merriman]; puis, à Coaticook, dans l'église méthodiste, le 22 avril 1886, Mary Ann Lester.

LOVELL, Moodie Brock
(1853–1902)

[Né à Barnston, le 11 avril 1853, fils de Henry **Lovell**, marchand, et d'Artemissa Merriman.]

Fit ses études à Coaticook.

Marchand de bois. Associé de la firme H. Lovell and Sons à partir de 1876. Participa à la gestion de la Grand Valley Lumber Company, propriété de son père. Président de la Société d'agriculture des Cantons-de-l'Est.

Élu député libéral dans Stanstead en 1890. Ne fut pas candidat en 1892. Défait dans la même circonscription en 1897. Réélu en 1900.

Décédé en fonction à Portland, dans l'État du Maine, le 29 janvier 1902, à l'âge de 48 ans et 9 mois. Inhumé à Coaticook, dans le cimetière de l'église méthodiste, le 1ᵉʳ février 1902.

[Avait épousé à Boston, le 11 octobre 1878, Charlotte Elizabeth Pierce, fille de John Nelson Pierce et de Mary Cushing.]

LUSSIER, Albert-Alexandre
(1842–1909)

Né à Varennes, le 22 mars 1842, fils de Félix Lussier, seigneur de Varennes, et d'Angélique Deschamps.

A étudié au collège Saint-Paul à Varennes, au collège Masson et au collège d'agriculture de Sainte-Thérèse.

Seigneur de Varennes. Occupa également les postes de conseiller municipal et de juge de paix. Organisateur d'une souscription pour venir en aide à la famille Riel.

Élu député libéral dans Verchères en 1886. Réélu en 1890 (sans opposition) et en 1892. Défait en 1897.

Décédé le 18 décembre 1909, à l'âge de 67 ans et 9 mois. Inhumé à Varennes, dans la crypte de l'église de Sainte-Anne, le 21 décembre 1909.

Avait épousé à Saint-Aimé (Massueville), le 10 février 1874, Marie-Louise Massue, fille de Gaspard-Aimé Massue, seigneur, et d'Appoline-Marie-Julie Lussier.

LUSSIER, Paul
(1768–1851)

Né à Varennes, le 20 avril 1768, puis baptisé le 21, dans la paroisse Sainte-Anne, fils de Paul Lussier et de Marie-Joseph Fontaine.

Acquit un tiers de la seigneurie de Varennes en 1796 et le reste en 1803. Obtint une commission de capitaine dans la milice, dans la division de Verchères, en janvier 1814; par la suite, fut promu major. Nommé juge de paix en 1830.

Élu député de Surrey à une élection partielle en février 1806, prit son siège le 3 mars; appuya le parti canadien. Ne se serait pas représenté en 1808.

Décédé à Varennes, le 18 juin 1851, à l'âge de 83 ans et un mois. Inhumé dans l'église paroissiale, le 21 juin 1851.

Avait épousé dans la paroisse Sainte-Famille, à Boucherville, le 27 novembre 1786, Apolline Huet, fille de Pierre Huet et de Marguerite Bénard.

Grand-père de Joseph-Xavier **Perrault**. Sa petite-fille épousa Charles-Eugène **Boucher de Boucherville**.

LUSSIER, Robert

Né à Richmond, le 31 décembre 1924, fils de Wilfrid Lussier et d'Albinie Fecteau.

Fit ses études à l'école Saint-Jacques, au collège André-Grasset, au collège de Montréal et à l'université de Montréal.

Reçu médecin en 1953, il exerça sa profession à Repentigny. En 1960, il participa à la fondation de l'hôpital Le Gardeur de Repentigny, dont il fut gouverneur et membre du conseil de coordination jusqu'en 1969.

Maire de Repentigny de juillet 1960 à août 1968. Élu député de l'Union nationale dans L'Assomption en 1966. Adjoint parlementaire du ministère des Affaires municipales du 12 septembre 1967 au 31 octobre 1967. Ministre des Affaires municipales dans les cabinets Johnson et Bertrand du 31 octobre 1967 au 12 mai 1970. Défait en 1970. Candidat défait à la mairie de Repentigny le 6 novembre 1977. Conseiller du Parti québécois de 1975 à 1977, puis vice-président du conseil exécutif national de ce parti de 1977 à 1979.

Exerce sa profession à la clinique médicale de Repentigny à compter de 1979.

Président de la Chambre de commerce de Repentigny en 1960. Président du Centre d'art de Repentigny de 1964 à 1967. Membre du Collège des médecins et chirurgiens de la province de Québec, du Collège de pratique générale du Canada et de l'Association des médecins de langue française du Canada. Membre des Chevaliers de Colomb et du Club Lions.

LYNCH, William Warren
(1845–1916)

[Né à Bedford, le 30 septembre 1845, fils de Thomas Lynch et de Charlotte Williams.]

Fit ses études à la Stanbridge Academy, dans l'État du Vermont, et aux universités Vermont à Burlington et McGill à Montréal. Récipiendaire de la médaille d'or Elizabeth Torrance. Admis au barreau de la province de Québec le 17 juin 1868.

Lors du raid des Fenians en 1870, il participa à la formation de la compagnie des volontaires de Brome dont il devint lieutenant. Cofondateur et rédacteur de l'*Observer* de Cowansville en 1870 et 1871.

Exerça sa profession d'avocat à Knowlton, Sweetsburg et Montréal. Fut l'associé de M\es J.S. Archibald et George G. Foster, sénateur de 1917 à 1931. Vice-président de l'Oxford Mountain Railway Co. et président, à deux reprises, de l'Association des professeurs protestants de la province de Québec. Membre du comité protestant du Conseil de l'instruction publique de 1897 à 1900.

Commissaire d'école et président de la commission scolaire de Brome. Élu sans opposition député conservateur dans Brome en 1871 et 1875. Réélu en 1878. Conseiller municipal de Knowlton et maire du canton de Brome. Préfet du comté de Brome de mars 1879 à mars 1880. Réélu à l'élection partielle du 20 novembre 1879, à la suite de sa nomination comme solliciteur général, fonction qu'il exerça du 31 octobre 1879 jusqu'à l'abolition de ce poste, le 30 juin 1882. Réélu en 1881. Commissaire des Chemins de fer du 30 juin au 1er août 1882. Commissaire des Terres de la couronne dans les cabinets Mousseau, Ross et Taillon du 30 juillet 1882 au 29 janvier 1887. Réélu en 1886.

Son siège devint vacant à la suite de sa nomination comme juge à la Cour supérieure du district de Bedford, le 5 juillet 1889.

Président de la Bedford Good Roads Association et de la McGill Graduates' Society. Fondateur et président de la Brome County Historical Association de 1877 à 1909. Créé conseil en loi de la reine par la province de Québec le 10 septembre 1879, puis par le gouvernement canadien le 11 octobre 1880. Docteur en droit honoris causa de la McGill University en 1904. Membre du Club de la garnison de Québec et d'une loge maçonnique.

Décédé à Knowlton, le 23 novembre 1916, à l'âge de 71 ans et un mois. Inhumé dans le cimetière du même endroit, le 25 novembre 1916.

Avait épousé à Knowlton, le 25 mai 1874, Ellen Florence Pettes, fille de J.C. Pettes, marchand.

LYND, David
(≈1745–1802)

Né probablement en Écosse, vers 1745.

Vint à Québec où il fit une carrière d'officier judiciaire. Nommé d'abord greffier anglais de la Cour des plaids communs de Québec au printemps de 1767, occupait en 1784 le poste de greffier de langue anglaise de tous les tribunaux civils et criminels du district de Québec. Fut coroner du district de Québec du 22 mai 1779 jusqu'en avril 1792. Investit dans la propriété immobilière; acquit notamment le fief de Sasseville et une ferme, située le long de la rivière Saint-Charles, où il s'installa et qu'il mit en valeur. Était à la tête du groupe de citoyens qui firent construire le pont Dorchester en 1789, puis qui l'exploitèrent. Nommé procureur de la Brook Watson and Company de Londres en 1793.

Élu député de Québec en 1792; appuya généralement le parti des bureaucrates. Défait en 1796.

Après la réforme de l'organisation judiciaire de 1794, fut protonotaire et greffier de la Cour du banc du roi pour le district de Québec, du 11 décembre 1794 jusqu'à sa mort, et greffier de la Cour des sessions générales de la paix, du 12 mai 1795 jusqu'à la fin de sa vie; resta greffier de la Cour de vice-amirauté et substitut du greffier de la couronne.

Fut en 1793 administrateur de la Société d'agriculture du district de Québec. Lieutenant dans la milice, avait prit part à la défense de Québec pendant l'invasion américaine de 1775–1776.

Décédé à Québec, le 29 juin 1802, à l'âge d'environ 57 ans. Les obsèques eurent lieu dans l'église presbytérienne St. Andrew de Québec, le 1ᵉʳ juillet 1802.

Avait épousé à Québec Jane Henry, fille du pasteur presbytérien George Henry.

———

Bibliographie: *DBC.*

McBEATH, George
(≈1740–1812)

Né en Écosse, vers 1740.

Vint au Canada après la Conquête. En 1765, se lança dans le commerce des fourrures : fit la navette entre la région de Montréal et les régions de traite jusqu'en 1785, année où il ouvrit un commerce à L'Assomption ; mit sur pied des expéditions jusqu'en 1787, tantôt seul, tantôt en association avec d'autres trafiquants et fit aussi affaire sous les noms de McBeath and Company et McBeath, Grant and Company. Actionnaire de la North West Company de 1779 à 1792.

Élu député de Leinster à une élection partielle le 25 janvier 1793 ; appuya le parti des bureaucrates. Défait en 1796.

Nommé juge de paix pour le district de Montréal en 1795, receveur des douanes dans le port de Saint-Jean-sur-Richelieu en novembre 1799. Obtint quelques postes de commissaire. Fut lieutenant-colonel dans la milice.

Membre fondateur du Beaver Club de Montréal en 1785. Franc-maçon, fut maître de la St. Peter's Lodge No. 4 à Montréal. Propriétaire d'un banc à l'église presbytérienne de Montréal.

Décédé à Montréal, le 3 décembre 1812, à l'âge d'environ 72 ans. Inhumé après une cérémonie funèbre anglicane.

Avait épousé [à Montréal, vers 1780], Jane Graham ; puis, [à Pointe-aux-Trembles (Montréal)], le 9 septembre 1801, Erie Smyth, veuve de David McCrae, trafiquant de fourrures.

Peut-être le beau-père par alliance de George **Moffatt**.

Bibliographie : *DBC*.

McCALLUM, James
(≈1762–1825)

Né vers 1762.

Exploita les pêcheries du Labrador et du golfe du Saint-Laurent en plus d'y faire la traite des fourrures. Fit du commerce sur la rive sud du fleuve, près de Québec, puis dans la ville. Possédait une boulangerie, des moulins à farine et une brasserie. Fonda la James McCallum and Company en 1815. S'intéressa à la propriété foncière, notamment dans les cantons, et à la propriété immobilière, en particulier commerciale. Fut nommé inspecteur des farines à Québec en 1818 et examinateur des candidats au poste d'inspecteur en 1820. Fit partie du conseil d'administration de la Banque de Québec, de la Compagnie d'assurance de Québec contre les accidents du feu et de la Société du feu de Québec.

Élu député de Québec à une élection partielle le 7 août 1817 ; l'élection fut annulée et son siège déclaré vacant le 18 février 1818. En avril 1820, retira sa candidature dans Devon avant la fin du scrutin ; défait dans Québec. Élu dans la Basse-Ville de Québec en juillet 1820. Défait en 1824.

Décédé à Québec, le 19 décembre 1825, à l'âge d'environ 63 ans. Les obsèques eurent lieu dans l'église presbytérienne St. Andrew, le 22 décembre 1825.

Avait épousé une prénommée Janet.

Bibliographie : *DBC*.

McCLARY, Charles
(1833–1904)

[Né à Stanstead Plain, le 3 mars 1833, fils de Charles McClary, fermier, et de Betsy Cass.]

Fit ses études à Compton et devint par la suite cultivateur à Saint-Edwidge-de-Clifton.

Maire et conseiller municipal de Clifton du 25 janvier 1868 au 6 mars 1893. Préfet du comté de Compton. Élu député conservateur dans Compton à l'élection partielle du 19 octobre 1894. Ne s'est pas représenté en 1897.

Décédé à Montréal, le 27 février 1904, à l'âge de 70 ans et 11 mois. Inhumé à Compton, au domaine Hillhurst, le 1er mars 1904.

Avait épousé à Compton, le 28 mars 1855, Jane Adeline McClary, fille d'Andrew McClary, fermier.

McCONNELL, John
(1799– ≥1856)

Né à Hatley, au Bas-Canada, le 20 mai 1799, fils de Thomas McConnell, originaire du New Hampshire et établi dans le canton de Hatley en 1796, et de Roxana Hovey.

Fit partie, en 1843, d'un comité de citoyens du district de Sherbrooke chargé de promouvoir la construction d'un chemin de fer qui relierait Montréal à Boston via Sherbrooke. Officier de milice, accéda au grade de lieutenant-colonel. Fut magistrat pendant plusieurs années. Participa à la vie municipale et scolaire de sa région.

Élu député de Stanstead en 1844. Réélu en 1848. Tory, puis conservateur indépendant à compter de 1849; vota contre le projet de loi visant à indemniser les personnes qui avaient subi des pertes pendant la rébellion, au Bas-Canada, prit part au mouvement annexionniste et fut un des dirigeants de l'action en faveur d'une réforme constitutionnelle. Ne s'est pas représenté en 1851. Défait dans la même circonscription en 1854.

Décédé en ou après 1856.

Avait épousé dans l'église anglicane de Hatley, le 29 mai 1820, Alice Wadley (Wadleigh), fille de Jesse Wadleigh.

McCONVILLE, Joseph-Norbert-Alfred
(1839–1912)

Né à Berthier, le 28 février 1839, fils de John McConville, instituteur, et de Mary McKay.

Fréquenta d'abord le collège de L'Assomption, puis étudia le droit à Drummondville. Admis au barreau du Bas-Canada le 27 février 1865.

Exerça sa profession à Joliette. Secrétaire-trésorier de la commission scolaire de Grantham, Wendover et Simpson de 1862 à 1866. Secrétaire-trésorier de la municipalité de Saint-Germain-de-Grantham du 28 janvier 1864 au 27 décembre 1865. Copropriétaire et rédacteur du journal l'*Industrie* en 1873 et 1874. Fut également propriétaire, avec C.-P. Charland, de la Compagnie d'imprimerie de Joliette qui publia la *Gazette de Joliette* du 12 janvier 1882 au 27 avril 1888. Agent de la Compagnie de téléphone de Joliette. Actionnaire de la St. Jacques Brewery. Actionnaire et secrétaire de la Joliette Lumber Co.

Commissaire d'école à Joliette du 9 juillet 1860 au 7 juillet 1890. Conseiller municipal de Joliette de 1874 à 1876. Élu député conservateur dans Joliette à l'élection partielle du 24 septembre 1885. Défait aux élections de 1886, il retourna

dès lors à la pratique du droit. Protonotaire à la Cour supérieure de Joliette du 15 février 1897 au 27 août 1909.

Capitaine du bataillon provisoire n° 1 de Joliette de 1872 à 1875. Président de l'Institut canadien de Joliette de 1886 à 1889.

Décédé à Joliette, le 17 janvier 1912, à l'âge de 72 ans et 10 mois. Inhumé à Joliette, dans le cimetière de la paroisse Saint-Charles-Borromée, le 20 janvier 1912.

Avait épousé dans sa paroisse natale, le 12 mai 1874, Anne Marguerite Kittson, fille d'Alexander Kittson, marchand, et de Sophie Desautels.

Frère de Lewis Arthur McConville, député à la Chambre des communes de 1880 à 1882.

McCORD, Thomas
(1750–1824)

Né dans le comté d'Antrim (en Irlande du Nord), le 7 février 1750, fils de John McCord, marchand, et de Margery Ellis.

Installé à Québec depuis 1764, fit ses débuts comme marchand en 1770. Obtint une licence pour vendre de l'alcool à Montréal en 1771. Directeur de la Compagnie de la distillerie de Montréal en 1787. Fit de la spéculation foncière. Se rendit en Irlande en 1796 pour régler des affaires et y demeura jusqu'en 1805. Ayant fait faillite à Montréal en 1801, tenta à son retour de redresser sa situation financière en s'établissant comme marchand général. Devenu agent de la seigneurie de Villechauve, appelée aussi Beauharnois, s'y installa temporairement. En 1814, acquit le bail de l'arrière-fief Nazareth, connu dès lors sous le nom de Griffintown, et s'y établit. Fut juge de paix et président du jury d'accusation à la Cour du banc du roi à Montréal. Nommé magistrat de police et coprésident de la Cour des sessions trimestrielles de Montréal en 1810; fut démis de ces deux dernières fonctions en 1824.

S'occupa d'administration municipale, à Montréal, après 1796. Élu député de Montréal-Ouest en 1809; appuya le parti des bureaucrates. En 1810, retira sa candidature dans Montréal-Ouest avant la fin du scrutin. Défait dans Huntingdon en 1814. Élu dans Bedford en 1816. Ne se serait pas représenté en avril 1820.

Franc-maçon depuis 1778, accéda dix ans plus tard au poste de grand secrétaire provincial. Fut lieutenant dans la milice britannique de Montréal. Membre du conseil d'administration de la succursale montréalaise de la Société d'agriculture en 1790. Fit partie du comité montréalais de l'Association, fondée en 1794 pour appuyer l'autorité britannique. Obtint de nombreux postes de commissaire. Refusa en 1814 la fonction d'administrateur de la Maison d'industrie.

Décédé à Montréal, le 5 décembre 1824, à l'âge de 74 ans et 9 mois. Les obsèques eurent lieu dans l'église anglicane Christ Church, le 7 décembre 1824.

Avait épousé dans l'église paroissiale de Shoreditch (à Londres), le 27 novembre 1798, Sarah Solomons (Solomon), fille de Levy Solomons, marchand, et de Louise Loubier.

———

Bibliographie: *DBC.*

McCORKILL, John Charles James Sarsfield (1854–1920)

[Né à Farnham, le 31 août 1854, fils de Robert McCorkill et de Margaret Meighen.]

Fit ses études à Farnham et à Saint-Jean, puis à la McGill Model School and Normal School et à la McGill University. Admis au barreau de la province de Québec en 1878. Fit partie du 5e bataillon des Royal Scotts. Fut promu major en 1879 et se retira en 1887.

Exerça sa profession à Montréal au cabinet des avocats Greenshield, McCorkill et Guérin, puis s'établit à Cowansville vers 1886. Conseil en loi de la reine. Bâtonnier du barreau du district de Bedford.

Président de l'Association libérale du comté de Missisquoi. Candidat libéral défait dans Missisquoi en 1886 et à l'élection partielle du 28 avril 1888. Président de la Commission des écoles protestantes de Montréal en 1890. Conseiller municipal de Cowansville en 1890 et 1891, et maire de 1892 à 1894. Élu député libéral dans Missisquoi en 1897, il démissionna le 23 novembre 1898. Nommé conseiller législatif de la division de Bedford le 13 novembre 1898, il démissionna le 6 octobre 1903. Élu député libéral dans Brome à l'élection partielle du 29 octobre 1903. Réélu sans opposition en 1904. Trésorier de la province dans les cabinets Parent et Gouin du 6 octobre 1903 au 31 août 1906.

Résigna son siège lors de sa nomination au poste de juge à la Cour supérieure du district de Québec le 31 août 1906, fonction qu'il occupa jusqu'en 1918. Commissaire chargé de la révision du code municipal de la province de Québec en 1910.

Membre du comité protestant du Conseil de l'instruction publique. Directeur de la Montreal British and Canadian School. Docteur en droit civil honoris causa du Bishop's College. Président de l'Amalgamated Rifle Association du district de Bedford. De 1899 à 1913, il fut successivement président

honoraire et président de la Missisquoi County Historical Society. Président de la Quebec Literary and Historical Society en 1914. Membre du Club de la garnison, du St. James Club, de l'Independent Order of Odd Fellows et du Canadian Order of Foresters.

Décédé à Québec, le 10 mars 1920, à l'âge de 65 ans et 5 mois. Inhumé à Sillery, dans le Mount Hermon Cemetery, le 13 mars 1920.

Avait épousé à London, en Ontario, le 21 mai 1884, Apphia Mary Leonard, fille d'Elijah Leonard, industriel, conseiller législatif de 1862 à 1867 et sénateur de 1867 à 1891, et d'Emeline Woodman.

McCRACKEN, James (<1816– ≥1838)

Fut nommé commissaire au tribunal des petites causes dans le canton de Hamilton, en Gaspésie, le 28 octobre 1836.

Élu député de Bonaventure à une élection partielle le 24 décembre 1836; appuya le parti des bureaucrates. Son mandat prit fin avec la suspension de la constitution, le 27 mars 1838.

Décédé en ou après 1838.

On ne sait pas s'il était célibataire ou marié.

McCULLOCH, Michael (≈1797–1854)

Né en Irlande, vers 1797.

Étudia la médecine en Écosse. S'établit à Montréal en 1822 et, le 6 septembre 1823, fut admis à l'exercice de sa profession au Bas-Canada.

Enseigna l'obstétrique au McGill College où il reçut un doctorat honorifique en 1843. Était membre du Royal College of Surgeons de Londres.

Élu député de Terrebonne en 1841 par suite du désistement de Louis-Hippolyte **La Fontaine**; unioniste et tory. Ne s'est pas représenté en 1844. Se montra en faveur du mouvement annexionniste en 1849.

Décédé à Montréal, le 12 juillet 1854, à l'âge d'environ 57 ans. Les obsèques eurent lieu en l'église presbytérienne Erskine, le 13 juillet 1854.

On ne sait pas s'il était célibataire ou marié.

———

McCUTCHEON. V. McGILL

McDONALD, Milton
(1848–1916)

[Né à Acton Vale, le 21 novembre 1848, fils de Frank McDonald, ingénieur civil, et de Kate Mercure.]

Fit ses études à Roxton.

Cultivateur. Président de la Société d'industrie laitière de la province et membre du Conseil d'agriculture de la province de Québec du 23 janvier 1893 au 23 octobre 1896. Major du 84e bataillon d'infanterie.

Maire d'Acton Vale. Préfet du comté de Bagot. Élu député conservateur dans Bagot en 1890. Réélu en 1892 et 1897. Ne s'est pas représenté en 1900.

Décédé à Montréal, le 18 juillet 1916, à l'âge de 68 ans et 7 mois. Inhumé à Montréal, dans le cimetière Notre-Dame-des-Neiges, le 21 juillet 1916.

Avait épousé Joséphine Martin, puis, à Montréal, dans la paroisse Saint-Jacques, le 3 janvier 1877, Marie-Louise-Mathilde-Atala Leclerc, fille de John A. Leclerc, marchand, et de Caroline Bertrand ; puis, en troisièmes noces, Valérie Desjardins.

MACDONALD, Pierre

Né à Québec, le 19 juin 1936, fils de De St-Denys MacDonald et de Josette Sirois.

A étudié au collège Saint-Charles-Garnier de 1947 à 1949, à l'académie de Québec de 1949 à 1954, et à l'université Laval de 1954 à 1963. Titulaire d'un baccalauréat ès arts en 1957, d'un baccalauréat ès sciences commerciales en 1959, d'une maîtrise ès sciences commerciales en 1960 et d'un diplôme d'études postuniversitaires en informatique en 1963. A étudié également à l'École des officiers canadiens.

Courtier d'assurances et conseiller en avantages sociaux de 1958 à 1965. Vice-président de Johnson, Higgins, Wiles, Faber inc. de 1965 à 1968. Vice-président exécutif de Multitek inc. de 1968 à 1970. Associé notamment avec Claude **Castonguay** dans la société Castonguay, Pouliot et Guérard de 1968 à 1970. Vice-président exécutif et directeur général des Industries L'Islet inc. de 1970 à 1974. Vice-président et administrateur de la Société d'énergie de la Baie James de 1974 à 1977. Administrateur de la Société de développement de la Baie James et de la municipalité de la Baie James de 1974 à 1983. Administrateur, de 1981 à 1984, et président de Sotel inc. en 1983 et 1984. Président du conseil d'administration de Les arsenaux canadiens ltée de 1977 à 1985. Premier vice-président, division du Québec, de la Banque de Montréal de 1978 à 1983, puis premier vice-président et chef du réseau Est des

réseaux canadiens de la Banque de Montréal de 1983 à 1985. Fit également une carrière militaire. Fut second lieutenant dans le corps blindé (RCAC) en 1956, lieutenant-colonel et commandant des Voltigeurs de Québec de 1968 à 1971 puis promu colonel et conseiller spécial du général commandant dans le secteur de l'est en juin 1976.

Fut notamment président du comité du Québec de l'Association des banquiers canadiens, vice-président de la Chambre de commerce du district de Montréal, gouverneur de la faculté d'administration de l'université de Sherbrooke et membre du comité Québec du C.D. Howe Institute.

Élu député libéral dans Robert-Baldwin en 1985. Ministre du Commerce extérieur et du Développement technologique dans le cabinet Bourassa du 12 décembre 1985 au 23 juin 1988. Ministre de l'Industrie, du Commerce et du Développement technologique du 23 juin 1988 au 6 juillet 1988. Ministre de l'Industrie, du Commerce et de la Technologie du 6 juillet 1988 au 11 octobre 1989. Ne s'est pas représenté en 1989.

Nommé vice-président du groupe matériel de transport, projet TGV, de la compagnie Bombardier inc. en 1990.

McDONALD, Wallace Reginald
(1876–1946)

Né à Portage-du-Fort, le 18 juillet 1876, fils d'Alexander McDonald et d'Anna McIntosh.

Fit ses études dans sa paroisse natale, puis au collège et à l'université d'Ottawa.

Marchand général à Chapeau. Copropriétaire du magasin Poupore et McDonald. Membre des Chevaliers de Colomb.

Commissaire d'école à Chapeau de 1911 à 1918. Maire du village de Chapeau de 1915 à 1923 et préfet du comté de Pontiac de 1918 à 1921. Élu député libéral dans Pontiac en 1919. Réélu en 1923, 1927 (sans opposition) et 1931. Résigna son poste le 25 septembre 1935 pour se porter candidat aux élections fédérales. Élu député libéral à la Chambre des communes dans Pontiac en 1935. Réélu aux élections fédérales de 1940 et 1945.

Décédé en fonction à Chapeau, le 2 mai 1946, à l'âge de 69 ans et 10 mois. Inhumé à Chapeau, dans le cimetière de la paroisse Saint-Alphonse, le 6 mai 1946.

Avait épousé à Chapeau, le 22 septembre 1909, Cora Desjardins, fille de Polydore Desjardins et de Catherine Keon.

MACDONELL, James
(≈1777–1857)

Né en Écosse, dans l'Inverness-shire, vers 1777, fils de Duncan Macdonell, chef du clan des Macdonell of Glengarry, et de Marjory Grant.

Étudia probablement dans un établissement catholique à Douai, en France.

En 1793, entreprit une carrière militaire comme enseigne dans l'infanterie. Servit dans le royaume de Naples, en Sicile et en Italie, et fit la campagne d'Égypte (1798–1801). Affecté à l'état-major du futur duc de Wellington, au Portugal, pendant deux ans, puis, en 1811, passa dans les Coldstream Foot Guards. Prit part à la guerre d'Espagne et se battit aux Pays-Bas en 1814. À Waterloo, en 1815, sa bravoure lui valut d'être récompensé par Wellington. Promu, en 1830, au grade de major général, fut envoyé en Irlande ; commanda le district militaire d'Armagh jusqu'en 1838.

Désigné comme responsable de la brigade des Guards qui accompagna le gouverneur John George **Lambton** au Bas-Canada en mai 1838. Fut commandant de la région militaire de Québec. Fit partie du Conseil spécial du 28 juin 1838 jusqu'à la dissolution de ce conseil, le 2 novembre.

Commanda l'aile droite de l'armée britannique contre la rébellion de novembre 1838 et resta à la tête des troupes sur la rive sud du Saint-Laurent jusqu'en février 1839. Reprit son service à Québec. En 1841, déclina le commandement militaire du Haut-Canada. Promu lieutenant général en novembre 1841 ou en 1842, retourna en Angleterre. Fut colonel et aurait accédé au grade de général en 1854.

Reçut la médaille commémorative de la bataille de Maida. Fait chevalier (sir) en 1837. Compagnon de l'ordre du Bain, fut promu chevalier commandeur en avril 1838. Nommé chevalier commandeur de l'ordre des Guelfes, chevalier de l'ordre de Marie-Thérèse. Obtint la quatrième classe de l'ordre de Saint-Wladimir.

Décédé à Londres, le 15 mai 1857, à l'âge d'environ 80 ans.

Était apparemment célibataire.

———

Bibliographie : *DBC.*

McDOUGALL, John
(1805–1870)

Né à Coldstream, en Écosse, le 25 juillet 1805, fils de John McDougal et de Janet Wilson.

En 1833, arriva à Trois-Rivières où, pendant plusieurs années, il travailla dans une entreprise de distillation et de brasserie. Se lança dans le commerce en acquérant un magasin général. Fut président de la Compagnie du gaz de Trois-Rivières en 1853 et l'un des administrateurs de la Compagnie du chemin de fer de la rive nord en 1858. Propriétaire foncier à Trois-Rivières, à Sainte-Anne-d'Yamachiche (Yamachiche) ainsi que dans le canton d'Arthabaska. Fit l'acquisition des forges du Saint-Maurice et des forges de L'Islet en 1863. Mit sur pied, en 1867, la John McDougall and Sons qui prit en charge le magasin général de Trois-Rivières, la production des forges et l'achat de terres à bois. Habitait la paroisse Saint-Étienne-des-Grès, à sa mort.

Élu député de Drummond en 1851 ; se rangea du côté des réformistes, puis fut de tendance conservatrice. Mis sous la garde du sergent d'armes, le 28 mai 1853, pour absence injustifiée, fut libéré après avoir fourni des explications. Ne s'est pas représenté en 1854. Maire de Trois-Rivières en 1854 ou de 1855 à 1857, selon les sources. Candidat défait dans Trois-Rivières aux élections de la Chambre d'assemblée en 1858.

Décédé aux Vieilles-Forges, près de Trois-Rivières, le 21 février 1870, à l'âge de 64 ans et 6 mois. Les obsèques eurent lieu en l'église presbytérienne St. Andrew, à Trois-Rivières, le 25 février 1870.

Avait épousé, vraisemblablement en Écosse, avant 1831, Margaret Purvis.

Père de William McDougall, député à la Chambre des communes du Canada.

———

Bibliographie : *DBC.*

McGAUVRAN, John Wait
(≈1827–1884)

[Né à Glengarry, en Ontario, en 1827, fils de Patrick McGauvran et d'Elizabeth Wait.]

A étudié à Plantagenet.

Marchand et propriétaire des moulins à scie J.W. McGauvran. Directeur de la National Insurance Co. Juge de paix de 1864 à 1877.

Échevin du quartier Sainte-Anne au conseil municipal de Montréal de février 1864 à avril 1877. Président de la commission de l'aqueduc de la ville de Montréal de 1866 à 1877. Élu député conservateur dans Montréal-Ouest à l'élection partielle du 22 août 1873. Réélu en 1875. Défait en 1878.

Décédé le 20 juillet 1884, à l'âge d'environ 57 ans. Inhumé à Montréal, dans le cimetière Notre-Dame-des-Neiges, le 22 juillet 1884.

Il était célibataire.

McGEE, Thomas D'Arcy
(1825–1868)

Né à Carlingford, dans le comté de Louth (en République d'Irlande), le 13 avril 1825, fils de James McGee, employé du Coast Guard Service, et de Dorcas Catherine Morgan. Signait McGee et M'Gee.

Fréquenta une école primaire catholique à Wexford (en République d'Irlande). Plus tard, fut diplômé du McGill College de Montréal, puis admis au barreau le 2 décembre 1861.

S'embarqua en avril 1842 à destination de Providence, dans le Rhode Island, puis s'installa à Boston. Travailla pendant deux ans comme agent itinérant du journal catholique le *Boston Pilot,* dans lequel il fit paraître quarante articles sur l'histoire de la littérature irlandaise. En 1844, devint rédacteur en chef du journal. Retourna en Irlande en juin 1845, pour occuper un poste au sein du *Freeman's Journal* de Dublin. Se lia au groupe nationaliste Young Ireland, pour lequel il écrivit deux livres; collabora également au journal de ce groupe, le *Nation,* auquel il passa en avril 1846. Adhéra à l'Irish Confederation, mise sur pied cette année-là dans le but de séparer l'Irlande et la Grande-Bretagne; en fut élu secrétaire en 1847. Devant l'échec du mouvement favorable à la rébellion, repartit pour les États-Unis à l'automne de 1848. Fonda d'abord, à New York, le *Nation,* puis, au printemps de 1850, à Boston, l'*American Celt and Adopted Citizen,* journal qu'il déménagea à Buffalo en 1852 et à New York l'année suivante. Vint à Montréal au printemps de 1857, invité par les chefs de la communauté irlandaise; publia pendant un an le *New Era.*

Élu député de la cité de Montréal en 1858. Élu sans opposition dans Montréal-Ouest en 1861. Rouge. Membre du ministère Macdonald–Sicotte, à titre de président du Conseil exécutif, du 24 mai 1862 au 15 mai 1863. À son entrée au cabinet, son siège de député était devenu vacant. Réélu à une élection partielle le 5 juin 1862. Réélu en 1863; de tendance conservatrice. Fit partie des ministères Taché–Macdonald et Belleau–Macdonald: conseiller exécutif et ministre de l'Agriculture, de l'Immigration et des Statistiques, du 30 mars 1864 au 6 août 1865 et du 7 août 1865 au 1er juillet 1867. À son entrée au cabinet, son siège de député s'était trouvé vacant. Réélu à une élection partielle le 11 avril 1864; participa à la conférence de Charlottetown en septembre et à celle de Québec en octobre. Fut délégué du Canada à l'Exposition inter-

nationale de Dublin en 1865. Son mandat de député prit fin avec l'avènement de la Confédération, le 1er juillet 1867. Défait dans Prescott aux élections provinciales en Ontario, mais élu député conservateur de Montréal-Ouest à la Chambre des communes en 1867.

Était opposé au mouvement des Feniens, l'Irish Revolutionary Brotherhood. Fut banni de la St. Patrick's Society de Montréal en 1867. Membre de plusieurs sociétés à caractère littéraire, historique et scientifique au Bas-Canada, en Irlande et aux États-Unis; président de la Humane Society of British North America. Outre des conférences, des discours et des articles de journaux, écrivit bon nombre d'ouvrages, surtout historiques, le premier, *Eva MacDonald, a tale of the United Irishmen,* publié à Boston en 1844, et le dernier, *A popular history of Ireland,* à New York en 1863. Est aussi l'auteur d'une œuvre de fiction, *Sebastian, or the Roman martyr* (New York, 1861) et de très nombreux poèmes signés Amergin.

Décédé en fonction: assassiné à Ottawa, le 7 avril 1868, à l'âge de 42 ans et 11 mois. Inhumé dans le cimetière Notre-Dame-des-Neiges, à Montréal, le 13 avril 1868.

Avait épousé à Dublin, le 13 juillet 1847, Mary Theresa Caffrey.

Bibliographie: *DBC.*

McGILL, James
(1744–1813)

Né à Glasgow, en Écosse, le 6 octobre 1744, fils de James McGill, ferronnier et marchand, et de Margaret Gibson.

Entra en 1756 à l'University of Glasgow.

En 1766, se trouvait à Montréal en route vers les régions de traite des fourrures comme représentant de William **Grant,** de Québec. Se lança dans le commerce des fourrures pour son compte dès 1767, d'abord seul, puis en association avec d'autres marchands. À la Todd, McGill and Company créée vers 1769 succéda la James and Andrew McGill Company de 1797 à 1810. Fut actionnaire de la North West Compagny. Engagé aussi dans l'approvisionnement en farine des postes militaires des Grands Lacs, l'exportation du bois équarri et l'exploitation d'une distillerie à Montréal. Investit dans l'immobilier, notamment à Montréal, dans le Haut-Canada et dans les cantons du Bas-Canada. Fit de nombreux prêts hypothécaires et des investissements au Royaume-Uni. Obtint de nombreux postes de commissaire. Colonel dans la milice à Montréal depuis 1810, s'acquitta de fonctions importantes dans l'état-major pendant la guerre de 1812.

Élu député de Montréal-Ouest en 1792. Nommé membre du Conseil exécutif le 22 novembre 1793; en devint président intérimaire en 1813 et en fit partie jusqu'à sa mort. Ne s'est pas représenté aux élections de 1796. S'occupa d'administration municipale, à Montréal, après 1796. Élu député de Montréal-Ouest en 1800. Élu dans Montréal-Est en 1804. Appuya généralement le parti des bureaucrates. Ne se serait pas représenté en 1808. Mourut avant que sa nomination comme conseiller législatif n'entrât en vigueur.

Membre fondateur du Beaver Club de Montréal en 1785. Légua une somme d'argent et un domaine de quarante-six acres, Burnside, situé à Montréal, pour doter un établissement d'enseignement qui devint la McGill University.

Décédé à Montréal, le 19 décembre 1813, à l'âge de 69 ans et 2 mois. Inhumé dans le cimetière protestant (square Dufferin), à Montréal, le 21 décembre 1813, puis son corps fut transporté et inhumé sur le terrain de la McGill University en 1875.

Avait épousé dans l'église anglicane Christ Church de Montréal, le 2 décembre 1776, Charlotte Guillimin, fille de Guillaume Guillimin, avocat, et de Marie-Geneviève Foucault, et veuve du trafiquant de fourrures Amable Trottier Desrivières.

Bibliographie: *DBC.*

McGILL (McCutcheon), Peter (1789–1860)

Né à Creebridge, en Écosse, en août 1789, puis baptisé le 1er septembre, au même endroit, sous le nom de Peter McCutcheon, fils de John McCutcheon et de sa deuxième femme, Mary McGill.

Fit des études du niveau de la *grammar school*.

En 1809, arriva à Montréal où il entreprit une carrière dans le commerce. Travailla en qualité de commis, puis d'associé en second, d'une compagnie engagée dans la traite des fourrures et l'importation de produits de base. En 1820, participa à la mise sur pied de ce qui allait devenir la Peter McGill and Company, société d'import-export qui fit affaire dans le Haut et le Bas-Canada avec la Grande-Bretagne et les Antilles, et qui investit dans l'immobilier et le transport maritime. Fut constitué héritier de son oncle John McGill, conseiller législatif du Haut-Canada, et prit ce nom de famille le 29 mars 1821. À titre personnel, s'intéressa aux secteurs de la fonderie, dans le Haut-Canada, de la navigation à vapeur et de la construction ferroviaire; membre du conseil d'administration de la Banque de Montréal depuis 1819, en fut vice-président en 1830 et

président de 1834 à 1860; commissaire au Canada de la British American Land Company de Londres, qui s'occupa du développement agricole et industriel des Cantons-de-l'Est.

Nommé au Conseil législatif le 3 janvier 1832, en fit partie jusqu'à la suspension de la constitution, le 27 mars 1838. Membre du Conseil spécial du 2 avril 1838 jusqu'à la dissolution de ce conseil, en juin, et à nouveau du 2 novembre 1838 jusqu'à l'entrée en vigueur de l'Acte d'Union, le 10 février 1841. Fut conseiller exécutif de novembre 1838 jusqu'à l'Union. S'occupa d'administration municipale, à Montréal, entre 1836 et 1840, puis fut maire de 1840 à 1842. Appelé au Conseil législatif le 9 juin 1841; en fut président du 21 mai 1847 au 10 mars 1848 et, à ce titre, fit partie du ministère Sherwood–Papineau du 31 mai 1847 au 7 décembre 1847, puis du ministère Sherwood du 8 décembre 1847 au 10 mars 1848.

Officier de milice. Obtint divers postes de commissaire. Franc-maçon. Fut conseiller presbytéral de l'église St. Paul de Montréal, président de la Montreal Auxiliary Bible Society et de la Lay Association of Montreal.

Décédé en fonction à Montréal, le 28 septembre 1860, à l'âge de 71 ans. Inhumé dans le cimetière Mont-Royal.

Avait épousé à Londres, le 15 février 1832, Sarah Elizabeth Shuter Wilkins, fille de Robert Charles Wilkins, commerçant de religion anglicane.

Bibliographie: *DBC.*

McGILLIVRAY, William (1764–1825)

Né à Dunlichty, en Écosse, en 1764, fils de Donald McGillivray et d'Anne McTavish.

Fit ses études secondaires en Écosse grâce à l'aide financière de son oncle Simon McTavish, marchand de fourrures en Amérique du Nord.

En 1784, vint rejoindre son oncle à Montréal et commença son apprentissage du métier de trafiquant de fourrures pour le compte de la North West Company (NWC). L'année suivante, se rendit dans les régions de traite du Nord-Ouest en qualité de commis. Devint actionnaire de la NWC en 1790 et responsable de département pour la compagnie. De retour à Montréal en 1793, fut promu associé dans la McTavish, Frobisher and Company, qui gérait les affaires de la NWC, et fut chargé de la surintendance du dépôt de Grand Portage (près de Grand Portage, au Minnesota); en 1798, remplaça Joseph **Frobisher**. Succéda à son oncle à la tête de la NWC en 1804 et entreprit la réorganisation de la McTavish qui devint, en 1806, la McTavish, McGillivrays and Company.

S'occupa d'administration municipale, à Montréal, après 1796. Élu député de Montréal-Ouest en 1808; appuya le parti des bureaucrates. Ne se serait pas représenté en 1809. Nommé conseiller législatif le 19 janvier 1814.

Prit part à la guerre de 1812 à titre de lieutenant-colonel du Corps of Canadian Voyageurs. Mêlé à la concurrence croissante entre la NWC et les compagnies américaines et à la lutte armée avec la Hudson's Bay Company (HBC), fut arrêté en 1816, mais remis en liberté sous caution à son arrivée à Montréal. Propriétaire de vastes biens fonciers dans les cantons du Bas et du Haut-Canada, acquit en 1817 un domaine en Écosse.

Fut membre du Beaver Club de Montréal.

Décédé en fonction à Londres, le 16 octobre 1825, à l'âge de 60 ou 61 ans.

Avait épousé dans le Nord-Ouest, à la façon du pays, vers 1790, une métisse prénommée Susan; puis, à Londres, le 22 décembre 1800, Magdalen McDonald.

Beau-frère d'Angus **Shaw**.

_____

Bibliographie: *DBC*.

McGREEVY, Thomas (1825–1897)

Né à Québec, le 29 juillet 1825, fils de Robert McGreevy, forgeron, et de Rose Smith.

Apprenti chez Joseph Archer en 1842. Entrepreneur, il s'occupa notamment de la construction de l'édifice de la douane à Québec, du Parlement d'Ottawa, de même que du chemin de fer Québec, Montréal, Ottawa et Occidental en 1875. Vice-président de la Banque d'Union du Bas-Canada de 1862 à 1894. Commissaire pour la rive nord des chemins à barrières de Québec de 1863 à 1881. Dans le domaine maritime, il fut membre du conseil d'administration de la Compagnie d'assurance maritime de Québec en 1867 et de la Compagnie des remorqueurs du Saint-Laurent en 1867 et 1868 et de 1870 à 1874. Commissaire du Havre de Québec de 1871 à 1874 et de nouveau en 1880. Président de la Compagnie de navigation à vapeur du Saint-Laurent de 1874 à 1891 et devint en 1887 président de la Compagnie de navigation du Richelieu et de l'Ontario. Possédait également des intérêts dans les mines et dans les chemins de fer. Administrateur de la Compagnie du chemin de fer de la rive nord de 1871

à 1876. Vice-président de l'asile Sainte-Brigitte. Membre des clubs Stadacona et Rideau.

Membre du conseil municipal de Québec de 1858 à 1864. Nommé conseiller législatif de la division de Stadacona le 2 novembre 1867. Appuya le Parti conservateur. Démissionna le 21 février 1874 lors de l'abolition du double mandat. Élu sans opposition député libéral-conservateur à la Chambre des communes dans Québec-Ouest en 1867. Réélu en 1872, 1874 et sans opposition en 1878. De nouveau élu en 1882, 1887 et 1891. Expulsé de la Chambre le 29 septembre 1891. Accusé de fraude envers le trésor public, il fut condamné à un an de prison et incarcéré à Ottawa du 22 novembre 1893 au 1er mars 1894. Il se fit réélire à l'élection partielle du 17 avril 1895. Défait en 1896.

Décédé à Québec, le 2 janvier 1897, à l'âge de 71 ans et 5 mois. Inhumé à Sillery, dans le cimetière St. Patrick, le 4 janvier 1897.

Avait épousé à Québec, dans l'église St. Patrick, le 13 juillet 1857, Mary Ann Rourke, fille de Thomas Rourke et d'Ann Brody; puis, au même endroit, le 4 février 1861, Bridget Caroline Nolan; et par la suite, dans la paroisse Notre-Dame de Québec, le 30 janvier 1867, Mary Georgina Woolsey, fille de John Bogan Woolsey et de Marie Josephte Winfelson.

_____

Bibliographie: *DBC*.

McGUIRE, Lucien (1906–1975)

Né à Saint-Gabriel-de-Brandon, le 19 juin 1906, fils d'Iréné (René) McGuire, journalier et entrepreneur, et de Virginie Granger.

Fit ses études dans sa paroisse natale, au séminaire de Joliette et à l'École des hautes études commerciales à Montréal de 1918 à 1920.

D'abord secrétaire de l'entreprise paternelle à Saint-Gabriel-de-Brandon. S'établit ensuite à Saint-Michel-des-Saints où il fut hôtelier de 1936 à 1947, puis entrepreneur général et commerçant de 1954 à 1972.

Trésorier de la Croix-Rouge canadienne. Organisateur général des Fêtes du centenaire de Saint-Michel-des-Saints. Membre des Chevaliers de Colomb.

Président de la commission scolaire de Saint-Michel-des-Saints de juillet 1962 à janvier 1963. Secrétaire de l'Association libérale du comté de Berthier en 1960. Élu député libéral dans Berthier en 1962. Défait en 1966.

Décédé à Trois-Rivières, le 24 novembre 1975, à l'âge de 69 ans et 5 mois. Inhumé dans le cimetière de Saint-Gabriel-de-Brandon, le 28 novembre 1975.

Avait épousé à Louiseville, dans l'église Saint-Antoine-de-Padoue, le 26 octobre 1936, Yvette Lawler, fille de Wilfrid Lawler, hôtelier, et de Merisa Gouin.

McINTOSH, John
(1841–1904)

Né à La Prairie, le 27 octobre 1841, fils de John McIntosh, cultivateur, et de Margaret Brodie.

Fit ses études à La Prairie. Cultivateur et marchand à Compton pendant plusieurs années. Gérant de la Canadian Meat & Produce Co. et de la Canadian Meat & Stock Raising Co. Exportateur de bétail en Angleterre. Président de la Société d'agriculture des Cantons-de-l'Est.

Fut conseiller municipal de Compton pendant six ans. Occupa aussi cette fonction au conseil municipal de Waterville pendant plusieurs années. Commissaire d'école à Waterville. Élu député conservateur dans Compton en 1886. Réélu en 1890 et sans opposition en 1892. Assermenté ministre sans portefeuille dans le cabinet Boucher de Boucherville le 22 décembre 1891, puis dans le cabinet Taillon le 8 novembre 1893. Son siège devint vacant lors de sa nomination comme shérif du district de Saint-François le 26 juillet 1894. Il s'établit alors à Sherbrooke. Il occupa ce poste jusqu'en 1899. Élu député conservateur à la Chambre des communes dans Sherbrooke à l'élection partielle du 25 janvier 1900. Réélu en 1900.

Décédé en fonction à Sherbrooke, le 12 juillet 1904, à l'âge de 62 ans et 8 mois. Inhumé à Sherbrooke, dans le cimetière de la Plymouth Congregational Church, le 15 juillet 1904.

[Avait épousé à Howick, le 2 janvier 1870, Jeanette Greig, fille de William Greig.]

MACIOCIA, Cosmo

Né à Cantalupo (Italie), le 2 février 1942, fils de Donato Maciocia, boucher, et de Giuseppina Marchione.

Fit ses études secondaires au séminaire Diocesano di Campobasso et son cours classique au collège Mario-Pagano de Campobasso.

Arriva au Canada en avril 1964. Débuta en 1965 comme vendeur d'assurances pour l'Industrielle. Devint courtier d'assurances en 1967. Ouvrit le bureau C. Maciocia Assurances enr. en janvier 1968. Vice-président de Rantucci Maciocia Assurances ltée à compter de 1980.

Membre de la Chambre de commerce de Saint-Léonard. Membre de la CIPBA. Membre du Cercle Jean Cabot. Commandeur de l'Académie gentium pro pace.

Conseiller municipal de la ville de Saint-Léonard en 1978. Élu député du Parti libéral dans Viger en 1981. Réélu en 1985 et 1989. Adjoint parlementaire de la ministre des Communautés culturelles et de l'Immigration du 13 décembre 1985 au 17 mai 1989. Adjoint parlementaire du ministre des Affaires internationales du 17 mai 1989 au 9 août 1989. Adjoint parlementaire du ministre des Affaires municipales du 29 novembre 1989 au 3 juillet 1991. Nommé adjoint parlementaire du ministre délégué aux Affaires intergouvernementales canadiennes le 3 juillet 1991.

MACKASEY, Bryce Stuart

Né à Québec, le 25 août 1921, fils de Frank S. Mackasey, directeur au Canadien National, et d'Ann Glover.

A étudié à la St. Patrick's High School à Québec et aux universités McGill et Sir George Williams à Montréal. Diplômé en commerce et en économie.

Manufacturier à Verdun. Président de Trenmore Printing and Trophies and Sporting Goods Ltd. de 1955 à 1968. Collabora au *Messager de Verdun* de 1954 à 1960. Président de la commission des sports de la ville de Verdun en 1957.

Conseiller municipal de Verdun de 1960 à 1963. Élu député libéral à la Chambre des communes dans Verdun en 1962. Réélu en 1963 et 1965. Secrétaire parlementaire du ministre de la Santé et du Bien-être social du 16 juillet au 8 septembre 1965, et du ministre du Travail du 7 janvier 1966 au 8 février 1968. Réélu en 1968. Membre du Conseil privé, ministre sans portefeuille dans le cabinet Trudeau du 9 février au 5 juillet 1968, ministre du Travail du 6 juillet 1968 au 27 janvier 1972 et ministre de la Main-d'œuvre et de l'Immigration du 28 janvier au 26 novembre 1972. Réélu en 1972 et 1974. Ministre d'État du 3 juin au 7 août 1974. Ministre des Postes du 8 août 1974 au 14 septembre 1976. Ministre de la Consommation et des Corporations du 8 avril au 14 septembre 1976. Démissionna le 27 octobre 1976. Élu député libéral à l'Assemblée nationale dans Notre-Dame-de-Grâce en 1976. Démissionna le 25 avril 1978. Candidat libéral défait dans Ottawa-Centre à l'élection fédérale partielle du 16 octobre 1978. Nommé président du conseil d'administration d'Air Canada le 14 décembre 1978. Élu député libéral à la Chambre des communes dans Lincoln (Ontario) en 1980. Ne s'est pas représenté en 1984. Associé dans la compagnie d'investissement Suisse Canada Capital.

Docteur en droit honoris causa de la Sir George Williams University en 1969. Membre du Club Lions, des Chevaliers de Colomb et du Cercle universitaire.

MACKAY, Hugh
(1832–1890)

[Né à Caithness (Écosse), en 1832, fils d'Angus et d'Euphemia Mackay.]

Arriva au Canada dans les années 1850. Étudia à l'école Phillips à Montréal.

Entra au service de ses oncles, propriétaires de la maison d'importations Joseph Mackay & Frères à Montréal. Devint associé de cette entreprise en 1856 et la dirigea plus tard avec ses frères, James et Robert. Président du Mackay Institute pour les sourds-muets, vice-président de la St. Andrew Society et directeur de la Royal Canadian Insurance Co. Cofondateur et directeur de la compagnie de téléphone Bell.

Conseiller législatif de la division de Victoria du 4 au 13 juin 1888.

S'établit par la suite à Saint-Louis, dans l'État du Missouri, où il décéda le 2 avril 1890, à l'âge de 57 ou 58 ans. Inhumé à Montréal, dans le Mount Royal Cemetery, le 7 avril 1890.

Il était célibataire.

Frère de Robert Mackay, sénateur de 1901 à 1916.

MACKENZIE, Alexander
(1764–1820)

Né à Stornoway, île de Lewis en Écosse, en 1764, fils de Kenneth Mackenzie, tenancier de la ferme Melbost, et d'Isabella Maciver.

Fut amené à New York en 1774 par son père et ses tantes mais, à cause du déclenchement de la Révolution américaine, se réfugia à Johnstown, dans la vallée de la Mohawk. Envoyé en 1778 à Montréal, où il étudia brièvement.

En 1779, s'engagea dans le commerce des fourrures. D'abord commis de la compagnie Finlay and Gregory à Montréal, se rendit dans les régions de traite de l'Ouest et du Nord-Ouest à compter de 1784–1785. Actionnaire de la Gregory, MacLeod and Company, puis, à partir de 1787, de la North West Company, pour le compte de laquelle il dirigea deux expéditions d'exploration en vue de découvrir un passage vers l'océan Pacifique qu'il atteignit en 1792–1793. Revint à Montréal en 1794. Fut associé à la McTavish, Frobisher and Company de 1795 à 1799. Séjourna en Angleterre de la fin de

1799 jusqu'en 1802. Possédait, en 1800, des actions dans la New North West Company, parfois appelée la Sir Alexander Mackenzie and Company.

Élu député de Huntingdon en 1804; ne prit part qu'à la première session et appuya le parti des bureaucrates. Ne s'est pas représenté en 1808.

Partit pour Londres à l'automne de 1805; ne revint plus au Canada après 1810. Se retira dans le domaine d'Avoch, en Écosse, vers 1812, et participa aux affaires locales.

Fut fait chevalier (sir) le 10 février 1802. Est l'auteur de *Voyages from Montreal* [...] *to the Frozen and Pacific oceans* [...] *with a preliminary account* [...] *of the fur trade of that country* (Londres, 1801).

Décédé à Mulinearn, près de Dunkeld, en Écosse, au cours d'un voyage de Londres à Avoch, le 12 mars 1820, à l'âge de 55 ou de 56 ans.

Avait épousé, en 1812, Geddes Mackenzie, fille de George Mackenzie, Écossais qui avait été marchand à Londres.

Cousin de Roderick **Mackenzie**.

Bibliographie: *DBC*.

MACKENZIE, Peter Samuel George
(1862–1914)

[Né à Cumberland House, dans les Territoires de la Baie d'Hudson, le 19 décembre 1862, fils de Jane et de Roderick Mackenzie, facteur de la compagnie de la Baie d'Hudson.]

Fit ses études à l'Upper Canada College à Toronto, à la Montreal High School, au St. Francis College à Richmond et à la McGill University à Montréal. Fit sa cléricature auprès de Melbourne Tait et John Joseph Caldwell **Abbott**. Admis au barreau de la province de Québec le 4 février 1884. Créé conseil en loi du roi le 30 juin 1903. Docteur en droit honoris causa du Bishop's College en 1910.

Fut d'abord l'associé, à Montréal, de Mes **Abbott** et Tait, puis ouvrit un cabinet à Richmond où il fut associé avec Henry Aylmer, député à la Chambre des communes de 1874 à 1878, et Auguste-Maurice **Tessier**. Pratiqua seul par la suite. Élu bâtonnier du barreau du district de Saint-François en 1908. Agriculteur à Melbourne. Membre du conseil d'administration du Bishop's College. Membre du comité protestant du Conseil de l'instruction publique en 1906. Président honoraire de l'Eastern Townships Immigration Society. Membre du Club de la garnison de Québec et du Cercle universitaire de Montréal.

Élu député libéral dans Richmond en 1900. Réélu sans opposition en 1904 et 1908. Son siège devint vacant lors de sa nomination comme trésorier dans le cabinet Gouin le 17 janvier 1910. Réélu sans opposition à l'élection partielle du 27 janvier 1910 et aux élections générales de 1912.

Décédé en fonction à Melbourne, le 1er novembre 1914, à l'âge de 51 ans et 10 mois. Inhumé à Richmond, dans le cimetière St. Ann, le 4 novembre 1914.

[Avait épousé madame Penfold.]

MACKENZIE, Roderick
(≈1761–1844)

Né près d'Inverness, en Écosse, vers 1761, fils d'Alexander Mackenzie et de sa seconde femme, Catherine. Son patronyme s'orthographiait aussi McKenzie.

En 1785, un an après son arrivée dans la province de Québec, était engagé dans la traite des fourrures dans le Nord-Ouest, à titre de commis de la Gregory, MacLeod and Company et d'assistant de son cousin Alexander **Mackenzie**. Fut responsable, entre 1789 et 1793, du fort Chipewyan (en Alberta), qu'il avait fondé, puis devint chef du département de l'Athabasca. Compta parmi les associés de la North West Company à partir de 1795, de la McTavish, Frobisher and Company à compter de 1800 et de la McTavish, McGillivrays and Company après 1806. S'établit à Terrebonne après 1800 et continua à investir dans le commerce des fourrures et la propriété foncière.

Nommé au Conseil législatif le 10 mai 1817; en fit partie jusqu'à la suspension de la constitution, le 27 mars 1838.

Est l'auteur d'une histoire de la traite des fourrures qui tient lieu d'introduction à l'ouvrage publié à Londres, en 1801, par Alexander **Mackenzie**, ainsi que d'un article sur la traite dans le Nord-Ouest, paru en 1824, à Montréal, dans la *Canadian Review*. Fut officier de milice et juge de paix. Obtint quelques postes de commissaire.

Décédé à Terrebonne, le 15 août 1844, à l'âge d'environ 83 ans.

Avait épousé, vers 1788, à la façon du pays, une Amérindienne; puis, dans l'église anglicane Christ Church de Montréal, le 24 avril 1803, Rachel Chaboillez, fille du marchand de fourrures Charles-Jean-Baptiste Chaboillez et de Marguerite Larchevêque.

Cousin par alliance de Louis **Chaboillez**. Sa petite-fille épousa Charles-Eugène **Boucher de Boucherville**.

Bibliographie: *DBC*.

McLEOD, Archibald Norman
(<1781– <1845)

En 1781, était établi comme marchand à Montréal. Fut trafiquant de fourrures. Travailla pour le compte de la North West Company (NWC): entré comme commis avant 1796, était associé en 1799. Vécut dans le district de l'Athabaska de 1802 à 1808. Devint associé dans la McTavish, McGillivrays and Compagny et membre du Beaver Club de Montréal en 1808. Nommé juge de paix pour les territoires de l'Ouest, le 9 mars 1809, puis pour le district de Montréal, le 21 mai 1810. Officier de milice: fut major dans le corps des Voyageurs canadiens et officier de l'état-major du Bas-Canada à compter du 2 octobre 1812; servit pendant toute la guerre de 1812.

Élu député de Montréal-Ouest en 1810; prêta serment et prit son siège le 21 février 1812. Ne s'est pas représenté en 1814.

Prit part, de 1815 à 1818, à la lutte que se livrèrent, dans l'Ouest, la NWC et la Hudson's Bay Company (HBC). Au moment de leur fusion, en 1821, abandonna le commerce des fourrures. S'établit en Écosse: vivait dans le comté d'Aberdeen en 1826. Fut maître des casernes à Belfast (en Irlande du Nord) jusqu'en 1838 environ.

Décédé peut-être à Belfast, entre 1837 et 1845.

Avait épousé dans l'Ouest, à la façon du pays, une Amérindienne.

McMASTER, Andrew Ross
(1876–1937)

Né à Montréal, le 6 novembre 1876, fils de John Andrew McMaster, capitaine de vaisseau, et d'Amelia McMaster.

Fit ses études à la Montreal High School, au Montreal Collegiate Institute, aux universités McGill et Édimbourg, en Écosse. Fit sa cléricature auprès de Mes Lafleur et Dougall. Admis au barreau de la province de Québec le 8 juillet 1901. Créé conseil en loi du roi le 12 novembre 1910.

Exerça seul sa profession à Montréal, puis fut associé, à partir de 1903, aux avocats Fleet, Falconer, Cook, Brodie, Magee, Papineau, Campbell, Couture, Kerry et Bruneau. Trésorier de l'Association du jeune barreau et du barreau de Montréal. Avocat de la couronne pour le district de Montréal. Membre du comité protestant du Conseil de l'instruction publique. Nommé gouverneur à vie du Western Hospital de Montréal en 1915. Président de la Volunteer Electoral League. Membre de l'University Club de Montréal et Ottawa, du Club de réforme et du Mount Stephen Club. Président du Club canadien de Montréal.

Fut commissaire d'école à Westmount. Élu député libéral à la Chambre des communes dans Brome en 1917. Réélu en 1921. Ne s'est pas représenté en 1925. Élu député libéral à l'Assemblée législative dans Compton à l'élection partielle du 30 septembre 1929. Trésorier de la province dans le cabinet Taschereau du 12 septembre 1929 au 16 octobre 1930. Ne s'est pas représenté en 1931.

Décédé à Westmount, le 27 avril 1937, à l'âge de 60 ans et 5 mois. Inhumé à Montréal, dans le Mount Royal Cemetery, le 29 avril 1937.

Avait épousé à Westmount, dans l'église presbytérienne, le 25 juin 1902, Florence Bellhouse Walker, fille de Henry Wilkes Walker et de Frances Sarah Reaming.

Beau-père de Jonathan **Robinson**.

MACMILLAN, Norman

Né à Buckingham, le 14 décembre 1947, fils de Raymond MacMillan et d'Yvette Malette.

A étudié à l'école Saint-Michel de Buckingham de 1952 à 1965 et à l'école Saint-Laurent de Cornwall en 1966 et 1967. A suivi également des cours en droit pour l'obtention d'un certificat à l'université d'Ottawa.

Agent d'assurances pour La Métropolitaine en 1969 et pour la compagnie Lawrence Raby Assurances de 1969 à 1972. Propriétaire d'un commerce d'hôtellerie de 1972 à 1983 puis copropriétaire de Norm MacMillan inc., entreprise œuvrant dans le domaine de l'hôtellerie, à compter de 1983. Membre du Club Lions et des Chevaliers de Colomb de Buckingham. Président-fondateur du Gala sportif des Chevaliers de Colomb et du club de hockey junior «A» Les Castors de Buckingham.

Conseiller municipal de Buckingham de 1983 à 1989. Élu député libéral dans Papineau à l'élection partielle du 29 mai 1989. Réélu en 1989. Nommé whip adjoint le 29 novembre 1989. Vice-président du Eastern Regional Conference du Council of State Governments, section du Québec.

MACNIDER, Mathew
(<1761– ≥1804)

Né en Écosse, probablement à Paisley, [fils de William Macnider et d'une prénommée Ann].

Venu d'Écosse, se lança dans le commerce à Québec; prit sa retraite avant mai 1792. Investit dans la propriété foncière; acquit notamment la seigneurie de Bélair, en 1788–1789, et celle des Grondines, en 1792.

Élu député de Hampshire en 1792; appuya généralement le parti des bureaucrates. Ne s'est pas représenté en 1796. Défait dans la même circonscription en 1804.

Décédé en ou après 1804.

Se serait marié en Écosse, avant 1761; puis aurait épousé, peut-être à Québec, avant 1768, Geneviève Dauphin.

Apparenté par alliance à Sydney Robert **Bellingham**.

McSHANE, James
(1833–1918)

Né à Montréal, le 7 novembre 1833, fils de James McShane, journalier et marchand, et d'Ellen Quinn.

Entreprit ses études sous la tutelle de Daniel Mahoney et les poursuivit au collège des Sulpiciens à Montréal.

Commerçant de bétail, homme d'affaires et exportateur. Juge de paix et membre de la Commission du port de Montréal. Maître du port de Montréal de 1901 à 1912. Directeur de l'asile Sainte-Brigitte à Montréal.

Échevin du quartier Sainte-Anne au conseil municipal de Montréal de 1868 à 1881 et de 1883 à 1887. Maire de Montréal de 1891 à 1893. Candidat libéral défait dans Montréal-Ouest à l'élection partielle du 22 août 1873. Élu député libéral dans la même circonscription en 1878 et 1881. Élu dans Montréal-Centre en 1886. Son siège devint vacant lors de sa nomination au Conseil exécutif. Réélu sans opposition à l'élection partielle du 12 février 1887. Commissaire de l'Agriculture et des Travaux publics dans le cabinet Mercier du 29 janvier 1887 au 8 mai 1888, date de sa démission à la suite d'accusations portées contre lui à l'élection d'Odilon Goyette dans Laprairie le 30 juillet 1887. Élu sans opposition dans Montréal n° 6 en 1890. Défait dans Montréal n° 6 en 1892. Élu député libéral à la Chambre des communes dans Montréal-Centre à l'élection partielle du 27 décembre 1895. Défait dans Montréal–Sainte-Anne aux élections fédérales de 1896.

Fit partie du 1er bataillon de la milice volontaire lors du raid des Fenians en 1866, puis fut décoré pour services rendus. Gouverneur du Montreal General Hospital de 1890 à 1917. Vice-président et président de la St. Patrick Society. Président honoraire et membre du Club Shamrock. Membre du Montreal Board of Trade et du Chicago Board of Trade.

Décédé à Montréal, le 14 décembre 1918, à l'âge de 85 ans et un mois. Inhumé dans le cimetière Notre-Dame-des-Neiges, le 17 décembre 1918.

Avait épousé à Montréal, dans l'église St. Patrick, le 13 janvier 1863, Elizabeth Derragh, fille de Hugh Derragh et de

Mary Loothay; [puis, à Plattsburgh, dans l'État de New York, le 8 janvier 1868, Joséphine Miron].

MADDEN, Martin
(1869–1926)

[Né à Québec, le 20 mai 1869, fils de George Madden, marchand de charbon, et d'Ellen Crotty.]

A étudié à l'académie de Québec.

Teneur de livres et marchand. Débuta dans les affaires avec son père chez Madden & Son. Dirigea plus tard l'entreprise familiale, puis s'associa à son fils.

Échevin du quartier Saint-Pierre au conseil municipal de Québec de 1907 à 1918. Président du comité des marchés de 1910 à 1914 et du comité de l'aqueduc de 1914 à 1918 de la ville de Québec. Élu député libéral dans Québec-Ouest en 1916. Réélu sans opposition en 1919. Réélu en 1923. Assermenté ministre sans portefeuille dans le cabinet Taschereau le 7 novembre 1923.

Décédé en fonction à Québec, le 1er juin 1926, à l'âge de 57 ans. Inhumé dans le cimetière Saint-Charles, le 5 juin 1926.

Avait épousé à Québec, dans la paroisse Saint-Sauveur, le 24 novembre 1891, Cécile Drolet, fille de Jean Drolet, boucher, et de Philomène Cardinal.

Beau-père de Charles-Édouard **Cantin**.

MAGNAN, Octave
(1836–1921)

Né à Saint-Jacques, près de Joliette, le 23 avril 1836, fils de Gabriel Magnan, cultivateur, et de Rosalie Brouillet.

Fit ses études à Saint-Alexis et y pratiqua par la suite l'agriculture.

Candidat conservateur défait dans la circonscription provinciale de Montcalm à l'élection partielle du 13 mars 1874. Ne s'est pas représenté en 1875. Élu député conservateur à l'Assemblée législative dans Montcalm en 1878. Défait en 1881. Ne s'est pas représenté en 1886. Réélu sans opposition en 1892. Défait en 1897. Candidat conservateur défait dans Montcalm aux élections fédérales de 1882 et de 1891.

Décédé à Saint-Jacques, le 7 mai 1921, à l'âge de 85 ans. Inhumé dans le cimetière de Saint-Alexis, le 10 mai 1921.

Avait épousé à Saint-Alexis, le 12 octobre 1858, Odile Duval, fille de Nicaise Duval et d'Esther Racette.

MAHEUX, Pierre-Émilien
(1914–1991)

Né à Black Lake, le 27 novembre 1914, fils de Joseph Maheux, menuisier, et de Clara Veilleux.

Fit ses études au collège Saint-Désiré à Black Lake.

Menuisier à la compagnie Johnson, devenue plus tard l'Asbestos Corporation, de 1944 à 1957.

Président du Syndicat de l'amiante de 1944 à 1958. Membre du comité de surveillance de la caisse populaire. Membre du Conseil économique régional. Président honoraire de la Chambre de commerce et du Centre social de Black Lake. Président et directeur de la Société Saint-Jean-Baptiste. Membre de la Ligue du Sacré-Cœur et des Chevaliers de Colomb.

Maire de Black Lake de 1952 à 1960. Candidat libéral défait dans Mégantic en 1956 et à l'élection partielle du 18 septembre 1957. Élu député libéral dans Mégantic en 1960. Réélu en 1962. Défait en 1966.

Menuisier à l'Asbestos Corporation de 1966 à 1972, puis employé de la Commission des accidents du travail.

Décédé à Thetford Mines, le 28 octobre 1991, à l'âge de 76 ans et 11 mois. Inhumé dans le cimetière de Black Lake, le 31 octobre 1991.

Avait épousé à Thetford Mines, dans la paroisse Saint-Alphonse, le 1er septembre 1945, Laurette Gagnon, fille de Johnny Gagnon, mineur, et de Mathilda Parent.

MAILLOUX, Élie
(1830–1893)

Né à Saint-Georges-de-Cacouna, le 3 octobre 1830, fils d'Antoine Mailloux, cultivateur, et de Victoire Morin.

Fit ses études au collège de Sainte-Anne-de-la-Pocatière.

Cultivateur. Secrétaire-trésorier du comté de Témiscouata de 1865 à 1873, de Viger (municipalité de Saint-Épiphane) de 1856 à 1872, de la municipalité de Saint-Arsène de 1863 à 1870 et de la commission scolaire de Saint-Arsène du 5 avril 1863 au 3 juillet 1868.

Élu sans opposition député conservateur à l'Assemblée législative dans Témiscouata en 1867. Réélu sans opposition en 1871. Élu député conservateur à la Chambre des communes dans Témiscouata en 1872. Ne s'est pas représenté en 1874.

Nommé registrateur du comté de Témiscouata le 4 mai 1875.

Décédé à Saint-Arsène, le 3 juillet 1893, à l'âge de 62 ans et 9 mois. Inhumé dans le cimetière de cette paroisse, le 5 juillet 1893.

[Avait épousé, le 2 février 1858, Apolline Dionne.]

MAILLOUX, Raymond

Né à Baie-Saint-Paul, le 1er mai 1918, fils de Nérée Mailloux, navigateur, et d'Amarilda Gagné.

Fit ses études à l'école des Frères maristes, à l'académie Saint-Joseph à Baie-Saint-Paul et à l'Institut de marine de Québec. Fit un stage de marine et obtint ses brevets de capitaine de navigation intérieure.

Capitaine de bateau jusqu'en 1943, il entra par la suite au service de J.M.G. Simard, négociant en gros, puis occupa le poste de gérant de 1950 à 1962. Durant cette période, il fut également propriétaire d'une agence d'assurances générales. Président honoraire de la Jeune Chambre de commerce. Membre de la Chambre de commerce de Charlevoix-Ouest, du Club Lions et des Chevaliers de Colomb.

Membre du conseil municipal de Baie-Saint-Paul du 16 mai 1955 au 5 mai 1958. Président de l'Association libérale de Charlevoix de 1960 à 1962. Élu député libéral dans Charlevoix en 1962. Réélu en 1966, 1970 et 1973. Adjoint parlementaire du ministre de la Voirie du 3 juin 1970 au 31 octobre 1972 et du ministre des Travaux publics du 18 novembre 1970 au 31 octobre 1972. Assermenté ministre d'État responsable de la Voirie dans le cabinet Bourassa le 31 octobre 1972. Ministre des Travaux publics et de l'Approvisionnement du 13 novembre 1973 au 30 juillet 1975. Ministre des Transports du 13 novembre 1973 au 26 novembre 1976. Réélu en 1976 et 1981. Ne s'est pas représenté en 1985.

MAJEAU, Maurice

Né à L'Épiphanie, le 31 août 1922, fils d'Édouard Majeau, marchand, et d'Adrienne Bertrand.

Fit ses études à l'académie Saint-Guillaume à L'Épiphanie, au séminaire de Joliette et à l'université de Montréal. Admis au barreau de la province de Québec en juillet 1946. Créé conseil en loi de la reine le 14 janvier 1960.

Exerça sa profession d'avocat à Joliette de 1946 à 1967 et fut associé à Maurice **Tellier**. Secrétaire du barreau des Laurentides du 1er mai 1947 au 1er mai 1963. Membre de la Société Saint-Jean-Baptiste.

Élu député de l'Union nationale dans Joliette en 1962. Ne s'est pas représenté en 1966.

Nommé juge à la Cour provinciale de Joliette le 26 octobre 1967.

MAJOR, Charles Beautron (1851–1924)

Né à Sainte-Scholastique (Mirabel), le 18 mars 1851, fils de Joseph Beautron, dit Major, un des chefs de la rébellion de 1837 et 1838, et d'Elmire Biroleau.

Fit ses études à Sainte-Scholastique. Admis au barreau de la province de Québec le 11 janvier 1877. Créé conseil en loi de la reine le 22 juin 1899.

Exerça sa profession d'avocat à Montréal en société avec Raymond **Préfontaine**, puis à Papineauville et à Hull où il fut l'associé de son gendre, Hyacinthe-Adélard **Fortier**. Promoteur et directeur du Northern Colonization Railway.

Maire de Papineauville. Préfet du comté d'Ottawa en 1891 et 1892. Élu député libéral dans Ottawa en 1897. Réélu sans opposition en 1900. Ne s'est pas représenté en 1904. Élu sans opposition député libéral à la Chambre des communes dans Labelle à l'élection partielle du 23 décembre 1907. Réélu en 1908. Défait en 1911.

Nommé juge des districts de Montcalm, Pontiac, Ottawa et Terrebonne le 24 octobre 1913.

Décédé à Papineauville, le 15 mai 1924, à l'âge de 73 ans et 2 mois. Inhumé dans le cimetière du même endroit, le 19 mai 1924.

Avait épousé à Sainte-Scholastique, le 29 février 1876, Cymodocie Trudel, fille d'Alfred Trudel, forgeron, et de Delphine Lafleur.

MALBŒUF, dit BEAUSOLEIL, Joseph (1752–1823)

Né à Sainte-Famille, île d'Orléans, et baptisé dans l'église paroissiale, le 11 mars 1752, sous le prénom de Joseph-Maxime, fils de Joseph Malbœuf, dit Beausoleil, et de Reine Morin. Signait Joseph Malbœuf.

Fut cultivateur et forgeron. Nommé commissaire chargé des chemins dans le comté d'Effingham, en mai 1817.

Élu député d'Effingham en 1810. Réélu en 1814 et 1816. Appuya tantôt le parti des bureaucrates, tantôt le parti canadien. Ne se serait pas représenté en avril 1820.

Décédé à Terrebonne, le 27 décembre 1823, à l'âge de 71 ans et 9 mois. Inhumé dans la paroisse Saint-Louis-de-France, le 29 décembre 1823.

Avait épousé dans la paroisse Saint-Louis-de-France, à Terrebonne, le 15 avril 1776, Catherine Comparet, fille de François Comparet et de Marie-Josephte Belisle ; puis, dans la paroisse Sainte-Geneviève-de-Berthier (à Berthierville), le 6 mai 1816, Louise Lorain, veuve de Jacques Hubert.

MALÉPART, Jean-Claude
(1938–1989)

Né à Montréal, le 3 décembre 1938, fils de Charles-Auguste Malépart, vendeur, et de Germaine Mérineau.

Fit ses études à l'école Saint-Anselme, au pensionnat Hochelaga, à l'école Frontenac et à l'école Jean-Baptiste-Meilleur à Montréal. Diplômé de l'École d'arts et métiers de Montréal.

Journalier. Administrateur et animateur à la compagnie Macdonald's Tobacco. Fondateur, en 1972, et administrateur du Centre d'information communautaire et de dépannage. Membre du conseil supérieur des loisirs de la ville de Montréal. Fondateur et président de l'Union des organismes de loisirs et sports du secteur centre-sud de Montréal. Membre du conseil d'administration des ateliers Bras d'or. Membre des clubs optimiste et Kiwanis. A publié *les Combats de Jean-Claude Malépart* (1989).

Candidat libéral défait dans Sainte-Marie en 1970. Élu député libéral à l'Assemblée nationale dans la même circonscription en 1973. Défait en 1976. Élu député libéral à la Chambre des communes dans Montréal–Sainte-Marie en 1979. Réélu en 1980, 1984 et 1988.

Décédé en fonction à Montréal, le 16 novembre 1989, à l'âge de 50 ans et 11 mois. Inhumé à Montréal, dans le cimetière Notre-Dame-des-Neiges, le 21 novembre 1989.

Avait épousé à Montréal, dans la paroisse Saint-Eusèbe-de-Verceil, le 23 juillet 1960, Pierrette Giard, fille de Roland Giard, contremaître, et de Suzanne Forget.

MALHIOT, Charles-Christophe
(1808–1874)

Né à Verchères, le 11 octobre 1808, puis baptisé le 12, dans la paroisse Saint-François-Xavier, fils de François-Xavier **Malhiot**, négociant et seigneur, et de sa première femme, Julie Laperière.

Étudia au petit séminaire de Montréal de 1818 à 1826. Fit l'apprentissage de la médecine auprès de Robert **Nelson**.

Nommé, en 1833, chirurgien dans le 3e bataillon de milice du comté de Saint-Maurice. Après son mariage, s'établit comme médecin à Pointe-du-Lac, près de Trois-Rivières. L'un des administrateurs du Collège des médecins et chirurgiens du Bas-Canada en 1847. Propriétaire de la seigneurie de Verchères et d'une partie de celles de Pointe-du-Lac et de Contrecœur.

Maire de Pointe-du-Lac de 1859 à 1864. Élu conseiller législatif de la division de Shawinigan en 1862 ; de tendance libérale. Conserva son siège jusqu'à l'avènement de la Confédération, le 1er juillet 1867. Sénateur de la division de La Vallière à compter du 23 octobre 1867 ; appuya le Parti libéral.

Décédé en fonction à Pointe-du-Lac, le 9 novembre 1874, à l'âge de 66 ans. Inhumé dans le caveau familial, dans le cimetière paroissial, le 13 novembre 1874.

Avait épousé dans la paroisse de La Visitation, à Pointe-du-Lac, le 20 octobre 1835, Julie-Éliza Montour, fille du seigneur et homme d'affaires Nicholas **Montour** et de Geneviève Wills.

Bibliographie : *DBC*.

MALHIOT, François
(1733–1808)

Né à Montréal et baptisé dans la paroisse Notre-Dame, le 20 octobre 1733, fils de Jean-François Malhiot, trafiquant de fourrures et commerçant d'import-export, et de Charlotte Gamelin.

Fut probablement initié au négoce par son père et, à la mort de celui-ci en 1756, prit la relève de l'entreprise familiale à Montréal. En avril 1769, était installé à Verchères où il fit le commerce des marchandises sèches et du blé, entre autres. Engagé dans le prêt hypothécaire et l'acquisition de biens fonciers. Fut à plusieurs reprises exécuteur testamentaire et fondé de pouvoir.

Élu député de Surrey en 1792 ; appuya généralement le parti canadien. Ne s'est pas représenté en 1796.

Nommé juge de paix en 1799. Fut colonel dans la milice.

Décédé à Verchères, le 28 janvier 1808, à l'âge de 74 ans et 3 mois. Les obsèques eurent lieu dans l'église Saint-François-Xavier, le 30 janvier 1808.

Avait épousé dans la paroisse Notre-Dame de Montréal, le 11 janvier 1768, sa cousine germaine Élisabeth Gamelin, fille d'Ignace Gamelin fils, commerçant de gros et de détail, et de Marie-Louise Dufrost de La Gemerais.

Père de François-Xavier **Malhiot**. Oncle par alliance de Jean-Baptiste **Durocher**.

Bibliographie: *DBC.*

MALHIOT, François-Xavier
(1781–1854)

Né à Verchères et baptisé sous le prénom de François-Xavier-Amable, dans la paroisse Saint-François-Xavier, le 4 décembre 1781, fils de François **Malhiot**, commerçant, et d'Élisabeth Gamelin. Signait aussi Xavier Malhiot.

En 1804, s'associa à l'un de ses frères dans le commerce établi par leur père à Verchères. Servit à titre d'officier dans le Royal Canadian Volunteer Regiment, puis dans la milice. Accéda, en 1813, au grade de lieutenant-colonel qu'il conserva jusqu'à sa destitution par le gouverneur George **Ramsay**, en 1828. Publia à Montréal, en 1830, *Mémoire de Xavier Malhiot [...] sur sa destitution par lord Dalhousie [...]*. Fut seigneur principal de Contrecœur de 1816 à 1846.

Élu député de Richelieu à une élection partielle le 8 mars 1815. Ne se serait pas représenté en 1816. Élu dans Surrey à une élection partielle le 13 décembre 1828. Élu dans Verchères en 1830. Démissionna le 13 juin 1832, après avoir été appelé le 6 janvier au Conseil législatif, dont il fut membre jusqu'à la suspension de la constitution, le 27 mars 1838.

Décédé à Boucherville, le 12 juin 1854, à l'âge de 72 ans et 6 mois. Inhumé dans l'église Saint-François-Xavier, à Verchères, le 16 juin 1854.

Avait épousé dans la paroisse Sainte-Famille, à Boucherville, le 27 mai 1805, Julie Laperière, fille du seigneur François Laperière (Boucher de La Perrière) et de Marie-Charlotte Pécaudy de Contrecœur; puis, au même endroit, le 16 octobre 1821, Sophie Labruère, fille de Charles Labruère (Boucher de La Bruère) et de Josephte Labroquerie (Boucher de La Broquerie).

Père de Charles-Christophe **Malhiot**.

Bibliographie: *DBC.*

MALHIOT, Henri-Gédéon
(1840–1909)

Né dans la paroisse Saint-Pierre-les-Becquets, le 22 mars 1840, fils de Numidique Mailhot, commerçant et juge de paix, et d'Élisabeth Rousseau.

Étudia aux collèges de Nicolet, Chambly et Joliette, puis fit des études de droit à Québec. Admis au barreau du Bas-Canada le 8 novembre 1858.

Exerça sa profession d'avocat à Trois-Rivières. Capitaine de la compagnie n° 2 des volontaires de Trois-Rivières lors du raid des Fenians en 1866.

Candidat libéral défait dans Nicolet en 1867. Candidat conservateur défait à l'élection partielle du 19 octobre 1869 dans Trois-Rivières. Élu député conservateur dans la même circonscription en 1871. Son siège devint vacant lors de sa nomination au poste de commissaire. Réélu sans opposition à l'élection partielle du 3 octobre 1874. De nouveau élu en 1875. Commissaire des Terres de la couronne dans le cabinet Boucher de Boucherville du 22 septembre 1874 au 25 janvier 1876. Leader du gouvernement à l'Assemblée législative de 1874 à 1876. Son siège devint vacant le 28 janvier 1876, à la suite de sa nomination à titre de commissaire du Chemin de fer de Québec, Montréal, Ottawa et Occidental. Occupa ce poste jusqu'en 1878. Candidat conservateur défait dans Trois-Rivières aux élections fédérales de 1878. Maire de Trois-Rivières du 13 juillet 1885 au 22 octobre 1888.

Fit partie de la Commission des chemins de fer de la province de 1876 à 1878. En 1883, il fut nommé commissaire chargé d'enquêter sur le service public de la province de Québec. Juge à la Cour supérieure du district d'Ottawa du 20 novembre 1888 au 2 août 1897. Bâtonnier du barreau du Bas-Canada pour le district de Trois-Rivières. Créé conseil en loi de la reine par le gouvernement provincial le 22 septembre 1874 et par le gouvernement fédéral le 11 octobre 1880. Président de la Société Saint-Jean-Baptiste de Trois-Rivières.

Décédé à Saint-Pierre-les-Becquets, le 20 octobre 1909, à l'âge de 69 ans et 6 mois. Inhumé dans le cimetière de cette paroisse, le 25 octobre 1909.

Avait épousé à Trois-Rivières, le 25 juillet 1865, Élizabeth-Eugénie Labarre, fille de Denis Genest Labarre, notaire, et d'Eugénie Magdeleine Badeaux; puis, à Joliette, le 21 octobre 1884, Louise Olivier, fille de Louis-Auguste **Olivier**, juge à la Cour supérieure, et de Délia Masse.

MALOUIN. V. aussi RINFRET

MALOUIN, Robert

Né à Drummondville, le 1er décembre 1932, fils d'Égide-Georges Malouin, entrepreneur général, et de Juliette Bouffard.

Fit ses études aux écoles Garceau et Saint-Frédéric à Drummondville, au séminaire de Saint-Hyacinthe et à l'université de Sherbrooke. Bachelier en sciences appliquées en 1959. Officier de liaison du Corps d'entraînement des officiers canadiens (CEOC) de l'université de Sherbrooke. Nommé lieutenant de l'armée de réserve en 1957. Fit également partie de l'armée canadienne à Soest, en Allemagne.

Ingénieur civil aux Pavages Maska à Saint-Hyacinthe. S'associa plus tard à Bourgeois et Martineau, puis à André C. Hamel avec lequel il fonda le bureau d'ingénieurs-conseils Hamel, Malouin et Associés en 1962.

Élu député libéral dans Drummond en 1973. Ne s'est pas représenté en 1976.

Reprit ses activités professionnelles en 1976 sous la raison sociale de Robert Malouin et Associés.

Président de la faculté de génie de l'université de Sherbrooke en 1955 et de l'Association des étudiants de cette université en 1956. Membre de l'Association des ingénieurs-conseils du Québec, de la Corporation des ingénieurs du Québec, de l'Institut canadien des ingénieurs, de l'Association québécoise des techniques de l'eau, de l'Association québécoise des techniques routières, de l'Association of Consulting Engineers of Canada, de la Canadian Good Roads Association, de l'Association canadienne d'urbanisme, de l'American Water Works Association, de l'American Consulting Engineers Council, de l'Engineering Institute of Canada et de la Société canadienne de génie civil de France. Président de la Chambre de commerce du comté de Drummond en 1970 et 1971. Membre de l'exécutif provincial de la Chambre de commerce de la province de Québec en 1970 et 1971 et du conseil d'administration de cet organisme de 1970 à 1972. Fondateur et directeur de la Caisse d'entraide économique de Drummond et du Conseil central des œuvres. Président des Jeunesses musicales de Drummondville et directeur national des Jeunesses musicales du Canada. Commissaire des Fêtes du 150e anniversaire de Drummondville. Fondateur et directeur de la Régie du centre culturel et sportif de Drummondville. Fut également président des Athlétiques de Drummondville et directeur des Royaux et des Rangers de Drummondville. Lieutenant-colonel honoraire du 6e bataillon du 22e régiment. Membre du Club des Francs, des Chevaliers de Colomb, du Club optimiste, du Club de la garnison de Québec et du Club maskoutain de Saint-Hyacinthe.

MALTAIS, Armand

Né à Montréal, le 22 août 1913, fils de Guillaume Maltais, professeur et maître de poste à Montréal, et de Suzanne Alain.

Étudia à l'école Drapeau à Saint-Jean-l'Évangéliste, et au séminaire de Gaspé. Poursuivit ses études à l'université Laval. Admis au barreau de la province de Québec en juin 1952. Créé conseil en loi de la reine le 28 septembre 1966.

Professeur au collège Brébeuf à Montréal pendant deux ans, puis commerçant de bois en Gaspésie. Avocat à Québec à compter de 1952.

Candidat du Bloc populaire défait dans Bonaventure en 1944. Élu député de l'Union nationale dans Québec-Est en 1956. Adjoint parlementaire du président du Conseil exécutif du 15 mars 1959 au 8 janvier 1960. Nommé ministre d'État dans le cabinet Barrette le 8 janvier 1960. Réélu en 1960. Défait en 1962. Réélu dans Limoilou en 1966. Nommé ministre d'État dans le cabinet Johnson le 16 juin 1966. Solliciteur général dans le cabinet Bertrand du 10 octobre 1968 au 12 mai 1970 et ministre des Institutions financières, Compagnies et Coopératives du 23 juillet 1969 au 12 mai 1970. Défait en 1970.

Membre de l'Association du barreau canadien. Participa aux œuvres du Conseil de vie française en Amérique. Membre de la Société historique et culturelle des citoyens d'ascendance française, des associations des anciens du séminaire de Gaspé et de l'université Laval, de l'Association des Gaspésiens et des Madelinots de Québec, de l'Association des consommateurs du Canada, de l'Union commerciale de Québec et du Club Renaissance de Québec. Gouverneur honoraire du Club Renaissance de Montréal. Fut président général de la Société Saint-Jean-Baptiste de Québec de 1952 à 1956.

MALTAIS, Ghislain

Né à Sacré-Cœur, au Saguenay, le 22 avril 1944, fils d'Albert Maltais, gérant de coopérative agricole, et de Marie-Anne Gravel.

Fit ses études primaires et secondaires dans sa paroisse natale, et des études commerciales au collège de Forestville. Étudia en administration publique à l'université du Québec à Rimouski. Suivit aussi des cours de l'Association des courtiers d'assurances du Québec et de l'Institut des assurances du Canada.

Associé de Clément et Bertrand Assurances inc. de La Malbaie de 1968 à 1974. Propriétaire de Maltais Courtiers d'Assurances inc. à compter de 1974. Président de la Chambre de commerce de Sacré-Cœur de 1967 à 1971. Président régional des chambres de commerce de la Côte-Nord en 1969 et 1970. Président (fondateur) de la Chambre de commerce régionale de Manicouagan en 1971 et 1972. Président de l'Association des commissions scolaires de la Côte-Nord en 1980. Vice-président de la Fédération des commissions scolaires catholiques du Québec en 1982.

Président de l'Association libérale du Saguenay en 1982. Candidat libéral défait dans Saguenay en 1981. Élu député libéral dans Saguenay à l'élection partielle du 20 juin 1983. Réélu en 1985 et 1989. Adjoint parlementaire du ministre délégué aux Forêts du 8 janvier 1986 au 9 août 1989. Nommé adjoint parlementaire du ministre de l'Environnement le 29 novembre 1989.

MALTAIS, Pierre-Willie (1931–1987)

Né à La Malbaie, le 21 juin 1931, fils d'Aristide Maltais, entrepreneur en construction, et d'Antoinette Bergeron.

Fit ses études à l'école supérieure de La Malbaie, au collège Brébeuf à Montréal et à l'université d'Ottawa. Admis au barreau de la province de Québec en juin 1958.

Exerça sa profession à La Malbaie en 1958 et 1959, puis à Baie-Comeau et Hauterive où il fut membre du cabinet Maltais, Francœur, Morin et Tremblay. Fut également associé à son fils, Christian Maltais. Membre de la Légion royale canadienne et de la Chambre de commerce de Hauterive. Décoré de la médaille d'or des débats français de l'Ontario en 1953. Président des étudiants de la faculté de droit de l'université d'Ottawa en 1956.

Élu député libéral dans Saguenay à l'élection partielle du 5 octobre 1964. Réélu en 1966. Son élection fut annulée le 27 novembre 1969. Défait en 1970. Candidat indépendant défait dans Saguenay à l'élection partielle du 20 juin 1983.

Décédé à Baie-Comeau, le 6 juin 1987, à l'âge de 55 ans et 11 mois. Inhumé dans le cimetière Saint-Joseph de Manicouagan, le 9 juin 1987.

Avait épousé à Ottawa, dans la paroisse Sacré-Cœur, le 27 juillet 1957, Marjolaine Marenger, fille de Lucienne et de Noé Marenger, fermier.

MARCHAND, André

Né à Montréal, le 26 mai 1926, fils d'Arthur Marchand, imprimeur, et de Gratia Robitaille.

Fit ses études à l'école Jean-Talon à Montréal, au collège de L'Assomption, à l'école supérieure Saint-Viateur à Outremont et à l'École des arts graphiques à Montréal. Reçu technicien en arts graphiques en 1945 et technicien en estimation en 1958.

Exerça d'abord le métier de typographe, puis devint maître imprimeur en 1958. Propriétaire de l'imprimerie A. Marchand, puis Royal-Marchand inc., à Montréal, de 1960 à 1973. Administrateur de l'Association des maîtres imprimeurs de Montréal de 1967 à 1970.

Membre des Fusiliers Mont-Royal. Directeur de la Chambre de commerce des jeunes du district de Montréal. Membre des chambres de commerce de Montréal et de Verchères et de la section Young Men's du Montreal Board of Trade. Gouverneur à vie et président de l'Association des hommes d'affaires du Nord en 1966 et 1967. Membre des Chevaliers de Colomb. Président du Club optimiste de Villeray. Fondateur du Club optimiste de Montréal.

Organisateur politique au fédéral et au provincial. Fut trésorier des associations fédérales de Montréal-Papineau et Saint-Denis ainsi que de l'association provinciale de Montréal-Laurier. Élu député libéral dans Laurier en 1970. Réélu en 1973 et 1976. Ne s'est pas représenté en 1981.

Représentant des ventes et relationniste pour l'imprimerie Bilodeau inc.

MARCHAND, Félix-Gabriel (1832–1900)

Né à Saint-Jean-sur-Richelieu, le 9 janvier 1832, fils de Gabriel **Marchand**, propriétaire terrien, négociant et officier supérieur dans la milice, et de Mary Macnider.

Étudia à la St. John's Classical School, au collège de Chambly et au séminaire de Saint-Hyacinthe de 1845 à 1849. Commença sa cléricature auprès de Thomas-Robert Jobson en 1850. Fit un séjour en Europe, puis termina son stage. Reçu notaire le 20 février 1855.

Propriétaire terrien et notaire à Saint-Jean jusqu'en 1899. Comme journaliste, il collabora d'abord à *la Ruche littéraire et politique* en 1853 et 1854. Fonda en 1860, avec Charles **Laberge** et Isaac Bourguignon, *le Franco-Canadien* de Saint-Jean dont il fut rédacteur jusqu'en 1885 et propriétaire de 1867 à 1877. Un des fondateurs du *Canada français* dont son fils, Gabriel **Marchand**, fut propriétaire et rédacteur. Fonda en 1883, avec Honoré **Mercier** (père) et Toussaint-Antoine-Rodolphe Laflamme (député à la Chambre des communes de 1872 à 1878), *le Temps* de Montréal. Collabora en outre au *Foyer canadien*, à *la Revue canadienne*, au *Littérateur canadien*, à *la Revue légale* et à *l'Ordre*.

En 1862, aidé de Charles-J. **Laberge**, il forma un corps de volontaires à Saint-Jean. Participa aux opérations visant à repousser les incursions des Fenians. De 1862 à 1866, il occupa successivement les fonctions de lieutenant, capitaine, major et lieutenant-colonel du 21e bataillon d'infanterie légère de Richelieu. Demeura en service actif jusqu'en 1880. Dans le domaine des affaires, il fut élu président de la Société de construction de Saint-Athanase en 1860 et fonda avec Louis **Molleur** la Banque de Saint-Jean en 1873 ; il sera membre du conseil d'administration de cette banque de 1873 à 1879. Participa également à la fondation de la Compagnie manufacturière de Saint-Jean en 1874.

Conseiller municipal de Saint-Jean en 1858 et 1859. Membre de la commission scolaire de la paroisse Saint-Jean-l'Évangéliste en 1863 et 1864, puis président de 1863 à 1872. Président de la commission scolaire de Saint-Jean de 1872 à 1896. Marguillier de la paroisse Saint-Jean-l'Évangéliste de 1868 à 1871. Élu député libéral dans Saint-Jean en 1867. Réélu sans opposition en 1871. Membre du conseil de l'Association de réforme du Parti national. Membre de l'exécutif du Parti national à Montréal en 1875. De nouveau élu en 1875 et 1878. Secrétaire et registraire de la province dans le cabinet Joly de Lotbinière du 8 mars 1878 au 19 mars 1879, puis commissaire des Terres de la couronne du 19 mars au 31 octobre 1879. Réélu en 1881 (sans opposition), 1886 et 1890. Orateur de l'Assemblée législative du 27 janvier 1887 au 26 avril 1892. Réélu en 1892. Chef de l'Opposition de 1892 à 1897. Réélu en 1897 et sans opposition à l'élection partielle du 12 juin 1897. Premier ministre et président du Conseil exécutif du 24 mai 1897 au 25 septembre 1900, date de son décès. Secrétaire et registraire du 24 au 26 mai 1897. Trésorier du 26 mai 1897 au 25 septembre 1900.

Auteur de plusieurs œuvres littéraires dont : *Fatenville* (1869), *Erreur n'est pas compte ou les inconvénients d'une ressemblance* (1872), *Un bonheur en attire un autre* (1883), *le Lauréat* (opéra comique), *les Faux Brillants* et *l'Aigle et la marmotte* (1885). A publié également *Manuel et formulaire général et complet du notariat de la province de Québec* (1891) et *Mélanges poétiques et littéraires* (1899).

Trésorier de la Chambre des notaires de 1860 à 1870, puis président en 1894. Vice-président de l'Association d'agriculture du Bas-Canada. Élu directeur en 1861, vice-président en 1863 et fut président de la Société d'agriculture de Saint-Jean de 1864 à 1867. Titulaire des postes suivants au sein de la Société royale du Canada : vice-président (1883), président de la section française (1884), vice-président général (1897) et président général (1898). Élu président de la Société Saint-Jean-Baptiste de Saint-Jean en 1885. Officier de l'Instruction publique de France en 1879. Docteur en lettres honoris causa de l'université Laval en 1891. Officier de la Légion d'honneur en 1898. Membre de l'Académie des muses santones de France en 1883. Décoré des Palmes d'officier de l'académie du gouvernement français.

Décédé en fonction à Québec, le 25 septembre 1900, à l'âge de 68 ans et 9 mois. Inhumé à Sainte-Foy, dans le cimetière Notre-Dame-de-Belmont, le 29 septembre 1900.

Avait épousé à Terrebonne, dans la paroisse Saint-Louis-de-France, le 12 septembre 1854, Hersélie Turgeon, fille de Louis Turgeon et de Pélagie Marchand.

Père de Gabriel **Marchand**. Beau-père de Raoul Dandurand, sénateur de 1898 à 1942.

———

Bibliographie : *DBC*.

———

MARCHAND, Gabriel (grand-père) (1780–1852)

Né à Québec, le 21 novembre 1780, puis baptisé le 22, dans la paroisse Notre-Dame, fils de Louis Marchand, capitaine de navire, et de Françoise Roussel.

Étudia au petit séminaire de Québec en 1790–1791.

Engagé dans le secteur de l'importation à Québec, s'associa en 1803 à son patron et futur beau-père, John Macnider, pour fonder, à Saint-Jean (Saint-Jean-sur-Richelieu), la Gabriel Marchand et Compagnie. Établi à Dorchester (Saint-Jean-sur-Richelieu), fit le commerce du bois de 1806 à 1816. Pendant la guerre de 1812, servit dans la milice ; démissionna à titre de colonel en 1831.

Nommé au Conseil législatif le 22 août 1837, refusa d'en faire partie. Déclina l'invitation de devenir membre du Conseil spécial le 31 mars 1838. Représenta la paroisse Saint-Jean-l'Évangéliste au conseil municipal du district de Saint-Jean d'août 1841 à janvier 1844.

Remplit les fonctions de marguillier et de secrétaire-trésorier de la paroisse Saint-Jean-l'Évangéliste, dont il fut l'un des fondateurs. Président de la Société d'agriculture du comté de Chambly et de la commission scolaire de la municipalité de paroisse de Saint-Jean-l'Évangéliste. Obtint quelques postes de commissaire et fut juge de paix.

Décédé à Saint-Jean (Saint-Jean-sur-Richelieu), le 10 mars 1852, à l'âge de 71 ans et 3 mois. Les obsèques eurent lieu dans l'église paroissiale, le 15 mars 1852.

Avait épousé dans l'église anglicane de Venise-en-Québec, le 1er janvier 1807, Amanda Bingham, fille d'Abner Bingham, loyaliste originaire de l'État de New York, et de sa femme Nabby ; puis, dans la cathédrale anglicane Holy Trinity de Québec, le 6 octobre 1810, Mary Macnider, fille du marchand John Macnider, probablement apparentée à Mathew **Macnider**.

Père de Félix-Gabriel **Marchand**.

———

Bibliographie : *DBC*.

MARCHAND, Gabriel (petit-fils)
(1859–1910)

Né à Saint-Jean, le 29 janvier 1859, fils de Félix-Gabriel **Marchand**, notaire, et de Hersélie Turgeon.

Fit ses études au séminaire de Saint-Hyacinthe et à l'université Laval à Québec. Admis au barreau de la province de Québec le 11 juillet 1884. Créé conseil en loi du roi le 30 juin 1909.

Exerça sa profession à Saint-Jean, puis émigra aux États-Unis où il fonda le journal *le Ralliement*. Revint au pays en 1887 et fut secrétaire de son père, alors orateur de l'Assemblée législative. Nommé protonotaire du district de Saint-Jean le 3 octobre 1891.

Propriétaire et rédacteur du *Canada français* du 17 juin 1898 au 24 juillet 1908. Devint par la suite gérant et directeur général de la Compagnie de publication du *Canada français*.

Auteur de la pièce de théâtre *le Timide* en 1903 et d'un livret d'opérette. Président de la Compagnie d'exposition de Saint-Jean de 1902 à 1904. Vice-président de la St. John's Electric Co. en 1902. Décoré des Palmes académiques du gouvernement français.

Commissaire d'école à Saint-Jean de 1908 à 1910. Échevin au conseil municipal de Saint-Jean de février à octobre 1908. Élu député libéral dans Saint-Jean en 1908.

Décédé en fonction à Saint-Jean, le 16 septembre 1910, à l'âge de 51 ans et 7 mois. Inhumé dans le cimetière de Saint-Jean, le 20 septembre 1910.

Avait épousé à Montréal, dans la paroisse Saint-Louis-de-France, le 14 mai 1891, Rose-Anna Chaput, fille de Charles Chaput, négociant, et de Rose Ann Smith.

Beau-frère de Raoul Dandurand, sénateur de 1898 à 1942.

MARCHAND, Victor
(1882–1962)

Né à Saint-Cuthbert, le 17 septembre 1882, fils de Joseph Marchand, ingénieur, et d'Élodie Destrempes.

Fit ses études à l'école de Saint-Cuthbert et à l'école normale Jacques-Cartier à Montréal.

Commis puis secrétaire chez Boivin, Wilson et Cⁱᵉ ltée à compter de 1900, il en devint le directeur en 1921. Secrétaire de la compagnie Melchers Gin & Spirits Distillery de 1914 à 1928, président en 1928 et président du conseil d'administration en 1949. Propriétaire et directeur de la Meadow Sweet Cheese Manufacturing Co. Ltd. Commissaire à la Cour supérieure du district de Montréal. Membre de l'Association des manufacturiers canadiens, du Montreal Board of Trade, de la Chambre de commerce de Montréal, du Cercle Saint-Denis, du Club de réforme de Montréal, du Club de la garnison de Québec, du Mount Stephen Club, du Canadian Club de New York et du Club canadien de Montréal.

Élu député libéral dans Jacques-Cartier à l'élection partielle du 30 novembre 1925. Réélu en 1927 et 1931. Son siège devint vacant lorsqu'il fut nommé conseiller législatif de la division de Rigaud le 15 avril 1932. Démis de ses fonctions le 27 avril 1960 à la suite d'une absence trop prolongée.

Décédé à Montréal, le 2 juin 1962, à l'âge de 79 ans et 8 mois. Inhumé à Montréal, dans le cimetière Notre-Dame-des-Neiges, le 6 juin 1962.

[Avait épousé Maria Éthier] ; puis, à Montréal, dans la paroisse Saint-Vincent-de-Paul, le 17 octobre 1911, Yvonne Desroches, fille de Rodolphe Desroches et de Léa Éthier.

MARCHILDON, Alfred
(1865–1953)

Né à Saint-Pierre-les-Becquets, le 29 septembre 1865, fils de Charles-Joseph Marchildon, navigateur, et d'Adéline Monpas.

Fit ses études au séminaire Saint-Joseph à Trois-Rivières et à l'université Laval à Québec. Admis au barreau de la province de Québec le 14 janvier 1897.

Pratiqua seul puis fut associé à Mᵉ Evariste D. Boisclair. Capitaine du 80ᵉ régiment d'infanterie de Nicolet. Membre des Chevaliers de Colomb.

Maire de Saint-Pierre-les-Becquets de 1903 à 1906. Préfet du comté de Nicolet. Élu sans opposition député libéral dans Nicolet en 1904. Démissionna le 15 octobre 1907.

Nommé greffier de la paix le 7 février 1908. Nommé juge de paix du district de Trois-Rivières le 8 novembre 1909. Nommé juge de la Cour de magistrat pour les districts de Trois-Rivières, Arthabaska et Richelieu le 4 janvier 1913. Il occupa cette fonction jusqu'en 1940.

Décédé à Trois-Rivières, le 24 avril 1953, à l'âge de 87 ans et 6 mois. Inhumé à Trois-Rivières, dans le cimetière Saint-Louis, le 27 avril 1953.

Avait épousé à Trois-Rivières, le 16 juin 1898, Marie-Louise Turcotte, fille de François-Xavier Turcotte, avocat, et de Caroline-Alice Sers.

MARCHILDON, Thomas
(1805–1858)

Né à Batiscan, le 27 février 1805, puis baptisé le 28, dans la paroisse Saint-François-Xavier, fils de Louis Marchildon, cultivateur, et de Victoire Alexandre.

Après des études sommaires, s'établit comme cultivateur à Batiscan. Copropriétaire d'un chantier de construction navale.

Élu député de Champlain en 1851; de tendance libérale. Réélu en 1854; rouge. Défait en 1858.

Décédé à Batiscan, le 17 mai 1858, à l'âge de 53 ans et 2 mois. Inhumé dans le cimetière paroissial, le 19 mai 1858.

Avait épousé dans la paroisse Saint-François-Xavier, à Batiscan, le 17 janvier 1837, Marie-Philie Lefaivre, dit Despins, fille du cultivateur François Lefebvre, dit Despins, et de Thérèse Beaufort, dit Brunelle.

Cousin de Joseph-Édouard **Turcotte**.

———

Bibliographie: *DBC*.

MARCIL, Serge

Né à Valleyfield, le 20 janvier 1944, fils d'Albert Marcil et de Juliette St-Onge.

A terminé un cours technique à l'École des arts et métiers de Valleyfield en 1966. Titulaire d'un brevet «A» de l'école normale Saint-Viateur. À l'université de Montréal, il obtint un baccalauréat en pédagogie en 1969, un certificat en information scolaire et professionnelle en 1971 et une maîtrise en science de l'éducation en 1978. Fit également des études en animation de la vie étudiante en 1973.

Vice-président mandaté chez Albert Marcil et Fils ltée de Valleyfield en 1971 et 1972. À l'école secondaire Vaudreuil-Soulanges, il fut directeur adjoint et responsable de la vie étudiante de 1972 à 1974, directeur adjoint et responsable des services pédagogiques et des services aux étudiants, au secondaire III, en 1974 et 1975, puis directeur de cette école de 1975 à 1981. Directeur du service des finances et de l'équipement de la commission scolaire régionale Vaudreuil-Soulanges de 1981 à 1985.

Président de la corporation de l'Office du tourisme de Coteau-du-Lac à compter de 1983. Secrétaire de la Corporation de la ville des jeunes en 1975 et 1976. Président et responsable de nombreux organismes à caractère scolaire entre 1970 et 1984.

Conseiller municipal de Coteau-du-Lac de 1982 à 1985. Élu député libéral dans Beauharnois en 1985. Vice-président de la Commission des institutions du 11 février 1986 au 9 août 1989. Réélu en 1989 dans Salaberry-Soulanges. Nommé adjoint parlementaire du ministre de la Main-d'œuvre, de la Sécurité du revenu et de la Formation professionnelle le 29 novembre 1989.

MARCOTTE, Antoine
(1899–1955)

Né à Notre-Dame-du-Lac (Roberval), le 4 décembre 1899, fils de Georges Marcotte, commis, marchand et négociant, et d'Hélène Fox.

Étudia au collège Notre-Dame à Roberval et au séminaire de Chicoutimi.

De 1917 à 1920, il occupa le poste de commis de bureau à la compagnie Laurentide de La Tuque. De 1920 à 1942, il fut commis et vendeur au service de son père auquel il succéda par la suite. Exploita un garage sous la raison sociale des Entreprises de Roberval ltée. Fit également le commerce d'huile et d'essence et s'occupa d'exploitation forestière. Citoyen honoraire de la ville de Saint-Félicien. Membre des Chevaliers de Colomb. Directeur de la Chambre de commerce de Roberval.

Maire de la ville de Roberval du 26 janvier 1942 au 4 avril 1949. Président de la commission scolaire du même endroit du 15 janvier 1946 au 10 décembre 1955. Élu député de l'Union nationale dans Roberval en 1944. Réélu en 1948 et 1952.

Décédé en fonction à Roberval, le 10 décembre 1955, à l'âge de 56 ans. Inhumé à Roberval, dans le cimetière de la paroisse Notre-Dame-du-Lac, le 14 décembre 1955.

Avait épousé à Roberval, le 12 octobre 1926, Bernadette Otis, fille de Ladislas Otis, marchand, et d'Anna Dumais.

Beau-frère d'Armand Sylvestre, député libéral à la Chambre des communes de 1925 à 1930 et de 1935 à 1945.

MARCOTTE, Charles
(1844–1901)

Né à Cap-Santé, le 1er novembre 1844, fils de Félix Marcotte, cultivateur, et de Marie Delage.

A étudié au séminaire de Québec. Admis à la pratique du notariat le 27 février 1865.

S'établit à L'Islet puis à Deschambault. Membre de la Chambre des notaires. Secrétaire de la commission scolaire de L'Islet du 17 juillet 1870 au 4 août 1882.

Candidat conservateur défait dans L'Islet en 1878. Élu député conservateur dans la même circonscription en 1881. Défait en 1886.

Décédé à Deschambault, le 20 septembre 1901, à l'âge de 56 ans et 10 mois. Inhumé dans le cimetière de Deschambault, le 23 septembre 1901.

[Avait épousé, le 5 juin 1875, Céline Frenette; puis en secondes noces, Élise Matte.]

MARCOTTE, Pierre-Léandre (1837–1899)

Né à Cap-Santé, le 5 octobre 1837, fils de Pierre-Moïse Marcotte, menuisier, et d'Esther Richard.

Agriculteur à Saint-Bruno, au Lac-Saint-Jean. Agent des Sauvages à Pointe-Bleue du 13 octobre 1896 au 16 juin 1899. Secrétaire-trésorier de la municipalité de Saint-Bruno du 24 novembre 1885 au 21 novembre 1896. Président de la Société d'agriculture du comté de Lac-Saint-Jean.

Candidat libéral défait dans Chicoutimi et Saguenay à l'élection partielle du 18 juin 1888. Élu député libéral dans Lac-Saint-Jean en 1890. Défait en 1892.

Décédé à Pointe-Bleue, le 16 juin 1899, à l'âge de 61 ans et 8 mois. Inhumé dans le cimetière de la paroisse Saint-Bruno, le 19 juin 1899.

[Avait épousé, le 30 mai 1874, Zénaïde de Tilly; puis, le 7 janvier 1879, Mathilde Gauvin.]

MARCOUX, Adolphe (1884–1951)

Né à Beauport, le 29 octobre 1884, fils de Joseph-Désiré Marcoux, notaire, et de Sarah Élisabeth alias Isabelle Gendron.

Étudia à Beauport, au séminaire de Québec et à l'université Laval à Québec. Reçu médecin en 1909. Fit un stage à Paris en 1909 et 1910.

Exerça sa profession à Beauport. Président de la caisse populaire de Beauport de 1937 à 1951. Président de la Ligue du Sacré-Cœur, de la Société Saint-Jean-Baptiste et de l'Association des médecins du comté de Québec.

Marguillier de sa paroisse. Élu député de l'Union nationale dans Québec en 1936. Ne s'est pas représenté en 1939.

Décédé à Beauport, le 10 septembre 1951, à l'âge de 66 ans et 10 mois. Inhumé dans le cimetière de Beauport, le 14 septembre 1951.

Avait épousé à Québec, dans la paroisse Saint-Jean-Baptiste, le 26 septembre 1917, Laura-Anne Légaré, fille d'Alexandre Légaré et de Maria Cordélia Wheeler.

MARCOUX, Alain

Né à Saint-Norbert, près de Berthierville, le 10 août 1945, fils de Marcellin Marcoux, cultivateur, et de Laurette Fafard.

A étudié à l'école Sainte-Anne à Saint-Norbert, aux collèges de L'Assomption et Saint-Laurent, à l'université de Montréal et à l'université Laval à Québec. Diplômé en sociologie. Fit un stage de perfectionnement en administration à l'École nationale d'administration publique (ENAP).

Professeur d'économique et de sciences sociales au cégep de Rimouski de 1969 à 1973, puis administrateur de cet établissement de 1973 à 1977. Vice-président des professeurs du collège de Rimouski en 1972. Ancien directeur du journal des étudiants du collège de L'Assomption.

Conseiller de l'exécutif du Parti québécois de Rimouski en 1969 et 1970 et président de 1971 à 1974. Membre de l'exécutif national de ce parti de 1974 à 1977 et président de la région du Bas-Saint-Laurent–Gaspésie–Îles-de-la-Madeleine de 1971 à 1977. Élu député du Parti québécois dans Rimouski en 1976. Adjoint parlementaire du ministre des Affaires sociales du 18 octobre 1979 au 12 mars 1981. Réélu en 1981. Ministre des Travaux publics et de l'Approvisionnement dans le cabinet Lévesque du 30 avril 1981 au 1er octobre 1984. Ministre du Revenu du 9 septembre 1982 au 5 mars 1984. Ministre des Affaires municipales dans les cabinets Lévesque et Johnson (Pierre Marc) du 5 mars 1984 au 12 décembre 1985. Défait en 1985.

Retourna au cégep de Rimouski en tant qu'administrateur en 1986. Directeur général du Parti québécois de 1986 à 1988. Directeur général du Centre de psycho-éducation du Québec en 1988 et 1989. Directeur des relations gouvernementales à l'Union des municipalités du Québec de 1989 à 1991. Directeur général de la ville de Sainte-Foy à compter de 1991.

MARCOUX, Pierre
(1731–1797)

Né à Québec et baptisé dans la paroisse Notre-Dame, le 12 juillet 1731, fils de Germain Marcoux, maçon, et de Geneviève Marchand, veuve de Claude Charpentier.

Fut marchand et propriétaire foncier à Québec jusqu'en 1783, année où il s'établit à Berthier (Berthier-sur-Mer); y exploitait une ferme acquise en 1772. Se lança avec des associés dans le commerce maritime, vers 1776; s'occupa notamment de la production, du transport et de la vente de la farine. Pendant l'invasion américaine de 1775–1776, prit part à la défense de la ville de Québec à titre de capitaine dans la milice. Vers 1789, accéda au grade de lieutenant-colonel dans la milice de la région comprise entre Berthier et Matane. Fut aussi commissaire et juge de paix.

Élu sans opposition député de Hertford en 1792; appuya généralement le parti canadien. Ne s'est pas représenté en 1796.

Décédé à Berthier (Berthier-sur-Mer), le 9 juillet 1797, à l'âge de 65 ans et 11 mois. Inhumé dans l'église Notre-Dame-de-l'Assomption, le 11 juillet 1797.

Avait épousé dans la paroisse Notre-Dame de Québec, le 9 septembre 1754, Geneviève Lepage, fille du capitaine de navire Louis Lepage et de Thérèse Bisson; puis, dans la paroisse Saint-Thomas (à Montmagny), le 3 juillet 1797, Geneviève Alliés, veuve en secondes noces du seigneur Gabriel Amyot de Vincelotte et belle-sœur de Nicolas-Gaspard **Boisseau**.

Son fils Pierre (1757–1809) épousa une fille de Louis **Dunière**. Beau-frère de Bonaventure **Panet**. Oncle par alliance de Nicholas **Montour**.

___

Bibliographie: Fabre Surveyer, Édouard, «Les deux premiers députés du comté de Hertford (Bellechasse-Montmagny): Pierre Marcoux et Louis Dunière», *Le Canada français*, 32 (1944-1945), p. 404-417.

___

MARGANE DE LAVALTRIE, Pierre-Paul
(1743–1810)

Né à Montréal, le 13 août 1743, fils de Pierre-Paul Margane de Lavaltrie, officier dans les troupes de la Marine et seigneur, et de Louise-Charlotte d'Ailleboust d'Argenteuil.

Entreprit une carrière militaire à l'âge de 13 ans comme cadet dans les troupes de la Marine. Promu lieutenant dans le régiment du Languedoc en 1758. Prit part à la bataille des plaines d'Abraham le 13 septembre 1759. Après la Conquête, servit dans l'armée française. Revenu au Canada en

septembre 1765 à la demande de son père, hérita de celui-ci la seigneurie de Lavaltrie au début de 1766. S'y installa à demeure en 1769 et s'occupa à la mise en valeur de sa propriété. Pendant l'invasion américaine de 1775–1776, se joignit à l'armée et participa à diverses reprises à la défense de la colonie. Hérita de droits de propriété sur des seigneuries. Nommé juge de paix en 1788.

Élu député de Warwick en 1792; appuya le parti canadien. Ne s'est pas représenté en 1796.

Obtint le grade de colonel dans la milice en 1794, le renouvellement de sa commission de juge de paix en 1799 et des terres dans un canton en juin 1803.

Décédé dans son manoir seigneurial, à Lavaltrie, le 10 septembre 1810, à l'âge de 67 ans. Inhumé dans l'église Saint-Antoine, le 13 septembre 1810.

Avait épousé à Terrebonne, le [31] mars 1766, Marie-Angélique de La Corne, fille du seigneur Louis de La Corne, dit La Corne l'aîné, et d'Élisabeth de Ramezay.

Beau-père de Charles-Gaspard **Tarieu de Lanaudière**.

___

Bibliographie: *DBC*.

___

MARIER, Joseph
(1887–1969)

Né à Drummondville, le 3 mars 1887, fils d'Amédée Marier, cultivateur, et de Mathilda Gagnon.

Fit ses études au collège de Nicolet et à l'université Laval à Montréal. Admis au barreau de la province de Québec le 7 juillet 1910. Créé conseil en loi du roi le 23 août 1921.

Exerça sa profession à Drummondville et fut associé à Napoléon Garceau de 1910 à 1912. Pratiqua seul de 1912 à 1934, puis s'associa à son fils Marcel sous la raison sociale de Marier et Marier. Bâtonnier du barreau d'Arthabaska de 1928 à 1930. Conseiller juridique, secrétaire-trésorier et greffier de la municipalité de Drummondville pendant quarante ans.

Marguillier de la paroisse Saint-Frédéric, à Drummondville, du 6 janvier 1930 au 31 décembre 1932. Candidat conservateur défait dans Drummond-Arthabaska aux élections fédérales de 1925 et dans Drummond aux élections provinciales de 1935. Élu député de l'Union nationale dans la même circonscription en 1936. Défait en 1939.

Nommé juge à la Cour des sessions du district de Drummondville le 7 décembre 1944. Prit sa retraite en 1964. Membre des Chevaliers de Colomb et de la Société Saint-Vincent-de-Paul. Créé commandeur de l'ordre de Saint-Grégoire-le-Grand.

Décédé à Drummondville, le 26 janvier 1969, à l'âge de 81 ans et 10 mois. Inhumé dans le cimetière de Drummondville, le 29 janvier 1969.

Avait épousé à Montréal, dans la paroisse Saint-Jacques, le 29 août 1911, Alice Loranger, fille de Thomas Loranger et d'Antoinette Poirier; puis, à Drummondville, le 11 août 1960, Éva Fleurent, garde-malade, fille d'Ernest Fleurent et de Clarina Laplante.

Frère d'Elphège Marier, député à la Chambre des communes de 1939 à 1949.

MARION, Joseph
(1837–1916)

Né à Repentigny (devenu Saint-Paul-l'Ermite puis aujourd'hui Le Gardeur), le 3 décembre 1837, fils de Joseph Marion, cultivateur, et de Louise Brousseau.

Fit ses études dans la paroisse natale, au collège de L'Assomption et à l'université Laval. Admis à la pratique du notariat le 13 octobre 1863.

Notaire et maître de poste à Saint-Paul-l'Ermite. Secrétaire-trésorier de la municipalité pendant trente ans.

Maire de Saint-Paul-l'Ermite pendant huit ans. Élu député conservateur dans L'Assomption à l'élection partielle du 4 juin 1880. Réélu sans opposition en 1881. Défait en 1886 et à l'élection partielle du 27 décembre 1888. De nouveau élu en 1890, 1892 et 1897. Défait en 1900.

[Décédé le 11 octobre 1916.]

Avait épousé à Saint-Paul-l'Ermite (Le Gardeur), le 1er août 1864, Luce Archambault, institutrice, fille de François Archambault, cultivateur, et d'Henriette Haimond.

MARLER, George Carlyle
(1901–1981)

Né à Montréal, le 14 septembre 1901, fils de William de Montmollin Marler, notaire, et de Harriett Amelia Jamieson.

Fit ses études à la Selwyn House School à Montréal, au Bishop's College à Lennoxville, au Royal Naval College of Canada et à la McGill University à Montréal. Admis à la pratique du notariat le 14 juillet 1923.

Exerça sa profession à l'étude de son père, à Montréal, où il fut associé à son demi-frère, Herbert Meredith Marler, député à la Chambre des communes de 1921 à 1925. Occupa

également le poste de vice-président du Bureau de révision des évaluations de la cité de Montréal de 1938 à 1940.

De 1940 à 1947, il représenta le Montreal Board of Trade au conseil municipal et fut vice-président du comité exécutif de la cité de Montréal. Directeur de l'Union des municipalités de la province de Québec de 1942 à 1945. Élu député libéral à l'Assemblée législative dans Westmount–Saint-Georges à l'élection partielle du 23 mars 1942. Réélu en 1944 et 1948. Chef intérimaire du Parti libéral du 22 juillet 1949 au 20 mai 1950 et chef de l'Opposition du 4 novembre 1948 au 18 novembre 1953. Réélu en 1952. Démissionna le 30 juin 1954. Élu député libéral à la Chambre des communes dans Saint-Antoine–Westmount à l'élection partielle du 8 novembre 1954. Nommé membre du Conseil privé le 1er juillet 1954. Ministre des Transports dans le cabinet Saint-Laurent du 1er juillet 1954 au 21 juin 1957. Réélu en 1957. Défait en 1958. Fut vice-président exécutif de la Fédération libérale du Canada de décembre 1958 à mai 1960. Assermenté ministre sans portefeuille dans le cabinet Lesage le 8 octobre 1960. Nommé conseiller législatif de la division d'Inkerman le 8 novembre 1960, il fut leader du gouvernement jusqu'en 1965, puis leader de l'Opposition de 1966 à 1968.

Membre de la Chambre des notaires de 1930 à 1939. Président de l'Association des notaires du district de Montréal en 1934. Fut administrateur de plusieurs compagnies privées dont la Banque canadienne impériale de commerce, la Commercial Union Insurance Company of Canada, le Trust Royal et les Ciments Lafarge Canada ltée, la Royal Trust Company Mortgage Corporation et l'Ontario and Quebec Railway Co.

Docteur en droit honoris causa des universités de Montréal en 1948 et McGill. Membre honoraire à vie du Montreal Board of Trade et de la Chambre de commerce de Montréal. Membre de l'University Club de Montréal, du Montreal Club, du Club Rideau d'Ottawa, du St. James Club, de la Royal Horticultural Society, du Club de la garnison et des clubs de réforme de Montréal et de Québec. Fellow de la Royal Philatelic Society of London et de la Royal Philatelic Society of Canada. Éditeur et coauteur d'un ouvrage de droit intitulé *The Law of Real Property*. Publia également plusieurs articles et ouvrages traitant de la philatélie, notamment l'*Émission Édouard VII du Canada* et *Canadian Notes of the 1911–1925 Issues*. Dans le domaine militaire, il fut cadet dans la Marine royale du Canada de 1917 à 1919, puis instructeur de navigation de 1940 à 1942.

Décédé à Montréal, le 10 avril 1981, à l'âge de 79 ans et 6 mois. Inhumé à Montréal, dans le cimetière Mont-Royal, le 14 avril 1981.

Avait épousé à Montréal, dans la St. George Anglican Church, le 30 mai 1928, Phyllis Constance Walker, fille de Herbert Barber Walker, banquier, et d'Annabella Fraser.

MAROIS, Pauline

Née à Québec, le 29 mars 1949, fille de Grégoire Marois, mécanicien, et de Marie-Paule Gingras, travailleuse au foyer.

A étudié au collège Jésus-Marie. Bachelière en service social de l'université Laval en 1971. Obtint un M.B.A. de l'École des hautes études commerciales de l'université de Montréal en 1976.

Collabora à la mise sur pied de l'Association coopérative d'économie familiale de l'Outaouais en 1970, puis devint consultante budgétaire et agente de formation de cet organisme en 1971. Responsable du service animation-participation au Conseil régional de développement de l'Outaouais de septembre 1971 à février 1973. Coordonnatrice du cours de technique en assistance sociale au cégep de Hull de mars à septembre 1973. Simultanément, elle participa à la création de CFVO, la première coopérative de télévision au Québec. Directrice générale du CLSC de l'Île-de-Hull de juillet 1973 à septembre 1974. Après avoir travaillé à la mise sur pied des services d'urgences sociales du CSS du Montréal métropolitain, elle s'intéressa, toujours pour le compte du même organisme, à l'élaboration de la *Loi sur la protection de la jeunesse* avant de devenir, en 1976, responsable de l'orientation, de la programmation et de la gestion des services spécialisés à l'enfance.

Attachée de presse du ministre des Finances du Québec, Jacques Parizeau, d'octobre 1978 à mars 1979. Contractuelle pour l'Association des CSS du Québec en avril 1979. En novembre 1979, elle devint directrice du cabinet de la ministre d'État à la Condition féminine, Lise Payette. Membre du bureau de direction de l'Association Québec-France en 1978 et 1979.

Élue députée du Parti québécois dans La Peltrie en 1981. Ministre d'État à la Condition féminine dans le cabinet Lévesque du 30 avril 1981 au 9 septembre 1982. Vice-présidente du Conseil du trésor du 9 septembre 1982 au 12 décembre 1985. Ministre déléguée à la Condition féminine du 9 septembre 1982 au 29 novembre 1983. Ministre de la Main-d'œuvre et de la Sécurité du revenu dans les cabinets Lévesque et Johnson (Pierre Marc) du 29 novembre 1983 au 12 décembre 1985. Ministre déléguée à la Condition féminine du 17 juin au 16 octobre 1985. Candidate défaite à la direction du Parti québécois le 29 septembre 1985. Défaite aux élections générales de 1985. Membre de l'exécutif du Parti québécois jusqu'au 12 juin 1987.

Consultante à la Société Elizabeth Fry, organisme qui vient en aide aux femmes aux prises avec la justice. Trésorière de la Fédération des femmes en 1987. Chargée de cours à l'université du Québec à Hull en 1988.

Défaite dans Anjou à l'élection partielle du 20 juin 1988. Conseillère au programme du Parti québécois de mars à novembre 1988. Élue vice-présidente du Parti québécois en novembre 1988, poste qu'elle occupa jusqu'en septembre 1989. Élue dans Taillon en 1989. Présidente de la Commission des affaires sociales à compter du 29 novembre 1989.

MAROIS, Pierre

Né à Montréal, le 7 mars 1940, fils de Joseph-Arthur Marois, expert-évaluateur, et d'Yvette Bernard.

Étudia à l'école Notre-Dame-de-Grâce, au collège Sainte-Marie et à l'université de Montréal où il obtint une licence en droit. Tout en poursuivant des études de droit à l'université Laval en 1964 et 1965, il fut secrétaire du ministre de l'Éducation. De 1965 à 1967, il suivit sa scolarité de doctorat en sciences économiques et sociales à Paris.

De retour au Québec, il travailla comme représentant syndical à la Confédération des syndicats nationaux (CSN). Admis au barreau en 1968. Exerça sa profession à Montréal au cabinet Canuel, Quidoz, Tremblay, Fournier, Marois et Bourdon. Gérant et conseiller juridique de l'Association coopérative d'économie familiale (ACEF) de Montréal de 1967 à 1975. Coauteur des *Assoiffés du crédit*. Président de l'Association générale des étudiants de l'université de Montréal (AGEUM).

Membre du Conseil exécutif du Parti québécois de 1969 à 1973 et président de 1971 à 1973. Candidat du Parti québécois défait dans Chambly aux élections de 1970 et à l'élection partielle du 8 février 1971, puis dans Laporte en 1973. Conseiller au programme de l'exécutif national de son parti de 1974 à 1976. Élu député du Parti québécois dans Laporte en 1976. Assermenté membre du Conseil exécutif le 26 novembre 1976. Ministre d'État au Développement social dans le cabinet Lévesque du 2 février 1977 au 6 novembre 1980. Ministre du Travail et de la Main-d'œuvre du 6 novembre 1980 au 30 avril 1981. Réélu dans Marie-Victorin en 1981. Ministre du Travail, de la Main-d'œuvre et de la Sécurité du revenu du 30 avril 1981 au 9 septembre 1982. Ministre de la Main-d'œuvre et de la Sécurité du revenu du 9 septembre

1982 au 24 novembre 1983. Démissionna comme député et ministre le 24 novembre 1983.

Pratiqua de nouveau dans le cabinet Canuel, Quidoz, Tremblay, Castonguay, Clermont et Canuel, à compter de septembre 1984. Président d'un comité pour solutionner les problèmes des grévistes ambulanciers en décembre 1984. S'associa au cabinet Montgrain, McClure, Saint-Germain, à Longueuil en octobre 1988.

MARQUIS. V. aussi CANAC

MARQUIS, Joseph-Antonin (1899–1986)

Né à Saint-Alexandre, près de Rivière-du-Loup, le 10 décembre 1899, fils de Joseph Marquis, cultivateur, et d'Éveline Michaud.

Fit ses études dans sa paroisse natale, au séminaire Saint-Alphonse à Sainte-Anne-de-Beaupré et à l'École de pharmacie de l'université Laval.

Devint propriétaire de la pharmacie Marquis à Limoilou en 1926. Chargé de cours à l'université Laval de 1928 à 1930. Professeur agrégé et directeur de l'École de pharmacie de l'université Laval de 1930 à 1967. Gouverneur du Collège des pharmaciens de 1931 à 1944, puis membre du Bureau des examinateurs du Collège des pharmaciens de 1944 à 1956. Membre fondateur de la Conférence canadienne des facultés de pharmacie dont il fut président en 1950. Président de la compagnie des Remèdes Sorex. Membre de la Chambre de commerce senior de Québec, de la Société Saint-Jean-Baptiste et des Chevaliers de Colomb.

Marguillier des paroisses Saint-Esprit (1930 à 1932) et Saint-Fidèle (1953 à 1957) à Québec. Élu député libéral dans Québec-Est en 1952. Défait en 1956.

Décédé à Sainte-Foy, le 7 octobre 1986, à l'âge de 86 ans et 9 mois. Inhumé à Québec, dans le cimetière Saint-Charles, le 9 octobre 1986.

Avait épousé dans la cathédrale de Joliette, le 27 juillet 1926, Albina Beaudoin, fille de Victor Beaudoin, notaire, et de Valérie Renaud; puis, à Sainte-Claire, le 18 mai 1946, Justine Chabot, fille de J.A. Noé Chabot, médecin, et d'Annie Lagueux.

Frère d'Eugène Marquis, député à la Chambre des communes de 1945 à 1949.

MARQUIS, Léopold

Né à Sainte-Marguerite-Marie, le 6 août 1938, fils d'Hector Marquis, maître de poste, et de Marie-Ange Dion.

Fit ses études à l'école de Sainte-Marguerite-Marie, à l'académie Saint-Jacques à Causapscal, à l'école normale de l'université de Sherbrooke et aux universités de Sherbrooke et du Québec à Rimouski. Obtint un brevet «A» et un baccalauréat en pédagogie en 1960 et une licence d'enseignement secondaire (option chimie) en 1968.

Enseigna dans la région d'Amqui et Causapscal de 1960 à 1965. Professeur de chimie et principal adjoint à la polyvalente d'Amqui en 1968, puis conseiller pédagogique à la commission scolaire Vallée de la Matapédia. Agent de développement pédagogique au ministère de l'Éducation pour la région du Bas-Saint-Laurent, de la Gaspésie et de la Côte-Nord en 1973 et 1974. De nouveau conseiller pédagogique et coordonnateur au service de l'éducation des adultes de la commission scolaire Vallée de la Matapédia en 1975. Président du secteur Amqui de l'Association des professeurs du diocèse de Rimouski en 1962. Président de l'Association des instituteurs et institutrices de la Matapédia en 1963 et 1964, puis de l'Association des enseignants de la Matapédia en 1965 et 1968. Vice-président du Club Richelieu d'Amqui. Fondateur et président du Camp sable chaud.

Président de l'exécutif du Parti québécois de Matapédia et organisateur adjoint pour la région d'Amqui en 1973. Élu député du Parti québécois dans Matapédia en 1976. Réélu en 1981. Whip adjoint du Parti québécois du 11 octobre 1979 au 1er septembre 1983. Adjoint parlementaire du ministre du Loisir, de la Chasse et de la Pêche du 1er septembre 1983 au 5 décembre 1984. Adjoint parlementaire du ministre de l'Énergie et des Ressources, secteur forêt, du 5 décembre 1984 au 21 février 1985. Président de la Commission de l'aménagement et des équipements du 21 février au 23 octobre 1985. Défait en 1985.

Directeur du service de l'éducation des adultes et de la formation professionnelle à la commission scolaire de la Vallée de la Matapédia à compter de 1986.

MARSIL, David (1835–1899)

Né à Saint-Thimothée, le 14 février 1835, fils de David Marsil, négociant, et de Josephte Langevin-Bergevin.

Fit ses études au collège de Sainte-Thérèse, au collège de Saint-Hyacinthe et à l'École de médecine et de chirurgie de

Montréal. Reçu médecin en 1858. Docteur honoris causa de l'université Laval en 1886.

Exerça sa profession à Saint-Eustache. Se spécialisa en chirurgie. Membre du Bureau médical de la province de Québec pendant quinze ans. Président de la section québécoise de l'Association médicale canadienne de 1895 à 1899. Membre du Collège des médecins et des chirurgiens de la province de Québec. Collaborateur à la revue *l'Union médicale* et à *l'Encyclopédie internationale de chirurgie*.

Président de la commission scolaire de Saint-Eustache pendant plusieurs années. Conseiller municipal de Saint-Eustache du 21 janvier 1868 au 10 janvier 1870, du 18 au 23 janvier 1871 et du 25 janvier 1875 au 10 janvier 1876. Maire de Saint-Eustache du 23 janvier 1871 au 25 janvier 1875. Candidat libéral défait dans Deux-Montagnes aux élections provinciales de 1878 et aux élections fédérales de 1887. Nommé conseiller législatif de la division des Mille-Isles le 7 septembre 1888. Appuya le Parti libéral.

Décédé en fonction à Saint-Eustache, le 23 janvier 1899, à l'âge de 63 ans et 11 mois. Inhumé dans le cimetière de la paroisse de Saint-Eustache, le 26 janvier 1899.

Avait épousé à Saint-Eustache, le 17 novembre 1863, Marie-Émilie-Philomène Paquin, fille de Félix Paquin, négociant, et d'Émilie Proulx.

MARTEL, Maurice

Né à Québec le 29 octobre 1936, fils de Georges Martel, pharmacien, et d'Alma de la Durantaye.

Fit ses études aux écoles Saint-Dominique et Saint-Jean-Eudes à Québec, au collège de La Pocatière et à l'université de Montréal. Licencié en sciences pharmaceutiques en 1963, puis diplômé en psychopharmacologie.

Propriétaire de la Pharmacie de Sorel en 1963. Rédacteur d'une chronique dans l'hebdomadaire *la Voix métropolitaine*. Président de l'Association des pharmaciens du district de Richelieu en 1965. Administrateur de l'Ordre des pharmaciens de la province de Québec. Membre du Syndicat des pharmaciens-propriétaires du Québec.

Président de la Jeunesse universitaire de l'Union nationale en 1962. Élu député de l'Union nationale dans Richelieu en 1966. Adjoint parlementaire du ministre des Affaires sociales du 23 décembre 1969 au 12 mars 1970. Défait en 1970. Adhéra au Parti québécois de Richelieu en 1975. Élu député du Parti québécois dans Richelieu en 1976. Réélu en 1981. Adjoint parlementaire du ministre des Affaires sociales de décembre 1976 au 18 octobre 1979. Adjoint parlementaire du ministre des Travaux publics et de l'Approvisionnement du

18 octobre 1979 au 1er octobre 1984 et adjoint parlementaire du ministre du Commerce extérieur du 1er octobre au 20 décembre 1984. Ministre du Revenu dans les cabinets Lévesque et Johnson (Pierre Marc) du 20 décembre 1984 au 12 décembre 1985. Défait en 1985.

Est retourné à la pratique de sa profession de pharmacien à Sorel. Président des Fêtes du 350e anniversaire de Sorel à compter de 1991.

MARTEL, Michel-Dosithée-Stanislas (1838–1908)

Né à Verchères, le 11 janvier 1838, fils de Jean Martel, journalier, et de Charlotte Lamontagne.

Fit ses études au collège de Montréal et à l'école de médecine et de chirurgie de Montréal.

Reçu médecin en 1865, il exerça sa profession à Chambly. Juge de paix. Capitaine dans la milice volontaire. Président de la Société Saint-Jean-Baptiste.

Échevin de la municipalité de Chambly du 17 avril 1873 au 11 avril 1878 et du 14 octobre 1879 au 3 février 1890. Maire de la municipalité de Chambly du 11 avril 1878 au 14 octobre 1879 et du 3 février 1890 au 6 février 1893. Préfet du comté de Chambly. Élu député conservateur dans Chambly en 1878. Son élection fut annulée le 30 avril 1879 et il fut défait à l'élection partielle du 26 juin 1879. De nouveau élu en 1881. Défait en 1886.

Décédé à Chambly, le 18 septembre 1908, à l'âge de 70 ans et 8 mois. Inhumé à Chambly, dans le cimetière de la paroisse Saint-Joseph, le 21 septembre 1908.

Avait épousé à Saint-Hubert, le 24 septembre 1868, Marie-Rose de Lima Sénécal, fille de Louis Sénécal et de Sophie Sainte-Marie.

MARTELLANI, Camille (Carmine)

Né à Montréal, le 16 juillet 1921, fils de Giovanni Martellani, entrepreneur en construction, et d'Aquilina Pagliarelli.

Fit ses études aux écoles de Lévis et Saint-Jean-de-Matha, à l'École technique de Montréal et à l'université de Montréal, en 1944 et 1945, où il se spécialisa dans le domaine de la construction.

Entrepreneur en construction. Membre de Martellani et Brunet Cie ltée à partir de 1944. Membre des Chevaliers de Colomb. Fut directeur de l'Association des hommes d'affaires canadiens.

Conseiller municipal du district n° 1 à Montréal de 1960 à 1962 et du district Saint-Henri de 1962 à 1966. Élu député de l'Union nationale dans Saint-Henri en 1966. Défait en 1970.

MARTIN, Édouard-Onésiphore (1841–1889)

Né à Rimouski, le 6 septembre 1841, fils d'Henry Martin, marchand, et de Marie-Louise Dessein, dit Saint-Pierre.

Fit ses études au séminaire de Québec et au collège de Sainte-Anne-de-la-Pocatière.

Commerçant de bois, propriétaire de scieries à Métis et à Lac-Trois-Saumons. De 1870 à 1874, il occupa le poste d'entrepreneur lors de la construction de l'Intercolonial Railway. Entra dans la milice volontaire en 1859 et fut promu lieutenant-colonel par la suite.

Élu député libéral dans Rimouski en 1886.

Décédé en fonction à Rimouski, le 4 novembre 1889, à l'âge de 48 ans et un mois. Inhumé à Rimouski, dans le cimetière de la paroisse Saint-Germain, le 7 novembre 1889.

Il était célibataire.

Frère d'Alphonse-Fortunat Martin, député à l'Assemblée législative du Manitoba de 1874 à 1879 et de 1883 à 1896.

MARTIN, Gérard

Né à Saint-Esprit, le 1er mai 1922, fils de Roch Martin, cultivateur, et de Blandine Lachapelle.

Fit ses études à l'école Dominique-Savio à Saint-Esprit, puis suivit des cours privés.

Cultivateur à Saint-Esprit jusqu'en 1960. Assistant-registrateur du comté de Montcalm en 1961 et 1962. Courtier d'assurances à Saint-Esprit de 1961 à 1983. Directeur de l'Union catholique des cultivateurs (UCC) en 1955 et de la Chambre de commerce de Saint-Esprit de 1961 à 1974. Membre de l'Amicale de l'école Dominique-Savio et du Club Richelieu. Membre de la Chambre de commerce de Sainte-Julienne.

Candidat libéral défait dans Montcalm en 1960. Élu député libéral dans la même circonscription en 1962. Défait en 1966 et 1970. Président d'élection de la circonscription de Joliette-Montcalm de 1973 à 1978. Candidat libéral défait dans Rousseau en 1981.

MARTIN, Henri-Josué (1843–1926)

Né à Rimouski, le 12 mars 1843, fils d'Édouard Martin, marchand, et de Catherine Lepage.

Fit ses études à Rimouski, au séminaire de Québec et à l'université Laval à Québec. Reçu médecin en 1877.

Exerça sa profession à Carleton. Membre du Bureau des examinateurs du comté de Bonaventure. Membre du Conseil d'agriculture.

Maire de Carleton pendant plusieurs années et président de la commission scolaire de cette municipalité. Élu sans opposition député conservateur dans Bonaventure à l'élection partielle du 31 octobre 1882. Réélu en 1886. Ne s'est pas représenté en 1890.

Décédé à Carleton, le 14 août 1926, à l'âge de 83 ans et 5 mois. Inhumé dans le cimetière de Carleton, le 17 août 1926.

Avait épousé à Carleton, le 1er septembre 1869, Émilia Jane Verge, fille de Joseph Nelson Verge, agent des terres, et d'Émilie Labillois; puis, à Bonaventure, le 15 avril 1895, Louise Poirier, fille de Napoléon Poirier, marchand, et d'Émérente Bujold.

MARTIN, Jean-Louis (1823–1861)

Né à Saint-Jacques-de-l'Achigan (Saint-Jacques) et baptisé dans la paroisse Saint-Jacques, le 13 février 1823, fils de Charles Martin, cultivateur, et de Marguerite Mireault. Signait parfois Jean-Louis M. Martin.

Fut cultivateur.

Élu député de Montcalm en 1861; n'eut pas le temps de prendre son siège.

Décédé en fonction à Saint-Jacques-de-l'Achigan (Saint-Jacques), le 16 décembre 1861, à l'âge de 38 ans et 10 mois. Inhumé dans l'église paroissiale, le 18 décembre 1861.

Avait épousé dans sa paroisse natale, le 10 novembre 1845, Céline Dupuis, fille de Joseph Dupuis et de Louise Thibodeau; puis, au même endroit, le 25 avril 1854, Félicité Prud'homme, fille de Jean Prud'homme et de Victoire Cassé.

Père de Joseph-Alcide et de Louis-Gustave **Martin**.

MARTIN, Joseph-Alcide
(1858–1922)

Né à Saint-Jacques, le 27 juin 1858, fils de Jean-Louis **Martin**, cultivateur, et de Félicité Prud'homme.

Fit ses études à Saint-Jacques, au collège de L'Assomption et à l'École polytechnique de Montréal. Reçu arpenteur le 19 juillet 1879.

Ingénieur civil. Résida à Montréal jusqu'en 1890, puis s'établit à Joliette.

Élu député conservateur dans Montcalm en 1890. Ne s'est pas représenté en 1892. Nommé agent des terres à Joliette en 1895. Ingénieur officiel de la municipalité de Joliette de 1904 à 1922. Président de la Société Saint-Vincent-de-Paul.

Décédé à Joliette, le 7 septembre 1922, à l'âge de 64 ans et 2 mois. Inhumé dans le cimetière de la paroisse Saint-Charles-Borromée, le 9 septembre 1922.

Avait épousé à Saint-Jérôme, le 27 novembre 1888, Marie-Anne Grignon, fille de Médard Grignon, hôtelier, et d'Henriette Lalande.

Frère de Louis-Gustave **Martin**.

MARTIN, Louis-Gustave
(1846–1879)

Né à Saint-Jacques, le 22 août 1846, fils de Jean-Louis **Martin**, cultivateur, et de Céline Dupuis.

Fit ses études au collège de L'Assomption et à l'École polytechnique de Montréal.

Titulaire d'un diplôme d'architecte. Membre du bureau d'architectes Poitras et Martin de Montréal.

Élu député conservateur dans Montcalm à l'élection partielle du 13 mars 1874, puis aux élections de 1875. Défait en 1878.

Décédé à Saint-Jacques, le 5 septembre 1879, à l'âge de 33 ans. Inhumé dans le caveau de l'église de Saint-Jacques-de-L'Achigan, le 8 septembre 1879.

Il était célibataire.

Frère de Joseph-Alcide **Martin**.

MARTIN, Médéric
(1869–1946)

Né à Montréal, le 22 janvier 1869, fils de Salomon Martin, menuisier, et de Virginie Lafleur.

Fit ses études à Montréal, puis au collège de Saint-Eustache.

Propriétaire d'une manufacture de cigares. Nommé gouverneur à vie de l'hôpital Sainte-Justine en 1927 et de l'hôpital Notre-Dame en 1937. Élu membre du conseil d'administration de l'hôpital Sainte-Jeanne-d'Arc le 22 septembre 1931.

Échevin du quartier Papineau au conseil municipal de Montréal de 1906 à 1910 et de 1912 à 1914. Maire de Montréal de 1914 à 1924 et de 1926 à 1928. À ce titre, il fut président des bureaux de contrôle qui administrèrent la ville de 1914 à 1918. Élu député libéral à la Chambre des communes dans Montréal–Sainte-Marie à l'élection partielle du 21 novembre 1906. Réélu en 1908 et 1911. Ne s'est pas représenté en 1917. Nommé conseiller législatif de la division d'Alma le 20 janvier 1919.

Décédé en fonction à Pont-Viau (Laval), le 12 juin 1946, à l'âge de 77 ans et 4 mois. Inhumé à Montréal, dans le cimetière Notre-Dame-des-Neiges, le 15 juin 1946.

Avait épousé à Montréal, dans la paroisse Sainte-Brigide, le 9 janvier 1893, Clarinda Larochelle, fille de François-Xavier Larochelle et de Virginie Lebrun; puis, dans la paroisse Notre-Dame de Québec, le 6 décembre 1941, Marie-Marguerite-Ernestine L'Espérance, fille d'Édouard-Ovide L'Espérance et de Rose-de-Lima Renaud; puis, dans la cathédrale de Montréal, le 23 octobre 1943, Aurore Dionne, veuve d'Agapit Desrosiers.

MARTINEAU, François
(1844–1911)

Né à Saint-Jérôme, le 27 août 1844, fils de Joseph Martineau, cultivateur, et de Marie-Anne David.

A étudié à l'école des Frères de la doctrine chrétienne à Montréal.

Entra au service d'un peintre en bâtiment en 1856. Devint entrepreneur-peintre et quincaillier en 1870. Président de l'Association des peintres en 1878. Nommé juge de paix du district de Montréal le 26 décembre 1884. Commissaire ordonnateur et président de la section Sainte-Brigide de la Société Saint-Jean-Baptiste. Membre de l'Alliance nationale et de la Société Saint-Vincent-de-Paul.

Échevin du quartier Sainte-Marie au conseil municipal de Montréal de 1886 à 1892. Maire suppléant. Élu député conservateur dans Montréal n° 1 en 1892. Défait en 1897.

Décédé à Montréal, le 18 mai 1911, à l'âge de 66 ans et 8 mois. Inhumé à Montréal, dans le cimetière Notre-Dame-des-Neiges, le 22 mai 1911.

Avait épousé à Montréal, dans la paroisse Notre-Dame, le 8 juin 1863, Émerence Bouthillier, fille de Joseph Bouthillier, charretier, et d'Émérentienne Gervais.

MARTINEAU, Gérald
(1902–1968)

Né à Québec, dans la paroisse Notre-Dame-de-la-Garde, le 31 juillet 1902, fils de Napoléon Martineau, électricien, et de Marie-Aimée Wiseman.

Fit ses études à l'académie Jacques-Cartier et à l'académie commerciale de Québec.

Débuta dans la vente de machines à écrire vers 1919 et fut plus tard propriétaire de la maison Gérald Martineau. Prit une part active à la vie sportive. Propriétaire du club Frontenac de la Ligue junior «A» provinciale de hockey. Propriétaire des As de Québec de la Ligue américaine de hockey de 1959 à 1967. Président honoraire des Braves de Québec de la Ligue provinciale de baseball. Président des championnats canadiens de ski du mont Sainte-Anne. Gouverneur du Club international Kiwanis des districts de Québec, de l'Ontario et des Maritimes en 1937. Président du Club Kiwanis de Québec. Membre du Club canadien, du Club de la garnison de Québec et du Seigniory Club.

Trésorier du parti de l'Union nationale de 1944 à 1960. Conseiller législatif de la division des Laurentides du 21 août 1946 au 30 septembre 1959, puis nommé dans la division de Lauzon le 30 septembre 1959. Appuya l'Union nationale.

Décédé à Sainte-Foy, le 18 mai 1968, à l'âge de 65 ans et 10 mois. Inhumé à Sainte-Foy, dans le cimetière Notre-Dame-de-Belmont, le 23 mai 1968.

Avait épousé à Québec, dans la paroisse Saint-Malo, le 6 août 1923, Marie-Blandine Duggan, fille de John Duggan et d'Henriette Girard.

MARTINEAU, Jérôme
(1750–1809)

Né et baptisé dans la paroisse Sainte-Famille, île d'Orléans, le 6 mars 1750, fils d'Augustin Martineau, cultivateur, et de Françoise Mercier.

En 1771, exerçait les fonctions de payeur et d'agent d'affaires pour le compte du séminaire de Québec; s'occupait, entre autres, de l'entretien et de l'approvisionnement. À partir de 1777, spécula sur des terres situées dans la seigneurie de l'Île-Jésus, près de Montréal, propriété du séminaire de Québec. En 1783, obtint l'autorisation de concéder des terres au nom du seigneur, mais, ayant effectué des transactions illégales, perdit son emploi d'agent d'affaires en 1787. Continua d'exploiter un commerce de marchandises sèches, de blé et de farine, qu'il avait mis sur pied vers 1784 à Québec. Investit

dans la propriété foncière; acquit notamment des terres dans deux cantons.

Élu député d'Orléans en 1796. Réélu en 1800, 1804, 1808 et 1809. Appuya généralement le parti canadien durant son premier et son troisième mandat, et tantôt le parti canadien, tantôt le parti des bureaucrates pendant ses deuxième et quatrième mandats.

Décédé en fonction à Québec, le 19 décembre 1809, à l'âge de 59 ans et 9 mois. Après des obsèques célébrées dans la cathédrale Notre-Dame de Québec, fut inhumé dans le cimetière des Picotés, le 22 décembre 1809.

Avait épousé à Québec, le 13 avril 1779, Marie-Angélique Legris, [fille de Prisque Legris et de Marie-Anne Marsolet].

Bibliographie: *DBC.*

MARX, Herbert

Né à Montréal, le 16 mars 1932, fils de Robert Marx (Markushevitz), tailleur, et de Miriam Rabinovitch.

Bachelier de l'université Concordia. Titulaire d'une maîtrise en littérature anglaise et d'une licence en droit de l'université de Montréal. Membre du barreau du Québec depuis 1968. Termina une maîtrise en droit à la Harvard Law School en 1969.

Fit carrière dans les affaires de 1954 à 1964. Professeur en droit constitutionnel à l'université de Montréal de 1969 à 1979. Publia de nombreux articles et quelques ouvrages dans les domaines du droit constitutionnel, du droit social et des libertés publiques, dont: *les Grands Arrêts de la jurisprudence constitutionnelle au Canada* (1974), *Droit et pauvreté au Québec* (en collaboration) (1974), *The Law and the Poor in Canada* (en collaboration) (1977), *Droit constitutionnel* (en collaboration) (1981).

Élu député libéral dans D'Arcy-McGee à l'élection partielle du 26 novembre 1979. Réélu en 1981 et 1985. Ministre de la Justice et responsable de la Protection du consommateur et de la Déréglementation dans le cabinet Bourassa du 12 décembre 1985 au 23 juin 1988. Solliciteur général par intérim du 30 juin 1987 au 23 juin 1988. Solliciteur général et ministre responsable de la Protection du consommateur du 23 juin 1988 au 10 août 1988. Ministre de la Sécurité publique du 10 août 1988 au 21 décembre 1988, date de sa démission comme ministre par suite de son désaccord avec le projet de loi 178 modifiant la Charte de la langue française.

A démissionné le 30 juin 1989. Nommé juge à la Cour supérieure du Québec.

MASSÉ, Jean-Gilles
(1933–1991)

Né à Victoriaville, le 13 mai 1933, fils d'Édouard Massé, journalier, et d'Évelina Anctil.

Fit ses études à l'académie Saint-Louis-de-Gonzague à Victoriaville, au collège de Victoriaville et à l'École du meuble à Montréal.

Concepteur et dessinateur industriel chez Vic Store Equipment à Victoriaville et à l'imprimerie Rolland à Montréal. Agent du ministère québécois de la Famille et du Bien-être social de 1961 à 1965. Rédacteur au journal *la Nouvelle* de Victoriaville de 1965 à 1968. Cofondateur et directeur général du Conseil régional de développement du Centre du Québec de 1968 à 1970. Directeur de la Jeune Chambre et membre de la Chambre de commerce de Victoriaville. Membre fondateur du Conseil économique régional des Bois-Francs. Membre du conseil d'administration de la Corporation du service social de Nicolet. Membre de la Commission consultative d'éducation permanente des districts des Bois-Francs et de Saint-François. Membre des Chevaliers de Colomb. Directeur des Jeunesses musicales de Victoriaville.

Élu député libéral dans Arthabaska en 1970. Réélu en 1973. Ministre des Richesses naturelles dans le cabinet Bourassa du 12 mai 1970 au 30 juillet 1975.

Son siège devint vacant le 15 octobre 1976 lors de sa nomination à titre de commissaire à la Commission des accidents du travail. Retraité en 1983.

Décédé à Arthabaska, le 19 novembre 1991, à l'âge de 58 ans et 6 mois. Inhumé à Victoriaville, dans le cimetière Saint-Joseph, le 22 novembre 1991.

Avait épousé à Montréal, le 5 septembre 1959, Denise Maheu, secrétaire, fille de Michel Maheu, employé civil, et de Rose Délima L'Allier.

MASSE, Marcel

Né à Saint-Jean-de-Matha, le 27 mai 1936, fils de Rosaire Masse, chirurgien, et d'Angéline Clermont.

Fit d'abord ses études à Joliette, notamment au séminaire Saint-Viateur, puis à Montréal, à l'école Médiatrice et à l'école normale Jacques-Cartier où il obtint un diplôme en pédagogie. Étudia également à l'université de Montréal, où il fut diplômé en histoire, et fit par la suite un stage d'études en civilisation française à la Sorbonne. Poursuivit des études post-universitaires à l'Institut des sciences politiques (Paris), au City of London College (Londres) et à l'université de Montréal.

Professeur d'histoire à la commission scolaire régionale Lanaudière à Joliette de 1962 à 1966. Président de la Fédération des instituteurs et institutrices du diocèse de Joliette de 1963 à 1965. Président de l'Association des enseignants de Lanaudière de 1964 à 1966.

Élu député de l'Union nationale dans Montcalm en 1966. Ministre d'État à l'Éducation du 16 juin 1966 au 20 décembre 1967. Nommé ministre d'État à la Fonction publique le 20 décembre 1967. Ministre d'État délégué à l'Office de développement de l'Est du Québec du 10 octobre 1968 au 12 mai 1970. Ministre des Affaires intergouvernementales dans le cabinet Bertrand du 23 juillet 1969 au 12 mai 1970. Réélu en 1970. Candidat défait à la direction de l'Union nationale le 19 juin 1971. Siégea comme député indépendant à partir du 2 novembre 1971. Ne s'est pas représenté en 1973. Candidat conservateur défait dans Labelle aux élections fédérales de 1974 et 1980. Élu député progressiste-conservateur dans Frontenac aux élections fédérales de 1984. Réélu en 1988. Ministre des Communications dans le cabinet Mulroney du 17 septembre 1984 au 25 septembre 1985 et du 30 novembre 1985 au 30 juin 1986. Ministre de l'Énergie, des Mines et des Ressources du 30 juin 1986 au 30 janvier 1989. Ministre des Communications du 30 janvier 1989 au 21 avril 1991. Nommé ministre de la Défense nationale le 21 avril 1991.

Fut membre du Comité de planification de l'enseignement préuniversitaire et professionnel (COPEPP). Membre du groupe Lavalin de 1974 à 1976. En 1977, il fut nommé directeur du projet Support institutionnel à l'Autorité de développement intégré de la région du Liptako-Gourma (Mali, Haute-Volta et Niger) dans le cadre du programme des Nations Unies pour le développement. Participa également au programme de formation de l'Office national des ports du Cameroun. A été vice-président de la firme Éconosult de Montréal.

Président du Conseil des arts de la région de Joliette en 1964. Président de la Société Saint-Jean-Baptiste du diocèse de Joliette en 1964 et 1965.

MASSICOTTE, Georges

Né à Saint-Prosper, le 23 janvier 1930, fils de Joseph-Alphée Massicotte, entrepreneur et inspecteur, et de Julia Pronovost.

Étudia à l'école publique d'Almaville, à l'école supérieure Immaculée-Conception à Shawinigan et au collège MacDonald à Sainte-Anne-de-Bellevue où il obtint un diplôme en sciences agricoles en 1953. Poursuivit ses études à la faculté d'administration à la McGill University en 1955 et 1956.

Officier du service de l'établissement rural du ministère fédéral de la Citoyenneté et de l'Immigration à London, Toronto et Ottawa en 1953. De mars 1954 à octobre 1963, il occupa diverses fonctions pour la compagnie d'électricité Shawinigan à Valleyfield, Sainte-Thérèse, Montréal, Sorel, Victoriaville et Saint-Joseph-de-Beauce. D'octobre 1963 jusqu'en 1973, il travailla pour Hydro-Québec à Saint-Agapit.

Candidat libéral défait dans Lotbinière en 1970. Élu député libéral dans la même circonscription en 1973. Défait en 1976. Maire de Saint-Agapitville de 1975 jusqu'au 27 mai 1979 et préfet du comté de Lotbinière de 1975 à 1978.

Travailla de nouveau pour Hydro-Québec. Retraité en 1990.

A publié plusieurs articles sur l'utilisation rationnelle de l'électricité dans des revues commerciales et agricoles. Directeur national et représentant du Québec au conseil national de l'Institut agricole du Canada de 1967 à 1969. Secrétaire de l'Institut agricole du Canada à Montréal et président de ce même institut pour la région de Québec. Membre de la Jeune Chambre de commerce de Montréal et de Valleyfield. Fondateur et président de l'Expo Saint-Agapit de 1971 à 1973. Membre de la Corporation des agronomes de la province de Québec. Membre de la Société d'agriculture du comté de Lotbinière, de l'Association Hereford du Québec, de l'Illuminating Engineering Society, de la Graduate Society of McGill University et des Chevaliers de Colomb. Membre fondateur et président du Club Lions de Saint-Agapit. Membre du comité des bénévoles du Centre François-Charon de 1981 à 1984. Président du HLM de Saint-Agapit de 1983 à 1989.

MASSON, Édouard (Mille-Isles) (1826–1875)

Né à Montréal, le 4 mai 1826, puis baptisé le 6, dans l'église Notre-Dame, sous le prénom d'Isidore-Candide-Édouard, fils de Joseph Masson, marchand (fut aussi seigneur), et de Marie-Geneviève-Sophie Raymond.

Étudia au petit séminaire de Montréal de 1836 à 1842, puis en Angleterre de 1842 à 1846.

À la mort de son père, en 1847, se lança dans le commerce. Prit en charge, avec un de ses frères, l'administration des sociétés paternelles, notamment, à Montréal, celle de Joseph Masson, Fils et Compagnie, et, à Québec, celle de Masson, Langevin et Compagnie. Président de la Compagnie du gaz de Montréal. S'occupa activement de colonisation dans les cantons du nord de Montréal, en particulier dans ce qui allait devenir la municipalité de la paroisse de Sainte-Marguerite-du-Lac-Masson.

Représenta le quartier Est au conseil municipal de Montréal, de 1855 jusqu'à sa démission en 1856. Élu conseiller législatif de la division des Mille-Isles en 1856; indépendant. Défait en 1864.

Décédé à Montréal, le 5 août 1875, à l'âge de 49 ans et 3 mois. Inhumé dans l'ancienne église de la paroisse Saint-Louis-de-France, à Terrebonne, le 7 août 1875; ses restes furent transportés, [le 20 mars] 1880, dans le caveau familial, dans l'église actuelle de la même paroisse.

Avait épousé dans la paroisse Saint-Louis, à Terrebonne, le 17 janvier 1848, Marie-Caroline-Josephte-A. Dumas, fille d'Antoine Dumas et de Marie-Madeleine-Caroline Turgeon.

Frère de Louis-François-Rodrigue **Masson**. Petit-fils de Jean-Baptiste **Raymond**.

Bibliographie: *DBC.*

MASSON, Édouard (Repentigny) (1896–1974)

Né à Montréal, le 20 mai 1896, fils d'Olivier Masson, menuisier, et de Marie Perrault.

Fit ses études à Montréal, au collège Mont-Saint-Louis et à la McGill University. Admis au barreau de la province de Québec le 14 août 1919. Créé conseil en loi du roi le 30 décembre 1938.

Exerça sa profession à Montréal. Fut associé à Auguste **Boyer** de 1931 à 1933 et à Claude Violette de 1966 à 1974. Devint membre à vie de l'Association de bienfaisance des avocats de Montréal en 1945. Membre des Chevaliers de Colomb.

Nommé conseiller législatif de la division de Repentigny le 12 mars 1953. Appuya l'Union nationale. Démissionna le 31 octobre 1967.

Décédé à Montréal, le 3 août 1974, à l'âge de 78 ans et 2 mois. Inhumé à Montréal, dans le cimetière Notre-Dame-des-Neiges, le 7 août 1974.

Avait épousé à Montréal, dans la paroisse du Sacré-Cœur-de-Jésus, le 20 juin 1929, Germaine Smith, fille de François Smith et de Marie-Louise Duplessis.

MASSON, Joseph
(1791–1847)

Né à Saint-Eustache et baptisé dans la paroisse du même nom, le 5 janvier 1791, fils d'Antoine Masson, menuisier, et de Suzanne Pfeiffer (Payfer).

Fit l'apprentissage du commerce à titre de commis chez un marchand de Saint-Benoît (Mirabel), de 1807 à 1809. S'établit à Montréal, où il entra, vers 1812, au service d'une société commerciale d'origine écossaise spécialisée dans l'import-export ; en 1815, en devint l'un des associés. De 1830 à 1847, conquit la première place au sein de l'entreprise, qui comptait une maison à Glasgow, en Écosse, une à Québec et une à Montréal. S'engagea aussi dans l'acquisition de bateaux, la construction de canaux et de chemins de fer. Lié à la mise sur pied et à l'exploitation de compagnies qui fournissaient l'eau et l'éclairage au gaz à Montréal, Québec et Toronto. Actionnaire, à compter de 1824, de la Banque de Montréal, fut élu membre de son conseil d'administration en 1826 et vice-président en 1834. Investit dans la propriété foncière à Montréal et acquit la seigneurie de Terrebonne en 1832.

Nommé au Conseil législatif le 16 octobre 1834, en fit partie jusqu'à la suspension de la constitution, le 27 mars 1838. S'occupa d'administration municipale, à Montréal, avant 1833, puis entre 1836 et 1840 ; représenta le quartier Centre au conseil municipal de 1842 à 1844.

Officier de milice. Membre du Committee of Trade de Montréal (1824). Premier marguillier de la paroisse Notre-Dame de Montréal (1828).

Décédé à Terrebonne, le 15 mai 1847, à l'âge de 56 ans et 4 mois. Inhumé dans l'ancienne église de la paroisse Saint-Louis-de-France, le 18 mai 1847 ; ses restes furent transportés, le 20 mars 1880, dans le caveau de la famille Masson, dans l'église actuelle de la même paroisse.

Avait épousé dans la paroisse de La Nativité-de-la-Très-Sainte-Vierge, à Laprairie (La Prairie), le 6 avril 1818, Marie-Geneviève-Sophie Raymond, fille du marchand Jean-Baptiste **Raymond** et de Marie-Clotilde Girardin, et future belle-fille d'Edme **Henry**.

Père d'Édouard et de Louis-François-Rodrigue **Masson**. Oncle par alliance de Charles-François-Xavier **Baby**.

_____

Bibliographie: *DBC*.

MASSON, Joseph-Elzéar
(1873–1934)

Né à Saint-Raphaël, près de Québec, le 2 janvier 1873, fils d'Édouard Masson, boulanger, et de Zoé Pouliot.

Fit ses études au séminaire de Québec et à l'université Laval à Québec.

Reçu médecin en 1899, il exerça sa profession à Montmagny. Collaborateur aux journaux *le Soleil*, *la Presse*, *le Canada* et *le Courrier de Montmagny*. Inspecteur du Bureau provincial d'hygiène pour le district de Joliette de 1920 à 1934. Résida par la suite à Outremont.

Candidat libéral défait dans Montmagny en 1912. Élu député libéral dans la même circonscription en 1916. Ne s'est pas représenté en 1919.

Décédé à Outremont, le 5 janvier 1934, à l'âge de 61 ans. Inhumé à Montréal, dans le cimetière Notre-Dame-des-Neiges, le 8 janvier 1934.

Avait épousé à Québec, dans l'église St. Patrick, le 29 septembre 1902, Mary Convey, fille de John Convey, commerçant, et d'Ann Martin.

MASSON, Louis-François-Rodrigue
(1833–1903)

Né à Terrebonne, le 7 novembre 1833, fils de Joseph **Masson**, seigneur de Terrebonne, et de Marie-Geneviève-Sophie Raymond.

Fit ses études au collège des Jésuites à Georgetown, dans le district de Columbia, au collège Holy Cross de Worcester, dans l'État du Massachusetts, puis au collège de Saint-Hyacinthe. Fit son droit auprès de George-Étienne **Cartier** et fut admis au barreau du Bas-Canada le 7 novembre 1859.

N'a jamais pratiqué. Docteur en droit honoris causa de l'université Laval en 1885 et du Bishop's College en 1887. Créé commandeur de l'ordre de Saint-Grégoire-le-Grand en 1887. Collaborateur à *la Revue canadienne*. Auteur des *Bourgeois de la compagnie du Nord-Ouest* (1889) et des *Récits de voyage, lettres et rapports inédits relatifs au Nord-Ouest canadien* (1890). Officier de la milice canadienne en octobre 1862. Major de brigade du 8e district militaire du Bas-Canada de 1863 à 1868. Nommé lieutenant-colonel en 1867.

Échevin de Terrebonne de 1867 à 1873, puis maire en 1874, 1875 et 1878. Élu sans opposition député conservateur à la Chambre des communes dans Terrebonne en 1867. Réélu sans opposition en 1872 et 1874. De nouveau élu en 1878. Son siège devint vacant lors de sa nomination au cabinet et il fut réélu sans opposition à l'élection partielle du 6 novembre

1878. Ministre de la Milice et de la Défense dans le cabinet Macdonald du 19 octobre 1878 au 15 janvier 1880. Président du Conseil privé du 16 janvier au 31 juillet 1880. Ne s'est pas représenté en 1882. Nommé sénateur de la division des Mille-Isles le 29 septembre 1882, il démissionna le 6 novembre 1884. Conseiller législatif de la division de Lanaudière du 27 mars au 4 octobre 1884. Lieutenant-gouverneur de la province de Québec du 7 novembre 1884 au 24 octobre 1887. Nommé de nouveau sénateur de la division des Mille-Isles le 3 février 1890. Son siège fut déclaré vacant le 11 juin 1903.

Décédé à Montréal, le 8 novembre 1903, à l'âge de 70 ans. Inhumé à Terrebonne, dans l'église Saint-Louis-de-France, le 11 novembre 1903.

Avait épousé à Terrebonne, dans la paroisse Saint-Louis-de-France, le 21 octobre 1856, Louise-Rachel-Marguerite McKenzie, fille d'Alexandre McKenzie, lieutenant-colonel et membre de la compagnie du Nord-Ouest, et de Marie-Louise Trottier Desrivières; puis, dans la paroisse Notre-Dame de Québec, le 12 septembre 1883, Cécile Burroughs, fille de John Henry Ross Burroughs, protonotaire à la Cour supérieure de Québec, et de Léda Larue.

Frère d'Édouard **Masson** (Mille-Isles). Beau-père d'Emmanuel Berchmans Devlin, député à la Chambre des communes de 1905 à 1921.

Bibliographie: Désilets, Andrée, *Louis-Rodrigue Masson, un seigneur sans titres*, Montréal, Boréal Express, 1985, 158 p.

MASSON, Luc-Hyacinthe (1811–1880)

Né à Saint-Benoît (Mirabel), le 16 août 1811, fils de Louis Masson, cabaretier, et de Marie-Louise Choquet.

Étudia au petit séminaire de Montréal de 1821 à 1827, puis fit l'apprentissage de la médecine auprès de Robert **Nelson**. En 1832, pendant l'épidémie de choléra, pratiqua à Pointe-Saint-Charles et à Beauharnois. Reçu médecin en 1833.

Exerça sa profession à Beauharnois, puis à Saint-Benoît. Par suite de sa participation à la rébellion de 1837, fut emprisonné à Montréal le 16 décembre. Exilé aux Bermudes par une proclamation du 28 juin 1838, s'embarqua le 3 juillet; quitta les Bermudes le 1er novembre et entra aux États-Unis le 9. S'établit comme marchand général à Fort Covington, dans l'État de New York. De retour au Bas-Canada en 1842, se lança dans le commerce à Saint-Anicet, sous la raison sociale de Masson et Compagnie. Devint percepteur des douanes dans le port de Dundee en 1844. S'installa à Coteau-Landing en 1860; fit du commerce et fut maire de l'endroit.

Élu député de Soulanges en 1854; réformiste, puis bleu. Ne s'est pas représenté en 1858. Défait en 1861. Élu député conservateur de Soulanges à la Chambre des communes en 1867. Ne s'est pas représenté en 1872.

Fut registrateur du district de Soulanges et greffier de la Cour de circuit. Officier de milice. Président de la Société d'agriculture du comté de Soulanges.

Décédé à Coteau-Landing, le 18 octobre 1880, à l'âge de 69 ans et 2 mois. Inhumé à Saint-Anicet, le 20 octobre 1880.

Avait épousé [à Fort Covington, dans l'État de New York, entre 1838 et 1840], sa cousine germaine Cécile (Céline) Masson; puis, à Saint-Anicet, le 12 juin 1849, Odile-Élodie Watier, fille du marchand Joachim Watier et d'Angélique Leroux.

Bibliographie: *DBC.*

MASSON, Paul-Timothée (1795–1881)

Né à Saint-Eustache et baptisé dans la paroisse du même nom, le 18 décembre 1795, fils de Jean-Baptiste Masson, forgeron, et de Charlotte Roussil.

Marchand de bois, s'établit comme négociant à Saint-Joseph-de-Soulanges (Les Cèdres) vers 1820. Nommé commissaire au tribunal des petites causes, le 22 juin 1836. Participa à une assemblée tenue à Vaudreuil, le 12 mai 1837, en vue de mettre sur pied une compagnie d'assurance mutuelle contre les incendies. Vers la fin de sa vie, se retira à Saint-Eustache, puis chez un de ses gendres, à Saint-Charles-sur-Richelieu.

Élu député de Vaudreuil à une élection partielle le 5 décembre 1831; appuya généralement le parti patriote et vota pour les Quatre-vingt-douze Résolutions. Défait en 1834.

Décédé à Saint-Charles-sur-Richelieu, le 15 juin 1881, à l'âge de 85 ans et 5 mois. Inhumé dans le cimetière de la paroisse de Saint-Eustache, le 18 juin 1881.

Avait épousé dans la paroisse de Sainte-Geneviève, île de Montréal, le 9 novembre 1818, Esther Masson, fille d'Eustache Masson, qui fut cultivateur et commerçant, et de Scholastique Pfeiffer (Payfer).

Beau-frère par alliance d'André **Jobin**.

Bibliographie: Richard, Louis, «La famille Masson (V)», *MSGCF*, 14, 10 (oct. 1963), p. 177-182.

MASSUE, Aignan-Aimé
(1781–1866)

Né à Varennes et baptisé dans la paroisse Sainte-Anne, le 10 octobre 1781, fils de Gaspard Massue, qui fut marchand et coseigneur de Varennes, et de Josephte Huet Dulude.

Fit du commerce avec son beau-frère Étienne **Duchesnois** avant de s'installer à son propre compte. Propriétaire de seigneuries; fit notamment l'acquisition des quatre fiefs de la rivière Yamaska : Saint-Charles et de Bonsecours en 1833, puis Bourchemin et de Bourg-Marie-Ouest en 1835. Exerça les fonctions de commissaire chargé de la construction d'un chemin et de ponts entre Belœil et Varennes, en 1829 et 1830. Nommé juge de paix en juillet 1830 et commissaire au tribunal des petites causes en juillet 1837. Bienfaiteur de la paroisse Saint-Aimé (à Massueville).

Élu député de Surrey en 1824; appuya le parti canadien, puis le parti patriote. Se désista en faveur de Louis-Joseph **Papineau** en 1827. Opposé à la rébellion en 1837.

Décédé à Varennes, le 1er février 1866, à l'âge de 84 ans et 3 mois. Inhumé dans l'église paroissiale, le 5 février 1866.

Avait épousé dans sa paroisse natale, le 28 novembre 1811, Céleste Richard, veuve de François Campeau, fille d'Urbain Richard, officier de milice, et de Louise Senéchal; puis, au même endroit, le 22 septembre 1842, Suzanne-Éléonore Perrault, veuve de Jacques Le Moyne de Martigny.

Frère de Louis **Massue**. Père de Louis Huet Massue, député à la Chambre des communes du Canada. Grand-père de Joseph-Aimé Massue, également député fédéral.

Bibliographie: H.-Lapalice, Ovide-M., *Histoire de la seigneurie Massue* [...], s.l., 1930, p. 133-140.

MASSUE, Louis
(1786–1869)

Né à Varennes et baptisé sous le prénom de Louis-Joseph, le 4 avril 1786, fils de Gaspard Massue, coseigneur de Varennes, et de Josephte Huet Dulude.

Étudia au collège Saint-Raphaël, à Montréal, de 1798 à 1806.

Fit carrière dans le commerce de marchandises sèches à Québec jusque vers 1840. Investit dans la propriété foncière, plus particulièrement dans les cantons. Engagé dans le secteur des banques et dans celui des assurances: fut, entre autres, administrateur de la Banque de Québec dès 1818, vice-prési-

dent et, en 1849, syndic de la Banque de prévoyance et d'épargnes de Québec, cofondateur de la Quebec Fire Insurance Company, trésorier, puis président de la Compagnie d'assurance du Canada contre les accidents du feu. S'intéressa à divers projets ferroviaires.

Candidat antiunioniste défait dans la circonscription de la cité de Québec en 1841. Fit partie du conseil municipal de Québec de 1841 à 1846. Nommé au Conseil législatif le 4 septembre 1843, prêta serment le 16 octobre; démissionna en mai 1851, afin d'occuper le poste de contrôleur des douanes dans le port de Québec.

Décédé à Québec, le 4 juillet 1869, à l'âge de 83 ans et 3 mois. Inhumé dans la chapelle de l'Hôtel-Dieu, le 7 juillet 1869.

Avait épousé à Québec, le 13 janvier 1824, Elizabeth Anne Marett, fille du négociant James Lamprière Marett et d'Henriette Boone.

Frère d'Aignan-Aimé **Massue**. Beau-frère d'Elzéar **Bédard** et d'Étienne **Duchesnois**.

Bibliographie: *DBC.*

MATHEWSON, James Arthur
(1890–1963)

Né à Montréal, le 26 juin 1890, fils de Samuel James Mathewson, négociant, et de Carrie Louise Smith.

Fit ses études à la High School et à la McGill University à Montréal. Fit sa cléricature auprès de Lawrence MacFarlane et fut admis au barreau de la province de Québec le 11 janvier 1917. Suivit des cours de perfectionnement à l'École libre des sciences politiques de Paris.

Combattant à la Grande Guerre, il fut capitaine du 42e régiment canadien des Royal Highlanders de 1914 à 1918.

Avocat à Montréal, il exerça d'abord sa profession au cabinet des avocats Lafleur, MacDougall, MacFarlane, Barclay et Gregor. Fonda plus tard son propre cabinet avec Mes Kenneth A. Wilson et Arthur I. Smith, puis pratiqua seul par la suite. Secrétaire du barreau de Montréal en 1920 et 1921. Nommé à la même époque arrêtiste adjoint aux rapports judiciaires, poste qu'il conserva jusqu'à son décès. Devint membre du conseil de la Banque Dominion en mai 1946. Président du conseil de la compagnie Ogilvie Flour Mills en 1961 et de Franki of Canada Ltd. Membre du conseil d'administration de la Canada Steamship Lines Ltd.

Échevin du quartier Saint-André au conseil municipal de Montréal de 1926 à 1930. Candidat défait à la mairie de

Montréal en 1930. Président de la Commission des écoles protestantes de Montréal de juin 1930 à juin 1933 et membre de cette commission jusqu'en octobre 1934. Élu député libéral dans Montréal–Notre-Dame-de-Grâce en 1939. Trésorier de la province dans le cabinet Godbout du 8 novembre 1939 au 30 août 1944. Réélu en 1944. Ne s'est pas représenté en 1948.

Créé conseil en loi du roi le 16 octobre 1926. Docteur en droit honoris causa de la McGill University en 1943. Décoré de la médaille de la reconnaissance de la Ligue de sécurité de la province en 1946. Président du comité consultatif de l'Armée du Salut en 1954. S'occupa des œuvres de l'Eventide Home et de l'hôpital Catherine Booth. Membre de l'University Club, du Club de la garnison et du Club Canada.

Décédé à Montréal, le 23 août 1963, à l'âge de 73 ans et un mois. Inhumé à Montréal, dans le Mount Royal Cemetery, le 26 août 1963.

[Avait épousé à Londres, le 15 janvier 1918, Ruby Kathleen Tatlow, fille de Harry Edward Tatlow.]

MATHIEU, Auguste
(1864–1918)

Né à La Présentation, près de Saint-Hyacinthe, le 30 novembre 1864, fils d'Hilaire Mathieu et de Marie-Anne-Félonise Brunelle.

Fit ses études à l'École de médecine et de chirurgie de Montréal. Reçu médecin en 1889.

Exerça d'abord sa profession à Saint-Basile-le-Grand, puis aux États-Unis. De retour au Québec, il pratiqua successivement à Saint-Basile-le-Grand, à Granby et à Montréal. Médecin de l'Alliance nationale et du Cercle Duquette.

Élu député libéral dans Shefford à l'élection partielle du 10 mars 1904. Défait aux élections générales de 1904.

Décédé à Montréal, le 13 novembre 1918, à l'âge de 53 ans et 11 mois. Inhumé à Montréal, dans le cimetière Notre-Dame-des-Neiges, le 15 novembre 1918.

Avait épousé à Saint-Basile-le-Grand, le 17 octobre 1893, Marie-Anne Brodeur, fille de Joseph Brodeur, cultivateur, et de Josephine Fortin.

MATHIEU, Étienne
(1804–1872)

Né à Lachenaie, le 21 novembre 1804, fils de Jean-Marie Mathieu, cultivateur, et de Josephte Quenneville.

Étudia au collège Masson à Terrebonne, puis travailla à la ferme paternelle. Fut propriétaire de nombreuses terres à Lachenaie. Major dans la milice. Président de la Société d'agriculture. Juge de paix.

Commissaire d'école à Lachenaie. Maire de Lachenaie de 1867 à 1869. Élu sans opposition député conservateur dans L'Assomption en 1867. Ne s'est pas représenté en 1871.

Décédé à Lachenaie, le 16 janvier 1872, à l'âge de 67 ans et 2 mois. Inhumé à Lachenaie, dans le cimetière de la paroisse Saint-Charles, le 19 janvier 1872.

Avait épousé à Lachenaie, dans la paroisse Saint-Charles, le 27 septembre 1830, Josephte Duprat, fille de Louis Duprat, cultivateur, et de Catherine Bleau.

MATHIEU, François-Eugène
(1908–1992)

Né à L'Ange-Gardien, le 11 mars 1908, fils de François Mathieu, contremaître, et de Diana Lortie.

Fit ses études à L'Ange-Gardien, au séminaire de Québec et à l'université Laval. Licencié en philosophie et en sciences commerciales. Obtint par la suite un certificat en administration des affaires publiques du ministère québécois des Affaires municipales.

Comptable à la compagnie Dominion Corset. Trésorier de la Société zoologique de Québec à compter de 1944. Contrôleur à la quincaillerie Maxime Hudon enr. dont il devint propriétaire en 1950. Secrétaire-trésorier de la municipalité de Charlesbourg de 1945 à 1950, puis de la commission scolaire de cette localité de 1950 à 1972. Vérificateur de plusieurs corporations municipales et scolaires des comtés de Montmorency, Québec et Portneuf. Membre du Comité des budgets des commissions scolaires au ministère de l'Éducation. Expert patronal dans l'arbitrage des conflits de travail entre les commissions scolaires et les syndicats d'enseignants pendant une dizaine d'années. Membre de la Fédération des commissions scolaires catholiques de Québec. Directeur de la caisse populaire de Charlesbourg de 1950 à 1974 et gérant de 1964 à 1966. Président de la Coopérative de Charlesbourg de 1952 à 1958 ainsi que du conseil d'administration de l'hôpital Saint-Ambroise de Loretteville.

Maire de Charlesbourg de 1950 à 1953 et de Charlesbourg-Ouest du 21 janvier 1953 au 6 octobre 1969. Membre de l'exécutif de l'Union des conseils de comté de 1958 à 1968 et président de l'Union en 1965 et 1966. Préfet du comté de Québec de 1961 à 1969. Élu député de l'Union nationale dans Chauveau en 1966. Assermenté ministre d'État dans le cabinet Johnson le 16 juin 1966, puis dans le cabinet Bertrand le 2 octobre 1968. Défait en 1970.

Membre de la Corporation professionnelle des comptables généraux licenciés du Québec, des chambres de commerce de Québec et Charlesbourg, du Club Renaissance, de la Société linnéenne et des Amis de Monsieur Vincent.

Décédé à Sillery, le 13 juin 1992, à l'âge de 84 ans et 3 mois. Les funérailles eurent lieu à Charlesbourg, dans l'église Saint-Charles-Borromée, le 20 juin 1992.

Avait épousé à L'Ange-Gardien, le 24 novembre 1934, Lucienne Laberge, fille d'Émile-Olivier Laberge, cultivateur, et de Phébée Plante; puis, en secondes noces, Lynne Coulombe.

MATHIEU, François-Xavier
(1838–1908)

Né à Sainte-Thérèse, le 2 juillet 1838, fils de François Mathieu, cultivateur, et de Marie Labelle.

A étudié au collège de Sainte-Thérèse. Admis au barreau de la province du Canada le 2 décembre 1861. Créé conseil en loi de la reine le 19 mai 1899.

Exerça sa profession avec son oncle, Wilfrid **Prévost**. Fut substitut procureur général.

Candidat défait dans Deux-Montagnes à l'élection fédérale partielle du 27 février 1892. Nommé conseiller législatif de la division des Mille-Isles le 6 février 1900. Appuya le Parti libéral.

Décédé en fonction à Sainte-Scholastique (Mirabel), le 29 mars 1908, à l'âge de 69 ans et 8 mois. Inhumé dans le cimetière de Saint-Jérôme, le 1er avril 1908.

Avait épousé à Sainte-Scholastique, le 23 janvier 1864, Zulma Prévost, fille de Melchior Prévost, notaire, et d'Henriette Labrie.

MATHIEU, Hermann

Né à Saint-Éphrem-de-Beauce, le 27 juillet 1936, fils de Napoléon Mathieu, cultivateur, et de Joséphine Poulin.

Fit ses études primaires à Saint-Éphrem de 1942 à 1948. Après avoir exercé divers métiers, il a étudié au séminaire de Saint-Victor (Beauce) et au séminaire Saint-Augustin de Cap-Rouge de 1961 à 1968. Licencié en droit de l'université Laval en 1972. Membre de la Chambre des notaires du Québec.

Fut successivement aide-fermier, bûcheron, commis et chauffeur de camion de 1953 à 1961. Exerce la profession de notaire depuis 1972. Fut aussi producteur agricole. Coroner de Beauce de 1973 à 1979. A publié *Notes historiques sur la paroisse Saint-Ephrem-de-Beauce et le canton de Tring* (1982)

et *Répertoires des naissances, mariages et sépultures de la paroisse Saint-Ephrem-de-Beauce 1848–1991* (1991). Président de l'Association des Mathieu d'Amérique.

Élu député libéral dans Beauce-Sud à l'élection partielle du 14 novembre 1979. Réélu en 1981. Président de la Commission de l'agriculture, des pêcheries et de l'alimentation du 15 mars au 20 juin 1984. Ne s'est pas représenté en 1985.

Est retourné à la pratique du notariat à Saint-Éphrem-de-Beauce. Nommé régisseur à la Régie des assurances agricoles du Québec le 21 octobre 1987, puis membre de la Commission municipale du Québec le 19 juin 1992.

MATHIEU, Michel
(1838–1916)

[Né à Sorel, le 20 décembre 1838, fils de Joseph Mathieu, cultivateur et juge de paix, et d'Edwidge Vandal.]

Suivit des cours privés, puis étudia au séminaire de Saint-Hyacinthe. Fit sa cléricature auprès de Me Jean-Georges Crebossa. Admis à la pratique du notariat le 20 janvier 1864. Admis au barreau du Bas-Canada le 5 décembre 1865.

Exerça sa profession de notaire à Sorel de janvier 1864 à décembre 1865. Fut ensuite huissier à la Cour supérieure, puis shérif du district de Richelieu de 1866 à 1872.

Maire de Sorel de 1876 à 1882. Élu député conservateur à la Chambre des communes dans Richelieu en 1872. Défait en 1874. Élu sans opposition député conservateur à l'Assemblée législative dans la même circonscription en 1875. Réélu en 1878. Son siège devint vacant, le 3 octobre 1881, à la suite de son accession à la magistrature.

Créé conseil en loi de la reine le 11 octobre 1880. Docteur en droit de l'université Laval en 1886. Nommé juge à la Cour supérieure du district de Joliette le 3 octobre 1881, puis du district de Montréal le 23 juin 1883. Prit sa retraite en janvier 1909, mais continua d'agir à titre d'avocat consultant. Nommé percepteur des douanes le 8 mai 1884. Nommé commissaire royal chargé d'enquêter sur les affaires du gouvernement provincial en 1892 et membre de la Commission de refonte du Code municipal en 1910. Enseigna à la faculté de droit de l'université Laval à Montréal de 1887 à 1915 et fut doyen de cette faculté de 1898 à 1915. Codirecteur de la compagnie du chemin de fer de Montréal, Portland et Boston et de la compagnie South Eastern. Cofondateur du collège de Sorel.

En mai 1869, il fonda avec Adolphe Germain la *Revue légale* dont il fut aussi propriétaire et éditeur de 1871 à 1884, et rédacteur jusqu'en 1892. Propriétaire, éditeur et imprimeur du *Courrier de Richelieu* de 1872 à mars 1874. Publia entre autres : *les Rapports judiciaires révisés de la province de Québec* (1891–1896), *Code de procédure civile de la province de Québec* (1893), une édition annotée du *Code municipal* (1894), la table alphabétique des *Causes de la province de Québec rapportées et citées* et l'édition annotée de l'ouvrage de Thévenot Dessaulles sur les substitutions.

Décédé à Montréal, le 30 juillet 1916, à l'âge de 77 ans et 7 mois. Inhumé dans le cimetière de Sorel, le 1er août 1916.

Avait épousé dans la paroisse Saint-Pierre-de-Sorel, le 22 juin 1863, Rose de Lima-Thirza Saint-Louis, fille d'Augustin Saint-Louis, capitaine, et de Joséphine Désaulniers ; [puis, le 30 octobre 1881, Amélie Armstrong, fille de David Morrisson **Armstrong**, marchand, et de Léocadie Deligny].

MATTE, Joseph-Onésime
(1896–1973)

Né à Québec, le 7 mai 1896, fils de Joseph Matte, journalier, et de Marie Martel.

Fit ses études à l'école paroissiale de Beauport.

Ouvrier. Membre de la Fraternité des wagonniers de chemins de fer à compter de 1920. Président du Conseil fédéré des métiers et du travail de Québec de 1945 à 1948. Vice-président de la Fédération provinciale du travail, du Conseil supérieur du travail et de la commission permanente de ce conseil de 1937 à 1949. Membre de l'Union commerciale. Admis dans le régiment des Zouaves en 1914 et promu major en 1949. Membre du Club Renaissance.

Échevin du quartier Saint-Roch au conseil municipal de Québec de 1940 à 1965. Candidat ouvrier indépendant défait dans Québec-Est en 1944. Élu député de l'Union nationale dans Québec-Est en 1948. Défait en 1952.

Décédé à Lac-Saint-Charles, près de Québec, le 26 octobre 1973, à l'âge de 77 ans et 5 mois. Inhumé à Québec, dans le cimetière Saint-Charles, le 29 octobre 1973.

Avait épousé à Québec, dans la paroisse Saint-Roch, le 24 octobre 1921, Marguerite Bouchard, dit Janvier, fille de Napoléon Bouchard, dit Janvier, et d'Alexina Vaillancourt ; puis, à Québec, dans la paroisse Saint-Fidèle, le 22 août 1966, Lucille Desmeules, veuve de Léopold Duchesneau.

MAYRAND, Étienne
(1776–1872)

Né à Montréal, le 3 septembre 1776, fils de Jean-Baptiste Mayrand et de [sa deuxième femme], Agathe Roy.

Reçut une instruction élémentaire à Montréal.

Avant 1800, fit la traite des fourrures dans l'Ouest canadien pour le compte de la North West Company. Fut commerçant, prêteur et agent immobilier à Rivière-du-Loup (Louiseville). Servit en qualité d'officier de milice pendant la guerre de 1812 ; devint lieutenant-colonel en 1846.

Élu député de Saint-Maurice en 1816 ; appuya le parti des bureaucrates. Ne se serait pas représenté en avril 1820. Membre du Conseil spécial du 2 avril 1838 jusqu'à la dissolution de ce conseil, en juin, et à nouveau du 2 novembre 1838 jusqu'à l'entrée en vigueur de l'Acte d'Union, le 10 février 1841. Appelé au Conseil législatif le 9 juin 1841, résigna son siège le 22.

Obtint plusieurs postes de commissaire et fut visiteur scolaire.

Décédé à Rivière-du-Loup (Louiseville), le 22 janvier 1872, à l'âge de 95 ans et 4 mois. Les obsèques auraient eu lieu dans l'église Saint-Antoine-de-Padoue, le 25 janvier 1872.

Avait épousé dans l'Ouest, vraisemblablement à la façon du pays, une Amérindienne ; puis, probablement à Berthier (Berthierville), le 22 août 1806, Sophie Héneau ; et, dans la paroisse Notre-Dame, à Montréal, le 30 septembre 1811, Thérèse Heney, fille de Hugh Heney et de Thérèse Fortier ; enfin, dans la cathédrale Notre-Dame, à Québec, le 2 août 1827, Félicité Lemaître (Le Maître-Bellenoix), veuve du marchand Louis Gauvreau et mère de Louis-Honoré **Gauvreau**.

Beau-père de Georges **Caron**. Grand-père d'Hormidas Mayrand, député à la Chambre des communes du Canada.

Bibliographie : *DBC.*

MAYRAND, Georges
(1876–1951)

Né à Saint-Charles-de-Grondines, le 21 août 1876, fils de Siméon Mayrand, menuisier, et de Denise Rousseau.

Fit ses études au collège Sainte-Marie et à l'université Laval à Montréal.

Reçu notaire le 18 septembre 1900, il s'associa à Mes Loranger, Écrément et Melançon, et pratiqua à Rosemont et Delorimier. Président de l'Association du notariat canadien de février 1945 à mars 1947. Directeur des compagnies Greater Montreal Lands, St. Catherine Realty, Summerlea Realty et Sault-aux-Récollets Island. Membre de la National Amateur Athletic Association.

Échevin du quartier Delorimier au conseil municipal de Montréal de 1910 à 1918. Président du comité de l'annexion de la ville de Montréal en 1910. Commissaire d'école à Montréal du 3 juillet 1911 à juin 1914. Élu député libéral dans Montréal-Dorion en 1912. Réélu de 1916. Défait en 1919.

Retourna à l'exercice de sa profession.

Décédé à Montréal, le 20 janvier 1951, à l'âge de 74 ans et 4 mois. Inhumé à Montréal, dans le cimetière Notre-Dame-des-Neiges, le 24 janvier 1951.

Avait épousé à Montréal, dans l'église Saint-Enfant-Jésus, le 11 mai 1915, Alice Mercier, fille de Maximin Mercier et de Célanise Gratton.

MEAGHER, John
(≈1805–1876)

Né vers 1805.

Marchand de bois irlandais établi à Carleton, en Gaspésie. Fut lieutenant-colonel dans le 2ᵉ bataillon de milice de Bonaventure. Contribua financièrement à l'établissement du couvent de Carleton, en 1867.

Défait dans Bonaventure en 1848. Élu député de cette circonscription en 1854. Réélu en 1858. Réformiste, puis bleu. Défait en 1861.

Décédé à Carleton, le 11 mars 1876, à l'âge d'environ 71 ans. Inhumé dans l'église catholique Saint-Joseph, le 15 mars 1876.

Avait épousé Mary Ann Drake.

MEIKLE, Robert Greenshields
(≤1830– ≥1887)

[Né à Lachute, fils de John Meikle, marchand, maître de poste et juge de paix, et de Jean Greenshields.]

Devint copropriétaire du magasin général fondé par son père, à Lachute, en 1830. Se retira des affaires en 1878. Commissaire à la Cour des commissaires et juge de paix.

Élu député libéral à l'Assemblée législative dans Argenteuil en 1878. Ne s'est pas représenté en 1881. Candidat libéral défait dans Argenteuil aux élections fédérales de 1887.

Décédé à une date inconnue.

Il était célibataire.

MEILLEUR, Jean-Baptiste
(1796–1878)

Né à la Petite-Côte (Saint-Laurent), île de Montréal, le 8 mai 1796, puis baptisé le 9, dans la paroisse Saint-Laurent, fils de Jean (Jean-Baptiste) Meilleur et de Marie-Suzanne Blaignier.

Étudia au petit séminaire de Montréal de 1815 à 1818, puis dans une école anglaise. En 1821, entreprit des études en sciences et en médecine à la Castleton Academy of Medicine, au Middlebury College de Montpelier, tous deux au Vermont, et au Dartmouth College à Hanover, New Hampshire. Parallèlement, donna des leçons de français. Reçut un doctorat en médecine du Middlebury College en 1825. Obtint l'autorisation d'exercer sa profession au Bas-Canada en 1826.

Fut médecin à L'Assomption de 1826 à 1840, puis à Montréal un certain temps. Élu membre du Bureau d'examinateurs en médecine du district de Montréal en 1831. S'occupa de promouvoir les connaissances scientifiques et l'éducation en général. Fit paraître de nombreux articles dans divers périodiques ainsi que deux séries de lettres sur l'éducation en 1828 et en 1838, et un manuel de chimie en 1833. Contribua au maintien d'un musée d'histoire naturelle à Québec dans les années 1830. Fut syndic d'école à L'Assomption, où il donna des leçons; cofondateur du collège de l'endroit en 1834. Prit part à l'adoption de la loi qui prévoyait la création des premières écoles normales au Bas-Canada en 1836.

Élu député de L'Assomption en 1834; appuya généralement le parti patriote, mais s'opposa à l'usage des armes. Occupa son siège jusqu'à la suspension de la constitution, le 27 mars 1838.

Nommé surintendant adjoint de l'Éducation, responsable du Bas-Canada, en 1842 et surintendant du Bureau d'éducation du Bas-Canada en 1845; démissionna en juin 1855. Fut directeur, puis inspecteur des Postes à Montréal, où il publia, en 1860, son œuvre maîtresse, *Mémorial de l'éducation du Bas-Canada*. Nommé vendeur de timbres de loi et, après l'avènement de la Confédération, sous-registraire de la province, avec résidence à Québec.

Officier de milice. Juge de paix. Président de la Société Saint-Jean-Baptiste de Montréal, de la Société de construction du district de Montréal et de la Société d'histoire naturelle de Québec.

Décédé à Montréal, le 6 décembre 1878, à l'âge de 82 ans et 6 mois. Inhumé dans le cimetière Notre-Dame-des-Neiges, le 11 décembre 1878.

Avait épousé dans la paroisse de la Purification-de-la-Bienheureuse-Vierge-Marie, à Repentigny, le 26 juin 1827, Joséphine Hénault (Éno, dit Deschamps), fille du cultivateur Antoine Hénault et d'Archange Senet.

Beau-père de Georges-Isidore Barthe, député à la Chambre des communes du Canada, lequel fut le grand-oncle d'Armand **La Vergne**.

Bibliographie: *DBC*.

MÉNARD, dit LAFONTAINE, Antoine
(1744–1825)

Né à Boucherville, le 2 avril 1744, puis baptisé le 3, dans la paroisse Sainte-Famille, fils d'Antoine Ménard et de Jeanne (Jeanne-Françoise) Marcille (Marsil).

Fut entrepreneur en bâtiment.

Élu député de Kent en 1796; prit part aux votes des deux premières sessions et donna son appui au parti canadien. Réélu en 1800; appuya généralement le parti canadien. Ne s'est pas représenté en 1804.

Décédé à Boucherville, le 17 avril 1825, à l'âge de 81 ans. Inhumé dans le cimetière de la paroisse Sainte-Famille, le 20 avril 1825.

Avait épousé dans sa paroisse natale, le 21 novembre 1768, Marie Loiseau, fille d'Antoine Loiseau, notaire d'origine française, et de Marianne Taillandier.

Grand-père de Louis-Hippolyte **La Fontaine**.

MENUT, Alexandre
(<1768– ≥1804)

Né en France.

Arriva au Canada après la Conquête. Fut le cuisinier des gouverneurs James Murray et Guy **Carleton**, puis ouvrit une auberge, à Québec, en 1768. Fit partie de la milice, mais n'a pas participé à la défense de la ville en 1775–1776. Malgré des pertes subies pendant l'invasion américaine, ouvrit avant 1782 une nouvelle auberge. En 1804, habitait le canton de Simpson.

Élu député de Cornwallis en 1796; appuya le parti canadien. Réélu en 1800; donna son appui au parti des bureaucrates. Ne s'est pas représenté en 1804.

Membre de la Société du feu en 1790. Souscrivit à la Société d'agriculture et présida le Club constitutionnel en 1792.

Décédé entre le mois de mars 1804 et le mois de mars 1806.

Avait épousé, avant 1777, Marie de Land (Deland), décédée en décembre 1824 dans le canton de Simpson.

Père d'Henry **Menut**.

Bibliographie: *DBC*.

MENUT, Henry
(1784– ≥1838)

Né à Québec, fut baptisé le 15 août 1784 dans l'église anglicane, fils d'Alexandre **Menut**, aubergiste natif de France, et de Marie de Land (Deland).

Élu député de Drummond à une élection partielle le 9 novembre 1836; appuya le parti des bureaucrates. Son mandat prit fin avec la suspension de la constitution, le 27 mars 1838.

Décédé en ou après 1838.

Avait épousé dans l'église anglicane de Hatley, le 29 juin 1818, Mabel Root.

MERCIER, Honoré (père)
(1840–1894)

Né à Saint-Athanase, près d'Iberville, le 15 octobre 1840, fils de Jean-Baptiste Mercier, cultivateur, et de Marie-Catherine Timineur (Kemeneur).

Fit ses études au collège Sainte-Marie à Montréal. Étudia le droit auprès de Mᵉˢ **Laframboise** et Papineau, à Saint-Hyacinthe, et auprès de Joseph-Adolphe **Chapleau**. Admis au barreau du Bas-Canada le 3 avril 1864. Créé conseil en loi de la reine le 31 mai 1878.

Rédacteur au *Courrier de Saint-Hyacinthe* du 11 juillet 1862 jusqu'à sa démission, le 4 mai 1864. De retour au *Courrier* le 27 février 1866 comme membre du comité de rédaction, il quitta de nouveau le journal le 23 mai suivant. Dans le domaine journalistique, il fonda également à Montréal, en 1883, le quotidien *le Temps*, avec Félix-Gabriel **Marchand** et Toussaint-Antoine-Rodolphe Laflamme, député à la Chambre des communes de 1872 à 1878.

Exerça sa profession d'avocat à Saint-Hyacinthe de 1865 à 1881 et s'associa à H. Bourgeois de 1874 à 1879 et à Odilon **Desmarais** en 1876. S'établit à Montréal en 1881 où il fut associé à Cléophas Beausoleil (député à la Chambre des communes de 1887 à 1899) et Paul Martineau. Fut associé à partir de 1892 à Lomer **Gouin** et Rodolphe Lemieux (député à la Chambre des communes de 1896 à 1930 et sénateur de 1930 à 1937). Participa à la fondation de la Compagnie d'aqueduc de Saint-Hyacinthe en 1874.

Membre fondateur de la section de Montréal du Parti national et secrétaire de cette formation en 1872. Élu député libéral à la Chambre des communes dans Rouville en 1872. Ne s'est pas représenté en 1874. Défait dans Saint-Hyacinthe aux élections fédérales de 1878. Assermenté solliciteur général dans le cabinet provincial de Joly de Lotbinière le 30 avril 1879, il occupa cette fonction jusqu'au 31 octobre 1879. Élu député libéral à l'Assemblée législative dans Saint-Hyacinthe à l'élection partielle du 3 juin 1879. Réélu sans opposition en 1881. Chef de l'Opposition libérale de 1883 à 1887. Fondateur et chef, en 1885, d'un nouveau Parti national regroupant libéraux et conservateurs. Élu de nouveau dans Saint-Hyacinthe en 1886. Son siège devint vacant lors de son accession au cabinet et il fut réélu sans opposition à l'élection partielle du 12 février 1887. Élu dans Bonaventure en 1890. Premier ministre de la province du 29 janvier 1887 au 21 décembre 1891. Président du Conseil exécutif du 29 janvier 1887 au 30 juin 1890. Procureur général du 29 janvier 1887 au 8 mai 1888. Commissaire de l'Agriculture et de la Colonisation du 8 mai au 7 décembre 1888 et du 30 juin 1890 au 21 décembre 1891. Fut renvoyé d'office par le lieutenant-gouverneur Auguste-Réal **Angers**, le 16 décembre 1891, à la suite du scandale de la Baie-des-Chaleurs. Traduit en justice sous une accusation de pot-de-vin dans un contrat de papeterie avec J.-A. Langlais, il fut acquitté le 4 novembre 1892. Réélu dans Bonaventure en 1892, il conserva ce siège jusqu'à son décès.

Prononça de nombreuses conférences dont plusieurs furent publiées. Président de l'Union catholique de Saint-Hyacinthe. Bâtonnier du barreau de Montréal en 1885 et 1886, puis bâtonnier du barreau de la province de Québec en 1886 et 1887. Créé officier de la Légion d'honneur de France et grand-croix de l'ordre de Saint-Grégoire-le-Grand en 1888. Récipiendaire d'un doctorat en droit honoris causa de l'université Laval en 1890, et des universités de Fordham (New York) et de Georgetown. Chevalier de l'ordre du Saint-Sépulcre et commandeur de l'ordre de Léopold II de Belgique.

Décédé à Montréal, le 30 octobre 1894, à l'âge de 54 ans. Inhumé à Montréal, dans le cimetière Notre-Dame-des-Neiges, le 2 novembre 1894.

Avait épousé dans la cathédrale de Saint-Hyacinthe, le 29 mai 1866, Léopoldine Boivin, fille de Narcisse Boivin, marchand, et d'Élisabeth Maillette; puis, au même endroit, le 9 mai 1871, Virginie Saint-Denis, fille de Jean-Baptiste Saint-Denis, marchand, et d'Hermine Boivin.

Père d'Honoré **Mercier** (fils). Beau-père de Lomer **Gouin**. Grand-père d'Honoré **Mercier** (petit-fils), de Gaspard **Fauteux** et de Paul **Gouin**, ainsi que de Léon Mercier Gouin, sénateur de 1940 à 1976.

_____
Bibliographie: *DBC.*

MERCIER, Honoré (fils)
(1875–1937)

Né à Saint-Hyacinthe, le 20 mars 1875, fils d'Honoré **Mercier**, avocat, et de Virginie Saint-Denis.

A étudié au collège Sainte-Marie et à l'université Laval à Montréal. Admis au barreau de la province de Québec le 11 juillet 1900. Créé conseil en loi du roi le 26 avril 1913.

Exerça d'abord seul sa profession jusqu'en 1904, puis avec Me Camille Piché de 1904 à 1907 et Me H.A. Béïque de 1907 à 1917. Pratiqua seul de 1917 à 1922, et abandonna l'exercice de sa profession jusqu'en 1928. Fut associé notamment à Bernard **Bissonnette** de 1931 à 1936.

Directeur et secrétaire-trésorier de la corporation de l'École des hautes études commerciales de Montréal de 1907 à 1921. Président de l'Association internationale pour la conservation du gibier et du poisson. Membre de l'A.A.A. nationale, du Montreal Press Club, du Club canadien, du Cercle universitaire, du Club Saint-Denis, du Club de réforme, de l'Union interalliée de Paris et de la Ligue maritime et coloniale française.

Échevin du quartier Centre de Montréal de 1906 à 1910. Marguillier de la paroisse Saint-Joachim-de-Châteauguay de 1930 à 1932. Élu député libéral dans Châteauguay à l'élection partielle du 16 décembre 1907. Défait en 1908. Élu à l'élection partielle du 28 décembre 1908. Réélu en 1912. Son siège devint vacant lors de sa nomination au cabinet. Réélu sans opposition à l'élection partielle du 9 mai 1914. De nouveau élu en 1916, puis sans opposition en 1919. Réélu en 1923, 1927, 1931 et 1935. Ministre de la Colonisation, des Mines et des Pêcheries dans le cabinet Gouin du 29 avril 1914 au 25 août 1919. Ministre des Terres et Forêts dans les cabinets Gouin et Taschereau du 25 août 1919 au 27 juin 1936. Ne s'est pas représenté en 1936.

Commandeur de l'ordre de Saint-Grégoire-le-Grand et chevalier de la Légion d'honneur de France.

Décédé à Châteauguay, le 19 juin 1937, à l'âge de 62 ans et 2 mois. Inhumé à Montréal, dans le cimetière Notre-Dame-des-Neiges, le 23 juin 1937.

Avait épousé dans la cathédrale de Montréal, le 21 avril 1903, Jeanne Fréchette, fille de Louis Fréchette, avocat et poète, et d'Emma Beaudry.

Père d'Honoré **Mercier** (petit-fils).

MERCIER, Honoré (petit-fils)
(1908–1988)

Né à Montréal, le 17 novembre 1908, fils d'Honoré **Mercier** (fils), avocat, et de Jeanne Fréchette.

Fit ses études au Providence Mile End, au collège Sainte-Marie à Montréal et au collège de Saint-Jean. Suivit par la suite des cours privés à Montréal.

Industriel. Directeur du bureau d'enregistrement de Châteauguay.

Maire de la ville de Léry de 1948 à 1950. Élu député libéral dans Châteauguay en 1944. Défait en 1948, 1952 et 1960.

Décédé à Montréal, le 14 juillet 1988, à l'âge de 79 ans et 7 mois. Inhumé à Montréal, dans le cimetière Notre-Dame-des-Neiges, le 15 juillet 1988.

Avait épousé dans la cathédrale de Montréal, le 10 avril 1939, Héva Fauteux, fille d'Homère Fauteux, chirurgien dentiste, et d'Éva Mercier.

Cousin et beau-frère de Gaspard **Fauteux**.

MERCIER, Jean
(1899–1985)

Né à Saint-Adrien-d'Irlande, le 29 mai 1899, fils de Godfroi Mercier, cultivateur, et de Georgiana Pépin.

Fit ses études dans sa paroisse natale, au collège de Victoriaville, au séminaire du Sacré-Cœur à Saint-Victor-de-Beauce, au séminaire Saint-Charles-Borromée à Sherbrooke, au collège Saint-Laurent et à l'université Laval à Québec. Fit sa cléricature auprès de M.A. Lemieux et fut admis au barreau de la province de Québec le 13 septembre 1926.

Exerça sa profession à Québec et fut associé à Mᵉ Jacques Casgrain de 1936 à 1938. Créé conseil en loi du roi le 4 janvier 1939.

Organisateur et trésorier de l'Union nationale de 1935 à 1942. Nommé conseiller législatif de la division de La Salle le 4 janvier 1939, il appuya l'Union nationale. Démissionna le 23 septembre 1939.

Nommé juge à la Cour municipale de Québec le 21 juin 1945, il occupa cette fonction jusqu'en 1950. Retourna à la pratique du droit et fut associé à Mᵉ Émilien Simard jusqu'en 1952, puis à Mᵉ Louis F. Cantin jusqu'en 1955. Membre de la Commission de l'office de l'électrification rurale de 1955 à 1968 et président de 1965 à 1968. Membre de la Commission d'étude des lois coopératives du Québec de 1956 à 1961. Revint à l'exercice de sa profession en 1968. Fut directeur de la Gaspesia Sulphite Co. Membre de l'Association du barreau du Québec et de l'Association du barreau du Canada. Auteur d'articles sur l'histoire du Canada et sur le droit parus dans la *Revue du barreau* et la *Canadian Bar Review*.

Décédé à Québec, le 9 mai 1985, à l'âge de 85 ans et 11 mois. Inhumé à Sainte-Foy, dans le cimetière Notre-Dame-de-Belmont, le 13 mai 1985.

Avait épousé, à Montréal, dans la paroisse Saint-Louis-de-France, le 20 septembre 1928, Marie-Rose-Aimée Dussault, fille d'Henri Dussault, industriel, et d'Honorine Phaneuf; puis, à Québec, dans la paroisse des Saints-Martyrs-Canadiens, le 11 mars 1961, Yvette Darveau, fille de Charles-Henri Darveau, comptable, et d'Anne-Marie Boucher.

MERCIER, Jean-Guy

Né à Montréal, le 16 septembre 1943, fils de Jean-Paul Mercier, fonctionnaire fédéral, et d'Yvette Lapierre.

Fit ses études à Montréal aux écoles Lamenais et Christophe-Colomb, à l'École des hautes études commerciales et à l'université de Montréal. Obtint un baccalauréat en sciences commerciales et une licence en administration du personnel. Suivit également des cours en droit et en pédagogie.

Journaliste au quotidien l'*Évangéline* de Moncton en 1965. Professeur à l'école Cavalier-de-La-Salle de La Salle de 1965 à 1967. Contrôleur des finances dans une imprimerie de Montréal en 1970. Administrateur adjoint à la Commission des écoles catholiques de Montréal (CECM) de 1971 à 1975 et à la commission scolaire Le Gardeur de 1973 à 1975. Propriétaire d'une ferme spécialisée dans l'élevage des animaux de boucherie à Saint-Sulpice. Officier cadet de l'aviation royale du Canada de 1962 à 1964. Membre du conseil d'administration du Syndicat des producteurs agricoles du Portage.

Président du Rassemblement pour l'indépendance nationale (RIN) dans la circonscription de Gouin de 1967 à 1969. Membre de l'exécutif du Parti québécois dans Gouin en 1969, puis dans L'Assomption de 1974 à 1976. Élu député du Parti québécois dans Berthier en 1976. Défait à l'investiture de son parti dans Berthier en 1981. Candidat indépendant défait à l'élection partielle fédérale du 17 août 1981. Devint agriculteur.

MERCIER, Louis-Philippe
(1877–1961)

Né à Fraserville (Rivière-du-Loup), le 4 septembre 1877, fils d'Herménégilde Mercier, cultivateur, et d'Eugénie LeBourdais.

Fit ses études à l'école normale Laval à Québec, au séminaire de Québec et à l'université Laval. Admis à la pratique du notariat le 15 juillet 1905.

Exerça sa profession à Trois-Rivières jusqu'en 1931. Lieutenant-colonel et commandant du 86e bataillon de milice en 1913 et 1914. Président de la corporation de l'École technique de Trois-Rivières de 1916 à 1922.

Président du Club Laurier de Trois-Rivières de 1919 à 1922. Élu sans opposition député libéral dans Trois-Rivières à l'élection partielle du 15 décembre 1921. Réélu en 1923. Défait en 1927.

Shérif du district de Trois-Rivières du 8 mai 1931 au 23 février 1961.

Décédé à Trois-Rivières, le 16 mars 1961, à l'âge de 83 ans et 6 mois. Inhumé à Trois-Rivières, dans le cimetière Saint-Louis, le 18 mars 1961.

Avait épousé à Trois-Rivières, le 23 janvier 1905, Éléonore Nora Mons, fille de Nora Mons, inspecteur des ponts pour le Canadien Pacifique, et d'Édouardina Craig ; et au même endroit, le 27 septembre 1910, Marie-Alice-Cécile Gouin, fille de Pierre-Avila Gouin, marchand, et de Caroline Larivière.

MERCIER, Pierre

Né à Montmagny, le 2 mars 1937, fils de Paul Mercier, industriel, et d'Alida Caron.

Fit ses études au couvent des sœurs de la Congrégation Notre-Dame et au collège des Frères du Sacré-Cœur à Montmagny, au pensionnat Saint-Georges à Rimouski, à l'externat classique de Montmagny et au séminaire de Québec.

Travailla à Montmagny de 1956 à 1964, où il fut d'abord employé au département du prix de revient chez A. Bélanger ltée et au service de la comptabilité chez L'Islet Métal, puis directeur des ventes à la Compagnie de balais de Montmagny et à la librairie Fides. De 1964 à 1973, il travailla au ministère des Transports du Québec où il fut nommé chef du service d'éducation routière en 1966. Poursuivit des stages d'études sur la prévention des accidents industriels et routiers aux universités de New York et de Pennsylvanie en 1966 et 1967. Nommé directeur du service de sécurité routière au ministère québécois des Transports en avril 1967 ; il occupa ce poste jusqu'en octobre 1973. Suivit également des cours d'administration à l'université Laval en 1969 et 1970. Animateur d'une émission radiophonique sur la sécurité routière à Montmagny de 1956 à 1964. Sénateur de la Fédération des jeunes chambres du Canada français. Membre à vie de la Fédération québécoise du cyclotourisme. Membre du Conseil canadien de la sécurité.

Candidat libéral défait dans Bellechasse aux élections fédérales de 1972. Élu député libéral à l'Assemblée nationale dans Bellechasse en 1973. Défait en 1976 et 1981. Membre du bureau de direction du Club de réforme de Québec à compter de 1977.

Directeur régional du service de l'animation et de l'organisation du Parti libéral du Québec à partir de février 1977. Directeur des affaires publiques au Vieux-Port de juin 1981 à mars 1986. Fonda l'agence Pierre-Mercier et Associés en 1986, qui œuvre dans le domaine des communications.

MERLEAU, Joseph-Barthélémi (1891–1954)

Né à Lac-Sainte-Marie, le 18 janvier 1891, fils de Léon-Herménégilde Merleau, marchand général, et de Helen Skeehan.

A étudié au collège des Clercs de Saint-Viateur à Outremont.

Marchand de bois.

Maire de Gracefield du 15 mai 1933 au 13 mai 1937. Élu député libéral dans Gatineau en 1935. Défait en 1936.

De 1938 à 1942, il travailla dans les Cantons-de-l'Est, au service de l'expropriation. Contrôleur adjoint du Revenu de la province de Québec de 1942 à 1952.

Décédé à Kazabazua, à Gatineau, le 13 février 1954, à l'âge de 63 ans. Inhumé dans le cimetière de Bouchette, le 15 février 1954.

Avait épousé à Gracefield, le 28 octobre 1912, Veronica Stella Grace, fille de Patrick Grace et de Jane O'Brien ; puis, à Québec, dans l'église St. Patrick, le 28 octobre 1943, Janet Mildred Amy Laylor Gosselin, fille de Joseph A.L. Gosselin, ingénieur, et de Louise Simpson.

MESSIER, Charles

Né à Drummondville, le 6 mars 1955, fils de Jean-Claude Messier, administrateur, et de Yolande Cardin.

Fit ses études collégiales au cégep Bourgchemin de Saint-Hyacinthe. A obtenu un baccalauréat en administration des affaires de l'université du Québec à Montréal en 1984 et une maîtrise en administration publique à l'ENAP en 1992.

Policier militaire dans les Forces armées canadiennes de 1973 à 1975 et instructeur dans le Royal 22e régiment de

1972 à 1977. Coordonnateur régional à la Commission de la santé et de la sécurité du travail de 1975 à 1985.

Membre à vie de la Corporation du temple de la renommée de l'agriculture du Québec. Membre de la Chambre de commerce, du Club optimiste de Saint-Hyacinthe, du Club maskoutain et des Chevaliers de Colomb.

Élu député libéral dans Saint-Hyacinthe en 1985. Réélu en 1989.

MESSIER, Félix
(1876–1968)

Né à Verchères, le 17 septembre 1876, fils de Félix Messier, cultivateur, et d'Anna Dalpé.

Fit ses études à Saint-Antoine-sur-Richelieu.

Fabricant de beurre. Directeur et gérant de Messier et Frères ltée à Montréal et de Messier et Mogé à Saint-Antoine-sur-Richelieu. Membre des Chevaliers de Colomb. Commissaire des services nationaux de guerre de 1939 à 1945.

Élu député libéral dans Verchères en 1927. Réélu en 1931, 1935, 1936 et dans Richelieu-Verchères en 1939. Son siège devint vacant lorsqu'il fut nommé conseiller législatif de la division de Lanaudière le 12 février 1942. Maire de Saint-Antoine-sur-Richelieu de 1941 à 1949 et préfet du comté de Verchères en 1942.

Décédé en fonction à Montréal, le 14 mai 1968, à l'âge de 91 ans et 5 mois. Inhumé dans le cimetière de Saint-Antoine-sur-Richelieu, le 17 mai 1968.

Avait épousé à Saint-Antoine-sur-Richelieu, le 31 janvier 1899, Delvina Messier, fille d'Hubert Messier et d'Euphémie Poudrette ; [épousa, en secondes noces, Éva Dupont].

METCALFE, Charles Theophilus
(1785–1846)

Né à Calcutta, en Inde, le 30 janvier 1785, fils du major Thomas Theophilus Metcalfe (fut aussi député à la Chambre des communes britannique), et de Susanna Selina Sophia Debonnaire, veuve de John Smith.

Fut élève dans une école préparatoire de Bromley, en Angleterre, avant d'étudier à l'Eton College de 1796 à mars 1800.

Entreprit une carrière dans l'administration coloniale britannique en 1800, au Bengale, à titre de commis aux écritures pour le compte de l'East India Company. Servit comme soldat volontaire à Dig en 1804. Mena à bien la mission de négocier un traité avec le Pañjâb en 1808–1809. Par la suite,

fut d'abord ministre résident à Delhi de 1811 à 1818 et de 1825 à 1827, puis membre du Conseil suprême de l'Inde à partir de 1827 et gouverneur général provisoire de décembre 1833 jusqu'à ce qu'il quittât l'East India Company, le 1er janvier 1838. Occupa le poste de gouverneur de la Jamaïque de 1839 à 1842.

Nommé gouverneur en chef de la province du Canada le 24 février 1843, arriva à Kingston, dans le Haut-Canada, le 29 mars et entra en fonction le 30. Démissionna pour raison de santé et s'embarqua pour l'Angleterre le 26 novembre 1845.

Hérita du titre de baronnet à la mort de son père en 1822. Reçut la grand-croix de l'ordre du Bain en 1836. Fait baron Metcalfe en janvier 1845. Auteur d'essais politiques, parmi lesquels *Friendly advice to conservatives* publié en 1838.

Décédé à Malshangar, près de Basingstoke, en Angleterre, le 5 septembre 1846, à l'âge de 61 ans et 7 mois.

Était célibataire.

Bibliographie: *DBC*.

MÉTHOT, Antoine-Prosper
(1804–1871)

Né à Pointe-aux-Trembles (Neuville), fut baptisé le 17 mars 1804, dans la paroisse Saint-François-de-Sales, fils de Joseph Méthotte (Méthot), cultivateur, et de Josephte Gouin.

Étudia au petit séminaire de Québec, puis fit l'apprentissage du notariat dans cette ville ; obtint sa commission de notaire le 16 mars 1829.

S'établit à Saint-Pierre-les-Becquets, où il exerça sa profession jusqu'en 1871. Occupa la charge de maître de poste. Désigné, en 1831, pour effectuer le recensement du comté de Nicolet.

Candidat dans Nicolet à une élection partielle le 15 février 1842, mais se désista en faveur de Louis-Michel **Viger**. Élu député de cette circonscription en 1844 ; fit partie du groupe canadien-français. Ne s'est pas représenté en 1848.

Décédé à Saint-Pierre-les-Becquets, le 7 juillet 1871, à l'âge de 67 ans et 3 mois. Inhumé dans l'église Saint-Pierre-Apôtre, le 11 juillet 1871.

Avait épousé dans la paroisse de Saint-Pierre-les-Becquets, le 22 mai 1832, Émilie Rousseau, fille de Joseph Rousseau et de Josephte Trudel.

Frère de François-Xavier (père) et de Louis **Méthot**. Oncle et beau-père de François-Xavier **Méthot** (fils).

MÉTHOT, François-Xavier (père) (1796–1853)

Né à Pointe-aux-Trembles (Neuville) et baptisé dans la paroisse Saint-François-de-Sales, le 10 novembre 1796, fils de Joseph Méthotte (Méthot), cultivateur, et de Josephte Gouin.

Mit sur pied une entreprise de quincaillerie en gros et au détail, à Québec, en 1826. Eut Georges-Honoré **Simard** comme associé dans la maison de commerce Méthot, Chinic, Simard et Compagnie; en fut le directeur jusqu'en 1853. Fonda diverses manufactures: de mastic (1835), clous coupés (1840) et meules à farine (1842). Propriétaire immobilier et foncier; administrateur des biens immobiliers d'Étienne **Parent**. Vérificateur des comptes de la ville de Québec en 1842. Membre du conseil d'administration de la Banque de prévoyance et d'épargnes de Québec (1847–1853) et de l'aqueduc municipal. Officier de la Maison de la Trinité de Québec (1850–1853).

Siégea au conseil municipal de Québec en 1843–1844. Élu député de la cité de Québec à une élection partielle le 9 juin 1848; membre du groupe canadien-français, puis réformiste. Défait en 1851.

Fut juge de paix et officier de milice. Sous-trésorier de la Société Saint-Jean-Baptiste de Québec en 1844.

Décédé à Québec, le 6 novembre 1853, à l'âge de 56 ans et 11 mois.

Avait épousé dans la cathédrale Notre-Dame de Québec, le 8 septembre 1829, Dorothée Measam, fille du marchand pelletier William Measam et d'Angélique Chamberland.

Frère d'Antoine-Prosper et de Louis **Méthot**. Père de François-Xavier **Méthot**.

———

Bibliographie: *DBC.*

MÉTHOT, François-Xavier (fils) (1843–1908)

Né à Québec, le 19 septembre 1843, fils de François-Xavier **Méthot**, marchand, et de Dorothée Measam.

Fit ses études au séminaire de Québec.

Cultivateur à Saint-Pierre-les-Becquets. Président de la compagnie Union. Capitaine dans la milice. Membre du Conseil d'agriculture.

Maire de Saint-Pierre-les-Becquets de 1868 à 1872. Élu sans opposition député conservateur à l'Assemblée législative dans Nicolet en 1871. Réélu en 1875, son élection fut annulée par la Cour supérieure le 28 juin 1876. Ne s'est pas représenté à l'élection partielle du 18 août 1876. Élu député conservateur indépendant à la Chambre des communes dans Nicolet à l'élection partielle du 18 décembre 1877. Réélu en 1878 et sans opposition en 1882. Démissionna le 26 mars 1884. Nommé conseiller législatif de la division De La Vallière le 27 mars 1884.

Décédé en fonction à Saint-Pierre-les-Becquets, le 19 octobre 1908, à l'âge de 65 ans et un mois. Inhumé dans le cimetière de cette paroisse, le 23 octobre 1908.

Avait épousé dans la paroisse Saint-Pierre-les-Becquets, le 31 mai 1864, Clara Méthot, fille d'Antoine-Prosper **Méthot**, notaire, et d'Émilie Rousseau; puis, dans la paroisse Notre-Dame de Québec, le 2 mai 1885, Marie-Clara-Louise-Ernestine Paradis, fille de Joseph-Ovide Paradis, marchand, et de Louise Chamard.

MÉTHOT, Louis (1793–1859)

Né à Pointe-aux-Trembles (Neuville) et baptisé dans la paroisse Saint-François-de-Sales, le 2 mars 1793, fils de Joseph Méthotte (Méthot), cultivateur, et de Josephte Gouin.

Fut marchand à Sainte-Croix. Enseigne dans le 1er bataillon de la milice d'élite incorporée du Bas-Canada à compter du 25 mai 1812, puis promu lieutenant le 29 juillet, participa à la guerre de 1812; obtint, plus tard, une concession de terre pour ses services. En 1830, fut nommé commissaire chargé de la construction d'un pont sur la rivière Chaudière et de l'ouverture d'un chemin dans la seigneurie de Sainte-Croix, ainsi que juge de paix. Habilité à faire prêter le serment d'allégeance, à Sainte-Croix, le 21 décembre 1837.

Élu député de Lotbinière en 1830. Réélu en 1834. Appuya généralement le parti patriote. Son mandat prit fin avec la suspension de la constitution, le 27 mars 1838. Nommé conseiller législatif le 12 décembre 1848, fut destitué pour cause d'absentéisme le 16 mars 1857.

Décédé à Sainte-Croix, le 16 octobre 1859, à l'âge de 66 ans et 7 mois. Inhumé dans l'église paroissiale, le 19 octobre 1859.

Avait épousé dans la paroisse Saint-Joseph-de-Deschambault, le 1er février 1820, Héloïse-Louise-Sophie Boudreau, fille de Jean Boudreau et de Marie-Joseph Germain.

Frère d'Antoine-Prosper **Méthot** et de François-Xavier **Méthot** (père). Oncle de François-Xavier **Méthot** (fils).

MEUNIER, Jean

Né à Montréal, le 18 novembre 1920, fils de Wilfrid Meunier, journalier, et de Blanche Petelle.

Fit ses études à Montréal à l'école Lebrun, à l'école supérieure Le Plateau et à l'École des hautes études commerciales. Obtint un diplôme en administration en 1940.

Lieutenant dans les Forces armées canadiennes de 1941 à 1944. Employé au laboratoire de recherches à la Northern Electric de 1944 à 1946. Fondateur de l'Institut Teccart en 1945, il en assuma la direction jusqu'au 8 octobre 1981. Fut également fondateur de la chaîne de magasins Cité Électronique inc. en 1954. Rédacteur de nombreuses brochures pour l'apprentissage de l'électronique. Enseigna le soir en électronique au Sir George Williams College et en administration à l'École des hautes études commerciales. Membre de la Chambre de commerce de Montréal à partir de 1958. Membre de l'Institute of Electrical et Electronic Eng. et de la Society of Motion Picture and Television Engineers à compter de 1952. Fut membre du conseil d'administration de la Palestre nationale. Membre de conseils d'administration de plusieurs entreprises de composants électroniques pour le compte de la Société de développement industriel (SDI). En matière d'éducation, il fut membre de la Commission consultative de l'enseignement privé, président de la Fédération des écoles professionnelles privées, membre de l'Association des collèges du Québec et vice-président du conseil d'administration de cet organisme pour trois termes. Fut également membre du conseil d'administration du Centre d'animation et de recherches en éducation. Membre de la corporation de l'hôpital Maisonneuve-Rosemont. Membre gouverneur du Centre Épic.

Membre de la Ligue d'action civique et conseiller municipal de la ville de Montréal de 1954 à 1960. Élu député libéral dans Bourget en 1960. Réélu en 1962. Défait en 1966.

MEUNIER, Joseph
(1755–1829)

Né à L'Ancienne-Lorette et baptisé dans la paroisse Notre-Dame-de-l'Annonciation, le 1er mars 1755, fils de Joseph Meunier et de Charlotte Bussière.

Fut agriculteur.

Élu député d'Effingham en 1808. Réélu en 1809 et 1810. Appuya le parti canadien. Ne se serait pas représenté en 1814.

Décédé à Sainte-Rose (Laval), le 31 décembre 1829, à l'âge de 74 ans et 9 mois. Inhumé dans le cimetière de la paroisse Sainte-Rose-de-Lima, le 2 janvier 1830.

Avait épousé dans la paroisse de la Purification-de-la-Bienheureuse-Vierge-Marie, à Repentigny, le 12 octobre 1778, Marie Gauthier-Landreville, fille de François Gauthier-Landreville et d'Agathe Rivet.

MICHAUD, Gilles

Né à Saint-Cyrille-de-Lessard, le 8 août 1935, fils de J.A. Lorenzo Michaud, chef de gare, et d'Isabella Roberge.

Étudia à Saint-Malachie, au collège de Victoriaville et à l'université Laval où il obtint un baccalauréat en commerce. Fit un stage de perfectionnement à l'École des hautes études commerciales à Paris. Poursuivit des études en relations industrielles à l'université de Montréal.

Adjoint administratif du directeur national des ventes chez Johnson & Johnson de 1961 à 1963. Occupa divers postes administratifs chez Benson and Hedges, dont ceux de directeur des relations extérieures pour le Québec et de directeur des promotions. Actionnaire et directeur général des entreprises Solvgraph ltée à compter de 1973. Fut président de la Coopérative préscolaire Provencher.

Commissaire à la commission scolaire de Brossard de juin 1975 à juin 1978. Élu député du Parti québécois dans Laprairie en 1976. Défait en 1981.

Fut nommé à la Régie des loteries et courses du Québec le 27 mai 1982. Employé du groupe Norbec à compter de 1991.

MICHAUD, Yves

Né à Saint-Hyacinthe, le 13 février 1930, fils de Jean-Baptiste Michaud, assureur, et de Robertha Robert.

Fit ses études à l'école Saint-François-Xavier à Rivière-du-Loup, à l'école Girouard à Saint-Hyacinthe, au séminaire de Saint-Hyacinthe et au Centre international de journalisme à l'université de Strasbourg où il fut diplômé en 1959. Boursier du Conseil des arts du Canada en 1959.

Rédacteur en chef du *Clairon maskoutain* de janvier 1954 à janvier 1960, directeur de janvier 1960 à janvier 1961 et directeur-gérant de janvier 1961 à mai 1962. Rédacteur en chef et directeur général de *la Patrie* de janvier 1962 à août 1966.

Élu député libéral dans Gouin en 1966. Siégea à titre de libéral indépendant à partir du 31 octobre 1969, à la suite d'un désaccord avec son parti au sujet de la loi 63. Candidat libéral défait en 1970.

Haut-commissaire à la Coopération au ministère des Affaires intergouvernementales de 1970 à 1973. Candidat du Parti québécois défait dans Bourassa en 1973. Directeur du journal *le Jour* de 1973 à 1976. Délégué du Québec aux organisations internationales en 1977, puis conseiller du premier ministre aux Affaires internationales en 1978 et 1979. Nommé délégué général du Québec à Paris le 30 août 1979, il occupa ce poste jusqu'en 1984. Président-directeur général du Palais des congrès de Montréal de 1984 à 1987. Président du cabinet-conseil représentant en vins, Sélections Yves-Michaud.

Lauréat de plusieurs prix de journalisme, notamment ceux du meilleur reportage en 1957 (Association des hebdomadaires du Canada), du meilleur journal hebdomadaire de langue française en 1958 et du meilleur éditorial de l'année en 1963 et 1964 (Union canadienne des journalistes de langue française). Membre de l'Union canadienne des journalistes de langue française et du Cercle des journalistes. Auteur de *Je conteste* (1969) et de *la Folie du vin* (1991). Collabora également à la revue *Sept Jours*.

MIDDLEMISS, Robert

Né à Aylmer, le 8 janvier 1935, fils de William Middlemiss, fonctionnaire, et d'Imelda Cardinal.

Étudia aux universités d'Ottawa et McGill. Obtint un baccalauréat en sciences appliquées de la McGill University en 1961.

Ingénieur-conseil en géotechnique dans le bureau McRostie and Associates Ltd. devenu plus tard McRostie, Seto, Genest et Associés ltée, puis McRostie, Genest, Middlemiss et Associés ltée de 1961 à 1981. Au sein de ce bureau, il cumula les fonctions de directeur et de secrétaire-trésorier entre 1971 et 1981. Simultanément, de 1979 à 1981, il fut président de la compagnie d'ingénieurs-conseils G.M.M. Consultants inc., spécialisée en géotechnique. Échevin de la municipalité d'Aylmer de novembre 1970 à octobre 1979. Membre de la Société canadienne de géotechnique.

Élu député libéral dans Pontiac en 1981. Réélu en 1985 et 1989. Adjoint parlementaire du ministre de l'Environnement du 5 février 1986 au 17 mai 1989 et de la ministre de la Santé et des Services sociaux du 17 mai 1989 au 9 août 1989. Réélu en 1989. Ministre délégué à l'Agriculture, aux Pêcheries et à l'Alimentation dans le cabinet Bourassa du 11 octobre 1989 au 5 octobre 1990. Nommé ministre délégué aux Transports le 5 octobre 1990.

MILES, Henry
(1857–1932)

[Né à Lennoxville, le 8 mai 1857, fils de Henry Hooper Miles, médecin, et d'Elizabeth Wilson.]

Fit ses études au Bishop's College à Lennoxville, puis à l'université Laval où il reçut un diplôme en pharmacie.

Marchand. D'abord employé de la Lyman Sons and Co., puis directeur et gérant de cette compagnie, à laquelle il s'était associé, de 1885 à 1895. Fondateur et président de la Leeming, Miles & Co., à Montréal. Propriétaire de la Dick and Co., fabricant de médicaments. Président de plusieurs entreprises, dont: Anglo-Canadian Pharmaceutical Co. Ltd., Business Offices and Laboratories Miles Building, National Hydro-Electric Co., Carillon Construction and Devel. Co., Carillon Contracting Co., Multigraphing and Addressing Co., Nestlé's Food Co. of Canada et Canadian Cabinet Co. Propriétaire et éditeur du *Montreal Pharmaceutical Journal* de 1916 à 1929. Propriétaire d'une ferme à Pointe-Fortune. Consul général du Paraguay au Canada. Juge de paix.

Élu député libéral dans Montréal–Saint-Laurent à l'élection partielle du 27 décembre 1918. Réélu en 1919. Ne s'est pas représenté en 1923. Nommé conseiller législatif de la division de Victoria le 23 mars 1923.

Gouverneur du Montreal General Hospital de 1900 à 1931. Président du Trinity Church Choir. Trésorier honoraire du comité du monument John Young. Cofondateur de la Société philharmonique de Montréal. Élu membre honoraire de l'Association pharmaceutique de la province de Québec en 1924. Président de la Proprietary Articles Trade Association of Canada et de la Montreal Business Men's League. Vice-président et secrétaire de la Montreal Industrial Exhibition Association. De 1897 à 1901, il fut successivement directeur, trésorier, vice-président et président du Montreal Board of Trade. Membre de la Loge maçonnique, de l'Independent Order of Odd Fellows, du Canada Club, du Montreal Club et de la Chambre de commerce de Montréal. Auteur de: *The One Hundred Prize Questions in Canadian History* (1880), *Address on Commercial Education* (1900) et *Montreal* (1914).

Décédé en fonction à Montréal, le 6 juin 1932, à l'âge de 75 ans. Inhumé à Montréal, dans le Mount Royal Cemetery, le 8 juin 1932.

Avait épousé à Montréal, dans l'église méthodiste du Canada, le 12 juillet 1875, Emma Jane Walker McGregor.

MILJOURS, Joseph
(1878–1950)

Né à Sainte-Anne-des-Plaines, le 30 août 1878, fils d'Étienne Miljours, cultivateur, et de Délima Mathieu.

Fit ses études à Labelle.

Agent et directeur des opérations forestières à la Riordon Pulp Co. de 1915 à 1927, puis à la Canadian International Paper jusqu'en 1943.

Élu député libéral dans Témiscamingue à l'élection partielle du 28 novembre 1924. Ne s'est pas représenté en 1927.

Décédé à Noranda, le 2 septembre 1950, à l'âge de 72 ans. Inhumé dans le cimetière de Fugèreville, au Témiscamingue, le 5 septembre 1950.

Avait épousé à Saint-Faustin, le 11 février 1907, Joséphine Meunier, fille de Louis Meunier, cultivateur, et de Joséphine Loveland.

MILLET ; MILLETTE. V. HUS

MILNES, Robert Shore
(≈1754–1837)

Né en Angleterre vers 1754, fils de John Milnes, de Wakefield, magistrat et sous-lieutenant de la division Est du Yorkshire, et de Mary Shore, de Sheffield.

Fit une carrière militaire dans les Royal Horse Guards. Quitta l'armée britannique en 1788 avec le grade de capitaine.

Était gouverneur de la Martinique en 1795. Nommé lieutenant-gouverneur du Bas-Canada le 4 novembre 1797, fut assermenté le 15 juin 1799 et conserva officiellement ce poste jusqu'au 29 novembre 1808. Exerça les fonctions d'administrateur du Bas-Canada en remplacement du gouverneur Robert **Prescott** du 30 juillet 1799 au 12 août 1805, bien qu'il eût quitté la province le 5 août 1805.

Rentré en Angleterre, fut consulté, à l'occasion, sur les affaires canadiennes.

Reçut le titre de baronnet (sir) le 21 mars 1801.

Décédé à Tunbridge Wells (Royal Tunbridge Wells), en Angleterre, le 2 décembre 1837, à l'âge d'environ 83 ans.

Avait épousé, le 12 ou le 13 novembre 1785, Charlotte Frances Bentinck, arrière-petite-fille de William Bentinck, 1er comte de Portland.

Bibliographie: *DBC*.

MIQUELON, Jacques

Né à Danville, le 4 octobre 1911, fils d'Arsène-Cyr Miquelon, industriel, et d'Éveline Picard.

Fit ses études à l'école des Frères du Sacré-Cœur à Danville, à l'école Montcalm à Québec, au séminaire de Québec et à l'université Laval. Admis au barreau de la province de Québec le 21 septembre 1934. Créé conseil en loi du roi le 28 août 1946.

Exerça sa profession à Québec de 1934 à 1937, puis à Malartic de 1937 à 1962. En 1944, il fut nommé avocat du département du procureur général et de la Commission des liqueurs à Amos. Fut directeur des compagnies minières Belle-Aura Mines et Pepmont Gold Mines. Directeur de la Chambre de commerce de Malartic. Membre des Chevaliers de Colomb, du Club Richelieu-Malartic, du Club Renaissance, du Quebec Winter Club et du Club canadien de Montréal. Maître de chapelle de la paroisse Saint-Martin, à Malartic, de 1937 à 1952.

Élu député de l'Union nationale dans Abitibi-Est en 1948. Réélu en 1952 et 1956. Nommé ministre d'État dans le cabinet Duplessis le 5 août 1952 et dans le cabinet Sauvé le 11 septembre 1959. Solliciteur général dans le cabinet Sauvé du 4 novembre 1959 au 8 janvier 1960. Ministre des Terres et Forêts dans le cabinet Barrette du 8 janvier au 5 juillet 1960. Défait en 1960 et 1962.

Retourna à l'exercice de sa profession à Montréal en 1962. Nommé juge à la Cour de bien-être social à Montréal le 13 mars 1968, retraité en 1978.

Petit-fils de Jacques **Picard**. Oncle d'André **Bourbeau**.

MITCHELL, Walter George
(1877–1935)

Né à Danby (Lefèbvre), le 30 mai 1877, fils de William Mitchell, marchand de bois, et de Dora Godard.

Fit ses études à la Montreal High School, au Bishop's College à Lennoxville puis à la McGill University à Montréal. Admis au barreau de la province de Québec le 8 juillet 1901. Créé conseil en loi du roi le 6 septembre 1912.

Exerça sa profession à Montréal de 1901 à 1935 et fut notamment associé à Napoléon Kemmer Laflamme, député à la Chambre des communes de 1921 à 1925 et sénateur de 1927 à 1929.

Élu sans opposition député libéral à l'Assemblée législative dans Richmond à l'élection partielle du 21 novembre 1914. Réélu sans opposition en 1916 et 1919. Trésorier de la province dans les cabinets Gouin et Taschereau du 12 novembre 1914 au 8 novembre 1921 et ministre des Affaires municipales du 8 mars 1918 au 8 novembre 1921. Démissionna le 8 novembre 1921 et fut élu député libéral à la Chambre des communes dans Saint-Antoine en 1921. Démissionna le 14 mai 1924. Défait dans Richmond-Wolfe aux élections fédérales de 1930.

Membre du comité protestant du Conseil de l'instruction publique de 1914 à 1925, puis président de 1925 à 1935. Membre du conseil d'administration du Montreal General Hospital et du Verdun Protestant Hospital dont il fut président en 1932. Vice-président du Laurentian Sanatorium à Sainte-Agathe. Vice-président du Royal Edward Institute. Directeur de la Boy's Farm de Shawbridge et du Wales Home de Richmond. Gouverneur de l'hôpital de Sherbrooke. Membre du Mount Royal Club, du St. James Club, de l'University Club de Montréal, du Club de la garnison de Québec, du Club Rideau d'Ottawa, du Club Saint-Georges de Sherbrooke et du Club de réforme de Montréal dont il fut président en 1913. Titulaire de doctorats honorifiques du Bishop's College en 1919 et 1927.

Décédé à Montréal, le 3 avril 1935, à l'âge de 57 ans et 10 mois. Inhumé à Montréal, dans le Mount Royal Cemetery, le 6 avril 1935.

Avait épousé à Montréal, dans la paroisse Saint-Louis-de-France, le 4 février 1907, Antonia Pelletier, veuve de Charles Francis Moore; [puis, à Redding, en Pennsylvanie, le 9 avril 1927, Grace Hewitt].

Son père fut sénateur de 1904 à 1926.

MIVILLE DECHÊNE, François-Gilbert
(1859–1902)

Né à Saint-Roch-des-Aulnaies, le 18 août 1859, fils d'Alfred Miville, dit Dechêne, marchand, et de Luce Talbot.

Fit ses études à L'Islet, au collège de Sainte-Anne-de-la-Pocatière où il obtint le prix Prince-de-Galles en rhétorique, et à l'université Laval à Québec où il reçut la médaille d'or du marquis de Lorne et le prix Tessier (1883).

Admis au barreau de la province de Québec le 13 juillet 1883. Exerça sa profession à Québec. Fit partie des cabinets Bédard, Dechêne et Dorion, Bédard et Dechêne, puis Malouin, Bédard et Dechêne. Collabora à l'hebdomadaire *l'Union libérale* de Québec.

Élu député libéral dans L'Islet en 1886. Réélu en 1890, 1892 et 1897. Son siège devint vacant lors de sa nomination au poste de commissaire. Réélu sans opposition à l'élection partielle du 12 juin 1897 et aux élections de 1900. Commissaire de l'Agriculture dans les cabinets Marchand et Parent du 26 mai 1897 au 2 juillet 1901. Ministre de l'Agriculture dans le cabinet Parent du 2 juillet 1901 au 10 mai 1902. Décoré du Mérite agricole par le gouvernement français en 1900.

Décédé en fonction à Québec, le 10 mai 1902, à l'âge de 43 ans et 3 mois. Inhumé à Québec, dans le cimetière Saint-Charles, le 13 mai 1902.

Avait épousé dans la paroisse Notre-Dame de Québec, le 26 octobre 1897, Angéline Hudon, fille de Théophile Hudon, marchand, et de Marie-Clarisse Roy.

Frère d'Alphonse-Arthur Miville Dechêne, député à la Chambre des communes de 1896 à 1901, puis sénateur en 1901 et 1902. Oncle de Joseph-Bruno-Aimé Miville Dechêne, député à la Chambre des communes de 1917 à 1925, et de Louis-Auguste **Dupuis**. Beau-frère de Pantaléon Jean-Marie-Joseph **Pelletier**.

MOFFATT, George
(1787–1865)

Né à Sidehead, district de Weredale, dans le comté de Durham, en Angleterre, le 13 août 1787.

Étudia à Londres et, après son arrivée au Canada en 1801, à William Henry (Sorel).

S'engagea dans le commerce des fourrures. Travailla, tant à Montréal que dans le Nord-Ouest, pour le compte de diverses compagnies et fut en rapport à la fois avec la North West Company et la Hudson's Bay Company. En 1811, fonda sa propre société, qui devint la Gillespie, Moffatt and Company et qui s'occupa aussi d'import-export, de transport maritime et d'assurance. À titre personnel, investit également dans la propriété foncière, la colonisation des Cantons-de-l'Est, la construction ferroviaire, l'exploitation minière, les banques et les assurances. Fut président de la Commission du havre de Montréal, du Bureau de commerce de Montréal et de la section montréalaise de la British American League.

Membre du Conseil législatif du 24 décembre 1830 jusqu'à la suspension de la constitution, le 27 mars 1838. S'occupa d'administration municipale, à Montréal, avant 1833. Président de l'Association constitutionnelle de Montréal, s'était rendu à Londres en 1837 pour faire valoir la position du parti des bureaucrates. Nommé au Conseil exécutif en novembre 1838 et au Conseil spécial le 2 novembre 1838; fit partie de ces deux conseils jusqu'à l'entrée en vigueur de l'Acte l'Union, le 10 février 1841, et fut président du second à compter du 28 janvier 1841. Après l'Union, déclina l'offre de devenir conseiller législatif. Élu député de la cité de Montréal en 1841; unioniste et tory; démissionna le 30 octobre 1843. Réélu en 1844; tory. Ne s'est pas représenté en 1848.

Officier de milice, servit pendant la guerre de 1812. Membre fondateur du St. James Club de Montréal, en 1857. Adhéra à la St. George's Society. Aida financièrement l'Église anglicane.

Décédé à Montréal, le 25 février 1865, à l'âge de 77 ans et 6 mois.

Avait épousé en 1809 une Amérindienne; puis, en 1816, Sophia MacRae, fille de David MacRae, de Saint-Jean-sur-Richelieu, et peut-être la belle-fille de George **McBeath**.

Bibliographie: *DBC.*

MOLL, Louis-Joseph
(1816–1872)

Né dans la paroisse Notre-Dame de Montréal, le 24 août 1816, fils de Jean-Marie Moll, tailleur, et de Catherine-Louise Finchley.

A étudié au collège de Montréal de 1831 à 1839 et à l'université de Pennsylvanie à Philadelphie où il apprit la médecine. Revint au Québec en 1845 et pratiqua la médecine à Berthier. Commissaire au tribunal des petites causes et juge de paix.

Conseiller municipal de Berthier en 1866 et 1867. Élu député conservateur dans Berthier en 1867. Défait en 1871.

Décédé à Berthier, le 5 août 1872, à l'âge de 55 ans et 11 mois. Inhumé dans le cimetière de la paroisse Sainte-Geneviève-de-Berthier le 8 août 1872.

Avait épousé à L'Assomption, le 27 avril 1841, Marie-Joséphine-Valérie Bondy, dit Douaire, fille de Joseph **Bondy, dit Douaire**, marchand, et de Marie-Claire Fauteux.

Beau-père d'Eugène **Lafontaine**.

MOLLEUR, Louis
(1828–1904)

Né à L'Acadie, le 7 juillet 1828, fils de Louis Molleur, cultivateur, et de Marie-Angèle Mailloux.

Fit ses études à L'Acadie et y exerça le métier d'instituteur de 1848 à 1853. Fut ensuite commerçant et agriculteur à Saint-Valentin jusqu'en 1863, commerçant à Henryville de 1863 à 1865, puis s'établit à Saint-Jean-sur-Richelieu en 1865. Cofondateur de la Société permanente de construction du district d'Iberville dont il fut vice-président en 1868 et président quelques années plus tard. En 1872, il participa à la création de la Compagnie de l'aqueduc de Saint-Jean. En 1873, il fonda avec Félix-Gabriel **Marchand** la Banque de Saint-Jean dont il

fut président jusqu'en 1904. Fut aussi actionnaire et président de la Compagnie manufacturière de Saint-Jean de 1874 à 1876. Participa à l'établissement du pouvoir hydraulique de Saint-Césaire, en 1904. Directeur de la Canada Agricultural Insurance Co.

Marguillier à Saint-Jean. Élu député libéral dans Iberville en 1867. Réélu en 1871 et sans opposition en 1875. De nouveau élu en 1878. Ne s'est pas représenté en 1881.

Décédé à Saint-Jean-sur-Richelieu, le 17 août 1904, à l'âge de 76 ans et un mois. Inhumé dans le cimetière de cette municipalité, le 20 août 1904.

Avait épousé à L'Acadie, le 20 septembre 1851, Aurélie Molleur, fille de François Molleur, cultivateur, et de Marguerite Dupuis; puis, à Saint-Jean-sur-Richelieu, le 18 janvier 1898, Elmina Mathieu, veuve de François-Henri Marchand, avocat et protonotaire à la Cour supérieure du district de Saint-Jean.

Beau-père de Philippe-Honoré **Roy**.

MOLSON, John (père)
(1763–1836)

Né à Moulton, dans le Lincolnshire, en Angleterre, le 28 décembre 1763, fils de John Molson, propriétaire terrien membre de la gentry anglaise, et de Mary Elsdale. Désigné aussi comme Molson l'ancien.

Vint à Montréal en 1782, en compagnie d'amis de sa famille. Avec eux, se lança dans le commerce de la viande, puis dans une entreprise de brasserie qu'il acquit en 1785, à laquelle il ajouta une distillerie en 1833, et qu'il exploita toute sa vie. Engagé aussi dans le commerce d'import-export jusqu'en 1788; dans la navigation à vapeur à compter de 1809, notamment au sein de la St. Lawrence Steamboat Company (1822) et de l'Ottawa and Rideau Forwarding Company (1831); dans la métallurgie, avec la fondation de la St. Mary's Foundry (1820); et dans la construction ferroviaire, à titre de principal actionnaire de la Compagnie des propriétaires du chemin à lisses de Champlain et du Saint-Laurent (1831–1836). Posséda, entre autres, des maisons, quais et installations portuaires à Québec, Montréal et Sorel, une villa, Belmont House, à Montréal, et deux des îles de Boucherville. Mit sur pied la John Molson and Sons (1816), la John and William Molson (1828–1829) et la John Molson and Company (1834).

Élu député de Montréal-Est en 1816; prêta serment le 2 février 1817. Ne s'est pas représenté en avril 1820. Défait dans Montréal-Est en 1827. Nommé au Conseil législatif le 4 janvier 1832.

Souscripteur du Montreal General Hospital; actionnaire du Theatre Royal; président du conseil d'administration de la Banque de Montréal (1826–1830). Franc-maçon, atteignit le grade de grand maître provincial pour Montréal et Sorel en 1826. Appuya financièrement la Congrégation presbytérienne de Montréal, dont il fut membre.

Décédé en fonction dans sa propriété de l'île Sainte-Marguerite, à Boucherville, le 11 janvier 1836, à l'âge de 72 ans. Inhumé dans le cimetière du faubourg Saint-Laurent, à Montréal, le 14 janvier 1836; ses restes furent transférés dans le cimetière Mont-Royal, en 1860.

Avait épousé dans l'église anglicane Christ Church, à Montréal, le 7 avril 1801, Sarah Insley Vaughan.

Père de John **Molson**.

Bibliographie: *DBC.*

MOLSON, John (fils)
(1787–1860)

Né à Montréal, le 3 octobre 1787, puis baptisé dans l'église anglicane, le 7 août 1788, fils de John **Molson**, brasseur et commerçant, et de Sarah Insley Vaughan. Désigné aussi comme Molson l'aîné.

Fit l'apprentissage des affaires dans la brasserie de son père, à Montréal. Durant la guerre de 1812, servit à titre de cornette dans la Royal Montreal Cavalry. Se rendit en Angleterre en 1815, puis s'installa à Québec jusqu'en 1819. L'un des associés de la John Molson and Sons, créée en décembre 1816; s'occupa plus particulièrement de l'entreprise de navigation à vapeur, à laquelle il s'était déjà beaucoup intéressé. À partir de 1822, participa très activement à la gestion de la St. Lawrence Steamboat Company, qui s'occupa de construction navale, de remorquage et de transport maritime dans le Haut et le Bas-Canada. Fut syndic de la Maison de la Trinité de Montréal de 1832 à 1838. Engagé aussi dans le commerce d'import-export à compter de 1829; dans la construction et le transport ferroviaire à partir de 1831, principalement avec **Molson** (père), Peter **McGill** et George **Moffat**; dans la métallurgie, ayant hérité de la St. Mary's Foundry en 1836, et dans l'éclairage au gaz de Montréal de 1836 jusque vers 1851. Actionnaire de la Banque de Montréal, dont il fut président, de la Banque de la cité, dont il avait été l'un des fondateurs, et de la Banque Molson, dont il fut élu vice-président en 1855. Propriétaire foncier et immobilier dans l'île de Montréal et les îles de Boucherville.

S'occupa d'administration municipale, à Montréal, entre 1836 et 1840. Membre de l'Association constitutionnelle de Montréal; combattit la rébellion de 1837 à titre de colonel

dans la milice. Fit partie du Conseil spécial du 2 avril 1838 jusqu'à la dissolution de ce conseil, en juin, et à nouveau du 2 novembre 1838 jusqu'à l'entrée en vigueur de l'Acte d'Union, le 10 février 1841. Signa le Manifeste annexionniste en 1849.

Bienfaiteur du Montreal General Hospital et du McGill College.

Décédé à Montréal, le 12 juillet 1860, à l'âge de 72 ans et 9 mois. Les obsèques eurent lieu dans la cathédrale anglicane Christ Church, le 15 juillet 1860.

Avait épousé dans la cathédrale anglicane Holy Trinity, à Québec, le 12 octobre 1816, sa cousine germaine Mary Ann Elizabeth Molson.

Bibliographie: *DBC.*

MONCK, Charles Stanley
(1819–1894)

Né à Templemore (en république d'Irlande), le 10 octobre 1819, fils de Charles Joseph Kelly Monck, 3e vicomte Monck, et de Bridget Willington.

Étudia au Trinity College de Dublin, puis aux Inns of Court. Reçu au barreau irlandais en 1841.

Candidat libéral défait dans la circonscription irlandaise de Wicklow en 1848. Élu député de Portsmouth à la Chambre des communes britannique en 1852. Exerça les fonctions de lord de la Trésorerie de 1855 à 1858. Défait aux élections générales suivantes.

À la suite du départ du gouverneur général de la province du Canada, Edmund Walker **Head**, le 24 octobre 1861, fut assermenté le 25, comme administrateur de cette province. Nommé gouverneur général de la province du Canada, en remplacement de **Head**, le 2 novembre 1861, prêta serment et entra en fonction le 28. Contribua à la formation de la Grande Coalition en 1864 et à l'avènement de la Confédération: présent aux conférences de Charlottetown et de Québec, en septembre et en octobre 1864, et à celle de Londres, en 1866; prit part au débat sur le futur Acte de l'Amérique du Nord britannique, à la Chambre des lords, en février 1867. Veilla sur les relations avec les États-Unis. Son mandat prit fin le 1er juin 1867, date de sa nomination à titre de gouverneur général du Canada; exerça cette fonction à compter du 1er juillet 1867. En cette qualité, choisit le premier ministre du nouveau dominion, ainsi que les membres du premier cabinet. Fit de Rideau Hall la résidence officielle des gouverneurs généraux. Quitta le pays le 14 novembre 1868; son mandat prit fin le 29 décembre 1868.

Retourna en Irlande où, de 1871 à 1884, il occupa de nombreux postes de commissaire. Fut lord-lieutenant et *custos rotulorum* du comté de Dublin, de 1874 à 1892. Fit aussi du commerce à Londres. Vers 1892, se retira dans son manoir, Charleville.

Hérita du titre de 4ᵉ vicomte Monck à la mort de son père en 1849. Élevé à la pairie du Royaume-Uni en 1867. Décoré grand-croix de l'ordre de Saint-Michel et Saint-George en juin 1869. Fit partie du Conseil privé du Royaume-Uni (très honorable) à partir du 7 août 1869.

Décédé dans son manoir du comté de Wicklow (en république d'Irlande), le 29 novembre 1894, à l'âge de 75 ans et un mois.

Avait épousé, le 22 juillet 1844, sa cousine lady Elizabeth Louise Mary Monck, fille de Henry Stanley Monck, 1ᵉʳ comte de Rathdowne.

Bibliographie: *DBC.*

MONDELET, Dominique
(1799–1863)

Né à Saint-Marc-sur-Richelieu et baptisé dans la paroisse Saint-Marc, le 23 janvier 1799, fils de Jean-Marie **Mondelet**, notaire, et de Charlotte Boucher de Grosbois.

Étudia au petit séminaire de Montréal de 1806 à 1811. Fit l'apprentissage du droit chez Michael **O'Sullivan**; admis au barreau en 1820.

Exerça sa profession à Montréal; fut conseiller du roi à partir de 1832. Nommé major dans la milice en 1820, se vit retirer sa commission en 1827.

Élu député de Montréal à une élection partielle le 13 octobre 1831, sous la bannière du parti patriote; appuya tantôt ce parti, tantôt celui des bureaucrates. En raison de sa nomination au Conseil exécutif le 16 novembre 1832, fut expulsé de la Chambre et son siège fut déclaré vacant le 24 novembre 1832; siégea à ce conseil jusqu'à l'entrée en vigueur de l'Acte d'Union, le 10 février 1841. Fit partie du Conseil spécial du 2 novembre 1838 jusqu'à l'Union.

Nommé, en mai 1839, juge-avocat suppléant des tribunaux militaires et, en juin, juge résident de la Cour du banc du roi à Trois-Rivières, à titre provisoire pendant la suspension de Joseph-Rémi **Vallières de Saint-Réal**; désigné de façon permanente à ce dernier poste en 1842. Accéda à la Cour supérieure de Trois-Rivières en 1850. Propriétaire de biens seigneuriaux à Yamaska et à Boucherville.

Obtint quelques postes de commissaire. Fut président de l'Advocates Library and Law Institute of Montreal. Est l'auteur d'une traduction de *Canadian Boat Song*, de Thomas Moore, et d'un pamphlet intitulé *Traité sur la politique coloniale du Bas-Canada* [...], publié à Montréal en 1835, sous le pseudonyme de Un avocat.

Décédé à Trois-Rivières, le 19 février 1863, à l'âge de 64 ans. Inhumé dans la cathédrale de l'endroit, le 24 février 1863.

Avait épousé dans la paroisse Notre-Dame de Montréal, le 18 février 1822, Harriet Munro, fille de Cornelius Munro, shérif dans le Haut-Canada, et de Frances De Lisle (Chabrand Delisle); puis, au même endroit, le 12 février 1838, Mary Woolrich, fille du négociant James Woolrich et de Magdeleine Gamelin.

Beau-père de Georges-Casimir **Dessaulles**.

Bibliographie: *DBC.*

MONDELET, François. V. MONDELET, Jean-Marie

MONDELET, Jean-Marie
(≤1773–1843)

Né à Saint-Charles-sur-Richelieu, soit vers 1771, soit le 29 avril 1773 – mais, dans ce dernier cas, aurait été baptisé le 30, sous le prénom de François, dans la paroisse Saint-Charles –, fils de Dominique Mondelet, notaire, chirurgien et propriétaire foncier, et de Marie-Françoise Hains.

Étudia au collège Saint-Raphaël de Montréal à compter de 1781, puis au petit séminaire de Québec de 1788 à 1790. Après un stage en notariat à Chambly, reçut en 1794 sa commission de notaire.

Exerça sa profession à Saint-Marc-sur-Richelieu, jusqu'en mai 1802 au moins, puis à Montréal jusqu'en juin 1842.

S'occupa d'administration municipale, à Montréal, après 1796. Élu député de Montréal-Ouest en 1804. Élu sans opposition dans Montréal-Est en 1808. Appuya généralement le parti canadien durant ces deux mandats. En 1809, retira sa candidature dans Montréal-Est, puis fut défait dans Montréal-Ouest. Défait de nouveau dans Montréal-Ouest en 1810.

Nommé coprésident de la Cour des sessions trimestrielles de Montréal en 1810 et magistrat de police en 1811, perdit ces deux postes en 1824. Prit part à la guerre de 1812 en qualité d'officier de milice. Nommé coroner de Montréal en 1812; effectua, entre autres, l'enquête qui suivit les événements du 21 mai 1832, survenus au cours de l'élection de Daniel **Tracey**; en juin 1836, la Chambre d'assemblée demanda, sans succès, qu'il fût démis de ses fonctions pour mépris des privilèges de la Chambre. Reçut le titre de notaire royal en 1821, mais le perdit en 1827. Nommé au Bureau de santé de Montréal en 1832. Fut juge de paix et obtint de nombreux postes de commissaire.

Décédé à Trois-Rivières, le 15 juin 1843, à l'âge soit d'environ 72 ans, soit de 70 ans et un mois. Inhumé dans l'église de l'Immaculée-Conception, le 19 juin 1843.

Avait épousé dans la paroisse Sainte-Famille, à Boucherville, le 29 janvier 1798, Charlotte Boucher de Grosbois, fille de Charles Boucher de Grosbois et de Reine Boucher de La Perrière; puis, dans l'église anglicane Christ Church de Montréal, le 28 décembre 1811, Juliana Walker, fille du juge James **Walker** et de Margaret Hughes, et veuve du ministre anglican de William Henry (Sorel), James Sutherland Rudd.

Père de Dominique **Mondelet**.

———

Bibliographie: *DBC*.

MONDOU, Albéric-Archie
(1872–1951)

Né à Saint-François-du-Lac, le 2 février 1872, fils d'Eusèbe Mondou, cultivateur, et de Marie-Georgina Desmarais.

A étudié au séminaire de Nicolet et à l'université Laval à Montréal.

Admis à la pratique du notariat le 14 octobre 1894, il exerça sa profession à Montréal. Directeur de la Strathcona Fire Insurance Co. Vice-président et gérant général de Quebec and Western Canada Land Syndicate Ltd. Gérant de la Banque Provinciale à Pierreville de 1902 à 1911. Membre du Club canadien de Montréal.

Élu député conservateur à l'Assemblée législative dans Yamaska en 1897. Son élection fut annulée le 23 septembre 1897 et il fut défait aux élections partielles du 16 novembre et du 22 décembre 1897. Candidat conservateur défait dans Yamaska aux élections fédérales de 1900. Élu à la Chambre des communes en 1911. Ne s'est pas représenté en 1917. Défait à l'élection partielle du 28 mai 1921. Défait également comme conservateur-indépendant dans Nicolet-Yamaska en 1945.

Décédé à Montréal, le 13 février 1951, à l'âge de 79 ans. Inhumé à Montréal, dans le cimetière de l'Est, le 15 février 1951.

Avait épousé à Saint-Michel-d'Yamaska, le 16 septembre 1895, Augustine Cardin, fille de Michel Cardin et de Vitaline Tonnancour.

———

MONET, Amédée
(1890–1946)

Né à Saint-Rémi, près de Châteauguay, le 23 avril 1890, fils de Dominique **Monet**, avocat, et de Marie-Louise Lahaie.

Fit ses études au collège de L'Assomption, au collège Sainte-Marie-de-Monnoir et à l'université Laval à Montréal. Admis au barreau de la province de Québec le 13 janvier 1916.

Exerça sa profession à Saint-Jean, au cabinet Demers et Monet, jusqu'en 1918, puis à Montréal, au cabinet Lamarre, Monet et Bourdon, de 1918 à 1922.

Membre de l'Association du jeune barreau de Montréal, des Chevaliers de Colomb, du Cercle universitaire, du Club canadien, du Club de réforme de Montréal, de l'Alliance nationale et de la Société des artisans canadiens-français. Président de la Fédération universitaire de Laval et de l'Association de la jeunesse libérale de Montréal.

Élu député libéral dans Napierville à l'élection partielle du 27 novembre 1918. Réélu sans opposition en 1919.

Son siège devint vacant lors de sa nomination comme juge à la Cour des sessions de la paix à Montréal le 13 avril 1922. Il occupa cette fonction jusqu'à son décès.

Décédé le 23 octobre 1946, à l'âge de 56 ans et 6 mois. Inhumé à Montréal, dans le cimetière Notre-Dame-des-Neiges, le 26 octobre 1946.

Avait épousé à Saint-Jean-sur-Richelieu, le 11 octobre 1916, Aurore-Berthe Alain, fille de Lazare Alain et de Marie Lalonde.

———

MONET, Dominique
(1865–1923)

Né à Saint-Michel, rive sud de Montréal, le 2 janvier 1865, fils de Dominique Monette, cultivateur, et de Marguerite Rémillard.

Fit ses études au collège de L'Assomption, au séminaire de Québec et à l'université Laval à Montréal. Admis au barreau de la province de Québec le 5 juillet 1889. Créé conseil en loi de la reine le 9 juin 1899.

Exerça sa profession à Saint-Rémi, Montréal et Saint-Jean. S'associa avec plusieurs avocats, notamment avec Amédée **Geoffrion**.

Candidat libéral défait dans Napierville à l'élection partielle fédérale du 9 décembre 1890. Élu député libéral à la Chambre des communes dans la même circonscription en 1891. Réélu dans Laprairie-Napierville en 1896 et 1900. Élu député à l'Assemblée législative dans Napierville en 1904. Assermenté ministre sans portefeuille dans le cabinet Parent le 2 février 1905. Ministre intérimaire des Travaux publics et de la Colonisation du 23 février au 20 mars 1905.

Son siège fut déclaré vacant à la suite de sa nomination au poste de protonotaire du district de Montréal le 20 octobre 1905. Nommé juge à la Cour supérieure du district d'Iberville le 31 août 1908.

Décédé en mer près de San Juan (Porto Rico), le 6 février 1923, à l'âge de 58 ans et un mois. Inhumé à Saint-Jean, dans le cimetière de la paroisse Saint-Jean-l'Évangéliste, le 14 février 1923.

Avait épousé dans sa paroisse natale, le 27 juin 1887, Marie-Louise Lahaie, fille de Charles Lahaie, cultivateur, et de Lina Robert.

Père d'Amédée **Monet**. Cousin de Philippe **Monette**.

MONETTE, Philippe
(1890–1957)

Né à Saint-Michel, rive sud de Montréal, le 26 mai 1890, fils de Napoléon Monette et de Stéphanie Coupal.

Fit ses études à Saint-Rémi, au séminaire de Sainte-Thérèse, au séminaire de Joliette, au collège Sainte-Marie et à l'université Laval à Montréal. Fit sa cléricature auprès d'Ésioff-Léon **Patenaude**. Admis au barreau de la province de Québec le 12 janvier 1914. Créé conseil en loi du roi le 3 octobre 1928.

Exerça d'abord seul à Montréal de 1914 à 1927, puis fut membre du cabinet Gendron, Monette et Gauthier de 1928 à 1946. Avocat du gouvernement canadien en 1920.

Élu député de l'Union nationale dans Napierville-Laprairie en 1936. Ne s'est pas représenté en 1939.

Membre de la Commission des accidents du travail de la province de Québec de 1946 à 1957.

Décédé à Saint-Jérôme, le 31 juillet 1957, à l'âge de 67 ans et 2 mois. Inhumé dans le cimetière de Saint-Rémi, le 5 août 1957.

Avait épousé à Montréal, dans la paroisse Saint-Louis-de-France, le 22 février 1916, Juliette Renaud, fille d'Adolphe Renaud, avocat, et de Joséphine Boulet.

Cousin de Dominique **Monet** et de Gustave Monette, sénateur de 1957 à 1969.

MONFETTE, Joseph-Victor
(1841–1924)

Né à Saint-Pierre-les-Becquets, le 13 octobre 1841, fils de Jean-Baptiste Monfet et de Rosalie Gagnon.

Cultivateur à Sainte-Sophie-de-Lévrard. Juge de paix.

Conseiller puis maire de Sainte-Sophie-de-Lévrard de 1882 à 1890, de 1896 à 1901 et de 1910 à 1913. Élu député du Parti national dans Nicolet en 1890. Ne s'est pas représenté en 1892.

Décédé à Sainte-Sophie-de-Lévrard, le 16 septembre 1924, à l'âge de 82 ans et 11 mois. Inhumé dans le cimetière de cette paroisse, le 19 septembre 1924.

Avait épousé dans sa paroisse natale, le 6 avril 1866, Elmire Tousignant, fille d'Aimé Tousignant et de Luce Poisson; [puis, le 15 juillet 1901, Célina Pépin, veuve de Narcisse Legendre].

MONGENAIS, Jean-Baptiste
(1803–1887)

Né à Rigaud, le 24 novembre 1803, puis baptisé le 27, dans la paroisse Sainte-Madeleine, fils de Jean-Baptiste Mongenais, cultivateur, et de Marie-Amable Charlebois. Désigné parfois sous le patronyme de Saint-Orand, dit Mongenais. Signa Mongenait, puis Mongenais.

Étudia dans son village natal.

Se lança dans l'agriculture et le commerce de détail à Rigaud; mit sur pied la Mongenais et McMillan. Fut actionnaire et administrateur de la Compagnie du chemin de fer de Vaudreuil, créée en mai 1853. Se retira des affaires en 1857. L'un des fondateurs, en 1850, du collège Bourget. Juge de paix et commissaire au tribunal des petites causes. Lieutenant dans le 2e bataillon de milice de Vaudreuil en 1831, fut promu capitaine en 1846; transféré au 4e bataillon l'année suivante, atteignit le grade de major en juillet 1865, puis celui de lieutenant-colonel le 6 février 1869.

Élu député de Vaudreuil en 1848; membre du groupe canadien-français, puis réformiste. Réélu en 1851 et 1854; réformiste, puis bleu. Ne s'est pas représenté en 1858. Élu dans Vaudreuil à une élection partielle le 26 novembre 1860. Réélu en 1861; mis sous la garde du sergent d'armes le 16 février 1863, pour absence injustifiée, fut libéré après avoir fourni des explications. Bleu. Bien qu'on ait annoncé sa candidature, ne s'est pas représenté en 1863. Défait dans Vaudreuil aux élections de l'Assemblée législative en 1875. Élu député conservateur de Vaudreuil à la Chambre des communes en 1878. Ne s'est pas représenté en 1882.

Décédé à Rigaud, le 28 mai 1887, à l'âge de 83 ans et 6 mois. Inhumé dans le nouveau cimetière de l'endroit, le 1er juin 1887.

Avait épousé dans la paroisse Sainte-Madeleine, à Rigaud, le 14 février 1825, Madeleine Cholette, fille du cultivateur Hyacinthe Cholette (Cholet), dit Laviolette, et de Rose-Hippolyte Saint-Julien ; puis, au même endroit, le 7 octobre 1833, Marie-Henriette Saint-Denis, fille d'Amable Saint-Denis et d'Ursule Dicaire ; enfin, toujours au même endroit, le 8 février 1874, Marie-Rose-Délima Roy, fille d'Adicace Roy et de Virginie Cardinal.

MONK, Frederick Arthur
(1884–1954)

Né à Montréal, le 16 juillet 1884, fils de Frederick Debartzch Monk, avocat, professeur et député à la Chambre des communes de 1896 à 1914, et de Marie-Louise-Denise Sénécal.

Fit ses études au collège Mont-Saint-Louis à Montréal, à la Fordham University Preparatory School à New York, au Bishop's College à Lennoxville, au Loyola College, au séminaire de Montréal et à la McGill University.

Gérant de district à la compagnie Bell à Lachine. Administrateur de la succession de son arrière-grand-père maternel, Côme-Séraphin **Cherrier** (Montréal). Employé de l'Assemblée législative de la province de Québec de 1940 à sa mort.

Président de l'organisation montréalaise de l'Action libérale nationale. Élu député de l'Action libérale nationale dans Jacques-Cartier en 1935. Candidat indépendant défait en 1936.

Décédé à Montréal, le 16 février 1954, à l'âge de 69 ans et 7 mois. Inhumé à Montréal, dans le Mount Royal Cemetery, le 19 février 1954.

Avait épousé à Montréal, dans la Christ Church, le 19 octobre 1911, Mabel Kathleen Whitley, fille d'Alfred George Whitley, agent manufacturier, et de Jessie Fleming Bruce.

MONK, James
(1745/1746–1826)

Né à Boston, le 9 mars 1745 selon le calendrier julien (en vigueur jusqu'en 1752 en Angleterre et dans les colonies américaines) mais en 1746 selon le calendrier grégorien, fils de James Monk, marchand et avocat, et d'Ann Dering.

Étudia le droit à Halifax, en Nouvelle-Écosse, auprès de son père, de 1761 à 1767. Admis au barreau le 10 mars 1768. Fit des études de droit à Londres de 1771 à 1774.

Pratiqua le droit à Halifax où il occupa également le poste de greffier de la couronne à la Cour suprême. Nommé solliciteur général de la Nouvelle-Écosse en 1772, entra en fonction le 8 septembre 1774. Assurait aussi l'intérim du procureur général en décembre 1774. Élu député de Yarmouth à la Chambre d'assemblée de la Nouvelle-Écosse en 1775 ; son siège fut déclaré vacant pour absentéisme le 28 juin 1776. Choisi comme procureur général de la province de Québec en août 1776, fut mandaté le 27 mai 1777 à Québec. Y ouvrit un cabinet privé. En juillet 1778, devint juge subrogé à la Cour de vice-amirauté, fonction qu'il remplit pendant dix ans. Au début de 1789, fut remplacé comme procureur général, poste qu'il réintégra en octobre 1792. Nommé juge en chef de la Cour du banc du roi pour le district de Montréal le 11 décembre 1794.

Membre du Conseil exécutif du Bas-Canada à compter du 29 novembre 1794. Assermenté le 5 janvier 1795 comme membre du Conseil législatif, dont il fut président suppléant à trois reprises : du 9 janvier 1802 au 8 mars 1802, du 16 janvier 1815 au 21 février 1815 et du 20 janvier 1816 au 7 février 1817. Administrateur de la province du 20 septembre 1819 au 7 ou au 8 février 1820 et du 9 février 1820 au 17 mars 1820.

Quitta ses diverses fonctions en juin 1820 pour se retirer en Angleterre. Fut fait chevalier (sir) le 27 avril 1825. Est l'auteur de : *State of the present form of government of the province of Quebec [...]* (Londres, 1789 ; 2e éd., 1790) et de *Bill présenté [...] au Conseil législatif intitulé «Acte qui assure plus efficacement aux créanciers les biens et effets des gens en commerce faisant faillite, et pour l'égale distribution de tels effets et biens»* (Québec, 1795).

Décédé à Cheltenham, en Angleterre, le 18 novembre 1826, à l'âge de 80 ans et 8 mois.

Avait épousé à Londres, entre 1771 et 1774, Elizabeth Adams.

Bibliographie : *DBC*.

MONRO, David
(≈1765–1834)

Né vers 1765 en Écosse. Son patronyme s'orthographiait aussi Munro.

Se trouvait déjà à Québec en 1791, en relation avec le milieu du commerce. S'associa avec le marchand Mathew **Bell** pour former la Monro and Bell qui acquit, en 1793, le bail des forges du Saint-Maurice, près de Trois-Rivières, et s'occupa de les mettre en valeur.

Élu député de Saint-Maurice en 1804; appuya généralement le parti des bureaucrates. Ne s'est pas représenté en 1808. Refusa, en 1817, l'offre de devenir membre du Conseil législatif.

Actionnaire de la Compagnie de l'Union de Québec, fondée en 1805, en fut nommé administrateur en février 1806. Fit partie de la John Stewart and Company avant novembre 1806, avec **Bell** et John **Stewart**. Participa à la fondation du Committee of Trade de Québec en 1809. Se retira de la Monro and Bell et de l'administration des forges le 31 décembre 1815. Acquit avec **Bell**, en mai 1817, la seigneurie Champlain. Fut juge de paix et officier de milice. Obtint plusieurs postes de commissaire. Retourna vivre en Grande-Bretagne; en 1821, était en Angleterre.

Décédé à Bath, en Angleterre, le 3 septembre 1834, à l'âge d'environ 69 ans.

Avait épousé dans la cathédrale anglicane Holy Trinity de Québec, le 5 mars 1807, Catherine MacKenzie, domiciliée à Québec, fille de James Mackenzie, commerçant de Trois-Rivières.

Beau-frère par alliance de Mathew **Bell**.

_____

Bibliographie: *DBC.*

MONTENACH, Charles-Nicolas-Fortuné de (≤1793–1832)

Né à Fribourg, en Suisse, en août 1791 ou en 1793, fils de Théodore de Montenach et de Magdeleine Gotrau de Pensier.

Vint au Canada pendant la guerre de 1812, à titre de lieutenant dans le régiment de Meuron. Arrivé en juin 1813, se trouvait en garnison à Montréal au début de l'année 1814; participa à la bataille de Plattsburgh, le 11 octobre suivant, puis obtint l'autorisation de se retirer du service, le 7 décembre 1814. S'intéressa à la seigneurie de Pierreville, que sa femme reçut de son père.

S'occupa d'administration municipale, à Montréal, en qualité de juge de la Cour des sessions spéciales de la paix. Élu député de Yamaska en 1830; participa aux votes de la première session seulement et appuya tantôt le parti patriote, tantôt le parti des bureaucrates.

Décédé en fonction à Montréal, le 24 mai 1832, à l'âge d'environ 40 ans. Inhumé dans l'église Saint-Antoine, à Longueuil, le 28 mai 1832.

Avait épousé dans la paroisse Saint-Antoine, à Longueuil, le 20 janvier 1814, Marie-Élisabeth (Mary Elizabeth) Grant, fille de David Alexander Grant, qui fut officier, administrateur et coseigneur de Pierreville, et de Marie-Charles-Joseph Le Moyne de Longueuil, baronne de Longueuil.

Beau-père de Thomas **Ryan**. Beau-frère de Charles William **Grant**.

_____

Bibliographie: Jodoin, Alex., «La famille de Montenach», *BRH*, 6, 12 (déc. 1900), p. 365-372.

MONTIGNY. V. TESTARD DE MONTIGNY

MONTOUR, Nicholas (1756–1808)

Né vraisemblablement aux États-Unis, en 1756, puis baptisé le 31 octobre 1756, dans l'église hollandaise d'Albany, dans la colonie de New York, fils d'Andrew (Henry) Montour, agent des Affaires indiennes et interprète, et de sa deuxième femme, Sarah Ainse (fut plus tard commerçante).

Fit son apprentissage dans la traite des fourrures à titre de commis, notamment pour Joseph **Frobisher** en 1774. Séjourna dans l'Ouest pendant de nombreuses années puis, vers 1792, s'établit à Montréal. Était actionnaire de la North West Company. Acheta en 1794 la Compagnie de la distillerie de Montréal; investit aussi dans la propriété immobilière et foncière, à Montréal, dans des seigneuries et dans les cantons. En 1799, s'installa à Pointe-du-Lac, près de Trois-Rivières. Fut juge de paix.

Élu député de Saint-Maurice en 1796; appuya généralement le parti des bureaucrates. Ne s'est pas représenté en 1800.

Admis en 1790 au Beaver Club de Montréal.

Décédé dans la seigneurie de Pointe-du-Lac, le 6 août 1808, à l'âge de 51 ou de 52 ans. Inhumé dans le cimetière protestant de Trois-Rivières, le 8 août 1808.

Avait épousé dans la Christ Church de Montréal, le 17 février 1798, Geneviève Wills, fille de Meredith Wills, marchand, et de Geneviève Dunière.

Beau-père de Charles-Christophe **Malhiot**. Neveu par alliance de Louis **Dunière** et de Pierre **Marcoux**.

_____

Bibliographie: *DBC.*

MONTPETIT, Alcide
(1900–1966)

Né à Salaberry-de-Valleyfield, le 4 mai 1900, fils de Stanislas Montpetit, agent d'assurances et journalier, et de Marie Lefebvre.

Fit ses études au collège de Valleyfield.

Inspecteur et contremaître aux usines Angus du Canadien Pacifique. Membre des clubs de réforme de Montréal et de Québec, des Chevaliers de Colomb et du Canadian Railway Club.

Élu député libéral dans Maisonneuve en 1952. Défait en 1956.

Décédé à Montréal, le 18 août 1966, à l'âge de 66 ans et 3 mois. Inhumé à Montréal, dans le cimetière Notre-Dame-des-Neiges, le 22 août 1966.

Avait épousé à Montréal, dans la paroisse de La Nativité-de-la-Sainte-Vierge, le 15 juillet 1922, Alice Bergeron, fille de François Bergeron, menuisier, et d'Adélaïde Néron; puis, à Montréal, dans la paroisse Saint-Émile, le 14 octobre 1963, Jeanne Tanguay, secrétaire-comptable, fille de Lambert Tanguay et de Rosina Laverdure, et veuve de Charles-Georges Lagacé.

MOORE, John
(<1814– ≥1858)

Né probablement en Angleterre.

S'établit dans les Cantons-de-l'Est. En 1825, était agent de colonisation dans le canton de Newport. Entrepreneur engagé dans la construction ferroviaire, dans le district de Sherbrooke, de 1843 à 1853 environ. Demeurait à Sherbrooke en 1858.

Élu député de Sherbrooke en 1834; appuya généralement le parti des bureaucrates. [En 1837, recruta une troupe de cinquante hommes.] Son mandat prit fin avec la suspension de la constitution, le 27 mars 1838. Élu dans Sherbrooke en 1841; unioniste, fut d'abord tory, mais, en 1843, se rangea du côté du groupe canadien-français. En 1844, retira sa candidature avant la fin du scrutin.

Décédé en ou après 1858.

[Avait épousé dans l'église protestante du canton de Shipton, le 29 janvier 1824, Lois Caswell.]

MOORE, Philip Henry
(1799–1880)

Né à Rhinebeck, dans l'État de New York, le 22 février 1799, fils de Nicholas Moore et de Catherine Streit.

Était d'origine irlando-hollandaise. Arriva avec ses parents à Moore's Corner (Saint-Armand-Ouest) en 1802. Étudia à l'école de district et, par la suite, dans une académie de St. Albans, au Vermont.

Fut d'abord cultivateur, puis s'établit comme marchand à Bedford, dans les Cantons-de-l'Est. Devint en 1830 le premier registrateur du district de Missisquoi, à Frelighsburg. Délaissa le commerce en 1833 pour se consacrer à l'agriculture. Pendant les troubles de 1837, servit dans la milice, notamment à la bataille de Moore's Corner.

Nommé au Conseil législatif le 7 septembre 1841, en fut membre jusqu'à l'avènement de la Confédération, le 1er juillet 1867. Présida en 1846 la commission qui, jusqu'en 1851, enquêta sur les pertes subies par les habitants du Bas-Canada pendant l'insurrection de 1837–1838. Fit une tournée aux États-Unis à l'été de 1856 pour élaborer un système d'échange de lois et de documents officiels entre les deux gouvernements; remit son rapport à la Chambre d'assemblée le 10 mars 1857. Refusa en 1867 de devenir conseiller législatif de la province de Québec afin de se porter candidat conservateur indépendant dans Missisquoi aux élections de la Chambre des communes; fut défait.

Obtint quelques postes de commissaire et fut juge de paix. Président de la Compagnie du chemin de fer de Montréal et du Vermont.

Décédé à Saint-Armand-Ouest, le 21 novembre 1880, à l'âge de 81 ans et 8 mois. Inhumé par le ministre anglican de Philipsburg, le 24 novembre 1880.

Avait épousé Harriet A. Stone, originaire de Fairfax, au Vermont.

Bibliographie: *DBC*.

MOORE, William Sturge
(<1785– ≥1809)

Né en Angleterre.

En novembre 1801, vint de Pennsylvanie, muni d'une lettre du consul anglais à New York, et s'établit dans la seigneurie Foucault, aussi appelée Caldwell's Manor. Nommé juge de paix en juillet 1805 et, en 1807, commissaire chargé de faire prêter le serment aux officiers à la demi-solde installés dans la seigneurie Foucault, ainsi que juge de district.

Élu député de Bedford à une élection partielle le 13 février 1805. Réélu en 1808. Appuya le parti des bureaucrates. Ne se serait pas représenté en 1809.

Décédé en ou après 1809.

Avait épousé vraisemblablement en secondes noces, probablement en Nouvelle-Angleterre, Hetty [Harper].

MOREAU, Émile
(1877–1959)

Né à Saint-Cyrille-de-Lessard, le 20 juin 1877, fils d'Émile Moreau, journalier, et de Flore Pépin, dit Saint-Pierre.

Fit ses études au collège des Frères des écoles chrétiennes à L'Islet.

Travailla quelques années pour les entreprises forestières King and Brothers et Price Brothers, puis émigra aux États-Unis en 1896 et y exerça le métier de contremaître et de mesureur de bois. De retour au Québec en 1901, il se fixa à Péribonka où il fut cultivateur, garde-forestier et mesureur de bois pour le gouvernement. S'établit à Roberval en 1922.

Secrétaire et président de la commission scolaire de Péribonka de 1915 à 1921. Conseiller municipal de Saint-Henri-de-Taillon. Président de la commission scolaire de Roberval de 1922 à 1940. Maire de Péribonka en 1923 et 1924. Candidat libéral défait dans Lac-Saint-Jean en 1916. Élu député libéral dans la même circonscription en 1919. Assermenté ministre sans portefeuille dans le cabinet Taschereau le 27 septembre 1921. Réélu en 1923 et 1927, puis dans Roberval en 1931. Son siège devint vacant lorsqu'il fut nommé conseiller législatif de la division de Lauzon le 6 juin 1935.

Décédé en fonction à Québec, le 28 janvier 1959, à l'âge de 81 ans et 7 mois. Inhumé à Sainte-Foy, dans le cimetière Notre-Dame-de-Belmont, le 31 janvier 1959.

[Avait épousé à Sanford, dans l'État du Maine, le 7 janvier 1900, Albertine Robert, fille de Prosper Robert, cultivateur.]

MOREAULT, Louis-Joseph
(1882–1943)

Né à Saint-Octave-de-Métis, le 4 juillet 1882, fils d'Élisée Moreault, cultivateur et marchand, et de Victoire D'Auteuil.

Fit ses études au séminaire de Rimouski, au séminaire de Québec et à l'université Laval à Québec. Reçu médecin en 1908, il exerça sa profession à Rimouski.

Capitaine de réserve, lieutenant en 1904 et capitaine du 89e régiment de 1907 à 1912. Président de la Société d'agriculture du comté de Rimouski.

Marguillier. Échevin de Rimouski de 1915 à 1919 et maire de 1919 à 1937. Élu député libéral dans Rimouski en 1923. Réélu en 1927, 1931 et 1935. Défait en 1936. De nouveau élu en 1939.

Décédé en fonction à Rimouski, le 1er janvier 1943, à l'âge de 60 ans et 6 mois. Inhumé à Rimouski, le 5 janvier 1943.

Avait épousé à Montréal, dans la paroisse Saint-Jacques, le 17 octobre 1922, Alice Dumont, fille de William Dumont et d'Aglaé Pelletier, et veuve de Conrad Ringuet, médecin.

MOREL, Joseph-Wilfrid
(1888–1964)

Né à Dégelis, le 2 novembre 1888, fils de Joseph Morel, menuisier et marchand, et de Sara L'Italien.

Fit ses études au collège des Frères des écoles chrétiennes à L'Islet.

Commis chez Oct. L'Italien à Dégelis de 1906 à 1908, puis employé de la Fraser Lumber jusqu'en 1914. Voyageur de commerce pour la compagnie Montreal Abattoirs Ltd. de 1914 à 1918, et pour la Brown Corporation de 1918 à 1925. À partir de 1925, il fut agent d'assurances à Dégelis et à Rivière-du-Loup. Exerça également les fonctions d'inspecteur pour la taxe provinciale.

Directeur de la Compagnie de l'aqueduc de Sainte-Rose-du-Dégelis. Actionnaire des compagnies d'assurances Montcalm et Frontenac. Membre des Chevaliers de Colomb.

Conseiller municipal de Sainte-Rose-du-Dégelis de 1918 à 1920, et maire de 1925 à 1931. Président de la commission scolaire de cette localité de juillet 1923 à juin 1932. Élu député libéral dans Témiscouata en 1931. Ne s'est pas représenté en 1935.

Décédé à Drummondville, le 12 avril 1964, à l'âge de 76 ans et 7 mois. Inhumé à Drummondville, dans le cimetière de la paroisse Saint-Frédéric, le 16 avril 1964.

Avait épousé à Dégelis, le 30 juin 1913, Augustine Dickner, fille de Théodore Dickner et d'Adèle Dionne, et fille adoptive de J.B. Dionne.

MORIN, Augustin-Norbert
(1803–1865)

Né à Saint-Michel, près de Québec, le 13 octobre 1803, fils d'Augustin Morin, cultivateur, et de Marianne Cottin, dit Dugal.

Étudia au petit séminaire de Québec de 1815 à 1822, puis fut journaliste au *Canadien*. Entreprit, en 1823, l'apprentissage du droit auprès de Denis-Benjamin **Viger**, à Montréal, où il fonda *la Minerve*, en 1826; vendit son journal à Ludger **Duvernay** l'année suivante. Admis au barreau en 1828.

Exerça la profession d'avocat à Montréal jusqu'en 1836, puis à Québec. Collabora à *la Minerve*.

Élu député de Bellechasse en 1830; appuya le parti patriote; démissionna le 18 décembre 1833. Réélu à une élection partielle le 26 janvier 1834; envoyé en Angleterre par l'Assemblée, avec Denis-Benjamin **Viger**, pour présenter et défendre les Quatre-vingt-douze Résolutions. Réélu en 1834. Modéré jusqu'en 1836, puis radical; fut le chef de la rébellion de 1837 à Québec. Conserva son siège jusqu'à la suspension de la constitution, le 27 mars 1838. Emprisonné pour haute trahison le 28 octobre 1839, fut libéré peu après. Élu dans Nicolet en 1841; antiunioniste, fit partie du groupe canadien-français. Démissionna comme député le 7 janvier 1842, puis devint juge le 11; abandonna cette charge et fut élu député de Saguenay à une élection partielle le 28 novembre 1842. Membre du ministère Baldwin–La Fontaine: conseiller exécutif du 13 octobre 1842 jusqu'à sa démission le 27 novembre 1843; à titre de commissaire des Terres de la couronne du 13 octobre 1842 au 11 décembre 1843, fonda Val-Morin, Sainte-Adèle et Morin-Heights. Réélu dans Saguenay et élu dans Bellechasse en 1844; opta pour Bellechasse le 13 décembre 1844; fit partie du groupe canadien-français; élu orateur suppléant de l'Assemblée le 13 avril 1846, le demeura jusqu'au 19 mai; refusa, le 10 août 1846, l'offre de se joindre au Conseil exécutif. Réélu député en 1848; fit partie à nouveau du groupe canadien-français; élu orateur de la Chambre le 25 février 1848, conserva cette fonction jusqu'au 27 octobre 1851. Élu dans Terrebonne en 1851; réformiste. Forma un ministère avec Francis Hincks: secrétaire provincial du 28 octobre 1851 au 30 août 1853 et commissaire des Terres de la couronne du 31 août 1853 au 10 septembre 1854. Défait dans Terrebonne, puis élu sans opposition dans les circonscriptions unies de Chicoutimi et Tadoussac en 1854; réformiste. Constitua un ministère avec Allan Napier MacNab: commissaire des Terres de la couronne du 11 septembre 1854 au 26 janvier 1855, date à laquelle il démissionna comme ministre pour raison de santé.

Son siège de député fut déclaré vacant le 27 en raison de sa nomination à titre de juge de la Cour supérieure.

Nommé conseiller de la reine en 1842. Reçut un doctorat en droit de l'université Laval en 1854. Cofondateur du *Law Reporter* de Montréal. Membre de la Commission de codification des lois civiles du Bas-Canada à compter de 1859.

Décédé à Sainte-Adèle de Terrebonne, le 27 juillet 1865, à l'âge de 61 ans et 9 mois. Inhumé dans l'église Notre-Dame-du-Rosaire, à Saint-Hyacinthe, le 30 juillet 1865.

Avait épousé dans la chapelle Saint-Louis de la cathédrale Notre-Dame de Québec, le 28 février 1843, Adèle Raymond, fille du marchand Joseph Raymond et de Louise Cartier.

Oncle de Joseph-Octave **Morin**. Beau-frère de Rémi **Raymond**.

Bibliographie: *DBC*.

MORIN, Claude

Né à Montmorency, le 16 mai 1929, fils d'Émile Morin, médecin, et d'Aline Dupont.

A étudié au collège Saint-Grégoire à Montmorency, au séminaire de Québec et à l'université Laval où il obtint un baccalauréat en sciences sociales et une maîtrise en sciences économiques. Poursuivit ses études à l'université Columbia, dans l'État de New York, où il fut reçu Master of Social Welfare en 1956.

Professeur et secrétaire de l'École de service social à Québec de 1956 à 1959. Professeur auxiliaire à la faculté des sciences sociales de l'université Laval de 1959 à 1961, puis professeur agrégé de 1961 à 1963. De 1956 à 1963, il fut aussi consultant auprès de diverses organisations socio-économiques privées. Professeur en relations intergouvernementales à l'École nationale d'administration publique (ENAP) et chargé de cours à l'université de Montréal, à Laval et à l'université du Québec à Montréal de 1971 à 1976.

Consultant auprès du Conseil d'orientation économique et de différents ministères à partir de 1960. Conseiller économique du Conseil exécutif du gouvernement du Québec de 1961 à 1963. Membre d'un comité gouvernemental sur l'assistance publique en 1962 et 1963. Sous-ministre des Affaires fédérales-provinciales de 1963 à 1967 et sous-ministre des Affaires intergouvernementales de 1967 à 1971.

Membre de l'exécutif national du Parti québécois de 1973 à 1977. Candidat du Parti québécois défait dans Louis-Hébert en 1973. Élu député du Parti québécois dans la même circonscription en 1976. Réélu en 1981. Ministre des Affaires intergouvernementales dans le cabinet Lévesque du 26 novembre 1976 au 8 janvier 1982. Démissionna comme député le 29 décembre 1981.

Retourna à la pratique de l'enseignement à l'ENAP.

Auteur de nombreux articles, rapports de recherche et commentaires parus notamment dans les revues *Service Social* et *Relations industrielles*. Commentateur régulier de l'émission *la Vie économique* diffusée à Radio-Canada d'octobre 1958 à juin 1961. Participa occasionnellement à l'émission radiotélé-visée *Commentaires* et à la série radiophonique *Place publique*. A publié *le Pouvoir québécois... en négociation* (1972), *le Combat québécois* (1973), *l'Art de l'impossible : la diplomatie québécoise depuis 1960* (1987), *les Lendemains piégés* (1988) et *Mes premiers ministres* (1991). Membre de l'Association canadienne des travailleurs sociaux, de l'Association des éco-nomistes canadiens, de l'Institut canadien d'administration publique et du Conseil canadien de bien-être. Fut membre de l'Association des professeurs de carrière de l'université Laval, du National Council for Religion in Higher Education (New Haven, Connecticut) et du conseil d'administration du Conseil des œuvres du Québec.

Neveu de Joseph-Octave **Morin**.

MORIN, Gérard-Raymond

Né à La Baie, le 27 janvier 1940, fils d'Alphonse Morin, papetier, et d'Yvette Parent.

Diplômé en commerce du collège Saint-Joseph à La Baie en 1958.

Employé à la Consolidated-Bathurst. Fut président du Syndicat national de l'usine Consolidated-Bathurst de 1976 à 1982. Président provincial des clubs 4-H en 1958. Président des Jeunesses musicales du Canada, secteur La Baie, en 1963. Trésorier de la commission des loisirs de 1972 à 1975. Membre du conseil d'administration de la caisse populaire de Port-Alfred en 1975 et 1976. Membre du conseil de zone pastorale du Bas-Saguenay de 1978 à 1984.

Conseiller municipal de 1980 à 1984, et maire de La Baie de 1984 à 1988. Élu député du Parti québécois dans Dubuc en 1989.

MORIN, Jacques-Yvan

Né à Québec, le 15 juillet 1931, fils d'Arsène Morin, fonctionnaire provincial, professeur et avocat, et de Germaine Roy.

Fit ses études supérieures aux universités McGill à Montréal, de Cambridge (Angleterre) et Harvard (Boston). Admis au barreau de la province de Québec en juin 1953.

Professeur de droit international et constitutionnel à l'université de Montréal de 1958 à 1973. Fut aussi professeur invité aux universités de Paris et de Nice. Dirigea l'Institut euro-péen des hautes études internationales à Nice en 1969. Prési-dent de l'Association des professeurs de l'université de Montréal en 1966 et 1967. Arbitre de plusieurs griefs de travail au Québec. Membre de la Cour internationale d'arbitrage à La Haye, aux Pays-Bas, de 1964 à 1968. Président des États géné-raux du Canada français de 1966 à 1969. Président du Mou-vement national des Québécois de 1971 à 1973. Président de la section montréalaise de l'Association de droit international.

Candidat du Parti québécois défait dans Bourassa en 1970. Élu député du Parti québécois dans Sauvé en 1973. Chef de l'Opposition officielle du 20 novembre 1973 au 18 octobre 1976. Réélu en 1976 et 1981. Vice-premier ministre du 26 novembre 1976 au 5 mars 1984. Ministre de l'Éducation dans le cabinet Lévesque du 26 novembre 1976 au 6 novembre 1980. Ministre d'État au Développement culturel et scientifique du 6 novembre 1980 au 17 février 1982. Ministre des Affaires intergouvernementales du 17 février 1982 au 5 mars 1984. Démissionna comme député et ministre le 5 mars 1984.

Est retourné à l'enseignement à la faculté de droit de l'université de Montréal. Professeur à l'université de droit et de sciences économiques de Poitiers de septembre 1986 et à l'été 1987. Créé officier de la Légion d'honneur le 2 mars 1987.

MORIN, Jean-Marie

Né à Rivière-Ouelle, le 19 février 1929, fils de François Morin, journalier, et d'Émilia Lafrance.

Fit ses études au collège de Sainte-Anne-de-la-Poca-tière, à l'université de Montréal et à l'université Laval. Spécia-liste de l'enseignement à l'enfance exceptionnelle.

Enseigna un an dans un établissement de jeunes délin-quants. Professeur de français, latin et grec au collège de Lévis de 1948 à 1966, et directeur du laboratoire de langues de ce collège de 1962 à 1966. Directeur du camp-école Trois-Sau-mons de 1962 à 1966. Trésorier provincial des professeurs de l'enseignement classique (APPLEC) en 1962 et 1963. Membre du Syndicat professionnel des enseignants (SPE).

Candidat progressiste-conservateur défait dans Lévis aux élections fédérales de 1962 et 1963. Élu député de l'Union nationale dans Lévis en 1966. Nommé adjoint parlementaire du premier ministre Daniel Johnson le 30 novembre 1966.

Ministre d'État délégué au Haut-Commissariat à la jeunesse, aux loisirs et aux sports et responsable de l'Office franco-québécois pour la jeunesse dans les cabinets Johnson et Bertrand du 21 mars au 31 octobre 1968. Assermenté ministre d'État à l'Éducation dans le cabinet Bertrand le 31 octobre 1968. Défait en 1970.

Nommé directeur général des opérations au bureau du commissaire aux Langues officielles à Ottawa en juin 1970. Boursier de la fondation Nuffield de Londres en mars 1971, il effectua des stages de perfectionnement à l'Administrative Staff College et à l'université de Reading, en Angleterre, en 1971 et 1972. Sous-commissaire aux Langues officielles de 1972 à 1980. Chargé de mission pour l'Agence de coopération culturelle et technique auprès des Nations Unies à New York, Genève et Vienne de 1980 à 1984. Conseiller auprès du président de la république de Vanuatu (Pacifique) de 1984 à 1986. Responsable au Secrétariat d'État aux minorités francophones de 1986 à 1988, année de sa retraite.

Trésorier de la corporation du lycée Claudel à Ottawa. Membre fondateur du Club Lions de Lauzon. Membre des Chevaliers de Colomb. À compter de 1989, il fut président de l'Association Canada-France pour la région de la capitale nationale et administrateur de la paroisse Sainte-Élisabeth à Cantley (Gatineau).

MORIN, Joseph (Charlevoix) (1854–1915)

Né à Baie-Saint-Paul, le 13 février 1854, fils de Toussaint Morin, forgeron, cultivateur et commerçant, et de Calixte Vandal.

Fit ses études à l'académie de Baie-Saint-Paul.

Marchand et cultivateur à Baie-Saint-Paul. Représentant de la maison Matthew Moddy & Son et de la Canada Life Co. Secrétaire-trésorier de la municipalité de Baie-Saint-Paul en 1879 et de la commission scolaire du 14 juillet 1879 au 4 juillet 1903.

Conseiller du village de Baie-Saint-Paul pendant trois ans. Élu député libéral dans Charlevoix en 1886. Réélu en 1890 (sans opposition) et 1892. Défait en 1897. Réélu sans opposition en 1900. Ne s'est pas représenté en 1904.

Gouverneur de la prison de Québec de 1906 à 1915.

Décédé à Québec, le 1er juin 1915, à l'âge de 61 ans et 3 mois. Inhumé dans le cimetière de Baie-Saint-Paul, le 5 juin 1915.

Avait épousé dans sa paroisse natale, le 8 janvier 1878, Georgianne Simard, fille de Maxime Simard, cultivateur, et d'Elmire Simard.

MORIN, Joseph (Saint-Hyacinthe) (1854–1930)

Né à Saint-Hyacinthe, le 24 février 1854, fils de Pierre Morin et de Tharsille Vasseur.

Fit ses études au séminaire de Saint-Hyacinthe. Admis à la pratique du notariat le 16 mai 1878.

Exerça sa profession à Saint-Hyacinthe de 1878 à 1908, notamment avec Michel-Esdras Bernier, député à la Chambre des communes de 1882 à 1904. Secrétaire-trésorier de la Société d'agriculture de Saint-Hyacinthe de 1878 à 1893, de la corporation municipale de Saint-Hyacinthe de 1921 à 1929 et de la paroisse pendant vingt-huit ans.

Échevin de Saint-Hyacinthe en 1881 et 1882 et de 1891 à 1901. Directeur de la Société d'industrie laitière de la province de Québec pendant huit ans et de la Banque de Saint-Hyacinthe de 1893 à 1908. Membre du Club de la garnison et président du Club canadien de Québec en 1917 et 1918. Président du Conseil d'agriculture de la province de Québec de 1906 à 1908.

Élu sans opposition député libéral dans Saint-Hyacinthe en 1900 et 1904. Défait en 1908.

Nommé vérificateur de la province de Québec le 24 février 1909, il occupa cette fonction jusqu'en 1929.

Décédé à Saint-Hyacinthe, le 2 mars 1930, à l'âge de 76 ans. Inhumé dans le cimetière de Saint-Hyacinthe, le 4 mars 1930.

Avait épousé dans la paroisse Notre-Dame de Montréal, le 26 septembre 1882, Marie-Louise-Laetitia Bourgoin, fille de Louis Bourgoin, entrepreneur, et de Mélina Dubuc.

Père de Louis-Simon-René Morin, député à la Chambre des communes de 1921 à 1930.

MORIN, Joseph-Octave (1882–1920)

Né à Saint-Jean-Port-Joli, le 8 avril 1882, fils d'Albert Morin, marchand, et d'Esther Varin.

Fit ses études à Saint-Jean-Port-Joli et au collège de Sainte-Anne-de-la-Pocatière.

Voyageur de commerce et propriétaire du moulin à bois à Villemontel, en Abitibi.

Élu député conservateur dans L'Islet en 1912. Défait en 1916.

Porté disparu le 13 octobre 1920 à Villemontel. Son corps fut retrouvé au printemps suivant et fut inhumé dans le cimetière de Saint-Jean-Port-Joli le 25 avril 1921. Il était âgé de 38 ans et 6 mois.

Avait épousé dans sa paroisse natale, le 25 mai 1915, Marie-Jeanne-Amélia Dupont, fille de Joseph Dupont, maître de poste, et de Paméla Chouinard.

Neveu d'Augustin-Norbert **Morin**. Oncle de Claude **Morin**.

MORIN, Joseph-Philias (1899–1945)

Né à Saint-Maurice, en Mauricie, le 19 mars 1899, fils de William Morin, cultivateur, et de Célina Laneuville.

Fit ses études à Saint-Maurice.

Entrepreneur général. Directeur à la compagnie C.E. Deakin pendant dix ans. Membre des Chevaliers de Colomb et du Club Saint-Louis.

Échevin de Cap-de-la-Madeleine de 1929 à 1933. Élu député de l'Union nationale dans Champlain en 1939. Ne s'est pas représenté en 1944.

Décédé à Cap-de-la-Madeleine, le 13 janvier 1945, à l'âge de 45 ans et 10 mois. Inhumé dans le cimetière de Cap-de-la-Madeleine, le 16 janvier 1945.

Avait épousé dans sa paroisse natale, le 5 mai 1919, Cécile Pruneau, fille d'Alfred Pruneau, cultivateur, et d'Albertine Gagnon.

MORIN, Joseph-William (1894–1973)

[Né à New York, le 23 septembre 1894, fils de Joseph Morin et de Lucie Naud.]

Étudia au séminaire de Québec. Fut ensuite nouvelliste au quotidien *le Devoir*, puis s'engagea dans la marine américaine en 1917 et obtint le grade de lieutenant en 1921. Revint au pays en 1922 et poursuivit ses études à l'université Laval. Admis au barreau de la province de Québec le 12 janvier 1925.

Pratiqua seul à Québec jusqu'en 1927, puis s'associa à Pierre de Varennes en 1928. Fut aussi l'associé de Mes O. Mayrand, A. Dussault, Roger Vézina, P. LeBel, G. Schreiber et J.M. Laliberté. Pratiqua de nouveau seul de 1943 à 1949 et s'associa ensuite à L.P. Henri Boivin et André Verge jusqu'en 1955.

Élu député libéral dans Québec-Centre en 1939. Réélu en 1944. Défait en 1948.

Collaborateur à la *Revue du droit*. Trésorier du barreau de Québec de 1935 à 1938. Créé conseil en loi du roi le 13 janvier 1940. Professeur de droit maritime à l'École supérieure de commerce de l'université Laval de 1946 à 1960 et professeur de droit aérien à la faculté de droit de 1953 à 1964. Juge à la Cour supérieure du district de Québec de 1955 à 1969. Membre du Club de réforme, du Club de la garnison et du Cercle universitaire de Québec. Membre et conseiller juridique de l'Association des propriétaires de navires à voiles et à moteurs.

Décédé à Québec, le 19 septembre 1973, à l'âge de 79 ans. Inhumé dans le cimetière de Sainte-Pétronille (île d'Orléans), le 24 septembre 1973.

Avait épousé à Saint-Joachim, près de Québec, le 10 juillet 1928, Marie-Blanche-Yvonne Simard, fille d'Arsène Simard, marchand, et de Marie Fillion.

MORIN, Louis-Siméon (1831–1879)

Né à Lavaltrie, le 20 janvier 1831, fils de Joseph Morin, cultivateur, et de Félicité Peltier, nièce du fondateur et premier maire de Milwaukee, au Wisconsin, Laurent-Salomon Juneau.

Étudia au collège de L'Assomption de 1841 à 1848. Fit l'apprentissage du droit auprès de Côme-Séraphin **Cherrier** (Montréal) et d'Antoine-Aimé **Dorion**; admis au barreau en 1853.

Pratiqua la profession d'avocat à Montréal, notamment en société avec Gédéon **Ouimet**. Collabora au journal *la Patrie*. Fait conseiller de la reine en janvier 1860.

Défait dans L'Assomption en 1854. Élu député de Terrebonne à une élection partielle le 23 juin 1857. Réélu sans opposition en 1858; bleu. Fit partie du ministère Cartier–Macdonald: conseiller exécutif et solliciteur général du Bas-Canada du 19 janvier 1860 au 23 mai 1862. À son entrée au cabinet, son siège de député était devenu vacant. Réélu à une élection partielle le 21 février 1860. Défait dans Terrebonne en 1861. Élu dans Laval à une élection partielle le 27 septembre 1861; bleu. Défait dans Terrebonne en 1863.

Exerça la fonction de secrétaire français de la Commission de codification des lois civiles du Bas-Canada, de 1865 à 1867. Nommé protonotaire conjoint de la Cour supérieure et greffier de la couronne pour le district de Joliette en 1871.

Décédé à Lavaltrie, le 7 mai 1879, à l'âge de 48 ans et 3 mois.

Était célibataire.

Bibliographie: *DBC*.

MORIN, Nérée
(1866–1927)

Né à Sainte-Hélène, près de Kamouraska, le 11 mai 1866, fils d'André Morin, cultivateur, et d'Henriette Marchand.

Cultivateur et marchand général. Fit le commerce des animaux de boucherie et dirigea une beurrerie-fromagerie. Président du marché de Saint-Pascal.

Commissaire à la commission scolaire de Sainte-Hélène du 1er juillet 1913 au 20 juin 1916. Échevin de Sainte-Hélène en 1910 et maire en 1914. Se porta candidat libéral indépendant dans Kamouraska à l'élection partielle du 6 décembre 1909, mais se retira avant le jour du scrutin, le 1er décembre 1909. Élu député libéral dans Kamouraska à l'élection partielle du 19 octobre 1920. Réélu en 1923 et 1927.

Décédé en fonction à Québec, le 9 juin 1927, à l'âge de 61 ans et un mois. Inhumé dans le cimetière de Sainte-Hélène, le 14 juin 1927.

Avait épousé dans sa paroisse natale, le 5 février 1889, Delvina Albert, fille de François Albert, cultivateur, et d'Octavie Picard.

MORISSET, Alfred
(1874–1952)

Né à Sainte-Hénédine, en Beauce, le 4 juillet 1874, fils d'Alfred Morisset, médecin, et d'Aglaé Dion.

Fit ses études au séminaire de Québec et à l'université Laval à Québec.

Reçu médecin en 1896, il exerça sa profession à Sainte-Hénédine pendant dix-sept ans.

Élu sans opposition député libéral dans Dorchester en 1904. Réélu en 1908 et 1912. Whip en chef du Parti libéral en 1912 et 1913.

Son siège devint vacant lorsqu'il fut nommé greffier du Conseil exécutif, le 16 mai 1913.

Décédé à Québec, le 29 novembre 1952, à l'âge de 78 ans et 4 mois. Inhumé à Sainte-Foy, dans le cimetière Notre-Dame-de-Belmont, le 3 décembre 1952.

Avait épousé à Québec, dans la paroisse Saint-Jean-Baptiste, le 8 octobre 1901, Fabiola Vézina, fille de François Rémi-Adolphe Vézina, comptable, et de Virginie Morissette.

MORISSETTE, Albert
(1901–1972)

Né à Sainte-Sophie-de-Lévrard, le 2 novembre 1901, fils d'Octave Morissette, cultivateur, et d'Odila Tousignant.

Fit ses études à Sainte-Sophie-de-Lévrard, à l'école secondaire de Fortierville et à l'école normale Laval à Québec. Reçut un brevet d'enseignement supérieur en 1924 et un diplôme d'inspecteur d'école en 1930.

Enseigna à Sainte-Élisabeth en 1924, puis à East Broughton de 1924 à 1930. Inspecteur d'école dans le comté d'Arthabaska de 1930 à 1947. Fonda une compagnie d'autobus en 1947 et un bureau d'assurances à Victoriaville en 1956. Secrétaire-trésorier de Victoriaville Specialties de 1942 à 1961.

Commissaire à la commission scolaire de Victoriaville de 1947 à 1959, et président du 20 juillet 1959 au 7 février 1966. Président de l'Association des commissaires d'école du diocèse de Nicolet pendant dix ans. Siégea au conseil d'administration de la Fédération des commissions scolaires catholiques de la province de Québec de 1952 à 1960 et fut président de la section urbaine de cette fédération de 1958 à 1960. Président de l'Association des fonctionnaires provinciaux de la région de Bois-Francs et des Cantons-de-l'Est. Directeur de la Chambre de commerce de Victoriaville. Membre des Chevaliers de Colomb, du Club Richelieu et de la Société Saint-Jean-Baptiste.

Candidat libéral défait dans Arthabaska en 1952 et 1956. Élu député libéral dans la même circonscription en 1960. Réélu en 1962. Nommé adjoint parlementaire du ministre du Travail le 19 décembre 1962. Assermenté ministre sans portefeuille dans le cabinet Lesage le 20 janvier 1965. Défait en 1966.

Décédé à Sainte-Foy, le 31 mars 1972, à l'âge de 70 ans et 5 mois. Inhumé dans le cimetière de Victoriaville, le 3 avril 1972.

Avait épousé en premières noces, à Montréal, dans la paroisse Saint-Clément, le 29 juin 1929, Gabrielle Fournier, fille d'Edmond Fournier, employé civil, et de Marie-Anne Talbot; [puis, en secondes noces, Germaine Aubin].

MORRIS, Alexander Webb
(1856–1935)

[Né à Brockville (Ontario), en 1856, fils de William Lang Morris et de Julia Frances Converse.]

Fit ses études au Bishop's College à Lennoxville, à l'école privée Tassie and Gault, à l'école de M. Carpenter et à la Montreal High School.

Homme d'affaires de Montréal. Fut attaché, entre autres, à la Banque de Montréal. Propriétaire, président et directeur général de la Consumers Cordage Company. Propriétaire de A.W. Morris & Brothers. Directeur de la Banque Molson. Vice-président du Junior Conservative Club.

Maire de Saint-Gabriel de 1885 à 1887, puis échevin du quartier Saint-Gabriel au conseil municipal de Montréal du 8 août 1887 au 9 juillet 1888. Élu député conservateur dans Montréal n° 4 en 1892. Assermenté ministre sans portefeuille dans le cabinet Taillon le 8 février 1895. Démissionna le 12 mai 1896. Reçut la médaille de la Royal Humane Society.

Décédé à Lachine, le 30 mars 1935, à l'âge d'environ 79 ans. Inhumé à Montréal, dans le Mount Royal Cemetery, le 2 avril 1935.

Avait épousé à Montréal, dans la Christ Church Cathedral, le 24 juillet 1879, Florence N. Rennie.

MOUNTAIN, Jacob
(1749–1825)

Né en Angleterre, dans la paroisse de Thwaite All Saints, le 1er décembre 1749, fils de Jacob Mountain et d'Ann Postle.

Fit ses études secondaires à Wymondham, dans le Norfolk, puis à Norwich. Fréquenta l'école de Scarning, près d'East Dereham. Fut admis au Gonville and Caius College de l'University of Cambridge le 8 octobre 1769. Obtint une maîtrise ès arts en 1777. Fut ordonné prêtre de l'Église d'Angleterre le 17 décembre 1780.

Exerça son ministère sacerdotal en Angleterre et fut conseiller en théologie de l'évêque de Lincoln. Nommé évêque anglican du nouveau diocèse de Québec le 28 juin 1793, fut sacré le 7 juillet et arriva à Québec le 1er novembre de la même année.

Membre des conseils législatifs du Bas et du Haut-Canada à partir du 7 juillet 1793, ne siégea qu'au Conseil législatif du Bas-Canada de 1795 jusqu'à sa mort. Nommé conseiller exécutif du Bas et du Haut-Canada le 30 juin 1794, ne siégea qu'au Conseil exécutif du Bas-Canada de 1796 jusqu'à la fin de sa vie.

Obtint un doctorat honorifique en théologie lorsqu'il fut sacré évêque en 1793. Reçut le titre de lord évêque de Québec le 29 mai 1794. Est l'auteur de : *Poetical reveries* (Londres, 1777 ; 2e éd., 1977) ; « From Quebec to Niagara in 1794 ; a diary of Bishop Jacob Mountain », publié dans le *Rapport de l'archiviste de la province de Québec pour 1959–1960*, et de quelques sermons et exhortations.

Décédé en fonction à Québec, le 16 juin 1825, à l'âge de 75 ans et 6 mois. Inhumé sous le chœur de la cathédrale anglicane Holy Trinity de Québec, le 20 juin 1825.

Avait épousé à Little Bardfield, en Angleterre, le 18 octobre 1783, Elizabeth Mildred Wale Kentish, [fille de John Kentish].

———

Bibliographie : *DBC*.

MOUSSEAU, Alexis
(1767–1848)

Né à Berthier (Berthierville) et baptisé dans la paroisse Sainte-Geneviève-de-Berthier, le 5 décembre 1767, fils de Jean-Baptiste Mousseau et de Marie-Catherine Laferrière.

Fut cultivateur. En 1811, était marguillier de la paroisse Sainte-Geneviève-de-Berthier. Nommé capitaine du 1er bataillon de milice de Warwick en avril 1823.

Élu député de Warwick en avril 1820. Réélu en juillet 1820. Appuya généralement le parti canadien. Défait en 1824. Élu dans la même circonscription en 1827. Élu dans Berthier en 1830. Réélu en 1834. Donna généralement son appui au parti patriote. Son mandat prit fin avec la suspension de la constitution, le 27 mars 1838.

Décédé à Berthier (Berthierville), le 28 janvier 1848, à l'âge de 80 ans et un mois. Inhumé dans le cimetière paroissial, le 31 janvier 1848.

Avait épousé dans sa paroisse natale, le 29 juillet 1793, Marie-Anne Piette, fille de Jean-Baptiste Piette et de Marguerite Guibeault.

Beau-père de Pierre-Eustache **Dostaler**. Grand-père d'Omer **Dostaler**, de Joseph-Alfred **Mousseau** et de Joseph-Octave Mousseau, député à la Chambre des communes du Canada. Arrière-grand-père de Joseph-Octave **Mousseau**.

MOUSSEAU, Joseph-Alfred
(1837–1886)

Né dans la paroisse Sainte-Geneviève-de-Berthier, le 17 juillet 1837, fils de Louis Mousseau, cultivateur, et de Sophie Duteau, dit Grandpré.

Étudia à l'académie de Berthier et poursuivit ses études de droit auprès de Louis-Auguste **Olivier**, Thomas Kennedy Ramsay, L. Thomas **Drummond** et Louis Bélanger. Admis au barreau du Bas-Canada le 2 avril 1860. Créé conseil en loi de la reine le 28 février 1873.

Exerça sa profession à Montréal dans le cabinet Mousseau, Chapleau et Archambault devenu plus tard Mousseau et Archambault. En 1862 et 1863, il fut propriétaire du journal *le Colonisateur* avec Ludger Labelle, Joseph-Adolphe **Chapleau**, Laurent-Olivier **David**, Joseph Ricard, L.-W. Tessier et Louis-Wilfrid Sicotte. Fonda en 1870, avec George E. Desbarats et Laurent-Olivier **David**, l'hebdomadaire *l'Opinion publique*.

Élu député conservateur à la Chambre des communes dans Bagot en 1874. Réélu en 1878. Son siège devint vacant lors de sa nomination au Conseil privé et il se fit réélire sans opposition à l'élection partielle du 20 novembre 1880. Président du Conseil privé dans le cabinet J.A. Macdonald du 8 novembre 1880 au 19 mai 1881. Nommé secrétaire d'État dans le cabinet J.A. Macdonald le 20 mai 1881. Réélu sans opposition en 1882, mais démissionna le 28 juillet de la même année. Élu député conservateur à l'Assemblée législative dans Jacques-Cartier à l'élection partielle du 26 août 1882. Cette élection fut annulée le 7 mai 1883. Réélu à l'élection partielle du 26 septembre 1883. Premier ministre, président du Conseil exécutif et procureur général de la province de Québec du 31 juillet 1882 au 23 janvier 1884.

Son siège devint vacant lorsqu'il fut nommé juge à la Cour supérieure du district de Rimouski, le 22 janvier 1884.

Auteur de: *Lecture publique* [...], *Cardinal et Duquet victimes de 1837–1838, prononcée lors du 2e anniversaire de la fondation de l'Institut canadien-français, le 16 mai 1860* (1860) et *Contre-poison: la Confédération, c'est le salut du Bas-Canada; il faut se méfier des ennemis de la Confédération* (1867).

Décédé à Montréal, le 30 mars 1886, à l'âge de 48 ans et 8 mois. Inhumé dans le cimetière de Notre-Dame-des-Neiges le 2 avril 1886.

Avait épousé dans sa paroisse natale, le 20 août 1862, Hersélie Desrosiers, fille de Léopold Desrosiers, notaire, et de Louise Douaire Bondy.

Petit-fils d'Alexis **Mousseau**. Frère de Joseph-Octave Mousseau, député à la Chambre des communes en 1891. Neveu de Pierre-Eustache **Dostaler**. Oncle et beau-père de Joseph-Octave **Mousseau**. Cousin d'Omer **Dostaler**.

Bibliographie: *DBC.*

MOUSSEAU, Joseph-Octave
(1875–1965)

Né à Saint-Polycarpe, le 2 août 1875, fils de Joseph-Octave Mousseau, médecin et député à la Chambre des communes en 1891, et de Rose-Avelina Cadieux.

Fit ses études au collège Bourget à Rigaud et à l'université Laval à Montréal. Admis au barreau de la province de Québec le 22 janvier 1897. Créé conseil en loi du roi le 30 juin 1909.

Exerça sa profession à Montréal. Fut associé à Me A. Gagné de 1911 à 1915 et à Mes R.G. Mousseau et Gaston Mousseau de 1931 à 1934. Vice-président et directeur de La Prévoyance et directeur de la société du Crédit canadien.

Candidat libéral défait dans Soulanges à l'élection partielle du 3 octobre 1902. Élu député libéral dans la même circonscription en 1904. Réélu en 1908 et 1912. Whip du Parti libéral en 1913 et 1914. Démissionna le 28 janvier 1914 à la suite des accusations de corruption formulées contre lui par le *Montreal Daily Mail*, accusations se rapportant à l'adoption d'une loi constituant en corporation la Montreal Fair Association of Canada et qu'un comité de l'Assemblée législative trouva justifiées.

Décédé à Montréal, le 2 décembre 1965, à l'âge de 90 ans et 4 mois. Inhumé à Montréal, dans le cimetière Notre-Dame-des-Neiges, le 6 décembre 1965.

Avait épousé à Montréal, dans la paroisse Saint-Jacques, le 17 octobre 1899, Clara Gagné, fille de Chéri Gagné et d'Odile Lériger, dit Laplante; puis, dans la même paroisse, le 20 février 1917, sa cousine Annette Mousseau, fille de Joseph-Alfred **Mousseau**, avocat, et d'Hersélie Desrosiers; et puis, en troisièmes noces, au même endroit, le 5 janvier 1955, Cécile Langlois, fille de Charles-Léonard Langlois et de Marie-Rose-Délima Mongeau.

Beau-frère de Joseph-Rodolphe Ouimet, député à la Chambre des communes de 1922 à 1925. Petit-cousin d'Omer **Dostaler**. Petit-neveu de Pierre-Eustache **Dostaler**. Arrière-petit-fils d'Alexis **Mousseau**.

MUNN, John
(1788–1859)

Né à Irvine, en Écosse, le 12 mars 1788, fils naturel de John Munn, marin, et de Mary Gemmel.

À l'instar d'autres membres de la famille Munn, constructeurs de navires, vint à Québec, où il fit son apprentissage dans la construction navale à compter de 1801. Dix ans plus tard, était maître constructeur et associé dans la John

Munn and Son. Pendant la guerre de 1812, exécuta des commandes pour le gouvernement, à Montréal. Vers 1814, hérita d'un chantier naval dans le faubourg Saint-Roch; en fit l'exploitation. Acquit diverses autres propriétés.

Élu député de la Basse-Ville de Québec à une élection partielle le 6 juillet 1837; appuya le parti des bureaucrates. Son mandat prit fin avec la suspension de la constitution, le 27 mars 1838. Représenta le quartier Saint-Roch au conseil municipal de Québec de 1840 à 1842.

Juge de paix, membre du conseil d'administration du marché Saint-Paul, de la Société d'école britannique et canadienne du district de Québec et de la Banque de prévoyance et d'épargnes de Québec. Bienfaiteur de la Congrégation presbytérienne évangélique indépendante de Québec; un des fondateurs du Queen's College de Kingston, au Haut-Canada.

Décédé à Québec, le 20 mars 1859, à l'âge de 71 ans. Inhumé dans le cimetière Mount Hermon, à Sillery.

Était célibataire.

Bibliographie: *DBC.*

MUNRO. V. MONRO

MURE, John
(≈1776–1823)

Né probablement dans la paroisse de Kilmarcock, en Écosse, vers 1776.

Se trouvait à Montréal en 1782, où son oncle John Porteous était marchand. En 1788, était commis à Québec chez James **Tod**. Par la suite, se lança à son compte dans le commerce des fourrures et l'importation. En 1796, avec **Tod** et d'autres, acquit les fiefs de la Grosse-Île et de Grandville. Entre 1795 et 1799, se joignit à un vaste regroupement de firmes liées à l'approvisionnement, à l'import-export et à la traite des fourrures; s'en retira en 1812, et la John Mure and Company continua seule son activité jusqu'à sa dissolution en 1817. Fut actionnaire de la North West Company et de la New North West Company. Engagé également dans le commerce du bois, le transport maritime et la construction navale, notamment sous la raison sociale de Mure and Joliffe. L'un des fondateurs en 1809 du Committee of Trade de Québec. Prit part à la guerre de 1812 en qualité d'officier de milice et de conseiller lié à la supervision de l'émission des billets de l'armée. Promoteur de la Bourse de Québec, fondée en 1816, en fut vice-président en 1817.

Défait dans Gaspé en 1800. Défait dans la Basse-Ville de Québec mais élu député d'York en 1804. Réélu en 1808 et 1809. Élu dans la Basse-Ville de Québec en 1810. Ne se serait pas représenté en 1814. Appuya généralement le parti des bureaucrates. Nommé membre honoraire du Conseil exécutif le 6 janvier 1812, en fut membre actif du 26 juin 1812 jusqu'à sa mort.

Obtint plusieurs postes de commissaire. Fut juge de paix, aussi coroner suppléant de Québec de 1807 à 1811. Président de la Société du feu de Québec et président de la section bas-canadienne du Committee for Promoting the Education of the Poor. Partit pour la Grande-Bretagne en août 1817, mais resta en relation avec la colonie.

Décédé à Glasgow, en Écosse, le 17 janvier 1823, à l'âge d'environ 46 ans.

Avait épousé dans l'église presbytérienne de Québec, le 11 janvier 1798, sa cousine Margaret Porteous, fille de John Porteous.

Bibliographie: *DBC.*

MURPHY, Arthur H.
(1831–1903)

Né dans la paroisse Notre-Dame de Québec, le 24 août 1831, fils de Daniel Murphy, colleur, et d'Ellen Murphy.

A étudié à l'académie privée de William Thom et à la High School de Québec.

S'occupa de transport maritime sur les Grands Lacs. Fut propriétaire d'un commerce de bois à Québec et de mines de phosphate et d'amiante à Thetford Mines, Templeton et Black Lake. Commissaire du Turnpike Trust.

Échevin du quartier Montcalm au conseil municipal de Québec de 1873 à 1876 et président du comité de la Traverse en 1873 et 1874. Candidat libéral défait dans Québec-Ouest à l'élection partielle du 17 décembre 1877. Élu député libéral dans la même circonscription en 1878. Ne s'est pas représenté en 1881.

Décédé à Montréal, le 27 octobre 1903, à l'âge de 72 ans et 2 mois. Inhumé à Sillery, dans le cimetière St. Patrick, le 30 octobre 1903.

[Avait épousé Marie Roach.]

MURPHY, Owen
(1827–1895)

Né à Stoneham, le 9 décembre 1827, et baptisé dans la paroisse Notre-Dame de Québec, le 20 décembre 1828, fils de Nicholas Murphy, cultivateur, et d'Ellen O'Brien.

Fit ses études auprès de Robert H. Scott.

Travailla chez Ross, Shuter & Co., puis chez H.J. Noad & Co., commerçants de bois d'exportation. Exerça à Québec la profession de banquier privé et d'agent d'assurances. Directeur du Quebec Central Railway. Président du St. Patrick's Literary Institute et de la St. Patrick Society. Président de la Chambre de commerce de Québec de 1880 à 1882. Président du Quebec Turf Club pendant quatre ans.

Conseiller municipal du quartier Saint-Pierre au conseil municipal de Québec de 1871 à 1874. Maire de Québec de 1874 à 1878. Candidat libéral défait dans Québec-Ouest en 1881. Élu député libéral dans la même circonscription en 1886. Son élection fut annulée par la Cour supérieure le 4 mai 1889. Réélu à l'élection partielle du 30 décembre 1889 et aux élections de 1890. Nommé conseiller législatif par le premier ministre Boucher de Boucherville en 1892 ; cette nomination fut reconsidérée à la demande du lieutenant-gouverneur Auguste-Réal Angers. Ne s'est pas représenté en 1892.

Décédé à Québec, le 4 octobre 1895, à l'âge de 68 ans et 9 mois. Inhumé à Sillery, dans le cimetière de l'église St. Patrick, le 7 octobre 1895.

Avait épousé à Québec, dans l'église St. Patrick, le 7 octobre 1857. Elizabeth Loughry, fille de James Loughry et d'Elizabeth Alderson.

MURRAY, Hubert

Né à Mascouche, le 12 mars 1919, fils de Salomon Murray, cultivateur et manœuvre, et d'Alexandrine Renaud.

Fit ses études dans sa paroisse natale, à l'école Viauville, à l'externat classique Sainte-Croix et à l'École polytechnique de Montréal. Fit son stage d'arpentage à Québec en 1950 et 1951, puis obtint un diplôme d'arpenteur-géomètre.

Ingénieur de voirie à La Malbaie de 1947 à 1951. Ingénieur municipal à Saint-Jérôme de 1951 à 1955. Ingénieur-conseil et arpenteur-géomètre dans cette localité à partir de 1956. Fit partie du Corps d'entraînement des officiers canadiens (CEOC) à Montréal de 1939 à 1945.

Échevin au conseil municipal de Saint-Jérôme d'octobre 1954 à octobre 1956, et maire de cette municipalité d'octobre 1956 à août 1962 et de novembre 1964 à novembre 1969. Candidat du Crédit social défait dans Terrebonne aux élections fédérales de 1963. Élu député de l'Union nationale dans Terrebonne en 1966. Ne s'est pas représenté en 1970.

Membre du Bureau d'aménagement de l'aéroport de Mirabel du 1er avril 1970 au 1er avril 1974.

NADEAU, Joseph-Armand
(1928–1963)

Né à Sainte-Rose-de-Watford, le 21 novembre 1928, fils d'Aurèle Nadeau, cultivateur, et d'Alma Bilodeau.

Fit ses études à l'école de Sainte-Rose.

Fit partie de la Police provinciale (Sûreté du Québec) de 1955 à 1960. Commerçant de 1960 jusqu'à son décès. Membre de la Ligue du Sacré-Cœur, de la Société Saint-Jean-Baptiste et du Club Renaissance.

Élu député de l'Union nationale dans Dorchester en 1962.

Décédé en fonction à Sainte-Rose-de-Watford, le 20 octobre 1963, à l'âge de 34 ans et 11 mois. Inhumé dans le cimetière de cette paroisse, le 23 octobre 1963.

Avait épousé à Sainte-Justine, le 3 septembre 1956, Aline Jobin, fille d'Albert Jobin et d'Alexina Bilodeau.

NADON, André
(<1780– ≥1808)

Élu député d'Effingham en 1800 ; participa aux votes d'une session seulement et appuya le parti canadien. Réélu en 1804 ; ne prit part à aucun vote. Ne s'est pas représenté en 1808.

Pourrait être le dénommé André Nadon, agriculteur, né à Sainte-Rose (Laval), le 8 juin 1748, baptisé le lendemain, dans la paroisse Saint-Louis, à Terrebonne, et de nouveau le 13 octobre, dans la paroisse Sainte-Rose-de-Lima, à Sainte-Rose ; fils d'André Nadon et de Marguerite Maisonneuve, et époux de Pélagie Tessier, fille de Jean-Baptiste Tessier et de Thérèse Foucault, de la paroisse Saint-François-de-Sales, dans l'île Jésus ; décédé à Sainte-Rose (Laval), le 22 novembre 1808, à l'âge de 60 ans et 5 mois, puis inhumé dans l'église paroissiale, le lendemain.

NADON, Joseph-Célestin
(1899–1953)

[Né à Aumond, près de Maniwaki, le 11 janvier 1899, fils d'Antoine Nadon, cultivateur et entrepreneur, et de Cléophire Roy.]

Fit ses études à l'école Sainte-Famille à Aumond.

Orfèvre et bijoutier, il fit son apprentissage à Sturgeon Falls, en Ontario, puis s'installa à Maniwaki en 1917. Membre de la Chambre de commerce de Maniwaki, du Club Rotary et du Club de réforme.

Conseiller municipal de Maniwaki du 16 janvier 1928 au 25 janvier 1934, et maire de cette municipalité du 16 janvier 1935 au 18 janvier 1939. Fut également préfet. Élu député libéral à l'Assemblée législative dans Gatineau en 1939. Réélu en 1944. Défait en 1948. Élu député libéral à la Chambre des communes dans Gatineau à l'élection partielle du 24 octobre 1949. Réélu en 1953.

Décédé en fonction à Maniwaki, le 17 décembre 1953, à l'âge de 54 ans et 11 mois. Inhumé dans le cimetière de Maniwaki, le 19 décembre 1953.

Avait épousé à Maniwaki, dans la paroisse de L'Assomption, le 1er septembre 1920, Lucienne Roy, fille d'Anastase Roy, marchand général, et de Marie Cousineau.

Cousin d'Alphonse Fournier, député à la Chambre des communes de 1930 à 1953.

NANTEL, Guillaume-Alphonse
(1852–1909)

Né à Saint-Jérôme, le 4 novembre 1852, fils de Guillaume Nantel et d'Adélaïde Desjardins.

Étudia au séminaire de Sainte-Thérèse. Fit son droit auprès de Justice Bélanger et de Joseph-Aldéric Ouimet, député à la Chambre des communes de 1873 à 1896. Admis au barreau de la province de Québec en 1875.

Exerça sa profession à Montréal avec Joseph-Aldéric Ouimet, puis à Saint-Jérôme avec son frère Wilfrid-Bruno Nantel, député à la Chambre des communes de 1908 à 1914.

Comme journaliste, il collabora à *la Minerve* dès 1874. De 1878 à 1896, il fut administrateur et rédacteur de l'hebdomadaire *le Nord* dont il fut également propriétaire à partir de 1881. Parallèlement, il fonda à Saint-Jérôme le journal *la Campagne* qui parut du 25 août 1885 au 23 avril 1887. Copropriétaire du journal *la Presse* en 1887 et 1888, puis rédacteur jusqu'en 1892. En 1896 et 1897, il fut propriétaire et rédacteur du *Monde* qui devint par la suite *le Monde canadien*. Directeur de *l'Album universel* en 1906. De 1907 à 1909, il revint à *la Presse* comme rédacteur politique. Occupa aussi le poste de directeur du Montreal Northern Colonization Railway et du chemin de fer du Grand Nord.

Élu député conservateur dans Terrebonne à la Chambre des communes en 1882. Démissionna en août de la même année. Élu sans opposition député conservateur à l'Assemblée législative dans Terrebonne à l'élection partielle du 19 août 1882. Réélu en 1886, en 1890 et sans opposition en 1892. Commissaire des Travaux publics dans les cabinets Boucher de Boucherville et Taillon du 21 décembre 1891 au 11 mai 1896. Commissaire des Terres de la couronne dans le cabinet Flynn du 11 mai 1896 au 12 janvier 1897, puis commissaire des Terres, des Forêts et des Pêcheries du 12 janvier au 26 mai 1897. Vice-président du Club conservateur de Montréal en 1896. Réélu en 1897 et défait comme candidat conservateur-indépendant en 1900. Ne s'est pas représenté en 1904 et fut de nouveau défait en 1908. Fut président du Club Chapleau.

A publié notamment *Notre Nord-Ouest provincial*, *étude sur la vallée d'Ottawa* (1887) et *la Métropole de demain. Avenir de Montréal* (1901).

Décédé à Montréal, le 3 juin 1909, à l'âge de 56 ans et 7 mois. Inhumé à Montréal, dans le cimetière Notre-Dame-des-Neiges, le 5 juin 1909.

Avait épousé dans la cathédrale de Montréal, le 2 juin 1885, Emma Tassé, fille de Gilbert Tassé et d'Élisabeth Hurtubise.

Beau-père d'Athanase **David**.

NAUD, Damase
(1848–1916)

Né à Saint-Joseph-de-Deschambault, le 5 janvier 1848, fils de Léandre Naud, cultivateur, et de Julie Naud.

Fit ses études à l'école de sa paroisse.

Débuta comme cultivateur à Saint-Alban et devint par la suite tailleur de pierre. Contremaître des ponts lors de la construction du chemin de fer Intercolonial. Propriétaire de carrières à Saint-Alban et à Saint-Marc-des-Carrières, et d'une

manufacture d'allumettes à Saint-Casimir. Commerçant et marchand général de 1895 jusqu'à son décès. Actionnaire et directeur de la Compagnie de téléphone du comté de Portneuf.

Marguillier, membre du conseil municipal et maire de Saint-Alban de 1894 à 1896. Membre du conseil municipal et maire de Saint-Marc-des-Carrières en 1905. Juge de paix. Élu député conservateur dans Portneuf à l'élection partielle du 10 mars 1904. Ne s'est pas représenté aux élections générales de 1904.

Décédé à Saint-Marc-des-Carrières, le 19 novembre 1916, à l'âge de 68 ans et 10 mois. Inhumé dans le cimetière de cette paroisse, le 22 novembre 1916.

[Avait épousé à Bathurst, au Nouveau-Brunswick, en 1872, Marguerite Haché.]

NEAULT, Pierre-Calixte
(1860–1924)

Né à Saint-Maurice, le 26 janvier 1860, fils de Pierre Nault, cultivateur, et de Julie Hébert.

Fit ses études à Saint-Maurice et au collège Saint-Joseph à Trois-Rivières.

Cultivateur et marchand à Grand-Mère. Cofondateur et directeur de la Compagnie d'assurance mutuelle du commerce contre l'incendie à Saint-Hyacinthe. Inspecteur des Terres de la couronne.

Commissaire d'école et conseiller municipal à Grand-Mère. Maire de cette municipalité de 1910 à 1916, puis en 1919 et 1920. Élu député libéral dans Champlain en 1900. Réélu en 1904 et 1908. Défait en 1912.

Décédé à Grand-Mère, le 30 août 1924, à l'âge de 63 ans et 7 mois. Inhumé dans le cimetière de Saint-Maurice, le 2 septembre 1924.

Avait épousé à Saint-Maurice, le 25 avril 1881, Marie-Phébée Richard, fille de Georges Richard, cultivateur, et de Marie Laprise; [puis, à Suncook, dans l'État du New Hampshire, en 1905, Léonie Rheault, fille de Joseph Rheault, forgeron, et veuve de J. Venne, médecin].

NEILSON, John
(1776–1848)

Né dans la paroisse de Balmaghie, à Dornal, en Écosse, le 17 juillet 1776, fils de William Neilson et d'Isabel Brown.

Vint à Québec en 1791 pour collaborer à la direction de l'entreprise d'imprimerie, de librairie et d'édition laissée par un oncle maternel décédé; en hérita officiellement en 1793. Publia *la Gazette de Québec / The Quebec Gazette* et servit d'agent pour des journaux étrangers. Agit comme fournisseur des autres imprimeurs-libraires du Haut et du Bas-Canada, ainsi que des bibliothèques publiques, dont celle de la Chambre d'assemblée. Propriétaire de terres qu'il loua, revendit ou mit en valeur, dans la région de Québec, à Cap-Rouge où il s'établit à demeure, à Valcartier, sur la côte sud et la rive nord du Saint-Laurent, dans des cantons et dans le Haut-Canada; exploita une sucrerie à Sainte-Anne-de-la-Pérade (La Pérade). Engagé aussi dans le prêt; fut actionnaire de la Banque de Québec.

Élu député de Québec à une élection partielle le 28 mars 1818. Réélu en avril 1820, juillet 1820, 1824, 1827 et 1830; appuya généralement le parti canadien, puis le parti patriote. Se rendit à Londres en 1823 avec Louis-Joseph **Papineau** pour présenter un mémoire contre le projet d'union de 1822; fut l'un des trois délégués du parti patriote envoyés en Angleterre en 1828 pour présenter des demandes de réformes. Après 1830, s'éloigna du parti patriote; s'opposa aux Quatre-vingt-douze Résolutions. Défait en 1834. Nommé au Conseil exécutif le 22 août 1837, mais refusa d'en faire partie. Fut conseiller législatif du 22 août 1837 jusqu'à la suspension de la constitution, le 27 mars 1838. Membre du Conseil spécial du 2 avril 1838 jusqu'à la dissolution de ce conseil, en juin, et à nouveau du 2 novembre 1838 jusqu'à l'entrée en vigueur de l'Acte d'Union, le 10 février 1841. Élu député de Québec en 1841; antiunioniste; fit partie du groupe canadien-français, mais s'en éloigna bientôt. Défait en 1844. Nommé au Conseil législatif le 25 novembre 1844.

Lié à de nombreux organismes dans les domaines de la culture, de l'éducation, de l'agriculture et de l'entraide, tels le Théâtre canadien, la Quebec Exchange and Reading Room, la Quebec Free School, l'Institut des artisans de Québec, la Société d'agriculture du district de Québec, la Société bienveillante de Québec et la Société de Québec des émigrés. Obtint quelques postes de commissaire; fut juge de paix et officier de milice.

Décédé en fonction à Cap-Rouge, le 1er février 1848, à l'âge de 71 ans et 6 mois. Inhumé dans le cimetière de l'Église d'Écosse à Valcartier.

Avait épousé à Trois-Rivières, le 6 janvier 1797, Marie-Ursule Hubert, [fille de Jacques-Joseph Hubert et de Marie-Joseph-Pélagie Rieutord], et nièce de l'évêque catholique de Québec Jean-François Hubert.

Apparenté par alliance à Louis-Édouard **Hubert**.

Bibliographie: *DBC.*

NELSON, Horatio Admiral (1816–1882)

[Né à Richmond, au New Hampshire, le 22 octobre 1816, fils d'Ezekiel Nelson et de Ruth Harkins.]

Fit ses études aux États-Unis.

Exerça le métier de voyageur de commerce jusqu'en 1841, puis s'établit à Montréal où il fut marchand et manufacturier. Copropriétaire de Nelson and Butters, manufacturier de balais et d'articles en bois, jusqu'en 1861, de Nelson Wood & Co. de 1861 à 1874 et de H.A. Nelson and Sons de 1874 à 1882. Fut l'un des administrateurs de la Banque Molson. Président de la Loan and Investment Association et vice-président de la Provincial Loan Association.

Échevin du quartier Ouest au conseil municipal de Montréal de 1867 à 1881 et président du comité des finances de 1875 à 1880. Élu député libéral dans Montréal-Centre en 1878. Ne s'est pas représenté en 1881.

Décédé à Montréal, le 24 décembre 1882, à l'âge de 66 ans et 2 mois. Inhumé à Montréal, le 28 décembre 1882.

[Avait épousé à Burlington, dans l'État du Vermont, en juin 1841, Maria D. Davison.]

NELSON, Robert (1794–1873)

Né à Montréal, en janvier 1794, fils de William Nelson, instituteur d'origine anglaise, venu de New York après la Révolution américaine, et de Jane Dies, issue d'une famille loyaliste new-yorkaise.

Étudia la médecine chez un praticien montréalais, puis à la Harvard University de Cambridge, au Massachusetts. Admis à l'exercice de cette profession en 1814.

Servit comme chirurgien militaire jusqu'à la fin de la guerre de 1812, notamment auprès des Amérindiens, pour lesquels il travailla bénévolement jusque vers 1826. Fut médecin et chirurgien à Montréal.

Élu député de Montréal-Ouest en 1827; appuya le parti patriote. Ne s'est pas représenté en 1830. Fit partie du conseil municipal de Montréal, à titre de représentant du quartier Est, de 1833 à 1836. Élu député de Montréal-Ouest en 1834; prit part aux votes à compter de janvier 1836 et appuya le parti patriote. Son mandat prit fin avec la suspension de la constitution, le 27 mars 1838.

Actif dans le mouvement de protestation contre les résolutions Russell, ne participa cependant pas à la rébellion de 1837, mais fut arrêté le 24 novembre et relâché le lendemain. S'en alla aux États-Unis où, avec Cyrille-Hector-Octave

Côté, il prit la tête de la faction radicale des réfugiés patriotes. Mêlé à l'invasion manquée du Bas-Canada en février 1838 et à la mise sur pied de la société secrète des frères-chasseurs, qui tenta sans succès une seconde invasion en novembre 1838; s'enfuit aux États-Unis avant la fin de la bataille d'Odell-town. Après quelques autres actions infructueuses, se rendit en Californie, puis pratiqua la médecine dans l'Ouest américain et, à partir de 1863, à New York, où il publia, en 1866, *Asiatic cholera* [...]. Est également l'auteur d'une traduction d'un ouvrage de médecine et d'articles dans ce domaine.

Décédé à Gifford, Staten Island, dans l'État de New York, le 1er mars 1873, à l'âge de 79 ans et un mois. Inhumé à Sorel.

S'était marié probablement à Montréal avant 1837.

Frère de Wolfred **Nelson**.

Bibliographie: *DBC*.

NELSON, Wolfred
(1791–1863)

Né à Montréal, le 10 juillet 1791, puis baptisé le 30, dans l'église anglicane Christ Church, fils de William Nelson, instituteur d'origine anglaise, et de Jane Dies, de New York.

Étudia à l'école tenue par son père, à William Henry (Sorel) où il fit ensuite l'apprentissage de la médecine auprès d'un praticien de l'armée britannique. Reçu médecin en 1811.

Commença à exercer sa profession dans un hôpital militaire de Sorel. Pendant la guerre de 1812, servit comme officier médecin d'un bataillon de milice à Saint-Denis, sur le Richelieu, où, plus tard, il ouvrit un cabinet et exploita une distillerie.

Élu député de William Henry en 1827; appuya le parti patriote. Ne s'est pas représenté en 1830. Fut un des chefs de l'opposition des patriotes aux résolutions Russell en 1837; présida, en octobre, l'assemblée des six comtés. À la tête des rebelles, remporta la victoire contre les troupes britanniques à Saint-Denis, le 23 novembre. Arrêté en décembre, avant d'avoir pu franchir la frontière américaine, fut emprisonné à Montréal et accusé de haute trahison. Exilé aux Bermudes en 1838.

Pratiqua la médecine à Plattsburgh, dans l'État de New York, de 1839 jusqu'à son retour au Bas-Canada, en août 1842. Installa son cabinet à Montréal.

Élu député de Richelieu en 1844; de tendance libérale. Réélu en 1848; de tendance libérale, puis réformiste. Ne s'est pas représenté en 1851. Nommé, cette année-là, inspecteur

des prisons et des asiles et, en 1859, président du Bureau des inspecteurs. Fut président du Collège des médecins et chirurgiens du Bas-Canada. Élu maire de Montréal en 1854; prit sa retraite en 1856. Continua d'exercer la médecine.

Est l'auteur de *Practical views on cholera* [...] publié en anglais et en français, à Montréal, en 1854.

Décédé à Montréal, le 17 juin 1863, à l'âge de 71 ans et 11 mois. Inhumé à Sorel.

Avait épousé, en 1819, Charlotte-Josephte Noyelle de Fleurimont.

Frère de Robert **Nelson**.

Bibliographie: *DBC*.

NESS, Robert R.
(1872–1960)

Né à Howick, le 29 janvier 1872, fils de Robert Ness, cultivateur, et de Mary Anderson.

Fit ses études à l'école élémentaire de Howick et à la High School de Huntingdon.

Cultivateur et éleveur. Exportateur de chevaux Ayrshire et Clysdale. Propriétaire de la Burnside Stock Farm à Huntingdon. Président de la Canadian Ayrshire Breeders Association en 1909 et de l'Ormstown Exhibition de 1928 à 1938. Directeur de la Royal Agriculture Winter Fair de 1923 à 1935. Récipiendaire de la médaille du Mérite agricole en 1915.

Nommé conseiller législatif de la division d'Inkerman le 14 janvier 1942, il fut démis de ses fonctions le 23 septembre 1960 pour cause d'absentéisme. Appuya le Parti libéral.

Décédé à Howick, le 21 octobre 1960, à l'âge de 87 ans et 9 mois. Inhumé dans le cimetière protestant de la paroisse Georgetown, le 23 octobre 1960.

Avait épousé à Howick, dans l'église presbytérienne English River, le 5 décembre 1894, Margaret Jane Peddie, fille de John Peddie.

NICOL, Jacob
(1876–1958)

[Né à Roxton Pond, le 25 avril 1876, fils de Philippe Nicol, cultivateur et fabricant d'outils, et de Sophie Cloutier.]

Fit ses études à l'Institut Feller à Saint-Blaise, à l'université McMaster à Hamilton, en Ontario, et à l'université Laval à Québec. Fit sa cléricature auprès de Mes Henry Thomas **Duffy** et Louis-Alexandre **Taschereau**. Admis au barreau de la province de Québec le 8 juillet 1904. Créé conseil en loi du roi le 9 novembre 1912.

Pratiqua le droit à Sherbrooke avec Wilfrid Lazure et Silfrid Couture jusqu'en 1935. Avocat de la couronne pour le district de Saint-François de 1906 à 1921. Bâtonnier du même district à deux reprises. Membre du Conseil de l'instruction publique de la province de Québec de 1921 à 1931. Œuvra également pendant de nombreuses années dans le domaine des médias d'information. En 1913, il participa à la fondation de *la Tribune* de Sherbrooke, dont il demeura propriétaire jusqu'en 1955. Fut propriétaire de plusieurs autres journaux, notamment *le Soleil* de 1927 à 1948, *l'Événement* en 1936, *l'Événement-Journal* de 1938 à 1948 et *le Nouvelliste* de Trois-Rivières jusqu'en 1951. Fut aussi président des stations radiophoniques CHLN de Trois-Rivières et CHLT de Sherbrooke. Directeur puis vice-président de la Banque canadienne nationale de 1945 à 1955. Directeur de plusieurs compagnies, notamment du Sherbrooke Trust et du Trust général du Canada. Président des compagnies d'assurances Stanstead and Sherbrooke Insurance, Missisquoi and Rouville Mutual Fire Insurance, Sterling Insurance Company of Canada, et directeur de la Wellington Fire Insurance.

Élu sans opposition député libéral dans Richmond à l'élection partielle du 15 décembre 1921. Élu dans Compton en 1923 et 1927. Ministre des Affaires municipales dans le cabinet Taschereau du 23 novembre 1921 au 30 avril 1924. Trésorier provincial dans le même cabinet du 23 novembre 1921 au 12 septembre 1929, date d'acceptation du poste de conseiller législatif. Son siège devint vacant lors de sa nomination comme conseiller législatif de la division de Bedford le 16 septembre 1929. Président du Conseil législatif du 25 novembre 1930 au 25 juillet 1934 et leader du gouvernement de 1934 à 1936. Organisateur en chef du Parti libéral de la province de Québec en 1934. Assermenté ministre sans portefeuille dans le cabinet Taschereau le 25 juillet 1934. Nommé sénateur de la division de Bedford le 14 juillet 1944. Occupa son poste au Sénat et au Conseil législatif jusqu'à son décès.

Docteur en droit honoris causa du Bishop's College en 1927, et des universités McMaster en 1928 et Laval en 1952. Créé chevalier de la Légion d'honneur en 1948. Président du Sherbrooke Board of Trade. Membre du Club de la garnison de Québec, du Club de réforme de Montréal et du St. George Club de Sherbrooke.

Décédé à Sherbrooke, le 23 septembre 1958, à l'âge de 81 ans et 4 mois. Inhumé à Sherbrooke, dans le cimetière Saint-Michel, le 26 septembre 1958.

Avait épousé à Sherbrooke, dans la paroisse Saint-Jean-Baptiste, le 25 août 1909, Émilie Couture, fille de Louis Couture, photographe, et de Marie Leclerc.

Neveu de Michel Auger, député à la Chambre des communes de 1882 à 1887.

NIVARD SAINT-DIZIER, Étienne (≈1766–1820)

Né à Montréal, vers 1766, fils d'Étienne Nivard Saint-Dizier, négociant, et d'Anne-Amable Vallé.

Élu marguillier de la paroisse Notre-Dame de Montréal en décembre 1802. Nommé juge de paix en 1806. Officier de milice, accéda au grade de lieutenant-colonel commandant de la division de Pointe-Claire, le 3 avril 1812, et servit en cette qualité pendant la guerre de 1812. Obtint divers autres postes de commissaire.

Élu député de Montréal-Ouest en 1810. Ne s'est pas représenté en 1814. S'occupa d'administration municipale, à Montréal, après 1796.

Décédé à Montréal, le 16 mai 1820, à l'âge d'environ 54 ans. Les obsèques eurent lieu dans la paroisse Notre-Dame, le 19 mai 1820.

Avait épousé dans la paroisse Notre-Dame, à Montréal, le 20 avril 1789, Marie-Anne Magnan, fille du négociant Ambroise Magnan et de Marie-Michel Pothier, de L'Assomption.

NIVERVILLE. V. BOUCHER DE NIVERVILLE

NOËL, Gérard

Né à Sainte-Hénédine, le 25 avril 1912, fils de Philias Noël, cultivateur, et de Marie Roy.

Fit ses études à Sainte-Hénédine, au séminaire de Québec et à l'université Laval à Québec. Reçu médecin en 1938.

Exerça sa profession à Saint-Gédéon, de 1938 à 1956. Membre des Chevaliers de Colomb et de la Chambre de commerce de Saint-Gédéon.

Maire de Saint-Gédéon du 23 janvier 1950 au 14 janvier 1953. Élu député libéral dans Frontenac en 1952. Défait en 1956 et 1960.

Exerce sa profession à Lac-Mégantic à compter de 1956.

NOËL, Jean-Baptiste-Isaïe
(1799–1847)

Né à Saint-Antoine-de-Tilly, le 20 février 1799, puis baptisé le 21, fils de Jean-Baptiste Noël de Tilly, seigneur et capitaine dans la milice, et de Marie-Josephte Boudreau.

Hérita en 1814 des seigneuries de Tilly et de Bonsecours, et acquit la même année la seigneurie Duquet. Fit l'apprentissage de la médecine et, le 3 juillet 1828, obtint l'autorisation d'exercer sa profession.

Élu député de Lotbinière en 1830; appuya généralement le parti patriote. Réélu en 1834; donna son appui tantôt au parti des bureaucrates, tantôt au parti patriote. Son mandat prit fin avec la suspension de la constitution, le 27 mars 1838. Élu député de Lotbinière en 1841; antiunioniste, fit partie du groupe canadien-français. Ne s'est pas représenté en 1844.

Décédé à Saint-Antoine-de-Tilly, le 6 octobre 1847, à l'âge de 48 ans et 7 mois. Inhumé dans l'église paroissiale, le 8 octobre 1847.

Avait épousé dans la paroisse Notre-Dame, à Québec, le 1er février 1831, Marguerite Ryan, fille de John Ryan et d'Anne Honora Connelly.

NOËL, Jean-Paul

Né à Montréal, le 7 juillet 1919, fils d'Avila Noël et de Bertha Du Tilly.

Fit ses études au collège Sainte-Marie à Montréal et à l'université de Montréal. Admis au barreau de la province de Québec en juillet 1946. Créé conseil en loi de la reine le 25 août 1961.

Avocat à Montréal.

Élu député libéral dans Montréal–Jeanne-Mance en 1952. Défait en 1956 et 1960.

Nommé juge à la Cour du district de Montréal le 12 septembre 1962.

NORMAND, Télesphore-Eusèbe
(1832–1918)

[Né à Québec, le 18 août 1832, fils d'Édouard Normand, architecte, et de Marie-Louise Martin, dit Beaulieu.]

Fit ses études au séminaire de Nicolet.

Reçu notaire en 1858, il exerça sa profession à Trois-Rivières jusqu'en 1871, puis devint entrepreneur en construction de chemins de fer et de ponts. Fut capitaine d'un bataillon de milice de 1863 à 1865.

Conseiller municipal de Trois-Rivières de 1861 à 1865, et maire du 14 juillet 1873 au 17 juillet 1876 et du 6 juillet 1889 au 15 janvier 1894. Candidat libéral défait dans Champlain en 1867 à 1871. Candidat conservateur défait dans Trois-Rivières à l'élection partielle du 18 avril 1876. Élu député conservateur dans la même circonscription en 1890. Réélu en 1892. Cette élection fut annulée le 30 septembre 1892. Réélu à l'élection partielle du 3 novembre 1892. De nouveau élu en 1897. Ne s'est pas représenté en 1900.

Décédé à Trois-Rivières, le 3 avril 1918, à l'âge de 86 ans et 4 mois. Inhumé à Trois-Rivières, dans le cimetière Saint-Louis, le 5 avril 1918.

Avait épousé à Trois-Rivières, le 1er octobre 1856, Alphonsine Giroux, fille de Joseph Giroux, marchand, et de Marie-Elmyre Gouin; puis, dans la cathédrale de Trois-Rivières, le 4 octobre 1893, Marie Dufresne, veuve d'Elzéar **Gérin**.

O'BREADY, Moïse
(1864–1923)

Né à Wotton, le 5 janvier 1864, fils de Patrick O'Bready, cultivateur, et d'Odile Pelletier.

Fit ses études à Wotton, au séminaire Saint-Charles-Borromée à Sherbrooke et à l'université Laval à Montréal. Admis au barreau de la province de Québec le 8 juillet 1892. Créé conseil en loi du roi le 16 juillet 1915.

Exerça d'abord sa profession à Saint-Jean, en 1892, avec Me Lawrence McDonald. Pratiqua à Danville, de 1893 à 1904, puis à Sherbrooke, notamment dans l'étude O'Bready, Panneton et Boisvert de 1920 à 1923. Membre des Chevaliers de Colomb et du Club Saint-François.

Conseiller municipal de Danville du 8 janvier 1900 au 7 août 1905. Commissaire d'école à Danville. Candidat conservateur défait dans Richmond-Wolfe aux élections fédérales de 1904. Élu député conservateur à l'Assemblée législative dans Sherbrooke en 1923. N'a jamais siégé.

Décédé en fonction à Sherbrooke, le 22 décembre 1923, à l'âge de 59 ans et 11 mois. Inhumé à Sherbrooke, dans le cimetière de la paroisse Saint-Michel, le 26 décembre 1923.

[Avait épousé à Haverhill, dans l'État du Massachusetts, le 30 juin 1897, Georgiana Bazin, fille de J.-Adélard Bazin, médecin.]

O'CALLAGHAN, Edmund Bailey
(1797–1880)

Né à Mallow, en Irlande, probablement le 27 février 1797. Son prénom s'orthographia à tort Edmond Baillie ou Edward Burke.

Étudia la médecine à Dublin en 1820, puis à Paris et, à partir de 1823, à Québec. Admis à la pratique de sa profession au Bas-Canada en 1827.

Prit part à l'organisation sociale de la communauté irlandaise à Québec : fut, entre autres, cofondateur du Quebec Mechanic's Institute et de la paroisse St. Patrick, et secrétaire de la Society of the Friends of Ireland. En 1833, s'installa à Montréal où il fut chargé de la rédaction du *Vindicator and Canadian Advertiser* pendant quatre ans et demi ; s'occupa également des affaires de la collectivité irlandaise.

Élu député de Yamaska en 1834 ; appuya le parti patriote. Forma, avec Louis-Joseph **Papineau**, le Conseil des patriotes, le 15 novembre 1837. Sous le coup d'un mandat d'arrestation, se réfugia aux États-Unis. Conserva son siège de député jusqu'à la suspension de la constitution, le 27 mars 1838.

Séjourna d'abord à New York. En avril 1839, s'établit à Albany, où il pratiqua la médecine jusqu'en 1846, collabora à l'occasion au *Northern Light* et exerça les fonctions d'archiviste de l'État de New York, de 1848 à 1870. Publia plusieurs ouvrages sur l'époque coloniale, parmi lesquels *History of New Netherlands* [...] (1846–1848) et *Jesuit relations* [...] (1847), et en édita un bon nombre, notamment les onze premiers volumes de *Documents relative to the colonial history of the state of New-York* [...] (1853–1861). Entreprit, en 1870, à New York l'édition des procès-verbaux du conseil municipal.

Décédé à New York, le 29 mai 1880, à l'âge de 83 ans et 3 mois.

Avait épousé à Sherbrooke, en 1830, l'Irlandaise Charlotte Augustina Crampe ; puis, aux États-Unis, le 9 mai 1841, Ellen Hawe.

Bibliographie : *DBC*.

O'CONNOR, Dennis James
(1880–1946)

Né à Godmanchester (Huntingdon), le 27 janvier 1880, fils d'Andrew O'Connor, fermier, et de Mary Walsh.

Étudia à Huntingdon et à Valleyfield, puis suivit des cours d'agriculture au MacDonald College et des cours de génie de l'International Correspondence School.

Fut d'abord fermier, puis membre de la société O'Connor Brothers, spécialisée dans la construction de routes.

Président de la Chambre de commerce de Huntingdon. Propriétaire et directeur d'un cinéma à Huntingdon.

Conseiller municipal de Huntingdon de 1917 à 1922, puis maire de 1922 à 1931. Commissaire d'école à Huntingdon de 1921 à 1946 et président de cette commission scolaire de 1937 à 1946. Marguillier de sa paroisse de 1919 à 1925. Élu député libéral dans Châteauguay-Huntingdon à l'élection partielle fédérale du 27 janvier 1930. Défait en 1930. Élu député libéral à l'Assemblée législative dans Huntingdon à l'élection partielle du 6 octobre 1941. Réélu en 1944.

Décédé en fonction à Huntingdon, le 26 novembre 1946, à l'âge de 66 ans et 9 mois. Inhumé à Huntingdon, dans le cimetière de la paroisse Saint-Joseph, le 29 novembre 1946.

Avait épousé à Saint-Anicet, le 10 novembre 1920, Mary Loretta Leehy, fille de Morris William Leehy, cultivateur, et d'Ellen Leehy.

O'FARRELL, Francis

Né à Saint-Malachie, le 8 octobre 1919, fils de James T.A. O'Farrell, cultivateur, et de Susan Cassidy.

Fit ses études au couvent de Saint-Malachie, puis suivit des cours à l'université Laval, au St. Joseph's Teachers' College à Québec et au St. Michael's College à Winooski, dans l'État du Vermont.

Fut professeur à la Commission des écoles catholiques de Québec et fermier à Saint-Malachie. Membre des Chevaliers de Colomb et des Toast Masters International.

Candidat libéral défait dans Dorchester aux élections fédérales de 1962 et 1963. Élu député libéral à l'Assemblée législative dans Dorchester à l'élection partielle du 5 octobre 1964. Défait en 1966.

O'FARRELL, John
(1826–1892)

Né à Québec, le 4 décembre 1826, puis baptisé le 5, dans la paroisse Notre-Dame, fils de Patrick Farrall, maçon, et de Margaret McKenzie. Désigné aussi sous le patronyme de Farrall.

Fit l'apprentissage du droit, puis fut admis au barreau, le 2 juillet 1850. Exerça sa profession d'avocat à Québec. Prononça une conférence devant la St. Patrick's Society à Montréal, le 15 janvier 1872, dont le texte fut publié en brochure la même année.

Élu député de Lotbinière en 1854; fut de tendance modérée, puis conservatrice. Réélu en 1858, mais expulsé de

la Chambre le 12 mai 1858, et l'élection fut annulée le 17 mai. Ne s'est pas représenté à l'élection partielle le 2 octobre 1858. Candidat libéral défait dans Québec-Ouest aux élections de la Chambre des communes en 1872 et 1874.

Décédé à Québec, le 11 novembre 1892, à l'âge de 65 ans et 11 mois. Inhumé dans le cimetière St. Patrick, à Sillery, le 14 novembre 1892.

Avait épousé dans la paroisse Notre-Dame-de-Foy, à Sainte-Foy, le 10 janvier 1853, Maria Louisa Nowlan (Nolan), fille de Martin Nowlan et de Bredgit Murphy.

Beau-frère de Joseph-Édouard **Cauchon**.

Bibliographie: «L'avocat John O'Farrell», *BRH*, 44, 11 (nov. 1938), p. 350-351.

O'GALLAGHER, John

Né à Québec, le 16 octobre 1930, fils de Dermot Ignatius O'Gallagher, arpenteur-géomètre, et de Norma Kathleen O'Neil.

Fit ses études à la St. Patrick's High School à Québec, au collège Loyola à Montréal et à l'université Laval. Bachelier en sciences appliquées (génie civil).

Ingénieur et arpenteur-géomètre. Fut ingénieur en construction chez B. Perini & Sons de 1956 à 1958, puis ingénieur en structure et projet à la Foundation of Canada Engineering de 1958 à 1961. En pratique privée comme arpenteur-géomètre à compter de 1961. Fondateur et vice-président de la Chambre de commerce de Sainte-Foy en 1958. Membre du comité de révision des taxes foncières de la ville de Pierrefonds de 1964 à 1966. Président du Comité des arpenteurs-géomètres-conseils en 1972 et 1973. Président du Comité d'inspection professionnelle de l'Ordre des arpenteurs-géomètres du Québec en 1974 et 1975. Président du Club optimiste du nord-ouest de Montréal en 1972 et 1973.

Élu député libéral dans Robert-Baldwin en 1976. Réélu en 1981. Ne s'est pas représenté en 1985.

Retourna à la pratique de sa profession à Pierrefonds.

OGDEN, Charles Richard
(1791–1866)

Né à Québec, le 6 février 1791, fils d'Isaac Ogden, loyaliste et juge de la Cour du banc du roi à Montréal, et de sa seconde femme, Sarah Hanson.

Fit des études à Trois-Rivières, puis à Montréal où il s'initia au droit. Admis au barreau en 1812.

Pratiqua la profession d'avocat à Trois-Rivières. Pendant la guerre de 1812, fut officier de milice. Par la suite, ouvrit un bureau à Montréal avec un associé. Nommé conseiller du roi en 1816, procureur général du district de Trois-Rivières en 1818 et solliciteur général du Bas-Canada en 1824.

Élu député de Trois-Rivières en 1814. Réélu en 1816. Accusé de diffamation, fut condamné à la prison par le juge Pierre-Stanislas **Bédard** le 3 juin 1816. Réélu dans Trois-Rivières en avril 1820 et juillet 1820. Appuya le parti des bureaucrates durant ses quatre mandats. Défait en 1824. Élu dans Trois-Rivières à une élection partielle le 13 septembre 1826. Réélu en 1827 et 1830 ; démissionna le 11 janvier 1833 à la suite de sa nomination en qualité de procureur général du Bas-Canada, poste qu'il conserva jusqu'en 1842. Agit à titre de conseiller particulier du gouverneur John **Colborne** et de procureur en chef de la couronne dans les poursuites intentées contre les patriotes de 1837–1838. Membre du Conseil spécial du 16 avril 1840 jusqu'à l'entrée en vigueur, le 10 février 1841, de l'Acte d'Union. Appelé à former un ministère avec William Henry Draper : fut membre du Conseil exécutif du 13 février 1841 au 15 septembre 1842 et procureur général du Bas-Canada du 10 ou du 13 février 1841 au 15 septembre 1842. Élu dans Trois-Rivières en 1841 ; unioniste ; tory. Ne s'est pas représenté en 1844.

Fut admis au barreau d'Angleterre et nommé procureur général de l'île de Man en 1844. Exerça cette fonction, et celle de greffier du tribunal des successions de Liverpool obtenue en 1857, jusqu'à sa mort.

Décédé à Edge Hill, en Angleterre, le 19 février 1866, à l'âge de 75 ans.

Avait épousé à Walcot, en Angleterre, [le 24] juillet 1824, Mary Aston Coffin, fille de John Coffin, membre du Conseil du Nouveau-Brunswick, et d'Ann Mathews (Matthews) ; puis, dans l'église anglicane Christ Church, à Montréal, le 10 août 1829, Susan Clarke, fille d'Isaac Winslow Clarke, sous-commissaire général à Montréal.

Bibliographie : *DBC.*

OGILVIE, Alexander Walker
(1829–1902)

Né à Saint-Michel (île de Montréal), le 7 mai 1829, fils d'Alexander Walker Ogilvie, cultivateur et meunier, et de Helen Watson.

A étudié à l'académie Howden & Taggart à Montréal.

En 1852, il se joignit à l'entreprise familiale dirigée par son oncle, James Goudie, puis en 1854, lorsque ce dernier démissionna, il s'associa à son frère John et fonda l'entreprise A.W. Ogilvie & Co. Se retira de cette entreprise en 1874. Président de la Western Loan and Trust Co., de la St. Michel Road Co. et de la National Life Insurance Co. Vice-président de la Sun Life Insurance Co. en 1889, de la Montreal Loan & Mortgage Co., de la Merchants Marine Insurance Co., de la Dominion Burglary and Guarantee Co. et du Montreal Turnpike Trust. Directeur de la Federal Telephone Co., de la Montreal Permanent Building Society, de l'Edwardsburg Starch Co., de l'Anticosti Co., de la State Insurance Co. et de l'Exchange Bank of Canada dont il fut aussi l'un des fondateurs. Vice-président et président du Montreal Board of Directors of the London Guarantee Co. Curateur du Mount Royal Cemetery.

Membre du First Volunteer Troop of Militia Cavalry en 1856. Se retira avec le grade de major en 1860, mais revint la même année diriger un escadron et fut par la suite promu lieutenant-colonel. Président de la St. Andrew Society, de la Widows and Orphans Benevolent Society, de la Société de secours mutuels des artisans et du dispensaire de Montréal. Gouverneur à vie de l'Hôpital général de Montréal. Président de la Société d'agriculture d'Hochelaga. Membre du St. James Club.

Échevin du quartier Ouest au conseil municipal de Montréal de 1865 à 1868. Élu sans opposition député conservateur dans Montréal-Ouest en 1867. Ne s'est pas représenté en 1871. Élu dans Montréal-Centre en 1875. Ne s'est pas représenté en 1878. Nommé sénateur de la division d'Alma le 24 décembre 1881. Démissionna en janvier 1901.

Décédé à Montréal, le 31 mars 1902, à l'âge de 72 ans et 10 mois. Incinéré à Montréal, au Mount Royal Cemetery, le 2 avril 1902.

[Avait épousé à Longue-Pointe, en 1854, Sarah Leney, fille de William Leney et d'Helen Muirhead.]

O'HALLORAN, James
(≤1822–1913)

Né près de Fermoy, dans la comté de Cork, en Irlande, en septembre 1821 ou 1822.

Serait venu au Canada en 1828. Fit des études à l'University of Vermont où il obtint un diplôme en 1843.

Servit dans l'état-major de l'armée américaine pendant la guerre avec le Mexique. Admis au barreau du Bas-Canada le 6 décembre 1852, exerça sa profession à Cowansville. Fait conseiller de la reine le 12 février 1864. Fut bâtonnier du district de Bedford en 1899. L'un des promoteurs, puis le président du South Eastern Railway ; avocat, dans la province de Québec, du chemin de fer canadien du Pacifique.

Élu député de Missisquoi en 1861. Réélu sans opposition en 1863. Rouge, s'opposa au projet de confédération. Son mandat prit fin avec l'avènement de la Confédération, le 1er juillet 1867.

Décédé à Cowansville, le 1er juin 1913, à l'âge d'environ 91 ans. Inhumé à cet endroit, le 3 juin 1913.

Avait épousé dans l'église méthodiste de Dunham, le 15 janvier 1851, Mary Anne Finley, fille d'Edward Finley.

O'HARA, Edward
(≈1767–1833)

Né à Gaspé vers 1767, fils de Felix O'Hara, commerçant, et de Martha McCormick.

Vint s'installer à Québec au cours des années 1780. Forma la Woolsey and O'Hara, qui tint, jusqu'en juin 1790, un magasin spécialisé dans la vente de tissus, de vêtements et de chaussures. Nommé juge de paix du district de Gaspé en 1795 et grand voyer en 1796.

Élu député de Gaspé en 1792. Réélu en 1796. Appuya généralement le parti des bureaucrates. Ne se serait pas représenté en 1800.

Entra dans l'armée britannique en 1800 ; d'abord lieutenant, accéda au grade de lieutenant-colonel le 3 juin 1813. Servit en Inde et dans les Antilles. En 1815, reçut la médaille commémorative de la prise de la Guadeloupe et fut fait compagnon de l'ordre du Bain. Prit sa retraite le 16 mai 1822.

Décédé en Angleterre, dans la région de Londres, le 24 juin 1833, à l'âge d'environ 66 ans.

Avait épousé dans l'église anglicane de Québec, le 10 mai 1796, Elizabeth Cameron.

Bibliographie : *DBC.*

OLDHAM, Jacob
(≈1768–1824)

Né en Angleterre, vers 1768.

Après avoir fait des études de droit à Londres, fut reçu avocat le 21 avril 1790. Arrivé peu après dans la province de Québec, obtint, le 20 janvier 1791, l'autorisation d'exercer sa profession.

S'établit comme avocat à Terrebonne. Fit aussi du commerce et devint l'agent de la seigneurie du même nom. S'intéressa à l'éducation : en février 1810, tenta de mettre sur pied une école anglaise et, en août 1823, fut choisi à titre de commissaire d'école. Nommé commissaire habilité à faire prêter le serment d'allégeance, à Terrebonne, le 30 juin 1812 ; juge de paix, le 27 mai 1824. Servit pendant la guerre de 1812 en qualité de major au 1er bataillon de milice, division de l'Île-Jésus.

Élu député d'Effingham en avril 1820. Réélu en juillet 1820 ; appuya généralement le parti des bureaucrates jusqu'en 1823, puis généralement le parti canadien en 1823–1824.

Décédé en fonction à Québec, le 11 juin 1824, à l'âge d'environ 56 ans. Après des obsèques célébrées en la cathédrale anglicane Holy Trinity, fut inhumé dans le cimetière St. Matthew, le 14 juin 1824.

Avait épousé, probablement à Montréal, vers le 10 mai 1796, Madeleine Campion, fille du négociant Étienne Campion et de Madeleine Gauthier.

OLIVER, Carlton James
(1877–1931)

Né à Mansonville, dans les Cantons-de-l'Est, le 20 mars 1877, fils de William Oliver, marchand, et de Mary Ann Hunter.

Fit ses études à la High School de Mansonville, au Tucker's Collegiate Institute et à la McGill University à Montréal.

Marchand de bois à Mansonville. Propriétaire de plusieurs fermes. Douanier.

Élu député libéral dans Brome à l'élection partielle du 22 octobre 1923. Réélu en 1927.

Décédé en fonction à Mansonville, le 7 janvier 1931, à l'âge de 53 ans et 9 mois. Inhumé dans le Mansonville Protestant Cemetery, le 11 janvier 1931.

[Avait épousé, le 7 décembre 1920, Elizabeth (Bessie) Manson Tolhurst, fille de Frank Tolhurst, propriétaire d'une boutique d'artisanat.]

Frère de William Robert **Oliver**.

OLIVER, William Robert
(1872–1923)

[Né à Mansonville, dans les Cantons-de-l'Est, le 29 mai 1872, fils de William Oliver, marchand, et de Mary Ann Hunter.]

Fit ses études à Mansonville et au Montreal Business College.

Marchand et fermier. S'établit d'abord à Farnham Centre, puis, à la mort de son père, devint copropriétaire du magasin familial à Mansonville. Maître de poste à Mansonville de 1896 à 1911.

Commissaire d'école et conseiller de Potton vers 1900. Fut membre du conseil de comté. Élu sans opposition député libéral dans Brome à l'élection partielle du 12 novembre 1917. Réélu en 1919 et 1923.

Décédé en fonction à Mansonville, le 4 mai 1923, à l'âge de 50 ans et 11 mois. Inhumé dans le Mansonville Protestant Cemetery, le 7 mai 1923.

Il était célibataire.

Frère de Carlton James **Oliver**.

OLIVIER, Louis
(1758–1816)

Né à Berthier (Berthierville) et baptisé dans la paroisse Sainte-Geneviève-de-Berthier, le 12 septembre 1758, sous le prénom de Louis-Marie-Olivier, fils de Louis Olivier, soldat, d'origine parisienne, de la compagnie de Lavaltrie, et de sa seconde femme, Marie-Madeleine Hénault (Éno).

Fut marchand à Berthier ; à compter de 1804, exerça aussi les fonctions de maître de poste. Nommé juge de paix pour le district de Trois-Rivières en avril 1800 et de nouveau en 1808. Devint commissaire au tribunal des petites causes en juin 1808, commissaire chargé de la construction d'une école à Berthier en août de l'année suivante et, en juin 1812, fut habilité à faire prêter le serment d'allégeance. Officier de milice : fait capitaine en janvier 1779, atteignit ensuite le grade de major et, durant la guerre de 1812, servit en cette qualité.

Élu député de Warwick en 1792. Défait en 1796. Élu dans la même circonscription en 1810. Ne s'est pas représenté en 1814.

Décédé probablement à Berthier (Berthierville), le 4 février 1816, à l'âge de 57 ans et 4 mois. Inhumé dans l'église paroissiale, le 6 février 1816.

Avait épousé dans la paroisse de La Visitation, à l'île Dupas, près de Berthier, le 13 septembre 1778, Charlotte Joinville, fille de Pierre Joinville et de Marguerite Trullier, dit Lacombe.

Grand-père de Louis-Auguste **Olivier**. Arrière-grand-père par alliance de Louis-Hippolyte **La Fontaine**.

OLIVIER, Louis-Auguste
(1816–1881)

Né à Berthier-en-Haut (Berthierville), fut baptisé le 1er novembre 1816, dans la paroisse Sainte-Geneviève-de-Berthier, fils de Maxime Olivier, secrétaire du bureau de poste, et de Marguerite-Adélaïde Iserhoff.

Étudia au séminaire de Nicolet de 1827 à 1837. Admis au barreau le 7 septembre 1839.

Pratiqua la profession d'avocat à Berthier-en-Haut, où il prit part à la fondation, en 1846, et à la rédaction du journal l'*Écho des campagnes*. Fit partie de la Société des amis, créée à Montréal en 1842. Est l'auteur de plusieurs poésies et de «l'Essai sur la littérature», reproduits dans le *Répertoire national* [...] compilé par James Huston. Fait conseiller de la reine le 12 février 1864.

Candidat défait au siège de conseiller législatif de la division de Lanaudière en 1862. Élu conseiller législatif de la même division à une élection complémentaire le 6 avril 1863. Son mandat prit fin avec l'avènement de la Confédération, le 1er juillet 1867. Sénateur de la division de Lanaudière, du 23 septembre 1867 jusqu'à sa nomination, le 6 septembre 1873, comme juge puîné de la Cour supérieure de la province de Québec. Appuya le Parti libéral. Exerça ses fonctions de magistrat dans le district de Joliette jusqu'à sa mort.

Décédé à Joliette, le 18 septembre 1881, à l'âge de 64 ans et 10 mois. Inhumé dans la paroisse Saint-Charles-Borromée, le 21 septembre 1881.

Avait épousé dans sa paroisse natale, le 8 novembre 1854, Marie-Délia Masse, fille du cultivateur Basile Masse et de Geneviève Aubain-Lambert.

Petit-fils de Louis **Olivier**. Beau-père d'Henri-Gédéon **Malhiot**.

OLIVIER, Nazaire-Nicolas
(1860–1898)

Né à Saint-Nicolas, près de Québec, le 19 décembre 1860, fils de Polycarpe Olivier, cultivateur, et d'Olive Demers.

Fit ses études au séminaire de Québec et à l'université Laval à Québec où il obtint, en 1886, le prix Tessier et la médaille d'or Landsdowne. Admis au barreau de la province de Québec le 17 juillet 1886. Docteur en droit de l'université Laval en 1889.

Exerça sa profession à Québec. Occupa également le poste de directeur du journal l'*Union libérale* de 1888 à 1893. Président de l'Institut canadien de Québec. A publié *Octave Crémazie* (1888) et sa thèse *De la nullité des contrats* (1889).

Cofondateur et président du club de l'Union libérale. Secrétaire du barreau de Québec.

Candidat libéral défait dans Lévis en 1892. Élu député libéral dans la même circonscription à l'élection partielle du 22 décembre 1897.

Décédé en fonction à Québec, le 2 mai 1898, à l'âge de 37 ans et 4 mois. Inhumé à Sainte-Foy, dans le cimetière Notre-Dame-de-Belmont, le 5 mai 1898.

Avait épousé dans la paroisse Notre-Dame de Québec, le 17 septembre 1889, Héloïse Roy, fille d'Odilon Roy, avocat, et de Virginie Thibaudeau.

O'NEILL, Louis

Né à Sainte-Foy, le 25 avril 1925, fils de Thomas O'Neill, télégraphiste, et d'Alexandrine Lafontaine.

Fit ses études au séminaire de Québec, à l'université Laval, à l'université Angelicum à Rome et à l'université de Strasbourg. Licencié en philosophie et docteur en théologie. Ordonné prêtre le 3 juin 1950. A renoncé à la prêtrise.

Professeur au séminaire de Québec et à l'académie de Québec. Professeur de philosophie sociale et d'éthique sociale à l'université Laval et à l'université nationale du Rwanda, en Afrique, pendant deux ans. Collabora aux journaux *le Devoir*, *le Jour*, *Action Québec*, *le Rond-Point*, et aux revues *Maintenant*, *l'Actualité*, *Pastorale-Québec* et *Perspectives sociales*. En collaboration avec Gérard Dion, il publia *l'Immoralité politique dans la province de Québec* (1956), *le Chrétien et les élections* (1960) et *le Chrétien en démocratie* (1961). A publié également *l'Homme moderne et la socialisation: analyse éthicosociale du phénomène* (1967) et *le Prochain rendez-vous* (1988). Président de l'Association des professeurs de l'université Laval pendant deux ans. Membre du conseil de l'université. Membre fondateur de l'Amitié judéo-chrétienne. Membre de la Société canadienne de théologie, de la Société des écrivains, de l'Association canadienne-française pour l'avancement des sciences (ACFAS) et du comité Québec-Vietnam.

Candidat du Parti québécois défait dans Mercier en 1973. Élu député du Parti québécois dans Chauveau en 1976. Ministre des Affaires culturelles dans le cabinet Lévesque du 26 novembre 1976 au 28 février 1978. Ministre des Communications du 26 novembre 1976 au 21 septembre 1979. Ne s'est pas représenté en 1981.

Retourna à l'enseignement à la faculté de théologie de l'université Laval. Coordonnateur du Groupe de recherche sur la paix à l'université Laval.

Bibliographie: Morin, Romuald (Mme), *Bibliographie analytique de l'œuvre de M. l'abbé Louis O'Neill*. Précédée d'une esquisse biographique, préf. de Gustave Tardif, thèse à l'université Laval, Québec, 1962.

O'REILLEY, George
(1911–1992)

Né à Pointe-Saint-Charles, à Montréal, le 27 février 1911, fils de William O'Reilly et de Rose Ann Bagan.

Fit ses études à l'école Belmont à Montréal et à la Weredale House.

Travailla d'abord comme gérant des ventes chez Healy Bros., en 1934, et fut par la suite distributeur à la compagnie Pepsi-Cola en 1940. Propriétaire d'une compagnie de transport de 1948 à 1958. Membre des Chevaliers de Colomb et des clubs Richelieu et Lions. Membre honoraire du Club Rotary de Verdun.

Conseiller municipal de Verdun de 1951 à 1960, puis maire de 1960 à 1966. Membre de la Corporation du Montréal métropolitain. Vice-président de la Fédération libérale (section anglaise) de la province de Québec. Candidat libéral défait dans Montréal–Sainte-Anne en 1952. Élu député libéral dans Montréal-Verdun en 1960. Réélu en 1962. Son siège devint vacant lors de sa nomination au poste de conseiller législatif de la division de La Durantaye, le 12 août 1964. Occupa cette fonction jusqu'à l'abolition du Conseil législatif, le 31 décembre 1968.

Décédé à Montréal, le 17 juin 1992, à l'âge de 81 ans et 3 mois. Inhumé à Montréal, dans le Mount Royal Cemetery, le 20 juin 1992.

Avait épousé à Montréal, dans la Christ Church Cathedral, le 21 mars 1930, Edna Marriott, fille de Charles Ernest Marriott et d'Emma Smedley.

OSGOODE, William
(1754–1824)

Né à Londres en mars 1754, fils de William Osgood, qui fut bonnetier à Leeds avant de s'installer à Londres.

Étudia à l'école méthodiste de Kingswood, près de Bath, puis au Christ Church College d'Oxford où il obtint une maîtrise ès arts en 1777. Entré à la Lincoln's Inn en 1773, fut admis au barreau d'Angleterre le 11 novembre 1779. Avait passé un an en France.

Publia en 1779 *Remarks on the law of descent*. Pratiqua le droit à titre de rédacteur dans les cours d'*equity*.

Le 31 décembre 1791, fut nommé juge en chef du Haut-Canada, où il arriva au cours de l'été de 1792. Assermenté le 9 juillet 1792 comme conseiller exécutif du Haut-Canada. À compter du 12 juillet 1792, fit partie du Conseil législatif du Haut-Canada, dont il fut président à partir du 10 septembre 1792.

Nommé juge en chef du Bas-Canada le 24 février 1794; arriva à Québec le 27 juillet. Appelé au Conseil exécutif du Bas-Canada le 5 ou le 15 mai 1794, selon les sources, prêta serment le 19 septembre 1794 et en fit partie jusqu'en 1802. Assermenté à titre de membre du Conseil législatif du Bas-Canada le 5 janvier 1795; en fut président du 17 décembre 1794 jusqu'en 1802.

Quitta Québec pendant l'été de 1801, mais sa démission comme juge en chef n'entra en vigueur que le 1er mai 1802. À Londres, siégea au sein de commissions royales sur les tribunaux.

Décédé en fonction à Londres, le 17 janvier 1824, à l'âge de 69 ans et 9 ou 10 mois.

Était célibataire.

———

Bibliographie: *DBC.*

OSTIGUY, Marcel

Né à Saint-Mathias, le 14 mai 1929, fils d'Arthur Ostiguy, industriel, et d'Aurore Théberge.

Fit ses études à l'école de Saint-Mathias, chez les Pères oblats de Marie-Immaculée à Chambly, à l'École des hautes études commerciales à Montréal en 1948 et 1949 et à l'université Laval de 1968 à 1970. Diplômé en administration.

Travailla quelques années dans l'industrie avant de se joindre à l'entreprise familiale, Ostiguy Équipement ltée, à Marieville et à Saint-Hyacinthe. Président de cette firme à compter de 1966. Président de Plaza Marieville inc. de 1967 à 1969. Fut directeur et vice-président du conseil d'administration de la Raffinerie de sucre du Québec. Vice-président de l'Association des marchands de machines aratoires du Canada en 1964. Membre de la Société pour le progrès de la Rive-Sud. Président honoraire de la Jeune Chambre des Cantons-de-l'Est en 1964. Président de la Chambre de commerce de Marieville de 1965 à 1967, et de la Chambre de commerce régionale Richelieu–Lac-Champlain en 1967. Administrateur de la Chambre de commerce de la province de Québec en 1967. Président du Club Richelieu Chambly-Marieville en 1965. Membre du Club maskoutain, du Club de réforme de Montréal et des Chevaliers de Colomb.

Président de l'Association libérale fédérale du comté de Saint-Hyacinthe en 1967 et 1968. Siégea au conseil de la direction générale du Parti libéral du Québec. Élu député libéral dans Rouville en 1970. Réélu dans Verchères en 1973. Whip adjoint du Parti libéral de 1972 à 1976. Défait en 1976. Élu député libéral à la Chambre des communes dans Saint-Hyacinthe à l'élection partielle du 16 octobre 1978. Réélu en 1979 et 1980. Défait dans Saint-Hyacinthe–Bagot en 1984.

Nommé membre de la Commission de protection du territoire agricole du Québec le 5 juin 1991.

O'SULLIVAN, Michael
(≤1784–1839)

Baptisé à Clonmel (en république d'Irlande), le 4 mai 1784, fils de John O'Sullivan et d'Eleonora O'Donel.

Étudia au collège Saint-Raphaël, à Montréal, de 1799 à 1806. Fit l'apprentissage du droit auprès de Denis-Benjamin **Viger**, puis de Stephen **Sewell**. Obtint sa commission d'avocat en 1811.

Commença à pratiquer le droit à Montréal. Pendant la guerre de 1812, servit à titre d'officier de milice; aide de camp de Charles-Michel d'**Irumberry de Salaberry** à Châteauguay, en 1813, publia un compte rendu de la bataille dans *la Gazette de Montréal,* le 9 novembre.

Élu député de Huntingdon en 1814; prêta le serment d'office le 20 février 1816. Réélu en 1816; prêta serment le 17 mars 1817. Réélu en avril 1820 et juillet 1820. Appuya généralement le parti canadien. Ne s'est pas représenté en 1824.

Nommé conseiller du roi en 1831, solliciteur général en 1833 et juge en chef de la Cour du banc du roi du district de Montréal en 1838.

Fit paraître quelques articles dans *le Canadien* (Québec) vers 1806. Fut président de l'Advocates' Library and Law Institute of Montreal en 1831 et 1832. Obtint divers postes de commissaire.

Décédé à Montréal, le 7 mars 1839, à l'âge d'environ 54 ans. Inhumé dans l'église Notre-Dame, le 11 mars 1839.

Avait épousé dans la paroisse Notre-Dame de Montréal, le 1er mai 1809, Cécile Berthelet, fille de Pierre Berthelet, négociant, et de sa deuxième femme, Marguerite Viger; puis, au même endroit, le 17 mai 1831, Jeanne-Marie-Catherine Bruyères, veuve du docteur David Thomas Kennelly.

Beau-frère d'Antoine-Olivier **Berthelet**.

———

Bibliographie: *DBC.*

OUELLET, Joseph-Charles-Ernest
(1882–1952)

Né à Sainte-Germaine-du-Lac-Etchemin, le 23 décembre 1882, fils de Joseph-Sifroid Ouellet, cultivateur, et de Marie Laflamme.

Fit ses études à Sainte-Germaine-du-Lac-Etchemin.

Cultivateur. Membre de l'exécutif de l'Union catholique des cultivateurs (UCC) et président de la division Sud de Québec. Président de la caisse populaire de Sainte-Germaine-du-Lac-Etchemin d'août 1932 à août 1934.

Maire de Sainte-Germaine-du-Lac-Etchemin de novembre 1933 à décembre 1935. Élu sans opposition député libéral dans Dorchester à l'élection partielle du 15 décembre 1917. Réélu en 1919 (sans opposition), 1923 et 1927. Assermenté ministre sans portefeuille dans le cabinet Taschereau, le 1er mai 1929. Son siège devint vacant lorsqu'il fut nommé au poste de conseiller législatif de la division de La Vallière le 27 novembre 1930.

Décédé en fonction à Sainte-Germaine-du-Lac-Etchemin, le 4 janvier 1952, à l'âge de 69 ans. Inhumé dans le cimetière de cette paroisse, le 7 janvier 1952.

Avait épousé dans sa paroisse natale, le 10 juillet 1905, Marie Ferland, fille de Louis Ferland, cultivateur, et de Philomène Jacques.

OUELLET, Léonce

Né à Hébertville, le 5 octobre 1916, fils de Thomas-Louis Ouellet, entrepreneur et hôtelier, et de Laure Boivin.

Fit ses études au séminaire de Chicoutimi et à l'académie Saint-Michel à Jonquière. Diplômé en commerce.

Travailla dans les entreprises hôtelières et commerciales de son père de 1935 à 1940. Chef de division à l'Aluminium Company d'Arvida de 1940 à 1952. Fondateur et président du Syndicat des employés de bureau de cette compagnie en 1945 et 1946. Administrateur d'hôtels à Jonquière, Bagotville et Laterrière de 1952 à 1966.

Collabora au journal *le Réveil* de Jonquière à titre de chroniqueur sportif. Fut membre de la garde Saint-Dominique et commandant d'un corps de cadets. S'enrôla dans l'armée canadienne et fut démobilisé avec le grade de caporal. Occupa également le rang de sous-lieutenant de l'armée de réserve. Président-fondateur de l'Association des hôteliers du Lac-Saint-Jean. Fut directeur de la Chambre de commerce des jeunes et de la Chambre de commerce senior de Jonquière. Fut directeur de l'Association catholique de la jeunesse canadienne-française (ACJC), président du Cercle dramatique de Jonquière et de la commission sportive de Jonquière. Fut directeur de la Ligue de hockey junior A du Québec. Membre fondateur du Club Richelieu et membre des Chevaliers de Colomb.

Élu député de l'Union nationale dans Jonquière-Kénogami en 1956. Défait en 1960 et 1962.

Conseiller spécial auprès de Logexpo en 1966 et 1967. Administrateur au pavillon du Québec à Terre des Hommes en 1968 et 1969. Attaché d'administration au ministère des Affaires municipales en 1969 et 1970, à la Régie des eaux de 1970 à 1972, puis au Service de protection de l'environnement de 1972 à 1981.

OUELLET, Pierre
(1882–1971)

Né à Saint-Ulric-de-Matane, le 29 juillet 1882, fils de David Ouellet, cultivateur, et de Caroline Ross.

Fit ses études à Saint-Ulric.

Débuta dans l'industrie du bois en 1901. En 1913, il devint propriétaire d'une manufacture de portes et châssis à Saint-Ulric-de-Matane. En 1936, il s'établit à Baie-Comeau où il fut entrepreneur général jusqu'en 1947. Membre honoraire de la Légion canadienne. Membre du Club Rotary, du Club Richelieu, des Chevaliers de Colomb et de la Coopérative de Baie-Comeau.

Conseiller municipal de Saint-Ulric pendant huit ans. Échevin de la ville de Baie-Comeau du 10 octobre 1941 au 9 juin 1948. Marguillier de la paroisse Sainte-Amélie de Baie-Comeau. Élu député de l'Union nationale dans Saguenay en 1948. Réélu en 1952 et 1956. Ne s'est pas représenté en 1960.

Décédé à Baie-Comeau, le 23 juillet 1971, à l'âge de 88 ans et 11 mois. Inhumé dans le cimetière Saint-Joseph-de-Manicouagan, le 26 juillet 1971.

Avait épousé à Baie-des-Sables, le 19 août 1907, Marie-Hélène Gagné, fille d'Olivier Gagné, cultivateur, et d'Elmire Beaulieu.

OUELLETTE, Adrien

Né à Saint-Joseph-de-Beauce, le 9 février 1940, fils d'Arthur Ouellette, contremaître, et de Cécile Fournier.

A étudié au collège Saint-Joseph-de-Beauce, à l'université de Sherbrooke et à l'université Laval. Bachelier en pédagogie et licencié en sciences religieuses.

Professeur à la commission scolaire régionale de la Chaudière à compter de 1963. Président du conseil des enseignants de la polyvalente Veilleux à Saint-Joseph-de-Beauce pendant deux ans. Fut président du comité d'action politique de la Centrale de l'enseignement du Québec (CEQ) pour la régionale de la Chaudière. Décoré de la médaille du Canada. Membre de la Chambre de commerce de Saint-Joseph-de-Beauce.

Maire de Saint-Joseph-de-Beauce de 1968 à 1976. Candidat du Parti québécois défait dans Beauce-Nord en 1973. Élu à l'Assemblée nationale dans la même circonscription en 1976. Réélu en 1981. Adjoint parlementaire du ministre de l'Industrie, du Commerce et du Tourisme du 19 décembre 1979 au 1er mai 1981. Adjoint parlementaire du ministre des Transports du 1er mai 1981 au 9 septembre 1982. Ministre de l'Environnement dans les cabinets Lévesque et Johnson (Pierre Marc) du 9 septembre 1982 au 12 décembre 1985. Défait en 1985.

Est retourné à la pratique de l'enseignement.

OUELLETTE, Édouard
(1860–1931)

[Né aux États-Unis, le 6 novembre 1860, fils de Guillaume-Joachim Ouellette et de Marguerite Bourgon.]

Fit ses études commerciales aux collèges de Drummondville et de Nicolet.

Commerçant de bois. Vice-président de la Tourville Lumber Mills Co., propriété de Rodolphe **Tourville**. Posséda une ferme modèle à Pierreville.

Membre du Club de réforme de Montréal. Élu sans opposition député libéral dans Yamaska à l'élection partielle du 20 juin 1905. Réélu en 1908, 1912, sans opposition en 1916 et 1919, puis en 1923. Démissionna le 19 septembre 1923 et fut nommé conseiller législatif de la division de Rigaud le 24 septembre 1923.

Décédé en fonction à Outremont, le 2 février 1931, à l'âge de 70 ans et 2 mois. Inhumé à Montréal, dans le cimetière Notre-Dame-des-Neiges, le 4 février 1931.

Avait épousé dans la paroisse Saint-Thomas-de-Pierreville, le 2 février 1892, Marie-Anna Lapierre, fille de Toussaint Lapierre et d'une dénommée Brunault.

OUELLETTE, Jocelyne

Née à Hull, le 6 avril 1944, fille de Roland Villeneuve, commerçant, et de Thérèse Desjardins.

Fit ses études à l'école normale Saint-Joseph et à l'académie Sainte-Marie à Hull, puis au collège Lafortune et à l'uni-

versité d'Ottawa où elle fut diplômée en administration publique. Présidente du Regroupement des locataires de Hull en 1968.

Participa à la fondation du Mouvement souveraineté-association et à l'organisation du Parti québécois dans les comtés de Hull, Papineau, Gatineau et Labelle. De 1968 à 1974, elle fut successivement coordonnatrice, présidente et permanente régionale du Parti québécois. Élue députée du Parti québécois dans Hull en 1976. Ministre des Travaux publics et de l'Approvisionnement dans le cabinet Lévesque du 6 juillet 1977 au 30 avril 1981. Défaite en 1981.

Directrice du Bureau du Québec, puis déléguée du Québec à Ottawa de 1982 à 1986. Présidente-directrice générale de la Société immobilière du Canada (Mirabel limitée) de 1988 à 1991. Fut nommée commissaire à la Commission fédérale de l'immigration et du statut de réfugié le 19 mai 1989. Conseillère spéciale à l'Agence spatiale canadienne à compter de 1992.

OUIMET, Gédéon
(1823–1905)

Né à Sainte-Rose (Laval), le 2 juin 1823, puis baptisé le 3, dans la paroisse du même nom, fils de Jean Ouimet, cultivateur, et de Marie Beautronc, dit Major.

Étudia au séminaire de Saint-Hyacinthe, à compter de 1834, puis au petit séminaire de Montréal, de 1837 à 1839. Fit l'apprentissage du droit auprès de son frère André; admis au barreau le 26 août 1844.

Exerça sa profession d'abord à Vaudreuil, puis à Montréal où il s'établit en 1853. Compta parmi ses associés Joseph-Adolphe **Chapleau** et Louis-Siméon **Morin**. Fait conseiller de la reine le 28 juin 1867. Élu bâtonnier du barreau de Montréal en 1869 et bâtonnier du barreau de la province de Québec en 1869 et 1870; fut aussi président du Conseil général du barreau de la province. Exerça les fonctions de substitut du procureur général à Sainte-Scholastique.

Maire de Vaudreuil de 1852 à 1854. Élu député de Beauharnois en 1858; bleu. Défait en 1861. Élu sans opposition député conservateur de Deux-Montagnes à l'Assemblée législative en 1867. Réélu en 1871. Membre du cabinet Chauveau à titre de procureur général, du 15 juillet 1867 au 27 février 1873. Devint premier ministre de la province, ministre de l'Instruction publique, secrétaire et registraire provincial le 27 février 1873. Offrit sa démission le 8 septembre 1874 mais demeura en fonction jusqu'au 22. Réélu sans opposition dans Deux-Montagnes aux élections provinciales en 1875. Son siège devint vacant par suite de sa nomination comme surintendant de l'Instruction publique, le 28 janvier 1876; occupa cette fonction jusqu'à sa résignation en avril 1895. Nommé conseiller législatif de la division de Rougemont le 2 mai 1895.

Président de l'Association Saint-Jean-Baptiste de Montréal en 1869 et 1870, ainsi que de l'Institut canadien-français de Montréal en 1872. Fait officier de l'Instruction publique par le gouvernement français en 1878, commandeur de l'ordre de Saint-Grégoire-le-Grand en 1886 et membre de l'Académie des arcades de Rome. Reçut un doctorat honorifique en droit de l'université Laval et du Bishop's College de Lennoxville.

Décédé en fonction à Saint-Hilaire, le 23 avril 1905, à l'âge de 81 ans et 10 mois. Inhumé dans le cimetière Notre-Dame-des-Neiges, à Montréal, le 26 avril 1905.

Avait épousé dans la paroisse Notre-Dame de Montréal, le 13 août 1850, Marie-Jeanne Pellant, fille du cultivateur Alexis Pellant et d'Élizabeth Lionais.

OUIMET, Philodor
(1909–1990)

Né à Saint-Jean-sur-Richelieu, le 24 mars 1909, fils d'Eugène Ouimet, cultivateur, et d'Alphonsine Brault.

Fit ses études à l'école de rang à Saint-Jean, puis suivit des cours du soir à St. Albans et à l'école Moreau à Montréal.

Exerça le métier de camionneur en 1932. Cantonnier dans le comté de Saint-Jean de 1936 à 1948. Devint propriétaire de la carrière Bernier ltée et de la compagnie St. John's Ready Mix en 1950. Administrateur de la maison C.O. Gervais & Frères ltée en 1962. Membre de la Chambre de commerce de Saint-Jean, du Club Richelieu et des Chevaliers de Colomb.

Marguillier de la paroisse Notre-Dame-de-Lourdes à Saint-Jean. Échevin de Saint-Jean de 1948 à 1953, et maire de 1953 à 1967. Préfet du comté de Saint-Jean en 1955 et 1956. Candidat libéral indépendant défait dans Saint-Jean–Iberville–Napierville à l'élection partielle fédérale du 19 décembre 1955. Élu député libéral à l'Assemblée législative dans Saint-Jean en 1960. Réélu en 1962. Défait en 1966.

Décédé à Saint-Jean, le 23 mars 1990, à l'âge de 80 ans et 11 mois. Les funérailles eurent lieu dans la cathédrale de Saint-Jean, le 26 mars 1990.

Avait épousé dans la cathédrale de Saint-Jean, le 6 septembre 1930, Flore Therrien, fille d'Arcade Therrien, cultivateur, et de Rose-Anna Clément.

OWENS, William
(1840–1917)

Né à Lachute, le 15 mai 1840, fils d'Owen Owens et de Charlotte Lindley.

Fit ses études dans sa paroisse natale.

Débuta au commerce de son père, puis en devint propriétaire, avec son frère Thomas, sous la raison sociale de T. & W. Owens. Se retira de l'entreprise en 1887. Propriétaire d'une partie des terres de la seigneurie de Papineau à Montebello, sur laquelle il installa une ferme, des moulins et des scieries. Vice-président de la South Shore Railway. Maître de poste à Chatham. Dans le domaine militaire, il fit partie de la milice volontaire de 1866 à 1883 et fut lieutenant du 11e bataillon des Rangers d'Argenteuil.

Candidat défait dans Argenteuil à l'élection partielle fédérale du 12 octobre 1874. Conseiller municipal et maire de Chatham du 15 janvier 1872 au 11 janvier 1875. Élu député conservateur à l'Assemblée législative dans Argenteuil en 1881. Réélu en 1886 (sans opposition) et 1890. Démissionna le 20 février 1891. Candidat conservateur défait dans Argenteuil aux élections fédérales de 1891. Nommé sénateur de la division d'Inkerman le 2 janvier 1896.

Décédé en fonction à Westmount, le 8 juin 1917, à l'âge de 77 ans. Inhumé à Montréal, dans le Mount Royal Cemetery, le 11 juin 1917.

[Avait épousé en 1862 Catherine Mathilda Powers; en 1872, Clarissa Lennie Miller; en troisièmes noces, Eliza Sarah O'Brien; puis, à Chicago, en septembre 1890, Margaret McMartin, fille de John McMartin.]

PACAUD, Édouard-Louis (1815–1889)

Né à Batiscan, le 20 janvier 1815, fils de Joseph Pacaud, charpentier, navigateur et négociant, et d'Angélique Brown. Baptisé Louis-Édouard.

A étudié au séminaire de Nicolet de 1826 à 1832 et le droit chez Antoine **Polette** et Edward **Barnard**. Admis au barreau du Bas-Canada le 25 mai 1836. Créé conseil en loi de la reine le 31 mai 1878.

Pratiqua sa profession à Trois-Rivières puis devint commissaire des faillites du district de Trois-Rivières et président de la Cour des sessions de la paix de 1844 à 1850. Propriétaire terrien. S'installa à Montréal en 1850 puis retourna à Trois-Rivières vers 1854. Fut associé à Sévère **Dumoulin** et Adélard **Sénécal** dans la Compagnie de navigation de Trois-Rivières en 1859. S'établit à Arthabaska vers 1861. Fondateur et président du Syndicat agricole d'Arthabaskaville. Fut également conseiller municipal. Bâtonnier du barreau d'Arthabaska de juillet 1884 à mai 1887. Bâtonnier général de la province en 1885 et 1886. Rédacteur du journal le *Moniteur canadien*. Collabora également à la *Revue légale*.

Candidat défait dans Mégantic à l'élection partielle du 1er mai 1850. Candidat réformiste défait dans Nicolet à la Chambre d'assemblée de la province du Canada en 1851. Nommé conseiller législatif de la division de Kennebec le 24 août 1887.

Décédé en fonction à Arthabaska, le 18 novembre 1889, à l'âge de 74 ans et 9 mois. Inhumé dans le cimetière du même endroit, le 22 novembre 1889.

Avait épousé à Yamachiche, le 28 juillet 1841, Anne-Hermine Dumoulin, fille de Charles-Julien Dumoulin, marchand, et d'Élisabeth Taupier ; puis, dans la cathédrale de Trois-Rivières, le 2 juillet 1868, Françoise Dumoulin, fille de Pierre-Benjamin **Dumoulin** et de Françoise-Hermine Rientard.

Beau-frère de Sévère **Dumoulin**. Beau-père de Louis-Bonaventure **Caron**. Oncle de Gaspard Pacaud, député de la circonscription ontarienne de North Essex de 1886 à 1890. Grand-oncle de Lucien Turcotte Pacaud, député à la Chambre des communes de 1911 à 1922.

Bibliographie : *DBC*.

PAGE. V. PAIGE

PAGÉ, Michel

Né à Saint-Basile, le 4 décembre 1949, fils d'Albert Pagé, chauffeur de taxi puis propriétaire d'autobus scolaires, et d'Aurore Michaud.

Fit ses études au collège de Saint-Basile, au collège classique des Frères de l'instruction chrétienne à Donnacona et à Saint-Romuald, à l'académie de Québec et à l'université Laval où il fut licencié en droit en 1973. Admis au barreau de la province de Québec en 1974.

Pratiqua sa profession d'avocat de 1974 à 1985.

Élu député libéral dans Portneuf en 1973. Réélu en 1976 et 1981. Whip en chef de l'Opposition officielle du 19 mai 1981 au 23 octobre 1985. Président du caucus des députés du PLQ d'avril 1981 à décembre 1985. Réélu en 1985 et 1989. Ministre de l'Agriculture, des Pêcheries et de l'Alimentation dans le cabinet Bourassa du 12 décembre 1985 au 5 octobre 1990. Nommé leader du gouvernement le 11 octobre 1989 et assermenté ministre de l'Éducation le 5 octobre 1990. Démissionne comme ministre de l'Éducation et leader parlementaire le 29 octobre 1992, puis comme député le 16 novembre de la même année.

Président et chef de direction de Donohue inc.

PAGET, Charles
(1778–1839)

Né en Angleterre, le 7 octobre 1778, fils de Henry Bayly, 9ᵉ baron Paget et futur 1ᵉʳ comte d'Uxbridge, et de Jane Champagné.

À l'âge de 12 ans, entreprit une carrière dans la marine britannique. Servit d'abord dans la mer du Nord et dans la Manche. Nommé lieutenant en juin 1797, obtint, au début du mois suivant, le premier d'une série de commandements de navires; en 1817, reçut celui des yachts royaux. Fait chevalier (sir) de l'ordre des Guelfes en octobre 1819, allait être promu grand-croix en mars 1832. Devint valet de la chambre du roi en 1822. Accéda au grade de contre-amiral le 9 avril 1823; exerça le commandement en chef à Cork, en Irlande, de 1828 à 1831. Nommé vice-amiral et commandant en chef de la flotte de l'Atlantique Nord et des Antilles, le 10 janvier 1837; escorta le nouveau gouverneur en chef, John George **Lambton**, à Québec, en mai 1838.

Fit partie du Conseil spécial du 28 juin 1838 jusqu'à la dissolution de ce conseil, le 2 novembre de la même année.

Décédé dans la région administrative de St. Thomas, en Jamaïque, le 27 janvier 1839, à l'âge de 60 ans et 3 mois.

Avait épousé, le 7 mars 1805, Elizabeth Araminta Monck, fille de Henry Monck, [de Fore, dans le comté irlandais de Westmeath].

Bibliographie: *The Annual Register* [...] *of the year 1839*, London, Rivington, 1840, p. 319.

PAIGE, Seneca
(1788–1856)

Né à Hardwick, au Massachusetts, le 11 février 1788, fils de Foster Paige et d'une prénommée Amity. Son nom s'orthographia parfois Senaca Page.

S'établit au Bas-Canada vers 1816; fut marchand de bois et entrepreneur en bâtiment à Dunham. Obtint une concession de terre dans le canton de Dunham en mai 1837. Exerça les fonctions de juge de paix. Appartenait à l'Église méthodiste wesleyenne.

Élu député de Missisquoi en 1851; modéré, appuya le groupe canadien-français; en 1853, fut mis sous la garde du sergent d'armes à deux reprises pour absence injustifiée, puis libéré après avoir fourni des explications. Ne s'est pas représenté en 1854.

Décédé à Dunham, au Bas-Canada, le 11 octobre 1856, à l'âge de 68 ans et 8 mois. Inhumé à Bakersfield, au Vermont.

Avait épousé en secondes noces, probablement à Dunham, au Bas-Canada, Mary Ann Lee, de St. Albans, au Vermont.

Bibliographie: Missisquoi County Historical Society, *Fourth annual report*, 1909, p. 49.

PAINCHAUD, Charles-François
(1815–1891)

Né à l'île aux Grues, le 8 septembre 1815, puis baptisé le 11, à Cap-Saint-Ignace, dans la paroisse Saint-Ignace-de-Loyola, sous le prénom de François-Xavier, fils de Jérôme-David Painchaud, laboureur, et de Julie Langlois.

Étudia, de 1832 à 1838, au collège de Sainte-Anne-de-la-Pocatière, fondé par son oncle, l'abbé Charles-François Painchaud.

Exerça la médecine à Varennes, où il fut vice-président de la Chambre de nouvelles.

Fut conseiller du village de Varennes. D'abord défait comme candidat au siège de député dans Verchères en 1861, fut toutefois proclamé élu à la place d'Alexandre-Édouard **Kierzkowski**, le 4 mai 1863; prêta serment et prit son siège le jour même. Ne s'est pas représenté en 1863.

Décédé à Varennes, le 8 août 1891, à l'âge de 75 ans et 11 mois. Inhumé dans le cimetière de la paroisse Sainte-Anne, le 11 août 1891.

Avait épousé dans la paroisse Notre-Dame, à Montréal, le 28 octobre 1845, Françoise Duchesnois, fille du médecin Eusèbe-Napoléon Duchesnois et de Françoise Ainse.

PANET, Bonaventure
(1765–1846)

Né à Montréal et baptisé dans la paroisse Notre-Dame, le 27 juillet 1765, fils de Pierre (Pierre-Méru) Panet, avocat (fut aussi juge et conseiller exécutif), et de Marie-Anne Trefflé, dit Rottot.

Étudia au collège Saint-Raphaël, à Montréal, à compter de 1775. Par la suite, alla à Québec, où son père était installé depuis 1778 et où résidait son oncle et futur beau-père, le commerçant Louis **Dunière**. Revint à Montréal, puis s'établit à L'Assomption comme marchand.

Élu député de Leinster en 1792. Réélu en 1796. Défait en 1800. Élu dans la même circonscription en 1809. Appuya le parti canadien durant ses trois mandats. Ne s'est pas représenté en 1810.

De 1806 à 1834, fut commissaire-priseur à Lachenaie, où son père avait vécu pendant sa retraite. Fut directeur du scrutin en 1808, 1810, 1814, 1816 et en avril et juillet 1820. Pendant la guerre de 1812, servit dans la milice à titre de capitaine et d'aide-major. Atteignit le grade de major le 1er janvier 1818. Obtint de nombreux postes de commissaire et fut juge de paix. Revint vivre à L'Assomption en 1834 et s'occupa d'agriculture.

Décédé à L'Assomption, le 12 mars 1846, à l'âge de 80 ans et 7 mois. Inhumé dans le cimetière de la paroisse de l'Assomption-de-la-Sainte-Vierge, le 15 mars 1846.

Avait épousé sa cousine germaine Marguerite Dunière, fille de Louis **Dunière** et d'Élizabeth Trefflé, dit Rottot, d'abord dans l'église anglicane de Québec, le 18 novembre 1786, puis dans la cathédrale Notre-Dame de Québec, le 6 avril 1787.

Frère de Pierre-Louis **Panet**. Cousin de Jean-Antoine **Panet**. Beau-frère de Pierre **Marcoux**. Apparenté par alliance à Pierre **Guerout**.

Bibliographie: *DBC*.

PANET, Charles
(1797–1877)

Né à Québec, le 6 octobre 1797, puis baptisé le 7, dans la paroisse Notre-Dame, fils de Jean-Antoine **Panet**, avocat et orateur de la Chambre d'assemblée du Bas-Canada, et de Louise-Philippe Badelart.

Admis au barreau en mai 1822.

Entreprit l'exercice de sa profession à Québec. Le 8 octobre 1831, fut nommé, conjointement avec son frère Bernard-Antoine, coroner du district de Québec; démissionna de cette charge, le 2 octobre 1839, et reprit la pratique du droit. Élu pour un an bâtonnier du barreau de Québec en mai 1850. Fait conseiller de la reine le 26 février 1855.

Élu député de Québec en 1858; bleu. Ne s'est pas représenté en 1861.

Nommé conservateur des archives judiciaires du district de Québec en 1862. Officier de milice, accéda au grade de lieutenant-colonel.

Décédé à Québec, le 15 octobre 1877, à l'âge de 80 ans. Inhumé dans l'église Notre-Dame-de-l'Annonciation, à L'Ancienne-Lorette, le 18 octobre 1877.

Avait épousé dans la paroisse Notre-Dame, à Québec, le 21 février 1845, Frances O'Donnell, fille de Manus O'Donnell et d'Anne O'Rourty.

Frère de Louis et de Philippe **Panet**.

Bibliographie: Roy, Pierre-Georges, *La famille Panet*, Lévis, 1906, p. 127-133.

PANET, Édouard-Antill
(1852–1930)

[Né au manoir seigneurial de Bourg-Louis à Saint-Raymond, le 12 août 1852, fils d'Édouard-Antill Panet, seigneur de Bourg-Louis et lieutenant-colonel dans la milice canadienne, et de Marie-Julie Dubuc.]

Fit ses études au Montreal Collegiate School et à la McGill University. Fit sa cléricature auprès de Me J.E. Labadie. Admis à la pratique du notariat le 8 mai 1874.

Exerça sa profession à Montréal pendant trois ans, puis s'établit à Saint-Raymond. S'associa avec les notaires Wright et Bogan. Notaire attitré de la Compagnie de chemin de fer Québec–Lac-Saint-Jean. Secrétaire-trésorier de la paroisse et du village de Saint-Raymond de 1880 à 1908.

Élu député libéral dans Portneuf en 1904. Ne s'est pas représenté en 1908.

Greffier adjoint du Conseil législatif de 1909 à 1929.

Décédé à Saint-Raymond, le 10 août 1930, à l'âge de 77 ans et 11 mois. Inhumé dans le cimetière du même endroit, le 13 août 1930.

Avait épousé dans la cathédrale de Montréal, le 28 avril 1875, Marie-Louise-Élisabeth Terroux, fille de Robert Terroux et de Marie-Louise Shortz; puis, dans la paroisse Notre-Dame de Québec, le 3 février 1914, Marie-Louise-Elizabeth Van Felson, fille de George Van Felson et d'Ellen Gregory.

PANET, Henri-Pascal
(1873–1942)

[Né à Ottawa, le 4 janvier 1873, fils de Charles Panet, avocat et greffier en chef des bills privés à la Chambre des communes, et d'Euphémie Châteauvert.]

Fit ses études à l'université d'Ottawa.

Exerça le métier d'électricien. Travailla quarante-huit ans à la Montreal Light, Heat & Power, dont vingt ans comme directeur à la centrale électrique de cette compagnie à Richelieu. Prit sa retraite en 1937.

Maire de Richelieu de 1927 à 1932 et président de la commission scolaire du 21 mai 1928 au 1er août 1930. Élu député libéral dans Rouville en 1939.

Décédé en fonction à Montréal, le 7 décembre 1942. Inhumé dans le cimetière de Richelieu, le 11 décembre 1942.

Avait épousé à Richelieu, dans la paroisse Notre-Dame-de-Bonsecours, le 24 juin 1915, Marie-Mercédès Tétreault, fille d'Alphonse Tétreault et de Stéphanie Marcoux.

PANET, Jean-Antoine
(1751–1815)

Né à Québec, le 8 juin 1751, fils de Jean-Claude Panet, notaire (fut aussi avocat et juge), et de Marie-Louise Barolet.

Étudia probablement au petit séminaire de Québec.

Exerça le notariat à Québec de 1772 à 1786 et fut avocat à compter de 1773. Pendant l'invasion américaine de 1775–1776, prit part à la défense de la ville en qualité d'enseigne dans la milice. Engagé dans un grand nombre de transactions immobilières, dont l'acquisition de la seigneurie de Bourg-Louis en 1777, et d'opérations de crédit. Actionnaire de la Compagnie de l'Union de Québec, de 1806 à 1808. Obtint plusieurs postes de commissaire. Accéda au grade de lieutenant-colonel dans la milice. Nommé juge de la Cour des plaids communs le 28 janvier 1794, puis juge de la Cour du banc du roi pour le district de Montréal le 15 décembre 1794, mais refusa ce dernier poste. Participa à la fondation du journal *le Canadien*.

Élu député de la Haute-Ville de Québec en 1792; élu orateur le 18 décembre 1792, puis renonça à cette fonction lorsqu'il fut nommé juge le 28 janvier 1794; par la suite, appuya le parti canadien. Réélu en 1796 sans opposition, en 1800 et en 1804. Défait dans la Haute-Ville de Québec mais élu dans Huntingdon en 1808. Réélu dans Huntingdon en 1809 et 1810. Élu dans la Haute-Ville de Québec en 1814. Avait été réélu orateur le 24 janvier 1797; ayant dû laisser cette charge pour raison de santé, fut remplacé par Louis-Joseph **Papineau** le 21 janvier 1815. Son siège de député devint vacant par suite de sa nomination au Conseil législatif en janvier 1815, probablement le 9; l'avis en fut donné le 24 janvier 1815.

Décédé en fonction à Québec, le 17 mai 1815, à l'âge de 63 ans et 11 mois. Inhumé dans la cathédrale Notre-Dame, le 20 mai 1815, après un service funèbre célébré par l'évêque de Québec, Mgr Joseph-Octave **Plessis**.

Avait épousé dans la paroisse Notre-Dame de Québec, le 7 octobre 1779, Louise-Philippe Badelart, fille de Philippe-Louis-François Badelard, chirurgien de la garnison de Québec, et de Marie-Charlotte Guillimin.

Père de Charles, Louis et Philippe **Panet**. Cousin de Bonaventure et de Pierre-Louis **Panet**. Beau-père de Jean-Thomas **Taschereau**. Arrière-grand-père de Louis-Alexandre **Taschereau**.

_____

Bibliographie: *DBC*.

PANET, Louis
(1794–1884)

Né à Québec et baptisé dans la paroisse Notre-Dame, le 19 mars 1794, fils de Jean-Antoine **Panet**, juge (fut aussi seigneur), et de Louise-Philippe Badelart.

Obtint une commission de notaire en octobre 1819.

Pratiqua le notariat à Québec jusqu'en 1879. Cofondateur de l'Association de la salle musicale de Québec, en 1851. Président de la Société Saint-Jean-Baptiste de Québec en 1853–1854. Nommé un des administrateurs honoraires de la Caisse d'économie de Notre-Dame de Québec, en 1866. Très actif dans la milice; fut notamment lieutenant-colonel commandant du 1er bataillon de milice de Québec, de 1855 à 1869.

Refusa de se porter candidat dans la Haute-Ville de Québec en 1824. Conseiller exécutif du 22 août 1837 jusqu'à l'entrée en vigueur de l'Acte d'Union, le 10 février 1841. Appelé au Conseil législatif de la province du Canada le 20 octobre 1852, prêta serment et prit son siège le 25; occupa ce poste jusqu'à l'avènement de la Confédération, le 1er juillet 1867. Nommé représentant de la division de La Salle au Conseil législatif de la province de Québec le 2 novembre 1867, prêta serment le 27 décembre. Fut sénateur de la même division, du 10 février 1871 jusqu'à sa démission, le 26 mars 1874. Appuya le Parti conservateur.

Décédé en fonction à Québec, le 15 mai 1884, à l'âge de 90 ans et un mois. Après des obsèques célébrées dans la basilique Notre-Dame de Québec, fut inhumé dans l'église de L'Ancienne-Lorette, le 17 mai 1884.

Avait épousé dans la paroisse Saint-Thomas (à Montmagny), le 27 juin 1820, Marie-Louise Oliva, fille du docteur Frederick William (Frédéric-Guillaume) Oliva, ancien chirurgien-major probablement d'origine allemande, et de Catherine Couillard Des Islets.

Frère de Charles et de Philippe **Panet**. Oncle de Charles-Eugène Panet, sénateur. Beau-frère de Jean-Thomas

Taschereau. Une de ses arrière-petites-filles épousa Eugène **Roberge**.

Bibliographie: Roy, Pierre-Georges, *La famille Panet*, Lévis, 1906, p. 123-125.

PANET, Philippe
(1791–1855)

Né à Québec, le 28 février 1791, puis baptisé le 2 mars, dans la paroisse Notre-Dame, fils de Jean-Antoine **Panet**, avocat et seigneur, et de Louise-Philippe Badelart.

Étudia au petit séminaire de Québec de 1805 à 1810. Entreprit un stage de clerc en droit auprès de son père en 1811, mais l'interrompit pour servir comme officier de milice pendant la guerre de 1812; prit part à la bataille de Châteauguay en 1813. Admis au barreau en 1817.

Élu député de Northumberland en 1816. Réélu en avril 1820 et juillet 1820. Ne s'est pas représenté en 1824. Élu dans Montmorency en 1830; son siège devint vacant le 3 juillet 1832, par suite de sa nomination, le 29 juin, comme juge de la Cour du banc du roi pour le district de Québec; l'avis de vacance fut donné le 15 novembre 1832. Nommé au Conseil exécutif le 26 mai 1831 et le 28 juin 1838, en fit partie jusqu'au 2 novembre 1838 ou jusqu'à l'entrée en vigueur de l'Acte d'Union, le 10 février 1841; de ce fait siégeait à la Cour d'appel.

Relevé temporairement de ses fonctions de juge de la Cour du banc du roi en décembre 1838, pour avoir déclaré inconstitutionnelles les ordonnances qui suspendaient l'application de l'*habeas corpus*; fut réintégré en août 1840 et reçut une nouvelle nomination le 10 février 1841. Siégea à la Cour d'appel à compter du 1er janvier 1850.

Décoré de la médaille commémorative de la bataille de Châteauguay. Accéda au grade de lieutenant-colonel dans la milice. Fut juge de paix. Nommé conseiller du roi en 1831.

Décédé à Québec, le 15 janvier 1855, à l'âge de 63 ans et 10 mois. Inhumé dans la cathédrale Notre-Dame, le 18 janvier 1855.

Avait épousé dans la paroisse Notre-Dame-de-Liesse, à Rivière-Ouelle, le 14 juillet 1819, Luce Casgrain, fille de Pierre Casgrain, commerçant et seigneur, et de Marie-Marguerite Bonnenfant, et tante de Luc **Letellier de Saint-Just**.

Frère de Charles et de Louis **Panet**. Beau-frère de Charles-Eusèbe **Casgrain** et de Jean-Thomas **Taschereau**.

Bibliographie: *DBC*.

PANET, Pierre-Louis
(1761–1812)

Né à Montréal, le 1er août 1761, fils de Pierre (Pierre-Méru) Panet, greffier (fut aussi juge et conseiller exécutif), et de Marie-Anne Trefflé, dit Rottot.

Étudia au collège Saint-Raphaël, à Montréal, de 1770 à 1777. Obtint une commission d'avocat le 26 juin 1779 et une commission de notaire le 19 décembre 1780.

Exerça le notariat à Montréal de 1781 à 1783, puis à Québec de 1783 à 1785. Nommé greffier de langue française de la Cour des plaids communs du district de Québec en 1783 et greffier à la Cour des prérogatives en 1785. Par suite de la réforme judiciaire, fut nommé, le 11 décembre 1794, protonotaire et greffier de langue française de la Cour du banc du roi pour le district de Québec. Juge de la Cour du banc du roi pour le district de Montréal du 8 mai 1795 jusqu'à sa mort. Investit dans la propriété immobilière à Montréal, à Québec et dans les cantons; fit notamment l'acquisition de la seigneurie d'Argenteuil en 1781, puis des seigneuries d'Ailleboust et de Ramezay en 1800.

Élu député de Cornwallis en 1792 après avoir retiré sa candidature dans Québec. Ne s'est pas représenté en 1796. Élu dans Montréal-Est en 1800. Appuya généralement le parti des bureaucrates durant ses deux mandats. Ne s'est pas représenté en 1804. Fut membre honoraire du Conseil exécutif du 7 janvier 1801 jusqu'à sa mort.

Décédé à Montréal, le 2 décembre 1812, à l'âge de 51 ans et 4 mois.

Avait épousé à Montréal, le 13 août 1781, Marie-Anne Cerré, fille de Jean-Gabriel Cerré, marchand, et de Catherine Giard.

Frère de Bonaventure **Panet**. Cousin de Jean-Antoine **Panet**. Neveu par alliance de Louis **Dunière**. Apparenté par alliance à Pierre **Guerout**.

Bibliographie: *DBC*.

PANGMAN, John
(1808–1867)

Né à Montréal, le 13 novembre 1808, puis baptisé le 18, dans l'église presbytérienne, fils de Peter Pangman, trafiquant de fourrures associé à la North West Company et seigneur, et de Grace MacTier.

Hérita en 1819 de la seigneurie de La Chesnaye, que son père avait acquise de Jacob **Jordan** (fils) en 1803. Fut juge de paix et lieutenant-colonel dans la milice ; habilité, en décembre 1837, à faire prêter le serment d'allégeance dans la seigneurie de La Chesnaye. Bienfaiteur de l'église anglicane de Mascouche.

Nommé au Conseil législatif le 22 août 1837, occupa son siège jusqu'à la suspension de la constitution, le 27 mars 1838.

Décédé à Montréal, le 5 janvier 1867, à l'âge de 58 ans et un mois. Les obsèques eurent lieu dans la cathédrale anglicane Christ Church, à Montréal, le 8 janvier 1867.

Avait épousé dans l'église anglicane Christ Church, à Montréal, le 2 juin 1835, Marie-Henriette Lacroix, fille de Janvier-Domptail **Lacroix**, avocat et seigneur, et de Marie-Anne Bouate ; puis, au même endroit, le 2 septembre 1857, Georgina Robertson, fille du docteur Robertson.

Beau-père de Louis-Napoléon **Casault**.

Bibliographie : Crépeau, L.A.F., *Mascouche en 1910* [...], s.l.n.d., p. 23-25. *Lachenaie : 300 ans d'histoire à découvrir, 1683-1983*, Lachenaie, Corporation du tricentenaire, 1983, p. 77.

PANNETON, Louis-Edmond (1848–1935)

Né à Trois-Rivières, le 6 juillet 1848, fils d'André Panneton, cultivateur, et de Marie Blondin.

Fit ses études au séminaire de Trois-Rivières. Admis au barreau de la province de Québec le 21 juin 1870. Bachelier en droit en 1881 et titulaire d'un diplôme d'études supérieures en droit du Bishop's College en 1886. Créé conseil en loi de la reine le 19 mai 1899. Docteur en droit honoris causa de l'université de Montréal en 1931.

Exerça sa profession à Sherbrooke. Conseiller juridique de la ville de Sherbrooke. Enseigna le droit au Bishop's College.

Maire de la ville de Sherbrooke en 1888. Président de l'Association libérale conservatrice des Cantons-de-l'Est en 1897. Élu député conservateur dans Sherbrooke en 1892. Réélu en 1897. Défait en 1900. Retourna dès lors à l'exercice de sa profession.

Nommé juge à la Cour supérieure du district de Montréal le 7 décembre 1912. Administrateur de la loi sur la faillite pour le district de Montréal en 1920. Prit sa retraite en 1933.

Bâtonnier du barreau du district de Saint-François en 1886, 1889, 1896, 1898, 1905 et 1907, puis bâtonnier du barreau de la province de Québec en 1907 et 1908. Propriétaire et rédacteur du journal *le Peuple* qui parut du 18 novembre 1890 au 20 mars 1891. Vice-président de la Ligue anti-tuberculose. Président de la Library and Art Union. Président de la Société Saint-Jean-Baptiste de Sherbrooke en 1880, et en 1907 et 1908.

Décédé à Montréal, le 5 août 1935, à l'âge de 87 ans. Inhumé à Montréal, dans le cimetière Notre-Dame-des-Neiges, le 8 août 1935.

Avait épousé à Saint-Grégoire-le-Grand (Bécancour), le 6 juillet 1886, Corinne Dorais, fille de Louis-Trefflé **Dorais**, commerçant, et de Louise-Elmire Poisson.

PAPIN, Joseph (1825–1862)

Né à L'Assomption, le 14 décembre 1825, puis baptisé le 17, fils de Basile Papin, cultivateur, et de sa seconde femme, Marie-Rose Pelletier.

Étudia au petit séminaire de Montréal en 1834–1835, puis au collège de L'Assomption de 1835 à 1842. Fit l'apprentissage du droit à Montréal ; admis au barreau en 1846.

Participa à la fondation de l'Institut canadien de Montréal en 1844 ; en fut premier vice-président en 1845, président en 1846–1847 et secrétaire-archiviste en 1848. Collabora au journal *l'Avenir*. Fut membre de l'Association pour le peuplement des Cantons-de-l'Est fondée en 1848 et, en 1849, signa le Manifeste annexionniste. Prit part à l'action électorale en faveur de Louis-Joseph **Papineau**, en 1851 et 1852, et au mouvement en vue de l'abolition de la tenure seigneuriale.

Élu représentant du quartier Sainte-Marie au conseil municipal de Montréal en février 1853 et en février 1854 ; la seconde élection fut annulée le 31 octobre 1854. Élu député de L'Assomption en 1854 ; mis sous la garde du sergent d'armes le 28 novembre pour absence injustifiée, fut libéré après avoir fourni des explications ; rouge. Défait en 1858.

Pratiqua la profession d'avocat à Montréal et demeura actif au sein des milieux libéraux. À compter de mai 1858, exerça la fonction d'avocat de la ville de Montréal.

Décédé à L'Assomption, le 23 février 1862, à l'âge de 36 ans et 2 mois. Inhumé à Montréal, le 27 mai 1862.

Avait épousé à Montréal, le 18 novembre 1857, Sophie Homier, fille de Jean-Baptiste Homier, membre du conseil municipal, et de Sophie Sareault ; elle épousa en secondes noces, en 1868, Ferdinand-Conon **David**.

Beau-frère d'Alexandre **Archambault**.

Bibliographie : *DBC*.

PAPINEAU, André
(1765–1832)

Né à Montréal et baptisé dans la paroisse Notre-Dame, le 5 mars 1765, fils de Joseph Papineau, tonnelier, et de Marie-Josephte Beaudry.

Exerçait le métier de tonnelier, à l'époque de son mariage. S'établit à Saint-Martin (Laval). Servit pendant la guerre de 1812, à titre de lieutenant dans la division de la milice de l'île Jésus. Nommé commissaire chargé de faire le recensement dans le comté d'Effingham, en juin 1825.

Élu député d'Effingham en 1827; appuya le parti patriote. Ne s'est pas représenté en 1830.

Décédé à Saint-Martin (Laval), le 22 juin 1832, à l'âge de 67 ans et 3 mois. Inhumé dans l'église paroissiale, le 23 juin 1832.

Avait épousé dans la paroisse Notre-Dame, à Montréal, le 31 juillet 1797, Marie-Anne Roussel, fille de Jean-Baptiste Roussel et de Marie-Anne Soumande.

Frère de Joseph **Papineau**. Père d'André-Benjamin **Papineau**. Oncle de Denis-Benjamin et de Louis-Joseph **Papineau**. Beau-père de Thomas **Boutillier**.

Bibliographie: Lefebvre, Jean-Jacques, «André (Benjamin) Papineau ne fut pas élu (1827) député d'Effingham à 18 ans», *BRH*, 67, 4 (oct.-déc. 1961), p. 140-141.

PAPINEAU, André-Benjamin
(1809–1890)

Né à Montréal, le 23 décembre 1809, puis baptisé le 24, dans la paroisse Notre-Dame, fils d'André **Papineau** et de Marie-Anne Roussel.

Étudia au petit séminaire de Montréal de 1821 à 1830. Obtint une commission de notaire le 9 novembre 1835.

Prit part au mouvement patriote, dès le début des grandes assemblées publiques au printemps de 1837. Fit partie du comité central et permanent de Montréal et des Fils de la liberté, association fondée le 5 septembre. Élu sans opposition député de Terrebonne à une élection partielle le 18 septembre 1837. Participa à la bataille de Saint-Eustache, le 14 décembre, puis se cacha pendant quelque temps avant de se livrer aux autorités; fut incarcéré à Montréal le 26 décembre. Son mandat de député prit fin avec la suspension de la constitution, le 27 mars 1838, sans qu'il pût prendre son siège. Libéré de prison le 8 juillet 1838, retourna à Saint-Martin de l'île Jésus, où il exerça le notariat.

Décédé à Saint-Martin (Laval), le 1er février 1890, à l'âge de 80 ans et un mois. Inhumé dans le cimetière paroissial, le 3 février 1890.

Avait épousé dans la paroisse Notre-Dame, à Montréal, le 27 novembre 1843, Hermine-Eugénie Provencher, fille du menuisier Simon Provencher et de Marie-Émélie Aimond.

Neveu de Joseph **Papineau**. Cousin de Denis-Benjamin et de Louis-Joseph **Papineau**. Beau-frère de Thomas **Boutillier**.

Bibliographie: Lefebvre, Jean-Jacques, «André (Benjamin) Papineau ne fut pas élu (1827) député d'Effingham à 18 ans», *BRH*, 67, 4 (oct.-déc. 1961), p. 140-141.

PAPINEAU, Denis-Benjamin
(1789–1854)

Né à Montréal et baptisé dans la paroisse Notre-Dame, le 13 novembre 1789, fils de Joseph **Papineau**, arpenteur et notaire, et de Rosalie Cherrier.

Étudia au petit séminaire de Québec de 1801 à 1807.

Remplit, de 1808 à 1845, la fonction d'agent seigneurial à la Petite-Nation, propriété de son père jusqu'en 1817, puis de son frère Louis-Joseph **Papineau**; s'occupa de peuplement et d'exploitation forestière et, à compter de 1825, fut aussi marchand et maître de poste. En 1818 et 1819, posséda une librairie à Montréal avec un associé. Acquit, en 1822, le fief Plaisance; fit l'élevage de chevaux et de moutons.

Élu député d'Ottawa à une élection partielle le 17 août 1842; membre du groupe canadien-français. Fit partie du ministère Draper–Viger: conseiller exécutif et commissaire des Terres de la couronne, du 2 septembre 1844 au 17 juin 1846, et membre du bureau des Travaux publics, du 4 octobre 1844 au 8 juin 1846. Réélu député en 1844; tory. Forma successivement un ministère avec William Henry Draper et Henry Sherwood: conseiller exécutif et commissaire des Terres de la couronne, du 18 juin 1846 au 28 mai 1847, et à nouveau du 29 mai 1847 jusqu'à sa démission comme chef du gouvernement et commissaire des Terres, le 7 décembre 1847. Ne s'est pas représenté en 1848.

Fut juge de paix. Obtint au moins un poste de commissaire.

Décédé à Sainte-Angélique (Papineauville), le 20 janvier 1854, à l'âge de 64 ans et 2 mois. Inhumé dans le cimetière paroissial, le 23 janvier 1854.

Avait épousé dans la paroisse Notre-Dame, à Montréal, le 14 septembre 1813, Angélique-Louise Cornud, fille de Michel Cornud et de Marie-Magdeleine Léger.

Père de Denis-Émery **Papineau**. Neveu d'André **Papineau**. Cousin de Côme-Séraphin **Cherrier** (Montréal) et de Denis-Benjamin **Viger**. Beau-frère de Jean **Dessaulles**.

———

Bibliographie: *DBC.*

PAPINEAU, Denis-Émery
(1819–1899)

Né à Montréal et baptisé dans la paroisse Notre-Dame, le 26 décembre 1819, fils de Denis-Benjamin **Papineau**, agent seigneurial, et d'Angélique Louise Cornud.

Étudia au séminaire de Saint-Hyacinthe à partir de 1831. Admis à la pratique du notariat le 2 décembre 1841.

Exerça sa profession à Montréal. Vers 1843, fut nommé notaire de la corporation de la cité de Montréal, poste qu'il occupa jusqu'à la fin de sa vie. L'un des fondateurs de la Société des amis qui publia *la Revue canadienne*, à Montréal, à compter de décembre 1844; fit partie du groupe des treize premiers collaborateurs du journal *l'Avenir* en 1847; participa en 1852 à la fondation de l'hebdomadaire *le Pays*. Élu à l'un des postes de vice-président de l'Association d'annexion de Montréal, en novembre 1849. Collabora à l'établissement de la Banque Ville-Marie, dont il fut le premier président.

Élu député d'Ottawa en 1858; rouge. Ne s'est pas représenté en 1861.

Un des artisans de l'organisation de sa profession et de la fusion, en 1870, des multiples chambres de notaires de district en un seul organisme provincial; fut élu en juin 1870 au sein de ce corps, puis réélu jusqu'en 1891, et en fut président de juin 1876 à juin 1879. Membre honoraire de la Chambre des notaires de Paris.

Décédé à Montréal, le 6 janvier 1899, à l'âge de 79 ans. Inhumé dans le cimetière Notre-Dame-des-Neiges, le 10 janvier 1899.

Avait épousé dans la paroisse Saint-Charles-Borromée, à Joliette, le 17 mai 1854, Charlotte Gordon, fille de John Gordon, originaire de Keith, en Écosse, et officier de l'ordonnance à Kingston, Haut-Canada, et de Christine Léodel.

Petit-fils de Joseph **Papineau**. Neveu de Louis-Joseph **Papineau**.

———

Bibliographie: «D.-É. Papineau, N.P.», *RN*, 1898-1899, p. 183-184.

PAPINEAU, Joseph
(1752–1841)

Né à Montréal, le 16 octobre 1752, puis baptisé le 17, dans la paroisse Notre-Dame, fils de Joseph Papineau, tonnelier, et de Marie-Josephte Beaudry.

Fit ses études primaires à l'école des Sulpiciens de Montréal. Entreprit ses études classiques en 1765 sous la tutelle du curé de Longue-Pointe (Montréal) et les poursuivit de 1767 à 1771 au petit séminaire de Québec. S'initia à l'arpentage à Montréal et reçut sa commission d'arpenteur en 1773. Commença un stage de clerc en notariat en 1775 et obtint sa commission de notaire en 1780.

Exerça à plein temps la profession d'arpenteur de 1773 à 1775; par la suite, diversifia ses occupations. Pendant l'invasion américaine de 1775–1776, prit part à la défense de la colonie. Pratiqua le notariat à Montréal du 5 août 1780 jusqu'à sa mort en 1841. Fut agent seigneurial du séminaire de Québec dans les seigneuries de l'Île-Jésus et de la Petite-Nation, à compter de 1788. Investit dans la propriété foncière; fit notamment l'acquisition et la mise en valeur de la seigneurie de la Petite-Nation, qu'il revendit en 1817. Obtint plusieurs postes de commissaire.

Élu député de Montréal en 1792. Élu dans Montréal-Est en 1796. Élu dans Montréal en 1800; mis sous la garde du sergent d'armes pour absence injustifiée, à la suite d'un ordre de la Chambre du 4 mars 1803, demanda et obtint de l'Assemblée, le 5, d'être exempté de l'obligation d'assister aux séances de la troisième session, puisqu'il avait été élu député de Montréal en son absence et sans sa participation; prit son siège le 3 août 1803. Appuya généralement le parti canadien durant ses trois premiers mandats. Ne s'est pas représenté en 1804. Élu dans Montréal-Est en 1809. Réélu en 1810. Ne s'est pas représenté en 1814.

Décédé à Montréal, le 8 juillet 1841, à l'âge de 88 ans et 8 mois. Inhumé dans la paroisse Notre-Dame de Montréal, le 8 juillet 1841, mais ses restes furent transportés plus tard dans le caveau familial de la seigneurie de la Petite-Nation, à Montebello.

Avait épousé à Saint-Denis, sur le Richelieu, le 23 août 1779, Rosalie Cherrier, fille de François-Pierre Cherrier, ancien marchand devenu notaire, et de Marie Dubuc.

Père de Denis-Benjamin et de Louis-Joseph **Papineau**. Frère d'André **Papineau**. Beau-père de Jean **Dessaulles**. Beau-frère de Benjamin-Hyacinthe-Martin et de Séraphin **Cherrier**. Oncle de Côme-Séraphin **Cherrier**. Beau-frère par alliance de Denis **Viger**.

Bibliographie: *DBC.*

PAPINEAU, Louis-Joseph
(1786–1871)

Né à Montréal et baptisé dans la paroisse Notre-Dame, le 7 octobre 1786, fils de Joseph **Papineau**, arpenteur et notaire, et de Rosalie Cherrier.

Étudia au collège Saint-Raphaël de Montréal à compter de 1796 et au petit séminaire de Québec, de 1802 à 1804. Fit l'apprentissage du droit chez son cousin Denis-Benjamin **Viger**.

Admis au barreau en 1810, exerça sa profession d'avocat de façon intermittente. Pendant la guerre de 1812, servit en qualité d'officier de milice. Acquit de son père la seigneurie de la Petite-Nation en 1817.

Élu député de Kent en 1808; appuya le parti canadien. Réélu en 1809 et 1810; appuya le parti canadien. Élu dans Montréal-Ouest en 1814; élu orateur le 21 janvier 1815. Succéda à Pierre-Stanislas **Bédard**, en 1815, à la tête du parti canadien – qui devint en 1826 le parti patriote. Réélu en 1816, avril 1820 et juillet 1820. Nommé au Conseil exécutif le 28 décembre 1820; y siégea jusqu'au 25 janvier 1823. Se rendit à Londres avec John **Neilson** pour présenter, le 10 mai 1823, un mémoire contre le projet d'union de 1822 du Haut et du Bas-Canada; fut remplacé comme orateur de la Chambre, le 10 janvier 1823, par Joseph-Rémi **Vallières de Saint-Réal**.

Réélu dans Montréal-Ouest en 1824; élu orateur le 8 janvier 1825. Réélu dans Montréal-Ouest et élu sans opposition dans Surrey en 1827; réélu orateur le 20 novembre 1827 malgré le refus du gouverneur George **Ramsay**; opta pour la circonscription de Montréal-Ouest le 4 décembre 1828. Réélu dans Montréal-Ouest en 1830. Fit partie du comité qui prépara les Quatre-vingt-douze Résolutions, adoptées par la Chambre le 21 février 1834. Réélu dans Montréal-Ouest et élu dans Montréal en 1834; opta pour Montréal-Ouest le 3 novembre 1835.

Prit part à l'organisation du mouvement de protestation des patriotes qui fit suite aux résolutions Russell: entre autres, dirigea le Comité central et permanent du district de Montréal, réorganisé le 15 mai et chargé de coordonner l'action dans toute la province, et composa, avec Edmund Bailey **O'Callaghan**, le 15 novembre, le Conseil des patriotes. Quitta Montréal après que des mandats d'arrêt eurent été lancés contre lui et les autres chefs patriotes le 16 novembre 1837. À la suite des batailles de Saint-Denis, le 23 novembre, et de Saint-Charles (Saint-Charles-sur-Richelieu), le 25, quitta Saint-

Hyacinthe, où il s'était réfugié, et gagna les États-Unis. Ses mandats de député et d'orateur prirent fin le 27 mars 1838, au moment de la suspension de la constitution.

Le 8 février 1839, s'embarqua, à New York, pour Paris où il publia, en mai, dans la *Revue Progrès*, «Histoire de l'insurrection du Canada». Obtint une amnistie complète et revint d'exil en 1845. S'occupa de la mise en valeur de sa seigneurie.

Élu député de Saint-Maurice en 1848; fit d'abord partie du groupe canadien-français, mais devint rapidement indépendant de tendance libérale. Défait dans la cité de Montréal en 1851. Élu dans Deux-Montagnes à une élection partielle le 9 juillet 1852; rouge. Ne s'est pas représenté en 1854.

Décédé dans son manoir, à Montebello, le 23 septembre 1871, à l'âge de 84 ans et 11 mois. Inhumé dans le caveau de famille, sur son domaine de Montebello, dans la paroisse Notre-Dame-de-Bonsecours, le 28 septembre 1871.

Avait épousé dans la paroisse Notre-Dame de Québec, le 29 avril 1818, Julie Bruneau, fille du marchand Pierre **Bruneau** et de Marie-Anne Robitaille.

Frère de Denis-Benjamin **Papineau**. Neveu d'André **Papineau**. Grand-père d'Henri **Bourassa**. Beau-frère de Jean **Dessaulles**. Oncle de Georges-Casimir **Dessaulles**. Cousin de Côme-Séraphin **Cherrier** et de Louis-Michel **Viger**. Neveu de Benjamin-Hyacinthe-Martin et de Séraphin **Cherrier** et de Denis **Viger**.

Bibliographie: *DBC.*

PAPINEAU, Louis-Joseph (Beauharnois)
(1861–1932)

Né le 3 janvier 1861 et baptisé à Sainte-Geneviève (île de Montréal), fils de Narcisse Papineau, marchand de Saint-Thimothée, et de Marie-Marguerite-Adèle Gaucher.

Étudia aux séminaires de Joliette et de Montréal. Fit son droit à l'université Laval à Montréal. Admis au barreau de la province de Québec le 20 janvier 1883. Créé conseil en loi du roi le 30 juin 1903.

Exerça sa profession à Salaberry-de-Valleyfield de 1883 à 1910. Occupa la fonction de recorder au même endroit d'octobre 1895 à 1908. Membre de la Société des artisans canadiens-français, des Chevaliers de Colomb, du Club de réforme de Montréal et des Forestiers canadiens.

Élu député libéral à la Chambre des communes dans Beauharnois en 1908, 1911, 1917 (sans opposition) et 1921. Whip de 1910 à 1925. Ne s'est pas représenté en 1925. Élu député libéral à l'Assemblée législative dans Beauharnois en 1927. Ne s'est pas représenté en 1931.

Décédé à Salaberry-de-Valleyfield, le 24 avril 1932, à l'âge de 71 ans et 3 mois. Inhumé au même endroit, dans le cimetière de la paroisse Sainte-Cécile, le 27 avril 1932.

Avait épousé dans la cathédrale de Montréal, le 4 septembre 1893, Blanche Gervais, fille de Louis Gervais, notaire, et veuve de Paul Bassez de Préville.

PÂQUET, Anselme-Homère (1830–1891)

Né à Saint-Cuthbert, le 29 septembre 1830, puis baptisé le 1er octobre, dans l'église paroissiale, sous le prénom de Michel-Anselme, fils de Timothée Pâquet, cultivateur, et de Françoise Robillard.

Fit ses études classiques au collège de L'Assomption de 1842 à 1848. Entra à l'École de médecine et de chirurgie de Montréal en 1849. Admis au Collège des médecins et chirurgiens du Bas-Canada en 1853.

Exerça la médecine à Saint-Cuthbert. Enseigna la clinique médicale à l'Hôtel-Dieu de Montréal ainsi que l'hygiène et la santé publique à l'École de médecine de Montréal, en 1884 et 1885. Fut membre du Conseil d'hygiène de la province de Québec. Président de la Société permanente de construction du comté de Berthier. L'un des fondateurs et des administrateurs de la Banque Ville-Marie, établie en 1872.

Candidat défait au siège de conseiller législatif de la division de Lanaudière à l'élection complémentaire du 6 avril 1863. Élu député de Berthier en 1863; rouge, vota contre le projet de confédération. Son mandat prit fin avec l'avènement de la Confédération, le 1er juillet 1867. Élu député libéral de Berthier à la Chambre des communes en 1867. Réélu en 1872 et, sans opposition, en 1874. Démissionna en raison de son accession au Sénat, comme représentant de la division de La Vallière, le 9 février 1875.

Décédé en fonction à Saint-Cuthbert, le 22 décembre 1891, à l'âge de 61 ans et 2 mois. Inhumé dans le cimetière paroissial.

Avait épousé dans la paroisse de l'Assomption-de-la-Sainte-Vierge, à L'Assomption, le 25 septembre 1854, Henriette Gariépy, fille de Pierre Gariépy, capitaine dans la milice, et de Marie Roy.

Bibliographie: *DBC.*

PAQUET, Arthur (1869–1932)

Né à Québec, le 18 décembre 1869, fils d'Abraham Paquet, charron, et de Delphine Bureau.

Fit ses études chez les Frères de la doctrine chrétienne à Québec.

Exerça le métier d'horloger bijoutier et fut propriétaire d'un commerce à Québec. Fait chevalier de l'ordre de Saint-Grégoire-le-Grand en 1920. Directeur de la Chambre de commerce de Québec. Membre des Chevaliers de Colomb.

Échevin du quartier Saint-Sauveur au conseil municipal de Québec de 1914 à 1918. Élu député libéral dans Saint-Sauveur en 1916. Réélu en 1919. Défait en 1923.

Décédé à Québec, le 26 octobre 1932, à l'âge de 62 ans et 10 mois. Inhumé à Québec, dans le cimetière Saint-Charles, le 29 octobre 1932.

Avait épousé à Québec, dans la paroisse Saint-Sauveur, le 9 septembre 1889, Marie-Louise Métayer, fille de Vincent Métayer, menuisier, et de Julie Thivierge.

PAQUET, Charles-Abraham (1868–1936)

Né à Québec, le 28 mars 1868, fils de Jean-Pierre-Célestin Paquet, cultivateur, marchand et industriel, et de Marie-Louise Noël.

Fit ses études à Pont-Rouge, au collège des Frères des écoles chrétiennes à Québec et à l'académie commerciale de Québec.

Travailla d'abord comme agent de manufacture à Québec en 1894. Fonda avec son père et son frère, en 1902, la compagnie Charles-Abraham Paquet, fabricant de machines pour beurreries, fromageries et scieries. Par la suite, l'usine fut transférée à Montmagny et la production s'élargit en outre à la fabrication de munitions pendant la guerre. Président et gérant général de Paquet Machineries Ltd. Fut l'un des pionniers de l'industrie de la pulpe au Lac-Saint-Jean. Fondateur et directeur de la fabrique de soie de Montmagny, connue alors sous le nom de E.M. Binz ltée. Membre des Chevaliers de Colomb, de la Société des artisans canadiens-français et du Conseil des arts et manufactures.

Échevin de la ville de Montcalm de janvier à octobre 1913, puis échevin du quartier Belvédère au conseil municipal de Québec de 1914 à 1916. Élu député libéral dans Montmagny en 1919. Réélu en 1923, 1927 et 1931. Ne s'est pas représenté en 1935.

Décédé à Québec, dans la paroisse Notre-Dame-du-Chemin, le 8 octobre 1936, à l'âge de 68 ans et 6 mois. Inhumé à Sainte-Foy, dans le cimetière Notre-Dame-de-Belmont, le 12 octobre 1936.

Avait épousé à Québec, dans la paroisse Saint-Roch, le 5 juillet 1892, Mathilda Cloutier, fille de Wenceslas Cloutier et de Mathilde Rouleau ; puis à Québec, dans la paroisse Saint-Jean-Baptiste, le 28 janvier 1918, Marie-Jeanne Langlais, fille de Pierre Langlais et d'Olympe Doré.

PÂQUET, Étienne-Théodore
(1850–1916)

Né à Saint-Nicolas, près de Québec, le 8 janvier 1850, fils d'Étienne-Théodore Pâquet, cultivateur et marchand, et de Nathalie Moffat.

Fit ses études au séminaire de Québec, au St. John's College à Fordham, près de New York, et à l'université Laval à Québec de 1869 à 1872. Admis à la pratique du notariat en 1872.

Exerça sa profession à Saint-Nicolas tout en s'occupant de la ferme paternelle. Membre de la Chambre des notaires de 1876 à 1882. En 1882 et 1883, il fit le commerce du bois et s'associa avec Joseph Bolduc, député fédéral de 1876 à 1884 et sénateur de 1884 à 1924. Directeur des Postes à Québec de 1894 à 1916. Promoteur et directeur du Crédit foncier franco-canadien au Canada. Directeur du chemin de fer Lévis et Kennebec, de l'Assurance de Québec et de la Quebec Mining Co.

Élu député libéral dans Lévis en 1875. Réélu en 1878. Le 29 octobre 1879, il joignit les rangs du Parti conservateur avec quatre de ses collègues, entraînant ainsi la démission du gouvernement Joly de Lotbinière devenu alors minoritaire. Élu député conservateur dans la même circonscription à l'élection partielle du 20 novembre 1879 ainsi qu'aux élections générales de 1881. Secrétaire et registraire dans le cabinet Chapleau du 31 octobre 1879 au 31 juillet 1882. Son siège devint vacant le 25 octobre 1883 lors de sa nomination comme shérif du district de Québec. Occupa ce poste jusqu'en 1890. Candidat conservateur défait dans Lévis aux élections fédérales de 1891.

Auteur d'une publication historique intitulée *Fragments de l'histoire religieuse et civile de la paroisse de Saint-Nicolas* (1894). Fut également président de la Société d'agriculture du comté de Lévis et du Club d'Aiguebelles. Vice-président du Club canadien de Québec.

Décédé à Québec, le 23 mai 1916, à l'âge de 66 ans et 4 mois. Inhumé dans le cimetière de Saint-Nicolas, le 26 mai 1916.

Avait épousé dans la cathédrale de Trois-Rivières, le 11 mai 1880, Emma LaRue, fille d'Auguste LaRue, propriétaire des forges Radnor (Saint-Maurice) et Makinac, et de Marie Jane McClaren.

———

Bibliographie : Magnan, H., *La paroisse Saint-Nicolas ; la famille Pâquet et les familles alliées*, Québec, 1918(?), 324 p.

PAQUET, Louis
(1737– ≥1804)

Né à Charlesbourg et baptisé dans la paroisse Saint-Charles-Borromée, le 6 septembre 1737, fils de Jean-Baptiste Pacquiet (Paquet) et d'Élisabeth Angélique Frichet.

Élu député de Québec en 1796 ; appuya le parti canadien. Réélu en 1800 ; donna généralement son appui au parti canadien. Ne se serait pas représenté en 1804.

Décédé en ou après 1804.

Avait épousé dans sa paroisse natale, le 17 janvier 1763, Marie-Thérèse Bédard, fille de Jacques Bédard, cousin de Joseph et de Pierre-Stanislas **Bédard**, et de Marie-Madeleine Villeneuve.

PAQUETTE, Gilbert

Né à Montréal, le 19 octobre 1942, fils de Gaston Paquette, ouvrier, et de Gabrielle Paris.

A étudié aux écoles Saint-Pierre-Claver et Saint-Stanislas et à l'université de Montréal. Obtint un baccalauréat en mathématiques en 1964, une maîtrise en logique en 1965, une maîtrise en informatique en 1970 ainsi qu'un doctorat dans cette discipline en 1991. Participa à des stages de perfectionnement au Mali, en Afrique.

De 1965 à 1969, il fut professeur au cégep de Maisonneuve, directeur du développement des mathématiques et membre de la commission pédagogique. Coordonnateur provincial des mathématiques pour les cégeps du Québec de 1968 à 1970. Président de l'Association des mathématiciens du Québec de 1970 à 1973. Professeur de didactique et de mathématiques à l'université du Québec à Montréal de 1970 à 1976. Mit sur pied le programme PERMAMA (perfectionnement des maîtres en mathématiques). Directeur pédagogique d'un programme de télé-université à l'université du Québec. Auteur de manuels scolaires, de plusieurs articles spécialisés et de deux mémoires sur l'enseignement des mathématiques. A publié la brochure *À quand la réforme scolaire pour la province de Québec?* (1972) et *l'Option* (1978), en collaboration avec Jean-

Pierre **Charbonneau**, et coauteur de l'ouvrage *Système à base de connaissances*. Membre du National Council Teachers of Mathematics. Membre de l'exécutif du syndicat du cégep de Maisonneuve et membre du conseil d'administration de Québec-Presse en 1973 et 1974. Membre fondateur du Rassemblement des citoyens de Montréal.

Président du Parti québécois du comté de Rosemont et de la région de Montréal-Centre, et membre de l'exécutif national du parti de 1972 à 1974. Candidat du Parti québécois défait dans Rosemont en 1973. Élu député du Parti québécois dans Rosemont en 1976. Réélu en 1981. Adjoint parlementaire du ministre de l'Éducation du 22 décembre 1980 au 9 septembre 1982. Ministre délégué de la Science et de la Technologie dans le cabinet Lévesque du 9 septembre 1982 au 18 août 1983 et ministre de la Science et de la Technologie du 18 août 1983 au 26 novembre 1984, date de sa démission du cabinet. Quitta le Parti québécois le 4 février 1985. Siégea comme député indépendant à compter du 12 mars 1985. Ne s'est pas représenté en 1985.

Professeur à l'université du Québec à Montréal. Récipiendaire du Prix spécial de français en 1991 décerné par le ministère de l'Enseignement supérieur et de la Science.

PAQUETTE, Joseph-Henri-Albiny (1888–1978)

Né à Marieville, le 7 octobre 1888, fils de Wenceslas Paquette, instituteur, et de Marie Lareau.

Fit ses études à Montréal chez les Frères des écoles chrétiennes, au collège Mont-Saint-Louis et à l'université Laval où il fut président de l'Association des étudiants en médecine et organisateur de la première fédération des facultés en 1912. Fit son internat à l'hôpital Notre-Dame à Montréal, puis un stage au Bellevue Hospital à New York en 1913. Reçu médecin en 1913.

D'abord employé de la Croix-Rouge au Proche-Orient, il entra par la suite au service des hôpitaux de Paris en 1914. Membre de l'armée canadienne, il fut nommé officier médical du 69e régiment à Shorncliffe en 1916. Officier médical senior du 10th Reserve Battalion à l'hôpital militaire canadien no 8, à Saint-Cloud, en 1917. Promu adjudant-major de cet hôpital en 1918. Occupa le poste de radiologiste à l'hôpital Princess Patricia à Eastbourne, en Angleterre, en 1919. À son retour au Québec, il exerça sa profession à Mont-Laurier.

Maire de Mont-Laurier de 1926 à 1935. Préfet du comté de Labelle de 1929 à 1932. Candidat conservateur défait dans Labelle en 1931. Élu député de l'Action libérale nationale dans cette circonscription en 1935. Élu sous la ban-

nière de l'Union nationale en 1936. Secrétaire de la province du 26 août 1936 au 8 novembre 1939 et ministre de la Santé du 15 décembre 1936 au 8 novembre 1939 dans le cabinet Duplessis. Réélu en 1939, 1944, 1948, 1952 et 1956. Ministre de la Santé et du Bien-être social du 30 août 1944 au 17 août 1947, et ministre de la Santé du 17 août 1947 au 5 novembre 1958 dans le même cabinet. Démissionna comme député le 20 août 1958. Conseiller législatif de la division de Rougemont à partir du 29 octobre 1958. Démissionna le 31 octobre 1967 au profit de Jean-Guy Cardinal. Directeur du Club Renaissance de 1942 à 1958.

Dans le domaine médical, il fut nommé président et membre honoraire de plusieurs associations. Nommé docteur honoris causa de l'université Laval (1946), de l'université de Montréal (1947) et du Bishop's College (1954). Publia ses mémoires en 1977, *Hon. Albiny Paquette. Soldat-médecin-maire-député-ministre 33 années à la Législature de Québec*.

Au cours de sa carrière, il reçut de nombreux titres et décorations, tant religieux que civils et militaires : médaille de Mons (1918), officier de l'ordre de l'Éléphant blanc (1919), croix d'honneur du gouvernement français (1919), décoré par le prince de Galles (1919), médaille militaire du gouvernement britannique (1920), membre perpétuel de l'Œuvre de Terre Sainte (1937), décoration de l'Ordre latin (1938), croix de Jérusalem (1946), commandeur (1946), chevalier (1952) et grand-croix de l'Ordre équestre du Saint-Sépulcre, croix d'or de Saint-Jean-de-Latran (1947), officier de l'ordre de Saint-Jean-de-Jérusalem (1952), médaille du couronnement de sa majesté Élisabeth II (1953), vice-patron de l'ordre de Saint-Jean (1957), coquille des Pélerins (1959) et médaille du Centenaire du Canada (1967).

Décédé à Mont-Laurier, le 25 septembre 1978, à l'âge de 89 ans et 11 mois. Inhumé dans le cimetière de Mont-Laurier, le 28 septembre 1978.

[Avait épousé à Paris, le 15 mai 1919, Marcelle Lévy-Génard, fille de J. Lévy-Génard] ; puis, dans la cathédrale de Montréal, le 4 mars 1939, Rose Daviault, fille de Ludger Daviault et d'Albertine Forget.

Beau-père d'Henri Courtemanche, député à la Chambre des communes de 1949 à 1953 et de 1957 à 1960, puis sénateur en 1960 et 1961.

PARADIS, Ferdinand (1873–1948)

Né à Saint-Romuald, près de Québec, le 20 mai 1873, fils d'Hubert Paradis, scieur de bois, et de Domitille Bourassa.

Fit ses études à Saint-Romuald d'Etchemin, au collège de Lévis et à l'université Laval à Québec.

Journaliste et industriel dans le domaine forestier. Rédacteur du journal *le Nationaliste*. Collabora également au *Devoir*, à *l'Action*, au *Progrès du Golfe* et au *Canada*. Associé de la firme d'exploitation forestière Paradis et Frères à Lac-au-Saumon.

Maire de Lac-au-Saumon de juillet 1928 à février 1933. Candidat de l'Action libérale nationale défait dans Matapédia en 1935. Élu député de l'Union nationale dans Matapédia en 1936. Ne s'est pas représenté en 1939.

Décédé à Québec, le 7 novembre 1948, à l'âge de 75 ans et 5 mois. Inhumé dans le cimetière de Lac-au-Saumon, le 11 novembre 1948.

Avait épousé à Causapscal, le 22 septembre 1903, Marie-Louise Morin, fille de Didyme Morin et d'Alvina Crépeault.

PARADIS, François-Xavier (1844– >1891)

Né à Saint-Rémi, le 9 février 1844, fils de François Paradis, cultivateur et juge de paix, et de Marcelline Coupal.

Fit ses études à Saint-Michel, près de Châteauguay, et à Hemmingford.

Cultivateur et marchand.

Maire de Saint-Michel en 1880 et 1881. Candidat conservateur défait dans Napierville en 1878. Élu député conservateur dans la même circonscription en 1881. Défait en 1886 et dans la circonscription fédérale de Napierville en 1887. Défait aux élections provinciales de 1890. Élu député conservateur dans Napierville à l'élection partielle fédérale du 9 décembre 1890. Défait aux élections fédérales de 1891.

Décédé à une date inconnue.

Avait épousé à Saint-Michel, le 12 octobre 1863, Basilide Robert, fille d'Antoine Robert, cultivateur, et de Julienne Perras; puis, dans la paroisse Notre-Dame de Montréal, le 21 septembre 1880, Marie Renaud, fille de François Renaud et de Clémence Desrochers.

PARADIS, Henri

Né à Saint-Cyrille-de-Lessard, le 20 janvier 1952, fils de Valère Paradis et de Marguerite Caron.

A étudié à l'externat de Montmagny et au collège de Sainte-Anne-de-la-Pocatière de 1965 à 1970, au cégep de La Pocatière de 1970 à 1972 et à l'université Laval de 1972 à 1976, où il fut licencié en pharmacie.

Pharmacien au centre hospitalier de Mont-Joli de 1976 à 1978. Copropriétaire de pharmacies à Rimouski, Mont-Joli et Matapédia à compter de 1978. Membre du conseil d'administration d'Uniprix de 1980 à 1983 et président du conseil de 1983 à 1985.

Président de la compagnie Aromathèque inc. à compter de 1976. Vice-président de la Chambre de commerce de Mont-Joli en 1977. Président de la coopérative d'alimentation (COOP) en 1982 et 1983 et administrateur à compter de 1979. Président-fondateur de l'Association des marchands des Galeries Mont-Joli de 1978 à 1980. Administrateur de l'Association coopérative d'investissement de Québec en 1980. Président du Club Lions en 1984.

Élu député libéral dans Matapédia en 1985. Réélu en 1989. Adjoint parlementaire du ministre des Transports du 5 février 1986 au 9 août 1989. Nommé adjoint parlementaire du ministre de la Santé et des Services sociaux le 29 novembre 1989.

PARADIS, Philippe-Jacques (1868–1933)

Né à Québec, le 4 août 1868, fils d'Euclide Paradis, comptable, et de Marie-Louise Jolicœur.

Fit ses études au séminaire de Québec et à l'université Laval à Québec.

Commerçant et homme d'affaires. Manufacturier de produits d'amiante et propriétaire d'une maison d'affaires à Lachine. Président de l'Asbestos Manufacturing Company Limited en 1913. Directeur de l'Asbestos Corporation en 1930. Président des Mines d'amiante de Thetford Mines. Directeur des compagnies Beauharnois Power et Quebec Power, du chemin de fer Québec et Chibougamau, du Quebec, Saguenay and Shay Lake Railway et de la Canadian Transcontinental Airways Ltd. Éditeur du journal *la Vigie* de Québec de 1907 à 1912. Membre de la Presse canadienne. Administrateur de la Public Service Corporation of Quebec. Premier président de la commission d'urbanisme de la ville de Québec. Vice-président de la Régie des alcools du Québec. Président des Fonds patriotiques. Président du Victory Loan Committee. Membre du bureau des gouverneurs du Syndicat financier de l'université Laval de 1921 à 1933. Directeur du Club canadien. Membre du Club des ingénieurs de Montréal, des clubs de réforme de Québec et Montréal, du Club de la garnison et du Cercle interallié de Paris. Président honoraire de l'Association de la jeunesse libérale en 1918. Président du Cercle des voyageurs de commerce.

Organisateur en chef du Parti libéral pour la province de Québec de 1908 à 1931. Nommé conseiller législatif de la division de La Salle le 7 juin 1917. Démissionna le 14 décembre 1927 et fut nommé sénateur de la division de Shawinigan à compter de cette date.

Décédé en fonction à Québec, le 20 juin 1933, à l'âge de 64 ans et 10 mois. Inhumé à Sainte-Foy, dans le cimetière Notre-Dame-de-Belmont, le 23 juin 1933.

Avait épousé à Rivière-du-Loup, le 18 mai 1891, Emma Fraser, fille de Ferdinand Fraser et de Caroline Saint-Germain.

PARADIS, Pierre

Né à Bedford, le 16 juillet 1950, fils de Louison Paradis et de Jeannette Lussier.

A étudié au collège Saint-Jean-sur-Richelieu. Obtint une licence en droit de l'université d'Ottawa en 1973 et fit des études de deuxième cycle en droit de change et en droit des affaires en 1974. Admis au barreau du Québec en 1975.

Avocat-fondateur du cabinet des avocats Paradis, Paradis et Associés de 1975 à 1980. Membre des Chevaliers de Colomb. Cofondateur du magazine le Producteur agricole.

Membre de l'exécutif de l'Union nationale en 1979. Élu député libéral dans Brome-Missisquoi à l'élection partielle du 17 novembre 1980. Réélu en 1981. Candidat défait à la direction du Parti libéral du Québec lors du congrès au leadership, le 15 octobre 1983. Réélu en 1985 et 1989. Ministre de la Main-d'œuvre et de la Sécurité du revenu et ministre du Travail dans le cabinet Bourassa du 12 décembre 1985 au 23 juin 1988. Ministre des Affaires municipales du 23 juin 1988 au 11 octobre 1989. Assermenté ministre de l'Environnement le 11 octobre 1989. Nommé leader parlementaire du gouvernement le 12 novembre 1992.

PARÉ, François-Xavier
(1793–1836)

Né à Saint-François-de-la-Rivière-du-Sud et baptisé dans la paroisse Saint-François-de-Sales, le 24 mars 1793, fils de Louis Paré et d'Hélène (Catherine) Bossé.

Officier de milice, participa à la guerre de 1812 : d'abord enseigne dans le 4e bataillon de la milice d'élite incorporée, fut fait lieutenant en mars 1813, puis promu premier lieutenant dans les Chasseurs canadiens, le 11 avril 1814, et capitaine, le 10 février 1815. Obtint plus tard une concession

de terre pour ses services et accéda au grade de major dans la milice.

Élu député de Hertford en avril 1820. Réélu en juillet 1820. Ne se serait pas représenté en 1824.

Décédé à Saint-François-de-la-Rivière-du-Sud, le 13 septembre 1836, à l'âge de 43 ans et 5 mois. Inhumé dans le cimetière paroissial, le 17 septembre 1836.

Avait épousé dans la paroisse de Saint-Denis, sur le Richelieu, le 26 août 1817, Rose-Angèle Lappare, fille du marchand Henry-Élie Lapparre et de Josephte Hubert.

PARÉ, Roger

Né à Acton Vale, le 19 février 1947, fils d'Alphonse Paré, opérateur, et de Simone Gaucher.

Étudia à l'école Saint-André d'Acton Vale et à l'école Sacré-Cœur de Granby. Fit un stage d'étude des coopératives ouvrières de production en France en 1973. Obtint un certificat d'administration générale de l'université de Sherbrooke en 1975.

Réceptionniste à l'hôtel Mont-Shefford en 1964 et 1965. Commis chez Dealers Supplies Ltd. en 1965 et 1966. Travailla pour la coopérative agricole de Granby, devenue Agropur coopérative agro-alimentaire, de 1966 à 1981. Fut notamment coordonnateur des ventes de cette coopérative de 1978 à 1981. Fut président-fondateur du Syndicat national des employés de bureau de la coopérative agricole de Granby. Membre des Chevaliers de Colomb.

Élu député du Parti québécois dans Shefford en 1981. Vice-président de la Commission des affaires sociales du 15 mars 1984 au 6 février 1985. Adjoint parlementaire du ministre de l'Enseignement supérieur, de la Science et de la Technologie, du 6 février au 2 décembre 1985. Président du conseil des députés du Parti québécois du 19 juin au 2 décembre 1985. Réélu en 1985. Vice-président de la Commission de l'éducation du 15 décembre 1987 au 9 août 1989. Réélu en 1989. Élu vice-président de la Commission de la culture le 29 novembre 1989.

PARENT, Bernard

Né à Saint-Jérôme, le 13 janvier 1927, fils d'Armand Parent, comptable, et d'Annette O'Shea.

Fit ses études au collège de Saint-Jérôme, à la Catholic High School et à l'École des hautes études commerciales à Montréal, puis à la faculté de commerce de l'université Laval à Québec.

Employé de Bell Canada de 1948 à 1978, il fut notamment chargé du service de marketing pour la ville de Québec, directeur commercial à Alma, adjoint à la planification pour le district de Québec, directeur commercial pour les secteurs de Saint-Jérôme, Lachute et des Laurentides, puis directeur commercial des affaires publiques en 1971. Président des Entreprises Bérent, des Automistes Parent et de Parent BR Gestion alimentaire. Lieutenant du régiment de Joliette de 1947 à 1951. Président de la Chambre de commerce de Saint-Jérôme de 1962 à 1964. Président de la Chambre de commerce régionale des comtés d'Argenteuil, Terrebonne et Deux-Montagnes de 1964 à 1966 et de 1969 et 1970. Président du comité du tourisme de la Chambre de commerce de la province de Québec. Membre de la commission industrielle de Saint-Jérôme et de la commission d'urbanisme du même endroit de 1965 à 1969. Président du Centre de l'enseignement vivant de Cartierville en 1969 et 1970. Élu président du conseil d'administration de l'Hôtel-Dieu de Saint-Jérôme en 1969. Directeur du Club Rotary.

Maire de Saint-Jérôme de 1969 à 1985. Élu député libéral dans Prévost en 1973. Défait en 1976.

PARENT, Étienne
(1802–1874)

Né à Beauport et baptisé dans l'église de la Nativité-de-Notre-Dame, le 2 mai 1802, fils d'Étienne-François Parent, cultivateur, et de Josephte Clouet.

Étudia au séminaire de Nicolet de 1814 à 1819, puis fréquenta le petit séminaire de Québec de 1819 à 1821, tout en collaborant au *Canadien* avec son confrère Augustin-Norbert **Morin**; de 1822 à 1825, fut rédacteur en chef de ce journal. Travailla dans la quincaillerie de son oncle Michel **Clouet** et à la ferme de son père avant d'étudier le droit, de 1825 à 1829, auprès de Joseph-Rémi **Vallières de Saint-Réal**, puis de Charles-Eusèbe **Casgrain**. Rédacteur de la partie francophone de *la Gazette de Québec* de 1825 à 1831. Nommé traducteur français adjoint et officier en loi de la Chambre d'assemblée du Bas-Canada en 1827. Reçu au barreau en 1829.

L'un des chefs du parti patriote à Québec, notamment grâce à sa présence active au *Canadien*, qu'il contribua à relancer en 1831. Modéré, s'éloigna de Louis-Joseph **Papineau** et de l'aile radicale du parti en 1835. Était devenu, le 30 janvier 1833, le premier bibliothécaire de la Chambre d'assemblée dont la nomination ait été entérinée par ce corps. Conserva cette fonction jusqu'en 1835, puis fut nommé greffier en loi de l'Assemblée; perdit ce dernier poste par suite de son empri-

sonnement pour «menées séditieuses», du 26 décembre 1838 au 12 avril 1839. Fit paraître en 1840–1841 la revue *le Coin du feu*.

Élu député de Saguenay en 1841; antiunioniste; fit partie du groupe canadien-français. Son mandat prit fin le 14 octobre 1842 avec sa nomination à titre de greffier du Conseil exécutif; remplit cette charge jusqu'au 19 mai 1847.

Publia un article d'adieu dans *le Canadien* le 21 octobre 1842, mais reprit sa collaboration en 1847 et de 1851 à 1854. Enseigna et fut conférencier, notamment à l'Institut canadien de Montréal, de 1846 à 1848, et devant différents groupes, à Québec, en 1852. Nommé sous-secrétaire de la province du Canada le 20 mai 1847; fut sous-secrétaire d'État dans le gouvernement fédéral du 29 mai 1868 jusqu'au 8 juillet 1873.

Décédé à Ottawa, le 22 décembre 1874, à l'âge de 72 ans et 7 mois.

Avait épousé dans la cathédrale Notre-Dame, à Québec, le 30 juin 1829, Henriette-Mathilde Grenier, fille du tonnelier Gabriel Grenier et de Marguerite Grenier.

Neveu de Michel **Clouet**. Cousin de Georges-Honoré **Simard**.

Bibliographie: *DBC.*

PARENT, Jean-Guy

Né à Montréal, le 10 août 1946, fils d'Étienne Parent, barbier, et de Germaine Poulin.

A étudié au collège des Eudistes de Rosemont et au Collège militaire de Saint-Jean. A entrepris des études en marketing et un baccalauréat en administration à l'université du Québec à Montréal.

Commis aux ventes puis gérant chez P.L. Robertson en 1967 et 1968. Gérant du bureau, directeur des ventes puis vice-président au marketing pour Visbec ltée de 1968 à 1975. Propriétaire de cette compagnie et directeur général de 1975 à 1981. Président de ConSer inc., entreprise spécialisée en consultation et services à la PME de 1978 à 1985 et, de nouveau, à compter de 1989.

Président-fondateur de la Chambre de commerce de la Rive-sud de 1976 à 1978. Trésorier et vice-président du Groupe québécois d'entreprises de 1977 à 1980. Membre des conseils d'administration de la Chambre de commerce du Québec de 1976 à 1978, de la Sodec Rive-sud de 1981 à 1983, de Sous-traitance sur la Rive-sud et de la Société de développement industriel de 1981 à 1985.

Maire de Boucherville de 1978 à 1985. Président du conseil des maires de la Rive-sud de 1981 à 1985 et préfet adjoint de la MRC de Lajemmerais en 1982. Ministre du Commerce extérieur dans le cabinet Johnson (Pierre Marc) du 16 octobre au 12 décembre 1985. Élu député du Parti québécois dans Bertrand aux élections générales du 2 décembre 1985. Président de la Commission de l'aménagement et des équipements du 2 décembre 1987 au 9 août 1989. Ne s'est pas représenté en 1989.

PARENT, Joseph
(1835–1912)

Né à Rimouski, le 8 janvier 1835, fils de Pierre Parent, cultivateur, et de Madeleine Gagné.

Cultivateur et marchand.

Élu député libéral dans Rimouski à l'élection partielle du 3 mars 1880. Défait en 1881.

Décédé à Québec, le 29 juin 1912, à l'âge de 77 ans et 6 mois. Inhumé à Sainte-Foy, dans le cimetière Notre-Dame-de-Belmont, le 1er juillet 1912.

Avait épousé au Bic, le 18 janvier 1859, Angèle Caron, fille de Sauveur Caron et de Thérèse Fournier ; puis, dans la paroisse Notre-Dame de Québec, le 13 février 1890, Hermine Chouinard, fille de Théophile Chouinard et de Lucille Girard.

PARENT, Marcel

Né à Montréal, le 6 avril 1932, fils d'Ernest Parent, journalier-menuisier, et de Léonie Bouthillier.

A étudié au collège Notre-Dame et à l'université de Montréal où il obtint un baccalauréat en éducation physique et en récréation en 1954.

Employé de la ville de Montréal au service des parcs et au service des sports et loisirs, il fut notamment assistant-directeur au service des sports et loisirs de 1980 à 1984. Fut professeur à l'École d'hygiène de l'université de Montréal en 1962 et 1963 et chargé de cours à l'extension de l'enseignement de l'université de Montréal de 1963 à 1965.

Chargé de mission pour la ville de Montréal lors des Jeux mondiaux de la jeunesse, tenus au Danemark en 1967, et vice-président du comité provincial à la direction générale de l'enseignement collégial sur les techniques de loisirs en 1972–1973, ainsi que président de l'Association canadienne des centres de loisirs inc., de 1968 à 1972. Président du Syndicat des cadres administratifs de la ville de Montréal et de la Communauté urbaine de Montréal de 1972 à 1974. Membre du comité provincial «Concertation scolaire et municipale» (Haut-commissariat à la jeunesse, aux loisirs et aux sports – ministère de l'Éducation) en 1972–1973. Membre du bureau de direction du camp international de la jeunesse du comité organisateur des Jeux olympiques de 1974 à 1976. Membre de plusieurs conseils d'administration dans le domaine des sports et loisirs. Secrétaire et vice-président du comité régional consultatif de parents de la Commission des écoles catholiques de Montréal (région Nord) de 1970 à 1972.

Commissaire de la Commission des écoles catholiques de Montréal (CECM), membre du comité exécutif du conseil scolaire de l'Île-de-Montréal de 1980 à 1983 et président de la CECM de juin 1983 à juin 1984. Élu député libéral dans Sauvé à l'élection partielle du 18 juin 1984. Réélu en 1985. Président de la Commission de l'éducation du 11 février 1986 au 9 août 1989. Réélu en 1989. Nommé président du caucus des députés du Parti libéral le 29 novembre 1989. Adjoint parlementaire du ministre de l'Éducation et ministre de l'Enseignement supérieur et de la Science, du 29 novembre 1989 au 31 octobre 1990. Adjoint parlementaire du ministre de l'Éducation du 31 octobre 1990 au 14 août 1991.

PARENT, Oswald

Né à Hull, le 30 septembre 1925, fils d'Alfred Parent, pompier, et de Léna Massé.

Fit ses études à l'école supérieure de Hull et à l'université Queen's à Kingston où il fut diplômé en commerce.

Commis à la Banque provinciale de Hull en 1943. Comptable et vérificateur, sous la raison sociale d'Oswald Parent et Compagnie, de 1946 à 1965. Président des Immeubles Carmen inc. et des Conseillers professionnels (Hull) inc. Membre de la Corporation des administrateurs agréés du Québec, de l'Institut des comptables accrédités du Canada et du Conseil des comptables publics de la province d'Ontario. Directeur (1943 à 1947) et président (1947 à 1949) de la Chambre de commerce des jeunes de Hull. Trésorier (1949), vice-président (1950) et président (1952) de la Fédération des chambres de commerce des jeunes de la province de Québec. Vice-président de la Chambre de commerce des jeunes du Canada de 1953 à 1955. Sénateur de la Jeune Chambre internationale en 1954. Trésorier et vice-président du Jeune Commerce inc. Président de l'Union des chambres de commerce de l'ouest du Québec de 1955 à 1957. Secrétaire-trésorier de la Chambre de commerce de Hull de 1954 à 1956. Secrétaire de la Caisse de bienfaisance pour les soldats outre-mer de 1942 à 1945. Directeur de la Société Saint-Jean-Baptiste en 1943 et 1944. Syndic des Chevaliers de Colomb de 1946 et 1948.

Membre du Club de réforme de Montréal. Marguillier de la paroisse Saint-Benoît-Abbé de Hull en 1963 et 1964. Trésorier de la Fédération libérale provinciale de 1955 à 1957. Élu député libéral dans Hull en 1956. Réélu en 1960, 1962, 1966, 1970 et 1973. Nommé adjoint parlementaire du secrétaire de la province le 8 novembre 1960, du ministre du Revenu le 1er avril 1961, du secrétaire de la province le 19 décembre 1962, puis du ministre du Tourisme, de la Chasse et de la Pêche le 26 avril 1963. Assermenté ministre d'État dans le cabinet Bourassa le 12 mai 1970. Ministre d'État aux Affaires intergouvernementales du 11 février 1971 au 26 novembre 1976, des Finances du 27 janvier 1971 à septembre 1975 et de la Fonction publique d'octobre 1972 à février 1973. Ministre de la Fonction publique dans le cabinet Bourassa du 12 février 1973 au 26 novembre 1976. Défait en 1976.

PARENT, Simon-Napoléon
(1855–1920)

Né à Beauport, le 12 septembre 1855, fils de Simon-Polycarpe Parent, cultivateur et commerçant, et de Luce Bélanger.

Fit ses études au séminaire de Québec et à l'École normale. Interrompit ses études pour devenir teneur de livres. Poursuivit des études à l'université Laval où il fut diplômé en droit en 1881. Récipiendaire de la médaille d'or du gouverneur général et du prix Tessier. Fit sa cléricature auprès de Mes Thomas Chase **Casgrain** et Guillaume Amyot, député à la Chambre des communes de 1881 à 1896. Admis au barreau de la province de Québec le 9 août 1881. Créé conseil en loi de la reine le 19 mai 1899.

Établit son cabinet d'avocat dans la paroisse Saint-Sauveur à Québec et s'associa par la suite à Charles **Fitzpatrick**, Louis-Alexandre **Taschereau**, Ferdinand Roy et Lawrence Arthur **Cannon**. Fondateur et président de la Compagnie du pont de Québec en 1897. Président de la Quebec Railway Light and Power Company. Directeur du Grand Tronc et de la Compagnie du chemin de fer du Lac-Saint-Jean. Conseiller juridique de la Banque Molson.

Conseiller municipal du quartier Saint-Vallier au conseil municipal de Québec de 1890 à 1894, maire suppléant en 1892, puis maire du 2 avril 1894 au 12 janvier 1906. Élu député libéral dans Saint-Sauveur en 1890. Réélu en 1892 (sans opposition) et 1897. Son siège devint vacant lors de sa nomination au cabinet. Réélu sans opposition à l'élection partielle du 12 juin 1897. Commissaire des Terres, Forêts et Pêche-

ries dans le cabinet Marchand du 26 mai 1897 au 3 octobre 1900. Réélu sans opposition en 1900. Premier ministre et président du Conseil exécutif du 3 octobre 1900 au 21 mars 1905. Commissaire des Terres, Forêts et Pêcheries du 3 octobre 1900 au 2 juillet 1901. Trésorier intérimaire du 8 juillet au 6 octobre 1903. Réélu sans opposition en 1904. Trois de ses ministres, Lomer **Gouin**, Adélard **Turgeon** et William Alexander **Weir**, prirent la tête d'un mouvement qui aboutit à sa démission à titre de premier ministre, le 21 mars 1905. Résigna son siège de député le 5 septembre 1905.

Nommé président de la Corporation des commissaires du chemin de fer Transcontinental le 31 juillet 1905, il occupa ce poste jusqu'en 1911. Président de la Commission du régime des eaux courantes de Québec de 1911 à 1920.

Docteur en droit honoris causa du Bishop's College en 1902. A publié *la Loi de la cession des biens* (1892) et *Discours sur la question des droits de coupe sur le bois de pulpe* (1903). Membre du Club de la garnison de Québec, du Club Rideau, du Club Laurentien, du Club Ottawa, de l'Union Club et de la Société Saint-Jean-Baptiste. Président de l'Association Saint-Patrice de Montréal et président honoraire de plusieurs autres associations.

Décédé à Montréal, le 7 septembre 1920, à l'âge de 64 ans et 11 mois. Inhumé à Québec, dans le cimetière Saint-Charles, le 10 septembre 1920.

Avait épousé à Beauport, le 17 octobre 1877, Clara Gendron, fille d'Ambroise Gendron, inspecteur de bois et arpenteur, et d'Esther Chamberland.

Père de Georges Parent, député à la Chambre des communes de 1904 à 1911 et de 1917 à 1930, puis sénateur de 1930 à 1942, et de Charles-Eugène Parent, député à la Chambre des communes de 1935 à 1953. Beau-père de Robert Laurier, député à l'Assemblée législative ontarienne de 1940 à 1945. Beau-frère de Ferdinand-Ambroise **Gendron**.

PARIZEAU, Damase
(1841–1915)

[Né à Boucherville, en 1841, fils d'Antoine Dalpé, dit Parizeau, et d'Aglaée Myette.] Désigné aussi sous le nom de Dalpé, dit Parizeau.

Fit ses études à Boucherville.

Cultivateur, menuisier et marchand de bois. Président de la Workmen's Benefit Association. Cofondateur, puis président de la Chambre de commerce de Montréal. Président de la Société d'agriculture du comté de Chambly.

Élu député conservateur dans Montréal n° 3 en 1892. Défait en 1897. Candidat conservateur défait dans Chambly-Verchères aux élections fédérales de 1900.

Décédé à Montréal, le 23 octobre 1915, à l'âge d'environ 74 ans. Inhumé à Montréal, dans le cimetière de Notre-Dame-des-Neiges, le 25 octobre 1915.

Avait épousé dans la paroisse Notre-Dame de Montréal, le 11 janvier 1864, Marie-Geneviève Chartrand, fille de Jean-Baptiste Chartrand, menuisier, et d'Angélique Desnoyers.

Arrière-grand-père de Jacques **Parizeau**.

PARIZEAU, Jacques

Né à Montréal, le 9 août 1930, fils de Gérard Parizeau et de Germaine Biron.

Fit ses études au collège Stanislas, à l'École des hautes études commerciales à Montréal, à l'Institut d'études politiques et à la Faculté de droit à Paris et à la London School of Economics, en Angleterre, où il obtint son doctorat en sciences économiques.

Professeur à l'École des hautes études commerciales de 1955 à 1976 et directeur de l'Institut d'économie appliquée de cette école de 1973 à 1975. Fut consultant pour divers ministères à Québec, puis conseiller économique et financier du premier ministre et du Conseil des ministres de 1961 à 1969. Fut aussi membre, au cours de ces années, des conseils d'administration de la Société générale de financement, de la Caisse de dépôt et placement, de la Société d'exploitation minière et de la Régie de l'assurance-dépôts.

Dans le domaine journalistique, il fut directeur de la revue *l'Actualité économique* de 1955 à 1961, chroniqueur de l'hebdomadaire *Québec-Presse* de 1969 à 1974, puis président du conseil d'administration et éditorialiste du journal *le Jour* en 1974 et 1975. Collabora à plusieurs revues et ouvrages dans le domaine économique.

Président du conseil exécutif du Parti québécois de 1970 à 1973. Candidat du Parti québécois défait dans Ahuntsic en 1970 et dans Crémazie en 1973. Élu député du Parti québécois dans L'Assomption en 1976. Réélu en 1981. Ministre du Revenu dans le cabinet Lévesque du 26 novembre 1976 au 21 septembre 1979. Président du Conseil du trésor de 1976 à 1981. Ministre des Finances du 26 novembre 1976 au 22 novembre 1984. Ministre des Institutions financières et Coopératives du 30 avril 1981 au 9 septembre 1982. Fut aussi membre du Comité des priorités et président du Comité ministériel permanent du développement économique. Démissionna du cabinet le 22 novembre 1984 et comme député le 27 novembre 1984.

De nouveau professeur à l'École des hautes études commerciales de Montréal de 1985 à 1989. Fut président de la Commission d'étude sur les municipalités créée par l'Union des municipalités du Québec en 1985 et 1986.

Élu chef du Parti québécois le 18 mars 1988. Élu député du Parti québécois dans L'Assomption en 1989. Chef de l'Opposition officielle à compter du 28 novembre 1989. Fut président national du Comité du NON durant la campagne référendaire de 1992.

Arrière-petit-fils de Damase **Parizeau**.

Bibliographie : Richard, Laurence, *Jacques Parizeau, un bâtisseur*, Montréal, Éditions de l'Homme, 1992, 249 p.

PARROT, Louis-Eugène-Aduire (1871–1948)

Né à Sainte-Emmélie, près de Lotbinière, le 11 novembre 1871, fils de Louis Fritz Parrot, commis-marchand et intendant de la seigneurie de Lotbinière, et de Zélire-Orpha Leclerc.

Fit ses études à Sainte-Emmélie, au séminaire de Québec et à l'université Laval à Québec. Reçu médecin en 1897.

Pratiqua la médecine générale à Deschaillons de 1897 à 1905. Fit un stage en chirurgie à Paris en 1905 et 1906. Exerça la médecine générale et la chirurgie à Fraserville (Rivière-du-Loup) de 1907 à 1939.

Élu député libéral dans Témiscouata en 1916. Réélu sans opposition en 1919. Démissionna le 22 juin 1921. Candidat libéral défait dans la circonscription fédérale de Témiscouata à l'élection partielle du 1er décembre 1924.

Registrateur du comté de Témiscouata, conjointement avec M. Dumais, de 1926 à 1930, puis seul de 1930 à 1936 et de 1939 à 1944.

Décédé à Québec, le 18 novembre 1948, à l'âge de 77 ans. Inhumé à Sillery, dans le cimetière Saint-Colomb-de-Sillery, le 22 novembre 1948.

Avait épousé dans la paroisse Saint-Louis-de-Lotbinière, le 27 septembre 1897, Antoinette de Villiers, fille d'Alphonse de Villiers, marchand, et de Marie-Sophie de la Chevrotière.

PATENAUDE, Ésioff-Léon
(1875–1963)

Né à Saint-Isidore, près de Châteauguay, le 12 février 1875, fils d'Hilaire Patenaude, cultivateur et commerçant, et d'Angèle Trudeau.

Fit ses études au collège de Montréal et à l'université Laval à Montréal où il fut secrétaire de l'Association des étudiants en droit. Fit sa cléricature auprès de Me Siméon Beaudin. Admis au barreau de la province de Québec le 12 septembre 1899. Créé conseil en loi du roi le 13 juin 1916.

S'associa notamment avec Me Gustave Monette, sénateur de 1957 à 1969, et Me Auguste **Boyer**. Après sa carrière politique, il devint président du bureau des commissaires aviseurs de la Banque Provinciale du Canada et président de cette banque en 1946. Président de la compagnie d'assurance-vie L'Alliance et de la Société d'administration et de fiducie. Vice-président et président du Crédit foncier franco-canadien. Directeur de la McColl Frontenac, de la Crown Life Insurance, de la Compagnie d'assurance mutuelle et du commerce de Saint-Hyacinthe et de la Compagnie canadienne mercantile. Membre du conseil d'administration de Texaco Canada Ltd.

Chef de l'organisation du Parti conservateur du district de Montréal pendant plusieurs années. Élu député conservateur à l'Assemblée législative dans Laprairie en 1908. Réélu en 1912. Démissionna le 2 octobre 1915. Élu député conservateur à la Chambre des communes dans Hochelaga à l'élection partielle du 15 octobre 1915. Nommé membre du Conseil privé le 6 octobre 1915, il occupa dès lors le poste de ministre du Revenu et ce, jusqu'au 7 janvier 1917. Fut par la suite secrétaire d'État et ministre des Mines du 8 janvier au 12 juin 1917. Ne s'est pas représenté aux élections fédérales de 1917. Élu député conservateur à l'Assemblée législative dans Jacques-Cartier en 1923. Démissionna le 8 octobre 1925. Candidat défait dans la circonscription fédérale de Jacques-Cartier aux élections de 1925 et 1926. Ministre de la Justice dans le cabinet Meighen du 13 juillet au 25 septembre 1926. Lieutenant-gouverneur de la province de Québec du 3 mai 1934 au 30 décembre 1939.

Docteur en droit honoris causa de l'université Laval en 1934, puis des universités Bishop's College, McGill et de Montréal. Docteur en sciences commerciales honoris causa de l'université de Montréal. Membre des clubs Saint-Denis, Canadien, Cartier et Montréal. Président du Club Rideau d'Ottawa. Membre à vie de l'Association de bienfaisance des avocats de Montréal.

Décédé à Montréal, le 7 février 1963, à l'âge de 87 ans et 11 mois. Inhumé à Montréal, dans le cimetière Notre-Dame-des-Neiges, le 11 février 1963.

Avait épousé à Montréal, dans la paroisse Saint-Louis-de-France, le 8 mai 1900, Georgiana Deniger, dit Poupart, fille d'Antoine Deniger, dit Poupart, et de Rose Lemire.

Bibliographie : Michaud, Nelson, *La carrière politique fédérale d'Ésioff-Léon Patenaude, 1915-1926, ou, L'affirmation continue du nationalisme canadien,* thèse de M.A. (histoire), université Laval, 1988, 249 p.

PAUL, Rémi
(1921–1982)

Né à Louiseville, le 10 juin 1921, fils d'Edmond Paul, sacristain, et de Maria Descheneaux.

Étudia au collège Saint-Louis-de-Gonzague à Louiseville, au séminaire Saint-Joseph à Trois-Rivières et à l'université Laval à Québec. Admis au barreau de la province de Québec en juillet 1948. Créé conseil en loi de la reine le 28 septembre 1966.

Pratiqua le droit à Louiseville de 1948 à 1974. Greffier de Louiseville de 1949 à 1958. Conseiller juridique de plusieurs municipalités jusqu'en 1958. Membre des Chevaliers de Colomb. Membre de la seigneurie de Grand Pré inc. à Louiseville.

Candidat progressiste-conservateur défait dans Berthier-Maskinongé- Delanaudière aux élections fédérales de 1957. Élu député à la Chambre des communes dans la même circonscription en 1958. Réélu en 1962 et 1963. Siégea comme député indépendant du 18 février au 8 novembre 1965. Ne s'est pas représenté aux élections fédérales de 1965. Élu député de l'Union nationale à l'Assemblée législative dans Maskinongé en 1966. Orateur de l'Assemblée législative du 1er décembre 1966 au 10 octobre 1968. Secrétaire provincial dans le cabinet Bertrand du 10 octobre 1968 au 1er janvier 1970. Ministre de la Justice dans le même cabinet du 23 juillet 1969 au 12 mai 1970. Leader parlementaire du gouvernement en 1969 et 1970. Réélu en 1970. Leader parlementaire de l'Opposition de 1970 à 1973. Défait en 1973.

Assermenté juge à la Cour provinciale le 30 août 1974.

Décédé à Québec, le 20 décembre 1982, à l'âge de 61 ans et 6 mois. Inhumé dans le cimetière de Louiseville, le 24 décembre 1982.

Avait épousé à Québec, dans la paroisse Saint-Dominique, le 27 septembre 1948, Rita Caron, fille de Joseph Caron, expéditeur de trains, et de Marie-Anna Lévesque.

PAULET. V. POLETTE

PAYETTE, Lise

Née à Verdun, le 29 août 1931, fille de Fernand Ouimet, chauffeur d'autobus, et de Cécile Chartier.

Après ses études à Montréal, elle fit ses débuts de journaliste dans une station radiophonique de Trois-Rivières, en 1954. Travailla par la suite à Rouyn-Noranda où elle fut rédactrice à l'hebdomadaire *la Frontière*, animatrice de l'émission *la Femme dans le monde* à CKRN et secrétaire-relationniste pour les Métallurgistes unis d'Amérique. Lors d'un séjour à Paris, elle collabora au *Petit Journal*, à *la Patrie*, à *la Presse*, au *Nouveau Journal*, à la revue *Châtelaine*. Collabora également au journal *le Dimanche* et au magazine *Nous*. Anima pendant deux ans à Paris et un an à Montréal l'émission *Interdit aux hommes*, diffusée à Radio-Canada. Entre 1965 et 1972, elle anima une série d'émissions aux réseaux français et anglais de Radio-Canada, notamment *Place aux femmes*, *Speak Easy*, *Sunday at the Fair*, *D'un jour à l'autre*, *le Temps des sauterelles* et *Studio 11*. De 1972 à 1975, elle fut l'animatrice de la série télévisée *Appelez-moi Lise* qui fut suivie de *Lise Lib*. Auteur des *Recettes pour un homme libre* (1971). Nommée présidente du Comité des fêtes nationales du Québec en 1975.

Élue députée du Parti québécois dans Dorion en 1976. Ministre des Consommateurs, Coopératives et Institutions financières dans le cabinet Lévesque du 26 novembre 1976 au 21 septembre 1979. Ministre d'État à la Condition féminine du 21 septembre 1979 au 30 avril 1981. Ministre d'État au Développement social du 6 novembre 1980 au 30 avril 1981. Ne s'est pas représenté en 1981.

Auteur de nombreux téléromans diffusés à la télévision de Radio-Canada et de documentaires. A publié *le Pouvoir? Connais pas!* (1982) et *la Bonne aventure* (1986).

Bibliographie: Monté, Denyse, *On l'appelle toujours... Lise*, Montréal, La Presse, 1975, 214 p.

PAYNE, David

Né à Middlesbrough (Grande-Bretagne), le 12 janvier 1944, fils de Henry Edward Payne, directeur d'école, et de Maureen Wilson.

Obtint une licence en philosophie et une licence en théologie à l'université grégorienne de Rome, ainsi qu'un baccalauréat en droit et un diplôme en sciences sociales à l'université de Louvain.

Professeur à la polyvalente MacDonald-Cartier, à Saint-Hubert, de 1971 à 1973. Professeur de sciences sociales au collège Vanier à Montréal, de 1973 à 1976. Conseiller politique auprès du ministre d'État au Développement culturel de 1976 à 1980 et auprès du ministre de l'Éducation en 1980 et 1981. Fondateur et directeur général de la Maison d'accueil pour les immigrants et les réfugiés à Montréal. Cofondateur du comité des anglophones pour la souveraineté-association.

Élu député du Parti québécois dans Vachon en 1981. Adjoint parlementaire du ministre des Affaires culturelles, du 5 décembre 1984 au 23 octobre 1985. Défait en 1985 et 1989.

Consultant en marketing international. Directeur du développement international pour la firme CGI, une entreprise de conseil en informatique et en gestion. Président de l'Association des anglophones dans un Québec souverain.

PEARSON, Léo

Né à Opasatika, à Cochrane (Ontario), le 21 mars 1927, fils d'Hector Pearson, soudeur, et de Marilda Guitard.

Fit ses études aux écoles Notre-Dame-des-Victoires, Saint-Paul-de-Viauville et Chomedey-de-Maisonneuve à Montréal, au collège Mont-Sacré-Cœur à Granby, à l'université de Montréal et à l'Institut canadien de l'électronique.

Professeur à l'école Notre-Dame-de-Lourdes à Verdun de 1946 à 1951. Technicien en électronique à la Société Radio-Canada de 1952 à 1955. Président de l'Association des techniciens en électronique en 1954 et 1955. Professeur à l'école Saint-Germain à Saint-Laurent (île de Montréal) à compter de 1956 et président de l'Association des enseignants de Saint-Laurent de 1960 à 1966. Membre des Chevaliers de Colomb.

Élu député libéral dans Saint-Laurent en 1966. Réélu en 1970. Ne s'est pas représenté en 1973.

Employé de la Commission des normes du travail jusqu'en 1983.

PECK, Ebenezer
(1805–1881)

Né probablement à Portland, au Maine, en 1805, fut baptisé le 2 décembre 1810, dans l'église presbytérienne de Montréal, fils de Thomas Peck, marchand, et de Sarah Pierce.

Étudia au petit séminaire de Montréal en 1819. Fit l'apprentissage du droit à Montréal, auprès de William **Walker**

(Rouville), puis dans le canton d'Ascot; admis au barreau le 20 mars 1827.

Exerça la profession d'avocat à Stanstead ainsi qu'à Sherbrooke où, après 1830, il eut comme associé Edward **Short**; fait conseiller du roi le 8 février 1833. Demeura dans le canton d'Oxford, au lot 18 du rang 5. S'occupa d'éducation, notamment à titre d'administrateur de la Charleston Academy, fondée en 1829 à East Hatley (Hatley), et de visiteur des écoles des cantons de Drummond, Sherbrooke et Stanstead, charge qu'il obtint en juin 1831.

Élu député de Stanstead à une élection partielle le 13 novembre 1829. Réélu en 1830. Appuya généralement le parti patriote jusqu'en 1832, puis tantôt ce parti, tantôt le parti des bureaucrates; n'a pas pris part au vote sur les Quatre-vingt-douze Résolutions. Ne s'est pas représenté en 1834.

Quitta la province de Québec au moment de la rébellion de 1837 et s'établit à Chicago, en Illinois, où il obtint la charge de juge de la Cour des réclamations en 1860.

Décédé à Chicago, en Illinois, en mai 1881, à l'âge de 75 ou de 76 ans.

On ne sait pas s'il était célibataire ou marié.

PELCHAT, Christiane

Née à Saint-Hubert, le 28 août 1959, fille de Gilles Pelchat, commerçant, et de Catherina Bucci.

A étudié au collège Jean-de-Brébeuf, en sciences humaines, de 1976 à 1978 et à l'université d'Ottawa où elle obtint un baccalauréat en sciences sociales en 1981. A suivi des cours en droit et en journalisme à l'université de Montréal en 1982 et 1983.

Adjointe du député fédéral de Chambly de septembre 1978 à août 1980. Superviseure et surveillante pour Statistique Canada de juin 1981 à mai 1983. Journaliste-pigiste au *Courrier du Sud* et à la télévision communautaire de la Rive-sud d'octobre 1983 à janvier 1984. Agente d'information pour Serest inc. de mai à août 1983 puis chez Corena Saint-Hubert, d'août à octobre 1983. Adjointe spéciale du ministre d'État fédéral à la Jeunesse de février à octobre 1984.

Élue députée libérale dans Vachon en 1985. Réélue en 1989. Adjointe parlementaire de la ministre des Affaires culturelles du 5 février 1986 au 9 août 1989. Adjointe parlementaire du ministre de l'Environnememt à compter du 29 novembre 1989.

PELLERIN, Jean-Marie
(1878–1950)

Né à Sainte-Brigide-d'Iberville, le 14 novembre 1878, fils de Prospère Pellerin et de Vitaline Sincerny.

Fit ses études à l'université Laval à Québec. Reçu médecin en 1904, il exerça sa profession à Montréal. Attaché au Service de l'hygiène et de l'enfance de la cité de Montréal de juin 1930 à novembre 1948.

Échevin de la ville de Maisonneuve de 1915 à 1918. Élu député conservateur dans Maisonneuve en 1923. Ne s'est pas représenté en 1927.

Décédé à Montréal, le 19 mai 1950, à l'âge de 71 ans et 6 mois. Inhumé à Montréal, dans le cimetière Notre-Dame-des-Neiges, le 23 mai 1950.

Avait épousé à Montréal, dans la paroisse du Très-Saint-Nom-de-Jésus, le 26 octobre 1904, Cécile Hubert, fille de Cyrille Hubert, marchand, et de Marcelline Turcot.

PELLETIER, André
(1898–1952)

Né à Saint-Louis-du-Ha!Ha!, le 28 avril 1898, fils de Théodore Pelletier, cultivateur, et d'Henriette Morin.

Fit ses études à Saint-Louis-du-Ha!Ha! et au séminaire de Rimouski. Suivit un cours de perfectionnement en langue anglaise à Edmundston, au Nouveau-Brunswick.

Travailla d'abord quelques années à la Banque Nationale. En 1920, il devint agent d'assurances et représenta L'Alliance nationale jusqu'en 1939, et par la suite la compagnie La Sauvegarde. Membre du Club Renaissance.

Président de la commission scolaire de Saint-Louis-du-Ha!Ha! du 29 août 1937 au 14 août 1944. Élu député de l'Union nationale dans Témiscouata en 1944. Réélu en 1948. Ne s'est pas représenté en 1952.

Décédé à Rivière-du-Loup, le 28 août 1952, à l'âge de 54 ans et 4 mois. Inhumé dans le cimetière de Saint-Louis-du-Ha!Ha!, le 1er septembre 1952.

Avait épousé à Saint-Antonin, près de Rivière-du-Loup, le 7 juillet 1925, Gabrielle April, fille d'Alexandre April, cultivateur, et de Joséphine Chénard.

PELLETIER, Charles-Alphonse-Pantaléon
(1837–1911)

Né à Rivière-Ouelle, le 22 janvier 1837, fils de Jean-Marie Pelletier, cultivateur et marchand, et de Julie Painchaud.

Fit ses études au collège de Sainte-Anne-de-la-Pocatière et à l'université Laval à Québec. Admis au barrreau du Bas-Canada le 2 janvier 1860. Créé conseil en loi de la reine le 20 janvier 1879.

Exerça sa profession au cabinet de Mᵉ Louis de Gonzague Baillargé. Diplômé de l'École militaire de Québec, il fut officier volontaire de la milice, puis capitaine, adjudant et major. Commanda le 9ᵉ bataillon des Voltigeurs lors de l'invasion des Fenians en 1866. Se retira avec le grade de lieutenant-colonel. Président de la Commission canadienne à l'Exposition universelle de Paris en 1878. Avocat de la couronne en 1879. Conseiller juridique de la cité de Québec, avec Mᵉ Baillargé, de 1885 à 1903. Bâtonnier du barreau de Québec en 1892.

Dans le domaine journalistique, il participa à la fondation de l'*Électeur*, en 1880, avec Wilfrid **Laurier**, Henri-Gustave **Joly de Lotbinière**, David-Alexandre **Ross**, Charles-Antoine-Ernest **Gagnon**, François **Langelier**, Joseph **Shehyn**, W. Reid et D.W. Campbell. Il fut également directeur du journal *le Soleil* en 1904. Occupa les postes de vice-président de la Quebec Fire Insurance Company et de directeur de la Quebec and Charlevoix Navigation Company.

Élu député libéral à la Chambre des communes dans Kamouraska à l'élection partielle du 17 février 1869. Réélu en 1872. Adhéra au premier Parti national en 1872. Élu député libéral à l'Assemblée législative dans Québec-Est à l'élection partielle des 3 et 4 mars 1873. Résigna son siège à l'Assemblée législative lors de l'abolition du double mandat le 20 janvier 1874 et fut réélu sans opposition à la Chambre des communes lors des élections fédérales tenues la même année. Nommé membre du Conseil privé le 26 janvier 1877. Démissionna de son poste de député le 2 février 1877 et fut nommé sénateur de la division de Grandville le même jour. Ministre de l'Agriculture dans le cabinet Mackenzie du 26 janvier 1877 au 16 octobre 1878. Chef du groupe canadien-français au Sénat en 1877. Orateur du Sénat du 13 juillet 1896 au 28 janvier 1901. Abandonna son siège au Sénat lors de sa nomination comme juge à la Cour supérieure de Québec le 30 septembre 1904. Lieutenant-gouverneur de la province de Québec du 15 septembre 1908 jusqu'à son décès.

Président de la Société Saint-Jean-Baptiste de Québec de 1871 à 1873. Créé compagnon de l'ordre de Saint-Michel et Saint-George en 1878, et grand-croix le 27 mai 1898. Récipiendaire d'un doctorat en droit honoris causa de l'université Laval en 1902. Président honoraire du conseil d'agriculture du Dominion. Membre du Club de la garnison et des Chevaliers de Colomb.

Décédé en fonction à Spencer Wood, à Sillery, le 29 avril 1911, à l'âge de 74 ans et 3 mois. Inhumé dans le cimetière de Rivière-Ouelle, le 4 mai 1911.

Avait épousé à Rivière-Ouelle, le 23 juillet 1861, Suzanne Casgrain, fille de Charles-Eusèbe **Casgrain** et d'Elizabeth Ann Baby; puis, aux Éboulements, le 12 février 1866, Eugénie de Sales Laterrière, fille de Marc-Pascal de Sales **Laterrière**, médecin, et d'Eulalie-Antoinette Denéchaud.

Oncle de Charles-Antoine-Ernest **Gagnon** et de Jean-Marie-Joseph-Pantaléon **Pelletier**.

PELLETIER, Jean-Bernard (1739–1816)

Né à Saint-Roch-des-Aulnaies, fut baptisé le 30 août 1739, dans la paroisse du même nom, fils de Jean-Bernard Peltier (Pelletier) et de Marthe Brisson. Parfois désigné sous le seul prénom de Bernard; son patronyme s'orthographia aussi Peltier.

Fut cultivateur. Élu bailli de Saint-Roch-des-Aulnaies, le 8 juillet 1770; était chargé, entre autres, de la surveillance des chemins et des ponts, de l'arrestation des criminels et de l'examen des cadavres portant des marques de violence.

Élu député de Devon en 1800; prit part aux votes de deux sessions seulement et appuya le parti canadien. Ne se serait pas représenté en 1804.

Décédé à Saint-Roch-des-Aulnaies, le 21 avril 1816, à l'âge de 76 ans et 7 mois. Inhumé dans l'église paroissiale, le 23 avril 1816.

Avait épousé dans sa paroisse natale, le 3 octobre 1762, Marie-Joseph Caron, fille de Louis Caron et de Marie-Françoise Gagnon.

PELLETIER, Jean-Marie

Né à La Pocatière, le 26 juin 1933, fils de Pierre Pelletier, fonctionnaire, et de Laurette Bérubé.

Fit ses études à La Pocatière. Se spécialisa en génétique à Oka et en aviculture à l'Institut de technologie agricole de La Pocatière. Suivit également des cours en valeurs mobilières et immobilières.

Directeur de la ferme avicole de l'Institut de technique agricole à La Pocatière de 1951 à 1956. Gérant de la ferme avicole Adhémard-Gratton à Oka en 1956 et 1957 et de la Sunny Brook Farms de Sainte-Adèle de 1957 à 1959. De 1959 à 1969, il fut propriétaire d'une ferme avicole et d'un commerce de moulée à Saint-Philippe-de-Néri. Président régional et directeur provincial de la Fédération des producteurs d'œufs du Québec de 1966 à 1968. Directeur de l'UPA à La Pocatière de 1966 à 1968.

Maire de Saint-Philippe-de-Néri de 1970 à 1976. Responsable de la campagne au leadership de Robert Bourassa en 1969. Élu député libéral dans Kamouraska en 1970. Réélu dans Kamouraska-Témiscouata en 1973. Défait en 1976.

Entrepreneur en construction domiciliaire de 1976 à 1978 et de 1982 à 1987. Agent d'immeubles à Rivière-du-Loup de 1980 à 1982 puis à Québec pour le Groupe Courtac à partir de 1991. Fut également représentant pour Mode Design inc. de 1989 à 1991.

PELLETIER, Jean-Marie-Joseph-Pantaléon (1860–1924)

Né à Rivière-Ouelle, le 27 juillet 1860, fils de Joseph Pelletier, cultivateur, et d'Henriette Martin.

Fit ses études au collège de Sainte-Anne-de-la-Pocatière et à l'université Laval à Québec. Reçu médecin en 1887. Fut stagiaire à la Polyclinic School de New York en 1897 puis dans quelques hôpitaux de Paris.

Exerça sa profession à Sherbrooke où il fut chirurgien à l'hôpital Sacré-Cœur et médecin de l'ordre des Forestiers catholiques pendant quatre ans. Nommé coroner du district de Saint-François le 16 septembre 1889. Nommé membre du Bureau de santé de la province de Québec en 1897. Lieutenant du 9e régiment de Québec, il prit part à la campagne du Nord-Ouest en 1885. Chirurgien et capitaine du 11e Hussards. Premier lieutenant-colonel du 54e régiment de Sherbrooke. Directeur de l'Exposition agricole des Cantons-de-l'Est. Membre du Club de la garnison et de l'Association médicale du district de Saint-François.

Élu député libéral dans Sherbrooke en 1900. Réélu sans opposition en 1904 et 1908. Orateur de l'Assemblée législative du 2 mars 1909 au 7 août 1911. Son siège devint vacant lors de sa nomination au poste d'agent général du Québec à Londres, le 7 août 1911. Il occupa cette fonction jusqu'à son décès.

Décédé à Québec, le 19 octobre 1924, à l'âge de 64 ans et 2 mois. Inhumé à Sainte-Foy, dans le cimetière Notre-Dame-de-Belmont, le 22 octobre 1924.

Avait épousé dans la paroisse Notre-Dame de Québec, le 24 janvier 1888, Alice Hudon, fille de Théophile Hudon, marchand, et de Marisse Roy; [puis, à Sherbrooke, le 29 avril 1912, Cécile Belleau, veuve de J. Boivin].

Beau-frère de François-Gilbert Miville **Dechêne**. Neveu de Charles-Alphonse-Pantaléon **Pelletier**.

PELLETIER, Joseph-Alphonse (1901–1988)

Né à Saint-Ulric, le 11 mai 1901, fils d'Alphonse Pelletier, cultivateur, et de Philomène Richard.

Fit ses études à l'école paroissiale de Saint-Ulric.

Propriétaire d'une beurrerie de 1923 à 1940, d'une station-service en 1941, puis d'un moulin à scie de 1941 à 1965. Concessionnaire des produits Chrysler, Plymouth et Fargo de 1945 à 1967. Membre du Club Richelieu et du Cercle agricole de Sainte-Anne-des-Monts.

Maire de Sainte-Anne-des-Monts de mai à octobre 1939 et de mai 1945 à avril 1951. Commissaire d'école d'août 1942 à novembre 1945, puis président de la commission scolaire locale de novembre 1945 à avril 1950. Élu député de l'Union nationale dans Gaspé-Nord en 1936. Défait en 1939. Réélu en 1944. Défait de nouveau en 1948.

Décédé à Sainte-Anne-des-Monts, le 21 janvier 1988, à l'âge de 78 ans et 8 mois. Inhumé à Sainte-Anne-des-Monts, le 24 janvier 1988.

Avait épousé à Sainte-Anne-des-Monts, le 30 septembre 1936, Marguerite Thibault, fille d'Éthelbert Thibault, cultivateur, et de Blanche Gagnon.

PELLETIER, Louis-Philippe (1857–1921)

Né à Trois-Pistoles, le 1er février 1857, fils de Thomas-Philippe **Pelletier**, marchand, et de Caroline Casault.

Fit ses études au collège de Sainte-Anne-de-la-Pocatière et à l'université Laval à Québec. Lauréat du prix Prince-de-Galles en 1876 et récipiendaire de la médaille d'or du gouverneur général et du prix Tessier en 1880. Fit sa cléricature auprès de Me Auguste-Réal **Angers**. Admis au barreau de la province de Québec le 17 juillet 1880. Créé conseil en loi de la reine en 1886. Docteur en lettres honoris causa de l'université Laval en 1902.

Exerça sa profession à Québec. Secrétaire de rédaction du journal la Justice en 1886 et 1887. Fondateur et directeur du journal le Matin du 13 janvier au 19 septembre 1892. Substitut du procureur général, puis procureur de la couronne pour le district de Québec.

Conseiller juridique de la Banque d'Halifax, de la Banque d'Hochelaga et de la Banque Provinciale. Président et conseiller juridique de la Canadian Electric Light Company. Directeur et conseiller juridique de la Manufacturers' Life Insurance Company. Président des compagnies Chaudière Falls Pulp et Quebec Railway Light, Heat and Power. Vice-président de la Mount Royal Assurance. Membre du conseil d'administration de la Crown Life Insurance Company. Officier du 9e bataillon des Voltigeurs de Québec.

Président de l'Association conservatrice de la province de Québec. Président du Club Cartier et membre du Club de la garnison. Candidat du Parti national défait dans Témiscouata aux élections provinciales de 1886. Candidat libéral défait dans Trois-Rivières aux élections fédérales de 1887. Nommé conseiller législatif de la division de Lauzon le 11 mai 1888. Démissionna le 22 octobre 1888. Élu sans opposition député conservateur nationaliste à l'Assemblée législative dans Dorchester à l'élection partielle du 20 décembre 1888. Élu député conservateur en 1890 et 1892. Secrétaire et registraire dans les cabinets Boucher de Boucherville et Taillon du 21 décembre 1891 au 11 mai 1896. Procureur général dans le cabinet Flynn du 11 mai 1896 au 26 mai 1897. Réélu en 1897 et 1900. Ne s'est pas représenté en 1904. Candidat conservateur défait dans la même circonscription en 1908. Candidat conservateur défait dans Lotbinière aux élections fédérales de 1908. Élu député conservateur à la Chambre des communes dans Québec-Comté en 1911. Son siège devint vacant lorsqu'il devint membre du Conseil privé le 10 octobre 1911. Ministre des Postes dans le cabinet Borden du 10 octobre 1911 au 19 octobre 1914. Réélu sans opposition à l'élection partielle du 27 octobre 1911. Démissionna le 20 octobre 1914.

Nommé juge à la Cour supérieure le 18 novembre 1914, puis juge à la Cour du banc du roi le 20 août 1915.

Décédé à Québec, le 8 février 1921, à l'âge de 64 ans. Inhumé à Québec, dans le cimetière Saint-Charles, le 11 février 1921.

Avait épousé dans la paroisse Notre-Dame de Québec, le 11 janvier 1883, Adelaïde Lelièvre, fille de Roger Lelièvre, avocat, et de Catherine Mailhot.

Neveu de Louis-Napoléon **Casault**.

PELLETIER, Maurice
(1896–1971)

Né à Saint-Joseph-de-la-Pointe-de-Lévy, le 11 mai 1896, fils de Pierre-Étienne Pelletier, confiseur et commis voyageur, et de Joséphine Leclerc.

Fit ses études au collège de Lévis et à l'université Laval à Québec. Admis au barreau de la province de Québec le 15 janvier 1925.

Exerça sa profession à Québec. Membre du cabinet des avocats Gelly, Pelletier et Gelly de 1925 à 1934. S'associa ensuite au cabinet Jolicœur, Pelletier, Dionne et Jolicœur. Procureur et conseiller juridique de la cité de Lauzon de 1927 à

1945. Directeur du journal l'*Homme libre* de Québec et reporter à l'*Événement*. Directeur de l'Association de la jeunesse conservatrice de Québec. Conseiller juridique et secrétaire de la Chambre de commerce de Lévis. Secrétaire et président du Cercle Notre-Dame-de-Lévis. Membre de la Garde indépendante des chevaliers de Lauzon. Membre du Club Renaissance, du Cercle universitaire et de la Société Saint-Jean-Baptiste de Québec.

Élu député de l'Union nationale dans Lotbinière en 1936. Défait en 1939 et 1944.

Commissaire des incendies à Québec en 1944. Juge à la Cour de magistrat pour les districts de Québec, Saguenay et Montmagny du 21 juin 1945 jusqu'à sa retraite, en octobre 1967.

Décédé au foyer Saint-Joseph-de-la-Pointe-de-Lévy, le 22 mars 1971, à l'âge de 74 ans et 10 mois. Inhumé à Lauzon, dans le cimetière de la paroisse Saint-Antoine, le 25 mars 1971.

Avait épousé à Baie-Saint-Paul, le 24 avril 1924, Gabrielle Otis, fille d'Alfred Otis, marchand, et de Marie-Élise Labbé.

PELLETIER, Onésime
(1833–1881)

Né à Lavaltrie, le 5 avril 1833, fils d'Ambroise Pelletier, cultivateur, et de Louise-Sophie Giguère.

Fit ses études au collège de L'Assomption et à l'université Laval à Québec.

Reçu médecin en 1858, il exerça sa profession à Saint-Charles. Fut président de la Société de colonisation de Bellechasse.

Élu député libéral dans Bellechasse en 1867. Réélu en 1871. Défait en 1875.

Décédé à Saint-Charles, le 2 avril 1881, à l'âge de 47 ans et 11 mois. Inhumé dans le cimetière de cette paroisse, le 5 avril 1881.

Avait épousé à Saint-Pierre-de-la-Rivière-du-Sud, près de Montmagny, le 21 juin 1859, Anselmie Blais, fille de Louis Blais, colonel dans la milice, et de Marie Genest.

PELLETIER, Thomas-Philippe
(1823–1913)

Né à Sainte-Anne-de-la-Pocatière, le 22 décembre 1823, fils de Germain Pelletier, cultivateur, et de Marthe Pelletier.

Fit ses études au collège de Sainte-Anne-de-la-Poca-tière.

Marchand à Trois-Pistoles.

Nommé conseiller législatif de la division de Grandville le 13 septembre 1892. Appuya le Parti conservateur.

Décédé en fonction à Trois-Pistoles, le 28 avril 1913, à l'âge de 89 ans et 4 mois. Inhumé dans le cimetière de Trois-Pistoles, le 2 mai 1913.

Avait épousé à Saint-Arsène, près de Rivière-du-Loup, le 18 septembre 1864, Caroline Casault, fille du major Louis Casault et de Françoise Blais.

Père de Louis-Philippe **Pelletier**. Beau-frère de Napoléon **Casault**.

PÉLOQUIN, Maurice-Louis (1873–1965)

Né à Saint-Aimé, près de Yamaska, le 13 juillet 1873, fils de Maurice Péloquin, cultivateur, et de Délima Lalancette.

Fit ses études à Saint-Aimé et au collège Mont-Saint-Bernard à Sorel.

Résida à Manchester, dans l'État du New Hampshire, pendant deux ans. Marchand général, commerçant de foin et de grains. Vice-président de l'Association des commerçants de foin de la province. Président de la compagnie de téléphone Richelieu. Président de l'Union Saint-Joseph pendant sept ans.

Conseiller municipal de Massueville de 1908 à 1910. Élu député dans Richelieu en 1912. Réélu en 1916 et 1919. Ne s'est pas représenté en 1923. Nommé inspecteur provincial des prisons et asiles le 1er février 1923.

Décédé à Saint-Jérôme, le 16 avril 1965, à l'âge de 91 ans et 9 mois. Inhumé à Saint-Aimé, le 20 avril 1965.

Avait épousé à Saint-Aimé, le 6 novembre 1894, Célina Parent, fille de Joseph Parent, cultivateur, et de Lucie Saint-Germain; [puis, le 20 août 1912, Alma Bussières].

PELTIER. V. aussi PELLETIER

PELTIER, Onuphe (1821–1880)

Né à Saint-Pierre, près de Joliette, le 13 novembre 1821, fils de Jean-Baptiste Peltier, cultivateur, et de Charlotte Cadot.

Fit ses études à L'Assomption, puis exerça le métier d'entrepreneur général à L'Épiphanie.

Maire de L'Épiphanie de 1863 à 1869. Élu sans opposition député conservateur dans L'Assomption en 1871. Réélu en 1875 et 1878.

Décédé en fonction à L'Épiphanie, le 10 mai 1880, à l'âge de 58 ans et 5 mois. Inhumé dans l'église de L'Épiphanie, le 12 mai 1880.

Avait épousé à L'Assomption, le 18 octobre 1842, Marie-Angèle Magnan, fille de Jean-Baptiste Magnan et de Marguerite Chalifoux.

PEMBERTON, George (≈1795–1868)

Né probablement en Irlande, vers 1795.

Engagé dans le commerce du bois à Québec et à Sillery; fut un des actionnaires de la Pemberton Brothers. Nommé administrateur de la Maison de la Trinité, en juillet 1831. Occupa le poste de président du Committee of Trade de Québec, de 1838 à 1841, et prit part à la mise sur pied du Bureau de commerce de Québec en 1841. Intéressé également dans l'exploitation minière et les chemins de fer, plus particulièrement au sein de la Compagnie de Garden River (1847) et de la Compagnie anglo-canadienne (1865), ainsi que de la Compagnie du Grand Tronc (1852). Fit partie de nombreux conseils d'administration. Membre de l'Association constitutionnelle qui, en 1837 et 1838, prônait l'union du Haut et du Bas-Canada; fut habilité à faire prêter le serment d'allégeance, en décembre 1837. Participa à la création de l'Association de la bibliothèque de Québec en 1844.

Candidat des bureaucrates défait dans la Basse-Ville de Québec en 1834. Nommé conseiller exécutif le 22 août 1837, exerça cette fonction jusqu'à l'entrée en vigueur de l'Acte d'Union, le 10 février 1841. Refusa de faire partie du Conseil spécial, le 20 avril 1840. Appelé au Conseil législatif le 9 juin 1841; démissionna le 29 janvier 1849.

Décédé à Québec, le 21 février 1868, à l'âge d'environ 73 ans. Après des obsèques célébrées dans la cathédrale anglicane Holy Trinity, fut inhumé dans le cimetière Mount Hermon, à Sillery, le 24 février 1868.

Avait épousé dans l'église presbytérienne St. Andrew, à Québec, le 24 août 1830, Hélène-Henriette Desbarats, fille de l'imprimeur Pierre-Édouard Desbarats et de Josette Voyer.

PENN, Turton
(≈1795–1866)

Né vers 1795.

S'établit comme marchand à Montréal avant 1820. Franc-maçon, fut maître de la Grande Loge provinciale de Montréal et William Henry (Sorel), en 1823, 1827 et 1831. Nommé commissaire chargé de l'administration et de l'entretien du canal de Lachine, le 1er juin 1835, et commissaire du havre de Montréal, le 27 août de l'année suivante. En 1836, était membre de l'Association constitutionnelle et, en novembre 1837, en qualité de magistrat, signa avec Austin **Cuvillier** la réquisition d'aide militaire qui autorisait les troupes britanniques à marcher sur Saint-Denis, sur le Richelieu.

Représenta le quartier Sainte-Anne au conseil municipal de Montréal, de décembre 1833 à juin 1836. Continua de s'occuper d'administration municipale, à Montréal, à titre de membre de la Cour des sessions spéciales de la paix, entre 1836 et 1840. Fit partie du Conseil spécial du 2 avril 1838 jusqu'à la dissolution de ce conseil, en juin, et à nouveau du 2 novembre 1838 jusqu'à l'entrée en vigueur de l'Acte d'Union, le 10 février 1841.

Décédé à Montréal, le 27 août 1866, à l'âge d'environ 71 ans. Les obsèques eurent lieu dans la cathédrale anglicane Christ Church, le 29 août 1866.

On ne sait pas s'il était célibataire ou marié.

PENNINGTON, David Henry
(1868–1934)

Né à Québec, le 14 février 1868, fils de William Pennington, employé de la compagnie G.B. Hall Lumber, et de Jessie Elizabeth Smith.

Fit ses études à la High School de Québec.

Commis à la G.B. Hall Lumber à Montmorency, puis gérant général de cette compagnie dans les Cantons-de-l'Est. Employé chez W.B. Dillingham et H.M. Price à Sainte-Julie, dans le comté de Mégantic. Propriétaire des compagnies Pennington Asbestos, Abenakis Springs et Robinson Foundry, d'un moulin à planer le bois à Lyster, des scieries Pennington à Victoriaville et à Murray Bay. Président de la Hamilton Cove Pulpwood and Lumber, de la Robertson Asbestos Mining Co. et de la Standard Bedstead Co. Directeur de la Richmond and Drumsville Fuel Co. Promoteur de la Wayagamack Pulp and Paper Company de Trois-Rivières.

Fut commissaire d'école à Québec. Maire de Lyster de 1905 à 1913. Élu préfet du comté de Mégantic le 11 mars

1908. Élu député conservateur dans Mégantic en 1908. Défait en 1912.

Membre de la Commission du havre de Québec du 23 juin 1916 au 21 avril 1920. Membre du Club de la garnison, du Club canadien, du Club Rotary et de l'Independent Order of Foresters.

Décédé à Québec, le 30 septembre 1934, à l'âge de 66 ans et 7 mois. Inhumé à Québec, le 3 octobre 1934.

Avait épousé à Québec, le 26 mars 1894, Elizabeth Sarah Neil, fille d'Alex J. Neil; puis, à Inverness, le 6 juin 1900, Mary Stewart, fille de Duncan Stewart.

PÉPIN, Jean-Paul

Né à Lac-Mégantic, le 4 novembre 1929, fils de Philippe Pépin, barbier, et de Béatrice Lareau.

A étudié à l'académie Larocque et au séminaire Saint-Charles-Borromée à Sherbrooke. Suivit aussi un cours de perfectionnement en administration.

Travailla à l'Orient Hosiery où il fut notamment directeur du service de l'expédition. Assureur-vie pour la New York Life Insurance pendant deux ans. Représentant puis directeur des ventes à la Brasserie Molson de Sherbrooke jusqu'en 1970 puis, après sa carrière politique, en 1977 et 1978. Administrateur de la brasserie *Le Dauphin* de 1979 à 1981. Président et directeur général de Les Placements Alexandrin inc. de 1981 à 1992. Secrétaire du Club de réforme de 1955 à 1957. Membre des Chevaliers de Colomb et du Club social de Sherbrooke.

Président des Jeunes Libéraux de Sherbrooke en 1959 et 1960. Élu député libéral dans Sherbrooke en 1970. Réélu en 1973. Défait en 1976.

PERCEVAL, Michael Henry
(≈1779–1829)

Né au Royaume-Uni, vers 1779.

Nommé inspecteur des douanes à Québec, le 12 juillet 1810, s'installa dans la colonie. En 1815, acquit une vaste propriété à Sillery, qu'il appela Spencer Wood, du nom du premier ministre anglais Spencer Perceval, auquel il était apparenté. Fait membre honoraire du Conseil exécutif le 6 janvier 1812. Pendant la guerre de 1812, servit à titre d'officier de l'état-major et d'aide de camp provincial de George **Prevost**. Nommé, en mai 1813, magistrat avec juridiction dans toute la province et, en mars 1817, commissaire chargé de venir en aide aux paroisses en détresse par suite de la mauvaise récolte de l'année précédente. Obtint la charge de commissaire du port de Québec, le 1er juin 1826.

Fit partie du Conseil législatif à compter du 10 janvier 1818.

Décédé en fonction, en mer, le 12 octobre 1829, en route vers Florence, en Italie; il était âgé d'environ 50 ans.

Avait épousé, en Angleterre, Anne Mary Flower, fille de sir Charles Flower, lord-maire de Londres, laquelle collabora à la *Flora boreali-americana* de Hooker.

Bibliographie: Le Moine, James MacPherson, *Picturesque Quebec*, Québec, 1882, p. 334-335.

PÉRINAULT, Joseph
(1732–1814)

Né à Montréal et baptisé dans la paroisse Notre-Dame, le 8 octobre 1732, fils de Toussaint Périnau et de Marie-Joseph Cusson. Son patronyme s'orthographiait aussi Perrinault.

Fut tailleur à Montréal jusqu'en 1764. Participa à des expéditions de traite des fourrures de 1752 à 1786, à titre d'engagé, de trafiquant ou de bailleur de fonds. Investit dans la propriété seigneuriale et foncière dans la région de Montréal. Fit des voyages d'affaires outre-Atlantique à plusieurs reprises entre 1782 et 1793. Servit à titre de juge de paix de 1796 à 1800 environ. Résida chez son fils, curé à Sault-au-Récollet (Montréal-Nord), de 1806 jusqu'à sa mort.

Élu député de Huntingdon en 1796; appuya généralement le parti canadien. Élu dans Montréal-Ouest en 1800; ne prit part à aucun vote. Ne se serait pas représenté en 1804.

Fut marguillier de la paroisse Notre-Dame à Montréal. Participa à de nombreux comités à caractère économique, politique ou social entre 1784 et 1802. Obtint au moins un poste de commissaire. Compta parmi les membres de l'Association, fondée en 1794 pour appuyer le gouvernement britannique, et siégea au sein du comité de direction de la section montréalaise chargé de recruter des adhérents.

Décédé à Sault-au-Récollet (Montréal-Nord), le 31 janvier 1814, à l'âge de 81 ans et 3 mois. Inhumé dans l'église de La Visitation-de-la-Bienheureuse-Vierge-Marie, le 2 février 1814.

Avait épousé à Montréal, le 14 novembre 1757, Marie-Élisabeth Harel, fille de Joseph-Pascal Harel; puis, le 8 janvier 1766, au même endroit, Élisabeth Guyon Desprez, fille de Jacques-Joseph Guyon Després, marchand de pelleteries, et de sa femme Marie-Anne.

Bibliographie: *DBC*.

PÉRODEAU, Narcisse
(1851–1932)

Né à Saint-Ours, le 26 mars 1851, fils de Paul Pérodeau et de Modeste Arpin.

A étudié au collège de Saint-Hyacinthe et à la McGill University à Montréal. Admis à la pratique du notariat le 18 mai 1876. Docteur en droit civil de l'université Laval en 1900 et du Bishop's College en 1926.

Fut associé à J.H. Jobin jusqu'en 1881, puis à J.L. Coutlé, C.M. Ducharme et Châteauguay de Salaberry. Secrétaire de la Chambre des notaires de 1880 à 1912, et président de 1912 à 1915. Professeur à l'université Laval à Montréal, il enseigna la procédure notariale de 1898 à 1920 et la législation financière, industrielle et commerciale de 1914 à 1930. Membre du Bureau d'administration de l'université Laval à Montréal de 1902 à 1920. Membre du sénat académique de l'université de Montréal de 1920 à 1930. Directeur de la Montreal Light, Heat and Power. Membre du bureau de direction de la Mount Royal Assurance Company, de la Trans-Canada Insurance Company et de la Société générale d'administration. Administrateur du Crédit foncier. Président du bureau des commissaires-conseils de la Banque Provinciale du Canada. Premier vice-président de La Sauvegarde. Membre de la corporation de l'École polytechnique de Montréal.

Conseiller législatif de la division de Sorel du 23 décembre 1897 au 8 janvier 1924. Appuya le Parti libéral. Assermenté ministre sans portefeuille dans le cabinet Gouin le 14 mars 1910 et dans le cabinet Taschereau le 9 juillet 1920. Leader du gouvernement au Conseil législatif du 9 août 1920 au 10 janvier 1924. Lieutenant-gouverneur de la province de Québec du 10 janvier 1924 au 10 janvier 1929. Nommé conseiller législatif de la division de Montarville le 28 novembre 1929. Nommé leader du Conseil législatif et assermenté ministre sans portefeuille dans le cabinet Taschereau le 5 décembre 1929.

Décédé en fonction à Montréal, le 18 novembre 1932, à l'âge de 81 ans et 7 mois. Inhumé à Montréal, dans le cimetière Notre-Dame-des-Neiges, le 21 novembre 1932.

Avait épousé dans la cathédrale de Saint-Hyacinthe, le 23 avril 1883, Marie-Louise Buckley, fille de Charles Buckley, médecin, et de Joséphine Louise Williams.

PERRAULT, Augustin
(1779–1859)

Né à Saint-François (Laval), le 16 mai 1779, puis baptisé le 17, dans la paroisse Saint-François-de-Sales, fils de Jean-Jacques Perrault et de Louise Saint-Onge.

Fut menuisier, marchand et commissaire-priseur à Montréal. Servit pendant la guerre de 1812, en qualité de lieutenant dans le 3e bataillon de la milice de la ville et banlieue de Montréal. Participa à l'établissement de la Banque des marchands en 1846.

Élu député d'York en avril 1820. Réélu en juillet 1820. Appuya généralement le parti canadien. Ne s'est pas représenté en 1824. Élu représentant du quartier Saint-Louis au conseil municipal de Montréal en juin 1835, occupa ce poste jusqu'à l'expiration de la charte de la ville en 1836.

Décédé à Montréal, le 27 août 1859, à l'âge de 80 ans et 3 mois. Inhumé dans le cimetière Notre-Dame-des-Neiges, le 29 août 1859.

Avait épousé dans la paroisse Notre-Dame de Montréal, le 9 septembre 1805, Marie-Louise Dubuc, couturière, fille de Jean-Baptiste Dubuc et de Marie-Josette Roza, dit Barthélemy; puis, au même endroit, le 28 septembre 1807, Marie-Catherine-Hélène Parthenais, fille de Louis Parthenais et d'Angélique Dufresne; enfin, dans la même paroisse, le 27 juillet 1822, Agathe Gaudry, veuve du marchand David Genovelay.

PERRAULT, Charles-Ovide
(1809–1837)

Né à Montréal et baptisé dans la paroisse Notre-Dame, le 24 septembre 1809, fils de Julien Perrault, boulanger (fut plus tard maître boulanger et agent du service de diligence), et d'Euphrosine Lamontagne.

Étudia au petit séminaire de Montréal de 1818 à 1828. Fit l'apprentissage du droit chez Denis-Benjamin **Viger,** puis auprès de Toussaint Peltier; admis au barreau le 2 juillet 1832.

Exerça sa profession à Montréal; en 1836, s'associa à André Ouimet. Fréquentait les milieux patriotes. En avril 1834, prit la parole en faveur des Quatre-vingt-douze Résolutions lors de l'assemblée de Blairfindie (L'Acadie).

Élu député de Vaudreuil en 1834; appuya le parti patriote. Participa, en qualité d'orateur ou d'organisateur, à plusieurs assemblées patriotes en 1835 et en 1837; écrivit aussi dans les journaux. Le 5 septembre 1837, fut nommé membre honoraire des Fils de la liberté. En novembre, alla rejoindre Wolfred **Nelson** à Saint-Denis, sur le Richelieu, à titre

d'aide de camp; fut blessé mortellement au cours de la bataille du 23 novembre.

Décédé en fonction à Saint-Denis, sur le Richelieu, le 24 novembre 1837, à l'âge de 28 ans et 2 mois. Inhumé dans l'église Saint-Antoine-de-Padoue, à Saint-Antoine-sur-Richelieu, le 25 novembre 1837.

Avait épousé dans la paroisse Notre-Dame de Montréal, le 25 juillet 1837, Marie-Mathilde Roy, fille de Charles Fleury Roy et de Marguerite Trudeau.

Neveu de Joseph **Perrault** et d'Austin **Cuvillier**. Beau-frère d'Édouard-Raymond Fabre, maire de Montréal.

Bibliographie: Surveyer, É. Fabre, «Charles-Ovide Perrault (1809-1837)», *MSRC*, 1937, section 1, p. 151-164.

PERRAULT, Jacques-Nicolas
(1750–1812)

Né à Québec et baptisé dans la paroisse Notre-Dame, le 6 août 1750, fils de Jacques Perrault, dit Perrault l'aîné, négociant, et de Charlotte Boucher de Boucherville.

S'engagea dans le commerce de marchandises et de denrées avec son père. Après la mort de ce dernier en 1775, continua seul. En 1792, ayant hérité de la seigneurie de La Bouteillerie, décida d'abandonner son activité commerciale à Québec pour s'établir sur son domaine, à Rivière-Ouelle, et s'occuper de la mise en valeur de sa seigneurie.

Élu député de Cornwallis en 1804; appuya généralement le parti canadien. Défait en 1808. Nommé au Conseil législatif en janvier 1812.

Fut juge de paix. Officier de milice, accéda au grade de colonel en 1801.

Décédé en fonction dans son manoir seigneurial, à Rivière-Ouelle, le 7 août 1812, à l'âge de 62 ans. Inhumé dans la crypte de l'église Notre-Dame-de-Liesse, le 10 août 1812.

Avait épousé à l'Hôpital Général de Québec, dans la paroisse Notre-Dame-des-Anges, le 23 novembre 1779, Marie-Anne Amiot, fille de Jean-Baptiste Amiot, négociant, et de sa première femme, Louise Bazin; puis, dans la paroisse Notre-Dame-de-Liesse, à Rivière-Ouelle, le 10 janvier 1793, Thérèse-Esther Hausman, dit Ménager, [fille de Jean Hausman et de Marie Létourneau], et veuve du marchand Pierre Florence.

Frère d'Olivier **Perrault**. Neveu de René-Amable **Boucher de Boucherville**.

Bibliographie: *DBC*.

PERRAULT, Joseph
(1789–1831)

Né à Montréal, le 18 octobre 1789, puis baptisé le 19, dans la paroisse Notre-Dame, fils de Joseph Perrault, qui fut menuisier et marchand, et de Marie-Anne Tavernier.

Servit pendant la guerre de 1812 comme lieutenant dans le 2ᵉ bataillon de milice de la ville et banlieue de Montréal ; fut promu capitaine le 21 janvier 1815.

Élu député de Montréal en avril 1820. Réélu en juillet 1820, 1824, 1827 et 1830. Appuya le parti canadien, puis le parti patriote.

Décédé en fonction à Montréal, le 28 août 1831, à l'âge de 41 ans et 10 mois. Inhumé dans la paroisse Notre-Dame, le 31 août 1831.

Était célibataire.

Oncle de Charles-Ovide **Perrault**. Beau-frère d'Austin **Cuvillier**.

PERRAULT, Joseph-Édouard
(1874–1948)

Né à La Malbaie, le 30 juillet 1874, fils de Stanislas Perrault, avocat et député à la Chambre des communes de 1879 à 1881, et de Louisa Brault.

A étudié au collège de Sainte-Anne-de-la-Pocatière, au séminaire de Québec et à l'université Laval à Québec. Fit sa cléricature auprès de Charles **Fitzpatrick**, Nazaire-Nicolas **Olivier** et Louis-Alexandre **Taschereau**. Admis au barreau de la province de Québec le 13 juillet 1898. Créé conseil en loi du roi le 3 juillet 1908.

Exerça le droit à Arthabaska où il pratiqua seul de 1898 à 1904. S'associa par la suite avec son frère Gustave jusqu'en 1920, puis avec Wilfrid **Girouard**. Procureur de la couronne pour le district d'Arthabaska de 1906 à 1916. Bâtonnier du même district du 1ᵉʳ mai 1909 au 1ᵉʳ mai 1911 et du 1ᵉʳ mai 1921 au 1ᵉʳ mai 1922. Bâtonnier du barreau du Québec en 1921 et 1922. Membre du comité de direction de plusieurs compagnies et corporations, dont Trust général du Canada, Noranda Mines, Hallnor Mines, Pamour Porcupine Gold Mines, Quebec Airways, Fashion Craft Manufacturing, Amulet Dufault Mines, Waite Amulet Mines, Noranda Copper and Brass et Ritz Carlton Hotel. Nommé directeur de la Mutual Life Insurance en 1930. Président de Flax Industries.

Commissaire d'école de 1904 à 1906, puis président de la commission scolaire d'Arthabaska du 11 août 1906 au 6 juillet 1916. Échevin de la ville d'Arthabaska du 21 janvier 1907 au 10 janvier 1916. Candidat libéral défait dans Drummond et Arthabaska à l'élection partielle fédérale du 3 novembre 1910. Élu député libéral à l'Assemblée législative dans Arthabaska en 1916. Réélu sans opposition en 1919. Son siège devint vacant lors de sa nomination au cabinet. Réélu sans opposition à l'élection partielle du 6 septembre 1919. Ministre de la Colonisation, des Mines et des Pêcheries dans les cabinets Gouin et Taschereau du 25 août 1919 au 24 avril 1929. Réélu simultanément dans Arthabaska et Abitibi en 1923. Résigna son siège de député d'Abitibi le 27 septembre 1923. Réélu dans Arthabaska en 1927, 1931 et 1935. Ministre de la Voirie dans le cabinet Taschereau du 24 avril 1929 au 13 mars 1936. Ministre de la Colonisation dans le même cabinet du 20 décembre 1935 au 13 mars 1936, puis procureur général de la province du 13 mars au 27 juin 1936. Ne s'est pas représenté en 1936.

Retourna à l'exercice de sa profession à Montréal en 1940. Membre de la Commission internationale conjointe des eaux limitrophes de 1940 à 1947, et président de cet organisme à partir de 1947.

Créé commandeur de l'ordre du Mérite agricole de la province en septembre 1925, commandeur de l'ordre de la Couronne de Belgique en 1926 et chevalier de la Légion d'honneur de France en juillet 1928. Docteur en droit honoris causa de l'université Laval en 1925 et du Bishop's College. Membre honoraire du conseil de patronage de l'École des hautes études commerciales. Membre de la Société d'administration de l'université de Montréal. Gouverneur civil de l'hôpital Notre-Dame. Vice-président de la Société canadienne de la Croix-Rouge. Président de la Société de secours aux enfants infirmes. Membre du Club de la garnison, du Club de réforme, de l'University Club, du Cercle universitaire de Montréal et des Chevaliers de Colomb.

Décédé à Montréal, le 13 juin 1948, à l'âge de 73 ans et 10 mois. Inhumé dans le cimetière d'Arthabaska, le 17 juin 1948.

Avait épousé dans la paroisse Notre-Dame de Montréal, le 29 juin 1908, Madeleine Richard, fille de Joseph Richard, industriel, et d'Albertine Rivard.

Neveu de Joseph-Israël **Tarte**.

PERRAULT, Joseph-François
(1753–1844)

Né à Québec et baptisé dans la paroisse Notre-Dame, le 2 juin 1753, fils de Louis Perrault, trafiquant de fourrures, et de Josephte Baby.

Fit des études au petit séminaire de Québec de 1765 à 1772.

Rejoignit son père en Louisiane en 1773. Se rendit ensuite à Saint Louis, au Missouri ; y dirigea les affaires de son père en son absence. En 1779, s'embarqua pour la Virginie, mais, fait prisonnier par des Amérindiens au service de l'Angleterre, fut emmené à Detroit, où il travailla notamment comme précepteur jusqu'en mai 1780. Séjourna quelques semaines à Montréal et à Québec, puis retourna à Detroit. En 1781, fut envoyé à Montréal par son oncle Jacques Baby, dit Dupéront, qui le prit comme agent. Fit aussi des affaires à son compte, puis abandonna le commerce de détail en 1787. Se mit à l'enseignement, à la traduction et au droit. En 1795, fut nommé greffier de la paix et protonotaire à la Cour du banc du roi à Québec ; exerça cette dernière fonction à cinq reprises, entre 1795 et 1830. Fut gardien des archives de l'état civil du district de Québec.

Élu député de Huntingdon en 1796 ; ne prit part à aucun vote. Réélu en 1800 ; appuya tantôt le parti canadien, tantôt le parti des bureaucrates. Défait dans Huntingdon en 1804 et 1808. Défait dans Québec en 1810. Ne se serait pas représenté en 1814.

S'occupa de théâtre à Montréal avec Pierre-Amable **De Bonne** vers 1787. Participa à la création du journal *le Courier de Québec* en 1806 avec **De Bonne** et Jacques **Labrie** ; collabora aussi au *Vrai Canadien* dans les années 1810. Devint membre de la Société littéraire de Québec en 1808. Élu second grand surveillant de la Provincial Grand Lodge of Lower Canada en 1812, accéda au rang de grand maître provincial adjoint en 1820 ; fonda une loge à Québec en 1816. Fut à la tête de la Société d'éducation du district de Québec de 1821 à 1825 et de la Société de l'école britannique et canadienne du district de Québec de 1823 à 1828. Philanthrope, fit construire quatre écoles à Québec. En 1832, y publia une brochure intitulée *Moyens de conserver nos institutions, notre langue et nos lois*. Fit paraître son projet d'organisation scolaire pour le Bas-Canada dans *la Gazette de Québec* du 3 octobre 1833.

Décédé à Québec, le 5 avril 1844, à l'âge de 90 ans et 10 mois. Inhumé dans la cathédrale Notre-Dame, le 8 avril 1844.

Avait épousé à Montréal, le 7 janvier 1783, sa cousine Ursule Macarty, fille de Richard Macarty et d'Ursule Benoist.

Neveu de François **Baby**. Grand-père de Joseph-Xavier **Perrault**.

Bibliographie : *DBC*.

PERRAULT, Joseph-Xavier (1836–1905)

Né à Québec, le 27 mai 1836, puis baptisé le 28, dans la paroisse Notre-Dame, fils de Joseph-François-Xavier Perrault, avocat, et d'Esther Lussier. Connu également sous le prénom de Joseph-François.

Fut élève au petit séminaire de Québec de 1845 à 1854. Étudia ensuite l'agronomie en Europe, notamment à l'University of Durham et au Royal Agricultural College de Cirencester, en Angleterre, ainsi qu'à l'École d'agriculture de Grignon, en France, où il reçut un diplôme.

À son retour au Bas-Canada, en 1857, fut nommé secrétaire du Bureau d'agriculture et de la Chambre d'agriculture du Bas-Canada, fonction qu'il remplit jusqu'à sa démission en 1868 ; à ce titre, dirigea la rédaction du *Journal de l'agriculture et des travaux de la Chambre d'agriculture du Bas-Canada*, et, plus tard, de *l'Agriculteur*, puis de *la Revue agricole*.

Élu député de Richelieu en 1863 ; rouge, adhéra en 1864 au Club Saint-Jean-Baptiste de Montréal et vota contre le projet de confédération. Son mandat prit fin avec l'avènement de la Confédération, le 1er juillet 1867. Candidat libéral défait dans Richelieu aux élections de la Chambre des communes en 1867 et dans Montréal-Est aux élections de l'Assemblée législative en 1881.

Membre de l'Association Saint-Jean-Baptiste de Montréal à compter de 1867 au moins, en fut vice-président de 1895 à 1905, puis président pendant quelques mois. L'un des instigateurs en 1886 de la mise sur pied de la Chambre de commerce du district de Montréal, en occupa le poste de vice-président de 1887 à 1890 ; en 1901, fit partie du comité chargé d'étudier la question de la création d'une école des hautes études commerciales à Montréal. Nommé secrétaire de la Commission canadienne à l'Exposition universelle de Philadelphie en 1876 et à celle de Paris en 1878. Délégué par la Chambre de commerce montréalaise à l'Exposition universelle de Paris en 1889 et au Congrès des chambres de commerce de l'Empire, à Londres, en 1892 et en 1896. Fut secrétaire-archiviste de l'Association forestière, créée en 1882, et secrétaire de la Société générale de colonisation et de rapatriement, fondée en 1893.

Fait par la France chevalier de la Légion d'honneur, officier de l'Instruction publique, officier du Mérite agricole et membre-correspondant étranger de la Société royale d'agriculture de Paris. Auteur de plusieurs brochures.

Décédé à Montréal, le 7 avril 1905, à l'âge de 68 ans et 10 mois. Inhumé dans le cimetière Notre-Dame-des-Neiges, le 10 avril 1905.

Avait épousé dans la paroisse Notre-Dame, à Montréal, le 16 janvier 1866, Catherine-Flore Couillard, fille de Jean-Baptiste Couillard et de Marguerite Wilson, et nièce de Charles **Wilson**.

Petit-fils de Joseph-François **Perrault** et de Paul **Lussier**.

———

Bibliographie: *DBC* (à paraître).

———

PERRAULT, Maurice
(1857–1909)

Né à Montréal, le 12 juin 1857, fils d'Henri-Maurice Perrault, architecte et arpenteur, et de Marie-Louise Masson.

Étudia au séminaire Saint-Sulpice à Montréal.

Architecte et ingénieur civil associé à la firme Perrault, Mesnard et Venne de Montréal. Architecte de la province pour le district de Montréal de 1888 à 1892. Président du Bureau des commissaires en expropriation à Montréal de 1889 à 1895. Nommé arbitre lors du litige touchant le palais de justice de Québec en 1889. De 1892 à 1894, il fut également arbitre entre le gouvernement et la ville de Hull au sujet de l'ancien palais de justice. Membre fondateur de l'Association des architectes de la province de Québec en 1890. Membre associé de la Canadian Society of Civil Engineers. Vice-président du Nouvel Institut royal d'architecture du Canada en 1908.

Maire de Longueuil en 1898. Élu sans opposition député libéral dans Chambly en 1900. Réélu en 1904 et 1908.

Décédé en fonction à Longueuil, le 11 février 1909, à l'âge de 51 ans et 7 mois. Inhumé à Montréal, dans le cimetière Notre-Dame-des-Neiges, le 13 février 1909.

Avait épousé dans la paroisse Notre-Dame de Montréal, le 24 septembre 1879, Marie-Sara-Arthémise Hébert, fille de Charles-Polycarpe Hébert et de Rose de Lima Brosseau.

Beau-frère de Lawrence Alexander Wilson, député à la Chambre des communes de 1925 à 1930, puis sénateur de 1930 à 1934.

———

PERRAULT, Olivier
(1773–1827)

Né à Québec, le 21 juillet 1773, puis baptisé le 22, dans la paroisse Notre-Dame, sous le prénom de Jean-Olivier, fils de Jacques Perrault, dit Perrault l'aîné, négociant, et de Charlotte Boucher de Boucherville. Désigné aussi sous le prénom de Jean-Baptiste-Olivier.

Étudia au petit séminaire de Québec, puis fit un stage de clerc en droit. En 1799, reçut une commission d'avocat, de procureur et de conseil.

Nommé, en 1801, secrétaire d'un comité chargé d'appliquer une loi relative aux terres de la couronne. Choisi, en juin 1808, comme greffier du papier terrier et inspecteur général du Domaine du roi; démissionna peu après. En septembre 1808, obtint le poste d'avocat général du Bas-Canada. Nommé juge de la Cour du banc du roi pour le district de Québec le 22 mai 1812. Investit dans la propriété foncière et immobilière à Québec et à Trois-Rivières; acquit la seigneurie Sainte-Marie en 1821. Fut officier de milice.

Défait dans Northumberland en 1810; appuyait le parti des bureaucrates. Fut membre honoraire du Conseil exécutif du 12 janvier 1812 jusqu'à sa mort. Fit partie du Conseil législatif à compter du 28 janvier 1818; en fut président suppléant du 10 mars 1823 au 22 janvier 1827.

Décédé en fonction à Québec, le 19 mars 1827, à l'âge de 53 ans et 7 mois. Inhumé dans l'église paroissiale, à Sainte-Marie-de-la-Nouvelle-Beauce (Sainte-Marie), le 22 mars 1827.

Avait épousé dans la paroisse Sainte-Marie, à Sainte-Marie-de-la-Nouvelle-Beauce, le 17 septembre 1804, Marie-Louise Taschereau, fille du seigneur Gabriel-Elzéar **Taschereau** et de sa première femme, Marie-Louise-Élizabeth Bazin.

Frère de Jacques-Nicolas **Perrault**. Neveu de René-Amable **Boucher de Boucherville**. Beau-frère de Jean-Thomas **Taschereau**.

———

Bibliographie: *DBC*.

———

PERREAULT, Jean

Né à Saint-Esprit, le 20 septembre 1923, fils de Noël Perreault, journalier, et de Jeanne Beaudry.

Fit ses études à Montréal à l'école Louis-Hippolyte-Lafontaine, à l'école supérieure Le Plateau et à l'École polytechnique de l'université de Montréal de 1943 à 1949. Poursuivit des études postuniversitaires à la McGill University et à l'École des hautes études commerciales en mathématiques, en économie et en administration.

Ingénieur au service de l'Hydro-Québec de 1949 à 1970. Président de l'Association des commissaires industriels du Québec de 1967 à 1969. Membre de la Corporation des ingénieurs du Québec et du Canada, et de l'Institute of Electricity and Electronics. Ancien président de la Chambre de commerce de L'Assomption. Directeur du service social de Joliette de 1965 à 1970. Directeur du conseil régional de développement Lanaudière de 1966 à 1969.

Maire de L'Assomption de 1960 à 1970. Vice-président exécutif de l'Union des municipalités du Québec en 1969 et 1970. Élu député libéral dans L'Assomption en 1970. Réélu en 1973. Adjoint parlementaire du ministre des Richesses naturelles du 3 juin 1970 au 18 octobre 1976. Ne s'est pas représenté en 1976.

Retourna à Hydro-Québec en tant que vice-président à la production. Retraité.

PERRIER, Hector
(1895–1978)

Né à Montréal, le 1er juillet 1895, fils d'Amédée Perrier, gérant d'expédition, et de Léa Lépine.

Fit ses études à l'école Saint-Pierre, au collège de Montréal, au collège Sainte-Marie et à l'université de Montréal. Licencié en droit en 1920 et en sciences politiques, économiques et sociales en 1922. Admis au barreau de la province de Québec le 22 janvier 1920. Créé conseil en loi du roi le 31 décembre 1930.

Avocat à Montréal, il pratiqua le droit de 1920 à 1947 et fut associé, notamment, avec Athanase **David** et Jean **Raymond**. Professeur de droit industriel à la faculté des sciences sociales, économiques et politiques de l'université de Montréal de 1930 à 1949. Nommé docteur honoris causa de cette université en 1941.

Président de la Jeunesse libérale de 1920 à 1923. Candidat libéral défait dans Montréal-Laurier en 1923. Élu député libéral dans Terrebonne à l'élection partielle du 19 novembre 1940. Secrétaire de la province dans le cabinet Godbout du 16 octobre 1940 au 30 août 1944. Ne s'est pas représenté en 1944.

Juge à la Cour supérieure du district de Montréal du 11 septembre 1947 jusqu'à sa retraite, en 1970.

Cofondateur du journal *le Quartier latin* en 1919. Copropriétaire de *la Riposte* de 1928 à 1931, et propriétaire de *l'Avenir du Nord* de 1940 à 1960. Directeur du Bien-être de la jeunesse de 1920 à 1938. Vice-président de l'Alliance française de Montréal de 1935 à 1944. Fondateur du Conservatoire de musique et d'art dramatique de la province de Québec en 1943. Capitaine et paie-maître du régiment de Châteauguay de 1928 à 1931. Membre de la Commission des écoles catholiques de Montréal de 1928 à 1938. Membre du Conseil de l'instruction publique de 1933 à 1960. Gérant de clubs

amateurs de hockey et de baseball de 1917 à 1921. Membre des Chevaliers de Colomb, du Cercle universitaire et du Club Canadien.

Décédé à Montréal, le 9 août 1978, à l'âge de 83 ans et un mois. Inhumé à Montréal, dans le cimetière Notre-Dame-des-Neiges, le 14 août 1978.

Avait épousé à Montréal, dans la paroisse Sainte-Catherine, le 16 septembre 1920, Aline Paiement, fille d'Auguste Paiement, commis, et de Paméla Dazé.

PERRINAULT. V. PÉRINAULT

PERRON, Denis

Né à Nédelec, au Témiscamingue, le 22 novembre 1938, fils d'Alphonse Perron, homme d'affaires, et de Fleur-Ange Boileau.

Fit ses études à Nédelec, au séminaire Saint-François à Cap-Rouge et au collège classique de Rouyn.

Travailla à Hydro-Québec comme manœuvre de turbines et opérateur de centrale de 1956 à 1971, puis comme opérateur de poste à Sept-Îles de 1971 à 1976. Fut membre de l'Association des propriétaires de maisons mobiles, du Module d'épanouissement à la vie et de Diffusion de Mingan. Membre de la commission de récréation de la ville de Hull. Président du comité des loisirs de la paroisse Notre-Dame de Hull en 1969 et 1970.

Membre du Rassemblement pour l'indépendance nationale (RIN). Président de l'exécutif du Parti québécois dans Duplessis en 1974. Responsable des campagnes de financement du parti dans cette circonscription de 1973 à 1976. Élu député du Parti québécois dans Duplessis en 1976. Réélu en 1981. Adjoint parlementaire du ministre délégué à l'Aménagement et au Développement régional du 23 février 1983 au 21 février 1985 et du ministre délégué au Développement et à la Voirie des régions du 21 février au 23 octobre 1985. Réélu en 1985 et 1989.

PERRON, Joseph-Émile
(1893–1979)

Né à Sacré-Cœur-de-Jésus (East Broughton), le 26 octobre 1893, fils de Théophile Perron, cultivateur, et de Marie Rouleau.

Fit ses études à l'école de sa paroisse natale, au collège des Frères maristes à Beauceville, puis au juvénat des Frères maristes à Saint-Hyacinthe. Diplômé en commerce.

Professeur à l'académie Saint-Pierre à Montréal de 1913 à 1916. Comptable à la Boston Asbestos Mines, à East Broughton, pendant huit ans. Membre des Forces armées canadiennes de 1916 à 1919. Président de la Société des artisans canadiens-français d'East Broughton. Président-fondateur des Chevaliers de Colomb de sa municipalité. Secrétaire-trésorier des commissions scolaires de la paroisse du Sacré-Cœur-de-Jésus et du village d'East Broughton Station de 1920 à 1937. Secrétaire-trésorier de la municipalité de la paroisse du Sacré-Cœur-de-Jésus de mai 1929 à décembre 1932.

Maire d'East Broughton Station de janvier 1937 à novembre 1939. Élu député de l'Union nationale dans Beauce à l'élection partielle du 17 mars 1937. Défait en 1939.

Maître de poste au Parlement de Québec de 1940 à 1964.

Décédé à Montréal, le 19 décembre 1979, à l'âge de 86 ans et un mois. Inhumé à Montréal, dans le cimetière de l'Est, le 22 décembre 1979.

Avait épousé dans sa paroisse natale, le 31 mai 1920, Eucharistе Dodier, fille d'Évangéliste Dodier, menuisier, et d'Odélie Perron.

PERRON, Joseph-Léonide (1872–1930)

Né à Saint-Marc-sur-Richelieu, le 24 septembre 1872, fils de Léon Perron, cultivateur, et de Marie-Anne Ducharme.

Fit ses études à Saint-Marc, au collège Sainte-Marie-de-Monnoir et à l'université Laval à Montréal. Admis au barreau de la province de Québec le 9 juillet 1895. Créé conseil en loi du roi le 30 juin 1903.

Exerça sa profession à Montréal. Promoteur de la Compagnie de publication du Canada en 1903. Conseiller de l'Association du barreau de Montréal en 1907. Président de la Compagnie de comédie française de Montréal en 1909. Président de la Commission métropolitaine des parcs et membre du Conseil de l'instruction publique en 1909. Chef du cabinet Perron, Taschereau, Rinfret et Genest en 1912, puis Perron, Taschereau, Vallée, Genest et Perron en 1921. Il fut également associé avec Raymond **Préfontaine**. Bâtonnier du barreau de Montréal en 1922 et bâtonnier général de la province de Québec en 1922 et 1923. Directeur de nombreuses compagnies, dont: Shawinigan Water and Power Co. Ltd., United Securities Co. Ltd., Montreal Tramways Ltd., Canada Cement Co. Ltd. et Excelsior Life Insurance Co. Ltd. Président de la Viau Biscuits

Corporation. Propriétaire de deux fermes de l'ouest de l'île de Montréal.

Élu député libéral dans Gaspé à l'élection partielle du 17 février 1910. Ne s'est pas représenté aux élections générales de 1912. Élu sans opposition dans Verchères à l'élection partielle du 16 octobre 1912. Nommé conseiller législatif de la division de Montarville le 13 avril 1916. Assermenté ministre sans portefeuille dans le cabinet Taschereau le 9 juillet 1920. Nommé leader du gouvernement au Conseil législatif le 27 septembre 1921. Ministre de la Voirie dans le même cabinet du 27 septembre 1921 au 24 avril 1929. Démissionna de son poste de conseiller législatif le 16 novembre 1929 et fut élu à l'Assemblée législative dans Montcalm à l'élection partielle du 16 novembre 1929. Ministre de l'Agriculture dans le cabinet Taschereau du 24 avril 1929 au 20 novembre 1930.

Coauteur du *Manuel des faillites* (1898). Lieutenant-colonel honoraire du régiment de Maisonneuve. Président du Club Saint-Denis. Membre du Club de réforme de Montréal, du Montreal Club, du Club Canadien et du Old Colony Club.

Décédé en fonction à Montréal, le 20 novembre 1930, à l'âge de 58 ans et un mois. Inhumé à Montréal, dans le cimetière Notre-Dame-des-Neiges, le 22 novembre 1930.

Avait épousé dans la cathédrale de Montréal, le 6 juin 1898, Berthe Brunet, fille d'Alexis Brunet, avocat, et de Marie Brazier.

PETIT, Honoré (1847–1922)

Né à Cap-Santé, le 26 janvier 1847, fils de Jean-Baptiste Petit, cultivateur, et de Marguerite Doré.

Fit ses études à Cap-Santé, à Neuville et à Lévis.

Travailla pour la maison Price pendant vingt-six ans. Exerça également le métier de cultivateur et s'occupa de l'industrie du bois de fuseau.

Maire de Sainte-Anne-de-Chicoutimi. Préfet du comté de Chicoutimi en 1879 et 1881, et de 1885 à 1891. Candidat conservateur défait dans Chicoutimi-Saguenay aux élections de 1890. Élu député conservateur dans Chicoutimi-Saguenay en 1892 et 1897. Élu sous la bannière libérale dans la même circonscription en 1900, 1904 et 1908, puis dans Chicoutimi en 1912 et 1916. Défait en 1919.

Décédé à Chicoutimi, le 1er décembre 1922, à l'âge de 74 ans et 10 mois. Inhumé dans le cimetière de la paroisse Sainte-Anne-de-Chicoutimi-Nord, le 4 décembre 1922.

Il était célibataire.

PHANEUF, Joseph-Émery
(1863–1935)

Né à Saint-Hugues, près de Saint-Hyacinthe, le 14 février 1863, fils d'Isidore Phaneuf, cultivateur, et de Marie-Olive-Aurélie Dubois.

Fit ses études à Saint-Hugues.

Épicier de 1882 à 1905, puis commerçant de foin. Directeur et président de la Mutuelle de commerce et de la Mercantile Fire Insurance de Saint-Hyacinthe. Directeur de la National Fire Insurance Company. Membre du Club de réforme.

Maire de Saint-Hugues de janvier 1917 à janvier 1931. Élu sans opposition député libéral dans Bagot à l'élection partielle du 16 janvier 1913. Réélu en 1916, 1919, 1923, 1927 et 1931.

Décédé en fonction à Saint-Hugues, le 9 août 1935, à l'âge de 72 ans et 5 mois. Inhumé dans le cimetière de Saint-Hugues, le 12 août 1935.

Avait épousé dans sa paroisse natale, le 17 juin 1889, Georgiana Houle, fille d'Alfred Houle, huissier, et de Sophie Thibault.

PHANEUF, Paul

Né à Montréal, le 4 novembre 1933, fils d'Armand Phaneuf, industriel, et de Pauline Leduc.

Étudia d'abord à Montréal à l'école Notre-Dame-de-la-Visitation et à la Catholic High School, puis en Ontario au RCAF Clinton Communication et au Provincial Institute. Diplômé en techniques de radar et communications en 1955.

De 1952 à 1957, il servit dans l'Aviation royale du Canada. De 1957 à 1964, il travailla successivement à Canadair et à Radio-Canada comme technicien. Professeur d'éducation physique à la commission scolaire de Pincourt de 1964 à 1966. Cofondateur de l'équipe de gymnastique de la Cité des jeunes de Vaudreuil en 1965. Administrateur de la corporation de la Cité des jeunes de Vaudreuil de 1966 à 1970. Professeur d'administration à l'école des loisirs de Vaudreuil. Président du comité directeur des premiers Jeux du Québec. Président du conseil régional des loisirs du sud-ouest du Québec en 1969 et 1970. Directeur de l'École provinciale des maîtres-nageurs. Secrétaire du Club Kiwanis de Deux-Montagnes.

Élu député libéral dans Vaudreuil-Soulanges en 1970. Réélu en 1973. Adjoint parlementaire du ministre de l'Éducation du 8 juin au 21 février 1973. Ministre responsable de la Jeunesse, des Loisirs et des Sports dans le cabinet Bourassa du 21 février 1973 au 18 octobre 1976. Défait en 1976. Conseiller municipal de Bromont à compter de 1986.

Directeur général du Programme Katimavik pendant 8 ans. Membre de plusieurs conseils d'administration. Membre et président du conseil d'administration de la Société des établissements de plein air du Québec de 1988 à 1991. Vice-président, relations municipales, à la Société québécoise d'assainissement des eaux à compter de 1992.

PHILIBERT, Paul

Né à Saint-Élie, en Mauricie, le 10 septembre 1944, fils de Julien Philibert, thanatologue, et d'Hélène Diamond.

Diplômé de l'Institut de thanatologie du Québec en 1975. Directeur général de J. Philibert inc. à compter de 1965. Membre du conseil d'administration de la caisse d'entraide économique de Trois-Rivières de 1972 à 1979. Membre des Chevaliers de Colomb. Membre de la Chambre de commerce de Trois-Rivières. Membre du Club Richelieu de Trois-Rivières. Commissaire d'école à Trois-Rivières en 1972. Président de la commission scolaire régionale des Vieilles Forges de 1976 à 1979.

Candidat libéral défait dans Trois-Rivières en 1981. Élu député libéral dans Trois-Rivières à l'élection partielle du 3 juin 1985. Réélu aux élections générales de 1985. Adjoint parlementaire du ministre de l'Industrie et du Commerce du 20 décembre 1985 au 26 août 1987, du ministre du Travail du 26 août 1987 au 21 septembre 1988, du ministre de la Main-d'œuvre et de la Sécurité du revenu du 21 septembre 1988 au 9 août 1989. Réélu en 1989. Nommé adjoint parlementaire du ministre de la Main-d'œuvre, de la Sécurité du revenu et de la Formation professionnelle le 29 novembre 1989.

PHILPS, Andrew
(1857–1929)

[Né à Saginaw, dans l'État du Michigan, le 7 avril 1857, fils de William Philps et de Margaret Barclay.]

Fit ses études à Malone, dans l'État de New York.

Fut agent d'assurances et commissaire-priseur.

Élu député libéral dans Huntingdon à l'élection partielle du 10 novembre 1913. Réélu en 1916 et 1919 (sans opposition), puis en 1923 et 1927.

Décédé en fonction à Ottawa, le 4 octobre 1929. Inhumé dans le Huntingdon Protestant Cemetery, le 6 octobre 1929.

[Avait épousé Susan Thompson; puis, le 30 septembre 1927, Minie Robinson Brown.]

PICARD, Camille

Né à Waterville, le 28 avril 1941, fils de Léo Picard, cultivateur, et de Yvonne Veilleux.

Fit son cours classique au séminaire Saint-Charles de Sherbrooke. Technicien diplômé de l'Institut de technologie de Sherbrooke en 1963 et de la Corporation des techniciens des sciences appliquées.

Dessinateur chez B.F. Goodrich de 1964 à 1968. Employé de la compagnie Bombardier limitée de 1968 à 1980, comme coordonateur de la sécurité du produit et responsable de direction du Snowmobile Safety Certificate Committee après avoir été membre actif de quatre comités et sous-comités de la Society of Automative Engineers, section moto-neiges.

Président de l'Association libérale de Johnson de 1977 à 1980 et à compter de 1982. Élu député libéral dans Johnson à l'élection partielle du 17 novembre 1980. Défait en 1981 et 1985.

De nouveau employé chez Bombardier jusqu'en 1986. Directeur du développement du produit pour l'entreprise de fabrication de pièces automobiles Waterville TG à compter de 1986.

PICARD, Fernand
(1917–1986)

Né à Montréal, le 3 avril 1917, fils de Wilfrid Picard, contremaître, et d'Alexina Desnoyers.

Fit ses études à Montréal aux écoles Saint-Joseph, Saint-Nicolas et Saint-Viateur.

Travailla à la Banque canadienne de commerce de 1936 à 1938, à la B.F. Goodrich Rubber Co. en 1938 et 1939 et à la Retail Credit Co. en 1939 et 1940. Président des Draperies Picard inc. à partir de 1946. Servit dans les forces armées de 1939 à 1945, dont deux années comme pilote de chasse. Fut membre de l'Association de la construction de Montréal, de l'Association des hommes d'affaires du nord de Montréal et gouverneur de la Ligue d'action civique de Montréal.

Secrétaire et directeur des relations extérieures de l'Association libérale de Bourget, président régional du secteur Montréal-Nord-Est et vice-président du conseil exécutif de la Fédération libérale du Québec en 1964 et 1965. Élu député libéral dans Olier en 1966. Réélu en 1970. Élu dans Viau en 1973. Ne s'est pas représenté en 1976.

Décédé à Montréal, le 1er octobre 1986, à l'âge de 69 ans et 5 mois. Les obsèques eurent lieu dans l'église Saint-Joseph de Bordeaux, à Montréal, le 4 octobre 1986.

Était célibataire.

PICARD, Jacques
(1828–1905)

Né à Sainte-Élisabeth, près de Joliette, le 5 juillet 1828, fils de Jacques Picard, cultivateur, et de Thérèse Lebeau.

Fit ses études au collège de L'Assomption et au séminaire de Joliette. Reçu notaire en 1852.

Exerça sa profession à Wotton, dès 1856. Registrateur du comté de Wolfe de 1862 à 1867.

Maire de Wotton de 1860 à 1862. Nommé président de la Société d'agriculture en 1862. Membre de la commission scolaire de Wotton. Élu député conservateur dans Richmond et Wolfe en 1867. Réélu en 1871 et 1875 (sans opposition), puis en 1878, 1881 et 1886. Élu dans Wolfe en 1890. Ne s'est pas représenté en 1892.

Devint sous-ministre de l'Agriculture en 1892. Nommé agent des Terres de la couronne, à Sherbrooke, en 1896. S'associa vers la même époque à Me Ernest Sylvestre.

Décédé à Wotton, le 6 juin 1905, à l'âge de 76 ans et 11 mois. Inhumé dans le cimetière de cette paroisse, le 8 juin 1905.

Avait épousé à Québec, dans la paroisse Saint-Jean-Baptiste, le 20 janvier 1873, Orpha Généreux, institutrice, fille d'Antonin Généreux, employé du département des Terres de la couronne, et d'Arlène Chénier.

Grand-père de Jacques **Miquelon**. Arrière-grand-père d'André **Bourbeau**.

PICARD, Paul-Henri

Né à Saint-Malachie, le 22 janvier 1923, fils d'Alfred Picard, cultivateur, et de Marie-Louise Baillargeon.

A étudié à l'école primaire de Saint-Malachie et au collège de Sainte-Anne-de-la-Pocatière.

Agent, puis courtier d'assurances à Lac-Etchemin.

Élu député de l'Union nationale dans Dorchester en 1966. Défait en 1970.

PICHÉ, Eugène-Urgel
(1824–1894)

Né à Saint-Sulpice et baptisé dans la paroisse du même nom, le 13 juillet 1824, sous le prénom d'Amable-Eugène-Bonaventure, fils de Bonaventure Piché, négociant, et d'Émilie Lefebvre.

Étudia au collège de L'Assomption de 1836 à 1843, puis fit l'apprentissage du droit auprès de Norbert **Dumas**, à Montréal. Admis au barreau le 13 mars 1846, exerça sa profession.

Maire de Berthier et préfet du comté en 1855. Élu député de Berthier en 1858; rouge. Défait en 1861. Candidat indépendant défait dans Berthier aux élections de l'Assemblée législative en 1886.

Nommé procureur de la couronne à la Cour du banc de la reine en 1864, exerça cette fonction jusqu'en 1871. Fait conseiller de la reine le 28 juin 1867 et admis au barreau du Manitoba en septembre 1872. Occupa le poste de greffier adjoint de la Chambre des communes d'avril 1873 jusqu'à sa démission, le 14 février 1879. Retourna à la pratique du droit à Montréal, puis dans le district de Richelieu. Administrateur de l'académie de Berthier.

Décédé à Lanoraie, le 8 mars 1894, à l'âge de 69 ans et 7 mois. Inhumé dans le cimetière de la paroisse Saint-Joseph, le 10 mars 1894.

Avait épousé dans la paroisse Sainte-Geneviève-de-Berthier, à Berthier (Berthierville), le 18 octobre 1846, Marie-Célina (Nina) Marion, fille de Louis Marion et de Marie-Josephte Leroux.

PICHÉ, Joseph-Édouard
(1880–1943)

Né à Saint-Sauveur-des-Monts, le 18 septembre 1880, fils de Joseph Piché, cultivateur, et de Philomène Forget.

Fit ses études au collège de Montréal.

Exerça d'abord le métier de commis à Montréal, puis devint propriétaire et gérant de la Compagnie de téléphone du Nord ltée, à Saint-Bruno-de-Guigues, au Témiscamingue. Fut également propriétaire d'un magasin général et entrepreneur de pompes funèbres au même endroit.

Candidat libéral défait dans Témiscamingue à l'élection partielle du 28 novembre 1924. Élu député libéral dans la même circonscription en 1927. Réélu en 1931. Démissionna le 9 août 1935 pour se porter candidat dans Pontiac aux élections fédérales du 14 octobre 1935. Il fut défait. Défait également dans Témiscamingue comme candidat libéral indé-

pendant, aux élections provinciales du 25 novembre 1935. De nouveau défait dans Pontiac, comme candidat libéral indépendant, aux élections fédérales de 1940.

Décédé à Ville-Marie, le 7 mai 1943, à l'âge de 62 ans et 7 mois. Inhumé dans le cimetière de Saint-Bruno-de-Guigues, le 10 mai 1943.

Avait épousé à Montréal, dans la paroisse Saint-Jean-Baptiste, le 23 novembre 1903, Marie-Anne Lavallée, fille d'Anselme Lavallée, commerçant, et de Léa Auger; puis, dans la cathédrale de Montréal, le 12 octobre 1936, Joséphine Gauthier.

PICKEL, John
(<1814– ≥1860)

Fils de John Pickel, marchand montréalais, d'ascendance allemande.

Admis au barreau le 25 septembre 1830, exerça sa profession à Montréal de 1830 à 1848, puis à Québec de 1848 à 1860.

Élu député de William Henry en 1834; appuya le parti patriote. Son mandat prit fin avec la suspension de la constitution, le 27 mars 1838.

Décédé en ou après 1860.

Avait épousé dans la cathédrale anglicane Holy Trinity, à Québec, le 21 mai 1838, Georgianna Maria Pozer, fille du marchand John Pozer et nièce de Jacob **Pozer**.

PICOTÉ DE BELESTRE, François-Marie
(1716–1793)

Né à Lachine, le 17 novembre 1716, fils de François-Marie Picoté de Belestre, officier dans les troupes de la Marine, et de Marie-Catherine Trottier Desruisseaux.

Fit une carrière militaire dans les troupes de la Marine. Nommé commandant du fort Saint-Joseph (Niles, au Michigan) en août 1747; envoyé en mission en France à l'automne de 1751; affecté en 1758 au commandement de Détroit. En janvier 1759, fut promu capitaine et fait chevalier de Saint-Louis. Séjourna en France après la Conquête et ne revint pas avant 1764 à Montréal, où il vécut assez retiré. En 1767, fit partie du grand jury dans l'affaire du marchand Thomas Walker. En 1775, pendant l'invasion américaine, se porta volontaire à la défense du fort Saint-Jean, sur le Richelieu; fut fait prisonnier. Nommé grand voyer de la province de Québec le 1er mai 1776 et lieutenant-colonel provincial le 12 juillet 1790.

Assermenté comme membre du Conseil législatif le 17 août 1775. Était membre du Conseil exécutif en 1784. Nommé conseiller législatif en 1792.

Décédé en fonction à Montréal, le 30 mars 1793, à l'âge de 76 ans et 4 mois. Inhumé dans la paroisse Notre-Dame, le 2 avril 1793.

Avait épousé dans la paroisse Notre-Dame de Montréal, le 28 juillet 1738, Marie-Anne Nivard Saint-Dizier, [fille de Pierre Nivard Saint-Dizier] ; puis, dans la même paroisse, le 29 janvier 1753, Marie-Anne Magnan, dit L'Espérance, [fille de Jean-Antoine Magnan, dit L'Espérance].

———

Bibliographie : *DBC*.

PICOTTE, Louis
(1780–1827)

Né à Rivière-du-Loup (Louiseville), fut baptisé le 4 mai 1780, dans la paroisse Saint-Antoine-de-Padoue, fils de Jean-Baptiste Picotte, cultivateur et réfugié acadien, et d'Hélène Jarlais (Desjarlais).

Reçut son éducation à Rivière-du-Loup (Louiseville).

En 1802, entra au service de la McTavish, Frobisher and Company comme voyageur dans le Nord-Ouest. À son retour à Rivière-du-Loup en 1806, se lança dans l'agriculture. Fit des prêts d'argent et, après 1809, engagea des hommes pour les chantiers en plus de faire du commerce. Mit sur pied une boucherie à Trois-Rivières, en 1813.

Élu député de Saint-Maurice en avril 1820. Réélu en juillet 1820. Ne s'est pas représenté en 1824.

Lauréat de la Société d'agriculture du district de Trois-Rivières en 1821.

Décédé à Rivière-du-Loup (Louiseville), le 7 mai 1827, à l'âge de 47 ans. Les obsèques eurent lieu dans l'église paroissiale, le 8 mai 1827.

Avait épousé dans sa paroisse natale (à Louiseville), le 25 septembre 1810, sa parente Archange Déjarlais, fille de Jean-Baptiste Déjarlais et de Marguerite Pratte.

———

Bibliographie : *DBC*.

PICOTTE, Yvon

Né à Louiseville, le 27 octobre 1941, fils de Jean-Marie Picotte, épicier, et de Lina Leblanc.

Fit ses études à Louiseville, au collège de L'Assomption, à l'école Saint-Paul et à l'école normale Duplessis à Trois-Rivières de 1962 à 1966 ainsi qu'à l'université du Québec à Trois-Rivières de 1967 à 1970. Suivit également des cours en animation sociale et dynamique de groupe. Bachelier en pédagogie et licencié en administration.

Professeur à l'école secondaire Saint-Louis à Louiseville de 1966 à 1970. Directeur adjoint et directeur de l'éducation aux adultes à la polyvalente de Louiseville en 1970 et 1971. Directeur de l'éducation aux adultes à l'école Sainte-Ursule à Trois-Rivières de 1971 à 1973. Chroniqueur à l'*Écho de Louiseville* de 1966 à 1968. Membre de la Jeune Chambre de commerce, du Club Richelieu et des Chevaliers de Colomb. Colonel honoraire de la compagnie de Louiseville du corps des Patrouilleurs du Québec. Responsable de la campagne de charité pour la Fédération des œuvres en 1967. Président du Service de préparation au mariage de 1966 à 1969.

Membre du comité de liturgie et marguillier de Louiseville de 1967 à 1970. Président régional du Parti libéral de 1971 à 1973. Candidat libéral défait dans Maskinongé en 1970. Élu député libéral dans Maskinongé en 1973. Réélu en 1976, 1981, 1985 et 1989. Whip adjoint de l'Opposition officielle du 19 mai 1981 au 23 octobre 1985. Ministre du Loisir, de la Chasse et de la Pêche dans le cabinet Bourassa du 12 décembre 1985 au 11 octobre 1989. Ministre du Tourisme du 12 décembre 1985 au 30 juin 1987. Ministre délégué aux Pêcheries du 30 juin 1987 au 11 octobre 1989. Ministre des Affaires municipales du 11 octobre 1989 au 5 octobre 1990. Assermenté ministre de l'Agriculture, des Pêcheries et de l'Alimentation le 5 octobre 1990. Ministre délégué aux Affaires régionales à compter du 19 février 1992.

———

PIERREVILLE. V. LEGRAS PIERREVILLE

———

PIKE. V. PYKE

———

PILON, Hormisdas
(1857–1937)

Né à Vaudreuil, le 1er avril 1857, fils de Gabriel Pilon, cultivateur, et de Claire Lalonde.

Fit ses études à Vaudreuil, au collège Bourget à Rigaud et à l'école de médecine Victoria à Montréal où il étudia en médecine générale. S'orienta par la suite en médecine vétérinaire.

Pratiqua sa profession dans la région de Vaudreuil. Directeur du bureau des gouverneurs de l'Ordre des médecins vétérinaires de 1916 à 1928. Exerça parallèlement le métier de cultivateur. Président de la Société d'agriculture du comté de Vaudreuil. Membre du Conseil d'agriculture de la province de Québec en 1897.

Commissaire d'école à Vaudreuil du 10 juillet 1899 au 30 juin 1911. Maire de la paroisse Saint-Michel-de-Vaudreuil de 1900 à 1911, puis de 1918 à 1923. Élu député libéral dans Vaudreuil à l'élection partielle du 31 octobre 1901. Réélu en 1904 (sans opposition), 1908, 1912, 1916 (sans opposition), 1919 (sans opposition), 1923 et 1927. Ne s'est pas représenté en 1931. Fut whip du Parti libéral pendant plusieurs années.

Décédé à Vaudreuil, le 15 juillet 1937, à l'âge de 80 ans et 3 mois. Inhumé à Vaudreuil, dans le cimetière de la paroisse Saint-Michel, le 19 juillet 1937.

Avait épousé à Vaudreuil, dans la paroisse Saint-Michel, le 22 février 1886, Herméline Denis, fille de François-Xavier Denis, cultivateur, et d'Émilie Royer.

PILON, Joseph
(1826–1909)

[Né à Vaudreuil, le 27 mars 1826, fils de Toussaint Pilon, journalier, et d'Élisabeth Pilon.]

Fit ses études à l'école de sa paroisse natale.

Travailla d'abord pour la maison Hudon de Montréal. Fut par la suite cultivateur, marchand et propriétaire d'un moulin à Saint-Éphrem-d'Upton. Occupa également la fonction de juge de paix du district de Saint-Hyacinthe.

Maire de Saint-Éphrem-d'Upton pendant trente-sept ans. Commissaire d'école au même endroit. Candidat libéral défait dans Bagot en 1867. Élu député libéral dans la même circonscription en 1886. Défait en 1890. Candidat libéral défait dans Bagot aux élections fédérales de 1891.

Registrateur conjoint du comté de Bagot de 1898 à 1909.

Décédé à Upton, le 18 avril 1909. Inhumé dans le cimetière de Saint-Éphrem-d'Upton, le 21 avril 1909.

Avait épousé à Saint-Hyacinthe, dans la paroisse Notre-Dame-du-Rosaire, le 23 février 1852, Marie Bricot, dit Lamarche, fille d'Alexis Bricot, dit Lamarche, et de Josephte Pelletier.

PILOTE, Roger

Né à Saint-Nazaire, le 4 mars 1934, fils d'Arthur Pilote, entrepreneur, et de Marie-Fleur Larouche.

A étudié à l'école René-Goupil à Saint-Nazaire, au séminaire de Chicoutimi de 1949 à 1957, à l'école normale en 1957 et 1958, et à la faculté de commerce de l'université de Sherbrooke de 1958 à 1961. Bachelier en pédagogie et licencié en administration.

Professeur agrégé de comptabilité à l'école de commerce de Chicoutimi de 1961 à 1968, puis à l'université du Québec à Chicoutimi en 1968 et 1969. Directeur de l'enseignement commercial à la commission scolaire régionale du Lac-Saint-Jean en 1967 et 1968. Directeur des techniques administratives, aménagement et secrétariat au cégep de Jonquière de 1968 à 1970. Membre du Conseil supérieur de l'éducation. Promoteur du Mouvement régional des jeunes entreprises. Membre de la Chambre de commerce, du Conseil économique du Lac-Saint-Jean et de la Corporation des administrateurs agréés du Québec. Membre des Chevaliers de Colomb.

Élu député libéral dans Lac-Saint-Jean en 1970. Réélu en 1973. Défait en 1976.

Conseiller technique à la Fédération d'entraide économique à Alma de 1976 à 1986. Directeur général du Conseil économique d'Alma et du Lac-Saint-Jean à partir du 7 février 1986.

PINARD, Bernard

Né à Drummondville, le 24 mars 1923, fils d'Arthur Pinard, commerçant, et d'Yvonne Lupien.

Fit ses études à l'école Garceau et au collège Saint-Frédéric à Drummondville, au séminaire de Joliette, au séminaire de Nicolet, à l'université d'Ottawa de 1944 à 1947, où il fut président de l'Association des étudiants de langue française et de la Société des débats français, et à l'université de Montréal de 1947 à 1950. Boursier du gouvernement espagnol, il fit un séjour d'études à l'université internationale de Santander en Espagne. Admis au barreau de la province de Québec en juillet 1950. Créé conseil en loi de la reine le 12 juillet 1965. Docteur en droit honoris causa de l'université de Sherbrooke en 1966.

Pratiqua le droit à Drummondville seul de 1950 à 1955 et fut associé au cabinet Pinard et Nichols de 1955 à 1959, puis Pinard et Lamontagne de 1960 à 1965. Président de l'Association des routes et transports du Canada en 1972 et 1973. Président du centre récréatif de Drummondville. Membre de l'American Right of Way Association, de la Chambre de commerce, du Club des Bois-Francs, du Club Richelieu, de la Légion royale canadienne, de l'Association des concerts de Drummondville, du Club de réforme et du Club de la garnison.

Président de l'Association de la jeunesse libérale de Drummondville en 1950, puis de l'Association libérale de Drummond de 1950 à 1957. Secrétaire de la Fédération libérale du Québec de 1968 à 1970. Élu député libéral dans Drummond en 1952. Défait en 1956. Réélu en 1960 et 1962. Ministre de la Voirie dans le cabinet Lesage du 5 juillet 1960 au 16 juin 1966. Réélu en 1966 et 1970. Ministre de la Voirie dans le cabinet Bourassa du 12 mai 1970 jusqu'en avril 1973, date de l'intégration de ce ministère à celui des Transports. Ministre des Travaux publics du 1er octobre 1970 au 21 février 1973 et ministre des Transports du 25 novembre 1971 au 13 novembre 1973.

Son siège devint vacant lorsqu'il fut nommé juge à la Cour provinciale et président du Tribunal des transports le 13 septembre 1973. Exerça cette fonction jusqu'en 1982. Siège à la chambre civile à la Cour provinciale à Québec depuis 1982.

PINAULT, Louis-Félix
(1852–1906)

Né à Rimouski, le 9 novembre 1852, fils de Nicolas Pineau, cultivateur, et de Christine Lepage.

Étudia au séminaire de Rimouski. Récipiendaire du prix Prince-de-Galles. Admis au barreau de la province de Québec le 20 janvier 1879.

Pratiqua le droit à Québec pendant vingt ans. Fut vice-président de la compagnie Matane Railway. Major du 9e bataillon des Voltigeurs de Québec, il prit part à la campagne du Nord-Ouest en 1885 et fut promu colonel par la suite. Officier honoraire de ce régiment pendant plusieurs années.

Élu député libéral dans Matane en 1890. Défait en 1892. Réélu à l'élection partielle du 3 novembre 1892 et aux élections générales de 1897.

Son siège devint vacant lors de sa nomination au poste de sous-ministre du département de la Milice à Ottawa le 7 décembre 1898. Il occupa cette fonction jusqu'à son décès.

Décédé à Ottawa, le 10 décembre 1906, à l'âge de 54 ans et un mois. Inhumé à Ottawa, dans le cimetière de la paroisse Notre-Dame, le 12 décembre 1906.

Avait épousé à Ottawa, dans la paroisse du Sacré-Cœur, le 23 février 1905, Marie-Louise Lambert, fille de François-Xavier Lambert et d'Adéline Arnaud.

PINSONNEAULT, Alfred
(≈1829–1897)

Né à Saint-Jacques-le-Mineur, vers 1829, fils de Joseph Pinsonneault, capitaine dans la milice, et d'Apolline Tremblay.

Fut cultivateur. Lieutenant-colonel commandant du 7e bataillon de milice de Huntingdon, de 1855 à 1862, et juge de paix.

Élu député de Laprairie à une élection partielle le 1er avril 1863. Réélu en 1863. Bleu, mais s'opposa au projet de confédération. Son mandat prit fin avec l'avènement de la Confédération, le 1er juillet 1867. Élu député conservateur de Laprairie à la Chambre des communes en 1867. Réélu en 1872, 1874 (sans opposition), 1878 et 1882. Ne s'est pas représenté en 1887.

Nommé le 8 mars 1888 maître de havre, au port de Saint-Jean-sur-Richelieu.

Décédé à Saint-Jean-sur-Richelieu, le 20 août 1897, à l'âge d'environ 68 ans. Inhumé dans la crypte de l'église de Saint-Jacques-le-Mineur, le 23 août 1897.

Avait épousé dans la paroisse Sainte-Marguerite-de-Blairfindie, à L'Acadie, le 24 octobre 1848, Florence Roy, fille du cultivateur David Roy et de Marguerite Sarrazin, dit Depelteau.

PLAMONDON, Lucien
(1904–1987)

Né à Saint-Raymond, le 18 août 1904, fils de Charles Plamondon, industriel et commerçant, et d'Élisabeth Chevalier.

Fit ses études au collège Saint-Raymond et au séminaire de Québec. Se spécialisa en comptabilité à l'académie Filiol de Québec. Suivit des cours d'anglais à l'université du Nebraska.

Commis de bureau à la compagnie Donnacona Paper de 1929 à 1933. Courtier d'assurances de 1933 à 1947. Secrétaire-trésorier de la ville de Donnacona de mars 1938 à septembre 1948. Membre de l'Association catholique de la jeunesse canadienne-française (ACJC), du Club de réforme et des Chevaliers de Colomb.

Échevin de Portneuf en 1939 et 1940, puis maire de Lac-Sergent de 1940 à 1945. Candidat libéral indépendant défait dans Portneuf aux élections fédérales de 1935. Élu député libéral à l'Assemblée législative dans Portneuf en 1939. Défait en 1944.

Gérant de la caisse populaire de Donnacona de 1944 à 1947. Propriétaire et administrateur du Château-Laurier et du motel Fleur-de-Lys à Québec de 1948 à 1972.

Décédé à Sainte-Foy, le 15 février 1987, à l'âge de 82 ans et 6 mois. Inhumé à Sainte-Foy, dans le cimetière Notre-Dame-de-Belmont, le 19 février 1987.

Avait épousé à Saint-Raymond, le 21 octobre 1943, Marguerite Landry, fille de Jean-Marie Landry, employé civil, et d'Hermina Bienvenue.

PLAMONDON, Marcel-Rosaire

Né à Saint-Raymond, le 3 septembre 1935, fils de Rosaire-D. Plamondon, technicien agricole, et de Lucienne Dion.

Étudia d'abord à Saint-Raymond et à l'école apostolique de Lévis, puis à la faculté de commerce de l'université Laval en 1958 et 1959. Suivit également des cours donnés par l'Association des assureurs-vie (1959 et 1961) et par l'Institut d'assurances du Canada (1972 et 1975). Courtier d'assurances agréé.

Exerça sa profession à Saint-Raymond sous la raison sociale de Plamondon, Moisan, Thiboutot inc., et devint par la suite président de cette firme. Correspondant du journal *le Soleil* en 1960 et 1961.

Représentant syndical de l'Union catholique des cultivateurs (UCC) en 1956 et 1957. Fondateur et président du Syndicat industriel de Saint-Raymond de 1962 à 1966. Vice-président national de la Fédération des jeunes chambres du Canada français en 1964 et 1965. Président du Club Renaissance de 1970 à 1974. Membre de l'Institut d'assurances du Québec et des Chevaliers de Colomb.

Élu député de l'Union nationale dans Portneuf en 1966. Nommé adjoint parlementaire du ministre des Terres et Forêts le 28 mars 1969. Défait en 1970.

Fut président de l'Association des courtiers d'assurances du Québec. Nommé membre du Tribunal d'appel en matière de protection du territoire agricole le 1er novembre 1989.

PLANTE, Anatole
(1893–1981)

Né à Québec, le 17 mars 1893, fils de Joseph Plante, commis voyageur, et d'Eugénie Plante.

A étudié au collège Saint-Joseph de Memramcook au Nouveau-Brunswick et à l'université Laval à Montréal où il fut reçu médecin en 1918.

Exerça sa profession à Montréal. Capitaine du Corps médical de l'armée canadienne de 1918 à 1920. Médecin à l'hôpital Sainte-Anne-de-Bellevue de 1920 à 1925. Médecin du Service scolaire d'hygiène de la ville de Montréal du 17 août 1920 au 24 mars 1934. Membre de la Société médicale de Montréal, de la Société d'hygiène infantile de Montréal et de la Canadian Public Health Association. Membre de la Société des artisans canadiens-français, de la Société Saint-Jean-Baptiste, du Club de réforme, du Club universitaire et des Chevaliers de Colomb.

Élu député libéral dans Montréal-Mercier en 1927. Nommé whip du Parti libéral en février 1931. Réélu en 1931 et 1935. Ne s'est pas représenté en 1936.

Décédé à Montréal, le 23 mai 1981, à l'âge de 88 ans et 2 mois. Inhumé à Montréal, dans le cimetière Saint-Martin, le 25 mai 1981.

Avait épousé à Drummondville, dans la paroisse Saint-Frédéric, le 3 juin 1919, Stella Rocheleau, fille d'Ulric Rocheleau et de Rose Couture ; puis, à Montréal, dans la paroisse Notre-Dame-du-Bel-Amour, le 19 février 1966, Pauline Provencher, fille de Napoléon Provencher et de Corinne Landerman.

PLANTE, Arthur
(1869–1927)

Né à Salaberry-de-Valleyfield, le 29 septembre 1869, fils de Moïse **Plante**, marchand, et d'Hermine Bergevin.

A étudié à l'école élémentaire de Valleyfield, au collège des Jésuites à Montréal et à l'université Laval à Québec. Fit sa cléricature auprès de Mes McCormick, Lacoste et Bisaillon. Admis au barreau de la province de Québec le 6 juillet 1894. Créé conseil en loi du roi le 30 juin 1909.

Associé du cabinet Plante et Chalifoux, il exerça sa profession dans les districts de Montréal et Beauharnois. Conseiller juridique de la Société Saint-Jean-Baptiste de Valleyfield. Président de la Chambre de commerce de Valleyfield, du Club littéraire Columbus et du Club des jeunes conservateurs.

Élu député conservateur dans Beauharnois à l'élection partielle du 19 décembre 1898. Défait en 1900 et 1904. Réélu en 1908. Défait en 1912. Ne fut pas candidat en 1916 et 1919. Élu de nouveau en 1923.

Décédé en fonction à Salaberry-de-Valleyfield, le 31 janvier 1927, à l'âge de 57 ans et 4 mois. Inhumé dans le cimetière de Salaberry-de-Valleyfield, le 3 février 1927.

Il était célibataire.

Cousin d'Achille et de Célestin **Bergevin**.

PLANTE, Gustave

Né à Armagh, le 29 juin 1929, fils de Philippe Plante, notaire, et de Dora Duchesneau.

Fit ses études au collège d'Armagh, au collège de Lévis, au séminaire de Québec, au collège Saint-Laurent, au St. Dunstan College à Charlottetown (Île-du-Prince-Édouard) et à l'université Laval de 1951 à 1956.

Reçu médecin, il exerça sa profession à Armagh de 1956 à 1963, puis à la fois à Montmagny et à Sainte-Foy. Membre du Club de réforme de Québec et des Chevaliers de Colomb.

Maire de la municipalité d'Armagh de 1959 à 1963. Préfet du comté de Bellechasse en 1961 et 1962. Élu député libéral dans Bellechasse en 1960. Ne s'est pas représenté en 1962.

PLANTÉ, Joseph-Bernard
(1768–1826)

Né à Pointe-aux-Trembles (Neuville) et baptisé dans la paroisse Saint-François-de-Sales, le 19 décembre 1768, fils de Dominique-Bernard Planté, chirurgien (fut aussi notaire), et de sa première femme, Marie-Josephte Faucher.

Étudia au petit séminaire de Québec, puis entreprit son stage de clerc en notariat auprès de Jean-Antoine **Panet** d'abord, d'Olivier **Perrault** ensuite. Reçut sa commission de notaire en 1788.

Pratiqua le notariat à Québec de 1788 à 1826.

Élu député de Hampshire en 1796. Réélu en 1800 et 1804. Appuya généralement le parti canadien durant ces trois mandats. Élu dans Kent en 1808; appuya généralement le parti des bureaucrates. Ne se serait pas représenté en 1809.

Obtint plusieurs postes de commissaire. Nommé greffier du papier terrier le 5 avril 1802 et inspecteur général du Domaine du roi le 13 mai 1803. Ayant perdu ces deux fonctions en 1808 à cause de sa participation, deux ans plus tôt, à la fondation du *Canadien*, les réintégra après avoir renoncé à ses liens avec ce journal.

Fut juge de paix et lieutenant-colonel dans la milice. Devint membre du conseil d'administration de la Compagnie de l'Union de Québec en 1806; élu vice-président de la Compagnie d'assurance de Québec contre les accidents du feu en 1818 et de la Banque d'épargne de Québec en 1821. Fut secrétaire de la section québécoise de la Loyal and Patriotic Society of the Province of Lower Canada en 1813, vice-président de la Société d'agriculture du district de Québec en 1817

et président de 1818 à 1821. Élu membre du premier comité de la Société d'éducation du district de Québec en 1821.

Décédé à Québec, le 13 février 1826, à l'âge de 57 ans et un mois. Inhumé dans l'église Notre-Dame-de-Foy, à Sainte-Foy, le 16 février 1826.

Avait épousé dans la cathédrale Notre-Dame de Québec, le 20 mai 1794, Marie-Louise Berthelot, fille du marchand Charles Berthelot et de Josephte-Geneviève-Simon Channazard.

Neveu par alliance de Michel-Amable **Berthelot Dartigny**.

Bibliographie: *DBC*.

PLANTE, Moïse
(1830–1892)

[Né en 1830, fils d'Arthur Plante.]
Marchand.

Maire de Valleyfield de 1875 à 1878 et de 1880 à 1889. Élu député conservateur dans Beauharnois en 1892. N'a jamais siégé.

Décédé en fonction à Valleyfield, le 18 mars 1892. Inhumé dans les voûtes de l'église Sainte-Cécile-de-Valleyfield, le 21 mars 1892.

Avait épousé Hermine Bergevin.

Père d'Arthur **Plante**. Oncle d'Achille et de Célestin **Bergevin**.

PLATT, George
(<1754– ≥1816)

Exerça le métier de forgeron et se lança dans le commerce à Montréal; exploita notamment une quincaillerie. Franc-maçon, était membre de la loge St. Peter en 1780. Fut l'un des signataires de l'adresse préparée à l'occasion du départ du gouverneur Robert **Prescott**, en juillet 1799. Pendant la guerre de 1812, servit à titre de capitaine dans la Royal Montreal Cavalry. Appartenait à la congrégation de l'église presbytérienne St. Gabriel Street.

Élu député de Montréal-Est en 1814; ne prit part à aucun vote. Ne se serait pas représenté en 1816.

Décédé en ou après 1816.

Avait épousé, en ou avant 1774, une dénommée Holmes.

PLENDERLEATH, William.
V. CHRISTIE, William Plenderleath

PLESSIS, Joseph-Octave
(1763–1825)

Né à Montréal, le 3 mars 1763, fils de Joseph-Amable Plessy, dit Bélair, forgeron, et de Marie-Louise Mennard.

Étudia, de 1771 à 1777, à l'école latine de Longue-Pointe (Montréal), qui devint en 1773 le collège Saint-Raphaël, puis au petit séminaire de Québec, de 1778 à 1780.

En août 1780, fut tonsuré et nommé régent au collège Saint-Raphaël. Revint à Québec en 1783 à titre de secrétaire diocésain, poste qu'il occupa durant quinze ans. Ordonné prêtre en 1786; nommé curé de Notre-Dame de Québec en 1792. Choisi comme coadjuteur en 1797, fut sacré évêque de Canathe en janvier 1801; était chargé plus particulièrement du district de Québec et des relations avec le gouvernement. Consacré évêque catholique de Québec en 1806. Élevé à la dignité d'archevêque de Québec en janvier 1819; fait comte et assistant au trône pontifical en 1819.

Nommé au Conseil législatif le 30 avril 1817, prêta serment le 2 février 1818.

Deux de ses sermons furent publiés à Québec, en 1799 et 1810, et deux autres parurent dans le *Bulletin des recherches historiques*, en 1905 et 1929; est aussi l'auteur de mandements et de lettres pastorales, de journaux des visites apostoliques qu'il effectua en 1811, 1812, 1815 et 1816, ainsi que du journal de son voyage en Europe en 1819–1820, tous édités après sa mort; de «Dénombrements de Québec», publié dans le *Rapport de l'archiviste de la province de Québec* [...] *1948–1949*; et de *Petit Catéchisme du diocèse de Québec* [...] (Québec, 1815). Est coauteur de *Observations sur un écrit intitulé* Questions sur le gouvernement ecclésiastique du district de Montréal (Québec, 1823).

Décédé en fonction à l'Hôpital Général de Québec, le 4 décembre 1825, à l'âge de 62 ans et 9 mois. Inhumé dans la cathédrale Notre-Dame, le 7 décembre 1825, mais son cœur fut déposé dans l'église Saint-Roch.

Bibliographie: *DBC.*

PLOURDE, Alfred
(1904–1965)

[Né à Mandville, aux États-Unis, le 9 mai 1904, fils de Michel Plourde, cultivateur, et d'Obéline Lavoie.]

Étudia à l'école de Mont-Carmel et devint par la suite cultivateur. En 1927, il s'associa à ses frères Michel et Albert dans le commerce de la coupe du bois de pulpe et du bois de sciage. Ils devinrent propriétaires d'une scierie en 1934, puis d'une manufacture de meubles, et fondèrent les compagnies Plourde et Frères inc. et Power Lumber Co. en 1941. Directeur de ces deux compagnies et de la East Lake Lumber Co. Ltd. Président-fondateur de l'Association des manufacturiers de bois de sciage du Québec, créée en 1953. Directeur de la Southern St. Lawrence Forest Protective Association de Val-Brillant et de la division Rive-sud de l'Association forestière québécoise. Membre de la Canadian Lumbermen's Association. Directeur de la Chambre de commerce de Saint-Pascal. Membre des Chevaliers de Colomb.

Conseiller municipal de Mont-Carmel de 1939 à 1943, et maire de 1943 à 1960. Préfet du comté de Kamouraska du 11 juin 1947 au 8 mars 1961. Élu député de l'Union nationale dans Kamouraska en 1948. Réélu en 1952, 1956 et 1960. Défait en 1962.

Décédé à Saint-Just-de-Bretenières, le 19 août 1965. Inhumé dans le cimetière de la paroisse de Mont-Carmel, le 24 août 1965.

Avait épousé à Mont-Carmel, le 26 août 1925, Éva Massé, fille d'Amédée Massé, cultivateur, et d'Alma Lévesque.

PLOURDE, Jean-Claude

Né à Saint-Jérôme, au Lac-Saint-Jean, le 21 octobre 1933, fils de Louis-Joseph Plourde, cultivateur, et de Florence Simard.

Fit ses études à l'école de sa paroisse natale, au séminaire de Chicoutimi et à l'université Laval. Admis au barreau de la province de Québec en décembre 1957, il exerça sa profession à Saint-Félicien.

Élu député libéral dans Roberval en 1960. Défait en 1962.

PLOURDE, Pierre-Horace
(1892–1983)

Né à Rivière-du-Loup, le 20 mai 1892, fils de Cléophas Plourde, cultivateur, et d'Amanda Gagnon.

Étudia à l'école normale Laval à Québec.

Enseigna d'abord un an, puis travailla pour la Banque canadienne nationale, à Rivière-du-Loup et à Sherbrooke, de 1912 à 1919. Agent d'assurances à Victoriaville de 1920 à 1963. Occupa également divers postes administratifs, notamment : président de la station radiophonique CFDA et de P.H. Plourde ltée ; vice-président de la Compagnie d'immeubles des Bois-Francs ltée ; trésorier des Agences d'assurances associées ; directeur et trésorier de l'Union canadienne ; directeur de la Compagnie de développement Victoria, de Lactantia ltée, de Disraeli Furniture et de la Compagnie de développement limitée. Directeur de l'Association des courtiers d'assurances de la province de Québec. Lieutenant du 189e régiment de Sherbrooke et du Corps des ingénieurs de Victoriaville en 1917 et 1918. Organisateur du comité local des finances de guerre, du comité local de l'épargne en temps de guerre et de la Croix-Rouge en 1940 et 1941. Membre du Club de réforme de Québec, du Club Stratford et du Club de Victoriaville. Président-fondateur du Club Richelieu de Victoriaville. Membre des Chevaliers de Colomb.

Élu député libéral dans Arthabaska en 1944. Ne s'est pas représenté en 1948.

Décédé à Montréal, le 5 novembre 1983, à l'âge de 91 ans et 5 mois.

Avait épousé à Warwick, le 22 septembre 1941, Wilhelmine Daigle, secrétaire comptable, fille d'Alfred Daigle, cultivateur, et de Juliette d'Argis.

POIRIER, Alphée
(1905–1978)

Né à Rimouski, le 20 août 1905, fils d'Alphée Poirier, menuisier, et d'Adèle Poirier.

Fit ses études au collège de Rimouski, au collège Saint-Laurent et à l'université Laval. Reçu médecin en 1938.

Exerça sa profession à Sainte-Agathe, dans Lotbinière, en 1938, puis à Saint-Damien-de-Buckland et Lac-Etchemin.

Élu député de l'Union nationale dans Bellechasse en 1952. Réélu en 1956. Défait en 1960.

Décédé à Vanier, le 9 août 1978, à l'âge de 72 ans et 11 mois. Inhumé dans le cimetière de la paroisse Saint-Damien-de-Buckland, le 14 août 1978.

Avait épousé dans la paroisse Notre-Dame de Québec, le 12 novembre 1938, Gratia Plante, fille d'Hilaire Plante, cultivateur, et d'Adéline Labonté.

POIRIER, Joseph
(1839–1917)

Né à Saint-Joseph-de-Beauce, le 21 décembre 1839, fils de Vital Poirier et de Marie-des-Anges Thibodeau.

Fit ses études au collège de Nicolet.

Exerça le métier d'agriculteur. Secrétaire-trésorier de la municipalité de Saint-Joseph.

Élu député libéral dans Beauce en 1878. Ne s'est pas représenté en 1881. Candidat conservateur indépendant défait à l'élection partielle fédérale du 31 octobre 1884 et aux élections fédérales de 1887. Élu député conservateur aux élections provinciales de 1892.

Son siège devint vacant lors de sa nomination comme shérif du district de Beauce, le 12 janvier 1897.

Décédé à Saint-Joseph-de-Beauce, le 27 février 1917, à l'âge de 77 ans et 2 mois. Inhumé dans le cimetière de cette paroisse, le 2 mars 1917.

Avait épousé à Saint-Joseph-de-Beauce, le 13 janvier 1863, Marie-Agnès Poulin, fille de Jean Poulin et de Césarie Paré ; puis, dans la même paroisse, le 22 avril 1879, Lucie Dupuis, dit Gilbert, veuve de Séraphin Cloutier.

POIRIER, Julien
(1780–1860)

Né à Carleton, fut baptisé le 6 novembre 1780, dans la paroisse Saint-Joseph, sous le prénom de Jules, fils d'Hilaire Poirier et d'Angélique Dugas, tous deux Acadiens.

S'établit en 1802 avec ses parents dans la région de Saint-Jacques-de-l'Achigan, où il exerça le métier de maître marinier. Le 6 janvier 1827, reçut une commission de capitaine dans le bataillon de milice de Leinster.

Élu député de Leinster en 1827 ; appuya généralement le parti patriote. Défait dans L'Assomption en 1830. Défait dans Leinster en 1851 et dans Montcalm en 1854.

Décédé à Saint-Jacques-de-l'Achigan (Saint-Jacques), le 10 février 1860, à l'âge de 79 ans et 3 mois. Inhumé dans l'église Saint-Jacques, le 13 février 1860.

Avait épousé dans la paroisse de Saint-Jacques-de-l'Achigan (Saint-Jacques), le 11 janvier 1808, Isabelle Thibaudo (Thibodeau), fille de Joseph Thibaudo et d'Isabelle Leblanc.

POLAK, Maximilien

Né à Leiden (Pays-Bas), le 5 décembre 1930, fils de Max Valentyn, professeur, et de Maria Cordelia Nieuwenhuizen.

Fit ses études secondaires au Gymnasium de Leiden. Obtint une licence en droit de l'université de Leiden en 1952. Arriva au Canada en 1952. Bachelier ès arts et diplômé en droit de l'université de Montréal en 1958. Admis au barreau du Québec en 1958.

Avocat dans le cabinet Shriar et Polak à partir de 1960. Juge municipal à Côte-Saint-Luc de 1969 à 1979. Vice-président de la Conférence des juges municipaux de la province de Québec de 1971 à 1976. Conseil en loi de la reine en 1974. Président de la Chambre de commerce Canada-Hollande en 1977. Commissaire et membre du bureau de direction du Conseil scolaire de l'Île-de-Montréal en 1980 et 1981.

Élu député libéral dans Sainte-Anne en 1981. Réélu en 1985. Whip adjoint du gouvernement du 16 décembre 1985 au 9 août 1989. Ne s'est pas représenté en 1989.

Nommé juge à la Cour du Québec le 9 mai 1990.

POLETTE, Antoine
(1807–1887)

Né à Pointe-aux-Trembles (Neuville), le 24 août 1807, et baptisé dans la paroisse Saint-François-de-Sales, fils d'Antoine Paulet, cultivateur, et de Marie-Josephe Bertrand.

Étudia à l'école de sa paroisse natale, puis au petit séminaire de Québec pendant un an. Fit l'apprentissage du droit à Québec, à compter de 1821, et fut reçu au barreau en 1828.

Pratiqua sa profession à Trois-Rivières de 1828 à 1860. Obtint quelques postes de commissaire. Nommé conseiller de la reine en 1854.

Fut préfet du comté de Trois-Rivières de 1842 à 1846, puis maire de 1846 à 1853. Candidat à l'élection qui n'a pas été terminée dans Trois-Rivières en 1848. Élu député de cette circonscription à une élection partielle le 26 avril 1848. Réélu en 1851 et 1854. Membre du groupe canadien-français, puis réformiste; se joignit aux modérés en juin 1854 et aux bleus en 1856. Ne s'est pas représenté en 1858.

Fit partie du premier Conseil de l'instruction publique, à compter de 1852, et de la commission chargée de la refonte des statuts du Bas-Canada, du 28 mars 1856 au 31 janvier 1861. Fut juge de la Cour supérieure à Trois-Rivières de 1860 à 1880.

Décédé à Trois-Rivières, le 6 janvier 1887, à l'âge de 79 ans et 4 mois. Les obsèques eurent lieu dans l'église de l'Immaculée-Conception.

Avait épousé à Champlain, le 20 février 1830, sa cousine Henriette Dubuc, fille du marchand Jean-Baptiste Dubuc; puis, dans la cathédrale Notre-Dame, à Québec, le 13 juin 1834, Anne Duval, fille de François Duval, officier, et d'Ann Eliza Germain; enfin, dans l'église St. Paul, à Aylmer, le 13 avril 1857, Aurelia Sophia McCord, fille du juge William King McCord et d'Aurelia Felicite Arnoldi.

Beau-frère de Jean-François-Joseph **Duval**.

Bibliographie: *DBC*.

POPE, John Henry
(1819–1889)

Né dans le canton d'Eaton, au Bas-Canada, le 19 décembre 1819, fils de John Pope, cultivateur descendant de loyalistes du Massachusetts, et de Sophia Laberee.

S'occupa d'agriculture et plus particulièrement d'élevage, d'abord à la ferme paternelle située dans le village actuel de Cookshire; fut actionnaire et président honoraire de l'Association agricole des Cantons-de-l'Est, ainsi qu'administrateur de la Compton Colonization Society. Lié à la création et à l'administration de la Banque des townships de l'Est, de 1855 jusqu'à sa mort. Cofondateur en 1866 de la Compagnie manufacturière Paton de Sherbrooke. Engagé dans l'exploitation forestière, notamment à titre de copropriétaire de la Brompton Mills Lumber Company; dans la mise en valeur de mines de cuivre, dans le canton d'Ascot, et de terres riches en or, qu'il avait acquises dans le canton de Ditton; ainsi que dans la construction ferroviaire, au sein de la Compagnie du chemin de fer international de Saint-François et Mégantic établie en 1870. Administrateur de la Compagnie des pouvoirs d'eau de Sherbrooke et de la Sherbrooke Gas and Water Company. Officier de milice, accéda au grade de major.

Représentant du canton d'Eaton au conseil du comté de Sherbrooke dans les années 1840. Candidat anti-annexionniste défait dans Sherbrooke en 1851. Défait dans la ville de Sherbrooke à une élection partielle le 8 mars 1853. Défait dans Compton en 1854. Élu sans opposition député de Compton en 1858; mis sous la garde du sergent d'armes le 20 mai 1858 pour absence injustifiée, fut libéré après avoir fourni des explications. Réélu sans opposition en 1861 et 1863. De tendance conservatrice. Occupa son siège jusqu'à l'avènement de la Confédération, le 1er juillet 1867. Élu sans opposition député conservateur de Compton à la Chambre des communes en 1867. Prêta serment comme membre du Conseil privé le 25 octobre 1871. Ministre de l'Agriculture dans le cabinet Macdonald du 25 octobre 1871 au 6 novembre 1873. À son entrée au ministère, son siège de député était devenu vacant. Réélu dans Compton à une élection partielle le 11 novembre 1871. Réélu en 1872, sans opposition, puis en 1874 et 1878. Fit partie du cabinet Macdonald: ministre de l'Agriculture du 17 octobre 1878 au 24 septembre 1885, ministre suppléant des Chemins de fer et des Canaux du 29 mai 1884 au 24 septembre 1885 et ministre des Chemins de fer et des Canaux du 25 septembre 1885 au 1er avril 1889. À son entrée au ministère conservateur, son siège de député s'était trouvé vacant. Réélu dans Compton à une élection partielle le 4 novembre 1878. Réélu en 1882 et 1887.

Décédé en fonction à Ottawa, le 1er avril 1889, à l'âge de 69 ans et 3 mois. Inhumé dans le cimetière anglican de Cookshire, le 3 avril 1889.

Avait épousé dans l'église anglicane du canton d'Eaton, le 5 mars 1845, Percis Maria Bailey, fille de Ward Bailey, de Cookshire.

Père de Rufus Henry Pope, député à la Chambre des communes du Canada et sénateur. Beau-père de William Bullock Ives, député fédéral.

Bibliographie: *DBC.*

PORTELANCE. V. ROY PORTELANCE

PORTEOUS, Thomas
(1765–1830)

Né probablement dans la province de Québec, le 8 décembre 1765.

Propriétaire de l'île Bourdon, près de Montréal; y résida jusque vers 1812. Engagé dans le commerce des grains et les communications: transport par voie d'eau, ponts à péage, courrier entre Terrebonne et Montréal, et canal de Lachine, dont il fut l'un des promoteurs et des administrateurs. Posséda des biens fonciers et immobiliers, et des installations commerciales à Sainte-Rose, Sainte-Thérèse, Terrebonne et rue Notre-Dame à Montréal. Exploita une fabrique de potasse à Sainte-Thérèse.

S'occupa d'administration municipale, à Montréal, après 1796. Élu député d'Effingham en 1804; appuya le parti des bureaucrates. Ne se serait pas représenté en 1808.

Pendant la guerre de 1812, servit comme major dans la milice et détint un contrat d'approvisionnement des troupes. Fut agent des forges du Saint-Maurice. Lié à la création, en 1817, de la Banque de Montréal, en fut administrateur par la suite. En 1819, devint l'un des vice-présidents de la Banque d'épargne de Montréal et président de la Compagnie des propriétaires des eaux de Montréal.

Obtint quelques postes de commissaire. Fut président de la Fire Engine Company et de la Société d'agriculture de Montréal. Prit part à la bonne marche de la congrégation Scotch Presbyterian.

Décédé à Montréal, le 20 février 1830, à l'âge de 64 ans et 2 mois. Les obsèques eurent lieu dans l'église presbytérienne St. Gabriel Street, le 23 février 1830.

Avait épousé à Addison, au Vermont, le 20 décembre 1786, Olivia Everest.

Bibliographie: *DBC.*

POTHIER, Toussaint
(1771–1845)

Né à Montréal et baptisé sous le prénom de Jean-Baptiste, dans la paroisse Notre-Dame, le 16 mai 1771, fils de Louis-Toussaint Pothier, commerçant de fourrures, et de Louise Courraud Lacoste.

S'engagea tôt dans la traite des fourrures. Fut agent de la Michilimackinac Company de 1806 à 1810 et fit partie de la South West Fur Company, formée en 1811. Pendant la guerre de 1812, participa, en qualité d'officier de milice, à la prise du poste de traite américain de Michillimakinac (Mackinac Island, Michigan). Investit dans la propriété foncière, notamment dans le centre de Montréal, et acquit, en 1814, les seigneuries de Lanaudière et de Carufel, qu'il mit en valeur. Administrateur de la succession du beau-père de Denis-Benjamin **Viger**. Nommé, en 1832, arbitre dans le partage des revenus des douanes entre le Haut et le Bas-Canada. Actionnaire de la Compagnie des propriétaires du chemin à lisses de Champlain et du Saint-Laurent (1836).

Membre du Conseil législatif du 22 juillet 1824 jusqu'à la suspension de la constitution, le 27 mars 1838. S'occupa d'administration municipale, à Montréal, avant 1833. Fit partie du Conseil spécial du 2 avril 1838 jusqu'à la dissolution de ce conseil, en juin, et à nouveau du 2 novembre 1838 jusqu'à l'entrée en vigueur de l'Acte d'Union, le 10 février 1841; en fut président du 5 novembre 1838 au 11 novembre 1839. Fut conseiller exécutif de novembre 1838 jusqu'à l'Union.

Obtint plusieurs postes de commissaire. Fut nommé shérif de Montréal en 1839. L'un des fondateurs de la Société d'histoire naturelle de Montréal en 1827.

Décédé à Montréal, le 22 octobre 1845, à l'âge de 74 ans et 5 mois. Inhumé dans l'église Notre-Dame, le 25 octobre 1845.

Avait épousé dans la paroisse Notre-Dame de Montréal, le 10 janvier 1820, Anne-Françoise Bruyeres, fille de Ralph Henry Bruyeres, ingénieur militaire, et de Janet Dunbar.

Bibliographie: *DBC*.

POTVIN, Georges
(1907–1945)

Né à Roberval, le 30 octobre 1907, fils de Willy Potvin, menuisier, et de Blanche Bergeron.

Fit ses études au collège Notre-Dame à Roberval, au collège Saint-Laurent et à l'université de Montréal. Admis au barreau de la province de Québec le 8 juillet 1933. Créé conseil en loi du roi le 17 décembre 1942.

Exerça sa profession à Roberval. Président de la Jeune Chambre de commerce et membre de la Chambre de commerce de Roberval. Directeur de la Société d'agriculture de Roberval et du comité local de la Croix-Rouge. Vice-président de la Société Saint-Jean-Baptiste de Roberval. Membre des Chevaliers de Colomb et du Club de réforme de Québec.

Président de la commission scolaire de Roberval de 1940 à 1946. Président de l'Association des jeunes libéraux de Roberval. Élu député libéral dans Roberval en 1939. Défait en 1944.

Décédé à Roberval, le 24 décembre 1945, à l'âge de 38 ans et un mois. Inhumé à Roberval, dans le cimetière de la paroisse Notre-Dame-du-Lac-Saint-Jean, le 27 décembre 1945.

Il était célibataire.

POULIN, Ernest
(1885–1943)

Né à Richmond, le 30 avril 1885, fils d'Amédée Poulin, employé de la compagnie ferroviaire du Grand Tronc, et d'Amazilie Veilleux.

Fit ses études à l'école de Richmond, au collège Saint-Charles-Borromée à Sherbrooke et à l'université Laval à Montréal. Reçu médecin en 1910.

Exerça sa profession à Montréal. Collabora au journal *la Presse* et pratiqua aussi le commerce du bois. Membre de la Commission des expositions et de la Société Saint-Jean-Baptiste.

Échevin du quartier Saint-Jean au conseil municipal de Montréal de 1926 à 1930. Élu député libéral dans Montréal-Laurier en 1919. Défait en 1923. Réélu en 1927 et 1931. Défait de nouveau en 1935. Posa sa candidature dans la circonscription de Labelle en 1936, mais la retira avant le jour du scrutin. Candidat libéral indépendant défait dans Montréal-Outremont aux élections fédérales de 1940.

Décédé à Montréal, le 7 mai 1943, à l'âge de 58 ans. Inhumé à Montréal, dans le cimetière Notre-Dame-des-Neiges, le 11 mai 1943.

[Avait épousé, le 12 février 1912, Alice Roberge, fille de François Roberge.]

POULIN, Étienne
(1835–1901)

Né dans la paroisse Sainte-Marie-de-Monnoir, le 27 juin 1835, fils d'Étienne Poulin, cultivateur, et de Charlotte Hébert.

Étudia au collège de Saint-Hyacinthe et devint par la suite cultivateur.

Président de la commission scolaire de Marieville de juin 1868 à juin 1871 et de juillet 1881 à juillet 1882. Maire de la paroisse Sainte-Marie-de-Monnoir en 1872. Élu député conservateur dans Rouville en 1881. Défait dans cette circonscription en 1886 et 1890, puis dans Iberville en 1897.

Décédé à Sainte-Marie-de-Monnoir, le 25 octobre 1901, à l'âge de 66 ans et 3 mois. Inhumé dans le cimetière de cette paroisse, le 29 octobre 1901.

Avait épousé dans sa paroisse natale, le 3 octobre 1854, Marcelline Vigeant, fille de Jean Vigeant et de Désange Dufresne.

POULIN, Fabien

Né à Saint-Benoît-Labre, en Beauce, le 3 janvier 1928, fils de Jean Poulin, cultivateur, et de Marie Roy.

Fit ses études au couvent de Saint-Benoît-Labre, au séminaire du Sacré-Cœur à Saint-Victor-de-Beauce et à l'université Laval de 1950 à 1955. Reçu médecin en 1955. Obtint également une maîtrise en administration hospitalière de l'université de Montréal en 1967.

Exerça sa profession à Saint-Sébastien et à Saint-Honoré de 1955 à 1964. Directeur médical de l'hôpital général Lakeshore à Pointe-Claire de 1966 à 1968, puis de Pouleric ltée à Montréal de 1968 à 1972. Médecin à Greenfield Park. Directeur médical de la Banque canadienne nationale de 1972 à 1978.

Élu député libéral dans Beauce en 1960. Défait en 1962. Maire de la municipalité de Lac-Poulin du 23 juillet 1963 au 11 juin 1964.

Membre de l'Association des médecins de langue française du Canada et de l'Association médicale de Beauce-Dorchester-Frontenac. Président du Service social métropolitain-sud en 1970 et 1971 et de l'Association médicale du Québec en 1973 et 1974. Membre du conseil d'administration de l'Association médicale canadienne de 1973 à 1976 et de l'hôpital Charles-Lemoyne. Collaborateur au *Bulletin de l'Association médicale du Québec* en 1973 et 1974. Vice-président régional de l'Union des associations paroissiales. Directeur diocésain du Conseil de l'Action catholique. Membre des Chevaliers de Colomb.

Fut également directeur des services professionnels de l'hôpital Charles-Lemoyne jusqu'en 1984, du Reddy Memorial Hospital de 1984 à 1990 et du Centre de soins prolongés de Montréal à compter de 1992. Nommé médecin-assesseur à la Commission des affaires sociales le 9 janvier 1989.

POULIN, Georges-Octave
(1894–1963)

Né à Saint-Martin, Beauce, le 20 août 1894, fils d'Honoré Poulin, cultivateur, et de Sarah Délisle.

Étudia à l'école paroissiale de Saint-Martin, au collège du Sacré-Cœur à Beauceville et au collège de Lévis.

Industriel et agent d'assurances. Fit aussi le commerce du bois. Estimateur et inspecteur pour le Prêt agricole canadien, dans la Beauce, en 1935 et 1936. Inspecteur en chef du Crédit agricole provincial de 1937 à 1939. Greffier à la Cour des commissaires de Saint-Martin pendant quinze ans. Vérificateur licencié pour les corporations municipales et scolaires. Directeur spécial du conseil du comté de Beauce. Membre de l'Association forestière du Québec et de l'Association des mesureurs de bois. Membre du Cercle Lacordaire, du Club Kennebec de Saint-Georges-de-Beauce et des Chevaliers de Colomb. Secrétaire-trésorier de la municipalité de Saint-Martin de 1912 à 1947.

Candidat de l'Union nationale défait dans Beauce en 1944. Élu député de l'Union nationale dans la même circonscription à l'élection partielle du 21 novembre 1945. Réélu en 1948, 1952 et 1956. Défait en 1960.

Décédé à Saint-Martin, le 15 mars 1963, à l'âge de de 68 ans et 6 mois. Inhumé dans le cimetière de cette paroisse, le 20 mars 1963.

Avait épousé dans la paroisse du Sacré-Cœur-de-Jésus, le 7 août 1916, Camille Vachon, fille d'Alfred Vachon et d'Amazélie Grégoire.

Frère de Raoul **Poulin**. Beau-père de Paul-Émile **Allard**.

POULIN, Jean-Marie
(1756–1820)

Né à Saint-Joachim-de-Montmorency (Saint-Joachim), fut baptisé le 7 janvier 1756, dans la paroisse Saint-Joachim, sous le prénom de Jean-Baptiste, fils de Joseph Poulin et d'Agnès Bolduc.

Fut cultivateur à Saint-Joachim et major dans la milice de Beauport.

Élu député de Northumberland en 1800. Réélu en 1804 et 1808. Appuya généralement le parti canadien. Ne s'est pas représenté en 1810.

Décédé à Saint-Joachim-de-Montmorency (Saint-Joachim), le 14 juillet 1820, à l'âge de 64 ans et 6 mois. Inhumé dans l'église paroissiale, le 17 juillet 1820.

Avait épousé dans sa paroisse natale, le 28 avril 1778, Marie-Françoise Pepin, dit Lachance, fille de Joseph-Marie Pepin, dit Lachance, et de Geneviève Paré.

POULIN, Joseph-Napoléon
(1821–1892)

Né à Sainte-Marie-de-Monnoir (Marieville) et baptisé dans la paroisse du Saint-Nom-de-Marie, le 6 février 1821, sous le prénom de Joseph, fils d'Étienne Poulin et de Charlotte Hébert.

Exerça la médecine et la chirurgie à Sainte-Marie-de-Monnoir (Marieville).

Élu député de Rouville en 1851. Réélu en 1854. Réformiste, puis bleu. Démissionna, le 3 septembre 1856, afin de se porter candidat au siège de conseiller législatif de Rougemont la même année, mais fut défait. Élu député de Rouville en 1863; appuya généralement les bleus. Son mandat prit fin avec l'avènement de la Confédération, le 1er juillet 1867. Candidat conservateur défait dans Rouville aux élections de la Chambre des communes en 1867.

Décédé à Marieville, le 19 juin 1892, à l'âge de 71 ans et 4 mois. Inhumé dans le cimetière paroissial, le 21 juin 1892.

Avait épousé dans sa paroisse natale, le 17 mai 1843, Josephte Bourdages, fille du docteur Rémi-Séraphin **Bourdages** et de Marguerite Franchère.

POULIN, Louis
(1785–1849)

Né à Saint-Charles-sur-Richelieu, le 8 mars 1785, puis baptisé le 9, dans la paroisse Saint-Charles, sous le prénom de Louis-Michel, fils d'Étienne Poulin, cultivateur, et d'Élisabeth Blanchard, dit Renault.

Fut cultivateur; habitait la région de Saint-Hyacinthe, à l'époque de son mariage. Pendant la guerre de 1812, servit en qualité d'enseigne dans la milice, division de Saint-Hyacinthe d'Yamaska.

Élu député de Saint-Hyacinthe à une élection partielle le 25 juillet 1832; appuya généralement le parti patriote. Ne se serait pas représenté en 1834. Peut-être le cultivateur et capitaine dans la milice, de Sainte-Rosalie, arrêté par les autorités pendant les troubles de 1837–1838.

Décédé à Sainte-Rosalie, le 24 avril 1849, à l'âge de 64 ans et un mois. Inhumé dans l'église paroissiale, le 26 avril 1849.

Avait épousé dans sa paroisse natale, le 4 novembre 1811, Marie-Angélique Benoit, dit Livernois, fille du cultivateur François Benoit, dit Livernois, et de Marie-Angélique Fontaine.

POULIN, Raoul
(1900–1975)

Né à Saint-Martin, le 8 février 1900, fils d'Honoré Poulin, cultivateur, et de Sarah Délisle.

Étudia à l'école paroissiale de Saint-Martin, au collège de Lévis et à l'université Laval à Québec.

Reçu médecin en 1926, il exerça sa profession à Saint-Martin.

Candidat conservateur défait dans Beauce aux élections provinciales de 1931. Ne s'est pas représenté en 1935. Élu député de l'Union nationale dans Beauce en 1936. Démissionna le 14 décembre 1936. Élu député indépendant à la Chambre des communes dans Beauce en 1949, 1953 et 1957. Défait en 1958.

Président-fondateur du Centre canadien des cercles Lacordaire en 1939. Élu président de l'Association des anciens élèves du collège de Lévis le 27 novembre 1952. Nommé docteur en service social honoris causa à l'université Laval en 1953.

Décédé à Québec, le 23 octobre 1975, à l'âge de 75 ans et 8 mois. Inhumé dans le cimetière de Saint-Martin, le 27 octobre 1975.

Avait épousé à Québec, dans l'église Saint-François-d'Assise, le 3 août 1926, Marie-Anna Lachance, fille de Lucien Lachance et d'Adéla Délisle.

Frère de Georges-Octave **Poulin**.

POULIN, Rémy

Né à Beauport, le 12 septembre 1952, fils de Jean-Paul Poulin, surintendant, et de Juliette Fradette.

Fit des études secondaires et suivit un cours de formation de l'Association des assureurs-vie du Canada.

Professeur suppléant à la commission scolaire régionale Chauveau de 1972 à 1975. Gérant de la Brasserie Valcartier en 1975 et 1976. Assureur-vie pour La Métropolitaine de 1976 à 1981. Directeur des ventes de la compagnie Travelers du Canada en 1981. Représentant promotionnel pour la maison des vins et spiritueux Durand ltée de Québec de 1981 à 1985.

Conseiller municipal de Loretteville de 1981 à 1985. Élu député libéral dans Chauveau en 1985. Président du caucus de la région de Québec à partir de 1987. Whip adjoint du 5 juin au 9 août 1989. Réélu en 1989. Nommé whip adjoint le 29 novembre 1989.

POULIOT, Barthélemy
(1811–1890)

Né à Saint-Jean, île d'Orléans, et baptisé dans la paroisse du même nom, le 23 novembre 1811, fils de Barthélemy Pouliot, maître pilote, et de Marie-Louise Blais.

Étudia à Québec où il se lança dans le commerce. En 1837, s'établit à L'Islet (L'Islet-sur-Mer); y fut marchand pendant cinquante ans. L'un des fondateurs et des actionnaires de la Compagnie du chemin de fer de Québec, Chaudière, Maine et Portland, mise sur pied le 30 mai 1855. Exerça les fonctions de juge de paix et de commissaire au tribunal des petites causes.

Élu député de Dorchester en 1854; réformiste, puis bleu. Défait en 1858. Élu député libéral de L'Islet à la Chambre des communes en 1867, mais l'élection fut annulée le 9 juin 1869. Élu dans L'Islet à une élection fédérale partielle le 14 juillet 1869. Défait en 1872.

Décédé à L'Islet (L'Islet-sur-Mer), le 26 février 1890, à l'âge de 78 ans et 4 mois. Inhumé dans le cimetière de la paroisse Notre-Dame-du-Bonsecours, le 1er mars 1890.

Avait épousé dans la paroisse Saint-Étienne, à Beaumont, le 23 novembre 1835, Marine Fraser, fille de Thomas Fraser, officier de milice, et de Marie Lagueux.

Bibliographie: *Cahier généalogique Pouliot*, no 4, s.l., avril 1979, p. 3-5.

POULIOT, Camille-Eugène (1897–1967)

Né à Fraserville (Rivière-du-Loup), le 29 novembre 1897, fils de Joseph-Camille Pouliot, avocat et juge à la Cour supérieure, et d'Yvonne Hudon.

Fit ses études au collège de Sainte-Anne-de-la-Pocatière et à l'université de Montréal où il fut reçu médecin en 1924. De 1917 à 1919, il fit son service militaire et participa à l'expédition d'Omsk, en Sibérie, avec le 259e bataillon, puis revint avec le grade de sergent.

Pratiqua la médecine à Godbout puis à Saint-Joseph-du-Cap-d'Espoir, en Gaspésie. Nommé juge de paix du comté de Gaspé le 8 février 1926. Promoteur de la réouverture des moulins à Chandler en 1937. S'occupa du développement minier et maritime de la Gaspésie ainsi que de l'essor des coopératives. Fut clerc minoré dans l'ordre des prêtres réguliers Camilliens de Sherbrooke de 1965 à sa mort. Président local de l'Association des anciens combattants et des vétérans de la Gaspésie. Président des Pèlerins de L'Assomption. Membre de la Chambre de commerce de Chandler et de Gaspé. Membre du Club Renaissance et du Club Richelieu. Nommé membre à vie de la Société zoologique de Québec le 24 mars 1950 et grand chevalier de la conservation. Docteur en droit honoris causa du Bishop's College à Lennoxville.

Maire de la municipalité de Cap-d'Espoir de septembre 1932 à avril 1949. Préfet du comté de Gaspé. Candidat libéral indépendant défait dans Gaspé-Sud en 1935. Élu député de l'Union nationale dans la même circonscription en 1936. Réélu en 1939, 1944, 1948, 1952, 1956 et 1960. Ministre de la Chasse dans le cabinet Duplessis du 30 août 1944 au 18 décembre 1958, puis ministre de la Chasse et des Pêcheries dans les cabinets Duplessis, Sauvé et Barrette du 18 décembre 1958 au 5 juillet 1960. Défait en 1962.

Décédé à Sherbrooke, le 22 avril 1967, à l'âge de 69 ans et 4 mois. Inhumé dans le cimetière de Cap-d'Espoir, le 27 avril 1967.

Avait épousé à Montréal, le 6 juin 1925, Marie-Anne-Éva McDonald, fille de Donald McDonald et d'Éva Roy.

Neveu de Charles-Eugène **Pouliot**.

POULIOT, Charles-Eugène (1856–1897)

Né à Fraserville (Rivière-du-Loup), le 19 décembre 1856, fils de Jean-Baptiste **Pouliot**, notaire, et de Sophronie Blais.

Fit ses études au séminaire de Québec. Étudia le droit auprès de monsieur Langelier à Québec puis à l'université Laval à Québec. Admis au barreau de la province de Québec le 14 juillet 1879.

Exerça sa profession à Rivière-du-Loup. Actionnaire de la Compagnie des eaux de Chicoutimi.

Candidat libéral défait dans Témiscouata aux élections fédérales de 1887. Élu député libéral à l'Assemblée législative dans Témiscouata en 1890. Défait en 1892. Élu député libéral à la Chambre des communes dans la même circonscription en 1896.

Décédé en fonction à Fraserville, le 24 juin 1897, à l'âge de 40 ans et 6 mois. Inhumé dans le cimetière de Saint-Patrice-de-la-Rivière-du-Loup, le 30 juin 1897.

[Avait épousé à L'Isle-Verte, le 18 octobre 1887, Stella-Anita Bertrand, fille de Narcisse Bertrand, avocat, et de Stella Têtu.]

Père de Jean-François Pouliot, député à la Chambre des communes de 1924 à 1955 et sénateur de 1955 à 1969. Oncle de Camille-Eugène **Pouliot**.

POULIOT, François-A. (1896–1990)

Né à Holyoke, dans l'État du Massachusetts, le 6 juin 1896, fils de Joseph R. Pouliot, cultivateur, et de Célanire Morel.

Fit ses études au couvent des Sœurs de la Présentation à Holyoke, à l'école Saint-François-Xavier à Brompton et au Sherbrooke Business College.

De 1911 à 1961, il travailla au Canadien Pacifique où il occupa les fonctions suivantes: commis-sténographe à Farnham (1911 à 1916); télégraphiste et expéditeur suppléant des trains à Farnham (1916 à 1923); expéditeur des trains à Farnham (1923 à 1937); chef du mouvement des trains à Montréal (1937 à 1940); superviseur du transport à North Bay, en Ontario (1940 à 1942); directeur de la division de Woodstock, au

Nouveau-Brunswick (1942 et 1943); directeur de la division de Montréal (1943 et 1944); gérant général de la compagnie Quebec Central à Sherbrooke (1944 à 1947); directeur général pour le Québec, l'est de l'Ontario et le Vermont (1947 à 1959); directeur général adjoint de la région Atlantique (1959 à 1961).

Candidat conservateur défait dans Missisquoi en 1931. Élu député conservateur dans la même circonscription en 1935. Élu député de l'Union nationale en 1936. Whip de cette formation politique d'octobre 1936 à septembre 1939. Défait en 1939.

Président de la division de Farnham des télégraphistes et des chefs de gare de 1921 à 1937. Marguillier de la paroisse Saint-Joseph à Mont-Royal de 1959 à 1961. Président de l'Association des pionniers du Canadien Pacifique à partir de 1967. Président du Cercle de l'âge d'or de Mont-Royal de 1972 à 1974.

Décédé à Mont-Royal, le 11 mars 1990, à l'âge de 93 ans et 9 mois. Inhumé dans le cimetière de Farnham, le 17 mars 1990.

Avait épousé à Farnham, le 20 juin 1921, Léona Bessette, fille de Joseph-Napoléon Bessette, employé du Canadien Pacifique, et de Caroline Girard.

POULIOT, Jean-Baptiste (1816–1888)

Né à Kamouraska, le 21 mai 1816, puis baptisé le 22, dans la paroisse Saint-Louis, fils de François Pouliot, forgeron, et de Julie Damien.

Fit l'apprentissage du notariat à Rimouski, où ses parents s'étaient installés, puis à Trois-Pistoles et, enfin, auprès de Jean-Baptiste **Taché** à Kamouraska. Obtint sa commission de notaire le 14 janvier 1840.

Exerça sa profession d'abord à Kamouraska, puis, de mai à octobre 1840, à La Malbaie, avant de s'établir, vers la fin de l'année, à Rivière-du-Loup, où il pratiqua le notariat jusqu'à sa mort. Fut procureur de la seigneurie de la Rivière-du-Loup. Membre de la Chambre des notaires. Administrateur de la Compagnie d'assurance agricole du Canada. Encouragea la construction du chemin de fer Intercolonial.

Conseiller municipal de Rivière-du-Loup. Préfet du comté de Témiscouata. Candidat défait dans la circonscription de Témiscouata en 1854 et 1858. Élu sans opposition député de Témiscouata en 1863; rouge, s'opposa au projet de confédération. Son mandat prit fin avec l'avènement de la Confédération, le 1er juillet 1867. Candidat défait dans Témiscouata aux élections fédérales en 1872. Élu sans opposition député

libéral de cette circonscription à la Chambre des communes en 1874. Ne s'est pas représenté en 1878.

Décédé à Fraserville (Rivière-du-Loup), le 18 octobre 1888, à l'âge de 72 ans et 4 mois.

Avait épousé dans la paroisse Saint-Pierre-du-Sud, près de Montmagny, le 29 février 1848, Marie-Henriette-Sophronie Blais, fille de Louis Blais, cultivateur et lieutenant-colonel dans la milice, et de Marie-Angélique Genest.

Père de Charles-Eugène **Pouliot**. Grand-père de Jean-François Pouliot, député à la Chambre des communes du Canada et sénateur.

Bibliographie: *Cahier généalogique Pouliot, no 4,* s.l., avril 1979, p. 6-7.

POULIOT, Léopold (1902–1983)

Né à Québec, le 1er février 1902, fils de Joseph Pouliot, marchand et tailleur, et de Marie-Louise Côté.

Fit ses études à l'académie Saint-Sauveur à Québec.

Travailla d'abord au magasin Myrand et Pouliot à Québec. Fut ensuite commis et voyageur de commerce pour la maison McIntyre Sons, puis chez W.R. Brock Ltd. et Silks Ltd. pendant vingt-cinq ans. Fonda un magasin de nouveautés à Montréal en 1955. Directeur de la Compagnie mutuelle d'assurance-vie et de l'Union du commerce. Président général de l'Association des hommes d'affaires du Nord de Montréal et de l'Association professionnelle des voyageurs de commerce du Canada. Membre de la Dominion Commercial Travelers Association. Membre du Club Renaissance de Québec et du Club des Oliviers. Membre honoraire de la Légion canadienne.

Marguillier de la paroisse Saint-André-Apôtre. Candidat de l'Union nationale défait dans Saint-Sauveur aux élections provinciales de 1939. Candidat conservateur défait dans Laval aux élections fédérales de 1949. Élu député de l'Union nationale dans Laval en 1956. Défait en 1960.

Décédé à Montréal, le 21 juillet 1983, à l'âge de 81 ans et 5 mois. Inhumé à Montréal, dans le cimetière de l'Est, le 25 juillet 1983.

Avait épousé à Québec, dans la paroisse Saint-Sauveur, le 4 juin 1923, Marie-Jeanne Lachance, fille de Gaudiose Lachance, menuisier, et de Joséphine Lachance; puis, à Montréal-Nord, dans la paroisse Saint-Vital, le 4 novembre 1976, Hélène Joly, fille d'Alexis Joly, forgeron, et d'Amanda Gravel, et veuve de Joseph Joly.

POUPORE, John
(1817–1896)

[Né à Edwardsburg, dans le Haut-Canada, le 10 avril 1817, fils de Jean-Baptiste Poupore, fermier, marchand de bois et meunier, et de Rose Boyd, d'origine franco-irlandaise.]

Fit ses études à Potsdam, dans l'État de New York.

Vécut à West Meath, dans le Haut-Canada, avec sa famille à compter de 1833, puis à Chichester, au Bas-Canada, à partir de 1853. Fut cultivateur, marchand de bois, propriétaire de scieries et percepteur des droits sur les glissoires à bois. Nommé lieutenant-colonel commandant de la milice de réserve du comté de Pontiac en 1869.

Maire de Chichester. Élu député de Pontiac en 1861. Réélu sans opposition en 1863. Bleu. Son mandat prit fin avec l'avènement de la Confédération, le 1er juillet 1867. Élu sans opposition député conservateur de Pontiac à l'Assemblée législative en 1867. Réélu en 1871. Démissionna le 8 octobre 1874. Fut agent d'immigration à Québec de 1876 jusqu'à sa résignation en juillet 1878. Élu député conservateur de Pontiac à la Chambre des communes en 1878. Ne s'est pas représenté en 1882.

Décédé à Chichester, le 12 juillet 1896, à l'âge de 79 ans et 3 mois. Inhumé dans l'église méthodiste d'Edwardsburg, en Ontario, le 13 juillet 1896.

Avait épousé dans l'église presbytérienne St. Andrew, à Québec, le 3 novembre 1846, Marguerite Bouré, fille de Pierre Bouré, de Québec.

Oncle et beau-père de William Joseph **Poupore**.

POUPORE, William Joseph
(1846–1918)

[Né à l'Île-aux-Allumettes, le 29 avril 1846, fils de William Poupore et de Susan McAdams.]

Fit ses études à l'Île-aux-Allumettes et au Business College à Ottawa.

Agriculteur, propriétaire de moulins puis entrepreneur à Chichester, Morrisburg (Ontario) et Montréal. S'occupa principalement de construction de chemins de fer, de digues et de canaux. S'associa avec Alexander Fraser en 1891 pour former la compagnie Poupore and Fraser. Copropriétaire et constructeur de l'aqueduc d'Aylmer en 1895. Membre de la société Poupore, McAuliff and Co. qui effectua les travaux du port de Sorel. Promoteur de la MacArthur Construction Co. of Canada. Président de Grand Calumet Mining Co. Ltd. en 1899, Three Rivers Gas, Heat and Power Co., Peerless Gas Light Co. de Montréal et W.J. Poupore Co. Limited. Vice-président de la Canadian Federation of Boards of Trade and Municipalities en 1911. Directeur de la National Real Estate and Investment Co. en 1912. Membre de l'Engineers' Club, des Chevaliers de Colomb et du Laurentian Club d'Ottawa.

Maire de Chichester de 1872 à 1882. Président de la commission scolaire de Chichester de 1873 à 1881. Préfet du comté de Pontiac de 1880 à 1882. Élu député conservateur dans Pontiac à l'élection partielle du 6 mars 1882. Réélu en 1886 et sans opposition en 1890. Défait en 1892. Élu député conservateur à la Chambre des communes dans Pontiac en 1896. Ne s'est pas représenté en 1900.

Décédé à Westmount, le 17 août 1918, à l'âge de 72 ans et 3 mois. Inhumé à Montréal, dans le cimetière Notre-Dame-des-Neiges, le 19 août 1918.

Avait épousé à Chapeau, dans la paroisse Saint-Alphonsus, le 31 août 1870, Eleonor Poupore, fille de John **Poupore**, fermier, marchand de bois, meunier, et de Marguerite Bouré.

POWER, Joseph Ignatius
(1886–1935)

Né à Sillery, le 12 janvier 1886, fils de William Power, marchand, mesureur de bois et député à la Chambre des communes de 1902 à 1908 et de 1911 à 1917, et de Susan Winifred Rockett.

Fit ses études à l'académie commerciale de Québec et au collège Loyola à Montréal.

Marchand de bois. Travailla d'abord à la Banque Union, puis chez Power Lumber Ltd. et W. & J. Sharples Ltd. Président de la compagnie Fitzgerald Stevedoring & Construction à Kamouraska. S'enrôla dans le Royal Rifles en 1906. Fit partie du bataillon commandé par sir David Watson et prit part à la bataille d'Ypres. Promu lieutenant en 1915 et démobilisé en 1916. Membre du Club de hockey de Québec de 1903 à 1911, et capitaine quand celui-ci remporta le championnat mondial en 1904. Membre du Club de réforme, du Club de presse de Québec et des Chevaliers de Colomb.

Élu député libéral dans Québec-Ouest en 1927. Réélu en 1931.

Décédé en fonction à Québec, le 1er juin 1935, à l'âge de 49 ans et 4 mois. Inhumé à Sillery, dans le cimetière St. Patrick, le 4 juin 1935.

Avait épousé à Saint-Pascal, près de Kamouraska, le 11 mai 1925, Justine Hébert, fille d'Auguste Hébert, marchand, et d'Anna-Marie Martin.

Frère de William Gerard **Power** et de Charles Gavan Power, député à la Chambre des communes de 1917 à 1955, puis sénateur de 1955 à 1968. Oncle de Frank Gavan Power, député à la Chambre des communes de 1955 à 1958.

POWER, William
(1800–1860)

Né à Havre-de-Grâce, à Terre-Neuve, le 10 septembre 1800, fils de Michael Power, commerçant originaire de Waterford, en Irlande, et d'Elizabeth [Tovig].

Étudia dans un collège catholique en Irlande et, à compter de 1820, fit l'apprentissage du droit à Québec, auprès notamment de Norman Fitzgerald **Uniacke**, puis de George **Vanfelson**. Admis au barreau le 8 juin 1826.

Nommé greffier de la Cour de vice-amirauté en juin 1827 ; sa commission fut renouvelée en 1830 et 1838.

Élu député de Gaspé à une élection partielle en mars 1832 ; appuya tantôt le parti des bureaucrates, tantôt le parti patriote, mais vota contre les Quatre-vingt-douze Résolutions. Réélu en 1834 ; donna son appui au parti des bureaucrates. Son mandat prit fin avec la suspension de la constitution, le 27 mars 1838.

Fait capitaine dans les Queen's Volunteers des Cantons-de-l'Est, en novembre 1838. Nommé juge de la Cour des requêtes dans le district de Québec, le 15 mai 1840, passa à la Cour de circuit, le 23 avril 1844, et fut promu à la Cour supérieure, pour le district de Montmagny, le 25 novembre 1857.

Décédé dans la paroisse Saint-Thomas (à Montmagny), le 11 juillet 1860, à l'âge de 59 ans et 10 mois. Les obsèques eurent lieu dans l'église St. Patrick, à Québec, le 14 juillet 1860.

Avait épousé dans la paroisse de Saint-Jean-Port-Joli, le 15 décembre 1829, Suzanne Aubert de Gaspé, fille de Philippe-Joseph Aubert de Gaspé, avocat, seigneur et futur écrivain, et de Suzanne Allison.

Petit-fils par alliance de Pierre-Ignace **Aubert de Gaspé**. Beau-frère par alliance de Charles Joseph **Alleyn** et de Georges-René **Saveuse de Beaujeu**. Oncle de Georges-Raoul-Léotalde-Guichard-Humbert **Saveuse de Beaujeu**.

POWER, William Gerard
(1882–1940)

Né à Sillery, le 19 avril 1882, fils de William Power, marchand, mesureur de bois et député à la Chambre des communes de 1902 à 1908 et de 1911 à 1917, et de Susan Winifred Rockett.

Fréquenta l'académie commerciale de Québec et le collège Mont-Saint-Louis à Montréal.

Commerçant de bois à Saint-Pacôme. Employé de la maison W. & J. Sharples Ltd. de 1897 à 1902, puis président de cette compagnie de 1921 à 1929. Sociétaire de la River Ouelle Pulp & Lumber Company Inc. de 1902 à 1920 et membre du conseil d'administration de 1917 à 1920. Forma la Power Lumber Company à Québec en 1920. Fut président des compagnies suivantes : Peninsula Lumber, Bridgewater Lumber, Power, Moir and Stocking (New York) et Lake St. Joseph Lumber. Occupa également le poste de président de la Commission du port de Québec de 1922 à 1930. Administrateur de la National Wholesale Lumber Dealers Association de New York de 1917 à 1920. Président de la Woodlands Section of the Canadian Pulp and Paper Association en 1919 et 1920, de la Province of Quebec Limits Holder's Association en 1921 et 1922. Président honoraire de la Southern St. Lawrence Forest Protective Association. Membre du Club Kiwanis, du Club de la garnison, du Quebec Winter Club, du Old Colony Club et des Chevaliers de Colomb.

Membre de la Commission des écoles catholiques de Québec. Maire de Saint-Pacôme de 1918 à 1920. Nommé conseiller législatif de la division de Stadacona le 12 novembre 1923. Appuya le Parti libéral. Démissionna le 25 juillet 1934, pour devenir membre de la Commission des liqueurs du Québec.

Décédé à Québec, le 8 juillet 1940, à l'âge de 58 ans et 2 mois. Inhumé à Sillery, dans le cimetière St. Patrick, le 11 juillet 1940.

Avait épousé à Grand-Calumet, dans la paroisse Sainte-Anne, le 29 juin 1904, Mary Lafleur, fille d'Eustache Lafleur et d'Elizabeth Kerr.

Frère de Joseph Ignatius **Power** et de Charles Gavan Power, député à la Chambre des communes de 1917 à 1955, puis sénateur de 1955 à 1968. Oncle de Frank Gavan Power, député à la Chambre des communes de 1955 à 1958.

POWNALL, George
(1755–1834)

Né dans le Lincolnshire, en Angleterre, en 1755, fils de John Pownall, haut fonctionnaire britannique.

Nommé secrétaire et registraire de la province de Québec le 7 avril 1775, arriva à Québec le 15 juin. Exerça aussi la fonction de greffier du Conseil législatif jusqu'à ce que Jenkin **Williams** le remplaçât, au début de 1777. Fut appelé, en juin 1784, à faire partie du Conseil privé du gouverneur Frederick Haldimand, qui quitta la colonie en novembre. Fut juge de paix. Obtint plusieurs postes de commissaire. L'un des fondateurs, en 1789, de la Société d'agriculture du district de Québec.

Fut membre du Conseil législatif du 7 août 1775 jusqu'en 1791, puis à compter de 1792.

Reçut une nouvelle nomination au poste de secrétaire et registraire du Bas-Canada le 28 mai 1792, puis le 6 août 1804; conserva officiellement cette charge jusqu'en 1807, bien qu'il se fût retiré en Angleterre en 1803. Acquit une propriété dans le Norfolk en 1805.

Fait chevalier (sir) de l'ordre du Bain en 1796.

Décédé en fonction en Angleterre, le 17 octobre 1834, à l'âge de 78 ou de 79 ans.

On ne sait pas s'il était célibataire ou marié.

Neveu du colonel Thomas Pownall, député à la Chambre des communes britannique.

———

Bibliographie: *DBC.*

POZER, Christian Henry
(1835–1884)

[Né à Saint-Georges, dans la Beauce, le 26 décembre 1835, fils de William Pozer, seigneur d'Aubert-Gallion, et d'Ann Milbourne.]

Fit ses études à Québec et son droit auprès de François-Xavier **Lemieux** (oncle). Admis au barreau du Bas-Canada le 2 juillet 1860.

Exerça sa profession à Québec avec Édouard **Rémillard**, et pratiqua par la suite à Saint-Georges-de-Beauce. Propriétaire des titres de la seigneurie d'Aubert-Gallion de même que des droits des fiefs de Saint-Étienne et Saint-Bernard. Membre du conseil d'administration du chemin de fer Lévis-Kennebec et du chemin de fer de la vallée de Saint-François et Kennebec.

Candidat libéral défait dans Beauce aux élections de 1863. Élu député libéral à l'Assemblée législative dans Beauce en 1867. Réélu sans opposition en 1871. Démissionna de son poste de député à l'Assemblée législative le 17 janvier 1874. Élu député libéral à la Chambre des communes dans Beauce en 1867. Réélu en 1872 et sans opposition en 1874. Nommé sénateur de la division de Lauzon le 20 septembre 1876.

[Décédé en fonction à Saint-Georges, le 18 juillet 1884, à l'âge de 48 ans et 6 mois.]

Il était célibataire.

———

Bibliographie: *DBC.*

POZER, Jacob
(1777–1822)

Né à Schoharie, dans l'État de New York, ou à New York, en 1777, fils de George (Johann Georg) Pozer (Pfozer), marchand originaire de Wilstedt, en Allemagne, et de Magdalen Sneider.

Accompagna ses parents en Angleterre à l'automne de 1783, puis à Wilstedt et, au printemps de 1785, s'embarqua pour Québec, où son père fit carrière dans le commerce et investit dans la propriété foncière et immobilière. S'initia aux affaires dans les entreprises paternelles, puis se lança à son compte comme marchand et commissaire-priseur; en octobre 1808, louait la St. Roc Brewery, propriété de John **Young** (Basse-Ville de Québec). S'occupa aussi d'agriculture et d'élevage sur une terre qu'il possédait à Charlesbourg; lors de l'exposition agricole de 1818, obtint des prix pour ses chevaux notamment. Vécut pendant quelques années à William Henry (Sorel).

Élu député de William Henry à une élection partielle en décembre 1812, prit son siège le 29 de ce mois. Ne se serait pas représenté en 1814.

Décédé à Québec, le 15 octobre 1822, à l'âge de 44 ou de 45 ans. Les obsèques eurent lieu dans la cathédrale anglicane Holy Trinity, le 18 octobre 1822.

Avait épousé dans l'église anglicane Christ Church, à William Henry (Sorel), le 29 juin 1802, Ann Dorge, fille de John Daniel Dorge et d'Eve Cook.

———

Bibliographie: Angers, P., *Les seigneurs et premiers censitaires de St-Georges-Beauce et la famille Pozer*, Beauceville, L'Éclaireur, 1927, p. 28-29.

PRATT, Guy

Né à Longueuil, le 30 juillet 1925, fils de Paul Pratt, administrateur, et d'Eugénie Marcil.

A étudié aux collèges Jean-de-Brébeuf et Sainte-Marie et à l'université de Montréal où il fit un baccalauréat en droit de 1946 à 1949 et une licence en théologie de 1949 à 1953. A renoncé à la prêtrise en 1981.

Professeur et directeur des élèves au séminaire de Saint-Jean de 1953 à 1963. Directeur de l'action sociale du diocèse de Saint-Jean de 1963 à 1967. Curé de la paroisse Notre-Dame-de-Fatima de Longueuil de 1967 à 1975, et de la paroisse Saint-Lambert de 1978 à 1981. Employé de la Maison Alfred Dallaire inc. de 1981 à 1984.

Membre de la Chambre de commerce de la Rive-sud et membre du Club optimiste de Longueuil. Président de la corporation de l'hôpital Charles-Lemoyne à partir de 1976, membre du conseil d'administration de cet hôpital à compter de 1972 et président du conseil de 1976 à 1981.

Élu député libéral dans Marie-Victorin à l'élection partielle du 18 juin 1984. Défait aux élections générales de 1985.

Assesseur à temps complet à la Commission des affaires sociales à compter du 29 août 1986.

PRÉFONTAINE, Raymond (1850–1905)

Né à Longueuil, le 16 septembre 1850, fils de Toussaint Fournier, dit Préfontaine, cultivateur, et d'Ursule Lamarre.

A étudié au collège Sainte-Marie. Fit son droit auprès de Mes John A. Perkins et Antoine-Aimé **Dorion** puis à la McGill University. Admis au barreau de la province de Québec le 11 juillet 1873. Créé conseil en loi de la reine le 19 mai 1899.

Exerça d'abord sa profession avec John A. Perkins, puis avec Wilfrid **Prévost**, D. Major et Eugène **Lafontaine**. S'associa par la suite à plusieurs avocats, notamment Lomer **Gouin** et Joseph-Léonide **Perron**. Directeur de plusieurs compagnies dont la Confederation Life Insurance, Montreal Land Improvement, Western Loan and Trust et South Shore Railway. Président de la Moto. Cycle Company of Canada. Membre de la Commission du havre de Montréal.

Membre de la commission scolaire catholique de Montréal. Président de l'Association des jeunes libéraux et du Club national. Maire de Hochelaga de 1878 à 1883, puis échevin du quartier Hochelaga à la suite de l'annexion de cette municipalité à Montréal, de décembre 1883 à février 1898. Président du comité des chemins de 1889 à 1898. Maire de la ville de Montréal de février 1898 à février 1902. Élu député libéral à l'Assemblée législative dans Chambly en 1875. Défait en 1878. Réélu à l'élection partielle du 26 juin 1879. Défait en 1881. Élu député libéral à la Chambre des communes dans Chambly à l'élection partielle du 30 juillet 1886 et aux élections de 1887. Réélu à la Chambre des communes en 1891 (Chambly), 1896 (Maisonneuve) et 1900 (Maisonneuve et Terrebonne). Les sièges de Terrebonne et de Maisonneuve devinrent vacants lors de sa nomination comme ministre en 1902. Membre du Conseil privé du Canada et ministre de la Marine et des Pêcheries dans le cabinet Laurier du 11 novembre 1902 au 25 décembre 1905. Réélu dans Maisonneuve à l'élection partielle du 9 décembre 1903 et aux élections de 1904.

Directeur de la Société Saint-Jean-Baptiste. Membre de la Chambre de commerce, du St. James Club, du Club canadien de Montréal et de plusieurs autres sociétés.

Décédé en fonction à Paris (France), le 25 décembre 1905, à l'âge de 55 ans et 3 mois. Inhumé à Montréal, dans le cimetière Notre-Dame-des-Neiges, le 25 janvier 1906.

Avait épousé à Montréal, dans la paroisse Saint-Jacques-le-Majeur, le 20 juin 1876, Hermantine Rolland, fille de Jean-Baptiste Rolland, imprimeur et homme d'affaires, et d'Esther Boin, dit Dufresne.

Gendre de Jean-Baptiste Rolland, qui fut nommé sénateur en 1887. Beau-frère de Jean-Damien **Rolland**. Grand-oncle de François-Philippe **Brais**.

PRESCOTT, Robert (≈1726–1815)

Né dans le Lancashire, en Angleterre, vers 1726, fils de Richard Prescott, officier de cavalerie.

Entreprit une carrière dans l'armée britannique le 22 juin 1745 à titre d'enseigne dans l'infanterie. Pendant la guerre de Sept Ans, prit part, entre autres, à la capture de Louisbourg, île Royale (île du Cap-Breton), en 1758; fut nommé aide de camp du major général Jeffery Amherst le 5 mai 1759 et accompagna ce dernier dans son avance sur Montréal en 1760. Après la guerre, demeura probablement en Angleterre. Reprit du service au moment de la Révolution américaine et participa à plusieurs engagements militaires dans les Treize colonies et dans les Antilles. Après le traité de paix de 1783, retourna probablement en Angleterre et fut mis à la demi-solde. Pendant la guerre de la Grande-Bretagne contre la France révolutionnaire, combattit dans les Antilles en qualité de commandant.

Fut nommé gouverneur civil de la Martinique en décembre 1794, mais retourna en Angleterre pour raison de santé en 1795. Nommé lieutenant-gouverneur du Bas-Canada le 21 janvier 1796, arriva à Québec en juin. Le 15 décembre 1796, une commission révisée le faisait gouverneur en chef du Bas et du Haut-Canada, du Nouveau-Brunswick et de la Nouvelle-Écosse; fut assermenté le 27 avril 1797 et conserva ce dernier poste jusqu'au 29 août 1807, bien qu'il eût été rappelé en Angleterre pour consultations, en avril 1799, et qu'il eût quitté la colonie le 29 juillet 1799.

Nommé commandant des troupes britanniques en Amérique du Nord le 15 décembre 1796. Reçut le grade de général le 1er janvier 1798. Rappelé en Angleterre pour consultations en avril 1799, quitta le Bas-Canada le 29 juillet 1799 et ne revint pas dans la colonie.

Est peut-être l'auteur de *Letter from a veteran to the officers of the army encamped at Boston* (s.l., 1774).

Décédé à Rose Green (West Sussex), en Angleterre, le 21 décembre 1815 à l'âge d'environ 89 ans.

S'était marié.

———

Bibliographie: *DBC*.

PRÉVOST, Gédéon-Mélasippe (1817–1887)

Né à Sainte-Anne-des-Plaines, le 4 avril 1817, puis baptisé le 5, dans la paroisse du même nom, fils de Guillaume Prévost, forgeron, et de Josephte Quévillon.

Étudia au petit séminaire de Sainte-Thérèse, puis fit l'apprentissage du notariat. Obtint sa commission de notaire le 13 avril 1838 et exerça sa profession à Terrebonne jusqu'à la fin de sa vie.

Marguillier de la paroisse Saint-Louis de Terrebonne. Conseiller du village de Terrebonne de 1854 à 1857. Élu député de Terrebonne en 1854; rouge. Démissionna le 29 mai 1857, afin de permettre à Louis-Siméon **Morin** de se porter candidat. Maire de la ville de Terrebonne de 1860 à 1869.

Décédé à Terrebonne, le 2 février 1887, à l'âge de 69 ans et 9 mois. Inhumé dans le cimetière paroissial, le 7 février 1887.

Avait épousé dans la paroisse Saint-Louis, à Terrebonne, le 26 novembre 1839, Julie Prévost, fille de Louis-Hyacinthe Prévost et de Marie-Angélique Séguin, et veuve de François-Toussaint Marier.

Frère de Wilfrid **Prévost**. Oncle par alliance de Jean-Baptiste-Jules **Prévost**.

———

Bibliographie: «Gédéon-Ménasippe [sic] Prévost, notaire et premier maire de Terrebonne», *La Revue* (Terrebonne), 16 décembre 1971.

PREVOST, George (1767–1816)

Né dans le New Jersey, le 19 mai 1767, fils d'Augustin Prévost, Suisse romand, protestant et officier dans l'infanterie britannique, et de Nanette (Ann) Grand, fille d'un banquier d'Amsterdam.

Étudia en Angleterre et en Europe continentale.

S'engagea dans la carrière militaire en 1779, à titre d'enseigne dans l'infanterie britannique. En 1794 et 1795, pendant la guerre contre la France révolutionnaire, servit aux Antilles en qualité de commandant à Saint-Vincent. Blessé à deux reprises, retourna en Angleterre en janvier 1796. Fut nommé lieutenant-gouverneur de Sainte-Lucie en mai 1798. Nommé gouverneur de la Dominique en septembre 1802; se battit contre les Français. Revint en Angleterre en 1805. Accéda au grade de colonel commandant en 1806.

Nommé lieutenant-gouverneur de la Nouvelle-Écosse le 15 janvier 1808, séjourna à Halifax du 7 avril au 6 décembre, puis y revint le 15 avril 1809 après avoir participé à la prise de la Martinique. Reçut le grade de lieutenant général en juillet 1811. Arrivé à Québec le 13 septembre 1811, fut assermenté comme administrateur du Bas-Canada le 14. Nommé gouverneur en chef de l'Amérique du Nord britannique le 21 octobre 1811, prêta le serment d'office le 15 juillet 1812. Assuma le commandement des forces britanniques en Amérique du Nord, notamment durant la guerre de 1812. Quitta Québec le 3 avril 1815; son mandat prit fin le 4.

Se retira dans son domaine de Belmont, dans le Hampshire, en Angleterre, puis, à cause de sa mauvaise santé, s'installa à Londres.

Fut fait baronnet (sir) en 1805.

Décédé à Londres, le 5 janvier 1816, à l'âge de 48 ans et 7 mois. Inhumé à East Barnet (Londres).

Avait épousé, le 19 mai 1789, Catherine Anne Phipps.

———

Bibliographie: *DBC*.

PRÉVOST, Jean (1870–1915)

Né à Sainte-Scholastique (Mirabel), le 17 novembre 1870, fils de Wilfrid **Prévost**, avocat, et de Reine Marier. Fut baptisé avec les prénoms suivants: François-Jean-Berchmans.

Étudia au collège Sainte-Marie à Montréal et à l'université Laval à Québec et à Montréal. Poursuivit des études postuniversitaires en France et en Belgique. Admis au barreau de la province de Québec le 6 juillet 1894. Créé conseil en loi du roi le 30 juin 1903.

Exerça sa profession à Saint-Jérôme et s'associa successivement à son père, Me Wilfrid **Prévost**, puis à Mes Mathieu, J.-Camille Lemoyne de Martigny et Charles-Édouard Marchand. Fut aussi membre senior du cabinet Prévost et Rinfret de Saint-Jérôme. Collaborateur et directeur du journal *l'Avenir du Nord*. Auteur de *Revue de fin d'année* et *les Parrains du Nord...* (1903). Officier du 65e régiment.

Président de l'Association libérale de Terrebonne en 1899 et 1900. Membre du Club canadien, du Club Saint-Denis et du Club de la garnison de Québec. Élu député libéral dans Terrebonne en 1900. Réélu en 1904. Son siège devint vacant le 3 juillet 1905 lors de son accession au Conseil exécutif. Réélu sans opposition à l'élection partielle du 17 juillet 1905. Ministre de la Colonisation, des Mines et des Pêcheries dans le cabinet Gouin du 3 juillet 1905 au 30 septembre 1907, date de sa démission du cabinet Gouin. Réélu en 1908. Aux élections de 1912, il fut élu député libéral indépendant dans Terrebonne et défait sous la même allégeance dans L'Assomption.

Décédé en fonction à Montréal, le 21 juillet 1915, à l'âge de 44 ans et 8 mois. Inhumé à Saint-Jérôme, le 26 juillet 1915.

Avait épousé à Montréal, dans la paroisse Saint-Louis-de-France, le 19 novembre 1895, Gabrielle Gagnon, fille de Charles-Arthur Gagnon, inspecteur de la Banque du Peuple, et de Marie-Anne Sophie Thibaudeau.

Neveu de Gédéon-Mélasippe **Prévost**. Cousin de Jules-Édouard Prévost, député à la Chambre des communes de 1917 à 1930 et sénateur de 1930 à 1943.

PRÉVOST, Jean-Baptiste-Jules
(1828– ≥1881)

Né à Terrebonne, le 7 mars 1828, puis baptisé le 8, dans la paroisse Saint-Louis, fils de François-Hyacinthe Prévost, marchand, et d'Angélique-Athalie Turgeon.

Fut marchand à Saint-Polycarpe.

Élu député de Soulanges en 1861; modéré. Défait en 1863. Maire de la paroisse de Saint-Polycarpe, de 1868 à 1872, puis de 1878 à 1881.

Décédé en ou après 1881.

Avait épousé dans la paroisse de Saint-Polycarpe, le 1er août 1853, Mary Ellen McIntosh, fille de Donald McIntosh et de Charlotte Reed; puis, dans la paroisse Saint-Ignace, à Coteau-du-Lac, le 4 novembre 1856, Mary (Marie) Giroux, fille de Joseph Giroux et d'Elizabeth King.

Neveu par alliance de Gédéon-Mélasippe **Prévost**.

PRÉVOST, Michel
(1753–1843)

Né à Montréal et baptisé dans la paroisse Notre-Dame, le 30 septembre 1753, fils d'Eustache Prévost, tonnelier, et de Marie-Jeanne Valade.

S'établit vers 1789 à Saint-Jacques-de-l'Achigan (Saint-Jacques), où il fut meunier et négociant. Servit pendant la guerre de 1812 comme capitaine dans la milice de la division de L'Assomption; accéda au grade de major le 15 avril 1830.

Élu député de Leinster à une élection partielle le 10 juin 1815. Défait en 1816. Élu dans la même circonscription en juillet 1820. Prit part à peu de votes et appuya le parti canadien. Ne s'est pas représenté en 1824.

Décédé à Montréal, le 17 juillet 1843, à l'âge de 89 ans et 9 mois. Inhumé dans la paroisse Notre-Dame, le 19 juillet 1843.

Avait épousé dans sa paroisse natale, le 2 février 1789, Félicité Bourdon, fille de Jean-Baptiste Bourdon et de Félicité Viger.

PRÉVOST, Wilfrid
(1832–1898)

Né à Sainte-Anne-des-Plaines, près de Terrebonne, le 30 avril 1832, fils de Guillaume Prévost, marchand, et de Josephte Quévillon.

Fit ses études au collège Saint-Sulpice à Montréal, au collège de L'Assomption et au séminaire de Saint-Hyacinthe. Fit sa cléricature auprès de Mes Cherrier et Dorion. Admis au barreau de la province du Bas-Canada le 7 juin 1853. Créé conseil en loi de la reine le 31 mai 1878.

Exerça sa profession à Terrebonne (1853 à 1859), Sainte-Scholastique (1859 à 1875), Montréal (1875 à 1891) et Saint-Jérôme (1891). Fut associé notamment à Raymond **Préfontaine**. Procureur de la couronne à Sainte-Scholastique et à Terrebonne.

Maire de Sainte-Scholastique pendant quelques années, il démissionna en mars 1873. Préfet du comté de Deux-Montagnes. Élu sans opposition député libéral à la Chambre des communes dans Deux-Montagnes en 1872. Fut réélu en 1874, mais son élection fut annulée le 14 janvier 1875. Défait à l'élection partielle du 27 février 1875. Nommé conseiller législatif de la division de Rigaud le 9 mai 1888.

Décédé en fonction à Saint-Jérôme, le 15 février 1898, à l'âge de 65 ans et 10 mois. Inhumé à Terrebonne, dans l'église Saint-Louis-de-France, le 19 février 1898.

Avait épousé à Terrrebonne, le 4 juillet 1853, Reine Marier, fille de François Toussaint-Marier et de Julie Prévost; puis, dans la cathédrale de Saint-Jérôme, le 13 juillet 1891, Honorine Globensky, fille d'Édouard Globensky et d'Adélaïde Prévost.

Frère de Gédéon-Mélasippe **Prévost**. Père de Jean **Prévost**. Oncle de Jules-Édouard Prévost, député à la

Chambre des communes de 1917 à 1930 et sénateur de 1930 à 1943.

PRÉVOST, Yves

Né à Beauport, le 11 juillet 1908, fils de J. Alfred Prévost, avocat, juge à la Cour supérieure et à la Cour du banc de la reine, et de Marie-Louise Montreuil.

Fit ses études au couvent de la Congrégation de Notre-Dame et au collège Saint-Édouard à Beauport, au pensionnat Saint-Louis-de-Gonzague à Québec, au séminaire de Québec et à l'université Laval à Québec. Récipiendaire du prix Tessier. Admis au barreau de la province de Québec le 13 août 1931. Créé conseil en loi du roi le 6 septembre 1944.

Exerça d'abord sa profession avec son père de 1931 à 1933. De 1933 à 1969, il s'associa à plusieurs avocats, notamment à Jacques Flynn, député à la Chambre des communes de 1958 à 1962 et sénateur à compter de 1962. Nommé responsable de la refonte des lois municipales par le gouvernement provincial en 1945. Chargé de cours à la faculté de droit de l'université Laval en 1947, puis professeur titulaire de droit municipal à la même faculté de 1955 à 1969. Professeur de législation scolaire à la faculté des sciences de l'éducation de l'université Laval de 1963 à 1966.

Secrétaire-trésorier de la commission scolaire de Beauport de 1933 à 1939, commissaire d'école de 1940 à 1952 et président de la commission scolaire de 1943 à 1952. Maire de la ville de Beauport de 1948 à 1952. Marguillier de l'œuvre et de la fabrique de Beauport de 1949 à 1952. Élu député de l'Union nationale dans Montmorency en 1948. Réélu en 1952, 1956 et 1960. Ministre des Affaires municipales dans le cabinet Duplessis du 15 juillet 1953 au 26 septembre 1956. Secrétaire et registraire dans les cabinets Duplessis, Sauvé et Barrette du 26 septembre 1956 au 5 juillet 1960. Choisi chef intérimaire de l'Union nationale le 16 septembre 1960. Chef de l'Opposition du 20 septembre 1960 au 11 janvier 1961. Ne s'est pas représenté en 1962.

Membre du Conseil supérieur de l'éducation et du conseil de l'université Laval de 1966 à 1969. Président de la Commission royale d'enquête sur l'administration de la justice en matière criminelle et pénale de 1967 à 1970. Juge en chef adjoint à la Cour de bien-être social de Québec du 5 février 1969 au 11 juillet 1975. Collaborateur à la *Revue du barreau*, au *Livre du centenaire du Code civil* et à diverses publications. Premier président des Compagnons de l'Action. Commissaire pour l'érection civile des paroisses du diocèse de Québec. Directeur du secrétariat des Syndicats catholiques de Québec inc. Président de la Société Saint-Jean-Baptiste de Beauport.

Directeur de l'hôpital Saint-Augustin ainsi que directeur et secrétaire de la Corporation du sanatorium de Lac-Édouard. Président de la Société des études juridiques de Québec en 1945 et 1946. Président du comité canadien de l'Association Henri-Capitant et du congrès tenu par cette association en 1958. Membre du conseil confédéral de la Confédération mondiale des amicales lasalliennes en 1966 et 1967, puis président du comité des travaux du Congrès mondial lasallien tenu en août 1967. Membre des Chevaliers de Colomb, du Cercle universitaire Laval, du Club Renaissance de Québec et du Club Saint-Denis de Montréal.

Titulaire de la médaille de l'ordre du Mérite des commissions scolaires du Québec. Membre honoraire du conseil municipal de Paris en 1953. Créé commandeur de l'ordre de Saint-Grégoire-le-Grand en 1956, officier de l'ordre académique du Bon Parler français en 1957 et chevalier de l'ordre du Saint-Sépulcre-de-Jérusalem en 1970. Récipiendaire de la médaille Henri-Capitant décernée par la faculté de droit de l'université de Paris en 1958. Nommé docteur honoris causa de l'université de Montréal et du Bishop's College en 1960, puis de l'université Laval en 1961. Trésorier du barreau de Québec de 1940 à 1943. Bâtonnier du barreau de Québec ainsi que bâtonnier général du Québec en 1965 et 1966. Récipiendaire du prix Archambault-Fauteux, en mars 1973, pour sa contribution (rapport Prévost) au renouveau dans le domaine de la justice.

PRICE, David Edward
(1826–1883)

Né à Québec, le 11 mai 1826, puis baptisé le 25 juin, dans la cathédrale anglicane Holy Trinity, fils de William Price, marchand de bois d'origine anglaise, et de Jane Stewart.

Fit des études classiques à Québec, auprès du ministre anglican Francis James Lundy. De décembre 1844 jusqu'en 1847, fit l'apprentissage du commerce du bois auprès d'associés de son père, à Londres.

En 1847, s'engagea dans l'entreprise manufacturière et commerciale de son père ; fut notamment commis à l'établissement de l'Anse-à-l'Eau, puis au Petit-Saguenay. En janvier 1867, participa à la mise sur pied de la Price Brothers and Company, qui prenait le relais de la William Price and Son dans l'exploitation forestière et le commerce du bois, principalement à Québec et au Saguenay ; en fut le directeur de 1880 à 1883. Président de la Chambre de commerce de Québec de 1868 à 1872.

Candidat dans les circonscriptions unies de Chicoutimi et Tadoussac en 1854, se désista en faveur d'Augustin-Norbert

Morin. Élu député de Chicoutimi et Tadoussac à une élection partielle le 26 avril 1855. Élu sans opposition dans Chicoutimi et Saguenay en 1858. De tendance conservatrice. Réélu sans opposition en 1861; d'abord de tendance conservatrice, appuya par la suite le ministère libéral Macdonald–Sicotte. Réélu en 1863; de tendance conservatrice. Démissionna le 4 octobre 1864. Élu conseiller législatif de la division des Laurentides en 1864, occupa son siège jusqu'à l'avènement de la Confédération, le 1er juillet 1867. Sénateur de la division des Laurentides à compter du 23 octobre 1867.

Participa à la fondation du Club Stadacona, à Québec, en 1861. Fut lieutenant-colonel commandant du 2e bataillon de milice de Chicoutimi. Membre du Conseil d'agriculture de la province; président de la Société d'agriculture du comté de Chicoutimi. Vice-consul au Saguenay des royaumes du Danemark, de Suède et de Norvège, ainsi que de l'Argentine et du Pérou; servit également d'agent consulaire pour les États-Unis.

Décédé en fonction à la résidence familiale de Wolfefield, à Sillery, le 22 août 1883, à l'âge de 57 ans et 3 mois. Après des obsèques célébrées dans l'église anglicane St. Michael, fut inhumé dans le cimetière Mount Hermon, le 24 août 1883.

Était célibataire.

Frère de Evan John Price, sénateur, et de William Evan **Price**. Oncle de William Price, député à la Chambre des communes du Canada.

PRICE, William Evan (1827–1880)

Né à Québec, le 17 novembre 1827, fils de William Price, marchand, et de Jane Stewart.

Fit ses études au Dr. Lundy's Classical College, puis à Kingston.

Employé dans l'entreprise de son père au Saguenay, la William Price and Company, engagée dans le commerce du bois et l'exploitation forestière. Installé à Chicoutimi, il assume avec son père la direction de la William Price and Son de 1855 à 1867. Dissoute, cette compagnie fut remplacée par la Price Brothers and Company qu'il administra jusqu'à sa mort. Président de la Société d'agriculture du comté de Chicoutimi. Membre de l'Institut des artisans, des clubs Stadacona et Rideau.

Élu député conservateur à la Chambre des communes dans Chicoutimi-Saguenay en 1872. Ne s'est pas représenté aux élections fédérales de 1874. Élu député conservateur à l'Assemblée législative dans Chicoutimi-Saguenay en 1875. Réélu en 1878. Démissionna le 13 février 1880.

Décédé à la résidence familiale de Wolfefield, à Québec, le 12 juin 1880, à l'âge de 52 ans et 6 mois. Inhumé à Sainte-Foy, dans le cimetière Notre-Dame-de-Belmont, le 15 juin 1880.

Il était célibataire.

Frère d'Evan John Price, sénateur de 1888 à 1899, et de David Edward **Price**. Oncle de William Price, député à la Chambre des communes de 1908 à 1911.

PROU. V. PROULX

PROULX, Jean-Baptiste (1793–1856)

Né à Nicolet et baptisé dans la paroisse Saint-Jean-Baptiste, le 13 juillet 1793, fils de Joseph Proulx, cultivateur, et de Geneviève Crevier Descheneaux.

Étudia au séminaire de Nicolet de 1803 à 1811.

S'établit comme cultivateur sur la terre paternelle. Au moment de la guerre de 1812, servit dans la milice; fut destitué de son grade de lieutenant en 1827 pour avoir, entre autres choses, critiqué le gouvernement de George **Ramsay**. Éleveur, fut fournisseur de viande de boucherie à Nicolet. Après 1844, accrut le nombre de ses propriétés foncières.

Élu député de Buckingham en juillet 1820. Réélu en 1824 et 1827. Élu dans Nicolet en 1830; appuya le parti patriote. Réélu en 1834. Emprisonné le 4 février 1838 pour avoir fait partie de l'organisation révolutionnaire de son comté, fut libéré faute de preuves probablement à la fin du mois. Son mandat prit fin avec la suspension de la constitution, le 27 mars 1838.

Décédé à Nicolet, le 17 juillet 1856, à l'âge de 63 ans. Inhumé dans l'église paroissiale, le même jour.

Avait épousé dans la paroisse Saint-Antoine-de-Padoue, à Baie-du-Febvre, le 5 juillet 1830, Flore Lemire, fille d'Antoine Lemire, coseigneur, et de Marie-Josephte Proulx, et veuve d'Antoine Marcot.

Neveu de Louis **Proulx**. Beau-frère de Jean-Baptiste **Hébert**.

Bibliographie: *DBC*.

PROULX, Jean-Baptiste-Georges (1809–1884)

Né à Nicolet et baptisé dans la paroisse Saint-Jean-Baptiste, le 23 avril 1809, fils de Jean-Baptiste Proulx, cultivateur qui fut capitaine dans la milice, et de Madeleine Hébert.

Étudia au collège de Nicolet de 1821 à 1825.

Fut cultivateur dans la paroisse Saint-Jean-Baptiste de Nicolet. Exerça les fonctions de juge de paix, de commissaire au tribunal des petites causes et de commissaire d'école.

Élu conseiller législatif de la division de La Vallière en 1860, occupa son siège jusqu'à l'avènement de la Confédération, le 1er juillet 1867. Représenta de nouveau la même division au Conseil législatif: nommé le 2 novembre 1867, prêta serment le 27 décembre. Appuya le Parti libéral.

Décédé en fonction à Nicolet, le 27 janvier 1884, à l'âge de 74 ans et 9 mois. Inhumé dans le cimetière paroissial, le 30 janvier 1884.

Avait épousé dans sa paroisse natale, le 20 janvier 1835, Julie Alexander, fille du docteur Calvin Alexander et de Marie-Anne-Antoinette Hicks, du canton de Kingsey.

Beau-père de Pierre **Grenier**.

PROULX, Jérôme

Né à Saint-Jérôme, le 28 avril 1930, fils de Joseph-Moïse-Armand Proulx, contremaître, et de Marie-Ange Cloutier.

Fit ses études à l'école Saint-Antoine-des-Laurentides, puis au séminaire de Sainte-Thérèse. Titulaire d'une licence en théologie du grand séminaire de Montréal, d'un baccalauréat et d'un brevet «A» en pédagogie de l'école normale Jacques-Cartier et d'une maîtrise en littérature de l'université de Montréal.

Professeur de littérature au collège militaire de Saint-Jean de 1957 à 1966.

Élu député de l'Union nationale dans Saint-Jean en 1966. Siégea comme député indépendant à partir du 11 novembre 1969, à la suite d'un désaccord sur le projet de loi 63. Joignit le 26 novembre 1969 les rangs du Parti québécois. Candidat de cette formation politique défait dans Saint-Jean en 1970 et 1973. Président du Parti québécois du comté de Saint-Jean en 1972 et 1973. Fut membre de l'exécutif de ce parti à compter d'octobre 1974. Élu député du Parti québécois dans la même circonscription en 1976. Réélu en 1981. Whip du 26 novembre 1976 au 5 octobre 1979. Adjoint parlementaire du ministre des Affaires culturelles du 22 décembre 1980 au 22 novembre 1984. Siégea comme indépendant à partir du 22 novembre 1984. Réintégra les rangs du Parti québécois en décembre 1984. Candidat du Parti québécois défait dans Saint-Jean en 1985.

Professeur de littérature et de morale à la commission scolaire Honoré-Mercier de 1970 à 1976. Consultant et analyste à compter de 1985. Instigateur du mouvement visant à rendre l'enseignement de l'histoire obligatoire en 1974. Auteur d'un ouvrage intitulé *Un panier de crabes* (1971). Membre de la Chambre de commerce de Saint-Jean et des Chevaliers de Colomb.

PROULX, Louis (1751–1838)

Né à Nicolet, le 29 octobre 1751, puis baptisé le 30, dans la paroisse Saint-Jean-Baptiste, fils de Jean-Baptiste Proulx, cultivateur, et de Marie Magdeleine Pinard. Son patronyme s'orthographia parfois Proust et Prou.

Commença très jeune à mettre en valeur une des terres que possédait son père à Nicolet. Par la suite, fit du commerce, plus particulièrement celui des grains, des bestiaux et du bois de chauffage. S'engagea dans l'acquisition de propriétés foncières, le prêt et la spéculation sur les biens fonciers et sur les marchandises. Fut aussi entrepreneur en bâtiment. Nommé premier marguillier en 1798.

Élu député de Buckingham en 1804; appuya généralement le parti canadien. Ne se serait pas représenté en 1808.

Après 1800, s'intéressa surtout à l'acquisition et à l'exploitation de seigneuries, notamment celles de Lussodière et de Saint-François. En 1828, se retira à Nicolet.

Décédé à Nicolet, le 3 mars 1838, à l'âge de 86 ans et 4 mois. Inhumé dans l'église paroissiale, le 5 mars 1838.

Avait épousé dans la paroisse Saint-Jean-Baptiste de Nicolet, le 18 janvier 1784, Marie-Anne Brassard, fille de Pierre Brassard, capitaine et cultivateur, et de Marie-Antoinette Pinard.

Oncle de Jean-Baptiste **Proulx**. Beau-père de François **Legendre**.

Bibliographie: *DBC*.

PROUST. V. PROULX

PROVENÇAL, Paul
(1904–1954)

Né à Montréal, le 15 février 1904, fils de Joseph Provençal, menuisier et homme d'affaires, et d'Irène Perreault.

Fit ses études au collège Sainte-Marie à Montréal.

Marchand à Montréal, il succéda à son père à la direction d'un commerce de bois et de charbon. Directeur de la caisse populaire Sainte-Cécile à Montréal. Officier de l'Association des marchands détaillants de Montréal. Membre de l'Association des hommes d'affaires du Nord, de la Chambre de commerce de Montréal et du Better Business Bureau. Membre du Club des journalistes, de la Société Saint-Vincent-de-Paul, de la Société Saint-Jean-Baptiste et de la Société des artisans canadiens-français.

Élu député de l'Union nationale dans Montréal-Laurier en 1948. Réélu en 1952.

Décédé en fonction à Montréal, le 30 août 1954, à l'âge de 50 ans et 6 mois. Inhumé à Montréal, dans le cimetière Notre-Dame-des-Neiges, le 3 septembre 1954.

Avait épousé à Montréal, dans la paroisse Saint-Jacques, le 9 septembre 1944, Marie Rose Fortunoviz, fille de Paul Fortunoviz et d'Antonia Antrish.

PRUD'HOMME, Eustache
(1818–1891)

Né dans l'île de Montréal et baptisé dans la paroisse Notre-Dame, le 14 juin 1818, fils d'Eustache Prud'homme, cultivateur et capitaine dans la milice, et de Véronique Parent.

Étudia au petit séminaire de Montréal de 1831 à 1837.

Fut cultivateur au coteau Saint-Pierre, dans l'île de Montréal. Exerça les fonctions de capitaine dans la milice, juge de paix et syndic de la voirie de l'île de Montréal.

Maire du village de Notre-Dame-de-Grâce en 1874. Élu conseiller législatif de la division de Rigaud à une élection complémentaire le 3 juin 1863, occupa son siège jusqu'à l'avènement de la Confédération, le 1er juillet 1867. Nommé conseiller législatif de la même division le 2 novembre 1867, prêta serment le 27 décembre; appuya le Parti conservateur. Démissionna le 25 avril 1888.

Décédé au coteau Saint-Pierre, île de Montréal, le 5 novembre 1891, à l'âge de 73 ans et 4 mois. Inhumé dans le cimetière Notre-Dame-des-Neiges, le 9 novembre 1891.

Avait épousé dans la paroisse Notre-Dame de Montréal, le 29 janvier 1838, Julie Gougeon, fille du cultivateur Maurice Goujon et de Julie Leduc.

PYKE, George
(1775–1851)

Né à Halifax, en Nouvelle-Écosse, le 19 janvier 1775, puis baptisé le 5 mars, dans l'église anglicane St. Paul, fils de John George Pyke, marchand et futur député à la Chambre d'assemblée néo-écossaise, et d'Elizabeth Allan. Son patronyme s'orthographiait parfois Pike.

Étudia le droit à compter de 1787, puis fut admis au barreau de la Nouvelle-Écosse.

Après 1794, vint à Québec où il reçut une commission d'avocat en décembre 1796. Par la suite, occupa plusieurs postes dans l'administration de la province: nommé arpenteur général adjoint en 1799, greffier adjoint de la couronne en 1800; fut protonotaire et greffier de la Cour du banc du roi à Québec, ainsi que greffier des sessions générales de la paix, de 1802 à 1812.

Élu député de Gaspé en 1804; appuya généralement le parti des bureaucrates. Réélu en 1808, 1809 et 1810. Ne se serait pas représenté en 1814.

Nommé avocat général de la province en 1812 et juge *pro tempore* de la Cour de vice-amirauté en 1816; fut greffier en loi du Conseil législatif de février 1816 à février 1819, juge suppléant de la Cour du banc du roi à Montréal du 1er juin 1818 jusqu'à sa nomination comme juge puîné de cette cour le 1er mai 1820. En outre, entre 1839 et 1842, exerça les fonctions de juge en chef à Montréal, mais sans en avoir le titre. Avait acquis des terrains dans les Cantons-de-l'Est et une vaste propriété à Pointe-à-Cavagnal (Hudson), près de Vaudreuil, dans laquelle il se retira le 1er juillet 1842.

Est l'auteur du premier recueil de jurisprudence paru au Bas-Canada, *Cases argued and determined in the Court of King's Bench for the district of Quebec* [...] (Montréal, 1811).

Décédé à Pointe-à-Cavagnal (Hudson), le 3 février 1851, à l'âge de 76 ans. Inhumé dans la paroisse anglicane de Vaudreuil, le 6 février 1851.

Avait épousé, le 10 mai 1809, Eliza Tremain; puis, à Cornwall, dans le Haut-Canada, le 28 mai 1831, Catherine Smyth, de Montréal.

Beau-frère de James **Irvine**. Neveu de John Allan, député à la Chambre d'assemblée de la Nouvelle-Écosse.

Bibliographie: *DBC*.

QUENNEVILLE, Robert
(1921–1989)

Né à Kénogami, le 2 avril 1921, fils d'Ulric Quenneville, directeur de banque, et de Noëlla Robert.

Fit ses études à l'école Saint-Pierre, au séminaire de Joliette et à l'université de Montréal. Reçu médecin en 1947.

Exerça sa profession à Joliette où il fut président du bureau médical de l'hôpital Saint-Eusèbe de 1952 à 1970. Président de la Société médicale de Lanaudière, président de Deka inc., et directeur de la Société immobilière de Joliette. Membre du Collège des médecins et chirurgiens de la province de Québec, de la Fédération des omnipraticiens et de l'Association des médecins de langue française. Président du Club Richelieu en 1951, du Centre civique de Joliette en 1966 et 1967, puis de la Chambre de commerce de Joliette.

Élu député libéral dans Joliette en 1970. Réélu dans Joliette-Montcalm en 1973. Assermenté ministre d'État à la Santé le 12 mai 1970, puis ministre d'État aux Affaires sociales le 22 décembre 1970. En février 1971, il devint ministre responsable du placement étudiant et du retour au travail des assistés sociaux. Assermenté ministre d'État responsable de l'Office du développement de l'est du Québec le 14 octobre 1971, et ministre responsable de l'Office de planification et de développement du Québec le 31 mai 1972. Responsable des programmes fédéraux Perspectives Jeunesse, Horizons nouveaux et Initiatives locales du 14 février 1973 au 31 juillet 1975. Ministre du Revenu du 31 juillet 1975 au 25 novembre 1976. Défait en 1976. Retourna à la pratique de la médecine.

Décédé à Joliette, le 30 novembre 1989, à l'âge de 68 ans et 7 mois. Inhumé dans le cimetière de Joliette, le 4 décembre 1989.

Avait épousé à Montréal, dans la paroisse Saint-Stanislas-de-Kostka, le 8 mai 1948, Claire Mayer, fille d'Hormidas Mayer, menuisier, et d'Angélina Côté.

QUESNEL, Frédéric-Auguste
(1785–1866)

Né à Montréal, le 4 février 1785, puis baptisé le 5, dans la paroisse Notre-Dame, fils de Joseph Quesnel, marchand (fut plus tard musicien et poète), et de Marie-Josephte Deslandes.

Étudia au collège Saint-Raphaël, à Montréal, de 1796 à 1803. Fit l'apprentissage du droit auprès de Stephen **Sewell**. Reçu au barreau en 1807.

Exerça sa profession à Montréal. Investit dans la traite des fourrures et dans la propriété foncière. Administrateur de la Banque du peuple vers 1848, en fut président de 1859 à 1865.

Élu député de Kent en juillet 1820. Réélu en 1824 et 1827. Élu dans Chambly en 1830. Appuya le parti canadien, puis le parti patriote, durant ses trois premiers mandats, mais, de tendance modérée, vota contre les Quatre-vingt-douze Résolutions. Défait en 1834. Nommé au Conseil exécutif le 22 août 1837 ; en fit partie jusqu'à l'entrée en vigueur de l'Acte d'Union, le 10 février 1841. Élu sans opposition dans Montmorency en 1841 ; antiunioniste ; fit partie du groupe canadien-français. Défait en 1844. Appelé au Conseil législatif le 8 septembre 1848.

Servit dans la milice pendant la guerre de 1812 ; accéda au grade de major en 1830. Nommé conseiller du roi en 1831. Membre de l'Institution royale pour l'avancement des sciences. Élu président de la Société Saint-Jean-Baptiste de Montréal en 1860. Obtint plusieurs postes de commissaire.

Décédé en fonction à Montréal, le 28 juillet 1866, à l'âge de 81 ans et 5 mois. Inhumé dans le cimetière Notre-Dame-des-Neiges, le 1er août 1866.

Avait épousé à Boucherville, [le 20 janvier] 1813, Marguerite Denaut, [fille du capitaine Joachim Denaut, trafiquant de fourrures résidant à Granville, dans le Haut-Canada, et de Marguerite Chabert].

Frère de Jules-Maurice **Quesnel**. Beau-frère de Côme-Séraphin **Cherrier** (Montréal). Oncle de Charles-Joseph Coursol, député à la Chambre des communes du Canada. Sa petite-fille épousa Théodore **Robitaille**.

Bibliographie : *DBC*.

QUESNEL, Jules-Maurice
(1786–1842)

Né à Montréal et baptisé sous le prénom de Julien-Maurice, dans la paroisse Notre-Dame, le 25 octobre 1786, fils de Joseph Quesnel, marchand (fut aussi musicien et poète), et de Marie-Josephte Deslandes, tous deux d'origine française.

Étudia au collège Saint-Raphaël de Montréal de 1797 à 1799.

Se lança dans la traite des fourrures pour le compte de la North West Company. Séjourna dans le Nord-Ouest de 1804 environ à 1811 ; prit part à l'exploration du fleuve Fraser, en Colombie-Britannique, en 1808. De retour dans l'Est, s'occupa du commerce d'import-export, dans le Haut et le Bas-Canada, principalement au sein de la Quetton St. George and Company, puis de la Quesnel and Baldwin de 1820 à 1832. Actionnaire de la Compagnie des propriétaires du canal de Lachine et de la Bank of Upper Canada. Engagé dans la navigation à vapeur dans le Haut-Canada et sur le Saint-Laurent, et dans l'exploitation du port de Montréal, notamment comme membre de la Commission du havre de Montréal de 1830 à 1836, syndic de la Maison de la Trinité de 1830 à 1839, puis assistant-maître jusqu'en 1842, et président du Committee of Trade de Montréal en 1836–1837. Officier de milice. Obtint quelques postes de commissaire.

S'occupa d'administration municipale, à Montréal, avant 1833, puis entre 1836 et 1840 ; fut membre du conseil municipal de 1840 à sa mort. Fit partie du Conseil spécial du 2 avril 1838 jusqu'à la dissolution de ce conseil, en juin, et à nouveau du 2 novembre 1838 jusqu'à l'entrée en vigueur de l'Acte d'Union, le 10 février 1841. Appelé au Conseil législatif le 9 juin 1841.

Décédé en fonction à Montréal, le 20 mai 1842, à l'âge de 55 ans et 6 mois. Inhumé dans l'église Notre-Dame, le 23 mai 1842.

Avait épousé dans la paroisse Notre-Dame de Montréal, le 10 juin 1816, Josette (Marie-Josephte) Cotté, fille du marchand de fourrures Gabriel Cotté et de sa seconde femme, Angélique Blondeau.

Frère de Frédéric-Auguste **Quesnel**. Beau-frère de Côme-Séraphin **Cherrier** (Montréal). Oncle par alliance de Maurice **Laframboise**. Oncle de Charles-Joseph Coursol, député à la Chambre des communes du Canada.

Bibliographie : *DBC*.

QUIROUET, François
(1776–1844)

Né à Québec, le 28 février 1776, puis baptisé le 29, sous le prénom de Pierre-François, dans la paroisse Notre-Dame, fils de François Quirouet et de Marie-Anne Hill (Isle). Son patronyme s'orthographia aussi Quirouët, Quirouêt.

En 1799, était marchand à Québec. Fut aussi encanteur, propriétaire immobilier et associé de la Quirouet, Chinic et Compagnie. L'un des administrateurs de la succursale québécoise de la Banque de Montréal en 1820 et 1821 ; vice-président de la Banque d'épargne de Québec, de 1821 à 1829. S'installa sur une terre à Saint-Gervais vers 1830.

Élu député d'Orléans en avril 1820. Réélu en juillet 1820, 1824, 1827 et 1830 ; son siège devint vacant par suite de sa nomination au Conseil législatif, le 25 octobre 1833. Assermenté le 9 janvier 1834, en fit partie jusqu'à la suspension de la constitution, le 27 mars 1838.

Officier de milice à compter de 1805, accéda après 1821 au grade de lieutenant-colonel. Vice-président, puis président de la Société bienveillante de Québec et président de la Société du feu. Obtint quelques postes de commissaire et fut juge de paix.

Décédé à Saint-Gervais, le 27 septembre 1844, à l'âge de 68 ans et 6 mois. Inhumé dans l'église paroissiale, le 30 septembre 1844.

Avait épousé dans la paroisse Notre-Dame de Québec, le 10 juin 1799, Catherine MacKenzie, fille de Murdoch MacKenzie, tonnelier, et de sa femme Elizabeth.

Cousin germain et oncle par alliance de Charles **Drolet**.

Bibliographie : *DBC*.

RABY, Augustin-Jérôme (1745–1822)

Né à Québec et baptisé dans la paroisse Notre-Dame, le 10 novembre 1745, fils d'Augustin Raby, capitaine de navire (fut aussi pilote), et de Françoise Delisle, veuve du seigneur de Bélair, Jean-Baptiste Toupin, dit Dussault.

Après ses études primaires, fit probablement l'apprentissage du métier de marin avec son père. Pendant l'invasion américaine de 1775–1776, prit part à la défense de la ville de Québec à titre de lieutenant dans la milice. Obtint sa licence de pilote du Saint-Laurent dans les années 1780, puis exerça ce métier.

Élu député de la Basse-Ville de Québec en 1796; appuya généralement le parti canadien. Élu dans la Haute-Ville de Québec en 1800; se rangea généralement du côté du parti des bureaucrates. Ne se serait pas représenté en 1804.

Nommé, en 1797, surintendant des pilotes du Saint-Laurent. En 1805, confirmé dans ces fonctions et nommé officier de la Maison de la Trinité de Québec, corporation chargée de responsabilités liées à la navigation fluviale. Fut marguillier de la paroisse Notre-Dame de Québec de 1807 à 1814.

Décédé à Québec, le 20 septembre 1822, à l'âge de 76 ans et 10 mois. Inhumé dans le cimetière des Picotés, dans la paroisse Notre-Dame, le 23 septembre 1822.

Avait épousé dans la paroisse Notre-Dame de Québec, le 16 septembre 1771, Catherine Chauveaux, fille de Claude Chauveaux, maître tonnelier, et de Catherine Filto (Filteau); puis, dans la même paroisse, le 22 novembre 1784, Marie-Gillette Turgeon, fille de Louis Turgeon, négociant, et de Marie-Françoise Couillard de Beaumont.

Beau-père de Charles **Langevin**. Beau-frère de Louis **Turgeon**. Un fils issu de son second mariage épousa l'une des filles de François **Dambourgès**.

***

Bibliographie : *DBC*.

RACICOT, Ernest (1835–1909)

Né à Sault-au-Récollet, le 13 juillet 1835, fils de François-Xavier Racicot, notaire, et de Léocadie Tremblay.

Fit ses études au séminaire Saint-Sulpice à Montréal et étudia le droit auprès de Me Andrew Robertson. Admis au barreau du Bas-Canada le 6 juin 1859. Créé conseil en loi de la reine par le gouvernement provincial le 31 mai 1878, puis par le gouvernement canadien le 9 avril 1887.

Exerça d'abord sa profession à Sweetsburg avec Andrew Robertson, puis avec E. Cornell pendant plusieurs années. Bâtonnier du district de Missisquoi à deux reprises et membre du Conseil du barreau de la province de Québec. Membre de l'Institut canadien et des Francs-maçons.

Conseiller municipal et maire de Sweetsburg. Préfet du comté de Missisquoi en 1889. Élu député libéral dans Missisquoi en 1878. Le 29 octobre 1879, il joignit les rangs du Parti conservateur avec quatre de ses collègues, entraînant ainsi la démission du gouvernement Joly de Lotbinière devenu alors minoritaire. Candidat conservateur défait en 1881. Commissaire du fonds d'emprunt municipal de 1882 à 1885. Chargé de la révision de la loi électorale du Canada de 1887 à 1889.

[Décédé à Sweetsburg, le 18 avril 1909, à l'âge de 73 ans et 8 mois.]

[Avait épousé à Sweetsburg, en août 1868, Susan A. Bowker, fille de Milton R. Bowker.]

Cousin de Laurent-Olivier **David** et de Joseph-Gédéon-Horace Bergeron, député à la Chambre des communes de 1879 à 1900 et de 1904 à 1908.

***

RACINE, Alphonse (1848–1918)

Né à La Prairie, le 14 décembre 1848, fils de Camille Racine et d'Archange Fortin.

Fit ses études à La Prairie.

Marchand et importateur de nouveautés à Montréal. Travailla d'abord pour la maison Henry Morgan en 1866. Fut acheteur pour la compagnie Alphonse Roy, en Europe, puis devint, en 1878, président de cette entreprise. Fondateur de la compagnie Alphonse Racine à Montréal. Directeur de la Banque Provinciale, de la compagnie d'assurances Yorkshire, de Saraguay Electric and Power et de plusieurs autres compagnies. Membre et directeur de la Commercial Travellers Association. Nommé gouverneur à vie de l'hôpital Notre-Dame de Montréal, en 1882, et gouverneur de l'Hôpital Général de Montréal. Commissaire du port de Montréal de 1896 à 1906. Il était contrôleur du combustible pour la province de Québec à son décès. Membre du Montreal Board of Trade, du conseil de la Chambre de commerce de Montréal et de la Société Saint-Jean-Baptiste.

Nommé conseiller législatif de la division de Salaberry le 4 janvier 1915. Appuya le Parti libéral.

Décédé en fonction à Westmount, le 30 mai 1918, à l'âge de 69 ans et 5 mois. Inhumé à Montréal, dans le cimetière Notre-Dame-des-Neiges, le 1er juin 1918.

Avait épousé dans la cathédrale de Montréal, le 31 août 1880, Mary Jane Ross, fille de John Ross et de Jeanne Hancoch.

RAINVILLE, François
(1771–1833)

Né à Beauport et baptisé dans la paroisse de la Nativité-de-Notre-Dame, le 7 décembre 1771, sous le prénom de Jean-François, fils de Paul Rainville, qui fut capitaine dans la milice, et de Marie Magnan. Son patronyme s'orthographia parfois Rinville.

Fut cultivateur et lieutenant dans la milice.

Élu député de Rouville à une élection partielle le 9 février 1833 ; appuya généralement le parti patriote pendant l'unique session à laquelle il participa.

Décédé en fonction à Sainte-Marie-de-Monnoir (Marieville), le 19 septembre 1833, à l'âge de 61 ans et 9 mois. Inhumé dans l'église du Saint-Nom-de-Marie, le 23 septembre 1833.

Avait épousé dans la paroisse de Saint-Mathias, le 28 janvier 1799, Dorothée Careau, fille de Joseph Careau, capitaine dans la milice, et de Dorothée Loisel.

Beau-frère de Pierre **Careau**.

RAINVILLE, Henri-Benjamin
(1852–1937)

Né à Sainte-Marie-de-Monnoir, le 5 avril 1852, fils de Félix Rainville, cultivateur, et de Marie Daqueau (Daigneault).

Fit ses études au collège de Saint-Hyacinthe, au collège Sainte-Marie-de-Monnoir à Marieville et à la McGill University à Montréal. Étudia le droit auprès de Joseph Doutre et de son frère, Henri-Félix Rainville. Admis au barreau de la province de Québec le 13 janvier 1874. Créé conseil en loi de la reine le 22 juin 1899.

Exerça sa profession à Montréal et fut associé notamment avec Horace **Archambeault**. Directeur des compagnies suivantes : Montreal Light, Heat & Power, Royal Electric, Crown Life Insurance et Montreal Gas. Président de la Mount Royal Insurance. Membre du Club Saint-Denis.

Échevin du quartier Centre à Montréal de 1882 à 1900. Candidat défait à la mairie de Montréal en 1887. Président du comité de l'éclairage de 1886 à 1894 et du comité des finances à Montréal de 1896 à 1900. Membre du Bureau des commissaires des écoles catholiques de Montréal de 1883 à 1886. Élu député libéral dans Montréal n° 3 en 1890. Défait en 1892. Réélu en 1897 et sans opposition en 1900. Orateur de l'Assemblée législative du 14 février 1901 au 2 mars 1905. Candidat libéral indépendant défait en 1904 et 1908.

Décédé à Atlantic City, dans l'État du New Jersey, le 6 août 1937, à l'âge de 85 ans et 4 mois. Inhumé à Montréal, dans le cimetière Notre-Dame-des-Neiges, le 10 août 1937.

Avait épousé à L'Assomption, le 18 juillet 1876, Eugénie Archambault, fille d'Alexandre **Archambault**, avocat, et de Jeanne Hormier ; [puis, en secondes noces, Maria Girard].

Oncle de Joseph-Hormisdas Rainville, député à la Chambre des communes de 1911 à 1917, puis sénateur de 1932 à 1942. Beau-père de Jérémie-Louis **Décarie**.

RAJOTTE, Arthur
(1891–1950)

[Né à Lewiston, dans l'État du Maine, le 4 novembre 1891, fils de Joseph Rajotte, agriculteur, et de Salomé Clair.]

Fit ses études à l'école de Notre-Dame-du-Bon-Conseil, dans une institution privée de Montréal et à l'École de médecine vétérinaire affiliée à l'université Laval à Montréal. Reçu médecin vétérinaire en 1915.

Conférencier itinérant pour le ministère de l'Agriculture de 1915 à 1918. Exerça sa profession à Drummondville de 1917 à 1942. Président du Collège des médecins vétérinaires de la province de Québec du 19 juillet 1940 au 9 septembre 1944. Nommé juge de paix du comté d'Arthabaska le 24 mars 1931. Président du comité local des finances de guerre de 1940 à 1942. Membre de la Chambre de commerce locale. Fondateur et président de la Ligue des propriétaires de Drummondville de 1934 à 1936. Directeur de la Société d'agriculture locale de 1925 à 1945.

Maire de Drummondville de 1938 à 1942. Élu député libéral dans Drummond en 1935. Défait en 1936. Réélu en 1939. Défait en 1944.

Décédé à Drummondville, le 29 septembre 1950, à l'âge de 58 ans et 10 mois. Inhumé à Drummondville, dans le cimetière de la paroisse Saint-Frédéric, le 3 octobre 1950.

Avait épousé à Drummondville, dans la paroisse Saint-Frédéric, le 3 septembre 1919, Ernestine Charland, fille d'Adjutor Charland, ingénieur de chemin de fer, et d'Hélène Gariépy.

RAMSAY, George
(1770–1838)

Né à Dalhousie Castle, en Écosse, le 22 octobre 1770, puis baptisé dans la paroisse de Cockpen, le 18 novembre, fils de George Ramsay, 8ᵉ comte de Dalhousie, et d'Elizabeth Glene.

Étudia à la Royal High School d'Édimbourg, puis à l'University of Edinburgh.

Choisit la carrière des armes en 1787. Servit à Gibraltar, à titre de capitaine en 1791, puis aux Antilles, en Irlande, aux Pays-Bas, en France et en Égypte. Élu en 1796 parmi les représentants des pairs d'Écosse, siégea à la Chambre des lords d'Angleterre. En 1813, en qualité de lieutenant général, prit part à des engagements en Espagne et en France; fut promu général en 1830.

Nommé, en juillet 1816, lieutenant-gouverneur de la Nouvelle-Écosse. Arriva à Halifax le 24 octobre 1816 et en repartit le 7 juin 1820. Nommé gouverneur en chef de l'Amérique du Nord britannique, le 12 avril 1820, arriva à Québec le 19 juin 1820. Parti en congé pour la Grande-Bretagne le 6 juin 1824, fut de retour à Québec en septembre 1825. Son mandat prit fin le 8 septembre 1828.

Commandant en chef de l'armée de l'Inde à compter de 1829, démissionna en 1832. Passa un an en Europe, puis se retira à Dalhousie Castle.

Par suite du décès de son père, devint en 1788 le 9ᵉ comte de Dalhousie. Fut fait chevalier (sir) en 1813. Reçut la grand-croix de l'ordre du Bain en 1815, en même temps que la dignité de baron Dalhousie, pair du Royaume-Uni. Présida le Central Board of Agriculture de Halifax. En 1824, contribua à la fondation de la Société littéraire et historique de Québec. Est le coauteur de: *Observations on the petitions of grievance addressed to the imperial parliament* [...] (Québec, 1828).

Décédé à Dalhousie Castle, en Écosse, le 21 mars 1838, à l'âge de 67 ans et 4 mois.

Avait épousé, le 14 mai 1805, Christian Broun.

Bibliographie: *DBC*.

RANCOURT, Réal

Né à Lennoxville, le 7 mai 1929, fils de Louis-Ernest Rancourt, agriculteur, et d'Imelda Bibeau.

Fit ses études primaires à l'école Saint-Antoine à Lennoxville, ses études secondaires et commerciales à Sherbrooke, puis suivit un cours en technique agricole à Sherbrooke.

Agriculteur dans le canton d'Ascot. Administrateur de la caisse populaire de Lennoxville de 1958 à 1965. Membre de l'Union des producteurs agricoles (UPA).

Conseiller municipal du canton d'Ascot de juin 1961 à novembre 1973 et de novembre 1974 à novembre 1975. Maire d'Ascot de novembre 1975 à février 1977. Se rallia au Mouvement souveraineté-association (MSA) en 1968. Élu député du Parti québécois dans Saint-François en 1976. Adjoint parlementaire du ministre de l'Agriculture du 1ᵉʳ décembre 1976 au 12 mars 1981. Réélu en 1981. Vice-président de l'Assemblée nationale du 19 mai 1981 au 16 décembre 1985. Défait en 1985 et 1989.

Est retourné à la pratique de l'agriculture. Occupe également le poste de directeur du développement en biotechnologie à la Corporation de développement économique de Bromont.

RANVOYZÉ, Étienne
(1776–1826)

Né à Québec, le 10 mars 1776, puis baptisé le 11, dans la paroisse Notre-Dame, fils de François Ranvoyzé, orfèvre, et de Marie-Vénérande Pelerin.

Étudia au petit séminaire de Québec de 1790 à 1795. Fit son apprentissage de clerc dans l'étude de Jean-Marie **Mondelet** à Saint-Marc-sur-Richelieu. Reçut sa commission de notaire en 1799.

Exerça le notariat à Saint-Marc-sur-Richelieu et à William Henry (Sorel), en qualité d'associé de **Mondelet**, puis à Trois-Rivières où il s'établit vers 1801. Pendant la guerre de 1812, servit comme officier de milice: prit part à la bataille de

Châteauguay, en 1813, et à la bataille de Plattsburg, en 1814. Nommé juge de paix en 1815, directeur du scrutin dans Trois-Rivières en 1816, secrétaire de la corporation de la commune de Trois-Rivières en 1818.

Défait dans Saint-Maurice à une élection partielle en mars 1819. Défait dans Trois-Rivières en avril et en juillet 1820. Élu député de Trois-Rivières en 1824 ; appuya généralement le parti canadien.

Décédé en fonction à Trois-Rivières, le 9 août 1826, à l'âge de 50 ans et 4 mois. Inhumé dans la paroisse de l'Immaculée-Conception, le 11 août 1826.

Avait épousé dans la paroisse Saint-Ambroise, à Jeune-Lorette (Loretteville), le 6 mars 1802, Françoise Fillion, fille de François Fillion, négociant, et d'Élisabeth Dufour.

Oncle de Pierre-Antoine De Blois, sénateur canadien.

Bibliographie : *DBC.*

RASTEL DE ROCHEBLAVE, Noël de (1767–1805)

Né à Sainte-Geneviève (Ste Genevieve, au Missouri), le 25 décembre 1767, puis baptisé le 27, fils de Philippe-François de **Rastel de Rocheblave**, officier, et de Marie-Michelle Dufresne.

Fut négociant à Montréal.

Élu député de Surrey en 1804 ; appuya tantôt le parti canadien, tantôt le parti des bureaucrates pendant l'unique session à laquelle il participa.

Décédé en fonction à Montréal, le 10 décembre 1805, à l'âge de 37 ans et 11 mois, des suites d'un accident survenu, au cours du même mois, sur le lac Champlain. Inhumé à Montréal, le 12 décembre 1805.

On ne sait pas s'il était célibataire ou marié.

Frère de Pierre de **Rastel de Rocheblave**.

RASTEL DE ROCHEBLAVE, Philippe-François de (1727–1802)

Né à Savournon, dans les Hautes-Alpes, en France, le 23 mars 1727, puis baptisé le 24, fils de Jean-Joseph de Rastel de Rocheblave, chevalier et seigneur, et de Françoise-Elizabeth-Diane de Dillon. Hérita du titre de chevalier.

Officier dans l'armée française, prit part notamment à la bataille de Fontenoy (en Belgique), en 1745. Mis à la demi-solde en 1748, se rendit dans les Antilles françaises. Pendant la guerre de Sept Ans, servit en Nouvelle-France ; en 1760, était lieutenant dans les troupes de la Marine au fort de Chartres (près de Prairie du Rocher, Illinois). De nouveau à la demi-solde en 1763, s'installa comme commerçant à Kaskaskia, sur les bords du Mississippi. De 1766 jusqu'à environ 1773 ou 1776, assura pour le compte des Espagnols le commandement du fort Sainte-Geneviève (Ste Genevieve, Missouri). Démis de ses fonctions, retourna à Kaskaskia où il occupa le poste d'administrateur colonial commandant du pays des Illinois, au service des Britanniques cette fois ; fait prisonnier par les Américains, en juillet 1778, fut envoyé en Virginie. Se trouvait à New York en 1780, puis à Québec à compter de l'année suivante jusqu'en 1787, semble-t-il, ensuite à Montréal, où il fit partie de la loge des Frères du Canada, et enfin à Varennes où il s'établit avec sa famille vers 1789. Fit le commerce des fourrures avec la région de Detroit. Nommé greffier du papier terrier le 8 février 1794, fut chargé en 1801 de participer à la confection d'un rôle des terres.

Élu député de Surrey en 1792. Réélu en 1796 et 1800. Appuya généralement le parti canadien.

Décédé en fonction à Québec, le 3 avril 1802, à l'âge de 75 ans. Après des obsèques célébrées dans la cathédrale Notre-Dame, fut inhumé dans le cimetière des Picotés, le 5 avril 1802.

Avait épousé dans la paroisse Notre-Dame-de-l'Immaculée-Conception, à Kaskaskia (Illinois, États-Unis), le 11 avril 1763, Marie-Michelle Dufresne, fille de Jacques-Michel Dufresne, officier de milice, et de Marie-Françoise Henry.

Père de Noël et de Pierre de **Rastel de Rocheblave**.

RASTEL DE ROCHEBLAVE, Pierre de (1773–1840)

Né à Kaskaskia (dans l'Illinois, aux États-Unis), le 9 mars 1773, [puis baptisé dans la mission de Sainte-Geneviève (Ste Genevieve, au Missouri), le 15 décembre 1774], fils de Philippe-François de **Rastel de Rocheblave**, officier, et de Marie-Michelle Dufresne.

Se lança tôt dans la traite des fourrures. En 1786, s'occupait des intérêts commerciaux de son père à Detroit, où il fut commis pour d'autres marchands de fourrures. Lié, à divers titres, à la New North West Company, la North West Company, la South West Fur Company et la Hudson's Bay Company. Dirigea plusieurs départements dans le Nord-Ouest et mit sur pied deux entreprises pour faire le commerce dans l'Ouest. Investit dans l'immobilier, notamment à Coteau-Saint-Louis (dans l'île de Montréal), dans le canton de Bristol et dans les seigneuries de Châteauguay et de La Salle qu'il mit en valeur. Actionnaire de la LaRocque, Bernard et Compagnie de Montréal (1832–1838) et de la Compagnie des propriétaires du chemin à lisses de Champlain et du Saint-Laurent (1836).

Élu député de Montréal-Ouest en 1824; appuya tantôt le parti canadien, tantôt le parti des bureaucrates. Ne se serait pas représenté en 1827. Nommé au Conseil législatif le 9 janvier 1832, fut assermenté le 15 novembre et en fit partie jusqu'à la suspension de la constitution, le 27 mars 1838. Membre du Conseil spécial du 2 avril 1838 jusqu'à la dissolution de ce conseil, en juin, et de nouveau à compter du 2 novembre 1838. Fut conseiller exécutif de novembre 1838 jusqu'à sa mort. S'occupa d'administration municipale, à Montréal, avant 1833, puis entre 1836 et 1840.

Fut officier de milice, marguillier de Notre-Dame de Montréal. Obtint de nombreux postes de commissaire.

Décédé en fonction à Coteau-Saint-Louis, le 5 octobre 1840, à l'âge de 67 ans et 6 mois. Inhumé dans la paroisse Notre-Dame de Montréal, le 8 octobre 1840.

Avait épousé à Montréal, le 9 février 1819, Anne-Elmire Bouthillier, fille de Jean Bouthillier, lié au monde des affaires, et de [Louise Perthuis].

Frère de Noël de **Rastel de Rocheblave**.

———

Bibliographie: *DBC.*

———

RAYMOND, Alphonse
(1884–1958)

Né à Sainte-Anne-de-Beaupré, le 26 juillet 1884, fils d'Eugène Raymond, cultivateur et marchand, et d'Anne Blouin.

Fit ses études à Sainte-Anne-de-Beaupré et à l'école normale de Québec. Titulaire de doctorats honorifiques en sciences sociales de l'université Laval et de l'université de Montréal.

Industriel. S'établit à Montréal en 1902 et fut fondateur, en 1905, et président de la fabrique de conserves Alphonse Raymond ltée. Directeur de Catelli Food Products Ltd. Vice-président et directeur de la Montreal Refrigerating and Storage Ltd. Vice-président de la Banque Provinciale du Canada. Membre du conseil d'administration de plusieurs compagnies. Président de la Provident Assurance Co. et de la Lucerne Investments.

À l'université de Montréal, il fut président de la commission d'étude sur le problème financier de l'université de 1937 à 1939, membre de la société d'administration de 1939 à 1950, membre du sénat académique de 1941 à 1950, président de la commission d'administration de 1944 à 1950

et membre du conseil des gouverneurs de 1950 à 1955. Coprésident de la campagne de souscription du Comité de l'aide à l'université de Montréal. Membre du Comité national des finances de guerre et vice-président du Comité des finances de guerre pour la province de Québec. Président de l'organisation des emprunts de la victoire pour l'île de Montréal de 1940 à 1945. Membre de la Wartime Convalescent Homes War Charity Fund Inc. Membre de la Commission du port de Montréal de 1932 à 1934, du Canadian Institute of Mining and Metallurgy, de l'Association canadienne des manufacturiers et du Conseil horticole du Canada. Conseiller des Sœurs Grises de Montréal. Gouverneur à vie de l'hôpital Notre-Dame et de l'Hôpital Général de Montréal. Nommé membre du comité consultatif de l'hôpital Sainte-Justine de Montréal en mars 1937, puis conseiller honoraire en mars 1943. Conseiller honoraire de l'Association des beaux-arts de Montréal. Membre de la Chambre de commerce de Montréal, du Montreal Board of Trade, de la Chamber of Mines, de l'Advisory Board, du Mount Royal Club, du Club Renaissance, du Cercle universitaire de Montréal, du Club Winchester et du Club Saint-Denis.

Marguillier de la paroisse Saint-Louis-de-France à Montréal. Nommé conseiller législatif de la division de Lorimier le 28 août 1936. Appuya l'Union nationale. Président du Conseil législatif du 2 octobre 1936 au 17 janvier 1940 et du 31 décembre 1944 au 1er février 1950.

Décédé en fonction à Montréal, le 6 juin 1958, à l'âge de 73 ans et 10 mois. Inhumé à Montréal, dans le cimetière Notre-Dame-des-Neiges, le 10 juin 1958.

Avait épousé à Montréal, dans la paroisse Saint-Jacques, le 5 septembre 1906, Adrienne Parent, fille de Charles-Hector Parent, courtier, et de Mary Wight.

Père de Jean **Raymond**.

———

RAYMOND, Jean
(1907–1970)

Né à Montréal, le 10 juillet 1907, fils d'Alphonse **Raymond**, homme d'affaires, et d'Adrienne Parent.

Fit ses études au collège de Montréal, au collège Sainte-Marie et à l'université de Montréal. Fit sa cléricature auprès de Me Pierre Casgrain. Admis au barreau de la province de Québec le 8 août 1930. Créé conseil en loi du roi le 21 décembre 1944.

Pratiqua le droit à Montréal pendant quelque temps et fut associé notamment à Hector **Perrier** et Athanase **David**. Industriel et financier. Employé de la compagnie Alphonse Raymond ltée où il fut nommé successivement gérant de bureau

(1930), secrétaire et membre du conseil d'administration (1935), gérant général (1945) et président (1958).

Conseiller législatif de la division de Rigaud du 27 avril 1960 jusqu'à l'abolition du Conseil législatif, le 31 décembre 1968. Appuya l'Union nationale.

Vice-président et administrateur de Montreal Refrigerating and Storage Ltd. Secrétaire et directeur de Heeney Frosted Foods Ltd. Vice-président et directeur de Lucerne Investments. Vice-président de la Banque canadienne nationale. Membre du conseil exécutif de la compagnie d'assurances La Prévoyance. Membre du conseil d'administration de plusieurs compagnies.

Membre de l'Association du barreau canadien et du conseil exécutif de l'Association des manufacturiers. Vice-président et directeur de la Canadian Food Processors Association. Membre de la Fellow Association et de la Chartered Institute of Secretaries Association. Fondateur de l'Association canadienne pour la santé mentale et directeur du conseil d'administration de la division du Québec de cette association de 1957 à 1969. Directeur de l'hôpital Notre-Dame de Montréal dont il fut nommé gouverneur à vie en 1958. Directeur de la succursale canadienne de la Chambre de commerce internationale. Membre du Club Saint-Denis, du Mount Stephen Club, du Mount Royal Club, du Club Outremont, du Club de la garnison de Québec, du Club du lac Placid, du York Club de Toronto, du Montreal Board of Trade, du Club Bonaventure, de la Chambre de commerce et des Chevaliers de Colomb.

Décédé à Knowlton (Lac-Brome), le 7 février 1970, à l'âge de 62 ans et 5 mois. Inhumé dans le cimetière de la paroisse Saint-Édouard-de-Knowlton, le 10 février 1970.

Avait épousé dans la cathédrale de Montréal, le 9 avril 1931, Simone David, fille d'Athanase **David**, avocat, et d'Antonia Nantel; puis, à Chesterfield, dans l'État de New York, le 1er septembre 1960, Jacqueline Patenaude, fille d'Alfred Patenaude et de Marie-Louise Cardinal.

RAYMOND, Jean-Baptiste
(1757–1825)

Né à Saint-Roch-des-Aulnaies, le 6 décembre 1757, puis baptisé le 7, dans l'église paroissiale, fils de Jean-Baptiste-Moyse de Rémond et de sa première femme, Marie-Françoise Damours de Louvières.

Fit des études élémentaires à Montréal, où son père était venu s'établir en 1760 ou 1761.

Vers l'âge de 12 ans, partit faire la traite des fourrures dans les pays d'en haut. Revint en 1783 et s'installa comme marchand à La Tortue (Saint-Mathieu), localité qu'il fonda. Fit

le commerce de marchandises sèches, notamment des produits manufacturés et des articles de ménage. En 1796, fut associé à une entreprise destinée à vendre de la poudre à canon aux États-Unis; la même année, vendit la seigneurie du Lac-Matapédia, qu'il avait héritée de sa mère.

Élu député de Huntingdon en 1800. Réélu en 1804. Appuya tantôt le parti canadien, tantôt le parti des bureaucrates. Ne se serait pas représenté en 1808.

Entre 1805 et 1810, à Laprairie (La Prairie) – où il s'était établi en 1801 –, fonda avec son fils Jean-Moïse **Raymond** la Jean-Baptiste Raymond et Fils, firme engagée dans le commerce de marchandises sèches et probablement du blé, l'exploitation de scieries, la fabrication de la potasse. Propriétaire de nombreux biens immobiliers, plus particulièrement dans Laprairie et les environs. Fut juge de paix, capitaine dans la milice. En 1822, présida une assemblée tenue par le parti canadien pour s'opposer au projet d'union du Bas et du Haut-Canada.

Décédé à Laprairie (La Prairie), le 19 mars 1825, à l'âge de 67 ans et 3 mois. Inhumé dans l'église de la paroisse Saint-Philippe, le 22 mars 1825.

Avait épousé dans la paroisse Notre-Dame de Montréal, le 6 septembre 1784, Marie-Clotilde Girardin, fille du marchand Charles-François Girardin et de Marie-Louise Le Cerf, dit La Chasse.

Beau-père de Joseph **Masson**. Grand-père par alliance de Tancrède **Sauvageau** et de Jean-Baptiste **Varin**.

Bibliographie: DBC.

RAYMOND, Jean-Moïse
(1787–1843)

Né à La Tortue (Saint-Mathieu) et baptisé dans la paroisse Saint-Philippe, à Laprairie (La Prairie), le 5 janvier 1787, fils de Jean-Baptiste **Raymond**, marchand, et de Marie-Clotilde Girardin. Son prénom s'orthographiait aussi Jean-Moyse.

Étudia au collège Saint-Raphaël, à Montréal, de 1798 à 1805.

Était associé avec son père, à Laprairie, en 1810, dans la Jean-Baptiste Raymond et Fils, spécialisée dans la production de la potasse et le commerce des produits manufacturés; dirigea l'entreprise de 1825 à 1839. S'installa à L'Assomption en 1839 et mit sur pied une distillerie, probablement à Saint-Jacques-de-l'Achigan (Saint-Jacques). S'intéressa aussi à la propriété foncière.

Élu député de Huntingdon en 1824. Réélu en 1827. Élu dans Laprairie en 1830. Appuya le parti canadien, puis le parti patriote. Réélu en 1834; conserva son siège jusqu'à la suspension de la constitution, le 27 mars 1838. Élu sans opposition dans Leinster en 1841; antiunioniste; fit partie du groupe canadien-français. Son siège devint vacant par suite de sa nomination au poste de registrateur du district de Leinster, le 1er janvier 1842.

Major dans la milice en 1813, fut présent à la bataille de Châteauguay. Exerça les fonctions de juge de paix et d'inspecteur d'écoles.

Décédé à Saint-Jacques-de-l'Achigan (Saint-Jacques), le 8 février 1843, à l'âge de 56 ans et un mois. Inhumé dans l'église Saint-Pierre-du-Portage, à L'Assomption, le 11 février 1843.

Avait épousé dans la paroisse de La Nativité-de-la-Très-Sainte-Vierge, à Laprairie (La Prairie), le 20 novembre 1810, Archange Denaut, fille de François Denaut, [négociant], et d'Archange Sénécal; puis, dans la paroisse Saint-Pierre-du-Portage, à L'Assomption, le 5 juin 1815, Angélique (Marie des Anges) Leroux d'Esneval, fille de Laurent **Leroux**, négociant, et de sa deuxième femme, Esther Loisel.

Beau-frère de Joseph **Masson**. Beau-père de Tancrède **Sauvageau** et de Jean-Baptiste **Varin**.

Bibliographie: *DBC*.

RAYMOND, Joseph-Antoine
(1902–1975)

Né à Saint-Denis, près de Kamouraska, le 22 septembre 1902, fils de Romain Raymond, cultivateur, et de Victorine Giasson.

Fit ses études à Saint-Denis, à Saint-Pascal, au collège de Sainte-Anne-de-la-Pocatière et à l'université Laval à Québec. Admis à la pratique de la médecine en 1928.

Exerça sa profession à Saint-Louis-du-Ha! Ha! et à l'hôpital Notre-Dame-du-Détour, à Notre-Dame-du-Lac, dont il fut un des fondateurs en 1942, avec Louis-Félix **Dubé**, Aimé Fortin et Charles-Auguste Lainé. Président du Bureau médical de cet hôpital. Conseiller de la coopérative agricole et de la caisse populaire de Saint-Louis-du-Ha! Ha! Membre de la Société médicale de pratique générale du Canada, de la Société médicale canadienne et de l'Association des médecins de langue française du Canada. Directeur de l'Association des médecins de la Rive-sud. Fondateur de la Société Saint-Jean-Baptiste de Saint-Louis-du-Ha! Ha!

Maire de cette municipalité et préfet du comté de Témiscouata de 1947 à 1964. Élu député de l'Union nationale dans Témiscouata en 1952. Réélu en 1956, 1960, 1962. Ne s'est pas représenté en 1966.

Décédé à Notre-Dame-du-Lac, le 28 avril 1975, à l'âge de 72 ans et 7 mois. Inhumé dans le cimetière de Saint-Louis-du-Ha! Ha!, le 1er mai 1975.

Avait épousé à Saint-Louis-du-Ha! Ha!, le 11 août 1930, Simonne Pelletier, fille de Louis Pelletier et de Catherine Lizotte.

RAYMOND, Rémi
(1811–1891)

Né à Saint-Hyacinthe, le 5 décembre 1811, puis baptisé le 12, dans la paroisse Notre-Dame-du-Rosaire, sous le prénom d'Augustin-Rémi, fils de Joseph Raymond, marchand, et de Louise Cartier.

Étudia au collège de Saint-Hyacinthe à compter de 1821.

Fit du commerce et s'occupa d'exploitation agricole. L'un des fondateurs et des administrateurs de la Banque de Saint-Hyacinthe, établie en 1874, et de la Compagnie d'imprimerie de Saint-Hyacinthe, qui publia *le Courrier de Saint-Hyacinthe* en 1876 et 1877.

Élu député de Saint-Hyacinthe à une élection partielle le 1er octobre 1863; l'élection fut contestée, mais le comité chargé d'étudier l'affaire remit son rapport le 31 août 1865 et le déclara élu. Bleu. Son mandat prit fin avec l'avènement de la Confédération, le 1er juillet 1867. Candidat conservateur défait dans Saint-Hyacinthe aux élections de la Chambre des communes en 1867.

Décédé à Saint-Hyacinthe, le 15 juillet 1891, à l'âge de 79 ans et 7 mois. Inhumé dans le cimetière paroissial, le 18 juillet 1891.

Avait épousé dans la paroisse Notre-Dame-du-Rosaire, à Saint-Hyacinthe, le 15 octobre 1838, Héloïse Bouthillier, fille de Guillaume Bouthillier et de Sophie Bourdages; puis, dans la paroisse de Saint-Simon, le 23 septembre 1850, Sophie Lapart, fille du marchand Hubert Lapart et d'Esther Bettey; enfin, dans la paroisse Saint-Hyacinthe-le-Confesseur, à Saint-Hyacinthe, le 26 juillet 1870, Emma Birs, fille de Pierre Birs et de Josephte Aubertin.

Beau-frère d'Augustin-Norbert **Morin**.

RAYNAUD, dit BLANCHARD, Louis (1789–1868)

Né à L'Assomption et baptisé dans la paroisse Saint-Pierre-du-Portage, le 12 mars 1789, sous le prénom de Pierre-Louis, fils de Jean-Baptiste Blanchard, cultivateur, et de Magdeleine Payette. Baptisé et communément désigné sous le patronyme de Blanchard ; dans les documents officiels, désigné sous le nom de Louis Raynaud (Rénaut, Reneau, Reneault) (dit) Blanchard ; dans les sources secondaires, Louis Renault Blanchard et Louis Reynaud, dit Blanchard ; à son premier mariage, signa L. Raynaud Blanchard, au second, L.R. Blanchard.

Fut cultivateur à Saint-Hyacinthe.

Élu député de Saint-Hyacinthe en 1830. Réélu en 1834. Appuya généralement le parti patriote. Le 23 octobre 1837, participa à l'assemblée des six comtés, tenue à Saint-Charles-sur-Richelieu ; proposa l'une des résolutions adoptées à cette occasion. Un mandat d'arrêt ayant été lancé contre lui le 6 décembre 1837, se réfugia aux États-Unis, d'où il revint après l'amnistie du 28 juin 1838. Son mandat de député avait pris fin avec la suspension de la constitution, le 27 mars 1838.

Nommé commissaire au tribunal des petites causes en 1844, n'exerça pas ses fonctions, ayant refusé de prêter le serment requis, et résigna sa charge en 1848. Fut au nombre des commissaires chargés de l'érection civile des paroisses du diocèse de Saint-Hyacinthe, établi en 1852. Accéda au grade de lieutenant-colonel dans la milice en avril 1856.

Décédé à Saint-Hyacinthe, le 9 août 1868, à l'âge de 79 ans et 4 mois. Après des obsèques célébrées en la cathédrale Saint-Hyacinthe-le-Confesseur, fut inhumé dans le cimetière de la paroisse Notre-Dame-du-Rosaire, le 11 août 1868.

Avait épousé dans la paroisse Saint-Marc, à Saint-Marc-sur-Richelieu, le 6 février 1809, Angélique Poulin, fille du cultivateur Étienne Poulin et d'Élisabeth Blanchard, dit Rainaud ; puis, dans la paroisse Saint-Barnabé, à Saint-Barnabé-Sud, le 26 janvier 1857, Marie Evé (Hévey), veuve de Jean-Baptiste Turcot.

RAYNAULD, André

Né à Sainte-Anne-de-la-Pocatière, le 20 octobre 1927, fils de Léopold Raynauld, agronome, et de Blanche Gauthier.

Fit ses études à Coteau-du-Lac, au collège de L'Assomption, à l'université de Montréal, où il obtint une maîtrise en relations industrielles en 1951 et à l'université de Paris, où il reçut un doctorat en sciences économiques en 1954. Titulaire d'un doctorat honorifique en sciences économiques de l'université d'Ottawa et de l'université de Sherbrooke en 1976.

Professeur au département de sciences économiques de l'université de Montréal de 1954 à 1971. Directeur de ce département de 1958 à 1963 et de 1965 à 1967. Conseiller économique auprès du sous-ministre des Finances du gouvernement fédéral en 1967 et 1968. Membre de la Commission royale d'enquête sur le bilinguisme et le biculturalisme de 1968 à 1970. Fondateur et directeur du Centre de recherches en développement économique de l'université de Montréal en 1970 et 1971. Président du Conseil économique du Canada de 1972 à 1976.

Membre du conseil de la faculté des sciences sociales de l'université de Montréal (1958 à 1967), du comité de financement des universités (1962 à 1965), du comité de planification de l'université de Montréal (1965 à 1967) et du comité consultatif de recherche du programme d'études canadiennes-françaises de l'université McGill (1966 à 1968).

Conseiller auprès de la Commission royale d'enquête sur la fiscalité (1962 et 1963), du Bureau d'aménagement de l'est du Québec (1964 à 1966), de la Commission royale d'enquête sur le bilinguisme et le biculturalisme (1964 à 1968), du ministère des Finances du gouvernement fédéral (1965 à 1967) et de la Commission des prix et des revenus (1970).

Membre du Conseil en recherches sociales au Canada (1959 à 1965), du bureau des gouverneurs du Collège du travail du Canada (1962 à 1966), du conseil d'administration et du comité exécutif de la société Radio-Canada (1964 à 1967), du Conseil économique du Canada (1966 à 1969), du Conseil canadien de recherches urbaines et régionales (1971) et du Conseil de planification et de développement du Québec (1971). Président du Comité d'études sur le financement des fonds de pension municipaux (1969 et 1970) et du Comité d'enquête sur la formation des enseignants de langue française dans les provinces de l'Ouest (1971).

Membre de nombreuses sociétés scientifiques et, notamment, trésorier de la Economics Association (1957 et 1958), membre du conseil exécutif de la Société canadienne de science politique (1959 et 1961) et de l'Association canadienne-française pour l'avancement des sciences (1965), président de l'Institut canadien des affaires publiques (1961 et 1962) et de la Société canadienne de science économique (1967 à 1969).

A publié plusieurs ouvrages, seul ou en collaboration, dont : *Croissance et structure économiques de la province de Québec* (1961) ; *Institutions économiques canadiennes* (1964) ; *la Propriété des entreprises au Québec, les années 60* (1974). Auteur de nombreux articles parus dans des revues spécialisées. Codirecteur de la *Revue canadienne d'économie et de science politique* (1965 à 1967) et de la *Revue canadienne d'économique* (1968 à 1970).

Élu député libéral dans Outremont en 1976. Démissionna comme député le 3 juin 1980. Est retourné à l'université de Montréal comme professeur en sciences économiques.

RAYNAULT, Adhémar
(1891–1984)

Né dans la paroisse de L'Assomption, dont une partie est devenue Saint-Gérard-Moyella, le 12 juillet 1891, fils de Sigefrois Raynault, cultivateur, et de Mathilde Marsolais.

Étudia à L'Assomption et fut cultivateur sur la terre paternelle. En 1911, il s'établit à Montréal où il travailla dans une maison de commerce. Propriétaire d'un commerce de tabac. Devint agent d'assurances en 1913. Fit partie du Corps d'entraînement des officiers canadiens (CEOC) de Laval en 1917 et 1918, puis revint à l'exercice de sa profession. Membre de l'Association des courtiers d'assurances de la province de Québec. Propriétaire du journal montréalais *le Réveil de l'Est*.

Officier et membre du conseil central de la Société catholique des voyageurs de commerce, puis vice-président et conseiller de la section Mont-Royal de cette association. Membre des chambres de commerce de Montréal et du Canada, du Comité des œuvres diocésaines, de la Société Saint-Jean-Baptiste de Montréal, de l'École sociale populaire et des clubs Kiwanis, Rotary et Richelieu. Chevalier de Carillon. Cofondateur et président de la Ligue des propriétaires de l'Est de Montréal. A publié ses mémoires en 1970, *Témoin d'une époque*.

Échevin du quartier Préfontaine au conseil municipal de Montréal de 1934 à 1936. Maire de Montréal de 1936 à 1938 et de 1940 à 1944. Membre de la commission métropolitaine de Montréal. Président de la Fédération canadienne des maires et des municipalités en 1943. Élu député de l'Union nationale dans L'Assomption en 1936. Ne s'est pas représenté en 1939.

Décédé à Saint-Bruno, le 11 avril 1984, à l'âge de 92 ans et 8 mois. Inhumé à Montréal, dans le cimetière Côte-des-Neiges, le 14 avril 1984.

Avait épousé à Montréal, dans la paroisse de La Nativité-de-la-Sainte-Vierge, le 17 juin 1925, Thérèse Prézeau, fille de Napoléon Prézeau, épicier, et d'Antoinette Saint-Denis.

REED, Walter
(1869–1945)

Né à Saint-Clément (Beauharnois), le 22 février 1869, fils de William Reed et de Vitaline Langevin.

Fit ses études à Beauharnois. Entrepreneur en construction. Résida à L'Assomption de 1910 à 1935.

Échevin du 20 mars 1901 au 22 février 1905, puis maire de la cité de Maisonneuve du 20 mars 1905 au 18 mars 1907. Élu député libéral dans L'Assomption en 1908. Réélu en 1912, 1916 (sans opposition), 1919, 1923, 1927 et 1931. Défait en 1935 et 1936.

Décédé à Montréal, le 16 janvier 1945, à l'âge de 75 ans et 10 mois. Inhumé dans le cimetière de L'Assomption, le 20 janvier 1945.

Avait épousé à Hochelaga (île de Montréal), dans la paroisse du Très-Saint-Nom-de-Jésus, le 25 août 1890, Léa Champagne, fille de Louis Champagne et de Théolène Châtillon.

REINE, la. V. COUPAL

RÉMILLARD, Édouard
(1830–1909)

Né à Saints-Gervais-et-Protais (Saint-Gervais), le 9 janvier 1830, puis baptisé le 10, dans la paroisse Saint-Gervais, fils d'Adrien Rémillard, forgeron, et de Marguerite Boucher.

Étudia au petit séminaire de Québec. Admis au barreau le 5 mars 1856.

Pratiqua le droit à Québec, notamment avec Christian Henry **Pozer** ; fut syndic du barreau du district de Québec. Président de la Société Saint-Jean-Baptiste et de l'Institut canadien de Québec. Capitaine dans la milice.

Élu député de Bellechasse en 1861. Réélu en 1863. Rouge, mais fut en faveur du projet de confédération. Son mandat prit fin avec l'avènement de la Confédération, le 1er juillet 1867. Candidat [libéral] défait dans Bellechasse aux élections de la Chambre des communes en 1867. Candidat conservateur défait dans la même circonscription aux élections de l'Assemblée législative en 1871. Nommé conseiller législatif de la division de La Durantaye le 27 mai 1878, prêta serment et prit son siège le 4 juin ; appuya le Parti libéral. Démissionna le 31 janvier 1887.

Occupa le poste de registrateur du district de Québec, à compter de 1890.

Décédé à Québec, le 29 juillet 1909, à l'âge de 79 ans et 6 mois. Après des obsèques célébrées en la basilique Notre-Dame de Québec, fut inhumé dans le cimetière Notre-Dame-de-Belmont, à Sainte-Foy, le 31 juillet 1909.

Avait épousé dans la paroisse Notre-Dame de Québec, le 12 juin 1860, Marie-Émilie Malvina Évanturel, fille de François Évanturel et de Marie-Anne Bédard.

Beau-frère de François **Évanturel**.

RÉMILLARD, Gil

Né à Hull, le 25 novembre 1944, fils de Carmel Rémillard, hôtelier, et de Jeannine Desjardins.

A étudié au collège de Baie-Saint-Paul de 1950 à 1960 et au collège Marie-Médiatrice à Hull. Obtint de l'université d'Ottawa un baccalauréat ès arts en 1964, un baccalauréat en philosophie en 1965, une licence en droit en 1968 et un certificat en science politique en 1968. Admis au barreau en 1969. Obtint également de l'université de Nice un diplôme d'études supérieures en droit public en 1970 et un doctorat d'État en droit constitutionnel en 1972. Titulaire d'un doctorat honorifique de l'université de droit, d'économie et de sciences d'Aix, Marseille III.

Professeur titulaire de droit public à l'université Laval de 1972 à 1985. Professeur invité dans plusieurs universités. Avocat-conseil auprès de plusieurs ministères québécois et canadiens, notamment auprès du ministère des Communications du Québec de 1976 à 1979 et du ministère des Communications du Canada en 1983 et 1984. Conseiller constitutionnel auprès du ministre fédéral de la Justice et du premier ministre du Canada en 1984 et 1985. Observateur spécial à l'Organisation des nations unies (ONU) en 1985. Fut membre de plusieurs conseils d'administration dont ceux de l'Institut canadien d'administration de la justice, du Barreau canadien, du journal *le Devoir* et de l'Institute of Intergovernmental Relations de la Queen's University de Kingston. A publié plusieurs essais dont *le Fédéralisme canadien* (1980).

Élu député libéral dans Jean-Talon en 1985. Réélu en 1989. Ministre des Relations internationales du 12 décembre 1985 au 23 juin 1988. Ministre de la Sécurité publique du 21 décembre 1988 au 11 octobre 1989. Assermenté ministre délégué aux Affaires intergouvernementales canadiennes dans le cabinet Bourassa le 12 décembre 1985 et ministre de la Justice le 23 juin 1988.

RENAUD, Joseph-Olier (père) (1867–1935)

Né à Longue-Pointe (île de Montréal), le 30 mars 1867, fils de Louis Renaud, cultivateur, et de Rose Brochu.

A étudié à Saint-Léonard-de-Port-Maurice (île de Montréal) et y fut par la suite cultivateur. Exerça le métier de commerçant d'animaux à Montréal.

Candidat conservateur défait dans Laval en 1912. Élu député conservateur dans la même circonscription en 1919, 1923 et 1927. Défait en 1931.

Décédé à Montréal, le 30 juillet 1935, à l'âge de 68 ans et 4 mois. Inhumé dans le cimetière de la paroisse Saint-Léonard-de-Port-Maurice, le 3 août 1935.

Avait épousé à Saint-Léonard-de-Port-Maurice, le 28 octobre 1891, Parmélia Guilbault, fille de Jean Guilbault et de Délima Limoges; puis, dans la cathédrale de Montréal, le 22 novembre 1904, Georgianna Pigeon, fille d'Antoine Pigeon, cultivateur, et de Catherine Pépin.

Père de Joseph-Olier **Renaud**.

RENAUD, Joseph-Olier (fils) (1908–1991)

Né à Saint-Léonard-de-Port-Maurice (île de Montréal), le 3 octobre 1908, fils de Joseph-Olier **Renaud**, cultivateur et commerçant, et de Georgianna Pigeon.

Fit ses études à l'académie Saint-Jean-Baptiste à Montréal, au séminaire de Sainte-Thérèse et à l'université de Montréal. Admis au barreau de la province de Québec le 25 juillet 1932. Créé conseil en loi du roi le 10 juillet 1946.

Exerça d'abord seul sa profession à Montréal, puis s'associa avec J.P. Renaud, Conrad F. Pelletier, Jean Saint-Germain, Frank-I. Ritchie, André Renaud et Joseph-Léon **Saint-Jacques**. Procureur de la couronne de 1937 à 1939 et procureur spécial de la police provinciale en 1939. Juge municipal de la ville de Pointe-aux-Trembles de 1938 à 1946. Procureur de la Commission des liqueurs de 1944 à 1946. Administrateur de la Banque Provinciale du Canada, de la Compagnie d'assurance-vie de Montréal, de la Canada Cement, de la Société nationale d'assurances et de Placements Olier inc. Gouverneur et membre du comité exécutif de l'université de Montréal pendant treize ans. Directeur de l'hôpital Sainte-Jeanne-d'Arc pendant plusieurs années. Président de l'Association des scouts catholiques de la province de Québec. Membre des Chevaliers de Colomb et de la Chambre de commerce de Montréal. Membre honoraire du Club canadien.

Membre fondateur de l'Union nationale. Conseiller législatif de la division d'Alma du 21 août 1946 jusqu'à l'abolition du Conseil législatif, le 31 décembre 1968. Appuya l'Union nationale.

Décédé à Outremont, le 3 mars 1991, à l'âge de 82 ans et 5 mois. Inhumé à Saint-Léonard, le 7 mars 1991.

Avait épousé dans sa paroisse natale, le 27 juin 1936, Gertrude Gagnon, fille de Philias Gagnon, cultivateur, et de Fabiola Dagenais.

RENAUD, Louis
(1818–1878)

Né à Lachine, le 3 octobre 1818, puis baptisé le 4, dans la paroisse des Saints-Anges-de-Lachine, fils de Jean-Baptiste Renaud, journalier, et de Marie-Reine Garriépy.

Après de brèves études primaires, exerça le métier de charretier. À Montréal, vers 1838, se lança dans le commerce local et l'exportation des grains et de la farine avec son frère Jean-Baptiste. Vers 1856, s'associa avec John **Young** (cité de Montréal) pour traiter des affaires commerciales en Grande-Bretagne, en France et aux États-Unis. Propriétaire de terres dans la région de Sainte-Martine, près de Châteauguay. Cofondateur de la Banque des marchands. Administrateur de la North American Steamship Company, de la Richelieu Company et de la North British and Mercantile Insurance Company.

Élu conseiller législatif de la division de Salaberry en 1856. Réélu sans opposition en 1864, occupa son siège jusqu'à l'avènement de la Confédération, le 1er juillet 1867. Sénateur de la division de Salaberry du 23 octobre 1867 jusqu'à sa démission, pour cause de maladie, le 30 octobre 1873. Appuya le Parti conservateur.

Décédé dans son domaine, à Sainte-Martine, le 13 novembre 1878, à l'âge de 60 ans et un mois. Après des obsèques célébrées dans l'église Notre-Dame de Montréal, fut inhumé dans le cimetière Notre-Dame-des-Neiges, le 16 novembre 1878.

Avait épousé dans la paroisse Notre-Dame de Montréal, le 18 janvier 1841, Marie-Aimée Pigeon, fille du journalier Félix Pigeon et de Véronique-Aimée Trudelle; puis, au même endroit, le 16 mars 1869, Hélène Chicoux-Duvert, veuve du marchand Charles-Joseph-René Drolet.

Beau-père de François-Xavier-Anselme **Trudel**. Oncle par alliance de Michel-Guillaume **Baby**.

Bibliographie: *DBC.*

RENAULT. V. aussi RAYNAUD

RENAULT, Henri-René
(1891–1952)

Né à Beauceville, le 6 juin 1891, fils de Pierre-Ferdinand Renault, marchand, et d'Amanda Montminy.

Fit ses études au collège Mont-Saint-Louis à Montréal et au Lasalle Institute, à New York.

Exerça le métier de commerçant à Beauceville. Président de la maison P.F. Renault ltée (fondée par son père en 1881) de 1912 à 1942. Vice-président de l'Association des marchands détaillants du Canada et président de l'Association des marchands détaillants de la province de Québec. Membre des Chevaliers de Colomb, de la Société Saint-Vincent-de-Paul et du Club de la garnison.

Maire de Beauceville-Est de 1930 à 1933. Élu député libéral dans Beauce en 1939. Assermenté ministre sans portefeuille dans le cabinet Godbout le 5 novembre 1942. Ministre des Affaires municipales du 29 juin au 30 août 1944. Défait aux élections de 1944 et à l'élection partielle du 21 novembre 1945.

Décédé à Lake Worth, en Floride, le 23 mars 1952, à l'âge de 60 ans et 9 mois. Inhumé dans le cimetière de Beauceville, le 29 mars 1952.

Avait épousé à Québec, dans la paroisse Saint-Roch, le 9 juin 1914, Méléda Drouin, fille de Napoléon Drouin, industriel, et d'Amanda Lafond.

Beau-frère de Louis Saint-Laurent, premier ministre du Canada.

RENEAULT. V. RAYNAUD

RENNIE, John Gillies
(1904–1952)

[Né à Brooklet (canton d'Hinchinbrook), le 14 novembre 1904, fils de Frederick Malcolm Rennie, cultivateur, et de Maria Carter.]

Étudia à la Stark School House, à Godmanchester, à la Huntingdon Academy, à la McGill University puis au Bishop's College, à Lennoxville. Bachelier en économie et en science politique en 1929. Suivit des cours par correspondance à la Queen's University (Kingston) et obtint son diplôme d'assureur-vie en 1932.

D'abord agent d'assurances dans la région de Huntingdon, il enseigna par la suite à Frelighsburg et à Pointe-Claire. Directeur adjoint des écoles protestantes de Pointe-Claire de 1930 à 1936 et directeur de la Valois Park School, puis du Cedar Park. Revint à l'assurance en 1936 et exerça sa profession à Montréal où il fut représentant de la Manufacturers' Life Insurance. Fit partie du Corps d'entraînement des officiers canadiens (CEOC) de la McGill University en 1940 et 1941, puis devint lieutenant du régiment Black Watch en 1942. Officier au dépôt militaire du district n° 4 à Longueuil de 1942 à 1944. Servit outre-mer comme officier d'état-major de 1944 à 1946. Se retira le 23 novembre 1946 avec le grade de major.

Élu député de l'Union nationale dans Huntingdon à l'élection partielle du 23 juillet 1947. Réélu en 1948. Whip adjoint de l'Union nationale de 1948 à 1952. Membre du comité protestant du Conseil de l'instruction publique de 1949 à 1951. Membre du Canadian Club.

Décédé en fonction à Montréal, le 13 février 1952, à l'âge de 47 ans et 2 mois. Inhumé à Huntingdon, dans le cimetière de l'église St. John, le 16 février 1952.

Avait épousé à Montréal, dans la St. Matthew's Anglican Church, le 28 décembre 1940, Margaret Ruth Davison, fille de Walter Cecil Davison, marchand, et de Margaret Gibb.

REYNAUD. V. RAYNAUD

RHÉAULT, Joseph-Eugène
(1856–1921)

Né à Arthabaska, le 7 mars 1856, fils de David Rhéault, cultivateur, et de Célina Levasseur.

Fit ses études à l'école publique de Victoriaville, puis au collège d'Arthabaska.

Marchand général à Disraëli, maître de poste et juge de paix.

Maire de Disraëli de mars 1905 à décembre 1910. Élu sans opposition député libéral dans Wolfe en 1919.

Décédé en fonction à Disraëli, le 5 avril 1921, à l'âge de 65 ans. Inhumé à Disraëli, dans le cimetière de la paroisse Sainte-Luce, le 7 avril 1921.

Avait épousé à Lambton, le 6 février 1882, Marie-Zélia Deveau, fille de Jean-Baptiste Deveau, tanneur et menuisier, et de Séraphine Richard.

RHÉAUME, Jacques-Philippe
(1818–1891)

Né dans la paroisse Notre-Dame de Québec, le 1er mai 1818, fils de Jacques Rhéaume, boulanger, et de Charlotte Jacques (Duhault).

Fit ses études au séminaire de Québec. Admis au barreau du Bas-Canada le 28 juillet 1840.

Nommé percepteur des timbres au palais de justice de Québec en octobre 1864. Directeur du chemin de fer du Nord. Cofondateur de la Société Saint-Jean-Baptiste de Québec, premier secrétaire du Répertoire national, puis président de cette société lors des fêtes nationales de 1880.

Échevin du quartier Saint-Roch au conseil municipal de Québec du 8 février 1847 au 13 décembre 1861. Élu sans opposition député conservateur dans Québec-Est en 1867 et 1871. Démissionna le 5 février 1873, lors de sa nomination au poste d'agent de la Commission seigneuriale. Candidat conservateur défait dans Québec-Est aux élections fédérales de 1882.

Décédé à Québec, le 26 avril 1891, à l'âge de 72 ans et 11 mois. Inhumé à Québec, dans le cimetière Saint-Charles, le 29 avril 1891.

Avait épousé à Québec, dans la paroisse Saint-Roch, le 13 août 1844, Euphémie Gagnon, fille de Pierre Gagnon et de Josephte Stuart.

RHÉAUME, Théodule
(1874–1955)

Né à Saint-Henri (Montréal), le 13 septembre 1874, fils de Narcisse Rhéaume, journalier, et de Josephte Martin.

Fit ses études au collège de Montréal, au collège Sainte-Marie puis étudia le droit à l'université Laval à Montréal, où il obtint le prix Larue. Admis au barreau de la province de Québec le 20 janvier 1903. Créé conseil en loi du roi le 30 juin 1914.

Pratiqua le droit à Montréal jusqu'en 1936. Membre du Conseil du barreau de 1921 à 1931.

Élu sans opposition député libéral à la Chambre des communes dans Jacques-Cartier à l'élection partielle du 20 novembre 1922. Réélu en 1925 et 1926. Défait en 1930. Élu sans opposition député libéral à l'Assemblée législative dans Jacques-Cartier à l'élection partielle du 21 novembre 1933. Ne s'est pas représenté en 1935.

Nommé juge à la Cour supérieure du district de Montréal le 30 septembre 1936.

Décédé à Montréal, le 10 août 1955, à l'âge de 80 ans et 10 mois. Inhumé à Montréal, dans le cimetière Notre-Dame-des-Neiges, le 13 août 1955.

[Avait épousé en 1909 Thérèse Hébert, fille d'André Hébert, médecin.]

RHODES, William
(1821–1892)

Né à Bramhope Hall, dans le Yorkshire, en Angleterre, le 29 novembre 1821, fils de William Rhodes, capitaine dans le 19th Lancers – l'ancien 19th Light Dragoons –, et d'Ann Smith.

Entra dans l'armée britannique en mai 1838, à titre d'enseigne dans le 68th Foot (Durham-Light Infantry); arriva au Canada en août 1841 et servit à Québec d'octobre 1842 à mai 1844. Retourna en Angleterre, mais revint dans la colonie en 1847; cette année-là, quitta les rangs de l'armée avec le grade de capitaine. En 1848, acheta le domaine de Benmore, à Sillery, où il s'établit et s'occupa d'horticulture. Engagé, avec Evan John **Price** et d'autres, dans l'exploration et l'exploitation minière dans les comtés de Wolfe et de Mégantic, pendant les années 1860. Administrateur de nombreuses compagnies, parmi lesquelles la Banque d'Union du Bas-Canada, dont il avait été l'un des fondateurs, et le Grand Tronc; fut président de la Compagnie d'entrepôt de Québec et de la Compagnie du pont de Québec, qu'il contribua à mettre sur pied, ainsi que des chemins de fer de Québec et Richmond, Québec et Trois-Pistoles, et de la Compagnie du chemin de fer de la rive nord.

Élu député de Mégantic en 1854; appuya généralement les réformistes, puis les bleus. Ne s'est pas représenté en 1858. Entra au cabinet Mercier le 7 décembre 1888 en qualité de commissaire de l'Agriculture et de la Colonisation. Élu député libéral de Mégantic à l'Assemblée législative à une élection partielle le 27 décembre 1888. Défait en 1890; démissionna du cabinet le 27 juin et, le 30, fut remplacé dans ses fonctions ministérielles par Honoré **Mercier** (père).

Président en 1883 et 1884 de la Société de géographie de Québec. Président de la Société d'horticulture; l'un des promoteurs du Mérite agricole, créé en 1890. Cofondateur en 1851 de l'Association de la salle musicale de Québec. Juge de paix. Lieutenant-colonel dans la milice, mais connu comme le colonel Rhodes.

Décédé dans sa résidence de Benmore, à Sillery, le 16 février 1892, à l'âge de 70 ans et 2 mois. Après des obsèques célébrées dans l'église anglicane St. Michael, fut inhumé dans le cimetière Mount Hermon, le 19 février 1892.

Avait épousé dans la cathédrale anglicane Holy Trinity, à Québec, le 16 juin 1847, Anne Catherine Dunn, fille de Robert Dunn, qui avait été assistant au cabinet du secrétaire civil, et de Margaret Bell; elle était la petite-fille de Thomas **Dunn** et de Mathew **Bell**.

RICARD, Léonide-Nestor-Arthur
(1882–1924)

Né à Saint-Barnabé, près de Shawinigan, le 24 juillet 1882, fils de Charles Ricard, cultivateur, et de Flore Gélinas.

Fit ses études chez les Frères des écoles chrétiennes à Yamachiche, au séminaire de Nicolet, au collège St. Dunstan à Charlottetown (Île-du-Prince-Édouard) et à l'université Laval à Montréal. Admis à la pratique du notariat le 20 octobre 1910.

Exerça sa profession à Montréal jusqu'en 1920, puis s'établit à Shawinigan. Secrétaire de l'Industrial Land Co. of Montreal Ltd. de 1912 à 1920. Fondateur de l'Association des jeunes notaires du district de Montréal en 1915, puis secrétaire de cette association de 1915 à 1920. Président de l'Association du bien-être de la jeunesse de 1915 à 1918. Secrétaire (1918) et président (1919) du club libéral Letellier. Membre du Club de réforme de Montréal et du Cercle universitaire. Secrétaire de la commission scolaire de Saint-Anselme, à Montréal, de 1912 à 1915.

Élu député libéral dans Saint-Maurice à l'élection partielle du 19 octobre 1920. Réélu en 1923.

Décédé en fonction à Berthierville, le 20 juin 1924, à l'âge de 41 ans et 10 mois. Inhumé dans le cimetière de la paroisse Saint-Barnabé, le 24 juin 1924.

Il était célibataire.

RICHARD, Clément

Né à Québec, le 17 février 1939, fils de J. Damase Richard, voyageur de commerce, et de Léontine Bégin.

Fit ses études au pensionnat Saint-Louis-de-Gonzague et au collège Saint-Jean-Eudes à Québec, au collège Saint-Louis à Edmundston (Nouveau-Brunswick) et à l'université Laval où il poursuivit des études de littérature et de droit. Effectua deux séjours d'études à l'étranger, l'un à la Georgetown University à Washington (D.C.) et l'autre comme représentant de l'université Laval au séminaire de l'Entraide universitaire mondial tenu au Pakistan en 1963. Admis au barreau de la province de Québec en janvier 1965.

Reporter au journal l'*Action* de Québec en 1962. Enseigna à l'académie de Québec de 1963 à 1967. Membre des cabinets d'avocats Lachapelle, Roy et Richard (1966 à 1971),

Bertrand et Richard (1971 à 1974) et Bertrand, Richard, Dumas et Côté (1974 à 1976).

Participa à la fondation du Mouvement souveraineté-association (MSA) en 1967. Candidat du Parti québécois défait dans Montmorency en 1973. Élu député du Parti québécois dans la même circonscription en 1976. Président de l'Assemblée nationale du 14 décembre 1976 au 6 novembre 1980. Ministre des Communications dans le cabinet Lévesque du 6 novembre 1980 au 30 avril 1981. Réélu en 1981. Ministre des Affaires culturelles dans les cabinets Lévesque et Johnson (Pierre Marc) du 30 avril 1981 au 16 octobre 1985. Ne s'est pas représenté en 1985.

Est retourné à la pratique du droit à Montréal. Vice-président au marketing et aux relations publiques de la firme Lavalin inc. et président-directeur général de Lavalin Communications de 1986 à 1991. Président-directeur général de Météo-média à compter de 1990. Également président d'Expotech Imax et de Mondia. Membre du Conseil des arts du Canada.

RICHARD, Jean-Baptiste-Trefflé
(1856–1927)

Né à Saint-Liguori, le 23 novembre 1856, fils de Simon Richard, forgeron, et d'Éléonore Forest.

Étudia à Saint-Liguori et au collège de L'Assomption.

Débuta comme agriculteur à Saint-Liguori.

Élu député conservateur dans Montcalm en 1881. Réélu en 1886. Son siège fut déclaré vacant le 23 novembre 1886 lors de sa nomination au poste d'agent des Terres de la couronne. Assistant greffier du Conseil exécutif du 22 janvier au 1er juillet 1887. Candidat conservateur défait dans L'Assomption-Montcalm aux élections fédérales de 1917.

Devint percepteur des douanes dans le comté de Joliette vers 1891. Après avoir fait sa cléricature auprès de Me Élie Lemire à L'Assomption, il fut admis à la pratique du notariat le 9 septembre 1898. Exerça d'abord sa profession à Saint-Liguori jusqu'en 1900, puis à L'Épiphanie jusqu'en 1926. Secrétaire-trésorier de la municipalité de la paroisse de L'Épiphanie du 1er février 1904 au 21 janvier 1913, puis en 1921.

Décédé à Montréal, le 30 mars 1927, à l'âge de 70 ans et 4 mois. Inhumé dans le cimetière de Saint-Liguori, le 1er avril 1927.

Avait épousé à L'Épiphanie, le 18 août 1891, Marie-Paméla Hénault, veuve de Napoléon Archambault.

RICHARD, Jean-Marie
(1879–1955)

Né à Contrecœur, le 15 janvier 1879, fils d'Adolphe Richard, navigateur, et de Marie-Louise Gervais.

Fit ses études à Contrecœur, au collège de L'Assomption et à l'université Laval à Montréal. Fit sa cléricature à l'étude des notaires Mainville et Mainville à Montréal. Admis à la pratique du notariat le 22 juillet 1903.

Exerça sa profession à Saint-Ours puis s'associa à Me Georges Paquette en 1916. S'établit à Contrecœur en 1917 où il pratiqua jusqu'en 1949. Membre de la Chambre des notaires, des Chevaliers de Colomb, de l'Alliance nationale et du Corps de cadets de L'Assomption. S'occupa également d'histoire locale. Greffier des écoles et du village de Saint-Ours pendant six ans. Vérificateur des comptes du village de Contrecœur en 1921.

Président de la commission scolaire de Contrecœur en 1917. Élu député libéral dans Verchères à l'élection partielle du 22 décembre 1921. Réélu en 1923. Ne s'est pas représenté en 1927.

Décédé à Contrecœur, le 17 novembre 1955, à l'âge de 76 ans et 10 mois. Inhumé dans le cimetière de Contrecœur, le 21 novembre 1955.

Avait épousé à Saint-Antoine-sur-Richelieu, le 18 juin 1907, Jeanne Cartier, fille de Louis-Joseph Cartier et d'Hermine-Hermalinde Laflamme.

RICHARD, Louis
(1817–1876)

Né à Saint-Grégoire-le-Grand (Bécancour), le 1er mars 1817, fils de Charles-Auguste Richard, cultivateur, et de Marie-Esther Hébert.

Fit ses études à Saint-Grégoire.

Cultivateur dans le canton de Stanfold en 1841, il y fonda par la suite un magasin général et fit également le commerce du bois.

Maire de Princeville de janvier 1857 à janvier 1858 et de janvier 1872 jusqu'à son décès. Candidat défait aux élections du Conseil législatif dans la division de Kennebec en 1862. Nommé conseiller législatif de la même division le 5 février 1874. Appuya le Parti conservateur.

Décédé en fonction à Princeville, le 13 novembre 1876, à l'âge de 59 ans et 8 mois. Inhumé à Princeville, dans l'église de la paroisse Saint-Eusèbe-de-Stanfold, le 16 novembre 1876.

Avait épousé dans sa paroisse natale, le 25 janvier 1841, Hermine Prince, fille de Joseph Prince, marchand, et de Julie Doucet.

Père d'Édouard Richard, député à la Chambre des communes de 1872 à 1878.

RICHARD, Maurice

Né à Sainte-Angèle-de-Laval (Bécancour), le 22 septembre 1946, fils de Grégoire Richard, épicier-boucher, et de Louisette Roy. Deuxième d'une famille de quatorze enfants.

Fit ses études primaires à Sainte-Angèle-de-Laval et secondaires à l'école Curé-Brassard à Nicolet. Diplômé de l'Institut national des viandes en 1973. A reçu également une formation en mesures d'urgence, en gestion administrative et en investigation.

Propriétaire d'un marché d'alimentation à Bécancour. Fut membre de conseils d'administration de plusieurs organismes à caractère municipal, dont l'Union des municipalités du Québec. Membre de la Chambre de commerce de Bécancour et de Nicolet.

Conseiller municipal, de 1971 à 1976, et maire de Bécancour de 1976 à 1985. Élu député libéral dans Nicolet en 1985. Président de la Commission de l'agriculture, des pêcheries et de l'alimentation du 10 septembre 1987 au 9 août 1989. Réélu dans Nicolet-Yamaska en 1989. De nouveau président de cette commission à compter du 29 novembre 1989.

RICHARDSON, John
(≈1754–1831)

Né à Portsoy, en Écosse, vers 1754, fils de John Richardson et d'une dénommée Phyn, fille de George Phyn.

Étudia au King's College d'Aberdeen, en Écosse.

En 1774, par l'entremise d'un oncle maternel, se lança dans le commerce des fourrures. Fut d'abord apprenti de la société écossaise Phyn, Ellice and Company dans la colonie de New York. Pendant la Révolution américaine, fut capitaine des fusiliers marins sur un navire corsaire, puis associé dans l'exploitation d'un magasin à Charleston, en Caroline du Sud. De nouveau au service de la Phyn, Ellice en 1783 à New York, puis en 1787 à Montréal où, avec son cousin John **Forsyth**, il fonda en 1790 la Forsyth, Richardson and Company, entreprise engagée dans le commerce des fourrures. Actionnaire de la North West Company, de la New North West Company, de la Michilimackinac Company et de la South West Fur Company. Après 1821, s'orienta davantage vers le commerce d'import-export.

Fut agent pour la seigneurie de Villechauve; administrateur de la Compagnie d'assurance de Montréal contre les accidents du feu; président du comité fondateur de la Banque de Montréal en 1817, en fut actionnaire jusqu'à la fin de sa vie; fit partie du conseil d'administration de la Banque d'épargne de Montréal; président de l'organisme chargé de surveiller le creusage du canal de Lachine (1819–1825); cofondateur en 1822 du Committee of Trade de Montréal. Un des maîtres d'œuvre du Montreal General Hospital de Montréal. Président de la Société d'histoire naturelle de Montréal. Obtint de nombreux postes de commissaire.

Pendant la guerre de la Grande-Bretagne contre la France révolutionnaire, fut enseigne dans la milice, chef du service du contre-espionnage du Bas-Canada et fonda une association de volontaires armés à Montréal (1801). Durant la guerre de 1812, servit dans les Montreal Incorporated Volunteers. Est peut-être l'auteur de: *The letters of Veritas, republished from the* Montreal Herald; *containing a succinct narrative of the military administration of Sir George Prevost, during his command in the Canadas* [...] (Montréal, 1815).

Élu député de Montréal-Est en 1792. Ne s'est pas représenté en 1796. S'occupa d'administration municipale, à Montréal, après 1796. Élu député de Montréal-Ouest en 1804. Appuya généralement le parti des bureaucrates durant ses deux mandats. Défait en 1808. Nommé membre honoraire du Conseil exécutif le 20 décembre 1804, prit son siège le 24 novembre 1805; en fut membre actif de décembre 1811 jusqu'à sa mort. Nommé le 24 janvier 1816 membre du Conseil législatif, dont il devint président suppléant le 4 février 1831.

Décédé en fonction à Montréal, le 18 mai 1831, à l'âge d'environ 77 ans. Des obsèques nationales furent célébrées dans l'église anglicane Christ Church, le 21 mai 1831.

Avait épousé dans l'église anglicane Christ Church de Montréal, le 12 décembre 1794, Sarah Ann Grant, nièce de William **Grant**.

Beau-frère probable d'Alexander **Auldjo**. Beau-père de Thomas Brown **Anderson**.

Bibliographie: *DBC.*

RICHER, Augustin
(1754–1824)

Né à Sainte-Anne-de-la-Pérade, le 5 février 1754, puis baptisé le 6, dans la paroisse Sainte-Anne, fils de Pierre Laflèche (Richer; Richer, dit Laflèche) et de Charlotte Normandeau-Deslauriers. Baptisé sous le patronyme de Laflèche, fut désigné le plus souvent sous celui de Richer ; à son mariage, signa Augustin Richer.

Fut cultivateur. Servit pendant la guerre de 1812, en qualité de capitaine dans la milice, division de Longue-Pointe. Nommé commissaire chargé de faire prêter le serment d'allégeance, à Saint-Laurent, île de Montréal, le 30 juin 1812.

Élu député de Montréal en 1814. Réélu en 1816. Prit part à peu de votes et appuya tantôt le parti canadien, tantôt le parti des bureaucrates. Ne s'est pas représenté en avril 1820.

Décédé à Saint-Laurent, île de Montréal, le 2 août 1824, à l'âge de 70 ans et 5 mois. Inhumé dans l'église paroissiale, le 4 août 1824.

Avait épousé dans la paroisse de Saint-Laurent, île de Montréal, le 24 janvier 1791, Marie-Madeleine Beautron-Major, fille de Jean-Baptiste Beautron-Major et de Marie-Madeleine Barbeau.

RICHMOND ET LENNOX, duc de. V. LENNOX

RIENDEAU, Hercule
(1899–1963)

Né à Saint-Rémi, le 4 août 1899, fils d'Odina Riendeau, cultivateur, et de Clara Pagé.

Fit ses études au collège commercial des Clercs de Saint-Viateur à Saint-Rémi.

Cultivateur à Saint-Rémi et commerçant d'engrais chimiques de 1923 à 1940. Secrétaire de l'Union catholique des cultivateurs (UCC) et président régional de cet organisme de 1931 à 1940. Membre des Chevaliers de Colomb et du Club Renaissance de Québec.

Conseiller municipal de Saint-Rémi en 1933 et 1934, puis maire de 1941 à 1960. Candidat de l'Action libérale nationale défait dans Napierville-Laprairie en 1935. Ne s'est pas représenté en 1936. Élu député de l'Union nationale dans Napierville-Laprairie en 1944. Réélu en 1948, 1952, 1956 et 1960. Adjoint parlementaire du ministre de l'Industrie et du Commerce du 8 janvier au 6 juillet 1960. Défait en 1962.

Décédé à Lachine, le 12 avril 1963, à l'âge de 63 ans et 8 mois. Inhumé dans le cimetière de Saint-Rémi, le 16 avril 1963.

Avait épousé à Saint-Constant, le 15 janvier 1919, Marie-Rose Lefrançois, fille de Joseph Lefrançois, cultivateur, et de Cordélia Barbeau.

RINFRET, Rémi-Ferdinand
(1819–1901)

Né dans la paroisse Notre-Dame de Québec, le 5 juin 1819, fils de Rémi Rinfret, dit Malouin, maçon, et d'Olivette Chaillé. Désigné aussi sous le nom de Rinfret, dit Malouin.

Fit son cours classique au séminaire de Québec, puis commença ses études de médecine à Québec et les termina à la Harvard University, au Massachusetts.

Reçu médecin en 1845, il exerça sa profession à Québec. Vice-président de l'Association des médecins et chirurgiens de la province de Québec pour le district de Québec. Juge de paix.

Conseiller du quartier Saint-Jean au conseil municipal de Québec de 1863 à 1866, et échevin du même quartier de 1866 à 1890. Président du comité de santé de 1871 à 1890. Élu député conservateur dans Québec-Centre à l'élection partielle des 16 et 17 avril 1874. Élu sous la bannière libérale en 1875, 1878, 1881 et 1886. Réélu sans opposition en 1890. Défait en 1892.

Décédé à Québec, le 8 octobre 1901, à l'âge de 82 ans et 4 mois. Inhumé à Sainte-Foy, dans le cimetière Notre-Dame-de-Belmont, le 10 octobre 1901.

[Avait épousé Emma Norris.]

Beau-père d'Arthur-Joseph Turcotte, député à la Chambre des communes de 1892 à 1896. Oncle de Némèse **Garneau**.

RINVILLE. V. RAINVILLE

RIOPEL, Louis-Joseph
(1841–1915)

Né à Saint-Jacques, près de Joliette, le 16 septembre 1841, fils de Louis Riopel, cultivateur, et de Julie Mercure.

Étudia au collège de L'Assomption, puis le notariat auprès de Louis **Archambeault** et fut admis à la pratique de cette profession le 16 octobre 1865.

Exerça à New Carlisle jusqu'en 1880. Surintendant de la Colonisation et des Travaux publics pour le comté de Bonaventure de 1869 à 1873. Agent des Terres de la couronne pour le même comté de 1873 à 1880. Fit ses études de droit à l'université Laval. Admis au barreau de la province de Québec le 13 juillet 1880, il pratiqua le droit en association avec Me Lavery. Directeur de la compagnie North West Central Railway, et promoteur du chemin de fer de la Baie-des-Chaleurs.

Élu député conservateur à l'Assemblée législative dans Bonaventure en 1881. Son siège fut déclaré vacant, en 1882, à la suite de son élection à la Chambre des communes. Élu, sans opposition, député conservateur dans Bonaventure aux élections fédérales de 1882. Réélu en 1887. Ne s'est pas représenté en 1891. S'établit à Québec à compter de 1891.

Décédé à New Carlisle, le 11 mai 1915, à l'âge de 73 ans et 7 mois. Inhumé à Sainte-Foy, dans le cimetière Notre-Dame-de-Belmont, le 15 mai 1915.

Avait épousé à Paspébiac, le 24 novembre 1875, Justine Robitaille, fille de Louis Robitaille, notaire, et de Justine Mongeau.

RIOUX, Napoléon
(1837–1899)

Né à Trois-Pistoles, le 13 février 1837, fils de Jean-Baptiste Rioux, cultivateur, et de Marcelline Chamberland.

Étudia à Trois-Pistoles.

Cultivateur et marchand à Trois-Pistoles. Seigneur de L'Anse-aux-Coques et juge de paix. Contribua à la fondation d'une société de colonisation à Trois-Pistoles, en 1869. Syndic de la construction de l'église de cette paroisse. Fondateur et président de la Société Saint-Jean-Baptiste locale en 1876. Commissaire d'école. Secrétaire à la mairie en 1891.

Candidat conservateur défait dans Témiscouata en 1890. Élu député conservateur dans la même circonscription en 1892. Défait en 1897.

Décédé à Trois-Pistoles, le 15 septembre 1899, à l'âge de 62 ans et 7 mois. Inhumé dans le cimetière de Trois-Pistoles, le 19 septembre 1899.

Avait épousé à Saint-Jean-Baptiste-de-l'Isle-Verte, le 25 février 1862, Philomène Martin, fille d'Élie Martin et d'Émérence Dubé.

RIVARD, Alexis
(1784–1854)

Né à Rivière-du-Loup-en-Haut (Louiseville), le 21 novembre 1784, puis baptisé le 22, dans la paroisse Saint-Antoine-de-Padoue, sous le prénom d'Alexis-Alexandre, fils de François Rivard (Rivard, dit Laglanderie) et de Marie-Ursule Ledroit.

Fut négociant dans la paroisse Sainte-Anne, à Yamachiche, puis agent de la seigneurie de Mitis.

Élu député de Rimouski à une élection partielle le 6 février 1832; appuya généralement le parti patriote. Défait en 1834.

Décédé à Rimouski, le 8 juillet 1854, à l'âge de 69 ans et 7 mois. Inhumé dans le cimetière de la paroisse Saint-Germain, le 10 juillet 1854.

Avait épousé dans la paroisse Saint-François-Xavier, à Batiscan, le 4 novembre 1811, Marie Guillet, fille du négociant Jean-Baptiste Guillet et de Marguerite Langlois; puis, dans la paroisse Saint-Germain, à Rimouski, le 24 novembre 1831, Catherine Drapeau, fille de Pierre Drapeau et de Françoise Soigné (Saunier), et veuve d'Augustin Trudelle, juge de paix.

Beau-frère de Louis et de Valère **Guillet**.

RIVARD, Antoine
(1898–1985)

Né à Québec, le 14 novembre 1898, fils d'Adjutor Rivard, professeur et juge à la Cour d'appel de la province de Québec, et de Joséphine Hamel.

Suivit des cours privés, puis étudia au séminaire de Québec, à l'université Laval et à l'École royale d'infanterie à Esquimalt en Colombie-Britannique. Admis au barreau de la province de Québec le 11 juillet 1922.

En 1918–1919, il servit en Sibérie avec le 259e bataillon et fut promu lieutenant à Vladivostok en 1919. Fut par la suite major de réserve dans le régiment d'infanterie de Montmagny. Servit dans le Corps royal de l'aviation canadienne à titre de commandant d'escadrille du Corps d'entraînement de l'université Laval pendant la Deuxième Guerre mondiale. De 1922 à 1960, il pratiqua le droit à Québec où il fut membre de plusieurs cabinets. Parallèlement à sa carrière de criminaliste, il enseigna à l'université Laval où il fut professeur agrégé à la faculté de droit en 1933, puis professeur de procédure civile et titulaire de la chaire de droit criminel en 1941. Nommé membre du conseil de cette université en 1953 et membre du bureau des gouverneurs en 1957. Membre du bureau des gouverneurs de l'École de commerce de Laval et professeur émérite en 1966. Collaborateur aux journaux l'*Événement* et le *Devoir*. A publié le *Code criminel du Canada* (1939).

Président de l'Association conservatrice des jeunes de Québec. Candidat de l'Union nationale défait dans Québec-Centre en 1944. Élu député de ce parti dans Montmagny en 1948. Assermenté ministre d'État le 15 décembre 1948. Réélu en 1952 et 1956. Solliciteur général dans les cabinets Duplessis et Sauvé du 12 avril 1950 au 4 novembre 1959. Ministre des Transports et des Communications dans les cabinets Duplessis, Sauvé et Barrette du 30 juin 1954 au 5 juillet 1960. Procureur général dans les cabinets Sauvé et Barrette du 11 septembre 1959 au 5 juillet 1960. Défait en 1960.

Nommé juge à la Cour du banc de la reine le 9 mars 1961. Il occupa cette fonction jusqu'en 1973, alors qu'il devint conseiller au bureau des avocats Flynn, Rivard, Jacques, Cimon, Lessard et LeMay.

Créé conseil en loi du roi le 22 décembre 1932. Membre du comité catholique du Conseil de l'instruction publique en 1946. Président du jeune barreau de Québec et membre du Conseil du barreau. Bâtonnier du barreau du district de Québec en 1946, puis bâtonnier du barreau de la province de Québec en 1946 et 1947. Récipiendaire de doctorats en droit honoris causa des universités Laval (1947), de Montréal (1951), d'Ottawa (1953), de Paris (1953) et du Bishop's College (1957). Créé officier de l'ordre de Saint-Jean-de-Jérusalem en 1956. Ancien président de la section de droit criminel de l'Association du barreau canadien, du comité France-Amérique de Québec et de la Société de réadaptation de Québec. Membre et président du Club de la garnison. Membre des Chevaliers de Colomb, du Cercle universitaire et des clubs Renaissance, Laurentides et Kiwanis.

Décédé à Québec, le 26 décembre 1985, à l'âge de 87 ans et un mois. Inhumé à Sainte-Foy, dans le cimetière Belmont, le 28 décembre 1985.

Avait épousé à Québec, dans la paroisse Saint-Cœur-de-Marie, le 27 novembre 1923, Lucille Garneau, fille de Georges Garneau, ingénieur, et de Mary Alma Benoît.

RIVARD (RIVARD-DUFRESNE), Augustin (1743–1798)

Né à Yamachiche, fut baptisé le 11 mars 1743, dans la paroisse Sainte-Anne, sous le prénom d'Augustin-Amable et sous le patronyme de Laglanderie Dufresne, fils de Joseph Laglanderie Dufresne (Rivard), cultivateur, et de Marie Toutant (Duteau). Signait Augustin Rivard.

Exploita une terre reçue de ses parents et située dans la seigneurie Gastineau. Devint sous-bailli à Yamachiche en septembre 1767. Fut marguillier de la paroisse Sainte-Anne. Auteur de «Mémoires», qui ont été perdus.

Élu député de Saint-Maurice en 1792; appuya le parti canadien. Ne s'est pas représenté en 1796.

Décédé à Yamachiche, le 5 mai 1798, à l'âge de 55 ans et un mois. Inhumé dans le cimetière de la paroisse Sainte-Anne, le 7 mai 1798.

Avait épousé dans la paroisse de La Visitation, à Pointe-du-Lac, le 14 janvier 1765, Françoise Gauthier, fille de Joseph Gauthier et de Marie-Jeanne Faucher; puis, dans la paroisse Saint-Antoine-de-Padoue, à Rivière-du-Loup (Louiseville), le 30 juin 1779, Geneviève Grégoire, fille de François Grégoire et de Marie-Louise Routhier.

Beau-père de Charles **Caron** et de François Lesieur **Desaulniers**. Grand-père de Louis-Léon Lesieur **Desaulniers**. Arrière-grand-père d'Eugène Merrill **Desaulniers**.

Bibliographie: L.-Desaulniers, F., *Les vieilles familles d'Yamachiche* [...], t. 3, Montréal, Beauchemin, 1899, p. 112.

RIVARD, Guy

Né à Trois-Rivières, le 1er août 1936, fils de Félicien Rivard, ingénieur forestier et arpenteur-géomètre, et de Gilberte Lachance.

A étudié au séminaire de Trois-Rivières, de 1947 à 1952, au collège Jean-de-Brébeuf, de 1952 à 1956, et à l'université de Montréal, de 1956 à 1961, où il fut reçu médecin. Spécialisé en pédiatrie à Montréal puis en maladies respiratoires à la Yale University, aux États-Unis (1964–1967). Diplômé également du Executive Program for Health Systems Management de la Harvard Business School en 1977.

Pédiatre à l'hôpital Sainte-Justine à Montréal, de 1967 à 1976, puis directeur des services professionnels au même hôpital de 1976 à 1980. À l'université de Montréal, il fut professeur à la faculté de médecine de 1967 à 1976, administrateur académique de 1970 à 1982, coordonnateur de l'enseignement universitaire de 1976 à 1980, puis adjoint au doyen de la faculté de médecine en 1979–1980 et en 1981–1982. Professeur invité au Centre de recherche des sciences de la santé de l'université du Québec à Trois-Rivières de 1969 à 1972 et au Health Services Research Center de l'université de la Caroline du Nord à Chapel Hill en 1980 et 1981. Sous-ministre adjoint aux Affaires sociales d'août 1982 à juillet 1984. Professeur agrégé du département d'administration de la santé de l'université de Montréal en 1984 et 1985.

Auteur de plusieurs publications dans les revues scientifiques. Récipiendaire du prix Hector-L.-Bertrand de la Fédération des administrateurs des services de santé et des services sociaux du Québec en 1983.

Élu député libéral dans Rosemont en 1985. Adjoint parlementaire du ministre du Commerce extérieur et du Développement technologique du 13 décembre 1985 au 31 mars 1988. Ministre délégué aux Affaires culturelles, responsable de l'application de la *Charte de la langue française*, dans le cabinet Bourassa, du 31 mars 1988 au 3 mars 1989. Ministre délégué à la Technologie du 3 mars 1989 au 11 octobre 1989. Réélu en 1989. Ministre délégué à la Francophonie du 11 octobre 1989 au 27 mai 1992. Nommé ministre délégué aux Affaires internationales, responsable de la Francophonie, le 27 mai 1992.

RIVARD, Sévère
(1834–1888)

[Né à Yamachiche, le 7 août 1834, fils d'Augustin Rivard-Laglanderie, cultivateur, et de Marguerite Dufresne.]

Fit ses études au collège de Nicolet de 1848 à 1856. Étudia le droit à Montréal auprès de Toussaint-Antoine-Rodolphe Laflamme, député à la Chambre des communes de 1872 à 1878, et d'Edmund Barnard. Admis au barreau du Bas-Canada le 6 juin 1859.

Associé à Montréal avec Benjamin-Antoine Testard de Montigny. Commerçant et homme d'affaires, il acheta, en société, de grandes propriétés foncières dans le nord-ouest de la ville de Montréal et les revendit en lots à bâtir. Responsable de l'envoi des contingents de zouaves canadiens à Rome. Créé chevalier de l'ordre de Pie IX. Commissaire du pont de Montréal de 1879 à 1881.

Commissaire d'école à Montréal du 16 août 1870 au 29 novembre 1877. Échevin du quartier Saint-Jacques à Montréal de 1870 à 1879. Marguillier de la paroisse Notre-Dame de Montréal. Président du comité de l'éclairage de 1871 à 1875, puis du comité des incendies de 1876 à 1878. Maire de Montréal de 1879 à 1881. Nommé conseiller législatif de la division d'Alma le 19 octobre 1886. Appuya le Parti conservateur. Cotrésorier du Parti conservateur pour Montréal en 1887.

Décédé en fonction à Montréal, le 4 février 1888, à l'âge de 53 ans et 5 mois. Inhumé à Montréal, dans le cimetière Notre-Dame-des-Neiges, le 8 février 1888.

Avait épousé dans la paroisse Notre-Dame de Montréal, le 1er août 1863, Delphine Choquette, fille d'Henri Choquette et de Delphine Laurent.

RIVEST, Jean-Claude

Né à L'Assomption, le 27 janvier 1943, fils de Victor Rivest et d'Yvette Lafortune.

Fit ses études à l'école Saint-Louis à L'Assomption, au collège de L'Assomption et à l'université de Montréal. Admis au barreau de la province de Québec en 1966. Titulaire d'un diplôme d'études supérieures en droit administratif et constitutionnel décerné par l'université de Montréal en 1967.

Pratiqua le droit à temps partiel à L'Assomption en 1966 et 1967. Secrétaire particulier du chef de l'Opposition officielle, Jean **Lesage**, de 1967 à 1969, directeur du bureau de recherche de l'Opposition en 1969, puis responsable de la direction de l'information au bureau du chef de l'Opposition en 1970. Secrétaire à la législation et aux activités parlementaires de Robert **Bourassa** de 1970 à 1976, puis conseiller spécial auprès du chef de l'Opposition officielle, Gérard D. **Levesque**, de 1976 à 1979.

Élu député libéral dans Jean-Talon à l'élection partielle du 30 avril 1979. Réélu en 1981. Vice-président de la Commission des institutions du 15 mars 1984 au 23 octobre 1985. Ne s'est pas représenté en 1985.

Conseiller politique au cabinet du premier ministre Robert Bourassa à compter de 1985.

ROBERGE, Eugène
(1865–1935)

Né à Laurierville, le 23 février 1865, fils de Louis Roberge, marchand, et de Philomène Blouin.

Fit ses études au collège de Lévis.

Marchand dans le canton de Lambton. Propriétaire de la première beurrerie construite dans la Beauce. Directeur de la compagnie hydraulique Saint-François pendant vingt ans. Directeur de la Titanic Iron Co. et de la compagnie d'assurances British Colonial. Président de la Compagnie des engrais chimiques de Lambton. Membre du Conseil d'agriculture de la province de Québec. Premier lauréat de la médaille d'argent et lauréat du concours du Mérite agricole en 1897.

Nommé conseiller législatif de la division de Lauzon le 8 janvier 1912. Appuya le Parti libéral.

Décédé en fonction à Québec, le 7 mai 1935, à l'âge de 70 ans et 2 mois. Inhumé dans le cimetière de Lambton, le 10 mai 1935.

Avait épousé à Nicolet, le 3 août 1887, Clothilde Rousseau, fille de Télesphore Rousseau, marchand, et d'Hélène Bellerose ; puis, dans la paroisse Notre-Dame de Québec, le 22 février 1916, Blanche Larue, fille de Jules-Ernest Larue, avocat et juge à la Cour supérieure, et de Marie-Louise Angers.

Frère d'Eusèbe Roberge, député à la Chambre des communes de 1922 à 1940. Beau-frère de Joseph **Demers**. Cousin de Guy **Roberge** et de Gabriel Roberge, député à la Chambre des communes de 1958 à 1962.

ROBERGE, Guy
(1915–1991)

Né à Saint-Ferdinand-d'Halifax (Bernierville), le 26 janvier 1915, fils de P. Allyre Roberge, registrateur de Thetford Mines, et d'Irène Duchesneau.

Fit ses études dans une école privée d'Inverness, au séminaire de Québec et à l'université Laval. Admis au barreau de la province de Québec le 20 août 1937. Créé conseil en loi de la reine le 25 avril 1957. Récipiendaire d'un doctorat honoris causa en droit civil du Bishop's College en 1967 et d'un doctorat d'université de l'université Laval en 1975.

Journaliste à l'Événement (l'Événement Journal) et au Soleil, de 1937 à 1939. Exerça sa profession d'avocat à Québec de 1940 à 1955. Fut associé notamment à Hugues **Lapointe** et à Ernest Lapointe, député à la Chambre des communes de 1904 à 1941.

Élu député libéral dans Lotbinière en 1944. Défait en 1948.

Membre de la Commission sur les pratiques restrictives du commerce de 1955 à 1957. Président de l'Office national du film et commissaire du gouvernement canadien à la cinématographie de 1957 à 1966. Délégué général du Québec en Grande-Bretagne de 1966 à 1971. Vice-président de la Commission canadienne des transports à partir de 1971. Membre de l'Association du barreau canadien, de l'Institut des affaires internationales, du Club de la garnison, du Club Rideau, du Club de réforme et du Cercle universitaire de Québec.

Décédé à Ottawa, le 21 juin 1991, à l'âge de 76 ans et 4 mois. Inhumé dans le cimetière de Saint-Antoine-de-Tilly, le 26 juin 1991.

Avait épousé à Châteauguay, le 26 août 1957, Marie Raymond, fille de Maxime Raymond, avocat, et de Jeanne Comté.

Frère de Gabriel Roberge, député à la Chambre des communes de 1958 à 1962. Cousin d'Eugène **Roberge** et d'Eusèbe Roberge, député à la Chambre des communes de 1922 à 1940. Gendre de Maxime Raymond, député à la Chambre des communes de 1925 à 1949.

ROBERT, Edmund Arthur
(1864– ⩾1922)

Né à Beauharnois, le 3 mars 1864, fils de Joseph Barthélémy Robert, manufacturier, et de Sarah Roberts.

Commença ses études à Beauharnois, puis fréquenta la High School et le Business College de Montréal.

D'abord au service de la compagnie Greenshields Ltd. pendant neuf ans, il succéda ensuite à son père à la direction d'une filature à Beauharnois, puis devint directeur et gérant de la Dominion Woolen Manufacturing. Vice-président et directeur de la Canadian Light and Power. Fondateur de la Corporation des services publics de Montréal. Président de la Compagnie des tramways de Montréal, de la Quebec Railway, Light, Heat and Power et de l'Imp. Trust Co. de Montréal.

Élu député libéral dans Beauharnois en 1912. Réélu en 1916. Ne s'est pas représenté en 1919.

Décédé à une date inconnue.

Avait épousé à Montréal, dans la St. George Anglican Church, le 23 novembre 1892, Eliza Sherwood Foley, fille de James Foley et de Quintina Muir.

ROBERT, Joseph-Edmond
(1864–1949)

Né à Marieville, le 16 novembre 1864, fils de Victor **Robert**, cultivateur, et d'Euphrasie Désautels.

Fit son cours commercial au collège Sainte-Marie-de-Monnoir à Marieville.

Exerça le métier de cultivateur. Registrateur conjoint du comté de Rouville, avec L. Sainte-Marie, en 1907 et 1908. Directeur de la Société de colonisation du comté de Saint-Jean. Président du Cercle agricole. Syndic de la construction de l'église de Marieville et marguillier.

Élu député libéral dans Rouville à l'élection partielle du 26 octobre 1908. Réélu en 1912, puis sans opposition en 1916 et 1919. Son siège fut déclaré vacant à la suite de sa nomination, le 20 mai 1922, au poste d'agent de colonisation et d'immigration pour la province de Québec. Candidat libéral défait dans Rouville aux élections de 1935.

Décédé à Magog, le 26 février 1949, à l'âge de 84 ans et 3 mois. Inhumé dans le cimetière de Marieville, le 1er mars 1949.

Avait épousé à Marieville, le 24 février 1886, Marie-Rose Martel, fille de François Martel, cultivateur, et d'Odile Fournier.

ROBERT, Marcellin
(1846–1925)

[Né à Saint-Édouard, près de Napierville, le 21 mai 1846, fils de Moïse Robert, cultivateur, et de Zoé Thibert.]

Quitta le Canada pour les États-Unis vers 1862 où il fit des études commerciales. Fonda une briqueterie à Albany, puis deux autres à Saint-Blaise et Saint-Jean, à son retour au pays en 1891. Cultivateur à Saint-Blaise, il possédait également des terres à Sainte-Anne-de-Sabrevois. Lauréat du Mérite agricole de la province de Québec en 1906, il reçut un certificat de compétence agricole et d'administration progressiste. Directeur de la Banque de Saint-Jean de 1896 à 1908. Directeur de la Compagnie d'exposition de Saint-Jean en 1902 et 1903. Directeur de la Société d'agriculture de Saint-Jean de 1901 à 1906, et président de 1913 à 1915.

Commissaire d'école à Saint-Blaise. Maire de Saint-Blaise du 11 janvier 1898 au 10 janvier 1917. Préfet du comté de Saint-Jean en 1913. Élu député libéral dans Saint-Jean à l'élection partielle du 29 décembre 1910. Ne s'est pas représenté en 1912. Réélu à l'élection partielle du 10 novembre 1913 et aux élections générales de 1916. Ne s'est pas représenté en 1919.

Décédé à Saint-Blaise, le 14 janvier 1925, à l'âge de 78 ans et 7 mois. Inhumé dans le cimetière de cette paroisse, le 19 janvier 1925.

[Avait épousé à Albany, aux États-Unis, vers 1870, Alexandrine Brousseau.]

ROBERT, Victor
(1822–1885)

[Né à Chambly, en 1822, fils de Jean-Baptiste Robert, dit Lafontaine, journalier, et de Marie-Anne Tifault.] Désigné aussi sous le nom de Robert, dit Lafontaine.

Exerça le métier de cultivateur et de menuisier à Marieville.

Juge de paix, conseiller municipal et maire de Marieville. Élu député libéral dans Rouville en 1867. Réélu en 1871 et 1875. Défait en 1878 et 1881.

Décédé à Marieville, le 25 janvier 1885. Inhumé dans le cimetière de cette municipalité, le 28 janvier 1885.

Avait épousé à Marieville, le 13 janvier 1846, Euphrasie Désautels, fille de Joseph Désautels, cultivateur, et de Desanges Martel.

Père de Joseph-Edmond **Robert**.

ROBERTSON, Colin
(1783–1842)

Né à Perth, en Écosse, le 27 juillet 1783, fils de William Robertson, tisserand, et de Catherine Sharp.

Commença l'apprentissage du métier de tisserand, mais ne le termina pas.

Séjourna à New York où il travailla dans une épicerie. Par la suite, vint à Montréal et se lança dans la traite des fourrures. Au service de la North West Company (NWC) à partir de 1803 environ jusqu'en 1809, puis retourna en Angleterre. En 1810, s'installa à Liverpool comme marchand général et s'engagea dans l'approvisionnement des navires. Revint à Montréal en 1814 pour le compte de la Hudson's Bay Company (HBC) et, l'année suivante, veilla à l'établissement de colons à Rivière-Rouge (au Manitoba). Prit part à la lutte armée que se livraient la NWC et la HBC pour le monopole du commerce des fourrures; arrêté en 1817 à Montréal, fut emprisonné jusqu'à son acquittement au printemps de 1818. Se rendit de nouveau dans la région de l'Athabaska; arrêté à deux reprises, réussit à s'échapper à chaque fois et, en 1820, s'enfuit aux États-Unis. Alla en Angleterre, puis en France et aux États-Unis, avant de revenir au Bas-Canada. En 1821, la HBC l'envoya dans l'Ouest, où il reçut différentes affectations jusqu'en 1840.

Élu député de Deux-Montagnes en 1841; unioniste et tory.

Décédé en fonction à Montréal, le 4 février 1842, à l'âge de 58 ans et 6 mois. Les obsèques eurent lieu dans la chapelle anglicane Trinity, le 5 février 1842.

Avait épousé, vers 1820, une Métisse, Theresa Chalifoux.

Bibliographie: *DBC.*

ROBERTSON, Joseph Gibb
(1820–1899)

[Né à Stuartfield, dans l'Aberdeenshire, en Écosse, le 1er janvier 1820, fils de James Robertson, pasteur, et d'Elizabeth Murray.]

Émigra au Québec vers 1832. Fit ses études à Derby, dans l'État du Vermont, et à Sherbrooke.

Fermier et marchand à Sherbrooke. Président des compagnies Stanstead and Sherbrooke Mutual Life Insurance, Sherbrooke Eastern Townships and Kennebec Railway et Quebec Central Railway dont il fut aussi l'un des fondateurs. Président de la Ligue de tempérance du Québec (1870 et 1871) et de la Société d'agriculture de Sherbrooke.

Secrétaire-trésorier du comté de Sherbrooke de 1847 à 1855. Maire de la ville de Sherbrooke en 1854 et 1855, de 1857 à 1867 et de 1869 à 1872. Élu député conservateur dans Sherbrooke en 1867. Occupa pendant plusieurs années le poste de trésorier de la province, d'abord dans les cabinets Chauveau et Ouimet du 15 juillet 1867 au 7 septembre 1874,

Boucher de Boucherville du 22 septembre 1874 au 23 janvier 1876, puis dans le cabinet Chapleau du 31 octobre 1879 au 19 janvier 1882, et enfin dans les cabinets Ross et Taillon du 23 janvier 1884 au 29 janvier 1887. Il démissionna du cabinet en 1874 à cause de l'affaire des tanneries puis en 1876 et 1882 en raison de son opposition à la politique ferroviaire du gouvernement. Réélu aux élections générales de 1871, 1875, 1878, 1881, 1886 et 1890. Il fut également réélu aux élections partielles, déclenchées en raison de ses nominations au Conseil exécutif, du 5 novembre 1869, du 20 novembre 1879 et du 9 février 1884. Défait en 1892.

Maître de poste à Sherbrooke du 19 décembre 1892 jusqu'à son décès.

Décédé à Sherbrooke, le 13 mars 1899, à l'âge de 79 ans et 2 mois. Inhumé à Sherbrooke, dans le cimetière de la Congregational Church, le 16 mars 1899.

Avait épousé à Sherbrooke, dans la Congregational Church, le 19 juillet 1870, Mary Jane Woodward, fille d'Albert G. Woodward.

ROBIC, Louise

Née à Montréal, le 25 janvier 1935, fille de Jean-Baptiste Goyer, homme d'affaires, et de Berthe Trudeau.

A étudié à l'Alexander Business School de Montréal en 1951 et 1952. A étudié également en relations humaines à l'université du Québec à Montréal, en économie à la McGill University et en administration immobilière.

Employée au Trust Royal à compter de 1975, elle occupa les postes de représentante et de directrice des ventes puis, en 1982, de directrice adjointe du service des caisses de retraite. Présidente du conseil de direction de la bibliothèque des Sources en 1970. Membre du conseil d'administration de la caisse populaire des Sources de 1976 à 1982. Présidente régionale de la Société canadienne du cancer de 1982 à 1985. Présidente de la Fondation du refuge des femmes battues de l'ouest de l'île de Montréal de 1982 à 1984.

Directrice de l'animation du Parti libéral du Québec en 1979 et 1980. Présidente du Parti libéral du Québec de septembre 1982 à décembre 1985. Élue députée libérale dans Bourassa en 1985. Ministre des Communautés culturelles et de l'Immigration dans le cabinet Bourassa du 12 décembre 1985 au 3 mars 1989 et ministre déléguée à la Santé et aux Services sociaux du 3 mars 1989 au 11 octobre 1989. Réélue en 1989. Assermentée ministre déléguée aux Finances le 11 octobre 1989.

ROBIDOUX, Joseph-Émery (1843–1929)

Né à Saint-Philippe, près de La Prairie, le 10 mars 1843, fils de Toussaint Robidoux, cultivateur, et de Marguerite Demers.

Fit ses études au collège de Montréal, au collège Sainte-Marie et à la McGill University. Fit sa cléricature auprès de Mes Abbott et Dorman. Admis au barreau du Bas-Canada le 15 mai 1866. Créé conseil en loi de la reine le 10 septembre 1878.

Pratiqua le droit à Montréal et fut associé notamment à Thomas Fortin (député à la Chambre des communes de 1896 à 1901), Amédée **Geoffrion** et Cuthbert-Alphonse **Chênevert**. Enseigna également le droit à la McGill University de 1877 à 1890, puis fut professeur émérite de 1890 à 1928. Membre de la Commission d'enquête sur l'administration de la justice à Montréal en 1878 et de la Commission d'enquête sur le palais législatif en 1884.

Candidat libéral défait dans Laprairie aux élections fédérales de 1882. Élu député libéral à l'Assemblée législative dans Châteauguay à l'élection partielle du 26 mars 1884. Réélu en 1886 et 1890. Secrétaire et registraire dans le cabinet Mercier du 9 mai au 22 août 1890. Procureur général dans le même cabinet du 22 août 1890 au 21 décembre 1891. Défait en 1892. Réélu en 1897, il se fit réélire sans opposition à l'élection partielle tenue le 12 juin 1897 en raison de son accession au cabinet. Secrétaire et registraire dans le cabinet Marchand du 26 mai 1897 au 3 octobre 1900.

Son siège devint vacant lorsqu'il fut nommé juge à la Cour supérieure du district de Trois-Rivières le 8 octobre 1900. Nommé juge dans le district de Montréal le 28 janvier 1901 et dans le district de Terrebonne le 13 novembre 1906. Prit sa retraite le 12 novembre 1916.

Membre du Conseil du barreau de 1877 à 1881, puis en 1889 et 1890. Syndic du barreau de Montréal de 1881 à 1885. Docteur en droit civil en 1887. Président de la Société des gradués de McGill en 1894. Bâtonnier du barreau de Montréal en 1895 et 1896. Président de l'Association du barreau canadien en 1896. Bâtonnier de la province de Québec en 1896 et 1897. Membre du Conseil de l'instruction publique de la province. Vice-président de l'Alliance française de Montréal en 1902, puis président de 1903 à 1910. Officier de l'Instruction publique de France. Créé chevalier de la Légion d'honneur de France en 1908. Membre honoraire du comité de Montréal pour la célébration du tricentenaire de Québec en 1908. Membre du Mount Royal Club, du St. James Club et de l'Union Club.

Décédé à Montréal, le 15 mars 1929, à l'âge de 86 ans. Inhumé dans le cimetière Notre-Dame-des-Neiges, le 18 mars 1929.

Avait épousé dans la paroisse Notre-Dame de Montréal, le 18 mai 1869, Sophie Sancer, fille de Jean-Baptiste Sancer, sacristain, et d'Élisabeth Desforges; puis, dans la même paroisse, le 22 juin 1878, Clara Sancer, sœur de sa première épouse.

ROBIDOUX, Joseph-Willie
(1884–1962)

Né à Sorel, le 2 septembre 1884, fils de Jean-Baptiste Robidoux, navigateur, et d'Elmire Latraverse.

Fit ses études aux collèges Mont-Saint-Bernard et Sacré-Cœur à Sorel, au séminaire de Nicolet et à l'université Laval à Montréal. Reçu médecin en 1910.

Exerça d'abord sa profession à Saint-Godefroy, en Gaspésie, et à Montréal, puis vint s'établir à Sorel en 1911. Pratiqua à l'hospice général, à l'orphelinat et à l'hôpital Richelieu de Sorel. Médecin attitré des compagnies d'assurances La Sauvegarde, Canada Life, Mutual Life et Equitable, ainsi que des Forestiers catholiques, des Artisans canadiens-français et des Chevaliers de Colomb. Secrétaire de l'Union médicale du district de Richelieu. Membre de la Société médicale du district de Richelieu dont il fut président de 1935 à 1944. Président du comité local des finances de guerre. Fondateur de la chorale et maître de chapelle à l'église Saint-Pierre-de-Sorel pendant plus de dix-huit ans, et à l'église Notre-Dame-de-Sorel pendant plus de cinq ans.

Échevin de la cité de Sorel de janvier à avril 1919, puis maire de cette municipalité de 1922 à 1938 et de 1940 à 1942. Président de la commission scolaire de Sorel de 1930 à 1935. Élu député libéral dans Richelieu-Verchères à l'élection partielle du 23 mars 1942. Réélu dans Richelieu en 1944. Défait en 1948.

Décédé à Sorel, le 12 mars 1962, à l'âge de 77 ans et 6 mois. Inhumé dans le cimetière de cette ville, le 16 mars 1962.

Avait épousé à Saint-Grégoire (Bécancour), le 27 novembre 1911, Auréa Descôteaux, fille de Jacques Descôteaux et de Marie Lemire; puis, à Sorel, le 31 juillet 1922, Lucienne Pitt, fille de Joseph Pitt, charpentier et menuisier, et de Rachel Gill.

ROBILLARD, Clément
(1850–1926)

Né à Lavaltrie, près de L'Assomption, le 31 mai 1850, fils de Narcisse Robillard, cultivateur, et de Sophie Bouthillet.

Étudia au collège de L'Assomption.

S'établit à Montréal où il exerça d'abord le métier de comptable. Directeur de la Montreal Canada Fire Insurance Co. et vice-président de la Merchant Guarantee and Accident Insurance Co. Marchand et industriel, il fut l'un des fabricants d'eaux gazeuses les plus prospères à Montréal. Membre de la Chambre de commerce de Montréal.

Échevin des quartiers Saint-Jacques-Sud (1900 à 1904) et Saint-Jacques (1904 à 1910) au conseil municipal de Montréal. Président du comité des parcs et traverses de Montréal de 1905 à 1909. Élu député libéral dans Montréal n° 2 à l'élection partielle du 12 novembre 1909. Réélu dans Montréal–Saint-Jacques en 1912 et 1916. Ne s'est pas représenté en 1919. Nommé conseiller législatif de la division de Lanaudière le 5 décembre 1919.

Décédé en fonction à Montréal, le 20 mars 1926, à l'âge de 75 ans et 9 mois. Inhumé à Montréal, dans le cimetière Notre-Dame-des-Neiges, le 24 mars 1926.

Avait épousé à Saint-Jean-sur-Richelieu, le 25 novembre 1873, Hermine Saint-Cyr, fille de François-Ibérante Saint-Cyr, marchand, et d'Eugénie Saint-Cyr; puis, à Montréal, dans la paroisse Saint-Jacques, le 19 novembre 1898, Oliva Bélanger, fille de Régis Bélanger et de Marceline Racine.

ROBILLARD, Joseph
(1838–1905)

Né à Saint-Joseph-de-Lanoraie, le 14 janvier 1838, fils de Maurice Robillard, cultivateur, et de Marguerite Hilaire, dit Bonaventure.

Fit ses études dans sa paroisse natale.

Exerça le métier de navigateur, puis devint cultivateur et commerçant de grains et de foin à Saint-Joseph-de-Lanoraie et à Montréal. Membre de la Halle au blé et du Montreal Board of Trade.

Élu député conservateur dans Berthier en 1878. Son élection fut cependant annulée le 30 novembre 1880. Réélu à l'élection partielle du 30 décembre 1880 et aux élections de 1881. Défait en 1886.

Décédé à Montréal, le 13 octobre 1905, à l'âge de 67 ans et 8 mois. Inhumé à Montréal, dans le cimetière Notre-Dame-des-Neiges, le 17 octobre 1905. Son corps fut par la suite exhumé afin d'être inhumé dans le cimetière de la paroisse Saint-Joseph-de-Lanoraie, le 23 octobre 1912.

Avait épousé dans la cathédrale de Montréal, le 19 août 1873, Annie de Lorimier, fille de Narcisse-Édouard de Lorimier et d'Ann Dunn.

Oncle de Joseph-Israël **Tarte**.

ROBILLARD, Lucienne

Née à Montréal, le 16 juin 1945, fille de Victor Robillard, commerçant, et de Jeannette Laporte.

A étudié à l'école Marie-Médiatrice. Obtint un baccalauréat ès arts du collège Basile-Moreau en 1965 et une maîtrise en service social de l'université de Montréal en 1967. Titulaire d'un diplôme en sciences administratives (1983) et d'une maîtrise en administration des affaires (1986) de l'École des hautes études commerciales de Montréal.

Clinicienne au centre hospitalier Maisonneuve-Rosemont de 1967 à 1969 et de 1972 à 1978. Animatrice auprès des jeunes dans un kibboutz en Israël de 1969 à 1972. Employée du Centre des services sociaux Richelieu de 1978 à 1986, elle fut successivement chef du bureau de Cowansville, chargée de programme des services sociaux en milieu hospitalier, coordonnatrice des relations avec le milieu et chef du service social hospitalier. Curatrice publique du Québec de décembre 1986 à août 1989.

Membre du comité éditeur du volume *le Travail social et la santé au Québec* (1985) et du comité ministériel d'étude sur les services psychiatriques de la région de Montréal en 1984–1985. Présidente de l'Association des praticiens de service social en milieu de santé du Québec de 1984 à 1986 et présidente de la Commission administrative des services de santé mentale au conseil régional de Montérégie de 1983 à 1986.

Élue députée libérale dans Chambly en 1989. Ministre des Affaires culturelles dans le cabinet Bourassa du 11 octobre 1989 au 5 octobre 1990. Assermentée ministre de l'Enseignement supérieur et de la Science le 5 octobre 1990 et ministre de l'Éducation le 3 novembre 1992.

ROBINSON, Jonathan
(1894–1948)

Né à Waterloo, le 18 novembre 1894, fils d'Arthur Frederick Robinson et d'Annie M. Foster.

Étudia aux écoles de Waterloo et au Bishop's College. S'enrôla dans le Corps expéditionnaire canadien, puis dans le Royal Flying Corps, en Europe. De retour au pays, il reprit ses études au Bishop's College, et à la McGill University, à Montréal, où il fit son droit. Admis au barreau de la province de Québec le 10 décembre 1938. Docteur en droit honoris causa du Bishop's College en 1948.

Exerça sa profession à Montréal où il fut associé notamment à Daniel **Johnson** et Adrian Norton Knatchbull Hugessen, sénateur de 1937 à 1967. Secrétaire du barreau de Montréal en 1932 et 1933. Membre du Club de Montréal et du Club de la garnison de Québec.

Élu député de l'Union nationale dans Brome en 1936. Réélu en 1939, 1944 et 1948. Ministre des Mines dans le cabinet Duplessis du 30 août 1944 jusqu'à son décès.

Décédé en fonction à Montréal, le 11 octobre 1948, à l'âge de 53 ans et 10 mois. Inhumé dans le cimetière de Knowlton, le 14 octobre 1948.

Avait épousé à Westmount, dans la St. Andrew's United Church, le 5 juin 1928, Florence Walker McMaster, fille d'Andrew Ross **McMaster**, avocat, et Florence Bellhouse Walker.

Petit-fils d'Asa Belknap **Foster**.

ROBITAILLE, Amédée
(1852–1930)

Né dans la paroisse Notre-Dame de Québec, le 31 décembre 1852, fils d'Olivier Robitaille, médecin, et de Zoé-Louise Dénéchaud.

Fit ses études à l'école privée de M.P. Lachance, au séminaire de Québec et à l'université Laval à Québec. Admis au barreau de la province de Québec le 17 juillet 1877. Créé conseil en loi de la reine le 22 juin 1899.

Pratiqua le droit à Québec et fut associé notamment à Louis-Rodolphe **Roy**. Avocat de la Société de construction permanente de Québec et registraire du district de Québec. Directeur de la Compagnie de chemin de fer Québec et Lac-Saint-Jean et l'un des directeurs de la Peribonka Pulp Co. de Roberval. Président général de la Société Saint-Jean-Baptiste de Québec de 1887 à 1889.

Échevin du quartier Saint-Jean au conseil municipal de Québec de 1890 à 1894. Organisateur en chef du Parti libéral pour le district de Québec. Élu député libéral dans Québec-Centre en 1897. Réélu sans opposition en 1900. Son siège devint vacant lors de sa nomination au cabinet et fut réélu sans opposition à l'élection partielle du 11 juillet 1902. Secrétaire et registraire de la province dans le cabinet Parent du 30 juin 1902 au 23 mars 1905. Réélu en 1904 (sans opposition) et 1908.

Son mandat prit fin lors de sa nomination comme protonotaire à la Cour supérieure du district de Québec le 9 décembre 1908.

Décédé à Québec, le 28 mars 1930, à l'âge de 77 ans et 2 mois. Inhumé à Sainte-Foy, dans le cimetière Notre-Dame-de-Belmont, le 31 mars 1930.

Avait épousé à Québec, dans la paroisse Saint-Jean-Baptiste, le 2 juillet 1878, Joséphine Peachy, fille de Joseph-Ferdinand Peachy, architecte, et de Joséphine-Elmire Tuaut.

ROBITAILLE, Joseph
(1766–1854)

Né à L'Ancienne-Lorette, le 15 novembre 1766, puis baptisé le 16, dans la paroisse Notre-Dame-de-l'Annonciation, fils de Romain Robitaille, laboureur, et de Marie-Josephte Drolet.

Fut meunier et exploitant agricole dans la paroisse Saint-Louis de Kamouraska, puis à Saint-Pascal.

Élu député de Cornwallis en 1808. Réélu en 1809, 1810, 1814, 1816, avril 1820, juillet 1820, 1824 et 1827. Appuya généralement le parti canadien, puis le parti patriote. Ne se serait pas représenté en 1830.

Décédé à Saint-Pascal, le 29 avril 1854, à l'âge de 87 ans et 5 mois. Inhumé dans l'église paroissiale, le 2 mai 1854.

Avait épousé dans la paroisse de Saint-Roch-des-Aulnaies, le 23 juillet 1799, Marie-Rosalie Gagnon, fille de Louis Gagnon, laboureur, et de Marie-Rosalie Dupont; puis, en secondes noces, Élisabeth Falardeau.

ROBITAILLE, Théodore
(1834–1897)

Né à Varennes et baptisé dans la paroisse Sainte-Anne, sous le prénom de Louis-François-Christophe-Théodore, le 29 janvier 1834, fils de Louis-Adolphe Robitaille, notaire et patriote, et de Marie-Justine Monjeau.

Étudia à l'école modèle de Varennes, puis aux États-Unis. Poursuivit ses études au petit séminaire de Sainte-Thérèse, à l'université Laval, puis au McGill College où, en mai 1858, il reçut un diplôme en médecine.

S'installa à New Carlisle où il ouvrit un cabinet; en 1860, prit son frère comme associé. Spéculateur foncier et financier. Promoteur, puis actionnaire de 1871 à 1890, de la Compagnie du chemin de fer de la baie des Chaleurs.

Élu député de Bonaventure en 1861. Réélu en 1863. Bleu. Son mandat prit fin avec l'avènement de la Confédération, le 1er juillet 1867. Élu député conservateur de Bonaventure à la Chambre des communes en 1867. Élu député conservateur de la même circonscription à l'Assemblée législative en 1871; démissionna le 7 janvier 1874, en raison de l'abolition du double mandat. Réélu aux élections fédérales en 1872. Prêta serment comme membre du Conseil privé le 30 janvier 1873. Fit partie du ministère Macdonald, à titre de receveur général, du 30 janvier au 6 novembre 1873. À son entrée au cabinet, son siège de député était devenu vacant. Réélu dans Bonaventure à une élection fédérale partielle le 13 février 1873. Réélu en 1874 et 1878. Publia à Québec, en 1879, une brochure: *Aux électeurs de la division électorale de Bonaventure*. Son siège se trouva vacant par suite de sa nomination et de son assermentation à titre de lieutenant-gouverneur de la province de Québec, le 26 juillet 1879; exerça cette fonction jusqu'au 6 novembre 1884. Sénateur de la division du Golfe à compter du 29 janvier 1885. Appuya le Parti conservateur.

Décédé en fonction à New Carlisle, le 17 août 1897, à l'âge de 63 ans et 6 mois. Après des obsèques célébrées dans la basilique Notre-Dame de Québec, fut inhumé dans le cimetière Notre-Dame-de-Belmont, à Sainte-Foy, le 21 août 1897.

Avait épousé dans la paroisse Notre-Dame de Québec, le 6 novembre 1867, Emma Quesnel, fille de l'avocat Pierre-Auguste Quesnel et de Charlotte Verchères de Boucherville, épouse en secondes noces du docteur Olivier Robitaille; elle était la petite-fille de Frédéric-Auguste **Quesnel**.

Frère de Louis Robitaille, sénateur canadien.

Bibliographie: *DBC.*

ROCBRUNE, dit LAROCQUE, Charles
(1784–1849)

Né à Sainte-Geneviève, île de Montréal, et baptisé dans la paroisse du même nom, le 13 août 1784, fils de Charles Laroquebrune (Laroque; Rocbrune) et de Geneviève McDonell. Désigné aussi sous les patronymes de Rocbrune, Laroque et Larocque.

D'abord cultivateur et journalier à Sainte-Geneviève, jusqu'en 1812 au moins, s'installa par la suite à Rigaud, où il fut marchand. Passa aussi quelques années dans le Nord-Ouest. Vers 1834, ouvrit, sur les bords de la rivière Saint-Louis, dans la région de Beauharnois, le premier établissement commercial de ce qui allait devenir le village de Saint-Louis-de-Gonzague; s'occupa également d'exploitation forestière. Fit l'acquisition de propriétés dans le canton de Lancaster, comté de Glengarry, dans le Haut-Canada.

Élu député de Vaudreuil à une élection partielle le 18 février 1833. Réélu en 1834. Appuya le parti patriote. Son mandat prit fin avec la suspension de la constitution, le 27 mars 1838.

Décédé à St. Raphaels, comté de Glengarry, dans le Haut-Canada, au début de septembre 1849, à l'âge de 65 ans. Inhumé à cet endroit, le 10 septembre 1849.

Avait épousé dans sa paroisse natale, le 17 février 1806, Marie Lefebvre, fille du forgeron Pierre Lefebvre et d'Antoine-Amable Cholette, dit Laviolette; puis, dans la paroisse Sainte-Madeleine, à Rigaud, le 24 avril 1833, Julie Fournier, fille de Jean-Baptiste Fournier et de Marguerite Racicot, et veuve du notaire Charles Nolin.

Un fils issu de son premier mariage épousa la fille de Jean-Baptiste-René **Hertel de Rouville**.

ROCH DE SAINT-OURS. V. SAINT-OURS

ROCHE, John
(1834–1893)

[Né à Québec, le 12 décembre 1834, fils de Nicholas Roche et de Margaret Davis.]

Fit ses études à Québec.

Commerçant de bois et entrepreneur de construction navale. Ouvrit un chantier à New London Cove, puis à l'Anse-au-Foulon à Québec. Propriétaire de plusieurs moulins.

Maire de Sillery de 1866 à 1870. Nommé conseiller législatif de la division de Stadacona le 26 avril 1892. Appuya le Parti conservateur.

Décédé en fonction à Lévis, le 18 avril 1893, à l'âge de 58 ans et 4 mois. Inhumé à Sillery, dans le cimetière St. Patrick, le 21 avril 1893.

Avait épousé à Sillery, le 27 octobre 1862, Ellen Georgiana Nowlan, fille de Martin Nowlan et de Bridget Murphy.

Beau-frère de Joseph-Édouard **Cauchon**.

ROCHE, John Redmond

Né à Ottawa, le 18 juin 1907, fils d'Henry George Roche, directeur des poids et mesures au ministère de l'Intérieur à Ottawa, et d'Ève DeMontigny Gingras.

Étudia à Ottawa, au collège Bourget à Rigaud et à l'université de Montréal. Fit aussi des études militaires à Mont-réal de 1930 à 1936. Admis au barreau de la province de Québec le 27 septembre 1930. Diplômé de l'École des officiers supérieurs en novembre 1941. Créé conseil en loi du roi le 24 mars 1945.

Pratiqua le droit à Montréal jusqu'en 1956. Fit également une carrière militaire; lieutenant (1930) et lieutenant-colonel (1938) dans le Corps d'entraînement des officiers canadiens (CEOC) de l'université de Montréal. Mobilisé dans l'armée active en septembre 1939, il fut par la suite nommé à l'état-major comme sous-assistant de l'adjudant général. Il partit pour l'Angleterre en décembre 1939 et fut commandant de la section canadienne au grand état-major. Nommé lieutenant-colonel et commandant du régiment de Maisonneuve en décembre 1941. Promu colonel en octobre 1942, puis nommé à l'état-major général. Démobilisé en avril 1946.

Secrétaire-trésorier de la municipalité de la paroisse Saint-Joseph-de-Chambly de 1926 à 1936. Échevin de Chambly de 1931 à 1933 et de 1935 à 1937. Commissaire d'école dans cette municipalité de 1934 à 1939. Élu député de l'Union nationale dans Chambly en 1948. Réélu en 1952. Adjoint parlementaire du ministre des Finances du 1er janvier 1955 au 20 juin 1956. Défait en 1956.

Juge à la Cour des sessions de la paix à Montréal du 4 juillet 1956 jusqu'en juin 1977, date à laquelle il devint juge suppléant pour une période d'un an. Membre de la Commission nationale de libération conditionnelle en 1978 et 1979.

Récipiendaire de la décoration de l'Efficacité, de la décoration des Forces armées canadiennes, de la croix de guerre yougoslave et de la croix des volontaires d'Europe. Président du comité provincial des fonds de bienfaisance des Forces armées à partir de 1948. Officier de l'ordre de l'Empire britannique. Président national de la Légion royale canadienne de 1970 à 1972. Chancelier de l'ordre de Saint-Jean-de-Jérusalem de 1972 à 1975. Chevalier de l'ordre Souverain et Militaire de Malte. Appelé au barreau d'Angleterre à Lincoln's Inn en 1941. Président de la Société d'archéologie et de numismatique de Montréal de 1974 à 1977. Président national du Las Post Fund à compter de 1980. Directeur de la Rehabilitation Society for Crippled Children, de la Canadian Paraplegics et des Concerts symphoniques de Montréal. Commissaire et vice-président du bureau des commissaires du Greater Montreal Poppy Fund. Membre de la Société royale des arts de Londres, de la Society of Lincoln's Inn de Londres, du Club Saint-Denis et du Cercle universitaire de Montréal.

ROCHEBLAVE. V. RASTEL DE ROCHEBLAVE

ROCHEFORT, Candide
(1904–1971)

Né à Salaberry-de-Valleyfield, le 8 février 1904, fils d'Ernest Rochefort, briqueteur, et d'Yvonne Larocque.

Fit ses études à l'école Baril, à l'école Saint-Joseph et à l'Institut Laroche à Montréal ainsi qu'à l'École technique d'apprentissage pour les briqueteurs. Suivit également des cours du soir à l'École des sciences économiques, politiques et sociales de l'université de Montréal, des cours d'immobilier chez Faust et des cours de génie civil par correspondance.

Travailla comme briqueteur pendant sept ans à Montréal, à New York et au Nouveau-Brunswick. Devint propriétaire du garage Amherst à Montréal en 1930. Président-fondateur de l'Association canadienne-française de New York en 1927. Président, secrétaire et agent d'affaires de l'Union internationale des briqueteurs, maçons et marbriers en 1929. Secrétaire de la section automobile de l'Association des marchands détaillants et agent d'affaires de l'Union internationale du manteau et de la robe en 1930. Nommé au Conseil des métiers et du travail du Canada en 1932, il fut plus tard vice-président de la section montréalaise de cet organisme.

Candidat défait à la mairie de Montréal en 1936 et 1938. Élu député de l'Action libérale nationale dans Montréal–Sainte-Marie en 1935. Élu député de l'Union nationale en 1936. Défait en 1939.

Nommé contremaître général à la compagnie de construction A.F. Byers-F.L.G. Ogilvy en 1940. Vice-président de la Commission du salaire minimum du Québec du 1er novembre 1944 au 1er juin 1970. Fondateur de la section locale 712 de l'Union internationale des machinistes en 1942. Membre de la Commission des relations ouvrières de 1946 à 1950. Membre des Chevaliers de Colomb et de la Palestre nationale.

Décédé à Montréal, le 24 juin 1971, à l'âge de 67 ans et 4 mois. Inhumé à Montréal, dans le cimetière Notre-Dame-des-Neiges, le 26 juin 1971.

Avait épousé à Saint-Quentin, au Nouveau-Brunswick, le 11 septembre 1937, Rose Lavoie, fille de Charles Lavoie, cultivateur, et d'Emma Dumont.

ROCHEFORT, Jacques

Né à Montréal, le 29 septembre 1953, fils de Gérard Rochefort, boulanger, et de Berthe Daigle.

Diplômé en sciences humaines du cégep de Maisonneuve en 1973. Étudia en science politique à l'université de Montréal en 1974 et 1975.

Directeur du cabinet du whip en chef de l'Opposition officielle, M. Marcel **Léger**, en 1975 et 1976. Directeur national de l'organisation du Parti québécois de 1976 à 1978. Directeur du cabinet du ministre d'État à l'Aménagement, M. Jacques **Léonard**, de 1978 à 1980. Vice-président du centre hospitalier Rosemont de mai 1980 à avril 1981.

Élu député du Parti québécois dans Gouin en 1981. Adjoint parlementaire du ministre des Affaires sociales du 23 février 1983 au 4 avril 1984 et du ministre des Affaires municipales du 4 avril au 27 novembre 1984. Ministre de l'Habitation et de la Protection du consommateur dans les cabinets Lévesque et Johnson (Pierre Marc) du 27 novembre 1984 au 12 décembre 1985. Réélu en 1985. Président de la Commission de l'aménagement et des équipements du 11 février 1986 au 18 novembre 1987. Quitta le caucus du Parti québécois et siègea comme député indépendant à compter du 18 novembre 1987. Ne s'est pas représenté en 1989.

Consultant pour divers organismes, puis vice-président marketing au Centre éducatif et culturel.

ROCHELEAU, Antoine
(1836–1901)

Né le 4 octobre 1836, à Chambly, fils d'Antoine Rocheleau, cultivateur et marchand, et de Françoise Brais, dit Labonté.

Étudia au collège de Chambly.

Cultivateur à Saint-Hubert. Arbitre lors des expropriations pour la construction de chemins de fer. Estimateur pour le Crédit foncier franco-canadien.

Appuya le Parti national d'Honoré Mercier. Vice-président du comité national du comté de Chambly en 1885. Élu député libéral dans Chambly en 1886. Réélu en 1890. Défait en 1892. De nouveau élu en 1897. Ne s'est pas représenté en 1900.

Décédé à Saint-Hubert, le 28 avril 1901, à l'âge de 64 ans et 7 mois. Inhumé dans le cimetière de cette paroisse, le 1er mai 1901.

Avait épousé à Longueuil, dans la paroisse Saint-Antoine, le 14 octobre 1856, Onésime Sainte-Marie, fille d'André Sainte-Marie et de Louise Lamarre; [puis, à Saint-Hubert, en 1895, Alphonsine Morin].

ROCHELEAU, Gilles

Né à Hull, le 28 août 1935, fils de Joseph-Avila Rocheleau, pharmacien, et de Blanche Norbert.

Fit ses études classiques au collège Bourget à Rigaud, scientifiques à l'académie LaSalle à Ottawa et universitaires à Ottawa en administration de 1955 à 1957. Suivit des cours à l'Institut des carrières spécialisées à Montréal en 1957 et 1958.

Président des entreprises Gil-Ber à compter de 1963 et président des entreprises Ma-Roc inc. à compter de 1965. Président des festivités du Centenaire du Canada. Directeur du conseil d'administration du Centre national des arts du Canada à partir de 1974. Gouverneur de la Ligue de hockey junior majeure du Québec en 1978.

Échevin du quartier Vanier de Hull de 1967 à 1974. Maire de la ville de Hull de 1974 à 1981. Président de l'Office municipal d'habitation de Hull de 1969 à 1974 et président de l'Association des offices municipaux d'habitation du Québec de 1972 à 1974. Candidat de l'Union nationale défait dans Gatineau en 1970. Élu député libéral dans Hull en 1981. Réélu en 1985. Ministre délégué aux Services et Approvisionnements dans le cabinet Bourassa du 12 décembre 1985 au 9 juillet 1986, ministre des Approvisionnements et Services du 9 juillet 1986 au 13 octobre 1988. Démissionna comme député de Hull et quitta le cabinet le 13 octobre 1988. Élu député libéral dans Hull-Aylmer aux élections fédérales du 21 novembre 1988. Quitta les rangs du Parti libéral du Canada le 23 juin 1990 et adhéra au Bloc québécois le 19 septembre de la même année.

ROCHETTE, Edgar
(1890–1953)

Né à La Malbaie, le 28 avril 1890, fils de Paschal Rochette, menuisier et commerçant, et d'Arméline Lapointe.

Étudia chez les Frères maristes à La Malbaie, au séminaire de Chicoutimi et à l'université Laval à Québec. Fit sa cléricature au cabinet **Casgrain** (Thomas Chase), Lavery, Rivard, Chauveau et Marchand. Admis au barreau de la province de Québec le 9 juillet 1914. Poursuivit ses études au collège Pembroke de l'université d'Oxford, en Angleterre, où il fut boursier de la fondation Rhodes pendant trois ans. Fit un stage en économie politique et en législation financière à l'université de Grenoble, en France.

Revenu au pays en 1917, il exerça sa profession à Québec et s'associa notamment à Ernest **Roy**, Antonin **Galipeault** et Maurice Boisvert, député à la Chambre des communes de 1949 à 1957.

Élu député libéral dans Charlevoix-Saguenay en 1927, 1931 et 1935. Ministre du Travail, de la Chasse et des Pêcheries dans les cabinets Taschereau et Godbout du 13 mars au 26 août 1936. Défait en 1936. Réélu sans opposition dans la même circonscription en 1939. Ministre du Travail et des Mines dans le cabinet Godbout du 8 au 10 novembre 1939. Ministre des Mines et ministre du Travail du 10 novembre 1939 au 16 octobre 1940. Ministre du Travail, des Mines et des Pêcheries maritimes du 16 octobre 1940 au 13 mai 1941. Ministre des Mines et des Pêcheries maritimes et ministre du Travail du 13 mai 1941 au 21 juin 1944.

Son siège devint vacant lorsqu'il fut nommé juge à la Cour du district de Québec, le 21 juin 1944.

Président du jeune barreau de Québec en 1919. Membre du Conseil du barreau du district de Québec. Créé conseil en loi du roi en 1925. Auteur de *Notes sur la Côte-Nord du Bas-Saint-Laurent et le Labrador canadien* (1926). Président de l'Association des éleveurs d'animaux à fourrure de la province de Québec et de l'Association des éleveurs de renards argentés enregistrés de la province de Québec (1930). Membre de la Canadian Fisheries Association, de l'American Fisheries Society, du Club des habitants, du Club des journalistes et des clubs de réforme de Québec et de Montréal.

Décédé à Québec, le 15 juin 1953, à l'âge de 63 ans et un mois. Inhumé à Québec, dans le cimetière Saint-Charles, le 19 juin 1953.

Avait épousé dans la paroisse Notre-Dame de Québec, le 7 avril 1931, Marie-Alice-Atala Casault, fille de Philippe Huot Casault et d'Augustine Turcotte.

ROCHETTE, Émilien
(1901–1972)

Né à Québec, le 5 mai 1901, fils d'Eugène Rochette, commerçant, et d'Azilda Verret.

Fit ses études au pensionnat Saint-Louis-de-Gonzague et au séminaire de Québec.

Débuta en affaires avec son père en 1921. Voyageur de commerce pendant vingt-cinq ans. Propriétaire de la maison Rochette et Frère à Saint-Raymond, près de Québec. Fonda à Québec, en 1947, la maison Émilien Rochette et Fils limitée dont il fut aussi président. Fondateur et président de l'Association professionnelle catholique des voyageurs de commerce. Gouverneur du Better Business Bureau of Canada. Administrateur de la Chambre de commerce de Québec de 1951 à 1954. Délégué du Conseil de la vie française en Amérique au Manitoba, en Saskatchewan, en Alberta et en Colombie-Britannique. Membre du bureau des gouverneurs du Bien-être social canadien (Canadian Welfare Council). Directeur de l'Action sociale catholique. Président de la Société Saint-Jean-Baptiste de Charlesbourg en 1948. Président du Service familial de Québec, de la Ligue des patriotes de Charlesbourg et du comité du patro Notre-Dame de Charlesbourg. Membre de la Société Saint-Vincent-de-Paul, du Cercle Saint-François-de-Sales, de l'Association catholique de la jeunesse canadienne-française et de la Ligue du dimanche. Cofondateur de la Fédération des œuvres de charité du diocèse de Québec, il fut président de la campagne de charité en 1950 et directeur du Conseil des œuvres. Il demeurait à Charlesbourg.

Élu député de l'Union nationale dans Québec en 1956. Défait en 1960.

Décédé à Kitchener, en Ontario. le 7 janvier 1972, à l'âge de 70 ans et 8 mois. Inhumé à Québec, dans le cimetière Saint-Charles, le 11 janvier 1972.

Avait épousé à Québec, dans la paroisse Saint-Roch, le 12 juin 1923, Thérèse Simard, fille d'Odilon Simard et d'Adèle Vallerand.

ROCHON, Alfred
(1847–1909)

Né à Sainte-Thérèse, le 1er février 1847, fils d'Élie Rochon, cultivateur et commerçant, et de Sophie Ouimet.

Fit ses études au collège de Sainte-Thérèse, puis étudia le droit à Montréal. Admis au barreau de la province de Québec le 12 juillet 1869. Créé conseil en loi de la reine le 22 juin 1899.

Exerça d'abord sa profession à Montréal, puis s'établit à Hull en 1876. Bâtonnier du barreau de Hull. Conseiller juridique de la ville de Hull.

Échevin de Hull de 1877 à 1882, de 1885 à 1889 et de 1905 à 1909. Maire de cette ville de 1886 à 1889. Candidat libéral défait dans Ottawa en 1886. Élu député libéral dans la même circonscription à l'élection partielle du 14 septembre 1887. Cette élection fut annulée le 30 décembre 1889 par la Cour supérieure. Réélu en 1890. Défait en 1892.

Nommé juge à la Cour supérieure du district d'Ottawa le 25 juin 1901.

Décédé à Hull, le 17 novembre 1909, à l'âge de 62 ans et 9 mois. Inhumé à Hull, dans le cimetière de la paroisse Notre-Dame, le 20 novembre 1909.

Avait épousé dans la paroisse de Sainte-Geneviève, Île de Montréal, le 9 avril 1872, Corine Gaucher, fille de Guillaume Gamelin **Gaucher**, marchand, et de Charlotte Berthelot.

ROCHON, Dave
(1896–1966)

Né à Sainte-Cunégonde (île de Montréal), le 13 septembre 1896, fils de David Rochon, poseur d'appareils mécaniques, et de Marie Bertrand. Baptisé sous le prénom de David.

Fit ses études à l'école Saint-Henri et à l'école Belmont à Montréal.

Employé de la Great North Western Telegraph. Employé de l'imprimerie de la Bourse de Montréal jusqu'en 1936. Courtier d'assurances. Président de la Commission de boxe de Montréal pendant douze ans. Président de la National Boxing Association of America. Organisateur des ligues de hockey junior et intermédiaire.

Échevin de la ville de Montréal de 1934 à 1940, de 1942 à 1954 et de 1957 à 1962. Leader du conseil municipal de 1951 à 1954. Candidat défait à la mairie de Montréal en 1940 et 1954. Président de la commission athlétique de la ville de Montréal de 1937 à 1940, vice-président de 1944 à 1947, puis de nouveau président de 1947 à 1950. Candidat libéral indépendant défait dans Laurier aux élections fédérales de 1935. Candidat indépendant défait dans Cartier à l'élection partielle du 31 mars 1947. Élu député libéral dans Montréal–Saint-Louis en 1948, 1952 et 1956. Siégea comme député indépendant du 20 juin 1957 au 27 avril 1960. Candidat indépendant défait en 1960.

Décédé à Montréal, le 30 novembre 1966, à l'âge de 70 ans et 2 mois. Inhumé à Montréal, dans le cimetière Notre-Dame-des-Neiges, le 3 décembre 1966.

Avait épousé à Montréal, dans la paroisse du Saint-Enfant-Jésus, le 3 novembre 1920, Ethel Virtue, fille de Thomas Virtue et de Sarah Gorman.

ROCHON, Jean-Léo
(1902–1988)

Né à Saint-Augustin (Mirabel), le 3 juillet 1902, fils d'Ernest Rochon, marchand général, et de Régina Marcotte.

Fit ses études à Saint-Augustin, au séminaire de Sainte-Thérèse et à l'université de Montréal où il fut diplômé en optométrie.

Optométriste à Montréal à partir de 1932. Secrétaire de l'École d'optométrie de l'université de Montréal de 1934 à 1936. Professeur de déontologie, de jurisprudence et d'histoire de l'optométrie de 1935 à 1938. Délégué à la commission des études de l'université de Montréal en 1935 et 1936. Propriétaire et président de l'hôpital L'Immaculée-Conception à Montréal. Collaborateur à la revue *Optométrie*. Membre du

Club des optométristes, du Club de réforme, du Cercle universitaire de Montréal et de la Société Saint-Jean-Baptiste.

Élu député libéral dans Deux-Montagnes en 1935. Défait aux élections provinciales de 1936 et 1939 dans la même circonscription et aux élections fédérales de 1940 dans Laval–Deux-Montagnes. Défait de nouveau aux élections provinciales de 1944 dans Deux-Montagnes et de 1952 dans Laval. Élu député libéral à la Chambre des communes dans Laval en 1962. Réélu en 1963 et 1965, puis dans Ahuntsic en 1968. Ne s'est pas représenté en 1972.

Membre de la Commission d'appel de l'immigration de 1972 jusqu'à sa retraite en 1975.

Décédé à Montréal, le 21 juin 1988, à l'âge de 85 ans et 11 mois. Inhumé dans le cimetière de Saint-Augustin (Mirabel), le 23 juin 1988.

Avait épousé à Montréal, le 3 juillet 1950, Cécile Lalande, fille de Gédéon Lalande et de Joséphine Leroux.

ROCHON, Jean-Marie
(1774–1837)

Né à Mascouche, le 28 mars 1774, puis baptisé le 29, dans la paroisse Saint-Henri-de-Mascouche, fils de Michel Rochon, agriculteur, et de Marie-Euphrasie (Euphrosine) Boismier.

Fut maître menuisier à Lachenaie.

Élu député de Leinster à une élection partielle le 9 janvier 1822. Réélu en 1824. Défait en 1827. Élu dans Lachenaie en 1830. Réélu en 1834. Appuya généralement le parti canadien, puis le parti patriote.

Décédé en fonction à Lachenaie, le 13 février 1837, à l'âge de 62 ans et 10 mois. Inhumé dans l'église Saint-Charles, le 16 février 1837.

Avait épousé dans la paroisse Saint-Charles, à Lachenaie, le 1er avril 1799, sa parente Céleste Cotinot, dit Laurier, fille du cultivateur Jean Cotinot, dit Laurier, et de Madeleine Muloin (Miloin).

RODIER, Charles-Séraphin
(1797–1876)

Né à Montréal, le 3 octobre 1797, fils de Jean-Baptiste Rodier, forgeron, et de Catherine Le Jeune.

Fit ses études au collège de Montréal.

Débuta dans le commerce vers 1816 et ouvrit une boutique de nouveautés à Montréal-Est. Fut aussi commerçant de gros et d'importations en provenance de France et de Grande-Bretagne. Se retira des affaires vers 1836, puis étudia le droit auprès de Mes Alexander Buchanan et Samuel Cornwallis Monk. Admis au barreau du Bas-Canada le 25 mars 1841, il pratiqua très peu sa profession par la suite.

Occupa le poste de directeur de la Banque Jacques-Cartier. En février 1839, il fut nommé membre de la commission d'enquête concernant les pertes encourues durant la rébellion de 1837 et 1838. Commissaire du havre de Montréal de 1840 à 1850 et de 1859 à 1862. Bienfaiteur de plusieurs institutions de charité et commissaire des enfants trouvés et des indigents malades de la région de Montréal pendant quelques années. Enseigne et quartier-maître du 2e bataillon de la milice de Montréal en 1821, il fut promu lieutenant en 1828, capitaine en 1831, major en 1847, et lieutenant-colonel du 7e bataillon en 1862.

Conseiller municipal du quartier Montréal-Ouest de 1833 à 1836. Nommé juge de paix chargé d'administrer la ville en 1837, puis président du nouveau conseil municipal. Fit également partie du conseil nommé par le gouverneur pour administrer Montréal de 1840 à 1842. Échevin du quartier Saint-Antoine en 1849 et 1850. Maire de Montréal de 1858 à 1862. Nommé conseiller législatif de la division de Lorimier le 2 novembre 1867, il appuya le Parti conservateur.

Décédé en fonction à Montréal, le 3 février 1876, à l'âge de 78 ans et 4 mois. Inhumé à Montréal, dans le cimetière Notre-Dame-des-Neiges, le 8 février 1876.

Avait épousé dans la paroisse Notre-Dame de Montréal, le 8 septembre 1825, Marie-Louise Lacroix, fille de Paul Lacroix et de Catherine Launière.

Cousin d'Édouard-Étienne **Rodier**. Oncle de Charles-Séraphin Rodier, sénateur de 1888 à 1890.

RODIER, Édouard-Étienne
(1804–1840)

Né à Montréal et baptisé sous le prénom d'Étienne-Édouard, dans la paroisse Notre-Dame, le 26 décembre 1804, fils de Barthélemy Rodier, marchand, et de Marie-Louise Giroux.

Étudia au petit séminaire de Montréal de 1812 à 1822. Fit ensuite l'apprentissage du droit; reçut sa commission d'avocat en 1827.

Exerça sa profession à Montréal jusqu'en 1831, puis à L'Assomption.

Élu député de L'Assomption à une élection partielle le 1er août 1832. Réélu en 1834; conserva son siège jusqu'à la suspension de la constitution, le 27 mars 1838. Appartenait à l'aile radicale du parti patriote; l'un des chefs des Fils de la liberté. Représenta le quartier Ouest au conseil municipal de Montréal, de 1834 à 1836. Chercha à organiser une attaque de Saint-Jean (Saint-Jean-sur-Richelieu), en 1837, mais dut renoncer; passa aux États-Unis et prit part à titre d'officier de patriotes à l'expédition de Moore's Corner (Saint-Armand-Station), en décembre; blessé, fut conduit à Swanton, au Vermont. L'un des chefs de la rébellion de 1838, avec Robert **Nelson** et Cyrille-Hector-Octave **Côté**; s'installa à Burlington, au Vermont, après l'échec de l'invasion en février.

De retour à L'Assomption à l'automne de 1838, se remit à la pratique du droit. Accusé de trahison par des patriotes, notamment **Côté**, publia une lettre dans *le Canadien*, le 28 novembre 1838.

Décédé à Montréal, le 5 février 1840, à l'âge de 35 ans et un mois. Les obsèques eurent lieu dans l'église Notre-Dame, le 7 février 1840.

Avait épousé dans la paroisse Notre-Dame de Montréal, le 7 janvier 1826, Julie-Victoire Dumont, fille d'Augustin Dumont, maître tonnelier, et de Marie-Louise Dandurant; puis, dans la paroisse Saint-Pierre-du-Portage, à L'Assomption, le 6 juin 1831, Élise Beaupré, fille du marchand Benjamin **Beaupré** et de sa première femme, Julie Mercier.

Cousin de Charles-Séraphin **Rodier**. Beau-frère de Pierre-Urgel **Archambault**.

———

Bibliographie: *DBC.*

RODRIGUE, Jean-Guy

Né à Granby, le 21 mars 1937, fils d'Hermann Rodrigue, cheminot, et d'Estelle Beauregard.

Diplômé en génie civil de l'université de Montréal.

Ingénieur à Hydro-Québec de 1960 à 1969 et de 1976 à 1981. Président de la Fédération des ingénieurs et cadres du Québec de 1969 à 1976. Responsable des études d'aménagement des rivières de la Basse-Côte-Nord du Saint-Laurent de 1979 à 1981. Représentant du public au Conseil des universités du Québec de 1969 à 1972.

Membre de la Ligue des droits et libertés de la personne. Membre du Club Richelieu, région de Mille-Îles.

Élu député du Parti québécois dans Vimont en 1981. Adjoint parlementaire du ministre des Transports du 29 septembre 1982 au 27 novembre 1984. Ministre de l'Énergie et des Ressources dans les cabinets Lévesque et Johnson (Pierre Marc) du 27 novembre 1984 au 16 octobre 1985. Ministre de l'Enseignement supérieur, de la Science et de la Technologie, du 16 octobre au 12 décembre 1985. Défait en 1985.

Conseiller au vice-président exécutif (équipements) en matière d'affaires internationales à Hydro-Québec. Fut également conseiller en énergie électrique et en économie d'énergie, auprès du ministre de l'Industrie de la République de Côte d'Ivoire, de juin 1987 à juin 1989.

ROI; ROI PORTELANCE. V. ROY PORTELANCE

ROLLAND, Jean-Damien
(1841–1912)

Né à Montréal, le 23 février 1841, fils de Jean-Baptiste Rolland, imprimeur et homme d'affaires, et d'Esther Boin.

Fit ses études à Montréal chez les Frères des écoles chrétiennes et au collège Sainte-Marie.

Débuta à la librairie de son père, à titre de commis, puis s'y associa vers 1859 sous la raison sociale de J.B. Rolland et Fils. Devint par la suite président de cette entreprise et, en 1888, président de la compagnie de papier Rolland (usine de papeterie à Saint-Jérôme et Mont-Rolland). Président de la Northern Paper Mills et directeur de la Compagnie impériale, fabricants de clavigraphes. Président du chemin de fer Montréal et Occidental et du chemin de fer de Colonisation du Nord. Fondateur et président de la Société de colonisation et de rapatriement de Montréal. Administrateur délégué de la Société de paquebots franco-belge du Canada. Directeur de la Banque d'Hochelaga et des compagnies d'assurances Victoria-Montréal et Manufacturers' Life Insurance. Président de l'Association des manufacturiers canadiens. Cofondateur, vice-président et président de la Société de bienfaisance des voyageurs de commerce en 1896. Fondateur et président de l'Association des voyageurs de commerce du Canada en 1896. Vice-président de la Chambre de commerce du district de Montréal. Membre du conseil du Montreal Board of Trade. Cofondateur et vice-président de la Ligue des citoyens de Montréal. Membre à vie du bureau des gouverneurs de l'université Laval.

Conseiller municipal de 1872 à 1876, puis maire de la ville de Hochelaga de 1876 à 1879. Échevin du quartier Hochelaga (après l'annexion de cette ville à Montréal) de 1883 à 1892. Président de la commission des finances de Montréal de 1889 à 1893. Nommé conseiller législatif de la division de Salaberry le 16 novembre 1896.

Décédé en fonction à Montréal, le 16 novembre 1912, à l'âge de 71 ans et 8 mois. Inhumé à Montréal, dans le cimetière Notre-Dame-des-Neiges, le 20 novembre 1912.

Avait épousé dans la paroisse Notre-Dame de Montréal, le 25 janvier 1864, Albina Parent, fille de Benjamin Parent, maître charretier, et de Sophie Vandal.

Son père, Jean-Baptiste Rolland, fut sénateur en 1887. Beau-frère de Raymond **Préfontaine**.

ROSE, John
(1820–1888)

Né à Turriff (dans la région de Grampian, en Écosse), le 2 août 1820, fils de William Rose et d'Elizabeth Fyfe.

Étudia à l'école secondaire Udny Academy, près d'Aberdeen, en Écosse, et, en 1833–1834, au King's College d'Aberdeen. En 1836, accompagna ses parents à Huntingdon, au Bas-Canada, où il enseigna, et, pendant les troubles de 1837–1838, servit comme volontaire. Fit l'apprentissage du droit à Montréal, notamment auprès de Charles Dewey **Day**; admis au barreau en 1842.

Exerça sa profession à Montréal; fonda, avec des associés, un cabinet spécialisé en droit commercial. À titre de conseiller juridique, s'occupa, entre autres, de la Hudson's Bay Company (HBC). Administrateur de la Banque de Montréal, de la Banque de la cité, de la Compagnie du télégraphe de Montréal, du Grand Tronc, de la Nouvelle Compagnie du gaz de la cité de Montréal et de la North British and Mercantile Insurance Company.

Fut solliciteur général du Bas-Canada du 26 novembre 1857 au 1er août 1858, sans siège dans le ministère Macdonald–Cartier. Élu député de la cité de Montréal en 1858; de tendance conservatrice. Fit partie du ministère Cartier–Macdonald du 6 août 1858 jusqu'à sa démission, le 12 juin 1861: conseiller exécutif; nommé receveur général le 6 août, mais résigna ses fonctions le même jour et, le 7, prêta serment comme solliciteur général du Bas-Canada, poste qu'il occupa jusqu'au 10 janvier 1859; en raison de cette résignation, n'eut pas besoin de se représenter devant l'électorat; fut commissaire des Travaux publics à compter du 11 janvier 1859. Élu dans Montréal-Centre en 1861. Réélu en 1863. De tendance conservatrice. Agit en qualité de commissaire britannique dans le règlement des réclamations de la HBC et de l'Oregon, de 1864 à 1869. Prit part à la conférence de Londres en 1866. Son mandat de député prit fin avec l'avènement de la Confédération, le 1er juillet 1867. Élu député conservateur de Huntingdon à la Chambre des communes en 1867. Sollicita le poste d'orateur des Communes, puis retira sa candidature. Assermenté comme membre du Conseil privé le 18 novembre 1867. Ministre des Finances dans le cabinet Macdonald du 18 novembre 1867 au 30 septembre 1869. À son entrée au minis-

tère, son siège de député était devenu vacant. Réélu à une élection partielle le 28 novembre 1867, démissionna le 29 septembre 1869.

S'installa à Londres, à l'automne de 1869, en qualité d'associé de la Morton, Rose and Company, firme engagée principalement dans le financement de la construction ferroviaire, notamment celle du chemin de fer canadien du Pacifique; dirigea le bureau londonien de la société bancaire américaine Morton, Bliss and Company jusqu'en 1876. Joua le rôle de commissaire du Canada à Londres. Chargé, en novembre 1870, de négocier à titre officieux avec les États-Unis la constitution d'une haute commission internationale en vue de régler les différends américano-britanniques. Fit partie du conseil londonien de la Banque de Montréal et du conseil d'administration de la Bank of British Columbia. Fut gouverneur adjoint de la HBC de 1880 à 1883. Lié à diverses banques et compagnies d'assurances britanniques. Nommé, en 1883, receveur général du duché de Cornouailles.

Devint conseiller de la reine en 1848, perdit son titre l'année suivante, mais fut réintégré en 1853. Reçut un diplôme honorifique du Bishop's College, de Lennoxville, en 1855. Fut administrateur du McGill College, de Montréal, et du Queen's College, de Kingston. Fait chevalier commandeur (sir), en 1870, et grand-croix, en 1878, de l'ordre de Saint-Michel et Saint-George, ainsi que baronnet en 1872 et membre du Conseil privé du Royaume-Uni (très honorable) en juin 1886.

Décédé à Langwell Forest, près d'Ord of Caithness, en Écosse, le 24 août 1888, à l'âge de 68 ans. Inhumé à Guilford, en Angleterre.

Avait épousé, le 3 juillet 1843, Charlotte Temple, [fille de Robert Emmet Temple, de Rutland, au Vermont], et veuve du poète irlandais Robert Sweeney; puis, le 24 janvier 1887, Julia Charlotte Sophia Mackenzie-Stewart, [fille de Keith Mackenzie-Stewart, de Seaforth], et veuve d'Arthur Hay, 9e marquis de Tweeddale.

Bibliographie: *DBC*.

ROSS, David Alexander
(1819–1897)

Né à Québec, le 12 mars 1819, fils de John Ross, protonotaire à la Cour du banc du roi à Québec, et d'une prénommée Margaret.

Étudia à l'académie du docteur Daniel Wilkie et au séminaire de Québec, puis fit son droit auprès de Mes Caron et

Baillairgé. Admis au barreau du Bas-Canada le 8 janvier 1848. Créé conseil en loi de la reine le 28 février 1873.

Exerça sa profession à Québec. Associé notamment à Andrew Stuart. Nommé bâtonnier du barreau du district de Québec en 1874 et 1886. Fut propriétaire d'une fonderie à compter de 1841 puis propriétaire d'un magasin général vers 1850. Agent de la Scottish Amicable Life Insurance Society entre 1861 et 1865 et de l'Imperial Fire Insurance Company of London en 1865, 1871 et 1872. Membre du conseil d'administration du chemin de fer urbain Saint-Jean. Forma une compagnie de cinquante hommes lors de l'invasion des Fenians en 1866 et fut lieutenant-colonel de la milice. Participa à la fondation du journal *l'Électeur*, en 1880, avec Charles-Alphonse-Pantaléon **Pelletier**, Wilfrid **Laurier**, François **Langelier**, Henri-Gustave **Joly de Lotbinière**, Charles-Antoine-Ernest **Gagnon**, Joseph **Shehyn**, W. Reid et D.W. Campbell. Président de la Société littéraire et historique de Québec de 1883 à 1885 et de la Saint Andrew Society de 1876 à 1878, de même que vice-président en 1882 et 1883. Président de la Société calédonienne de Québec de 1877 à 1879 et de la Quebec Auxiliary Bible de 1884 à 1897.

Élu député libéral dans Québec en 1878. Procureur général dans le cabinet Joly de Lotbinière du 8 mars 1878 au 31 octobre 1879. Ne s'est pas représenté en 1881. Assermenté ministre sans portefeuille dans le cabinet Mercier le 29 janvier 1887. Nommé conseiller législatif de la division du Golfe le 2 mars 1887. Président du Conseil exécutif du 29 septembre 1890 au 16 décembre 1891.

Décédé en fonction à Québec, le 23 juillet 1897, à l'âge de 78 ans et 4 mois. Inhumé à Sillery, dans le Mount Hermon Cemetery, le 26 juillet 1897.

Avait épousé à Québec, dans la Chalmer's Church, le 27 février 1872, Ann Valentine Gibb, veuve de James Gibb, marchand.

Bibliographie: *DBC*.

ROSS, Dunbar
(≈1800–1865)

Né en Irlande, peut-être à Clonakilty, dans le comté de Cork, vers 1800, fils de Robert Ross et d'Ann McKay, tous deux de Dornoch, en Écosse.

Aurait accompagné ses parents venus s'établir à Québec vers 1803, ou serait arrivé vers 1819. Peut-être engagé dans le commerce, avec son frère, marchand à Québec. À compter de 1829, fit l'apprentissage du droit au bureau des protonotaires de la Cour du banc du roi à Québec; admis au barreau en 1835.

Pratiqua sa profession à Québec. Demanda, sans succès, en 1835, le poste de protonotaire du district de Saint-François. En 1847, faisait partie du Bureau d'examinateurs du barreau. Nommé conseiller de la reine en 1853.

Fit paraître à Québec, en 1843, *The seat of government* (ouvrage réédité en 1856, puis traduit en français, en 1858, sous le titre de *le Siège du gouvernement provincial*) et, en 1844, sous le pseudonyme de Zeno, *The «crise» Metcalfe and the La Fontaine–Baldwin cabinet defended* [...]. Également l'auteur d'une brochure non publiée sur l'esclavage.

Élu député de Mégantic à une élection partielle le 1er mai 1850; réformiste. Défait en 1851. Nommé solliciteur général du Bas-Canada le 31 août 1853, exerça cette fonction jusqu'au 25 novembre 1857, sous les ministères Hincks–Morin, MacNab–Morin, MacNab–Taché et Taché–Macdonald, mais sans jamais occuper de siège dans le cabinet. Élu député de Beauce en 1854; réformiste, puis de tendance conservatrice; mis sous la garde du sergent d'armes le 1er mars 1855, pour absence injustifiée, fut libéré après avoir fourni des explications. En 1857, refusa la charge de juge du district de Gaspé. Réélu en 1858; de tendance libérale. Défait en 1861.

Décédé à Québec, le 16 mai 1865, à l'âge d'environ 65 ans. Après des obsèques célébrées dans l'église presbytérienne St. Andrew, fut inhumé au cimetière Mount Hermon, à Sillery, le 19 mai 1865.

S'était marié.

Bibliographie: *DBC*.

ROSS, James
(1814–1874)

[Né à Fearn, dans le Rosshire, en Écosse, en 1814, fils d'Alex Ross.]

Fit ses études à l'Invergordon Grammar School, en Écosse.

Émigra au Québec vers 1830, puis travailla dans une maison de commerce à Québec. Fut capitaine d'un bateau faisant le commerce entre Québec et les Antilles. Commerçant à Cookshire de 1842 à 1845. S'établit dans le canton de Lingwick, en 1845, et fonda le village de Gould. Propriétaire d'une manufacture de carbonate de potassium. Exerça également le métier de cultivateur. Collaborateur à la *Sherbrooke Gazette*.

Secrétaire du conseil municipal, maire et secrétaire des écoles de Gould. Élu député conservateur dans Compton en 1867. Défait en 1871.

[Décédé à Gould, en janvier 1874.]

Avait épousé à Québec, dans l'église St. Andrew, le 10 mai 1838, Mary Ann Brown.

ROSS, James Walker
(1885–1941)

Né à Athelstan (Hinchinbrook), le 18 mars 1885, fils de James Ross, bouvier, et de Jane Stewart.

Étudia à Powerscourt (Hinchinbrook), et à Holyoke, dans l'État du Massachusetts.

Fermier, commerçant de bestiaux et marchand général à Powerscourt.

Candidat libéral défait dans Huntingdon en 1935 et 1936. Élu député libéral dans la même circonscription en 1939.

Décédé en fonction à Powerscourt, le 16 janvier 1941, à l'âge de 55 ans et 9 mois. Inhumé au cimetière d'Athelstan, le 17 janvier 1941.

Avait épousé à Godmanchester, près de Huntingdon, le 17 septembre 1907, Janet Elizabeth Rennie, fille d'Alexander Rennie, fermier.

ROSS, John Jones
(1831–1901)

Né à Québec, le 16 août 1831, puis baptisé le 21, dans l'église presbytérienne St. Andrew, fils de George McIntosh Ross, marchand d'origine écossaise, et de Sophie-Éloïse Gouin.

Étudia au petit séminaire de Québec de 1844 à 1847. Fit l'apprentissage de la médecine dans la région de Trois-Rivières ; admis à la pratique de sa profession le 12 mai 1853.

Exerça à Sainte-Anne-de-la-Pérade (La Pérade). Fut aussi médecin dans le 1er bataillon de la milice du comté de Champlain. Représenta le district de Trois-Rivières au conseil du Collège des médecins et chirurgiens dont il fut vice-président (1883–1889), puis président (1889–1895).

Élu député de Champlain en 1861. Réélu sans opposition en 1863. Bleu. Son mandat prit fin avec l'avènement de la Confédération, le 1er juillet 1867. Élu député conservateur de Champlain à l'Assemblée législative et à la Chambre des communes en 1867. Son siège de député provincial devint vacant par suite de sa nomination comme conseiller législatif de la division de Shawinigan, le 2 novembre 1867 ; prêta ser-

ment le 27 décembre 1867 et demeura en fonction jusqu'à sa mort. Élu député conservateur fédéral de Champlain en 1872. Ne s'est pas représenté en 1874. Nommé président du Conseil législatif de la province de Québec le 27 février 1873, entra de ce fait au cabinet de Gédéon **Ouimet**; démissionna de ce poste le 5 août 1874. Assermenté à titre de ministre sans portefeuille le 24 janvier 1876. Président du Conseil législatif dans les cabinets Boucher de Boucherville, du 25 janvier 1876 au 8 mars 1878, puis Chapleau, à compter du 31 octobre 1879. Prêta serment en qualité de commissaire des Chemins de fer (par intérim) et de commissaire de l'Agriculture et des Travaux publics le 5 juillet 1881 ; démissionna du gouvernement Chapleau le 25 février 1882, mais demeura en poste jusqu'au 4 mars. Fut premier ministre de la province de Québec et commissaire de l'Agriculture et des Travaux publics du 23 janvier 1884 jusqu'à sa démission, le 25 janvier 1887. Représenta la division de La Durantaye au Sénat à compter du 12 avril 1887 ; fut président de ce corps du 14 septembre 1891 au 12 juillet 1896. Membre du Conseil privé à partir du 1er mai 1896 et ministre sans portefeuille dans le cabinet fédéral de Charles Tupper du 1er mai au 8 juillet 1896.

Président honoraire de la Société d'agriculture du comté de Champlain et, de 1862 à 1890, membre du Conseil d'agriculture de Québec. Élu membre du conseil d'administration de la Compagnie du chemin de fer de la rive nord en 1870, en fut vice-président à partir de 1875.

Décédé en fonction à Sainte-Anne-de-la-Pérade (La Pérade), le 4 mai 1901, à l'âge de 69 ans et 8 mois. Inhumé dans l'église paroissiale, le 7 mai 1901.

Avait épousé à Champlain, le 8 août 1854, Arline Lanouette, fille de Joseph-Édouard Lanouette, lieutenant-colonel dans la milice, et d'Antoinette-Adélaïde Pezard de Champlain.

Bibliographie: *DBC* (à paraître).

ROSS, Lionel-Alfred
(1914–1973)

Né à La Station-du-Coteau, près de Salaberry-de-Valleyfield, le 5 mai 1914, fils d'Ernest Ross, mécanicien au Canadien National, et d'Adèle Vernier.

Fit ses études dans sa paroisse natale, au collège de Montréal et à l'université de Montréal. Fit sa cléricature auprès de Lucien Beauregard. Admis au barreau de la province de Québec le 5 juillet 1940. Créé conseil en loi de la reine le 27 avril 1960.

Exerça sa profession à Verdun et fut associé à Yves Leduc et Maurice Bourassa. Membre de l'Association du jeune barreau. Membre de la Jeune Chambre de commerce et de la Chambre de commerce de Montréal. Président de la Société Saint-Jean-Baptiste de la paroisse Notre-Dame-de-la-Paix. Membre des Chevaliers de Colomb, du Club Rotary, du Club optimiste, du Royal Arcanum Club et du Club Richelieu-Verdun.

Marguillier de la paroisse Notre-Dame-de-la-Paix de 1958 à 1961. Président de la section française de la Jeunesse libérale de Verdun en 1944. Élu député libéral dans Montréal-Verdun en 1944. Réélu en 1948, 1952 et 1956. Siégea comme député indépendant du 20 juin 1957 au 27 avril 1960.

Nommé juge à la Cour provinciale dans le district de Montréal le 27 avril 1960 en tant que président de la Commission des loyers. Occupa ce poste jusqu'à son décès.

Décédé à Dorval, le 19 septembre 1973, à l'âge de 59 ans et 4 mois. Inhumé à Montréal, dans le cimetière Notre-Dame-des-Neiges, le 22 septembre 1973.

Avait épousé dans la cathédrale de Montréal, le 17 décembre 1940, Mariette Poirier, fille de Roger Poirier et d'Évelina Palardy.

ROUSSEAU, André

Né à Saint-Lambert, le 12 janvier 1911, fils de Lacasse Rousseau, industriel, et de Gabrielle Fafard.

Fit ses études chez les Sœurs de la Providence et à l'école Notre-Dame-du-Saint-Rosaire à Montréal, au collège Sacré-Cœur à Montmagny et au séminaire de Québec.

Dirigea les travaux d'électrification lors de la construction du tunnel Wellington et du pont Pierre-Le-Gardeur, à Montréal. Travailla chez Dufresne Engineering de 1935 à 1940. Vice-président de la compagnie Electrical Manufacturing Limited à Montmagny de 1940 à 1950. Fonda à Saint-Jean-Port-Joli, en 1950, l'entreprise Rousseau Métal inc. Directeur de Paul Dumont ltée à Saint-Romuald et d'Artistic Decalcomania à Montréal de 1950 à 1960. Représentant du gouvernement du Québec au conseil d'administration d'Expo 67 de 1963 à 1968. Président de la Société du parc industriel du centre du Québec (Bécancour) de 1972 à 1980. Membre de l'Association professionnelle des industriels et du Centre des dirigeants d'entreprise. Membre de l'Association des manufacturiers canadiens, du Club de la garnison, des Chevaliers de Colomb, du Club Richelieu et de la Chambre de commerce de Saint-Jean-Port-Joli.

Secrétaire de la Fédération libérale du Québec en 1956, puis président en 1957 et 1958. Candidat libéral défait dans L'Islet aux élections provinciales de 1956 et dans Kamouraska aux élections fédérales de 1958. Élu député libéral à l'Assemblée législative dans L'Islet en 1960. Ministre de l'Industrie et du Commerce dans le cabinet Lesage du 5 juillet 1960 au 5 décembre 1962. Défait dans l'Islet en 1962. Candidat de l'Union nationale défait dans Montmagny-L'Islet en 1976.

ROUSSEAU, Léon
(1798–1869)

Né à Saint-Pierre-les-Becquets, le 22 juillet 1798, puis baptisé le 23, fils de Joseph Rousseau, négociant, et de Josephte Trudel.

Étudia la médecine aux États-Unis. Fut admis au sein de la société médicale de Dartmouth, au Massachusetts, le 21 octobre 1819, et obtint l'autorisation de pratiquer sa profession au Bas-Canada, le 5 octobre 1822.

Exerça la médecine et la chirurgie à Yamaska. Propriétaire de fermes, s'occupa aussi d'agriculture. Fut juge de paix et commissaire au tribunal des petites causes.

Élu député de Yamaska en 1844; fit partie du groupe canadien-français. Ne s'est pas représenté en 1848.

Décédé à Yamaska, le 3 novembre 1869, à l'âge de 71 ans et 3 mois. Inhumé dans le cimetière de la paroisse Saint-Michel, le 5 novembre 1869.

Avait épousé dans la paroisse Saint-Michel, à Yamaska, le 26 octobre 1824, Agnès-Élizabeth Godefroy de Tonnancour, fille de Joseph-Marie **Godefroy de Tonnancour**, seigneur et officier de milice, et de Marie-Catherine Pélissier.

Beau-frère de Marie-Joseph et de Léonard **Godefroy de Tonnancour**.

ROUSSEAU, Ulphée-Wilbrod
(1882–1967)

Né à Sainte-Geneviève-de-Batiscan, le 26 janvier 1882, fils d'Aimé Rousseau, menuisier, et de Sophie Veillette.

A étudié à l'école de Sainte-Geneviève-de-Batiscan et au collège Saint-Joseph à Lowell, dans l'État du Massachusetts.

Entrepreneur en construction à Cap-de-la-Madeleine. Propriétaire de la carrière Trois-Rivières ltée à Saint-Louis-de-France. Cofondateur de la caisse populaire Sainte-Madeleine. Membre de la Chambre de commerce de Cap-de-la-Madeleine, de la Société Saint-Vincent-de-Paul et des Chevaliers de Colomb.

Élu député de l'Action libérale nationale dans Champlain en 1935. Élu sous la bannière de l'Union nationale en 1936. Ne s'est pas représenté en 1939.

Décédé à Joliette, le 11 septembre 1967, à l'âge de 85 ans et 8 mois. Inhumé dans le cimetière du Cap-de-la-Madeleine, le 14 septembre 1967.

Avait épousé à Champlain, le 29 mai 1905, Justina Mongrain, fille d'Elzéar Mongrain, navigateur, et de Céline Chartier.

ROUVILLE. V. HERTEL DE ROUVILLE

ROWAT, John Pozer

Né à Richmond, le 23 mai 1911, fils de Donald McKenzie Rowat, notaire, et de Rhoda Pozer.

Fit ses études à la Roslyn School à Wesmount, à la Westmount High School et à la McGill University à Montréal de 1928 à 1935.

Reçu notaire le 29 juillet 1935, il exerça sa profession à Montréal. Fit partie du Corps d'entraînement des officiers canadiens (CEOC) de l'université McGill de 1940 à 1942, puis du Victoria Rifles of Canada de 1942 à 1946. Fut directeur et vice-président de Nordair ltée. Membre du bureau des gouverneurs et du bureau de l'administration de l'hôpital Queen Elizabeth. Membre du comité protestant du Conseil de l'instruction publique de 1949 à 1964 et président de 1952 à 1957. Membre du Bureau des écoles protestantes du Grand Montréal de 1946 à 1965 et président de 1955 à 1965. Membre de la Commission royale sur les problèmes constitutionnels de 1953 à 1955. Administrateur et vice-président du centre Sir-George-Étienne-Cartier. Membre du Club des ingénieurs, du Seigniory Club, du Club de la garnison, du Club Shawinigan et de la Palestre nationale.

Conseiller municipal du district n° 3 au conseil municipal de Montréal de 1942 à 1950. Candidat de l'Union nationale défait dans Montréal–Notre-Dame-de-Grâce en 1948. Conseiller législatif de la division de Lorimier du 29 octobre 1958 jusqu'à l'abolition du Conseil législatif, le 31 décembre 1968.

ROY, Alexandre
(1738–1813)

Né à Kamouraska et baptisé dans la paroisse Saint-Louis, le 14 janvier 1738, fils de Pierre Roy, dit Desjardins, et de Marie-Anne [Bouchard].

Fut cultivateur à Kamouraska. Pendant la guerre de 1812, servit à titre de capitaine dans la milice, division de Rivière-Ouelle.

Élu député de Cornwallis en 1804; appuya généralement le parti canadien. Ne se serait pas représenté en 1808.

Décédé à Kamouraska, le 28 octobre 1813, à l'âge de 75 ans et 9 mois. Inhumé dans l'église Saint-Louis, le 30 octobre 1813.

Avait épousé dans la paroisse Notre-Dame-de-Liesse, à Rivière-Ouelle, le 24 janvier 1763, Josephte (Marie-Joseph) Plourde, fille de Pierre Plourde et de Marie-Ursule Lévesque.

ROY, Alfred-Valère
(1870–1942)

Né à Bienville (Lévis), le 3 mai 1870, fils d'Alfred Roy, ingénieur mécanicien, et de Laetitia Robitaille.

Fit ses études au collège de Lévis, au séminaire de Québec et à l'université Laval à Québec. Reçu médecin en 1895.

Pratiqua la chirurgie à l'Hôtel-Dieu de Lévis. Lieutenant-colonel du 6e régiment de réserve. Membre des Chevaliers de Colomb.

Élu député libéral dans Lévis en 1916. Réélu en 1919 (sans opposition), 1923 et 1927. Son siège devint vacant lors de sa nomination comme conseiller législatif de la division de La Durantaye le 27 novembre 1930.

Décédé en fonction à Lévis, le 23 juin 1942, à l'âge de 72 ans et un mois. Inhumé à Lévis, dans le cimetière de la paroisse Notre-Dame-de-la-Victoire, le 26 juin 1942.

Avait épousé à Lévis, dans la paroisse Notre-Dame-de-la-Victoire, le 8 septembre 1896, Marie-Aglaé Caron, fille de Jean-Baptiste Caron et de Marguerite Laplante; [puis, à Berlin, dans l'État du New Hampshire, le 7 juin 1904, Bella Kiely, fille de Moses Kiely, capitaine, et de Zélia Guay].

Père de Roger **Roy**.

ROY, Camille
(1911–1969)

Né à Nicolet, le 13 juillet 1911, fils de Théophile Roy, cultivateur, et de Rose de Lima Leclerc.

Fit ses études primaires dans sa paroisse natale. Fréquenta ensuite le séminaire de Nicolet, l'établissement des Pères des Missions étrangères à Pont-Viau et l'école d'agriculture Noé-Ponton à Sherbrooke.

Exerça le métier de cultivateur. Président de la Meunerie coopérative du comté de Nicolet (ou Coopérative du Lac-Saint-Pierre) pendant trois ans. Directeur de la Coopérative fédérée en 1952. Membre et propagandiste spécial de l'Union catholique des cultivateurs (UCC) des comtés de Nicolet, Yamaska et Arthabaska. Membre de la Société Saint-Jean-Baptiste. Secrétaire de la ligue du Sacré-Cœur et marguillier de la paroisse Saint-Jean-Baptiste-de-Nicolet.

Élu député de l'Union nationale dans Nicolet en 1952. Réélu en 1956 et 1960. Défait en 1962.

Secrétaire de comté du député de Nicolet, Clément **Vincent**, de 1966 à 1969.

Décédé à Nicolet, le 29 mars 1969, à l'âge de 57 ans et 8 mois. Inhumé dans le cimetière de Nicolet, le 2 avril 1969.

Avait épousé à Baie-du-Febvre, le 14 avril 1941, Jeanne-Mance Manseau, institutrice, fille d'Antonio Manseau, cultivateur, et de Florina Gill.

ROY, Charles-François
(1834–1882)

Né à Sainte-Anne-de-la-Pocatière, le 15 septembre 1834, fils de François Roy et d'Angèle Sasseville.

Fit ses études au collège de Sainte-Anne-de-la-Pocatière.

Ingénieur civil et arpenteur. Agent de la colonisation pour le district de Gaspé de 1862 à 1868.

Élu député conservateur à l'Assemblée législative dans Kamouraska à l'élection partielle du 11 février 1869. Réélu en 1871 (sans opposition) et 1875. Démissionna le 12 février 1877. Élu député conservateur à la Chambre des communes dans la même circonscription à l'élection partielle du 19 février 1877. Défait en 1878.

Décédé à Sainte-Anne-de-la-Pocatière, le 13 avril 1882, à l'âge de 47 ans et 6 mois. Inhumé dans l'église de cette paroisse, le 18 avril 1882.

Avait épousé dans la paroisse Notre-Dame de Québec, le 15 mai 1860, Charlotte Sasseville, fille de Jean-Baptiste Sasseville et d'Esther Caron.

ROY, Ernest
(1871–1928)

Né à Saint-Vallier, le 3 octobre 1871, fils de Nazaire Roy, cultivateur, et de Rose Therrien.

Étudia à Saint-Vallier, au séminaire de Québec et à l'université Laval à Québec. Fit sa cléricature auprès d'Adélard **Turgeon**, puis fut son secrétaire de mai 1897 à novembre 1900. Admis au barreau de la province de Québec le 12 juillet 1898. Créé conseil en loi du roi le 14 novembre 1910. Récipiendaire d'un doctorat en droit honoris causa de l'université Laval en 1924.

Pratiqua le droit à Québec et s'associa notamment avec Louis-Rodolphe **Roy**, Edgar **Rochette** et Armand **La Vergne**. Syndic du barreau de 1920 à 1924 et membre du Conseil du barreau. Président de la Compagnie manufacturière de Montmagny. Vice-président de Machinerie agricole nationale de Montmagny. Vice-président de la Corporation des obligations municipales. Directeur de l'Assurance mutuelle de Montmagny. Correspondant du journal *la Patrie* et éditeur du *Courrier de Montmagny* de 1900 à 1904. Élu vice-président du Club de presse de Québec en 1900. Membre du Club de la garnison et du Club Marmier.

Échevin du quartier Montcalm nº 1 au conseil municipal de Québec de 1914 à 1916. Élu sans opposition député libéral à l'Assemblée législative dans Montmagny en 1900. Réélu en 1904. Ne s'est pas représenté en 1908. Élu député libéral à la Chambre des communes dans Dorchester en 1908. Whip du Parti libéral fédéral de 1909 à 1911. Défait en 1911.

Nommé juge à la Cour supérieure de Québec le 30 janvier 1924.

Décédé à Saint-Michel, le 17 août 1928, à l'âge de 56 ans et 10 mois. Inhumé dans le cimetière de cette paroisse, le 21 août 1928.

Avait épousé dans la paroisse Notre-Dame de Québec, le 27 septembre 1897, Marie-Malvina Godbout, fille d'Étienne Godbout et de Marceline Carbonneau.

ROY, Étienne-Ferréol
(1771–1852)

Né [à Beaumont, en 1771], fils de Joseph Roy, seigneur, et de Gabrielle Sarault.

Hérita de son père, le 18 novembre 1791, la seigneurie de Vincennes, qu'il vendit le 28 octobre 1847. Fut officier de milice : major dans la division de Saint-Vallier, à compter du 7 avril 1812, accéda au grade de lieutenant-colonel commandant du 2e bataillon de cette division, le 20 février 1815.

Élu député de Hertford en 1804. Réélu en 1808, 1809 et 1810. Appuya le parti canadien. Réélu en 1814 et 1816. Donna généralement son appui au parti canadien. Ne se serait pas représenté en avril 1820.

Décédé à Beaumont, le 22 novembre 1852, à l'âge de 80 ou de 81 ans. Inhumé dans l'église Saint-Étienne, le 25 novembre 1852.

Avait épousé dans la paroisse Saint-Pierre-du-Sud, à Saint-Pierre-de-la-Rivière-du-Sud (Montmagny), le 9 janvier 1792, Marie-Charlotte Talbot, dit Gervais, fille d'Antoine Talbot, dit Gervais, et de Françoise Blais.

Beau-frère de Louis **Blais**.

Bibliographie : Roy, Pierre-Georges, « La seigneurie de Cap Saint-Claude ou Vincennes », *BRH*, 25, 3 (mars 1919), p. 74.

ROY, Fabien

Né à Saint-Prosper, le 17 avril 1928, fils de Fridolin Roy, comptable, et d'Anna-Marie Goulet.

Étudia à Saint-Prosper, Rimouski et Sherbrooke. Suivit des cours de perfectionnement en comptabilité, gérance des ventes et direction du personnel au séminaire de Saint-Georges, puis en droit commercial, économie politique et administration des entreprises à l'université Laval puis en commerce de valeurs mobilières en 1980.

Commis et comptable à la Coopérative agricole de Saint-Prosper de 1945 à 1949. Secrétaire de la Fédération des chantiers coopératifs du district de Québec-Sud (1949 à 1952) et du district de Sherbrooke (1952 et 1953). Fondateur d'une entreprise de camionnage, F. Roy Transports, qu'il administra de 1953 à 1962. Directeur général de la Caisse d'établissement de la Chaudière de 1962 à 1970. Membre du conseil d'administration et membre du conseil exécutif de la Fédération des caisses d'établissement du Québec de 1968 à 1970. Directeur du recrutement et des ventes pour le même organisme en 1970.

Cofondateur en 1960 et président de la Chambre de commerce de Saint-Prosper en 1963. Membre de l'Association des camionneurs de Québec de 1952 à 1962, membre du Centre des dirigeants d'entreprise en 1971 et 1972, du Conseil de développement de la Chaudière de 1970 à 1986, de l'Association des parents catholiques jusqu'en 1985, des Chevaliers de Colomb et du Club Rotary. Membre du conseil d'administration du cégep Lévis-Lauzon en 1984 et 1985 et du Conseil économique de Beauce à compter de 1981. Trésorier de cet organisme de 1981 à 1987. Président-fondateur de la Croisée des chemins de 1980 à 1983. Coprésident des Fêtes du 250e anniversaire de la Beauce et président-fondateur du Musée des défricheurs en 1989.

Président de l'Association créditiste fédérale de Dorchester de 1962 à 1968. Organisateur régional du Ralliement créditiste fédéral aux élections de 1962, 1963, 1965 et 1968. Vice-président provincial et membre du comité politique du Ralliement créditiste fédéral en 1964 et 1965. Élu député du Ralliement créditiste dans Beauce en 1970. Whip en chef du Ralliement créditiste de 1970 à 1972. Leader parlementaire de son parti à l'Assemblée nationale de 1972 à 1975. Candidat défait au congrès de direction du Ralliement créditiste en février 1973. Élu député du Parti créditiste dans Beauce-Sud en 1973. Président du Parti créditiste provincial en 1973 et 1974. Expulsé le 3 novembre 1975 de son parti, il fonda avec Jérôme **Choquette** le Parti national populaire le 14 décembre 1975. Élu député de cette formation politique en 1976. Résigna son siège à l'Assemblée nationale le 5 avril 1979. Désigné chef du parti fédéral du Crédit social le 30 mars 1979. Élu député de ce parti à la Chambre des communes dans Beauce en 1979. Défait dans Beauce aux élections fédérales de 1980 et dans Frontenac à l'élection partielle du 24 mars 1980. Démissionna comme chef du Parti créditiste du Canada le 1er novembre 1980.

Animateur radiophonique à CKBR de 1981 à 1983. Directeur du bureau de Geoffrion Leclerc inc. de Saint-Georges, de 1981 à 1988, puis courtier en valeurs mobilières pour Lévesque, Beaubien, Geoffrion inc. à Saint-Georges, à partir de 1988.

ROY, Gabriel
(1770–1848)

Né à Montréal et baptisé dans la paroisse Notre-Dame, le 19 décembre 1770, fils de Guillaume Roy, dit Saint-Jean, maraîcher natif de Normandie, et de Marie-Anne Blais, dit Saint-Martin.

Administra les biens fonciers de sa première femme, situés à Montréal, puis en devint propriétaire ; en acquit de nouveaux. S'installa à Saint-Laurent, près de Montréal, à l'époque de son second mariage. Fut commissaire d'école à compter du 26 novembre 1829. Nommé commissaire chargé de l'amélioration des chemins reliant Saint-Laurent à Sault-au-Récollet (Montréal-Nord), le 16 juin 1830, puis de la route entre Côte-des-Neiges et Saint-Laurent, le 14 juillet 1831. Fait magistrat le 28 juillet 1837.

Candidat dans Montréal en 1841, mais se retira en faveur d'Alexandre-Maurice **Delisle**. Nommé au Conseil législatif le 14 juin 1841.

Décédé en fonction à Saint-Laurent, île de Montréal, le 17 décembre 1848, à l'âge de 77 ans et 11 mois. Les obsèques eurent lieu dans la paroisse de Saint-Laurent, le 20 décembre 1848.

Avait épousé dans la paroisse Notre-Dame, à Montréal, le 9 avril 1799, Marie-Louise Claveau, veuve du marchand Étienne Dumesnil; puis, au même endroit, le 25 novembre 1811, Sophia Bagg, fille de l'hôtelier Phincles Bagg et d'une prénommée Emily.

Bibliographie: Massicotte, E.-Z., «L'honorable Gabriel Roy», *BRH*, 31, 9 (sept. 1925), p. 347-348.

ROY, Joseph (1771–1856)

Né et baptisé dans la paroisse Saint-Henri-de-Mascouche (à Mascouche), le 8 décembre 1771, sous le prénom de Joseph-Marie, fils de Charles Roy, cultivateur, et de sa première femme, Élizabeth Beauchamp. Signait Jh Roy.

Apprenti sculpteur à Montréal, à compter de 1790 environ, y exerça par la suite ce métier à son propre compte. Ayant suivi des cours du soir, se lança dans le commerce vers 1804: exploita un magasin général qui, avec les années, se spécialisa dans les articles d'église, et qu'il vendit en 1852 ou 1853. Fut membre du conseil d'administration de la Compagnie d'assurance de Montréal contre les accidents du feu.

Défait dans Montréal à une élection partielle le 5 décembre 1811; appuyait le parti canadien. Élu dans Montréal-Est en 1834; se rangea du côté du parti patriote: participa à la fondation en 1835 de l'Union patriotique, mais s'opposa à l'usage des armes; son mandat prit fin avec la suspension de la constitution, le 27 mars 1838. S'occupa d'administration municipale, à Montréal, avant 1833, puis représenta le quartier Saint-Joseph au conseil municipal en 1833–1834, le quartier Saint-Laurent en 1835–1836 et le quartier Est de 1842 à 1844; refusa la charge de maire en 1842.

Officier de milice, servit pendant la guerre de 1812. Élu marguillier de la paroisse Notre-Dame en 1826. Juge de paix, perdit sa commission à la suite des événements survenus au cours de l'élection de Daniel **Tracey** en 1832; la recouvra en 1843. Cofondateur du journal *le Pays* en 1852.

Décédé à Montréal, le 31 juillet 1856, à l'âge de 84 ans et 7 mois. Inhumé dans la paroisse Notre-Dame, le 2 août 1856.

Avait épousé dans la paroisse Notre-Dame de Montréal, le 23 février 1819, Émélie-Sophie Lusignany (Lusignan), fille du marchand Charles Lusignan et de Madeleine Laforce.

Bibliographie: *DBC*.

ROY, Joseph-Aurélien

Né à Beaumont, le 23 juillet 1910, fils de Lauréat Roy, cultivateur, et de Léa Carrier.

Fit ses études à Saint-Étienne-de-Beaumont.

Pratiqua d'abord l'agriculture sur la terre paternelle, puis devint propriétaire d'une ferme en 1933.

S'établit à Lauzon en 1943 et travailla comme apprenti ferblantier à la Davie Shipbuilding pendant quelques années, puis comme vendeur à la firme O'Neil-Rioux. Ouvrit un commerce de quincaillerie en 1946 et fonda la compagnie J.A. Roy Construction en 1951. Fut président du comité de crédit de la caisse populaire de Lauzon et président du Syndicat industriel de Lauzon. Membre de la Société Saint-Jean-Baptiste.

Échevin de la ville de Lauzon de février 1952 à mai 1967. Élu député du Crédit social à la Chambre des communes dans Lévis en 1962. Défait en 1963, puis comme candidat du Ralliement créditiste en 1965. Élu député du Ralliement créditiste à l'Assemblée nationale dans Lévis en 1970. Candidat du Parti créditiste défait en 1973.

ROY, Joseph-Félix (1893–1955)

Né à Saint-Pierre-de-Broughton, le 20 novembre 1893, fils d'Ubald Roy, journalier, et de Marie Rousseau.

Fit ses études au collège de Thetford Mines, au séminaire de Québec et à l'université Laval. Reçu médecin en 1922, il exerça sa profession à East Broughton et à Québec.

Candidat de l'Action libérale nationale défait dans Montmorency en 1935. Élu député de l'Union nationale dans la même circonscription en 1936. Ne s'est pas représenté en 1939.

Médecin examinateur de l'Armée canadienne de 1941 à 1944, puis de la Commission des accidents du travail de 1944 à 1955. Président de la Société Saint-Jean-Baptiste de Limoilou en 1935.

Décédé à Limoilou, le 7 juin 1955, à l'âge de 61 ans et 6 mois. Inhumé à Québec, dans le cimetière Saint-Charles, le 10 juin 1955.

Avait épousé à Sillery, le 5 septembre 1922, Marie-Alice Roy, fille de Narcisse Roy et de Léocadie Deslages.

ROY, Laetare
(1882–1964)

Né à Lévis, le 10 novembre 1882, fils de Pierre-Cyrille Roy, mécanicien et ingénieur, et de Philomène Thériault, institutrice.

Étudia au collège de Lévis, puis suivit des cours privés auprès de l'abbé Adalbert Roy et fit des études de droit à l'université Laval. Admis au barreau de la province de Québec le 15 janvier 1914. Créé conseil en loi du roi le 6 octobre 1926.

Exerça sa profession à Québec avec Lucien **Cannon** et Charles Gavan Power, député à la Chambre des communes de 1917 à 1955 et sénateur de 1955 à 1968. Président de l'Association du jeune barreau et du Club de réforme de Québec.

Élu député libéral dans Lévis à l'élection partielle du 21 septembre 1911. Défait en 1912.

Procureur de la couronne pour la Commission des liqueurs de la province de Québec. Juge à la Cour des sessions de la paix du district de Québec et magistrat de police du 29 mai 1934 jusqu'à sa retraite en 1961.

Décédé à Québec, le 29 décembre 1964, à l'âge de 82 ans et un mois. Inhumé à Sainte-Foy, dans le cimetière Notre-Dame-de-Belmont, le 2 janvier 1965.

Avait épousé à Québec, dans la paroisse Notre-Dame-du-Chemin, le 24 septembre 1917, Geneviève Pacaud, fille d'Horace Pacaud et d'Agnès Tremblay.

Beau-frère de Lucien **Cannon**.

ROY, Louis-Rodolphe
(1858–1925)

Né à Saint-Vallier, le 7 février 1858, fils de Nazaire Roy, huissier et marchand, et de Marie Letellier.

Étudia au séminaire de Québec et à l'université Laval à Québec. Fit sa cléricature auprès de Me Côme Morissette. Admis au barreau de la province de Québec le 28 janvier 1885. Créé conseil en loi du roi le 26 septembre 1903. Récipiendaire d'un doctorat en droit honoris causa de l'université Laval en 1908.

Exerça sa profession à Québec et fut associé notamment à Amédée **Robitaille**, Adélard **Turgeon**, Ernest **Roy** et Joseph-Esdras Alfred de Saint-Georges, député à la Chambre des communes de 1872 à 1878 et de 1882 à 1890. Avocat de la ville de Québec en 1908. Membre du Club de la garnison.

Élu député libéral dans Kamouraska en 1897. Réélu en 1900 et sans opposition en 1904. Son siège devint vacant le 23 mars 1905 lors de sa nomination au cabinet, et fut réélu sans opposition à l'élection partielle du 3 avril 1905. Réélu en 1908. Secrétaire et registraire de la province dans le cabinet Gouin du 23 mars 1905 jusqu'à sa démission, le 18 novembre 1909.

Nommé juge à la Cour supérieure du district de Rimouski le 17 novembre 1909. Prit sa retraite en 1922.

Décédé à Québec, le 14 mai 1925, à l'âge de 67 ans et 3 mois. Inhumé à Sainte-Foy, dans le cimetière Notre-Dame-de-Belmont, le 18 mai 1925.

Avait épousé dans la cathédrale de Montréal, le 25 mai 1912, Rachel Laberge, fille de Charles-Joseph Laberge, et veuve de Jean-Baptiste Rolland.

ROY, Philippe-Honoré
(1847–1910)

Né à Henryville, le 30 juillet 1847, fils d'Édouard Roy et d'Esther Lamoureux.

Fit ses études au collège Sainte-Marie-de-Monnoir à Marieville, à l'université Victoria à Montréal et au collège militaire de Montréal. Fit sa cléricature auprès de Louis-Amable **Jetté**. Admis au barreau de la province de Québec le 15 juillet 1871. Créé conseil en loi de la reine le 22 juin 1899.

Exerça sa profession à Montréal et s'associa notamment à Flavien-Guillaume **Bouthillier** et Amédée-Emmanuel Forget, lieutenant-gouverneur des Territoires du Nord-Ouest (1898 à 1905) et de la Saskatchewan (1905 à 1910), puis sénateur de 1911 à 1923. Promoteur et président de la Compagnie du chemin de fer de la vallée est du Richelieu. Président de la Banque de Saint-Jean de janvier 1904 à mai 1908. Propriétaire de l'aqueduc de la ville de Saint-Jean et de plusieurs fermes dans les environs de Saint-Jean et d'Iberville. Secrétaire (1875, 1876, 1878 et 1879) et membre (1884 à 1886 et 1890 à 1892) du Conseil du barreau de Montréal. Syndic du barreau de Montréal en 1889 et 1890. Président du Club national.

Candidat défait à la mairie de Montréal en 1908. Cofondateur du Parti national en 1871. Candidat libéral défait dans Iberville aux élections provinciales de 1890. Candidat conservateur défait dans Saint-Jean et Iberville aux élections fédérales de 1896. Élu député libéral à l'Assemblée législative dans Saint-Jean en 1900. Choisi orateur de l'Assemblée législative le 15 janvier 1907. Réélu en 1904. Ne s'est pas représenté en 1908.

Décédé à Montréal, le 17 décembre 1910, à l'âge de 63 ans et 4 mois. Inhumé dans le cimetière de Saint-Jean, le 20 décembre 1910.

[Avait épousé le 11 juillet 1878 Auglore Molleur, fille de Louis **Molleur**, homme d'affaires, et d'Aurélie Molleur.] Beau-père d'Armand **La Vergne**.

Bibliographie: Deschênes, Gaston, «Le portrait manquant», *BBAN*, 19, 3 (sept. 1990), p. 7-10.

ROY, Pierre

Né à Plaisance, le 28 février 1936, fils de J.-Eustache Roy, industriel laitier, et de Gertrude Beaudoin.

Étudia à l'académie Saint-Louis-de-France à Saint-Jacques, et à l'académie Saint-Viateur à Joliette. Suivit également des cours d'anglais, d'assurance-vie et de droit.

Fut gérant d'un commerce à Joliette, puis agent d'assurances. Vice-président des ventes à la compagnie Dulude, Forté, Lachance et Associés à Montréal jusqu'en 1978. Vice-président chez Marsh & McLennon Limited de 1978 à 1987. Associé dans la société Chartier, Moisan et Associés depuis 1987. Directeur de la Société canadienne des postes à partir de 1987 et membre du conseil exécutif à compter de 1991. Secrétaire et directeur du Club Richelieu de Joliette. Cofondateur du Cercle des philanthropes du diocèse de Joliette. Chevalier de Champlain. Directeur de la Chambre de commerce de Joliette de 1962 à 1965.

Marguillier de Notre-Dame-des-Prairies de 1964 à 1966. Élu député de l'Union nationale dans Joliette en 1966. Adjoint parlementaire du ministre de la Voirie du 23 décembre 1969 au 12 mars 1970. Défait en 1970.

ROY, Pierre-Euclide
(1826–1882)

Né à Saint-Roch-de-l'Achigan, près de L'Assomption, le 2 novembre 1826, fils de Pierre-Octave Roy, marchand, et de Josephte Beaudry. Fut baptisé Pascal-Euclide.

Marchand à Saint-Pie, près de Saint-Hyacinthe. Trésorier de la Compagnie du chemin de fer Philipsburg, Farnham et Yamaska.

Nommé conseiller législatif de la division de Sorel le 19 novembre 1873.

Décédé en fonction à Saint-Pie, le 31 octobre 1882, à l'âge de 55 ans et 11 mois. Inhumé dans le cimetière de Saint-Pie, le 3 novembre 1882.

Avait épousé à Terrebonne, le 6 mars 1848, Émilie Aurélie Auger, fille de Gédéon Auger et de Marie G., dit Dumaine ; [puis, Emma Davignon].

ROY, Roger
(1915–1973)

Né à Lévis, le 2 avril 1915, fils d'Alfred-Valère **Roy**, médecin, et de Bella Kiely.

Étudia au collège de Lévis et suivit des cours par correspondance de l'École des hautes études commerciales de Montréal.

Fit un stage au bureau des comptables agréés Chartré, Samson et Cⁱᵉ de 1937 à 1943, puis fut vérificateur et associé junior de cette firme de 1943 à 1953. Ouvrit son propre bureau à Lévis en décembre 1953. Forma en 1957 une société de comptables agréés, exerçant à Lévis et Saint-Georges, sous la raison sociale de Ruel, Roy, Moreau et Cⁱᵉ. Membre du conseil de l'Institut des comptables agréés de Québec en 1962 et 1963. Membre et administrateur de l'Institut des comptables agréés de la province de Québec. Devint copropriétaire du magasin F. Lefebvre enr. en 1946. Président de la Chambre de commerce de Lévis en 1955 et 1956, puis directeur de la Jeune Chambre de commerce de Lévis. Membre du Club Lions de Lévis, du Club de réforme de Québec et des Chevaliers de Colomb. Trésorier du Conseil des œuvres de Québec.

Élu député libéral dans Lévis en 1960. Réélu en 1962. Nommé adjoint parlementaire du ministre des Finances le 19 décembre 1962. Défait en 1966.

Décédé à Lévis, le 11 juin 1973, à l'âge de 58 ans et 2 mois. Inhumé à Lévis, dans le cimetière Mont-Marie, le 14 juin 1973.

Avait épousé dans la paroisse Notre-Dame de Québec, le 17 octobre 1944, Lorraine Pichette, fille de Roméo Pichette et de Joséphine Michaud.

ROY PORTELANCE, Louis
(1764–1838)

Né à Pointe-Claire, le 16 octobre 1764, puis baptisé le 17, dans la paroisse Saint-Joachim, fils de Joseph Roy, dit Portelance, laboureur, et de Catherine Mallet. Signa aussi Roi et Roy, ainsi que Roi Portelance.

Étudia au collège Saint-Raphaël de Montréal de 1778 à 1784.

Travailla d'abord comme voyageur à bord des canots utilisés dans la traite des fourrures. Après son premier mariage, se lança dans le commerce du bois à Montréal. Fit l'acquisition et l'exploitation de biens fonciers et immobiliers, et d'un verger. Participa à la guerre de 1812 à titre de capitaine dans la milice ; accéda plus tard au grade de lieutenant-colonel.

Élu député de Montréal en 1804. Réélu en 1808, 1809 et 1810. Appuya le parti canadien. Ne se serait pas représenté en 1814. Élu dans Montréal-Est en 1816. Ne s'est pas représenté en avril 1820. Fut pressenti par le parti patriote pour se porter candidat dans Montréal en 1832, mais il n'y eut pas d'élection.

Bien que retiré du commerce depuis les années 1820, s'associa à des marchands d'allégeance patriote pour fonder, en 1835, la Banque du peuple. En mai 1837, présida l'assemblée de protestation organisée par les patriotes à Saint-Laurent, dans l'île de Montréal. À l'automne de 1837, s'en alla vivre chez son beau-fils, curé à Kamouraska.

Décédé à Kamouraska, le 2 mars 1838, à l'âge de 73 ans et 4 mois. Inhumé dans l'église Saint-Louis, le 5 mars 1838.

Avait épousé dans l'église Notre-Dame de Montréal, le 7 septembre 1791, sa cousine germaine Marie-Josephte Périnault, fille de François Périnault et de Marie-Josephte Mallet, et veuve de l'orfèvre Jacques Varin, dit La Pistole ; puis, dans la cathédrale Notre-Dame de Québec, le 4 septembre 1809, Louise Languedoc, fille de Jacques Languedoc, marchand, et de Marie-Angélique Samson.

Beau-frère de François **Languedoc**.

Bibliographie : *DBC.*

RUEL, Augustin-Guillaume (1805–1871)

Né à Québec, le 17 avril 1805, puis baptisé le 18, dans la paroisse Notre-Dame, fils de Louis Ruel, capitaine de navire, et de Josephte Magnan.

Admis à la pratique du notariat, le 3 février 1829, exerça sa profession à Berthier (Berthier-sur-Mer) jusqu'en 1865.

Élu député de Bellechasse en 1841 ; antiunioniste, mais prit part à peu de votes. Son siège devint vacant le 1er janvier 1842, en raison de sa nomination comme registrateur du district de Rimouski, poste qu'il occupa jusqu'en 1849 ou 1852.

Décédé à Québec, le 29 septembre 1871, à l'âge de 66 ans et 5 mois. Inhumé dans l'église Notre-Dame-de-l'Assomption, à Berthier (Berthier-sur-Mer), le 2 octobre 1871.

Était célibataire.

Beau-frère d'Octave-Cyrille **Fortier**.

RUSSELL, Armand

Né à Saint-Joachim-de-Shefford, le 23 juin 1921, fils de Jean-Baptiste Russell, cultivateur, et d'Aurore Pion.

Fit ses études à Saint-Joachim-de-Shefford, puis suivit des cours par correspondance.

Fut engagé comme travailleur forestier, en Abitibi, à l'âge de seize ans. Sergent dans les forces armées canadiennes de 1939 à 1945, il participa aux campagnes de Belgique, de Hollande et d'Allemagne. Employé du Canadien Pacifique à Windsor en 1945 et 1946. Copropriétaire de la scierie A. et R. Russel inc. à Saint-Joachim-de-Shefford de 1946 à 1958. Président de Mansonville Plastics de 1959 à 1971, et de Russmand Gestion à compter de 1971. Vice-président de J.C. Martel inc. en 1971 et de Potton Chemicals en 1973. Membre de la Légion canadienne, de la Chambre de commerce, des Chevaliers de Colomb et des clubs optimiste, Kiwanis et Renaissance.

Échevin de Saint-Joachim-de-Shefford en 1949 et 1950, puis maire de 1950 à 1957. Maire de Waterloo de 1957 à 1967. Élu député de l'Union nationale dans Shefford en 1956. Réélu en 1960, 1962 et 1966. Assermenté ministre d'État aux Travaux publics dans le cabinet Johnson le 16 juin 1966. Ministre des Travaux publics dans les cabinets Johnson et Bertrand du 31 octobre 1967 au 12 mai 1970. Vice-président du Conseil du trésor de 1966 à 1970. Réélu en 1970. Défait en 1973. Réélu dans Brome-Missisquoi en 1976. Démissionna le 11 janvier 1980 pour se porter candidat aux élections fédérales. Candidat progressiste-conservateur défait dans Shefford aux élections fédérales de 1980.

RYAN, Claude

Né à Montréal, le 26 janvier 1925, fils de Henri-Albert Ryan et de Blandine Dorion.

Fit ses études à l'école Saint-Jean-de-Matha à Ville-Émard, au collège de Sainte-Croix à Montréal et à l'École de service social de l'université de Montréal de 1944 à 1946. Fit un stage d'études en histoire de l'Église et en histoire universelle à l'université pontificale grégorienne de Rome en 1951 et 1952.

Secrétaire national de la section de langue française de l'Action catholique canadienne de 1945 à 1962. Président de l'Institut canadien d'éducation des adultes de 1955 à 1961. Président du comité d'étude sur l'éducation des adultes au ministère de l'Éducation du Québec en 1962 et 1963. Éditorialiste au quotidien *le Devoir* de 1962 à 1978. Directeur du *Devoir* et gérant général de l'Imprimerie populaire (société éditrice du *Devoir*) de mai 1964 à janvier 1978. Membre du conseil d'administration de la Presse canadienne de 1964 à 1971.

Élu chef du Parti libéral du Québec le 15 avril 1978. Élu député libéral dans Argenteuil à l'élection partielle du 30 avril 1979. Réélu en 1981. Chef de l'Opposition officielle du 9 mai 1979 au 10 août 1982, date de sa démission comme chef de l'Opposition officielle et chef du Parti libéral du Québec. Vice-président de la Commission de l'éducation et de la main-d'œuvre du 15 mars 1984 au 23 octobre 1985. Réélu en 1985 et 1989. Ministre de l'Éducation et ministre de l'Enseignement supérieur et de la Science dans le cabinet Bourassa du 12 décembre 1985 au 5 octobre 1990. Assermenté ministre responsable de l'application de la *Charte de la langue française* le 3 mars 1989. Assermenté ministre des Affaires municipales et ministre de la Sécurité publique le 5 octobre 1990.

Membre du conseil d'administration de la caisse populaire Saint-Louis-de-France à Montréal du 23 octobre 1956 au 13 mai 1968 et vice-président du 18 septembre 1963 au 3 mai 1968. Membre de la section canadienne du Canadian-American Committee. Lauréat de plusieurs prix dont bon nombre dans le domaine du journalisme : prix de l'éditorial du National Newspaper Award (1964), prix du National Press Club (1965), prix du Conseil canadien des Chrétiens et des Juifs ou Human Relations Award (1966), prix du Comité ouvrier juif du Canada pour sa défense des droits de l'homme (1969), prix Quill du Windsor Press Club (1971). Nommé au Canadian News Hall of Fame, en 1968. A publié notamment *les Classes moyennes au Canada français* (1950), *l'Éducation des adultes, réalité moderne* (1957), *le Contact dans l'apostolat* (1959), *Esprits durs, cœurs doux ; la vie intellectuelle des militants chrétiens* (1959), *les Comités : esprit et méthodes* (1962), *un Type nouveau de laïc* (1966), *le Devoir et la crise d'octobre 70* (1971), *le Québec qui se fait* (1971) et *Une société stable* (1978).

Bibliographie : Leclerc, Aurélien, *Claude Ryan, l'homme du devoir*, Montréal, Quinze, 1978, 223 p.

RYAN, Thomas (1804–1889)

Né à Ballinakill (en république d'Irlande), le 21 août 1804.

Étudia au collège des Jésuites de Clonglowes Wood, dans le comté de Kildare (en république d'Irlande), de 1815 à 1822.

Immigra au Bas-Canada au cours des années 1820 et se lança dans le commerce. Avec son frère Edward, mit sur pied une entreprise d'import-export, la Ryan Brothers and Company, qui fit d'abord affaire à Québec, puis également à Dublin, en Irlande, de 1838 jusqu'au milieu de la décennie 1840, et à Montréal, où il s'établit. Jusqu'en 1860 environ, fut le principal correspondant commercial au Canada de la Baring Brothers, société bancaire et commerciale de Londres. Engagé aussi dans la navigation à vapeur et la construction ferroviaire : fut, entre autres, cofondateur de la Compagnie canadienne de navigation à la vapeur (1853), administrateur de la Compagnie de navigation du Richelieu et d'Ontario (1875–1882), ainsi que l'un des fondateurs de la Compagnie du chemin de fer à passagers de la cité de Montréal (1861) et de la Compagnie du chemin de fer de la vallée de Chaudière (1864). Élu président du Bureau de commerce de Montréal en 1849. Participa à la création de la Bourse de Montréal en 1852. Membre du conseil d'administration de la Banque de Montréal de 1847 à 1881, en fut vice-président de 1860 à 1873 ; s'occupa de l'administration de diverses autres compagnies. De 1855 à 1861, remplit les fonctions de consul à Montréal de la France, du Danemark et de quelques villes allemandes. Fit partie, à compter de 1869, du comité catholique du Conseil de l'instruction publique de la province de Québec. Officier de milice.

Élu sans opposition conseiller législatif de la division de Victoria à une élection complémentaire le 19 juin 1863 ; son mandat prit fin avec l'avènement de la Confédération, le 1er juillet 1867. Sénateur de la division de Victoria à partir du 23 octobre 1867. Appuya le Parti conservateur.

Décédé en fonction à Montréal, le 25 mai 1889, à l'âge de 84 ans et 9 mois. Inhumé dans le caveau familial des seigneurs de Longueuil, dans la crypte de l'église Saint-Antoine, à Longueuil, le 29 mai 1889.

Avait épousé en secondes noces à Fribourg, en Suisse, le 4 septembre 1871, Wilhelmine-Dudding de Montenach, veuve d'Olivier Perrault de Linière, fille du seigneur Charles-Nicolas-Fortuné de **Montenach** et de Marie-Élisabeth (Mary Elizabeth) Grant.

Bibliographie : *DBC*.

RYLAND, Herman Witsius
(≈1759–1838)

Né en Angleterre, probablement à Warwick, dans le Warwickshire, ou à Northampton, vers 1759, fils de John Collett Ryland, ministre baptiste et instituteur, et d'Elizabeth Frith.

Étudia d'abord avec son père, puis se prépara à la carrière militaire.

En 1781, ayant obtenu le poste de sous-trésorier-payeur général adjoint des troupes britanniques en Amérique du Nord, fut affecté à Lancaster, en Pennsylvanie. En décembre 1783, s'embarqua pour l'Angleterre, où il fut démobilisé. Choisi, en 1793, comme secrétaire civil par le gouverneur du Bas-Canada Guy **Carleton**, arriva à Québec en septembre. En 1796, fut nommé greffier du Conseil exécutif et resta secrétaire du nouveau gouverneur, Robert **Prescott**; en 1798, démissionna de ce dernier poste, prit un congé comme greffier et se rendit en Angleterre avec sa famille. Revint à Québec en juillet 1799 à titre de secrétaire civil du lieutenant-gouverneur Robert Shore **Milnes** et de greffier du Conseil exécutif. Obtint, en 1802, la charge de greffier de la couronne en chancellerie. Conserva son poste de secrétaire sous les gouverneurs James Henry **Craig** (1807) et George **Prevost** (1811). Envoyé en mission en Angleterre en 1810; nommé trésorier, puis secrétaire de la Commission des biens des jésuites en 1811. De retour à Québec en juin 1812, constata son éviction comme secrétaire civil. En 1815, fut accusé d'avoir enfreint les droits et privilèges de la Chambre d'assemblée, à titre de greffier de la couronne en chancellerie, mais l'ordre d'arrestation fut rescindé. Ses nominations comme greffier furent renouvelées en 1830.

Nommé au Conseil législatif le 17 décembre 1811; y siégea jusqu'à la suspension de la constitution, le 27 mars 1838.

Décédé dans son domaine, à Beauport, le 20 juillet 1838, à l'âge d'environ 79 ans. Les obsèques eurent lieu dans la cathédrale anglicane Holy Trinity de Québec, le 22 juillet 1838.

Avait épousé à Québec, probablement dans l'église anglicane, vers le 26 décembre 1794, Charlotte Warwick, d'origine anglaise.

Bibliographie: *DBC.*

S

SABOURIN, Alphide
(1886–1957)

Né à Sainte-Marthe, près de Rigaud, le 3 juillet 1886, fils de Bazile Sabourin, cultivateur, et de Mathilde Bourbonnais. Baptisé sous le prénom de Joseph-Wilfrid.

Fit ses études à l'école de Sainte-Marthe et au collège Bourget à Rigaud.

Devint agriculteur. Organisateur et directeur de la première coopérative de culture du lin dans le comté de Vaudreuil. Directeur de l'Association des éleveurs de chevaux belges de la province de Québec. Membre de l'exécutif de la Société d'industrie laitière du Québec et du Club Holstein-Friesian de Montréal et Vaudreuil-Soulanges. Conseiller à vie du Bureau général d'accommodation et d'exposition de la Petite Industrie. Président de l'Union catholique des cultivateurs (UCC) pendant quinze ans. Correspondant agricole pour la revue *Statistique internationale* et collaborateur du journal *le Devoir*. Exerça également la fonction de juge de paix pendant dix-huit ans. Courtier d'assurances dans la région de Vaudreuil-Soulanges. Membre du Club de réforme, du cercle Le Forum social et des Chevaliers de Colomb.

Président de la commission scolaire de Vaudreuil. Maire de Sainte-Marthe de 1939 à 1943. Préfet du comté de Vaudreuil en 1942. Candidat libéral défait dans Vaudreuil en 1936. Élu député libéral dans Vaudreuil-Soulanges en 1939. Réélu en 1944. Défait en 1948.

Enquêteur au département du Revenu national pour le district de Montréal en 1948.

Décédé à Montréal, le 6 octobre 1957, à l'âge de 71 ans et 3 mois. Inhumé dans le cimetière de Sainte-Marthe, le 10 octobre 1957.

Avait épousé à Sainte-Marthe, le 7 juin 1910, Évelina Ranger, fille de Jean-Baptiste Ranger, cultivateur, et de Philomène Legault.

SABOURIN, Elzéar
(1865–1941)

Né à Rigaud, le 5 mai 1865, fils de Fabien Sabourin, cultivateur, et d'Eulalie Mallette.

Fit ses études au collège Bourget à Rigaud.

Exerça le métier de cultivateur et fut membre de l'Union catholique des cultivateurs (UCC). Président de la corporation des syndics de sa paroisse pendant quinze ans. Président de l'Assurance municipale de secours mutuels contre l'incendie pour la paroisse Sainte-Madeleine-de-Rigaud.

Maire de Rigaud de 1895 à 1938. Préfet du comté de Vaudreuil en 1899, 1926 et 1927. Élu député libéral dans Vaudreuil en 1931. Réélu en 1935. Ne s'est pas représenté en 1936.

Décédé à Rigaud, le 13 décembre 1941, à l'âge de 76 ans et 7 mois. Inhumé à Rigaud, dans le cimetière de la paroisse Sainte-Madeleine, le 16 décembre 1941.

Avait épousé à Rigaud, le 13 octobre 1891, Marie-Louise Séguin, fille de Bernard Séguin, cultivateur, et de Mathilde Léger.

SABREVOIS DE BLEURY, Clément-Charles
(1798–1862)

Né à William Henry (Sorel) et baptisé dans la paroisse Saint-Pierre, le 28 octobre 1798, fils de Clément Sabrevois de Bleury, commandant de la garnison de Sorel, et d'Amelia Bowers.

Étudia au petit séminaire de Montréal de 1809 à 1815. Fit un stage en droit, puis fut admis au barreau en 1819.

Exerça sa profession d'avocat à Montréal. Héritier d'une partie de la seigneurie de Boucherville et propriétaire immobilier. Cofondateur du journal *le Populaire*. Auteur d'un pamphlet publié à Montréal en 1839, *Réfutation de l'écrit de Louis Joseph Papineau* [...], *intitulé* Histoire de l'insurrection du Canada. S'installa à Saint-Vincent-de-Paul (Laval) en 1847.

Élu sans opposition député de Richelieu à une élection partielle le 8 août 1832. Réélu en 1834. Appuya l'aile radicale du parti patriote, puis l'aile modérée ; en 1836, se rangea du côté du parti des bureaucrates. Conserva son siège jusqu'à sa nomination au Conseil législatif le 22 août 1837 ; fut conseiller jusqu'à la suspension de la constitution, le 27 mars 1838. Nommé membre du bureau des Travaux publics en 1839. Fit partie du conseil municipal de Montréal, de 1840 à 1842 ; le conseil refusa de lui confier la charge de maire en 1842 ; représenta le quartier Saint-Laurent au conseil, de 1842 à 1846, et le quartier Centre, en 1847–1848. Élu député de la cité de Montréal en 1844 ; tory. Ne s'est pas représenté en 1848. Signa le Manifeste annexionniste en 1849. Défait dans Laval en 1854.

Décédé dans son manoir, à Saint-Vincent-de-Paul (Laval), le 15 septembre 1862, à l'âge de 63 ans et 10 mois. Les obsèques eurent lieu dans l'église Notre-Dame, à Montréal, le 18 septembre 1862.

Avait épousé dans la paroisse Saint-Roch-de-l'Achigan, le 16 janvier 1823, Marie-Élisabeth-Alix Rocher, fille de Barthélémy Rocher, marchand et lieutenant-colonel, et d'Angélique-Louise Pétrimoulx.

Beau-frère de Pierre-Amable **Boucher de Boucherville**.

Bibliographie: *DBC.*

SAINCENNES. V. SINCENNES

SAINDON, Zoël

Né à Edmundston, au Nouveau-Brunswick, le 18 octobre 1919, fils de Wilbrod Saindon, entrepreneur général, et d'Almida Roy.

Fit ses études à l'académie Conwey et au couvent Saint-Basile à Edmundston, au collège de Bathurst, au collège de Sainte-Anne-de-la-Pocatière et à l'université Laval.

Reçu médecin en 1946, il exerça sa profession à Grand Falls, au Nouveau-Brunswick, de 1947 à 1954. Fut par la suite résident en chirurgie générale à l'hôpital des Vétérans à Québec. Se spécialisa plus tard en chirurgie à Philadelphie, notamment à l'University of Pennsylvania et dans divers établissements médicaux renommés. À son retour au Québec, il suivit des cours de perfectionnement au Royal Victoria à Montréal, puis s'établit définitivement à Lachute vers 1961. Membre du bureau médical de l'hôpital d'Argenteuil et de l'hôpital de Saint-Jérôme. Membre de l'Association médicale canadienne et du Collège des médecins et chirurgiens de la

province de Québec. Licencié du Conseil médical du Canada et de la province de Québec. Membre de l'American Board of Abdominal Surgery, de l'American Board of Geriatrics et de l'American Board of Gastro-Enterology.

Fit également partie de l'infanterie de 1937 à 1945 et de la 7ᵉ compagnie médicale de Québec de 1955 à 1957. Nommé directeur de la station Radio 630 inc. (Lachute) en 1973. Membre fondateur du Richelieu Grand-Sault en 1950. Fondateur du Grand Falls Athletic and Lighting System, en 1952. Président-fondateur des Loisirs de Saint-Julien de Lachute. Ancien membre du conseil provincial d'administration de la Confédération des loisirs de la province de Québec. Membre des Anciens de Laval et du Club de réforme.

Échevin de Lachute en 1963, puis maire de 1964 à 1975. Fondateur et président de la Commission intermunicipale d'Argenteuil–Deux-Montagnes de 1968 à 1971. Président de la Commission intermunicipale de l'Outaouais de 1971 à 1975. Élu député libéral dans Argenteuil en 1966. Réélu en 1970, 1973 et 1976. Démissionna de son siège le 15 décembre 1978 au profit du chef du Parti libéral, nouvellement élu, Claude Ryan. Candidat défait à la mairie de Lachute le 6 novembre 1983.

SAINT-AMAND, Aline

Née à Kénogami (Jonquière), le 16 juin 1936, fille de J.-William Boily, cadre à la compagnie Price, et de Lorraine (Irène) Dutil.

A étudié au couvent des religieuses du Bon-Conseil à Kénogami. Étudia également le piano jusqu'au baccalauréat.

Secrétaire pour le Cercle des affaires et secrétaire de direction pour la Société d'innovation industrielle. Animatrice d'atelier dans le cadre des activités reliées à l'Année de la femme en 1975. Correctrice d'épreuves pour les Éditions du Réveil inc. de 1975 à 1983. Vice-présidente du Syndicat des travailleurs des Éditions du Réveil inc. en 1981 et 1982.

Membre de comités de parents et des Amis des scouts dans les années soixante. Membre du mouvement Jeune Chambre, de 1970 à 1974, dont elle fut présidente en 1972–1973. Membre du comité organisateur des championnats du monde de canoë-kayak en 1979. Membre du conseil d'administration du Centre communautaire juridique Saguenay–Lac-Saint-Jean de 1980 à 1983. Fut successivement publicitaire (1981), vice-présidente (1982) et présidente (1983) du Club culturel et humanitaire Châtelaine de Jonquière. Fondatrice et première présidente de la Fondation Châtelaine de Jonquière inc. en 1982. Membre du comité organisateur (communications) et animatrice du Forum sur la réforme des régimes de pension en 1982. Membre du comité organisateur des Jeux d'hiver du Canada au Saguenay–Lac-Saint-Jean en 1982–1983.

Élue députée libérale dans Jonquière à l'élection partielle du 5 décembre 1983. Défaite en 1985 et 1989.

Conseillère au cabinet du ministre des Affaires municipales de 1986 à 1988 et au cabinet du ministre de la Main-d'œuvre et de la Sécurité du revenu à compter du 23 juin 1988.

SAINT-CYPRIEN. V. COUPAL

SAINT-CYR, Dominique-Napoléon (1826–1899)

Né à Nicolet, le 4 août 1826, fils de Jean-Baptiste Deshaies, dit Saint-Cyr, cultivateur, et de Josephte Lefebvre, dit Descoteau.

Étudia au collège de Nicolet, puis fut notaire en 1867. Obtint également un diplôme d'instituteur d'école moderne en 1851 et un diplôme de l'Académie en 1859.

Professeur, notaire et naturaliste. Professeur à Lennoxville de 1846 à 1848. Fondateur de la première école française catholique à Sherbrooke. Professeur et directeur de l'école du village de Sainte-Anne-de-la-Pérade de 1850 à 1876. Secrétaire-trésorier de Sainte-Anne-de-la-Pérade du 20 juillet 1859 au 23 janvier 1864. Pratiqua le notariat à compter de 1867.

Élu député conservateur dans Champlain en 1875. Réélu en 1878. Ne s'est pas représenté en 1881.

Nommé membre fondateur de la Société royale du Canada en 1881, il travailla à la mise sur pied de la section de géologie et sciences biologiques de cet organisme jusqu'en 1886. Instigateur du Musée provincial de l'instruction publique et conservateur de ce musée de 1886 à 1890. Auteur de plusieurs écrits publiés dans *le Naturaliste canadien*. A publié notamment *Rapport d'un voyageur au Labrador, suivi du Catalogue des plantes et des oiseaux de la Côte Nord* (1886). Collabora également avec l'abbé Provencher pour effectuer des recherches biologiques et zoologiques.

Décédé à Québec, le 3 mars 1899, à l'âge de 72 ans et 6 mois. Inhumé dans le cimetière de Sainte-Anne-de-la-Pérade, le 7 mars 1899.

Avait épousé à Sainte-Anne-de-la-Pérade, le 12 septembre 1854, Marie-Anne-Rose Deshaies, dit Saint-Cyr, fille d'Antoine Deshaies, dit Saint-Cyr, et de Marguerite-Émilie Ricard.

SAINT-DENIS. V. DENIS

SAINT-DIZIER. V. NIVARD

SAINTE-MARIE, Louis (1835–1916)

Né à Saint-Constant, près de Laprairie, le 30 avril 1835, fils de Louis Sainte-Marie, cultivateur, et de Rose Dupuis.

Fit ses études à Beauharnois.

Marchand à Saint-Rémi. S'enrôla dans la milice volontaire le 6 juillet 1866 comme capitaine de la Compagnie de Saint-Rémi. Fut en service actif lors des raids des Fenians en 1866 et 1870. Occupa le rang de capitaine du 51e bataillon des Rangers de Hemmingford de 1874 à 1900.

Conseiller et maire de Saint-Rémi de 1877 à 1882. Député libéral de Napierville à la Chambre des communes de 1887 jusqu'à sa démission, le 10 juin 1890. Élu député libéral à l'Assemblée législative dans Napierville en 1890. Réélu sous la bannière conservatrice en 1892. Défait en 1897.

Décédé à Saint-Rémi, le 12 mars 1916, à l'âge de 80 ans et 10 mois. Inhumé dans le cimetière de cette paroisse, le 15 mars 1916.

Avait épousé dans la paroisse Notre-Dame de Montréal, le 27 juin 1861, Précille Caron, fille de Michel Caron, marchand et inspecteur d'écoles, et de Marie-Élisabeth Lagarde.

SAINT-GEORGES DUPRÉ. V. LE COMTE DUPRÉ

SAINT-GERMAIN, Noël

Né à Lachine, le 24 décembre 1922, fils d'Henri Saint-Germain, journalier, et d'Ida Séguin.

A étudié à l'école Provost à Lachine, au collège de Saint-Henri et à l'université de Montréal où il fut licencié en sciences optométriques en 1948.

Exerça sa profession à Lachine dès 1948. Fondateur et président de la caisse populaire du Très-Saint-Sacrement de Lachine pendant dix ans. Secrétaire de la Chambre de commerce de Lachine. Membre du Club Richelieu et des Chevaliers de Colomb.

Commissaire d'école à Lachine du 16 juillet 1951 au 5 juillet 1954. Échevin de la municipalité de Lachine du 12 juillet 1965 au 3 octobre 1966. Élu député libéral dans Jacques-Cartier en 1966. Réélu en 1970, 1973, 1976. Ne s'est pas représenté en 1981.

SAINT-HILAIRE, Claude

Né à Luceville, le 11 janvier 1927, fils de Louis-Ernest Saint-Hilaire, médecin, et de Wilhelmine Saint-Amand.

Fit ses études à Luceville, au pensionnat Saint-Louis-de-Gonzague à Québec, au séminaire et à l'académie de Québec et aux universités Laval et McGill.

Après l'obtention de son diplôme d'ingénieur civil en 1953, il travailla successivement au Canadien National à Lévis (1953 et 1954), chez Adélard Deslauriers et Fils à Québec (1954 et 1955), puis à la ville de Mont-Joli (1955 et 1956). Ingénieur gérant de la compagnie de construction Métis ltée à Rimouski de 1956 à 1959. Président-fondateur de Construction Saint-Hilaire ltée de 1960 à 1973. Président de Comalore ltée et de Clauri inc. Fut membre des conseils d'administration des compagnies suivantes : Produits de béton de Rimouski inc., Séjour inc., Immeubles Saint-Albert et Ulbrika Canada ltée. Président d'Emesa ltée. Membre de la Corporation des ingénieurs. Président de l'Association des constructeurs du Bas-Saint-Laurent, de la Fédération de la construction du Québec et du comité d'urbanisme de la cité de Rimouski. Membre de l'Association des constructeurs de routes. Membre de la Chambre de commerce, du Club Richelieu de Rimouski et des Chevaliers de Colomb.

Maire de Rimouski du 18 juillet 1971 au 5 novembre 1978. Élu député libéral dans Rimouski en 1973. Adjoint parlementaire du ministre des Travaux publics et de l'Approvisionnement du 13 novembre 1973 au 18 octobre 1976. Défait en 1976.

SAINT-HILAIRE, Élie
(1839–1888)

Né à Québec, le 29 janvier 1839, fils d'Élie Saint-Hilaire, scieur de long, et de Geneviève Doville.

Étudia au séminaire de Québec et poursuivit des études de droit pendant deux ans.

Enseigna à Beauport, puis s'établit comme cultivateur à Saint-Prime, au Lac-Saint-Jean, en 1872. Secrétaire de la Société d'agriculture du comté de Chicoutimi et du conseil du comté. Secrétaire et maire de Saint-Prime.

Élu député conservateur indépendant dans Chicoutimi-Saguenay en 1881. Réélu en 1886.

Décédé en fonction à Québec, le 12 mai 1888, à l'âge de 49 ans et 3 mois. Inhumé dans le cimetière de Saint-Prime, le 17 mai 1888.

Il était célibataire.

SAINT-JACQUES, Joseph-Léon
(1877–1964)

Né à Saint-Hermas (Mirabel), le 13 juillet 1877, fils de Joseph Saint-Jacques, cultivateur, et de Casildée Lafond.

Étudia au collège commercial d'Ottawa, à l'école normale Jacques-Cartier et à l'université Laval à Montréal. Fit sa cléricature auprès de Me Gustave Lamothe. Admis au barreau de la province de Québec le 9 juillet 1901. Créé conseil en loi du roi le 23 décembre 1916.

Professeur à Victoriaville en 1896, puis directeur d'école à Drummondville. Collaborateur aux journaux *le Monde illustré* (1896) et *l'Écho des Bois-Francs*. Pratiqua d'abord le droit à Lachute et à Sainte-Scholastique pendant six ans, puis à Montréal où il devint membre du cabinet Lamothe, Saint-Jacques et Lamothe en 1907. Se spécialisa surtout dans le droit paroissial.

Trésorier de l'Association conservatrice de la province de Québec. Candidat conservateur défait dans Argenteuil en 1923. Élu député conservateur dans la même circonscription à l'élection partielle du 30 novembre 1925. Ne s'est pas représenté en 1927.

S'associa par la suite à Me Jean Morin, puis fut nommé juge à la Cour du banc du roi le 21 septembre 1932. Retraité en 1961. Retourna à l'exercice de sa profession en 1961, avec Me Joseph-Olier **Renaud**. Membre honoraire du barreau d'Haïti. Membre du Conseil général du barreau de la province de Québec. Membre souscripteur de l'Association de bienfaisance des avocats de Montréal. Gouverneur à vie de l'hôpital Notre-Dame de Montréal. Président de l'Association des anciens élèves de l'école normale Jacques-Cartier. Membre du Cercle universitaire de Montréal, du Club des journalistes et du Club Cartier.

Décédé à Montréal, le 24 septembre 1964, à l'âge de 87 ans et 2 mois. Inhumé à Montréal, dans le cimetière Notre-Dame-des-Neiges, le 28 septembre 1964.

Avait épousé à Saint-Hermas, le 19 mai 1906, Albertine Lafond, fille de Mathias Lafond, marchand, et de Sophie Franche.

SAINT-JULIEN, Pierre
(1765– ≥1827)

Né à Pointe-Claire, île de Montréal, et baptisé dans la paroisse Saint-Joachim, le 26 octobre 1765, fils de Joseph Saint-Julien et de Marie-Joseph Aumay. Parfois désigné sous le patronyme de Julien ; signait Pierre St Julien.

Fut agriculteur à Vaudreuil, où ses parents s'étaient établis vers 1778, puis, du début des années 1800 jusque vers 1813, à Rigaud, et ensuite à L'Orignal, dans le Haut-Canada.

Élu député d'York en 1809. Appuya généralement le parti canadien. Réélu en 1810 ; prêta serment le 25 juillet 1812. Ne se serait pas représenté en 1814.

Décédé peut-être à L'Orignal, dans le Haut-Canada, en ou après 1827.

Avait épousé dans sa paroisse natale, le 23 janvier 1786, Marie-Rose Céré (Séré), fille d'Antoine Céré (Séré) et de Marie-Charles (Charlotte) Hurtubise.

_____

Bibliographie : Lefebvre, Jean-Jacques, « Le député Pierre Saint-Julien et ses alliés », _BRH_, 41, 7 (juillet 1935), p. 433-434.

SAINT-JUST. V. LETELLIER DE SAINT-JUST

SAINT-MARTIN, Nicolas
(1753–1823)

Né à Trois-Rivières, fut baptisé le 10 août 1753, dans la paroisse de l'Immaculée-Conception, sous le prénom de Jacques-Nicolas, fils de Jean-Jacques Saint-Martin, officier dans les troupes de la Marine, et de Louise-Gabrielle Legardeur de Croisille. Parfois désigné sous les noms de Nicolas de Saint-Martin et de Nicolas Gorge de Saint-Martin, ce dernier provenant du nom de son grand-père paternel, Jean-Baptiste Gorge de Saint-Martin. Signa St. Martin.

Au moment de l'invasion américaine de 1775–1776, s'engagea comme volontaire dans l'armée britannique ; fut fait officier et servit pendant la guerre d'Indépendance, notamment avec Ignace-Michel-Louis-Antoine d'**Irumberry de Salaberry**. En 1783, fut mis à la demi-solde. Exerça les fonctions de juge de paix du district de Trois-Rivières, à compter de 1790. Obtint quelques postes de commissaire. Ayant joint les rangs de la milice, accéda au grade de major en juin 1803 ; promu lieutenant-colonel en mai 1812, prit part à la défense de la colonie durant toute la guerre de 1812. Était propriétaire d'une terre et d'un terrain situés à Rivière-du-Loup (Louiseville).

Élu député de Trois-Rivières en 1792 ; appuya tantôt le parti canadien, tantôt le parti des bureaucrates. Ne se serait pas représenté en 1796.

Décédé à Yamachiche, le 12 juillet 1823, à l'âge de 69 ans et 11 mois. Inhumé dans l'église Sainte-Anne, le 14 juillet 1823.

Avait épousé dans la paroisse Saint-Antoine-de-Padoue, à Rivière-du-Loup (Louiseville), le 11 août 1784, Marie-Louise Godefroy de Tonnancour, fille du seigneur Louis-Joseph Godefroy de Tonnancour et de sa seconde femme, Louise Carrerot.

Beau-frère de Joseph-Marie **Godefroy de Tonnancour**. Beau-frère par alliance de Paul-Roch de **Saint-Ours**.

SAINT-ONGE, François
(1781–1842)

Né à Contrecœur, le 9 mars 1781, puis baptisé le 10, dans la paroisse de la Sainte-Trinité, sous le prénom de François-Étienne, fils de François Gareau et d'Élisabeth Dufaux. Connu aussi sous les patronymes de Garau, Garault, dit Saint-Onge, et Gareau.

Fut marchand à Saint-Ours. Exerça les fonctions de juge de paix et de commissaire au tribunal des petites causes.

Élu député de Richelieu en avril 1820. Réélu en juillet 1820. Appuya tantôt le parti canadien, tantôt le parti des bureaucrates, mais prit part à peu de votes. Ne s'est pas représenté en 1824.

Décédé à Saint-Ours, le 27 février 1842, à l'âge de 60 ans et 11 mois. Inhumé dans le cimetière de la paroisse de l'Immaculée-Conception, le 1er mars 1842.

Avait épousé dans la paroisse de l'Immaculée-Conception, à Saint-Ours, le 3 septembre 1798, sa parente Marie-Angélique, dite Labonté, connue également sous le nom de Laporte.

SAINTONGE, Gontran
(1898–1968)

Né à Salaberry-de-Valleyfield, le 2 mai 1898, fils d'Urgel Saintonge et de Blanche-Cécile Marchand.

Étudia au séminaire Saint-Thomas-d'Aquin de Valleyfield, au collège militaire de Kingston, en Ontario, et à l'université de Montréal. Fit sa cléricature auprès de Me Alcide Boissonneault et fut admis au barreau de la province de Québec le 12 janvier 1925.

Exerça sa profession à Salaberry-de-Valleyfield avec F.-Georges Laurendeau, puis avec Théo L'Espérance. Fonda son propre cabinet à Montréal en 1954.

Élu député libéral dans Beauharnois en 1931. Ne s'est pas représenté en 1935. Défait en 1936.

Créé conseil en loi du roi le 31 décembre 1940. Bâtonnier du district de Richelieu en 1948. Président du barreau rural en 1954. Trésorier du barreau de Montréal en 1960. Commissaire à l'érection civile des paroisses du diocèse de Valleyfield. Vice-président de la Warnock Hersey Company Limited. Membre de l'Association de bienfaisance des avocats de Montréal. Membre fondateur du Club Rotary. Membre de la Chambre de commerce de Valleyfield, du Club de réforme et des Chevaliers de Colomb.

Décédé à Montréal, le 1er septembre 1968, à l'âge de 70 ans et 3 mois. Inhumé à Montréal, dans le cimetière Notre-Dame-des-Neiges, le 4 septembre 1968.

Avait épousé dans sa paroisse natale le 26 juillet 1927, Pauline Brossoit, fille de Numa Brossoit, avocat, et d'Hectorine Mailloux.

SAINTONGE, Jean-Pierre

Né à Montréal, le 6 décembre 1945, fils de Bernard Saintonge et d'Yvette Patry.

Membre du barreau du Québec depuis 1973. Licencié en droit de l'université de Montréal. Également titulaire d'un baccalauréat en pédagogie, d'un brevet «A» d'enseignement et d'un baccalauréat ès arts.

A exercé sa profession d'avocat à titre de membre et associé du cabinet Vermette, Dunton, Ciaccia, Rusko, De Wever et Saintonge de 1973 à 1981. Précédemment protonotaire adjoint au ministère de la Justice du Québec de septembre 1972 à novembre 1973, professeur au cégep Ahuntsic en 1972–1973, à l'école Saint-Léon de Westmount (éducation des adultes) de 1969 à 1972 et au collège Saint-Ignace de 1967 à 1969.

Élu député libéral dans Laprairie en 1981. Réélu en 1985. Vice-président de l'Assemblée nationale du 16 décembre 1985 au 28 novembre 1989. Élu dans la nouvelle circonscription de La Pinière en 1989. Élu président de l'Assemblée nationale le 28 novembre 1989. Président de la section du Québec de l'Assemblée internationale des parlementaires de langue française (AIPLF) et de l'Association parlementaire du Commonwealth (APC). Élu vice-président de l'AIPLF le 29 janvier 1990, puis premier vice-président le 5 septembre 1991. Président de la section du Québec de l'Eastern Regional Conference of the Council of State Governments et représentant du Québec à la National Conference of State Legislatures. Préside aussi la section du Québec de la Commission de coopération interparlementaire franco-québécoise, du Comité mixte de l'Assemblée nationale du Québec et du Conseil de la Communauté française de Belgique ainsi que de l'Association parlementaire Ontario-Québec. Président du Bicentenaire des Institutions parlementaires du Québec.

SAINT-ORAND, dit MONGENAIS.
V. MONGENAIS

SAINT-OURS, Charles de
(1753–1834)

Né à Québec et baptisé sous le prénom de Roch-Louis, dans la paroisse Notre-Dame, le 24 août 1753, fils de Pierre-Roch de Saint-Ours, officier dans les troupes de la Marine, et de Charlotte Deschamps de Boishébert.

Se lança dans la carrière militaire. Major dans la milice depuis 1774, s'engagea comme volontaire pour défendre le fort Saint-Jean, sur le Richelieu, pendant l'invasion américaine de 1775–1776; fut fait prisonnier et emmené dans les colonies américaines. En 1777, de retour dans la province de Québec, fut promu lieutenant dans la milice et nommé aide de camp du gouverneur. Se rendit en Europe en 1785; visita les cours d'Angleterre, de France et de Prusse. Durant le séjour du futur Guillaume IV dans la colonie en 1787, servit comme l'un des aides de camp du prince. Nommé lieutenant-colonel dans la milice en 1790 et capitaine d'un bataillon d'infanterie en 1795.

Fit partie du Conseil législatif à compter du 2 décembre 1808.

Prit part à la guerre de 1812 à titre de colonel dans la milice jusqu'en novembre; fut rappelé en octobre 1813 à Chambly. Hérita, en 1782, d'une partie des seigneuries de L'Assomption, de Deschaillons et de Saint-Ours.

Fondateur, en 1821, de l'Association pour faciliter les moyens d'éducation dans la Rivière-Chambly.

Décédé en fonction à Saint-Ours, le 11 novembre 1834, à l'âge de 81 ans et 2 mois. Inhumé dans l'église de l'Immaculée-Conception, le 14 novembre 1834.

Avait épousé, probablement en 1792, Josephte (Josette) Murray, petite-nièce du gouverneur James Murray.

Frère de Paul-Roch de **Saint-Ours**. Père de François-Roch de **Saint-Ours**. Cousin de Charles-Louis **Tarieu de Lanaudière**. Beau-père de Pierre-Dominique **Debartzch**. Oncle par alliance de Jacques **Dorion**.

Bibliographie: *DBC.*

SAINT-OURS, François-Roch de
(1800–1839)

Né à Saint-Ours, le 18 septembre 1800, puis baptisé le 20, dans la paroisse de l'Immaculée-Conception, sous le pré-nom de Roc-François, fils de Charles de **Saint-Ours**, seigneur, et de Josephte (Josette) Murray.

Officier de milice : fait lieutenant dans la division de Saint-Ours en 1818, était colonel en 1833. Élu syndic de Saint-Ours en 1829 et nommé commissaire chargé de l'amélioration de la navigation sur le Richelieu en 1830.

Élu député de Richelieu en 1824. Réélu en 1827 et 1830. Appuya généralement le parti canadien, puis le parti patriote jusqu'en 1830. Nommé au Conseil législatif le 1er janvier 1832, démissionna de son siège de député le 4 juillet 1832.

Nommé shérif de Montréal le 3 avril 1837.

Décédé à Montréal, le 10 septembre 1839, à l'âge de 38 ans et 11 mois. Inhumé dans l'église de l'Immaculée-Conception, à Saint-Ours, le 14 septembre 1839.

Avait épousé dans la paroisse Notre-Dame de Québec, le 30 mai 1833, Catherine-Hermine Juchereau Duchesnay, fille de Michel-Louis Juchereau Duchesnay, seigneur et adjudant général adjoint de la milice du Bas-Canada, et de Charlotte-Hermine-Louise-Catherine d'Irumberry de Salaberry, et petite-fille d'Antoine **Juchereau Duchesnay** et d'Ignace-Michel-Louis-Antoine d'**Irumberry de Salaberry**.

Neveu de Paul-Roch de **Saint-Ours**. Cousin par alliance de Jacques **Dorion**. Beau-frère de Pierre-Dominique **Debartzch**. Beau-père de Joseph-Adolphe **Dorion** et d'Alexandre-Édouard **Kierzkowski**.

Bibliographie : De Bonnault, Claude, « Généalogie de la famille de Saint-Ours, Dauphiné et Canada (suite) », *BRH*, 56, 4-5-6 (avril-juin 1950), p. 107-111.

SAINT-OURS, Paul-Roch de
(1747–1814)

Né à Québec et baptisé dans la paroisse Notre-Dame, le 5 septembre 1747, fils de Pierre-Roch de Saint-Ours, officier dans les troupes de la Marine, et de Charlotte Deschamps de Boishébert.

Entreprit une carrière militaire en 1755, à titre de cadet d'artillerie. Ayant accédé au premier grade d'officier du régiment de Guyenne en septembre 1760, suivit son corps d'armée en France après la Conquête. Incorporé au régiment français Dauphin vers 1763, fut fait lieutenant en mai 1769 et

démissionna en 1774, trois ans après être revenu au Canada. Cohéritier de plusieurs seigneuries, notamment celles de Saint-Ours, de Deschaillons et de L'Assomption. Obtint quelques postes de commissaire. Fut juge de paix. Pendant la guerre de 1812, commanda la milice de L'Assomption en qualité de lieutenant-colonel.

Nommé au Conseil législatif en 1777 – en remplacement de son père –, et, à nouveau, en 1792. Fit aussi partie du Conseil exécutif, à compter de 1784.

Décédé en fonction à Saint-Roch-de-l'Achigan, le 11 août 1814, à l'âge de 66 ans et 11 mois. Inhumé dans l'église paroissiale le 13 août 1814.

Avait épousé dans la paroisse de l'Immaculée-Conception, à Trois-Rivières, le 8 juillet 1776, Josette Godefroy de Tonnancour, fille de Louis-Joseph Godefroy de Tonnancour, seigneur et marchand, et de sa seconde femme, Louise Carrerot.

Frère de Charles de **Saint-Ours**. Beau-frère de Joseph-Marie **Godefroy de Tonnancour**. Beau-frère par alliance de Nicolas **Saint-Martin**. Cousin de Charles-Louis **Tarieu de Lanaudière**.

Bibliographie : De Bonnault, Claude, « Généalogie de la famille de Saint-Ours, Dauphiné et Canada (suite) », *BRH*, 56, 1-2-3 (janvier-février-mars 1950), p. 27-32.

SAINT-OURS, Roch-Louis de.
V. SAINT-OURS, Charles de

SAINT-PIERRE, Georges-Henri
(1859–1922)

Né à Stanstead, le 4 juin 1859, fils d'Octave Saint-Pierre, fabricant de carrosses, et d'Alphée Noël.

Fit ses études à Stanstead, au séminaire de Saint-Hyacinthe et au Bishop's College à Lennoxville. Admis au barreau de la province de Québec le 18 janvier 1883. Créé conseil en loi du roi le 30 juin 1903.

Exerça sa profession à Coaticook, Stanstead et Sherbrooke. Bâtonnier du barreau du district de Saint-François. Membre des Chevaliers de Colomb.

Président de la commission scolaire de Coaticook. Élu député conservateur dans Stanstead à l'élection partielle du 3 octobre 1902. Défait en 1904.

Décédé à Sherbrooke, le 29 octobre 1922, à l'âge de 63 ans et 4 mois. Inhumé à Stanstead, le 2 novembre 1922.

Avait épousé à Compton, dans la paroisse Saint-Thomas-d'Aquin, le 7 janvier 1891, Aurélie Larue, fille de Thomas Larue, médecin, et d'Arabella Saint-Amant.

SAINT-PIERRE, Guy

Né à Windsor Mills (Saint-François-Xavier-de-Brompton), le 3 août 1934, fils d'Armand Saint-Pierre, arpenteur-géomètre, et d'Alice Perra.

Fit ses études à l'académie Saint-Louis à Victoriaville, à l'école Saint-Édouard à Plessisville, au collège Sacré-Coeur à Victoriaville, et aux universités Laval à Québec de 1953 à 1957 et de Londres (Angleterre) de 1957 à 1959. Diplômé en génie civil en 1957. Récipiendaire d'une bourse Athlone. Titulaire d'une maîtrise en génie civil de l'Imperial College of Science and Technology et de l'University of London en 1959.

Registraire de la Corporation des ingénieurs du Québec en 1964. Directeur technique adjoint de l'Institut de recherches et de normalisations économiques et scientifiques (IRNES) en 1966. À ce titre, participa à l'élaboration d'un programme de recherches et d'aménagement scolaires. Entra au service d'Acres Québec limitée en 1967, puis fut vice-président de cette compagnie en 1969 et 1970. Collabora au sein de cette compagnie à l'aménagement hydro-électrique des chutes Churchill au Labrador. Officier dans le corps des ingénieurs de l'Armée canadienne de 1953 à 1964. Vice-président de l'Association des étudiants de Laval. Membre de la Corporation des ingénieurs de la province de Québec, de l'Institut canadien des ingénieurs et de la Chambre de Commerce du district de Montréal. Fut secrétaire-trésorier de la section québécoise de l'Association des ingénieurs-conseils du Canada.

Élu député libéral dans Verchères en 1970. Élu dans Chambly en 1973. Ministre de l'Éducation dans le cabinet Bourassa du 12 mai 1970 au 2 février 1972. Ministre du Tourisme, de la Chasse et de la Pêche du 15 février au 31 octobre 1972. Ministre de l'Industrie et du Commerce du 15 février 1972 au 26 novembre 1976. Défait en 1976.

Nommé assistant du président de la compagnie John Labatt limitée en février 1977. Président et chef des opérations des Minoteries Ogilvie ltée de 1978 à 1988. Vice-président de John Labatt ltée. Président et chef de l'exploitation de la firme d'ingénierie SNC à compter de 1989. Nommé membre du conseil consultatif de Montréal du Trust Royal en 1987. Désigné membre du Comité de règlement des différends commerciaux en 1989 formé en vertu de l'accord de libre-échange entre le Canada et les États-Unis. Siège au sein de plusieurs conseils d'administration dont ceux de General Motor of Canada, de la Banque Royale du Canada, de Stelco inc., de

Suncor inc. et d'ESSROC Canada inc. Président du Conference Board of Canada. Fut président de l'Association des manufacturiers canadiens. Membre du comité du Conseil canadien des chefs d'entreprises.

SAINT-PIERRE, René
(1899–1972)

Né à Granby, le 14 décembre 1899, fils de Philias Saint-Pierre, marchand et tailleur, et de Sylvanie Girard.

Fit ses études au collège Sacré-Cœur à Granby et à l'université Queen's à Kingston où il suivit un cours de comptabilité bancaire.

Travailla durant plusieurs années pour la Banque d'Hochelaga (Banque canadienne nationale), d'abord à titre de commis dans diverses succursales, puis comme comptable à Joliette, Edmonton et Ottawa, et finalement comme gérant de la succursale de Belœil. Comptable et secrétaire adjoint de Légaré Automobile limitée en 1928 et 1929. Gérant de bureau à la compagnie General Equipment de 1930 à 1934. S'associa à Dollard Aubin sous la raison sociale de Yamaska Automobile inc. en 1934, et devint président et gérant général de cette compagnie. Président de la compagnie de tracteurs et de machines agricoles Aubin et Saint-Pierre à Saint-Hyacinthe. Directeur de Perreault et Fils limitée en 1945. Membre de la Fédération des vendeurs du Canada et de la Montreal Automobile Trade Association. Directeur du Syndicat des marchands inc. Vice-président de l'Association des garagistes et détaillants d'essence du Québec en 1956.

Membre du conseil diocésain d'administration financière du diocèse de Saint-Hyacinthe de 1970 à 1972. Président de l'Œuvre des terrains de jeux en 1944. Membre de la Ligue des propriétaires de Saint-Hyacinthe. Membre associé du mess des officiers du 6e bataillon du Royal 22e régiment de Saint-Hyacinthe. Membre des Chevaliers de Colomb, de la Chambre de commerce de Saint-Hyacinthe, de la Société Saint-Jean-Baptiste, du Club des Francs, du Club philharmonique, du Club maskoutain, du Club Richelieu et du Club de réforme de Montréal. Membre honoraire de la Légion royale canadienne. Décoré de la médaille *bene merenti* par le souverain pontife en 1949. Créé chevalier de l'ordre de Saint-Grégoire-le-Grand en 1952.

Conseiller municipal et président du comité des finances au conseil municipal de Saint-Hyacinthe de juillet 1944 à avril 1945. Président de la commission scolaire de Saint-Hyacinthe de juillet 1948 à juin 1954. Fondateur et président de l'Association des commissions scolaires catholiques romaines du diocèse de Saint-Hyacinthe (janvier 1946) et de la

Fédération des commissions scolaires catholiques de la province de Québec (avril 1947).

Élu député libéral dans Saint-Hyacinthe en 1956. Réélu en 1960 et 1962. Nommé adjoint parlementaire aux Affaires municipales le 8 novembre 1960. Ministre des Travaux publics dans le cabinet Lesage du 28 mars 1961 au 16 juin 1966. Défait en 1966.

Décédé à Saint-Hyacinthe, le 5 novembre 1972, à l'âge de 72 ans et 10 mois. Inhumé à Saint-Hyacinthe, le 8 novembre 1972.

Avait épousé à Saint-Hyacinthe, dans l'église Christ-Roi, le 24 mai 1938, Thérèse Chapdelaine, journalière, fille de Wilfrid Chapdelaine, agent d'assurances, et de Georgiana Phaneuf.

SAINT-RÉAL. V. VALLIÈRES DE SAINT-RÉAL

ST-ROCH, Jean-Guy

Né à Saint-Hyacinthe, le 16 juin 1940, fils de Jean-Paul St-Roch, mouleur, et d'Yvonne Frégeault.

A étudié à l'Institut des textiles de Saint-Hyacinthe en 1962 et fit des études complémentaires en administration aux universités Bishop à Lennoxville, Laval à Québec et York à Toronto.

Employé à la Dominion Textile inc. à Magog à partir de 1962, il fut directeur de production à l'usine de Beauharnois de 1971 à 1976. Directeur de la division des tissus à la Celanese Canada inc. en 1976, il devint directeur de la fabrication au complexe Drummondville-Coaticook en 1979. Directeur du marketing pour cette même compagnie de 1982 à 1985. Fut vice-président du Centre des dirigeants d'entreprises.

Élu député libéral dans Drummond en 1985. Réélu en 1989. Vice-président de la Commission de l'aménagement et des équipements du 11 février 1986 au 17 mai 1989. Adjoint parlementaire du ministre du Travail du 17 mai 1989 au 9 août 1989. Nommé adjoint parlementaire du ministre du Travail le 29 novembre 1989 et de la ministre des Affaires culturelles le 15 avril 1992. Démissionne comme adjoint parlementaire le 3 septembre 1992 et siège comme député indépendant à compter de cette date.

SALABERRY. V. IRUMBERRY DE SALABERRY

SALES LATERRIÈRE, Marc-Pascal de (1792–1872)

Né et baptisé à Baie-du-Febvre, le 25 mars 1792, fils de Pierre de Sales Laterrière, médecin et ancien inspecteur des forges du Saint-Maurice, et de Marie-Catherine Delezenne, veuve de Christophe Pélissier.

Après des études au petit séminaire de Québec, fit sa médecine à Philadelphie, de 1807 à 1812.

De retour à Québec, fut chirurgien dans la milice pendant la guerre de 1812. Exerça sa profession jusqu'en 1816; hérita de sa mère, cette année-là, la moitié de la seigneurie des Éboulements, puis en obtint le reste en 1829. Refusa de devenir major dans la milice en 1830.

Élu député de Northumberland en 1824. Réélu en 1827. Élu dans Saguenay en 1830. Appuya le parti canadien, puis le parti patriote. Démissionna le 5 septembre 1832, par suite de sa nomination au Conseil législatif, le 5 janvier 1832; fut conseiller jusqu'à la suspension de la constitution, le 27 mars 1838. Membre du Conseil spécial du 2 avril 1838 jusqu'à la dissolution de ce conseil, en juin, et à nouveau du 2 novembre 1838 jusqu'à l'entrée en vigueur de l'Acte d'Union, le 10 février 1841; ne prit part à aucune séance. Élu député de Saguenay à une élection partielle le 14 janvier 1845; fit partie du groupe canadien-français. Réélu en 1848; son siège devint vacant le 10 mars 1848, par suite de sa nomination comme adjudant général adjoint de la milice. Réélu dans Saguenay à une élection partielle le 5 septembre 1848; de nouveau membre du groupe canadien-français. Réélu en 1851; réformiste d'abord, de tendance libérale ensuite, puis rouge; ne s'est pas représenté en 1854. Élu conseiller législatif de la division des Laurentides en 1856. Défait en 1864. Défait dans Charlevoix aux élections de la Chambre des communes en 1867.

Décédé aux Éboulements, le 29 mars 1872, à l'âge de 80 ans. Inhumé dans le cimetière de l'endroit, le 3 avril 1872.

Avait épousé Eulalie-Antoinette Dénéchaud, fille du marchand Claude **Dénéchau** et de sa deuxième femme Adélaïde Gauvreau.

Beau-père de Charles-Alphonse-Pantaléon **Pelletier**.

Bibliographie: *DBC.*

SAMSON, Camil

Né à Shawinigan, le 3 janvier 1935, fils de Wilbroy Samson, journalier et cultivateur, et d'Irène Carle.

Fit ses études à Shawinigan, à Cléricy et à la station forestière Duchesnay.

Dès 1952, il exerça le métier de mesureur de bois. De 1956 à 1970, il travailla comme gérant de service, gérant des ventes et vendeur dans le domaine de l'automobile. Fut également prospecteur et agent d'assurances.

Président de la Jeunesse créditiste du Canada en 1963 et 1964. Secrétaire et vice-président du Ralliement créditiste du Canada. Candidat du Ralliement créditiste défait dans Pontiac-Témiscamingue aux élections fédérales de 1965. Candidat du Ralliement national défait dans Témiscamingue aux élections provinciales de 1966. Fondateur du Ralliement créditiste du Québec, puis nommé président de ce parti le 24 janvier 1970. Élu député du Ralliement créditiste à l'Assemblée nationale dans Rouyn-Noranda en 1970. Chef du Ralliement créditiste du 22 mars 1970 au 13 février 1972. Expulsé du Ralliement créditiste le 17 mars 1972, il réintégra les rangs de ce parti le 11 août 1972. Candidat défait au congrès de direction du Ralliement créditiste du Québec, tenu le 4 février 1973. Chef parlementaire du Parti créditiste du 15 mars au 25 septembre 1973. Élu député de cette formation politique en 1973. Élu chef du Ralliement créditiste du Québec le 11 mai 1975. De nouveau élu sous la bannière du Ralliement créditiste en 1976. Le 12 novembre 1978, il fonda avec Pierre Sévigny, député conservateur de Longueuil à la Chambre des communes de 1958 à 1963, le parti Les Démocrates. Ce parti a changé de nom, le 1er janvier 1980, pour Parti démocrate créditiste. Joignit les rangs du Parti libéral le 15 octobre 1980. Candidat libéral défait dans Rouyn-Noranda–Témiscamingue aux élections provinciales de 1981.

Animateur à la radio de CKCV de 1981 à 1984 et de CHRC à Québec à compter de 1984. Participa également à plusieurs émissions de télévision à Quatre-Saisons de 1989 à 1991.

Président de la Chambre de commerce de Rouyn-Noranda en 1969, vice-président du Conseil des arts de la cité de Rouyn et membre des Chevaliers de Colomb. Membre de l'Association professionnelle des mesureurs de bois.

Bibliographie: Camil Samson et le défi créditiste: l'homme, le parti et l'équipe, Québec, Éditions du Griffon, 1970, 195 p.

SAMSON, Joseph (Dorchester) (1771–1843)

Né à Pointe-Lévy (Lauzon devenu Lévis), le 10 novembre 1771, puis baptisé le 12, dans la paroisse Saint-Joseph, fils d'Étienne Samson et de Marguerite Bégin.

Fit du commerce à Pointe-Lévy et à Québec. S'occupa aussi d'agriculture.

Défait dans Dorchester en 1808 et 1816. Élu député de cette circonscription en 1827; appuya généralement le parti patriote. Ne s'est pas représenté en 1830.

Décédé à Saint-Antoine-de-Tilly, le 31 mai 1843, à l'âge de 71 ans et 6 mois. Inhumé dans le cimetière paroissial, le 2 juin 1843.

Avait épousé dans sa paroisse natale, le 16 mai 1803, Élisabeth Roi, fille de Joseph-Vallier Roi et de Josephte Mercier; puis, dans la paroisse de Saint-Antoine-de-Tilly, le 14 juin 1831, Rosalie Bergeron, fille de Jean-Baptiste Bergeron et de Rosalie Martineau.

Neveu de Charles **Bégin**.

SAMSON, Joseph (Québec-Centre) (1862–1945)

Né à Saint-Isidore, en Beauce, le 9 janvier 1862, fils de Claude Samson et de Marie Fecteau.

A étudié à l'école paroissiale de Saint-Isidore, à l'école Saint-Jean-Baptiste de Québec, au collège Sainte-Marie-de-Beauce et à l'académie commerciale de Québec.

Exerça le métier de commis dans une quincaillerie de Québec en 1879. S'associa à M. Filion, en 1887, pour fonder la Samson et Filion Hardware Co. Président de la compagnie Charles A. Julien de Pont-Rouge. Vice-président de la Compagnie industrielle de Chicoutimi et de la Standard Paper Box de Montréal. Directeur de la compagnie Desjardins de Saint-André-de-Kamouraska. Fondateur de la compagnie La Gaspésienne qui deviendra par la suite la Cie du poisson de Gaspé ltée. S'occupa également du développement de différentes industries telles que la pulpe et le bois de fuseau. Élu vice-président de l'Association des municipalités canadiennes en 1934. Membre du bureau des gouverneurs de l'université Laval. Membre de la Chambre de commerce de Québec, de la Commission de l'Exposition de Québec, des Chevaliers de Colomb, du Club de réforme et du Club Kiwanis.

Échevin du quartier Saint-Pierre au conseil municipal de Québec de 1904 à 1906 et de 1908 à 1910, et maire de 1920 à 1926. Commissaire d'école à Québec. Élu député libéral dans Québec-Centre en 1927. Réélu en 1931. Défait en 1935.

Décédé à Québec, le 10 décembre 1945, à l'âge de 83 ans et 11 mois. Inhumé à Québec, dans le cimetière Saint-Charles, le 13 décembre 1945.

Avait épousé dans la paroisse Notre-Dame de Québec, le 26 janvier 1885, Fébronie Émond, fille de Jean-Baptiste Émond et d'Hortense Lévesque.

Père de Wilfrid **Samson**.

SAMSON, Joseph-Albert
(1897–1971)

Né à Saint-David-de-l'Auberivière, le 6 décembre 1897, fils d'Alphonse Samson, boucher, et d'Alexandrine Beaudet.

Fit ses études à Saint-David, à l'école Saint-François-Xavier et au collège de Lévis.

Travailla d'abord pour la maison Paquet et Jean, de Lévis, puis devint, en 1922, voyageur de commerce pour les compagnies General Foods et Canada Paint. Président du Cercle des voyageurs de commerce de Lévis et membre du Cercle des voyageurs de commerce de Québec. Directeur de la caisse populaire du Christ-Roi à Lévis pendant douze ans. Membre des Chevaliers de Colomb, de la Fédération des œuvres de charité, de l'Amicale Saint-François-Xavier, du Club Lions de Lévis et du Cercle des anciens du collège de Lévis.

Élu commissaire d'école dans la municipalité scolaire de Notre-Dame-de-la-Victoire (Lévis) le 8 juillet 1940. Marguillier de la paroisse du Christ-Roi à Lévis. Organisateur en chef de l'Union nationale pour le comté de Lévis en 1944. Élu député de l'Union nationale dans Lévis à l'élection partielle du 16 février 1949. Défait en 1952. Élu de nouveau en 1956. Défait en 1960.

Décédé à Québec, le 6 septembre 1971, à l'âge de 73 ans et 9 mois. Inhumé à Lévis, dans le cimetière Mont-Marie, le 10 septembre 1971.

Avait épousé à Lévis, dans la paroisse Notre-Dame-de-la-Victoire, le 7 janvier 1919, Marie-Jeanne Vien, fille de Georges Vien, menuisier, et de Délima Laflamme; puis, à Québec, dans la paroisse Saint-Roch, le 30 août 1922, Marie-Anne Blouin, fille d'Eugène Blouin et d'Amanda Verret.

SAMSON, Wilfrid
(1890–1958)

Né dans la paroisse Notre-Dame de Québec, le 24 juin 1890, fils de Joseph **Samson** (Québec-Centre), marchand, et de Fébronie Émond.

A étudié au pensionnat Saint-Louis-de-Gonzague, au collège Sainte-Marie-de-Beauce, puis à l'académie commerciale de Québec.

Succéda à son père à la direction du commerce de quincaillerie Samson et Filion ltée. Exerça aussi le métier d'entrepreneur en construction. Président de la compagnie du Château Champlain. Membre de la Chambre de commerce, de l'Association des constructeurs de Québec, de l'Association des marchands détaillants du Cercle des voyageurs de commerce et du Club des journalistes. Gouverneur de la National Boxing Association.

Président du Club de réforme. Échevin du quartier Champlain au conseil municipal de Québec de 1928 à 1944 et de 1947 à 1953. Maire suppléant de la ville de Québec du 1er mars 1932 au 1er mars 1934. Élu député libéral dans Québec-Ouest en 1944. Défait en 1948.

Décédé à Québec, le 28 juin 1958, à l'âge de 68 ans et 4 mois. Inhumé à Québec, dans le cimetière Saint-Charles, le 1er juillet 1958.

Avait épousé dans sa paroisse natale, le 5 juin 1911, Laura Lachance, fille de Louis Lachance et de Belzémire Lapointe; puis, à Lennoxville, le 21 octobre 1929, Juliette Bernier, fille de Télesphore Bernier et de Marie-Élise Couture.

SANBORN, John Sewell
(1819–1877)

Né à Gilmanton, au New Hampshire, le 1er janvier 1819, fils de David Edwin Sanborn, fermier et enseignant, et de Hannah Hook. Son prénom s'orthographia aussi John Sewall.

Étudia au Dartmouth College, à Hanover, New Hampshire, dont il obtint un premier diplôme en 1842, une maîtrise ès arts en 1845 et, plus tard, en 1874, un doctorat en droit. Reçut en outre, en 1854, une maîtrise ès arts et, en 1873, un doctorat en droit civil du Bishop's College, de Lennoxville.

De 1842 à 1845, fut directeur de la Sherbrooke Academy, puis fit l'apprentissage du droit à Sherbrooke, auprès d'Edward **Short**, et à Montréal. Admis au barreau en 1847, exerça sa profession à Sherbrooke. L'un des administrateurs du chemin à lisses du Saint-Laurent et de l'Atlantique.

Élu député de Sherbrooke à une élection partielle le 9 mars 1850; indépendant libéral. Réélu en 1851; indépendant, puis réformiste. Élu dans Compton en 1854; libéral indépendant, puis de tendance libérale. Ne s'est pas représenté en 1858. Élu sans opposition conseiller législatif de la division de Wellington à une élection complémentaire le 8 mai 1863. Refusa le poste de solliciteur général en mai 1863. Réélu sans opposition au Conseil législatif en septembre 1864, occupa son siège jusqu'à l'avènement de la Confédération, le 1er juillet 1867. Représenta la division de Wellington au Sénat à compter du 23 octobre 1867; appuya le Parti libéral.

Son siège devint vacant en raison de sa nomination, le 12 octobre 1872, comme juge puîné de la Cour supérieure de la province de Québec, pour le district de Saint-François, à Sherbrooke. Accéda à la Cour du banc de la reine le 6 mars 1874, à titre de juge puîné, fonction qu'il remplit jusqu'à sa mort.

Fait conseiller de la reine en 1863. Fut bâtonnier du barreau du district de Saint-François. Président de la Société de tempérance de Québec et de la Library Association de Sherbrooke. Diacre de l'Église congrégationaliste de Sherbrooke; un des administrateurs du Congregational College of British North America, de Montréal.

Décédé à Asbury Park, au New Jersey, le 17 juillet 1877, à l'âge de 58 ans et 6 mois. Ses obsèques eurent lieu dans l'église American Presbyterian de Montréal.

Avait épousé à Sherbrooke, le 1er juillet 1847, Eleanor Hall Brooks, fille de l'homme d'affaires Samuel **Brooks** et d'Elizabeth Towle; puis, en août 1856, Nancy Judson (Jackson) Hasseltine, de Bradford, au Massachusetts.

Bibliographie: *DBC.*

SANDERS, Thomas
(1836–1874)

[Né à Covey Hill (Havelock), le 4 juillet 1836.]
Fit ses études à Covey Hill.
Fut capitaine de la première compagnie du 5e bataillon des Rangers de Hemmingford. Marchand.
Maire de Havelock. Élu député conservateur dans Huntingdon en 1871.
Décédé en fonction à Havelock, le 21 mars 1874, à l'âge de 37 ans et 8 mois. Inhumé dans le cimetière anglican de Franklin, le 24 mars 1874.
[Avait épousé en 1868 Andrian McNaughton.]

SAUCIER, Jean-Alphonse
(1894–1965)

Né à Letellier, au Manitoba, le 8 mai 1894, fils d'Alphonse Saucier, télégraphiste, et de Marguerite Beaulieu.
Étudia au collège de Lévis.
Employé de la Banque Nationale de 1911 à 1914 et de la Banque Molson de 1914 à 1919. Exerça par la suite le métier d'assureur, d'abord à la Canada Life Insurance (1919 à 1926), puis à la Northern Life Insurance. Diplômé en assurances en 1927. Président de Saucier & Lavoie, bureau d'assurances générales. Président de la French Commission of Chartered Life Underwriters of Canada. Membre de l'Association des assureurs-vie et des Agences d'assurances associées. Professeur à l'École des sciences sociales de Québec en 1942. Membre de la Société Saint-Vincent-de-Paul, de la Société Saint-Jean-Baptiste, des Chevaliers de Colomb, du Club Renaissance, du Club des journalistes et du Club Rotary.
Maire de Lac-Saint-Joseph de 1935 à 1961. Président de la commission scolaire de cette municipalité. Élu député de l'Union nationale dans Québec-Ouest en 1948. Défait en 1952.
Décédé à Villeneuve (Beauport), le 10 janvier 1965, à l'âge de 70 ans et 8 mois. Inhumé à Sainte-Foy, dans le cimetière Notre-Dame-de-Belmont, le 13 janvier 1965.
Avait épousé à Trois-Pistoles, le 3 avril 1920, Bernadette Fortin, fille de Jean-Baptiste Fortin, professeur, et de Marie Gagné.

SAURETTE, Alexandre
(1860–1939)

Né à Saint-Paul-d'Abbotsford, près de Granby, le 26 novembre 1860, fils de Dominique Saurette, cultivateur, et d'Olympe Desautels.
Fit ses études à Saint-Paul-d'Abbotsford et devint par la suite entrepreneur général. Membre du Club de réforme de Montréal et du Club Outremont.
Élu député libéral dans Missisquoi en 1919. Réélu en 1923, 1927 et 1931. Ne s'est pas représenté en 1935.
Décédé à Fall River, dans l'État du Massachusetts, le 11 mars 1939, à l'âge de 78 ans et 3 mois. Inhumé dans le cimetière de Farnham, le 15 mars 1939.
Avait épousé à Saint-Césaire, le 10 août 1886, Emma Tessier, fille de Jean-Baptiste Tessier et de Thaïs Tremblay.

SAUVAGEAU, Paul-Émile

Né à Montréal, le 29 septembre 1918, fils d'Éphrem Sauvageau, employé civil, et de Marie-Louise Hamelin.

Fit ses études à Montréal et suivit par la suite des cours d'administration à la compagnie Ford de Détroit.

Employé de Hamelin & Frères, vendeurs d'automobiles, de 1935 à 1956. Propriétaire de l'établissement Sauvageau Automobiles ltée de 1956 à 1958.

Conseiller municipal du district n° 10 au conseil municipal de Montréal de 1957 à 1962, puis du district de Mercier de 1962 à 1966. Maire suppléant en 1963. Whip du Parti civique de 1962 à 1966. Élu député de l'Union nationale dans Bourget en 1966. Adjoint parlementaire du ministre des Institutions financières, Compagnies et Coopératives du 28 mars 1969 au 12 mars 1970. Défait comme candidat unioniste en 1970 et comme candidat du Parti créditiste dans Bourget en 1973.

Membre du Bureau de révision des estimations de la ville de Montréal en 1970. Commissaire à Terre des hommes en 1971–1972 et à l'Office d'embellissement de la ville de Montréal de 1972 à 1987. Membre de la Commission athlétique de Montréal de 1960 à 1987 et président de cette commission de 1983 à 1987.

SAUVAGEAU, Tancrède
(1819–1892)

Né à Châteauguay, le 31 janvier 1819, puis baptisé le 1er février, dans la paroisse Saint-Joachim, sous le prénom de Joseph-Tancrède-Cyrille, fils d'Alexis Sauvageau, marchand, et de Marguerite Bougrette, dit Dufort.

Étudia au petit séminaire de Montréal de 1830 à 1833.

Fut marchand à Laprairie (La Prairie), où il posséda une distillerie.

Maire de la municipalité de la paroisse de Laprairie-de-la-Madeleine. Élu député de Huntingdon en 1848; membre du groupe canadien-français, puis réformiste. Ne s'est pas représenté en 1851.

Nommé registrateur du comté de Huntingdon, le 31 janvier 1855. L'un des fondateurs de l'Association de la Halle du blé à Montréal, reconnue légalement en 1863. Était syndic de faillite à Montréal, à la fin des années 1860 et en 1870. Quitta la province vers 1872; s'installa à Saint Louis, au Missouri, comme marchand et syndic.

Décédé à Saint Louis, au Missouri, le 15 mars 1892, à l'âge de 73 ans et un mois.

Avait épousé dans la paroisse de La Nativité-de-la-Très-Sainte-Vierge, à Laprairie (La Prairie), le 16 octobre 1848, Marie-Clotilde Raymond, fille de Jean-Moïse **Raymond** et d'Angélique (Marie des Anges) Leroux d'Esneval.

Beau-frère de Jean-Baptiste **Varin**. Petit-fils par alliance de Laurent **Leroux** et de Jean-Baptiste **Raymond**.

SAUVÉ, Arthur
(1874–1944)

Né à Saint-Hermas (Mirabel), le 1er octobre 1874, fils de Joseph Sauvé, cultivateur, et de Cléophie Charette.

Étudia au séminaire de Sainte-Thérèse, à l'université Laval à Montréal et à l'École d'agriculture d'Oka.

Journaliste au *Monde canadien* et rédacteur agricole à *la Presse*. Fondateur, avec Ægidius Fauteux, du journal de combat *le Rappel*. Secrétaire de rédaction à *la Patrie* en 1902, puis éditeur en chef à *la Nation*. Directeur du journal *le Canadien* en 1907. Fondateur et directeur de *la Minerve* de 1918 jusqu'en juillet 1920. A publié: *Célébration de la Saint-Jean-Baptiste* (1904) et *Fondation du Parti libéral conservateur qui remplaça le Parti conservateur*. Membre des clubs Saint-Denis, Canadien et Confédération, de l'Institut canadien-français, de l'Alliance française et de la Société d'économie sociale de Montréal. Directeur de la Société d'agriculture du comté de Deux-Montagnes et président de l'Union des journalistes.

Maire de Saint-Benoît de 1906 à 1923. Élu député conservateur à l'Assemblée législative dans Deux-Montagnes en 1908. Réélu en 1912, 1916 (sans opposition), 1919, 1923 et 1927. Démissionna le 11 juillet 1930. Chef de l'Opposition de 1916 à 1929. Chef du Parti conservateur du Québec de 1922 à 1929. Élu député conservateur à la Chambre des communes dans Laval–Deux-Montagnes en 1930. Ministre des Postes dans le cabinet Bennett du 7 août 1930 au 14 août 1935. Réélu à l'élection partielle du 25 août 1930. Nommé sénateur de la division de Rigaud le 20 juillet 1935.

Décédé en fonction à Montréal, le 6 février 1944, à l'âge de 69 ans et 4 mois. Inhumé dans le cimetière de Saint-Benoît, le 10 février 1944.

Avait épousé à Saint-Benoît (Mirabel), le 3 octobre 1899, Marie-Louise Lachaîne, fille de Louis de Gonzague Lachaîne, notaire, et de Marie Mignault.

Père de Joseph-Mignault-Paul **Sauvé**.

Bibliographie: *Programme de M. Arthur Sauvé. Ce qu'il a réclamé comme chef de l'opposition il saura l'appliquer comme chef du gouvernement. Une politique honnête qui rend justice à tous*, Montréal, Imprimerie populaire, 1927, 96 p.

SAUVÉ, Delpha
(1901–1956)

Né à Saint-Louis-de-Gonzague, près de Beauharnois, le 12 juin 1901, fils de Moïse Sauvé, fabricant de beurre, et d'Élizée Picard.

Fit ses études au séminaire de Valleyfield.

Exerça d'abord le métier de machiniste et travailla par la suite dans le domaine de l'assurance et de l'immobilier. Représentant des compagnies Sun Life et Montreal and Atlas. S'associa avec son frère Robert sous la raison sociale de Sauvé & Frère enr. Membre du Club touristique de Valleyfield.

Élu député conservateur dans Beauharnois en 1935. Élu député de l'Union nationale en 1936 et 1939. Défait en 1944.

Décédé à Montréal, le 2 octobre 1956, à l'âge de 55 ans et 3 mois. Inhumé à Salaberry-de-Valleyfield, le 6 octobre 1956.

Avait épousé à Salaberry-de-Valleyfield, dans la paroisse Sainte-Cécile, le 2 septembre 1924, Bertha Charette, fille de Narcisse Charette et de Marie-Louise Boyer.

SAUVÉ, Joseph-Mignault-Paul
(1907–1960)

Né à Saint-Benoît (Mirabel), le 24 mars 1907, fils d'Arthur **Sauvé**, journaliste, et de Marie-Louise Lachaîne.

Fit ses études à l'école de sa paroisse natale, au séminaire de Sainte-Thérèse, au collège Sainte-Marie et à l'université de Montréal. Fit sa cléricature auprès de Me Aldéric **Blain**, puis au cabinet Chauvin, Walker, Stewart & Martineau. Admis au barreau de la province de Québec le 8 juillet 1930. Créé conseil en loi du roi le 30 décembre 1938. Docteur en droit honoris causa du Bishop's College et de l'université Laval (1952).

S'enrôla comme lieutenant dans l'armée de réserve en 1931. Mobilisé en 1939. Promu capitaine et commandant de compagnie au Centre de Sorel en 1940. Fut l'un des organisateurs de l'école d'officiers et de sous-officiers de Saint-Hyacinthe en 1941 et du Centre d'instruction avancée de Farnham en 1942. Servit en Europe avec les Fusiliers Mont-Royal en 1943, puis participa au débarquement en Normandie à titre de commandant en second en 1944. Promu lieutenant-colonel et commandant des Fusiliers Mont-Royal en 1944. Nommé brigadier de la 10e brigade d'infanterie de réserve en 1947. Décoré de la croix de guerre française et de la médaille d'efficacité. Membre des Chevaliers de Colomb, du Cercle universitaire, du Club Saint-Denis, du Montreal Club, du Club de la garnison, du Club Outremont, du Quebec Winter Club, du Seigniory Club et des clubs Addington et Hedrolar.

Élu député conservateur dans Deux-Montagnes à l'élection partielle du 4 novembre 1930. Réélu en 1931. Défait en 1935. Élu député de l'Union nationale en 1936, 1939, 1944, 1948, 1952 et 1956. Orateur de l'Assemblée législative du 7 octobre 1936 au 20 février 1940. Ministre du Bien-être social et de la Jeunesse dans le cabinet Duplessis du 18 septembre 1946 au 15 janvier 1959. Ministre de la Jeunesse et ministre du Bien-être social du 15 janvier au 11 septembre 1959. Choisi chef de l'Union nationale le 10 septembre 1959. Premier ministre, président du Conseil exécutif, ministre de la Jeunesse et ministre du Bien-être social du 11 septembre 1959 jusqu'à son décès.

Décédé en fonction à Saint-Eustache, le 2 janvier 1960, à l'âge de 52 ans et 9 mois. Inhumé dans le cimetière de cette paroisse, le 5 janvier 1960.

Avait épousé à Montréal, dans la paroisse Saint-Jacques-le-Majeur, le 4 juillet 1936, Luce Pelland, fille de Zéphirin Pelland, cultivateur, et d'Armina Laferrière.

Bibliographie: Bombardier, Denise, *Les «cents jours» du gouvernement Sauvé*, Montréal, thèse de maîtrise de l'université de Montréal, 1971, 200 p.

SAVAGE, Thomas
(1808–1887)

[Né à l'île de Jersey, dans les îles Anglo-Normandes, le 16 septembre 1808, fils de Jean Savage et d'Elizabeth Degnesley.]

Fit ses études à Jersey.

Marchand et propriétaire de navires à l'Anse-du-Cap, en Gaspésie. Major dans la milice.

Candidat défait dans Gaspé aux élections de la province du Canada en 1863. Conseiller législatif de la division du Golfe du 19 novembre 1873 jusqu'à sa démission, le 26 février 1887. Appuya le Parti conservateur.

[Décédé à l'Anse-du-Cap, le 21 novembre 1887, à l'âge de 79 ans et 2 mois.]

Avait épousé dans la paroisse Sainte-Geneviève-de-Berthier, le 4 avril 1847, Julie Colin-Laliberté, fille de Jean-Baptiste Colin-Laliberté et de Geneviève Cazobon Durtolen.

SAVARD, Jules
(1904–1956)

Né à Québec, le 29 mars 1904, fils d'Elzéar Savard, commerçant, et de Joséphine Morissette.

Fit ses études au séminaire Saint-Charles-Borromée à Sherbrooke, puis aux universités McGill et Laval à Montréal. Fit sa cléricature à Montréal au cabinet Hackett, Mulvena, Foster et Hackett. Admis au barreau de la province de Québec le 15 janvier 1930. Créé conseil en loi du roi le 28 juin 1944.

Exerça sa profession à Québec où il s'associa avec ses deux frères, Alfred et Arthur Savard. Membre du conseil d'administration des compagnies Lake Megantic Pulp and Paper, Fidelity Insurance Company et Northern Pulp of Canada. Agent général de l'Atlantic Lumber Company de Boston et de la Sterling Trust de Toronto. Secrétaire et directeur de la Barry Lake Mining Ltd. Membre de la Federation of Insurance Counsel. Président du jeune barreau de Québec en 1936 et trésorier du barreau de Québec de 1938 à 1941. Gouverneur du sanatorium de Lac-Édouard. Membre du Cercle universitaire de Montréal, du Club de réforme de Montréal, du Club de la garnison, du Club optimiste et de la Chambre de commerce de Québec.

Conseiller municipal de Québec-Ouest de 1936 à 1940. Élu député libéral dans Québec-Ouest en 1952.

Décédé en fonction à Québec, le 25 mai 1956, à l'âge de 52 ans et un mois. Inhumé à Sillery, dans le cimetière St. Patrick, le 29 mai 1956.

Avait épousé à Sainte-Pétronille (île d'Orléans), le 18 août 1932, Louise Larue, fille d'Arthur Larue, comptable, et de Florestine Beauchêne; puis, à Québec, dans l'église des Saints-Martyrs, le 21 novembre 1944, Louise Drouin, fille d'Ulric Drouin, et veuve de George Goodwin.

SAVARIA, Adolphe-François
(1848–1929)

Né à Saint-Pie, près de Saint-Hyacinthe, le 21 mai 1848, fils d'Isidore Savaria, cultivateur, et de Josephte Messier.

Marchand à Waterloo.

Conseiller municipal de Waterloo de 1877 à 1892, puis maire de 1892 à 1894. Candidat conservateur défait dans Shefford en 1886, ainsi qu'à l'élection partielle du 18 mai 1888. Élu député conservateur dans Shefford en 1892. Défait en 1897.

Maître de poste à Waterloo de 1915 à 1929.

Décédé à Waterloo, le 16 juillet 1929, à l'âge de 81 ans et un mois. Inhumé dans le cimetière de la paroisse Saint-Bernardin, le 18 juillet 1929.

Avait épousé à Waterloo, dans la paroisse Saint-Bernardin, le 9 septembre 1872, Zoé Marin, veuve de Georges Hudon; puis, dans la cathédrale de Montréal, le 14 août 1895, Adéline Benoît, veuve d'Alphonse Charlebois.

SAVEUSE DE BEAUJEU, Georges-Raoul-Léotalde-Guichard-Humbert
(1847–1887)

Né à Coteau-du-Lac, le 22 juin 1847, fils d'Adélaïde Aubert de Gaspé et de Georges-René **Saveuse de Beaujeu**, seigneur de Soulanges et de la Nouvelle-Longueuil.

Étudia d'abord auprès du précepteur Paul Stevens, puis au collège Sainte-Marie et au collège de Montréal.

Fut coseigneur des seigneuries de Soulanges et de la Nouvelle-Longueuil à la mort de son père en 1865. Résida au manoir de Coteau-du-Lac.

Élu député conservateur à l'Assemblée législative dans Soulanges en 1871. Défait aux élections fédérales de 1872. Élu député conservateur indépendant à l'Assemblée législative en 1875. Défait en 1878 et 1881. Candidat conservateur indépendant défait dans Soulanges aux élections fédérales de 1882. Élu député conservateur à la Chambre des communes dans la même circonscription à l'élection partielle du 27 octobre 1882. Son élection fut annulée le 11 décembre 1883 et il fut défait à l'élection partielle du 27 décembre suivant.

Décédé à Coteau-du-Lac, le 11 décembre 1887, à l'âge de 40 ans et 5 mois. Inhumé à Coteau-du-Lac, dans le cimetière de la paroisse Saint-Ignace, le 15 décembre 1887.

Avait épousé à Saint-Hyacinthe, dans la paroisse Notre-Dame-du-Rosaire, le 14 septembre 1869, Marie-Henriette Lamothe, fille de Jules-Maurice-Joseph Lamothe, avocat, et de Marie-Charlotte Mondelet.

Petit-fils de Jacques-Philippe **Saveuse de Beaujeu**. Neveu de William **Power**, d'Andrew **Stuart** et de Charles **Alleyn**.

SAVEUSE DE BEAUJEU, Georges-René
(1810–1865)

Né à Montréal, le 4 juin 1810, fils de Jacques-Philippe **Saveuse de Beaujeu**, protonotaire et seigneur, et de Catherine Chaussegros de Léry.

Fit des études au petit séminaire de Montréal de 1820 à 1825.

À la mort de son père en 1832 devint seigneur de la Nouvelle-Longueuil et de Soulanges. S'établit à Coteau-du-Lac. Prit le titre de comte de Beaujeu en 1846. Fut président de la Société d'agriculture du Bas-Canada et de la Société Saint-Jean-Baptiste de Montréal. Compta parmi les membres fondateurs de la Société historique de Montréal en 1858. Officier de milice.

Nommé au Conseil législatif le 21 novembre 1848.

Décédé en fonction dans son manoir, à Coteau-du-Lac, le 29 juillet 1865, à l'âge de 55 ans et un mois. Inhumé dans l'église Saint-Joseph-de-Soulanges, aux Cèdres, le 2 août 1865.

Avait épousé à Saint-Jean-Port-Joli, le 20 septembre 1832, Adélaïde Aubert de Gaspé, fille de l'avocat et écrivain Philippe-Joseph Aubert de Gaspé et de Susanne Allison.

Père de Georges-Raoul-Léotalde-Guichard-Humbert **Saveuse de Beaujeu**. Petit-fils de Gaspard-Joseph **Chaussegros de Léry**. Petit-fils par alliance de Pierre-Ignace **Aubert de Gaspé**. Beau-frère par alliance de Charles Joseph **Alleyn** et de William **Power**.

Bibliographie: *DBC.*

SAVEUSE DE BEAUJEU, Jacques-Philippe (≤1772–1832)

Né peut-être en janvier 1770, puis baptisé à l'île aux Grues, le 5 mai 1772, fils du seigneur Louis Liénard de Beaujeu de Villemonde et de sa deuxième femme, Geneviève Le Moyne de Longueuil.

Fut protonotaire de la Cour du banc du roi à Montréal de 1794 à 1813. Hérita en 1807, de son oncle Joseph-Dominique-Emmanuel **Le Moyne de Longueuil**, de seigneuries, notamment celles de Soulanges et de la Nouvelle-Longueuil. Servit à titre d'officier de milice pendant la guerre de 1812.

S'occupa d'administration municipale, à Montréal, après 1796. Élu député de Montréal-Est en 1814. Ne s'est pas représenté en 1816. Refusa en 1823 l'offre de faire partie du Conseil législatif; assermenté comme membre de ce conseil le 25 novembre 1831.

Décédé en fonction à Montréal, le 19 juin 1832, à l'âge d'environ 60 ans. Inhumé le même jour, dans l'église paroissiale de Soulanges (Les Cèdres), après une cérémonie funèbre à l'église Notre-Dame de Montréal.

Avait épousé dans la paroisse Saint-Michel, à Vaudreuil, le 3 novembre 1802, Catherine Chaussegros de Léry, fille de Gaspard-Joseph **Chaussegros de Léry** et de Louise Martel de Brouague.

Père de Georges-René **Saveuse de Beaujeu**. Beau-frère de Charles-Étienne et de Louis-René **Chaussegros de Léry**.

Bibliographie: *DBC.*

SAVOIE, François-Théodore (1846–1921)

Né dans la paroisse Saint-Calixte-de-Somerset (Plessisville), le 14 février 1846, fils de Narcisse Savoie, cultivateur, et de Séraphine Cormier.

Étudia à l'école élémentaire et à l'école modèle de Plessisville.

Commis et gérant à Danville de 1864 à 1869. Industriel à Saint-Albert-de-Warwick de 1869 à 1875. Gérant de la fonderie Plessisville de 1876 à 1897, puis gérant et administrateur de la fonderie Savoie-Guay à Plessisville de 1898 à 1918. Président de la Société Saint-Jean-Baptiste et du Club social de Plessisville.

Commissaire d'école de 1893 à 1896 et maire de Plessisville de 1887 à 1889. Marguillier de la paroisse Saint-Calixte-de-Somerset de 1896 à 1900. Préfet du comté de Mégantic du 28 mars 1888 au 13 mars 1889. Organisateur du Parti libéral. Élu député libéral à la Chambre des communes dans Mégantic en 1904. Réélu en 1908. Ne s'est pas représenté en 1911. Nommé conseiller législatif de la division de Kennebec le 24 mars 1915.

Décédé en fonction à Plessisville, le 9 septembre 1921, à l'âge de 75 ans et 7 mois. Inhumé dans le cimetière de sa paroisse natale, le 13 septembre 1921.

Avait épousé à Pointe-du-Lac, près de Trois-Rivières, le 18 juillet 1870, Eugénie Duplessis, fille d'Olivier Duplessis et de Marie Garceau; [puis, le 11 mai 1892, Sarah Vigneault, veuve de Victor Houde]; et en troisièmes noces, dans la paroisse Notre-Dame de Québec, le 21 mai 1908, Alice Deguise, fille de Charles Deguise, médecin, et de Marie Gélinas.

Père de Joseph-Alcide **Savoie**.

SAVOIE, Joseph-Alcide
(1872–1933)

[Né à Saint-Albert-de-Warwick, le 5 juin 1872, fils de François-Théodore **Savoie**, industriel, et d'Eugénie Duplessis.]

Fit ses études au collège Sacré-Cœur à Arthabaska.

Fut d'abord marchand de bois à Plessisville en 1891 et 1892, puis devint propriétaire d'une fabrique de boîtes de fromage à Bromptonville en 1893. Propriétaire de Savoie et Cⁱᵉ à Manseau de 1919 à 1933 et de la fonderie Savoie-Guay à Plessisville de 1929 à 1933. Copropriétaire de Moose Park Lumber. Propriétaire d'une ferme modèle. Président de la Société Saint-Jean-Baptiste locale. Membre des Forestiers catholiques, des clubs de réforme de Québec et de Montréal, du Club de la garnison et des Chevaliers de Colomb.

Marguillier de la paroisse Saint-Joseph-de-Blandford (Manseau) de 1905 à 1908. Conseiller municipal de Manseau de 1905 à 1908. Élu sans opposition député libéral dans Nicolet à l'élection partielle du 15 décembre 1917. Réélu en 1919 (sans opposition), 1923, 1927 et 1931.

Décédé en fonction à Sherbrooke, le 4 février 1933, à l'âge de 60 ans et 8 mois. Inhumé dans le cimetière de Manseau, le 8 février 1933.

Avait épousé à Plessisville, dans la paroisse Saint-Calixte-de-Somerset, le 29 novembre 1893, Marie-Arthémise Beaudet, fille de Rémi Beaudet et d'Émilie Roux ; [puis, en 1924, Georgette Roy, veuve d'Antonio Prince, avocat].

SAVOIE, Raymond

Né à Québec, le 13 octobre 1946, fils de Raymond Savoie, avocat, et de Marie-Marthe Cyr.

Obtint un Bachelor of Arts du Saint Lawrence College. Diplômé en histoire ancienne de l'université Laval. Obtint un baccalauréat en droit. Reçu notaire en 1980. Concurremment à ses études, il fut chargé de cours à l'université Laval pour les départements d'histoire, de littérature et d'archéologie classique.

Notaire à Val-d'Or dans l'étude Hinse et Savoie de 1980 à 1985, il exerça dans le domaine du droit corporatif et minier. Œuvra au sein de différents comités et groupes sociaux valdoriens et abitibiens.

Président de l'Association libérale du Québec pour Abitibi-Est de 1983 à 1985 et membre de l'exécutif national du Parti libéral. Élu député libéral dans Abitibi-Est en 1985. Ministre délégué aux Mines dans le cabinet Bourassa du 12 décembre 1985 au 26 mars 1986. Ministre délégué aux Mines et aux Affaires autochtones du 26 mars 1986 au 11 octobre 1989. Réélu en 1989. Ministre délégué aux Mines et au Développement régional du 11 octobre 1989 au 5 octobre 1990. Ministre responsable de l'application des lois professionnelles à compter du 11 octobre 1989. Assermenté ministre du Revenu le 5 octobre 1990.

SAWYER, William
(1815–1904)

[Né à Sawyerville, près de Lennoxville, le 25 novembre 1815, fils de John Sawyer.]

Exerça le métier de commerçant et de marchand de bois dans le canton d'Eaton. Propriétaire de moulins à scie.

Conseiller municipal d'Eaton de 1855 à 1872. Préfet du comté de Compton. Élu député conservateur dans Compton en 1871. Réélu en 1875 (sans opposition), 1878 et 1881. Ne s'est pas représenté en 1886.

Décédé à Sawyerville, le 11 janvier 1904, à l'âge de 88 ans et un mois. Inhumé à Eaton Corner, dans le cimetière méthodiste, le 13 janvier 1904.

Avait épousé à Sawyerville, le 10 septembre 1839, Julia Smith, fille de Joseph B. Smith et de Mary Labaree.

SAYER, Ernest Walter
(1876–1970)

[Né à Birmingham, en Angleterre, le 16 août 1876, fils de Walter Sayer et de Sarah Baradine.]

Arriva au Québec en 1882. Fit ses études à Montréal.

Exerça le métier d'entrepreneur en électricité. Président des compagnies Sayer Electric (1896 à 1935), King Electrical Works, Ernest Walter Sayer Real Estate & Insurance et Larose et Sayer, fleuristes. Fut également président de la Montreal Electrical Contractors Association et vice-président de la Montreal Builders Exchange. Directeur de l'Association des marchands de Montréal, de la People's Mutual Building Society et de la Ligue des propriétaires de Montréal. Trésorier du Montreal Real Estate Board. Président de l'Electoral Association. Directeur du Club Kiwanis de Montréal. Membre à vie de la Montreal Amateur Athletic Association et du Queen Elizabeth Hospital. Président de la St. George Society. Membre du Club des ingénieurs et du Montreal Press Club.

Échevin de la municipalité d'Outremont de 1919 à 1934 et président de l'Outremont Protestant School Board. Élu député conservateur dans Montréal–Saint-Laurent en 1923. Défait en 1927. Candidat indépendant défait dans Montréal-Outremont en 1944.

Décédé à Montréal, le 14 février 1970, à l'âge de 93 ans et 5 mois. Inhumé à Montréal, dans le Mount Royal Cemetery, le 16 février 1970.

Avait épousé à Montréal, le 27 juillet 1898, Winifred Venables, fille de George Venables, tailleur; [puis, en secondes noces, Juliette Larose].

SCHMIDT, Loyola
(1910–1985)

Né à Saint-Clet, le 23 juillet 1910, fils de George Schmidt, cultivateur, et de Léonise Felx.

Fit ses études à l'école de Saint-Clet et au collège Bourget à Rigaud.

Travailla sur la ferme paternelle jusqu'en 1933, puis devint propriétaire d'une entreprise de matériaux de construction et d'accessoires de plomberie et de chauffage à Saint-Clet. Fonda également en 1935 une usine de tôle gaufrée. Propriétaire de la firme Loyola Schmidt ltée, matériaux de construction, à Dorion à compter de 1948. Fonda aussi plusieurs autres compagnies, notamment Planet Heating Ltd., Equity Home Builders Corp., Bell-Wood ltée (Montréal) et la Briqueterie Dorion inc. Membre de plusieurs conseils d'administration. Fut directeur de la Chambre de commerce de Soulanges et vice-président de la Chambre de commerce de Dorion. Membre de la Chambre de commerce de Montréal, des Chevaliers de Colomb et du Club Renaissance de Québec. Fondateur et président du Club Richelieu de Dorion-Vaudreuil.

Élu député de l'Union nationale dans Vaudreuil-Soulanges à l'élection partielle du 18 septembre 1957. Défait en 1960 et 1962.

Décédé à Dorion, le 15 août 1985, à l'âge de 75 ans. Inhumé dans le cimetière de Dorion, le 17 août 1985.

Avait épousé à Saint-Clet, le 12 octobre 1933, Ozéline Martineau, fille de Magloire Martineau, cultivateur, et de Fabiola Besner.

SCOTT, George Nathaniel
(1880–1929)

[Né à Scotstown, près de Cookshire, le 25 décembre 1880, fils de Robert B. Scott, marchand, et de Pierrette Roy.]

Fit ses études à Scotstown et au Stanstead Business College.

Gérant de l'Eastern Township Bank à Mégantic. Entrepreneur en construction. Directeur de la Scotstown Manufacturing Co. Propriétaire de la Scotstown Electric Light Co. Directeur de la Société d'agriculture du comté de Compton. Membre de la Loge maçonnique.

Échevin de Scotstown de 1918 à 1920, puis maire de 1920 à 1928. Élu député libéral dans Compton en 1912. Réélu en 1916. Ne s'est pas représenté en 1919.

Décédé à Lac-Mégantic, le 28 juillet 1929, à l'âge de 48 ans et 7 mois. Inhumé à Scotstown, dans le cimetière de la United Church, le 31 juillet 1929.

[Avait épousé à Galson (Lingwick), le 5 septembre 1906, Louise McIver, fille de John S. McIver, cultivateur.]

SCOTT, Gordon Wallace
(1887–1940)

Né à Montréal, le 1er octobre 1887, fils de James Scott, commerçant, et d'Emma Maria Wallace.

Étudia à la Montreal High School, puis fut stagiaire chez P.S. Ross & Sons, comptables agréés.

S'associa à la firme montréalaise P.S. Ross & Sons de 1914 à 1940. Conseiller administratif de plusieurs compagnies et comptable de divers organismes gouvernementaux et municipaux. Directeur des compagnies suivantes: Power Corporation of Canada Ltd, General Steel Wares, Canadian Tube and Steel Products Ltd., St. Lawrence Corporation Ltd., J.S. Mitchell and Co. Ltd., Canadian Corporation Ltd., Burge Carbon Paper Co., Cockfield, Brown and Co. Ltd., Montreal Lithography Co. Ltd., Anglo Telephone Co. Ltd., Canadian Bridge and Deck Co., Montreal Trust Company, Canadian Industrial Alcohol Ltd. et Hydro Electric Securities Corporation. Conseiller financier au ministère fédéral des Munitions et Approvisionnements en 1939 et 1940.

Candidat libéral défait dans Huntingdon à l'élection partielle provinciale du 4 novembre 1930. Trésorier de la province dans le cabinet Taschereau du 16 octobre au 27 novembre 1930. Assermenté ministre sans portefeuille dans le même cabinet le 13 novembre 1930. Conseiller législatif de la division de Wellington du 13 novembre 1930 jusqu'à sa démission le 4 août 1931. Appuya le Parti libéral. Candidat libéral défait dans Montréal–Saint-Georges en 1931. Nommé conseiller législatif de la division de Victoria le 17 juin 1932.

Président du Board of Audits of Canada, de la section montréalaise de la Royal Empire Society, du Verdun Protestant Hospital et du comité protestant du Conseil de l'instruction publique. Membre de la Royal Albert Masonic Lodge, du Mount Stephen Club, du Club des ingénieurs, du Club de réforme de Montréal, du Montreal Club, du Mount Royal Club, du St. George Club de Sherbrooke, du Club de la garnison de Québec et du Halifax Club.

[Décédé en fonction le 14 décembre 1940, au cours des opérations de sauvetage effectuées dans l'océan Atlantique à la suite du torpillage du paquebot *Western Prince*, à l'âge de 47 ans et 2 mois.]

Avait épousé à Montréal, dans l'Emmanuel Congregational Church, le 23 septembre 1914, Mary Edith Anderson, fille de John Anderson, membre du conseil d'administration de la compagnie Chase and Sanborn, et de Jennie Nixon.

SCOTT, William
(≈1780–1820)

Né vers 1780.

Nommé contrôleur des douanes dans le port de Québec, le 18 juin 1813.

Appelé au Conseil législatif le 29 janvier 1818, prêta serment et prit son siège le 2 février 1818.

Décédé en fonction à Québec, le 11 janvier 1820, à l'âge d'environ 40 ans. Après des obsèques célébrées dans la cathédrale anglicane Holy Trinity, fut inhumé dans le cimetière St. Matthew, le 14 janvier 1820.

On ne sait pas s'il était célibataire ou marié.

SCOTT, William Henry
(1799–1851)

Né en Écosse, le 13 janvier 1799, fils de William Scott et de Catherine Ferguson.

Suivit sa famille au Bas-Canada vers 1800 : à Montréal d'abord, puis à Saint-Eustache où il s'établit comme marchand. Officier de milice, fut destitué par le gouverneur George **Ramsay**, en 1827, pour avoir pris part à des assemblées du parti patriote.

Élu député d'York à une élection partielle le 29 octobre 1829. Élu dans Deux-Montagnes en 1830. Réélu en 1834. Appuya le parti patriote. Conserva son siège jusqu'à la suspension de la constitution, le 27 mars 1838. Pendant la rébellion de 1837, prôna le non-usage des armes et fut qualifié de traître par les patriotes. Emprisonné du 19 décembre 1837 au 10 juillet 1838 pour haute trahison envers le gouvernement. Élu député de Deux-Montagnes en 1844 ; tory jusqu'en 1846, puis de tendance libérale. Réélu en 1848 ; fit partie tantôt du groupe canadien-français, tantôt des modérés. Réélu en 1851.

Décédé en fonction à Saint-Eustache, le 18 décembre 1851, à l'âge de 52 ans et 11 mois. Inhumé dans le cimetière de l'église presbytérienne à Sainte-Thérèse-de-Blainville (Blainville), le 24 décembre 1851.

Avait épousé dans la paroisse Saint-Eustache, à Saint-Eustache, le 16 décembre 1851, sa compagne Marie-Margue-rite-Maurice Paquet, fille de Joseph-Maurice Paquet et de Marie-Marguerite-Ignace Paquet.

Une de ses filles épousa un fils de Wolfred **Nelson**.

———

Bibliographie : *DBC*.

SCOWEN, Reed

Né à Sherbrooke, le 13 juin 1931, fils de Philip Scowen, administrateur, et d'Eulah Reed.

Fit ses études à la Kensington School à Montréal, à l'East Angus School, à la Trinity College School à Port Hope, en Ontario, à la Bishop's University à Lennoxville de 1949 à 1952 et à la Harvard Business School, dans l'État du Massachusetts, de 1954 à 1956, où il obtint une maîtrise en administration. Se spécialisa également à la London School of Economics, en Angleterre, en 1972 et 1973.

Président-directeur général de la compagnie Perkins Paper Ltd. de 1956 à 1974. Conseiller spécial auprès du ministre de l'Industrie et du Commerce, Guy **Saint-Pierre**, en 1975 et 1976. Directeur général de la Commission de lutte contre l'inflation en 1976 et 1977. Directeur exécutif de la Commission sur l'unité canadienne (commission Pépin-Robarts) en 1977 et 1978. Membre du bureau des gouverneurs de la Harvard Business School, du conseil d'administration de la Bishop's University, du Service administratif canadien outre-mer et de l'exécutif du Montreal Board of Trade.

Élu député libéral dans Notre-Dame-de-Grâce à l'élection partielle du 5 juillet 1978. Réélu en 1981 et 1985. Adjoint parlementaire du premier ministre du 13 décembre 1985 au 17 juin 1987, date de sa démission comme député de Notre-Dame-de-Grâce.

Délégué général du Québec à Londres d'août 1987 à janvier 1991, puis conseiller spécial en matière d'investissement au ministère des Affaires internationales. Nommé délégué général du Québec à New York en juin 1992. Président du conseil d'administration d'Alliance Québec de juin 1991 à mai 1992. A publié *Réflexions sur l'avenir de la langue anglaise au Québec* (1979) et *A Different Vision : the English in Quebec in the 1990s* (1991).

SCRIVER, Julius
(1826–1907)

[Né à Hemmingford, le 5 février 1826, fils de John Scriver et de Lucretia Manning.]

Fit ses études à la Workman's School à Montréal, puis à l'université du Vermont.

Marchand et propriétaire d'un moulin et d'une tannerie à Hemmingford. Président du Quebec Frontier Railway. Vice-président de la Dominion Alliance (section Québec). Colonel honoraire du 6e bataillon de Hussards.

Élu député conservateur à l'Assemblée législative dans Huntingdon en 1867. Démissionna le 6 octobre 1869. Élu député libéral à la Chambre des communes dans Huntingdon à l'élection partielle du 30 octobre 1869. Réélu en 1872 (sans opposition), 1874, 1878 (sans opposition), 1882, 1887 (sans opposition), 1891 et 1896. Nommé président du caucus libéral en 1886. Ne s'est pas représenté en 1900.

Décédé à Westmount, le 5 septembre 1907, à l'âge de 81 ans et 7 mois. Inhumé à Hemmingford, le 7 septembre 1907.

[Avait épousé à Potsdam, dans l'État de New York, en juillet 1856, Frances M. Stevens, fille de Jonathan Stevens.]

SEATON, baron. V. COLBORNE

SÉGUIN, Arthur-Ewen
(1915–1990)

Né à Dalhousie (Saint-Télesphore), le 17 janvier 1915, fils de Patrick Séguin et de Mary-Rose Kahala.

Fit ses études au Mary Vale Abbey à Glen Nevis, en Ontario, et au collège Bourget à Rigaud où il obtint un baccalauréat ès arts en 1937. Suivit également des cours spécialisés en électronique et en administration.

Capitaine dans l'armée canadienne de 1941 à 1946. Employé de Bell Canada, il fut administrateur pour la région de Montréal et de l'Est du Canada. Fut membre de la Chambre de commerce de Pointe-Claire, président de la Ligue des citoyens de Lakeside Heights, président du comité d'organisation pour la fondation et le développement du centre culturel Stewart Hall. Promoteur et membre de la corporation du Manoir de Pointe-Claire. Membre des Chevaliers de Colomb. Récipiendaire de la médaille du Centenaire en 1967.

Échevin de Pointe-Claire de 1958 à 1961, puis maire de 1961 à 1974. Membre du conseil de la Communauté urbaine de Montréal. Membre du conseil de coordination intermunicipal jusqu'en 1968. Membre du conseil d'administration et directeur de la Fédération canadienne des maires et des municipalités de 1963 à 1970. Cofondateur et président de l'Association ProCanada. Élu député indépendant dans Robert-Baldwin en 1966. Joignit les rangs du Parti libéral le 12

décembre 1967. Élu député libéral dans la même circonscription en 1970, puis dans celle de Pointe-Claire en 1973. Ne s'est pas représenté en 1976.

Décédé à Lachine, le 26 décembre 1990, à l'âge de 75 ans et 11 mois. Ses funérailles eurent lieu dans l'église St. John Fisher, à Pointe-Claire, le 29 décembre 1990.

Avait épousé à Rigaud, le 9 septembre 1941, Julienne Taillefer, fille d'Henri Taillefer et d'Alice Séguin.

SÉGUIN, Napoléon
(1865–1940)

Né à Sainte-Madeleine-de-Rigaud, le 13 décembre 1865, fils d'Onésime Séguin, cultivateur, et de Rachel Hurtubise.

A étudié à Ottawa chez les Frères des écoles chrétiennes.

Exploita un commerce d'épicerie à Montréal.

Échevin du quartier Sainte-Marie au conseil municipal de Montréal de 1906 à 1910 et de 1912 à 1914. Marguillier de la paroisse de La Visitation-du-Sault-au-Récollet de 1919 à 1921. Élu sans opposition député libéral dans Montréal n° 1 à l'élection partielle du 21 décembre 1908. Réélu dans Montréal–Sainte-Marie en 1912, 1916 et 1919. Assermenté ministre sans portefeuille dans le cabinet Gouin le 20 janvier 1919, puis dans le cabinet Taschereau le 12 juillet 1920.

Son siège fut déclaré vacant, le 27 septembre 1921, lors de sa nomination au poste de gouverneur de la prison de Bordeaux, poste qu'il occupa jusqu'en 1939. Il fut aussi gouverneur de l'hôpital Notre-Dame de 1921 à 1940.

Membre des Chevaliers de Colomb, de l'Ordre des forestiers catholiques, de l'Alliance nationale, de la Conférence Saint-Vincent-de-Paul, de la Société Saint-Pierre, du Club Lemieux et du Club de réforme.

Décédé à Montréal-Nord, le 29 janvier 1940, à l'âge de 75 ans et un mois. Inhumé dans le cimetière de la paroisse de La Visitation-du-Sault-au-Récollet, le 2 février 1940.

Avait épousé à Montréal, dans la paroisse Saint-Vincent-de-Paul, le 1er septembre 1890, Candide Labonté, fille de Joseph Labonté et de Justine Sylvain.

SÉGUIN, Yves

Né à Val-d'Or, le 30 mars 1951, fils de Fernand Séguin, commerçant, et d'Imelda Mino.

Titulaire d'un diplôme d'études collégiales du cégep de Hull en 1972, d'une licence en droit en 1975 et d'une maîtrise en droit des affaires en 1978 de l'université d'Ottawa. Admis au barreau en 1976.

Avocat dans le cabinet Séguin, Ouellet et Associés en 1976 et 1977, et conseiller fiscal dans les cabinets Maheu, Noiseu, C.A. de 1977 à 1980, Beaudry, Bertrand et Associés de 1980 à 1982 et Martineau, Walker à Québec de 1982 à 1985.

Élu député libéral dans Montmorency en 1985. Réélu en 1989. Adjoint parlementaire du ministre du Revenu du 13 décembre 1985 au 30 juin 1987. Ministre du Revenu dans le cabinet Bourassa du 30 juin 1987 au 13 septembre 1990. Démissionna du cabinet Bourassa le 13 septembre 1990 et comme député le 21 décembre 1990.

Directeur de la fiscalité du cabinet d'avocats Langlois Robert en 1991. Avocat dans le cabinet Lapointe, Rosenstein à compter de 1992. Nommé président du conseil d'administration de l'Hôtel-Dieu de Québec en 1991. Chroniqueur pour différents journaux.

SENÉCAL, Louis-Adélard (1829–1887)

Né à Varennes, le 10 juillet 1829, fils d'Ambroise Sénécal, cultivateur et commerçant de grain, et de Marie Brodeur.

Fit ses études à Varennes, puis à Burlington, dans l'État du Vermont.

Copropriétaire d'un magasin général à Verchères en 1851 et 1852. Associé dans la compagnie de son père en qualité de promoteur spécial et d'agent d'affaires exclusif pour le commerce des céréales en 1851 et 1852. S'intéressa au domaine de la navigation en achetant en copropriété un navire à vapeur en 1853. Forma, en 1854, la société Senécal, Dansereau et compagnie et, en 1858, la Compagnie de navigation de Yamaska et, en 1859, la Compagnie de navigation de Trois-Rivières. Copropriétaire de la Compagnie d'amélioration des rivières Saint-François et Yamaska. Propriétaire de nombreuses terres. Exploita également de nombreux moulins à scier, à farine et à carder sous les raisons sociales de Senécal et Meigs et de la Compagnie des moulins à vapeur de Pierreville. Fit également le commerce des grains, du bois et d'autres marchandises dans la Société Vassal et compagnie et Wurtele et Senécal. Actif également dans le domaine des chemins de fer, il fut nommé surintendant du Quebec, Montreal, Ottawa et Occidental le 1er mars 1880 et fut président de la Compagnie du chemin de fer de la rive nord de 1883 à 1886 et de la Compagnie du chemin de fer à passagers de la cité de Montréal en 1883 et 1884. Élu président de la Compagnie de navigation du Richelieu et d'Ontario le 13 février 1882.

Propriétaire du journal The Times qui fut publié à Québec en 1881 et 1882. Propriétaire de la majeure partie du canton d'Upton en 1886. Récipiendaire de la croix de commandeur de la Légion d'honneur en 1883.

Élu député libéral à l'Assemblée législative dans Yamaska en 1867. Ne fut pas candidat aux élections de 1871. Élu député libéral à la Chambre des communes dans Drummond-Arthabaska en 1867. Ne s'est pas représenté aux élections fédérales de 1872. Nommé sénateur de la division des Mille-Isles le 25 janvier 1887. Appuya le Parti conservateur. Trésorier du Parti conservateur.

Décédé en fonction à Montréal, le 11 octobre 1887, à l'âge de 58 ans et 3 mois. Inhumé à Montréal, dans le cimetière Notre-Dame-des-Neiges, le 14 octobre 1887.

Avait épousé à Verchères, dans la paroisse Saint-François-Xavier, le 15 janvier 1850, Delphine Dansereau, fille de Joseph Dansereau, lieutenant-colonel et marchand, et de Rosalie Gagnon.

Beau-père de Charles-Ignace **Gill**. Oncle de François-Xavier **Archambault**.

Bibliographie: DBC.

SEWELL, Jonathan (≤1766–1839)

Né probablement à Cambridge, au Massachusetts, où il fut baptisé le 6 juin 1766, fils de Jonathan Sewall (Sewell), loyaliste et procureur général de la colonie du Massachusetts, et d'Esther Quincy.

Forcé de quitter Cambridge en 1774 à cause de l'hostilité des patriotes américains, suivit sa famille à Boston, puis en Angleterre, d'abord à Londres, en 1775, ensuite à Bristol, en 1778. Après de brèves études au Brasenose College d'Oxford, quitta l'Angleterre en 1785 afin d'aller étudier le droit au Nouveau-Brunswick.

En 1787, nommé greffier de la Cour de vice-amirauté du Nouveau-Brunswick; admis au barreau de cette colonie en 1788. Venu s'installer à Québec depuis peu, y reçut en 1789 une commission d'avocat. Devint procureur général par intérim de la province de Québec en 1790. Exerça aussi le droit à titre privé, puis fut nommé, en 1793, solliciteur général et inspecteur du Domaine du roi. Le 9 mai 1795, devint procureur général et avocat général. Accéda à la charge de juge de la Cour de vice-amirauté en juin 1796. Mit sur pied un service de renseignements avec John **Richardson**. À l'origine de la création, en 1801, de l'Institution royale pour l'avancement des sciences; en fut président en 1825–1826. Fit l'acquisition de l'Hôtel de l'Union, qu'il loua, ainsi que de nombreuses propriétés dans la haute ville de Québec et dans les cantons.

Élu député de William Henry en 1796. Candidat dans Québec en 1800, mais retira sa candidature par suite de sa réélection dans William Henry. Réélu en 1804 et 1808. Appuya généralement le parti des bureaucrates. Son siège de député devint vacant par suite de sa nomination comme juge en chef du Bas-Canada, le 22 août 1808. Entra au Conseil exécutif le 5 mai ou en septembre 1808 et y siégea jusqu'à sa démission, en septembre 1830, quand le ministère des Colonies accepta d'exclure les juges de ce conseil. Membre du Conseil législatif du 5 mai ou de septembre 1808 jusqu'à la suspension de la constitution, le 27 mars 1838; en fut président à compter du 5 janvier 1809. Nommé conseiller exécutif en juin 1838, quitta son poste en novembre 1838. Démissionna de ses fonctions de juge en chef le 20 octobre 1838, pour des raisons de santé.

Dirigea un orchestre d'amateurs à Québec et fonda un quatuor où il jouait du violon. Transforma le Cirque royal en théâtre après l'avoir acheté. Membre du Club des barons. Prit part à la fondation de la Société littéraire et historique de Québec dont il fut l'un des vice-présidents, puis le président. Élu membre de l'American Philosophical Society; membre correspondant de la Massachusetts Historical Society. Présida la section québécoise de la British and Foreign Bible Society. Fit construire la chapelle Holy Trinity. Reçut en 1832 un doctorat honorifique en droit de la Harvard University de Boston. Est l'auteur de: *Extrait des exemples de procédés dans la Chambre des communes de la Grande-Bretagne* (Québec, 1792); *Orders and rules of practice in the Court of King's Bench, for the district of Quebec* [...] (Québec, 1809); *Rules and orders of practice in the provincial Court of Appeals* (Québec, 1811); *A plan for the federal union of British provinces in North America* (Londres, 1814); *An essay on the juridical history of France, so far as it relates to the law of the province of Lower-Canada* [...] (Québec, 1824); coauteur, avec John Beverley Robinson, de *Plan for a general legislative union of the British provinces in North America* (Londres, [1824]).

Décédé à Québec, le 11 novembre 1839, à l'âge d'environ 73 ans. Les obsèques eurent lieu en la cathédrale anglicane Holy Trinity, le 15 novembre 1839.

Avait épousé dans l'église presbytérienne St. Andrew de Québec, le 24 septembre 1796, Henrietta (Harriet) Smith, fille du juge en chef William **Smith** et de Janet Livingston.

Frère de Stephen **Sewell**.

Bibliographie: *DBC.*

SEWELL, Stephen
(1770–1832)

Né à Cambridge, au Massachusetts, vers le 25 mai 1770, fils de Jonathan Sewall (Sewell), loyaliste et procureur général de la colonie du Massachusetts, et d'Esther Quincy.

Au début de la guerre d'Indépendance américaine, accompagna sa famille en Angleterre. Installé à Bristol en 1778, fréquenta une *grammar school*. En 1787, rejoignit son frère aîné, Jonathan **Sewell**, à Saint-Jean, au Nouveau-Brunswick, où il fit son apprentissage du droit dans un cabinet d'avocats. Admis au barreau en 1791. Se rendit au Bas-Canada où il obtint une commission d'avocat la même année.

Exerça sa profession à Montréal. Fit des investissements commerciaux et de la spéculation immobilière. Possédait des terres dans des cantons et des terrains à Montréal. Nommé solliciteur général du Bas-Canada en 1809.

Élu député de Huntingdon en 1809; appuya le parti des bureaucrates. Élu dans Montréal-Est en 1810; ne prit part à aucun vote. Ne se serait pas représenté en 1814.

Servit à titre d'officier de milice pendant la guerre de 1812. L'un de ceux qui publièrent, en 1814 et 1815, dans le *Montreal Herald*, une série de lettres dénonçant le gouvernement de George **Prevost**. Démis de ses fonctions de solliciteur général par le gouverneur John Coape **Sherbrooke**, en juillet 1816, tenta vainement d'être réintégré. À titre de secrétaire d'un membre de la Commission de délimitation des frontières, en 1817, tint un journal des travaux. En 1820, était avocat principal de l'Institution royale pour l'avancement des sciences. Nommé conseiller du roi en 1827.

Obtint plusieurs postes de commissaire. Participa à la création de la Société d'histoire naturelle de Montréal et à celle d'une bibliothèque juridique dont il fut le premier président. Fut membre du comité de construction de la Christ Church à Montréal.

Décédé à Montréal, le 21 juin 1832, à l'âge de 62 ans. Les obsèques eurent lieu le même jour, dans l'église anglicane Christ Church.

Avait épousé dans l'église anglicane Christ Church de Montréal, le 18 juin 1801, Jane Caldwell, de l'État de New York.

Bibliographie: *DBC.*

SHANKS, Gérard

Né à Montréal, le 15 novembre 1923, fils de William Shanks, mécanicien de locomotive, et de Rosina Savaria.

Fit ses études au collège Séraphique à Trois-Rivières, au séminaire de Joliette, au collège Bourget à Rigaud, au séminaire Marie-Médiatrice et au séminaire de philosophie à Montréal. Poursuivit ses études supérieures aux universités McGill, de Montréal, de Sheffield et de Londres. Licencié en science politique et docteur en théologie.

Travailla comme fonctionnaire à la ville de Montréal pour les services du bien-être social, des parcs, de l'urbanisme, des permis et inspections et à l'Office municipal du tourisme. Président du Syndicat national des fonctionnaires municipaux de Montréal de 1963 à 1965, puis directeur adjoint du service d'éducation. Président du Conseil de la fonction publique de la région de Montréal de 1964 à 1966. Rédacteur en chef de l'hebdomadaire *l'Est montréalais*. Fondateur et rédacteur en chef de *Liaisons* et de *la Revue des Parcs* de Montréal. Collaborateur à la revue *Horizon*, organe d'information des Chevaliers de Colomb. Auteur de quelques ouvrages, dont *Pie XII, prince de la diplomatie* et *Catherine II et sa politique extérieure*.

Exerça la fonction de juge de paix. Marguillier de la paroisse Notre-Dame-de-Lourdes à Verdun de 1967 à 1970. Élu député libéral dans Saint-Henri en 1970. Réélu en 1973. Ne s'est pas représenté en 1976.

Chargé de recherche au Service de la circulation de la ville de Montréal à compter de 1976.

Directeur de la Société des hommes d'affaires de l'Est et du Conseil consultatif des associations d'hommes d'affaires de Montréal. Directeur et vice-président de l'Ouest commercial et professionnel. Administrateur de Moleba auto-neige ltée. Vice-président de la Fédération canadienne des employés de services publics. Président du Fonds de secours en maladie des fonctionnaires municipaux de Montréal et commissaire à la Commission du fonds de pension des fonctionnaires municipaux de Montréal. Membre de la Société des conseillers en relations industrielles du Québec et de l'Institut d'administration publique du Canada. Président de l'Association des diplômés en sciences sociales, économiques et politiques de l'université de Montréal, président du conseil général et président du conseil d'administration de la corporation des Anciens du séminaire Marie-Médiatrice de Montréal. Membre de la Chambre de commerce, du Cercle universitaire de Montréal et du Club Richelieu. Fondateur et directeur des Voies et Moyens du Club optimiste Montréal–Saint-Paul. Secrétaire et fiduciaire de la fondation Édouard-Montpetit. Gouverneur à vie du foyer Saint-Henri et du Fonds de construction à Saint-Benoît-du-Lac.

Membre honoraire à vie de la Corporation des opticiens d'ordonnance du Québec. Créé grand chancelier et grand-croix de l'ordre de la Sainte-Croix-de-Jérusalem (Angleterre) ainsi que chevalier de l'ordre académique Honneur et Mérite de la Société du bon parler français.

SHARPLES, John (père)
(1814–1876)

[Né en Angleterre, dans le Lancashire, en 1814, fils de John Sharples et de Jane Beck.]

S'établit définitivement au Canada en 1827. S'occupa du commerce du bois et de la construction de navires. Associé dans la firme Sharples, Jones & Co. en 1850. Forma la compagnie C. & J. Sharples & Co. en 1854. Directeur et vice-président de la Banque d'Union du Bas-Canada. Vice-président de la Stadacona Fire Insurance Co. en 1873. Surintendant des mesureurs de bois de 1843 à 1855. Commissaire du havre de Québec en 1859, puis président jusqu'à sa démission en 1864. Membre du Bureau de commerce de Québec de 1862 à 1876. Membre de la Maison de la Trinité.

Maire de Sillery de 1870 à 1876. Nommé conseiller législatif de la division de Stadacona le 27 février 1874. Appuya le Parti conservateur.

Décédé en fonction à Sillery, le 19 décembre 1876, à l'âge de 62 ans. Inhumé à Sillery dans le cimetière St. Patrick, le 21 décembre 1876.

Avait épousé dans la paroisse Notre-Dame de Québec, le 27 novembre 1838, Honoria Ann Alleyn, fille de Richard Israël Alleyn, capitaine dans la Marine royale, et de Margaret O'Donovan.

Père de John **Sharples**. Beau-frère de Richard et de Charles Joseph **Alleyn**.

Bibliographie: *DBC.*

SHARPLES, John (fils)
(1847–1913)

Né dans la paroisse Notre-Dame de Québec, le 24 janvier 1847, fils de John **Sharples**, marchand de bois, et d'Honoria Ann Alleyn.

Étudia au collège Sainte-Marie à Montréal.

Marchand et exportateur de bois. Directeur et propriétaire de la maison W. & J. Sharples Ltd., il eut comme associés William Gérard **Power** et R.H. Smith. Directeur de la Compagnie électrique Québec et Montmorency, de la Quebec Railway,

Light and Power Co., de la Prudential Trust Co., de la Quebec Steamship Co. et de la Quebec Bridge Co. (1906 et 1907). Président honoraire de la Banque d'Union en 1907. Président de la Quebec Chronicle Printing Co. Vice-président de la Quebec Northern Railway Company of Canada. Membre de la Commission du port de Québec. Vice-président de la Ligue antialcoolique de Québec. Fonda avec son épouse, en 1907, un service spécial pour enfants à l'Hôtel-Dieu de Québec. Président du Club canadien. Membre du Club de la garnison de Québec. Créé chevalier de Saint-Grégoire.

Maire de Sillery de 1881 à 1884 et de 1901 à 1913. Membre du conseil municipal de Québec de 1894 à 1898. Nommé conseiller législatif de la division de Stadacona le 2 mai 1893. Appuya le Parti conservateur.

Décédé en fonction à Québec, le 30 juillet 1913, à l'âge de 66 ans et 6 mois. Inhumé à Sillery, dans le cimetière St. Patrick, le 1er août 1913.

Avait épousé à Québec, dans l'église St. Patrick, le 17 octobre 1871, sa cousine Margaret Alleyn, fille de Charles Joseph **Alleyn**, shérif de Québec, et de Zoé Aubert de Gaspé.

Neveu de Richard **Alleyn**.

SHAW, Angus
(<1777–1832)

Né en Écosse.

Fit au Canada une carrière de trafiquant de fourrures liée à la North West Company (NWC). Travailla principalement dans les régions du Nord-Ouest jusqu'en 1802, année où il fut chargé par la NWC des postes du roi et vint résider à Québec.

S'occupa d'administration municipale, à Montréal, après 1796. Élu député d'Effingham à une élection partielle en avril 1802, prit son siège le 8 février 1803; appuya le parti des bureaucrates. Ne se serait pas représenté en 1804.

De 1806 à 1814, fut associé de la McTavish, McGillivrays and Company; à ce titre, fut agent de la NWC et se rendit dans le Nord-Ouest. Juge de paix du Territoire indien de 1810 à 1816. Pendant la guerre de 1812, servit comme major dans le Corps of Canadian Voyageurs. Engagé dans la lutte que se livraient la NWC et la Hudson's Bay Company (HBC) pour le commerce des fourrures, fut fait prisonnier par la HBC en 1816 et 1819, puis envoyé à Londres, où il fut libéré. Prit sa retraite en 1821 et s'établit aux États-Unis. À sa mort, était actionnaire de la Banque de Montréal, de la HBC et avait des propriétés à Montréal, à Québec et aux États-Unis.

Membre du Beaver Club de Montréal, du Club des barons de Québec et du Canada Club de Londres.

Décédé à New Brunswick, au New Jersey, le 19 juillet 1832.

Avait épousé une Amérindienne, à la façon du pays; puis, dans l'église anglicane Christ Church de Montréal, le 30 novembre 1802, Marjory McGillivray, fille de Donald McGillivray, tenancier dans le domaine de Clovendale en Écosse, et d'Anne McTavish; enfin, à Milford, au Connecticut, en octobre 1823, Julia Agnes Rickman.

Beau-frère de William **McGillivray**.

Bibliographie: *DBC.*

SHAW, Frederick William

Né à Montréal, le 13 octobre 1932, fils de Fred Shaw, commis de chemin de fer, et de Mary Ethel Moffatt.

A étudié à Montréal à la Guy Drummond School, à la Strathcona Academy et à la McGill University. Reçu chirurgien dentiste en 1958.

Exerça sa profession dans les Forces armées canadienne de 1956 à 1963. Pratiqua ensuite à Hudson et à Pointe-Claire. Attaché au Lakeshore General Hospital. Directeur de l'Ordre des dentistes. Membre de la Société dentaire de Montréal et de l'Association des chirurgiens dentistes du Québec. Instructeur de football au collège Bourget, à l'université du Québec à Trois-Rivières et au cégep Bois-de-Boulogne entre 1966 et 1972.

Président de l'Association progressiste-conservatrice de Vaudreuil de 1967 à 1970. Candidat de l'Union nationale défait dans Robert-Baldwin en 1970. Candidat défait au congrès de direction de l'Union nationale tenu les 22 et 23 mai 1976. Élu député de l'Union nationale dans Pointe-Claire en 1976. Siégea comme député indépendant à partir du 18 février 1978. Candidat indépendant défait dans Jacques-Cartier en 1981.

SHEHYN, Joseph
(1825–1918)

Né dans la paroisse Notre-Dame de Québec, le 23 novembre 1825, fils d'Édouard Shehyn, scieur de long, et de Flavie Parent.

Fit ses études au séminaire de Québec.

Travailla à la compagnie Laurie et Cie à Québec, puis en devint sociétaire de 1852 à 1857. Copropriétaire de la McCall, Shehyn & Co. (1857) et de la Sterling McCall & Co. à Montréal. Directeur de la Banque Stadacona. Principal actionnaire de la manufacture de meubles Drum. Participa à la fondation du journal l'*Électeur*, en 1880, avec Wilfrid **Laurier**, Charles-Alphonse-Pantaléon **Pelletier**, Henri-Gustave **Joly de Lotbinière**, David-Alexandre **Ross**, Charles-Antoine-Ernest **Gagnon**, François **Langelier**, W. Reid et D.W. Campbell. Auteur notamment de *Railways versus Water-Courses* (1884) et de *Railways and Water-Ways* (1886). Président du Quebec Board of Trade (1877 à 1879 et 1883 à 1887), de la Commission du havre de Québec et de la St. Patrick Society. Juge de paix. Vice-président du Club Canadien. Membre du Dominion Board of Trade et du Club de la garnison. Créé commandeur de l'ordre de Saint-Grégoire-le-Grand et officier de l'ordre de Léopold III de Belgique.

Élu député libéral dans Québec-Est en 1875. Réélu en 1878 (sans opposition), 1881 et 1886. Son siège devint vacant lors de sa nomination au cabinet. Réélu sans opposition à l'élection partielle du 12 février 1887 et aux élections de 1890. Trésorier de la province dans le cabinet Mercier du 29 janvier 1887 au 21 décembre 1891. De nouveau élu en 1892 et 1897. Assermenté ministre sans portefeuille dans le cabinet Marchand le 26 mai 1897. Son siège devint vacant lors de sa nomination comme sénateur de la division des Laurentides le 5 février 1900.

Décédé en fonction à Québec, le 14 juillet 1918, à l'âge de 92 ans et 7 mois. Inhumé à Sainte-Foy, dans le cimetière Notre-Dame-de-Belmont, le 17 juillet 1918.

Avait épousé dans sa paroisse natale, le 16 août 1858, Marie-Zoé-Virginie Verret, fille d'Ambroise Verret, fabricant de voitures, et de Théotiste Houde; [puis, en septembre 1902, Joséphine Leduc née Béliveau, veuve de Napoléon Leduc].

Beau-père de Napoléon-Antoine Belcourt, député à la Chambre des communes de 1896 à 1907, puis sénateur de 1907 à 1932.

SHERBROOKE, John Coape
(≤1764–1830)

Né probablement en Angleterre, en ou avant 1764, puis baptisé à Arnold, le 29 avril 1764, fils de William Sherbrooke (Coape) et de Sarah Sherbrooke.

Entra dans l'armée britannique en 1780, à titre d'enseigne; servit en Nouvelle-Écosse et à l'île du Cap-Breton. Pendant la guerre contre la France révolutionnaire, fit la campagne des Flandres. Fut envoyé en Inde en 1797; devint colonel en 1798. Se rendit en Angleterre en 1800, puis en Sicile, en 1805, où il commanda un régiment. Prit part à la campagne d'Espagne en 1809 et rentra en Angleterre; accéda au grade de lieutenant général en 1811.

Nommé lieutenant-gouverneur de la Nouvelle-Écosse en juillet 1811, exerça ses fonctions à compter du 19 août 1811, mais arriva à Halifax le 16 octobre; assuma aussi le commandement des troupes des provinces de l'Atlantique. Nommé gouverneur en chef de l'Amérique du Nord britannique le 10 avril 1816, entra en fonction dès son arrivée à Québec, le 12 juillet. Démissionna le 6 février 1818, à la suite d'une attaque de paralysie; le 30 juillet, confia l'administration à Charles **Lennox**. Se retira à Calverton, en Angleterre.

Reçut, en 1809, la croix de chevalier commandeur de l'ordre du Bain (sir).

Décédé à Calverton, dans le Nottinghamshire, en Angleterre, le 14 février 1830, à l'âge d'environ 66 ans. Inhumé à Oxton.

Avait épousé à Areley Kings, en Angleterre, le 24 août 1811, Katherine (Katherina) Pyndar, [fille de Reginald Pyndar, *rector* de Madresfield].

Bibliographie: *DBC.*

SHERMAN, Payson Alton
(1889–1977)

Né à Scotstown, le 14 août 1889, fils d'Alton George Sherman, cultivateur, et d'Anne MacIver.

Fit ses études à la Scotstown High School et au Belleville Business College (Ontario).

Négociant de bois et de bétail. Cofondateur de la Compton County Historical Society en 1959. Membre à vie et gouverneur de l'hôpital de Sherbrooke.

Élu député conservateur dans Compton en 1935. Élu sous la bannière de l'Union nationale en 1936. Ne s'est pas représenté en 1939. Commissaire d'école à Hampden. Conseiller municipal de Hampden, puis maire de 1947 à 1957.

Décédé à Scotstown, le 5 octobre 1977, à l'âge de 88 ans et un mois. Inhumé à Scotstown, dans le Riverview Cemetery, le 7 octobre 1977.

Avait épousé à Manchester, dans l'État du New Hampshire, le 29 septembre 1914, Margaret Muir, fille de John Muir, marchand, et de Jeannie Muir.

SHERWOOD, Samuel
(<1777– ≥1821)

Né probablement aux États-Unis, fils du capitaine Justus Sherwood, loyaliste qui s'installa à Saint-Jean-sur-Richelieu, au Bas-Canada, en 1777 et, quelques années plus tard, dans le canton d'Augusta, au Haut-Canada.

Fit l'apprentissage du droit au Haut-Canada, puis fut admis au barreau. Représenta la circonscription de Grenville à la Chambre d'assemblée du Haut-Canada, de 1800 à 1808.

S'établit au Bas-Canada en 1812. Élu député d'Effingham en 1814, prêta serment le 13 février 1816. Réélu en 1816. Fut poursuivi en justice en 1816 pour avoir fait paraître un article diffamatoire dans le *Canadian Spectator*; selon lui, il appartenait à la Chambre de disposer du trésor public. Admis à l'exercice du droit au Bas-Canada, le 12 juin 1817. Ne se serait pas représenté dans Effingham aux élections d'avril 1820.

Exerçait la profession d'avocat à Montréal en 1821. Décédé en ou après 1821.

On ne sait pas s'il était célibataire ou marié.

SHOONER, Paul

Né à Pierreville, le 2 mai 1923, fils de Georges Shooner, marchand, et de Jeanne DeBlois.

Fit ses études à l'école Maurault à Pierreville, au collège Saint-Joseph-de-Berthierville, au séminaire de Nicolet et à l'université de Montréal où il commença un cours en commerce.

Président de l'entreprise familiale Shooner ltée, jusqu'en 1991. Sergent de réserve dans le régiment de Trois-Rivières. Membre des Chevaliers de Colomb et du Club optimiste.

Conseiller municipal de Pierreville du 5 février 1952 au 22 décembre 1953. Élu député de l'Union nationale dans Yamaska en 1966. Whip adjoint de l'Union nationale en 1968 et 1969. Défait en 1970.

SHORT, Edward
(1806–1871)

Né à Bristol, en Angleterre, le 10 juin 1806, fils de John Quirk Short, inspecteur des hôpitaux de l'armée.

Fit l'apprentissage du droit à Trois-Rivières, puis auprès de Dominique **Mondelet**, à Montréal. Admis au barreau en 1826.

Pratiqua sa profession à Montréal, à Trois-Rivières, puis à Québec où il eut comme associé Thomas Cushing **Aylwin**, et, après 1830, à Sherbrooke avec Ebenezer **Peck**. Fut président de la Cour des sessions de la paix du district de Saint-François.

Élu député de la ville de Sherbrooke en 1851; de tendance modérée.

Son mandat prit fin avec sa nomination comme juge de la Cour supérieure du Bas-Canada, le 12 novembre 1852. Siégea aussi comme juge de la Cour seigneuriale, créée en 1854.

Décédé à Sherbrooke, le 5 juin 1871, à l'âge de 64 ans et 11 mois. Les obsèques eurent lieu dans l'église anglicane St. Peter, le même jour.

Avait épousé dans l'église anglicane St. Peter, à Sherbrooke, le 7 mai 1839, Ann Brown.

———

Bibliographie: *DBC.*

SICOTTE, Louis-Victor
(1812–1889)

Né à Boucherville, le 6 novembre 1812, puis baptisé le 7, dans la paroisse Sainte-Famille, sous le nom de Louis Cicot, fils de Toussaint Cicot, cultivateur, et de Marguerite Gauthier, dit Saint-Germain.

Étudia au séminaire de Saint-Hyacinthe de 1822 à 1829. Fit l'apprentissage du droit à Montréal, auprès de Dominique **Mondelet**, de Louis-Hippolyte **La Fontaine** et de Norbert **Dumas**; admis au barreau en 1838.

Pendant ses études de droit, fut commis au sein de l'entreprise commerciale montréalaise LaRocque, Bernard et Compagnie. En février 1832, fit paraître dans *la Minerve*, sous le pseudonyme de S*******, une lettre à forte saveur patriote. Cofondateur, en 1834, et secrétaire-trésorier de la société Aide-toi, le Ciel t'aidera, à l'origine du choix du 24 juin comme date de la fête nationale des Canadiens français. N'a pas pris part à la rébellion de 1837–1838. S'établit, en 1838, à Saint-Hyacinthe où il exerça la profession d'avocat.

Défait dans Saint-Hyacinthe en 1848. Élu député de cette circonscription en 1851; de tendance libérale; mis sous la garde du sergent d'armes le 14 octobre 1852, pour absence injustifiée, fut libéré après avoir fourni des explications. Fit partie du ministère Hincks–Morin: conseiller exécutif et commissaire des Terres de la couronne (poste qu'il avait d'abord refusé) du 17 au 26 août 1853. Réélu sans opposition en 1854; élu orateur de l'Assemblée le 5 septembre 1854, remplit cette fonction jusqu'à sa démission le 25 novembre 1857, date à laquelle il remplaça Étienne-Pascal **Taché** comme conseiller exécutif et commissaire des Terres de la couronne dans le ministère Taché–Macdonald, qui prit fin le même jour.

Dès le lendemain, 26 novembre 1857, entra dans le ministère Macdonald–Cartier: conseiller exécutif jusqu'au 29 juillet 1858 et commissaire des Terres de la couronne jusqu'au 1er août 1858. Réélu sans opposition député de Saint-Hyacinthe en 1858; bleu. Déclina l'offre de faire partie du ministère Brown–Dorion au début d'août 1858. Fut membre du ministère Cartier–Macdonald: conseiller exécutif du 6 août 1858 au 24 décembre 1858 et commissaire des Travaux publics du 7 août 1858 jusqu'à sa démission le 10 janvier 1859. Réélu en 1861. Forma un ministère avec John Sandfield Macdonald: conseiller exécutif et procureur général du Bas-Canada du 24 mai 1862 au 15 mai 1863. À son entrée au cabinet, son siège de député était devenu vacant. Réélu à une élection partielle le 12 juin 1862. Refusa un portefeuille dans le ministère Macdonald–Dorion en mai 1863. Réélu en 1863; son siège se trouva vacant par suite de sa nomination, le 5 septembre 1863, à titre de juge puîné de la Cour supérieure pour le district de Saint-Hyacinthe, charge qu'il exerça jusqu'à ce qu'il prît sa retraite, en novembre 1887.

Nommé conseiller de la reine en 1854. Fut lieutenant dans le premier bataillon de milice de Saint-Hyacinthe.

Décédé à Saint-Hyacinthe, le 4 septembre 1889, à l'âge de 76 ans et 9 mois. Inhumé dans le caveau de l'église Notre-Dame-du-Rosaire, le 9 septembre 1889.

Avait épousé dans la paroisse Notre-Dame-du-Rosaire, à Saint-Hyacinthe, le 7 novembre 1837, Marguerite-Émélie Starnes, fille du marchand Benjamin Starnes et d'Élizabeth Mainville.

Beau-frère de Henry **Starnes**.

Bibliographie: *DBC.*

SIMARD, Claude

Né à Montréal, le 22 octobre 1938, fils d'Édouard Simard, industriel, et d'Orise Brunelle.

A étudié au Mont-Jésus-Marie à Outremont, au collège Saint-Joseph à Sorel et à l'université d'Ottawa. Diplômé en commerce et administration en 1962.

Industriel. Président-fondateur de l'atelier de soudure et d'usinage Sigama ltée en 1963. Élu administrateur de la société Branch Line ltée et de la société Reynolds du Canada en 1964. Président de Clauremiand ltée, en 1969 et 1970, qui regroupait les compagnies suivantes: les Fonderies de Sorel ltée, les Fonderies de Magog ltée, Engineering Products du Canada, les formules mécanographiques Paragon ltée et les Textiles Aronelle ltée.

Élu député libéral dans Richelieu en 1970. Réélu en 1973. Ministre d'État à l'Industrie et au Commerce, chargé du dossier des pêches maritimes, dans le cabinet Bourassa, du 12 mai 1970 au 31 octobre 1972. Ministre d'État responsable du Tourisme, de la Chasse et de la Pêche du 2 février 1972 au 31 octobre 1972. Ministre du Tourisme, de la Chasse et de la Pêche du 31 octobre 1972 au 26 novembre 1976. Ne s'est pas représenté en 1976.

De nouveau président de Clauremiand ltée, à compter de 1976. Élu administrateur de Eskimo Pie Corporation en 1977, d'Equitable du Canada en 1979, de Domco limited en 1981 et de la Société Snemo ltée en 1991. Élu vice-président du conseil d'administration de la société Reynolds du Canada en 1984. Propriétaire de la compagnie City Gas à Trois-Rivières et président-fondateur de la compagnie Edric ltée à compter de 1980. Conseiller en administration pour quelques PME à partir de 1991.

SIMARD, Georges-Aimé
(1869–1953)

Né à Henryville, près de Saint-Jean-sur-Richelieu, le 30 octobre 1869, fils de Julien Simard, cultivateur, et de Célanise Roy.

Fit ses études au collège des Frères maristes à Iberville et au Collège de pharmacie à Boston.

Pharmacien et homme d'affaires. Président et directeur général de la Franco American Chemical à Montréal. Président de la compagnie Lachine Rapids Power. Vice-président du Quebec Miami Highway. Directeur du Trust général du Canada. Nommé consul général de Roumanie au Canada en 1919.

Conseiller législatif de la division de Repentigny du 12 novembre 1913 au 1er mars 1921. Président de la Régie des alcools du Québec de 1921 à 1923. Nommé de nouveau conseiller législatif de la même division le 12 novembre 1923.

Président de la Commission des soldats de retour du front. Participa à la fondation du Royal Canadian Hussars dont il fut nommé major en 1908. Gouverneur de l'Hôpital général de Montréal ainsi que des hôpitaux Sainte-Justine, Sainte-Jeanne-d'Arc et Notre-Dame. Membre de l'American University Club of London, du Club des ingénieurs ainsi que des clubs Canadien, Saint-Denis, Laurentien, Winchester et Shawinigan. Créé chevalier de l'ordre de la Couronne de Belgique et officier du Mérite agricole (1926).

Décédé en fonction à Saint-Lambert, le 26 février 1953, à l'âge de 83 ans et 3 mois. Inhumé à Montréal, dans le cimetière Notre-Dame-des-Neiges, le 2 mars 1953.

Avait épousé dans la cathédrale de Montréal, le 18 janvier 1905, Antoinette Boyer, fille de Louis-Alphonse Boyer, homme d'affaires et député à la Chambre des communes de 1872 à 1878, et d'Alphonsine Meilleur.

SIMARD, Georges-Honoré (1817–1873)

Né à Québec, le 17 avril 1817, puis baptisé le 18, dans la paroisse Notre-Dame, fils de Pierre Simard, boulanger, et de Louise Clouet. Étudia dans une école anglaise de Québec.

S'occupa de typographie avant de se lancer dans le commerce de quincaillerie: fut d'abord commis dans l'entreprise de son oncle Michel **Clouet**, puis l'un des associés de la Chinic, Simard et Méthot jusqu'en 1860. Par la suite, posséda la Quebec Plaster Mills. Fut, entre autres, président de la City Building Society (1857–1859), vice-président de la Société de construction des navires (1865), de la Chambre de commerce de Québec, ainsi que de la Caisse d'économie de Notre-Dame de Québec (à partir de 1858), administrateur de la Banque d'Union du Bas-Canada (1867–1871), de la Compagnie des mines d'or de Léry (à compter de 1865) et du chemin de fer de la rive nord. Nommé au sein de la Commission du havre de Québec en 1859, en fut président en 1870.

Défait dans la cité de Québec en 1854. Élu dans cette circonscription à une élection partielle le 27 octobre 1856. Réélu en 1858, mais l'élection fut annulée le 16 avril 1860. Élu dans Québec-Centre à une élection partielle le 7 mai 1860. Réélu en 1861. Bleu. Défait en 1863. Élu député conservateur de Québec-Centre à l'Assemblée législative et à la Chambre des communes en 1867. Ne s'est pas représenté au provincial en 1871 ni au fédéral en 1872.

Président honoraire de la Société typographique de Québec. L'un des fondateurs en 1864 de la Société philanthropique du Canada. Président de la Société Saint-Jean-Baptiste de Québec, en 1865–1866. Capitaine dans la milice.

Décédé à Sainte-Foy, le 27 juin 1873, à l'âge de 56 ans et 2 mois. Après des obsèques célébrées dans la cathédrale Notre-Dame de Québec, fut inhumé dans le cimetière Notre-Dame-de-Belmont, à Sainte-Foy, le 1er juillet 1873.

Avait épousé dans la paroisse Notre-Dame de Québec, le 3 septembre 1844, Louise Julie Measam, fille du marchand Joseph Measam et d'Élisabeth Ruelle.

Cousin d'Étienne **Parent**.

Bibliographie: *DBC*.

SIMARD, Montcalm

Né à Rivière-Bleue, le 4 octobre 1921, fils d'Évariste Simard, commerçant, et de Marie-Anna Ouellet.

Fit ses études au couvent Saint-Rosaire à Rivière-Bleue, au collège Sacré-Cœur à Victoriaville, à l'académie commerciale de Québec et à l'University of St. Dunstan à Charlottetown (Île-du-Prince-Édouard).

Propriétaire de la compagnie Bires de 1946 à 1975. Président de l'entreprise J.-M. Simard ltée. Membre des Chevaliers de Colomb et de la Chambre de commerce de Rivière-Bleue.

Maire de la municipalité de Rivière-Bleue de 1957 à 1960, puis de 1964 à 1975. Préfet du comté de Témiscouata de 1965 à 1973. Élu député de l'Union nationale dans Témiscouata en 1966. Réélu en 1970. Ne s'est pas représenté en 1973.

Frère de Jean-Maurice Simard, député à l'Assemblée législative du Nouveau-Brunswick de 1970 à 1985 et sénateur à partir de 1986.

SIMARD, Télesphore (1863–1924)

Né à Saint-Joachim, près de Québec, le 19 décembre 1863, fils de Ferdinand Simard, cultivateur, et de Caroline Rhéaume.

Fit ses études au séminaire de Québec et à l'université Laval à Québec. Bachelier en sciences d'arpentage en 1887.

Arpenteur, il explora notamment les rivières de la Côte-Nord et de la région du Témiscamingue pour le compte du gouvernement. Promoteur du chemin de fer du Témiscamingue.

Élu député libéral dans Témiscamingue en 1916. Réélu en 1919 et 1923.

Décédé en fonction à Ville-Marie, le 1er octobre 1924, à l'âge de 60 ans et 10 mois. Inhumé dans le cimetière de cette paroisse, le 4 octobre 1924.

[Avait épousé, le 20 mai 1889, Angélina Morissette, fille de Cyrille Morissette.]

SIMON. V. CIMON

SIMON, dit DELORME, Hyacinthe-Marie (1777–1814)

Né le 15 août 1777, puis baptisé dans la paroisse de Saint-Denis, le 9 septembre, fils de Jacques-Hyacinthe Simon, dit Delorme, seigneur, et de sa seconde femme, Marie-Anne Crevier Décheneaux. Souvent désigné sous le seul patronyme de Delorme.

À la mort de son père en octobre 1778, hérita d'une partie de la seigneurie de Saint-Hyacinthe, que sa mère administra jusqu'à ce qu'il eût atteint l'âge de la majorité. Fait commissaire de paix en août 1803. Donna, en 1810, une partie du terrain sur lequel fut construit le collège de Saint-Hyacinthe. Nommé commissaire chargé de faire prêter le serment d'allégeance, en juin 1812. Lieutenant-colonel dans la milice, commanda la division de Saint-Hyacinthe pendant la guerre de 1812.

Élu député de Richelieu en 1808; appuya le parti canadien. Réélu en 1809 (ne prit part à aucun vote) et en 1810.

Décédé en fonction à Saint-Hyacinthe, le 13 mars 1814, à l'âge de 36 ans et 10 mois. Inhumé dans l'église Notre-Dame-du-Rosaire, le 15 mars 1814.

Était célibataire.

Cousin de Jean **Dessaulles**. Oncle de Pierre-Dominique **Debartzch**. Beau-frère de Claude **Dénéchau**.

SIMPSON, John (1788–1873)

Né en Angleterre, en 1788.

Quitta l'Angleterre en 1815 et s'installa avec sa femme et ses beaux-fils à Augusta, dans le Haut-Canada. En 1820, devint secrétaire particulier du gouverneur George **Ramsay**, à Québec. Nommé, en juillet 1822, receveur des douanes, contrôleur des marchandises et inspecteur des écluses à Coteau-du-Lac.

Élu député d'York en 1824; appuya généralement le parti des bureaucrates. En 1827, retira sa candidature avant la fin du scrutin. Pendant la rébellion de 1837–1838, se rangea du côté de l'autorité britannique, mais son attitude libérale et humanitaire envers les prisonniers politiques lui valut la confiance des patriotes. En 1841, résigna ses fonctions de receveur des douanes et fut élu député de Vaudreuil; unioniste et tory. Ne s'est pas représenté en 1844.

À compter de 1845, fit partie de la commission d'enquête sur l'indemnisation des personnes qui avaient subi des pertes pendant la rébellion. Vers la fin de sa vie, se retira chez son fils à Brockville, puis à Kingston, en Ontario.

Obtint divers postes de commissaire. Fut officier de milice; marguillier de l'église protestante de Coteau-du-Lac.

Décédé à Kingston, le 21 avril 1873, à l'âge de 84 ou de 85 ans.

Avait épousé en Angleterre, entre 1807 et 1815, Zipporah Tickell, veuve d'Ebenezer Roebuck, administrateur civil en Inde.

Son beau-fils John Arthur Roebuck fut député à la Chambre des communes en Angleterre et représentant de la Chambre d'assemblée du Bas-Canada à Londres.

Bibliographie: *DBC.*

SIMPSON, William John (1851–1901)

Né à Lachute, le 23 novembre 1851, fils de John Simpson, cordonnier et lieutenant-colonel, et de Jane Dey.

Fit ses études au collège de Lachute.

Exerça le métier d'agent d'assurances et d'agent financier. S'occupa de la publication du journal *The Watchman and Ottawa Valley Advocate*, d'abord avec Dawson Kerr de 1882 à 1886, puis seul en 1896 et 1897. Servit dans le 11e bataillon des Rangers d'Argenteuil et se retira avec le grade de lieutenant. Secrétaire-trésorier du conseil municipal de Lachute du 11 mars 1886 au 4 décembre 1889. Franc-maçon, il fut maître de la loge d'Argenteuil pendant trois ans.

Secrétaire des associations conservatrice et libérale conservatrice du comté d'Argenteuil. Élu député conservateur dans Argenteuil en 1892. Défait en 1897. Candidat conservateur défait dans Argenteuil aux élections fédérales de 1900.

Décédé à Lachute, le 27 octobre 1901, à l'âge de 49 ans et 11 mois. Inhumé à Lachute, dans le cimetière St. Simeon's Church of England, le 30 octobre 1901.

Avait épousé à Lachute, le 22 avril 1874, Mary Fitzgerald, fille de Thomas Fitzgerald.

SINCENNES, Jacques-Félix (1818–1876)

Né à Deschambault, le 7 janvier 1818, fils de Jacques Saincennes, cultivateur et pilote de navire, et de Marie-Josephte Marcotte.

Étudia à l'école primaire durant six ans, puis, ayant appris la navigation avec son père, pilota des navires sur le

Saint-Laurent, entre Québec et Montréal, pendant deux ans. Retourna aux études.

Fut commis dans une maison de commerce. En 1839, devint commissaire à bord d'un bateau à vapeur qui faisait la navette entre Montréal et Laprairie (La Prairie). Mit sur pied en 1845 la Société de navigation de la rivière Richelieu, entreprise de construction navale et de transport, dont les chantiers étaient situés à Sorel et qui fut reconnue légalement en 1848 sous le nom de Compagnie du Richelieu. D'abord capitaine au sein de la société, en prit la direction en 1848 ; fut longtemps secrétaire-trésorier, puis président pendant dix ans et l'un des administrateurs jusqu'à sa mort. En 1875, forma, avec une société rivale, la Compagnie de navigation du Richelieu et de l'Ontario – qui allait devenir la Canada Steamship Lines. Cofondateur en 1849 de la Sincennes-McNaughton Line, entreprise de remorquage et d'amarrage des navires, dont les bureaux se trouvaient à Sorel et à Montréal. Actionnaire de la Montreal and Ottawa Forwarding Company, créée en 1865. L'un des fondateurs en 1873 de la Compagnie d'assurance royale canadienne de Montréal, dont il fut président. Vice-président de la Banque du peuple. Engagé dans l'industrie du coton et du caoutchouc.

Élu député de Richelieu en 1858 ; bleu. Ne s'est pas représenté en 1861.

Décédé à Montréal, le 20 février 1876, à l'âge de 58 ans et un mois. Les obsèques eurent lieu dans l'église Saint-Jacques.

Avait épousé Clotilde-Héloise Douaire Bondy ; puis, en 1866, Delphine-Denise Perrault, veuve de l'avocat Victor-Henri Bourgeau.

Bibliographie : *DBC*.

SIROIS-DUPLESSIS, Paschal (1762–1797)

Né à Kamouraska, le 9 août 1762, puis baptisé le 10, dans la paroisse Saint-Louis, fils de Pierre Sirois, dit Duplessis, et de Marianne Michaud.

Fut cultivateur et marchand à Saint-André. Marguillier de la paroisse du même nom à compter du 1er août 1790.

Élu député de Cornwallis en 1796 ; appuya le parti canadien.

Décédé en fonction le 14 novembre 1797, à l'âge de 35 ans et 3 mois : périt dans un naufrage à la Grosse-Île de Kamouraska ; son corps fut retrouvé le 14 juin 1798, sur le rivage de l'îlet au Flacon. Inhumé dans le cimetière paroissial de Saint-André, le 15 juin 1798.

Avait épousé dans l'église de Saint-Roch-des-Aulnaies, le 18 juillet 1786, sa parente Marie-Josephte Pelletier, fille de Jacques Pelletier et de Marie-Anne Roy.

SIRROS, Christos

Né à Athènes (Grèce), le 2 février 1948, fils de Sotirios Sirros, restaurateur, et d'Hélène Tomopoulos.

Obtint un baccalauréat en commerce de la McGill University en 1970. Diplômé en éducation en 1971 et titulaire d'une maîtrise en éducation (*counseling*) en 1976 de cette même université.

Enseignant à la commission scolaire de Lakeshore de 1970 à 1976. Agent de relations humaines au Centre des services sociaux (CSS) du Montréal métropolitain de 1976 à 1978. Directeur général au Centre local des services communautaires (CLSC) Parc-Extension à Montréal de 1978 à 1980. Membre du bureau de direction de Lakeshore Teachers' Association de 1974 à 1976. Membre du conseil d'administration de l'Association des enseignants protestants du Québec de 1974 à 1976. Membre du conseil d'administration de la succursale internationale du Y.M.C.A. de 1977 à 1979.

Candidat du Parti de l'Alliance démocratique défait dans Laurier en 1976. Élu député libéral dans Laurier en 1981. Réélu en 1985. Adjoint parlementaire de la ministre de la Santé et des Services sociaux du 13 décembre 1985 au 3 mars 1989. Adjoint parlementaire du premier ministre du 3 mars 1989 au 9 août 1989. Réélu en 1989. Ministre délégué à la Santé et aux Services sociaux du 11 octobre 1989 au 5 octobre 1990. Assermenté ministre délégué aux Affaires autochtones le 5 octobre 1990.

SLATER, Harry (1863–1936)

[Né à Portsmouth, en Angleterre, le 24 mai 1863, fils d'Edward Slater et de Mary Philpott.]

Fit ses études au Chandos Academy à Southsea, en Angleterre.

Arriva au Québec en 1890, puis travailla comme teneur de livres pour la compagnie montréalaise Moffat Blocking. Président de la compagnie Lachute Knitting. Commissaire à la Cour supérieure en 1907. Président de la Chambre de commerce de Lachute en 1909. Membre de l'ordre de l'Empire britannique. Franc-maçon, il fut maître de la loge d'Argenteuil vers 1896.

Maire de Lachute de 1903 à 1905. Candidat conservateur défait dans Argenteuil à l'élection partielle du 5 mars 1910. Élu député conservateur dans Argenteuil en 1912. Défait en 1916. Défait également aux élections fédérales de 1917.

Décédé à Lachute, le 11 janvier 1936, à l'âge de 72 ans et 7 mois. Inhumé dans le cimetière protestant de Lachute, le 13 janvier 1936.

[Avait épousé en Angleterre, le 29 février 1880, Sarah Mary Wenborn, fille de John George Wenborn, marchand.]

SMART, Charles Allan
(1868–1937)

Né à Montréal, le 23 mars 1868, fils de Robert Smart, fabricant de chaussures, et de Margaret Clark.

Fit ses études à la High School de Montréal.

Commença sa carrière militaire en 1898, alors qu'il joignit les rangs de la milice comme lieutenant du 6e Hussards. Promu major en 1900 et lieutenant-colonel en 1904. Organisa le 13th Scottish Light Dragoons qui devint, en 1906, le Banner Cavalry Regiment of Canada. Engagé dans l'armée de réserve en 1911, il fut nommé par la suite officier commandant de l'Eastern Township Cavalry Brigade (1912), puis commandant de la Provisional Mounted Division (1914) à Petawawa, en Ontario. En 1915, il fut affecté au commandement de la 2nd Mounted Rifle Brigade et envoyé en service outre-mer. Nommé ensuite commandant aux camps d'entraînement de Crowborough (1916) et de Shorncliffe (1917), en Angleterre. Démobilisé et fait brigadier général en 1918. Créé chevalier de l'ordre de Saint-Michel et Saint-George en 1917.

Président-fondateur de Smart Bag Co. Président de Mar. Fish Co. en 1910. Vice-président de la section montréalaise de la Canadian Manufacturer's Association en 1911. Directeur de la Banque d'Hochelaga en 1911. Président de la Canadian International Corporation Ltd.

Conseiller municipal de Westmount en 1910. Élu député conservateur dans Westmount en 1912. Réélu en 1916 (sans opposition), 1919 (sans opposition), 1923, 1927, 1931 et 1935. Ne s'est pas représenté en 1936. Nommé conseiller législatif de la division d'Inkerman le 18 mai 1937. N'a jamais siégé au Conseil législatif.

Décédé en fonction à Westmount, le 4 juin 1937, à l'âge de 69 ans et 3 mois. Incinéré à Montréal, au crématorium du Mount Royal Cemetery, le 7 juin 1937.

Avait épousé à Montréal, dans la Grace Church, le 28 juin 1893, Ellen Naud McWood, fille de William McWood, directeur de service au chemin de fer du Grand Tronc.

SMITH, George Robert
(1860–1922)

[Né à Newark, dans l'État du New Jersey, le 17 février 1860, fils de Benjamin Smith et de Mary Ann Codmer.]

Fit des études commerciales à Newark.

Émigra au Canada en 1876, puis s'engagea dans l'exploitation de mines d'argent près de Kingston. De 1881 à 1886, il s'occupa des mines de phosphate à Buckingham. Vice-président et gérant général de la mine d'amiante Bell Asbestos Mining (1892) et de la compagnie montréalaise Asbestos Manufacturing. Cofondateur et président (1907) du Canadian Mining Institute. Président de la compagnie Canadian Auto and Taxicab. Membre du Montreal Board of Trade.

Élu député libéral dans Mégantic en 1897. Réélu sans opposition en 1900 et 1904. Défait en 1908. Nommé conseiller législatif de la division de Victoria le 5 janvier 1911.

Décédé en fonction à Sherbrooke, le 20 février 1922, à l'âge de 62 ans. Inhumé à Sherbrooke, dans le Elmwood Cemetery, le 23 février 1922.

Avait épousé à Buckingham, le 3 mars 1886, Isabelle Frances Parker, fille de George Lariu Parker, marchand de bois.

SMITH, Hollis
(1800–1863)

Né à Plainfield, au New Hampshire, le 24 juin 1800, fils de Levi Smith et de Sally Wright, tous deux de confession baptiste.

Étudia à l'école publique, notamment dans le canton de Hatley, au Bas-Canada, où il passa les premières années de sa vie.

Se lança dans l'agriculture et le commerce, dans les Cantons-de-l'Est : en 1831, exploitait une ferme près de Lennoxville et des magasins généraux à Compton, Lennoxville et Eaton ; s'associa, entre autres, avec Samuel **Brooks**, en 1832. Investit dans la propriété foncière dans des cantons et à Sherbrooke. Participa à la mise en valeur de la région : construction routière dans le canton de Stoke, avec **Brooks,** en 1835 ; construction du Bishop's College de Lennoxville, dont il fut aussi administrateur à compter de 1845 ; actionnaire de la Compagnie du chemin à lisses du Saint-Laurent et de l'Atlantique et de la Fabrique de coton de Sherbrooke. Appuya le

Manifeste annexionniste de Montréal en 1849. Fut secrétaire de la Stanstead and Sherbrooke Mutual Fire Insurance Company et officier de milice.

Élu conseiller législatif de la division de Wellington en 1856; d'abord libéral, devint conservateur en 1858.

Décédé en fonction à Sherbrooke, le 29 mars 1863, à l'âge de 62 ans et 9 mois. Les obsèques eurent lieu dans l'église anglicane St. Peter, le 1er avril 1863.

Avait épousé Dianna Harriet Kendrick, d'ascendance américaine.

Beau-père d'Alexander Manning, maire de Toronto.

Bibliographie: *DBC*.

SMITH, Ichabod
(1788–1867)

Né à Surry, au New Hampshire, le 24 avril 1788.

Accompagna ses parents à Brownington, au Vermont, en 1798. S'installa à Stanstead, au Bas-Canada, en 1810. Exploita des magasins à Georgeville, Barnston et Eaton. En 1813, se lança en affaires à Stanstead Plain avec deux associés; prit sa retraite en 1836. Participa à la mise sur pied de la Compagnie du chemin de fer de Stanstead, Shefford et Chambly en 1852, de la Banque Saint-François en 1854 et de la Compagnie du cimetière du lac Cristal en 1866. Actionnaire de la Stanstead and Sherbrooke Mutual Insurance Company. Obtint une commission de juge de paix en 1830. L'un des fondateurs en 1829 du Stanstead Seminary, dont il était administrateur en 1865. Fut vice-président durant vingt ans et président pendant deux ans de la Stanstead County Bible Society.

Fit partie du Conseil spécial, du 2 avril 1838 jusqu'à la dissolution de ce conseil, le 1er juin 1838.

Décédé à Stanstead, le 21 janvier 1867, à l'âge de 78 ans et 8 mois. Les obsèques eurent lieu dans l'église méthodiste, le 24 janvier 1867.

Avait épousé, en 1814, Amanda Ward, fille de Nathan Ward, native de Springfield, au Vermont.

SMITH, James
(1806–1868)

Né à Montréal, le 16 mai 1806, puis baptisé le 9 juin, dans l'église Scotch Presbyterian, fils de James Smith, marchand, et de Susanna McClement.

Étudia à Trois-Rivières, puis, de 1816 à 1823, en Écosse. Fit l'apprentissage du droit à Montréal et fut reçu au barreau en 1828.

Pratiqua sa profession à Montréal. Membre d'une commission chargée d'étudier le système seigneurial au Bas-Canada de 1841 à 1843. Nommé conseiller de la reine en 1844.

Fit partie du ministère Draper–Viger: conseiller exécutif, du 2 septembre 1844 au 22 avril 1847, et procureur général du Bas-Canada, du 1er septembre 1844 au 17 juin 1846; puis du ministère Draper–Papineau: conseiller exécutif et procureur général, du 18 juin 1846 au 22 avril 1847. Avait été élu député de Missisquoi en 1844; tory.

Son siège devint vacant par suite de sa nomination comme juge de la Cour du banc de la reine pour le district de Montréal, le 23 avril 1847. Fut juge de la Cour supérieure du district de Montréal à compter du 1er janvier 1850. Nommé en 1854 à la Cour seigneuriale. Prit sa retraite le 25 août 1868.

Décédé à Montréal, le 29 novembre 1868, à l'âge de 62 ans et 6 mois. Les obsèques eurent lieu dans l'église presbytérienne St. Andrew, le 3 décembre 1868.

On ne sait pas s'il était célibataire ou marié.

Bibliographie: *DBC*.

SMITH, William
(1728–1793)

Né à New York, le 18 juin 1728, fils de William Smith, avocat, et de Mary Het.

Fit ses études au Yale College de New Haven, au Connecticut. Après l'obtention de son diplôme en 1745, fit son stage de clerc dans le cabinet de son père à New York. Reçu *attorney* en octobre 1750.

Exerça le droit à New York. Après plusieurs tentatives littéraires, compila en 1752, avec William Livingston, un recueil de lois intitulé *Laws of New-York from the year 1691 to 1751, inclusive* (une suite parut en 1762); fut coauteur en 1753–1754 de la première revue new-yorkaise, l'*Independent Reflector*; en 1757, publia à Londres *The history of the province of New-York* [...] (une suite parut à New York en 1826) et, avec Livingston, *A review of the military operations in North-America; from* [...] *1753, to* [...] *1756* [...]; tint un journal qui fut édité en 1956 et 1958 à New York (*Historical memoirs* [...]), puis en 1963–1965 à Toronto (*The diary and selected papers* [...]). Nommé, en 1767, membre du Conseil de la colonie de New York en remplacement de son père. En 1778, se rangea du côté des loyalistes et, en 1780, fut nommé juge en chef de New York. S'embarqua pour l'Angleterre en décembre 1783 avec Guy **Carleton**. Le 23 octobre 1786, arriva à Québec avec le nouveau gouverneur Carleton, et, le 2 novembre, prêta le serment d'office comme juge en chef de la province de Québec, poste qu'il occupa jusqu'à sa mort.

Fut assermenté comme conseiller législatif de la province de Québec le 2 novembre 1786. Fit partie du Conseil exécutif du 16 septembre 1791 jusqu'à sa mort. Membre du Conseil législatif à compter de 1792 ; en fut le président à partir du 15 décembre 1792.

Décédé en fonction à Québec, le 6 décembre 1793, à l'âge de 65 ans et 5 mois. Quoique presbytérien, fut inhumé dans le cimetière anglican.

Avait épousé, le 3 novembre 1752, Janet Livingston, [fille de James Livingston, de New York].

Beau-père de Jonathan **Sewell**.

_____

Bibliographie: *DBC*.

SOMERVILLE, Henry Alister Darby (1909–1992)

Né à Hemmingford, le 25 mai 1909, fils de Philip Henry Moore Somerville, gérant de banque, et d'Alice Darby.

Fit ses études à la Hemmingford Intermediate School, au Huntingdon Academy et à la McGill University à Montréal.

Exerça le métier d'aviculteur et fut propriétaire d'une conserverie de poulet. S'occupa également de l'élevage des renards argentés et des visons, puis fit le commerce du bois. Membre de la Chambre de commerce de Hemmingford. Membre du bureau des gouverneurs des hôpitaux Barrie Memorial (1947 à 1960) et Huntingdon County Hospital. Membre du Huntingdon Rotary Club à compter de 1953, et président de ce club en 1961 et 1962.

Commissaire d'école à la commission scolaire protestante de Hemmingford de 1934 à 1945 et en 1951, puis président de 1952 à 1972. Maire du canton de Hemmingford de 1945 à 1949 et de 1961 à 1965. Candidat de l'Union nationale défait dans Huntingdon en 1939. Élu député de l'Union nationale dans la même circonscription en 1952. Réélu en 1956, 1960 et 1962. Défait en 1966 et 1970. Maire du village de Hemmingford de 1967 à 1973. Président de la commission scolaire protestante d'Ormstown de 1972 à 1974.

Décédé à Ormstown, le 9 février 1992, à l'âge de 82 ans et 8 mois. Les obsèques eurent lieu dans l'église St. Andrew's, à Hemmingford, le 11 février 1992.

Avait épousé à Montréal, dans la St. John United Protestant Church, le 27 février 1933, Ollie Alexander Brock, institutrice, fille d'Omar Arnold Brock, fermier, et d'Adéline Boulet.

SOMERVILLE, Robert Brown (1812– ≥1867)

Né en Écosse, en 1812, fils d'Andrew Somerville, propriétaire foncier du comté d'East Lothian, originaire d'Evelair, dans le Berwick.

Étudia à la *grammar school* de Haddington, en Écosse.

Vint au Bas-Canada en 1833. S'établit à Athelstan où il exploita des moulins et une tannerie. Fut commissaire d'école, juge de paix et commissaire au tribunal des petites causes. Commanda une compagnie des Loyal Huntingdon Volunteers pendant les troubles de 1837–1838 ; accéda par la suite au grade de lieutenant-colonel du 3e bataillon de milice de Beauharnois.

Maire du village de Huntingdon. Membre du conseil des cantons de Hinchinbrook et Godmanchester. Élu député de Huntingdon en 1854 ; mis sous la garde du sergent d'armes le 12 décembre 1854 pour absence injustifiée, fut libéré après avoir fourni des explications. Réélu en 1858, en 1861 sans opposition, et en 1863. Indépendant, puis de tendance libérale à compter de 1858, mais fut en faveur du projet de confédération. Son mandat prit fin avec l'avènement de la Confédération, le 1er juillet 1867.

Décédé en ou après 1867.

Avait épousé dans l'église presbytérienne St. Gabriel Street, à Montréal, le 22 août 1840, Mary Susan Macnider, fille d'Adam L. Macnider.

SOULIGNY. V. VINET

SPENCE, Paul-Henri

Né à Roberval, le 9 novembre 1906, fils de James Spence, mécanicien, et d'Alice Tardif.

Fit ses études au collège des Frères maristes à Roberval, au séminaire de Chicoutimi, puis à Ottawa et à Gravelbourg (Saskatchewan).

Travailla pour les compagnies Alcoa Power, Beauharnois Construction et Lake St. John Power & Paper à Dolbeau. S'occupa de l'organisation du Syndicat de pulpe et papier. Chef de district de la colonisation pour le comté de Roberval. Fondateur et propriétaire de l'entreprise d'alimentation Paul

Spence inc. de 1955 à 1980. Actionnaire de cette entreprise jusqu'en 1987.

Échevin de la municipalité de Saint-Félicien de 1969 à 1973. Élu député progressiste-conservateur à la Chambre des communes dans Roberval à l'élection partielle du 26 mai 1952. Défait en 1953. Élu député de l'Union nationale à l'Assemblée législative dans Roberval en 1956. Démissionna le 19 août 1958.

Président de l'Association des marchands détaillants. Président-fondateur de la Société Saint-Jean-Baptiste de Dolbeau. Fondateur et gérant de la caisse populaire de Dolbeau et de la coopérative La Progressive. Président de l'Association touristique du comté de Roberval. Directeur de la Chambre de commerce de Dolbeau.

SPENCER, Elijah Edmund
(1846–1919)

[Né à Saint-Armand-Est (Frelighsburg), le 19 avril 1846, fils d'Ambrose S. Spencer et de Mary Thomas.]

Fit ses études à Frelighsburg, puis à Poughkeepsie, dans l'État de New York.

Exerça le métier de cultivateur et de commerçant. Président de la Société d'agriculture du comté de Missisquoi. Marchand général à Frelighsburg. Président de la Missisquoi & Rouville Mutual Fire Insurance Co. Vice-président de la Missisquoi County Historical Society de 1891 à 1897. Commissaire d'école et secrétaire-trésorier de la commission scolaire de Frelighsburg.

Conseiller municipal de Frelighsburg de 1898 à 1901, puis maire de 1901 à 1915. Préfet du comté de Missisquoi en 1902 et 1907. Élu député conservateur dans Missisquoi en 1881. Fut réélu en 1886, mais son élection fut annulée le 20 décembre 1887. Élu de nouveau à l'élection partielle du 28 avril 1888 et aux élections de 1890 et 1892. Défait en 1897.

Décédé à Frelighsburg, le 7 août 1919, à l'âge de 73 ans et 3 mois. Inhumé au même endroit, dans le Bishop Stewart Memorial Church Cemetery, le 10 août 1919.

Avait épousé à Dunham, le 11 juin 1873, Frances S. Galer, fille de R.L. Galer.

SPRINGATE, George

Né à Montréal, le 12 mai 1938, fils de Walter L. Springate et d'Eleonor Woodhouse.

Fit ses études à la High School de Montréal, aux universités Sir George Williams et McGill où il fut diplômé en droit civil en 1968 et en droit commun en 1969.

Membre du corps de police de la ville de Montréal de mai 1958 à juin 1969. Membre du cabinet d'avocats Franklin et Franklin de juin 1969 à avril 1970. Membre de la Scarlet Key Honor Society de la McGill University en 1966 et 1967. Membre de l'équipe de football Redmen de cette université de 1966 à 1968. Président de l'Association des étudiants en droit de McGill en 1967 et 1968. Commissaire à la Conférence de football junior de Montréal et à la Ligue de football junior Ontario-Québec en 1969. Président de la Semaine de football amateur du Canada en 1969. Président de RDS Sports ltée de 1969 à 1972. Membre de la Ligue canadienne de football, il fut repêché par les Tiger Cats de Hamilton en 1968. Membre de l'équipe de football des Alouettes de Montréal jusqu'en 1972. Animateur de plusieurs émissions de radio et de télévision concernant les activités policières et diffusées entre 1962 et 1969.

Élu député libéral dans Sainte-Anne en 1970. Réélu en 1973, puis dans Westmount en 1976. Ne s'est pas représenté en 1981.

Commentateur sportif au réseau anglais de Radio-Canada à Montréal à compter de 1981. Professeur de droit à la McGill University et au collège John-Abbott. Journaliste au *Montreal Daily News* en 1988 et 1989. Décoré de l'ordre du Canada le 21 décembre 1989. Récipiendaire d'un doctorat honorifique en droit du University College du Cap-Breton le 9 juin 1990.

STARNES, Henry
(1816–1896)

Né à Kingston, dans le Haut-Canada, le 13 octobre 1816, fils de Benjamin Starnes, d'ascendance écossaise, et d'Élizabeth Mainville. À son prénom s'ajoutait parfois la variante Nathan.

Étudia à la Montreal Academical Institution, puis, en 1826–1827, au petit séminaire de Montréal.

S'occupa de commerce, de 1830 environ jusqu'en 1859. Travailla dans le secteur de l'importation pour le compte de l'homme d'affaires montréalais James **Leslie**, avec qui il mit sur pied en 1849 la Leslie, Starnes and Company. Fut actionnaire de la Banque de Montréal; administrateur de la Banque du peuple, de 1851 à 1853, et de la Banque d'épargne de la cité et du district de Montréal, de 1852 à 1876; directeur de la succursale montréalaise de la Banque d'Ontario, de 1859 à 1871; président, de 1871 à 1875, de la Banque métropolitaine, qu'il avait fondée. Actionnaire de diverses compagnies liées à la navigation et au transport ferroviaire, ainsi que de la Compagnie des consommateurs de gaz de la cité et du district de Montréal. Vice-président du Bureau de commerce de Montréal et de l'Association Saint-Jean-Baptiste.

Représenta le quartier Ouest au conseil municipal de Montréal, de 1852 à 1855, puis fut maire de 1856 à 1858 et de 1866 à 1868. Défait dans la circonscription de Montréal, mais élu député de Châteauguay en 1858; de tendance conservatrice. Réélu sans opposition en 1861; de tendance libérale. Ne s'est pas représenté en 1863. Refusa de faire partie du cabinet Chauveau en 1867. Nommé conseiller législatif de la division de Salaberry le 2 novembre 1867, prêta serment le 27 décembre; appuya tantôt le Parti conservateur, tantôt le Parti libéral. Membre des cabinets Joly de Lotbinière, Mousseau et Taillon: fut président du Conseil législatif, du 8 mars 1878 au 31 octobre 1879; commissaire des chemins de fer, du 31 juillet 1882 au 11 février 1884; commissaire de l'Agriculture et des Travaux publics, du 25 au 29 janvier 1887. Exerça encore les fonctions de président du Conseil législatif, sans siège au cabinet, du 23 avril 1889 au 17 mars 1892; appuya le Parti national d'Honoré **Mercier** (père) jusqu'en 1891, puis le Parti libéral.

Décédé en fonction à Montréal, le 3 mars 1896, à l'âge de 79 ans et 4 mois. Inhumé dans le cimetière Notre-Dame-des-Neiges, le 6 mars 1896.

Avait épousé dans la paroisse Notre-Dame, à Montréal, le 5 août 1840, Eleanore Stuart, de la même paroisse.

Beau-frère de Louis-Victor **Sicotte**.

Bibliographie: *DBC.*

STEEL, John
(≈1737–1826)

Né dans l'Ayrshire, en Écosse, vers 1737. Son patronyme s'orthographia aussi Steele.

S'engagea comme volontaire dans la Marine royale en 1776; se distingua au siège de Savannah, en Géorgie. En reconnaissance de ses services, fut fait lieutenant, puis capitaine, grade qu'il conserva jusqu'à la fin de la guerre, en 1783. Passa en Angleterre et, en 1784, se rendit en qualité de midshipman à Halifax, en Nouvelle-Écosse. En mai 1785, vint à Québec où il reçut le commandement d'un navire provincial de Sa Majesté. Servit sur le lac Champlain et les Grands Lacs jusqu'en 1796, puis commanda divers navires de la Marine du Haut-Canada; avait reçu en août 1794 une commission de

capitaine. Fait juge de paix dans le district de Montréal en 1798 et maître du port en 1803. Quitta la Marine provinciale le 30 mars 1812 et, pendant la guerre, remplit des tâches d'intendance dans la région de Caldwell's Manor (Noyan), où il était établi. Désigné, à cette époque, sous le titre de commodore.

Élu député de Bedford en 1800; appuya généralement le parti des bureaucrates. Ne se serait pas représenté en 1804.

Décédé probablement à Caldwell's Manor (Noyan), le 13 mai 1826, à l'âge d'environ 89 ans. Après des obsèques célébrées en l'église anglicane de l'endroit, fut inhumé sur sa propriété, le 14 mai 1826.

Avait épousé probablement à Caldwell's Manor (Noyan), vers 1787, Nancy Griggs, fille d'Abraham Griggs et d'une prénommée Sarah, tous deux loyalistes.

Bibliographie: Miller, J. Wesley, «Commodore John Steele», *The Voice of Pike River and Missisquoi Historical Society Reports, 1979-1980*, 16 (1980), p. 155-156.

STEELE. V. STEEL

STEIN, Charles-Adolphe
(1878–1938)

Né à Québec, le 1er août 1878, fils de Léonce Stein, agent d'immigration, et d'Alma Baillairgé.

Étudia au séminaire de Québec et à l'université Laval où il reçut la médaille du gouverneur général en 1902. Admis au barreau de la province de Québec le 5 juillet 1902. Créé conseil en loi du roi le 20 février 1912.

Exerça sa profession à Rivière-du-Loup avec Me Camille Pouliot jusqu'en 1904. S'associa par la suite à Ernest Lapointe, député à la Chambre des communes de 1904 à 1941, et à Léon **Casgrain**. Procureur de la couronne. Avocat de la ville de Rivière-du-Loup. Administrateur de la Campbelton and Gaspe Steamship. Trésorier de la St. Lawrence Navigation et de l'imprimerie Saint-Laurent ltée.

Élu député libéral à l'Assemblée législative dans Kamouraska en 1912. Réélu en 1916 et 1919 (sans opposition). Démissionna le 15 mars 1920 pour se porter candidat au fédéral. Élu député libéral dans Kamouraska à la Chambre des communes à l'élection partielle du 31 mars 1920. Réélu en 1921. Son siège devint vacant lors de sa nomination comme juge à la Cour supérieure du Québec le 5 mai 1922.

Décédé à Montréal, le 27 février 1938, à l'âge de 59 ans et 6 mois. Inhumé dans le cimetière de la paroisse Saint-Patrice-de-la-Rivière-du-Loup, le 3 mars 1938.

Avait épousé dans la paroisse Notre-Dame de Québec, le 4 mai 1904, Alice Hamel, fille de Théofred Hamel, courtier d'assurances, et d'Émérie-Pulchérie Poirier.

STEPHENS, George Washington (père) (1832–1904)

Né à Skanton, dans l'État du Vermont, le 22 septembre 1832, fils de Harrison Stephens, marchand, et de Sarah Jakson.

Fit ses études à la Montreal High School et à la McGill University. Admis au barreau du Bas-Canada le 2 novembre 1863.

Exerça sa profession à Montréal, avec Me John Perkins, puis abandonna la pratique du droit pour se consacrer à l'administration de la fortune de son père. Président de la Citizen's Gas Co. et du Canadien Pacifique (1880 à 1888). Membre du Montreal Board of Trade. Président de la Montreal Decorative Art Association et de la Mercantile Library Association. Fondateur de la Montreal Good Government Association. Gouverneur à vie du Montreal General Hospital et du Protestant Hospital for the Insane. Membre du St. James Club et de l'Union Club. Major de cavalerie affilié au Montreal Rifle Rangers.

Échevin du quartier Saint-Laurent au conseil municipal de Montréal de 1868 à 1871, puis du quartier Ouest de 1871 à 1879, en 1881 et 1882 et de 1889 à 1892. Commissaire des parcs en 1877. Élu député libéral dans Montréal-Centre en 1881. Candidat défait dans Montréal-Ouest en 1886, puis dans Montréal no 4 en 1890. Élu député libéral dans Huntingdon en 1892 et 1897. Assermenté ministre sans portefeuille dans le cabinet Marchand le 26 mai 1897 et dans le cabinet Parent le 3 octobre 1900. Ne s'est pas représenté aux élections de 1900.

Décédé à Montréal, le 20 juin 1904, à l'âge de 71 ans et 8 mois. Incinéré à Montréal, au crématorium du Mount Royal Cemetery, le 22 juin 1904.

[Avait épousé en 1865 Elizabeth McIntosh; puis, en 1878, Frances Ramsay McIntosh, fille de Nicholas Carnegie McIntosh.]

Père de George Washington **Stephens**.

STEPHENS, George Washington (fils) (1866–1942)

Né à Montréal, le 3 août 1866, fils de George Washington **Stephens**, avocat, et d'Elizabeth McIntosh.

Fit ses études à la Montreal High School, à la McGill University, à l'université de Genève (Suisse) et aux universités de Marburg et de Hanovre (Allemagne).

Fut d'abord employé des compagnies J. & H. Taylor et Thomas Robertson Ltd. Administra les propriétés de son père à partir de 1902. Président de la Canadian Rubber Company of Montreal Ltd. et vice-président de la Canadian Consolidated Rubber Co. Ltd. Joignit les rangs du 3e bataillon d'artillerie canadien en 1898. Devint major en 1902, puis se retira avec le grade de lieutenant-colonel. A publié A Plea for Re-adjustment of Marine Insurance Rates on the St. Lawrence (1911) et the St. Lawrence Waterway Project (1930).

Élu sans opposition député libéral dans Montréal no 4 à l'élection partielle du 7 octobre 1905. Ne s'est pas représenté en 1908.

Président de la Commission du havre de Montréal de 1907 à 1912. Choisi par la Société des Nations, en 1923, pour siéger à la Commission d'administration de la région de la Sarre, en Allemagne, issue du Traité de Versailles.

Décédé à Los Angeles, en Californie, le 6 février 1942, à l'âge de 75 ans et 6 mois. Inhumé à Montréal, le 3 mars 1942.

[Avait épousé en 1908 Rosalinda G. Bisaechi.]

STEWART, Charles James (1775–1837)

Né à Londres, le 13 ou le 16 avril 1775, fils de John Stewart, 7e comte de Galloway, et de sa seconde femme, Anne Dashwood.

Étudia avec un précepteur, dans le domaine familial de Galloway House, en Écosse. De 1792 à 1795, fréquenta le Corpus Christi College d'Oxford, en Angleterre, puis obtint une maîtrise ès arts de l'All Souls College, en 1799.

Fut ordonné diacre de l'Église d'Angleterre, en décembre 1798, et prêtre, en mai 1799. Affecté au rectory d'Orton, en resta titulaire jusqu'en 1826. Arrivé au Bas-Canada en septembre 1807 comme missionnaire anglican, s'installa peu après à Frelighsburg, dans la seigneurie Saint-Armand. Exerça aussi son ministère dans les seigneuries Foucault et de Noyan, ainsi que dans des cantons, dont celui de Shefford, et à Sheldon, au Vermont. En 1819, s'établit à Hatley et fut chargé d'une mission de consolidation dans tout le diocèse, y compris dans le Haut-Canada. Se trouvait à Londres lorsqu'il fut nommé évêque, en novembre 1825, et consacré le 1er janvier 1826 ; succédait à Jacob **Mountain** à la tête du diocèse anglican de Québec.

Membre du Conseil exécutif du Bas-Canada du 3 mai 1826 jusqu'à sa mort. Nommé au Conseil législatif le 28 ou le 30 janvier 1828, selon les sources. Fit aussi partie des conseils exécutif et législatif du Haut-Canada, mais n'assista pas aux réunions. Malade, retourna en Angleterre à l'automne de 1836.

Est l'auteur de plusieurs ouvrages, dont *A selection of psalms and hymns* [...] (Montréal, 1808) et *A short view of the present state of the Eastern Townships* [...], publié en 1815. Reçut un doctorat honorifique en théologie de l'University of Oxford, en 1816. À titre de directeur de l'Institution royale pour l'avancement des sciences, à compter de 1826, veilla à la création du McGill College de Montréal. Nommé inspecteur officiel du King's College de Toronto, en 1827.

Décédé en fonction à Londres, chez son neveu, le comte de Galloway, le 13 juillet 1837, à l'âge de 62 ans et 2 ou 3 mois.

Était célibataire.

_____

Bibliographie : *DBC*.

STEWART, John
(1773–1858)

Né à Musselburgh, en Écosse, le 24 novembre 1773, fils de John Stewart, chirurgien, et de Sarah Jackson.

En 1794, vint s'établir à Québec. Était au service de la compagnie de David **Monro** et de Mathew **Bell**, en 1797 et 1798, puis s'engagea dans diverses entreprises à son propre compte. Mit sur pied la John Stewart and Company, dissoute en 1806, et, de 1807 à 1816, exploita un commerce d'importation. Pendant la guerre de 1812, servit comme payeur général adjoint de la milice. De 1816 à 1822, fut associé de la Bell and Stewart, à Québec, et lié à l'exploitation des forges du Saint-Maurice, ainsi que d'une fonderie et d'un magasin à Trois-Rivières. Fut membre de la Bourse de Québec, président du Committee of Trade de 1822 à 1825, et président, en 1824, du Bureau d'escompte et de dépôts de Québec, dont il était administrateur depuis 1817.

Fit partie du Conseil législatif du 13 mai 1825 jusqu'à la suspension de la constitution, le 27 mars 1838. Membre du Conseil exécutif du 4 janvier 1826 jusqu'à l'entrée en vigueur de l'Acte d'Union, le 10 février 1841 ; en était président à l'automne de 1837.

Nommé provisoirement président de la Cour d'appel en avril 1839. Continua d'exercer les fonctions de commissaire des biens des jésuites et de maître de la Maison de la Trinité, postes qu'il occupait depuis juin 1815 et août 1824 respectivement.

Décédé à Sillery, le 5 juin 1858, à l'âge de 84 ans et 6 mois. Les obsèques eurent lieu dans la cathédrale anglicane Holy Trinity, à Québec, le 9 juin 1858.

Avait épousé à Québec, dans la cathédrale anglicane Holy Trinity, le 28 mars 1814, Eliza Maria Green, fille de James Green, officier britannique et directeur du Bureau des billets de l'armée, et de sa femme Maria.

_____

Bibliographie : *DBC*.

STOCKWELL, Ralph Frederick
(1885–1962)

Né à Danville, le 21 novembre 1885, fils de Charles Frederick Stockwell, cultivateur, et de Joséphine Roy.

Fit ses études à Danville et à la McGill University à Montréal. Admis au barreau de la province de Québec le 11 janvier 1912. Créé conseil en loi du roi le 14 septembre 1922.

Fut associé à Me Edson-Grenfill Place, à Montréal, de 1912 à 1914, puis à Me Georges-Henri Boivin, à Granby, de 1919 à 1926. Partiqua seul par la suite. Substitut du procureur général pour le district de Bedford de 1926 à 1931. Procureur de la couronne pour le même district de 1926 à 1933. Bâtonnier (1927 et 1928) et président du barreau de Bedford. Membre de l'Association du barreau de Montréal et de l'Association du barreau canadien.

Servit dans l'armée au cours de la Grande Guerre. Major du 5e régiment de la Canadian Mounted Rifles de Montréal en 1915. Officier d'état-major du Fort Garry Horse Reserve Regiment, puis de la Canadian Training Division à Bramshott, en Angleterre, en 1916. Lieutenant-colonel du 11e bataillon de Hussards de 1920 à 1924. Commandant de la 4e brigade de cavalerie en 1926. Devint officier de réserve en 1931. Titulaire des médailles : 1914–1915 Star, General Service Medal, Victory Medal et Officer's Long Service Decoration. Président honoraire de la Légion canadienne de Brome.

Directeur de la Cowansville Realties Ltd. Président de la Société des gradués de McGill pour le district de Bedford. Membre du Protestant Board of Public Institution en 1932.

Gouverneur de l'hôpital Brome-Missisquoi-Perkins. Membre de l'University Club et du Club de réforme.

Élu député libéral dans Brome en 1931. Réélu en 1935. Trésorier de la province dans le cabinet Taschereau du 26 octobre 1932 au 27 juin 1936. Ne s'est pas représenté en 1936. Défait en 1939.

Décédé à Cowansville, le 15 octobre 1962, à l'âge de 76 ans et 10 mois. Inhumé à Cowansville, le 17 octobre 1962.

[Avait épousé, le 14 juin 1916, Jane Elizabeth Cotton, fille de William Stuart Cotton.]

STUART, Andrew
(1785–1840)

Né à Cataraqui (Kingston, Ontario), le 25 novembre 1785, fils de John Stuart, ministre de l'Église d'Angleterre, et de Jane Okill, de Philadelphie.

Étudia avec un précepteur avant de fréquenter l'Union College de Schenectady, dans l'État de New York. Fit l'apprentissage du droit au Bas-Canada. Admis au barreau en 1807.

Exerça sa profession à Québec; s'associa à Henry **Black** en 1820. Fut le défenseur de Pierre-Stanislas **Bédard**, le conseiller juridique des administrateurs de la Banque de Québec, l'avocat du séminaire de Saint-Sulpice, à Montréal, et de la communauté irlandaise catholique de Québec.

Élu député de la Basse-Ville de Québec en 1814 sous la bannière du parti canadien. Réélu en 1816. Ne se serait pas représenté en avril 1820. Élu dans la Haute-Ville de Québec en juillet 1820. Réélu en 1824, 1827 et 1830. Défait dans la Haute-Ville de Québec en 1834 comme candidat du parti des bureaucrates. Élu dans la Haute-Ville de Québec à une élection partielle le 26 mars 1836; occupa son siège jusqu'à la suspension de la constitution, le 27 mars 1838. Se rendit en Angleterre, en 1838, à titre de président de l'Association constitutionnelle, pour défendre la cause de l'union du Haut et du Bas-Canada. Nommé solliciteur général le 25 octobre 1838, remplit cette fonction jusqu'à sa mort.

Est l'auteur de divers articles et d'un rapport rédigé en qualité de commissaire chargé d'explorer des terres dans les postes du roi, publiés par la Société littéraire et historique de Québec, dont il fut président. Entre 1830 et 1838, publia, au Bas-Canada ou à Londres, quatre ouvrages portant sur les frontières des colonies britanniques en Amérique du Nord, sur les travaux de la Chambre d'assemblée du Bas-Canada et sur l'éducation. Collabora aussi au *Star and Commercial Advertiser*/*l'Étoile et Journal de commerce*.

Décédé à Québec, le 21 février 1840, à l'âge de 54 ans et 2 mois. Après des obsèques célébrées dans la cathédrale anglicane Holy Trinity, le 24 février 1840, fut inhumé dans le cimetière St. Matthew.

Avait épousé vraisemblablement à Québec, vers 1811, Marguerite Dumoulin; puis, probablement dans la même ville, vers 1819, Jane Smith.

Frère de James **Stuart**. Oncle de George Okill **Stuart**.

Bibliographie: *DBC*.

STUART, George Okill
(1807–1884)

Né à York (Toronto), le 12 octobre 1807, puis baptisé au même endroit, le 29 novembre, fils de George Okill Stuart, ministre de l'Église d'Angleterre d'ascendance loyaliste, et de Lucy Brooks. Son prénom s'orthographia aussi O'Kill.

Étudia à Kingston, dans le Haut-Canada, puis à Québec où il fit aussi l'apprentissage du droit auprès de son oncle James **Stuart**, procureur général du Bas-Canada. Admis au barreau en 1830.

Pratiqua sa profession à Québec, notamment à titre d'associé de son oncle, de 1834 à 1838, et dans la société Stuart and Murphy, de 1861 à 1873; se spécialisa dans le droit maritime. Conseiller juridique de la ville de Québec de 1841 à 1843.

Représenta le quartier Saint-Louis au conseil municipal de Québec de 1843 à 1846 et fut maire de 1846 à 1850. Élu député de la cité de Québec en 1851; tory indépendant. Défait en 1854. Élu dans la cité de Québec à une élection partielle le 14 avril 1857. Ne s'est pas représenté en 1858.

Bâtonnier du barreau de Québec de 1851 à 1853. Fait conseiller de la reine en 1854. Nommé temporairement, en septembre 1855, juge adjoint de la Cour supérieure du Bas-Canada. En avril 1873, fut choisi comme adjoint de Henry **Black**, juge de la Cour de vice-amirauté de la cité de Québec et oncle de sa femme. À la suite de la mort de celui-ci, obtint sa charge le 27 octobre 1873 et prêta serment le 2 janvier 1874; exerça ses fonctions jusqu'à sa mort.

Compila et fit paraître, à Québec, en 1834, *Reports of cases argued and determined in the courts of King's Bench and in the provincial Court of Appeals of Lower Canada, with a few more important cases in the Court of Vice Admiralty* [...]; édita un recueil de jurisprudence en matière de droit maritime sur le Saint-Laurent intitulé *Cases selected from those heard and determined in the Vice-Admiralty Court at Quebec* [...] (2 volumes, Londres, 1858 et 1875). Fit partie du conseil d'administration de la Compagnie du chemin de fer et de la navigation du Saint-Maurice. Membre actif de l'Église d'Angleterre, fut délégué laïc au synode de Québec, en 1863, et conseiller juridique honoraire de la Church Society, de 1873 à 1875.

Décédé à Québec, le 5 mars 1884, à l'âge de 76 ans et 4 mois.

Avait épousé dans la cathédrale anglicane Holy Trinity, à Québec, le 1er mai 1833, Margaret Black Stacey.

Neveu d'Andrew **Stuart**. Petit-fils de John Brooks, gouverneur de l'État du Massachusetts.

———

Bibliographie: *DBC*.

STUART, James
(1780–1853)

Né à Fort Hunter, dans la colonie de New York, le 2 mars 1780, fils de John Stuart, loyaliste et ministre de l'Église d'Angleterre, et de Jane Okill.

Reçut la dernière partie de son éducation traditionaliste et protestante au King's College de Windsor, en Nouvelle-Écosse. Fit son apprentissage du droit dans le Bas-Canada : d'abord à Montréal, de 1794 à 1798, puis auprès de Jonathan **Sewell**, à Québec, de 1798 à 1800. Admis au barreau en 1801.

Fut secrétaire particulier du lieutenant-gouverneur Robert Shore **Milnes** avant d'être nommé solliciteur général du Bas-Canada en 1805 ; démis de cette dernière fonction par le gouverneur James Henry **Craig**, en mai 1809.

Élu sans opposition député de Montréal-Est en 1808. Réélu en 1809. Appuya le parti canadien. Défait en 1810. Élu dans Montréal à une élection partielle le 5 décembre 1811 ; devint le leader du parti canadien en Chambre. Réélu dans Montréal et élu dans Buckingham en 1814 ; opta pour Montréal le 6 février 1815. Réélu dans Montréal en 1816. Par suite du refus de l'Assemblée, en 1817, d'appuyer une proposition qui ranimait la question des mises en accusation contre les juges Jonathan **Sewell** et James **Monk**, cessa de siéger. Ne s'est pas représenté ou a été défait, selon les sources, en avril 1820.

Nommé procureur général du Bas-Canada le 31 janvier 1825. Élu député de William Henry à une élection partielle le 22 février 1825 ; appuya le parti des bureaucrates. Défait en 1827. Ne s'est pas représenté en 1830. Nommé membre du Conseil exécutif le 6 juillet 1827 ; en fit partie jusqu'à l'entrée en vigueur de l'Acte d'Union, le 10 février 1841. À la suite d'une requête de l'Assemblée, en date du 19 mars 1831, fut suspendu de ses fonctions de procureur général le 9 sep-tembre 1831, puis destitué en novembre 1832. Ayant refusé le poste de juge en chef de Terre-Neuve, retourna à l'exercice du droit. Nommé membre du Conseil spécial le 2 avril 1838, fut révoqué au moment de la dissolution de ce conseil, en juin. Fait juge en chef du Bas-Canada le 22 octobre 1838 ; le demeura jusqu'à sa mort. Appelé à nouveau au Conseil spécial, le 11 novembre 1839 ; en fut membre et président jusqu'à l'entrée en vigueur de l'Acte d'Union, le 10 février 1841.

Est l'auteur de : *Observations on the proposed union of the provinces of Upper and Lower Canada, under one legislature, respectfully submitted to his majesty's government, by the agent of the petitioners for that measure* (Londres, 1824) ; «Remarks on a plan, entitled "A plan for a general legislative union of the British provinces in North America", paru dans *General union of all the British provinces of North America* (Londres, 1824). Rédigea le texte de la loi sur l'union des deux Canadas et celui de l'ordonnance qui créait les bureaux d'enregistrement. Fait baronnet (sir) le 5 mai 1841.

Décédé à Québec, le 14 juillet 1853, à l'âge de 73 ans et 4 mois. Après des obsèques célébrées dans la cathédrale anglicane Holy Trinity, le 16 juillet 1853, fut inhumé dans le cimetière St. Matthew.

Avait épousé dans l'église anglicane Christ Church, à Montréal, le 14 mars 1818, Elizabeth Robertson, [fille d'Alexander Robertson et de sa femme Mary].

Frère d'Andrew **Stuart**. Oncle de George Okill **Stuart**.

———

Bibliographie: *DBC*.

SWEET, Moses
(1814–1877)

Né à West Brome, au Bas-Canada, le 6 janvier 1814, fils d'Amos Sweet et de Relief Gilman.

Fut commerçant et propriétaire foncier. Fit partie, avec son frère Gardner Sweet, fondateur du village de Sweetsburg (Cowansville), de la commission mise sur pied par le gouvernement en 1857 pour s'occuper des demandes de terre dans les cantons de Bolton et de Magog. Participa aux affaires publiques de West Brome et du canton de Brome.

Élu député de Brome en 1861, fut nommé maître de poste à Warden en janvier 1862 et laissa son siège vacant, afin de permettre à Christopher **Dunkin** de se porter candidat à une élection partielle le 17 mars 1862.

Obtint le poste de receveur des douanes, à Hemmingford, le 10 mai 1862.

Décédé à Hemmingford, le 27 janvier 1877, à l'âge de 63 ans. Les obsèques eurent lieu en l'église méthodiste, le 30 janvier 1877.

Avait épousé Mary (Maria) Winslow.

———

Bibliographie: Gross, Geneviève (Ellis) et Joyce Lisle Sweet, *A Sweet family history*, North Olmsted (Ohio), 1990.

SYDENHAM, baron. V. THOMSON

SYLVAIN, Denys

Né à Sainte-Marie, le 19 février 1945, fils de Philippe Sylvain, garagiste, et de Jeannette Gagnon.

A étudié au collège de Sainte-Marie, au collège de Lévis et à l'université Laval. Admis au barreau de la province de Québec en janvier 1971.

Pratiqua seul jusqu'en 1973, puis devint membre du cabinet Sylvain, Parent et Associés, spécialisé en relations de travail, à compter de 1974. Président-fondateur de la Commission industrielle intermunicipale de Sainte-Marie en 1972. Commissaire industriel de la paroisse et de la ville de Sainte-Marie de septembre 1972 à janvier 1974. Secrétaire-trésorier de la Chambre de commerce senior de Sainte-Marie en 1971.

Élu député libéral dans Beauce-Nord en 1973. Défait en 1976.

SYLVAIN, George
(1819–1891)

Né probablement à Saint-Vallier et baptisé dans la paroisse Saint-Michel, à Saint-Michel-de-Bellechasse, sous le prénom de Michel-George, le 27 août 1819, fils de Michel Sylvain, journalier de Saint-Vallier, et de Louise Corriveau.

Se lança dans le commerce. Entré au service des entrepreneurs forestiers Price dans la paroisse Saint-Thomas (à Montmagny), fut chargé, en 1846, de veiller à l'organisation et à la gestion d'un nouvel établissement de cette entreprise au Bic, où il s'installa. Acquit, en 1848, une terre qu'il fit exploiter. S'occupa également du magasin, ainsi que de l'administration des scieries et des chantiers de la compagnie dans tout le bas Saint-Laurent jusqu'à Matane. Servit aussi à titre d'agent seigneurial des Price. Fut maître de poste (1850–1862), marguillier (1859), juge de paix, lieutenant dans le 1er bataillon de milice du comté de Rimouski et vice-consul de la Norvège et de la Suède.

Maire de la municipalité de la paroisse du Bic, de 1855 à 1874 et en 1875–1876. Élu député de Rimouski en 1861; appuya le ministère libéral Macdonald–Sicotte à partir de mai 1862. Réélu sans opposition en 1863; donna son appui aux bleus. Son mandat prit fin avec l'avènement de la Confédération, le 1er juillet 1867. Élu député conservateur de Rimouski à la Chambre des communes en 1867. Défait en 1872.

En 1887, s'établit à Rimouski, où il exerça la charge d'agent des Terres de la couronne jusqu'à sa mort.

Décédé à Rimouski, le 25 février 1891, à l'âge de 71 ans et 5 mois. Inhumé dans le cimetière de la paroisse Saint-Germain, le 28 février 1891.

Avait épousé dans la paroisse Saint-Thomas (à Montmagny), le 15 octobre 1844, Luce Fournier, fille de Jacques Fournier et de Séraphine Bouchard; puis, dans l'église de Saint-Fabien, le 8 février 1858, Wilhelmine Mercier, fille de Bernard Mercier et de Françoise Talbot.

———

Bibliographie: Michaud, Joseph-D., *Le Bic: les étapes d'une paroisse*, Deuxième partie: *Un siècle de vie paroissiale*, Québec, L'Action sociale, 1920, p. 64-69, 110-111.

SYLVESTRE, Amédée
(1881–1971)

Né à Saint-Damien, près de Saint-Gabriel-de-Brandon, le 17 août 1881, fils de Georges Sylvestre, cultivateur, et d'Herméline Deshaies.

Fit ses études à Saint-Damien et à l'école normale Jacques-Cartier à Montréal.

Fut marchand général puis propriétaire du moulin à scie Océan limitée et manufacturier d'épices à Montréal.

Maire de Saint-Charles-de-Mandeville de 1913 à 1917, puis maire de Saint-Gabriel-de-Brandon en 1922. Élu député libéral dans Berthier à l'élection partielle du 30 novembre 1925. Ne s'est pas représenté en 1927.

Décédé à Montréal, le 1er février 1971, à l'âge de 89 ans et 6 mois. Inhumé dans le cimetière de la paroisse Saint-Gabriel-de-Brandon, le 4 février 1971.

Avait épousé dans la paroisse Saint-Gabriel-de-Brandon, le 20 juillet 1903, Élizée Granger, fille de Magloire Granger, bedeau, et d'Olivine Armstrong; puis, à Montréal, dans la paroisse de L'Immaculée-Conception, le 14 octobre 1933, Marie-Ange Tourigny, fille de Joseph-Ludger Tourigny, notaire, et de Maria Beauchemin.

SYLVESTRE, Armand
(1910–1980)

Né à Saint-Cuthbert, près de Berthierville, le 16 octobre 1910, fils de Camille Sylvestre, cultivateur et commerçant, et de Marie-Louise Paquette.

Fit ses études à Saint-Cuthbert, au séminaire de Joliette, au collège de Berthierville et à l'université de Montréal. Admis au barreau de la province de Québec le 9 juillet 1937.

Exerça sa profession à Berthierville. Fut avocat de la Commission des liqueurs pour le district de Joliette de 1939 à 1944. Directeur gérant du *Courrier de Berthier* de 1945 à 1948. Membre des Chevaliers de Colomb, du Club Richelieu et du Club de réforme.

Élu député libéral dans Berthier en 1944. Défait en 1948 et 1952.

Juge à la Cour des sessions de la paix à Montréal du 20 février 1962 jusqu'à sa retraite en 1972.

Décédé à Saint-Thomas, près de Joliette, le 4 novembre 1980, à l'âge de 70 ans. Inhumé dans le cimetière de Berthierville, le 7 novembre 1980.

Avait épousé à Berthierville, le 28 juillet 1941, Mariette Daviault, fille de Georges-Alphonse Daviault, commerçant, et d'Alphonsine Pelletier.

SYLVESTRE, Joseph
(1870–1947)

Né à Saint-Barthélémi, près de Berthierville, le 26 février 1870, fils de Norbert Sylvestre, cultivateur, et d'Élise Lebeau.

Fit ses études à Saint-Barthélémi, au collège de L'Assomption et à l'université Laval à Montréal. Admis au barreau de la province de Québec le 6 juillet 1894. Créé conseil en loi du roi le 30 juin 1909.

Pratiqua le droit à Sainte-Julienne et à Joliette.

Président de la commission scolaire de Sainte-Julienne pendant douze ans. Élu député conservateur dans Montcalm en 1908. Réélu en 1912. Défait en 1916.

Nommé shérif de Joliette le 3 avril 1937. Créé chevalier de l'ordre de Saint-Grégoire-le-Grand en 1935.

Décédé à L'Assomption, le 8 juillet 1947, à l'âge de 77 ans et 4 mois. Inhumé à Joliette, le 11 juillet 1947.

Avait épousé dans la cathédrale de Montréal, le 17 août 1897, Laetitia Corsin, fille d'Alexis Corsin, marchand, et d'Octavie Morin.

SYLVESTRE, Louis
(1832–1914)

Né dans la paroisse Sainte-Geneviève-de-Berthier, le 12 février 1832, fils de Pierre Sylvestre, cultivateur, et de Josephte Rivard, dit Lavigne.

Fit ses études à Berthier et au collège de L'Assomption. Cultivateur à l'Île-Dupas.

Commissaire d'école, secrétaire et président de la commission scolaire de l'Île-Dupas. Maire de l'Île-Dupas. Élu député libéral dans Berthier en 1871. Réélu en 1875. Défait en 1878 et à l'élection partielle du 30 décembre 1880. Candidat libéral défait dans la circonscription de Berthier aux élections fédérales de 1882. Réélu aux élections provinciales de 1886. Démissionna le 24 décembre 1889. Conseiller législatif de la division de Lanaudière du 10 janvier 1890 jusqu'à sa démission le 23 mars 1905.

Décédé à Berthierville, le 10 février 1914, à l'âge de 81 ans et 11 mois. Inhumé dans le cimetière de l'Île-Dupas, le 13 février 1914.

Avait épousé à La Visitation-de-l'Île-Dupas, le 1er février 1848, Marie Plante, fille d'Alexis Plante, cultivateur, et de Marie Cournoyer.

Grand-père d'Armand Sylvestre, député à la Chambre des communes de 1925 à 1930 et de 1935 à 1945.

TACHÉ, Alexandre
(1899–1961)

Né à Saint-Hyacinthe, le 17 août 1899, fils de Joseph de La Broquerie Taché, notaire, journaliste et bibliothécaire du Parlement à Ottawa, et de Marie-Louise Langevin.

Fit ses études au séminaire de Saint-Hyacinthe, à l'université d'Ottawa et à l'université de Montréal. Admis au barreau de la province de Québec le 21 janvier 1924. Créé conseil en loi du roi en 1938. Docteur honoris causa de l'université d'Ottawa en 1946.

Exerça sa profession à Hull jusqu'en 1956. Bâtonnier du barreau de Hull en 1939 et 1944. Membre de l'Institut canadien-français, de l'Alliance française et du Cercle littéraire de l'université d'Ottawa.

Élu député de l'Union nationale dans Hull en 1936. Défait en 1939. Réélu en 1944, 1948 et 1952. Orateur de l'Assemblée législative du 7 février 1945 au 15 décembre 1955, date de sa démission comme orateur et député.

Nommé juge à la Cour de magistrat des districts de Hull, Terrebonne et Pontiac en 1956. Promu juge à la Cour supérieure en 1958.

Décédé à Hull, le 9 mars 1961, à l'âge de 61 ans et 6 mois. Inhumé dans le cimetière Notre-Dame de Hull, le 13 mars 1961.

Avait épousé à Hull, dans la paroisse Notre-Dame-de-Grâce, le 26 octobre 1925, Berthe Laflamme, fille d'Édouard-Hector Laflamme et de Delvina Berthiaume.

TACHÉ, Étienne-Paschal
(1795–1865)

Né et baptisé dans la paroisse Saint-Thomas (à Montmagny), le 5 septembre 1795, sous le prénom d'Étienne, fils de Charles Taché, coseigneur de Mingan et détenteur de la ferme du poste du roi de Chicoutimi, et de Geneviève Michon.

Fit des études au petit séminaire de Québec, qu'il interrompit pour servir dans la milice pendant la guerre de 1812 ; prit part aux batailles de Châteauguay (1813) et de Plattsburg

(1814). Étudia la médecine à Québec, puis à Philadelphie ; admis à la pratique de sa profession au Bas-Canada en 1819.

S'établit à Saint-Thomas, où il exerça jusqu'en 1841. Élu au Bureau d'examinateurs en médecine du district de Québec en 1831. Organisa l'assemblée des patriotes tenue à Montmagny en juin 1837 ; fit l'objet d'un mandat de perquisition, mais ne fut pas arrêté.

Élu député de L'Islet en 1841. Réélu en 1844. Appuya le groupe canadien-français. Son siège devint vacant en raison de sa nomination comme adjudant général adjoint de la milice du Bas-Canada, le 1er juillet 1846. Occupa ce poste jusqu'à son entrée au Conseil exécutif, le 11 mars 1848. Fit partie des ministères La Fontaine–Baldwin, Hincks–Morin et MacNab–Morin, puis forma un ministère avec Allan Napier MacNab en 1855 et un autre avec John Alexander Macdonald en 1856 : fut conseiller exécutif du 11 mars 1848 au 25 novembre 1857, commissaire des Travaux publics du 11 mars 1848 au 26 novembre 1849, receveur général du 27 novembre 1849 au 23 mai 1856, commissaire des Terres de la couronne du 16 juin au 25 novembre 1857 ; également membre du Conseil des commissaires des chemins de fer du 30 août 1851 au 23 mai 1856 et représentant du gouvernement au conseil d'administration du Grand Tronc du 20 novembre 1852 au 28 juillet 1857. Démissionna comme chef du gouvernement le 20 novembre 1857. Déclina l'offre de devenir adjudant général de la milice en 1858, mais accepta en 1860 la charge de président du Conseil de l'instruction publique et celle d'aide de camp du prince de Galles, pendant son séjour au Canada, avec le grade de colonel honoraire de l'armée britannique. Le 30 mars 1864, forma, avec John Alexander Macdonald, un ministère qui, bien que défait en Chambre le 14 juin, ne fut pas dissous, mais remanié en juin : fut conseiller exécutif et receveur général jusqu'à sa mort ; présida la conférence de Québec en octobre 1864. Fit partie du Conseil législatif à compter du 23 mai 1848 ; en fut président du 19 avril 1856 au 25 novembre 1857.

Fait chevalier (sir) en 1858. Nommé commandeur de l'ordre de Saint-Grégoire-le-Grand. Auteur de *Quelques réflexions sur l'organisation des volontaires et de la milice de cette province* (Québec, 1863).

Décédé en fonction dans la paroisse Saint-Thomas (à Montmagny), le 30 juillet 1865, à l'âge de 69 ans et 10 mois. Après des obsèques nationales, fut inhumé dans le cimetière paroissial, le 2 août 1865.

Avait épousé dans la paroisse Notre-Dame de Québec, le 18 juillet 1820, Sophie Baucher, dit Morency, de Beaumont, fille du navigateur Joseph Baucher, dit Morency, et de Marie-Angélique Fraser.

Frère de Jean-Baptiste **Taché**. Neveu de Pascal **Taché**. Oncle de Joseph-Charles **Taché**.

———

Bibliographie: *DBC*.

TACHÉ, Jean-Baptiste (1786–1849)

Né et baptisé dans la paroisse Saint-Thomas (à Montmagny), le 11 juin 1786, fils de Charles Taché, coseigneur de Mingan, et de Geneviève Michon.

Étudia au petit séminaire de Québec, puis fit l'apprentissage du notariat. Admis à la pratique de sa profession, le 26 août 1811, l'exerça à Kamouraska jusqu'à la fin de sa vie.

Élu député de Cornwallis en avril 1820. Réélu en juillet 1820. Appuya généralement le parti canadien. Ne se serait pas représenté en 1824. Élu dans Rimouski en 1834. Donna son appui tantôt au parti patriote, tantôt au parti des bureaucrates. Son mandat prit fin avec la suspension de la constitution, le 27 mars 1838. Fit partie du Conseil spécial du 30 septembre 1839 jusqu'à l'entrée en vigueur de l'Acte d'Union, le 10 février 1841. Nommé conseiller législatif le 9 juin 1841, prêta serment le 9 octobre 1843.

Nommé registrateur du comté de Kamouraska, le 1er janvier 1842.

Décédé en fonction à Kamouraska, le 22 août 1849, à l'âge de 63 ans et 2 mois. Inhumé dans le cimetière de la paroisse Saint-Louis, le 24 août 1849.

Avait épousé dans la paroisse Notre-Dame, à Québec, le 12 mars 1823, Charlotte Mure, fille de John **Mure** et de Margaret Porteous, et veuve du marchand François Pinguet.

Frère d'Étienne-Paschal **Taché**. Oncle de Joseph-Charles **Taché**. Neveu de Pascal **Taché**.

TACHÉ, Joseph-Charles (1820–1894)

Né à Kamouraska et baptisé sous le prénom de Charles-Joseph, dans la paroisse Saint-Louis, le 24 décembre 1820, fils de Charles Taché, commerçant, et de Louise-Henriette de Labroquerie (Boucher de La Broquerie).

À la mort de son père en 1825, fut pris en charge par son oncle Jean-Baptiste **Taché** de Kamouraska. Étudia au petit séminaire de Québec de 1832 à 1840. Commença des études de médecine en 1841; admis à la profession en 1844. Pratiqua son art à l'hôpital de la Marine et des Émigrés, à Québec, puis, de 1845 à 1857, à Rimouski.

Élu sans opposition député de Rimouski en 1848; fit partie du groupe canadien-français. Réélu en 1851, sans opposition, et en 1854; réformiste, puis bleu. Démissionna le 10 janvier 1857. Candidat défait au siège de conseiller législatif de la division de Grandville en 1860.

Collaborateur à *la Minerve*, au *Canadien* et à *l'Ami de la religion et de la patrie*. Directeur du *Courrier du Canada*, à Québec, de 1857 à 1859. Inspecteur des asiles et des prisons de la province du Canada, de 1859 à 1864. Exerça les fonctions de sous-ministre de l'Agriculture et des Statistiques, à Ottawa, de 1864 à 1888.

Cofondateur de la Société Saint-Jean-Baptiste de Québec en 1842 et de la Société canadienne d'études littéraires et scientifiques en 1845. Représenta la colonie à l'Exposition universelle de Paris en 1855; à cette occasion, publia un *Catalogue raisonné des produits canadiens exposés à Paris en 1855* et fut décoré chevalier de la Légion d'honneur par Napoléon III. Fit paraître à Québec, en 1858, *Des provinces de l'Amérique du Nord et d'une union fédérale*. Cofondateur, à Québec en 1861, des *Soirées canadiennes; recueil de littérature nationale*, où il publia des poèmes, des légendes et des ouvrages, dont *Forestiers et Voyageurs; étude de mœurs,* en 1863. Auteur également de: *la Mouche ou la Chrysomèle et les moyens d'en combattre les ravages* (Montréal, 1877); *les Asiles d'aliénés de la province de Québec et leurs détracteurs* (Hull, 1885), ainsi que de rapports sur les transports, le régime seigneurial et le choléra.

Décédé à Ottawa, le 16 avril 1894, à l'âge de 73 ans et 3 mois.

Avait épousé dans la paroisse Saint-Germain, à Rimouski, le 1er juillet 1847, Françoise Lepage, fille de Macaire Lepage et de Cordule Côté.

Neveu d'Étienne-Paschal et de Jean-Baptiste **Taché**.

———

Bibliographie: *DBC*.

TACHÉ, Pascal
(1757–1830)

Né à Québec, le 30 août 1757, puis baptisé le 31, sous le prénom de Paschal-Jacques, dans la paroisse Notre-Dame, fils de Jean Taché, commerçant (fut aussi notaire), et de Marie-Anne Jolliet de Mingan.

Fut commis dans les fermes des postes du roi durant environ dix ans. En 1785, se fixa à Kamouraska. Reçut de sa belle-mère, en 1790, une part dans la seigneurie de Kamouraska et s'occupa de la mise en valeur de son bien.

Élu député de Cornwallis à une élection partielle le 20 mars 1798. Ne se serait pas représenté en 1800.

Fut juge de paix pour le district de Québec, membre de la Société d'agriculture. Servit comme lieutenant-colonel dans la milice.

Décédé à Kamouraska, le 5 juin 1830, à l'âge de 72 ans et 9 mois. Inhumé dans l'église Saint-Louis, le 7 juin 1830.

Avait épousé dans la paroisse Saint-Louis, à Kamouraska, le 26 septembre 1785, Marie-Louise Decharnay, veuve de Jean-Baptiste Magnan, coseigneuresse de Kamouraska et fille de Jean-Baptiste Decharnay et de Marie-Louise de Quercy.

Oncle d'Étienne-Paschal et de Jean-Baptiste **Taché**.

Bibliographie: *DBC*.

TAILLON, Louis-Olivier
(1840–1923)

Né à Terrebonne, le 26 septembre 1840, fils d'Aimé Taillon, cultivateur, et de Josephte Donet.

Fréquenta le collège Masson à Terrebonne, puis étudia le droit au cabinet de Mᵉˢ Hector Fabre, Siméon Lesage, Louis-Amable **Jetté** et Désiré Girouard (député à la Chambre des communes de 1878 à 1896). Admis au barreau du Bas-Canada le 6 novembre 1865. Créé conseil en loi de la reine le 20 janvier 1882.

Exerça sa profession à Terrebonne, puis à Montréal où il s'associa notamment à François-Xavier-Anselme **Trudel**.

Élu député conservateur dans Montréal-Est en 1875. Réélu en 1878 et 1881. Commissaire chargé d'examiner les montants dus au Fonds consolidé d'emprunt municipal du Bas-Canada de 1880 à 1882. Orateur de l'Assemblée législative du 8 mars 1882 au 23 janvier 1884. Son siège devint vacant lors de sa nomination au cabinet. Réélu sans opposition à l'élection partielle du 9 février 1884. Procureur général dans le cabinet

Ross du 23 janvier 1884 au 25 janvier 1887. Défait aux élections générales du 14 octobre 1886. Élu dans Montcalm à l'élection partielle du 11 décembre 1886. Premier ministre, président du Conseil exécutif et procureur général du 25 au 29 janvier 1887. Chef de l'Opposition de 1887 à 1890. Défait dans Jacques-Cartier en 1890. Retourna à la pratique du droit pendant une courte période. Assermenté ministre sans portefeuille dans le cabinet Boucher de Boucherville le 21 décembre 1891. Élu dans Chambly aux élections de 1892. Son siège devint vacant lors de son assermentation comme premier ministre et fut réélu sans opposition dans la même circonscription à l'élection partielle du 31 décembre 1892. Premier ministre du 16 décembre 1892 au 14 mai 1896, président du Conseil exécutif du 16 décembre 1892 au 28 février 1895 et trésorier provincial du 16 au 30 décembre 1892 et du 6 octobre 1894 au 14 mai 1896. Démissionna comme député le 13 juin 1896. Dirigea les forces ministérielles en Chambre à l'époque des cabinets Ross (1884–1887) et Boucher de Boucherville (1891–1892), ces premiers ministres siégeant au Conseil législatif. Membre du Conseil privé et ministre des Postes dans le cabinet fédéral Tupper du 1ᵉʳ mai au 9 juillet 1896. Candidat défait dans Chambly-Verchères aux élections fédérales de 1896. Défait dans Bagot en 1900. Vice-président du Club libéral-conservateur de Montréal. Promoteur et premier président du Club Lafontaine en 1903.

Maître de poste à Montréal de 1911 à 1916.

Bâtonnier (1892) et conseiller du barreau de Montréal. Bâtonnier du barreau de la province de Québec en 1892 et 1893. Docteur en droit honoris causa du Bishop's College en 1895 et de l'université Laval en 1900. Créé chevalier commandeur de l'ordre de Saint-Michel et Saint-George en 1916.

Décédé à Montréal, le 25 avril 1923, à l'âge de 82 ans et 7 mois. Inhumé à Montréal, dans le cimetière Notre-Dame-des-Neiges, le 28 avril 1923.

Avait épousé à L'Assomption, le 14 juillet 1875, Louise-Georgiana Archambault, fille de Pierre-Urgel **Archambault**, marchand, et de Joséphine Beaupré, veuve de Candide Bruneau.

Beau-frère de Ludger **Forest** (L'Assomption).

TALBOT, Antonio
(1900–1980)

Né à Saint-Pierre-de-la-Rivière-du-Sud, près de Montmagny, le 29 mai 1900, fils de Solyme Talbot, marchand, et d'Alma Dumas.

Fit ses études à Saint-Pierre-de-Montmagny, à Saints-Gervais-et-Protais, au séminaire de Québec et à l'université

Laval. Admis au barreau de la province de Québec le 12 janvier 1925. Créé conseil en loi du roi en 1938. Docteur en droit honoris causa de l'université de Montréal en 1945 et de l'université Laval en 1947.

Exerça sa profession à Québec, puis à Chicoutimi avec Me Elzéar Lévesque de 1928 à 1935. Pratiqua seul jusqu'en 1944, et s'associa par la suite avec Mes Louis-René Lagacé et Jules Landry. Élu bâtonnier du barreau du Saguenay en mai 1945, puis du barreau de la province de Québec en juin 1945. Président de l'Association canadienne des bonnes routes de 1947 à 1949 et de 1955 à 1958. Membre fondateur du Cercle universitaire de Québec. Membre du Cercle universitaire de Montréal, du Club de la garnison, du Club Renaissance et du Quebec Winter Club.

Élu député de l'Union nationale dans Chicoutimi à l'élection partielle du 25 mai 1938. Réélu en 1939, 1944, 1948, 1952, 1956, 1960 et 1962. Démissionna le 6 août 1965. Ministre de la Voirie dans les cabinets Duplessis, Sauvé et Barrette du 30 août 1944 au 5 juillet 1960. Chef de l'Opposition en 1961. Chef intérimaire de l'Union nationale du 11 janvier 1961 au 23 septembre 1961.

Décédé à Québec, le 25 septembre 1980, à l'âge de 80 ans et 3 mois. Inhumé à Chicoutimi, le 29 septembre 1980.

Avait épousé dans la chapelle de la cité universitaire de Paris, le 26 octobre 1949, Geneviève Gagnon, fille d'Adélard Gagnon, commerçant, et de Gabrielle Riverin.

TALBOT, Félix-Alonzo
(1860–1915)

Né à Cacouna, le 9 janvier 1860, fils de Simon Talbot, cultivateur et marchand, et d'Éliza Ély.

Fit ses études à Cacouna, à l'école normale Laval à Québec et au Collège militaire de Saint-Jean. Titulaire d'un diplôme académique d'enseignement (1884) et d'un certificat de première classe du Collège militaire de Saint-Jean (1885).

Professeur à l'école modèle de Cacouna pendant deux ans. Pratiqua également l'agriculture. Secrétaire de la commission scolaire de Cacouna du 20 juillet 1885 au 3 décembre 1915. Secrétaire-trésorier du comté de Témiscouata du 13 décembre 1893 au 9 juin 1915, du conseil municipal de Cacouna de 1896 à 1915 et de la Société d'agriculture du comté de Témiscouata.

Élu député libéral dans Témiscouata en 1897. Ne s'est pas représenté en 1900. Défait en 1904.

Décédé à Cacouna, le 13 décembre 1915, à l'âge de 54 ans et 11 mois. Inhumé dans le cimetière de Cacouna, le 16 décembre 1915.

Avait épousé à Cacouna, le 10 mai 1892, Marie-Louise Guay, fille d'Alfred Guay, cultivateur, et de Marie Gagné.

TANGUAY, Georges
(1856–1913)

Né à Québec, le 2 juin 1856, fils de Georges Tanguay, boucher et commerçant, et d'Adeline Mathieu.

Étudia à l'académie commerciale de Québec.

Succéda à son père à la direction de la maison de commerce Georges Tanguay, grossiste en grains et provisions, en 1886. Directeur du chemin de fer Québec–Lac-Saint-Jean. Président de la Chambre de commerce de Québec de 1901 à 1903. Membre de la Commission du havre de Québec de 1903 à 1910.

Échevin du quartier du Palais au conseil municipal de Québec de 1894 à 1907. Président du comité des finances de la ville de 1894 à 1906. Maire de Québec du 12 janvier au 1er mars 1906. Élu sans opposition député libéral dans Lac-Saint-Jean en 1900. Réélu en 1904. Ne s'est pas représenté en 1908.

Décédé à Québec, le 21 septembre 1913, à l'âge de 57 ans et 3 mois. Inhumé à Sainte-Foy, dans le cimetière Notre-Dame-de-Belmont, le 24 septembre 1913.

Avait épousé à Québec, dans la chapelle de l'hôpital du Sacré-Cœur, le 30 juillet 1879, Rachel Destroismaisons, dit Picard, fille d'Amable Destroismaisons, dit Picard, commerçant, et de Julie Giguère ; puis à Baie-Saint-Paul, le 11 juin 1884, Corinne Boudreau, fille d'Édouard Boudreau, médecin, et d'Angélina Touchette.

TANGUAY, Napoléon-Pierre
(1862–1927)

[Né à Weedon, le 8 novembre 1862, fils de Charles Tanguay et de Zéphirine Pariseau.]

Fit ses études aux collèges de L'Assomption et de Terrebonne.

Commerçant de bois et marchand général à Weedon. Président des compagnies St. Francis Hydrolic and Electric (Disraëli) et St. George Electric (Saint-Georges-de-Beauce). Président de la Société d'agriculture du comté de Wolfe de 1887 à 1901.

Marguillier de la paroisse Saint-Janvier. Maire de Weedon pendant 25 ans. Élu député libéral dans Wolfe en 1904. Réélu en 1908, 1912 et 1916. Ne s'est pas représenté en 1919. Maître de poste à l'Assemblée législative en 1919.

Décédé à Tampa, dans l'État de la Floride, le 25 février 1927, à l'âge de 64 ans et 3 mois. Inhumé à Weedon, dans le cimetière de la paroisse Saint-Janvier, le 4 mars 1927.

Avait épousé à Weedon, dans la paroisse Saint-Janvier, le 2 octobre 1883, Sara Demers, fille de Magloire Demers et de Mary Higgins.

TANSEY, Denis
(1863–1934)

Né à Montréal, le 11 mars 1863, fils de Bernard Tansey, hôtelier, et de Sarah Holland.

Fit ses études au Catholic Commercial Academy à Montréal.

Travailla d'abord à la City and District Savings Bank et au bureau de poste de Montréal (1882). Agent de la compagnie d'assurances L'Alliance. Propriétaire d'un magasin d'articles de sport. Directeur de la Canadian Sand and Gravel Co. Juge de paix. Président de la 7e division des Hibernians. Membre de la St. Patrick Society et des Chevaliers de Colomb. Capitaine de l'équipe de crosse Shamrock alors que celle-ci remporta le World's Fair Trophy à Chicago en 1893. Fut par la suite vice-président de ce club, puis président du Back River Jockey Club de 1916 à 1933.

Échevin du quartier Sainte-Anne au conseil municipal de Montréal de 1900 à 1902. Élu député conservateur dans Montréal n° 6 en 1908. Son élection fut cependant annulée le 13 novembre 1908 et il ne fut pas candidat à l'élection partielle du 28 décembre suivant. De nouveau élu dans Montréal–Sainte-Anne en 1912 et 1916. Fut whip du Parti conservateur. Ne s'est pas représenté en 1919. Candidat conservateur défait aux élections de 1923 et à l'élection partielle du 5 novembre 1924. Candidat indépendant défait en 1931.

Décédé à Outremont, le 8 novembre 1934, à l'âge de 71 ans et 4 mois. Inhumé à Montréal, dans le cimetière Notre-Dame-des-Neiges, le 10 novembre 1934.

Avait épousé à Montréal, dans la paroisse Saint-Gabriel, le 30 juin 1887, Mary Alice Kinniston, fille de William Kinniston et d'Elizabeth Giny.

TARDIF, Guy

Né à Montréal, le 30 mai 1935, fils de Paul Tardif, plombier, et de Bernadette Lefebvre.

A étudié à l'école du Christ-Roi, au collège André-Grasset à Montréal et aux universités d'Ottawa et de Montréal. Titulaire d'une maîtrise (1966) et d'un doctorat (1974) en criminologie de l'université de Montréal. Récipiendaire de la médaille du lieutenant-gouverneur en 1966.

Agent fédéral de la Gendarmerie royale du Canada de 1955 à 1960. Consultant à la Commission d'assurance-chômage en 1961 et 1962. Chargé de cours au collège André-Grasset en 1962 et 1963. Chargé de cours, adjoint administratif et chargé d'étude et de planification au Service de police de Montréal de 1963 à 1970. Consultant et agent de recherche à la Commission d'enquête sur l'administration de la justice au Québec de 1968 à 1970. Consultant à la Commission d'étude sur le réaménagement municipal de la rive Sud en 1968. Chargé d'enseignement au département de criminologie de l'université de Montréal de 1968 à 1970. Consultant au ministère de l'Éducation (cégep d'Ahuntsic) de 1968 à 1970, à la U.S. National Commission on the Causes and the Prevention of Violence en 1969 et au ministère du Solliciteur général à Ottawa en 1969. Membre de divers comités à la Commission de police du Québec en 1969 et 1970. Conseiller technique à la Communauté urbaine de Montréal en 1970. Consultant au Centre international de criminologie comparée en 1970 et 1971. Consultant et chargé de recherche au comité du livre blanc du ministère québécois de la Justice en 1971. Consultant au ministère des Affaires municipales (comité sur la Communauté urbaine de Montréal) en 1973. Professeur adjoint à l'École de criminologie de l'université de Montréal de 1972 à 1976. Membre du Comité de santé mentale du Québec en 1975 et 1976. Auteur de différents mémoires, articles et rapports sur le système pénitentiaire et sur les services de police. A publié notamment sa thèse de doctorat *Police et politique au Québec* (1974). Membre de l'Association professionnelle des criminologues du Québec, de la Société de criminologie du Québec et de la Société internationale de criminologie de Paris.

Élu député du Parti québécois dans Crémazie en 1976. Réélu en 1981. Ministre des Affaires municipales dans le cabinet Lévesque du 26 novembre 1976 au 6 novembre 1980. Ministre d'État à l'Aménagement du 6 novembre 1980 au 30 avril 1981. Ministre délégué à l'Habitation du 6 novembre 1980 au 30 avril 1981, ministre délégué à l'Habitation et à la Protection du consommateur du 30 avril 1981 au 18 juin 1981. Ministre de l'Habitation et de la Protection du consommateur du 18 juin 1981 au 27 novembre 1984. Ministre des Transports dans les cabinets Lévesque et Johnson (Pierre Marc) du 27 novembre 1984 au 12 décembre 1985. Défait en 1985.

Professeur en criminologie à l'université de Montréal à compter de 1989, puis chargé de cours à l'École nationale d'administration publique et consultant.

TARDIF, Patrice
(1904–1989)

Né à Saint-Méthode-de-Frontenac, le 17 juin 1904, fils de Napoléon Tardif, cultivateur, et d'Alexina Doyon.

Fit ses études au couvent de Saint-Méthode-de-Frontenac. Suivit également des cours d'agriculture (Union catholique des cultivateurs), de génétique avicole (Sainte-Anne-de-la-Pocatière) et d'anglais (Chicopee Falls, Massachusetts).

Travailla à la ferme de son père jusqu'en 1923, puis dans une usine de pneus à Holyoke, dans l'État du Massachusetts. Devint propriétaire de la ferme paternelle en 1926. De 1932 à 1935, il fut propagandiste régional et animateur de cercles d'études pour l'Union catholique des cultivateurs (UCC). Il occupa aussi le poste de président régional de cet organisme de 1933 à 1935. Gérant de la Société coopérative des producteurs de dindons de Frontenac et président de l'Association des éleveurs de dindons de la province de Québec. Président de la compagnie Le Groin ltée et vice-président de la compagnie Avico ltée. Fondateur et président de la corporation du Foyer Valin depuis 1954. Organisateur de retraites fermées à la Villa Manrèse de 1943 à 1970.

Membre des Chevaliers de Colomb, du Club Renaissance, de la Ligue du Sacré-Cœur et du Club canadien. Commandeur de l'ordre du Mérite agricole et récipiendaire de la médaille du roi George VI.

Maire de Saint-Méthode du 11 janvier 1939 au 8 janvier 1947. Préfet du comté de Frontenac du 8 mars 1939 au 11 mars 1941 et du 13 mars 1945 au 12 mars 1947. Élu député de l'Action libérale nationale dans Frontenac en 1935. Élu député de l'Union nationale en 1936. Défait en 1939. Réélu en 1944 et 1948. Assermenté ministre d'État dans le cabinet Duplessis le 30 août 1944. Défait en 1952. Conseiller législatif de la division de La Vallière du 1er août 1952 jusqu'à l'abolition du Conseil législatif, le 31 décembre 1968. Nommé whip du Conseil législatif en 1966.

Suivit des cours de catéchèse à l'université Laval de 1970 à 1972, puis des cours d'animation à Cap-Rouge de 1972 à 1976. Vice-président du Conseil régional de pastorale de 1971 à 1976. Membre du Conseil diocésain de pastorale de Québec de 1973 à 1976. Administrateur du Conseil de l'âge d'or de Québec depuis 1976. Élu président de la Fédération de l'âge d'or du Québec le 23 septembre 1978, il occupa ce poste jusqu'en 1982.

Décédé à Québec, le 1er mai 1989, à l'âge de 84 ans et 10 mois. Inhumé dans le cimetière de Saint-Méthode-de-Frontenac, le 6 mai 1989.

Avait épousé à Saint-Méthode-de-Frontenac, le 13 avril 1925, Florida Jolicœur, fille de Napoléon Jolicœur, cultivateur, et de Philomène Rodrigue.

TARDIF, Yves

Né à Sarnia, en Ontario, le 27 décembre 1944, fils de Réal Tardif, chimiste, et de Jeannine Lesage.

Fit ses études à l'école Cardinal-Léger et au collège Saint-Laurent, puis à l'université de Montréal à la faculté de droit. Boursier de la Chambre de commerce du Canada en 1968 et de la Chambre de commerce des jeunes de Montréal en 1969. Admis au barreau de la province de Québec en 1970. Termina une scolarité de maîtrise à l'École nationale d'administration publique (ENAP) en 1977.

Exerça le droit à Montréal au cabinet Samson et Tardif jusqu'en 1975, et pratiqua seul par la suite. Administrateur adjoint à la Régie des loyers du Québec en 1973.

Militant dans diverses organisations libérales depuis 1965, il occupa notamment les postes de président de la Fédération des étudiants libéraux du Québec (1967 à 1970), président des Étudiants libéraux du Canada (1968), vice-président de la Fédération mondiale des jeunesses libérales (1968) et membre de la commission politique et de la commission d'organisation du Parti libéral du Québec (1972 à 1974). Membre du Club de réforme. Membre de la Jeune Chambre de commerce de Saint-Laurent de 1970 à 1973. Élu député libéral dans Anjou en 1973. Défait en 1976.

Retourna à la pratique privée en 1976 et 1977. Directeur des Affaires juridiques à la Commission des valeurs mobilières du Québec de 1977 à 1982. Œuvra à la Commission de la santé et sécurité du travail de 1982 à 1988 comme avocat, adjoint de la présidente-directrice générale puis vice-président. De nouveau en pratique privée dans le cabinet Heenan Blaikie de 1988 à 1991. Nommé commissaire à la Commission d'appel en matière de lésions corporelles en 1991.

TARIEU DE LANAUDIÈRE, Charles-Gaspard
(1769–1812)

Né à Québec, le 9 septembre 1769, puis baptisé le 10, dans la paroisse Notre-Dame, sous le prénom de Charles, fils de Charles-François Tarieu de La Naudière, seigneur (fut aussi conseiller législatif), et de sa seconde femme, Marie-Catherine Le Moyne de Longueuil.

Fit ses études à Londres.

Hérita notamment de la seigneurie Saint-Vallier. Servit dans les rangs de l'armée, à titre de lieutenant dans le Royal Canadian Volunteer Regiment, actif de 1796 à 1802, et dans la milice, où il accéda au grade de lieutenant-colonel; en cette qualité, commanda la division de Lavaltrie pendant la guerre de 1812.

Élu député de Warwick en 1796; ne prit part qu'aux votes de la première et de la dernière sessions, et appuya généralement le parti des bureaucrates. Ne se serait pas représenté en 1800. Élu dans Leinster en 1804; participa aux votes d'une session seulement et donna son appui au parti canadien. Ne se serait pas représenté en 1808. [Nommé au Conseil législatif le 19 décembre 1811.]

Décédé [en fonction] au manoir seigneurial de Lavaltrie, le 7 juin 1812, à l'âge de 42 ans et 8 mois. Inhumé dans l'église Saint-Antoine, le 9 juin 1812.

Avait épousé dans la paroisse Saint-Antoine, à Lavaltrie, le 16 octobre 1792, Suzanne-Antoinette Margane de Lavaltrie, fille du seigneur Pierre-Paul **Margane de Lavaltrie**, et de Marie-Angélique de La Corne.

Demi-frère de Charles-Louis **Tarieu de Lanaudière**. Beau-père de Barthélemy **Joliette**. Beau-frère de Pierre-Ignace **Aubert de Gaspé** et de François **Baby**.

TARIEU DE LANAUDIÈRE, Charles-Louis (1743–1811)

Né dans la paroisse Notre-Dame de Québec, le 14 octobre 1743, fils de Charles-François Tarieu de La Naudière, officier dans les troupes de la Marine (fut aussi seigneur et conseiller législatif), et de sa première femme, Louise-Geneviève Deschamps de Boishébert.

Étudia au petit séminaire de Québec de 1752 à 1756.

Entreprit une carrière militaire dans le régiment de La Sarre en 1756; fut blessé à la bataille de Sainte-Foy le 28 avril 1760. Après la Conquête, servit en France, puis revint se fixer au Canada au printemps de 1768. Nommé aide de camp du gouverneur Guy **Carleton**, qu'il accompagna à Londres en 1770, et, en 1771, surintendant des Eaux et des Forêts. Pendant l'invasion américaine de 1775–1776, prit part à la défense de la colonie dans la région de Trois-Rivières, puis à Québec. En 1777, participa aux premières étapes d'une expédition militaire contre New York. Suivit **Carleton** en Europe en 1778. Nommé grand voyer de la province de Québec en 1786, surintendant des Postes en 1791 et quartier-maître général de la milice en 1799. Propriétaire foncier; fit exploiter ses terres dans les seigneuries de Lac-Maskinongé (appelée aussi de Lanaudière), héritée de sa mère, et de Sainte-Anne De La

Pérade, don de son père. Vice-président du Club constitutionnel.

Est l'auteur de quatre publications parues à Québec en 1792: *Chanson*; *le Discours* [...] *à la dernière assemblée du club constitutionnel* [...]; *A hand-bill against M. Deschenaux*; et *Speech to habitants of Ste. Anne*.

Nommé conseiller législatif en 1786 et en 1792.

Décédé en fonction à Québec, le 2 octobre 1811, à l'âge de 67 ans et 11 mois. Inhumé dans la crypte de la cathédrale Notre-Dame, le 5 octobre 1811.

Avait épousé dans l'église Notre-Dame de Montréal, le 10 avril 1769, Geneviève-Élisabeth de La Corne, fille de Luc de La Corne (dit Chaptes de la Corne ou La Corne Saint-Luc), officier et commerçant, et de sa première femme, Marie-Anne Hervieux.

Demi-frère de Charles-Gaspard **Tarieu de Lanaudière**. Beau-frère de Pierre-Ignace **Aubert de Gaspé** et de François **Baby**. Cousin de Charles et de Paul-Roch de **Saint-Ours**.

Bibliographie: *DBC*.

TARTE, Joseph-Israël (1848–1907)

Né dans la paroisse Saint-Joseph-de-Lanoraie, le 11 janvier 1848, fils de Joseph Tarte, cultivateur et homme d'affaires, et de Louise Robillard.

Fit ses études au collège de L'Assomption. Fit son stage de clerc auprès de Louis **Archambault**. Admis à la pratique du notariat le 3 mai 1871.

Exerça sa profession à L'Assomption puis, à compter de 1874, à Saint-Lin durant quelques années. Collaborateur à *la Gazette de Joliette* en 1872 puis fondateur, propriétaire et rédacteur du journal *les Laurentides* de Saint-Lin en 1874. Rédacteur adjoint du *Canadien* à compter de 1874, devint propriétaire du journal et de son édition hebdomadaire, *le Cultivateur*, de 1875 à 1877. Fut associé à Louis-Georges **Desjardins** dans cette entreprise. Demeura rédacteur du journal en 1877 et fut de nouveau propriétaire du journal de 1889 à 1893. Rédacteur en chef de *l'Événement* de 1883 à 1893. Propriétaire de *la Patrie* de 1897 à 1907. Correspondant parlementaire pour le journal *l'Électeur*.

Organisateur du parti conservateur dans le district de Québec en 1875. Candidat conservateur dans Québec-Centre à l'élection partielle fédérale du 27 décembre 1875, retira sa candidature avant le jour du scrutin. Élu député conservateur à l'Assemblée législative dans Bonaventure à l'élection partielle du 22 février 1877. Réélu en 1878. De nouveau organisateur du Parti conservateur dans le district de Québec lors des élections fédérales de 1878. Ne s'est pas représenté aux élections provinciales de 1881. S'associa pendant un court laps de temps au Parti national. Organisateur et trésorier du Parti conservateur provincial en 1886. Organisateur du même parti sur la scène fédérale lors des élections de 1887. Élu député indépendant dans Montmorency aux élections fédérales de 1891. Cette élection fut annulée en 1892. Élu député libéral dans L'Islet à l'élection partielle du 5 janvier 1893. Candidat libéral défait dans Beauharnois aux élections de 1896. Élu sans opposition dans la circonscription de Saint-Jean et Iberville à l'élection partielle du 3 août 1893. Réélu dans Montréal-Sainte-Marie en 1900. Nommé membre du Conseil privé le 13 juillet 1896. Ministre des Travaux publics dans le cabinet Laurier du 13 juillet 1896 au 21 octobre 1902, date de sa démission du cabinet. De nouveau organisateur du parti conservateur aux élections partielles d'Hochelaga et de Saint-Jacques en 1904. Ne s'est pas représenté en 1904.

Auteur de plusieurs essais politiques et de brochures dont: *le Clergé, ses droits, nos devoirs* (1880); *la Prétendue Conférence de 1887. Les périls de la souveraineté des provinces. L'autonomie canadienne est notre sauvegarde* (1889); *Procès Mercier. Les causes qui l'ont provoqué; quelques faits pour l'histoire* (1892); *les États-Unis au xxᵉ siècle* (1904). Membre du Comité permanent de l'Exposition provinciale agricole et industrielle de 1887. Membre du Conseil de l'agriculture en 1897. Vice-président de l'Imperial Federation League in Canada. Gouverneur à vie de l'hôpital Notre-Dame de Montréal. Membre du Montreal City Club.

Décédé à Montréal, le 18 décembre 1907, à l'âge de 59 ans et 11 mois. Inhumé à Montréal, dans le cimetière Notre-Dame-des-Neiges, le 21 décembre 1907.

Avait épousé à L'Assomption, le 23 novembre 1868, Georgiana Sylvestre, fille d'Isaïe Sylvestre et d'Émélie Chaput; [puis épousa, en 1905, Emma Laurencelle, fille de Guillaume Laurencelle, architecte, et d'Angèle Labbé, et veuve de Narcisse Turcot, médecin].

Neveu de Joseph **Robillard**. Oncle de Joseph-Édouard **Perrault**.

Bibliographie: *DBC.* LaPierre, Laurier-Joseph-Lucien, *Politics, race, and religion in French Canada: Joseph Israel Tarte*, thèse de doctorat à l'université de Toronto, 1962, 555 p.

TASCHEREAU, Antoine-Charles (1797–1862)

Né à Québec et baptisé dans la paroisse Notre-Dame, le 26 octobre 1797, fils de Gabriel-Elzéar **Taschereau**, seigneur et grand voyer du district de Québec, et de sa seconde femme, Louise-Françoise Juchereau Duchesnay.

Étudia au petit séminaire de Montréal de 1809 à 1811, et au séminaire de Nicolet de 1812 à 1816.

Obtint le poste d'officier de la douane à Sainte-Marie-de-la-Nouvelle-Beauce (Sainte-Marie), le 28 juin 1821, puis celui de percepteur le 7 mai 1822; cette deuxième commission fut renouvelée le 11 décembre 1830. S'occupa d'exploitation agricole et forestière dans la Beauce, plus particulièrement dans le canton de Linière. Fut agent des Terres, commissaire chargé de l'ouverture du chemin de Kennebec, maître de poste et commissaire d'école. Accéda au grade de lieutenant-colonel dans la milice.

Élu député de Beauce en 1830. Réélu en 1834. Appuya tantôt le parti des bureaucrates, tantôt le parti patriote; vota pour les Quatre-vingt-douze Résolutions. Son mandat prit fin avec la suspension de la constitution, le 27 mars 1838. Élu dans Dorchester en 1841; antiunioniste, fit partie du groupe canadien-français. Ne s'est pas représenté en 1844.

Nommé percepteur des douanes à Québec en 1849.

Décédé à Deschambault, le 11 juin 1862, à l'âge de 64 ans et 7 mois. Inhumé dans le cimetière paroissial, le 13 juin 1862.

Avait épousé dans la paroisse Saint-Joseph, à Deschambault, le 18 janvier 1819, Adélaïde Fleury de La Gorgendière, fille du seigneur Louis Fleury de La Gorgendière et de Marie-Amable Aubry.

Demi-frère de Jean-Thomas et de Thomas-Pierre-Joseph **Taschereau**. Oncle de Joseph-André et de Pierre-Elzéar **Taschereau**. Grand-oncle d'Henri-Elzéar et de Louis-Alexandre **Taschereau**. Petit-fils d'Antoine **Juchereau Duchesnay**.

Bibliographie: Roy, Pierre-Georges, *La famille Taschereau*, Lévis, 1901, p. 161-162.

TASCHEREAU, Gabriel-Elzéar (1745–1809)

Né dans la paroisse Notre-Dame de Québec, le 27 mars 1745, fils de Thomas-Jacques Taschereau, seigneur, et de Marie-Claire de Fleury de La Gorgendière.

En 1759, à l'âge de 14 ans, participa à la défense de la ville de Québec contre les troupes britanniques. Propriétaire foncier ; avait hérité de son père la seigneurie Sainte-Marie et acquit, notamment, les seigneuries Jolliet, Saint-Joseph-de-Beauce et une partie de Linière. Pendant l'invasion américaine de 1775–1776, prit part à la défense de la ville de Québec à titre de capitaine aide-major dans la milice. Coauteur avec François **Baby** et Jenkin **Williams** d'un journal écrit au cours de l'enquête officielle qu'ils effectuèrent en 1776 sur la déloyauté des Canadiens pendant l'invasion. Nommé juge de la Cour des plaids communs pour le district de Montréal en 1777. Devint grand voyer du district de Québec en 1794 et surintendant des Postes de relais de la colonie en 1802. Obtint de nombreux postes de commissaire. Fut juge de paix et colonel dans la milice.

Élu député de Dorchester en 1792 ; appuya tantôt le parti des bureaucrates, tantôt le parti canadien. Ne se serait pas représenté en 1796. Nommé conseiller législatif en 1798, prêta serment le 28 mars 1799.

Décédé en fonction à son manoir de Sainte-Marie-de-la-Nouvelle-Beauce (Sainte-Marie), le 18 septembre 1809, à l'âge de 64 ans et 5 mois. Inhumé dans l'église Sainte-Marie, le 20 septembre 1809.

Avait épousé à Québec, le 26 janvier 1773, Marie-Louise-Élizabeth Bazin, fille de Pierre Bazin, négociant, et de Thérèse Fortier ; puis, à Beauport, le 3 novembre 1789, Louise-Françoise Juchereau Duchesnay, fille d'Antoine **Juchereau Duchesnay** et de sa première femme, Julie-Louise Liénard de Beaujeu de Villemonde.

Père d'Antoine-Charles, de Jean-Thomas et de Thomas-Pierre-Joseph **Taschereau**. Arrière-grand-père d'Henri-Elzéar **Taschereau** et de Louis-Alexandre **Taschereau**. Trisaïeul de Robert **Taschereau**. Beau-frère de François **Blanchet**. Beau-frère par alliance de Michel-Amable **Berthelot Dartigny**.

———

Bibliographie : *DBC*.

———

TASCHEREAU, Henri-Elzéar (1836–1911)

Né à Sainte-Marie-de-la-Nouvelle-Beauce (Sainte-Marie), le 7 octobre 1836, puis baptisé le 12, dans la paroisse Sainte-Marie, fils de Pierre-Elzéar **Taschereau**, avocat et seigneur, et de Catherine-Hémédine Dionne.

Étudia au petit séminaire de Québec. Admis au barreau en octobre 1857 ou en mai 1859, exerça sa profession à Québec, notamment avec Jean **Blanchet**.

Élu député de Beauce en 1861. Réélu en 1863. Bleu, mais s'opposa au projet de confédération. Son mandat prit fin avec l'avènement de la Confédération, le 1er juillet 1867. Candidat conservateur défait dans Beauce aux élections de la Chambre des communes et à celles de l'Assemblée législative en 1867.

Fait conseiller de la reine, le 28 juin 1867. Obtint le poste de greffier de la paix à Québec le 30 septembre 1868, mais démissionna peu après pour aller pratiquer le droit à Sainte-Marie. Nommé juge de la Cour supérieure le 12 janvier 1871, juge de la Cour suprême du Canada le 7 octobre 1878 et juge en chef du Canada le 21 novembre 1902 ; prit sa retraite en 1906. Agit à titre d'administrateur du gouvernement du Canada, du 21 novembre au 9 décembre 1904.

Nommé chevalier (sir) en 1902. Devint membre du Conseil privé de Londres, le 16 mai 1904, et fit partie du comité judiciaire de ce conseil, à compter du 23 juin. Fut doyen de la faculté de droit de l'université d'Ottawa, qui lui conféra un doctorat en droit en 1893. Est l'auteur de : *The criminal law consolidation and amendments acts of 1869, 32–33 Vict., for the Dominion of Canada, as amended and in force on the 1st day of November 1874 [...] with notes, commentaries [...]* (1874), réédité en 1888 sous le titre de *The criminal statute law of the dominion of Canada* et sous celui de *Criminal code of Canada* en 1893 ; le *Code de procédure civile du Bas-Canada [...]* (Québec, 1876).

Décédé à Ottawa, le 4 avril 1911, à l'âge de 74 ans et 5 mois.

Avait épousé dans la paroisse Saint-Michel, à Vaudreuil, le 27 mai 1857, Marie-Antoinette Harwood, fille de Robert Unwin **Harwood** et de Marie-Louise-Josephte (Louisa J.) Chartier de Lotbinière, et petite-fille de Michel-Eustache-Gaspard-Alain **Chartier de Lotbinière** ; puis, à Ottawa, le 22 mars 1897, Marie-Louise Panet, fille de Charles Panet et d'Euphémie Châteauvert (Faucher, dit Châteauvert).

Petit-fils de Thomas-Pierre-Joseph **Taschereau** et d'Amable **Dionne**. Arrière-petit-fils de Gabriel-Elzéar **Taschereau**. Neveu de Joseph-André **Taschereau**. Petit-neveu d'Antoine-Charles et de Jean-Thomas **Taschereau**. Beau-frère d'Antoine Chartier de Lotbinière **Harwood**.

———

Bibliographie : Roy, Pierre-Georges, *La famille Taschereau*, Lévis, 1901, p. 95-102.

TASCHEREAU, Jean-Thomas
(1778–1832)

Né à Sainte-Marie-de-la-Nouvelle-Beauce (Sainte-Marie) et baptisé dans la paroisse Sainte-Marie, le 26 novembre 1778, fils de Gabriel-Elzéar **Taschereau**, seigneur, et de sa première femme, Marie-Louise-Élizabeth Bazin.

Fit ses études au petit séminaire de Québec. À compter de novembre 1799, tout en remplissant les fonctions d'assistant de son père qui était grand voyer du district de Québec, étudia le droit auprès de Jonathan **Sewell**. Reçut sa commission d'avocat en 1801.

Élu député de Dorchester en 1800; appuya tantôt le parti canadien, tantôt le parti des bureaucrates. Réélu en 1804; appuya généralement le parti canadien. En 1806, participa à la fondation du *Canadien,* journal du parti canadien. Défait dans Dorchester en 1808. Élu dans Dorchester et dans Leinster en 1809; n'aurait pas eu le temps d'opter pour l'une de ces deux circonscriptions avant la dissolution du Parlement le 1er mars 1810. Arrêté sur l'ordre du gouverneur James Henry **Craig** et emprisonné en mars 1810 pour «pratiques traîtresses»; fut remis en liberté à la fin de juillet. Avait été défait dans Dorchester en 1810. Élu dans cette circonscription à une élection partielle en août 1812. Réélu en 1814 et 1816. Défait en avril 1820. Élu dans Gaspé en juillet 1820. L'année suivante, devint juge de la Cour des commissaires de Sainte-Marie, juge de la Cour des sessions générales de la paix de Québec et conseiller du roi. Réélu dans Gaspé en 1824; devint inapte à siéger et à voter par suite de sa nomination comme juge de la Cour du banc du roi pour le district de Québec, le 29 mars 1827, fonction qu'il remplit jusqu'à sa mort. Nommé au Conseil législatif le 2 mai 1828.

S'occupa de la mise en valeur de la seigneurie paternelle de Sainte-Marie-de-la-Nouvelle-Beauce (Sainte-Marie). Pendant la guerre de 1812, put réintégrer la milice dont il avait été écarté en 1808 à cause de ses liens avec *le Canadien;* fut nommé adjudant général adjoint de la milice du Bas-Canada en 1813. Obtint quelques postes de commissaire.

Est l'auteur de *Procédés d'un comité spécial* [...] *sur le bill pour mieux régler les pêches dans le district inférieur de Gaspé* [...] (Québec, 1823).

Décédé en fonction à Québec, le 14 juin 1832, à l'âge de 53 ans et 6 mois. Inhumé au cimetière Saint-Louis, dans la paroisse Notre-Dame, le 14 juin 1832.

Avait épousé dans la paroisse Notre-Dame de Québec, le 19 mai 1806, Marie Panet, fille de Jean-Antoine **Panet** et de Louise-Philippe Badelart.

Frère de Thomas-Pierre-Joseph **Taschereau**. Demi-frère d'Antoine-Charles **Taschereau**. Grand-père de Louis-Alexandre **Taschereau**. Arrière-grand-père de Robert **Taschereau**. Oncle de Pierre-Elzéar et de Joseph-André **Taschereau**. Neveu par alliance de Michel-Amable **Berthelot Dartigny**. Grand-oncle d'Henri-Elzéar **Taschereau**. Beau-père d'Elzéar-Henri **Juchereau Duchesnay**. Beau-frère de Louis et de Philippe **Panet**, et d'Olivier **Perrault**.

_____

Bibliographie: *DBC.*

TASCHEREAU, Joseph-André
(1806–1867)

Né à Sainte-Marie-de-la-Nouvelle-Beauce (Sainte-Marie) et baptisé dans l'église paroissiale, le 30 novembre 1806, fils de Thomas-Pierre-Joseph **Taschereau**, homme d'affaires et futur seigneur, et de Françoise Boucher de La Bruère de Montarville.

Étudia sous la direction de précepteurs. Fit l'apprentissage du droit à Québec, auprès de Charles **Panet**, George **Vanfelson** et William **Power**. Admis au barreau en 1828.

Exerça sa profession à Québec, conjointement avec son frère Pierre-Elzéar **Taschereau**, puis seul de 1830 à 1843. Devint conseiller de la reine en 1845.

Élu député de Beauce à une élection partielle le 12 décembre 1835; appuya tantôt le parti patriote, tantôt le parti des bureaucrates; son mandat prit fin avec la suspension de la constitution, le 27 mars 1838. Défait en 1841 dans Dorchester. En 1844, bien qu'il ne fût pas éligible puisqu'il occupait les fonctions d'inspecteur et de surintendant (chef) de la police de la cité de Québec depuis le 13 avril 1843, se porta candidat dans Montmorency; fut défait. Le 21 août 1845, quitta son poste de fonctionnaire et fut nommé solliciteur général du Bas-Canada, mais sans siège dans le ministère Draper–Viger. Élu député de Dorchester à une élection partielle le 15 septembre 1845; n'ayant pu obtenir le poste de procureur général du Bas-Canada dans le ministère Draper–Papineau en avril 1847, démissionna comme solliciteur général le 21 mai 1847 et menaça de joindre les rangs du groupe canadien-français. Nommé juge de la Cour de circuit le 22 mai 1847; son siège de député devint vacant. À partir de 1852, exerça sa charge de juge dans le district de Kamouraska. Fut juge de la Cour supérieure de ce district à compter de novembre 1857.

Décédé à Kamouraska, le 30 mars 1867, à l'âge de 60 ans et 4 mois. Inhumé dans l'église de Sainte-Marie-de-la-Nouvelle-Beauce (Sainte-Marie), le 3 avril 1867.

Était célibataire.

Neveu d'Antoine-Charles et de Jean-Thomas **Taschereau**. Oncle d'Henri-Elzéar **Taschereau**. Petit-fils de Gabriel-Elzéar **Taschereau**.

———

Bibliographie: *DBC.*

TASCHEREAU, Louis-Alexandre (1867–1952)

Né à Québec, le 5 mars 1867, fils de Jean-Thomas Taschereau, avocat et juge à la Cour suprême, et de Marie-Louise-Joséphine Caron.

A étudié au séminaire de Québec et à l'université Laval. Récipiendaire des médailles Tessier, Angers, lord Stanley of Preston, gouverneur général. Fit sa cléricature auprès de Mᵉ François **Langelier**. Admis au barreau de la province de Québec le 9 juillet 1889. Créé conseil en loi du roi le 30 juin 1903.

Commença sa carrière au cabinet de Charles **Fitzpatrick** et de Simon-Napoléon **Parent**, puis exerça par la suite sa profession avec Lawrence Arthur **Cannon** et Georges Parent (député à la Chambre des communes de 1904 à 1911 et de 1917 à 1930, puis sénateur de 1930 à 1942). S'associa également à Léon **Casgrain** et à ses deux fils, Paul et Robert **Taschereau**. Syndic du barreau de Québec en 1908. Bâtonnier du barreau de Québec de 1911 à 1913 et du barreau de la province en 1912 et 1913. Journaliste à *l'Action libérale*. Occupa également le poste de directeur et vice-président de la Banque d'économie de Québec et fut membre des conseils d'administration des banques et entreprises suivantes: Barclay Bank (Canada) Ltd., Royal Trust, Caisse d'économie, Molson Bank, Banque de Montréal, Canadian Investments Funds, Sun Life Assurance Co. of Canada, Metropolitan Life Assurance Co., Liverpool & London & Globe Insurance Co., Pioneer Insurance Co., Globe Indemnity Co. et Manitoba Liverpool Insurance Co.

Échevin du quartier Saint-Pierre au conseil municipal de Québec en 1906 et 1907. Candidat libéral défait dans Dorchester en 1892. Élu député libéral dans Montmorency en 1900. Réélu sans opposition en 1904. Son siège devint vacant lors de sa nomination au cabinet. Réélu à l'élection partielle du 4 novembre 1907. Ministre des Travaux publics et du Travail dans le cabinet Gouin du 17 octobre 1907 au 25 août 1919. Élu dans Montmorency et défait dans Charlevoix en 1908. Réélu dans Montmorency en 1912, 1916, 1919 (sans opposition), 1923, 1927 (sans opposition), 1931 et 1935. Procureur général dans le cabinet Gouin du 25 août 1919 au 9 juillet 1920. Premier ministre et président du Conseil exécutif du 9 juillet 1920 jusqu'à sa démission, le 11 juin 1936. Procureur général du 9 juillet 1920 au 13 mars 1936. Ministre des Affaires municipales du 30 avril 1924 au 6 juin 1935. Trésorier de la province du 27 novembre 1930 au 26 octobre 1932. Ne s'est pas représenté en 1936.

Docteur en droit honoris causa de l'université Laval en 1908 et de l'University of Toronto en 1921. Créé officier de la Légion d'honneur en 1924, commandeur en 1927, puis grand-croix en 1934. Créé chevalier de l'ordre de Léopold en 1925 et commandeur de l'ordre de la Couronne de Belgique en 1926. Patron d'honneur des Emprunts de la victoire de 1939 à 1945. Président honoraire conjoint de la campagne nationale de la Croix-Rouge. Gouverneur de la Catholic Church Extension Society in Canada. Vice-président du Quebec Miniature Rifle Club. Président du comité exécutif de l'hôpital Laval. Membre de la Commission des champs de bataille nationaux, des Forestiers indépendants, des Royal Guardians, de l'Alliance nationale, du Club de la garnison et du Club Mont-Royal.

Décédé à Québec, le 6 juillet 1952, à l'âge de 85 ans et 4 mois. Inhumé à Sainte-Foy, dans le cimetière Notre-Dame-de-Belmont, le 9 juillet 1952.

Avait épousé à Sainte-Anne-de-la-Pocatière, le 26 mai 1891, Adine Dionne, fille d'Élisée **Dionne**, avocat, et de Clara Têtu.

Arrière-petit-fils de Gabriel Elzéar **Taschereau** et de Jean-Antoine **Panet**. Petit-fils de Jean-Thomas **Taschereau** et de René-Édouard **Caron**. Neveu de Charles **Fitzpatrick** et petit-neveu d'Antoine-Charles **Taschereau**. Demi-frère d'Henri-Thomas Taschereau, député à la Chambre des communes de 1872 à 1878. Beau-frère d'Auguste-Charles-Philippe **Landry**. Père de Robert **Taschereau**.

———

Bibliographie: Dupont, Antonin, *Les relations entre l'Église et l'État sous Louis-Alexandre Taschereau, 1920-1936*, Montréal, Guérin, 1972, 336 p. Dupont, Antonin, «Louis-Alexandre Taschereau et la législation sociale au Québec, 1920-1936», *RHAF*, 26, 3 (déc. 1972), p. 397-426. Toupin, Louise, *L'intervention du premier ministre Taschereau dans l'industrie du papier journal, 1928-1935*, thèse de maîtrise en sciences politiques à l'université de Montréal, 1972. Vigod, Bernard L., *Quebec before Duplessis. The political career of Louis-Alexandre Taschereau*, Montréal, McGill-Queen's University Press, 1986, 312 p.

TASCHEREAU, Pierre-Elzéar (1805–1845)

Né à Québec, le 28 octobre 1805, puis baptisé le 31, dans la paroisse Notre-Dame, fils de Thomas-Pierre-Joseph

Taschereau, homme d'affaires et futur seigneur, et de Françoise Boucher de La Bruère de Montarville.

Admis au barreau le 15 février 1828.

Exerça sa profession à Québec, avec son frère Joseph-André **Taschereau**, pendant moins d'un an, puis s'établit dans la seigneurie Sainte-Marie, dont il avait hérité et qu'il exploita.

Élu député de Beauce en 1830 ; appuya tantôt le parti patriote, tantôt le parti des bureaucrates, mais vota pour les Quatre-vingt-douze Résolutions. Réélu en 1834 ; donna généralement son appui au parti patriote. Démissionna le 24 novembre 1835. Refusa de se porter candidat dans Dorchester en 1841. Élu dans cette circonscription en 1844 ; membre du groupe canadien-français.

Décédé en fonction dans son manoir de Sainte-Marie-de-la-Nouvelle-Beauce (Sainte-Marie), le 25 juillet 1845, à l'âge de 39 ans et 8 mois. Inhumé dans l'église Sainte-Marie, le 28 juillet 1845.

Avait épousé dans la paroisse Saint-Louis, à Kamouraska, le 8 juillet 1834, Catherine-Hémédine Dionne, fille du seigneur Amable **Dionne** et de Catherine Perrault.

Père d'Henri-Elzéar **Taschereau**. Petit-fils de Gabriel-Elzéar **Taschereau**. Neveu d'Antoine-Charles et de Jean-Thomas **Taschereau**.

Bibliographie : Roy, Pierre-Georges, *La famille Taschereau*, Lévis, 1901, p. 85-89.

TASCHEREAU, Robert
(1896–1970)

Né à Québec, le 10 septembre 1896, fils de Louis-Alexandre **Taschereau**, avocat, et d'Adine Dionne.

A étudié au séminaire de Québec et à l'université Laval. Admis au barreau de la province de Québec le 16 juillet 1920. Créé conseil en loi du roi le 18 juin 1930.

Exerça sa profession à Québec et s'associa au cabinet de son père. Enseigna le droit pénal à l'université Laval de 1929 à 1940, puis devint professeur émérite en 1941. Professeur de droit civil et de droit international à l'université d'Ottawa. Membre du conseil de l'Ordre des avocats en 1933. Secrétaire de l'Association du barreau canadien de 1934 à 1941.

Élu député libéral dans Bellechasse à l'élection partielle du 20 octobre 1930. Réélu en 1931 et 1935. Ne s'est pas représenté en 1936.

Nommé juge à la Cour suprême le 9 février 1940, promu juge en chef le 22 avril 1963 et membre du Conseil privé le 26 avril 1963. Retraité en 1967.

Docteur honoris causa des universités d'Ottawa (1942), Laval (1944), de Montréal (1947) et McGill (1967). Président de l'Alliance française d'Ottawa. Membre du comité France-Amérique. Créé chevalier de la Légion d'honneur en 1947 et compagnon de l'ordre du Canada en 1967. Membre du Club de la garnison de Québec, du Club Rideau et du Cercle universitaire d'Ottawa.

Décédé à Montréal, le 26 juillet 1970, à l'âge de 73 ans et 10 mois. Inhumé à Sainte-Foy, dans le cimetière Notre-Dame-de-Belmont, le 29 juillet 1970.

Avait épousé à Québec, dans l'église St. Patrick, le 16 septembre 1926, Ellen Donohue, fille de Joseph Timothy Donohue, industriel, et d'Émilie Normandin.

TASCHEREAU, Thomas-Pierre-Joseph
(1775–1826)

Né à Québec et baptisé dans la paroisse Notre-Dame, le 19 avril 1775, fils de Gabriel-Elzéar **Taschereau**, officier de milice et seigneur, et de sa première femme, Marie-Louise-Élizabeth Bazin.

Étudia au petit séminaire de Québec de 1784 à 1792.

Entreprit une carrière militaire ; était lieutenant à Niagara (Niagara-on-the-Lake, Ontario) en 1797. Démobilisé en 1802, fit du commerce et mit sur pied une distillerie avec son frère Jean-Thomas **Taschereau** dans la seigneurie Sainte-Marie. Contribua à l'exploitation de cette propriété, dont il fut le seigneur en titre à partir de 1809. Pendant la guerre de 1812, servit en qualité de lieutenant-colonel dans la milice.

Fut membre du Conseil législatif à compter du 28 janvier 1818.

Nommé juge à la Cour des commissaires de Sainte-Marie-de-la-Nouvelle-Beauce (Sainte-Marie), en 1821, et grand voyer du district de Québec, en 1823.

Décédé en fonction à Québec, le 8 octobre 1826, à l'âge de 51 ans et 5 mois. Inhumé dans l'église de Sainte-Marie-de-la-Nouvelle-Beauce (Sainte-Marie), le 12 octobre 1826.

Avait épousé dans l'église Sainte-Famille, à Boucherville, le 29 janvier 1805, Françoise Boucher de La Bruère de Montarville, fille de Joseph Boucher de La Bruère de Montarville, seigneur de Saint-Denis, et de Catherine Pécaudy de Contrecœur.

Demi-frère d'Antoine-Charles **Taschereau**. Père de Pierre-Elzéar et de Joseph-André **Taschereau**. Grand-père d'Henri-Elzéar **Taschereau**. Grand-oncle de Louis-Alexandre **Taschereau**.

Bibliographie : *DBC.*

TASSÉ, François
(1774–1832)

Né à Saint-Martin (Laval) et baptisé dans la paroisse Saint-François-de-Sales (Saint-Martin), le 11 août 1774, sous le prénom de François-Amable, fils de Charles Tassé et d'Élisabeth Bisson.

Fut marchand à l'île Jésus.

Élu député d'Effingham en avril 1820. Réélu en juillet 1820. Prit part à trois votes seulement et appuya le parti canadien. Ne se serait pas représenté en 1824.

Décédé à Saint-Martin (Laval), le 6 août 1832, à l'âge de 57 ans et 11 mois. Inhumé dans le cimetière paroissial, le 7 août 1832.

Avait épousé dans la paroisse de Saint-Vincent-de-Paul (Laval), le 8 octobre 1792, Élisabeth Leblanc, fille de Jean-Baptiste Leblanc et de Marie-Anne Étier.

Grand-père de François-Zéphirin **Tassé**.

TASSÉ, François-Zéphirin
(1825–1886)

Né à Saint-Martin (Laval), le 14 mai 1825, puis baptisé le 15, dans la paroisse Saint-François-de-Sales (Saint-Martin), sous le prénom de François, fils de Pierre Tassé, laboureur, et de Marie Valiquette.

Étudia au petit séminaire de Sainte-Thérèse, puis fit l'apprentissage de la médecine.

Exerça sa profession à Saint-Laurent, dans l'île de Montréal ; plus tard, s'installa à Saint-Vincent-de-Paul (Laval), puis à Montréal. Fut l'un des administrateurs du Collège des médecins et chirurgiens du Bas-Canada et l'un des examinateurs en médecine du gouvernement.

Élu député de Jacques-Cartier en 1858. Réélu en 1861 sans opposition et en 1863. Bleu.

Son siège devint vacant en raison de sa nomination comme inspecteur des prisons, le 10 août 1864. Nommé directeur du pénitencier de Saint-Vincent-de-Paul (Laval), le 16 mai 1873.

Décédé à Montréal, le 20 février 1886, à l'âge de 60 ans et 9 mois. Inhumé dans le cimetière Notre-Dame-des-Neiges, le 24 février 1886.

Avait épousé dans la paroisse Notre-Dame de Montréal, le 20 janvier 1846, Rose-de-Lima Painchaud, fille du menuisier Michel Painchaud et de Monique Fabre, dit Raymond.

Petit-fils de François **Tassé**.

TAYLOR, Ralph
(1793–1847)

Né probablement à Philipsburg, au Bas-Canada, le 29 mars 1793, fils d'Alexander Taylor, loyaliste de la région de Saratoga, dans la colonie de New York, originaire d'Écosse, et de Jane Brisbane, veuve d'un officier britannique dénommé McCarthy.

Établi à Philipsburg, où son père s'était installé à la suite de la guerre d'Indépendance américaine. S'occupa de commerce et de la colonisation des Cantons-de-l'Est. Nommé commissaire chargé de faire le recensement dans le comté de Bedford, en juillet 1825, commissaire au tribunal des petites causes, en juillet 1826, et visiteur des écoles des comtés de Missisquoi et de Shefford, en juin 1831.

Élu député de Missisquoi à une élection partielle le 4 décembre 1829. Réélu en 1830. Appuya généralement le parti patriote jusqu'en 1832, puis le parti des bureaucrates ; fut envoyé, le 13 mars 1833, pour une période de vingt-quatre heures, à la prison du district de Québec, pour avoir publié, dans le *Quebec Mercury* du 9 mars, une lettre diffamatoire envers l'orateur ; vota contre les Quatre-vingt-douze Résolutions. Défait en 1834.

Décédé à Philipsburg, le 9 février 1847, à l'âge de 53 ans et 10 mois. Inhumé dans le cimetière protestant de l'endroit, le 11 février 1847.

Avait épousé dans l'église presbytérienne St. Andrew, à Montréal, le 16 avril 1816, Maria Lester, fille de Simeon Lester, un des premiers colons de Philipsburgh.

Bibliographie : Missisquoi County Historical Society, *Fifth annual report,* 1913, p. 64-73.

TELLIER, Joseph-Mathias
(1861–1952)

Né à Sainte-Mélanie, le 15 janvier 1861, fils de Zéphirin Tellier, cultivateur, et de Luce Ferland.

A étudié au collège de Joliette et à l'université Laval à Québec. Récipiendaire de la médaille d'or du gouverneur général. Admis au barreau de la province de Québec le 31 juillet 1884. Créé conseil en loi de la reine le 9 juin 1889.

Exerça sa profession à Joliette où il pratiqua jusqu'en 1904. S'associa par la suite à M⁰ˢ J. Émery Ladouceur et Robert Tellier.

Maire de Joliette de 1903 à 1910. Élu député conservateur dans Joliette en 1892. Réélu en 1897, 1900, 1904, 1908 et 1912. Chef de l'Opposition du 2 mars 1909 au 16 février 1915. Ne s'est pas représenté en 1916.

Nommé juge à la Cour supérieure dans le district de Montréal le 9 septembre 1916. Nommé juge à la Cour du banc du roi en 1920. Juge en chef de la province de Québec de 1932 à 1942. Conseiller spécial du gouvernement sur les questions constitutionnelles en 1950.

Président de l'Institut canadien de Joliette de 1897 à 1902. Nommé membre du Conseil de l'instruction publique le 7 juillet 1905. Récipiendaire de doctorats honorifiques en lettres de l'université Laval (1904) et en droit de l'université de Montréal (1906) et du Bishop's College (1937). Fondateur de la Société historique de Joliette en 1929. Créé chevalier de l'ordre de Pie IX en 1906 et de l'ordre de Saint-Michel et Saint-George en 1934.

Décédé à Joliette, le 18 octobre 1952, à l'âge de 91 ans et 9 mois. Inhumé à Joliette, le 21 octobre 1952.

Avait épousé à Joliette, le 1ᵉʳ septembre 1885, Maria Désilets, fille de Joseph-Octave Désilets, protonotaire, et de Marie-Angélique Désilets.

Père de Maurice **Tellier**. Frère de Louis Tellier, député à la Chambre des communes de 1878 à 1882.

―――――

Bibliographie: Hubert-Rouleau, Jean-François, *L'influence conservatrice dans la structure d'une pensée politique: Joseph-Mathias Tellier, 1892–1916*, thèse de M.A. (histoire), université Laval, 1988, 144 p.

―――――

TELLIER, Maurice
(1896–1966)

Né à Joliette, le 14 juin 1896, fils de Joseph-Mathias **Tellier**, avocat, et de Maria Désilets.

A étudié au séminaire de Joliette, à l'université de Montréal ainsi qu'à Toronto où il suivit des cours de perfectionnement. Fit sa cléricature auprès de C.M. Heclick à Toronto. Admis au barreau de la province de Québec le 13 janvier 1922. Créé conseil en loi du roi le 30 décembre 1938.

Exerça sa profession avec J. Émery Ladouceur, Robert Tellier et Maurice **Majeau**. Président de la section québécoise de l'Association du barreau canadien. Membre du Conseil du barreau de Montréal de 1942 à 1945. Membre du Conseil général du barreau de la province de Québec de 1942 à 1944, puis membre du comité de discipline. Bâtonnier du barreau des

Laurentides de 1957 à 1959. A publié: *Code scolaire de la province de Québec* (1933), *Suppléments au répertoire général de jurisprudence canadienne depuis janvier 1926 à janvier 1935* (1926–1935), *Recueil de jurisprudence générale pour l'année 1937* (1937) et *Annuaire de jurisprudence du Québec* (10 vol.: 1937–1947). Membre du Club canadien, du Club Renaissance et des cercles universitaires de Montréal et de Québec.

Candidat conservateur défait dans Montcalm en 1935. Élu député de l'Union nationale dans la même circonscription en 1936. Défait en 1939. Réélu en 1944, 1948, 1952, 1956 et 1960. Orateur suppléant de l'Assemblée législative du 13 février 1945 au 15 décembre 1955. Orateur du 15 décembre 1955 au 20 septembre 1960. Défait en 1962.

Décédé à Montréal, le 28 mars 1966, à l'âge de 69 ans et 9 mois. Inhumé à Joliette, le 31 mars 1966.

Avait épousé à Toronto, dans la paroisse du Sacré-Cœur, le 14 juin 1923, Éva Bouvier, fille de Joseph Bouvier et de Victoria Tétreault.

Neveu de Louis Tellier, député à la Chambre des communes de 1878 à 1882.

―――――

TELLIER, Michel
(1750–1834)

Né à Saint-Vallier, fut baptisé le 28 février 1750, dans la paroisse Saint-Philippe-et-Saint-Jacques, fils de François Letellier (Tellier) et de Marie-Françoise Pelletier. Désigné parfois sous le patronyme de Letellier.

Fut cultivateur à Saint-Vallier.

Élu député de Hertford en 1800; appuya généralement le parti canadien. Ne se serait pas représenté en 1804.

Décédé à Saint-Vallier, le 20 octobre 1834, à l'âge de 84 ans et 7 mois. Inhumé dans le cimetière paroissial, le 23 octobre 1834.

Avait épousé dans sa paroisse natale, le 14 novembre 1774, Marie-Louise Moreau, fille de Pierre Moreau et de Marie-Angélique Demeule; puis, dans la paroisse Saint-Michel, à Saint-Michel-de-Bellechasse (Saint-Michel), le 14 novembre 1808, Marie-Hélène Queret, veuve de Joseph Denis.

Grand-père de Luc **Letellier de Saint-Just**.

―――――

TERRILL, Hazard Bailey
(1811–1852)

Né dans le canton d'Ascot, au Bas-Canada, le 8 décembre 1811, [puis baptisé à la mission épiscopale de Sherbrooke, le 30 juillet 1823], fils de Joseph Hazard Terrill, commissaire au tribunal des petites causes de Sherbrooke, et de Betsey Bailey.

Fit l'apprentissage du droit auprès d'Ebenezer **Peck** et d'Edward **Short**, à Sherbrooke. Admis au barreau en mai 1835, exerça sa profession à Stanstead, où il s'établit en 1836.

Élu député de Stanstead en 1851 ; modéré.

Décédé en fonction à Québec, le 29 octobre 1852, à l'âge de 40 ans et 10 mois. Après des obsèques célébrées en la cathédrale anglicane Holy Trinity, à Québec, fut inhumé dans le cimetière Mount Hermon, à Sillery, le même jour.

Avait épousé, probablement aux États-Unis, Laura Farnham, fille de A. Farnham, de Hardwick, au Vermont.

Frère de Thimothée Lee **Terrill**.

TERRILL, Timothy Lee
(1815–1879)

Né dans le canton d'Ascot, au Bas-Canada, le 12 mars 1815, [puis baptisé à la mission épiscopale de Sherbrooke, le 30 juillet 1823], fils de Joseph Hazard Terrill, commissaire au tribunal des petites causes de Sherbrooke, et de Betsey Bailey.

Fit l'apprentissage du droit auprès de son frère Hazard Bailey **Terrill** ; admis au barreau en 1840.

S'établit comme avocat à Stanstead. Devint conseiller de la reine en 1854. Fit aussi du commerce, de l'agriculture et de l'élevage. L'un des administrateurs de la Banque des Townships de l'Est.

Élu sans opposition député de Stanstead à une élection partielle le 23 novembre 1852 ; modéré. Réélu en 1854 ; de tendance libérale d'abord, fut ensuite réformiste. Fit partie du ministère Taché–Macdonald : conseiller exécutif du 24 mai 1856 au 9 novembre 1857 et secrétaire de la province du 24 mai 1856 au 25 novembre 1857. À son entrée au cabinet, son siège de député était devenu vacant. Réélu à une élection partielle le 10 juin 1856 et en 1858. Fut de tendance conservatrice. Ne s'est pas représenté en 1861.

Fut lieutenant dans une troupe de cavalerie pendant les insurrections de 1837–1838. Membre de la Société d'agriculture de Stanstead. Siégea au Conseil de l'instruction publique, de 1859 à 1869.

Décédé à Stanstead, le 26 août 1879, à l'âge de 64 ans et 5 mois.

Avait épousé en 1850 Harriet Chamberlin, fille du colonel Wright **Chamberlin** et de Rachel Camp.

Bibliographie: *DBC*.

TESSIER, Auguste
(1853–1938)

Né dans la paroisse Notre-Dame de Québec, le 20 novembre 1853, fils d'Ulric-Joseph **Tessier**, avocat et juge à la Cour supérieure, et de Marguerite-Adèle Kelly.

Fit ses études au séminaire de Québec, au collège Sainte-Marie à Montréal et à l'université Laval à Québec. Admis au barreau de la province de Québec le 18 juillet 1876. Créé conseil en loi de la reine le 19 mai 1899.

Exerça sa profession à Rimouski avec Léonidas Dionne, H.-R. Fiset et ses deux fils, Émile et Auguste-Maurice **Tessier**.

Préfet du comté de Rimouski du 11 mars 1885 au 13 mars 1889. Maire de la paroisse de Rimouski de 1880 à 1889 et maire de Rimouski de 1889 à 1899. Élu député libéral dans Rimouski à l'élection partielle du 4 décembre 1889. Réélu en 1890, 1892, 1897, 1900 (sans opposition) et 1904. Orateur de l'Assemblée législative du 2 au 23 mars 1905. Son siège devint vacant lors de sa nomination comme ministre et fut réélu sans opposition à l'élection partielle du 3 avril 1905. Ministre de l'Agriculture dans le cabinet Gouin du 23 mars 1905 au 1er septembre 1906, et trésorier du 31 août 1906 au 17 octobre 1907. Démissionna comme député le 15 octobre 1907.

Nommé juge à la Cour supérieure du district de Rimouski le 11 octobre 1907, et du district de Gaspé en novembre de la même année. Prit sa retraite en 1922. Président de la Société d'agriculture du comté de Rimouski. Membre du Club de la garnison.

Décédé à Québec, le 10 février 1938, à l'âge de 84 ans et 2 mois. Inhumé à Sainte-Foy, dans le cimetière Notre-Dame-de-Belmont, le 14 février 1938.

Avait épousé à Rimouski, dans la paroisse Saint-Germain, le 21 août 1878, Corinne Gauvreau, fille de Pierre-Louis Gauvreau, notaire, et de Marie-Célina Têtu.

Frère de Jules **Tessier**. Beau-frère d'Alexandre **Chauveau**. Père d'Auguste-Maurice **Tessier**. Grand-père de Maurice **Tessier**.

TESSIER, Auguste-Maurice
(1879–1932)

Né à Rimouski, le 20 juillet 1879, fils d'Auguste **Tessier**, avocat, et de Corinne Gauvreau.

Fit ses études au séminaire de Québec, à l'université Laval à Québec, et sa cléricature auprès de Charles **Fitzpatrick**. Admis au barreau de la province de Québec le 21 septembre 1901. Créé conseil en loi du roi le 25 mars 1912.

Exerça sa profession à Richmond avec Me P.S.G. **MacKenzie** jusqu'en 1905, puis fonda alors à Rimouski le cabinet Tessier et Côté. Procureur de la couronne à Rimouski de 1909 à 1912. Directeur des compagnies Rimouski Land et Canada and Gulf Railway ainsi que de la Fonderie de Mont-Joli. Nommé membre du Conseil de l'instruction publique en 1919. Membre du Club de la garnison, du Club de réforme, du Club Saint-Denis et du Cercle universitaire de Montréal. Président de la Société d'agriculture du comté de Rimouski.

Élu député libéral dans Rimouski en 1912. Réélu sans opposition en 1916 et 1919. Son siège devint vacant lorsqu'il fut nommé juge à la Cour supérieure le 14 octobre 1922.

Décédé à Québec, le 26 mai 1932, à l'âge de 52 ans et 10 mois. Inhumé à Sainte-Foy, dans le cimetière Notre-Dame-de-Belmont, le 30 mai 1932.

Avait épousé à Montréal, dans la paroisse Saint-Jacques-le-Majeur, le 7 février 1907, Yvonne Lacoste, fille d'Alexandre **Lacoste**, avocat, et de Marie-Louise Globensky.

Père de Maurice **Tessier**.

TESSIER, François-Xavier (1799–1835)

Né à Québec et baptisé dans la paroisse Notre-Dame, le 15 septembre 1799, fils de Michel Tessier, maître sellier et marchand, et de Josephte Huot Saint-Laurent.

Fit l'apprentissage de la médecine à Québec pendant quatre ans et, en 1820, fut admis à la pratique de la chirurgie. À l'automne de 1821, entreprit des études universitaires à New York; en 1823, fut reçu médecin au Bas-Canada.

Exerça un an les fonctions d'apothicaire de l'hôpital des Émigrants à Québec, puis celles d'aide-chirurgien dans la milice de la ville. En 1826 et 1827, publia le Journal de médecine de Québec et, pendant un séjour à New York, de 1828 à 1830, collabora à un journal local. Fut officier de santé du port de Québec et administrateur de l'hôpital de Pointe-Lévy (Lévis), de 1830 à 1833. Élu membre du Bureau d'examinateurs en médecine du district de Québec en 1831 et nommé médecin de l'hôpital de la Marine et des Émigrés en 1834.

Retira sa candidature avant la fin du scrutin, dans Dorchester, à une élection partielle le 21 août 1832. Fit de même dans la Basse-Ville de Québec à une élection partielle le 22 septembre 1832. Élu député de Saguenay à une élection partielle le 24 octobre 1833. Réélu en 1834; appuya le parti patriote.

Président de la Société médicale de Québec et secrétaire général de la Société pour l'encouragement des sciences et des arts en Canada. Est l'auteur d'une traduction intitulée The French practice of medecine [...] (New York, 1829) et de Précis d'un discours [...] contenant l'éloge historique de feu J. Labrie, écuïer, médecin et membre du Parlement [...] (Québec, 1832).

Décédé en fonction à Québec, le 24 décembre 1835, à l'âge de 36 ans et 3 mois. Inhumé dans la chapelle Sainte-Anne de la cathédrale Notre-Dame, le 28 décembre 1835.

Était célibataire.

Bibliographie: DBC.

TESSIER, Joseph-Adolphe (1861–1928)

Né à Sainte-Anne-de-la-Pérade, le 17 décembre 1861, fils de Louis-Gonzague Tessier, cultivateur, et de Rose de Lima Laquerre.

Fit ses études à l'académie Saint-Cyr, au collège de Trois-Rivières, à l'université Laval à Montréal et à l'École militaire de Saint-Jean. Admis au barreau de la province de Québec le 26 janvier 1885. Créé conseil en loi du roi le 30 juin 1903.

Exerça sa profession à Trois-Rivières dès 1885. Avocat de la cité de Trois-Rivières de 1896 à 1904. Substitut du procureur général pour le district de Trois-Rivières de 1900 à 1904. Lieutenant-colonel du 86e régiment de milice de Trois-Rivières pendant dix ans.

Maire de Trois-Rivières de 1913 à 1921. Se présenta dans Champlain lors des élections provinciales de 1892, mais retira sa candidature avant le jour du scrutin. Élu sans opposition député libéral dans Trois-Rivières en 1904. Réélu en 1908 et 1912. Orateur suppléant du 18 janvier 1912 au 2 mars 1914. Son siège devint vacant lors de sa nomination comme ministre; fut réélu à l'élection partielle du 18 mars 1914. De nouveau élu en 1916 et 1919 (sans opposition). Ministre de la Voirie dans les cabinets Gouin et Taschereau du 2 mars 1914 au 27 septembre 1921.

Son mandat de député prit fin lorsqu'il fut nommé président de la Commission des eaux courantes du Québec le 27 septembre 1921.

Décédé à Trois-Rivières, le 4 novembre 1928, à l'âge de 66 ans et 11 mois. Inhumé dans le cimetière du même endroit, le 8 novembre 1928.

Avait épousé dans la cathédrale de Trois-Rivières, le 14 août 1888, Marie-Louise-Elmire Guillet, fille de François-Xavier Guillet et de Louise-Angélique Desfossés, et petite-fille de Jean **Desfossés**.

TESSIER, Jules
(1852–1934)

Né dans la paroisse Notre-Dame de Québec, le 16 avril 1852, fils d'Ulric-Joseph **Tessier**, avocat, et de Marguerite-Adèle Kelly.

Étudia au séminaire de Québec, au collège Sainte-Marie à Montréal et à l'université Laval. Fit sa cléricature auprès de Mᵉˢ Richard **Alleyn** et Alexandre **Chauveau**. Admis au barreau de la province de Québec le 20 juillet 1874. Créé conseil en loi de la reine le 19 mai 1899.

Exerça sa profession à Québec au cabinet Hamel, Tessier et Tessier. Rédacteur des *Rapports judiciaires de Québec*. Directeur des compagnies de chemin de fer du Lac-Saint-Jean, des Basses-Laurentides et du Grand-Nord. Président de la Caisse d'économie de Québec. Président de la Société de colonisation du Lac-Saint-Jean. Membre du conseil d'administration de la Banque Nationale de Québec et de la Quebec Building Society. Président général de la Société Saint-Jean-Baptiste de Québec de 1889 à 1891. Fondateur et éditeur du journal *le Clairon* en 1897. Membre du conseil d'administration du *Soleil* en 1897. Membre du Club de la garnison.

Échevin du quartier du Palais au conseil municipal de Québec de 1886 à 1900. Président du comité de police de 1894 à 1900 et du comité des règlements de 1888 à 1893. Candidat défait à la mairie de Québec en 1894. Secrétaire de la Convention nationale de 1880. Président du Club libéral en 1885. Joignit les rangs du Parti national d'Honoré **Mercier** en 1886. Élu député libéral dans Portneuf en 1886. Réélu en 1890, 1892, 1897 et sans opposition en 1900. Orateur de l'Assemblée législative du 23 novembre 1897 au 14 février 1901. Son siège devint vacant lors de sa nomination comme sénateur de la division de La Durantaye, le 12 mars 1903.

Décédé à Montréal, le 6 janvier 1934, à l'âge de 81 ans et 8 mois. Inhumé à Sainte-Foy, dans le cimetière Notre-Dame-de-Belmont, le 9 janvier 1934.

Avait épousé dans la paroisse Notre-Dame de Montréal, le 27 juin 1882, Fannie M. Barnard, fille d'Edmond Barnard, avocat, et d'Ellen King Austin.

Frère d'Auguste **Tessier**. Beau-frère d'Alexandre **Chauveau**. Oncle d'Auguste-Maurice **Tessier**. Grand-oncle de Maurice **Tessier**.

TESSIER, Maurice

Né à Rimouski, le 18 décembre 1913, fils d'Auguste-Maurice **Tessier**, avocat, et d'Yvonne Lacoste.

Fit ses études à l'école Saint-Louis-de-Gonzague à Québec, au séminaire de Québec, au collège Brébeuf à Montréal, au collège Saint-Laurent et à l'université Laval. Admis au barreau de la province de Québec le 14 janvier 1939. Créé conseil en loi de la reine le 20 décembre 1960.

Exerça sa profession à Rimouski avec Mᵉˢ Perreault **Casgrain** et Amédée **Caron** jusqu'en 1953, et pratiqua seul jusqu'en 1970.

Maire de Rimouski de 1961 à 1969. Président de l'Union des municipalités du Québec en 1967 et 1968. Candidat libéral défait dans Rimouski aux élections provinciales de 1944 et à l'élection partielle fédérale du 16 octobre 1950. Élu député libéral à l'Assemblée législative dans Rimouski en 1966. Réélu en 1970. Ministre des Affaires municipales dans le cabinet Bourassa du 12 mai 1970 au 21 février 1973. Ministre des Travaux publics du 12 mai au 1ᵉʳ octobre 1970 et du 21 février au 11 avril 1973. Ministre des Travaux publics et de l'Approvisionnement du 11 avril au 25 septembre 1973. Responsable de l'Office de développement de l'est du Québec du 15 octobre 1971 au 1ᵉʳ juin 1972. Ne s'est pas représenté en 1973.

Nommé juge à la Cour provinciale et président de la Commission des accidents du travail le 25 septembre 1973. Occupa cette dernière fonction jusqu'au 25 janvier 1977. Fut cofondateur et directeur de Québécair, président de la Société d'entreprises de Rimouski, puis secrétaire et directeur de la Compagnie de Poisson de Gaspé ltée.

Membre de l'Association du barreau canadien et directeur de l'Association du barreau rural de la province de Québec. Bâtonnier du barreau du Bas-Saint-Laurent du 30 avril 1966 au 30 avril 1968. Président de la Chambre de commerce de Rimouski en 1954. Fondateur et président du Club Rotary de Rimouski. Membre du Cercle universitaire, du Club de réforme et de la Croix-Rouge canadienne.

TESSIER, Ulric-Joseph
(1817–1892)

Né à Québec, le 3 mai 1817, puis baptisé le 4, sous le prénom de Joseph-Ulric, dans la paroisse Notre-Dame, fils de Michel Tessier, marchand, et de Mariane Perrault, veuve de Jean Naud.

Étudia au petit séminaire de Québec de 1826 à 1835. Fit l'apprentissage du droit auprès d'Hector-Simon **Huot**, à compter de 1836, et fut reçu au barreau en 1839. Obtint en 1855 un doctorat en droit de l'université Laval, où il enseigna.

Cofondateur de la Banque Nationale, dont il fut le premier président, et de la Compagnie du chemin de fer de la rive nord ; administrateur de la Caisse d'économie de Notre-Dame de Québec. Associé dans le bureau d'avocats Tessier, Hamel et Tessier ; devint conseiller de la reine en 1863. Propriétaire foncier et immobilier.

Représenta le quartier Saint-Jean au conseil municipal de Québec, de 1846 à 1853, puis fut maire en 1853–1854. Élu député de Portneuf en 1851 ; réformiste. Ne s'est pas représenté en 1854. Élu conseiller législatif de la division du Golfe en 1858. Fit partie du ministère Macdonald–Sicotte : conseiller exécutif et commissaire des Travaux publics du 24 mai 1862 au 27 mai 1863. À son entrée au cabinet, son siège au Conseil législatif était devenu vacant. Réélu à une élection complémentaire le 23 juin 1862, fut conseiller législatif jusqu'à l'avènement de la Confédération, le 1er juillet 1867 ; agit comme président du Conseil législatif à compter du 13 août 1863. Sénateur de la division du Golfe du 23 octobre 1867 jusqu'à son accession à la charge de juge de la Cour supérieure du district de Québec le 11 février 1873 ; appuya le Parti libéral. Nommé juge de la Cour du banc de la reine le 8 octobre 1875, démissionna pour raison de santé le 11 septembre 1891.

Secrétaire-archiviste de la Société Saint-Jean-Baptiste de la cité de Québec à compter de 1847. Président de l'Institut canadien de Québec en 1852. Officier de milice. Auteur de : «Emma ou l'Amour malheureux ; épisode du choléra à Québec en 1832», publié dans le Télégraphe de Québec en mai 1837 ; Essai sur le commerce et l'industrie du Bas-Canada (Québec, 1854) ; et de «Rapport annuel du maire aux membres du conseil municipal de Québec», dans Rapport annuel du trésorier de la cité de Québec pour l'année 1853 (Québec, [1854]).

Décédé à Québec, le 7 avril 1892, à l'âge de 74 ans et 11 mois. Après des obsèques célébrées dans la basilique Notre-Dame de Québec, fut inhumé dans le cimetière Notre-Dame-de-Belmont, à Sainte-Foy, le 11 avril 1892.

Avait épousé dans la paroisse Saint-Germain, à Rimouski, le 4 août 1847, Marguerite-Adèle Kelly, fille d'Augustin Kelly et de Marie-Adélaïde Drapeau, et petite-fille de Joseph **Drapeau**.

Père d'Auguste **Tessier** et de Jules **Tessier**. Beau-père d'Alexandre **Chauveau**.

———

Bibliographie : DBC.

TESTARD DE MONTIGNY, Casimir-Amable (1787–1863)

Né à Montréal, le 2 juin 1787, puis baptisé le 3, dans la paroisse Notre-Dame, sous le prénom de Casimir, fils de Louis-Étienne Testard de Montigny, avocat, et de Louise-Archange Gamelin, dit Gaucher.

Étudia un an au séminaire Notre-Dame, puis au petit séminaire de Montréal, de 1805 à 1808.

S'installa au nord de Montréal, sur les bords de la rivière du Nord, d'où il fit le commerce des fourrures. Pendant la guerre de 1812, servit à titre de capitaine dans la milice ; devint plus tard lieutenant-colonel. Vers 1814, fit de son poste de traite le noyau d'un centre de colonisation. Fonda le village de Saint-Jérôme.

Élu député d'Effingham en 1824. Ne se serait pas représenté en 1827.

Nommé commissaire au tribunal des petites causes en avril 1837. S'opposa à la rébellion ; fait prisonnier par les patriotes en décembre 1837, fut libéré quelques jours plus tard. Fit l'acquisition et l'exploitation de propriétés, de la spéculation foncière et des prêts. Engagé dans le développement de Saint-Jérôme, dont il fut le représentant au conseil de la municipalité du comté de Terrebonne, de 1849 à 1851.

Décédé à Saint-Jérôme, le 10 janvier 1863, à l'âge de 75 ans et 7 mois. Inhumé dans le caveau de l'église Saint-Jérôme, le 12 janvier 1863.

Avait épousé dans la paroisse Sainte-Anne-des-Plaines, dans la municipalité du même nom, le 9 janvier 1815, Marthe Godon, fille de Pierre Godon, cultivateur à la rivière du Nord, et de Catherine Cardinal ; puis, dans la paroisse Saint-Jérôme, à Saint-Jérôme, le 30 mai 1855, Marie-Louise Allaire, fille de Pierre Allaire et de Louise Aubin.

Beau-père de Jean-Baptiste **Lefebvre de Villemure**.

———

Bibliographie : DBC.

———

TETLEY, William

Né à Montréal, le 10 février 1927, fils de Francis William Tetley, homme d'affaires, et de Gertrude Aubrey.

Fit ses études à la Town of Mount Royal High School, au Royal Canadian Naval College et aux universités McGill et Laval. Admis au barreau de la province de Québec en juin 1952. Créé conseil en loi de la reine le 14 février 1968.

Pratiqua le droit à Montréal jusqu'en 1968. Représenta le Canada au Congrès de droit international à Athènes (1961),

Stockholm (1963) et New York (1966). Fut critique littéraire à la *Gazette* et au *Montreal Star*. Lieutenant dans la Marine royale canadienne.

Échevin de la ville de Mont-Royal de 1965 à 1968. Vice-président du Parti libéral du Québec. Élu député libéral dans Notre-Dame-de-Grâce à l'élection partielle du 4 décembre 1968. Réélu en 1970 et 1973. Ministre du Revenu dans le cabinet Bourassa du 12 mai au 1er octobre 1970. Ministre des Institutions financières, Compagnies et Coopératives du 1er octobre 1970 au 30 juillet 1975. Ministre des Travaux publics et de l'Approvisionnement du 30 juillet 1975 au 26 novembre 1976. Ne s'est pas représenté en 1976.

Professeur à la faculté de droit de l'université McGill à compter de 1976.

Auteur de plusieurs articles et de plusieurs ouvrages de droit dont *Marine Cargo Claims* (1965), *Maritime Liens and Claims* (1985) et *les Droits linguistiques et scolaires au Québec et au Canada* (1986). Membre à vie du Comité international maritime. Vice-président et conseiller honoraire de l'Association des scouts de Montréal et de la province de Québec. Vice-président honoraire des scouts du Québec et décoré de la médaille du Mérite. Président de la division internationale du YMCA et administrateur du YMCA de Montréal. Membre du St. James Club, du Cercle de la place d'Armes et du Club de réforme.

TÉTRAULT, Ronald

Né à Val-d'Or, le 16 juin 1936, fils d'Éliza Jean et d'Oza Tétrault, industriel et député à la Chambre des communes de 1968 à 1974.

Fit ses études aux écoles Saint-Sauveur, Saint-Charles et Monseigneur-Desmarais à Val-d'Or.

Travailla d'abord pour une entreprise de nettoyage, puis pour une compagnie de fonds mutuels. Gérant de production de Nettoyeur Sigma à Val-d'Or. Président et propriétaire des entreprises Prospérité (à compter de 1962) et de l'agence de voyages Brunet à Val-d'Or. Directeur du bureau de comté de Raymond Savoie à compter de 1989. Membre du Club Kiwanis.

Maire de Val-d'Or de 1976 à 1980. Directeur général du Ralliement créditiste pour le nord-ouest du Québec en 1968 et 1969. Élu député de cette formation politique à l'Assemblée nationale dans Abitibi-Est en 1970. Candidat du Parti créditiste défait en 1973. Candidat libéral défait dans Abitibi aux élections fédérales de 1979.

TÉTREAU, Ernest
(1871–1957)

Né à Saint-Jude, près de Saint-Hyacinthe, le 21 mai 1871, fils d'Ernest Ducharme, dit Tétreau, notaire et registrateur du comté de Bagot, et de Délia Gauthier.

Étudia au séminaire de Saint-Hyacinthe, au collège de Montréal et à l'université Laval à Montréal. Fit sa cléricature auprès de Mes Louis-Philippe **Brodeur** et Raoul Dandurand, sénateur de 1898 à 1942. Admis au barreau de la province de Québec le 30 juillet 1895. Créé conseil en loi du roi le 26 novembre 1924.

Exerça d'abord sa profession seul, puis fonda un cabinet d'avocat à Montréal en 1896. Fut également employé à la division de la perception des taxes de la cité de Montréal le 31 mars 1896, devint avocat adjoint de la ville le 25 janvier 1897. Démissionna de ce poste le 13 décembre 1897. Membre du conseil d'administration de la maison Viau ltée. Collabora à différents journaux et publia *Esquisses biographiques des conférenciers de l'Alliance française, comité de Montréal* (1949).

Président de la commission scolaire Saint-Viateur-d'Outremont de 1944 à 1946. Échevin du quartier Saint-Denis au conseil municipal de Montréal de 1910 à 1914. Élu député libéral indépendant dans Montréal-Dorion en 1923. Ne s'est pas représenté en 1927.

Président de l'Alliance française de Montréal de 1934 à 1953. Membre de plusieurs sociétés de bienfaisance et de l'Association de bienfaisance des avocats de Montréal de 1939 à 1957. Cofondateur de la Fédération des œuvres de charité canadiennes-françaises. Président de la Société des concerts symphoniques de Montréal et du Conseil des œuvres de Notre-Dame-de-la-Merci. Vice-président de l'hôpital Notre-Dame. Membre du conseil général de la Société Saint-Jean-Baptiste de Montréal et président du comité de la pensée française de cette société. Président de la section Saint-Édouard de la Société Saint-Jean-Baptiste et directeur de l'Association nationale Saint-Jean-Baptiste. Secrétaire de la section canadienne de la Société d'entraide de la Légion d'honneur, puis membre à vie et président des membres honoraires de cette association. Secrétaire du Comité pour le relèvement du franc. Fondateur de la Ligue de survivance française. Membre du comité France-Amérique et du Cercle interallié de Paris. Président du comité Canada-Haïti de Montréal. Membre du Club Saint-Denis et du bureau de direction du Club national. Président du club libéral Brodeur. Créé chevalier de la Légion d'honneur en 1927. Récipiendaire de la médaille d'or de l'Union nationale française en 1929 et de la grande médaille de vermeil de l'Alliance française de Paris en 1931. Docteur en droit honoris causa du Bishop's College en 1940 et de l'université de Montréal en 1943. Créé commandeur de l'ordre national de la République d'Haïti.

Décédé à Outremont, le 20 juillet 1957, à l'âge de 86 ans et un mois. Inhumé à Montréal, dans le cimetière Notre-Dame-des-Neiges, le 23 juillet 1957.

Avait épousé à Montréal, dans la paroisse Saint-Jean-Baptiste, le 17 septembre 1895, Berthe Gaudet, fille de Michel Gaudet, médecin, et de Léocadie Marteau; puis, dans la cathédrale de Montréal, le 11 juillet 1911, Blanche Viau, fille de Charles Théodore Viau, fondateur de la biscuiterie Viau, et d'Émélie Deguise.

Beau-frère d'Amédée **Geoffrion**.

TÉTREAU, Nérée
(1842–1911)

Né à Saint-Damase, près de Saint-Hyacinthe, le 12 avril 1842, fils d'Antoine Tétreau, cultivateur, et d'Adélaïde Ayet, dit Malo.

Fit ses études à l'école primaire de Saint-Damase, puis aux séminaires de Saint-Hyacinthe et de Sainte-Marie-de-Monnoir. Admis à la pratique du notariat le 28 août 1866.

Exerça sa profession à Hull. Propriétaire terrien. Secrétaire-trésorier de la commission scolaire de Hull de septembre 1866 à mars 1868, et de la municipalité de Hull de 1870 à 1875.

Élu député conservateur dans Ottawa en 1892. Ne s'est pas représenté en 1897.

Décédé à Hull, le 25 janvier 1911, à l'âge de 68 ans et 3 mois. Inhumé à Hull, dans le cimetière de la paroisse Notre-Dame-de-Grâce, le 28 janvier 1911.

[Avait épousé à Hull, le 6 février 1868, Adèle Leduc.]

TÊTU, Félix
(1769–1853)

Né et baptisé dans la paroisse Saint-Thomas (à Montmagny), le 26 janvier 1769, fils de Félix Têtu et de Marie-Madeleine Vallée. Signait F. Tetu.

Étudia au petit séminaire de Québec jusqu'en 1790. Après avoir fait son apprentissage dans l'étude de Pierre-Louis Deschenaux, reçut sa commission de notaire le 23 juillet 1795.

Exerça le notariat principalement à Québec jusqu'en 1852; compta parmi sa clientèle Henry **Caldwell**, propriétaire, entre autres, de la seigneurie de Lauzon. En 1801, fut chargé de la tenue du papier terrier sous la direction de Philippe-Fran-

çois de **Rastel de Rocheblave**. Officier de milice de la ville de Québec: capitaine en 1804, accéda au grade de lieutenant-colonel en décembre 1812; nommé commandant d'un bataillon en mars 1813.

Élu député de Hertford en 1796; appuya le parti canadien. Ne s'est pas représenté en 1800. Défait dans Dorchester en 1809.

Décédé dans la paroisse Saint-Thomas (à Montmagny), le 12 octobre 1853, à l'âge de 84 ans et 8 mois. Inhumé dans le cimetière paroissial, le 14 octobre 1853.

Était célibataire.

Oncle de Vital **Têtu**.

Bibliographie: «Le notaire Félix Têtu», *BRH*, 37, 9 (sept. 1931), p. 576.

TÊTU, Vital
(1799–1883)

Né et baptisé dans la paroisse Saint-Thomas (à Montmagny), le 15 février 1799, fils de François Têtu et de Charlotte Bonenfant.

Ses études terminées au petit séminaire de Québec en 1820, s'engagea dans le commerce. Fut d'abord commis chez des marchands de la basse ville de Québec, avant de se mettre à son compte en 1826; se retira des affaires en 1868.

Élu député de Montmorency à une élection partielle le 28 octobre 1836; appuya tantôt le parti patriote, tantôt le parti des bureaucrates. Son mandat prit fin avec la suspension de la constitution, le 27 mars 1838. Membre du conseil municipal de Québec, entre 1840 et 1842.

Nommé capitaine dans la milice en 1838. Fut chargé par le comité antiunioniste de Québec d'aller porter à Londres, en 1840, l'adresse des citoyens contre le projet d'union du Haut et du Bas-Canada. Membre de la Maison de la Trinité, en était président au moment de son abolition en 1876. Président de l'Assurance de Québec, de 1866 à 1872. Fit partie de la Société Saint-Vincent-de-Paul.

Décédé à Québec, le 2 décembre 1883, à l'âge de 84 ans et 9 mois. Après des obsèques célébrées en la basilique Notre-Dame de Québec, fut inhumé dans le cimetière Notre-Dame-de-Belmont, à Sainte-Foy, le 5 décembre 1883.

Avait épousé dans la paroisse Sainte-Anne (à La Pocatière), le 23 juin 1835, Virginie Ahier, fille de Gédéon Ahier et de Victoire-Angèle Painchaud.

Neveu de Félix **Têtu**.

Bibliographie: Têtu, Mgr Henri, *Histoire des familles Têtu, Bonenfant, Dionne et Perrault*, Québec, Dussault et Proulx, 1898, p. 130-135. Têtu, Mgr Henri, «Vital Têtu», *BRH*, 19, 12 (déc. 1913), p. 371-374. «M. Vital Têtu», *BRH*, 42, 2 (février 1936), p. 119.

THAIN, Thomas
(<1800–1832)

Né en Écosse.

Fit la traite des fourrures pour le compte de la New North West Company: était commis en 1803, fut agent et associé à compter de 1804. Pendant la guerre de 1812, servit à titre d'officier de milice. Associé de la McTavish, McGillivrays and Company en 1814, en fut actionnaire, puis dirigea la compagnie de 1822 à 1825. L'un des premiers actionnaires de la Banque de Montréal, agit comme administrateur en 1819 ou 1820 et vice-président de 1822 à 1825. Possédait aussi des actions de la Banque du Canada.

Élu député de Montréal-Est en juillet 1820; ne prit part à aucun vote. Ne se serait pas représenté en 1824.

Membre du Beaver Club. Promoteur du Theatre Royal de Montréal. Obtint au moins un poste de commissaire.

En août 1825, quitta la colonie. Vécut dans un asile d'aliénés en Écosse, à partir de 1826.

Décédé à Aberdeen, en Écosse, le 26 janvier 1832.

Était célibataire.

Neveu de John **Forsyth** et de John **Richardson**.

Bibliographie: *DBC*.

THÉBERGE, Gilbert-Roland

Né à Marieville, le 9 mars 1915, fils de Joseph Noël Théberge, commerçant, et de Rose-Adèle Pelletier.

A étudié à l'académie Crevier à Marieville, au séminaire de Saint-Jean et à l'université de Montréal. Reçu docteur en chirurgie dentaire en 1942.

Exerce sa profession à Témiscamingue à partir de 1943. Président de la Société Saint-Jean-Baptiste. Membre des Chevaliers de Colomb. Fondateur du Club Kinsmen.

Candidat libéral défait dans Témiscamingue en 1960. Élu député libéral dans Témiscamingue en 1962, 1966 et 1970. Adjoint parlementaire du ministre du Tourisme, de la Chasse et de la Pêche du 3 juin 1970 au 28 février 1973. Adjoint parlementaire du ministre des Terres et Forêts du 28 février au 13 novembre 1973. Ne s'est pas représenté en 1973.

THÉBERGE, Robert
(1905–1961)

Né à Saint-Mathieu-de-Rioux, le 3 décembre 1905, fils de Jean Théberge, marchand, et de Marie Dumont.

Fit ses études au collège de Sainte-Anne-de-la-Pocatière.

Débuta comme employé au commerce de bois de son père à Saint-Éleuthère (Pohénégamook) en 1921, devint gérant général de cette entreprise en 1927, puis propriétaire en 1942. En 1947, il fonda à Montréal la compagnie Kay Construction Ltd., spécialisée dans la construction d'égouts et d'aqueducs. Entrepreneur en construction domiciliaire à Longueuil, sous la raison sociale de Robert Théberge ltée de 1952 à 1961. Membre du conseil d'administration de l'hôpital Saint-Lambert. Membre de la Chambre de commerce de Montréal et de l'Association des constructeurs d'habitations du Québec.

Vice-président de l'organisation libérale de Longueuil en 1955. Élu député libéral dans Chambly en 1956. Réélu en 1960. Nommé adjoint parlementaire du secrétaire de la province le 28 mars 1961.

Décédé en fonction à Saint-Lambert, le 11 octobre 1961, à l'âge de 55 ans et 10 mois. Inhumé dans le cimetière de la paroisse Saint-Éleuthère, le 18 octobre 1961.

Avait épousé à Beauceville, dans la paroisse Saint-François-d'Assise, le 1er juillet 1933, Pauline L. Talbot, fille d'Arthur Talbot et d'Héléna Lapointe.

THÉORÊT, Jean-Paul

Né à Montréal, le 19 juillet 1936, fils de François Théorêt et de Rosilda Martel.

Diplômé en administration-marketing de l'université américaine Cornel.

Surintendant général de Dominion Stores ltée pour l'est de Montréal de 1960 à 1971. Vice-président, promotion et marketing, de Hudon et Deaudelin ltée de 1971 à 1978. À compter de 1978, il devint président de plusieurs marchés d'alimentation. Président des Entreprises Jean-Paul Théorêt inc. à compter de 1985.

Président de l'Association des hommes d'affaires de Laval inc. de 1979 à 1982, de l'Association des épiciers du bassin laurentien de 1981 à 1984 et de la Chambre de commerce de Laval en 1981 et 1982. Président du conseil d'administration de l'Office du développement du tourisme et des congrès de Laval en 1981 et 1982. Membre du conseil d'administration de la Chambre de commerce de la province de Québec en 1981 et 1982.

Élu député libéral dans Vimont en 1985. Vice-président de la Commission de l'économie et du travail du 11 février 1986 au 21 septembre 1988. Adjoint parlementaire au ministre de l'Industrie, du Commerce et de la Technologie du 21 septembre 1988 au 23 mai 1989, date de sa démission comme député. Candidat défait à la mairie de Laval pour le Parti du renouveau municipal en 1989.

Nommé régisseur de la Régie du gaz naturel le 11 avril 1990.

THÉORÊT, Roland

Né à l'Île-Bizard, le 13 juillet 1920, fils de Siméon Théorêt, cultivateur, et d'Alma Théorêt.

A étudié à l'école primaire de l'Île-Bizard, au séminaire de Sainte-Thérèse, au collège Saint-Laurent et à l'université de Montréal où il fut reçu notaire.

Exerce sa profession à Gatineau à compter de 1946. Président du Club Rotary en 1949 et 1950.

Commissaire d'école à Gatineau de 1951 à 1960. Échevin de 1952 à 1954, puis en 1956 et 1957. Maire de 1957 à 1960 et de 1962 à 1965. Élu député de l'Union nationale dans Papineau en 1966. Nommé adjoint parlementaire du ministre du Revenu le 16 octobre 1968. Occupa le poste de vice-président de l'Assemblée nationale du 24 février au 10 juin 1970. Défait en 1970.

Oncle de Claude **Charron**.

THÉRIAULT, Élisée
(1884–1958)

Né à Saint-Alexandre, près de Rivière-du-Loup, le 11 janvier 1884, fils de Pierre Thériault, cultivateur, et de Marie-S. Saint-Pierre.

A étudié au collège de Sainte-Anne-de-la-Pocatière, au collège de Lévis et à l'université Laval à Québec. Fut secrétaire de Joseph-Édouard **Caron**, ministre de l'Agriculture, en 1909. Admis au barreau de la province de Québec le 16 janvier 1913. Créé conseil en loi du roi en 1924.

Exerça sa profession à Québec. Conseiller juridique de la ville de Québec de 1918 à 1939. Délégué de la Ligue maritime française à Québec et vice-président de l'Association canado-américaine. Membre du Club canadien, des clubs de réforme de Québec et de Montréal et du Club de la garnison de Québec.

Échevin du quartier Montcalm au conseil municipal de Québec de 1916 à 1918. Élu député libéral dans L'Islet en

1916. Réélu en 1919 (sans opposition), 1923 et 1927 (sans opposition). Démissionna le 26 avril 1929 et fut nommé le même jour conseiller législatif de la division de Kennebec.

Décédé en fonction à Québec, le 30 juillet 1958, à l'âge de 74 ans et 6 mois. Inhumé à Sainte-Foy, dans le cimetière Notre-Dame-de-Belmont, le 2 août 1958.

Avait épousé dans la paroisse Notre-Dame de Québec, le 2 juin 1914, Cécile Hamel, fille d'Auguste Hamel, médecin, et de Sophie Vallières.

THÉRIAULT, Louis-Albin
(1871–1953)

Né à Havre-aux-Maisons, Îles-de-la-Madeleine, le 18 février 1871, fils de Pierre Thériault et de Louise-Bibiane Richard.

Fit ses études au collège de Sainte-Anne-de-la-Pocatière.

Instituteur à Havre-aux-Maisons de 1892 à 1901. Président de la corporation de l'hôpital de Cap-aux-Meules, du comité de la Croix-Rouge et de la Société d'agriculture. Occupa également la fonction de juge de paix pendant vingt ans.

Candidat libéral défait dans Îles-de-la-Madeleine en 1900. Élu député libéral dans la même circonscription à l'élection partielle du 20 novembre 1906. Réélu en 1908. Ne s'est pas représenté en 1912.

Inspecteur d'écoles aux Îles-de-la-Madeleine de 1912 à 1937. Maire de Havre-aux-Maisons et préfet de comté du 16 février 1923 au 4 janvier 1937.

Décédé à Havre-aux-Maisons, le 7 mai 1953, à l'âge de 82 ans et 2 mois. Inhumé dans le cimetière de cette paroisse, le 9 mai 1953.

Avait épousé à Havre-aux-Maisons, le 25 novembre 1895, Geneviève Thériault, fille de François-Étienne Thériault, capitaine, et de Marie- Adélaïde Cormier.

THÉRIEN, Césaire
(1824–1890)

Né à L'Assomption, le 12 janvier 1824, fils de Jean-Baptiste Thérien, cultivateur, et d'Apolline Gariépy.

Commis au magasin de son beau-père à Verchères, puis marchand à Saint-Isidore.

Maire de la municipalité de Saint-Isidore de 1866 à 1868. Élu député conservateur dans Laprairie en 1867. Ne s'est pas représenté en 1871.

Décédé à Verchères, le 9 février 1890, à l'âge de 66 ans. Inhumé au même endroit, le 12 février 1890.

Avait épousé à Verchères, dans la paroisse Saint-François-Xavier, le 24 mai 1852, Marie-Félonise Colette, fille de Paul Colette, marchand, et de Marie-Anne Hubert ; [puis, en secondes noces, Ézilda Mazurette, dit Lapierre ; elle épousera Louis **Duhamel** en 1901].

THÉRIEN, Robert

Né à Sainte-Anne-des-Plaines, le 25 décembre 1949, fils d'Herman Thérien, agriculteur, et de Florence Forget.

A étudié au collège de Sainte-Thérèse de 1961 à 1966. Titulaire d'un baccalauréat en pédagogie de l'école normale Ville-Marie, en 1971, d'un baccalauréat spécialisé en éducation de l'université du Québec à Montréal en 1976, d'un certificat d'animation de la vie étudiante de l'université de Montréal, la même année, et d'une maîtrise en sciences humaines de l'université de Sherbrooke, en 1977.

Enseignant au campus Pont-Viau de Laval de 1970 à 1985. Il fut également chef du département et professeur à l'éducation des adultes de 1973 à 1979. Journaliste au journal *le Progrès* en 1978. Organisateur responsable des voyages Jeunair inc. de 1975 à 1980. Président de Gestion R.T. inc. engagée dans le domaine immobilier à compter de 1983.

Maire de Sainte-Anne-des-Plaines de 1979 à 1985. Élu député libéral dans Rousseau en 1985. Réélu en 1989. Adjoint parlementaire du ministre des Transports à compter du 26 août 1987.

THERRIEN, Calixte-Émile
(1863–1933)

Né à Notre-Dame-de-Stanbridge, le 1er février 1863, fils d'Alexandre Therrien, cultivateur, et de Louise Sénécal.

Fit ses études à la High School de Malborough, dans l'État du Massachusetts, et au séminaire Saint-Charles-Borromée à Sherbrooke.

Exerça le métier de commis à Sherbrooke durant trois ans. Fut associé à M.S. Fortier de 1886 à 1892, puis devint alors propriétaire d'un commerce de marchandises générales. Membre de la Société Saint-Joseph. Syndic de la paroisse Saint-Jean-Baptiste à Sherbrooke.

Échevin au conseil municipal de Sherbrooke de 1894 à 1896. Président du comité de police de cette localité. Élu sans opposition député libéral dans Sherbrooke à l'élection partielle du 17 août 1911. Réélu en 1912 et sans opposition en 1916.

Son siège devint vacant lorsqu'il fut nommé shérif de Sherbrooke le 26 avril 1919. Défait à l'élection partielle du 5 novembre 1924.

Décédé à Montréal, le 7 février 1933, à l'âge de 70 ans. Inhumé à Sherbrooke, le 11 février 1933.

Avait épousé à Sherbrooke, le 3 septembre 1883, Alphonsine Bourque, fille de Norbert Bourque, cultivateur, et de Louise Houle.

THIBAUDEAU, Édouard
(1797–1836)

Né à Pointe-Claire, île de Montréal, et baptisé dans la paroisse Saint-Joachim, le 3 mars 1797, sous le prénom de Pierre-Édouard, fils de Louis Thibodeau (Thibaudeau), notaire d'ascendance acadienne, et de Marguerite Bro (Brault). Son patronyme s'orthographia aussi Thibodeau.

Fit l'apprentissage du droit à Montréal, auprès de Toussaint Peltier ; admis au barreau le 3 février 1823.

Exerça sa profession à Gaspé. Nommé, le 11 juin 1831, visiteur des écoles des comtés de Gaspé et de Bonaventure.

Élu député de Bonaventure en 1830 ; prit part aux votes des trois premières sessions et donna généralement son appui au parti patriote. Réélu en 1834 ; participa à une seule session et appuya généralement le parti patriote.

Décédé en fonction à Bonaventure, le 21 août 1836, à l'âge de 39 ans et 5 mois. Inhumé dans le cimetière paroissial, le 24 août 1836.

On ne sait pas s'il était célibataire ou marié.

THIBAUDEAU, Isidore
(1819–1893)

Né à Cap-Santé et baptisé sous le prénom de Pierre-Isidore, dans la paroisse Saint-François-de-Sales, à Pointe-aux-Trembles (Neuville), le 30 septembre 1819, fils de Pierre-Chrisologue Thibaudeau, marchand, et d'Émilie Delisle.

De 1836 à 1841, fit l'apprentissage du commerce à Québec, sous la supervision de Charles **Langevin**, à titre de commis dans la succursale d'une maison d'import-export de Montréal. Par la suite, travailla pour le compte de la Masson, Langevin et Compagnie de Québec. En décembre 1847, participa à la formation de la Langevin, Masson, Thibaudeau et Compagnie, et, en 1859, à la mise sur pied de la Thibaudeau, Thomas and Company, sociétés engagées dans l'importation et l'exportation en gros à Québec et à Montréal. Associa plusieurs de ses frères à cette dernière entreprise commerciale, qui établit une filiale à Manchester, en Angleterre, en 1868, et qui, en 1873, devint la Thibaudeau, Frères et Compagnie de Québec. Cofondateur en 1848 de la Caisse d'épargne de Notre-Dame de Québec, reconnue légalement en 1855 sous le nom de Caisse d'économie de Notre-Dame de Québec, dont il fut administrateur de 1855 jusqu'à sa mort et vice-président à compter de 1876 ; l'un des fondateurs de la Banque Nationale en 1858, en fut administrateur élu de 1860 à 1875, puis vice-président, de 1875 à 1879, et président, de 1879 à 1889 ; actionnaire de la Banque de Québec ; administrateur du Crédit foncier franco-canadien. S'occupa de l'administration de chemins de fer, parmi lesquels le Grand Tronc, le chemin de fer de Québec et du lac Saint-Jean, le chemin à lisses de Lévis à Kennebec et le Quebec Central. Vice-président de la Quebec Steel Company. Président de la Société Saint-Jean-Baptiste de Québec en 1863–1864. Un des fondateurs de la Société philanthropique du Canada en 1864.

Fit partie du ministère Macdonald–Dorion à titre de président du Conseil exécutif, du 16 mai 1863 au 29 mars 1864. Élu député de Québec-Centre en 1863 ; rouge, s'opposa au projet de confédération. Son mandat prit fin avec l'avènement de la Confédération, le 1ᵉʳ juillet 1867. Nommé conseiller législatif de la division de Kennebec le 2 novembre 1867, prêta serment le 27 décembre ; démissionna le 21 janvier 1874. Élu sans opposition député libéral de Québec-Est à la Chambre des communes en 1874 ; démissionna le 7 novembre 1877, en faveur de Wilfrid **Laurier**. Défait dans Québec aux élections fédérales en 1878.

Décédé à Québec, le 18 août 1893, à l'âge de 73 ans et 10 mois. Après des obsèques imposantes célébrées dans la basilique Notre-Dame de Québec, fut inhumé dans le cimetière Notre-Dame-de-Belmont, à Sainte-Foy, le 22 août 1893.

Avait épousé dans la paroisse Saint-Charles-Borromée, à Charlesbourg, le 4 septembre 1849, Laure Drolet, fille de l'avocat Gaspard Drolet et d'Antoinette Le Blond.

Frère de Joseph-Élie **Thibaudeau** et de Joseph-Rosaire Thibaudeau, sénateur. Père d'Alfred-Arthur Thibaudeau, sénateur. Beau-père de Joseph-Esdras-Alfred de Saint-Georges, député à la Chambre des communes du Canada. Oncle par alliance de Jean-Benoit-Berchmans **Prévost**.

———

Bibliographie : *DBC.*

THIBAUDEAU, Joseph-Élie
(1822–1878)

Né à Cap-Santé, le 2 septembre 1822, fils de Pierre-Chrisologue Thibaudeau, marchand, et d'Émilie Delisle.

Fut commerçant à Cap-Santé. Juge de paix et capitaine dans la milice.

Élu député de Portneuf en 1854 ; réformiste modéré. Réélu en 1858 ; de tendance libérale. Fit partie du ministère Brown–Dorion : président du Conseil exécutif et ministre de l'Agriculture du 2 au 5 août 1858. À son entrée au cabinet, son siège de député était devenu vacant. Réélu à une élection partielle le 11 septembre 1858 ; de tendance libérale. Défait en 1861.

Nommé registrateur du comté de Portneuf le 29 mai 1863, occupa ce poste jusqu'à sa mort.

Décédé à Cap-Santé, le 5 janvier 1878, à l'âge de 55 ans et 4 mois. Inhumé dans le cimetière de la paroisse Sainte-Famille, le 9 janvier 1878.

Avait épousé dans la paroisse Saint-François-de-Sales, à Pointe-aux-Trembles (Neuville), le 24 juin 1845, Madeleine-Félicité Larue (La Rue), fille de Barthélemy Larue et de Reine Laroche.

Frère d'Isidore **Thibaudeau** et de Joseph-Rosaire Thibaudeau, sénateur.

———

Bibliographie : *DBC.*

THIBAULT, Rodrigue
(1917–1963)

Né à Sainte-Angèle-de-Mérici, près de Mont-Joli, le 2 mai 1917, fils de Sylvio Thibault, cultivateur, et de Fébronie Langlais.

Fit ses études à l'école de sa paroisse natale, au collège de Montmagny et chez les Frères du Sacré-Cœur à Victoriaville et Richmond.

Travailla d'abord comme mesureur de bois, puis suivit un stage de perfectionnement à la station forestière de Duchesnay de 1939 à 1941. Occupa un poste d'administrateur chez un commerçant de bois à Sainte-Anne-de-Portneuf de 1945 à 1951. Exerça par la suite le métier d'entrepreneur de construction. En 1955, il devint propriétaire de l'Agence Portneuf (Rivière-Portneuf), commerce d'instruments aratoires et de meubles. S'établit à Hauterive où il fut propriétaire d'Oxygène Portneuf et de Gas Propane Pino jusqu'en 1962. Président de la Chambre de commerce du Saguenay en 1952.

Membre des Chevaliers de Colomb, du Club Lions de Baie-Comeau et du Club Richelieu.

Échevin de Sainte-Anne-de-Portneuf du 9 janvier 1946 au 15 juillet 1950 et du 6 août 1955 au 4 mai 1957. Candidat libéral défait dans Saguenay en 1952. Élu député libéral dans la même circonscription en 1962.

Décédé en fonction à Forestville, le 14 décembre 1963, à l'âge de 46 ans et 7 mois. Inhumé dans le cimetière Saint-Joseph de Manicouagan, le 17 décembre 1963.

Avait épousé à Sainte-Anne-de-Portneuf, près de Forestville, le 15 octobre 1938, Alexandrine Imbault, fille d'Elzéar Imbault, prospecteur, et de Léa Fortin.

THIBEAULT, Gérard

Né à Montréal, le 1er janvier 1906, fils de Jean-Baptiste Thibeault, marchand de fourrures, et de Paméla Primeau.

Fit ses études à Montréal à l'école Saint-Joseph-de-la-Nativité, au juvénat de Sainte-Anne-de-Beaupré, au collège Sainte-Marie, au collège L'Assomption et à l'École des hautes études commerciales. Suivit également des cours du soir à l'école populaire du révérend père Papin Archambault.

Débuta comme apprenti fourreur à l'entreprise paternelle. En 1931, il fonda avec son père un second établissement, puis en prit la direction en 1936. Devint propriétaire de ces deux commerces en 1955. Membre de l'Association des maîtres fourreurs. Collaborateur à la section sportive du journal *Montréal-Matin*. Promoteur d'organisations sportives dans l'est de Montréal. Fondateur (1940) et président des Loisirs de Saint-Louis-de-Gonzague. Cofondateur de la Ligue de baseball royal junior en 1947. Membre du Club Kiwanis et des Chevaliers de Colomb. Directeur de l'Association catholique de la jeunesse canadienne-française (ACJC).

Secrétaire de la Jeunesse conservatrice de Montréal en 1929. Élu député de l'Union nationale dans Montréal-Mercier en 1936. Défait en 1939. Ne s'est pas représenté en 1944. Réélu dans la même circonscription en 1948, 1952, 1956 et 1960. Nommé whip de l'Union nationale en 1948. Adjoint parlementaire du ministre de l'Industrie et du Commerce du 1er octobre 1954 au 5 novembre 1958. Assermenté ministre d'État dans le cabinet Duplessis le 5 novembre 1958, dans le cabinet Sauvé le 11 septembre 1959, puis dans le cabinet Barrette le 8 janvier 1960. Défait en 1962.

THIBODEAU. V. THIBAUDEAU

THISDEL, Louis-Joseph
(1886–1943)

Né à Louiseville, le 16 mai 1886, fils de Louis Thisdel, dit Noël, cultivateur, et d'Apoline Gravel.

Fit ses études à Louiseville.

Cultivateur. Directeur de la coopérative laitière locale. Cofondateur de la Corporation du lin du comté de Maskinongé. Président régional de l'Union catholique des cultivateurs (UCC).

Échevin de 1918 à 1922 et maire de Louiseville de 1923 à 1930. Préfet du comté de Maskinongé du 10 mars 1926 au 11 mars 1931. Élu député libéral dans Maskinongé à l'élection partielle du 4 novembre 1930. Réélu en 1931 et 1935. Défait en 1936. Réélu en 1939. Assermenté ministre sans portefeuille dans le cabinet Godbout le 8 novembre 1939.

Décédé en fonction à Louiseville, le 9 février 1943, à l'âge de 56 ans et 8 mois. Inhumé dans le cimetière de cette paroisse, le 13 février 1943.

Avait épousé à Louiseville, le 7 janvier 1907, Laura Bellemare, fille de Majorique Bellemare, cultivateur, et d'Arilda Bergeron ; puis, à Trois-Rivières, dans la paroisse de L'Immaculée-Conception, le 24 août 1940, Marie-Flore Paquin, veuve d'Édouard Vermette.

THOMSON, Charles Edward Poulett
(1799–1841)

Né à Waverley Abbey, en Angleterre, le 13 septembre 1799, fils de John Poulett Thomson, commerçant, et de Charlotte Jacob.

Fit ses études dans des écoles privées.

À partir de 1815, travailla pour l'entreprise de son père, la J. Thomson, T. Bonar and Company de Londres et de Saint-Pétersbourg, qui faisait le commerce avec la Russie et les ports de la Baltique ; séjourna en Europe de l'Est et visita le sud du continent. En 1824, s'établit à Londres, mais se rendait souvent à Paris. Élu député de Douvres à la Chambre des communes britannique en mai 1826. Réélu en 1830, 1831 et 1832. Élu dans Manchester en 1832. Réélu en 1834 et 1837. Fit partie du cabinet whig, à titre de président du Board of Trade, en 1834 et à compter d'avril 1835. Refusa le poste de chancelier de l'Échiquier à l'été de 1839.

Nommé gouverneur en chef de l'Amérique du Nord britannique le 6 septembre 1839, entra en fonction le 19 octobre, à son arrivée à Québec. Fit approuver le projet d'union par le Conseil spécial du Bas-Canada en novembre, à Montréal, puis par le Conseil législatif et la Chambre d'assemblée du Haut-Canada en décembre, à Toronto. Le 23 janvier 1840, soumit un avant-projet de loi sur l'union aux autorités britanniques. Le 10 février 1841, proclama l'entrée en vigueur de l'Acte d'Union et fut assermenté comme gouverneur, poste auquel il avait été nommé le 29 août 1840. S'installa dans la capitale, Kingston, dans le Haut-Canada, en mai 1841. Remit sa démission en juillet pour raison de santé, mais conserva sa charge jusqu'à sa mort.

Reçut le titre de baron Sydenham, le 19 août 1840. Obtint la grand-croix de l'ordre du Bain (division civile), le 19 août 1841. *Memoir of the life of* [...] *Lord Sydenham* [...] *with a narrative of his administration in Canada* parut à Londres en 1843. Certaines de ses lettres au secrétaire d'État aux colonies, lord John Russell, ont été publiées à Londres, en 1931, sous le titre de *Letters from Lord Syndenham* [...].

Décédé en fonction à Kingston, le 19 septembre 1841, à l'âge de 42 ans. Inhumé dans l'église St. George, le 24 septembre 1841.

Était célibataire.

Bibliographie: *DBC.*

THORNTON, John
(1823–1888)

[Né à Derby, dans l'État du Vermont, le 3 avril 1823, fils de John L. Thornton, cultivateur, et de Dolly Bagley.]

Fit ses études à Derby et au Stanstead College.

Émigra au Canada en 1841. Fut marchand à Barnston, près de Stanstead, avant de s'établir à Coaticook. Dirigea un magasin d'équipement lors de la construction du chemin de fer entre Richmond et Stanhope. Pratiqua aussi l'agriculture. Membre de la loge Victoria.

Conseiller municipal du canton de Barnston. Maire de Coaticook en 1872 et 1873. Préfet du comté de Stanstead de 1872 à 1874. Élu député conservateur dans Stanstead en 1875. Défait en 1878. Réélu en 1881. Ne s'est pas représenté en 1886.

Décédé à Coaticook, le 17 février 1888, à l'âge de 64 ans et 11 mois. Inhumé dans le cimetière du même endroit, le 21 février 1888.

[Avait épousé à Barnston, en 1847, Lucy Baldwin, fille de Lotes Baldwin, cultivateur et meunier.]

THUOT, Yvon
(1900–1978)

Né à Iberville, le 9 janvier 1900, fils d'Arcade Thuot, marchand, et d'Eugénie Primeau.

Fit ses études au séminaire de Saint-Hyacinthe et au collège de Saint-Jean-d'Iberville. Suivit également des cours à Chicago.

Commerçant de bois et de charbon, il fut associé à son père jusqu'en 1942. Fondateur de *l'Écho d'Iberville*. Membre de la Chambre de commerce locale.

Échevin d'Iberville du 1er février 1940 au 11 février 1942, puis maire du 11 avril 1944 au 4 avril 1961. Élu député de l'Union nationale dans Iberville en 1944. Réélu en 1948, 1952 et 1956. Défait en 1960.

Décédé à Saint-Jean, le 26 mars 1978, à l'âge de 78 ans et 2 mois. Inhumé dans le cimetière de la paroisse Saint-Athanase, le 29 mars 1978.

Avait épousé à Papineauville, le 16 avril 1932, Thérèse D'Amours, fille d'Edmond D'Amours, médecin, et de Maria Labrèche.

THURBER, Alexandre
(1871–1958)

Né à Montréal, le 2 avril 1871, fils d'Alexandre Thurber, marchand, et d'Émiline Davignon.

A étudié au collège de Longueuil.

Commis pour la maison Walker pendant quinze ans, puis devint manufacturier de ferronnerie à Longueuil. Vice-président des firmes Richard-Wilcox Can Company of Canada Limited et Stowell Screw Company Limited. Membre du Club de réforme, du Club canadien et du Club Lemoyne de Longueuil.

Maire de Longueuil du 1er février 1915 au 19 janvier 1925. Premier vice-président de l'Union des municipalités du Québec. Président de la South Shore Intercommission. Élu député libéral dans Chambly en 1923 et 1927. Ne s'est pas représenté en 1931. De nouveau élu en 1935. Défait en 1936.

Décédé à Montréal, le 19 avril 1958, à l'âge de 87 ans. Inhumé à Longueuil, dans le cimetière de la paroisse Saint-Antoine, le 23 avril 1958.

Avait épousé à Longueuil, le 4 septembre 1894, Rose-Anne Larocque, fille de Léon Larocque, boucher, et de Mathilda Sabourin.

Petit-fils de Pierre **Davignon**.

THURINGER, Harold P.

Né à Vibank, en Saskatchewan, le 21 octobre 1934, fils de Tillie et de Peter Thuringer, agriculteur.

A étudié à la St. Paul's High School à Vibank de 1948 à 1951 et à l'University of Manitoba où il obtint un baccalauréat ès arts en 1955 et un baccalauréat en sciences sociales en 1956. Titulaire d'une maîtrise en sciences sociales de l'University of Toronto en 1956. A suivi également des cours en administration à l'University of Saskatchewan de 1963 à 1965.

Travailleur social dans la fonction publique de la Saskatchewan de 1958 à 1963 de même que consultant financier et en aide sociale pour ce même employeur de 1956 à 1968. Coordonnateur de projets au Social Service Audit à Winnipeg de 1965 à 1970. Directeur exécutif de l'United Red Feather Services de 1970 à 1973. Directeur exécutif de la Federated Appeal of Greater Montreal de 1973 à 1976. Directeur de l'administration et de la recherche à Centraide Montréal de 1975 à 1981. Directeur général du Conseil catholique d'expression anglaise de Montréal de 1981 à 1987.

Élu député libéral dans Notre-Dame-de-Grâce à l'élection partielle le 14 septembre 1987. Défait en 1989.

TOD, James
(≈1742–1816)

Né probablement en Écosse vers 1742.

En 1767, se trouvait à Québec, où il s'établit en 1774 comme marchand de produits importés. S'engagea aussi dans le commerce des fourrures et des céréales, s'occupa de pêche dans le golfe Saint-Laurent et approvisionna la Marine britannique à Québec. Investit dans la propriété foncière, notamment à Québec et dans la région, ainsi que dans les cantons; acquit les seigneuries de la Rivière-de-la-Madeleine, en Gaspésie, de Grosse-Île et de Grandville. Fut administrateur de la seigneurie Saint-Gilles. Membre de la Société d'agriculture du district de Québec, trésorier de la Société du feu de Québec. Promu capitaine dans la milice en 1804.

Élu député de Devon en 1792; appuya le parti des bureaucrates. Ne se serait pas représenté en 1796.

Décédé à Québec, le 16 octobre 1816, à l'âge d'environ 74 ans. Les obsèques eurent lieu dans l'église presbytérienne St. Andrew de Québec, le 19 octobre 1816.

Fut le père d'une fille.

Bibliographie: *DBC*.

TONNANCOUR.
V. GODEFROY DE TONNANCOUR

TOOMEY. V. TOOMY

TOOMY, Edward
(<1813– ≥1851)

Marchand établi à Drummondville. En 1851, était huissier de la Cour supérieure. Son patronyme s'orthographia aussi Toomey.

Élu député de Drummond à une élection partielle le 2 mars 1833. Réélu en 1834. Appuya généralement le parti patriote et vota pour les Quatre-vingt-douze Résolutions. Son mandat prit fin avec la suspension de la constitution, le 27 mars 1838.

Décédé en ou après 1851.

On ne sait pas s'il était célibataire ou marié.

TOUPIN, Joseph-Roméo
(1884–1941)

Né à Champlain, le 7 septembre 1884, fils de Joseph Toupin, pilote, et de Georgianna Toutan.

Fit ses études au séminaire Saint-Joseph à Trois-Rivières, à l'université St. Dunstan à Charlottetown (Île-du-Prince-Édouard) et à l'université Laval à Montréal. Reçu médecin en 1909. Poursuivit des études postuniversitaires à Paris jusqu'en 1914.

Professeur agrégé à la faculté de médecine de l'université de Montréal de 1917 à 1933. Médecin attaché à l'Institut Bruchési, puis aux hôpitaux Notre-Dame et Sainte-Justine à Montréal. Chef du service de dermatologie de l'hôpital Saint-Luc à Montréal. Membre de la Société Saint-Jean-Baptiste, du Club Letellier-de-Saint-Just, du Club canadien et de la Palestre nationale.

Élu député libéral dans Montréal–Saint-Jacques en 1939.

Décédé en fonction à Montréal, le 2 août 1941, à l'âge de 56 ans et 10 mois. Inhumé dans le cimetière de Champlain, le 5 août 1941.

Avait épousé dans la paroisse Saint-Pierre-de-Sorel, le 25 octobre 1910, Rosette Mongrain-Hardy, fille adoptive de Gustave Hardy, libraire.

TOUPIN, Normand

Né à Saint-Maurice, dans la Mauricie, le 21 novembre 1933, fils d'Ernest Toupin, agriculteur, et de Myrza Toupin.

A étudié à Saint-Maurice. A suivi des cours en administration et en mise en marché, en sciences immobilières et en évaluation et en financement hypothécaire.

Travailla sur la ferme familiale de 1953 à 1956. Dirigeant permanent des Jeunesses rurales catholiques de 1956 à 1960. Directeur régional de l'UPA pour la région de l'Abitibi de 1960 à 1965 et de la Mauricie de 1965 à 1970.

Élu député libéral dans Champlain en 1970. Réélu en 1973. Ministre de l'Agriculture et de la Colonisation dans le cabinet Bourassa du 12 mai 1970 au 13 novembre 1973. Ministre de l'Agriculture du 13 novembre 1973 au 30 juillet 1975. Ministre des Terres et Forêts du 30 juillet 1975 au 26 novembre 1976. Défait en 1976.

Président de la Société immobilière des travaux publics chargée de la gestion du territoire exproprié de Mirabel de 1977 à 1980. Agent immobilier pour le Trust Royal de 1982 à 1986. Directeur général de la caisse d'établissement de la Mauricie et membre de l'exécutif de la Fédération des caisses d'établissement de 1982 à 1986.

Président-fondateur du Conseil d'orientation économique du Nord-Ouest québécois en 1964 et membre-fondateur du Conseil d'orientation économique de la Mauricie. Président de la fondation le FAR, organisme venant en aide aux femmes en difficultées en 1991.

TOURIGNY, Honoré Brunelle
(1857–1918)

Né à Gentilly, le 23 septembre 1857, fils d'Honoré Tourigny, notaire, et de Célina Brunelle.

A étudié au collège de Nicolet et fut diplômé en génie civil et arpentage.

Arpenteur pour la ville de Trois-Rivières et ingénieur en chef de la Compagnie du chemin de fer du Saint-Laurent, des Basses-Laurentides et du Saguenay.

Élu député conservateur dans Nicolet à l'élection partielle du 17 juillet 1888. Défait en 1890.

Décédé à Trois-Rivières, le 25 septembre 1918, à l'âge de 61 ans. Inhumé dans le cimetière de sa paroisse natale, le 28 septembre 1918.

Avait épousé dans la paroisse Sainte-Julie-de-Somerset (Laurierville), le 9 juin 1885, Lumina Legendre, fille de Jean-Baptiste-Onésime Legendre, arpenteur, et d'Angélique-Giles-Delphine Poulin de Courval.

TOURIGNY, Paul
(1852–1926)

Né à Saint-Christophe-d'Arthabaska, le 2 novembre 1852, fils de Landry Tourigny, cultivateur, et de Lucie Poirier. Fut baptisé sous le prénom de Napoléon.

Fit ses études à Arthabaska.

Travailla d'abord comme journalier, puis devint propriétaire d'un magasin général à Victoriaville et d'une fabrique de cuir à Stanfold. Fondateur de la manufacture de chaussures Tourigny-Marois à Québec. Copropriétaire du magasin Tourigny et Tourigny, fondé à Victoriaville en 1910. Président de la compagnie Victoria Clothing. Fit également le commerce du bois à Victoriaville. Exerça aussi les fonctions de censeur à la Banque Provinciale du Canada (1925) et de juge de paix. Membre du Conseil d'agriculture de la province de Québec. Décoré de la médaille d'or et du drapeau du Mérite agricole en 1922. Membre des Chevaliers de Colomb.

Échevin de Victoriaville de 1890 à 1892, puis maire de 1892 à 1898 et de 1900 à 1910. Élu sans opposition député libéral dans Arthabaska en 1900. Réélu en 1904 (sans opposition), 1908 et 1912. Ne s'est pas représenté en 1916. Nommé conseiller législatif de la division de Kennebec le 14 décembre 1921.

Décédé en fonction à Victoriaville, le 31 janvier 1926, à l'âge de 73 ans et 2 mois. Inhumé à Victoriaville, dans le cimetière de la paroisse Sainte-Victoire, le 4 février 1926.

Avait épousé à Gentilly, dans la paroisse Saint-Édouard, le 5 mai 1874, Alice Lavigne, fille de Cléophas Lavigne, cultivateur, et de Marguerite Leblanc; puis, à Montréal, dans la paroisse Saint-Louis-de-France, le 2 septembre 1914, Joséphine Laberge, veuve d'Auguste Laberge.

TOURVILLE, Louis
(1831–1896)

Né à Montréal, le 22 février 1831, fils de Joseph Tourville, cultivateur, et de Marguerite Vallières.

Fit ses études chez les Frères de la doctrine chrétienne à Montréal.

Travailla d'abord au magasin de nouveautés Merrill, puis chez Morrisson, Cameron et Empy. En 1854, il ouvrit une boutique de mercerie qu'il abandonna l'année suivante. Fondateur de la Banque d'Hochelaga en 1873 et président jusqu'en 1878. Débuta dans le commerce du bois en 1880 et devint propriétaire de scieries à Pierreville, Nicolet et Louiseville, sous la raison sociale de Tourville Lumber Mills Co. Fit également le commerce des grains. Membre du Montreal

Board of Trade en 1873. Directeur honoraire de la compagnie d'assurances Equitable de New York. Président de la Compagnie d'exposition de Montréal de 1891 à 1896. Membre du syndicat pour l'achat du chemin de fer Montréal-Sorel.

Nommé conseiller législatif de la division d'Alma le 9 mai 1888. Appuya le Parti libéral.

Décédé en fonction à Montréal, le 4 novembre 1896, à l'âge de 65 ans et 8 mois. Inhumé à Montréal, dans le cimetière Notre-Dame-des-Neiges, le 7 novembre 1896.

Avait épousé dans la paroisse Notre-Dame de Montréal, le 24 novembre 1856, Célina Saint-Jean, fille d'Antoine Saint-Jean, hôtelier, et de Catherine Cyhiot.

Père de Rodolphe **Tourville**.

TOURVILLE, Rodolphe
(1867–1935)

Né à Montréal, le 31 mars 1867, fils de Louis **Tourville**, marchand, et de Célina Saint-Jean.

Fit ses études à l'académie du Plateau et au collège Sainte-Marie à Montréal.

Directeur et secrétaire-trésorier de la Tourville Lumber Mills Co. en 1889. Succéda plus tard à son père à la présidence de cette entreprise et s'adjoignit Édouard **Ouellette** comme vice-président. Président de la Hudonville Lands Ltd. Vice-président de la Regent Asbestos Corp., de la Compagnie de lumière électrique impériale et de la Compagnie électrique de Louiseville. Directeur de la Compagnie de chemin de fer de la Rive-Sud, de la Bordeaux Realties Ltd., de la Metropolis Apartments Co. Ltd. et de la Regent Construction Co. Administrateur de la succession de son père. Gouverneur à vie des hôpitaux Notre-Dame et Sainte-Justine à Montréal. Juge de paix en 1920. Conseiller de la Chambre de commerce de Montréal pendant plusieurs années. Membre du Club de réforme de Montréal, du Club canadien et du Club St-Denis.

Syndic de la paroisse Saint-Germain-d'Outremont et marguillier de la paroisse Saint-Viateur-d'Outremont. Élu député libéral dans Maskinongé en 1912. Réélu en 1916, 1919 et 1923. Ne s'est pas représenté en 1927.

Décédé à Outremont, le 8 septembre 1935, à l'âge de 68 ans et 5 mois. Inhumé à Montréal, dans le cimetière Notre-Dame-des-Neiges, le 11 septembre 1935.

Avait épousé à Montréal, dans la paroisse Saint-Louis-de-France, le 6 juin 1892, Berthe Archambault, fille de François-Xavier **Archambault**, avocat, et de Marie-Louise-Octavie Saint-Louis.

TRACEY, Daniel
(≈1794–1832)

Né probablement dans le comté de King, en Irlande, en ou vers 1794, fils de Denys Tracey, marchand, et d'Anne Manford.

Fit des études au Trinity College de l'University of Dublin à compter de 1814, qu'il poursuivit vraisemblablement au Royal College of Surgeons in Ireland, à Dublin.

Exerça la médecine et la chirurgie à Dublin. En 1825, s'établit à Montréal. Fonda en 1828 l'*Irish Vindicator and Canada General Advertiser*, qui devint le *Vindicator and Canadian Advertiser*. Par suite de la parution, le 3 janvier 1832, d'un article appelant à l'abolition du Conseil législatif, fut arrêté le 13 par le sergent d'armes de ce conseil, sous une accusation de diffamation, et emprisonné, avec Ludger **Duvernay**, de *la Minerve*, du 17 janvier au 25 février.

Élu député de Montréal-Ouest à une élection partielle le 22 mai 1832.

Décédé en fonction à Montréal, le 18 juillet 1832, à l'âge d'environ 38 ans. Les obsèques eurent lieu dans l'église Notre-Dame, le même jour.

Était célibataire.

Beau-frère de Charles **Wilson**.

Bibliographie: *DBC*.

TRAHAN, Arthur
(1877–1950)

Né à Nicolet, le 26 mai 1877, fils de Narcisse Trahan, marchand, et d'Adéline-Rébecca Rousseau.

Fit ses études au séminaire de Nicolet et à l'université Laval à Montréal. Admis au barreau de la province de Québec le 12 juillet 1901. Créé conseil en loi du roi le 9 août 1912.

Exerça sa profession à Nicolet. Secrétaire de la Commission de révision du Code municipal du Québec de 1910 à 1912. Bâtonnier du barreau du district de Trois-Rivières en 1916 et 1917.

Membre du Club de réforme de Montréal. Échevin de Nicolet de 1911 à 1917. Élu député libéral à l'Assemblée législative dans Nicolet à l'élection partielle du 2 juin 1913. Réélu sans opposition en 1916. Démissionna le 14 novembre 1917 pour se porter candidat aux élections fédérales. Élu sans opposition député libéral à la Chambre des communes dans Nicolet en 1917. Réélu en 1921.

Son siège devint vacant lors de sa nomination comme juge à la Cour supérieure, le 5 mai 1923.

Décédé à Montréal, le 22 septembre 1950, à l'âge de 73 ans et 4 mois. Inhumé à Nicolet, le 26 septembre 1950.

Avait épousé à Nicolet, le 24 septembre 1902, Joséphine Dufresne, fille d'Honoré Dufresne, notaire, et de Joséphine Blondin ; puis, à Hull, dans la paroisse Notre-Dame-de-Grâce, le 26 juin 1924, Diane Leduc, fille de Charles Leduc et d'Ursule Gravel.

Beau-frère de Joseph-Roméo **Lafond**.

TREMAIN, Benjamin
(≈1781–1861)

Né à New York, vers 1781.

S'établit à Québec comme marchand. Nommé commissaire de la Maison de correction de Québec, le 6 mai 1811 ; en devint surintendant le 3 avril 1817. Pendant la guerre de 1812, servit en qualité de lieutenant dans le 3e bataillon de milice de la ville ; fut promu capitaine le 7 mai 1824. En juillet 1819, faisait partie d'un comité destiné à aider les immigrants démunis. Fait juge de paix en septembre 1827 et commissaire chargé de la construction du marché de la rue Saint-Paul en juin 1829.

Élu député de Sherbrooke à une élection partielle le 21 novembre 1829 ; appuya tantôt le parti patriote, tantôt le parti des bureaucrates. Ne s'est pas représenté en 1830.

Décédé à Québec, le 5 octobre 1861, à l'âge d'environ 80 ans. Après des obsèques célébrées en la cathédrale anglicane Holy Trinity, à Québec, fut inhumé dans le cimetière Mount Hermon, à Sillery, le 9 octobre 1861.

Avait épousé dans la cathédrale anglicane Holy Trinity, à Québec, le 27 août 1807, Mary Pyke, fille de John George Pyke, commerçant de Halifax et député à la Chambre d'assemblée de la Nouvelle-Écosse, et d'Elizabeth Allan, sœur de John Allan, ancien député néo-écossais.

Beau-frère de James **Irvine** et de George **Pyke**.

TREMBLAY, Charles-Henri
(1919–1982)

Né à Jonquière, le 14 mars 1919, fils d'Anthime Tremblay, cultivateur, et de Régina Desgagné.

Fit ses études à l'école Saint-François-Xavier et au séminaire de Chicoutimi.

Travailla à Hydro-Québec à titre de technicien de laboratoire. Fit partie de l'armée canadienne de 1944 à 1946.

Ancien directeur de la section 1500 des employés d'Hydro-Québec et vice-président du conseil de Québec du Syndicat canadien de la fonction publique.

Fut membre de l'exécutif du Parti québécois des comtés de Mercier et Sainte-Marie. Élu député du Parti québécois dans Sainte-Marie en 1970. Défait dans la même circonscription en 1973, puis dans celle de Saint-Hyacinthe en 1976.

À sa mort, il était commissaire à la Commission des normes du travail.

Décédé à Montréal, le 31 mars 1982, à l'âge de 63 ans. Inhumé à Montréal, dans le cimetière de l'Est, le 5 avril 1982.

Avait épousé à Chicoutimi, dans la paroisse du Sacré-Cœur-du-Bassin, le 28 août 1941, Gertrude Simard, fille de Joseph Simard, cultivateur, et d'Alexandrine Gravel ; puis, à Montréal, le 26 mars 1970, Jacqueline Roy, vendeuse, fille de Moïse Roy et d'Anna Lacoste.

TREMBLAY, Gaston

Né à Québec, le 16 avril 1924, fils de Joseph Tremblay, télégraphiste, et de Marie-Anna Cazeau.

Fit ses études à l'externat classique Saint-Jean-Eudes à Québec et à l'université Laval où il fut reçu médecin.

Pratique la médecine à Beauport à partir de 1951. Cofondateur du journal l'*Éditorial* de Beauport en 1959. Fondateur de l'Association des omnipraticiens en 1956. Membre de la Chambre de commerce, des Chevaliers de Colomb et du Club civique de l'université Laval.

Maire de Beauport de 1961 à 1970. Candidat de l'Union nationale défait dans Québec-Comté en 1962. Élu député de l'Union nationale dans Montmorency en 1966. Whip adjoint de l'Union nationale de 1966 à 1968. Quitta les rangs de cette formation politique le 30 octobre 1968 pour siéger comme député indépendant. Adhéra au Parti nationaliste chrétien. Devint membre du Ralliement créditiste en 1969. Candidat du Ralliement créditiste défait dans la même circonscription en 1970. Candidat du Parti créditiste défait en 1973.

TREMBLAY, Georges-Émery

Né à Saint-Blaise, près de Saint-Jean-sur-Richelieu, le 4 novembre 1927, fils de Paul Tremblay, cultivateur et camionneur, et de Thérèse Lorrain.

Fit ses études à l'école primaire de Grande-Ligne et à l'Institut Feller.

Camionneur à Montréal de 1946 à 1951. Directeur général du matériel chez Spino Construction à Montréal de 1951 à 1956. Vice-président de la firme montréalaise Léo Tremblay Transport de 1956 à 1962. Président de Pneus Tremblay Montréal limitée de 1962 à 1970. Membre de la Chambre de commerce de Montréal-Nord, du conseil Francis-Fauteux et de l'Association des industriels de Montréal. Membre fondateur du Club Richelieu–Henri-Bourassa (1961), de l'Association des hommes d'affaires du Nord et des Chevaliers de Colomb.

Échevin de Montréal-Nord du 4 novembre 1963 au 5 novembre 1966. Élu député libéral dans Bourassa en 1966. Réélu en 1970. Ministre des Transports dans le cabinet Bourassa du 12 mai 1970 jusqu'au 25 novembre 1971, date de sa nomination comme ministre responsable de l'Office des autoroutes du Québec.

Son siège devint vacant le 19 septembre 1973 lorsqu'il fut nommé président de l'Office des autoroutes du Québec. Occupa ce poste jusqu'en 1983. De nouveau président de Pneus Tremblay de 1983 à 1987. Retraité depuis 1989.

TREMBLAY, Gérald

Né le 20 septembre 1942, fils de Georges A. Tremblay, notaire criminologue, et de Rollande Forest.

Licencié en droit de l'université d'Ottawa en 1969 puis admis au barreau du Québec en 1970. Titulaire d'une maîtrise en administration des affaires de la Harvard Business School de Boston en 1972.

Analyste financier et de crédit chez Dun & Bradstreet of Canada Limited en 1964 et 1965. Professeur et chargé de cours à l'École des hautes études commerciales de 1974 à 1977. Associé senior et directeur général d'une firme conseil membre du groupe Sobeco de 1977 à 1981. Vice-président exécutif de la Fédération des caisses d'entraide économique du Québec en 1981 et 1982. Gestionnaire en redressement d'entreprises ainsi que propriétaire et dirigeant d'entreprises dans les secteurs de l'hôtellerie et de la vente au détail de 1982 à 1986. Président-directeur général de la Société de développement industriel (SDI) de 1986 à 1989. Fut membre du conseil d'administration de la Caisse de dépôt et placement. Membre du conseil d'administration et du comité exécutif d'Hydro-Québec. Gouverneur de l'Association des MBA du Québec.

Élu député libéral dans Outremont en 1989. Assermenté ministre de l'Industrie, du Commerce et de la Technologie le 11 octobre 1989.

TREMBLAY, Jacques

Né à Iberville, le 8 février 1942, fils de Pierre Tremblay, industriel, et d'Eugénie Béchard.

Fit ses études primaires et secondaires à Iberville. A participé également à des sessions d'études en technologie du béton à l'université Laval, en direction et organisation de petites et moyennes entreprises à l'École des hautes études commerciales ainsi qu'en marketing, en administration et en psychologie appliquée aux affaires.

Industriel. Administrateur et directeur général de la compagnie Les produits de Ciment Tremblay inc. de 1966 à 1985. Directeur de l'Association québécoise des fabricants d'éléments de béton en 1983. Président provincial de l'Association des fabricants de tuyaux de béton du Québec en 1980.

Président de la Jeune Chambre de Saint-Jean et d'Iberville en 1968 et président de la Jeune Chambre régionale des Cantons-de-l'Est en 1969. Président du Club industriel de Saint-Jean, Saint-Luc et d'Iberville en 1984 et vice-président du Conseil économique du Haut-Richelieu en 1985.

Élu député libéral dans Iberville en 1985. Président de la Commission de l'agriculture, des pêcheries et de l'alimentation du 11 février 1986 au 26 août 1987. Adjoint parlementaire du ministre des Transports du 26 août 1987 au 9 août 1989. Ne s'est pas représenté en 1989.

Président du Groupe Tremca à compter de 1989.

TREMBLAY, Jacques-Raymond

Né à Sorel, le 31 août 1923, fils de Louis-Philippe Tremblay, comptable, et d'Annette Chapdelaine.

Fit ses études au collège du Sacré-Cœur à Sorel où il fut diplômé en commerce. Fit un stage de perfectionnement à l'Association des assureurs-vie du Canada (Toronto) de 1963 à 1966.

Servit dans l'armée canadienne de 1941 à 1943, puis siégea à la Commission fédérale des prix jusqu'en 1945. De 1946 à 1952, il cumula les postes d'annonceur à la station Radio-Richelieu et de publiciste-traducteur chez Eaton du Canada. Nommé planificateur de la production à la compagnie Sorel Industries Ltd. en 1952. Représentant et gérant à La Prudentielle d'Amérique de 1956 à 1969. Administrateur et relationniste pour la firme Construction Saint-Paul Ltée. Membre du conseil d'administration de la Société franco-canadienne de réalisation (Montréal-Paris) et de Cinétel inc.

Membre fondateur de la Fédération libérale du Québec en 1955. Organisateur libéral lors des élections provinciales de 1960, 1962, 1966 et 1970. Coordonnateur régional du comité Robert-Bourassa en 1969. Élu député libéral à la Chambre des communes dans Richelieu-Verchères à l'élection partielle du 29 mai 1967. Ne s'est pas représenté en 1968. Adjoint administratif du ministre du Revenu national à Ottawa en 1968 et 1969. Élu député libéral à l'Assemblée nationale dans Iberville en 1973. Défait en 1976.

Nommé membre de la Commission des allocations aux anciens combattants le 18 octobre 1977. Occupa ce poste jusqu'en 1980. Commissaire à la Commission canadienne des pensions des anciens combattants de 1980 à 1985. Contractuel à cette commission et au Bureau des services juridiques des pensions à compter de 1985. Membre honoraire de la Légion canadienne. Membre des Chevaliers de Colomb de Sorel, du Club Aramis de Saint-Jean et du Club Richelieu.

TREMBLAY, Jean-Noël

Né à Saint-André-du-Lac-Saint-Jean, le 7 juin 1926, fils d'Alfred Tremblay, cultivateur, et de Marie-Élisabeth Tremblay.

Étudia à l'école de Saint-André, au séminaire Saint-Alphonse à Sainte-Anne-de-Beaupré, au séminaire du Sacré-Cœur à Saint-Victor-de-Beauce, à l'université Laval et à l'université du Québec à Chicoutimi. Suivit aussi des cours en histoire de l'éducation à l'Institut Jean-Jacques-Rousseau et au Bureau international de l'éducation à Genève. Fit également un stage d'études à l'UNESCO à Paris. Bachelier en théologie, licencié en droit et titulaire d'un certificat d'études supérieures en français.

De 1952 à 1966, il enseigna les langues et la littérature française à l'externat classique Saint-Jean-Eudes à Québec, au séminaire de Québec, au séminaire Saint-François à Cap-Rouge et à l'université Laval. Professeur invité aux universités de Colombie-Britannique et Simon Fraser (Vancouver). Maître de conférences à la faculté libre de philosophie à Paris. Directeur du journal *le Carabin* de l'université Laval. Collaborateur à *la Revue dominicaine*, à la revue *Culture* et au journal *Notre Temps*. Chroniqueur à l'hebdomadaire *Progrès-Dimanche* de Chicoutimi. Membre de l'Association canadienne des éducateurs de langue française. Commandeur de la Société du parler français de Montréal et récipiendaire de la médaille du Mérite de la Société d'histoire franco-canadienne (États-Unis). Membre du conseil d'administration de l'Association mondiale des amis de l'enfance de Monaco.

De 1961 à 1966, il fut conseiller spécial de Daniel Johnson, alors chef de l'Opposition à l'Assemblée législative. Élu député conservateur à la Chambre des communes dans Roberval en 1958. Défait en 1962. Élu député de l'Union nationale à l'Assemblée législative dans Chicoutimi en 1966.

Ministre des Affaires culturelles dans les cabinets Johnson et Bertrand du 16 juin 1966 au 12 mai 1970. Réélu en 1970. Défait en 1973. Conseiller auprès de la ministre fédérale Jeanne Sauvé de 1977 à 1979. De 1980 à 1984, il fut directeur des Relations publiques à la Chambre des communes et conseiller spécial de la présidente. Conseiller culturel du gouverneur général de 1984 à 1989. Conseiller spécial du ministre canadien des Communications, Marcel **Masse**, en 1989 et 1990. Conseiller culturel auprès du maire de Québec à compter de 1991.

TREMBLAY, Luc

Né à Chambly, le 16 septembre 1939, fils d'Uldéric Tremblay, fonctionnaire fédéral, et de Rolande Lapalme.

Termina ses études secondaires à la commission scolaire régionale de Chambly. Étudia en administration à l'École des hautes études commerciales de l'université de Montréal en 1971 et 1972.

Commis dans un magasin en 1957. Mécanicien de machines calculatrices mécaniques de 1957 à 1959. Commis dans un magasin en 1960 et 1961. Représentant pour un coiffeur pour hommes en 1962. Agent d'assurances de 1962 à 1964. Courtier d'assurances de 1964 à 1967. Représentant industriel pour la compagnie U.S.M. ltée en 1967 et 1968. Fondateur et président de la compagnie Rivetec inc. à partir de 1972.

Conseiller municipal de Chambly de 1975 à 1979. Élu député du Parti québécois dans Chambly en 1981. Adjoint parlementaire du ministre des Affaires municipales, du 21 février au 23 octobre 1985. Défait en 1985.

Est retourné à son entreprise, Rivetec, et a fondé la compagnie Adhertec.

TREMBLAY, Lucien

Né à Val-Jalbert, près de Chicoutimi, le 19 août 1916, fils de Georges Tremblay, agent manufacturier, et de Joséphine Lalancette.

Fit ses études à l'école Saint-Joseph-de-Salem, dans l'État du Massachusetts, et chez les Frères maristes à Chicoutimi.

Débuta comme électricien à la firme Gilbert et Frères à Chicoutimi. Travailla par la suite pour la Compagnie d'aluminium à Arvida et l'Electrical Motor Service à Montréal. Fonda sa propre entreprise à Montréal en 1946, sous la raison sociale de Lucien Tremblay Électrique inc. Participa à l'organisation du

Syndicat catholique de l'aluminium d'Arvida. Fondateur du Syndicat catholique des électriciens de Montréal en 1946. Ancien directeur de la Section mécanique des marchands détaillants du Canada, président-fondateur de la Corporation des maîtres électriciens du Québec, président de la Fédération nationale des entrepreneurs en électricité du Canada et directeur-fondateur de la Ligue électrique du Québec. Membre de la Chambre de commerce de Montréal, de l'Association des hommes d'affaires de l'Est, du Club canadien et des Chevaliers de Colomb.

Échevin du district n° 10 au conseil municipal de Montréal de 1954 à 1957. Élu député de l'Union nationale dans Maisonneuve en 1956. Réélu en 1960. Whip adjoint de 1956 à 1962. Défait en 1962.

Fut commissaire à la Commission du salaire minimum devenue la Commission des normes du travail. Retraité en 1981.

TREMBLAY, Michel

Né à Cap-à-l'Aigle, dans Charlevoix, le 28 mars 1933, fils d'Henri Tremblay et d'Ursule Duchesne, aubergistes.

A étudié à La Malbaie puis à Rimouski où il fut diplômé de l'École technique en 1956 et de l'école normale Tanguay en pédagogie en 1968.

Professeur à l'École technique de Rimouski puis à la polyvalente Paul-Hubert de 1957 à 1970. Spécialiste en sciences de l'éducation au bureau régional du ministère de l'Éducation où il fut agent de développement pédagogique en éducation des adultes en 1971 et 1972, puis coordonnateur des enseignements professionnels pour la région du Bas-Saint-Laurent, de la Gaspésie et des Îles-de-la-Madeleine de 1971 à 1978. Directeur général de l'Association de la construction du Bas-Saint-Laurent de 1978 à 1980 et directeur général de Bétonag ltée pour les usines de Rimouski, Rivière-du-Loup et Cabano de 1980 à 1985.

Membre de la Chambre de commerce de Rimouski, de la Société canadienne de la Croix-Rouge, du Club Richelieu, de l'Association québécoise des maladies du cœur et des Scouts et Guides du district de l'Orignal.

Élu député libéral dans Rimouski en 1985. Réélu en 1989. Adjoint parlementaire du ministre de l'Éducation et ministre de l'Enseignement supérieur et de la Science du 29 novembre 1989 au 31 octobre 1990. Nommé adjoint parlementaire du ministre des Affaires municipales le 31 octobre 1990.

TREMBLAY, Pierre-Alexis (1827–1879)

Né à La Malbaie et baptisé dans la paroisse Saint-Étienne, le 28 décembre 1827, fils d'Alexis Tremblay, négociant, et de Josephte Duguay.

Étudia au petit séminaire de Québec.

À partir d'octobre 1853, exerça la profession d'arpenteur dans la région du Saguenay. Travailla notamment dans les cantons de Demeulles, Parent, Signay, Labarre et Caron; effectua le relevé de la rivière Péribonka et le tracé de la route du Lac-Saint-Jean. S'occupa aussi d'agriculture. Fut rédacteur en chef, propriétaire et éditeur de l'*Éclaireur* (Québec) en 1878. Collabora au *Canadien* et à l'*Événement*, de Québec, ainsi qu'au *National*, de Montréal.

Candidat bleu défait dans les circonscriptions unies de Chicoutimi et Saguenay en 1858. Élu député de Chicoutimi et Saguenay à une élection partielle le 3 janvier 1865; de tendance libérale. Son mandat prit fin avec l'avènement de la Confédération, le 1er juillet 1867. Élu sans opposition député indépendant de Chicoutimi et Saguenay à l'Assemblée législative et à la Chambre des communes en 1867. Réélu sans opposition, mais sous la bannière libérale, au provincial en 1871. Élu député libéral de Charlevoix au fédéral en 1872. Résigna son siège provincial le 17 janvier 1874, en raison de l'abolition du double mandat. Réélu dans Charlevoix aux élections fédérales en 1874; son élection fut annulée le 23 août 1875. Défait à l'élection partielle fédérale du 22 janvier 1876; obtint de la Cour suprême du Canada l'invalidation de cette élection, le 28 février 1877. Candidat libéral défait dans Charlevoix, à l'élection fédérale partielle du 23 mars 1877, puis aux élections provinciales en 1878. Élu dans Charlevoix à la Chambre des communes en 1878.

Décédé en fonction à Québec, le 4 janvier 1879, à l'âge de 51 ans. Après des obsèques célébrées en la basilique Notre-Dame de Québec, fut inhumé dans le caveau de la famille de sa femme, dans le cimetière St. Patrick, à Sillery; le 21 mai 1879, ses restes furent transportés au cimetière de la paroisse Saint-Étienne, à La Malbaie.

Avait épousé dans l'église St. Patrick, à Québec, le 6 septembre 1870, Mary Ellen Connelly, fille du marchand Michael Connelly et d'Eleonor Robson.

Bibliographie: *DBC.*

TREMBLAY, Rodrigue

Né à Matane, le 13 octobre 1939, fils de Georges Tremblay, entrepreneur, et de Germaine Saint-Louis.

Fit ses études primaires et secondaires à Matane. Titulaire d'un baccalauréat en sciences économiques de l'université de Montréal (1963), d'une maîtrise en économique (1965) et d'un doctorat en économique et finances internationales (1968) de l'université de Stanford en Californie. Récipiendaire du Woodrow Wilson Fellow en 1963 et du Fellow Ford International de 1964 à 1967.

Travailla principalement à titre de conseiller économique auprès de divers organismes, notamment la Banque du Canada (1968), l'Agence canadienne de développement international (1970 à 1976), le Conseil économique du Canada (1974), le ministère fédéral de la Consommation et des Corporations (1974 et 1975), les Nations Unies (1975) et la Commission d'enquête sur le marché des alcools au Québec.

Professeur d'économique et de finances internationales à l'université de Montréal à partir de 1967. Directeur du département des sciences économiques à l'université de Montréal de 1972 à 1976. Président de la Société canadienne des sciences économiques en 1974 et 1975. Auteur notamment de : l'Économique (1969), Indépendance et marché commun Québec–États-Unis (1970), Afrique et intégration monétaire (1972), l'Économie québécoise (1976), l'Avenir économique du Québec (1977), la Troisième Option (1979) et le Québec en crise (1981), Macroéconomique moderne (1992).

Élu député du Parti québécois dans Gouin en 1976. Ministre de l'Industrie et du Commerce dans le cabinet Lévesque du 26 novembre 1976 au 21 septembre 1979. Démissionna du cabinet et siégea comme député indépendant à partir du 21 septembre 1979. Ne s'est pas représenté en 1981.

Retourna à l'enseignement à l'université de Montréal. Élu président de la North American Economics and Finance Association en 1986. Choisi membre du Comité de règlement des différends commerciaux créé en vertu de l'accord de libre-échange canado-américain, en 1989.

TREMBLAY, William
(1877–1973)

[Né à Chicoutimi, le 10 août 1877, fils d'Onésime Tremblay et d'Élisabeth Larouche.]

Exerça le métier de boucher à Montréal. Président de l'Association des bouchers de Montréal et du Club ouvrier de Maisonneuve. Membre de l'Independent Order of Foresters, de la Chambre de commerce, du Club canadien, du Club Kiwanis et des Chevaliers de Colomb.

Candidat ouvrier défait dans Maisonneuve aux élections fédérales de 1925. Élu député ouvrier à l'Assemblée législative dans Maisonneuve en 1927. Candidat ouvrier défait en 1931. Élu député conservateur en 1935, puis député de l'Union nationale en 1936. Ministre du Travail dans le cabinet Duplessis du 26 août 1936 au 10 novembre 1939. Défait en 1939 et défait dans Maisonneuve-Rosemont comme candidat progressiste-conservateur aux élections fédérales de 1945.

Décédé à Montréal, le 15 novembre 1973, à l'âge de 86 ans et 3 mois. Inhumé à Montréal, dans le cimetière de l'Est, le 19 novembre 1973.

Avait épousé à Montréal, dans la paroisse Sainte-Catherine, le 26 janvier 1914, Léda Guénette, fille de François-Xavier Guénette et de Léda Lachance.

TRÉPANIER, Jean-Guy

Né à Shawinigan, le 3 février 1932, fils de Jean-Baptiste Trépanier, mécanicien, et de Lauriette Lamy.

Fit ses études au collège Sacré-Cœur à Shawinigan, au séminaire Saint-Joseph à Trois-Rivières et à l'université Laval. Admis à la pratique du notariat le 20 juin 1955.

Exerça sa profession à Shawinigan jusqu'en 1969.

Élu député libéral dans Saint-Maurice à l'élection partielle du 18 janvier 1965. Défait en 1966.

Inspecteur des greffes à la Chambre des notaires du Québec de 1969 à 1973, et syndic depuis 1973.

Administrateur de la Chambre de commerce des jeunes de Shawinigan de 1956 à 1960. Nommé vice-président de cette association en 1959 et président en 1960. Administrateur et secrétaire du Club Richelieu en 1967, puis vice-président en 1968. Membre du conseil d'administration de l'hôpital Sainte-Thérèse-de-Shawinigan et du comité de coordination du service de récréation de la cité de Shawinigan de 1966 à 1969. Membre des Chevaliers de Colomb.

TRÉPANIER, Violette

Née à Montréal, le 14 mars 1945, fille de Georges Briand et de Lucienne Dionne.

A étudié à l'école normale à Saint-Lambert et à l'université de Montréal où elle obtint un baccalauréat en pédagogie en 1966.

Professeure de français au secondaire et au collégial de 1966 à 1976.

Attachée politique du député de Laprairie, Jean-Pierre Saintonge, en 1981 et 1982. Vice-présidente du Parti libéral du Québec de 1982 à 1985. Élue députée libérale dans Dorion en 1985. Réélue en 1989. Adjointe parlementaire du ministre des Affaires municipales du 13 décembre 1985 au 3 mars 1989. Ministre déléguée aux Communautés culturelles du 3 mars 1989 au 11 octobre 1989. Assermentée ministre déléguée à la Condition féminine et ministre responsable de la Famille le 11 octobre 1989.

TRESTLER, Jean-Joseph (≈1757–1813)

Né à Mannheim (en Allemagne) vers 1757, fils de Henry Tröstler et de Magdeleine Feitten. Signa aussi Tröstler.

Arriva à Québec en juin 1776, peut-être en qualité de chirurgien militaire, avec le corps mercenaire des Chasseurs de Hesse-Hanau, venu combattre l'invasion américaine de 1775–1776 pour le compte de la Grande-Bretagne. En 1783, avait quitté l'armée et s'était lancé dans le commerce : fut d'abord marchand ambulant à Montréal, puis, en août 1786, ouvrit un magasin général sur les bords de la rivière Outaouais, dans la seigneurie de Vaudreuil. Engagé aussi dans la fabrication de la potasse, le commerce des fourrures, le transport par voie d'eau et le prêt. À partir de 1803, exploita avec un autre marchand un second magasin, aux Cèdres. Investit dans l'immobilier à Vaudreuil, Montréal, Québec et dans les régions de Rigaud et des Cèdres ; propriétaire d'îles et d'un domaine, aujourd'hui situé à Dorion.

Élu député d'York en 1808 ; appuya le parti canadien. Ne se serait pas représenté en 1809.

Décédé à Vaudreuil, le 7 décembre 1813, à l'âge d'environ 56 ans. Inhumé dans la crypte de l'église Saint-Michel, le 9 décembre 1813.

Avait épousé dans la paroisse Notre-Dame de Montréal, le 21 novembre 1785, Marguerite Noël, fille de Jean-Baptiste Noël et de Marguerite Dassilva, dit Portugais ; puis, au même endroit, le 24 février 1794, Marie-Anne-Joseph Curtius, fille de Charles-Ferdinand-Frédéric Curtius, ancien marchand d'origine allemande devenu instituteur à Vaudreuil, et de Marie-Anne Frichet.

Grand-père par alliance d'Antoine-Aimé et de Jean-Baptiste-Éric **Dorion**.

Bibliographie: *DBC*.

TRUDEL, Claude

Né à Montréal, le 2 mars 1942, fils de Genest Trudel, avocat, et de Lucie Vadboncœur.

A étudié au collège Saint-Viateur à Outremont. Diplômé en droit de l'université de Montréal en 1967 et admis au barreau du Québec en 1968. A poursuivi des études post-universitaires à la London School of Economics (Angleterre), où il obtint une maîtrise en 1969 et entreprit une scolarité de doctorat en droit en 1970.

Rédacteur en chef de l'hebdomadaire l'*Écho de Vaudreuil-Soulanges*. Secrétaire de comté adjoint de Paul **Gérin-Lajoie** de juin 1965 à mars 1967. Avocat à l'emploi du cabinet Geoffrion et Prud'homme de Montréal, de juin à septembre 1968. Adjoint de recherche de M. Robert Bourassa, chef de l'Opposition officielle, de mars à mai 1970. Secrétaire administratif du premier ministre du Québec, M. Robert Bourassa, de mai 1970 à juillet 1973. Chef de cabinet adjoint du premier ministre du Québec d'août 1973 à février 1975. Sous-ministre adjoint au ministère des Affaires culturelles du Québec, responsable du secteur des arts et lettres de mars 1975 à janvier 1979. Président-directeur général du Centre éducatif et culturel inc. de Montréal, éditeur de manuels scolaires, de 1979 à 1985. Président du conseil d'administration (de 1976 à 1979) et membre du comité administratif (de 1973 à 1980) du centre hospitalier Sainte-Jeanne-d'Arc de Montréal. Représentant élu des usagers de 1973 à 1980. Président de la Société de développement du livre et du périodique (SDLP) en 1981. Membre du bureau de la Société des éditeurs de manuels scolaires du Québec de 1980 à 1985. Membre du Conseil des arts de la Communauté urbaine de Montréal (CACUM) à partir de décembre 1980 et de son comité exécutif à compter de janvier 1982.

Élu député libéral dans Bourget à l'élection partielle du 3 juin 1985. Réélu en 1985. Président de la Commission de la culture du 11 février 1986 au 20 juin 1989. Ne s'est pas représenté en 1989.

Nommé directeur du Festival international de Lanaudière le 21 août 1989. Nommé représentant du Québec à l'Exposition universelle de Séville 1992, le 27 mars 1991.

Petit-fils de Ferdinand **Trudel**.

TRUDEL, Ferdinand (1852–1924)

Né à Sainte-Geneviève-de-Batiscan, le 4 mai 1852, fils d'Isaïe Trudel, cultivateur, et de Marie Thiffault.

Fit ses études au séminaire de Nicolet et à l'école de médecine Victoria à Montréal. Reçu médecin en 1875.

Exerça sa profession à Saint-Stanislas. Président de la Société d'assurance mutuelle de Saint-Stanislas.

Maire de la paroisse Saint-Stanislas de 1886 à 1888, puis marguillier de 1892 à 1894. Élu député du Parti national dans Champlain en 1886. Candidat libéral défait en 1890. Défait également dans Champlain aux élections fédérales de 1891.

Registrateur du comté de Champlain du 7 octobre 1897 jusqu'à son décès.

Décédé à Saint-Stanislas, le 22 décembre 1924, à l'âge de 72 ans et 7 mois. Inhumé dans le cimetière de cette paroisse, le 26 décembre 1924.

Avait épousé à Sainte-Anne-de-la-Pérade, le 9 octobre 1878, Albina Garneau, fille de Jean-Baptiste Garneau, médecin, et de Marie-Anatolie Rinfret, dit Malouin ; puis, à Québec, dans la paroisse Saint-Jean-Baptiste, le 29 janvier 1907, Anna-Marie Genest, fille de François-Xavier Genest et de Rose de Lima Tondreau.

Grand-père de Claude **Trudel**.

TRUDEL, François-Xavier-Anselme (1838–1890)

Né dans la paroisse Sainte-Anne-de-la-Pérade, le 28 avril 1838, fils de François-Xavier Trudel, cultivateur, et de Julie Langevin.

Étudia au collège de Nicolet. Fit son droit auprès de François-Maximilien Bibaud et sa cléricature à Montréal auprès de Mes Francis **Cassidy** et Leblanc, et au cabinet Moreau, Ouimet et Morin. Admis au barreau de la province du Canada le 2 décembre 1861. Créé conseil en loi de la reine par le gouvernement du Québec le 17 mai 1875, puis par le gouvernement canadien le 11 octobre 1880.

Exerça sa profession à Montréal où il fut associé notamment à Paul **Denis**. Avec Francis **Cassidy** et Louis-Amable **Jetté**, il représenta la fabrique Notre-Dame de Montréal dans l'affaire Guibord. Éditorialiste au journal *la Minerve* en 1860. Collaborateur, sporadique, au *Nouveau Monde* et au *Franc-Parleur*. Fondateur et copropriétaire de la *Revue canadienne*. Fondateur de l'*Étendard* en 1883, il en fut également directeur de rédaction jusqu'à son décès.

Coauteur du Programme catholique en 1871. Élu député conservateur dans Champlain en 1871. Ne s'est pas représenté en 1875. Nommé sénateur de la division de Salaberry le 31 octobre 1873. Adhéra au Parti national lors de l'affaire Riel, puis rejoignit les rangs du Parti conservateur.

A publié notamment *Mémoire sur la question de fusion des sociétés littéraires et scientifiques de Montréal* (1869), *Nos chambres hautes : Sénat et Conseil législatif* (1880), *le Pays, le Parti et le Grand Homme* (1882) et *Questions de libelle* (1889). Conférencier émérite et auteur de nombreux articles parus dans différentes revues. Président du Cercle littéraire et de l'Union catholique de Montréal. Membre du comité d'organisation des Zouaves pontificaux.

Décédé en fonction à Montréal, le 17 janvier 1890, à l'âge de 51 ans et 8 mois. Inhumé à Montréal, dans le cimetière Notre-Dame-des-Neiges, le 21 janvier 1890.

Avait épousé dans la cathédrale de Montréal, le 27 avril 1864, Marie-Zoé-Aimée Renaud, fille de Louis **Renaud**, marchand, et de Marie-Aimée Pigeon.

Petit-fils d'Olivier **Trudel**.

Bibliographie : *DBC*.

TRUDEL, Marc (1896–1961)

Né à Sainte-Geneviève-de-Batiscan, le 29 mars 1896, fils de Philippe Trudel, cultivateur et registrateur, et de Séphora Saint-Arnauld.

Fit ses études chez les Frères Saint-Gabriel à Saint-Stanislas, à l'académie La Salle à Trois-Rivières, au collège Saint-Sulpice à Montréal et à l'université de Montréal. Reçu médecin en 1922. Obtint également un certificat en anesthésie du Royal College en 1940. Nommé docteur en sciences honoris causa de l'université Laval en 1952.

S'établit à Shawinigan en 1923 et pratiqua la médecine au Joyce Memorial Hospital, et à l'hôpital Sainte-Thérèse. Membre du conseil médical du Joyce Memorial Hospital en 1924. Gouverneur du Collège des médecins du Québec de 1938 à 1946, puis président de 1946 à 1961. Membre de la Société médicale de Shawinigan et de Grand-Mère et de la Société médicale de Montréal. Directeur de la Société d'ambulance Saint-Jean. Membre de la Chambre de commerce de Shawinigan. Membre des cercles universitaires de Montréal et de Québec, du Club canadien et du Club Richelieu.

Marguillier de la paroisse Saint-Pierre-de-Shawinigan de 1948 à 1950. Élu député de l'Action libérale nationale dans Saint-Maurice en 1935. Élu sous la bannière de l'Union nationale en 1936. Orateur suppléant de l'Assemblée législative du 14 octobre 1936 à septembre 1939. Défait en 1939. Réélu en 1944 et 1948. Assermenté ministre sans portefeuille dans le cabinet Duplessis le 30 août 1944. Défait en 1952. Nommé président de la Commission provinciale du salaire minimum le 6 octobre 1952.

Décédé à Shawinigan, le 10 septembre 1961, à l'âge de 65 ans et 5 mois. Inhumé à Shawinigan, dans le cimetière Saint-Joseph, le 13 septembre 1961.

Avait épousé à Shawinigan, dans la paroisse Saint-Bernard, le 10 mai 1926, Alice Lambert, garde-malade, fille de Gilbert Lambert et d'Alphonsine Éthier.

Beau-père d'Alphonse-Edgar **Guillemette**.

TRUDEL, Olivier
(1781–1859)

Né le 25 octobre 1781, à Batiscan, puis baptisé le 26, dans la paroisse Sainte-Geneviève, sous le prénom de Pierre-Olivier, fils de François Trudel et de Suzanne Lefebvre.

Fut cultivateur à Sainte-Geneviève-de-Batiscan.

Élu député de Champlain en 1830; appuya généralement le parti patriote. Réélu en 1834; donna son appui au parti patriote. Son mandat prit fin avec la suspension de la constitution, le 27 mars 1838.

Décédé à Saint-Prosper, le 19 août 1859, à l'âge de 77 ans et 9 mois. Inhumé dans l'église Sainte-Geneviève, à Batiscan, le 22 août 1859.

Avait épousé à Champlain, le 22 février 1808, Marguerite Toutant, fille de l'agriculteur Joseph Toutant et de Marie-Anne Reau, dit Morinville; puis, dans la paroisse Saint-Joseph, à Deschambault, le 26 septembre 1853, Marie-Josephte Hamelin, veuve de Louis Raymond, capitaine dans la milice.

Grand-père de François-Xavier-Anselme **Trudel**.

Bibliographie : Massicotte, E.-Z., « Olivier Trudel », *BRH*, 41, 10 (oct. 1935), p. 629.

TRUDEL, Rémy

Né à Sainte-Thècle, en Mauricie, le 20 avril 1948, fils de Martin Trudel et de Béatrice Veillette, agriculteurs.

Titulaire d'un baccalauréat en pédagogie, option histoire, de l'université Laval en 1969, d'un baccalauréat spécialisé en sciences de l'éducation de l'université du Québec à Trois-Rivières en 1972 et d'une maîtrise en sciences de l'éducation de cette même université en 1974. Obtint également un doctorat en administration scolaire de l'université d'Ottawa en 1979.

Professeur à la commission scolaire des Vieilles-Forges de Trois-Rivières en 1969 et 1970 puis directeur de la vie étu-

diante à Nicolet de 1970 à 1974. De 1974 à 1979, il enseigna l'administration publique et fut directeur de département à l'université du Québec, campus Abitibi-Témiscamingue. Adjoint au directeur de l'enseignement et de la recherche à l'université du Québec à Hull en 1979 et 1980. Directeur général à l'université du Québec, campus Abitibi-Témiscamingue, en 1980 et 1981, et directeur général au Centre d'études universitaires de cette région de 1981 à 1983. Recteur-fondateur de l'université du Québec en Abitibi-Témiscamingue, il occupa également, entre 1983 et 1988, les postes de président du comité exécutif et de président de la commission des études.

A aussi occupé diverses fonctions : secrétaire-administrateur du comité des droits de l'homme, zone économique nº 4 au Secrétariat d'État du Canada, de 1970 à 1974; président du Syndicat des enseignants universitaires de l'Ouest québécois en 1975; président régional de la campagne de financement de l'Association de paralysie cérébrale du Québec en 1981; président du Conseil régional de développement de l'Abitibi-Témiscamingue en 1981–1982; membre de l'Assemblée des gouverneurs et du comité de direction du réseau de l'université du Québec de 1983 à 1988; membre du Conseil des affaires sociales et de la famille du Québec de 1984 à 1989; président du Comité du bilan de l'activité scientifique et technologie de l'Abitibi-Témiscaminque en 1984–1985; membre du conseil d'administration de la Conférence des recteurs et principaux des universités du Québec en 1985–1986 et coprésident du Symposium international sur l'avenir du Nord québécois en 1987. Il est aussi coauteur de plusieurs publications dont le document du Conseil des affaires sociales du Québec intitulé *Deux Québec dans un*, publié en 1989.

Conseiller municipal de Saint-Guillaume-de-Granada de 1983 à 1988. Candidat néo-démocrate défait dans Témiscamingue aux élections fédérales de 1988. Élu député du Parti québécois dans Rouyn-Noranda–Témiscamingue en 1989. Élu vice-président de la Commission des institutions le 29 novembre 1989.

TRUDEL, Robert
(1820–1886)

Né à Sainte-Geneviève-de-Batiscan, le 21 février 1820, fils de David Trudel, cultivateur, et de Marguerite Trottier Houssard.

Fit ses études à Batiscan, au séminaire de Nicolet et à l'université Laval à Québec. Admis à la pratique du notariat le 25 septembre 1843.

Exerça sa profession à Sainte-Geneviève-de-Batiscan. Président de la Chambre des notaires de la province de Québec de 1879 à 1882. Secrétaire-trésorier du conseil municipal de Sainte-Geneviève-de-Batiscan de 1845 à 1858 et de 1860 à 1868. Secrétaire de la commission scolaire de cette paroisse de 1866 à 1873. Secrétaire de la Société d'agriculture du comté de Champlain de 1852 à 1886.

Maire de Sainte-Geneviève-de-Batiscan du 20 janvier 1868 au 3 février 1873. Préfet du comté de Champlain de 1868 à 1872. Candidat conservateur défait dans Champlain aux élections provinciales de 1871 et aux élections fédérales de 1874. Élu sans opposition député conservateur à l'Assemblée législative dans Champlain en 1881.

Décédé en fonction à Sainte-Geneviève-de-Batiscan, le 29 juillet 1886, à l'âge de 66 ans et 5 mois. Inhumé dans le cimetière du même endroit, le 31 juillet 1886.

Avait épousé à La Pérade, le 3 juin 1844, Marguerite Normand, fille de François Normand, architecte, et de Claire Dufresne; puis, à Sainte-Geneviève-de-Batiscan, le 29 septembre 1845, Marie-Anne Duguay, fille de Joseph Duguay et de Marie-Josephte Bazin.

TRULLIER, dit LACOMBE, Jacques (1765–1821)

Né à Boucherville, fut baptisé le 14 mai 1765, dans la paroisse Sainte-Famille, fils de Jacques Trullier, dit Lacombe, et de Marie-Anne Levasseur.

Aurait étudié à Montréal.

Entre 1788 et 1794, quitta Montréal et s'installa à L'Assomption. Fit le commerce des grains, l'exploitation de la potasse et, avec Laurent **Leroux**, la confection et la vente exclusives de ceintures fléchées pour la North West Company. Investit dans la construction immobilière. Tint une auberge. Fut nommé juge de paix en 1810. Pendant la guerre de 1812, servit dans la milice, à titre de major.

Élu député de Leinster en 1814; était sympathique au parti canadien; l'élection fut annulée et son siège déclaré vacant le 21 mars 1815. Élu dans Leinster en 1816. Réélu en avril 1820 et juillet 1820. Appuya généralement le parti canadien.

Décédé en fonction à L'Assomption, le 5 décembre 1821, à l'âge de 56 ans et 6 mois. Inhumé dans l'église Saint-Pierre-du-Portage, le 7 décembre 1821.

Avait épousé dans la paroisse Notre-Dame de Montréal, le 28 juillet 1788, Angélique Laurent, fille du marchand Silvain Laurent, dit Bérichon, et de sa femme Angélique.

Bibliographie: *DBC.*

TURCOT, Napoléon (1867–1939)

Né à Montréal, le 30 juin 1867, fils d'Adolphe Turcot, entrepreneur, et d'Odile Lapierre.

A étudié à l'école Olier et au Montreal Business College.

Exerça le métier d'entrepreneur en plomberie et chauffage. Directeur de la compagnie Natural Gas, et du Prêt coopératif. Membre de l'Alliance nationale, de la Société des artisans canadiens-français, de l'ordre des Forestiers catholiques, de l'Union Saint-Pierre et des Chevaliers de Colomb.

Échevin de l'ancienne municipalité de Saint-Louis (île de Montréal) en 1906 et 1907, puis maire en 1908 et 1909. Échevin du quartier Laurier au conseil municipal de Montréal de février 1910 à avril 1930. Membre du comité exécutif de la ville de Montréal d'octobre 1921 à avril 1924. Élu député libéral dans Montréal-Laurier en 1912. Réélu en 1916. Défait en 1919.

Décédé à Montréal, le 27 décembre 1939, à l'âge de 72 ans et 6 mois. Inhumé à Montréal, dans le cimetière Notre-Dame-des-Neiges, le 30 décembre 1939.

Avait épousé à Montréal, dans la paroisse Saint-Enfant-Jésus, le 15 juin 1892, Marie-Florina-Élodie Bourdon, fille de Joseph Bourdon, commerçant, et de Louise Sicotte.

TURCOTTE, Arthur (1845–1905)

Né à Montréal, le 19 janvier 1845, fils de Joseph-Édouard **Turcotte** et de Flore Buteau.

Fit ses études au collège Sainte-Marie à Montréal, au Stoneyhurst College en Angleterre, à l'université Laval à Québec et à l'université McGill. Fit sa cléricature auprès de Me Laflamme. Admis au barreau de la province de Québec le 18 juin 1867. Créé conseil en loi de la reine le 5 décembre 1878.

Exerça sa profession à Trois-Rivières avec Charles Dumoulin et Magloire McLeod. Directeur honoraire de la British Empire Life Association. Président de la Compagnie d'imprimerie de Trois-Rivières, puis fondateur et directeur du journal *la Concorde* en 1879. Cofondateur de *la Sentinelle* en août 1884.

Échevin de Trois-Rivières de 1873 à 1875, puis maire du 17 juillet 1876 au 9 juillet 1877. Élu député conservateur indépendant dans Trois-Rivières à l'élection partielle du 18 avril 1876. Réélu sans opposition en 1878. Orateur de l'Assemblée législative du 4 juin 1878 au 8 mars 1882. Candidat conservateur indépendant défait aux élections de 1881. Élu député conservateur indépendant à l'élection partielle du 26 mars 1884. Réélu comme candidat libéral en 1886. Nommé ministre sans portefeuille dans le cabinet Mercier le 29 janvier 1887. Premier ministre par intérim en 1887. Procureur général du 3 mai 1888 au 22 août 1890. Son siège devint vacant lors de sa nomination comme ministre et fut réélu à l'élection partielle du 25 mai 1888. Défait en 1890.

Protonotaire à la Cour supérieure de Montréal du 19 août 1890 jusqu'à sa mort.

Décédé à Montréal, le 12 octobre 1905, à l'âge de 60 ans et 8 mois. Inhumé à Trois-Rivières, dans le cimetière Saint-Louis, le 16 octobre 1905.

Avait épousé à Trois-Rivières, dans la paroisse Immaculée-Conception, le 16 janvier 1873, Éléonore McDonald, fille d'Angus McDonald, marchand de bois, et d'Éléonore-Christine Dénéchaud.

Frère de Gustave-Adolphe Turcotte, député à la Chambre des communes de 1907 à 1911. Filleul de René-Édouard **Caron**.

TURCOTTE, Jean-Joseph

Né à Normandin, au Lac-Saint-Jean, le 6 mars 1917, fils de Joseph Sylvio-Narcisse **Turcotte**, notaire, et de Maria Filteau.

Fit ses études au collège de Beauceville, au séminaire de Chicoutimi et à l'université Laval. Admis à la pratique du notariat le 21 juillet 1943.

Exerça sa profession à Normandin jusqu'en 1985. Administrateur de la caisse populaire et de l'Association des loisirs de Normandin. Membre fondateur de la Chambre de commerce de Normandin. Premier président de l'Amicale mariste locale. Président de l'Union régionale des amicales maristes et vice-président des Amicales maristes du Canada. Directeur du conseil régional de la Société des artisans canadiens-français en 1956 et 1957. Membre de la Société Saint-Jean-Baptiste et du Club Renaissance de Québec.

Échevin de Normandin de 1949 à 1955, puis maire de 1955 à 1967. Préfet du comté de Lac-Saint-Jean-Ouest de 1957 à 1961. Élu député de l'Union nationale dans Roberval à l'élection partielle du 15 octobre 1958. Défait en 1960.

TURCOTTE, Joseph-Célestin-Avila (1882–1968)

Né à Québec, dans la paroisse Saint-Sauveur, le 25 novembre 1882, fils de Sélime Turcotte, cordonnier, et d'Henriette Langlois.

A étudié à l'académie commerciale de Québec.

Travailla d'abord au magasin Paquet de Québec et aux chemins de fer nationaux du Lac-Saint-Jean. Comptable à la Richelieu Navigation Co. de Sorel et chez I.B. Leclerc, entrepreneur. Fondateur et président de Sorel Sand Company, en 1906. Gérant de la Compagnie industrielle de Sorel de 1908 à 1912. Syndic liquidateur et propriétaire des magasins Semi Ready et Fashion Craft de 1921 à 1924. Marchand de bois de 1924 à 1926. Propriétaire et président de la Sorel Harbour Tug Ltd., de 1926 à 1968. Directeur de Many Shoes Ltd. Gérant de la Compagnie Beauchemin, fabrique de matériel de guerre. Fondateur et président de la caisse populaire de Saint-Joseph-de-Sorel en 1945. Vice-président de la Chambre de commerce de Sorel. Président de l'école du soir de Sorel et de l'École des arts et métiers de la province de Québec. Membre des Chevaliers de Colomb, des clubs de réforme de Montréal et de Québec ainsi que de la Société des artisans canadiens-français. Chevalier de l'ordre de Saint-Grégoire-le-Grand.

Échevin au conseil municipal de Sorel de 1921 à 1936. Élu député libéral dans Richelieu à l'élection partielle du 28 octobre 1929. Réélu en 1931, 1935 (sans opposition) et 1936. Ne s'est pas représenté en 1939. Marguillier des paroisses Saint-Joseph (1943 à 1946) et Saint-Pierre-de-Sorel (1955 à 1958).

Décédé à Sorel, le 10 février 1968, à l'âge de 85 ans et 2 mois. Inhumé à Sorel, dans le cimetière des Saints-Anges, le 13 février 1968.

Avait épousé dans la paroisse Saint-Pierre-de-Sorel, le 19 avril 1909, Marguerite Turcotte, fille d'Ernest Turcotte et d'Alpaïde Thibodeau.

Beau-père de Gérard **Cournoyer**.

TURCOTTE, Joseph-Édouard (1808–1864)

Né à Gentilly (Bécancour), le 10 octobre 1808, fils de Joseph Turcot, marchand, et de Marguerite Marchildon.

Étudia au séminaire de Nicolet de 1821 à 1829. S'engagea dans l'état ecclésiastique et enseigna au séminaire de Nicolet, puis au collège de Sainte-Anne-de-la-Pocatière, mais, en 1832, opta pour la vie civile et le droit. Fit son apprentissage auprès d'Elzéar **Bédard** à Québec; entre 1833 et 1835, publia, dans *la Minerve* de Montréal, des écrits libéraux et révolutionnaires. Admis au barreau en 1836.

Exerça sa profession à Québec, puis à Trois-Rivières où il s'établit en 1839. Participa à la mise en valeur de la ville et de la région : s'occupa notamment de l'aménagement portuaire et ferroviaire, ainsi que de l'exploitation des forges de Radnor ; fut propriétaire et rédacteur en chef du *Journal des Trois-Rivières*, de 1847 à 1853, et l'un des fondateurs du séminaire de l'endroit en 1860. Nommé conseiller de la reine en 1847.

Candidat patriote radical défait dans Nicolet à une élection partielle le 3 avril 1835. Cofondateur du Comité permanent de Québec en septembre 1837 ; défendit des patriotes devant les tribunaux. Élu député de Saint-Maurice en 1841 ; antiunioniste. Démissionna le 28 mai 1842 par suite de sa nomination aux postes de traducteur des lois, en décembre 1841, et de secrétaire de la Commission de la tenure seigneuriale, en avril 1842. Réélu à une élection partielle le 8 juillet 1842 ; appuya le groupe canadien-français. Défait en 1844. Fit partie du ministère Sherwood à titre de solliciteur général du Bas-Canada, du 8 décembre 1847 au 10 mars 1848, sans siège dans le cabinet. Défait dans Champlain et dans Saint-Maurice en 1848. Élu dans Saint-Maurice en 1851, puis dans Maskinongé en 1854 ; réformiste. Fut maire de Trois-Rivières de 1857 à 1863. Élu député de Champlain en 1858, puis de Trois-Rivières en 1861 ; bleu ; élu orateur de l'Assemblée le 20 mars 1862, exerça cette fonction jusqu'à sa dissolution, le 16 mai 1863. Réélu dans Trois-Rivières en 1863 ; bleu.

Décédé en fonction à Trois-Rivières, le 20 décembre 1864, à l'âge de 56 ans et 2 mois. Inhumé dans la paroisse de l'Immaculée-Conception, le 23 décembre 1864.

Avait épousé dans la paroisse Notre-Dame de Québec, le 15 novembre 1842, Flore Buteau, fille de François Buteau et de Catherine Migneron.

Père d'Arthur **Turcotte** et de Gustave-Adolphe Turcotte, député à la Chambre des communes du Canada. Grand-père de Lucien Turcotte Pacaud, également député fédéral. Une de ses sœurs épousa l'un des fils de François **Legendre**.

Bibliographie : *DBC*.

TURCOTTE, Joseph-Sylvio-Narcisse (1879–1969)

Né à Saint-Jean (île d'Orléans), le 29 décembre 1879, fils de Wenceslas Turcotte, menuisier, et d'Olympe Clavet.

Fit ses études à l'école normale Laval et au séminaire de Québec. Admis à la pratique du notariat en juillet 1905.

Exerça d'abord sa profession à Lyster, puis s'établit à Normandin dans la région de Lac-Saint-Jean. Fut également professeur à l'école normale Laval (Québec) vers 1913. Représentant de la Chambre des notaires de 1927 à 1930. Président de la Chambre de commerce de Roberval (1938 et 1939), du Syndicat des œuvres paroissiales et des Anciens de l'école normale Laval. Prit sa retraite en 1968.

Maire de Normandin de 1917 à 1922, de 1926 à 1928, en 1932 et 1933 et de 1935 à 1947. Préfet du comté de Lac-Saint-Jean. Marguillier de la paroisse Saint-Cyrille-de-Normandin de 1940 à 1943. Élu député conservateur dans Lac-Saint-Jean en 1916. Ne s'est pas représenté en 1919. Défait comme candidat conservateur dans Lac-Saint-Jean aux élections fédérales de 1925 et de 1926, et dans Roberval aux élections provinciales de 1931.

Décédé à Normandin, le 21 septembre 1969, à l'âge de 89 ans et 6 mois. Inhumé dans le cimetière du même endroit, le 24 septembre 1969.

Avait épousé à Sacré-Cœur-de-Marie, près de Thetford Mines, le 28 octobre 1913, Maria Filteau, fille de Lucien Filteau, marchand, et d'Elzire Desrochers.

Père de Jean-Joseph **Turcotte**.

TURGEON, Abraham (1783–1851)

Né à Saint-Michel, dans le comté de Bellechasse, et baptisé dans la paroisse Saint-Michel, le 14 février 1783, fils de François Turgeon et de Geneviève Bauché (Beauché).

Fit l'apprentissage du notariat auprès de Louis **Turgeon**, à Saint-Charles-de-Bellechasse (Saint-Charles) ; admis à l'exercice de sa profession le 15 décembre 1804.

Pratiqua comme notaire jusqu'en 1851, à Saint-Gervais. Fut officier de milice : servit pendant la guerre de 1812 à titre de capitaine et d'adjudant dans la division Saint-Vallier ; accéda au grade de lieutenant-colonel commandant du 3e bataillon de milice de Bellechasse. Nommé juge de paix, le 17 juin 1814 ; commissaire des chemins dans le comté de Hertford, en avril 1817 ; commissaire chargé de faire le recensement du comté de Hertford, le 24 juin 1825.

Élu député de Bellechasse à une élection partielle le 6 juin 1842 ; membre du groupe canadien-français. Ne se serait pas représenté en 1844.

Décédé à Saint-Michel, près de Québec, le 2 août 1851, à l'âge de 68 ans et 5 mois. Inhumé dans l'église paroissiale, le 4 août 1851.

Avait épousé dans la paroisse de Saint-Gervais, le 23 août 1819, Monique Goulet, fille de Joseph Goulet et de Monique Lebrun.

Beau-frère de Louis **Turgeon**.

TURGEON, Adélard
(1863–1930)

Né à Saint-Étienne-de-Beaumont, le 18 décembre 1863, fils de Damase Turgeon, navigateur, et de Christine Turgeon.

Fit ses études au collège de Lévis et à l'université Laval à Québec. Étudia le droit au cabinet Belleau, Stafford et Belleau. Admis au barreau de la province de Québec le 7 juillet 1887. Créé conseil en loi du roi le 26 août 1903.

Exerça sa profession à Québec et fut associé notamment à Mes Ernest **Roy**, Louis-Rodolphe **Roy** et Arthur Lachance (député à la Chambre des communes de 1905 à 1917). Président des compagnies suivantes : Quebec Land, Laurentian Power, Standard Copper, Frontenac Realty et Normount. Vice-président de Quebec Cordage Co. et directeur de Quebec Power Co. Cofondateur du journal l'Union libérale.

Élu député libéral dans Bellechasse en 1890, 1892 et 1897. Son siège devint vacant le 26 mai 1897 lors de sa nomination au Conseil exécutif et fut réélu sans opposition à l'élection partielle tenue le 12 juin suivant. Commissaire de la Colonisation et des Mines dans les cabinets Marchand et Parent du 26 mai 1897 au 2 juillet 1901. Réélu sans opposition en 1900 et 1904. Secrétaire et registraire dans le cabinet Parent du 2 juillet 1901 au 30 juin 1902, date de sa nomination comme ministre de l'Agriculture. Démissionna du cabinet Parent le 3 février 1905, avec ses collègues Lomer Gouin et William Alexander Weir. Son siège devint vacant lors de sa nomination au cabinet Gouin et fut réélu sans opposition à l'élection partielle du 3 avril 1905. Ministre des Terres, des Mines et des Pêcheries dans le cabinet Gouin du 23 mars au 3 juillet 1905. Ministre des Terres et Forêts du 3 juillet 1905 au 21 janvier 1909, date de sa démission comme membre du cabinet. Démissionna le 17 octobre 1907 en défiant Henri Bourassa de se présenter contre lui dans la circonscription de Bellechasse dans une élection partielle. Il fut réélu à cette occasion ainsi qu'aux élections générales de 1908. Son siège devint vacant lors de sa nomination à titre de conseiller législatif de la division de La Vallière et de président du Conseil législatif, le 2 février 1909. Occupa ces fonctions jusqu'à sa mort.

Président général de la Société Saint-Jean-Baptiste de Québec en 1908. Membre du bureau de direction de l'École technique de Québec en 1916. Président de la Commission des beaux-arts en 1922. Membre de la Commission des champs de bataille historiques du Canada. Officier de l'ordre de Léopold de Belgique en 1904. Chevalier de la Légion d'honneur en 1904 et officier en 1928. Compagnon de l'ordre de Saint-Michel et Saint-George en 1906. Commandeur du Royal Victorian en 1908. Officier de l'Instruction publique de France. Membre du St. James Club, du Club de la garnison et du Club canadien.

Décédé en fonction à Québec, le 14 novembre 1930, à l'âge de 66 ans et 11 mois. Inhumé dans le cimetière de Saint-Étienne de Beaumont, le 17 novembre 1930.

Avait épousé à Lévis, dans la paroisse Notre-Dame-de-la-Victoire, le 19 juillet 1887, Eugénie Samson, fille d'Étienne Samson, constructeur de navires, et d'Archange Labadie.

TURGEON, Joseph
(1751–1831)

Né à Beaumont, le 5 avril 1751, puis baptisé le 6, dans la paroisse Saint-Étienne, sous le prénom de Joseph-Marie, fils de Jacques Turgeon et de Marie Fournier.

S'établit comme maître menuisier à L'Assomption, vers 1775. Vécut à Lavaltrie, à compter de 1790 environ.

Élu député de Leinster en 1808 ; appuya le parti canadien. Défait en 1809.

Décédé à Lavaltrie, le 1er mai 1831, à l'âge de 80 ans. Inhumé dans le cimetière de la paroisse Saint-Antoine, le 3 mai 1831.

Avait épousé dans la paroisse Saint-Pierre-du-Portage, à L'Assomption, le 18 mai 1778, Louise Marion, fille de Charles Marion et d'Agathe Lalonde.

TURGEON, Joseph-Ovide
(1797–1856)

Né à Terrebonne et baptisé dans la paroisse Saint-Louis, le 17 décembre 1797, fils de Joseph Turgeon, notaire et juge de paix, et de Marguerite Lapailleur.

Fit des études au petit séminaire de Montréal, de 1806 à 1814. Voyagea ensuite aux États-Unis, puis s'établit à Terrebonne. Fut nommé commissaire chargé du prolongement du chemin Effingham jusqu'à Kilkenny, le 16 juillet 1830.

Élu député d'Effingham en 1824. Réélu en 1827. Élu dans Terrebonne en 1830. Appuya le parti canadien, puis le parti patriote. Ne s'est pas représenté en 1834. Nommé au Conseil législatif le 28 décembre 1848.

Décédé en fonction à Terrebonne, le 9 novembre 1856, à l'âge de 58 ans et 10 mois. Inhumé dans le cimetière de la paroisse Saint-Louis, le 12 novembre 1856.

Avait épousé dans la paroisse Saint-Louis, à Terrebonne, le 26 juin 1828, sa cousine Hélène-Olive Turgeon, fille de Michel Turgeon, colonel dans la milice, et d'Angélique Bouc.

Cousin de Louis **Turgeon**. Beau-père de Charles **Laberge**. Son fils épousa la fille adoptive d'Amable **Berthelot**.

TURGEON, Louis
(1762–1827)

Né à Beaumont et baptisé dans la paroisse Saint-Étienne, le 10 avril 1762, fils de Louis Turgeon, marchand, et de sa première femme, Marie-Françoise Couillard de Beaumont.

De 1772 à 1782, étudia au petit séminaire de Québec. Fit un stage de clerc en notariat. Admis à l'exercice de cette profession en 1792.

S'établit comme notaire à Saint-Charles-de-Bellechasse (Saint-Charles), où il pratiqua jusqu'en 1826. S'occupa de la gestion et de la mise en valeur de la seigneurie de Beaumont, dont une partie lui avait été attribuée par suite de la mort de sa mère en 1768 et dont il devint le seigneur principal en 1819.

Élu député de Hertford en 1804; appuya généralement le parti canadien. Réélu en 1808. Défait en 1809. Élu dans Hertford en 1816; son siège devint vacant en raison de sa nomination au Conseil législatif, le 10 mars 1818.

Fut juge de paix; agent de la Société d'agriculture du district de Québec à Saint-Charles. Pendant la guerre de 1812, servit en qualité de major dans la milice; fut promu lieutenant-colonel en 1821.

Décédé en fonction à Saint-Charles, le 26 septembre 1827, à l'âge de 65 ans et 5 mois. Inhumé dans la paroisse de l'endroit, le 29 septembre 1827.

Avait épousé dans la paroisse Saint-Étienne, à Beaumont, le 23 novembre 1796, sa cousine germaine Geneviève Turgeon, fille de François Turgeon et de Geneviève Boucher.

Cousin de Joseph-Ovide **Turgeon**. Beau-père de Louis-Michel **Viger**. Beau-frère d'Augustin-Jérôme **Raby** et d'Abraham **Turgeon**.

Bibliographie: *DBC*.

TURNER, Richard
(1843–1917)

Né à Québec, le 15 août 1843, fils de James Turner et de Susans Frisell.

Fit ses études sous la direction des professeurs Brown et Nettle.

Travailla d'abord chez le marchand de gros G. Mountain, puis s'associa à Joseph Whitehead, épicier grossiste, en 1870. Devint l'unique propriétaire de la maison Whitehead Turner en 1880. Directeur de la Banque Nationale, de l'Imperial Bank of Canada et de la Matane Railway Co. Président des compagnies LeBouthillier et Frères, Turner Lumber and Pulpwood, National Telephone et Quebec Cartage and Transfer. Président de la Wholesale Grocers Association en 1887 et 1888, de la Chambre de commerce de Québec de 1889 à 1892, de la St. George Society de Québec et de la Quebec High School. Vice-consul honoraire du Mexique en 1900.

Président honoraire du Club libéral de Québec. Conseiller municipal de la ville de Québec de 1879 à 1882. Nommé conseiller législatif de la division du Golfe le 5 août 1897. Appuya le Parti libéral.

Décédé en fonction à Québec, le 22 décembre 1917, à l'âge de 74 ans et 4 mois. Inhumé à Sillery, dans le Mount Hermon Cemetery, le 24 décembre 1917.

Avait épousé, le 27 mars 1867, Emily Maria Ellis, fille de William Ellis.

TURPIN, Edgar
(1906–1985)

Né à Notre-Dame-de-la-Paix, le 13 mars 1906, fils d'Adélard Turpin, cultivateur, et Délia Whissil.

Fit ses études au collège Sainte-Hélène à Montréal et au Gowling Business College à Ottawa.

Travailla comme entrepreneur forestier pour l'Abitibi Power and Paper de 1926 à 1931, puis pour la Canadian International Paper, jusqu'en 1955. Président de l'Association forestière de l'ouest du Québec de 1952 à 1954. Membre de la Chambre de commerce de Rouyn, des Chevaliers de Colomb et du Club Richelieu.

Marguiller de la paroisse Saint-Michel-Archange de Rouyn. Candidat libéral défait dans Rouyn-Noranda en 1952. Élu député libéral dans la même circonscription en 1956. Réélu en 1960 et 1962. Défait en 1966.

Décédé à Rouyn-Noranda, le 4 janvier 1985, à l'âge de 78 ans et 9 mois. Inhumé dans le cimetière de Rouyn, le 7 janvier 1985.

Avait épousé dans la paroisse Notre-Dame de Québec, le 16 août 1933, Alice Laprise, fille d'Arthur Laprise, cultivateur, et de Joséphine Laliberté.

UNIACKE, Norman Fitzgerald
(≈1777–1846)

Né probablement à Halifax, vers 1777, fils de Richard John Uniacke, commerçant d'origine irlandaise (fut aussi procureur général, député à l'Assemblée et membre du Conseil de la Nouvelle-Écosse), et de Martha Maria Delesdernier.

Reçu au barreau de la Nouvelle-Écosse, se rendit à Londres, en 1798, pour parfaire ses études de droit. Admis au barreau d'Angleterre en 1805.

Tenta en vain de devenir secrétaire provincial de la Nouvelle-Écosse. Désigné pour occuper le poste de procureur général du Bas-Canada le 25 août 1808, fut nommé officiellement le 20 juin 1809. Suspendu par le gouverneur James Henry **Craig** le 31 mai 1810, réintégra ses fonctions en février 1812.

Élu député de William Henry en 1824; ne prit part à aucun vote.

Son siège fut déclaré vacant en raison de sa nomination comme juge de la Cour du banc du roi pour le district de Montréal, le 1er février 1825. De mai à octobre 1827, exerça la charge de juge provincial à Trois-Rivières, durant la maladie de Pierre-Stanislas **Bédard**. En décembre 1830, nommé de nouveau juge de la Cour du banc du roi. Prit sa retraite en août 1834 et retourna en Nouvelle-Écosse, où il fut appelé au Conseil législatif en 1838.

Décédé en fonction à Halifax, le 11 décembre 1846, à l'âge d'environ 69 ans.

Avait épousé à Vaudreuil, le 23 novembre 1829, Sophie Delesdernier.

Frère de James Boyle et de Richard John Uniacke, députés à l'Assemblée de la Nouvelle-Écosse.

Bibliographie: *DBC*.

VACHON, Henri
(1893–1970)

Né à Garthby, près de Disraëli, le 28 octobre 1893, fils de Pierre Vachon, cultivateur, et d'Agnès Gosselin.

Fit ses études à l'école de rang.

Cultivateur. Secrétaire et agent de la beurrerie locale. Président de l'Union catholique des cultivateurs (UCC) en 1930. Membre des Chevaliers de Colomb et du Club Renaissance.

Échevin au conseil municipal du village de Garthby en 1938. Marguillier de la paroisse Saint-Charles-Borromée-de-Garthby de 1946 à 1949. Candidat de l'Action libérale nationale défait dans Wolfe en 1935. Élu député de l'Union nationale dans la même circonscription en 1936. Whip adjoint de cette formation politique de 1936 à 1939. Défait en 1939. Réélu en 1944 et 1948. Défait de nouveau en 1952. Réélu en 1956. Whip de l'Union nationale de 1945 à 1952 et de 1956 à 1960. Ne s'est pas représenté en 1960.

Décédé à Loretteville, le 12 juillet 1970, à l'âge de 76 ans et 9 mois. Inhumé dans le cimetière de Garthby, le 15 juillet 1970.

Avait épousé à Garthby, le 30 octobre 1916, Marie-Anna Grégoire, fille de Cléophas Grégoire, employé de chemin de fer, et d'Émilia Binette.

VAILLANCOURT, Claude

Né à Chicoutimi, le 19 mai 1944, fils d'Albéric Vaillancourt, conseiller en avantages sociaux à l'Alcan, et de Marie-Paule Simard.

Fit ses études aux écoles Saint-Mathias et Guillaume-Tremblay à Arvida, au collège de Jonquière et à l'université Laval. Admis au barreau de la province de Québec en 1969.

Pratiqua le droit dans la région de Jonquière, en société avec Jean-Jacques Turcotte en 1969 et 1970 et dans le cabinet Roger Chouinard et Associés de 1970 à 1973. Avocat à l'aide juridique de 1973 à 1976 puis dans le cabinet Bégin et

Associés de 1976 à 1983. Membre du Club Richelieu de Jonquière et des Chevaliers de Colomb.

Élu député du Parti québécois dans Jonquière en 1976. Réélu en 1981. Vice-président de l'Assemblée nationale du 17 mai 1979 au 11 novembre 1980. Président de l'Assemblée nationale du 11 novembre 1980 au 23 mars 1983, date de sa démission comme président. Démissionna comme député le 29 juin 1983.

Nommé juge à la Cour provinciale pour le district judiciaire de Roberval le 22 juin 1983 et pour la division de Montréal le 7 novembre 1989.

VAILLANCOURT, Cyrille
(1892–1969)

Né à Saint-Anselme, près de Lévis, le 17 janvier 1892, fils de Cyrille-Émile Vaillancourt, médecin et député à la Chambre des communes de 1891 à 1896, et de Marie-Louise Larochelle.

Fit ses études au collège de Lévis et à l'université Laval.

Travailla au journal l'*Étoile du Nord* de Joliette en 1914. Devint chef du service de l'apiculture au ministère québécois de l'Agriculture en 1915, puis chef du service de l'apiculture et de l'industrie du sucre d'érable en 1918. Fut également professeur de coopération à l'université Laval.

Membre du conseil de surveillance de La Prévoyance de Notre-Dame-de-Lévis en 1921. Directeur de la caisse populaire de Lévis en 1924, vice-président de 1929 à 1932 et administrateur de 1929 à 1969. Gérant général de l'Union régionale des caisses populaires du district de Québec de 1927 à 1963 et de la Caisse centrale Desjardins de Lévis en 1927. Premier président et gérant de la Fédération des caisses populaires de 1932 à 1969. Vice-président de la Société d'assurance des caisses populaires de 1948 à 1969. Président de l'Assurance-vie Desjardins de 1948 à 1969 et de l'Association coopérative Desjardins de 1963 à 1969. Président de la Société de gestion Aubigny en 1962. Nommé président d'honneur à vie et conseiller de la Fédération de Québec des Unions régionales des caisses populaires Desjardins en mars 1969, puis président d'honneur et conseiller de l'Union régionale des caisses populaires de Québec en août 1969. Participa à la fondation des sept établissements suivants : l'Assurance-vie Desjardins, la Société d'assurance des caisses populaires, la Sauvegarde, la Sécurité, la Fiducie, l'Institut coopératif Desjardins et l'Association coopérative Desjardins. Il fut aussi conseiller de la Commission des prix en temps de guerre, en 1943.

Commissaire d'école à Lévis du 16 mars 1927 au 16 octobre 1961. Conseiller législatif de la division de La Durantaye du 23 février 1943 jusqu'à sa démission, le 7 mars 1944. Appuya le Parti libéral. Sénateur de la division de Kennebec du 3 mars 1944 au 3 janvier 1969.

Fonda les périodiques *l'Abeille* (1918), connue plus tard sous le titre de *l'Abeille et l'érable* (1928), et *la Caisse populaire Desjardins* (1934) qui fut remplacé par *la Revue Desjardins* (1940). Publia en collaboration avec Albert Faucher *Alphonse Desjardins, Pionnier de la coopération d'épargne et de crédit en Amérique* (1950). Nommé lieutenant-colonel honoraire du régiment de la Chaudière en 1941 et colonel honoraire en 1952. Président de la Société Saint-Vincent-de-Paul de Lévis de 1932 à 1962. Membre du Club de la garnison, du Club des journalistes de Québec, du Cercle universitaire de Québec, du Club Saint-Denis de Montréal et du Canadian Club de New York. Docteur en sciences agricoles honoris causa de l'université Laval (1935) et en droit de l'université de Saint-François-Xavier d'Antigonish (Nouvelle-Écosse). Récipiendaire des décorations et titres suivants : commandeur du Mérite diocésain et du Mérite agricole (1941) ; commandeur de l'ordre de l'Empire britannique (1944) ; commandeur de l'ordre de Saint-Grégoire-le-Grand et chevalier de l'ordre académique du Bon Parler français (1947) ; médaille de l'ordre du Mérite de la Fédération des commissions scolaires (1963) ; médaille de l'ordre de la Fidélité française (Conseil de la vie française en Amérique) (1964) ; et médaille du centenaire de la Confédération (1967).

Décédé à Lévis, le 30 octobre 1969, à l'âge de 77 ans et 9 mois. Inhumé à Lévis, dans le cimetière Mont-Marie, le 3 novembre 1969.

Avait épousé à Lévis, dans la paroisse Notre-Dame-de-la-Victoire, le 3 octobre 1916, Maria Ferland, fille de Pierre Ferland, marchand, et d'Octavie Dagneau ; puis, à Saint-Pascal, près de Kamouraska, le 2 juin 1920, Marie-Blanche Normandin, dit Lajoie, fille d'Israël Normandin, dit Lajoie, meunier, et de Rose Thibault.

VAILLANCOURT, Georges

Né à Coaticook, le 23 avril 1923, fils d'Isidore Vaillancourt, cultivateur, et d'Alice D'Amours.

Fit ses études à Stanhope, au séminaire Saint-Charles-Borromée à Sherbrooke et à l'académie du Sacré-Cœur à Coaticook où il se spécialisa en administration.

Travailla d'abord sur la ferme parternelle, puis devint entrepreneur forestier. Propriétaire d'une plantation de conifères. Président de Valfei Peatmoss ltée à partir de 1964. Copropriétaire des Développements Bourgeois inc. de 1970 à 1975. Membre des clubs de réforme de Sherbrooke et de Québec, du Club Lions, de la Société Saint-Jean-Baptiste et des Chevaliers de Colomb.

Maire de Coaticook de 1968 à 1973. Président de l'Association libérale de Coaticook. Élu député libéral dans Stanstead en 1960. Réélu en 1962, 1966 et 1970. Adjoint parlementaire du ministre de l'Agriculture et de la Colonisation du 3 juin 1970 au 28 février 1973. Élu dans Orford en 1973. Ministre d'État aux Affaires municipales dans le cabinet Bourassa du 21 février 1973 au 30 juillet 1975. Assermenté ministre d'État à l'Agriculture le 30 juillet 1975. Réélu en 1976, 1981 et 1985. Ne s'est pas représenté en 1989.

Nommé membre à temps partiel de la Commission municipale du Québec le 20 juin 1990.

VALIN, Pierre-Vincent (1827–1897)

[Né à Château-Richer, le 1er juin 1827, fils de Toussaint Valin et de Marie Tremblay.]

Fit ses études à Québec.

Exerça le métier d'entrepreneur en construction navale. Président de la Commission du havre de Québec de 1879 à 1889.

Échevin du quartier Saint-Roch au conseil municipal de Québec de 1870 à 1872. Candidat conservateur défait dans Québec à l'élection partielle fédérale de 1870. Élu député conservateur à l'Assemblée législative dans Québec-Est à l'élection partielle des 16 et 17 avril 1874. Défait en 1875. Élu député conservateur à la Chambre des communes dans Montmorency en 1878. Son élection fut annulée en 1880, mais il fut cependant réélu à l'élection partielle tenue le 9 décembre de la même année. Réélu en 1882, puis défait en 1887 et 1891.

Décédé à Québec, le 2 octobre 1897, à l'âge de 70 ans et 4 mois. Inhumé à Québec, dans l'église Saint-Roch, le 5 octobre 1897.

Avait épousé à Saint-Étienne-de-Beaumont, le 17 avril 1855, Marie-Angélique Talbot, dit Gervais, fille de Joseph Talbot, dit Gervais, et de Marie-Louise Larrivée ; puis, à Québec, à l'hôpital Sacré-Cœur-de-Jésus, le 10 juin 1885, Marie-Virginie-Célina Bardy, fille de Pierre-Martial **Bardy**, médecin, et de Marie-Soulange Lefebvre.

VALLERAND, André

Né à Québec, le 9 juin 1940, fils de Louis-Olivier Vallerand, assureur, et de Marguerite Bélanger.

A étudié à l'école Saint-Michel à Sillery et à l'université Concordia où il obtint un baccalauréat, en 1967, et une maîtrise en sciences économiques en 1970.

Chargé de cours dans divers établissements d'enseignement de 1970 à 1981. Économiste-conseil dans la société A. Vallerand et Associés inc. de 1972 à 1977. Responsable des programmes de formation technique et des études de développement économique à l'échelle internationale pour le groupe SNC de 1977 à 1979. Il fut également, durant cette période, directeur général de Fidutec Formation internationale, filiale du groupe SNC. Président du Centre de commerce mondial de Montréal et vice-président exécutif et directeur général de la Chambre de commerce du district de Montréal de 1979 à 1985.

Élu député libéral dans Crémazie en 1985. Réélu en 1989. Ministre délégué aux Petites et Moyennes entreprises dans le cabinet Bourassa du 12 décembre 1985 au 23 juin 1988. Ministre délégué aux Affaires internationales du 23 juin 1988 au 21 décembre 1988. Ministre des Approvisionnements et Services du 21 décembre 1988 au 11 octobre 1989. Assermenté ministre du Tourisme le 11 octobre 1989.

VALLIÈRES, Yvon

Né à Danville, le 5 février 1949, fils d'Alphonse Vallières, mineur, et de Thérèse Boucher.

Fit ses études aux écoles Ferland et Monseigneur-Thibault à Danville, à l'école Saint-Aimé à Asbestos, à l'école normale de l'Estrie et à l'université de Sherbrooke où il obtint un baccalauréat en pédagogie en 1970 et un certificat en psychologie des relations humaines en 1981.

Professeur à Saint-Hubert de 1970 à 1972. Conseiller pédagogique à la commission scolaire Taillon en 1972 et 1973. Enseigna également à Asbestos et Danville en 1973, puis à Valcourt de 1977 à 1981.

Élu député libéral dans Richmond en 1973. Défait en 1976. Élu de nouveau député libéral dans Richmond en 1981. Président de la Commission de l'agriculture, des pêcheries et de l'alimentation du 20 juin 1984 au 23 octobre 1985. Réélu en 1985 et 1989. Whip en chef du gouvernement du 16 décembre 1985 au 9 août 1989. Ministre délégué aux Transports dans le cabinet Bourassa du 11 octobre 1989 au 5 octobre 1990. Ministre délégué à l'Agriculture, aux Pêcheries, à l'Alimentation et au Développement régional du 5 octobre 1990 au 19 février 1992. Ministre délégué à l'Agriculture, aux Pêcheries et à l'Alimentation à compter du 19 janvier 1992.

Fut secrétaire parlementaire de l'Assemblée internationale des parlementaires de langue française, section Québec, de 1985 à 1989.

VALLIÈRES DE SAINT-RÉAL, Joseph-Rémi (1787–1847)

Né à Carleton et baptisé dans la paroisse Saint-Joseph, le 1er octobre 1787, fils de Jean-Baptiste Vallières, forgeron, et de Marguerite Corneillier, dit Grandchamp. Signait Vallieres de St Real.

Étudia sous la direction personnelle de Mgr Joseph-Octave **Plessis**, et, au début de 1805, entra en classe de philosophie au petit séminaire de Québec. En février 1807, commença son stage de clerc en droit à Trois-Rivières, puis continua auprès d'Edward **Bowen** à Québec. Reçut sa commission d'avocat en 1812.

Exerça sa profession à Québec et dans la Beauce, ainsi que sur la côte sud et sur la rive nord du Saint-Laurent ; en 1823, prit comme associé Jean-François-Joseph **Duval**. Fit de la spéculation foncière et immobilière à Québec, dans des seigneuries et des cantons. Engagé dans l'exploitation de terres, d'une auberge dans le faubourg Saint-Jean, et dans la production du bois de construction et du bois de sciage. Copropriétaire d'un pont à péage sur l'Etchemin. Actionnaire de la Compagnie d'assurance de Québec contre les accidents du feu et de la Compagnie des postes du roi.

Élu député de Saint-Maurice en 1814. Défait en 1816. Élu dans la Haute-Ville de Québec en avril 1820. Réélu sans opposition en juillet 1820 ; élu orateur le 10 janvier 1823, en l'absence de Louis-Joseph **Papineau** qui redevint orateur le 8 janvier 1825. Réélu dans la Haute-Ville de Québec en 1824 et 1827 ; appartenait à la tendance modérée du parti canadien, puis du parti patriote ; son siège devint vacant le 13 mai 1829, au moment de sa nomination comme juge provincial à Trois-Rivières.

En décembre 1830, fut nommé juge résidant de la Cour du banc du roi à Trois-Rivières. Fit partie du Conseil exécutif du 28 juin au 2 novembre 1838. Suspendu de ses fonctions de juge en décembre 1838, fut réintégré en août 1840. Devint, en juin 1842, juge en chef de la Cour du banc du roi à Montréal. En 1846, refusa la présidence du Conseil exécutif.

Nommé conseiller du roi en 1825. Fut officier de milice, un des vice-présidents fondateurs de la Société littéraire et historique de Québec, membre de l'exécutif de la Société d'éducation du district de Québec, président de la Société d'éducation de Trois-Rivières, membre de l'Institut canadien de Montréal.

Décédé à Montréal, le 17 février 1847, à l'âge de 59 ans et 4 mois. Inhumé dans l'église Notre-Dame, le 20 février 1847.

Avait épousé dans la paroisse Notre-Dame de Québec, le 16 novembre 1812, Louise Pezard de Champlain, fille de Pierre-Melchior Pezard de Champlain, seigneur, et de Louise Drouet de Richerville ; puis, dans la paroisse de l'Immaculée-Conception, à Trois-Rivières, le 26 avril 1836, la veuve Jane Keirnan.

Bibliographie : *DBC.*

VALOIS, Joseph
(1767–1835)

Né à Pointe-Claire, île de Montréal, et baptisé dans la paroisse Saint-Joachim, le 13 novembre 1767, fils de Jean Valois et de Marie-Josèphe Dubois.

S'occupa probablement d'agriculture et de commerce. Participa peut-être aux démarches faites en 1833 en vue de mettre sur pied la Banque du peuple.

Élu député de Montréal en avril 1820. Réélu en juillet 1820, 1824, 1827 et 1830. Appuya généralement le parti canadien, puis le parti patriote. Ne s'est pas représenté en 1834.

Décédé à Montréal, le 3 janvier 1835, à l'âge de 67 ans et un mois. Inhumé dans l'église Notre-Dame, le 7 janvier 1835.

Avait épousé dans la paroisse Notre-Dame de Montréal, le 12 avril 1790, Catherine Leduc Saint-Omer, fille de Dominique Saint-Omer (Leduc Saint-Omer) et de Françoise Leduc.

Oncle de Michel-François **Valois**.

Bibliographie : Lefebvre, Jean-Jacques, « Les capitaines de milice de Pointe-Claire », *MSGCF,* 19, 2 (avril-juin 1968), p. 113.

VALOIS, Michel-François
(1801–1869)

Né à Pointe-Claire et baptisé dans la paroisse Saint-Joachim, le 20 août 1801, fils de Pierre Valois, cultivateur, et de Marie-Catherine Lefebvre.

Étudia au petit séminaire de Montréal de 1816 à 1821. Par la suite, fit l'apprentissage de la médecine ; admis à l'exercice de sa profession en 1826.

S'établit comme médecin à Pointe-Claire. En 1830, fut élu syndic d'écoles. Juge de paix ; sa commission lui fut retirée le 29 juillet 1837 à cause notamment de son rôle dans l'organisation de l'assemblée de Saint-Laurent, qui lui valut aussi d'être emprisonné à Montréal. Vécut quelque temps aux États-Unis.

Élu député de Montréal en 1851. Mis sous la garde du sergent d'armes de l'Assemblée, le 2 novembre 1852, pour absence injustifiée, fut libéré après avoir fourni des explications. Élu dans la division Jacques-Cartier de la circonscription de Montréal en 1854. Rouge. Défait en 1858. Candidat défait au siège de conseiller législatif de la division de Rigaud à une élection complémentaire le 3 juin 1863.

Décédé à Pointe-Claire, le 24 mai 1869, à l'âge de 67 ans et 9 mois. Les obsèques auraient eu lieu dans l'église Saint-Joachim, le 28 mai 1869.

Avait épousé dans la paroisse de Sainte-Geneviève, île de Montréal, le 28 juillet 1835, Marie-Louise-Florence-Eudoxie Godin, fille du cultivateur François-Xavier Godin et de Marie-Julie Ricard.

Neveu de Joseph **Valois**.

Bibliographie : *DBC.*

VANFELSON, George
(1784–1856)

Né à Québec et baptisé dans la paroisse Notre-Dame, le 23 avril 1784, fils d'Antoine (Anthony) Vanfelson, d'origine allemande, et de Josephte Monier (Meunier).

À compter de 1798, étudia le droit auprès de Jean-Antoine **Panet**. Admis au barreau en 1805.

Exerça sa profession à Québec. Pendant la guerre de 1812, servit à titre de capitaine dans la milice. Remplit les fonctions d'avocat général du Bas-Canada, de 1819 à 1832. Avocat de la ville de Québec pendant quelques années, démissionna le 13 février 1835.

Élu sans opposition député de la Haute-Ville de Québec à une élection partielle le 14 février 1815. Réélu en 1816. Ne s'est pas représenté en avril 1820. Candidat patriote défait dans la Haute-Ville de Québec en 1827. Défait dans la même circonscription à une élection partielle le 30 juin 1829. Élu dans la Basse-Ville de Québec à une élection partielle le 22 septembre 1832 ; appuya les Quatre-vingt-douze Résolutions. Réélu en 1834 ; se joignit aux patriotes modérés de Québec, qu'il dirigea à partir de février 1836. Démissionna le 5 juin 1837.

Nommé conseiller de la reine et inspecteur de police de la ville de Montréal, en 1843. Fut juge de la Cour supérieure du Bas-Canada avec résidence à Montréal, à partir du 1er janvier 1850.

Décédé à Montréal, le 16 février 1856, à l'âge de 71 ans et 9 mois. Inhumé dans l'église Saint-Laurent, dans la ville du même nom, le 20 février 1856.

Avait épousé dans la paroisse Notre-Dame de Québec, le 4 août 1806, Dorothée-Magdleine Just, fille de John Conrad Just, chirurgien, et de Josephte Fisbach.

Beau-frère de Louis **Gauvreau** et de Thomas **Lee**.

———

Bibliographie : *DBC*.

VARIN, Jean-Baptiste (1810–1899)

Né à l'île Manitoulin, dans la baie Géorgienne, dans le Haut-Canada, le 26 novembre 1810, puis baptisé à Montréal, le 14 mai 1823, fils de Guillaume Varin, négociant, et de Marguerite Bourassa.

Étudia au petit séminaire de Montréal de 1819 à 1824 ; par la suite, fit l'apprentissage du notariat à Laprairie (La Prairie). Admis à la pratique de sa profession le 11 janvier 1833, l'exerça à Laprairie jusqu'en 1868.

Élu député de Huntingdon en 1851 ; réformiste. Ne s'est pas représenté en 1854.

Nommé en 1855 au sein de la commission chargée de la confection des cadastres des seigneuries dans le Bas-Canada. Après l'abolition de la tenure seigneuriale, participa en qualité d'expert à l'élaboration de la loi sur le cadastre. Chargé de dresser le plan cadastral à Laprairie en 1866 et à Chambly l'année suivante. Fut directeur du service du cadastre à Montréal, de 1868 à 1878, puis registrateur du comté de Laprairie, de 1878 à 1892.

Décédé à Laprairie (La Prairie), le 8 juillet 1899, à l'âge de 88 ans et 7 mois. Inhumé dans l'église de La Nativité-de-la-Très-Sainte-Vierge, le 11 juillet 1899.

Avait épousé dans la paroisse de La Nativité-de-la-Très-Sainte-Vierge, à Laprairie (La Prairie), le 21 [juillet] 1834, Hermine Raymond, fille de Jean-Moïse **Raymond** et d'Angélique (Marie des Anges) Leroux d'Esneval.

Beau-frère de Tancrède **Sauvageau**. Petit-fils par alliance de Jean-Baptiste **Raymond**.

———

Bibliographie : « Jean-Baptiste Varin », *RN*, 2, 1 (15 août 1899), p. 23-29.

VAUGEOIS, Denis

Né à Saint-Tite, le 7 septembre 1935, fils de Ludger Vaugeois, mécanicien, et de Geneviève Massicotte.

Fit ses études classiques au séminaire Saint-Joseph. Obtint un brevet A de l'école normale Jacques-Cartier en 1955, une licence en pédagogie de l'école normale secondaire de l'université de Montréal en 1962 et une licence ès lettres de l'université de Montréal en 1959. Titulaire d'un diplôme d'études supérieures de l'université Laval en 1967. A terminé également sa scolarité de doctorat (histoire) à cette dernière université en 1975.

De 1955 à 1965, il enseigna à Trois-Rivières au séminaire Saint-Joseph, à l'école normale Duplessis et au Centre des études universitaires. Il fut également chargé de cours à l'externat classique d'Outremont, au collège Saint-Maurice à Saint-Hyacinthe et à l'université Laval à Québec. En 1965, il entra au service du gouvernement du Québec où il occupa successivement les fonctions suivantes : directeur de la division de l'histoire à la direction générale des programmes et des examens au ministère de l'Éducation (1965 à 1967) ; directeur de la section québécoise au Centre franco-québécois de développement pédagogique (1967 à 1969) ; directeur général des relations internationales au ministère des Affaires intergouvernementales (1970 à 1974) ; et coordonnateur d'ententes ACDI-Québec (1974 à 1976) au Maroc et au Pérou.

Parallèlement, il fut très actif dans le domaine de l'édition. Il fut en effet vice-président (1962 à 1965) et président (1968 à 1976) des Éditions Boréal Express, président du Comité consultatif du livre (1976) et directeur de l'Association des éditeurs canadiens (1976). Il fit aussi partie de divers conseils d'administration d'entreprises reliées au commerce du livre. Comme historien, il est l'auteur de plusieurs comptes rendus, articles et ouvrages dont: *Introduction à une méthodologie de l'histoire* (1959); *l'Union des deux Canadas, nouvelle conquête? (1791–1840)* (1962); et *les Juifs et la Nouvelle-France* (1968). De plus, il publia en collaboration: le journal *Boréal Express* (1964, 1967, 1972) et *Histoire 1534–1968* (1968) qui fut réédité en 1969 sous le titre de *Canada-Québec, synthèse historique*. Fut vice-président du Comité international des historiens et des géographes de langue française. Secrétaire-trésorier de l'Institut d'histoire de l'Amérique française en 1972 et 1973, puis vice-président de 1973 à 1976.

Élu député du Parti québécois dans Trois-Rivières en 1976. Adjoint parlementaire du ministre des Affaires intergouvernementales du 1er décembre 1976 au 28 février 1978. Ministre des Affaires culturelles du 28 février 1978 au 30 avril 1981. Ministre des Communications du 21 septembre 1979 au 6 novembre 1980. Réélu en 1981. Adjoint parlementaire du ministre délégué aux Affaires parlementaires du 1er mai 1981 au 15 mars 1984. Président de la Commission des institutions du 15 mars 1984 au 31 janvier 1985. Démissionna comme député le 31 janvier 1985.

Président-directeur général de la maison d'édition Le Centre éducatif et culturel en 1985. Membre de la Commission d'étude sur la ville de Québec en 1985 et 1986. Directeur des Éditions du Septentrion et consultant en histoire.

VAUTRIN, Irénée
(1888–1974)

Né à Saint-Édouard, près de Napierville, le 21 décembre 1888, fils de Zénophile Vautrin, cultivateur, et d'Augustine Dupuis.

Fit ses études à l'école normale Jacques-Cartier et à l'université de Montréal. Président de la Fédération universitaire de Montréal en 1913 et 1914.

Reçu architecte en 1914, il exerça par la suite sa profession à Montréal. Président de l'Association des architectes de la province de Québec (1932), membre du Royal Institute of British Architects et du comité exécutif du Royal Architectural Institute of Canada. Membre des Chevaliers de Colomb, de la Société des artisans canadiens-français, du Club de réforme de Montréal, du Club canadien et du Cercle universitaire.

Président de la Jeunesse libérale de Montréal de 1915 à 1918. Président des clubs libéraux de Montréal et organisateur en chef du Parti libéral pour le district de Montréal. Élu député libéral dans Montréal–Saint-Jacques en 1919. Défait en 1923. Réélu en 1927 et 1931. Orateur suppléant de l'Assemblée législative du 22 janvier 1930 au 9 mai 1934. Assermenté

ministre sans portefeuille le 9 mai 1934. Ministre de la Colonisation, de la Chasse et des Pêcheries dans le cabinet Taschereau du 25 juillet 1934 au 20 décembre 1935. Défait en 1935.

Décédé à Montréal, le 2 février 1974, à l'âge de 85 ans et un mois. Inhumé à Montréal, dans le cimetière Notre-Dame-des-Neiges, le 5 février 1974.

Avait épousé dans la cathédrale de Montréal, le 18 août 1923, Gertrude Duchesneau, fille d'Edmond Duchesneau et de Rose de Lima Desjardins.

VEILLEUX, Jacques

Né à Saint-Georges, en Beauce, le 25 février 1939, fils de Roland Veilleux, industriel, et de Corrine Poulin.

Fit ses études au collège des Frères de la charité et au séminaire de Saint-Georges, au collège Sainte-Anne à Church Point (Nouvelle-Écosse) et aux universités d'Ottawa, de Sherbrooke et de Montréal.

De 1962 à 1970, il enseigna successivement à Saint-Georges, au collège des Frères du Sacré-Cœur à Victoriaville, à la régionale Missisquoi et à la régionale Honoré-Mercier (Saint-Jean). Président de l'Association des enseignants d'Honoré-Mercier de 1968 à 1970 et membre du conseil provincial de la Centrale de l'enseignement du Québec (CEQ). Rédacteur adjoint du journal *l'Éclaireur-Progrès* (Saint-Georges) en 1961 et 1962. Président-fondateur de la Caisse d'économie des enseignants d'Honoré-Mercier en 1969.

Devint membre de l'exécutif provincial du Parti libéral du Québec en 1970. Élu député libéral dans Saint-Jean en 1970. Réélu en 1973. Adjoint parlementaire du ministre des Communications du 13 novembre 1973 au 22 octobre 1975, puis du ministre du Travail et de la Main-d'œuvre du 22 octobre 1975 au 18 octobre 1976. Défait en 1976 et 1981.

Employé au service de recherche du Parti libéral du Québec de 1976 à 1981. Directeur de succursale à l'agence de sécurité Sécuribec à Montréal à partir de 1981. Nommé régisseur supplémentaire à la Régie des permis d'alcool du Québec en mai 1986. Membre de la Régie des loteries et courses du Québec à compter du 5 janvier 1988. Nommé représentant du Québec à l'ambassade du Canada à Abidjan, en Côte d'Ivoire, en septembre 1989.

VERMETTE, Cécile

Née à Montréal, le 19 janvier 1945, fille d'Antonio Vermette, pharmacien-chimiste, et de Doria Dubeau, infirmière.

A étudié au collège Régina Assumpta, à Montréal. Diplômée en sciences infirmières de l'hôpital Saint-Luc en 1968. Titulaire d'un baccalauréat en administration de l'université de Montréal en 1985.

Membre à temps plein du Conseil des services essentiels à titre de représentante des Associations patronales de 1982 à 1985. Présidente du conseil d'administration de l'hôpital Charles-Lemoyne de 1980 à 1985 et membre du conseil d'administration de l'Association des hôpitaux de la province de Québec en 1984 et 1985. Animatrice à l'université de Montréal dans le cadre du certificat en santé et sécurité du travail de 1980 à 1985, après avoir assumé différentes responsabilités à titre d'infirmière dans le milieu hospitalier de 1968 à 1971. Présidente du comité d'école et déléguée du comité de parents à la commission scolaire Saint-Exupéry en 1978 et 1979. Vice-présidente du comité de citoyens de Saint-Lambert de 1974 à 1979. A également œuvré au sein de divers organismes récréatifs et sociaux sur la rive sud de Montréal.

Élue députée du Parti québécois dans Marie-Victorin en 1985. Réélue en 1989. Représentante pour le Canada et les États-Unis de l'Association des femmes parlementaires pour la paix dans le monde (WWPP) à partir de 1990.

VERREAULT, Pamphile-Gaspard (1832–1906)

Né à Saint-Jean-Port-Joli, le 6 septembre 1832, fils d'Antoine Gaspard Verreau, cultivateur, et d'Hélène Fournier.

Fit ses études à Saint-Jean-Port-Joli et au collège de Sainte-Anne-de-la-Pocatière. Reçu notaire le 6 août 1860.

Exerça sa profession à Saint-Jean-Port-Joli et à Montmagny. Pratiqua également l'agriculture. Membre de la Chambre des notaires de 1863 à 1894. Fondateur et secrétaire-trésorier de l'Institut littéraire et scientifique de Saint-Jean-Port-Joli. Cofondateur de la Société d'horticulture de L'Islet.

Maire de Saint-Jean-Port-Joli de 1880 à 1893. Préfet du comté de L'Islet de 1882 à 1893. Marguillier de sa paroisse en 1881. Élu député conservateur dans L'Islet en 1867. Réélu en 1871 et 1875. Ne s'est pas représenté en 1878.

Décédé à Saint-Jean-Port-Joli, le 7 février 1906, à l'âge de 73 ans et 5 mois. Inhumé dans le cimetière de Saint-Jean-Port-Joli, le 12 février 1906.

Avait épousé à Saint-Roch-des-Aulnaies, le 14 juillet 1863, Paméla Couillard Dupuis, fille de Jean-Baptiste **Couillard Dupuis**, marchand, et de Justine Letellier de Saint-Just, nièce de Luc **Letellier de Saint-Just**.

Oncle de Louis-Auguste **Dupuis**.

VERREAULT, Richard

Né à Mont-Joli, le 18 août 1937, fils d'Elzéar Verreault, homme d'affaires, et d'Alice Ross.

Fit ses études à l'école Notre-Dame-de-Lourdes à Mont-Joli, à l'école du Christ-Roi et au collège Monseigneur-Prince à Granby, au séminaire de Saint-Hyacinthe et à l'École des hautes études commerciales à Montréal. Suivit aussi des cours de perfectionnement en relations humaines et en relations extérieures à l'université de Montréal.

Travailla à l'entreprise familiale Verreault Transport ltée à Granby de 1959 à 1973. En devint par la suite actionnaire et y assuma les postes de secrétaire-trésorier et directeur général. Exerça également le métier d'annonceur à la station radiophonique locale. Directeur de l'Association des propriétaires d'autobus du Québec.

Secrétaire-trésorier du Parti libéral du Canada pour le comté de Shefford ainsi que secrétaire et directeur du conseil régional des Cantons-de-l'Est de 1970 à 1972. Secrétaire et président du Parti libéral du Québec pour le comté de Shefford et membre de la commission d'information en 1972 et 1973. Élu député libéral dans Shefford en 1973. Réélu en 1976. Défait en 1981.

VÉZINA, Louis

Né à Québec, le 5 mai 1937, fils de Louis-Philippe Vézina, ingénieur forestier, et de Lucille Dallaire.

Fit ses études au couvent Saint-Dominique et au pensionnat Saint-Louis-de-Gonzague à Québec, au collège de Lévis, au séminaire de Québec et à l'université Laval. Admis au barreau de la province de Québec en juin 1961.

Avocat, il pratiqua dans la région de Québec. Occupa d'abord le poste de conseiller juridique au ministère des Affaires municipales de 1961 à 1963. Fut également conseiller juridique et secrétaire de la commission Sylvestre. Membre de l'Association du barreau canadien, des Jeunesses musicales de la ville de Québec et des Compagnons de l'art.

Élu député libéral dans Montmorency en 1970. Leader parlementaire adjoint du gouvernement de 1970 à 1973. Ne s'est pas représenté en 1973.

Président du conseil d'administration de la Société du Grand Théâtre de Québec à compter du 1er janvier 1987.

VÉZINA, Pierre
(1772–1852)

Né à Québec, le 19 novembre 1772, puis baptisé le 20, dans la paroisse Notre-Dame, fils de Pierre Vézina et de Marie-Charlotte Deguise.

Fit l'apprentissage du droit auprès notamment de Jean-Antoine **Panet**, puis fut admis au barreau, le 10 mars 1798.

Exerça sa profession pendant quelques mois à Québec, avant de s'établir à Trois-Rivières.

Défait dans Trois-Rivières en 1804, à une élection partielle le 11 avril 1807 et en 1808. Élu député de cette circonscription en 1816; prit part à peu de votes et appuya tantôt le parti canadien, tantôt le parti des bureaucrates. Ne s'est pas représenté en avril 1820.

Fait conseiller du roi le 15 juillet 1824; sa nomination fut renouvelée le 11 décembre 1830 et le 20 décembre 1838 (conseiller de la reine). Obtint les postes de commissaire reliés à la construction d'un pont sur le Saint-Maurice, en 1830, et à la subdivision des paroisses, en 1832; résigna le second. En 1837, nommé juge de paix et habilité à faire prêter le serment d'allégeance. Officier de milice, servit pendant la guerre de 1812 en qualité de capitaine.

Décédé à Trois-Rivières, le 4 décembre 1852, à l'âge de 80 ans. Inhumé dans l'église de l'Immaculée-Conception, le 7 décembre 1852.

Avait épousé dans la paroisse Notre-Dame de Québec, le 21 mai 1798, Julie Ménard, fille d'Étienne Ménard, sellier, et de Louise Gauvreau.

VIAU, Jean-François

Né à Montréal, le 1er août 1958, fils de Louis Viau, administrateur, et de Denise Séguin.

Fit ses études à la McGill University, à Montréal, où il suivit des cours en économie et en sciences politiques.

Gestionnaire, animateur social et consultant en animation auprès de plusieurs PME et groupes communautaires. Coordonnateur de la région de Montréal et responsable national de l'animation pour l'organisation du Sommet québécois de la jeunesse, en 1983. Participa à l'organisation du Congrès-jeune de la commission jeunesse du Parti libéral du Québec, en 1983.

Élu député du Parti libéral dans Saint-Jacques à l'élection partielle du 26 novembre 1984. Défait aux élections générales de 1985.

Nommé, en 1986, conseiller spécial du secrétaire général du Conseil exécutif en 1986. Fut nommé vice-président exécutif de la Chambre de commerce de la Rive-sud de 1987 à 1989. Président-directeur général de l'Association de distribution alimentaire du Québec de 1989 à 1991. Conseiller pour divers ministères au gouvernement fédéral.

VIGER. V. aussi LABRÈCHE-VIGER

VIGER, Denis
(1741–1805)

Né à Montréal et baptisé dans la paroisse Notre-Dame, le 6 juin 1741, fils de Jacques Viger, cordonnier, et de [sa seconde femme], Marie-Louise Ridé (Riday-Beauceron).

Exerça, à Montréal, le métier de menuisier et exécuta des travaux de sculpture sur bois et de forge. Dans les années 1790, s'occupa également du commerce de la potasse avec l'Angleterre.

Élu député de Montréal-Est en 1796; appuya le parti canadien. Ne se serait pas représenté en 1800.

Décédé à Montréal, le 16 juin 1805, à l'âge de 64 ans. Les obsèques eurent lieu dans l'église Notre-Dame, le 18 juin 1805.

Avait épousé à Saint-Denis, sur le Richelieu, le 30 juin 1772, Périne-Charles (Charlotte) Cherrier, fille de François-Pierre Cherrier, notaire (fut aussi marchand), et de Marie Dubuc.

Père de Denis-Benjamin **Viger**. Frère de Jacques et de Joseph **Viger**. Oncle de Côme-Séraphin **Cherrier** (Montréal) et de Louis-Michel **Viger**. Beau-frère de Benjamin-Hyacinthe-Martin et de Séraphin **Cherrier**. Beau-frère par alliance de Joseph **Papineau**.

Bibliographie: *DBC*.

VIGER, Denis-Benjamin
(1774–1861)

Né à Montréal, le 19 août 1774, puis baptisé le 20, dans la paroisse Notre-Dame, fils de Denis **Viger** et de Périne-Charles (Charlotte) Cherrier.

Entra au collège Saint-Raphaël, à Montréal, en 1776. À compter de 1794, fit l'apprentissage du droit, d'abord auprès de Louis-Charles **Foucher**, puis de Joseph **Bédard**

(York) et, enfin, de Jean-Antoine **Panet**. Fut reçu avocat en 1799.

Dès 1792, fit paraître dans *la Gazette de Montréal* des articles sur des questions politiques. Par la suite, appuya financièrement un certain nombre de journaux, comme le *Canadian Spectator*, *la Minerve* et *l'Ordre*, et aurait été propriétaire, notamment, de *la Quotidienne* et du *Temps*. Possédait des maisons et des terrains à Montréal.

Défait dans Montréal en 1804. Élu député de Montréal-Ouest en 1808; réélu en 1809. Élu dans Leinster en 1810; réélu en 1814. Élu dans Kent en 1816; réélu en avril 1820 et en juillet 1820. L'un des concepteurs de l'idéologie du parti canadien. S'opposa avec vigueur au projet d'union du Bas et du Haut-Canada en 1822; ce mouvement d'opposition reçut le nom de Vigerie. Réélu dans Kent en 1824 et 1827. L'un des trois délégués du parti patriote envoyés en Angleterre en 1828 pour porter des demandes de réformes. Son siège de député devint vacant par suite de sa nomination au Conseil législatif, le 30 novembre 1829, peu après son retour; participa aux travaux jusqu'à sa nomination comme agent de l'Assemblée en Angleterre, le 28 mars 1831. Revint dans la province en novembre 1834 et demeura conseiller législatif jusqu'à la suspension de la constitution, le 27 mars 1838. L'un des chefs du parti patriote au moment de la rébellion de 1837, fut emprisonné du 4 novembre 1838 au 16 mai 1840. S'occupa d'administration municipale, à Montréal, avant 1833, puis entre 1836 et 1840.

Élu député de Richelieu en 1841; prit figure de chef antiunioniste; fit partie du groupe canadien-français. En décembre 1843, forma un ministère avec William Henry Draper: membre du Conseil exécutif du 12 décembre 1843 jusqu'à sa démission, le 17 juin 1846; en fut président à compter du 12 décembre 1843 ou du 7 octobre 1844, selon les sources. Avait été défait en 1844 dans Montréal et Richelieu. Élu dans Trois-Rivières à une élection partielle le 14 juillet 1845; tory; démissionna le 6 décembre 1847. Nommé conseiller législatif le 17 février 1848; perdit son siège pour raison d'absentéisme le 17 mars 1858.

Officier de milice, servit pendant la guerre de 1812; se retira en 1824 avec le grade de major. Fut président de l'Union patriotique et de la Société Saint-Jean-Baptiste. Est l'auteur de: *Considérations sur les effets qu'ont produit en Canada, la conservation des établissemens du pays, les mœurs, l'éducation, etc. de ses habitans* [...] (Montréal, 1809); *Analyse d'un entretien sur la conservation des établissemens du Bas-Canada* [...] (Montréal, 1826); *Considérations relatives à la dernière révolution de la Belgique* ([Montréal], 1831); *Observations sur la réponse de Mathieu, lord Aylmer, à la députation du Tattersall,* [...] *sur les affaires du Canada* [...]

(Montréal, 1834); *Observations de l'hon. D.B. Viger, contre la proposition faite dans le Conseil législatif* [...] *de rejeter le bill de l'Assemblée, pour la nomination d'un agent de la province* (Montréal, 1835); *Mémoires relatifs à l'emprisonnement de l'honorable D.B. Viger* (Montréal, 1840); *la Crise ministérielle et Mr. Denis Benjamin Viger* [...] (Kingston, Ont., 1844).

Décédé à Montréal, le 13 février 1861, à l'âge de 86 ans et 5 mois. Après des obsèques célébrées en l'église Notre-Dame, fut inhumé dans le cimetière Notre-Dame-des-Neiges, le 18 février 1861.

Avait épousé dans l'église Notre-Dame de Montréal, le 21 novembre 1808, Marie-Amable Foretier, fille du seigneur Pierre Foretier et de Thérèse Legrand.

Cousin de Louis-Michel **Viger**, de Louis-Joseph et de Denis-Benjamin **Papineau** et de Côme-Séraphin **Cherrier** (Montréal). Beau-frère par alliance de Louis-Charles **Foucher**. Oncle par alliance de Hugues **Heney**.

Bibliographie: *DBC*.

VIGER, François
(1752–1824)

Né à Boucherville et baptisé dans la paroisse Sainte-Famille, le 30 novembre 1752, fils de François Viger et de Josephte Chénier.

Fut cultivateur et marchand.

Élu député de Kent en 1800; appuya tantôt le parti canadien, tantôt le parti des bureaucrates. Réélu en 1804; appuya généralement le parti canadien. Ne s'est pas représenté en 1808.

Décédé à Boucherville, le 20 août 1824, à l'âge de 71 ans et 8 mois. Inhumé dans le cimetière de la paroisse Sainte-Famille, le 23 août 1824.

Avait épousé dans sa paroisse natale, le 12 mai 1789, Clémence Babin, fille de Louis Babin et de Marie Viau.

Bibliographie: Lefebvre, Jean-Jacques, «François Viger, 1752-1824», *BRH*, 60, 4 (oct.-déc. 1954), p. 155-156.

VIGER, Jacques
(1735–1798)

Né à Montréal, le 23 novembre 1735, puis baptisé le 24, dans la paroisse Notre-Dame, fils de Jacques Viger, cordonnier, et de [sa seconde femme], Marie-Louise Ridé (Riday-Beauceron).

Fut artisan à Montréal.

Élu député de Kent en 1796; ne put participer aux votes.

Décédé en fonction à Montréal, le 21 janvier 1798, à l'âge de 62 ans et un mois. Inhumé dans le cimetière de l'église Notre-Dame, le 23 janvier 1798.

Avait épousé dans la paroisse Notre-Dame de Montréal, le 7 mai 1764, Amaranthe Prévost, fille d'Eustache Prévost et de [sa seconde femme], Marie-Madeleine Sarrault.

Frère de Denis et de Joseph **Viger**. Père de Jacques Viger, maire de Montréal.

VIGER, Joseph
(1739–1803)

Né à Montréal, le 13 février 1739, puis baptisé le 14, dans la paroisse Notre-Dame, sous le prénom de Joseph-René, fils de Jacques Viger, cordonnier, et de [sa seconde femme], Marie-Louise Ridé (Riday-Beauceron).

Fut marchand de bois à Rivière-des-Prairies (Montréal), puis à L'Assomption, où il s'établit en 1778; se fixa définitivement à Saint-Sulpice (L'Assomption) en 1781. Propriétaire foncier.

Élu député de Leinster en 1796; ne prit part qu'aux votes de la première session et appuya le parti canadien. Ne s'est pas représenté en 1800.

Décédé à Saint-Sulpice (L'Assomption), le 17 novembre 1803, à l'âge de 64 ans et 9 mois. Inhumé dans le cimetière paroissial, le 19 novembre 1803.

Était célibataire.

Frère de Denis et de Jacques **Viger**.

VIGER, Louis-Michel
(1785–1855)

Né à Montréal et baptisé dans la paroisse Notre-Dame, le 28 septembre 1785, fils de Louis Viger, maître de forges, et de Marie-Agnès Papineau.

Étudia au collège Saint-Raphaël, à Montréal, avec son cousin Louis-Joseph **Papineau**, de 1796 à 1803. Commença l'apprentissage du droit en 1802, auprès de son cousin Denis-Benjamin **Viger**; admis au barreau en 1807.

Pratiqua sa profession à Montréal jusqu'en 1832; prit pour associé en 1822 son cousin Côme-Séraphin **Cherrier** (Montréal). Servit en qualité d'officier de milice pendant la guerre de 1812; fut destitué en 1827 de son grade de capitaine, en raison de sa participation à des assemblées où l'on avait condamné la politique du gouverneur George **Ramsay**. Propriétaire foncier et immobilier. Cofondateur, en 1835, de la Viger, De Witt et Compagnie, appelée aussi Banque du peuple.

Élu député de Chambly en 1830; appuya le parti patriote. Réélu en 1834; son mandat prit fin avec la suspension de la constitution, le 27 mars 1838. L'un des adjoints de **Papineau** à l'assemblée des six comtés, en octobre 1837, à Saint-Charles-sur-Richelieu; emprisonné le 18 novembre, sous l'accusation de haute trahison; libéré le 25 août 1838, fut remis en prison le 4 novembre, puis relâché le 13 décembre. Candidat antiunioniste défait dans Chambly en 1841. Élu dans Nicolet à une élection partielle le 15 février 1842; fit partie du groupe canadien-français. Ne s'est pas représenté en 1844. Membre du ministère La Fontaine–Baldwin : fut conseiller exécutif et receveur général du 11 mars 1848 jusqu'à sa démission le 26 novembre 1849. Élu dans Terrebonne à une élection partielle le 14 avril 1848; fit partie du groupe canadien-français. Élu dans Leinster en 1851; réformiste. Ne s'est pas représenté en 1854.

Nommé président de la Banque du peuple en 1845; administrateur honoraire de la Banque d'épargne de la cité et du district de Montréal en 1846. Seigneur de L'Assomption de par son second mariage, acquit en 1848 la seigneurie de Repentigny.

Décédé à L'Assomption, le 27 mai 1855, à l'âge de 69 ans et 7 mois. Inhumé dans l'église paroissiale de Repentigny, le 30 mai 1855.

Avait épousé à Saint-Charles, près de Québec, le 19 juillet 1824, Marie-Ermine Turgeon, fille du seigneur Louis **Turgeon** et de Geneviève Turgeon; puis, dans la paroisse de l'Assomption-de-la-Sainte-Vierge, à L'Assomption, le 10 septembre 1843, Aurélie Faribault, fille de Joseph-Édouard **Faribault**, notaire, et de sa première femme Marie-Anne-Élisabeth Poudret, et veuve de Charles Saint-Ours.

Neveu de Denis et de Jacques **Viger**, et de Joseph **Papineau**.

Bibliographie: *DBC*.

VILAS, William Frederick
(1853–1930)

[Né à East Farnham, le 15 juillet 1853, fils du pasteur Aaron Vilas et de Fanny C. Kent.]

Fit ses études à East Farnham puis à Cowansville.

Travailla à East Farnham pour la firme Banfill and Vilas qui appartenait alors à son père et à son beau-frère, Joël Banfill. Devint ensuite propriétaire de cette entreprise qu'il établira plus tard à Cowansville sous la raison sociale de W.F. Vilas Co. Ltd. Il ajouta également à cette manufacture d'instruments aratoires une fabrique de matériel et de mobilier scolaire et de porcelaine émaillée. Fondateur des compagnies Vilas Oil Burners Ltd. et E.N. Moyer. Directeur de la Missisquoi and Rouville Fire Insurance Co. Président et gouverneur à vie de l'hôpital du district de Bedford situé à Sweetsburg. Membre du Conseil des arts et manufactures de la province de Québec, du Club de réforme de Montréal, du Club de Montréal et du St. George Club de Sherbrooke.

Commissaire d'école à Cowansville de 1898 à 1901 et de 1904 à 1922. Maire de Cowansville de 1911 à 1922. Élu sans opposition député libéral dans Brome à l'élection partielle du 10 septembre 1906. Réélu en 1908, 1912 et 1916 (sans opposition). Son siège devint vacant lorsqu'il fut nommé conseiller législatif de la division de Wellington le 4 octobre 1917.

Décédé en fonction à Cowansville, le 15 août 1930, à l'âge de 77 ans et un mois. Inhumé à East Farnham, dans le Riverside Cemetery, le 18 août 1930.

Avait épousé à East Farnham, le 14 juin 1888, Emily Frances Foss, fils d'Isaac Foss.

VILLEMURE. V. LEFEBVRE DE VILLEMURE

VILLENEUVE, Joseph-Octave (1836–1901)

[Né à Sainte-Anne-des-Plaines, le 4 mars 1836, fils d'Octave Villeneuve et de Nathalie Léveillé.]

Fit ses études à l'école commerciale de Montréal.

Travailla au magasin de nouveautés Benjamin en 1853. Exerça par la suite le métier d'épicier grossiste sous la raison sociale de J.O. Villeneuve et Cie jusqu'en 1897. Exploita également un commerce de bois. Directeur de la Dominion Cotton Mills, de la Banque Jacques-Cartier et de la Banque Nationale. Copropriétaire de la fabrique de sucre de Berthier. Gouverneur de l'université Laval. Bienfaiteur de l'École polytechnique.

Maire de Saint-Jean-Baptiste de 1866 à 1885, puis échevin de ce quartier au conseil municipal de Montréal de 1885 à 1894. Maire de Montréal de 1894 à 1896. Président de la Commission du parc Mont-Royal. Commissaire du port de Montréal de 1888 à 1891 et de 1893 à 1896. Élu député conservateur dans Hochelaga en 1886. Cette élection fut

annulée le 31 octobre 1887 et il fut défait à l'élection partielle du 28 avril 1888. Réélu en 1890 et 1892. Son siège devint vacant lors de sa nomination comme sénateur de la division de Salaberry le 2 janvier 1896.

Décédé en fonction à Montréal, le 27 juin 1901, à l'âge de 65 ans et 3 mois. Inhumé à Montréal, dans le cimetière Notre-Dame-des-Neiges, le 1er juillet 1901.

Avait épousé dans la paroisse Saint-Pierre-de-Sorel, le 7 février 1861, Suzanne Anne Walker, fille de James Walker, capitaine, et de Suzanne Hus Lemoine.

Père de Frédéric Villeneuve, député à l'Assemblée législative des Territoires du Nord-Ouest de 1898 à 1902.

VINCENT, Clément

Né à Sainte-Perpétue, le 18 mai 1931, fils d'Arthur Vincent, agriculteur, boucher et commerçant, et de Berthe Girard.

Fit ses études à Sainte-Perpétue, au séminaire de Nicolet et au St. Anselm's College de Rawdon. Diplômé en formation sociale de l'université de Sherbrooke en 1966.

Employé dans le commerce de son père, commerce des grains et des viandes, jusqu'en 1960. Propriétaire d'une ferme à partir de 1955. Fut représentant des ventes pour la Canada Packers de 1960 à 1962. Commandant du corps de cadets de l'armée canadienne à Rawdon, il fut décoré de la médaille du meilleur cadet en 1948. Membre de la Commission du prêt agricole canadien de 1957 à 1959, puis du comité consultatif de la Société du crédit agricole de 1959 à 1962. Actif dans les mouvements paroissiaux et diocésains de 1948 à 1959, il fut notamment président des cercles Lacordaire.

Maire de Sainte-Perpétue du 19 janvier 1959 au 11 janvier 1961. Élu député progressiste-conservateur à la Chambre des communes dans Nicolet-Yamaska en 1962. Réélu en 1963 et 1965. Whip adjoint du Parti progressiste-conservateur de novembre 1965 à avril 1966. Démissionna le 4 mai 1966. Élu député de l'Union nationale à l'Assemblée législative dans Nicolet en 1966. Ministre de l'Agriculture et de la Colonisation dans les cabinets Johnson et Bertrand du 16 juin 1966 au 12 mai 1970. Réélu en 1970. Défait dans Nicolet-Yamaska en 1973. Directeur général de l'Union nationale en 1975 et 1976.

Adjoint au directeur général du financement des partis politiques de 1978 à 1983.

VINET, dit SOULIGNY, Félix
(1766–1838)

Né à Longue-Pointe (Montréal) et baptisé dans la paroisse Saint-François-d'Assise, le 5 novembre 1766, sous le prénom d'Amable-Félix, fils de François Vinet, dit Souligny, et de Françoise Viger. Désigné parfois sous le seul patronyme de Souligny.

Fut marchand à Montréal; était notamment engagé dans le commerce des céréales et possédait des navires. Officier de milice : lieutenant dans le 3e bataillon de la milice de la ville et de la banlieue de Montréal, au début de la guerre de 1812; promu capitaine au 2e bataillon, le 21 janvier 1814.

Élu député de Montréal-Ouest en 1816; participa à très peu de votes. Ne s'est pas représenté en avril 1820.

Décédé à Montréal, le 4 avril 1838, à l'âge de 71 ans et 4 mois. Inhumé dans l'église Notre-Dame, le 7 avril 1838.

Était célibataire.

VONDENVELDEN, William
(≈1753–1809)

Né dans la paroisse de Hesse-Kassel (dans l'État de Hesse, en Allemagne), vers 1753, fils d'Isaac Vondenvelden et de Marie Young.

Entreprit une carrière militaire. Arriva devant Québec en juin 1776, en qualité d'adjudant-lieutenant dans le corps mercenaire des Chasseurs de Hesse-Hanau, venu combattre l'invasion américaine de 1775–1776 pour le compte de la Grande-Bretagne. En 1782, avait quitté l'armée et était établi à Québec; devint traducteur au journal la Gazette de Québec. Obtint une commission d'arpenteur en septembre 1783. Exerça cette profession à Québec, puis, de 1786 à 1793, dans le district de Gaspé, où il fut aussi juge de paix, greffier de la Cour des plaids communs et greffier de la paix. En 1793, revint définitivement à Québec; avec l'appui du commerçant John **Jones**, fonda la Nouvelle Imprimerie et publia, en 1794–1795, le Cours du tems/Times. En 1795, fut nommé arpenteur général adjoint et imprimeur officiel des lois. Vendit son atelier en 1798. Nommé inspecteur des chemins, rues et ruelles de la ville de Québec en juin 1799; dut démissionner le 21 mai 1801 pour des raisons politiques.

Élu député de Gaspé en 1800; appuya généralement le parti canadien. Ne s'est pas représenté en 1804.

À compter de 1804, s'occupa d'arpentage. Fut propriétaire de nombreuses terres dans les cantons.

Est l'auteur d'un ouvrage non publié, «The Canadian surveyor, or a treatise on surveying of lands» (1784). Est coauteur de : A new topographical map of the province of Lower Canada […] (Londres, 1803), première carte imprimée du Bas-Canada; et de Extraits des titres des anciennes concessions de terre en fief et seigneurie, faites avant et depuis la Conquête […] dans la partie actuellement appelée le Bas-Canada […] (Québec, 1803).

Décédé à la suite d'un accident de voiture, à Québec, le 20 juin 1809, à l'âge d'environ 56 ans. Les obsèques eurent lieu dans la cathédrale anglicane Holy Trinity, le 22 juin 1809.

Avait épousé dans l'église anglicane de Québec, le 24 octobre 1801, Marie-Suzanne Voyer, [fille de Charles Voyer].

_____

Bibliographie: DBC.

W

**WAGNER, Claude
(1925–1979)**

Né à Shawinigan, le 4 avril 1925, fils de Benjamin Wagner, violoniste, et de Corona Saint-Arnaud.

Fit ses études à Shédiac au Nouveau-Brunswick, à Drummondville, au séminaire des Oblats à Chambly, à l'Institut de philosophie de l'université d'Ottawa où il fut bachelier en philosophie. Fit son droit à la McGill University. Admis au barreau de la province de Québec en juillet 1949. Créé conseil en loi de la reine le 31 août 1961.

Pratiqua d'abord le droit avec Mes Létourneau, Monk et Tremblay, puis se joignit au cabinet O'Brien, Home, Hall et Nolan en 1951. Devint membre du cabinet Desjardins, Ducharme, Choquette, Wagner et Desjardins en 1961. Nommé substitut du procureur général de la province de Québec pour le district de Montréal en 1960, et promu substitut en chef adjoint en 1961. Nommé professeur en droit criminel à l'université de Montréal en décembre 1962. Nommé juge à la Cour des sessions de la paix le 8 août 1963, il démissionna en 1964. Conseiller du jeune barreau de 1953 à 1956. Membre du Conseil national du barreau canadien de 1956 à 1960 et trésorier provincial de cet organisme de 1959 à 1961. Nommé vice-président de la Société de criminologie du Québec en 1962.

Élu député libéral à l'Assemblée législative dans Montréal-Verdun à l'élection partielle du 5 octobre 1964. Solliciteur général dans le cabinet Lesage du 31 août au 30 octobre 1964. Procureur général du 30 octobre 1964 au 4 juin 1965 et ministre de la Justice du 4 juin 1965 au 16 juin 1966. Réélu dans Verdun en 1966. Candidat défait au congrès de direction du Parti libéral du Québec tenu les 16 et 17 janvier 1970. Démissionna le 16 février 1970. Nommé juge à la Cour des sessions de la paix, le 3 mars 1970, il exerça jusqu'en septembre 1972. Élu député progressiste-conservateur à la Chambre des communes dans Saint-Hyacinthe aux élections de 1972. Réélu en 1974. Candidat défait au congrès de direction du Parti progressiste-conservateur en février 1976. Démissionna le 21 avril 1978 lors de sa nomination au poste de sénateur de la division de Kennebec.

Décédé en fonction à Montréal, le 11 juillet 1979, à l'âge de 54 ans et 3 mois. Inhumé dans le cimetière de Saint-Vincent-de-Paul, le 16 juillet 1979.

Avait épousé à Montréal, dans la paroisse Saint-Marc, le 31 octobre 1953, Gisèle Normandeau, employée de bureau, fille d'Arthur Normandeau et de Juliette Bélanger.

Bibliographie : Sheppard, Claude-Armand, *Dossier Wagner*, Montréal, Éditions du Jour, 1972, 107 p.

**WAINWRIGHT, John
(1800– ≥1860)**

Né à Wickham, dans le Hampshire, en Angleterre, le 3 mai 1800, fils d'un capitaine dans la Marine royale.

Après avoir fait l'école navale, obtint un brevet de lieutenant.

Entreprit une carrière dans la marine britannique, mais éprouva des ennuis de santé. Vint au Bas-Canada en 1833 et s'établit à Carillon. Fut juge de paix et lieutenant dans la milice.

Fit partie du Conseil spécial du 19 septembre 1839 jusqu'à l'entrée en vigueur de l'Acte d'Union, le 10 février 1841. Peut-être le candidat tory défait dans Deux-Montagnes en 1848.

Retourna en Angleterre, avec sa famille, probablement après 1851.

Décédé en Angleterre, en ou après 1860.

Avait épousé, en Angleterre, Elizabeth Powers, fille de Samuel Powers, de Londres.

Sa cousine était la femme de Charles John **Forbes**.

Bibliographie : Thomas, C., *History of the counties of Argenteuil, Que. and Prescott, Ont.*, Lovell, 1896, p. 138-139, 167-170.

WAKEFIELD, Edward Gibbon
(1796–1862)

Né à Londres, le 20 mars 1796, fils d'Edward Wakefield, statisticien et auteur, et de Susanna Crash.

Étudia d'abord en Angleterre, à Tottenham et, de 1807 à 1809, à la Westminster School, puis en Écosse, à l'Edinburgh High School, d'où il fut expulsé en 1810.

Membre de la légation britannique à Turin, de 1814 à 1820, et à Paris, de 1820 à 1825. Fut emprisonné de 1827 à 1830, à la suite de l'enlèvement, probablement à Paris, d'Ellen Turner, fille d'un fabricant de soie du Cheshire, en Angleterre. Fit paraître à Londres, en 1829, *A letter from Sydney, the principal town of Australia,* dans laquelle il exposait une théorie personnelle, conçue en prison, sur le développement des colonies et, en 1833, *England and America; a comparison of the social and political state of both nations.* Fut l'inspirateur de la South Australian Association, de 1834 à 1836, puis de la New Zealand Association, créée en 1837.

Accompagna au Canada, en mai 1838, le nouveau gouverneur, John George **Lambton**, aussi membre de cette association néo-zélandaise. Prit une grande part à la rédaction du rapport sur les terres publiques et l'émigration qui constitua l'appendice B du rapport de lord Durham, paru à Londres en 1839. Retourna en Angleterre le 20 octobre 1838. Dirigea de 1839 à 1846 la New Zealand Colonization Company, à Londres. Revint au Canada en 1841 et de nouveau en janvier 1842. En qualité d'agent de la North American Colonial Association of Ireland et à titre personnel, s'occupa de colonisation et spécula sur les terres.

Élu député de Beauharnois à une élection partielle le 9 novembre 1842 ; se rangea d'abord du côté du groupe canadien-français, puis, après novembre 1843, appuya les tories. Ne s'est pas représenté en 1844, année où il quitta définitivement la colonie. Publia à Londres, en 1844, *A view of Sir Charles Metcalfe's government of Canada* [...] et, en 1849, *A view of the art of colonization, with present reference to the British empire* [...]. Se retira en Nouvelle-Zélande en 1853.

Décédé à Wellington, en Nouvelle-Zélande, le 16 mai 1862, à l'âge de 66 ans et un mois.

Avait épousé en Angleterre, en 1816, après l'avoir enlevée avec son consentement, Eliza Susan Pattle, fille mineure d'un marchand de Canton, en Chine.

Bibliographie: *DBC.*

WALKER, James
(1756–1800)

Né probablement en Angleterre, en 1756.

Vint au Canada, où il s'installa d'abord à Québec. Au moment de l'invasion américaine de 1775–1776, participa à la défense de la ville en qualité de volontaire. Peu après, s'établit à Montréal, où il fut admis au barreau en mai 1777. Nommé juge de la Cour des plaids communs pour les districts de Montréal, Québec et Trois-Rivières en février 1794, puis, en décembre, juge de la Cour du banc du roi à Montréal. Administrateur fondateur de l'Association constitutionnelle du district de Montréal, mise sur pied la même année. Élu un des administrateurs de la bibliothèque de Montréal en 1796.

Élu député de Montréal en 1792 ; appuya généralement le parti des bureaucrates. Défait en 1796. Par la suite, s'occupa d'administration municipale, à Montréal.

Décédé à Montréal, le 31 janvier 1800, à l'âge de 43 ans. Les obsèques eurent lieu dans l'église anglicane Christ Church, le 2 février 1800.

Avait épousé dans l'église anglicane Christ Church, à Montréal, le 15 avril 1782, Margaret Hughes, fille du major James Hughes, commandant de la place, et de Charlotte Martel de Brouague, et nièce de Gaspard-Joseph **Chaussegros de Léry**.

Frère de Thomas **Walker**.

WALKER, Thomas
(≈1759–1812)

Né vers 1759.

Était greffier à la Cour des plaids communs du district de Montréal en 1779. Admis au barreau en 1780.

Exerça la profession d'avocat, d'abord à Québec, ensuite à Montréal à compter de 1787.

Élu député de Montréal en 1800 ; appuya le parti des bureaucrates. Ne se serait pas représenté en 1804.

Appartenait à la Protestant Congregation de Montréal et était membre de la Société d'agriculture.

Décédé à William Henry (Sorel), en janvier 1812, à l'âge d'environ 53 ans.

Avait épousé dans l'église anglicane Christ Church, à Montréal, le 6 novembre 1782, Jane Finlay ; puis, à Berthier-en-Haut (Berthierville), le 30 octobre 1797, Anna Louisa Vial de Sainbel, veuve de Charles Vial de Sainbel.

Frère de James **Walker**.

Bibliographie: *DBC*.

WALKER, William (conseiller)
(≈1790–1863)

Né en Écosse, vers 1790.

Arriva au Bas-Canada en 1815. Fut l'agent à Québec de la Forsyth, Richardson and Company, entreprise montréalaise engagée dans le commerce des fourrures. En 1821, avec un neveu de John **Forsyth**, forma la Forsyth, Walker and Company, société québécoise associée à celle de Montréal, qui s'occupa, jusqu'en 1838, de commerce, de transport maritime, d'assurances, de spéculation foncière et qui fut l'agent exclusif de l'East India Company. Propriétaire d'anses à bois à Sillery, marchand de bois, actionnaire de la Quebec and Halifax Steam Navigation Company, qui lança à Québec en 1831 le *Royal William*. Nommé administrateur de la Maison de la Trinité en 1824, en devint maître adjoint en 1827. Président de la Chambre de commerce de Québec (de 1841 à 1848 et en 1849–1850), de la succursale de la Banque de Montréal à Québec (1844), de la succursale de la Colonial Life Assurance Company (1847), de la Quebec Fire Insurance Company (1852), de la Compagnie du gaz de Québec, du chemin de fer de Québec et Rivière-du-Loup. Juge de paix et major dans la milice. Reçut un doctorat honorifique en droit du Bishop's College de Lennoxville, dont il fut chancelier.

Fit partie du Conseil spécial du 2 avril 1838 jusqu'à la dissolution de ce conseil, en juin, et à nouveau du 2 novembre 1838 jusqu'à l'entrée en vigueur de l'Acte d'Union, le 10 février 1841. Membre du Conseil législatif à compter du 19 août 1842.

Décédé en fonction à Québec, le 18 mai 1863, à l'âge d'environ 73 ans. Après des obsèques célébrées en la cathédrale Holy Trinity, à Québec, fut inhumé dans le cimetière Mount Hermon, à Sillery, le 21 mai 1863.

Avait épousé dans l'église anglicane St. James, à Trois-Rivières, le 5 septembre 1836, Margaret Bell, fille de Mathew **Bell** et d'Ann MacKenzie, et veuve de Robert Dunn.

Beau-frère d'Edward **Greive**.

WALKER, William (Rouville)
(1797–1844)

Né probablement à Trois-Rivières, le 8 août 1797, fils de William Walker, marchand.

Étudia au petit séminaire de Montréal en 1806–1807. Fit l'apprentissage du droit, de septembre 1812 à avril 1816, d'abord chez Michael **O'Sullivan**, de Montréal, puis chez Charles Richard **Ogden**, de Trois-Rivières. Reçu au barreau en 1819.

Exerça sa profession à Montréal; reconnu plus spécialement dans le domaine du droit commercial; fut l'avocat de plusieurs patriotes, dont Robert **Nelson** en 1838. Participa au financement d'une nouvelle place de marché à Montréal, en 1831, et à la fondation, en 1834–1835, de la Loyal and Constitutional Association, qui réclamait des réformes politiques et des lois favorables au commerce. Publia à Montréal, en 1836, *Mr Walker's report of his proceedings in England, to the executive committee of the Montreal Constitutional Association*. Fut rédacteur en chef du *Canadian Times*, journal réformiste montréalais, fondé en 1840 et opposé à l'union des deux Canadas.

Fut membre du club montréalais The Brothers in Law et officier de milice.

Défait dans Montréal-Ouest en 1834. Élu député de Rouville à une élection partielle le 7 juillet 1842; tory. Démissionna le 26 août 1843.

Décédé à Montréal, le 8 avril 1844, à l'âge de 46 ans et 8 mois. Les obsèques eurent lieu dans l'église presbytérienne St. Paul de Montréal, le 11 avril 1844.

On ne sait pas s'il était célibataire ou marié.

Bibliographie: *DBC*.

WALKER, William H.
(1847–1913)

[Né à Ochiltree Manse, en Écosse, le 25 juillet 1847, fils du pasteur William M. Walker et de Jane Barr.] Émigra au Canada en juin 1858.

Fit ses études à l'académie de Huntingdon.

Pratiqua l'agriculture et l'élevage à Huntingdon dès 1866. Président de la compagnie Mutual Fire Insurance du district de Beauharnois pendant vingt et un ans. Secrétaire-trésorier de la Huntingdon Dairy Association. Directeur et président de la Société d'agriculture d'Huntingdon durant plus de trente ans. Membre du Conseil d'agriculture de la province de Québec.

Échevin de la municipalité du canton de Godmanchester de 1877 à 1899. Maire de cette municipalité de 1883 à 1898. Préfet du comté de Huntingdon de 1886 à 1895. Élu député libéral dans Huntingdon en 1900. Réélu en 1904 (sans opposition), 1908 (sans opposition) et 1912. Whip en chef de son parti.

Décédé en fonction à Godmanchester, le 25 juin 1913, à l'âge de 65 ans et 11 mois. Inhumé dans le Huntingdon Protestant Cemetery, le 27 juin 1913.

Avait épousé à Huntingdon, le 25 juin 1873, Janet McAdam, fille de Hugh McAdam et de Mary Wilson.

WALSH, Michael James
(1858–1933)

Né dans la paroisse Notre-Dame de Montréal, le 2 septembre 1858, fils de Mark Walsh, plâtrier, et de Catherine Nolan.

Fit ses études dans la paroisse Sainte-Anne (Montréal) chez les Frères des écoles chrétiennes.

Travailla comme magasinier aux compagnies ferroviaires du Grand Tronc et du Canadien Pacifique pendant environ dix ans. Débuta ensuite dans le commerce du vêtement sur mesure comme associé principal de la maison Walsh et Bussière. Se retira de l'entreprise en 1901, puis devint agent d'assurances pour la Norwich Union Fire Insurance Society. Directeur de la People's Mutual Building Society. Membre des organismes suivants: Montreal Board of Trade, Knights of Labor, Catholic Mutual Benefit Association, Ancient Order of United Workmen, Ancient Order of Hibernians, St. Patrick Society, St. Ann's Total Abstinence and Benefit Society, l'ordre des Forestiers catholiques et les Chevaliers de Colomb.

Échevin du quartier Sainte-Anne au conseil municipal de Montréal de 1902 à 1906. Élu député libéral dans Montréal n° 6 en 1904. Défait en 1908. Réélu à l'élection partielle du 28 décembre 1908. Défait dans Montréal–Sainte-Anne en 1912.

Décédé à Westmount, le 2 mai 1933, à l'âge de 74 ans et 8 mois. Inhumé à Montréal, dans le cimetière Notre-Dame-des-Neiges, le 4 mai 1933.

Avait épousé à Montréal, dans la paroisse Saint-Henri, le 9 octobre 1882, Mary Jane Barry, fille de David Barry, chef du service des machines à la Canada Sugar Refining, et de Mary O'Leary.

WARD, James Kewley
(1819–1910)

[Né à Peel, à l'île de Man, en Grande-Bretagne, le 9 septembre 1819.]

Fit ses études à Douglas (île de Man).

Émigra aux États-Unis (New York) en 1842, puis vint s'établir au Canada en 1853. Exploita d'abord un commerce de bois et des moulins à scier puis s'occupa de l'industrie du coton. Gouverneur de l'Hôpital Général de Montréal, de l'hôpital des Femmes et de la Maison de refuge et d'industrie. Président de l'hôpital protestant des Aliénés et de la Société Saint-Georges de Montréal. Exerça également la fonction de juge de paix. Nommé membre du Conseil de l'instruction publique en 1903.

Échevin de Côte-Saint-Antoine pendant dix-huit ans. Maire de cette municipalité pendant neuf ans et président de la commission scolaire du même endroit. Candidat libéral défait dans Montréal-Ouest aux élections fédérales de 1882 et 1887. Nommé conseiller législatif de la division de Victoria le 14 juin 1888.

Décédé en fonction à Westmount, le 2 octobre 1910, à l'âge de 91 ans. Inhumé à Montréal, dans le Mount Royal Cemetery, le 4 octobre 1910.

[Avait épousé en 1848 Eliza King; puis, en secondes noces, Lydia Trenholme.]

WATTS, Robert Nugent
(<1821– ≥1863)

Occupa un poste d'assistant dans le bureau du secrétaire civil du Bas-Canada. S'installa à Drummondville, chez son cousin Frederick George **Heriot**, qui lui céda en 1842 une grande partie de ses biens.

Élu député de Drummond en 1841; unioniste et tory. Réélu en 1844 et 1848; tory jusqu'en 1847, puis de tendance libérale et, à compter de 1850, réformiste. Ne se serait pas représenté en 1851.

Décédé en ou après 1863.

Avait épousé dans la cathédrale anglicane Holy Trinity, à Québec, le 8 janvier 1839, Charlotte Sheppard, fille de William Sheppard, commerçant et conseiller exécutif, et de Harriet Campbell.

Père de William John **Watts**.

WATTS, William John
(1846–1907)

Né à Drummondville, le 1er mai 1846, fils de Robert Nugent **Watts** et de Charlotte Sheppard.

Fit ses études à la McGill University à Montréal. Admis au barreau de la province de Québec le 10 septembre 1869.

Exerça quelque temps sa profession à Drummondville. Devint par la suite industriel et propriétaire de moulins.

Élu député conservateur dans Drummond-Arthabaska à l'élection partielle du 20 février 1874. Élu député conservateur indépendant en 1875, puis député libéral en 1878 et 1881. Démissionna le 17 décembre 1885 à la suite de l'affaire Riel. Ne s'est pas représenté à l'élection partielle du 24 mars 1886 et aux élections générales tenues la même année. Réélu député libéral dans Drummond en 1890. Défait en 1892. De nouveau élu en 1897 et 1900.

Son siège devint vacant lors de sa nomination comme registrateur de Montréal-Ouest. Il occupa ce poste du 25 avril 1901 jusqu'à son décès.

Décédé à Drummondville, le 4 septembre 1907, à l'âge de 61 ans et 4 mois. Inhumé à Drummondville, le 6 septembre 1907.

Avait épousé à Drummondville, le 25 janvier 1882, Mary Louisa Millar, fille de Robert I. Millar et d'Eliza Millar, et veuve de William John Playart.

WEBB, William Hoste
(≤1824–1890)

Né dans le Hampshire, en Angleterre, le 24 novembre 1820 ou 1824, fils d'Edward Webb, commandant de la Marine royale, et de Sarah Ann Whitcomb.

Étudia à la Royal Naval School de Londres avant d'immigrer au Bas-Canada en 1836. Fit l'apprentissage du droit à Montréal ; admis au barreau en 1850.

Exerça sa profession à Melbourne, dans les Cantons-de-l'Est ; fait conseiller de la reine le 28 juin 1867. Fut secrétaire du conseil de district de Brompton et secrétaire de la commission scolaire, de 1841 à 1843. Syndic du St. Francis College. Président de la Société d'agriculture du comté de Richmond.

Représenta Brompton à la municipalité du canton, créée en 1845. Préfet du comté de Richmond, de 1855 à 1857 et de 1879 à 1883. Maire de Melbourne. Candidat défait au siège de conseiller législatif de la division de Wellington en 1856. Élu député des circonscriptions unies de Richmond et Wolfe en 1858. Défait en 1861. Élu dans les mêmes circonscriptions unies en 1863 ; son mandat prit fin avec l'avènement de la Confédération, le 1er juillet 1867. Fut de tendance conservatrice. Élu député conservateur de Richmond et Wolfe à la Chambre des communes en 1867. Réélu en 1872. Défait en 1874. Représenta la division de Wellington au Conseil législatif du 7 octobre 1875 jusqu'à sa démission le 11 mars 1887 ; appuya le Parti conservateur.

Nommé shérif du district judiciaire de Saint-François en 1889.

Décédé à Sherbrooke, le 19 décembre 1890, à l'âge de 66 ou de 70 ans. [Inhumé à Melbourne, le 22 décembre 1890.]

Avait épousé, en 1846, Isabella Morris, fille du lieutenant-colonel William Morris.

Bibliographie: *DBC.*

WEILBRENNER, Pierre
(1771–1840)

Né à Boucherville, le 17 janvier 1771, puis baptisé le 18, dans la paroisse Sainte-Famille, fils de Pierre Weilbrenner, marchand d'origine allemande qui fut aussi capitaine dans la milice, et de sa première femme, Susanne Tougas, dit Laviolette.

Obtint peut-être une commission d'arpenteur, le 24 mars 1801. Fut marchand à Boucherville. Officier de milice ; servit en qualité de capitaine pendant la guerre de 1812 et accéda plus tard au grade de lieutenant-colonel. Nommé juge de paix, en février 1820, et commissaire au tribunal des petites causes, en juillet 1826.

Élu député de Kent en 1804 ; appuya généralement le parti canadien. Ne se serait pas représenté en 1808.

Décédé à Boucherville, le 7 août 1840, à l'âge de 69 ans et 6 mois. Inhumé dans l'église Sainte-Famille, le 9 août 1840.

Avait épousé dans la paroisse Sainte-Anne, à Varennes, le 12 octobre 1789, Marie-Louise Richard, fille d'Urbain Richard et de Marie-Louise Sénécal.

WEIR, William Alexander
(1858–1929)

Né à Montréal, le 14 octobre 1858, fils de William Park Weir et d'Helen Smith.

Fit ses études à la High School de Montréal et à la McGill University. Admis au barreau de la province de Québec le 12 juillet 1881. Créé conseil en loi de la reine le 9 juin 1899.

Pratiqua le droit à Montréal jusqu'en 1910. Secrétaire de la Commission royale chargée de la refonte du Code de procédure civile en 1887. Rédacteur du journal *The Montreal Star* (1880 et 1881) et de l'*Argenteuil County News* (1895 à 1897). Auteur des ouvrages suivants : *Municipal Code of the Province of Quebec* (1889) ; *Civil Code of the Province of Quebec* (1890) ; *Codes of the Province of Quebec* (1890) ; *An Insolvency Manual* (1890) ; *The Educational Act of the Province of*

Quebec (1899); et *Code of Civil Procedure* (1900). Promoteur de la Canadian United Milling Co. en 1904 et de la Safety Explosives Company of Canada en 1907. Président de la Banque Ville-Marie. Conseiller de la Montreal Children's Aid Association. Membre du Club de la garnison de Québec et de l'University Club de Montréal.

Candidat libéral défait dans Argenteuil en 1890. Ne s'est pas représenté en 1892. Élu député libéral dans Argenteuil en 1897. Réélu sans opposition en 1900. Assermenté ministre sans portefeuille dans le cabinet Parent le 6 octobre 1903. Réélu sans opposition en 1904. Démissionna du cabinet Parent le 3 février 1905 avec ses collègues Lomer Gouin et Adélard Turgeon. Assermenté ministre sans portefeuille dans le cabinet Gouin le 23 mars 1905. Orateur de l'Assemblée législative du 25 avril 1905 au 31 août 1906. Son siège devint vacant lors de sa nomination comme ministre et fut réélu sans opposition à l'élection partielle tenue le 10 septembre 1906. De nouveau élu en 1908. Ministre des Travaux publics et du Travail dans le cabinet Gouin du 31 août 1906 au 17 octobre 1907. Trésorier provincial du 17 octobre 1907 au 17 janvier 1910.

Son siège devint vacant lors de sa nomination comme juge à la Cour supérieure du district de Pontiac le 11 janvier 1910, puis dans le district de Montréal en 1923.

[Décédé à Londres, le 22 octobre 1929, à l'âge de 71 ans.]

[Avait épousé, le 15 octobre 1885, Adelaide Sayers Stewart, fille de William C. Stewart.]

WELLS, Alphonso
(1803–1852)

Né à Farnham, le 30 mars 1803, puis baptisé dans l'église épiscopalienne de Caldwell's Manor (Noyan), le 9 février 1816, fils d'Oliver Wells, cultivateur, et de Lucy Whipple, tous deux originaires du Vermont.

Étudia l'arpentage au Bas-Canada pendant trois ans, puis obtint une commission d'arpenteur, le 19 octobre 1827. Habitait alors à Saint-Hyacinthe. À l'époque de sa mort, occupait les fonctions d'arpenteur provincial et vivait à Montréal.

Élu député de Shefford en 1834; appuya le parti des bureaucrates. Son mandat prit fin avec la suspension de la constitution, le 27 mars 1838.

Décédé à Montréal, le 24 août 1852, à l'âge de 49 ans et 4 mois. Les obsèques eurent lieu en l'église anglicane de Farnham, le 27 août 1852.

Avait épousé dans l'église anglicane du canton de Shefford, le 4 juillet 1850, Adelia Marcotte, du canton de Bolton.

WHITNEY, Hannibal Hodges
(≈1815– ≥1861)

Né à Saint-Armand-Est, vers 1815, fils de John B. Whitney et de Lucy Leonard.

Fit du commerce à Montréal, notamment en tant qu'associé dans la firme d'importation de marchandises sèches Seymour, Whitney and Company.

Membre du conseil municipal de Montréal de 1851 à 1859. Élu député de Missisquoi-Ouest en 1854; se rangea du côté des réformistes. Élu dans Missisquoi en 1858; fut de tendance conservatrice. Ne s'est pas représenté en 1861.

Décédé probablement à Montréal, en ou après 1861.

Avait épousé dans l'église anglicane St. George, à Montréal, le 9 juillet 1844, Mary Ballard Gregory.

Cousin de John K. et de Bartholomew Whitney, députés à l'Assemblée législative du Vermont.

Bibliographie: Missisquoi County Historical Society, *Fifth annual report*, 1913, p. 81-82.

WHITWORTH-AYLMER, Matthew
(1775–1850)

Né probablement en Angleterre, le 24 mai 1775, fils de Henry Aylmer, 4e baron Aylmer, et de Catherine Whitworth.

Devint le 5e baron Aylmer à la mort de son père en 1785. Commença une carrière dans l'armée en 1787; accéda au grade d'adjudant général adjoint en 1812 et, à ce titre, servit pendant la guerre d'Espagne. De 1814 à 1823, fut adjudant général des troupes britanniques d'Irlande. Promu colonel en 1827 et général en 1841.

Succéda à James **Kempt** à titre d'administrateur du Bas-Canada: nommé commandant des troupes britanniques en Amérique du Nord, le 11 août 1830, arriva à Québec le 13 octobre et entra en fonction le 20 octobre 1830. Reçut un mandat de gouverneur en chef daté du 24 novembre 1830; exerça cette charge à compter du 4 février 1831 jusqu'à sa destitution par Londres en 1835. Son successeur, Archibald **Acheson**, le remplaça le 24 août 1835. Quitta la colonie en septembre 1835.

Fut décoré de la croix militaire avec agrafe. Reçut, en 1815, le titre de chevalier commandeur de l'ordre du Bain (sir); décoré de la grand-croix en 1836.

Décédé à Londres, le 23 février 1850, à l'âge de 74 ans et 8 mois.

Avait épousé, le 28 juillet ou le 4 août 1801, Louisa Anne Call, fille de John Call.

———

Bibliographie: *DBC.*

WHYTE, John
(1838–1924)

[Né à Dunfermline, en Écosse, le 4 janvier 1838, fils de John Whyte et d'Elspeth Simpson.]

Fit ses études à la Beatle Parish School à Fise, en Écosse.

Émigra au Canada en 1858. Travailla à la mine Harvey Hill jusqu'en 1862, puis fut contremaître à la mine de Sutton pendant deux ans. Marchand à Leeds (Saint-Pierre-de-Broughton), à compter de 1865. Membre du comité protestant du Conseil de l'instruction publique du Québec. Fondateur de l'Église presbytérienne de Leeds.

Président de la commission scolaire de Leeds pendant plus de vingt-cinq ans. Élu député libéral dans Mégantic à l'élection partielle du 29 octobre 1884. Défait en 1886 et 1892.

Décédé à Leeds, le 16 septembre 1924, à l'âge de 88 ans et 8 mois. Inhumé à Thetford Mines, le 18 septembre 1924.

Avait épousé à Kinnear's Mills, près de Thetford Mines, le 22 juin 1859, Harriet Donaldson Johnson, fille de Duncan Donaldson Johnson, charpentier.

WILLIAMS, Jenkin
(≈1734–1819)

Né au pays de Galles, vers 1734.

Exerça la profession d'avocat. Poursuivi pour faux, arriva à Québec en septembre 1767. Obtint une commission d'avocat le mois suivant et pratiqua le droit dans la colonie. Nommé greffier de la Cour de la chancellerie en 1768. Coauteur, avec Gabriel-Elzéar **Taschereau** et François **Baby**, d'un journal écrit au cours de l'enquête officielle qu'ils effectuèrent en 1776 sur la déloyauté des Canadiens pendant l'invasion américaine de 1775–1776. Fut juge de paix, greffier du Conseil législatif de 1777 à 1791, greffier de la Cour d'appel

de 1777 à 1782, solliciteur général et inspecteur du Domaine du roi du 14 décembre 1782 jusqu'en octobre 1793. Nommé greffier du Conseil exécutif en 1791, juge de la Cour des plaids communs du district de Québec le 12 janvier 1792, puis juge de la Cour du banc du roi le 13 décembre 1794. Prit sa retraite le 22 mai 1812. Avait occupé quelques postes de commissaire et fait l'acquisition de biens fonciers, notamment du fief de Montplaisant.

Membre honoraire du Conseil exécutif du 7 janvier 1801 jusqu'à sa mort. Assermenté comme conseiller législatif le 8 février 1803.

Décédé en fonction à Québec, le 30 octobre 1819, à l'âge d'environ 85 ans. Les obsèques eurent lieu dans la cathédrale anglicane Holy Trinity, le 3 novembre 1819.

Avait épousé, avant 1780, Anne Jones.

———

Bibliographie: *DBC.*

WILLIAMS, Russell

Né à London, Ontario, le 31 janvier 1953, fils de Harold Williams, administrateur, et de Gloria Higgins.

Fit ses études secondaires à Beaconsfield, collégiales à la Sir George Williams University puis universitaires à Concordia où il obtint un baccalauréat ès arts en sciences sociales appliquées en 1976.

Directeur du YMCA Montréal en 1982 et 1983. Directeur du bureau des initiatives communautaires de justice au YMCA Montréal de 1982 à 1984. Directeur du programme des affaires sociales, en 1984 et 1985, directeur des opérations, en 1985 et 1986, puis directeur exécutif d'Alliance Québec de 1986 à 1988. Directeur du Conseil de santé de la région de Brant, Ontario, en 1988. Directeur général de la Fondation canadienne des droits humains en 1988 et 1989.

Conseiller municipal de Beaconsfield de 1983 à 1986. Élu député libéral dans Nelligan en 1989. Adjoint parlementaire du ministre délégué aux Affaires intergouvernementales canadiennes du 29 novembre 1989 au 3 juillet 1991. Adjoint parlementaire du ministre de la Santé et des Services sociaux à compter du 24 octobre 1990.

WILSON, Charles
(1808–1877)

Né à Coteau-du-Lac, en avril 1808, fils d'Alexander Wilson, percepteur des douanes et magistrat d'origine écossaise (avait été négociant à Québec et seigneur de Granville), et de sa seconde femme, Catherine-Angélique d'Ailleboust de Manthet.

Exploita un commerce de quincaillerie, qu'il mit sur pied en 1834. S'occupa activement de la Société Saint-Patrice. Fit partie du conseil d'administration de la Scottish Provincial Assurance Company. En 1849, sa maison fut attaquée par des manifestants opposés à la loi qui indemnisait les personnes ayant subi des pertes pendant la rébellion de 1837–1838 au Bas-Canada.

Représenta le quartier Centre au conseil municipal de Montréal, de 1848 à 1851, et fut maire de 1851 à 1854. Membre du Conseil législatif du 23 octobre 1852 jusqu'à l'avènement de la Confédération, le 1er juillet 1867. Sénateur de la division de Rigaud à compter du 23 octobre 1867; appuya le Parti conservateur.

Reçut en 1855 la croix de commandeur de l'ordre de Saint-Grégoire-le-Grand. Fut marguillier de la paroisse Notre-Dame de Montréal.

Décédé en fonction à Montréal, le 4 mai 1877, à l'âge de 68 ou de 69 ans. Inhumé dans le cimetière Notre-Dame-des-Neiges, le 8 mai 1877.

Avait épousé dans la paroisse Notre-Dame de Montréal, le 19 mai 1835, Anne Tracey, fille de Denys Tracey, marchand du comté de King, en Irlande, et d'Anne Manford.

Beau-frère de Daniel **Tracey**. Sa nièce épousa Joseph-Xavier **Perrault**.

———

Bibliographie: *DBC*.

———

WOOD, Samuel
(1787–1848)

Né peut-être à Rehoboth, au Massachusetts, ou plus probablement à Brattleboro, au Vermont, le 26 janvier 1787, fils de Philip Wood et d'Eunice Pierce.

Fut cultivateur à Farnham. Maître de poste, commissaire d'école, l'un des promoteurs de la Shefford Academy de Frost Village. Nommé juge de paix en avril 1823; habilité à faire prêter le serment d'allégeance en janvier 1838.

Élu député de Shefford à une élection partielle le 14 mars 1832; appuya généralement le parti des bureaucrates et vota contre les Quatre-vingt-douze Résolutions. Réélu en 1834; donna son appui au parti des bureaucrates. Son mandat prit fin avec la suspension de la constitution, le 27 mars 1838.

Décédé à Farnham, le 24 janvier 1848, à l'âge de 60 ans et 11 mois. Les obsèques eurent lieu dans l'église anglicane de Farnham, le 26 janvier 1848.

Avait épousé à Brattleboro, au Vermont, le 3 décembre 1809, Abigail Church, fille de Reuben Church et d'Elizabeth Whipple; puis, en secondes noces, le 9 février 1843, Hannah Paige.

Son fils épousa la nièce de Paul Holland **Knowlton**.

———

WOOD, Thomas
(1815–1898)

[Né à Dunham, le 7 mars 1815, fils de Thomas Wood et d'Anna (Mary) Skeels.]

Pratiqua d'abord l'agriculture et fut par la suite employé du marchand John Baker à Montréal. Travailla quelques années à Boston, puis vint s'établir définitivement à Dunham où il exploita un commerce. Président du Missisquoi Junction Railway, des syndics de l'académie de Dunham, de la Bedford Rifle Association, de la Société d'agriculture de Missisquoi et de l'Horticultural and Fruit Growers' Association. Juge de paix. Commissaire chargé de la décision sommaire des petites causes en 1867.

Maire du canton de Dunham de 1864 à 1866, puis du village de Dunham de 1867 à 1875 et de 1882 à 1885. Préfet du comté de Missisquoi de 1868 à 1872. Candidat conservateur défait dans Missisquoi aux élections de la province du Canada en 1861. Nommé conseiller législatif de la division de Bedford le 2 novembre 1867. Appuya le Parti conservateur.

Décédé en fonction à Dunham, le 13 novembre 1898, à l'âge de 83 ans et 8 mois. Inhumé à Dunham, dans le All Saint's Cemetery, le 16 novembre 1898.

Avait épousé à Dunham, le 30 septembre 1839, Ann Jane Stevens, fille du capitaine N. Stevens; puis, au même endroit, le 19 février 1845, Elizabeth Seeley, fille du capitaine William B. Seely.

———

Bibliographie: *DBC*.

———

WRIGHT, Alonzo
(1821–1894)

Né à Hull, le 28 avril 1821, fils de Tiberius Wright, entrepreneur forestier, et de Lois Ricker.

Aurait étudié à la Potsdam Academy, dans l'État de New York.

Se lança dans l'exploitation forestière dans l'Outaouais en 1846; fut administrateur de la Gatineau Falls Farm, qui comprenait scieries, barrages et concessions forestières. S'occupa aussi d'agriculture et d'élevage.

Élu député d'Ottawa en 1863 ; son élection fut contestée, puis confirmée le 3 juin 1864. Fut de tendance conservatrice. Son mandat prit fin avec l'avènement de la Confédération, le 1er juillet 1867. Élu sans opposition député conservateur d'Ottawa à la Chambre des communes en 1867. Réélu en 1872, 1874, 1878, 1882 et 1887. Ne s'est pas représenté en 1891.

Président de la Société d'agriculture du comté d'Ottawa et administrateur de la Société d'agriculture d'Ottawa. Officier de milice.

Décédé à Ironside, le 7 janvier 1894, à l'âge de 72 ans et 8 mois.

Avait épousé, le 1er avril 1848, Mary Sparks, fille du marchand de bois Nicholas Sparks et de Sally Olmstead, veuve de Philemon Wright fils.

Petit-fils de Philemon **Wright**.

Bibliographie : DBC.

WRIGHT, Philemon
(1760–1839)

Né à Woburn, au Massachusetts, le 3 septembre 1760, fils de Thomas Wright, cultivateur, et d'Elizabeth Chandler.

Prit parti pour les rebelles américains pendant la guerre d'Indépendance ; par la suite, fut cultivateur. Demanda au gouvernement du Bas-Canada, en 1797, de lui concéder le canton de Hull ; en 1800, se rendit avec des colons à l'endroit où on allait ériger sous son autorité la ville de Hull. Propriétaire et spéculateur foncier ; nommé agent des terres en 1819. Engagé dans l'élevage du bétail, le commerce d'importation et de détail, la petite industrie, la navigation à vapeur et l'exploitation forestière : fonda avec ses fils la Philemon Wright and Sons. Président de la Hull Mining Company.

Élu député d'Ottawa en 1830 ; appuya tantôt le parti patriote, tantôt le parti des bureaucrates et vota contre les Quatre-vingt-douze Résolutions. Ne s'est pas représenté en 1834.

Fut officier de milice et juge de paix. Contribua financièrement à la construction de l'église anglicane de Hull. Maître d'une loge maçonnique. Fit paraître dans le *Canadian Magazine and Literary Repository* de Montréal, en 1824, « An account of the first settlement of the township of Hull [...] ».

Décédé à Hull, le 3 juin 1839, à l'âge de 78 ans et 9 mois. Les obsèques eurent lieu dans l'église anglicane St. James, le 9 juin 1839.

Avait épousé, en 1782, Abigail Wyman.
Grand-père d'Alonzo **Wright**.

Bibliographie : DBC.

WÜRTELE, Jonathan
(1792–1853)

Né à Québec et baptisé dans l'église anglicane, le 16 septembre 1792, fils de Josias Wurtele, marchand d'origine allemande (fut aussi seigneur), et de sa première femme, Catherine Andrews.

Fut d'abord marchand et commissaire-priseur à Québec ; administra le commerce de détail de son père après que celui-ci eut pris sa retraite en 1819.

Élu député de William Henry en 1830 ; appuya tantôt le parti des bureaucrates, tantôt le parti patriote, mais vota contre les Quatre-vingt-douze Résolutions. Ne s'est pas représenté en 1834.

Hérita de son père, en 1831, les seigneuries Deguire (aussi appelée Rivière-David) et Bourg-Marie-Est, qu'il exploita. Nommé commissaire au tribunal des petites causes, en novembre 1836, et habilité à faire prêter le serment d'allégeance, en décembre 1837, dans la seigneurie Deguire. Fut président de la commission scolaire.

Décédé en son manoir de la seigneurie Deguire, le 19 novembre 1853, à l'âge de 61 ans et 2 mois. Les obsèques eurent lieu dans l'église anglicane de Drummondville, le 24 novembre 1853.

Avait épousé dans la cathédrale Holy Trinity, à Québec, le 15 mars 1824, Louisa Sophia Campbell, fille d'Archibald Campbell et de sa femme Charlotte, et belle-sœur du conseiller exécutif William Sheppard.

Père de Jonathan Saxton Campbell **Würtele**.

WÜRTELE, Jonathan Saxton Campbell
(1828–1904)

Né à Québec, le 27 janvier 1828, fils de Jonathan **Würtele**, marchand et seigneur de Rivière-David, et de Louisa Sophia Campbell.

Après avoir suivi des cours privés, il continua ses études à la Quebec High School et à la McGill University à Montréal. Fit sa cléricature auprès de Jean **Chabot**. Admis au barreau du Bas-Canada le 6 août 1850. Créé conseil en loi de la reine le 28 février 1873.

Seigneur de Rivière-David et de Bourg-Marie-Est. Pratiqua le droit à Montréal avec Henry Judah de 1850 à 1852, puis occupa le poste d'agent de la Trust and Loan Company of Canada à Montréal jusqu'en 1856. S'établit sur sa seigneurie de Rivière-David de 1856 à 1862. Enquêteur de la commission seigneuriale à Montréal de 1862 à 1866. Retourna par la suite à l'exercice de sa profession et s'associa notamment à John Joseph Caldwell **Abbott** et à Désiré Girouard, député à la Chambre des communes de 1878 à 1896. Professeur de droit commercial à la McGill University de 1867 à 1882. Commissaire de la codification des lois de la province de Québec en 1885 et 1886.

Organisateur et directeur du Crédit foncier franco-canadien de 1880 à 1904. Fondateur et président de la Yamaska Navigation Company. Secrétaire de l'Association des seigneurs lors de l'abolition de la tenure seigneuriale en 1854. Vice-président de la Société d'histoire naturelle de Montréal en 1895. Président de l'United Empire Loyalist Association of Quebec en 1895. Président du Bureau de santé de Beauharnois. Président de la Société d'agriculture du comté de Yamaska. Fondateur et président de la Société Saint-Jean-Baptiste de Saint-David. Conseiller honoraire de l'Association allemande de Montréal. Membre du St. James Club et de l'Union Club. Officier de l'Instruction publique et chevalier de la Légion d'honneur de France.

Commissaire des petites causes à Rivière-David et maire de cette municipalité. Commissaire d'école au même endroit en 1856 et président de la commission scolaire en 1861 et 1862. Juge de paix du comté de Yamaska. Élu député libéral dans Yamaska en 1875. Élu sous la bannière conservatrice en 1878 et 1881. Son siège devint vacant lors de sa nomination au poste de trésorier et fut réélu à l'élection partielle du 6 février 1882. Trésorier provincial dans les cabinets Chapleau et Mousseau du 27 janvier 1882 au 23 janvier 1884. Orateur de l'Assemblée législative du 27 mars 1884 au 28 juin 1886.

Son siège devint vacant lorsqu'il fut nommé juge à la Cour supérieure du district d'Ottawa le 28 juin 1886. Nommé juge dans le district de Montréal le 10 septembre 1888. Nommé juge adjoint à la Cour du banc de la reine en 1891 et promu juge en chef le 12 octobre 1892.

Décédé à Montréal, le 24 avril 1904, à l'âge de 76 ans et 2 mois. Inhumé à Montréal, dans le cimetière Notre-Dame-des-Neiges, le 26 avril 1904.

Avait épousé à Montréal, le 7 janvier 1854, Julia Nelson, fille de Wolfred **Nelson**, médecin, et de Charlotte-Josephte Noyelle de Fleurimont; [puis épousa, le 1er juin 1875, Sarah Braniff, fille de Thomas Braniff].

YOUNG, John (Basse-Ville de Québec) (≈1759–1819)

Né peut-être en Écosse, vers 1759.

Marchand à Londres, arriva à Québec vers le mois de mai 1783 dans le but de recouvrer des dettes pour le compte de compagnies londoniennes et y fonda la Fraser and Young. En 1793, mit sur pied la Young and Company, connue en 1802 sous le nom de Young and Ainslie. Engagé dans le commerce de gros et de détail, dans les régions de Québec, du bas du fleuve et de Trois-Rivières, dans le transport par goélettes, dans la fabrication de l'alcool et de la bière, avec la St. Roc Brewery, entre autres, ainsi que dans la spéculation et l'acquisition de biens fonciers dans le Haut et le Bas-Canada, notamment de la seigneurie de Vitré et de terres dans les cantons. Promu lieutenant dans la milice en 1794. Fut juge de paix et juge de la Cour d'appel. Cofondateur en 1805 de la Compagnie de l'Union de Québec qui exploita l'hôtel de l'Union.

Élu député de la Basse-Ville de Québec en 1792. Membre du Conseil exécutif du 29 décembre 1794 jusqu'à sa mort. Réélu député en 1796, 1800 et 1804. Appuya généralement le parti des bureaucrates. Ne s'est pas représenté en 1808. Candidat dans la Haute-Ville de Québec en 1809, mais se retira avant la fin du scrutin.

Fut président de la Société du feu de Québec (1793) et de la Société bienveillante de Québec (1799). Maître de la Maison de la Trinité, de sa fondation en 1805 jusqu'en 1812.

Décédé à Québec, le 14 septembre 1819, à l'âge d'environ 60 ans.

Avait épousé dans l'église anglicane de Québec, le 2 juin 1795, Christian (Christiana) Ainslie, fille de Thomas Ainslie, receveur des douanes à Québec et associé de **Young**, et de sa deuxième femme, Elizabeth Martin.

Père de Thomas Ainslie **Young**.

Bibliographie: *DBC.*

YOUNG, John (cité de Montréal) (1811–1878)

Né à Ayr, en Écosse, le 11 mars 1811, fils de William Young, tonnelier, et de Janet Gibson.

Étudia à l'Ayr Academy.

Enseigna pendant un an près d'Ayr, avant de s'installer au Canada en 1826. S'engagea dans le commerce. Travailla d'abord pour un marchand de Kingston, dans le Haut-Canada, et, au début des années 1830, entra au service de négociants en gros de Montréal à titre de commis. À compter de 1835, mit sur pied diverses sociétés commerciales, qui firent affaire dans l'import-export et le transport des marchandises, notamment une maison de courtage fondée avec Benjamin **Holmes** à Montréal en 1846. Investit dans la propriété foncière, particulièrement dans l'est de l'île de Montréal. Engagé dans les communications par chemins de fer, canaux et télégraphe. Fut actionnaire et, de 1847 à 1851, administrateur du chemin à lisses du Saint-Laurent et de l'Atlantique; appuya divers projets ou entreprises de construction ferroviaire tels l'Intercolonial, le chemin de fer de jonction du Saint-Laurent et de l'Outaouais, le chemin à lisses de colonisation du nord de Montréal à Saint-Jérôme et Ottawa, le chemin de fer de la rive nord entre Québec et Montréal, ainsi que la construction du pont Victoria. En 1849, forma une société en vue de promouvoir l'ouverture d'un canal reliant le Saint-Laurent au lac Champlain, à partir de Caughnawaga (Kahnawake); un des propriétaires de la St. Gabriel Hydraulic Company. Actionnaire de la Compagnie du télégraphe de Montréal. Fonda à Montréal, en 1846, la Free Trade Association, qui publia le *Canadian Economist,* auquel il collabora; en 1849, devint conseiller de l'ambassadeur de Grande-Bretagne à Washington, en matière de réciprocité, et, en 1864, au moment des négociations du Traité de réciprocité avec les États-Unis, fut délégué à Washington. Membre de la Commission du havre de Montréal de 1850 à 1866 et de 1870 jusqu'à sa mort, en fut président de 1853 à 1866. Président du Bureau de commerce de Montréal à quatre reprises, entre 1855 et 1871, et premier président de la Chambre de commerce du Dominion, créée en 1871.

Fit partie du ministère Hincks–Morin : conseiller exécutif et commissaire des Travaux publics du 28 octobre 1851 jusqu'à sa démission, le 22 septembre 1852. Élu député de la cité de Montréal en 1851. Réélu en 1854. Rouge. Ne s'est pas représenté en 1858. Défait dans Montréal-Ouest en 1863. Joignit les rangs du Parti national, en 1872. Élu député libéral de Montréal-Ouest à la Chambre des communes en 1872. Ne s'est pas représenté en 1874.

Exerça les fonctions d'inspecteur des farines pour le port de Montréal, puis celles de président de la Commission du canal de la baie Verte. En 1877, fut délégué du Canada à une exposition tenue à Sydney, en Australie. Auteur de nombreuses lettres aux journaux montréalais, dont certaines parurent sous le pseudonyme de A Merchant, et d'un grand nombre d'ouvrages portant principalement sur le commerce, les chemins de fer et les canaux.

Décédé à Montréal, le 12 avril 1878, à l'âge de 67 ans et un mois.

Avait épousé à Montréal, le 12 novembre 1847, Amelia Jane Tilley, [du Nouveau-Brunswick].

Bibliographie : *DBC*.

YOUNG, Thomas Ainslie
(1797–1860)

Né à Québec, le 12 juin 1797, puis baptisé le 26 septembre, dans l'église anglicane, fils de John **Young**, commerçant, et de Christian (Christiana) Ainslie.

Fit ses études au Bas-Canada, puis à Londres de 1814 à 1817.

Nommé secrétaire du comité du Conseil exécutif chargé de la vérification des comptes publics du Bas-Canada, vers 1818, contrôleur des douanes du port de Québec, en 1820, et shérif du district de Québec en 1824. Fut inspecteur général des comptes publics de la province, de novembre 1823 à juin 1826, puis vérificateur général des comptes publics jusqu'en 1834.

Élu député de la Basse-Ville de Québec en 1824. Réélu en 1827 et 1830. Appuya généralement le parti des bureaucrates. Mis sous la garde du sergent d'armes le 25 janvier 1833, pour avoir enfreint les privilèges de la Chambre, fut libéré le 28, après s'être excusé. Ne s'est pas représenté en 1834.

Exerça les fonctions d'inspecteur et surintendant (chef) de la police de la cité de Québec, de décembre 1837 à juillet 1840, puis de magistrat de police pour le district de Québec jusqu'en 1842.

Juge de paix. Officier de milice. Membre du bureau de l'Institution royale pour l'avancement des sciences.

Décédé à Québec, le 8 février 1860, à l'âge de 62 ans et 7 mois. Les obsèques eurent lieu dans la cathédrale anglicane Holy Trinity, le 10 février 1860.

Avait épousé dans la cathédrale Holy Trinity, à Québec, le 27 décembre 1823, Monique-Ursule Baby, fille de François **Baby** et de Marie-Anne Tarieu de Lanaudière ; puis, dans l'église presbytérienne St. Andrew, à Québec, le 31 mai 1845, Ann Walsh.

Beau-frère de Charles-François-Xavier **Baby**.

Bibliographie : *DBC*.

YULE, John
(1812–1886)

Né probablement à Chambly, le 21 novembre 1812, puis baptisé le 18 novembre 1815, en l'église anglicane Garrison Church, à Montréal, fils de William Yule et de Philo Letitia Ash.

Seigneur de Chambly-Est, mit en valeur sa propriété. Approvisionna en produits de bouche et d'entretien la garnison du fort de Chambly. Exploita une minoterie et une scierie. Fit le commerce du bois. En 1852, forma une compagnie qui acheta le chemin à péage de Chambly et en fit l'exploitation jusqu'en 1856. Fut actionnaire et administrateur de nombreuses entreprises, engagées dans les domaines du crédit, de la navigation, des chemins de fer et de l'industrie. Exerça à plusieurs reprises la charge de marguillier de la paroisse St. Stephen.

Élu député de Chambly en 1841 ; unioniste et tory. Démissionna le 22 septembre 1843. Maire de Chambly, de 1849 à 1872.

Décédé à Montréal, le 27 novembre 1886, à l'âge de 74 ans. Inhumé dans le cimetière anglican St. Stephen, à Chambly, le 1er décembre 1886.

Avait épousé à Manchester, en Angleterre, vers 1845, Eliza Hall ; puis, dans la paroisse anglicane St. Stephen, à Chambly, le 28 août 1856, Eliza Maria Eliot, fille du major Francis Breyhton Eliot.

Bibliographie : Auclaire, Armand, « Les derniers seigneurs de Chambly : John Yule (1812-1886), fils de William Yule », *Les Cahiers de la seigneurie de Chambly*, 5, 1 (février 1983), p. 2-13.

Bibliographie

Sources manuscrites

Archives du directeur général des élections
«Registres des élections de la province de Québec», 1902–1989, 6 vol.

Bibliothèque Morisset de l'université d'Ottawa, fonds Francis-Joseph Audet
«Les législateurs du Bas-Canada de 1760 à 1867», 1940, 3 vol.

Sources imprimées

Les deux principales sources imprimées sont les procès-verbaux des chambres du Parlement et les rapports officiels des scrutins publiés, à l'origine, dans les procès-verbaux et, ensuite, séparément, par le greffier de la couronne en chancellerie, le président général des élections et le directeur général des élections.

Dictionnaires et recueils généraux de biographies

Adam, Graeme Mercer (édit.), *Prominent men of Canada: a collection of persons distinguished in professional and political life and in the commerce and industry of Canada,* Toronto, Canadian Biographical Publishing Co., 1892, 476 p.

Auclair, Élie-Joseph, *Figures canadiennes* [...], Montréal, Éd. A. Lévesque, 1933, 2 vol.

Beauchamp, Gérard (dir.), *Qui êtes-vous? Registre social du Canada français,* Québec, Institut biographique canadien, 1961–1972.

Bibaud, Maximilien, *Le panthéon canadien; choix de biographies* (nouv. éd., revue, augmentée et complétée par Adèle et Victoria Bibaud, nièces de l'auteur), Montréal, Jos. M. Valois, libraire-éditeur, 1891, 320 p.

Biographies canadiennes-françaises, Montréal, Éd. biographique canadienne-française, 1920–1965.

Biographies (Les) françaises d'Amérique, Montréal, Les Journalistes associés, 1937–1950.

Biron, Hervé, *Ceux qui firent notre pays; notices biographiques publiées dans* Le Nouvelliste *de Trois-Rivières de 1944 à 1947* (compil. et index de Jeannette Desjardins), Québec, Assemblée nationale, Bibliothèque de la Législature, 1975, non pag.

Canadian (The) album: men of Canada; or, success by example, in religion, patriotism, business, law, medicine, education and agriculture; containing portraits [...], Brantford, Ont., 1891–1896, 5 vol.

Canadian (The) biographical dictionary and portrait gallery of eminent and self-made men; Quebec and Maritime provinces, Toronto, American Biographical Publishing Co., 1881, 759 p.

Canadian Newspaper Service (édit.), *National reference book,* Toronto, 1918–1972 (éd. bisannuelle, irrég.).

Canadian (The) who's who [...], Toronto, 1910– (éd. annuelle).

Cyclopaedia (A) of Canadian biography: being chiefly men of the time, Toronto, Rose Publishing, 1886–1919, 3 vol.

David, Laurent-Olivier, *Biographies et portraits,* Montréal, Beauchemin et Valois, 1876, 301 p.

_____ *Mes contemporains,* Montréal, Sénécal,- 1894, 288 p.

_____ *Souvenirs et biographies, 1870–1910,* Montréal, Beauchemin, 1911, 274 p.

Dent, John Charles, *The Canadian portrait gallery,* Toronto, John B. Magurn, 1880–1881, 4 vol.

Dictionnaire biographique du Canada, Québec, Les Presses de l'université Laval, 1966–, 12 vol. parus, et *Dictionnaire biographique du Canada: index onomastique* [...], Québec, Les Presses de l'université Laval, 1991, 568 p.

Dombreval, Jean (pseud. d'Henri Gauthier), *Archives et souvenirs,* Montréal, 1938, 258 p.

Dulac, Paul (pseud. de Georges Pelletier), *Silhouettes d'aujourd'hui,* Montréal, Le Devoir, 1926, 166 p.

Encyclopaedia (An) of Canadian biography, containing brief sketches and steel engravings of Canada's prominent men, Montréal, Canadian Press Syndicate, 1904–1907, 3 vol.

Laforce, Ernest, Bâtisseurs de pays, Montréal, Éd. Édouard Garand, 1944–1948, 3 vol.

La Sauvegarde (édit.), Brochure renfermant les portraits des personnages les plus illustres de la race canadienne-française de Jacques Cartier à sir Wilfrid Laurier, s.l.n.d.

Le Jeune, Louis-Marie, Dictionnaire général de biographie, histoire, littérature, agriculture, commerce, industrie et des arts, sciences, mœurs, coutumes, institutions politiques et religieuses du Canada, Ottawa, Éd. de l'université d'Ottawa, 1931, 2 vol.

Magnan, Jean-Charles, Silhouettes : figures du terroir, Montréal, Éd. Fides, 1963, 251 p.

Middleton, J.E. et W.S. Downs (édit.), National encyclopedia of Canadian biography, Toronto, Dominion Publishing Co., 1935, 383 p.

Morgan, Henry James (édit.), The Canadian men and women of the time : a hand-book of Canadian biography, Toronto, William Briggs, 1898, 1 117 p.

_____ Sketches of celebrated Canadians, and persons connected with Canada [...], Québec et London, Ont., Hunter and Rose, 1862, XIII, 729 p.

Notman, William et Fennings Taylor, Portraits of British Americans, with biographical sketches, Montréal, J. Lovell, 1865–1868, 3 vol.

O'Neil, Louis C., Types et caractères de chez-nous, Sherbrooke, Apostolat de la presse, 1954, 220 p. («Sous le signe des grandes fourches», 1).

Potvin, Damase, Les oubliés, Québec, Paulin, 1944, 237 p.

Prominent people of the province of Quebec, 1923–1924, Montréal, Biographical Society of Canada, 1924, 422 p.

Taché, Louis-Hippolyte (édit.), Les hommes du jour : galerie de portraits contemporains ; monument érigé à la gloire de la Confédération du Canada, Montréal, Compagnie de moulins à papier de Montréal, 1890, 507 p.

Vedettes, Montréal, Société nouvelle de publicité, 1952–1962.

Vieux-Rouge (pseud. de Pierre-Arthur-Joseph Voyer), Les contemporains : série de biographies des hommes du jour, Montréal, A. Filiatreault, 1898–1899, 2 vol.

Wallace, W. Stewart, The Macmillan dictionary of Canadian biography, 4e éd. (W.A. McKay, édit.), Toronto, Macmillan, 1978, 914 p.

Wood, William et autres (édit.), The storied province of Quebec ; past and present, Toronto, Dominion Publishing Co., 1931–1932, 5 vol.

Recueils régionaux de biographies

Annuaire (L') des comtés de Chicoutimi et du Lac-Saint-Jean, Chicoutimi, Progrès du Saguenay, 1923–1929, 7 vol.

Biographies : Beauce, Dorchester, Frontenac, Saint-Georges-de-Beauce, Éd. Sartigan, 1972, 318 p.

Biographies du Bas-Saint-Laurent, 2e éd., Rimouski, Éd. rimouskoises, 1960, non pag.

Biographies et monographies des Cantons-de-l'Est, 1971, Sherbrooke, Éd. sherbrookoises, 1972.

Biographies historiques de 260 citoyens honorables, hommes publics du quartier Saint-Sauveur, Québec, Ateliers Saint-Jean-Bosco, 1944, 144 p.

«Cinq belles figures de Montmagny», Québec-Histoire, 2, 1 (automne 1972), p. 64-66.

Daveluy, J.P., Biographies religieuses, industrielles, commerciales à l'occasion du 3e centenaire de la cité du Cap-de-la-Madeleine, 1651–1951, s.l.n.d., non pag.

Eastern (The) Townships gazetteer and general business directory [...], St. Johns [Saint-Jean-sur-Richelieu], Smith and Co., 1967, 133 p. (réimpr. d'un ouvrage de 1867).

Hubbard, B.F., Forests and clearings : the history of Stanstead County, province of Quebec, with sketches of more than five hundred families, Montréal, John Lawrence, 1874, 361 p.

Légaré, Jean-Paul, Biographies de Rimouski, Rimouski, Éd. rimouskoises, 1953, 52 p.

Legendre, René, Biographies des figures dominantes, personnalités contemporaines de la grande Mauricie [...], Sainte-Luce-sur-Mer, Publications du Golfe, 1975, 523, XXIII p.

_____ Biographies du Saguenay–Lac-Saint-Jean, Chicoutimi, Éd. Science moderne, 1973, 528 p.

Men of today in the Eastern Townships (introd. de V.E. Morrill, E.G. Pierce, compil.), Sherbrooke, Sherbrooke Record Company, Publishers, 1917, 297 p.

Montmagny après 50 ans d'incorporation ; album-guide, 1934–1935, Montmagny, Éd. La Cie du peuple, 1935, 94 p.

Noyes, John P., Sketches of some early Shefford pioneers, Montréal, Gazette Printing Co., 1905, 126 p.

Roy, Antoine, «Les patriotes de la région de Québec pendant la rébellion de 1837–1838», *CDIX*, 24 (1959), p. 241-254.

Roy, Pierre-Georges, *Fils de Québec*, Lévis, 1933, 4 vol.

_____ *Profils lévisiens*, Lévis, 1948, 2 vol.

Wallace, Archer, *Men who played the game*, Toronto, Ryerson Press, 1939, 127 p.

Listes et recueils de biographies de parlementaires

Ouvrages généraux

Audet, Francis-Joseph, «Les législateurs de la province de Québec, 1764–1791», *BRH*, 31, 10 (octobre 1925), p. 426-448; 11 (novembre 1925), p. 481-492; 12 (décembre 1925), p. 531-538.

Bédard, Marc-André, *Liste des parlementaires québécois depuis 1867*, Québec, Bibliothèque de l'Assemblée nationale, Service de recherche et documentation, Division de la recherche, 1986, 100 p.

Canadian (The) parliamentary guide, Ottawa, 1862– (titre var.).

Commission du centenaire, *Fondateurs et gardiens, pères de la Confédération, gouverneurs généraux, premiers ministres* [...], Ottawa, Imprimeur de la reine, 1968, 147 p., bilingue.

Coté, Joseph-Olivier et Narcisse-Omer Coté, *Political appointments* [...] *from 1841 to* [...] *1917*, Québec et Ottawa, divers éditeurs, 1860–1918, 5 vol.

Desjardins, Joseph, *Guide parlementaire historique de la province de Québec, 1792 à 1902*, Québec, 1902, XXI, 394 p.

Drouilly, Pierre, *Répertoire du personnel politique québécois, 1867–1989*, 3e éd., Québec, Bibliothèque de l'Assemblée nationale, 1990, 704 p. («Bibliographie et documentation», 11).

Drouin, François, *Députés et candidats avec indication de l'allégeance politique, 1944–1958*, Québec, 1959, non pag.

_____ *Députés et candidats selon l'ordre alphabétique, 1867–1950*, Québec, décembre 1950, 298 p.

_____ *Députés et candidats selon l'ordre alphabétique; supplément 1951–1956*, Québec, mai 1957, 45 p.

_____ *Députés et candidats selon l'ordre des districts électoraux, 1867–1950*, Québec, décembre 1950, non pag.

_____ *Députés et candidats selon l'ordre des districts électoraux; supplément 1951–1956*, Québec, mai 1957, non pag.

_____ *Liste des députés et de chaque district électoral de la province de Québec depuis 1867, avec indication du parti dont ils se réclamaient et de la majorité obtenue dans chaque élection, 1867–1956*, Québec, 1957, non pag.

_____ *Sénateurs représentant la province de Québec et conseillers législatifs, 1867–1958*, Québec, 1958, non pag.

Illustrated guide to the Senate and House of Commons of Canada [...], Ottawa, J. Bureau, 1875–1896.

Johnson, J. Keith (édit.), *The Canadian directory of Parliament, 1867–1967*, Ottawa, Archives publiques du Canada, 1968, VIII, 731 p.

Répertoire des ministères canadiens depuis la Confédération, 1er juillet 1867–1er avril 1973, Ottawa, Archives publiques du Canada, 1974, 272 p., et *Répertoire* [...] *supplément, 1er avril 1973–1er juin 1976* (Jack L. Cross, compil.), Ottawa, 1976, 20 p.

Répertoire des parlementaires québécois, 1867–1978, Québec, Bibliothèque de la Législature, 1980, XV, 796 p.

Répertoire des parlementaires québécois; mise à jour, 1978–1987, Québec, Assemblée nationale, 1987, 122 p.

Turcotte, Gustave, *Le Conseil législatif de Québec, 1774–1933*, Beauceville, L'Éclaireur, 1933, VIII, 324 p.

Par régions

Audet, Francis-Joseph, «Contrecœur politique», dans *Contrecœur* [...], Montréal, Ducharme, 1940, p. 153-202.

_____ *Les députés de la région des Trois-Rivières (1841–1867)*, Trois-Rivières, Éd. du Bien public, 1934, 90 p.

_____ «Les députés de la vallée de l'Ottawa», dans *The Canadian Historical Association; report of the annual meeting* [...] *1935*, Toronto, University of Toronto Press, 1935, 23 p.

_____ *Les députés de Montréal (ville et comtés); études biographiques anecdotiques et historiques*, Montréal, Éd. des Dix, 1943, 455 p.

_____ *Les députés de Saint-Maurice (1808–1838) et de Champlain (1830–1838)*, Trois-Rivières, Éd. du Bien public, 1934, 76 p.

_____ *Les députés des Trois-Rivières (1808–1838),* Trois-Rivières, Éd. du Bien public, 1934, 76 p.

_____ et Édouard Fabre Surveyer, *Les députés de Saint-Maurice et de Buckinghamshire (1792 à 1808),* Trois-Rivières, Éd. du Bien public, 1934, 76 p.

Douville, Raymond, *Hommes politiques de Sainte-Anne-de-la-Pérade,* Trois-Rivières, Éd. du Bien public, 1973, 47 p. («Notre passé», 3).

Fournier, Marcel, *La représentation parlementaire de la région de Joliette, 1791–1976,* Joliette, 1977, 234 p.

Fréchette, Raynald, *Les députés de Sherbrooke au Parlement provincial, 1867–1989,* Sherbrooke, La Société d'histoire de Sherbrooke, 1989, 160 p.

Lefebvre, Jean-Jacques, «Les députés de Chambly, 1792–1867», *BRH,* 70, 1 (janvier 1968), p. 3-9; 2 (avril 1968), p. 43-59.

_____ «Les députés de La Prairie, 1792–1933», dans *Centenaire de la paroisse de Saint-Isidore, comté de Laprairie,* s.l., 1934, p. 32-41.

Potvin, Damase, «Nos députés provinciaux depuis 1867», *Saguenayensia,* 2, 2 (mars-avril 1960), p. 45-51.

Proulx, Michèle, «Monographies des députés ayant représenté Nicolet à la Chambre d'assemblée du Bas-Canada de 1792 à 1838», *Les Cahiers nicolétains,* 10, 3 (septembre 1988), p. 71-117.

Tremblay, Victor, «Nos représentants à l'Assemblée législative de 1792 à 1867», *Saguenayensia,* 2, 3 (mai-juin 1960), p. 76-80.

Par époques (ordre chronologique)

Audet, Francis-Joseph et Édouard Fabre Surveyer, *Les députés au premier Parlement du Bas-Canada, 1792–1796: études biographiques, anecdotiques et historiques,* tome I, Montréal, Éd. des Dix, 1946, 318 p. (seul tome publié; les biographies prévues au deuxième ont paru dans *La Presse* entre juin et décembre 1927).

Chartier, Émile, «Nos premiers députés après 1797», *BRH,* 34, 1 (janvier 1928), p. 9-11.

Fabre Surveyer, Édouard, «Les députés au deuxième Parlement du Bas-Canada», *BRH,* 52, 5 (mai 1946), p. 155-157.

Achintre, Auguste, *Manuel électoral; portraits et dossiers parlementaires du premier Parlement de Québec,* Montréal, Duvernay et Frères, 1871, 132 p.

Liste alphabétique des députés de l'Assemblée législative de la province de Québec. Alphabetical list of members of the Legislative Assembly of the province of Quebec, s.l., 1882, 1883, 1885 et 1886.

Quelques hommes politiques présentés par la Maison Éd. Larochelle, Québec, L.-J. Demers, 1884, non pag.

Roy, Pierre-Georges, *La dixième Législature de Québec: galerie des membres du Conseil législatif et des députés à l'Assemblée législative,* Lévis, Bulletin des recherches historiques, 1901, 207 p.

_____ *La Législature de Québec: galerie des membres du Conseil législatif et des députés à l'Assemblée législative,* Lévis, Bulletin des recherches historiques, 1897, 207 p.

Canadian (The) Parliament: biographical sketches and photo-engravures of the senators and members of the House of Commons of Canada [...], Montréal, Perreault, 1906, 255 p.

Personnel of the Senate and House of Commons: 8th Parliament of Canada: portraits and biographies of the members, Montréal, John Lovell & Son, 1898, 208 p.

Rumilly, Robert, *Chefs de file,* Montréal, Éd. du Zodiaque, 1934, 263 p.

Richer, Léopold, *Nos chefs à Ottawa,* Montréal, Éd. A. Lévesque, 1935, 182 p.

_____ *Silhouettes du monde politique,* Montréal, Éd. du Zodiaque, 1940, 266 p.

Parent, Paul-Ernest, *Le bottin parlementaire du Québec,* Montréal, 1962, 513 p.

Bergeron, Gérard, *Ne bougez plus! Portraits de 40 politiciens de Québec et d'Ottawa,* Montréal, Éd. du Jour, 1968, 244 p.

Conseil du patronat du Québec, *Biographie des membres de l'Assemblée nationale; dossier [...],* Montréal, Le Conseil, 1975.

Assemblée (L') nationale ou le pouvoir législatif, Québec, Éditeur officiel du Québec, 1978, 165 p.

Biographie des membres de l'Assemblée nationale, Québec, Assemblée nationale, Direction des services aux citoyens, 1983, 81 p.

Biographie des membres de l'Assemblée nationale, Québec, Assemblée nationale, 1984, 88 p.

Notes biographiques des députés de l'Assemblée nationale, Québec, Assemblée nationale, Service de l'accueil et des renseignements, 1990, 11, 131, 11 p.

Par fonctions

Audet, Francis-Joseph, *Dictionnaire biographique des gouverneurs, lieutenants-gouverneurs et administrateurs du Canada et de ses provinces, 1604–1921,* texte dactylographié, s.d., 2 vol.

_____ «Gouverneurs, lieutenants-gouverneurs et administrateurs de la province de Québec, des Bas et Haut Canadas, du Canada sous l'Union et de la Puissance du Canada, 1763–1908», *MSRC,* section I, 1908, p. 85-124.

_____ et autres, «Les lieutenants-gouverneurs de la province de Québec», *CDIX,* 27 (1962), p. 215-261.

Bélanger, Pauline, *Les ministres de la couronne du Québec, 1867–1964; notices biographiques précédées d'un historique du Conseil exécutif,* thèse de maîtrise à l'université Laval, Québec, 1965, 200 p.

Galerie (La) des présidents: biographie des orateurs de l'Assemblée législative et des présidents de l'Assemblée nationale, Québec, Assemblée nationale, 1984, 77 p.

Levy, Gary, *Les présidents de la Chambre des communes,* Ottawa, Bibliothèque du Parlement, 1984, 104 p.

«Liste des chefs d'opposition au Québec depuis 1867», *BTBL,* 2, 2 (avril 1971), p. 97-101.

Parent, Diane et Louis Houde, «Biographies des ministres de la Voirie de 1912 à 1973», *L'Équipe,* 3, 4 (1973), p. 32-37.

Premiers (Les) ministres du Québec, 5ᵉ éd., Québec, Assemblée nationale, Service de l'accueil et des renseignements, 1990, 49 p.

Union (L') nationale: son histoire, ses chefs, sa doctrine, Québec, Éd. du Mercredi, 1969, 183 p.

Divers

Fauteux, Ægidius, *Patriotes de 1837–1838,* Montréal, Éd. des Dix, 1950, 433 p.

Femmes (Les) à l'Assemblée nationale: du droit de vote au partage du pouvoir, Québec, Assemblée nationale et Secrétariat à la condition féminine, 1990, 60 p.

Autres recueils

Avocats et juges

Beullac, Pierre et Édouard Fabre Surveyer, *Le centenaire du barreau de Montréal, 1849–1949,* Montréal, Ducharme, 1949, 232 p.

Buchanan, A.W.P., *The bench and bar of Lower Canada down to 1850,* Montréal, 1925, p. 150-153.

Deslauriers, Ignace-J., *La Cour supérieure du Québec et ses juges, 1849–1ᵉʳ janvier 1980,* Québec, 1980, 250 p.

_____ et autres, *Les tribunaux du Québec et leurs juges* [...], Cowansville, Yvon Blais, 1987, 271 p.

«Juges (Les) de la province du Bas-Canada de 1791 à 1840», *BRH,* 23, 3 (mars 1917), p. 87-90.

Lefebvre, Jean-Jacques, «Tableau alphabéthique des avocats de la province de Québec, 1765–1849», *RB,* 17, 6 (juin 1957), p. 285-292.

Macalister, A.W.G., *The bench and bar of the provinces of Quebec, Nova Scotia and New Brunswick,* Montréal, John Lovell & Son, 1907, 370 p.

Nantel, Maréchal, «Les avocats admis au barreau de 1849 à 1868», *BRH,* 41, 11 (novembre 1935), p. 685-699; 12 (décembre 1935), p. 712-718.

Rinfret, G.-Édouard, *Histoire du barreau de Montréal,* Cowansville, Yvon Blais, 1989, 279 p.

Roy, Pierre-Georges, *Les avocats de la région de Québec,* Lévis, Le Quotidien, 1936, 487 p.

_____ *Les juges de la province de Québec,* Québec, Imprimeur du roi, 1933, 588 p.

Saint-Pierre, Guillaume, «Les avocats de la cité», *RB,* 4, 8 (octobre 1944), p. 345-360.

Collèges

Album des anciens du séminaire de Rimouski, Rimouski, Imprimerie Gilbert limitée, 1940, XXXIII, 396, 159 p.

Bellefleur, Gustave et Donat Durand, *Profils normaliens,* Montréal, 1946, 254 p.

Catalogue des anciens élèves du collège de Sainte-Anne-de-la-Pocatière, 1827–1927, Québec, Action sociale, 1927, 424 p.

Choquette, Charles-Philippe, *Histoire du séminaire de Saint-Hyacinthe* [...], Montréal, Impr. de l'Institution des sourds-muets, 1911–1912, 2 vol.

Douville, J.-A.-Ir., *Histoire du collège-séminaire de Nicolet, 1803–1903* [...], Montréal, Beauchemin, 1903, 2 vol.

Forget, Anastase, *Histoire du collège de L'Assomption,* Montréal, Imprimerie populaire, 1933, 814 p.

Maurault, Olivier, *Le collège de Montréal, 1767–1967,* 2ᵉ éd. (Antonio Dansereau, édit.), Montréal, 1967, 576 p.

Conseils municipaux

Cité (La) de Québec, son passé est glorieux et son avenir est brillant : notes historiques et biographies des membres de l'administration municipale, Québec, G. Poitras, 1954, 52 p.

Côté, Louis-Marie et autres, *Les maires de la vieille capitale,* Québec, Société historique de Québec, en collab. avec le gouvernement du Canada et les Archives de la ville de Québec, 1980, 117 p.

Expansion des cités et villes (1972). Personnalités du Québec (villes et villages 1972), Montréal, Société d'édition montréalaise inc., 1972, 3 vol.

Gaudreault, Amédée, *Les maires de Sherbrooke,* Sherbrooke, La Tribune, 1954, 52 p.

Lamothe, J.-Cléophas, *Histoire de la corporation de la cité de Montréal [...],* Montréal, Montreal Printing Co., 1903, 848 p.

«Liste alphabétique des édiles municipaux, 1867–1929», dans *La ville de Québec, histoire municipale,* tome IV (G.-Henri Dagneau, dir.), Québec, Société historique de Québec, 1983, p. 233-243 («Cahiers d'histoire», 35).

Lortie, Léon, *Album biographique des membres du conseil de ville suivis des principaux officiers et des entrepreneurs du nouvel hôtel de ville de Québec : 1896–1897,* Québec, Demers & Frère, 1897, non pag.

Maires (Les) de Trois-Rivières à partir de 1845, Trois-Rivières, Ville de Trois-Rivières, 1987, dépliant.

Membres (Les) des conseils municipaux de Montréal de 1833 à nos jours, Montréal, Service des archives de la ville de Montréal, 1980, pag. var.

Pothier, Louisette (dir.), *Les maires de Sherbrooke, 1852–1982,* Sherbrooke, Société d'histoire des Cantons-de-l'Est, 1983, 334 p.

Trépanier, Léon, «Figures de maires», *CDIX,* 20 (1955), p. 149-177.

Autres

Allaire, Émilia (Boivin), *Têtes de femmes; essais biographiques,* 3e éd., Québec, Éd. de l'Équinoxe, 1971, 242 p.

«Arpenteurs du Bas et Haut-Canada, 1764–1867», *BRH,* 39, 12 (décembre 1933), p. 723-738.

Études

Bédard, Marc-André, «La profession des députés (1867–1980)», *BBL,* 11, 1 (mai 1981), p. 31-54.

Bervin, George, «Environnement matériel et activités économiques des conseillers exécutifs et législatifs à Québec, 1810–1830», *BHCM,* 17, 1 (printemps 1983), p. 45-62.

Boily, Robert, «Les hommes politiques du Québec, 1867–1967», *RHAF,* 21, 3a (1967), p. 597-634.

Cornell, Paul G., *The alignment of political groups in Canada, 1841–1867,* Toronto, University of Toronto Press, 1962, 119 p. («Canadian Studies in History and Government», 3).

Deschênes, Gaston, «L'Assemblée nationale en 1989 : un portrait à peine retouché», *BBAN,* 19, 1-2 (mai 1990), p. 3-6.

———— «Mini-portrait des députés de l'Assemblée nationale», *RPC,* 5, 3 (automne 1982), p. 14-16.

———— «Mini-portrait of the members of the National Assembly», *CPR,* 5, 3 (automne 1982), p. 14-16.

———— «Portrait socio-politique de l'Assemblée nationale», *BBAN,* 16, 1 (mars 1986), p. 2-7.

Grenier, Maurice, *La Chambre d'assemblée du Bas-Canada 1815–1837,* thèse de M.A. (lettres) à l'université de Montréal, 1966, 155 p.

Hare, John, «L'Assemblée législative du Bas-Canada, 1792–1814, députation et polarisation politique», *RHAF,* 27, 3 (décembre 1973), p. 361-395.

Mailhot, Philippe Richard, *Socio-economic background and legislative behavior : an analytical approach to the Lower Canadian Assembly, 1820–1837,* London, Ont., University of Western Ontario, Faculty of Graduate Studies, 1981, x, 92 p.

Pelletier, Réjean, «Les parlementaires québécois depuis cinquante ans : continuité et renouvellement», *RHAF,* 44, 3 (hiver 1991), p. 341-361.

————— «Permanence et changement de l'élite politique québécoise : une analyse diachronique», dans *Alternance et changements politiques : les expériences canadienne, québécoise et française,* Saint-Martin d'Hères, dép. de l'Isère, France, Centre de recherche sur la politique, l'administration et le territoire, 1988, p. 335-363.

Pouliot, Ghislain, *La représentation politique et sociologique des députés à l'Assemblée législative du Québec,* thèse de M.A. (sciences politiques) à l'université Laval, Québec, 1963, 83 p. et annexes.

Roberge, Charles-A., «Le notaire-législateur», *RN,* 87, 1-2 (septembre-octobre 1984), p. 89-94.

Rumilly, Robert, *Histoire de la province de Québec,* Montréal, divers éditeurs, 1940–1969, 41 vol.

Sénécal, Yoland, «Les professions juridiques chez les parlementaires québécois, 1867–1982 : étude sur les rapports entre la formation juridique et la composition des assemblées parlementaires», *RB,* 44, 3 (mai-juin 1984), p. 545-567.

Valois, Charles, *La Chambre d'assemblée du Bas-Canada, 1792–1815,* thèse de M.A. (lettres) à l'université de Montréal, 1960, 117 p. et un appendice.

Appendice

Dates des élections générales

Bas-Canada

Mai-juillet 1792
Juin-juillet 1796
Juin-juillet 1800
Juin-août 1804
Avril-juin 1808
Octobre-novembre 1809
Mars-avril 1810
Mars-mai 1814
Mars-avril 1816
Février-avril 1820
Juin-juillet 1820
Juillet-août 1824
Juillet-août 1827
Septembre-octobre 1830
Octobre-novembre 1834

Province du Canada

Février-avril 1841
Septembre-novembre 1844
Décembre 1847-janvier 1848
Novembre-décembre 1851
Juin-août 1854
Novembre 1857-janvier 1858
Juin-juillet 1861
Mai-juillet 1863

Québec

Août-septembre 1867
Juin-juillet 1871
7 juillet 1875
1er mai 1878
2 décembre 1881
14 octobre 1886
17 juin 1890
8 mars 1892
11 mai 1897
7 décembre 1900
25 novembre 1904
8 juin 1908
15 mai 1912
22 mai 1916
23 juin 1919
5 février 1923
16 mai 1927
24 août 1931
25 novembre 1935
17 août 1936
25 octobre 1939
8 août 1944
28 juillet 1948
16 juillet 1952
20 juin 1956
22 juin 1960
14 novembre 1962
5 juin 1966
29 avril 1970
29 octobre 1973
15 novembre 1976
13 avril 1981
2 décembre 1985
25 septembre 1989

Liste des députés par circonscription

L'astérisque placé après une année indique une élection partielle. Les deux élections générales de 1820 sont indiquées par les lettres a (élections de février-avril) et j (élections de juin-juillet). Afin d'éviter les entrées multiples, nous avons normalisé certaines appellations, par exemple Ottawa pour Outaouais, L'Islet pour Islet.

ABITIBI

(Formée en 1922 d'une partie de Témiscamingue)

1923	PERRAULT, Joseph-Édouard
1923*	AUTHIER, Hector
1927	AUTHIER, Hector
1931	AUTHIER, Hector
1935	AUTHIER, Hector
1936	LESAGE, Émile
1939	ALLARD, Félix

(Voir Abitibi-Est et Abitibi-Ouest)

ABITIBI-EST

(Formée en 1944 d'une partie d'Abitibi)

1944	DROUIN, Henri
1948	MIQUELON, Jacques
1952	MIQUELON, Jacques
1956	MIQUELON, Jacques
1960	CLICHE, Lucien
1962	CLICHE, Lucien
1966	CLICHE, Lucien
1970	TÉTRAULT, Ronald
1973	HOUDE, Roger
1976	BORDELEAU, Jean-Paul
1981	BORDELEAU, Jean-Paul
1985	SAVOIE, Raymond
1989	SAVOIE, Raymond

ABITIBI-OUEST

(Formée en 1944 d'une partie d'Abitibi)

1944	LESAGE, Émile
1948	LESAGE, Émile
1952	LESAGE, Émile

1956	COURCY, Alcide
1960	COURCY, Alcide
1962	COURCY, Alcide
1966	COURCY, Alcide
1970	AUDET, Aurèle
1973	BOUTIN, Jean-Hugues
1976	GENDRON, François
1981	GENDRON, François
1985	GENDRON, François
1989	GENDRON, François

ACADIE

(Formée en 1988 de parties de L'Acadie et de Crémazie)

1989	BORDELEAU, Yvan

AHUNTSIC

(Formée en 1965 d'une partie de Laval)

1966	LEFEBVRE, Jean-Paul
1970	CLOUTIER, François

(Voir Crémazie et L'Acadie)

ANJOU

(Formée en 1972 de parties de Bourget, de Lafontaine et de Bourassa)

1973	TARDIF, Yves
1976	JOHNSON, Pierre Marc
1981	JOHNSON, Pierre Marc
1985	JOHNSON, Pierre Marc
1988*	LAROUCHE, René Serge
1989	LAROUCHE, René Serge
1992*	BÉLANGER, Pierre

ARGENTEUIL

(Formée en 1853 d'une partie de Deux-Montagnes)

1854	BELLINGHAM, Sidney Robert
1855*	BELLINGHAM, Sidney Robert
1856*	BELLINGHAM, Sidney Robert
1858	BELLINGHAM, Sidney Robert
	(déclaré défait en 1860)
	ABBOTT, John Joseph Caldwell
1861	ABBOTT, John Joseph Caldwell
1862*	ABBOTT, John Joseph Caldwell
1863	ABBOTT, John Joseph Caldwell
1867	BELLINGHAM, Sidney Robert
1871	BELLINGHAM, Sidney Robert
1875	BELLINGHAM, Sidney Robert
1878	MEIKLE, Robert Greenshields
1881	OWENS, William
1886	OWENS, William
1890	OWENS, William
1892	SIMPSON, William John
1897	WEIR, William Alexander
1900	WEIR, William Alexander
1904	WEIR, William Alexander
1906*	WEIR, William Alexander
1908	WEIR, William Alexander
1910*	HAY, John
1912	SLATER, Harry
1916	HAY, John
1919	HAY, John
1923	HAY, John
1925*	SAINT-JACQUES, Joseph-Léon
1927	DANSEREAU, Georges
1931	DANSEREAU, Georges
1935	DANSEREAU, Georges-Étienne
1936	DANSEREAU, Georges-Étienne
1939	DANSEREAU, Georges-Étienne
1944	DANSEREAU, Georges-Étienne
1948	COTTINGHAM, William McOvat
1952	COTTINGHAM, William McOvat
1956	COTTINGHAM, William McOvat
1960	COTTINGHAM, William McOvat
1962	COTTINGHAM, William McOvat
1966	SAINDON, Zoël
1970	SAINDON, Zoël
1973	SAINDON, Zoël
1976	SAINDON, Zoël
1979*	RYAN, Claude
1981	RYAN, Claude
1985	RYAN, Claude
1989	RYAN, Claude

ARTHABASKA

(Formée en 1890 d'une partie de Drummond-Arthabaska)

1890	GIROUARD, Joseph-Éna
1892	GIROUARD, Joseph-Éna
1897	GIROUARD, Joseph-Éna
1900	TOURIGNY, Paul
1904	TOURIGNY, Paul
1908	TOURIGNY, Paul
1912	TOURIGNY, Paul
1916	PERRAULT, Joseph-Édouard
1919	PERRAULT, Joseph-Édouard
1919*	PERRAULT, Joseph-Édouard
1923	PERRAULT, Joseph-Édouard
1927	PERRAULT, Joseph-Édouard
1931	PERRAULT, Joseph-Édouard
1935	PERRAULT, Joseph-Édouard
1936	GAGNÉ, Joseph-David
1939	GIROUARD, Wilfrid
1944	PLOURDE, Pierre-Horace
1948	LABBÉ, Wilfrid
1952	LABBÉ, Wilfrid
1956	LABBÉ, Wilfrid
1960	MORISSETTE, Albert
1962	MORISSETTE, Albert
1966	GARDNER, Roch
1970	MASSÉ, Jean-Gilles
1973	MASSÉ, Jean-Gilles
1976	BARIL, Jacques
1981	BARIL, Jacques
1985	GARDNER, Laurier
1989	BARIL, Jacques

BAGOT

(Formée en 1853 d'une partie de Drummond
et de Saint-Hyacinthe)

1854	BRODEUR, Timothée
1854*	BRODEUR, Timothée
1858	LAFRAMBOISE, Maurice
1861	LAFRAMBOISE, Maurice
1863	LAFRAMBOISE, Maurice
1863*	LAFRAMBOISE, Maurice
1867	GENDRON, Pierre-Samuel
1871	GENDRON, Pierre-Samuel

1875	GENDRON, Pierre-Samuel	1861	TASCHEREAU, Henri-Elzéar
1876*	DUPONT, Flavien	1863	TASCHEREAU, Henri-Elzéar
1878	BLAIS, Narcisse		
1881	CASAVANT, Antoine	1867	POZER, Christian Henry
1886	PILON, Joseph	1871	POZER, Christian Henry
1890	McDONALD, Milton	1874*	DULAC, François-Xavier
1892	McDONALD, Milton	1875	DULAC, François-Xavier
1897	McDONALD, Milton	1878	POIRIER, Joseph
1900	DAIGNEAULT, Frédéric-Hector	1881	BLANCHET, Jean
1904	DAIGNEAULT, Frédéric-Hector	1882*	BLANCHET, Jean
1908	DAIGNEAULT, Frédéric-Hector	1886	BLANCHET, Jean
1912	DAIGNEAULT, Frédéric-Hector	1890	BLANCHET, Jean
1913*	PHANEUF, Joseph-Émery	1892	POIRIER, Joseph
1916	PHANEUF, Joseph-Émery	1897	BÉLAND, Henri-Séverin
1919	PHANEUF, Joseph-Émery	1900	BÉLAND, Henri-Séverin
1923	PHANEUF, Joseph-Émery	1902*	GODBOUT, Arthur
1927	PHANEUF, Joseph-Émery	1904	GODBOUT, Arthur
1931	PHANEUF, Joseph-Émery	1908	GODBOUT, Arthur
1935	DUMAINE, Cyrille	1912	GODBOUT, Arthur
1936	DUMAINE, Cyrille	1916	GODBOUT, Arthur
1938*	ADAM, Philippe	1919	GODBOUT, Arthur
1939	DUMAINE, Cyrille	1921*	FORTIER, Joseph-Hugues
1944	DUMAINE, Cyrille	1923	FORTIER, Joseph-Hugues
1946*	JOHNSON, Daniel (père)	1927	FORTIER, Joseph-Hugues
1948	JOHNSON, Daniel (père)	1929*	FORTIN, Joseph-Édouard
1952	JOHNSON, Daniel (père)	1931	FORTIN, Joseph-Édouard
1956	JOHNSON, Daniel (père)	1935	CLICHE, Vital
1960	JOHNSON, Daniel (père)	1936	POULIN, Raoul
1962	JOHNSON, Daniel (père)	1937*	PERRON, Joseph-Émile
1966	JOHNSON, Daniel (père)	1939	RENAULT, Henri-René
1968*	CARDINAL, Jean-Guy	1944	LACROIX, Édouard
1970	CARDINAL, Jean-Guy	1945*	POULIN, Georges-Octave
		1948	POULIN, Georges-Octave
		1952	POULIN, Georges-Octave

(Voir Johnson)

BEAUCE

(Formée en 1829 d'une partie de Dorchester)

Premier siège:

| 1830 | TASCHEREAU, Antoine-Charles |
| 1834 | TASCHEREAU, Antoine-Charles |

Deuxième siège:

1830	TASCHEREAU, Pierre-Elzéar
1834	TASCHEREAU, Pierre-Elzéar
1835*	TASCHEREAU, Joseph-André

1841–1853	(Annexée à Dorchester)
1854	ROSS, Dunbar
1858	ROSS, Dunbar

1956	POULIN, Georges-Octave
1960	POULIN, Fabien
1962	ALLARD, Paul-Émile
1966	ALLARD, Paul-Émile
1970	ROY, Fabien

(Voir Beauce-Nord et Beauce-Sud)

BEAUCE-NORD

(Formée en 1972 de parties de Beauce, de Dorchester et de Lévis)

1973	SYLVAIN, Denys
1976	OUELLETTE, Adrien
1981	OUELLETTE, Adrien

1985   AUDET, Jean
1989   AUDET, Jean

BEAUCE-SUD

(Formée en 1972 de parties de Beauce et de Dorchester)

1973   ROY, Fabien
1976   ROY, Fabien
1979*   MATHIEU, Hermann
1981   MATHIEU, Hermann
1985   DUTIL, Robert
1989   DUTIL, Robert

BEAUHARNOIS

(Formée en 1829 d'une partie de Huntingdon)

Premier siège :
1830   ARCHAMBAULT, Charles
1834   ARCHAMBAULT, Charles

Deuxième siège :
1830   DE WITT, Jacob
1834   DE WITT, Jacob

1841   DUNSCOMB, John William
1842*   WAKEFIELD, Edward Gibbon
1844   COLVILE, Eden
1848   DE WITT, Jacob
1851   LE BLANC, Ovide
1854   DAOUST, Charles
1858   OUIMET, Gédéon
1861   DENIS, Paul
1863   DENIS, Paul

1867   BERGEVIN, Célestin
1871   CARTIER, George-Étienne
1873*   BISSON, Élie-Hercule
1875   BISSON, Élie-Hercule
1878   BERGEVIN, Célestin
1881   BERGEVIN, Célestin
1886   BISSON, Élie-Hercule
1890   BISSON, Élie-Hercule
1892   PLANTE, Moïse
1892*   BISSON, Élie-Hercule
1897   BISSON, Élie-Hercule
1898*   PLANTE, Arthur
1900   BERGEVIN, Achille
1904   BERGEVIN, Achille
1908   PLANTE, Arthur

1912   ROBERT, Edmund Arthur
1916   ROBERT, Edmund Arthur
1919   BERGEVIN, Achille
1923   PLANTE, Arthur
1927   PAPINEAU, Louis-Joseph
1931   SAINTONGE, Gontran
1935   SAUVÉ, Delpha
1936   SAUVÉ, Delpha
1939   SAUVÉ, Delpha
1944   LEMIEUX, Albert
1948   HÉBERT, Edgar
1952   HÉBERT, Edgar
1956   HÉBERT, Edgar
1960   HÉBERT, Edgar
1962   CADIEUX, Gérard
1966   CADIEUX, Gérard
1970   CADIEUX, Gérard
1973   CADIEUX, Gérard
1976   LAVIGNE, Laurent
1981   LAVIGNE, Laurent
1985   MARCIL, Serge

(Voir Salaberry-Soulanges)

BEAUHARNOIS-HUNTINGDON

(Formée en 1988 de Huntingdon et d'une partie
de Beauharnois)

1989   CHENAIL, André

BEDFORD

1792   HERTEL DE ROUVILLE, Jean-Baptiste-Melchior
1796   COFFIN, Nathaniel
1800   STEEL, John
1804   Aucun élu
1805*   MOORE, William Sturge
1808   MOORE, William Sturge
1809   JONES, John
1810   DESBLEDS, Alexis
1814   GEORGEN, Henry
1816   McCORD, Thomas
1820a   FRANCHÈRE, Joseph
1820j   JONES, John
1822*   FRANCHÈRE, Joseph
1824   HERTEL DE ROUVILLE, Jean-Baptiste-René
1827   HERTEL DE ROUVILLE, Jean-Baptiste-René

(Voir Rouville et Missisquoi)

BELLECHASSE

(Formée en 1829 de Hertford)

Premier siège:
1830   BOISSONNAULT, Nicolas
1834   BOISSONNAULT, Nicolas

Deuxième siège:
1830   MORIN, Augustin-Norbert
1834   MORIN, Augustin-Norbert
1834* MORIN, Augustin-Norbert

1841   RUEL, Augustin-Guillaume
1842* TURGEON, Abraham
1844   MORIN, Augustin-Norbert
1848   MORIN, Augustin-Norbert
1851   CHABOT, Jean
1852* CHABOT, Jean
1854   CHABOT, Jean
1854* FORTIER, Octave-Cyrille
1858   FORTIER, Octave-Cyrille
1861   RÉMILLARD, Édouard
1863   RÉMILLARD, Édouard

1867   PELLETIER, Onésime
1871   PELLETIER, Onésime
1875   FRADET, Pierre
1878   BOUTIN, Pierre
1881   FAUCHER DE SAINT-MAURICE, Narcisse-
       Henri-Édouard
1886   FAUCHER DE SAINT-MAURICE, Narcisse-
       Henri-Édouard
1890   TURGEON, Adélard
1892   TURGEON, Adélard
1897   TURGEON, Adélard
1897* TURGEON, Adélard
1900   TURGEON, Adélard
1904   TURGEON, Adélard
1905* TURGEON, Adélard
1907* TURGEON, Adélard
1908   TURGEON, Adélard
1909* GALIPEAULT, Antonin
1912   GALIPEAULT, Antonin
1916   GALIPEAULT, Antonin
1919   GALIPEAULT, Antonin
1919* GALIPEAULT, Antonin
1923   GALIPEAULT, Antonin
1927   GALIPEAULT, Antonin
1930* TASCHEREAU, Robert

1931   TASCHEREAU, Robert
1935   TASCHEREAU, Robert
1936   BOITEAU, Émile
1939   BIENVENUE, Valmore
1944   BIENVENUE, Valmore
1948   BÉLANGER, Paul-Eugène
1952   POIRIER, Alphée
1956   POIRIER, Alphée
1960   PLANTE, Gustave
1962   LOUBIER, Gabriel
1966   LOUBIER, Gabriel
1970   LOUBIER, Gabriel
1973   MERCIER, Pierre
1976   GOULET, Bertrand
1981   LACHANCE, Claude
1985   BÉGIN, Louise
1989   BÉGIN, Louise

BERTHIER

(Formée en 1829 de Warwick)

Premier siège:
1830   DELIGNY, Jacques
1834   DELIGNY, Jacques
1837* ÉNO, Robert

Deuxième siège:
1830   MOUSSEAU, Alexis
1834   MOUSSEAU, Alexis

1841   ARMSTRONG, David Morrison
1844   ARMSTRONG, David Morrison
1848   ARMSTRONG, David Morrison
1851   JOBIN, Joseph-Hilarion
1854   DOSTALER, Pierre-Eustache
1858   PICHÉ, Eugène-Urgel
1861   DOSTALER, Pierre-Eustache
1863   PÂQUET, Anselme-Homère

1867   MOLL, Louis-Joseph
1871   SYLVESTRE, Louis
1875   SYLVESTRE, Louis
1878   ROBILLARD, Joseph
1880* ROBILLARD, Joseph
1881   ROBILLARD, Joseph
1886   SYLVESTRE, Louis
1890* DOSTALER, Omer
1890   CHÊNEVERT, Cuthbert-Alphonse
1892   ALLARD, Victor

1897	CHÊNEVERT, Cuthbert-Alphonse		1841	HAMILTON, John Robinson
1900	CHÊNEVERT, Cuthbert-Alphonse		1844	LE BOUTILLIER, John
1904*	LAFONTAINE, Joseph		1848	CUTHBERT, William
1904	LAFONTAINE, Joseph		1851	LE BOUTILLIER, David
1908	LAFONTAINE, Joseph		1854	MEAGHER, John
1912	GADOURY, Joseph-Olivier		1858	MEAGHER, John
1916	LAFONTAINE, Joseph		1861	ROBITAILLE, Théodore
1919	LAFRENIÈRE, Siméon		1863	ROBITAILLE, Théodore
1923	LAFRENIÈRE, Siméon			
1925*	SYLVESTRE, Amédée		1867	HAMILTON, Clarence
1927	BASTIEN, Cléophas		1871	ROBITAILLE, Théodore
1931	BASTIEN, Cléophas		1874*	BEAUCHESNE, Pierre-Clovis
1935	BASTIEN, Cléophas		1875	BEAUCHESNE, Pierre-Clovis
1936	BASTIEN, Cléophas		1877*	TARTE, Joseph-Israël
1939	BASTIEN, Cléophas		1878	TARTE, Joseph-Israël
1944	SYLVESTRE, Armand		1881	RIOPEL, Louis-Joseph
1948	LAVALLÉE, Azellus		1882*	MARTIN, Henri-Josué
1952	LAVALLÉE, Azellus		1886	MARTIN, Henri-Josué
1956	LAVALLÉE, Azellus		1890	MERCIER, Honoré (père)
1960	LAVALLÉE, Azellus		1892	MERCIER, Honoré (père)
1962	McGUIRE, Lucien		1894*	LEMIEUX, François-Xavier (neveu)
1966	GAUTHIER, Guy		1897	LEMIEUX, François-Xavier (neveu)
1970	GAUTHIER, Guy		1897*	CLAPPERTON, William Henry
1973	DENIS, Michel		1900	CLAPPERTON, William Henry
1976	MERCIER, Jean-Guy		1904	KELLY, John Hall
1981	HOUDE, Albert		1908	KELLY, John Hall
1985	HOUDE, Albert		1912	KELLY, John Hall
1989	HOUDE, Albert		1914*	BUGEAUD, Joseph-Fabien
			1916	BUGEAUD, Joseph-Fabien

BERTRAND

(Formée en 1980 de parties de Chambly et de Verchères)

			1919	BUGEAUD, Joseph-Fabien
1981	LAZURE, Denis		1923	BUGEAUD, Joseph-Fabien
1985*	BOURASSA, Robert		1924*	CÔTÉ, Pierre-Émile
1985	PARENT, Jean-Guy		1927	CÔTÉ, Pierre-Émile
1989	BEAULNE, François		1931	CÔTÉ, Pierre-Émile
			1935	CÔTÉ, Pierre-Émile

BONAVENTURE

(Formée en 1829 d'une partie de Gaspé)

			1936	JOLICŒUR, Henri
			1939	CÔTÉ, Pierre-Émile

Premier siège:

			1944	JOLICŒUR, Henri
1830	THIBAUDEAU, Édouard		1948	JOLICŒUR, Henri
1834	THIBAUDEAU, Édouard		1952	JOLICŒUR, Henri
1836*	McCRACKEN, James		1956	LEVESQUE, Gérard D.
			1960	LEVESQUE, Gérard D.

Deuxième siège:

			1962	LEVESQUE, Gérard D.
1830	GOSSET, John		1966	LEVESQUE, Gérard D.
1832*	HAMILTON, John Robinson		1970	LEVESQUE, Gérard D.
1834	DEBLOIS, Joseph-François		1973	LEVESQUE, Gérard D.
			1976	LEVESQUE, Gérard D.
			1981	LEVESQUE, Gérard D.

1985	LEVESQUE, Gérard D.		1900	DUFFY, Henry Thomas
1989	LEVESQUE, Gérard D.		1903*	McCORKILL, John Charles James Sarsfield

BOURASSA

(Formée en 1965 de parties de Bourget et de Laval)

1966	TREMBLAY, Georges-Émery
1970	TREMBLAY, Georges-Émery
1973	BACON, Lise
1976	LAPLANTE, Patrice
1981	LAPLANTE, Patrice
1985	ROBIC, Louise
1989	ROBIC, Louise

BOURGET

(Formée en 1960 d'une partie de Laval)

1960	MEUNIER, Jean
1962	MEUNIER, Jean
1966	SAUVAGEAU, Paul-Émile
1970	LAURIN, Camille
1973	BOUDREAULT, Jean
1976	LAURIN, Camille
1981	LAURIN, Camille
1985*	TRUDEL, Claude
1985	TRUDEL, Claude
1989	BOUCHER-BACON, Huguette

BROME

(Formée en 1855 d'une partie de la division Est de Missisquoi)

1858	FERRES, James Moir
1861	SWEET, Moses
1862*	DUNKIN, Christopher
1863	DUNKIN, Christopher
1867	DUNKIN, Christopher
1871	LYNCH, William Warren
1875	LYNCH, William Warren
1878	LYNCH, William Warren
1879*	LYNCH, William Warren
1881	LYNCH, William Warren
1886	LYNCH, William Warren
1889*	ENGLAND, Rufus Nelson
1890	ENGLAND, Rufus Nelson
1892	ENGLAND, Rufus Nelson
1897	DUFFY, Henry Thomas
1897*	DUFFY, Henry Thomas

1900	DUFFY, Henry Thomas
1903*	McCORKILL, John Charles James Sarsfield
1904	McCORKILL, John Charles James Sarsfield
1906*	VILAS, William Frederick
1908	VILAS, William Frederick
1912	VILAS, William Frederick
1916	VILAS, William Frederick
1917*	OLIVER, William Robert
1919	OLIVER, William Robert
1923	OLIVER, William Robert
1923*	OLIVER, Carlton James
1927	OLIVER, Carlton James
1931	STOCKWELL, Ralph Frederick
1935	STOCKWELL, Ralph Frederick
1936	ROBINSON, Jonathan
1939	ROBINSON, Jonathan
1944	ROBINSON, Jonathan
1948	ROBINSON, Jonathan
1948*	FOX, Charles James Warwick
1952	FOX, Charles James Warwick
1956	BROWN, Glendon Pettes
1960	BROWN, Glendon Pettes
1962	BROWN, Glendon Pettes
1966	BROWN, Glendon Pettes
1970	BROWN, Glendon Pettes

(Voir Brome-Missisquoi)

BROME-MISSISQUOI

(Formée en 1972 de Brome et de Missisquoi)

1973	BROWN, Glendon Pettes
1976	RUSSELL, Armand
1980*	PARADIS, Pierre
1981	PARADIS, Pierre
1985	PARADIS, Pierre
1989	PARADIS, Pierre

BUCKINGHAM (BUCKINGHAMSHIRE)

Premier siège:

1792	JUCHEREAU DUCHESNAY, Antoine
1796	CRAIGIE, John
1800	CRAIGIE, John
1804	PROULX, Louis
1808	HÉBERT, Jean-Baptiste
1809	HÉBERT, Jean-Baptiste
1810	HÉBERT, Jean-Baptiste
1814	BELLET, François
1816	BELLET, François

1820a	BELLET, François
1820j	PROULX, Jean-Baptiste
1824	PROULX, Jean-Baptiste
1827	PROULX, Jean-Baptiste

Deuxième siège:

1792	GODEFROY DE TONNANCOUR, Joseph-Marie
1796	ALLSOPP, George Waters
1800	GOUIN, Louis
1804	LEGENDRE, François
1808	LEGENDRE, Louis
1809	LEGENDRE, François
1810	LEGENDRE, François
1814	STUART, James
1815*	BOURDAGES, Louis
1816	BADEAUX, Joseph
1820a	BOURDAGES, Louis
1820j	BOURDAGES, Louis
1824	BOURDAGES, Louis
1827	BOURDAGES, Louis

(Voir Yamaska, Drummond, Nicolet, Lotbinière, Sherbrooke et Mégantic)

CHAMBLY

(Formée en 1829 de Kent)

Premier siège:

1830	QUESNEL, Frédéric-Auguste
1834	LACOSTE, Louis

Deuxième siège:

1830	VIGER, Louis-Michel
1834	VIGER, Louis-Michel

1841	YULE, John
1843*	LACOSTE, Louis
1844	LACOSTE, Louis
1848	BEAUBIEN, Pierre
1849*	LACOSTE, Louis
1851	LACOSTE, Louis
1854	DARCHE, Noël
1858	LACOSTE, Louis
1861	BOUCHER DE BOUCHERVILLE, Charles-Eugène
1863	BOUCHER DE BOUCHERVILLE, Charles-Eugène

1867	JODOIN, Jean-Baptiste
1871	LAROCQUE, Gédéon
1875	PRÉFONTAINE, Raymond
1878	MARTEL, Michel-Dosithée-Stanislas

1879*	PRÉFONTAINE, Raymond
1881	MARTEL, Michel-Dosithée-Stanislas
1886	ROCHELEAU, Antoine
1890	ROCHELEAU, Antoine
1892	TAILLON, Louis-Olivier
1892*	TAILLON, Louis-Olivier
1897	ROCHELEAU, Antoine
1900	PERRAULT, Maurice
1904	PERRAULT, Maurice
1908	PERRAULT, Maurice
1909*	DESAULNIERS, Eugène Merrill
1912	DESAULNIERS, Eugène Merrill
1916	DESAULNIERS, Eugène Merrill
1919	DESAULNIERS, Eugène Merrill
1923	THURBER, Alexandre
1927	THURBER, Alexandre
1931	BÉÏQUE, Hortensius
1935	THURBER, Alexandre
1936	BÉÏQUE, Hortensius
1939	JOYAL, Dorvina-Évariste
1944	JOYAL, Dorvina-Évariste
1948	ROCHE, John Redmond
1952	ROCHE, John Redmond
1956	THÉBERGE, Robert
1960	THÉBERGE, Robert
1961*	LAPORTE, Pierre
1962	LAPORTE, Pierre
1966	LAPORTE, Pierre
1970	LAPORTE, Pierre
1971*	COURNOYER, Jean
1973	SAINT-PIERRE, Guy
1976	LAZURE, Denis
1981	TREMBLAY, Luc
1985	LATULIPPE, Gérard
1989	ROBILLARD, Lucienne

CHAMPLAIN

(Formée en 1829 d'une partie de Saint-Maurice)

Premier siège:

1830	DORION, Pierre-Antoine
1834	DORION, Pierre-Antoine

Deuxième siège:

1830	TRUDEL, Olivier
1834	TRUDEL, Olivier

1841	KIMBER, René-Joseph
1843*	JUDAH, Henry

1844	GUILLET, Louis
1848	GUILLET, Louis
1851	MARCHILDON, Thomas
1854	MARCHILDON, Thomas
1858	TURCOTTE, Joseph-Édouard
1861	ROSS, John Jones
1863	ROSS, John Jones
1867	ROSS, John Jones
1867*	CHAPAIS, Jean-Charles
1871	TRUDEL, François-Xavier-Anselme
1875	SAINT-CYR, Dominique-Napoléon
1878	SAINT-CYR, Dominique-Napoléon
1881	TRUDEL, Robert
1886	TRUDEL, Ferdinand
1890	GRENIER, Pierre
1892	GRENIER, Pierre
1897	GRENIER, Pierre
1900	NEAULT, Pierre-Calixte
1904	NEAULT, Pierre-Calixte
1908	NEAULT, Pierre-Calixte
1912	LABISSONNIÈRE, Joseph-Arthur
1916	BORDELEAU, Bruno
1919	BORDELEAU, Bruno
1923	BORDELEAU, Bruno
1925*	GRANT, William-Pierre
1927	GRANT, William-Pierre
1931	GRANT, William-Pierre
1935	ROUSSEAU, Ulphée-Wilbrod
1936	ROUSSEAU, Ulphée-Wilbrod
1939	MORIN, Joseph-Philias
1944	BELLEMARE, Maurice
1948	BELLEMARE, Maurice
1952	BELLEMARE, Maurice
1956	BELLEMARE, Maurice
1960	BELLEMARE, Maurice
1962	BELLEMARE, Maurice
1966	BELLEMARE, Maurice
1970	TOUPIN, Normand
1973	TOUPIN, Normand
1976	GAGNON, Marcel
1981	GAGNON, Marcel
1985	BROUILLETTE, Pierre A.
1989	BROUILLETTE, Pierre A.

CHAPLEAU

(Formée en 1980 d'une partie de Papineau)

1981	KEHOE, John
1985	KEHOE, John
1989	KEHOE, John

CHARLESBOURG

(Formée en 1972 de parties de Chauveau
et de Montmorency)

1973	HARVEY, André
1976	DE BELLEVAL, Denis
1981	DE BELLEVAL, Denis
1983*	CÔTÉ, Marc-Yvan
1985	CÔTÉ, Marc-Yvan
1989	CÔTÉ, Marc-Yvan

CHARLEVOIX

(Nouveau nom de Saguenay en 1855)

1858	CIMON, Cléophe
1861	GAGNON, Adolphe
1863	GAGNON, Adolphe
1867	CLÉMENT, Léon-Charles
1871	GAGNON, Adolphe
1875	GAUTHIER, Onésime
1878	GAUTHIER, Onésime
1881	GAUTHIER, Onésime
1886	MORIN, Joseph
1890	MORIN, Joseph
1892	MORIN, Joseph
1897	D'AUTEUIL, Pierre
1900	MORIN, Joseph
1904	D'AUTEUIL, Pierre
1908	D'AUTEUIL, Pierre
1912–1944	(Voir Charlevoix-Saguenay)
1948	LECLERC, Arthur
1952	LECLERC, Arthur
1956	LECLERC, Arthur
1960	LECLERC, Arthur
1962	MAILLOUX, Raymond
1966	MAILLOUX, Raymond
1970	MAILLOUX, Raymond
1973	MAILLOUX, Raymond
1976	MAILLOUX, Raymond
1981	MAILLOUX, Raymond

1985   BRADET, Daniel
1989   BRADET, Daniel

CHARLEVOIX-SAGUENAY

(Formée en 1912 de Charlevoix et d'une partie
de Chicoutimi-Saguenay)

1912   D'AUTEUIL, Pierre
1916   D'AUTEUIL, Pierre
1919   DUFOUR, Philippe
1923   DUFOUR, Philippe
1927   ROCHETTE, Edgar
1931   ROCHETTE, Edgar
1935   ROCHETTE, Edgar
1936   LECLERC, Arthur
1939   ROCHETTE, Edgar
1944   LECLERC, Arthur

(Voir Charlevoix et Saguenay)

CHÂTEAUGUAY

(Formée en 1853 d'une partie de Huntingdon
et de Beauharnois)

1854   DE WITT, Jacob
1858   STARNES, Henry
1861   STARNES, Henry
1863   HOLTON, Luther Hamilton

1867   LABERGE, Édouard
1871   LABERGE, Édouard
1875   LABERGE, Édouard
1878   LABERGE, Édouard
1881   LABERGE, Édouard
1884*   ROBIDOUX, Joseph-Émery
1886   ROBIDOUX, Joseph-Émery
1890   ROBIDOUX, Joseph-Émery
1892   GREIG, William
1897   ROBIDOUX, Joseph-Émery
1897*   ROBIDOUX, Joseph-Émery
1900   DUPUIS, François-Xavier
1904   DUPUIS, François-Xavier
1907*   MERCIER, Honoré (fils)
1908   DESROSIERS, Hospice
1908*   MERCIER, Honoré (fils)
1912   MERCIER, Honoré (fils)
1914*   MERCIER, Honoré (fils)
1916   MERCIER, Honoré (fils)
1919   MERCIER, Honoré (fils)

1923   MERCIER, Honoré (fils)
1927   MERCIER, Honoré (fils)
1931   MERCIER, Honoré (fils)
1935   MERCIER, Honoré (fils)
1936   BOYER, Auguste
1939   *(Voir Châteauguay-Laprairie)*
1944   MERCIER, Honoré (petit-fils)
1948   LABERGE, Arthur
1952   LABERGE, Arthur
1956   LABERGE, Arthur
1957*   LABERGE, Joseph-Maurice
1960   LABERGE, Joseph-Maurice
1962   KENNEDY, George
1966   KENNEDY, George
1970   KENNEDY, George
1973   KENNEDY, George
1976   DUSSAULT, Roland
1981   DUSSAULT, Roland
1985   CARDINAL, Pierrette
1989   CARDINAL, Pierrette

CHÂTEAUGUAY-LAPRAIRIE

(Formée de Châteauguay et d'une partie
de Napierville-Laprairie)

1939   FORTIN, Roméo

(Voir Châteauguay)

CHAUVEAU

(Formée en 1965 d'une partie de Québec)

1966   MATHIEU, François-Eugène
1970   HARVEY, André
1973   LACHAPELLE, Bernard
1976   O'NEILL, Louis
1981   BROUILLET, Raymond
1985   POULIN, Rémy
1989   POULIN, Rémy

CHICOUTIMI

(Formée en 1912 d'une partie de Chicoutimi-Saguenay)

1912   PETIT, Honoré
1916   PETIT, Honoré
1919   GAUDRAULT, Joseph-Arthur
1923   DELISLE, Gustave
1927   DELISLE, Gustave
1931   DELISLE, Gustave
1935   LAROUCHE, Arthur

1936	LAROUCHE, Arthur
1938*	TALBOT, Antonio
1939	TALBOT, Antonio
1944	TALBOT, Antonio
1948	TALBOT, Antonio
1952	TALBOT, Antonio
1956	TALBOT, Antonio
1960	TALBOT, Antonio
1962	TALBOT, Antonio
1966	TREMBLAY, Jean-Noël
1970	TREMBLAY, Jean-Noël
1973	BÉDARD, Marc-André
1976	BÉDARD, Marc-André
1981	BÉDARD, Marc-André
1985	BLACKBURN, Jeanne L.
1989	BLACKBURN, Jeanne L.

CHICOUTIMI-SAGUENAY

(Nouveau nom de Chicoutimi-Tadoussac en 1855)

1858	PRICE, David Edward
1861	PRICE, David Edward
1863	PRICE, David Edward
1865*	TREMBLAY, Pierre-Alexis
1867	TREMBLAY, Pierre-Alexis
1871	TREMBLAY, Pierre-Alexis
1874*	BABY, Michel-Guillaume
1875	PRICE, William Evan
1878	PRICE, William Evan
1880*	BEAUDET, Élisée
1881	SAINT-HILAIRE, Élie
1886	SAINT-HILAIRE, Élie
1888*	DUMAIS, Séverin
1890	CÔTÉ, Onésime
1892	PETIT, Honoré
1897	PETIT, Honoré
1900	PETIT, Honoré
1904	PETIT, Honoré
1908	PETIT, Honoré

(Voir Charlevoix-Saguenay, Chicoutimi et Lac-Saint-Jean)

CHICOUTIMI-TADOUSSAC

(Formée en 1853 d'une partie de Saguenay, sous le nom de «comtés unis de Chicoutimi et Tadoussac»)

| 1854 | MORIN, Augustin-Norbert |
| 1855* | PRICE, David Edward |

(Voir Chicoutimi-Saguenay)

CHOMEDEY

(Formée en 1980 de parties de Fabre et de Laval)

1981	BACON, Lise
1985	BACON, Lise
1989	BACON, Lise

CHUTES-DE-LA-CHAUDIÈRE

(Formée en 1988 de parties de Beauce-Nord et de Lévis)

| 1989 | CARRIER-PERREAULT, Denise |

COMPTON

(Formée en 1853 d'une partie de Sherbrooke)

1854	SANBORN, John Sewell
1858	POPE, John Henry
1861	POPE, John Henry
1863	POPE, John Henry
1867	ROSS, James
1871	SAWYER, William
1875	SAWYER, William
1878	SAWYER, William
1881	SAWYER, William
1886	McINTOSH, John
1890	McINTOSH, John
1892	McINTOSH, John
1894*	McCLARY, Charles
1897	HUNT, James
1900	GIARD, Allen Wright
1904	GIARD, Allen Wright
1908	GIARD, Allen Wright
1912	SCOTT, George Nathaniel
1916	SCOTT, George Nathaniel
1919	DESJARLAIS, Camille-Émile
1923	NICOL, Jacob
1927	NICOL, Jacob
1929*	McMASTER, Andrew Ross
1931	DUFFY, William James
1935	SHERMAN, Payson Alton

1936	SHERMAN, Payson Alton
1939	DUFFY, William James
1944	DUFFY, William James
1946*	FRENCH, Charles Daniel
1948	FRENCH, Charles Daniel
1952	FRENCH, Charles Daniel
1954*	FRENCH, John William
1956	GAGNON, Fabien
1957*	GOSSELIN, Claude-Gilles
1960	GOSSELIN, Claude-Gilles
1962	GOSSELIN, Claude-Gilles
1966	GOSSELIN, Claude-Gilles
1970	DIONNE, Joseph-Omer

(Voir Mégantic-Compton)

CORNWALLIS

Premier siège:

1792	PANET, Pierre-Louis
1796	SIROIS-DUPLESSIS, Paschal
1798*	TACHÉ, Pascal
1800	BOUCHER, Joseph
1804	PERRAULT, Joseph-Nicolas
1808	LE VASSEUR BORGIA, Joseph
1809	LE VASSEUR BORGIA, Joseph
1810	LE VASSEUR BORGIA, Joseph
1814	LE VASSEUR BORGIA, Joseph
1816	LE VASSEUR BORGIA, Joseph
1820a	TACHÉ, Jean-Baptiste
1820j	TACHÉ, Jean-Baptiste
1824	LE VASSEUR BORGIA, Joseph
1827	LE VASSEUR BORGIA, Joseph

Deuxième siège:

1792	DIGÉ, Jean
1796	MENUT, Alexandre
1800	MENUT, Alexandre
1804	ROY, Alexandre
1808	ROBITAILLE, Joseph
1809	ROBITAILLE, Joseph
1810	ROBITAILLE, Joseph
1814	ROBITAILLE, Joseph
1816	ROBITAILLE, Joseph
1820a	ROBITAILLE, Joseph
1820j	ROBITAILLE, Joseph
1824	ROBITAILLE, Joseph
1827	ROBITAILLE, Joseph

(Voir Kamouraska et Rimouski)

CRÉMAZIE

(Formée en 1972 d'une partie d'Ahuntsic)

1973	BIENVENUE, Jean
1976	TARDIF, Guy
1981	TARDIF, Guy
1985	VALLERAND, André
1989	VALLERAND, André

D'ARCY-McGEE

(Formée en 1965 de parties de Montréal-Outremont et de Westmount–Saint-Georges)

1966	GOLDBLOOM, Victor Charles
1970	GOLDBLOOM, Victor Charles
1973	GOLDBLOOM, Victor Charles
1976	GOLDBLOOM, Victor Charles
1979*	MARX, Herbert
1981	MARX, Herbert
1985	MARX, Herbert
1989	LIBMAN, Robert

DEUX-MONTAGNES

(Formée en 1829 d'une partie de York et connue sous le nom de «lac des Deux-Montagnes» jusqu'en 1853)

Premier siège:

1830	LABRIE, Jacques
1831*	GIROUARD, Jean-Joseph
1834	GIROUARD, Jean-Joseph

Deuxième siège:

1830	SCOTT, William Henry
1834	SCOTT, William Henry
1841	ROBERTSON, Colin
1842*	FORBES, Charles John
1844	SCOTT, William Henry
1848	SCOTT, William Henry
1851	SCOTT, William Henry
1852*	PAPINEAU, Louis-Joseph
1854	DAOUST, Jean-Baptiste
1858	DAOUST, Jean-Baptiste
1861	DAOUST, Jean-Baptiste
1863	DAOUST, Jean-Baptiste
1867	OUIMET, Gédéon
1871	OUIMET, Gédéon
1875	OUIMET, Gédéon

1876*	CHAMPAGNE, Charles
1878	CHAMPAGNE, Charles
1881	CHAMPAGNE, Charles
1882*	BEAUCHAMP, Benjamin
1884*	BEAUCHAMP, Benjamin
1886	BEAUCHAMP, Benjamin
1890	BEAUCHAMP, Benjamin
1892	BEAUCHAMP, Benjamin
1897	CHAMPAGNE, Hector
1900	CHAMPAGNE, Hector
1904	CHAMPAGNE, Hector
1908	SAUVÉ, Arthur
1912	SAUVÉ, Arthur
1916	SAUVÉ, Arthur
1919	SAUVÉ, Arthur
1923	SAUVÉ, Arthur
1927	SAUVÉ, Arthur
1930*	SAUVÉ, Joseph-Mignault-Paul
1931	SAUVÉ, Joseph-Mignault-Paul
1935	ROCHON, Jean-Léo
1936	SAUVÉ, Joseph-Mignault-Paul
1939	SAUVÉ, Joseph-Mignault-Paul
1944	SAUVÉ, Joseph-Mignault-Paul
1948	SAUVÉ, Joseph-Mignault-Paul
1952	SAUVÉ, Joseph-Mignault-Paul
1956	SAUVÉ, Joseph-Mignault-Paul
1960	BINETTE, Gaston
1962	BINETTE, Gaston
1966	BINETTE, Gaston
1970	L'ALLIER, Jean-Paul
1973	L'ALLIER, Jean-Paul
1976	DE BELLEFEUILLE, Pierre
1981	DE BELLEFEUILLE, Pierre
1985	LEGAULT, Yolande D.
1989	BERGERON, Jean-Guy

DEVON

Premier siège:

1792	DAMBOURGÈS, François
1796	DORION, Nicolas
1800	PELLETIER, Jean-Bernard
1804	FORTIN, Jean-Baptiste
1808	FORTIN, Jean-Baptiste
1809	FORTIN, Jean-Baptiste
1810	FORTIN, Jean-Baptiste
1814	COUILLARD-DESPRÉS, Joseph-François
1816	COUILLARD-DESPRÉS, Joseph-François
1820a	FORTIN, Jean-Baptiste

1820j	FORTIN, Jean-Baptiste
1824	FORTIN, Jean-Baptiste
1827	FORTIN, Jean-Baptiste

Deuxième siège:

1792	TOD, James
1796	BERNIER, François
1800	BERNIER, François
1804	BERNIER, François
1808	BERNIER, François
1809	BERNIER, François
1810	BERNIER, François
1814	FOURNIER, François
1816	FOURNIER, François
1820a	FOURNIER, François
1820j	FOURNIER, François
1824	COUILLARD-DESPRÉS, Joseph-François
1827	LÉTOURNEAU, Jean-Charles

(Voir L'Islet)

DORCHESTER

Premier siège:

1792	TASCHEREAU, Gabriel-Elzéar
1796	BÉGIN, Charles
1800	CALDWELL, John
1804	CALDWELL, John
1808	CALDWELL, John
1809	TASCHEREAU, Jean-Thomas
1810	CALDWELL, John
1812*	TASCHEREAU, Jean-Thomas
1814	TASCHEREAU, Jean-Thomas
1816	TASCHEREAU, Jean-Thomas
1820a	LAGUEUX, Louis
1820j	LAGUEUX, Louis
1824	LAGUEUX, Louis
1827	LAGUEUX, Louis
1830	LAGUEUX, Louis
1832*	BOUFFARD, Jean
1834	BOUFFARD, Jean

Deuxième siège:

1792	IRUMBERRY DE SALABERRY, Ignace-Michel-Louis-Antoine d'
1796	DUMAS, Alexandre
1800	TASCHEREAU, Jean-Thomas
1804	TASCHEREAU, Jean-Thomas
1808	LANGLOIS, Pierre
1809	LANGLOIS, Pierre

1810	LANGLOIS, Pierre
1814	DAVIDSON, John
1816	DAVIDSON, John
1820a	DAVIDSON, John
1820j	DAVIDSON, John
1824	DAVIDSON, John
1827	SAMSON, Joseph
1830	CALDWELL, Henry John
1834	BEAUDOIN, Jean-Baptiste
1841	TASCHEREAU, Antoine-Charles
1844	TASCHEREAU, Pierre-Elzéar
1845*	TASCHEREAU, Joseph-André
1847*	LEMIEUX, François-Xavier (oncle)
1848	LEMIEUX, François-Xavier (oncle)
1851	LEMIEUX, François-Xavier (oncle)
1854	POULIOT, Barthélemy
1858	LANGEVIN, Hector-Louis
1861	LANGEVIN, Hector-Louis
1863	LANGEVIN, Hector-Louis
1864*	LANGEVIN, Hector-Louis
1867	LANGEVIN, Hector-Louis
1871	LAROCHELLE, Louis-Napoléon
1875	LAROCHELLE, Louis-Napoléon
1878	AUDET, Nicodème
1881	AUDET, Nicodème
1886	LAROCHELLE, Louis-Napoléon
1888*	PELLETIER, Louis-Philippe
1890	PELLETIER, Louis-Philippe
1892	PELLETIER, Louis-Philippe
1897	PELLETIER, Louis-Philippe
1900	PELLETIER, Louis-Philippe
1904	MORISSET, Alfred
1908	MORISSET, Alfred
1912	MORISSET, Alfred
1913*	CANNON, Lucien
1916	CANNON, Lucien
1917*	OUELLET, Joseph-Charles-Ernest
1919	OUELLET, Joseph-Charles-Ernest
1923	OUELLET, Joseph-Charles-Ernest
1927	OUELLET, Joseph-Charles-Ernest
1931	GIGUÈRE, Joseph-Philibert
1935	BÉGIN, Joseph-Damase
1936	BÉGIN, Joseph-Damase
1939	BÉGIN, Joseph-Damase
1944	BÉGIN, Joseph-Damase
1948	BÉGIN, Joseph-Damase
1952	BÉGIN, Joseph-Damase

1956	BÉGIN, Joseph-Damase
1960	BÉGIN, Joseph-Damase
1962	NADEAU, Joseph-Armand
1964*	O'FARRELL, Francis
1966	PICARD, Paul-Henri
1970	GUAY, Florian

(Voir Bellechasse, Beauce-Nord et Beauce-Sud)

DORION

(Formée en 1965 de parties de Montréal-Outremont, de Montréal–Jeanne-Mance et de Montréal-Laurier)

1966	AQUIN, François
1969*	BEAULIEU, Mario
1970	BOSSÉ, Alfred
1973	BOSSÉ, Alfred
1976	PAYETTE, Lise
1981	LACHAPELLE, Huguette
1985	TRÉPANIER, Violette
1989	TRÉPANIER, Violette

DRUMMOND

(Formée en 1829 d'une partie de Buckingham)

Premier siège:

1829*	HERIOT, Frederick George
1830	HERIOT, Frederick George
1833*	TOOMY, Edward
1834	TOOMY, Edward

Deuxième siège:
(créé en 1836)

1836*	MENUT, Henry

1841	WATTS, Robert Nugent
1844	WATTS, Robert Nugent
1848	WATTS, Robert Nugent
1851	McDOUGALL, John
1853–1890	*(Voir Drummond-Arthabaska)*

1890	WATTS, William John
1892	COOKE, Joseph Peter
1897	WATTS, William John
1900	WATTS, William John
1901*	LAFERTÉ, Joseph
1904	LAFERTÉ, Joseph
1908	LAFERTÉ, Joseph
1910*	ALLARD, Jules
1912	ALLARD, Jules

1916	LAFERTÉ, Hector
1919	LAFERTÉ, Hector
1923	LAFERTÉ, Hector
1927	LAFERTÉ, Hector
1931	LAFERTÉ, Hector
1935	RAJOTTE, Arthur
1936	MARIER, Joseph
1939	RAJOTTE, Arthur
1944	BERNARD, Robert
1948	BERNARD, Robert
1952	PINARD, Bernard
1956	BERNARD, Robert
1960	PINARD, Bernard
1962	PINARD, Bernard
1966	PINARD, Bernard
1970	PINARD, Bernard
1973	MALOUIN, Robert
1976	CLAIR, Michel
1981	CLAIR, Michel
1985	ST-ROCH, Jean-Guy
1989	ST-ROCH, Jean-Guy

DRUMMOND-ARTHABASKA

(Formée en 1853 à partir de Drummond, sous le nom de «comtés unis de Drummond et Arthabaska»)

1854	DORION, Jean-Baptiste-Éric
1858	DUNKIN, Christopher
1861	DORION, Jean-Baptiste-Éric
1863	DORION, Jean-Baptiste-Éric
1867	HEMMING, Edward John
1871	LAURIER, Wilfrid
1874*	WATTS, William John
1875	WATTS, William John
1878	WATTS, William John
1881	WATTS, William John
1886*	GIROUARD, Joseph-Éna
1886	GIROUARD, Joseph-Éna

(Voir Arthabaska et Drummond)

DUBUC

(Formée en 1965 de parties de Chicoutimi et de Jonquière-Kénogami)

1966	BOIVIN, Roch
1970	BOIVIN, Roch
1973	HARVEY, Ghislain

1976	DESBIENS, Hubert
1981	DESBIENS, Hubert
1985	DESBIENS, Hubert
1989	MORIN, Gérard-Raymond

DUPLESSIS

(Formée en 1960 d'une partie de Saguenay)

1960	COITEUX, Henri-Laurier
1962	COITEUX, Henri-Laurier
1966	COITEUX, Henri-Laurier
1970	COITEUX, Henri-Laurier
1972*	GALLIENNE, Donald
1973	GALLIENNE, Donald
1976	PERRON, Denis
1981	PERRON, Denis
1985	PERRON, Denis
1989	PERRON, Denis

EFFINGHAM

Premier siège:

1792	JORDAN, Jacob (père)
1796	JORDAN, Jacob (fils)
1800	NADON, André
1804	NADON, André
1808	MEUNIER, Joseph
1809	MEUNIER, Joseph
1810	MEUNIER, Joseph
1814	SHERWOOD, Samuel
1816	SHERWOOD, Samuel
1820a	OLDHAM, Jacob
1820j	OLDHAM, Jacob
1824	TESTARD DE MONTIGNY, Casimir-Amable
1827	PAPINEAU, André

Deuxième siège:

1792	LACROIX, Joseph-Hubert
1796	BOUC, Charles-Jean-Baptiste
1800	BOUC, Charles-Jean-Baptiste
1801*	BOUC, Charles-Jean-Baptiste
1801*	BOUC, Charles-Jean-Baptiste
1802*	SHAW, Angus
1804	PORTEOUS, Thomas
1808	DUCLOS, Joseph
1809	DUCLOS, Joseph
1810	MALBŒUF, dit BEAUSOLEIL, Joseph
1814	MALBŒUF, dit BEAUSOLEIL, Joseph
1816	MALBŒUF, dit BEAUSOLEIL, Joseph
1820a	TASSÉ, François

1820j	TASSÉ, François
1824	TURGEON, Joseph-Ovide
1827	TURGEON, Joseph-Ovide

(Voir Terrebonne)

FABRE

(Formée en 1965 d'une partie de Laval)

1966	HOUDE, Gilles
1970	HOUDE, Gilles
1973	HOUDE, Gilles
1976	LANDRY, Bernard
1981	LEDUC, Michel
1985	JOLY, Jean-A.
1989	JOLY, Jean-A.

FRONTENAC

(Formée en 1912 de parties de Beauce et de Compton)

1912	GRÉGOIRE, Georges-Stanislas
1916	GRÉGOIRE, Georges-Stanislas
1919	GRÉGOIRE, Georges-Stanislas
1923	BAILLARGEON, Cyrille
1927	BAILLARGEON, Cyrille
1931	GAGNON, Henri-Louis
1935	TARDIF, Patrice
1936	TARDIF, Patrice
1939	GAGNON, Henri-Louis
1944	TARDIF, Patrice
1948	TARDIF, Patrice
1952	NOËL, Gérard
1956	GUILLEMETTE, Éloi
1960	GUILLEMETTE, Éloi
1962	GUILLEMETTE, Éloi
1966	GRENIER, Fernand
1970	LATULIPPE, Paul-André
1973	LECOURS, Henri
1976	GRÉGOIRE, Gilles
1981	GRÉGOIRE, Gilles
1985	LEFEBVRE, Roger
1989	LEFEBVRE, Roger

GASPÉ

Premier siège :

1792	O'HARA, Edward
1796	O'HARA, Edward
1800	VONDENVELDEN, William
1804	PYKE, George

1808	PYKE, George
1809	PYKE, George
1810	PYKE, George
1814	BROWNE, George
1816	COCKBURN, James
1820a	Aucun élu
1820j	TASCHEREAU, Jean-Thomas
1824	TASCHEREAU, Jean-Thomas
1827	CHRISTIE, Robert
1829*	CHRISTIE, Robert
1830	CHRISTIE, Robert
1831*	CHRISTIE, Robert
1832*	CHRISTIE, Robert
1833*	LE BOUTILLIER, John
1834	LE BOUTILLIER, John

Deuxième siège :

(créé en 1832)

1832*	POWER, William
1834	POWER, William

1841	CHRISTIE, Robert
1844	CHRISTIE, Robert
1848	CHRISTIE, Robert
1851	CHRISTIE, Robert
1854	LE BOUTILLIER, John
1858	LE BOUTILLIER, John
1861	LE BOUTILLIER, John
1863	LE BOUTILLIER, John

1867	FORTIN, Pierre
1871	FORTIN, Pierre
1873*	FORTIN, Pierre
1875	FORTIN, Pierre
1877*	FORTIN, Pierre
1878	FLYNN, Edmund James
1879*	FLYNN, Edmund James
1881	FLYNN, Edmund James
1884*	FLYNN, Edmund James
1886	FLYNN, Edmund James
1890	CARRIER, Achille-Ferdinand
1892	FLYNN, Edmund James
1897	FLYNN, Edmund James
1900	KENNEDY, Xavier
1904	LEMIEUX, Louis-Joseph
1908	LEMIEUX, Louis-Joseph
1910*	PERRON, Joseph-Léonide
1912	LEMIEUX, Gustave
1916	LEMIEUX, Gustave

1919	LEMIEUX, Gustave
1923	LEMIEUX, Gustave
1927	LEMIEUX, Gustave
1931–1970	*(Voir Gaspé-Nord et Gaspé-Sud)*
1973	FORTIER, Guy
1976	LE MOIGNAN, Michel
1981	LEMAY, Henri
1985	BEAUDIN, André
1989	BEAUDIN, André

GASPÉ-NORD

(Formée en 1930 d'une partie de Gaspé)

1931	CÔTÉ, Thomas
1935	CÔTÉ, Thomas
1936	PELLETIER, Joseph-Alphonse
1939	CASGRAIN, Perreault
1944	PELLETIER, Joseph-Alphonse
1948	LÉVESQUE, Robert
1952	COUTURIER, Alphonse
1956	COUTURIER, Alphonse
1960	JOURDAIN, Claude
1962	GAGNON, François
1966	GAGNON, François
1970	GAGNON, François

(Voir Gaspé)

GASPÉ-SUD

(Formée en 1930 d'une partie de Gaspé)

1931	CHOUINARD, Alexandre
1935	CHOUINARD, Alexandre
1936	POULIOT, Camille-Eugène
1939	POULIOT, Camille-Eugène
1944	POULIOT, Camille-Eugène
1948	POULIOT, Camille-Eugène
1952	POULIOT, Camille-Eugène
1956	POULIOT, Camille-Eugène
1960	POULIOT, Camille-Eugène
1962	FORTIER, Guy
1966	FORTIER, Guy
1970	FORTIER, Guy

(Voir Gaspé)

GATINEAU

(Formée en 1930 d'une partie de Hull)

1931	LEGAULT, Augustin-Armand
1935	MERLEAU, Joseph-Barthélémi
1936	AUGER, Georges-Adélard
1939	NADON, Joseph-Célestin
1944	NADON, Joseph-Célestin
1948	DESJARDINS, Gérard
1952	DESJARDINS, Gérard
1956	DESJARDINS, Gérard
1960	DESJARDINS, Gérard
1962	FOURNIER, Roy
1966	FOURNIER, Roy
1970	FOURNIER, Roy
1972*	GRATTON, Michel
1972*	GRATTON, Michel
1973	GRATTON, Michel
1976	GRATTON, Michel
1981	GRATTON, Michel
1985	GRATTON, Michel
1989	LAFRENIÈRE, Réjean

GOUIN

(Formée en 1965 de parties de Montréal–Jeanne-Mance et de Montréal-Laurier)

1966	MICHAUD, Yves
1970	JORON, Guy
1973	BEAUREGARD, Jean-Marie
1976	TREMBLAY, Rodrigue
1981	ROCHEFORT, Jacques
1985	ROCHEFORT, Jacques
1989	BOISCLAIR, André

GROULX

(Formée en 1980 d'une partie de Terrebonne)

1981	FALLU, Élie
1985	BLEAU, Madeleine
1989	BLEAU, Madeleine

HAMPSHIRE

Premier siège :
1792	MACNIDER, Mathew
1796	PLANTÉ, Joseph-Bernard
1800	PLANTÉ, Joseph-Bernard
1804	PLANTÉ, Joseph-Bernard
1808	HUOT, François

1809	HUOT, François	1804	ROY, Étienne-Ferréol
1810	HUOT, François	1808	ROY, Étienne-Ferréol
1814	HUOT, François	1809	ROY, Étienne-Ferréol
1816	HUOT, François	1810	ROY, Étienne-Ferréol
1820a	HUOT, François	1814	ROY, Étienne-Ferréol
1820j	HUOT, François	1816	ROY, Étienne-Ferréol
1822*	ARCAND, Jean-Olivier	1820a	PARÉ, François-Xavier
1824	DROLET, François	1820j	PARÉ, François-Xavier
1827	CANNON, John	1824	BOISSONNAULT, Nicolas
		1827	BOISSONNAULT, Nicolas

Deuxième siège :

1792	BOUDREAU, Jean
1796	HUOT, François
1800	HUOT, François
1804	JUCHEREAU DUCHESNAY, Antoine-Louis
1808	JUCHEREAU DUCHESNAY, Antoine-Louis
1809	JUCHEREAU DUCHESNAY, Antoine-Louis
1810	LARUE, François-Xavier
1814	ALLSOPP, George Waters
1816	ALLSOPP, George Waters
1820a	LANGEVIN, Charles
1820j	LANGEVIN, Charles
1824	CANNON, John
1826*	LARUE, François-Xavier
1827	LARUE, François-Xavier

(Voir Portneuf)

HERTFORD

Premier siège :

1792	MARCOUX, Pierre
1796	TÊTU, Félix
1800	TELLIER, Michel
1804	TURGEON, Louis
1808	TURGEON, Louis
1809	BLANCHET, François
1810	BLANCHET, François
1814	BLANCHET, François
1816	TURGEON, Louis
1818*	BLANCHET, François
1820a	BLANCHET, François
1820j	BLANCHET, François
1824	BLANCHET, François
1827	BLANCHET, François

Deuxième siège :

1792	DUNIÈRE, Louis
1796	DUNIÈRE, Louis-François
1800	BLAIS, Louis

(Voir Bellechasse)

HOCHELAGA

(Formée en 1855 de la division Hochelaga de Montréal)

1858	LAPORTE, Joseph
1861	FALKNER, Paschal
1862*	DORION, Antoine-Aimé
1863	DORION, Antoine-Aimé
1867	BEAUBIEN, Louis
1871	BEAUBIEN, Louis
1875	BEAUBIEN, Louis
1878	BEAUBIEN, Louis
1881	BEAUBIEN, Louis
1886	VILLENEUVE, Joseph-Octave
1888*	CHAMPAGNE, Charles
1890	VILLENEUVE, Joseph-Octave
1892	VILLENEUVE, Joseph-Octave
1897	DÉCARIE, Daniel-Jérémie
1900	DÉCARIE, Daniel-Jérémie
1904	DÉCARIE, Jérémie-Louis
1908	DÉCARIE, Jérémie-Louis
1909*	DÉCARIE, Jérémie-Louis

(Voir Maisonneuve, Montréal-Dorion, Montréal-Hochelaga, Montréal-Laurier et Westmount)

HOCHELAGA-MAISONNEUVE

(Formée en 1988 de parties de Maisonneuve et de Sainte-Marie)

1989	HAREL, Louise

HULL

(Nouveau nom d'Ottawa en 1919)

1919	CARON, Joseph
1923	LAFOND, Joseph-Roméo

1927	GUERTIN, Aimé
1931	GUERTIN, Aimé
1935	CARON, Alexis
1936	TACHÉ, Alexandre
1939	CARON, Alexis
1944	TACHÉ, Alexandre
1948	TACHÉ, Alexandre
1952	TACHÉ, Alexandre
1956	PARENT, Oswald
1960	PARENT, Oswald
1962	PARENT, Oswald
1966	PARENT, Oswald
1970	PARENT, Oswald
1973	PARENT, Oswald
1976	OUELLETTE, Jocelyne
1981	ROCHELEAU, Gilles
1985	ROCHELEAU, Gilles
1989*	LESAGE, Robert
1989	LESAGE, Robert

HUNTINGDON (1792–1830)

Premier siège:

1792	LE COMTE DUPRÉ, Georges-Hippolyte
1796	PÉRINAULT, Joseph
1800	RAYMOND, Jean-Baptiste
1804	RAYMOND, Jean-Baptiste
1808	IRUMBERRY DE SALABERRY, Ignace-Michel-Louis-Antoine d'
1809	SEWELL, Stephen
1810	HENRY, Edme
1814	CUVILLIER, Austin
1816	CUVILLIER, Austin
1820a	CUVILLIER, Austin
1820j	CUVILLIER, Austin
1824	CUVILLIER, Austin
1827	CUVILLIER, Austin

Deuxième siège:

1792	LORIMIER, Claude-Nicolas-Guillaume de
1796	PERRAULT, Joseph-François
1800	PERRAULT, Joseph-François
1804	MACKENZIE, Alexander
1808	PANET, Jean-Antoine
1809	PANET, Jean-Antoine
1810	PANET, Jean-Antoine
1814	O'SULLIVAN, Michael
1816	O'SULLIVAN, Michael
1820a	O'SULLIVAN, Michael

1820j	O'SULLIVAN, Michael
1824	RAYMOND, Jean-Moïse
1827	RAYMOND, Jean-Moïse

(Voir L'Acadie, Beauharnois et Laprairie)

HUNTINGDON (1841–1853)

(Formée en 1841 de L'Acadie et de Laprairie)

1841	CUVILLIER, Austin
1844	LE MOINE, Benjamin-Henri
1848	SAUVAGEAU, Tancrède
1851	VARIN, Jean-Baptiste

(Voir Laprairie et Napierville)

HUNTINGDON (1853–1988)

(Formée en 1853 d'une partie de Beauharnois)

1854	SOMERVILLE, Robert Brown
1858	SOMERVILLE, Robert Brown
1861	SOMERVILLE, Robert Brown
1863	SOMERVILLE, Robert Brown
1867	SCRIVER, Julius
1869*	CANTWELL, William
1871	SANDERS, Thomas
1874*	CAMERON, Alexander
1875	CAMERON, Alexander
1876*	CAMERON, Alexander
1878	CAMERON, Alexander
1881	CAMERON, Alexander
1886	CAMERON, Alexander
1890	CAMERON, Alexander
1892	STEPHENS, George Washington (père)
1897	STEPHENS, George Washington (père)
1900	WALKER, William H.
1904	WALKER, William H.
1908	WALKER, William H.
1912	WALKER, William H.
1913*	PHILPS, Andrew
1916	PHILPS, Andrew
1919	PHILPS, Andrew
1923	PHILPS, Andrew
1927	PHILPS, Andrew
1930*	FISHER, Martin Beattie
1931	FISHER, Martin Beattie
1935	FISHER, Martin Beattie
1936	FISHER, Martin Beattie
1939	ROSS, James Walker

1941*	O'CONNOR, Dennis James
1944	O'CONNOR, Dennis James
1947*	RENNIE, John Gillies
1948	RENNIE, John Gillies
1952	SOMERVILLE, Henry Alister Darby
1956	SOMERVILLE, Henry Alister Darby
1960	SOMERVILLE, Henry Alister Darby
1962	SOMERVILLE, Henry Alister Darby
1966	FRASER, Kenneth
1970	FRASER, Kenneth
1973	FRASER, Kenneth
1976	DUBOIS, Claude
1981	DUBOIS, Claude
1985	DUBOIS, Claude

(Voir Beauharnois-Huntingdon)

IBERVILLE

(Formée en 1853 d'une partie de Rouville)

1854	LABERGE, Charles
1858	LABERGE, Charles
1858*	LABERGE, Charles
1861	DUFRESNE, Alexandre
1863	DUFRESNE, Alexandre
1867	MOLLEUR, Louis
1871	MOLLEUR, Louis
1875	MOLLEUR, Louis
1878	MOLLEUR, Louis
1881	DEMERS, Alexis-Louis
1886	DEMERS, Alexis-Louis
1886*	DUHAMEL, Georges
1887*	DUHAMEL, Georges
1890	GOSSELIN, François
1892	GOSSELIN, François
1897	GOSSELIN, François
1900	GOSSELIN, François
1904	GOSSELIN, François
1906*	BENOÎT, Joseph-Aldéric
1908	BENOÎT, Joseph-Aldéric
1912	BENOÎT, Joseph-Aldéric
1916	BENOÎT, Joseph-Aldéric
1919	FORGET, Adélard
1923	LAMOUREUX, Lucien
1927	LAMOUREUX, Lucien
1931	LAMOUREUX, Lucien
1935	LAMOUREUX, Lucien
1936	LAMOUREUX, Lucien

1939	BONVOULOIR, Émile
1944	THUOT, Yvon
1948	THUOT, Yvon
1952	THUOT, Yvon
1956	THUOT, Yvon
1960	HAMEL, Laurent
1962	HAMEL, Laurent
1966	CROISETIÈRE, Alfred
1970	CROISETIÈRE, Alfred
1973	TREMBLAY, Jacques-Raymond
1976	BEAUSÉJOUR, Jacques
1981	BEAUSÉJOUR, Jacques
1985	TREMBLAY, Jacques
1989	LAFRANCE, Yvon

ÎLES-DE-LA-MADELEINE

(Formée en 1895 d'une partie de Gaspé)

1897	DELANEY, Patrick Peter
1900	DELANEY, Patrick Peter
1904	LESLIE, Robert Jamieson
1906*	THÉRIAULT, Louis-Albin
1908	THÉRIAULT, Louis-Albin
1912	CARON, Joseph-Édouard
1916	CARON, Joseph-Édouard
1919	CARON, Joseph-Édouard
1923	CARON, Joseph-Édouard
1927	CARON, Joseph-Édouard
1928*	CARON, Amédée
1931	CARON, Amédée
1935	CARON, Amédée
1936	LANGLAIS, Hormisdas
1939	LANGLAIS, Hormisdas
1944	LANGLAIS, Hormisdas
1948	LANGLAIS, Hormisdas
1952	LANGLAIS, Hormisdas
1956	LANGLAIS, Hormisdas
1960	LANGLAIS, Hormisdas
1962	LACROIX, Louis-Philippe
1966	LACROIX, Louis-Philippe
1970	LACROIX, Louis-Philippe
1973	LACROIX, Louis-Philippe
1976	LEBLANC, Denise
1981	LEBLANC, Denise
1985	FARRAH, Georges
1989	FARRAH, Georges

JACQUES-CARTIER

(Formée en 1855 de la division Jacques-Cartier de Montréal)

1858	TASSÉ, François-Zéphirin
1861	TASSÉ, François-Zéphirin
1863	TASSÉ, François-Zéphirin
1864*	GAUCHER, Guillaume Gamelin
1867	LECAVALIER, Narcisse
1871	LECAVALIER, Narcisse
1875	LECAVALIER, Narcisse
1878	LECAVALIER, Narcisse
1881	LECAVALIER, Narcisse
1882*	MOUSSEAU, Joseph-Alfred
1883*	MOUSSEAU, Joseph-Alfred
1884*	BOYER, Arthur
1886	BOYER, Arthur
1890	BOYER, Arthur
1892	DESCARRIES, Joseph-Adélard
1897	CHAURET, Joseph-Adolphe
1900	CHAURET, Joseph-Adolphe
1904	CHAURET, Joseph-Adolphe
1908	COUSINEAU, Philémon
1912	COUSINEAU, Philémon
1916	ASHBY, Joseph-Séraphin-Aimé
1919	ASHBY, Joseph-Séraphin-Aimé
1923	PATENAUDE, Ésioff-Léon
1925*	MARCHAND, Victor
1927	MARCHAND, Victor
1931	MARCHAND, Victor
1933*	RHÉAUME, Théodule
1935	MONK, Frederick Arthur
1936	CARIGNAN, Anatole
1939	KIRKLAND, Charles-Aimé
1944	KIRKLAND, Charles-Aimé
1948	KIRKLAND, Charles-Aimé
1952	KIRKLAND, Charles-Aimé
1956	KIRKLAND, Charles-Aimé
1960	KIRKLAND, Charles-Aimé
1961*	KIRKLAND, Marie-Claire
1962	KIRKLAND, Marie-Claire
1966	SAINT-GERMAIN, Noël
1970	SAINT-GERMAIN, Noël
1973	SAINT-GERMAIN, Noël
1976	SAINT-GERMAIN, Noël
1981	DOUGHERTY, Joan
1985	DOUGHERTY, Joan
1989	CAMERON, Neil

JEANNE-MANCE

(Formée en 1965 d'une partie de Montréal–Jeanne-Mance)

1966	BRISSON, Aimé
1970	BRISSON, Aimé
1973	BRISSON, Aimé
1976	LABERGE, Henri-E.
1981	BISSONNET, Michel
1985	BISSONNET, Michel
1989	BISSONNET, Michel

JEAN-TALON

(Formée en 1965 de Québec-Centre et de parties de Québec-Est et de Québec-Ouest)

1966	BEAUPRÉ, Henri
1970	GARNEAU, Raymond
1973	GARNEAU, Raymond
1976	GARNEAU, Raymond
1979*	RIVEST, Jean-Claude
1981	RIVEST, Jean-Claude
1985	RÉMILLARD, Gil
1989	RÉMILLARD, Gil

JOHNSON

(Formée en 1972 de parties de Drummond, de Richmond, de Bagot et de Shefford)

1973	BOUTIN, Jean-Claude
1974*	BELLEMARE, Maurice
1976	BELLEMARE, Maurice
1980*	PICARD, Camille
1981	JUNEAU, Carmen
1985	JUNEAU, Carmen
1989	JUNEAU, Carmen

JOLIETTE

(Formée en 1853 d'une partie de Berthier)

1854	JOBIN, Joseph-Hilarion
1858	JOBIN, Joseph-Hilarion
1861	JOBIN, Joseph-Hilarion
1863	CORNELLIER, Hippolyte
1867	LAVALLÉE, Vincent-Paul
1871	LAVALLÉE, Vincent-Paul
1875	LAVALLÉE, Vincent-Paul
1878	LAVALLÉE, Vincent-Paul
1881	LAVALLÉE, Vincent-Paul

1885*	McCONVILLE, Joseph-Norbert-Alfred
1886	BASINET, Louis
1889*	BASINET, Louis
1890	BASINET, Louis
1892	TELLIER, Joseph-Mathias
1897	TELLIER, Joseph-Mathias
1900	TELLIER, Joseph-Mathias
1904	TELLIER, Joseph-Mathias
1908	TELLIER, Joseph-Mathias
1912	TELLIER, Joseph-Mathias
1916	HÉBERT, Ernest
1919	DUFRESNE, Pierre-Joseph
1923	DUFRESNE, Pierre-Joseph
1927	DUGAS, Lucien
1931	DUGAS, Lucien
1935	DUGAS, Lucien
1936	BARRETTE, Antonio
1939	BARRETTE, Antonio
1944	BARRETTE, Antonio
1948	BARRETTE, Antonio
1952	BARRETTE, Antonio
1956	BARRETTE, Antonio
1960	BARRETTE, Antonio
1960*	LAMBERT, Gaston
1962	MAJEAU, Maurice
1966	ROY, Pierre
1970	QUENNEVILLE, Robert
1973–1976	*(Voir Joliette-Montcalm)*
1981	CHEVRETTE, Guy
1985	CHEVRETTE, Guy
1989	CHEVRETTE, Guy

JOLIETTE-MONTCALM

(Formée en 1972 de Joliette et de Montcalm)

| 1973 | QUENNEVILLE, Robert |
| 1976 | CHEVRETTE, Guy |

(Voir Joliette)

JONQUIÈRE

(Formée en 1965 d'une partie de Jonquière-Kénogami)

1966	HARVEY, Gérald
1970	HARVEY, Gérald
1973	HARVEY, Gérald
1976	VAILLANCOURT, Claude
1981	VAILLANCOURT, Claude
1983*	SAINT-AMAND, Aline

| 1985 | DUFOUR, Francis |
| 1989 | DUFOUR, Francis |

JONQUIÈRE-KÉNOGAMI

(Formée en 1954 de parties de Chicoutimi et de Lac-Saint-Jean)

1956	OUELLET, Léonce
1960	HARVEY, Gérald
1962	HARVEY, Gérald

(Voir Jonquière)

KAMOURASKA

(Formée en 1829 d'une partie de Cornwallis)

Premier siège:

| 1830 | CASGRAIN, Charles-Eusèbe |
| 1834 | CANAC, dit MARQUIS, Pierre |

Deuxième siège:

1830	DIONNE, Amable
1834	DIONNE, Amable
1835*	FRASER, Alexandre

1841	BERTHELOT, Amable
1844	BERTHELOT, Amable
1848	CANAC, dit MARQUIS, Pierre
1851*	LETELLIER DE SAINT-JUST, Luc
1851	CHAPAIS, Jean-Charles
1854	CHAPAIS, Jean-Charles
1855*	CHAPAIS, Jean-Charles
1858	CHAPAIS, Jean-Charles
1861	CHAPAIS, Jean-Charles
1863	CHAPAIS, Jean-Charles
1864*	CHAPAIS, Jean-Charles

1867	Aucun élu
1869*	ROY, Charles-François
1871	ROY, Charles-François
1875	ROY, Charles-François
1877*	DUMONT, Joseph
1878	GAGNON, Charles-Antoine-Ernest
1881	GAGNON, Charles-Antoine-Ernest
1883*	GAGNON, Charles-Antoine-Ernest
1886	GAGNON, Charles-Antoine-Ernest
1887*	GAGNON, Charles-Antoine-Ernest
1890	DESJARDINS, Charles-Alfred
1892	DESJARDINS, Charles-Alfred

1897	ROY, Louis-Rodolphe
1900	ROY, Louis-Rodolphe
1904	ROY, Louis-Rodolphe
1905*	ROY, Louis-Rodolphe
1908	ROY, Louis-Rodolphe
1909*	DUPUIS, Louis-Auguste
1912	STEIN, Charles-Adolphe
1916	STEIN, Charles-Adolphe
1919	STEIN, Charles-Adolphe
1920*	MORIN, Nérée
1923	MORIN, Nérée
1927	MORIN, Nérée
1927*	GAGNON, Pierre
1931	GAGNON, Pierre
1935	GAGNON, Pierre
1936	CHALOULT, René
1939	(Voir Kamouraska–Rivière-du-Loup)
1944	LIZOTTE, Louis-Philippe
1948	PLOURDE, Alfred
1952	PLOURDE, Alfred
1956	PLOURDE, Alfred
1960	PLOURDE, Alfred
1962	DALLAIRE, Gérard
1966	D'ANJOU, Adélard
1970	PELLETIER, Jean-Marie

(Voir Kamouraska-Témiscouata)

KAMOURASKA–RIVIÈRE-DU-LOUP

(Formée en 1939 de Kamouraska et de Rivière-du-Loup)

| 1939 | CASGRAIN, Léon |

(Voir Kamouraska et Rivière-du-Loup)

KAMOURASKA-TÉMISCOUATA

(Formée en 1972 de Kamouraska et de Témiscouata)

1973	PELLETIER, Jean-Marie
1976	LÉVESQUE, Léonard
1981	LÉVESQUE, Léonard
1985	DIONNE, France
1989	DIONNE, France

KENT

Premier siège:
1792	BOILEAU, René
1796	MÉNARD, dit LAFONTAINE, Antoine
1800	MÉNARD, dit LAFONTAINE, Antoine

1804	WEILBRENNER, Pierre
1808	PLANTÉ, Joseph-Bernard
1809	DEBARTZCH, Pierre-Dominique
1810	DEBARTZCH, Pierre-Dominique
1814	BRESSE, Joseph
1816	VIGER, Denis-Benjamin
1820a	VIGER, Denis-Benjamin
1820j	VIGER, Denis-Benjamin
1824	VIGER, Denis-Benjamin
1827	VIGER, Denis-Benjamin

Deuxième siège:
1792	LEGRAS PIERREVILLE, Pierre
1796	VIGER, Jacques
1798*	BERTHELOT DARTIGNY, Michel-Amable
1800	VIGER, François
1804	VIGER, François
1808	PAPINEAU, Louis-Joseph
1809	PAPINEAU, Louis-Joseph
1810	PAPINEAU, Louis-Joseph
1814	BREUX, Noël
1816	BRUNEAU, Pierre
1820a	BRUNEAU, Pierre
1820j	QUESNEL, Frédéric-Auguste
1824	QUESNEL, Frédéric-Auguste
1827	QUESNEL, Frédéric-Auguste

(Voir Chambly)

LABELLE

(Formée en 1912 d'une partie d'Ottawa)

1912	FORTIER, Hyacinthe-Adélard
1916	FORTIER, Hyacinthe-Adélard
1917*	ACHIM, Honoré
1919	ACHIM, Honoré
1922*	LAHAIE, Désiré
1923	LORTIE, Pierre
1927	LORTIE, Pierre
1931	LORTIE, Pierre
1935	PAQUETTE, Joseph-Henri-Albiny
1936	PAQUETTE, Joseph-Henri-Albiny
1939	PAQUETTE, Joseph-Henri-Albiny
1944	PAQUETTE, Joseph-Henri-Albiny
1948	PAQUETTE, Joseph-Henri-Albiny
1952	PAQUETTE, Joseph-Henri-Albiny
1956	PAQUETTE, Joseph-Henri-Albiny
1958*	BOHÉMIER, Pierre
1959*	LAFONTAINE, Fernand-Joseph
1960	LAFONTAINE, Fernand-Joseph

| 1962 | LAFONTAINE, Fernand-Joseph | 1904 | TANGUAY, Georges |

1962   LAFONTAINE, Fernand-Joseph
1966   LAFONTAINE, Fernand-Joseph
1970   LAFONTAINE, Fernand-Joseph
1973–1976   *(Voir Laurentides-Labelle)*
1981   LÉONARD, Jacques
1985   HÉTU, Damien
1989   LÉONARD, Jacques

L'ACADIE (1830–1837)

(Formée en 1829 d'une partie de Huntingdon)

Premier siège:

1830   HOYLE, Robert
1834   CÔTÉ, Cyrille-Hector-Octave

Deuxième siège:

1830   LANGUEDOC, François
1834   HOTCHKISS, Merritt

(Voir Huntingdon)

L'ACADIE (1973–1988)

(Formée en 1972 de parties de Saint-Laurent et d'Ahuntsic)

1973   CLOUTIER, François
1976   LAVOIE-ROUX, Thérèse
1981   LAVOIE-ROUX, Thérèse
1985   LAVOIE-ROUX, Thérèse

(Voir Acadie)

LACHENAIE

(Formée en 1829 d'une partie de Leinster)

Premier siège:

1830   COURTEAU, Charles
1834   COURTEAU, Charles

Deuxième siège:

1830   ROCHON, Jean-Marie
1834   ROCHON, Jean-Marie
1837*   DUVERNAY, Ludger

(Voir Leinster)

LAC-SAINT-JEAN

(Formée en 1890 d'une partie de Chicoutimi-Saguenay)

1890   MARCOTTE, Pierre-Léandre
1892   GIRARD, Joseph
1897   GIRARD, Joseph
1900   TANGUAY, Georges

1904   TANGUAY, Georges
1908   BROËT, Théodore-Louis-Antoine
1908*   CARBONNEAU, Jean-Baptiste
1912   CARBONNEAU, Jean-Baptiste
1916   TURCOTTE, Joseph-Sylvio-Narcisse
1919   MOREAU, Émile
1923   MOREAU, Émile
1927   MOREAU, Émile
1931   FILLION, Joseph-Ludger
1935   DUGUAY, Joseph-Léonard
1936   DUGUAY, Joseph-Léonard
1939   FILLION, Joseph-Ludger
1944   FILLION, Joseph-Ludger
1948   AUGER, Antonio
1952   AUGER, Antonio
1956   AUGER, Antonio
1959*   LEVASSEUR, Paul
1960   COLLARD, Lucien
1962   COLLARD, Lucien
1966   DESMEULES, Joseph-Léonce
1970   PILOTE, Roger
1973   PILOTE, Roger
1976   BRASSARD, Jacques
1981   BRASSARD, Jacques
1985   BRASSARD, Jacques
1989   BRASSARD, Jacques

LAFONTAINE

(Formée en 1965 d'une partie de Bourget)

1966   BEAUDRY, Jean-Paul
1970   LÉGER, Marcel
1973   LÉGER, Marcel
1976   LÉGER, Marcel
1981   LÉGER, Marcel
1985   GOBÉ, Jean-Claude
1989   GOBÉ, Jean-Claude

LA PELTRIE

(Formée en 1980 d'une partie de Chauveau)

1981   MAROIS, Pauline
1985   CANNON, Lawrence
1989   CANNON, Lawrence

LA PINIÈRE

(Formée en 1988 d'une partie de Laprairie)

1989   SAINTONGE, Jean-Pierre

LAPORTE

(Formée en 1972 de parties de Taillon et de Chambly)

1973 DÉOM, André
1976 MAROIS, Pierre
1981 BOURBEAU, André
1985 BOURBEAU, André
1989 BOURBEAU, André

LAPRAIRIE

(Formée en 1829 d'une partie de Huntingdon)

Premier siège :
1830 CUVILLIER, Austin
1834 CARDINAL, Joseph-Narcisse

Deuxième siège :
1830 RAYMOND, Jean-Moïse
1834 RAYMOND, Jean-Moïse

1841–1853   *(Voir Huntingdon)*
1854 LORANGER, Thomas-Jean-Jacques
1858 LORANGER, Thomas-Jean-Jacques
1861 LORANGER, Thomas-Jean-Jacques
1863* PINSONNEAULT, Alfred
1863 PINSONNEAULT, Alfred

1867 THÉRIEN, Césaire
1871 ESINHART, Andrew
1875 CHARLEBOIS, Léon-Benoît-Alfred
1878 CHARLEBOIS, Léon-Benoît-Alfred
1881 CHARLEBOIS, Léon-Benoît-Alfred
1886 CHARLEBOIS, Léon-Benoît-Alfred
1887* GOYETTE, Odilon
1889* GOYETTE, Odilon
1890 DUHAMEL, Georges
1892 DOYON, Cyrille
1897 CHERRIER, Côme-Séraphin
1900 CHERRIER, Côme-Séraphin
1904 CHERRIER, Côme-Séraphin
1908 PATENAUDE, Ésioff-Léon
1912 PATENAUDE, Ésioff-Léon
1916 CÉDILOT, Wilfrid
1919 CÉDILOT, Wilfrid
1923–1970   *(Voir Napierville-Laprairie)*
1973 BERTHIAUME, Paul
1976 MICHAUD, Gilles
1981 SAINTONGE, Jean-Pierre

1985 SAINTONGE, Jean-Pierre
1989 LAZURE, Denis

L'ASSOMPTION

(Formée en 1829 d'une partie de Leinster)

Premier siège :
1830 JOLIETTE, Barthélemy
1832* RODIER, Édouard-Étienne
1834 RODIER, Édouard-Étienne

Deuxième siège :
1830 ÉNO, dit DESCHAMPS, Amable
1834 MEILLEUR, Jean-Baptiste

1841–1853   *(Voir Leinster)*
1854 PAPIN, Joseph
1858 ARCHAMBEAULT, Louis
1861 ARCHAMBAULT, Alexandre
1863 ARCHAMBEAULT, Louis

1867 MATHIEU, Étienne
1871 PELTIER, Onuphe
1875 PELTIER, Onuphe
1878 PELTIER, Onuphe
1880* MARION, Joseph
1881 MARION, Joseph
1886 FOREST, Ludger
1888* FOREST, Ludger
1890 MARION, Joseph
1892 MARION, Joseph
1897 MARION, Joseph
1900 DUHAMEL, Joseph-Édouard
1904 DUHAMEL, Joseph-Édouard
1906* GAUTHIER, Louis-Joseph
1908 REED, Walter
1912 REED, Walter
1916 REED, Walter
1919 REED, Walter
1923 REED, Walter
1927 REED, Walter
1931 REED, Walter
1935 GOUIN, Paul
1936 RAYNAULT, Adhémar
1939 BISSONNETTE, Bernard
1944 CHARTRAND, Victor-Stanislas
1948 CHARTRAND, Victor-Stanislas
1952 CHARTRAND, Victor-Stanislas
1956 CHARTRAND, Victor-Stanislas

1960	CHARTRAND, Victor-Stanislas
	(déclaré défait en 1961)
	COITEUX, Frédéric
1962	COITEUX, Frédéric
1966	LUSSIER, Robert
1970	PERREAULT, Jean
1973	PERREAULT, Jean
1976	PARIZEAU, Jacques
1981	PARIZEAU, Jacques
1985*	GERVAIS, Jean-Guy
1985	GERVAIS, Jean-Guy
1989	PARIZEAU, Jacques

LAURENTIDES-LABELLE

(Formée en 1972 de Labelle)

| 1973 | LAPOINTE, Roger |
| 1976 | LÉONARD, Jacques |

(Voir Labelle)

LAURIER

(Formée en 1965 de parties de Laval, de Montréal-Laurier et de Montréal-Outremont)

1966	LÉVESQUE, René
1970	MARCHAND, André
1973	MARCHAND, André
1976	MARCHAND, André
1981	SIRROS, Christos
1985	SIRROS, Christos
1989	SIRROS, Christos

LAVAL

(Formée en 1853 d'une partie de Terrebonne)

1854	LABELLE, Pierre
1858	LABELLE, Pierre
1861	LABELLE, Pierre
1861*	MORIN, Louis-Siméon
1863	BELLEROSE, Joseph-Hyacinthe
1867	BELLEROSE, Joseph-Hyacinthe
1871	BELLEROSE, Joseph-Hyacinthe
1875	LORANGER, Louis-Onésime
1878	LORANGER, Louis-Onésime
1879*	LORANGER, Louis-Onésime
1881	LORANGER, Louis-Onésime
1882*	LEBLANC, Pierre-Évariste
1883*	GABOURY, Amédée

1884*	LEBLANC, Pierre-Évariste
1886	LEBLANC, Pierre-Évariste
1888*	LEBLANC, Pierre-Évariste
1890	LEBLANC, Pierre-Évariste
1892	LEBLANC, Pierre-Évariste
1897	LEBLANC, Pierre-Évariste
1900	LEBLANC, Pierre-Évariste
1904	LEBLANC, Pierre-Évariste
1908	LÉVESQUE, Joseph-Wenceslas
1908*	LÉVESQUE, Joseph-Wenceslas
1912	LÉVESQUE, Joseph-Wenceslas
1916	LÉVESQUE, Joseph-Wenceslas
1919	RENAUD, Joseph-Olier (père)
1923	RENAUD, Joseph-Olier (père)
1927	RENAUD, Joseph-Olier (père)
1931	FILION, Joseph
1935	LEDUC, François-Joseph
1936	LEDUC, François-Joseph
1939	LEDUC, François-Joseph
1944	LEDUC, François-Joseph
1948	BARRIÈRE, Omer
1952	BARRIÈRE, Omer
1956	POULIOT, Léopold
1960	LAVOIE, Jean-Noël
1962	LAVOIE, Jean-Noël
1966	LAVOIE, Jean-Noël
1970	LAVOIE, Jean-Noël
1973	LAVOIE, Jean-Noël
1976	LAVOIE, Jean-Noël

(Voir Laval-des-Rapides)

LAVAL-DES-RAPIDES

(Formée en 1980 de parties de Laval, de Mille-Îles et de Fabre)

1981	LANDRY, Bernard
1985	BÉLANGER, Guy
1989	BÉLANGER, Guy

LAVIOLETTE

(Formée en 1930 d'une partie de Champlain)

1931	CRÊTE, Joseph-Alphida
1935	DUCHARME, Charles-Romulus
1936	DUCHARME, Charles-Romulus
1939	GUIBORD, Edmond
1944	DUCHARME, Charles-Romulus
1948	DUCHARME, Charles-Romulus

1952	DUCHARME, Charles-Romulus
1956	DUCHARME, Charles-Romulus
1960	DUCHARME, Charles-Romulus
1962	DUCHARME, Charles-Romulus
1966	LEDUC, André
1970	CARPENTIER, Prudent
1973	CARPENTIER, Prudent
1976	JOLIVET, Jean-Pierre
1981	JOLIVET, Jean-Pierre
1985	JOLIVET, Jean-Pierre
1989	JOLIVET, Jean-Pierre

LEINSTER

Premier siège:

1792	LAROCQUE, François-Antoine
1793*	McBEATH, George
1796	VIGER, Joseph
1800	BEAUMONT, Louis-Marie-Joseph
1804	TARIEU DE LANAUDIÈRE, Charles-Gaspard
1808	FARIBAULT, Joseph-Édouard
1809	TASCHEREAU, Jean-Thomas
1810	VIGER, Denis-Benjamin
1814	VIGER, Denis-Benjamin
1816	BEAUPRÉ, Benjamin
1820a	JOLIETTE, Barthélemy
1820j	PRÉVOST, Michel
1824	COURTEAU, Charles
1827	LEROUX, Laurent

Deuxième siège:

1792	PANET, Bonaventure
1796	PANET, Bonaventure
1800	ARCHAMBAULT, Jean
1804	ARCHAMBAULT, Jean
1808	TURGEON, Joseph
1809	PANET, Bonaventure
1810	ARCHAMBAULT, Jacques
1814	TRULLIER, dit LACOMBE, Jacques
1815*	PRÉVOST, Michel
1816	TRULLIER, dit LACOMBE, Jacques
1820a	TRULLIER, dit LACOMBE, Jacques
1820j	TRULLIER, dit LACOMBE, Jacques
1822*	ROCHON, Jean-Marie
1824	ROCHON, Jean-Marie
1827	POIRIER, Julien
1830–1837	*(Voir L'Assomption et Lachenaie)*

1841	RAYMOND, Jean-Moïse
1842*	DE WITT, Jacob
1844	DE WITT, Jacob
1848	DUMAS, Norbert
1851	VIGER, Louis-Michel

(Voir L'Assomption et Montcalm)

LÉVIS

(Formée en 1853 d'une partie de Dorchester)

1854	LEMIEUX, François-Xavier (oncle)
1855*	LEMIEUX, François-Xavier (oncle)
1858	LEMIEUX, François-Xavier (oncle)
1858*	LEMIEUX, François-Xavier (oncle)
1861	BLANCHET, Joseph-Godric
1863	BLANCHET, Joseph-Godric
1867	BLANCHET, Joseph-Godric
1871	BLANCHET, Joseph-Godric
1875	PÂQUET, Étienne-Théodore
1878	PÂQUET, Étienne-Théodore
1879*	PÂQUET, Étienne-Théodore
1881	PÂQUET, Étienne-Théodore
1883*	LEMIEUX, François-Xavier (neveu)
1886	LEMIEUX, François-Xavier (neveu)
1890	LEMIEUX, François-Xavier (neveu)
1892	BAKER, Angus
1897	LEMIEUX, François-Xavier (neveu)
1897*	OLIVIER, Nazaire-Nicolas
1898*	LANGELIER, Charles
1900	LANGELIER, Charles
1901*	BLOUIN, Jean-Cléophas
1904	BLOUIN, Jean-Cléophas
1908	BLOUIN, Jean-Cléophas
1911*	ROY, Laetare
1912	BERNIER, Alphonse
1916	ROY, Alfred-Valère
1919	ROY, Alfred-Valère
1923	ROY, Alfred-Valère
1927	ROY, Alfred-Valère
1931	BÉLANGER, Arthur
1935	LAROCHELLE, Joseph-Théophile
1936	LAROCHELLE, Joseph-Théophile
1939	FRANCŒUR, Joseph-Georges
1944	LAROCHELLE, Joseph-Théophile
1948	LAROCHELLE, Joseph-Théophile
1949*	SAMSON, Joseph-Albert
1952	BÉLANGER, Raynold

1956	SAMSON, Joseph-Albert
1960	ROY, Roger
1962	ROY, Roger
1966	MORIN, Jean-Marie
1970	ROY, Joseph-Aurélien
1973	CHAGNON, Vincent
1976	GARON, Jean
1981	GARON, Jean
1985	GARON, Jean
1989	GARON, Jean

LIMOILOU

(Formée en 1965 d'une partie de Québec-Est)

1966	MALTAIS, Armand
1970	HOUDE, Fernand
1973	HOUDE, Fernand
1976	GRAVEL, Raymond
1981	GRAVEL, Raymond
1985	DESPRÉS, Michel
1989	DESPRÉS, Michel

L'ISLET

(Formée en 1829 de Devon et connue sous le nom de «Islet» jusqu'en 1886)

Premier siège:

1830	LÉTOURNEAU, Jean-Charles
1834	LÉTOURNEAU, Jean-Charles

Deuxième siège:

1830	FORTIN, Jean-Baptiste
1834	FORTIN, Jean-Baptiste
1841	TACHÉ, Étienne-Paschal
1844	TACHÉ, Étienne-Paschal
1847*	FOURNIER, Charles-François
1848	FOURNIER, Charles-François
1851	FOURNIER, Charles-François
1854	FOURNIER, Charles-François
1858	CARON, Louis-Bonaventure (déclaré défait en 1858) FOURNIER, Charles-François
1861	FOURNIER, Charles-François
1863	CARON, Louis-Bonaventure
1867	VERREAULT, Pamphile-Gaspard
1871	VERREAULT, Pamphile-Gaspard
1875	VERREAULT, Pamphile-Gaspard

1878	COUILLARD DUPUIS, Jean-Baptiste
1881	MARCOTTE, Charles
1886	MIVILLE DECHÊNE, François-Gilbert
1890	MIVILLE DECHÊNE, François-Gilbert
1892	MIVILLE DECHÊNE, François-Gilbert
1897	MIVILLE DECHÊNE, François-Gilbert
1897*	MIVILLE DECHÊNE, François-Gilbert
1900	MIVILLE DECHÊNE, François-Gilbert
1902*	CARON, Joseph-Édouard
1904	CARON, Joseph-Édouard
1908	CARON, Joseph-Édouard
1909*	CARON, Joseph-Édouard
1912	MORIN, Joseph-Octave
1916	THÉRIAULT, Élisée
1919	THÉRIAULT, Élisée
1923	THÉRIAULT, Élisée
1927	THÉRIAULT, Élisée
1929*	GODBOUT, Joseph-Adélard
1931	GODBOUT, Joseph-Adélard
1935	GODBOUT, Joseph-Adélard
1936	BILODEAU, Joseph
1939	GODBOUT, Joseph-Adélard
1944	GODBOUT, Joseph-Adélard
1948	LIZOTTE, Fernand
1952	LIZOTTE, Fernand
1956	LIZOTTE, Fernand
1960	ROUSSEAU, André
1962	LIZOTTE, Fernand
1966	LIZOTTE, Fernand
1970	GIASSON, Julien

(Voir Montmagny-L'Islet)

LOTBINIÈRE

(Formée en 1829 d'une partie de Buckingham)

Premier siège:

1830	MÉTHOT, Louis
1834	MÉTHOT, Louis

Deuxième siège:

1830	NOËL, Jean-Baptiste-Isaïe
1834	NOËL, Jean-Baptiste-Isaïe
1841	NOËL, Jean-Baptiste-Isaïe
1844	LAURIN, Joseph
1848	LAURIN, Joseph
1851	LAURIN, Joseph
1854	O'FARRELL, John
1858	O'FARRELL, John

1858*	DRUMMOND, Lewis Thomas
1861	JOLY DE LOTBINIÈRE, Henri-Gustave
1863	JOLY DE LORBINIÈRE, Henri-Gustave
1867	JOLY DE LOTBINIÈRE, Henri-Gustave
1871	JOLY DE LOTBINIÈRE, Henri-Gustave
1875	JOLY DE LOTBINIÈRE, Henri-Gustave
1878	JOLY DE LOTBINIÈRE, Henri-Gustave
1881	JOLY DE LOTBINIÈRE, Henri-Gustave
1886*	LALIBERTÉ, Édouard-Hippolyte
1886	LALIBERTÉ, Édouard-Hippolyte
1890	LALIBERTÉ, Édouard-Hippolyte
1892	LALIBERTÉ, Édouard-Hippolyte
1897	LALIBERTÉ, Édouard-Hippolyte
1900	LEMAY, Napoléon
1904	LEMAY, Napoléon
1908	FRANCŒUR, Joseph-Napoléon
1912	FRANCŒUR, Joseph-Napoléon
1916	FRANCŒUR, Joseph-Napoléon
1919	FRANCŒUR, Joseph-Napoléon
1923	FRANCŒUR, Joseph-Napoléon
1927	FRANCŒUR, Joseph-Napoléon
1931	FRANCŒUR, Joseph-Napoléon
1935	FRANCŒUR, Joseph-Napoléon
1936	PELLETIER, Maurice
1939	CHALOULT, René
1944	ROBERGE, Guy
1948	BERNATCHEZ, René
1952	BERNATCHEZ, René
1956	BERNATCHEZ, René
1960	BERNATCHEZ, René
1962	BERNATCHEZ, René
1966	BERNATCHEZ, René
1970	BÉLAND, Jean-Louis
1973	MASSICOTTE, Georges
1976	BIRON, Rodrigue
1981	BIRON, Rodrigue
1985	CAMDEN, Lewis
1989	CAMDEN, Lewis

LOUIS-HÉBERT

(Formée en 1965 de parties de Québec et de Québec-Est)

1966	LESAGE, Jean
1970	CASTONGUAY, Claude
1973	DESJARDINS, Gaston
1976	MORIN, Claude
1981	MORIN, Claude
1982*	DOYON, Réjean

| 1985 | DOYON, Réjean |
| 1989 | DOYON, Réjean |

MAISONNEUVE

(Formée en 1912 d'une partie d'Hochelaga)

1912	DÉCARIE, Jérémie-Louis
1916	DÉCARIE, Jérémie-Louis
1919	LAURENDEAU, Adélard
1923	PELLERIN, Jean-Marie
1927	TREMBLAY, William
1931	ARCAND, Charles-Joseph
1935	TREMBLAY, William
1936	TREMBLAY, William
1939	CARON, Joseph-Georges
1944	GATIEN, Joseph-François-Albert
1948	GATIEN, Joseph-François-Albert
1952	MONTPETIT, Alcide
1956	TREMBLAY, Lucien
1960	TREMBLAY, Lucien
1962	DUPRÉ, Marcel
1966	LÉVEILLÉ, André
1970	BURNS, Robert
1973	BURNS, Robert
1976	BURNS, Robert
1979*	LALANDE, Georges
1981	HAREL, Louise
1985	HAREL, Louise

(Voir Hochelaga-Maisonneuve)

MARGUERITE-BOURGEOYS

(Formée en 1965 de parties de Jacques-Cartier
et de Montréal–Notre-Dame-de-Grâce)

1966	KIRKLAND, Marie-Claire
1970	KIRKLAND, Marie-Claire
1973	LALONDE, Fernand
1976	LALONDE, Fernand
1981	LALONDE, Fernand
1984*	FORTIN, Gilles
1985	FORTIN, Gilles
1989	FRULLA-HÉBERT, Liza

MARIE-VICTORIN

(Formée en 1980 de parties de Taillon et de Laporte)

| 1981 | MAROIS, Pierre |
| 1984* | PRATT, Guy |

| 1985 | VERMETTE, Cécile |
| 1989 | VERMETTE, Cécile |

MARQUETTE

(Formée en 1980 de parties de Notre-Dame-de-Grâce, de Marguerite-Bourgeoys et de Jacques-Cartier)

1981	DAUPHIN, Claude
1985	DAUPHIN, Claude
1989	DAUPHIN, Claude

MASKINONGÉ

(Formée en 1853 d'une partie de Saint-Maurice)

1854	TURCOTTE, Joseph-Édouard
1858	GAUVREAU, Louis-Honoré
1858*	CARON, George
1861	CARON, George
1863	HOUDE, Moïse
1867	DESAULNIERS, Alexis Lesieur
1871	HOUDE, Moïse
1875	HOUDE, Moïse
1878	CARON, Édouard
1881	CARON, Édouard
1886	CARON, Édouard
1888*	LEGRIS, Joseph-Hormisdas
1890	LESSARD, Joseph
1892	CARON, Hector
1897	CARON, Hector
1900	CARON, Hector
1904*	LAFONTAINE, Georges
1904	LAFONTAINE, Georges
1908	LAFONTAINE, Georges
1912	TOURVILLE, Rodolphe
1916	TOURVILLE, Rodolphe
1919	TOURVILLE, Rodolphe
1923	TOURVILLE, Rodolphe
1927	GAGNON, Joseph-William
1930*	THISDEL, Louis-Joseph
1931	THISDEL, Louis-Joseph
1935	THISDEL, Louis-Joseph
1936	CARON, Joseph-Napoléon
1939	THISDEL, Louis-Joseph
1944	CARON, Germain
1948	CARON, Germain
1952	CARON, Germain
1956	CARON, Germain
1960	CARON, Germain
1962	CARON, Germain
1966	PAUL, Rémi
1970	PAUL, Rémi
1973	PICOTTE, Yvon
1976	PICOTTE, Yvon
1981	PICOTTE, Yvon
1985	PICOTTE, Yvon
1989	PICOTTE, Yvon

MASSON

(Formée en 1988 de parties de L'Assomption et de Terrebonne)

| 1989 | BLAIS, Yves |

MATANE

(Formée en 1890 d'une partie de Rimouski)

1890	PINAULT, Louis-Félix
1892	FLYNN, Edmund James
1892*	PINAULT, Louis-Félix
1897	PINAULT, Louis-Félix
1899*	CARON, Donat
1900	CARON, Donat
1904	CARON, Donat
1908	CARON, Donat
1912	CARON, Donat
1916	CARON, Donat
1918*	FORTIN, Octave
1919	DUFOUR, Joseph
1923	BERGERON, Joseph-Arthur
1927	BERGERON, Joseph-Arthur
1931	BERGERON, Joseph-Arthur
1935	BERGERON, Joseph-Arthur
1936	GAGNON, Onésime
1939	GAGNON, Onésime
1944	GAGNON, Onésime
1948	GAGNON, Onésime
1952	GAGNON, Onésime
1956	GAGNON, Onésime
1958*	GABOURY, Benoît
1960	CASTONGUAY, Philippe
1962	CASTONGUAY, Philippe
1964*	BERNIER, Jacques
1966	BIENVENUE, Jean
1970	BIENVENUE, Jean
1973	CÔTÉ, Marc-Yvan
1976	BÉRUBÉ, Yves
1981	BÉRUBÉ, Yves

1985	HOVINGTON, Claire-Hélène
1989	HOVINGTON, Claire-Hélène

MATAPÉDIA

(Formée en 1922 d'une partie de Matane)

1923	DUFOUR, Joseph
1927	DUFOUR, Joseph
1931	DUFOUR, Joseph
1935	DUFOUR, Joseph
1936	PARADIS, Ferdinand
1939	DUFOUR, Joseph
1944	COSSETTE, Philippe
1948	COSSETTE, Philippe
1952	COSSETTE, Philippe
1953*	GAGNON, Clovis
1956	GAGNON, Clovis
1960	ARSENAULT, Bona
1962	ARSENAULT, Bona
1966	ARSENAULT, Bona
1970	ARSENAULT, Bona
1973	ARSENAULT, Bona
1976	MARQUIS, Léopold
1981	MARQUIS, Léopold
1985	PARADIS, Henri
1989	PARADIS, Henri

MÉGANTIC

(Formée en 1829 d'une partie de Buckingham)

1830	(Annexée à Beauce)
1832*	ANDERSON, Anthony
1834	CLAPHAM, John Greaves
1841	DALY, Dominique
1844	DALY, Dominique
1848	DALY, Dominique
1850*	ROSS, Dunbar
1851	CLAPHAM, John Greaves
1854	RHODES, William
1858	HÉBERT, Noël
1861	HÉBERT, Noël
1863	IRVINE, George
1867	IRVINE, George
1871	IRVINE, George
1875	IRVINE, George
1876*	KENNEDY, Andrew
1878	IRVINE, George

1881	IRVINE, George
1884*	WHYTE, John
1886	JOHNSON, Andrew Stuart
1888*	RHODES, William
1890	JOHNSON, Andrew Stuart
1892	KING, James
1897	SMITH, George Robert
1900	SMITH, George Robert
1904	SMITH, George Robert
1908	PENNINGTON, David Henry
1912	DEMERS, Joseph
1916	LAPIERRE, Lauréat
1919	LAPIERRE, Lauréat
1923	LAPIERRE, Lauréat
1927	LAPIERRE, Lauréat
1931	LAPIERRE, Lauréat
1935	LABBÉ, Tancrède
1936	LABBÉ, Tancrède
1939	HOUDE, Louis
1940*	LABBÉ, Tancrède
1944	LABBÉ, Tancrède
1948	LABBÉ, Tancrède
1952	LABBÉ, Tancrède
1956	LABBÉ, Tancrède
1957*	FORTIN, Joseph-Émile
1960	MAHEUX, Pierre-Émilien
1962	MAHEUX, Pierre-Émilien
1966	BERGERON, Marc
1970	DUMONT, Bernard

(Voir Mégantic-Compton)

MÉGANTIC-COMPTON

(Formée en 1972 de Mégantic, de Compton
et d'une partie de Wolfe)

1973	DIONNE, Joseph-Omer
1976	GRENIER, Fernand
1980*	BÉLANGER, Fabien
1981	BÉLANGER, Fabien
1983*	BÉLANGER, Madeleine
1985	BÉLANGER, Madeleine
1989	BÉLANGER, Madeleine

MERCIER

(Formée en 1965 de parties de Montréal-Mercier
et de Montréal–Saint-Louis)

1966	BOURASSA, Robert
1970	BOURASSA, Robert
1973	BOURASSA, Robert
1976	GODIN, Gérald
1981	GODIN, Gérald
1985	GODIN, Gérald
1989	GODIN, Gérald

MILLE-ÎLES

(Formée en 1972 de Fabre)

1973	LACHANCE, Bernard
1976	JORON, Guy
1981	CHAMPAGNE, Jean-Paul
1985	BÉLISLE, Jean-Pierre
1989	BÉLISLE, Jean-Pierre

MISSISQUOI

(Formée en 1829 d'une partie de Bedford ; orthographiée
«Missiskoui» ou «Missiscoui» avant 1855)

Premier siège :

1829*	FRELIGH, Richard Van Vliet
1830	BAKER, Stevens
1834	BAKER, William

Deuxième siège :

1829*	TAYLOR, Ralph
1830	TAYLOR, Ralph
1834	KNIGHT, Ephraim
1841	JONES, Robert
1844	SMITH, James
1847*	BADGLEY, William
1848	BADGLEY, William
1851	PAIGE, Seneca
1854	(Voir Missisquoi-Est et Missisquoi-Ouest)
1858	WHITNEY, Hannibal Hodges
1861	O'HALLORAN, James
1863	O'HALLORAN, James
1867	BRIGHAM, Josiah Sandford
1871	BRIGHAM, Josiah Sandford
1875	BAKER, George Barnard
1876*	BAKER, George Barnard
1878	RACICOT, Ernest

1881	SPENCER, Elijah Edmund
1886	SPENCER, Elijah Edmund
1888*	SPENCER, Elijah Edmund
1890	SPENCER, Elijah Edmund
1892	SPENCER, Elijah Edmund
1897	McCORKILL, John Charles James Sarsfield
1898*	COTTON, Cedric Lemoine
1900	GOSSELIN, Joseph-Jean-Baptiste
1904	GOSSELIN, Joseph-Jean-Baptiste
1908	GOSSELIN, Joseph-Jean-Baptiste
1912	GOSSELIN, Joseph-Jean-Baptiste
1916	GOSSELIN, Joseph-Jean-Baptiste
1919	SAURETTE, Alexandre
1923	SAURETTE, Alexandre
1927	SAURETTE, Alexandre
1931	SAURETTE, Alexandre
1935	POULIOT, François-A.
1936	POULIOT, François-A.
1939	GOSSELIN, Henri-A.
1944	GOSSELIN, Henri-A.
1948	BERTRAND, Jean-Jacques
1952	BERTRAND, Jean-Jacques
1956	BERTRAND, Jean-Jacques
1960	BERTRAND, Jean-Jacques
1962	BERTRAND, Jean-Jacques
1966	BERTRAND, Jean-Jacques
1970	BERTRAND, Jean-Jacques

(Voir Brome-Missisquoi)

MISSISQUOI-EST

(Détachée de Missisquoi en 1853)

1854	FERRES, James Moir

(Voir Brome)

MISSISQUOI-OUEST

(Détachée de Missisquoi en 1853)

1854	WHITNEY, Hannibal Hodges

(Voir Missisquoi)

MONTCALM

(Formée en 1853 d'une partie de Leinster et de Berthier)

1854	DUFRESNE, Joseph
1858	DUFRESNE, Joseph
1861	MARTIN, Jean-Louis

1862*	DUFRESNE, Joseph
1863	DUFRESNE, Joseph
1867	DUGAS, Firmin
1871	DUGAS, Firmin
1874*	MARTIN, Louis-Gustave
1875	MARTIN, Louis-Gustave
1878	MAGNAN, Octave
1881	RICHARD, Jean-Baptiste-Trefflé
1886	RICHARD, Jean-Baptiste-Trefflé
1886*	TAILLON, Louis-Olivier
1890	MARTIN, Joseph-Alcide
1892	MAGNAN, Octave
1897	BISSONNETTE, Pierre-Julien-Léonidas
1900	BISSONNETTE, Pierre-Julien-Léonidas
1904	BISSONNETTE, Pierre-Julien-Léonidas
1908	SYLVESTRE, Joseph
1912	SYLVESTRE, Joseph
1916	DUPUIS, Joseph-Alcide
1917*	DANIEL, Joseph-Ferdinand
1919	DANIEL, Joseph-Ferdinand
1923	DANIEL, Joseph-Ferdinand
1927	DANIEL, Joseph-Ferdinand
1929*	PERRON, Joseph-Léonide
1931	DUVAL, Médéric
1935	DANIEL, Jean-Gaétan
1936	TELLIER, Maurice
1939	DUVAL, Joseph-Odilon
1944	TELLIER, Maurice
1948	TELLIER, Maurice
1952	TELLIER, Maurice
1956	TELLIER, Maurice
1960	TELLIER, Maurice
1962	MARTIN, Gérard
1966	MASSE, Marcel
1970	MASSE, Marcel

(Voir Joliette-Montcalm)

MONTMAGNY

(Formée en 1853 d'une partie de Bellechasse et de L'Islet)

1854	CASAULT, Louis-Napoléon
1858	BEAUBIEN, Joseph-Octave
1861	BEAUBIEN, Joseph-Octave
1863	BEAUBIEN, Joseph-Octave
1867	BLAIS, Louis-Henri
1871	FOURNIER, Télesphore

1873*	LANGELIER, François
1875	LANDRY, Auguste-Charles-Philippe
1876*	FORTIN, Louis-Napoléon
1878	FORTIN, Louis-Napoléon
1881	FORTIN, Louis-Napoléon
	(déclaré défait en 1883)
	BERNATCHEZ, Nazaire
1886	BERNATCHEZ, Nazaire
1890	BERNATCHEZ, Nazaire
1892	BERNATCHEZ, Nazaire
1897	LISLOIS, Joseph-Couillard
1900	ROY, Ernest
1904	ROY, Ernest
1908	LA VERGNE, Armand
1912	LA VERGNE, Armand
1916	MASSON, Joseph-Elzéar
1919	PAQUET, Charles-Abraham
1923	PAQUET, Charles-Abraham
1927	PAQUET, Charles-Abraham
1931	PAQUET, Charles-Abraham
1935	GRÉGOIRE, Joseph-Ernest
1936	GRÉGOIRE, Joseph-Ernest
1939	CHOQUETTE, Fernand
1944	CHOQUETTE, Fernand
1948	RIVARD, Antoine
1952	RIVARD, Antoine
1956	RIVARD, Antoine
1960	LIZOTTE, Laurent
1962	CLOUTIER, Jean-Paul
1966	CLOUTIER, Jean-Paul
1970	CLOUTIER, Jean-Paul

(Voir Montmagny-L'Islet)

MONTMAGNY-L'ISLET

(Formée en 1972 de Montmagny et de L'Islet)

1973	GIASSON, Julien
1976	GIASSON, Julien
1981	LEBLANC, Jacques
1985	GAUVIN, Réal
1989	GAUVIN, Réal

MONTMORENCY

(Formée en 1829 d'une partie de Northumberland)

Premier siège:

1830	PANET, Philippe
1832*	BÉDARD, Elzéar

1834	BÉDARD, Elzéar	
1836*	LEFRANÇOIS, Nicolas	

Deuxième siège:
(à compter de 1836)

1836*	TÊTU, Vital	
1841	QUESNEL, Frédéric-Auguste	
1844	CAUCHON, Joseph-Édouard	
1848	CAUCHON, Joseph-Édouard	
1851	CAUCHON, Joseph-Édouard	
1854	CAUCHON, Joseph-Édouard	
1855*	CAUCHON, Joseph-Édouard	
1858	CAUCHON, Joseph-Édouard	
1861	CAUCHON, Joseph-Édouard	
1863	CAUCHON, Joseph-Édouard	
1867	CAUCHON, Joseph-Édouard	
1871	CAUCHON, Joseph-Édouard	
1872*	CAUCHON, Joseph-Édouard	
1874*	ANGERS, Auguste-Réal	
1874*	ANGERS, Auguste-Réal	
1875	ANGERS, Auguste-Réal	
1878	LANGELIER, Charles	
1881	DESJARDINS, Louis-Georges	
1886	DESJARDINS, Louis-Georges	
1890	LANGELIER, Charles	
1890*	LANGELIER, Charles	
1892	CASGRAIN, Thomas Chase	
1896*	BOUFFARD, Édouard	
1897	BOUFFARD, Édouard	
1900	TASCHEREAU, Louis-Alexandre	
1904	TASCHEREAU, Louis-Alexandre	
1907*	TASCHEREAU, Louis-Alexandre	
1908	TASCHEREAU, Louis-Alexandre	
1912	TASCHEREAU, Louis-Alexandre	
1916	TASCHEREAU, Louis-Alexandre	
1919	TASCHEREAU, Louis-Alexandre	
1923	TASCHEREAU, Louis-Alexandre	
1927	TASCHEREAU, Louis-Alexandre	
1931	TASCHEREAU, Louis-Alexandre	
1935	TASCHEREAU, Louis-Alexandre	
1936	ROY, Joseph-Félix	
1939	DUMOULIN, Jacques	
1944	DUMOULIN, Jacques	
1948	PRÉVOST, Yves	
1952	PRÉVOST, Yves	
1956	PRÉVOST, Yves	
1960	PRÉVOST, Yves	

1962	GERVAIS, Albert	
1966	TREMBLAY, Gaston	
1970	VÉZINA, Louis	
1973	BÉDARD, Marcel	
1976	RICHARD, Clément	
1981	RICHARD, Clément	
1985	SÉGUIN, Yves	
1989	SÉGUIN, Yves	
1991*	FILION, Jean	

MONTRÉAL

Premier siège:

1792	PAPINEAU, Joseph	
1796	DUCHARME, Jean-Marie	
1800	PAPINEAU, Joseph	
1804	FROBISHER, Benjamin Joseph	
1808	DUROCHER, Jean-Baptiste	
1809	DUROCHER, Jean-Baptiste	
1810	DUROCHER, Jean-Baptiste	
1811*	STUART, James	
1814	STUART, James	
1816	STUART, James	
1820a	PERRAULT, Joseph	
1820j	PERRAULT, Joseph	
1824	PERRAULT, Joseph	
1827	PERRAULT, Joseph	
1830	PERRAULT, Joseph	
1831*	MONDELET, Dominique	
1834	CHERRIER, Côme-Séraphin	

Deuxième siège:

1792	WALKER, James	
1796	GUY, Étienne	
1800	WALKER, Thomas	
1804	ROY PORTELANCE, Louis	
1808	ROY PORTELANCE, Louis	
1809	ROY PORTELANCE, Louis	
1810	ROY PORTELANCE, Louis	
1814	RICHER, Augustin	
1816	RICHER, Augustin	
1820a	VALOIS, Joseph	
1820j	VALOIS, Joseph	
1824	VALOIS, Joseph	
1827	VALOIS, Joseph	
1830	VALOIS, Joseph	
1834	PAPINEAU, Louis-Joseph	
1835*	JOBIN, André	

1841 DELISLE, Alexandre-Maurice
1843* JOBIN, André
1844 JOBIN, André
1848 JOBIN, André
1851 VALOIS, Michel-François

Division Hochelaga:
1854 LAPORTE, Joseph

Division Jacques-Cartier:
1854 VALOIS, Michel-François

(Voir Hochelaga et Jacques-Cartier)

MONTRÉAL, cité de
(Formée en 1841 de Montréal-Est et de Montréal-Ouest)

Premier siège:
1841 MOFFAT, George
1843* BEAUBIEN, Pierre
1844 MOFFAT, George
1848 LA FONTAINE, Louis-Hippolyte
1848* LA FONTAINE, Louis-Hippolyte
1851 BADGLEY, William
1854 HOLTON, Luther Hamilton
1858 ROSE, John

Deuxième siège:
1841 HOLMES, Benjamin
1844* DRUMMOND, Lewis Thomas
1844 SABREVOIS DE BLEURY, Charles-Clément
1848 HOLMES, Benjamin
1851 YOUNG, John
1854 YOUNG, John
1858 McGEE, Thomas D'Arcy

Troisième siège:
(créé en 1853)
1854 DORION, Antoine-Aimé
1858* DORION, Antoine-Aimé
1858 DORION, Antoine-Aimé

(Voir Montréal-Centre, Montréal-Est et Montréal-Ouest)

MONTRÉAL-CENTRE
(Formée en 1860 des quartiers Centre, Est et Ouest de Montréal)

1861 ROSE, John
1863 ROSE, John

1867 CARTER, Edward Brock

1871 HOLTON, Luther Hamilton
1874* ALEXANDER, Charles
1875 OGILVIE, Alexander Walker
1878 NELSON, Horatio Admiral
1881 STEPHENS, George Washington (père)
1886 McSHANE, James
1887* McSHANE, James

(Voir Montréal n° 2 et Montréal n° 6)

MONTRÉAL-DORION
(Formée en 1912 d'une partie d'Hochelaga)

1912 MAYRAND, Georges
1916 MAYRAND, Georges
1919 LACOMBE, Aurèle
1923 TÉTREAU, Ernest
1927 BLAIN, Aldéric
1931 FRANCŒUR, Joseph-Achille
1935 BÉLANGER, Joseph-Grégoire
1936 BÉLANGER, Joseph-Grégoire

(Voir Montréal–Jeanne-Mance et Montréal-Mercier)

MONTRÉAL-EST (1792–1837)

Premier siège:
1792 FROBISHER, Joseph
1796 PAPINEAU, Joseph
1800 PANET, Pierre-Louis
1804 McGILL, James
1808 MONDELET, Jean-Marie
1809 PAPINEAU, Joseph
1810 PAPINEAU, Joseph
1814 SAVEUSE DE BEAUJEU, Jacques-Philippe
1816 ROY PORTELANCE, Louis
1820a HENEY, Hugues
1820j HENEY, Hugues
1824 HENEY, Hugues
1827 HENEY, Hugues
1830 HENEY, Hugues
1832* BERTHELET, Antoine-Olivier
1834 ROY, Joseph

Deuxième siège:
1792 RICHARDSON, John
1796 VIGER, Denis
1800 BADGLEY, Francis
1804 CHABOILLEZ, Louis
1808 STUART, James
1809 STUART, James

1810	SEWELL, Stephen
1814	PLATT, George
1816	MOLSON, John (père)
1820a	BUSBY, Thomas
1820j	THAIN, Thomas
1824	LESLIE, James
1827	LESLIE, James
1830	LESLIE, James
1834	LESLIE, James

(Voir cité de Montréal)

MONTRÉAL-EST (1861–1890)

(Formée en 1860 des quartiers Saint-Louis, Saint-Jacques et Sainte-Marie de Montréal)

1861	CARTIER, George-Étienne
1863	CARTIER, George-Étienne
1864*	CARTIER, George-Étienne
1867	CARTIER, George-Étienne
1871	DAVID, Ferdinand-Conon
1875	TAILLON, Louis-Olivier
1878	TAILLON, Louis-Olivier
1881	TAILLON, Louis-Olivier
1884*	TAILLON, Louis-Olivier
1886	DAVID, Laurent-Olivier

(Voir Montréal nº 1, Montréal nº 2 et Montréal nº 3)

MONTRÉAL-HOCHELAGA

(Formée en 1912 d'une partie d'Hochelaga)

1912	LÉTOURNEAU, Séverin
1916	LÉTOURNEAU, Séverin
1919	BÉDARD, Joseph-Hercule

(Voir Montréal–Saint-Henri)

MONTRÉAL–JEANNE-MANCE

(Formée en 1939 de parties de Maisonneuve, de Montréal-Dorion et de Montréal-Mercier)

1939	DUBREUIL, Joseph-Émile
1944	DUBREUIL, Joseph-Émile
1948	GUÉVREMONT, Georges
1952	NOËL, Jean-Paul
1956	CUSTEAU, Maurice-Tréflé
1960	CUSTEAU, Maurice-Tréflé

| 1962 | BRISSON, Aimé |

(Voir Jeanne-Mance)

MONTRÉAL-LAURIER

(Formée en 1912 d'une partie d'Hochelaga)

1912	TURCOT, Napoléon
1916	TURCOT, Napoléon
1919	POULIN, Ernest
1923	DURANLEAU, Alfred
1927	POULIN, Ernest
1931	POULIN, Ernest
1935	LESAGE, Zénon
1936	BERTRAND, Charles-Auguste
1939	GAUTHIER, Paul
1944	LAURENDEAU, André
1948	PROVENÇAL, Paul
1952	PROVENÇAL, Paul
1955*	GAGNÉ, Arsène
1956	GAGNÉ, Arsène
1960	LÉVESQUE, René
1962	LÉVESQUE, René

(Voir Laurier)

MONTRÉAL-MERCIER

(Formée en 1922 de parties de Montréal-Dorion et de Montréal-Laurier)

1923	L'ARCHEVÊQUE, Adolphe
1927	PLANTE, Anatole
1931	PLANTE, Anatole
1935	PLANTE, Anatole
1936	THIBEAULT, Gérard
1939	FRANCŒUR, Joseph-Achille
1944	FRANCŒUR, Joseph-Achille
1948	THIBEAULT, Gérard
1952	THIBEAULT, Gérard
1956	THIBEAULT, Gérard
1960	THIBEAULT, Gérard
1962	CRÉPEAU, Jean-Baptiste

(Voir Mercier)

MONTRÉAL nº 1

(Formée en 1890 d'une partie de Montréal-Est)

| 1890 | BÉLAND, Joseph |
| 1892 | MARTINEAU, François |

1897	LACOMBE, Georges-Albini
1900	LACOMBE, Georges-Albini
1904	LACOMBE, Georges-Albini
1908	LACOMBE, Georges-Albini
1908*	SÉGUIN, Napoléon

(Voir Montréal–Sainte-Marie)

MONTRÉAL n° 2

(Formée en 1890 de parties de Montréal-Est
et de Montréal-Centre)

1890	BRUNET, Joseph
1892	AUGÉ, Olivier-Maurice
1897	GOUIN, Lomer
1900	GOUIN, Lomer
1904	GOUIN, Lomer
1905*	GOUIN, Lomer
1908	BOURASSA, Henri
1909*	ROBILLARD, Clément

(Voir Montréal–Saint-Jacques)

MONTRÉAL n° 3

(Formée en 1890 d'une partie de Montréal-Est)

1890	RAINVILLE, Henri-Benjamin
1892	PARIZEAU, Damase
1897	RAINVILLE, Henri-Benjamin
1900	RAINVILLE, Henri-Benjamin
1904	LANGLOIS, Godfroy
1908	LANGLOIS, Godfroy

(Voir Montréal–Saint-Louis)

MONTRÉAL n° 4

(Formée en 1890 d'une partie de Montréal-Ouest)

1890	CLENDINNENG, William C.
1892	MORRIS, Alexander Webb
1896*	ATWATER, Albert William
1897	ATWATER, Albert William
1900	COCHRANE, James
1904	COCHRANE, James
1905*	STEPHENS, George Washington (fils)
1908	FINNIE, John Thomas

(Voir Montréal–Saint-Laurent)

MONTRÉAL n° 5

(Formée en 1890 d'une partie de Montréal-Ouest)

1890	HALL, John Smythe
1892	HALL, John Smythe
1897	BICKERDIKE, Robert
1900	HUTCHINSON, Matthew
1904	CARTER, Christopher Benfield
1907*	GAULT, Charles Ernest
1908	GAULT, Charles Ernest

(Voir Montréal–Saint-Georges)

MONTRÉAL n° 6

(Formée en 1890 d'une partie de Montréal-Ouest)

1890	McSHANE, James
1892	KENNEDY, Patrick
1895*	GUERIN, James John
1897	GUERIN, James John
1900	GUERIN, James John
1904	WALSH, Michael James
1908	TANSEY, Denis
1908*	WALSH, Michael James

*(Voir Montréal–Sainte-Anne, Montréal–Saint-Georges
et Montréal–Saint-Laurent)*

MONTRÉAL–NOTRE-DAME-DE-GRÂCE

(Formée en 1939 d'une partie de Westmount)

1939	MATHEWSON, James Arthur
1944	MATHEWSON, James Arthur
1948	EARL, Paul
1952	EARL, Paul
1956	EARL, Paul
1960	EARL, Paul
1962	EARL, Paul
1963*	KIERANS, Eric William

(Voir Notre-Dame-de-Grâce)

MONTRÉAL-OUEST (1792–1837)

Premier siège:

1792	McGILL, James
1796	AULDJO, Alexander
1800	McGILL, James
1804	RICHARDSON, John
1808	McGILLIVRAY, William
1809	McCORD, Thomas

1810	McLEOD, Archibald Norman
1814	PAPINEAU, Louis-Joseph
1816	PAPINEAU, Louis-Joseph
1820a	PAPINEAU, Louis-Joseph
1820j	PAPINEAU, Louis-Joseph
1824	PAPINEAU, Louis-Joseph
1827	PAPINEAU, Louis-Joseph
1830	PAPINEAU, Louis-Joseph
1834	PAPINEAU, Louis-Joseph

Deuxième siège:

1792	DUROCHER, Jean-Baptiste
1796	FOUCHER, Louis-Charles
1800	PÉRINAULT, Joseph
1804	MONDELET, Jean-Marie
1808	VIGER, Denis-Benjamin
1809	VIGER, Denis-Benjamin
1810	NIVARD SAINT-DIZIER, Étienne
1814	FRASER, James
1816	VINET, dit SOULIGNY, Félix
1820a	GARDEN, George
1820j	GARDEN, George
1824	RASTEL DE ROCHEBLAVE, Pierre de
1827	NELSON, Robert
1830	FISHER, John
1832*	TRACEY, Daniel
1834	NELSON, Robert

(Voir cité de Montréal)

MONTRÉAL-OUEST (1861–1890)

(Formée en 1860 des quartiers Sainte-Anne, Saint-Antoine et Saint-Laurent de Montréal)

1861	McGEE, Thomas D'Arcy
1862*	McGEE, Thomas D'Arcy
1863	McGEE, Thomas D'Arcy
1864*	McGEE, Thomas D'Arcy
1867	OGILVIE, Alexander Walker
1871	CASSIDY, Francis
1873*	McGAUVRAN, John Wait
1875	McGAUVRAN, John Wait
1878	McSHANE, James
1881	McSHANE, James
1886	HALL, John Smythe

(Voir Montréal n° 4 et Montréal n° 5)

MONTRÉAL-OUTREMONT

(Formée en 1939 d'une partie de Westmount)

1939	GROULX, Henri
1944	GROULX, Henri
1948	GROULX, Henri
1952	GROULX, Henri
1953*	LAPALME, Georges-Émile
1956	LAPALME, Georges-Émile
1960	LAPALME, Georges-Émile
1962	LAPALME, Georges-Émile

(Voir Outremont)

MONTRÉAL–SAINTE-ANNE

(Formée en 1912 de parties de Montréal n° 5 et de Montréal n° 6)

1912	TANSEY, Denis
1916	TANSEY, Denis
1919	CONROY, Bernard-Augustin
1923	HUSHION, William James
1924*	DILLON, Joseph Henry
1927	DILLON, Joseph Henry
1931	DILLON, Joseph Henry
1935	CONNORS, Francis Lawrence
1936	CONNORS, Francis Lawrence
1939	CONNORS, Francis Lawrence
1942*	GUERIN, Thomas
1944	GUERIN, Thomas
1948	HANLEY, Frank
1952	HANLEY, Frank
1956	HANLEY, Frank
1960	HANLEY, Frank
1962	HANLEY, Frank

(Voir Sainte-Anne)

MONTRÉAL–SAINTE-MARIE

(Formée en 1912 de Montréal n° 1)

1912	SÉGUIN, Napoléon
1916	SÉGUIN, Napoléon
1919	SÉGUIN, Napoléon
1921*	GAUTHIER, Joseph
1923	HOUDE, Camillien
1927	GAUTHIER, Joseph
1928*	HOUDE, Camillien
1931	FAUTEUX, Gaspard
1935	ROCHEFORT, Candide

1936	ROCHEFORT, Candide
1939	HOUDE, Camillien
1944	CÔTÉ, Camille
1948	GENDRON, Aimé
1952	DUPUIS, Yvon
1956	CHARBONNEAU, Edgar
1960	CHARBONNEAU, Edgar
1962	CHARBONNEAU, Edgar

(Voir Sainte-Marie)

MONTRÉAL—SAINT-GEORGES

(Formée en 1912 de parties de Montréal n⁰ 5
et de Montréal n⁰ 6)

1912	GAULT, Charles Ernest
1916	GAULT, Charles Ernest
1919	GAULT, Charles Ernest
1923	GAULT, Charles Ernest
1927	GAULT, Charles Ernest
1931	GAULT, Charles Ernest
1935	GAULT, Charles Ernest
1936	LAYTON, Gilbert

(Voir Westmount)

MONTRÉAL—SAINT-HENRI

(Formée en 1922 de Montréal-Hochelaga)

1923	BRAY, Joseph Allan
1927	LEDUC, Alfred
1931	GABIAS, Joseph-Maurice
1935	LAURIAULT, Wilfrid-Eldège
1936	LABELLE, René
1939	BOUCHER, Émile
1944	DELISLE, Joseph-Hormisdas
1948	DELISLE, Joseph-Hormisdas
1952	LALONDE, Philippe
1956	LALONDE, Philippe
1960	LALONDE, Philippe
1962	LALONDE, Philippe

(Voir Saint-Henri)

MONTRÉAL—SAINT-JACQUES

(Formée en 1912 de Montréal n⁰ 2)

1912	ROBILLARD, Clément
1916	ROBILLARD, Clément
1919	VAUTRIN, Irénée

1923	BEAUDOIN, Joseph-Ambroise-Eusèbe
1927	VAUTRIN, Irénée
1931	VAUTRIN, Irénée
1935	AUGER, Henry Lemaître
1936	AUGER, Henry Lemaître
1939	TOUPIN, Joseph-Roméo
1942*	JODOIN, Claude
1944	CÔTÉ, Omer
1948	CÔTÉ, Omer
1952	CÔTÉ, Omer
1956	DOZOIS, Paul
1960	DOZOIS, Paul
1962	DOZOIS, Paul

(Voir Saint-Jacques)

MONTRÉAL—SAINT-LAURENT

(Formée en 1912 de Montréal n⁰ 4 et d'une partie
de Montréal n⁰ 6)

1912	FINNIE, John Thomas
1916	FINNIE, John Thomas
1918*	MILES, Henry
1919	MILES, Henry
1923	SAYER, Ernest Walter
1927	COHEN, Joseph
1931	COHEN, Joseph
1935	COHEN, Joseph
1936	COONAN, Thomas Joseph

(Voir Montréal—Sainte-Anne et Montréal—Saint-Jacques)

MONTRÉAL—SAINT-LOUIS

(Formée en 1912 de Montréal n⁰ 3)

1912	LANGLOIS, Godfroy
1916	BERCOVITCH, Peter
1919	BERCOVITCH, Peter
1923	BERCOVITCH, Peter
1927	BERCOVITCH, Peter
1931	BERCOVITCH, Peter
1935	BERCOVITCH, Peter
1936	BERCOVITCH, Peter
1938*	FITCH, Louis
1939	HARTT, Maurice
1944	HARTT, Maurice
1948	ROCHON, Dave
1952	ROCHON, Dave
1956	ROCHON, Dave
1960	BLANK, Harry

1962   BLANK, Harry

(Voir Saint-Louis)

MONTRÉAL-VERDUN

(Formée en 1922 d'une partie de Jacques-Cartier)

1923   LAFLEUR, Pierre-Auguste
1927   LAFLEUR, Pierre-Auguste
1931   LAFLEUR, Pierre-Auguste
1935   LAFLEUR, Pierre-Auguste
1936   LAFLEUR, Pierre-Auguste
1939   COMEAU, Joseph-Jean-Léopold
1944   ROSS, Lionel-Alfred
1948   ROSS, Lionel-Alfred
1952   ROSS, Lionel-Alfred
1956   ROSS, Lionel-Alfred
1960   O'REILLY, George
1962   O'REILLY, George
1964*   WAGNER, Claude

(Voir Verdun)

MONT-ROYAL

(Formée en 1972 de parties de D'Arcy-McGee, d'Outremont et de Dorion)

1973   CIACCIA, John
1976   CIACCIA, John
1981   CIACCIA, John
1985   CIACCIA, John
1989   CIACCIA, John

NAPIERVILLE

(Formée en 1853 d'une partie de Huntingdon)

1854   BUREAU, Jacques-Olivier
1858   BUREAU, Jacques-Olivier
1861   BUREAU, Jacques-Olivier
1862*   BENOIT, Pierre
1863   COUPAL, Sixte

1867   BENOÎT, Pierre
1870*   LAFONTAINE, Laurent-David
1871   LAFONTAINE, Laurent-David
1875   LAFONTAINE, Laurent-David
1878   LAFONTAINE, Laurent-David
1881   PARADIS, François-Xavier
1886   LAFONTAINE, Eugène
1890   SAINTE-MARIE, Louis

1892   SAINTE-MARIE, Louis
1897   DORRIS, Cyprien
1900   DORRIS, Cyprien
1904   MONET, Dominique
1905*   DORRIS, Cyprien
1908   DORRIS, Cyprien
1912   DORRIS, Cyprien
1916   DORRIS, Cyprien
1918*   MONET, Amédée
1919   MONET, Amédée

(Voir Napierville-Laprairie)

NAPIERVILLE-LAPRAIRIE

(Formée en 1922 de Napierville et de Laprairie)

1923   CHARBONNEAU, Joseph-Euclide
1927   CHARBONNEAU, Joseph-Euclide
1931   CHARBONNEAU, Joseph-Euclide
1935   CHARBONNEAU, Joseph-Euclide
1936   MONETTE, Philippe
1939   *(Voir Châteauguay-Laprairie et Saint-Jean–Napierville)*
1944   RIENDEAU, Hercule
1948   RIENDEAU, Hercule
1952   RIENDEAU, Hercule
1956   RIENDEAU, Hercule
1960   RIENDEAU, Hercule
1962   BAILLARGEON, Laurier
1966   BAILLARGEON, Laurier
1970   BERTHIAUME, Paul

(Voir Laprairie)

NELLIGAN

(Formée en 1980 de parties de Pointe-Claire et de Robert-Baldwin)

1981   LINCOLN, Clifford
1985   LINCOLN, Clifford
1989   WILLIAMS, Russell

NICOLET

(Formée en 1829 d'une partie de Buckingham)

Premier siège:
1830   BOURDAGES, Louis
1834   BOURDAGES, Louis
1835*   HÉBERT, Jean-Baptiste

Deuxième siège:

1830   PROULX, Jean-Baptiste
1834   PROULX, Jean-Baptiste

1841   MORIN, Augustin-Norbert
1842*   VIGER, Louis-Michel
1844   MÉTHOT, Antoine-Prosper
1848   FORTIER, Thomas
1851   FORTIER, Thomas
1854   FORTIER, Thomas
1858   GAUDET, Joseph
1861   GAUDET, Joseph
1863   GAUDET, Joseph

1867   GAUDET, Joseph
1871   MÉTHOT, François-Xavier (fils)
1875   MÉTHOT, François-Xavier (fils)
1876*   HOUDE, Charles-Édouard
1878   HOUDE, Charles-Édouard
1881   HOUDE, Charles-Édouard
1883*   DORAIS, Louis-Trefflé
1886   DORAIS, Louis-Trefflé
1888*   TOURIGNY, Honoré Brunelle
1890   MONFETTE, Joseph-Victor
1892   BEAUBIEN, Louis
1897   BALL, George
1900   FLYNN, Edmund James
1904   MARCHILDON, Alfred
1907*   DEVLIN, Charles Ramsay
1908   DEVLIN, Charles Ramsay
1912   DEVLIN, Charles Ramsay
1913*   TRAHAN, Arthur
1916   TRAHAN, Arthur
1917*   SAVOIE, Joseph-Alcide
1919   SAVOIE, Joseph-Alcide
1923   SAVOIE, Joseph-Alcide
1927   SAVOIE, Joseph-Alcide
1931   SAVOIE, Joseph-Alcide
1933*   GAUDET, Alexandre
1935   GAUDET, Alexandre
1936   FLEURY, Émery
1939   BIRON, Henri-Napoléon
1944   FLEURY, Émery
1948   FLEURY, Émery
1952   ROY, Camille
1956   ROY, Camille
1960   ROY, Camille
1962   HÉBERT, Germain
1966   VINCENT, Clément

1970   VINCENT, Clément
1973–1976   *(Voir Nicolet-Yamaska)*
1981   BEAUMIER, Yves
1985   RICHARD, Maurice

(Voir Nicolet-Yamaska)

NICOLET-YAMASKA

(Formée en 1972 de Nicolet et de Yamaska)

1973   FAUCHER, Benjamin
1976   FONTAINE, Serge
1981–1985   *(Voir Nicolet)*
1989   RICHARD, Maurice

NORTHUMBERLAND

Premier siège:
1792   BÉDARD, Pierre-Stanislas
1796   BÉDARD, Pierre-Stanislas
1800   BÉDARD, Pierre-Stanislas
1804   BÉDARD, Pierre-Stanislas
1808   CARON, Augustin
1809   DRAPEAU, Joseph
1810   DRAPEAU, Joseph
1811*   CARON, Augustin
1814   LAGUEUX, Étienne-Claude
1816   LAGUEUX, Étienne-Claude
1820a   LAGUEUX, Étienne-Claude
1820j   LAGUEUX, Étienne-Claude
1824   FRASER, John
1827   LAGUEUX, Étienne-Claude

Deuxième siège:
1792   DUFOUR, dit BONA, Joseph
1796   FISHER, James
1800   POULIN, Jean-Marie
1804   POULIN, Jean-Marie
1808   POULIN, Jean-Marie
1809   LEE, Thomas
1810   LEE, Thomas
1814   LEE, Thomas
1816   PANET, Philippe
1820a   PANET, Philippe
1820j   PANET, Philippe
1824   SALES LATERRIÈRE, Marc-Pascal de
1827   SALES LATERRIÈRE, Marc-Pascal de

(Voir Montmorency et Saguenay)

NOTRE-DAME-DE-GRÂCE

(Formée en 1965 d'une partie de Montréal–
Notre-Dame-de-Grâce)

1966   KIERANS, Eric William
1968* TETLEY, William
1970   TETLEY, William
1973   TETLEY, William
1976   MACKASEY, Bryce Stuart
1978* SCOWEN, Reed
1981   SCOWEN, Reed
1985   SCOWEN, Reed
1987* THURINGER, Harold P.
1989   ATKINSON, Gordon

OLIER

(Formée en 1965 d'une partie de Bourget)

1966   PICARD, Fernand
1970   PICARD, Fernand

(Voir Viau, Jeanne-Mance et Bourassa)

ORFORD

(Formée en 1972 de Stanstead)

1973   VAILLANCOURT, Georges
1976   VAILLANCOURT, Georges
1981   VAILLANCOURT, Georges
1985   VAILLANCOURT, Georges
1989   BENOÎT, Robert

ORLÉANS

Premier siège:
1792   BOISSEAU, Nicolas-Gaspard
1796   MARTINEAU, Jérôme
1800   MARTINEAU, Jérôme
1804   MARTINEAU, Jérôme
1808   MARTINEAU, Jérôme
1809   MARTINEAU, Jérôme
1810   BLOUIN, Charles
1814   BLOUIN, Charles
1816   BLOUIN, Charles
1820a QUIROUET, François
1820j QUIROUET, François
1824   QUIROUET, François
1827   QUIROUET, François
1830   QUIROUET, François

1834* GODBOUT, Alexis
1834   GODBOUT, Alexis

Deuxième siège:
(créé en 1830)
1830   CAZEAU, Jean-Baptiste
1834   CAZEAU, Jean-Baptiste

(Voir Montmorency)

OTTAWA

(Formée en 1829 d'une partie de York et connue
sous le nom d'«Outaouais» jusqu'en 1861)

Premier siège:
1830   WRIGHT, Philemon
1834   BOWMAN, Baxter

Deuxième siège:
(à compter de 1832)
1832* DAVIS, Theodore
1834   BLACKBURN, James

1841   DAY, Charles Dewey
1842* PAPINEAU, Denis-Benjamin
1844   PAPINEAU, Denis-Benjamin
1848   EGAN, John
1851   EGAN, John
1854   COOKE, Alanson
1858   PAPINEAU, Denis-Émery
1861   DAWSON, William McDonell
1863   WRIGHT, Alonzo

1867   CHURCH, Levi Ruggles
1871   EDDY, Ezra Butler
1875   DUHAMEL, Louis
1878   DUHAMEL, Louis
1881   DUHAMEL, Louis
1886   CORMIER, Narcisse-Édouard
1887* ROCHON, Alfred
1890   ROCHON, Alfred
1892   TÉTREAU, Nérée
1897   MAJOR, Charles Beautron
1900   MAJOR, Charles Beautron
1904   GENDRON, Ferdinand-Ambroise
1908   GENDRON, Ferdinand-Ambroise
1912   GENDRON, Ferdinand-Ambroise
1916   GENDRON, Ferdinand-Ambroise
1917* CARON, Joseph

(Voir Hull et Papineau)

OUTREMONT

(Formée en 1965 de parties de Montréal-Outremont
et de Westmount–Saint-Georges)

1966	CHOQUETTE, Jérôme
1970	CHOQUETTE, Jérôme
1973	CHOQUETTE, Jérôme
1976	RAYNAULD, André
1980*	FORTIER, Pierre
1981	FORTIER, Pierre
1985	FORTIER, Pierre
1989	TREMBLAY, Gérald

PAPINEAU

(Formée en 1922 d'une partie de Labelle)

1923	LAHAIE, Désiré
1927	LAHAIE, Désiré
1931	LAHAIE, Désiré
1935	LORRAIN, Roméo
1936	LORRAIN, Roméo
1939	LORRAIN, Roméo
1944	LORRAIN, Roméo
1948	LORRAIN, Roméo
1952	LORRAIN, Roméo
1956	LORRAIN, Roméo
1960	LORRAIN, Roméo
1962	LORRAIN, Roméo
1966	THÉORÊT, Roland
1970	ASSAD, Mark
1973	ASSAD, Mark
1976	ALFRED, Jean
1981	ASSAD, Mark
1985	ASSAD, Mark
1989*	MacMILLAN, Norman
1989	MacMILLAN, Norman

POINTE-AUX-TREMBLES

(Formée en 1988 de parties d'Anjou, de Bourget
et de Lafontaine)

1989	BOURDON, Michel

POINTE-CLAIRE

(Formée en 1972 de parties de Jacques-Cartier
et de Robert-Baldwin)

1973	SÉGUIN, Arthur-Ewen
1976	SHAW, Frederic William

(Voir Nelligan)

PONTIAC

(Formée en 1853 d'une partie d'Ottawa)

1854	EGAN, John
1857*	BRYSON, George (père)
1858	HEATH, Edmund
1861	POUPORE, John
1863	POUPORE, John
1867	POUPORE, John
1871	POUPORE, John
1874*	CHURCH, Levi Ruggles
1875	CHURCH, Levi Ruggles
1878	CHURCH, Levi Ruggles
1881	BRYSON, Thomas
1882*	POUPORE, William Joseph
1886	POUPORE, William Joseph
1890	POUPORE, William Joseph
1892	GILLIES, David
1897	GILLIES, David
1900	GILLIES, David
1904	GILLIES, David
1908	GABOURY, Tancrède-Charles
1912	CAMPBELL, George Benjamin
1916	HODGINS, William
1919	McDONALD, Wallace Reginald
1923	McDONALD, Wallace Reginald
1927	McDONALD, Wallace Reginald
1931	McDONALD, Wallace Reginald
1935	LAWN, Edward Charles
1936	LAWN, Edward Charles
1939	LAWN, Edward Charles
1944	LAWN, Edward Charles
1948	JOHNSTON, Raymond Thomas
1952	JOHNSTON, Raymond Thomas
1956	JOHNSTON, Raymond Thomas
1960	JOHNSTON, Raymond Thomas
1962	JOHNSTON, Raymond Thomas
1966	JOHNSTON, Raymond Thomas

1970   LARIVIÈRE, Jean-Guy
1973–1976   *(Voir Pontiac-Témiscamingue)*
1981   MIDDLEMISS, Robert
1985   MIDDLEMISS, Robert
1989   MIDDLEMISS, Robert

PONTIAC-TÉMISCAMINGUE

(Formée en 1972 de Pontiac et de Témiscamingue)

1973   LARIVIÈRE, Jean-Guy
1976   LARIVIÈRE, Jean-Guy

(Voir Pontiac)

PORTNEUF

(Formée en 1829 de Hampshire)

Premier siège:
1830   LARUE, François-Xavier
1834   LARUE, François-Xavier

Deuxième siège:
1830   HUOT, Hector-Simon
1834   HUOT, Hector-Simon

1841   AYLWIN, Thomas Cushing
1842*   AYLWIN, Thomas Cushing
1844   DRUMMOND, Lewis Thomas
1848   JUCHEREAU DUCHESNAY, Édouard-Louis-
        Antoine-Charles
1851   TESSIER, Ulric-Joseph
1854   THIBAUDEAU, Joseph-Élie
1858   THIBAUDEAU, Joseph-Élie
1858*   THIBAUDEAU, Joseph-Élie
1861   BROUSSEAU, Jean-Docile
1863   BROUSSEAU, Jean-Docile

1867   LARUE, Praxède
1871   LARUE, Praxède
1875   LARUE, Praxède
1878   LANGELIER, François
1881   BROUSSEAU, Jean-Docile
1886   TESSIER, Jules
1890   TESSIER, Jules
1892   TESSIER, Jules
1897   TESSIER, Jules
1900   TESSIER, Jules
1904*   NAUD, Damase
1904   PANET, Édouard-Antill
1908   GOUIN, Lomer

1912   GOUIN, Lomer
1916   GOUIN, Lomer
1919   GOUIN, Lomer
1920*   HAMEL, Édouard
1923   HAMEL, Édouard
1927   HAMEL, Édouard
1927*   GAUTHIER, Pierre
1931   GAUTHIER, Pierre
1935   DUSSAULT, Bona
1936   DUSSAULT, Bona
1939   PLAMONDON, Lucien
1944   DUSSAULT, Bona
1948   DUSSAULT, Bona
1952   DUSSAULT, Bona
1953*   CHALIFOUR, Rosaire
1956   CHALIFOUR, Rosaire
1960   LAROCHE, Marcellin
1962   LAROCHE, Marcellin
1966   PLAMONDON, Marcel-Rosaire
1970   DROLET, Antoine
1973   PAGÉ, Michel
1976   PAGÉ, Michel
1981   PAGÉ, Michel
1985   PAGÉ, Michel
1989   PAGÉ, Michel

PRÉVOST

(Formée en 1972 de parties de Deux-Montagnes,
de Terrebonne et d'Argenteuil)

1973   PARENT, Bernard
1976   CARDINAL, Jean-Guy
1979*   CHAPUT-ROLLAND, Solange
1981   DEAN, Robert
1985   FORGET, Paul-André
1989   FORGET, Paul-André

QUÉBEC

Premier siège:
1792   IRUMBERRY DE SALABERRY, Ignace-Michel-
        Louis-Antoine d'
1793*   BERTHELOT DARTIGNY, Michel-Amable
1796   BLACK, John
1800   BERTHELOT DARTIGNY, Michel-Amable
1804   BERTHELOT DARTIGNY, Michel-Amable
1808   GRAY, Ralph
1809   GRAY, Ralph
1810   GAUVREAU, Louis

1814	GAUVREAU, Louis
1816	GAUVREAU, Louis
1820a	GAUVREAU, Louis
1820j	GAUVREAU, Louis
1822*	CLOUET, Michel
1824	CLOUET, Michel
1827	CLOUET, Michel
1830	CLOUET, Michel
1833*	BESSERER, Louis-Théodore
1834	BESSERER, Louis-Théodore

Deuxième siège:

1792	LYND, David
1796	PAQUET, Louis
1800	PAQUET, Louis
1804	DE BONNE, Pierre-Amable
1808	DE BONNE, Pierre-Amable
1809	DE BONNE, Pierre-Amable
1810	BÉDARD, Jean-Baptiste
1814	BREHAUT, Pierre
1816	BREHAUT, Pierre
1817*	McCALLUM, James
1818*	NEILSON, John
1820a	NEILSON, John
1820j	NEILSON, John
1824	NEILSON, John
1827	NEILSON, John
1830	NEILSON, John
1834	BLANCHET, Jean
1841	NEILSON, John
1844	CHAUVEAU, Pierre-Joseph-Olivier
1848	CHAUVEAU, Pierre-Joseph-Olivier
1851	CHAUVEAU, Pierre-Joseph-Olivier
1854	CHAUVEAU, Pierre-Joseph-Olivier
1855*	ÉVANTUREL, François
1858	PANET, Charles
1861	ÉVANTUREL, François
1862*	ÉVANTUREL, François
1863	ÉVANTUREL, François
1867	CHAUVEAU, Pierre-Joseph-Olivier
1871	CHAUVEAU, Pierre-Joseph-Olivier
1873*	GARNEAU, Pierre
1874*	GARNEAU, Pierre
1875	GARNEAU, Pierre
1878	ROSS, David Alexander
1881	GARNEAU, Pierre
1886	CASGRAIN, Thomas Chase

1890	FITZPATRICK, Charles
1892	FITZPATRICK, Charles
1897	GARNEAU, Némèse
1900	GARNEAU, Némèse
1901*	DELÂGE, Cyrille Fraser
1904	DELÂGE, Cyrille Fraser
1908	DELÂGE, Cyrille Fraser
1912	DELÂGE, Cyrille Fraser
1916	LECLERC, Aurèle
1919	LECLERC, Aurèle
1923	LECLERC, Aurèle
1924*	BASTIEN, Ludger
1927	BÉDARD, Joseph-Éphraïm
1931	BÉDARD, Joseph-Éphraïm
1935	BYRNE, Francis
1936	MARCOUX, Adolphe
1939	BOUCHARD, François-Xavier
1944	CHALOULT, René
1948	CHALOULT, René
1952	BÉDARD, Jean-Jacques
1956	ROCHETTE, Émilien
1960	BÉDARD, Jean-Jacques
1962	BÉDARD, Jean-Jacques

(Voir Chauveau)

QUÉBEC, Basse-Ville de

Premier siège:

1792	LESTER, Robert
1796	RABY, Augustin-Jérôme
1800	LESTER, Robert
1804	IRUMBERRY DE SALABERRY, Ignace-Michel-Louis-Antoine d'
1808	BÉDARD, Pierre-Stanislas
1809	BÉDARD, Pierre-Stanislas
1810	MURE, John
1814	STUART, Andrew
1816	STUART, Andrew
1820a	LEE, Thomas
1820j	BÉLANGER, Jean
1824	BÉLANGER, Jean
1827	BÉLANGER, Jean
1828*	LEE, Thomas
1830	LEE, Thomas
1832*	VANFELSON, George
1834	VANFELSON, George
1837*	MUNN, John

Deuxième siège:

1792	YOUNG, John
1796	YOUNG, John
1800	YOUNG, John
1804	YOUNG, John
1808	JONES, John
1809	JONES, John
1810	BRUNEAU, Pierre
1814	BRUNEAU, Pierre
1816	LANGUEDOC, François
1820a	BURNETT, Peter
1820j	McCALLUM, James
1824	YOUNG, Thomas Ainslie
1827	YOUNG, Thomas Ainslie
1830	YOUNG, Thomas Ainslie
1834	DUBORD, Hippolyte

(Voir cité de Québec)

QUÉBEC, cité de

Premier siège:

1841	BURNET, David
1843*	CHABOT, Jean
1844	CHABOT, Jean
1848	CHABOT, Jean
1850*	CHABOT, Jean
1851	DUBORD, Hippolyte
1854	CHABOT, Jean
1856*	SIMARD, Georges-Honoré
1858	SIMARD, Georges-Honoré

(Voir Québec-Centre)

Deuxième siège:

1841	BLACK, Henry
1844	AYLWIN, Thomas Cushing
1848	AYLWIN, Thomas Cushing
1848*	AYLWIN, Thomas Cushing
1848*	MÉTHOT, François-Xavier (père)
1851	STUART, George Okill
1854	BLANCHET, Jean
1857*	STUART, George Okill
1858	DUBORD, Hippolyte

(Voir Québec-Est)

Troisième siège:

(créé en 1853)

1854	ALLEYN, Charles
1858	ALLEYN, Charles

(Voir Québec-Ouest)

QUÉBEC, Haute-Ville de

Premier siège:

1792	PANET, Jean-Antoine
1796	PANET, Jean-Antoine
1800	PANET, Jean-Antoine
1804	PANET, Jean-Antoine
1808	DÉNÉCHAU, Claude
1809	DÉNÉCHAU, Claude
1810	DÉNÉCHAU, Claude
1814	DÉNÉCHAU, Claude
1816	DÉNÉCHAU, Claude
1820a	DÉNÉCHAU, Claude
1820j	STUART, Andrew
1824	STUART, Andrew
1827	STUART, Andrew
1830	STUART, Andrew
1834	CARON, René-Édouard
1836*	STUART, Andrew

Deuxième siège:

1792	GRANT, William
1796	GRANT, William
1800	RABY, Augustin-Jérôme
1804	GRANT, William
1805*	BLACKWOOD, John
1808	BLACKWOOD, John
1809	BLACKWOOD, John
1810	IRVINE, James
1814	PANET, Jean-Antoine
1815*	VANFELSON, George
1816	VANFELSON, George
1820a	VALLIÈRES DE SAINT-RÉAL, Joseph-Rémi
1820j	VALLIÈRES DE SAINT-RÉAL, Joseph-Rémi
1824	VALLIÈRES DE SAINT-RÉAL, Joseph-Rémi
1827	VALLIÈRES DE SAINT-RÉAL, Joseph-Rémi
1829*	DUVAL, Jean-François-Joseph
1830	DUVAL, Jean-François-Joseph
1834	BERTHELOT, Amable

(Voir cité de Québec)

QUÉBEC-CENTRE

(Formée en 1860 des quartiers du Palais, Saint-Louis et Saint-Jean et d'une partie du quartier Montcalm, dans la ville de Québec)

1860*	SIMARD, Georges-Honoré
1861	SIMARD, Georges-Honoré
1863	THIBAUDEAU, Isidore
1867	SIMARD, Georges-Honoré
1871	LANGEVIN, Hector-Louis
1874*	RINFRET, Rémi-Ferdinand
1875	RINFRET, Rémi-Ferdinand
1878	RINFRET, Rémi-Ferdinand
1881	RINFRET, Rémi-Ferdinand
1886	RINFRET, Rémi-Ferdinand
1890	RINFRET, Rémi-Ferdinand
1892	CHÂTEAUVERT, Victor
1897	ROBITAILLE, Amédée
1900	ROBITAILLE, Amédée
1902*	ROBITAILLE, Amédée
1904	ROBITAILLE, Amédée
1908	ROBITAILLE, Amédée
1908*	LECLERC, Eugène
1912	LECLERC, Eugène
1916	CANNON, Lawrence Arthur
1919	CANNON, Lawrence Arthur
1923	FAUCHER, Pierre-Vincent
1927	SAMSON, Joseph
1931	SAMSON, Joseph
1935	HAMEL, Philippe
1936	HAMEL, Philippe
1939	MORIN, Joseph-William
1944	MORIN, Joseph-William
1948	GUAY, Gérard
1952	CLOUTIER, Maurice
1956	CLOUTIER, Maurice
1960	CLOUTIER, Maurice
1962	BEAUPRÉ, Henri

(Voir Jean-Talon)

QUÉBEC-EST

(Formée en 1860 des quartiers Saint-Roch et Jacques-Cartier et d'une partie de la banlieue de la ville de Québec)

1860*	HUOT, Pierre-Gabriel
1861	HUOT, Pierre-Gabriel
1863	HUOT, Pierre-Gabriel

1867	RHÉAUME, Jacques-Philippe
1871	RHÉAUME, Jacques-Philippe
1873*	PELLETIER, Charles-Alphonse-Pantaléon
1874*	VALIN, Pierre-Vincent
1875	SHEHYN, Joseph
1878	SHEHYN, Joseph
1881	SHEHYN, Joseph
1886	SHEHYN, Joseph
1887*	SHEHYN, Joseph
1890	SHEHYN, Joseph
1892	SHEHYN, Joseph
1897	SHEHYN, Joseph
1900	LANE, Jules-Alfred
1904	JOBIN, Albert
1908	LÉTOURNEAU, Louis-Alfred
1912	LÉTOURNEAU, Louis-Alfred
1916	LÉTOURNEAU, Louis-Alfred
1919	LÉTOURNEAU, Louis-Alfred
1923	LÉTOURNEAU, Louis-Alfred
1927	LÉTOURNEAU, Louis-Alfred
1928*	DROUIN, Oscar
1931	DROUIN, Oscar
1935	DROUIN, Oscar
1936	DROUIN, Oscar
1939	DROUIN, Oscar
1944	DROUIN, Henri-Paul
1948	MATTE, Joseph-Onésime
1952	MARQUIS, Joseph-Antonin
1956	MALTAIS, Armand
1960	MALTAIS, Armand
1962	GODBOUT, Ernest

(Voir Limoilou)

QUÉBEC-OUEST

(Formée en 1860 des quartiers Saint-Pierre et Champlain et d'une partie du quartier Montcalm, dans la ville de Québec)

1860*	ALLEYN, Charles
1861	ALLEYN, Charles
1863	ALLEYN, Charles
1867	HEARN, John
1871	HEARN, John
1875	HEARN, John
1877*	ALLEYN, Richard
1878	MURPHY, Arthur H.
1881	CARBRAY, Félix

1886	MURPHY, Owen	
1889*	MURPHY, Owen	
1890	MURPHY, Owen	
1892	CARBRAY, Félix	
1897	CARBRAY, Félix	
1900	HEARN, John Gabriel	
1904	KAINE, John Charles	
1908	KAINE, John Charles	
1912	KAINE, John Charles	
1916	MADDEN, Martin	
1919	MADDEN, Martin	
1923	MADDEN, Martin	
1927	POWER, Joseph Ignatius	
1931	POWER, Joseph Ignatius	
1935	DELAGRAVE, Charles	
1936	DELAGRAVE, Charles	
1939	DELAGRAVE, Charles	
1944	SAMSON, Wilfrid	
1948	SAUCIER, Jean-Alphonse	
1952	SAVARD, Jules	
1956	GALIPEAULT, Jean-Paul	
1960	LESAGE, Jean	
1962	LESAGE, Jean	

(Voir Louis-Hébert)

RICHELIEU

Premier siège :

1792	GUEROUT, Pierre	
1796	HUSS, dit MILLET, Charles	
1800	HUBERT, Louis-Édouard	
1804	BOURDAGES, Louis	
1808	BOURDAGES, Louis	
1809	BOURDAGES, Louis	
1810	BOURDAGES, Louis	
1814	Aucun élu	
1815*	CHERRIER, Séraphin	
1816	CHERRIER, Séraphin	
1820a	SAINT-ONGE, François	
1820j	SAINT-ONGE, François	
1824	SAINT-OURS, François-Roch de	
1827	SAINT-OURS, François-Roch de	
1830	SAINT-OURS, François-Roch de	
1832*	SABREVOIS DE BLEURY, Clément-Charles	
1834	SABREVOIS DE BLEURY, Clément-Charles	

Deuxième siège :

1792	CHERRIER, Benjamin-Hyacinthe-Martin	
1796	CHERRIER, Benjamin-Hyacinthe-Martin	

1800	LIVERNOIS, Charles Benoit	
1804	BRODEUR, Louis	
1808	SIMON, dit DELORME, Hyacinthe-Marie	
1809	SIMON, dit DELORME, Hyacinthe-Marie	
1810	SIMON, dit DELORME, Hyacinthe-Marie	
1814	Aucun élu	
1815*	MALHIOT, François-Xavier	
1816	DESSAULES, Jean	
1820a	DESSAULES, Jean	
1820j	DESSAULES, Jean	
1824	DESSAULES, Jean	
1827	DESSAULES, Jean	
1830	DORION, Jacques	
1834	DORION, Jacques	

(Augmentée de William Henry)

1841	VIGER, Denis-Benjamin	
1844	NELSON, Wolfred	
1848	NELSON, Wolfred	
1851	GOUIN, Antoine-Némèse	
1854	GUÉVREMONT, Jean-Baptiste	
1858	SINCENNES, Jacques-Félix	
1861	BEAUDREAU, Joseph	
1863	PERRAULT, Joseph-Xavier	
1867	BEAUDREAU, Joseph	
1869*	GÉLINAS, Pierre	
1871	DORION, Joseph-Adolphe	
1875	MATHIEU, Michel	
1878	MATHIEU, Michel	
1881	LEDUC, Léon	
1886	CARDIN, Louis-Pierre-Paul	
1890	CARDIN, Louis-Pierre-Paul	
1892	LACOUTURE, Louis	
1897	CARDIN, Louis-Pierre-Paul	
1900	CARDIN, Louis-Pierre-Paul	
1904	CARDIN, Louis-Pierre-Paul	
1908	CARDIN, Louis-Pierre-Paul	
1912	PÉLOQUIN, Maurice-Louis	
1916	PÉLOQUIN, Maurice-Louis	
1919	PÉLOQUIN, Maurice-Louis	
1923	LAFRENIÈRE, Jean-Baptiste	
1927	LAFRENIÈRE, Jean-Baptiste	
1929*	TURCOTTE, Joseph-Célestin-Avila	
1931	TURCOTTE, Joseph-Célestin-Avila	
1935	TURCOTTE, Joseph-Célestin-Avila	
1936	TURCOTTE, Joseph-Célestin-Avila	
1939–1942	*(Voir Richelieu-Verchères)*	

1944	ROBIDOUX, Joseph-Willie		1962	LAFRANCE, Émilien
1948	GAGNÉ, Bernard		1966	LAFRANCE, Émilien
1952	COURNOYER, Gérard		1970	BROCHU, Yvon
1956	GAGNÉ, Bernard		1973	VALLIÈRES, Yvon
1960	COURNOYER, Gérard		1976	BROCHU, Yvon
1962	COURNOYER, Gérard		1981	VALLIÈRES, Yvon
1966	MARTEL, Maurice		1985	VALLIÈRES, Yvon
1970	SIMARD, Claude		1989	VALLIÈRES, Yvon
1973	SIMARD, Claude			
1976	MARTEL, Maurice			

RICHMOND-WOLFE

(Nouveau nom des «comtés unis de Sherbrooke et Wolfe» en 1855)

1985	KHELFA, Albert
1989	KHELFA, Albert

RICHELIEU-VERCHÈRES

(Formée en 1939 de Verchères et d'une partie de Richelieu)

1939	MESSIER, Félix
1942*	ROBIDOUX, Joseph-Willie

(Voir Verchères et Richelieu)

RICHMOND

(Formée en 1890 d'une partie de Richmond-Wolfe)

1890	BÉDARD, Joseph
1892	BÉDARD, Joseph
1897	BÉDARD, Joseph
1900	MACKENZIE, Peter Samuel George
1904	MACKENZIE, Peter Samuel George
1908	MACKENZIE, Peter Samuel George
1910*	MACKENZIE, Peter Samuel George
1912	MACKENZIE, Peter Samuel George
1914*	MITCHELL, Walter George
1916	MITCHELL, Walter George
1919	MITCHELL, Walter George
1921*	NICOL, Jacob
1923	DENAULT, Georges-Ervé
1923*	DESMARAIS, Stanislas-Edmond
1927	DESMARAIS, Stanislas-Edmond
1931	DESMARAIS, Stanislas-Edmond
1935	GOUDREAU, Albert
1936	GOUDREAU, Albert
1939	DESMARAIS, Stanislas-Edmond
1944	GOUDREAU, Albert
1948	GOUDREAU, Albert
1952	LAFRANCE, Émilien
1956	LAFRANCE, Émilien
1960	LAFRANCE, Émilien

1858	WEBB, William Hoste
1861	CAZES, Charles de
1863	WEBB, William Hoste
1867	PICARD, Jacques
1871	PICARD, Jacques
1875	PICARD, Jacques
1878	PICARD, Jacques
1881	PICARD, Jacques
1886	PICARD, Jacques

(Voir Richmond et Wolfe)

RIMOUSKI

(Formée en 1829 d'une partie de Cornwallis)

Premier siège:

1830	CORNEAU, François
1832*	BERTRAND, Louis
1834	BERTRAND, Louis

Deuxième siège:

1830	DUMAIS, Paschal
1832*	RIVARD, Alexis
1834	TACHÉ, Jean-Baptiste
1841	BORNE, Michel
1843*	BALDWIN, Robert
1844	BERTRAND, Louis
1848	TACHÉ, Joseph-Charles
1851	TACHÉ, Joseph-Charles
1854	TACHÉ, Joseph-Charles
1857*	BABY, Michel-Guillaume
1858	BABY, Michel-Guillaume
1861	SYLVAIN, George
1863	SYLVAIN, George

1867	GARON, Joseph
1871	GOSSELIN, Louis-Honoré
1872*	CHAUVEAU, Alexandre
1875	CHAUVEAU, Alexandre
1878	CHAUVEAU, Alexandre
1880*	PARENT, Joseph
1881	ASSELIN, Louis-Napoléon
1886	MARTIN, Édouard-Onésiphore
1889*	TESSIER, Auguste
1890	TESSIER, Auguste
1892	TESSIER, Auguste
1897	TESSIER, Auguste
1900	TESSIER, Auguste
1904	TESSIER, Auguste
1905*	TESSIER, Auguste
1907*	D'ANJOU, Pierre-Émile
1908	D'ANJOU, Pierre-Émile
1912	TESSIER, Auguste-Maurice
1916	TESSIER, Auguste-Maurice
1919	TESSIER, Auguste-Maurice
1923	MOREAULT, Louis-Joseph
1927	MOREAULT, Louis-Joseph
1931	MOREAULT, Louis-Joseph
1935	MOREAULT, Louis-Joseph
1936	DUBÉ, Alfred
1939	MOREAULT, Louis-Joseph
1944	DUBÉ, Alfred
1948	DUBÉ, Alfred
1952	DUBÉ, Alfred
1956	DIONNE, Albert
1960	DIONNE, Albert
1962	DIONNE, Albert
1966	TESSIER, Maurice
1970	TESSIER, Maurice
1973	SAINT-HILAIRE, Claude
1976	MARCOUX, Alain
1981	MARCOUX, Alain
1985	TREMBLAY, Michel
1989	TREMBLAY, Michel

RIVIÈRE-DU-LOUP

(Formée en 1930 d'une partie de Témiscouata)

1931	CASGRAIN, Léon
1935	CASGRAIN, Léon
1936	CASGRAIN, Léon
1939	(Voir Kamouraska–Rivière-du-Loup)
1944	CASGRAIN, Léon
1948	GAGNÉ, Roméo

1952	GAGNÉ, Roméo
1956	COUTURIER, Alphonse
1960	COUTURIER, Alphonse
1962	COUTURIER, Alphonse
1966	LEBEL, Gérard
1970	LAFRANCE, Paul
1973	LAFRANCE, Paul
1976	BOUCHER, Jules
1981	BOUCHER, Jules
1985	CÔTÉ, Albert
1989	CÔTÉ, Albert

ROBERT-BALDWIN

(Formée en 1965 d'une partie de Jacques-Cartier)

1966	SÉGUIN, Arthur-Ewen
1970	SÉGUIN, Arthur-Ewen
1973	COURNOYER, Jean
1976	O'GALLAGHER, John
1981	O'GALLAGHER, John
1985	MACDONALD, Pierre
1989	ELKAS, Sam

ROBERVAL

(Formée en 1930 d'une partie de Lac-Saint-Jean)

1931	MOREAU, Émile
1935	CASTONGUAY, Antoine
1936	CASTONGUAY, Antoine
1939	POTVIN, Georges
1944	MARCOTTE, Antoine
1948	MARCOTTE, Antoine
1952	MARCOTTE, Antoine
1956	SPENCE, Paul-Henri
1958*	TURCOTTE, Jean-Joseph
1960	PLOURDE, Jean-Claude
1962	GAUTHIER, Joseph-Georges
1966	GAUTHIER, Joseph-Georges
1970	LAMONTAGNE, Robert
1973	LAMONTAGNE, Robert
1976	LAMONTAGNE, Robert
1981	GAUTHIER, Michel
1985	GAUTHIER, Michel
1988*	BLACKBURN, Gaston
1989	BLACKBURN, Gaston

ROSEMONT

(Formée en 1972 de parties de Jeanne-Mance et de Gouin)

1973	BELLEMARE, Gilles
1976	PAQUETTE, Gilbert
1981	PAQUETTE, Gilbert
1985	RIVARD, Guy
1989	RIVARD, Guy

ROUSSEAU

(Formée en 1980 de parties de L'Assomption,
de Joliette-Montcalm et de Prévost)

1981	BLOUIN, René
1985	THÉRIEN, Robert
1989	THÉRIEN, Robert

ROUVILLE

(Formée en 1829 d'une partie de Bedford)

Premier siège:

1830	BOURDAGES, Rémi-Séraphin
1833*	RAINVILLE, François
1833*	CAREAU, Pierre
1834	CAREAU, Pierre

Deuxième siège:

1830	HERTEL DE ROUVILLE, Jean-Baptiste-René
1832*	LEMAY, Théophile
1834	BARDY, Pierre-Martial
1841	IRUMBERRY DE SALABERRY, Melchior-Alphonse d'
1842*	WALKER, William
1843*	FRANCHÈRE, Timothée
1844	FRANCHÈRE, Timothée
1848	DAVIGNON, Pierre
1851	POULIN, Joseph-Napoléon
1854	POULIN, Joseph-Napoléon
1856*	CHAFFERS, William Henry
1858	CAMPBELL, Thomas Edmund
1861	DRUMMOND, Lewis Thomas
1863	POULIN, Joseph-Napoléon
1867	ROBERT, Victor
1871	ROBERT, Victor
1875	ROBERT, Victor
1878	BERTRAND, Solime
1879*	BOUTHILLIER, Flavien-Guillaume
1881	POULIN, Étienne
1886	LAREAU, Edmond

1890	GIRARD, Alfred
1892	GIRARD, Alfred
1897	DUFRESNE, Alexandre-Napoléon
1900	GIRARD, Alfred
1904	GIRARD, Alfred
1908	GIRARD, Alfred
1908*	ROBERT, Joseph-Edmond
1912	ROBERT, Joseph-Edmond
1916	ROBERT, Joseph-Edmond
1919	ROBERT, Joseph-Edmond
1923	BERNARD, Cyrille-Améric
1927	BERNARD, Cyrille-Améric
1931	BARRÉ, Laurent
1935	BARRÉ, Laurent
1936	BARRÉ, Laurent
1939	PANET, Henri-Pascal
1944	BARRÉ, Laurent
1948	BARRÉ, Laurent
1952	BARRÉ, Laurent
1956	BARRÉ, Laurent
1960	BARRÉ, Laurent
1960*	BOULAIS, François
1962	BOULAIS, François
1966	HAMEL, Paul-Yvon
1970	OSTIGUY, Marcel

(Voir Iberville et Chambly)

ROUYN-NORANDA

(Formée en 1944 d'une partie de Témiscamingue)

1944	CÔTÉ, David
1948	DALLAIRE, Guy
1952	DALLAIRE, Guy
1956	TURPIN, Edgar
1960	TURPIN, Edgar
1962	TURPIN, Edgar
1966	FLAMAND, Antonio
1970	SAMSON, Camil
1973	SAMSON, Camil
1976	SAMSON, Camil

(Voir Rouyn-Noranda–Témiscamingue)

ROUYN-NORANDA–TÉMISCAMINGUE

(Formée en 1980 de parties de Rouyn-Noranda, de Gatineau et de Pontiac-Témiscamingue)

1981   BARIL, Gilles (PQ)
1985   BARIL, Gilles (L)
1989   TRUDEL, Rémy

SAGUENAY (1830–1858)

(Formée en 1829 d'une partie de Northumberland)

Premier siège:
1830   SALES LATERRIÈRE, Marc-Pascal de
1832*   CIMON, André
1834   CIMON, André

Deuxième siège:
1830   BÉDARD, Joseph-Isidore
1833*   TESSIER, François-Xavier
1834   TESSIER, François-Xavier
1836*   DROLET, Charles

1841   PARENT, Étienne
1842*   MORIN, Augustin-Norbert
1844   MORIN, Augustin-Norbert
1845*   SALES LATERRIÈRE, Marc-Pascal de
1848   SALES LATERRIÈRE, Marc-Pascal de
1848*   SALES LATERRIÈRE, Marc-Pascal de
1851   SALES LATERRIÈRE, Marc-Pascal de
1854   HUOT, Pierre-Gabriel
1855*   HUOT, Pierre-Gabriel

(Voir Charlevoix)

SAGUENAY

(Formée en 1945 d'une partie de Charlevoix-Saguenay)

1948   OUELLET, Pierre
1952   OUELLET, Pierre
1956   OUELLET, Pierre
1960   BÉLANGER, Lucien
1962   THIBAULT, Rodrigue
1964*   MALTAIS, Pierre-Willie
1966   MALTAIS, Pierre-Willie
1970   LESSARD, Lucien
1973   LESSARD, Lucien
1976   LESSARD, Lucien
1981   LESSARD, Lucien
1983*   MALTAIS, Ghislain

1985   MALTAIS, Ghislain
1989   MALTAIS, Ghislain

SAINTE-ANNE

(Formée en 1965 de parties de Montréal–Sainte-Anne, de Montréal–Saint-Henri et de Montréal–Saint-Louis)

1966   HANLEY, Frank
1970   SPRINGATE, George
1973   SPRINGATE, George
1976   LACOSTE, Jean-Marc
1981   POLAK, Maximilien
1985   POLAK, Maximilien
1989   CHERRY, Normand

SAINTE-MARIE

(Formée en 1965 de parties de Montréal–Sainte-Marie, de Montréal–Saint-Jacques et de Maisonneuve)

1966   CHARBONNEAU, Edgar
1969*   CROTEAU, Jean-Jacques
1970   TREMBLAY, Charles-Henri
1973   MALÉPART, Jean-Claude
1976   BISAILLON, Guy
1981   BISAILLON, Guy
1985   LAPORTE, Michel

(Voir Sainte-Marie–Saint-Jacques)

SAINTE-MARIE–SAINT-JACQUES

(Formée en 1988 de parties de Saint-Jacques et de Sainte-Marie)

1989   BOULERICE, André

SAINT-FRANÇOIS

(Formée en 1972 de parties de Sherbrooke, de Compton et de Richmond)

1973   DÉZIEL, Gérard
1976   RANCOURT, Réal
1981   RANCOURT, Réal
1985   GAGNON-TREMBLAY, Monique
1989   GAGNON-TREMBLAY, Monique

SAINT-HENRI

(Formée en 1965 d'une partie de Montréal–Saint-Henri)

1966   MARTELLANI, Camille (Carmine)
1970   SHANKS, Gérard

1973	SHANKS, Gérard	1935	BOUCHARD, Télesphore-Damien

1973   SHANKS, Gérard
1976   COUTURE, Jacques
1981   HAINS, Roma
1985   HAINS, Roma
1989   LOISELLE, Nicole

SAINT-HYACINTHE

(Formée en 1829 d'une partie de Richelieu)

Premier siège:
1830   DESSAULES, Jean
1832*   POULIN, Louis
1834   BOUTHILLIER, Thomas

Deuxième siège:
1830   RAYNAUD, dit BLANCHARD, Louis
1834   RAYNAUD, dit BLANCHARD, Louis

1841   BOUTHILLIER, Thomas
1844   BOUTHILLIER, Thomas
1848   BOUTHILLIER, Thomas
1851   SICOTTE, Louis-Victor
1854   SICOTTE, Louis-Victor
1858   SICOTTE, Louis-Victor
1861   SICOTTE, Louis-Victor
1862*   SICOTTE, Louis-Victor
1863   SICOTTE, Louis-Victor
1863*   RAYMOND, Rémi

1867   BACHAND, Pierre
1871   BACHAND, Pierre
1875   BACHAND, Pierre
1878   BACHAND, Pierre
1879*   MERCIER, Honoré (père)
1881   MERCIER, Honoré (père)
1886   MERCIER, Honoré (père)
1887*   MERCIER, Honoré (père)
1890   DESMARAIS, Odilon
1892   CARTIER, Antoine-Paul
1897   DESSAULLES, Georges-Casimir
1900   MORIN, Joseph
1904   MORIN, Joseph
1908   BOURASSA, Henri
1912   BOUCHARD, Télesphore-Damien
1916   BOUCHARD, Télesphore-Damien
1919   BOISSEAU, Armand
1923   BOUCHARD, Télesphore-Damien
1927   BOUCHARD, Télesphore-Damien
1931   BOUCHARD, Télesphore-Damien

1935   BOUCHARD, Télesphore-Damien
1936   BOUCHARD, Télesphore-Damien
1939   BOUCHARD, Télesphore-Damien
1944   CHARTIER, Ernest-Joseph
1948   CHARTIER, Ernest-Joseph
1952   CHARTIER, Ernest-Joseph
1955*   BOUSQUET, Jacques
1956   SAINT-PIERRE, René
1960   SAINT-PIERRE, René
1962   SAINT-PIERRE, René
1966   BOUSQUET, Denis
1970   CORNELLIER, Fernand
1973   CORNELLIER, Fernand
1976   CORDEAU, Fabien
1981   DUPRÉ, Maurice
1985   MESSIER, Charles
1989   MESSIER, Charles

SAINT-JACQUES

(Formée en 1965 de parties de Montréal–Saint-Jacques, de Montréal–Sainte-Marie et de Montréal–Saint-Louis)

1966   DOZOIS, Paul
1969*   COURNOYER, Jean
1970   CHARRON, Claude
1973   CHARRON, Claude
1976   CHARRON, Claude
1981   CHARRON, Claude
1983*   CHAMPAGNE, Serge
1984*   VIAU, Jean-François
1985   BOULERICE, André

(Voir Sainte-Marie–Saint-Jacques)

SAINT-JEAN

(Formée en 1853 d'une partie de Chambly et de Huntingdon)

1854   BOURASSA, François
1858   BOURASSA, François
1861   BOURASSA, François
1863   BOURASSA, François

1867   MARCHAND, Félix-Gabriel
1871   MARCHAND, Félix-Gabriel
1875   MARCHAND, Félix-Gabriel
1878   MARCHAND, Félix-Gabriel
1881   MARCHAND, Félix-Gabriel
1886   MARCHAND, Félix-Gabriel

1890	MARCHAND, Félix-Gabriel
1892	MARCHAND, Félix-Gabriel
1897	MARCHAND, Félix-Gabriel
1897*	MARCHAND, Félix-Gabriel
1900	ROY, Philippe-Honoré
1904	ROY, Philippe-Honoré
1908	MARCHAND, Gabriel (petit-fils)
1910*	ROBERT, Marcellin
1912	GOUIN, Lomer
1913*	ROBERT, Marcellin
1916	ROBERT, Marcellin
1919	BOUTHILLIER, Alexis
1923	BOUTHILLIER, Alexis
1927	BOUTHILLIER, Alexis
1931	BOUTHILLIER, Alexis
1935	BOUTHILLIER, Alexis
1936	BOUTHILLIER, Alexis
1939–1941*	*(Voir Saint-Jean–Napierville)*
1944	BEAULIEU, Jean-Paul
1948	BEAULIEU, Jean-Paul
1952	BEAULIEU, Jean-Paul
1956	BEAULIEU, Jean-Paul
1960	OUIMET, Philodor
1962	OUIMET, Philodor
1966	PROULX, Jérôme
1970	VEILLEUX, Jacques
1973	VEILLEUX, Jacques
1976	PROULX, Jérôme
1981	PROULX, Jérôme
1985	LORRAIN, Pierre
1989	CHARBONNEAU, Michel

SAINT-JEAN–NAPIERVILLE

(Formée en 1939 de Saint-Jean et d'une partie de Laprairie-Napierville)

| 1939 | BOUTHILLIER, Alexis |
| 1941* | BEAULIEU, Jean-Paul |

(Voir Saint-Jean)

SAINT-LAURENT

(Formée en 1965 de parties de Laval et de Jacques-Cartier)

1966	PEARSON, Léo
1970	PEARSON, Léo
1973	FORGET, Claude
1976	FORGET, Claude
1981	FORGET, Claude

1982*	LEDUC, Germain
1985	LEDUC, Germain
1986*	BOURASSA, Robert
1989	BOURASSA, Robert

SAINT-LOUIS

(Formée en 1965 de parties de Montréal–Saint-Louis, de Montréal-Outremont et de Montréal-Mercier)

1966	BLANK, Harry
1970	BLANK, Harry
1973	BLANK, Harry
1976	BLANK, Harry
1981	BLANK, Harry
1985	CHAGNON, Jacques
1989	CHAGNON, Jacques

SAINT-MAURICE

Premier siège :

1792	COFFIN, Thomas
1796	COFFIN, Thomas
1800	COFFIN, Thomas
1804	MONRO, David
1808	COFFIN, Thomas
1809	GUGY, Louis
1810	CARON, François
1814	LE BLANC, Étienne
1816	GUGY, Louis
1819*	BUREAU, Pierre
1820a	BUREAU, Pierre
1820j	BUREAU, Pierre
1824	BUREAU, Pierre
1827	BUREAU, Pierre
1830	BUREAU, Pierre
1834	BUREAU, Pierre
1836*	DESAULNIERS, François Lesieur

Deuxième siège :

1792	RIVARD (RIVARD-DUFRESNE), Augustin
1796	MONTOUR, Nicholas
1800	BELL, Matthew
1804	CARON, Michel
1808	CARON, Michel
1809	CARON, Michel
1810	CARON, Michel
1814	VALLIÈRES DE SAINT-RÉAL, Joseph-Rémi
1816	MAYRAND, Étienne
1820a	PICOTTE, Louis
1820j	PICOTTE, Louis

1824	CARON, Charles	
1827	CARON, Charles	
1830	GUILLET, Valère	
1834	GUILLET, Valère	
1836*	BAREIL, dit LAJOIE, Alexis	
1841	TURCOTTE, Joseph-Édouard	
1842*	TURCOTTE, Joseph-Édouard	
1844	DESAULNIERS, François	
1848	PAPINEAU, Louis-Joseph	
1851	TURCOTTE, Joseph-Édouard	
1854	DESAULNIERS, Louis-Léon Lesieur	
1858	DESAULNIERS, Louis-Léon Lesieur	
1861	DESAULNIERS, Louis-Léon Lesieur	
1863	GÉRIN-LAJOIE, Charles	
1867	DESAULNIERS, Abraham Lesieur	
1871	GÉRIN, Elzéar	
1875	LACERTE, Élie	
1878	DESAULNIERS, François-L.	
1881	DESAULNIERS, François-L.	
1886	DUPLESSIS, Nérée Le Noblet	
1890	DUPLESSIS, Nérée Le Noblet	
1892	DUPLESSIS, Nérée Le Noblet	
1897	DUPLESSIS, Nérée Le Noblet	
1900	FISET, Louis-Philippe	
1904	FISET, Louis-Philippe	
1908	DELISLE, Georges-Isidore	
1912	DELISLE, Georges-Isidore	
1916	DELISLE, Georges-Isidore	
1919	DELISLE, Georges-Isidore	
1920*	RICARD, Léonide-Nestor-Arthur	
1923	RICARD, Léonide-Nestor-Arthur	
1924*	GUILLEMETTE, Alphonse-Edgar	
1927	FRIGON, Joseph-Auguste	
1931	FRIGON, Joseph-Auguste	
1935	TRUDEL, Marc	
1936	TRUDEL, Marc	
1939	BEAULAC, Polydore	
1944	TRUDEL, Marc	
1948	TRUDEL, Marc	
1952	HAMEL, René	
1956	HAMEL, René	
1960	HAMEL, René	
1962	HAMEL, René	
1965*	TRÉPANIER, Jean-Guy	
1966	DEMERS, Philippe	
1970	DEMERS, Philippe	
1973	BÉRARD, Marcel	

1976	DUHAIME, Yves	
1981	DUHAIME, Yves	
1985	LEMIRE, Yvon	
1989	LEMIRE, Yvon	

SAINT-SAUVEUR

(Formée en 1890 d'une partie de Québec-Est)

1890	PARENT, Simon-Napoléon	
1892	PARENT, Simon-Napoléon	
1897	PARENT, Simon-Napoléon	
1897*	PARENT, Simon-Napoléon	
1900	PARENT, Simon-Napoléon	
1904	PARENT, Simon-Napoléon	
1905*	CÔTÉ, Charles-Eugène	
1908	CÔTÉ, Charles-Eugène	
1909*	LANGLOIS, Joseph-Alphonse	
1912	LANGLOIS, Joseph-Alphonse	
1916	PAQUET, Arthur	
1919	PAQUET, Arthur	
1923	BERTRAND, Pierre	
1927	CANTIN, Charles-Édouard	
1931	BERTRAND, Pierre	
1935	BERTRAND, Pierre	
1936	BERTRAND, Pierre	
1939	HAMEL, Wilfrid	
1944	HAMEL, Wilfrid	
1948	BOUDREAU, Francis	
1952	BOUDREAU, Francis	
1956	BOUDREAU, Francis	
1960	BOUDREAU, Francis	
1962	BOUDREAU, Francis	
1966	BOUDREAU, Francis	
1970	BOIS, Armand	

(Voir Taschereau et Vanier)

SALABERRY-SOULANGES

(Formée en 1988 de parties de Beauharnois et de Vaudreuil-Soulanges)

1989	MARCIL, Serge	

SAUVÉ

(Formée en 1972 d'une partie de Bourassa)

1973	MORIN, Jacques-Yvan	
1976	MORIN, Jacques-Yvan	
1981	MORIN, Jacques-Yvan	
1984*	PARENT, Marcel	

1985 PARENT, Marcel
1989 PARENT, Marcel

SHEFFORD

(Formée en 1829 d'une partie de Richelieu)

Premier siège:
1829* KNOWLTON, Lyman
1830 KNOWLTON, Paul Holland
1834 WELLS, Alphonso

Deuxième siège:
(à compter de 1832)
1832* WOOD, Samuel
1834 WOOD, Samuel

1841 FOSTER, Stephen Sewell
1844 FOSTER, Stephen Sewell
1848 DRUMMOND, Lewis Thomas
1848* DRUMMOND, Lewis Thomas
1851 DRUMMOND, Lewis Thomas
1854 DRUMMOND, Lewis Thomas
1858 DRUMMOND, Lewis Thomas
1858* FOSTER, Asa Belknap
1860* Aucun élu
1861 HUNTINGDON, Lucius Seth
1863 HUNTINGDON, Lucius Seth

1867 BESSETTE, Michel-Adrien
1871 LAFRAMBOISE, Maurice
1875 LAFRAMBOISE, Maurice
1878 LAFONTAINE, Joseph
1881 FRÉGEAU, Isidore
1886 BRASSARD, Thomas
1888* BOUCHER DE GROSBOIS, Tancrède
1890 BOUCHER DE GROSBOIS, Tancrède
1892 SAVARIA, Adolphe-François
1897 BOUCHER DE GROSBOIS, Tancrède
1900 BOUCHER DE GROSBOIS, Tancrède
1904* MATHIEU, Auguste
1904 BERNARD, Ludger-Pierre
1908 BERNARD, Ludger-Pierre
1912 BULLOCK, William Stephen
1916 BULLOCK, William Stephen
1919 BULLOCK, William Stephen
1923 BULLOCK, William Stephen
1927 BULLOCK, William Stephen
1931 BACHAND, Robert-Raoul
1935 CHOQUETTE, Hector

1936 CHOQUETTE, Hector
1939 BULLOCK, Charles Munson
1944 CHOQUETTE, Hector
1948 CHOQUETTE, Hector
1952 LEDOUX, Gaston
1956 RUSSELL, Armand
1960 RUSSELL, Armand
1962 RUSSELL, Armand
1966 RUSSELL, Armand
1970 RUSSELL, Armand
1973 VERREAULT, Richard
1976 VERREAULT, Richard
1981 PARÉ, Roger
1985 PARÉ, Roger
1989 PARÉ, Roger

SHERBROOKE

(Formée en 1829 d'une partie de Buckingham)

Premier siège:
1829* TREMAIN, Benjamin
1830 GOODHUE, Charles Frederick Henry
1834 MOORE, John

Deuxième siège:
1829* BROOKS, Samuel
1830 BROOKS, Samuel
1831* GUGY, Bartholomew Conrad Augustus
1834 GUGY, Bartholomew Conrad Augustus

1841 MOORE, John
1844 BROOKS, Samuel
1848 BROOKS, Samuel
1849* GALT, Alexander Tilloch
1850* SANBORN, John Sewell
1851 SANBORN, John Sewell

(Voir Sherbrooke-Wolfe)

SHERBROOKE, ville de

(Détachée de Sherbrooke)

1841 HALE, Edward
1844 HALE, Edward
1848 GUGY, Bartholomew Conrad Augustus
1851 SHORT, Edward
1853* GALT, Alexander Tilloch
1854 GALT, Alexander Tilloch
1858 GALT, Alexander Tilloch
1858* GALT, Alexander Tilloch

1861	GALT, Alexander Tilloch
1863	GALT, Alexander Tilloch
1864*	GALT, Alexander Tilloch
1867	ROBERTSON, Joseph Gibb
1869*	ROBERTSON, Joseph Gibb
1871	ROBERTSON, Joseph Gibb
1875	ROBERTSON, Joseph Gibb
1878	ROBERTSON, Joseph Gibb
1879*	ROBERTSON, Joseph Gibb
1881	ROBERTSON, Joseph Gibb
1884*	ROBERTSON, Joseph Gibb
1886	ROBERTSON, Joseph Gibb
1890	ROBERTSON, Joseph Gibb
1892	PANNETON, Louis-Edmond
1897	PANNETON, Louis-Edmond
1900	PELLETIER, Jean-Marie-Joseph-Pantaléon
1904	PELLETIER, Jean-Marie-Joseph-Pantaléon
1908	PELLETIER, Jean-Marie-Joseph-Pantaléon
1911*	THERRIEN, Calixte-Émile
1912	THERRIEN, Calixte-Émile
1916	THERRIEN, Calixte-Émile
1919	LEMAY, Joseph-Henri
1922*	FOREST, Ludger
1923	O'BREADY, Moïse
1924*	CRÉPEAU, Armand-Charles
1927	CRÉPEAU, Armand-Charles
1931	FORTIER, Émery-Hector
1935	BOURQUE, John Samuel
1936	BOURQUE, John Samuel
1939	BOURQUE, John Samuel
1944	BOURQUE, John Samuel
1948	BOURQUE, John Samuel
1952	BOURQUE, John Samuel
1956	BOURQUE, John Samuel
1960	BROUSSEAU, Louis-Philippe
1962	FORTIN, Carrier
1966	FRÉCHETTE, Raynald
1970	PÉPIN, Jean-Paul
1973	PÉPIN, Jean-Paul
1976	GOSSELIN, Gérard
1981	FRÉCHETTE, Raynald
1985	HAMEL, André J.
1989	HAMEL, André J.

SHERBROOKE-WOLFE

(Formée en 1853 de la réunion de Sherbrooke et d'une partie de Drummond, sous le nom de «comtés unis de Sherbrooke et Wolfe»)

1854	FELTON, William Locker Pickmore

(Voir Richmond-Wolfe)

SOULANGES

(Formée en 1853 d'une partie de Vaudreuil)

1854	MASSON, Luc-Hyacinthe
1858	COUTLÉE, Dominique-Amable
1861	PRÉVOST, Jean-Baptiste-Jules
1863	DUCKETT, William
1867	COUTLÉE, Dominique-Amable
1871	SAVEUSE DE BEAUJEU, Georges-Raoul-Léotalde-Guichard-Humbert
1875	SAVEUSE DE BEAUJEU, Georges-Raoul-Léotalde-Guichard-Humbert
1878	DUCKETT, William
1881	DUCKETT, William
1886	BOURBONNAIS, Avila-Gonzague
1890	BOURBONNAIS, Avila-Gonzague
1892	BOURBONNAIS, Avila-Gonzague
1897	BOURBONNAIS, Avila-Gonzague
1900	BOURBONNAIS, Avila-Gonzague
1902*	BISSONNETTE, Arcade-Momer
1904	MOUSSEAU, Joseph-Octave
1908	MOUSSEAU, Joseph-Octave
1912	MOUSSEAU, Joseph-Octave
1916	FARAND, Avila
1919	FARAND, Avila
1923	LORTIE, Joseph-Arthur
1927	FARAND, Avila
1931	FARAND, Avila
1935	FARAND, Avila
1936	LEDUC, Édouard

(Voir Vaudreuil-Soulanges)

STANSTEAD

(Formée en 1829 d'une partie de Richelieu)

Premier siège:

1829*	CHILD, Marcus
1830	BAXTER, James

1833* CHAMBERLIN, Wright
       (déclaré défait en 1834)
       CHILD, Marcus
1834   CHILD, Marcus

Deuxième siège :
1829* PECK, Ebenezer
1830   PECK, Ebenezer
1834   GRANNIS, John
1837* COLBY, Moses French

1841   CHILD, Marcus
1844   McCONNELL, John
1848   McCONNELL, John
1851   TERRILL, Hazard Bailey
1852* TERRILL, Timothy Lee
1854   TERRILL, Timothy Lee
1856* TERRILL, Timothy Lee
1858   TERRILL, Timothy Lee
1861   KNIGHT, Albert
1863   KNIGHT, Albert

1867   LOCKE, Thomas
1871   LOCKE, Thomas
1875   THORNTON, John
1878   LOVELL, Henry
1881   THORNTON, John
1886   BALDWIN, Ozro
1890   LOVELL, Moodie Brock
1892   HACKETT, Michael Felix
1895* HACKETT, Michael Felix
1897   HACKETT, Michael Felix
1900   LOVELL, Moodie Brock
1902* SAINT-PIERRE, Georges-Henri
1904   BISSONNET, Prosper-Alfred
1908   BISSONNET, Prosper-Alfred
1912   BISSONNET, Prosper-Alfred
1913* BISSONNET, Alfred-Joseph
1916   BISSONNET, Alfred-Joseph
1919   BISSONNET, Alfred-Joseph
1923   BISSONNET, Alfred-Joseph
1927   BISSONNET, Alfred-Joseph
1931   BISSONNET, Alfred-Joseph
1935   BEAUDRY, Rouville
1936   BEAUDRY, Rouville
1938* GÉRIN, Henri
1939   FRÉGEAU, Raymond-François
1944   BERGERON, Ovila
1948   GÉRIN, Léon-Denis

1952   GÉRIN, Léon-Denis
1956   GÉRIN, Léon-Denis
1960   VAILLANCOURT, Georges
1962   VAILLANCOURT, Georges
1966   VAILLANCOURT, Georges
1970   VAILLANCOURT, Georges

(Voir Orford)

SURREY

Premier siège :
1792   RASTEL DE ROCHEBLAVE, Philippe-François de
1796   RASTEL DE ROCHEBLAVE, Philippe-François de
1800   RASTEL DE ROCHEBLAVE, Philippe-François de
1802* CARON, Alexis
1804   RASTEL DE ROCHEBLAVE, Noël de
1806* LUSSIER, Paul
1808   CHAGNON, Paschal
1809   BÉDARD, Pierre
1810   BÉDARD, Pierre
1813* AMIOT, Pierre
1814   AMIOT, Pierre
1816   AMIOT, Pierre
1820a AMIOT, Pierre
1820j AMIOT, Pierre
1824   AMIOT, Pierre
1827   AMIOT, Pierre

Deuxième siège :
1792   MALHIOT, François
1796   DUROCHER, Olivier
1800   LÉVESQUE, François
1804   CARTIER, Jacques
1808   CARTIER, Jacques
1809   BEAUCHAMP, Joseph
1810   BÉDARD, Joseph
1814   DUCHESNOIS, Étienne
1816   DUCHESNOIS, Étienne
1820a DUCHESNOIS, Étienne
1820j DUCHESNOIS, Étienne
1824   MASSUE, Aignan-Aimé
1827   PAPINEAU, Louis-Joseph
1828* MALHIOT, François-Xavier

(Voir Verchères)

TAILLON

(Formée en 1965 de parties de Verchères et de Chambly)

1966	LEDUC, Guy
1970	LEDUC, Guy
1973	LEDUC, Guy
1976	LÉVESQUE, René
1981	LÉVESQUE, René
1985	FILION, Claude
1989	MAROIS, Pauline

TASCHEREAU

(Formée en 1972 de parties de Jean-Talon
et de Saint-Sauveur)

1973	BONNIER, Irénée
1976	GUAY, Richard
1981	GUAY, Richard
1985	LECLERC, Jean
1989	LECLERC, Jean

TÉMISCAMINGUE

(Formée en 1912 d'une partie de Pontiac)

1912	DEVLIN, Charles Ramsay
1916	SIMARD, Télesphore
1919	SIMARD, Télesphore
1923	SIMARD, Télesphore
1924*	MILJOURS, Joseph
1927	PICHÉ, Joseph-Édouard
1931	PICHÉ, Joseph-Édouard
1935	LARIVIÈRE, Nil-Élie
1936	LARIVIÈRE, Nil-Élie
1939	GOULET, Paul-Oliva
1944	LARIVIÈRE, Nil-Élie
1948	LARIVIÈRE, Nil-Élie
1952	GOULET, Paul-Oliva
1956	LAROUCHE, Joseph-André
1960	LAROUCHE, Joseph-André
1962	THÉBERGE, Gilbert-Roland
1966	THÉBERGE, Gilbert-Roland
1970	THÉBERGE, Gilbert-Roland

(Voir Pontiac-Témiscamingue)

TÉMISCOUATA

(Formée en 1853 d'une partie de Rimouski)

1854	DIONNE, Benjamin
1858	DIONNE, Benjamin

1861	BABY, Michel-Guillaume
1863	POULIOT, Jean-Baptiste
1867	MAILLOUX, Élie
1871	MAILLOUX, Élie
1875	DESCHÊNES, Georges-Honoré
1878	DESCHÊNES, Georges-Honoré
1881	DESCHÊNES, Georges-Honoré
1886	DESCHÊNES, Georges-Honoré
1890	POULIOT, Charles-Eugène
1892	RIOUX, Napoléon
1897	TALBOT, Félix-Alonzo
1900	DION, Napoléon
1904	DION, Napoléon
1908	DION, Napoléon
1912	BÉRUBÉ, Léo
1916	PARROT, Louis-Eugène-Aduire
1919	PARROT, Louis-Eugène-Aduire
1921*	GODBOUT, Eugène
1923	LANGLAIS, Jules
1927	CASGRAIN, Léon
1931	MOREL, Joseph-Wilfrid
1935	BEAULIEU, Joseph-Alphonse
1936	DUBÉ, Louis-Félix
1939	BEAULIEU, Joseph-Alphonse
1944	PELLETIER, André
1948	PELLETIER, André
1952	RAYMOND, Joseph-Antoine
1956	RAYMOND, Joseph-Antoine
1960	RAYMOND, Joseph-Antoine
1962	RAYMOND, Joseph-Antoine
1966	SIMARD, Montcalm
1970	SIMARD, Montcalm

(Voir Kamouraska-Témiscouata)

TERREBONNE

(Formée en 1829 d'Effingham)

Premier siège:

1830	TURGEON, Joseph-Ovide
1834	BOUC, Séraphin
1837*	PAPINEAU, André-Benjamin

Deuxième siège:

1830	LA FONTAINE, Louis-Hippolyte
1834	LA FONTAINE, Louis-Hippolyte
1841	McCULLOCH, Michael
1844	LA FONTAINE, Louis-Hippolyte

1848	LA FONTAINE, Louis-Hippolyte	1981	BLAIS, Yves
1848*	VIGER, Louis-Michel	1985	BLAIS, Yves
1851	MORIN, Augustin-Norbert	1989	CARON, Jocelyne
1854	PRÉVOST, Gédéon-Mélasippe		
1857*	MORIN, Louis-Siméon		

TROIS-RIVIÈRES

Premier siège :

1858	MORIN, Louis-Siméon	1792	LEES, John
1860*	MORIN, Louis-Siméon	1796	LEES, John
1861	LABRÈCHE-VIGER, Louis	1800	LEES, John
1863	LABRÈCHE-VIGER, Louis	1804	LEES, John
		1807*	HART, Ezekiel
1867	CHAPLEAU, Joseph-Adolphe	1808	HART, Ezekiel
1871	CHAPLEAU, Joseph-Adolphe	1809	BELL, Matthew
1873*	CHAPLEAU, Joseph-Adolphe	1810	BELL, Matthew
1875	CHAPLEAU, Joseph-Adolphe	1814	OGDEN, Charles Richard
1876*	CHAPLEAU, Joseph-Adolphe	1816	OGDEN, Charles Richard
1878	CHAPLEAU, Joseph-Adolphe	1820a	OGDEN, Charles Richard
1879*	CHAPLEAU, Joseph-Adolphe	1820j	OGDEN, Charles Richard
1881	CHAPLEAU, Joseph-Adolphe	1824	RANVOYZÉ, Étienne
1882*	NANTEL, Guillaume-Alphonse	1826*	OGDEN, Charles Richard
1886	NANTEL, Guillaume-Alphonse	1827	OGDEN, Charles Richard
1890	NANTEL, Guillaume-Alphonse	1830	OGDEN, Charles Richard
1892	NANTEL, Guillaume-Alphonse	1833*	DESFOSSÉS, Jean
1897	NANTEL, Guillaume-Alphonse	1834	BARNARD, Edward

Deuxième siège :

1900	PRÉVOST, Jean	1792	SAINT-MARTIN, Nicolas
1904	PRÉVOST, Jean	1796	DE BONNE, Pierre-Amable
1905*	PRÉVOST, Jean	1800	DE BONNE, Pierre-Amable
1908	PRÉVOST, Jean	1804	FOUCHER, Louis-Charles
1912	PRÉVOST, Jean	1808	BADEAUX, Joseph
1916	DAVID, Athanase	1809	BADEAUX, Joseph
1919	DAVID, Athanase	1810	COFFIN, Thomas
1919*	DAVID, Athanase	1814	BERTHELOT, Amable
1923	DAVID, Athanase	1816	VÉZINA, Pierre
1927	DAVID, Athanase	1820a	GODEFROY DE TONNANCOUR, Marie-Joseph
1931	DAVID, Athanase	1820j	BADEAUX, Joseph
1935	DAVID, Athanase	1824	BERTHELOT, Amable
1936	BARRETTE, Hermann	1827	DUMOULIN, Pierre-Benjamin
1939	DAVID, Athanase	1830	DUMOULIN, Pierre-Benjamin
1940*	PERRIER, Hector	1832*	KIMBER, René-Joseph
1944	BLANCHARD, Joseph-Léonard	1834	KIMBER, René-Joseph
1948	BLANCHARD, Joseph-Léonard		
1952	BLANCHARD, Joseph-Léonard	1841	OGDEN, Charles Richard
1956	BLANCHARD, Joseph-Léonard	1844	GREIVE, Edward
1960	BERTRAND, Lionel	1845*	VIGER, Denis-Benjamin
1962	BERTRAND, Lionel	1848	Aucun élu
1965*	HARDY, Denis	1848*	POLETTE, Antoine
1966	MURRAY, Hubert		
1970	HARDY, Denis		
1973	HARDY, Denis		
1976	FALLU, Élie		

1851	POLETTE, Antoine
1854	POLETTE, Antoine
1858	DAWSON, William McDonell
1861	TURCOTTE, Joseph-Édouard
1863	TURCOTTE, Joseph-Édouard
1865*	BOUCHER DE NIVERVILLE, Louis-Charles
1867	BOUCHER DE NIVERVILLE, Louis-Charles
1868*	DUMOULIN, Sévère
1869*	GENEST, Charles-Borromée
1871	MALHIOT, Henri-Gédéon
1874*	MALHIOT, Henri-Gédéon
1875	MALHIOT, Henri-Gédéon
1876*	TURCOTTE, Arthur
1878	TURCOTTE, Arthur
1881	DUMOULIN, Sévère
1884*	TURCOTTE, Arthur
1886	TURCOTTE, Arthur
1888*	TURCOTTE, Arthur
1890	NORMAND, Télesphore-Eusèbe
1892	NORMAND, Télesphore-Eusèbe
1892*	NORMAND, Télesphore-Eusèbe
1897	NORMAND, Télesphore-Eusèbe
1900	COOKE, Richard-Stanislas
1904	TESSIER, Joseph-Adolphe
1908	TESSIER, Joseph-Adolphe
1912	TESSIER, Joseph-Adolphe
1914*	TESSIER, Joseph-Adolphe
1916	TESSIER, Joseph-Adolphe
1919	TESSIER, Joseph-Adolphe
1921*	MERCIER, Louis-Philippe
1923	MERCIER, Louis-Philippe
1927	DUPLESSIS, Maurice Le Noblet
1931	DUPLESSIS, Maurice Le Noblet
1935	DUPLESSIS, Maurice Le Noblet
1936	DUPLESSIS, Maurice Le Noblet
1939	DUPLESSIS, Maurice Le Noblet
1944	DUPLESSIS, Maurice Le Noblet
1948	DUPLESSIS, Maurice Le Noblet
1952	DUPLESSIS, Maurice Le Noblet
1956	DUPLESSIS, Maurice Le Noblet
1960	GABIAS, Yves
1962	GABIAS, Yves
1966	GABIAS, Yves
1969*	GAUTHIER, Gilles
1970	BACON, Guy
1973	BACON, Guy
1976	VAUGEOIS, Denis
1981	VAUGEOIS, Denis

1985*	PHILIBERT, Paul
1985	PHILIBERT, Paul
1989	PHILIBERT, Paul

UNGAVA

(Formée en 1980 d'Abitibi-Est, d'une partie d'Abitibi-Ouest et des localités situées sur le territoire du Nouveau-Québec)

1981	LAFRENIÈRE, Marcel
1985	CLAVEAU, Christian
1989	CLAVEAU, Christian

VACHON

(Formée en 1980 d'une partie de Taillon)

1981	PAYNE, David
1985	PELCHAT, Christiane
1989	PELCHAT, Christiane

VANIER

(Formée en 1972 d'une partie de Saint-Sauveur)

1973	DUFOUR, Fernand
1976	BERTRAND, Jean-François
1981	BERTRAND, Jean-François
1985	LEMIEUX, Jean-Guy
1989	LEMIEUX, Jean-Guy

VAUDREUIL

(Formée en 1829 d'une partie de York)

Premier siège:

1830	BEAUDET, Godefroy
1831*	MASSON, Paul-Timothée
1834	PERRAULT, Charles-Ovide

Deuxième siège:

1830	DEMERS, Alexis
1833*	ROCBRUNE, dit LAROCQUE, Charles
1834	ROCBRUNE, dit LAROCQUE, Charles
1841	SIMPSON, John
1844	LANTIER, Jacques-Philippe
1848	MONGENAIS, Jean-Baptiste
1851	MONGENAIS, Jean-Baptiste
1854	MONGENAIS, Jean-Baptiste
1858	HARWOOD, Robert Unwin
1860*	MONGENAIS, Jean-Baptiste
1861	MONGENAIS, Jean-Baptiste
1863	HARWOOD, Antoine Chartier de Lotbinière

1867	HARWOOD, Antoine Chartier de Lotbinière
1871	LALONDE, Émery (père)
1875	LALONDE, Émery (père)
1878	LALONDE, Émery (père)
1881	LALONDE, Émery (père)
1882*	ARCHAMBAULT, François-Xavier
1884*	LAPOINTE, Alfred
1886	LAPOINTE, Alfred
1890	LALONDE, Émery (fils)
1890*	LALONDE, Émery (fils)
1892	CHOLETTE, Hilaire
1897	LALONDE, Émery (fils)
1900	LALONDE, Émery (fils)
1901*	PILON, Hormisdas
1904	PILON, Hormisdas
1908	PILON, Hormisdas
1912	PILON, Hormisdas
1916	PILON, Hormisdas
1919	PILON, Hormisdas
1923	PILON, Hormisdas
1927	PILON, Hormisdas
1931	SABOURIN, Elzéar
1935	SABOURIN, Elzéar
1936	BELLEMARE, Dionel
1939–1985	*(Voir Vaudreuil-Soulanges)*
1989	JOHNSON, Daniel (fils)

VAUDREUIL-SOULANGES

(Formée en 1939 de Vaudreuil et de Soulanges)

1939	SABOURIN, Alphide
1944	SABOURIN, Alphide
1948	JEANNOTTE, Joseph-Édouard
1952	JEANNOTTE, Joseph-Édouard
1956	JEANNOTTE, Joseph-Édouard
1957*	SCHMIDT, Loyola
1960	GÉRIN-LAJOIE, Paul
1962	GÉRIN-LAJOIE, Paul
1966	GÉRIN-LAJOIE, Paul
1969*	BELLIVEAU, François-Édouard
1970	PHANEUF, Paul
1973	PHANEUF, Paul
1976	CUERRIER, Louise
1981	JOHNSON, Daniel (fils)
1985	JOHNSON, Daniel (fils)

(Voir Vaudreuil)

VERCHÈRES

(Formée en 1829 de Surrey)

Premier siège:

| 1830 | AMIOT, Pierre |
| 1834 | AMIOT, Pierre |

Deuxième siège:

1830	MALHIOT, François-Xavier
1832*	DROLET, Joseph-Toussaint
1834	DROLET, Joseph-Toussaint
1841	DESRIVIÈRES, Henri
1841*	LESLIE, James
1844	LESLIE, James
1848	LESLIE, James
1848*	CARTIER, George-Étienne
1851	CARTIER, George-Étienne
1854	CARTIER, George-Étienne
1855*	CARTIER, George-Étienne
1858	CARTIER, George-Étienne
1861	KIERZKOWSKI, Alexandre-Édouard (déclaré défait en 1863)
	PAINCHAUD, Charles-François
1863	GEOFFRION, Félix
1867	CRAIG, André-Boniface
1871	DAIGLE, Joseph
1875	DAIGLE, Joseph
1878	BROUSSEAU, Jean-Baptiste
1879*	LAROSE, Achille
1881	BERNARD, Abraham
1886*	BERNARD, Abraham
1886	LUSSIER, Albert-Alexandre
1890	LUSSIER, Albert-Alexandre
1892	LUSSIER, Albert-Alexandre
1897	BLANCHARD, Étienne
1898*	BLANCHARD, Étienne
1900	BLANCHARD, Étienne
1904	BLANCHARD, Étienne
1908	GEOFFRION, Amédée
1912	GEOFFRION, Amédée
1912*	PERRON, Joseph-Léonide
1916	BEAUDRY, Adrien
1919	BEAUDRY, Adrien
1921*	RICHARD, Jean-Marie
1923	RICHARD, Jean-Marie
1927	MESSIER, Félix
1931	MESSIER, Félix

1935 MESSIER, Félix
1936 MESSIER, Félix
1939 *(Voir Richelieu-Verchères)*
1944 DUPRÉ, Arthur
1948 DUPRÉ, Arthur
1952 DUPRÉ, Arthur
1956 LADOUCEUR, Clodomir
1960 LECHASSEUR, Guy
1962 LECHASSEUR, Guy
1966 LECHASSEUR, Guy
1970 SAINT-PIERRE, Guy
1973 OSTIGUY, Marcel
1976 CHARBONNEAU, Jean-Pierre
1981 CHARBONNEAU, Jean-Pierre
1985 CHARBONNEAU, Jean-Pierre
1989 DUPUIS, Luce

VERDUN

(Formée en 1965 de Montréal-Verdun)

1966 WAGNER, Claude
1970 CARON, Lucien
1973 CARON, Lucien
1976 CARON, Lucien
1981 CARON, Lucien
1985 GOBEIL, Paul
1989 GAUTRIN, Henri-François

VIAU

(Formée en 1972 de parties d'Olier, de Dorion, de Gouin et de Jeanne-Mance)

1973 PICARD, Fernand
1976 LEFEBVRE, Charles-A.
1981 CUSANO, William
1985 CUSANO, William
1989 CUSANO, William

VIGER

(Formée en 1980 de parties de Viau et de Jeanne-Mance)

1981 MACIOCIA, Cosmo
1985 MACIOCIA, Cosmo
1989 MACIOCIA, Cosmo

VIMONT

(Formée en 1980 de parties de Fabre et de Mille-Îles)

1981 RODRIGUE, Jean-Guy
1985 THÉORÊT, Jean-Paul
1989 FRADET, Benoît

WARWICK

Premier siège:
1792 MARGANE DE LAVALTRIE, Pierre-Paul
1796 CUTHBERT, James
1800 CUTHBERT, James
1804 CUTHBERT, James
1808 CUTHBERT, James
1809 CUTHBERT, James
1810 CUTHBERT, James
1812* CUTHBERT, Ross
1814 CUTHBERT, Ross
1816 BONDY, dit DOUAIRE, Joseph
1820a CUTHBERT, Ross
1820j DELIGNY, Jacques
1824 DELIGNY, Jacques
1827 DELIGNY, Jacques

Deuxième siège:
1792 OLIVIER, Louis
1796 TARIEU DE LANAUDIÈRE, Charles-Gaspard
1800 CUTHBERT, Ross
1804 CUTHBERT, Ross
1808 CUTHBERT, Ross
1809 CUTHBERT, Ross
1810 OLIVIER, Louis
1814 DELIGNY, Jacques
1816 DELIGNY, Jacques
1820a MOUSSEAU, Alexis
1820j MOUSSEAU, Alexis
1824 BARBIER, Louis-Marie-Raphaël
1827 MOUSSEAU, Alexis

(Voir Berthier)

WESTMOUNT

(Formée en 1912 de Montréal–Saint-Georges)

1912 SMART, Charles Allan
1916 SMART, Charles Allan
1919 SMART, Charles Allan
1923 SMART, Charles Allan
1927 SMART, Charles Allan

1931	SMART, Charles Allan
1935	SMART, Charles Allan
1936	BULLOCH, William Ross
1939–1962	*(Voir Westmount–Saint-Georges)*
1966	HYDE, John Richard
1970	DRUMMOND, Thomas Kevin
1973	DRUMMOND, Thomas Kevin
1976	SPRINGATE, George
1981	FRENCH, Richard
1985	FRENCH, Richard
1989	HOLDEN, Richard B.

WESTMOUNT–SAINT-GEORGES

(Formée en 1939 de Westmount)

1939	HYDE, George Gordon
1942*	MARLER, George Carlyle
1944	MARLER, George Carlyle
1948	MARLER, George Carlyle
1952	MARLER, George Carlyle
1955*	HYDE, John Richard
1956	HYDE, John Richard
1960	HYDE, John Richard
1962	HYDE, John Richard

(Voir Westmount)

WILLIAM HENRY (bourg de Sorel)

1792	BARNES, John
1796	SEWELL, Jonathan
1800	SEWELL, Jonathan
1804	SEWELL, Jonathan
1808	SEWELL, Jonathan
1809	BOWEN, Edward
1810	BOWEN, Edward
1812*	POZER, Jacob
1814	JONES, Robert
1816	JONES, Robert
1820a	JONES, Robert
1820j	JONES, Robert
1824	UNIACKE, Norman Fitzgerald
1825*	STUART, James
1827	NELSON, Wolfred
1830	WÜRTELE, Jonathan
1834	PICKEL, John

(Voir Richelieu)

WOLFE

(Formée en 1890 d'une partie de Richmond-Wolfe)

1890	PICARD, Jacques
1892	CHICOYNE, Jérôme-Adolphe
1897	CHICOYNE, Jérôme-Adolphe
1900	CHICOYNE, Jérôme-Adolphe
1904	TANGUAY, Napoléon-Pierre
1908	TANGUAY, Napoléon-Pierre
1912	TANGUAY, Napoléon-Pierre
1916	TANGUAY, Napoléon-Pierre
1919	RHÉAULT, Joseph-Eugène
1921*	LEMIEUX, Joseph-Pierre-Cyrénus
1923	LEMIEUX, Joseph-Pierre-Cyrénus
1927	LEMIEUX, Joseph-Pierre-Cyrénus
1931	LEMIEUX, Joseph-Pierre-Cyrénus
1933*	LAPOINTE, Thomas
1935	LAPOINTE, Thomas
1936	VACHON, Henri
1939	LAPOINTE, Thomas
1944	VACHON, Henri
1948	VACHON, Henri
1952	LEMIEUX, Gérard
1956	VACHON, Henri
1960	LEMIEUX, Gérard
1962	LAVOIE, René
1966	LAVOIE, René
1970	LAVOIE, René

(Voir Frontenac, Mégantic-Compton et Richmond)

YAMASKA

(Formée en 1829 d'une partie de Buckingham)

Premier siège:

1830	MONTENACH, Charles-Nicolas-Fortuné de
1832*	GODEFROY DE TONNANCOUR, Léonard
1834	GODEFROY DE TONNANCOUR, Léonard

Deuxième siège:

1830	BADEAUX, Joseph
1834	O'CALLAGHAN, Edmund Bailey
1841	BARTHE, Joseph-Guillaume
1844	ROUSSEAU, Léon
1848	FOURQUIN, dit LÉVEILLÉ, Michel
1851	DUMOULIN, Pierre-Benjamin
1854	GILL, Ignace
1858	GILL, Ignace

1861	FORTIER, Moïse
1863	FORTIER, Moïse

1867	SENÉCAL, Louis-Adélard
1871	GILL, Charles-Ignace
1874*	DUGUAY, Joseph-Nestor
1875	WÜRTELE, Jonathan Saxton Campbell
1878	WÜRTELE, Jonathan Saxton Campbell
1881	WÜRTELE, Jonathan Saxton Campbell
1882*	WÜRTELE, Jonathan Saxton Campbell
1886	GLADU, Victor
1890	GLADU, Victor
1892	GLADU, Victor
1897	MONDOU, Albéric-Archie
1897*	GLADU, Victor
1897*	ALLARD, Jules
1900	ALLARD, Jules
1904	ALLARD, Jules
1905*	OUELLETTE, Édouard
1908	OUELLETTE, Édouard
1912	OUELLETTE, Édouard
1916	OUELLETTE, Édouard
1919	OUELLETTE, Édouard
1923	OUELLETTE, Édouard
1923*	LAPERRIÈRE, David
1927	LAPERRIÈRE, David
1931	ÉLIE, Antonio
1935	ÉLIE, Antonio
1936	ÉLIE, Antonio
1939	ÉLIE, Antonio
1944	ÉLIE, Antonio
1948	ÉLIE, Antonio
1952	ÉLIE, Antonio
1956	ÉLIE, Antonio
1960	ÉLIE, Antonio
1962	ÉLIE, Antonio
1966	SHOONER, Paul

1970	FAUCHER, Benjamin

(Voir Nicolet-Yamaska)

YORK

Premier siège:

1792	CHARTIER DE LOTBINIÈRE, Michel-Eustache-Gaspard-Alain
1796	LACROIX, Joseph-Hubert
1800	BÉDARD, Joseph
1804	MURE, John
1808	MURE, John
1809	MURE, John
1810	BELLET, François
1814	FORBES, William
1815*	FERRÉ, Jean-Baptiste
1816	FERRÉ, Jean-Baptiste
1820a	PERRAULT, Augustin
1820j	PERRAULT, Augustin
1824	SIMPSON, John
1827	LEFEBVRE, Jean-Baptiste
1829*	SCOTT, William Henry

Deuxième siège:

1792	DE BONNE, Pierre-Amable
1796	ÉTIER, Joseph
1800	FOUCHER, Louis-Charles
1804	LAMBERT DUMONT, Nicolas-Eustache
1808	TRESTLER, Jean-Joseph
1809	SAINT-JULIEN, Pierre
1810	SAINT-JULIEN, Pierre
1814	LAMBERT DUMONT, Nicolas-Eustache
1816	LAMBERT DUMONT, Nicolas-Eustache
1820a	LAMBERT DUMONT, Nicolas-Eustache
1820j	LAMBERT DUMONT, Nicolas-Eustache
1824	LAMBERT DUMONT, Nicolas-Eustache
1827	LABRIE, Jacques

(Voir Deux-Montagnes, Vaudreuil et Ottawa)

Cet ouvrage a été composé
en caractères Frutiger par l'atelier
Caractéra production graphique inc.,
de Québec, en septembre 1992.

Achevé   Imprimerie
d'imprimer Gagné Ltée
au Canada Louiseville